DICTIONNAIRE
FRANÇAIS-LATIN

HENRI GŒLZER

DICTIONNAIRE

FRANÇAIS-LATIN

avec 8 cartes et plans

GF

FLAMMARION

© 1966, GARNIER FRÈRES, Paris.

ISBN 2-08-070124-X

CARTES ET PLANS

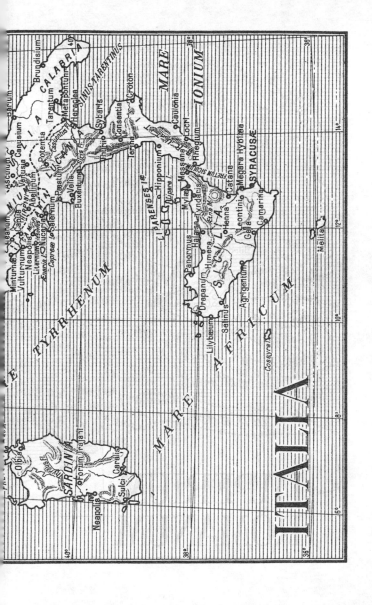

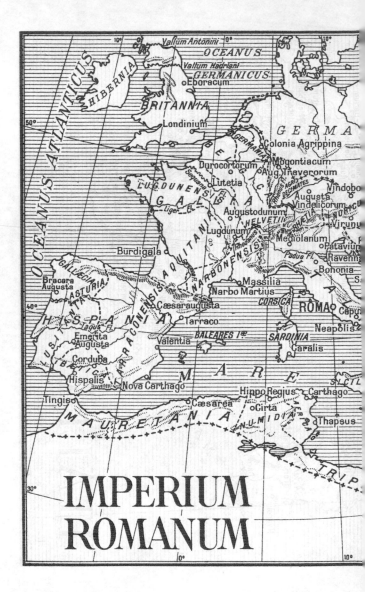

IMPERIUM
ROMANUM

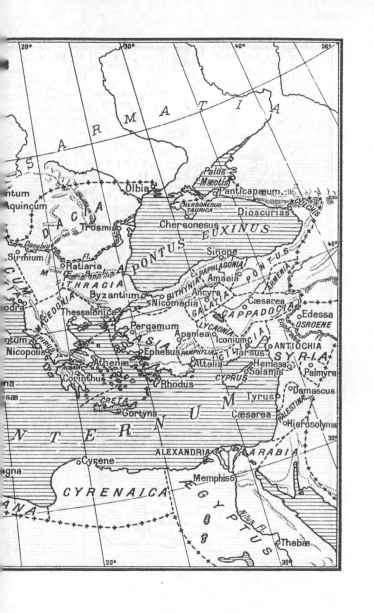

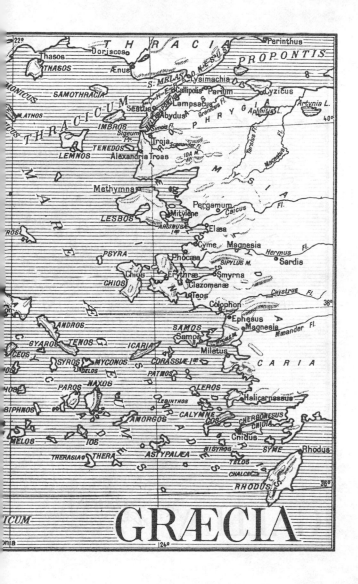

GRÆCIA

GALLIA

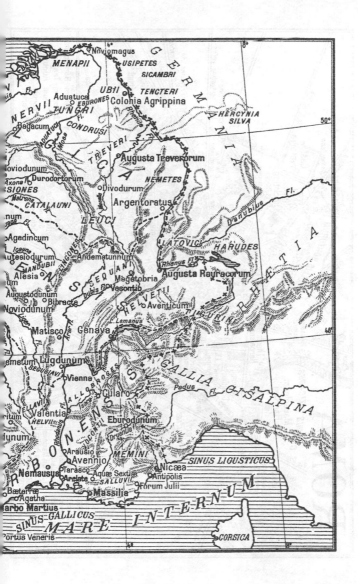

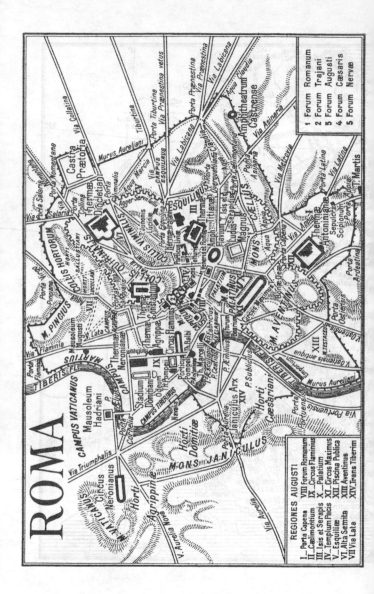

ROMA

REGIONES AUGUSTI

I.—Porta Capena
II.—Caelimontium
III.—Isis et Serapis
IV.—Templum Pacis
V.—Esquiliae
VI.—Alta Semita
VII.—Via Lata
VIII.—Forum Romanum
IX.—Circus Flaminius
X.—Palatium
XI.—Circus Maximus
XII.—Piscina Publica
XIII.—Aventinus
XIV.—Trans Tiberim

1 Forum Romanum
2 Forum Trajani
3 Forum Augusti
4 Forum Caesaris
5 Forum Nervae

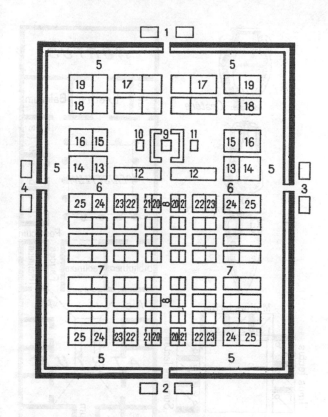

CAMP ROMAIN

1. Porta prætoria. — 2. Porta decumana. — 3. Porta principalis dextra. — 4. Porta principalis sinistra. — 5. Intervallum. — 6. Via principalis. — 7. Via quintana. — 8. Via prætoria. — 9. Prætorium. — 10. Quæstorium. — 11. Forum. — 12. Tribuni. — 13. Legati. — 14. Præfecti sociorum. — 15. Equites delecti. — 16. Pedites delecti. — 17. Pedites extraordinarii. — 18. Equites extraordinarii. — 19. Auxilia. — 20. Cavaliers romains. — 21. Triarii. — 22. Principes. — 23. Hastati. — 24. Cavalerie alliée. — 25. Infanterie alliée.

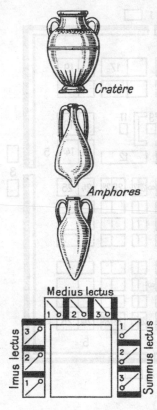

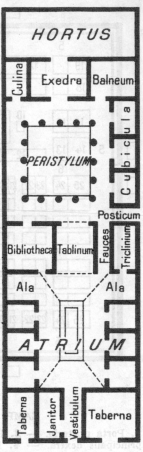

Cratère

Amphores

Medius lectus

Imus lectus

Summus lectus

ATRIUM

Disposition des convives autour d'une table romaine. Les numéros indiquent l'ordre des préséances sur les lits. La place d'honneur est la place n° 1 du medius lectus. Le maître de la maison occupe la place n° 3 de l'imus lectus.

HORTUS

Culina | Exedra | Balneum

PERISTYLUM

Cubicula

Posticum

Bibliotheca | Tablinum

Fauces

Triclinium

Ala | Ala

Taberna | Janitor | Vestibulum | Taberna

MAISON ROMAINE

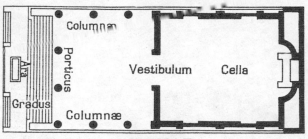

TEMPLE

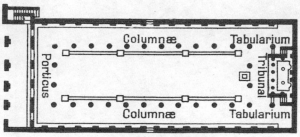

BASILIQUE

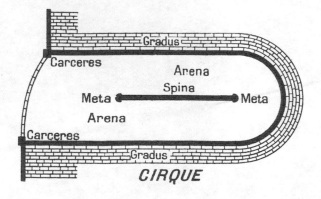

CIRQUE

TEMPLE

BASILIQUE

CIRQUE

DICTIONNAIRE
FRANÇAIS-LATIN

ABRÉVIATIONS

— Tient lieu du mot qui fait le sujet de l'article (pour les verbes, remplace l'infinitif et, pour les substantifs, le nominatif.

¶ Sépare les diverses significations d'un mot.

Indique les subdivisions d'un sens principal.

= Égale, est la même chose que.

(?) Indique le doute.

abl.	ablatif.	*mor.*	au (sens) moral.
absol.	absolument sans complément).	*n.*	neutre.
		ordin.	ordinairement.
abstr.	abstrait.	*par anal.*	par analogie.
acc.	accusatif.	*par ext.*	par extension.
adj.	adjectif *ou* adjectivement.	*p. ou part.*	participe.
		p. adj.	participe employé adjectivement.
adv.	adverbe *ou* adverbialement.	*p. subst.*	participe employé substantivement.
arch.	archaïque *ou* archaïsme.		
c.-à-d.	c'est-à-dire.	*péj. ou péjor.*	péjoratif *ou* péjorativement.
collect.	collectif *ou* collectivement.		
		pers.	personne *ou* personnel.
comp. ou compar.	comparatif.	*pl.*	pluriel.
concr.	concret, dans un sens concret.	*plais.*	(par) plaisanterie *ou* plaisamment.
conj.	conjonction.	*poét.*	poétique *ou* poétiquement.
dat.	datif.		
eccl.	dans la langue de l'Église.	*pr.*	au sens propre.
		prép.	préposition.
en gén.	en général.	*pron.*	pronom.
en part.	en particulier.	*qqch.*	quelque chose.
ex.	par exemple.	*qqf.*	quelquefois.
f.	féminin.	*qqn.*	quelqu'un.
fig.	figurément, au sens figuré.	*rar.*	rare *ou* rarement.
		relat.	relatif.
gén.	génitif.	*rhét.*	rhétorique.
gramm.	en grammaire.	*sens act.*	sens actif.
impér.	impératif.	*sens pass.*	sens passif.
impers.	impersonnel.	*s.-e.*	sous-entendu
indécl.	indéclinable.	*simpl.*	simplement.
indéf.	indéfini.	*sing.*	singulier.
interj.	interjection.	*spéc.*	spécial *ou* spécialement.
interr.	interrogatif.	*subst.*	substantif.
intr.	intransitif.	*superl.*	superlatif.
inus.	inusité.	*surt.*	surtout.
jur. ou jurisc.	chez les jurisconsultes.	*techn.*	technique.
m.	masculin.	*tr.*	transitif.
méd.	terme de médecine.	*unip.*	unipersonne
méton.	par métonymie.	*voc.*	vocatif.
milit.	terme militaire.	*voy.*	voyez.

A

1. a, s. m. Première lettre de l'alphabet et première voyelle. La lettre a, *a littera.*

2. a, prép. ¶ Direction vers (dans l'espace). Aller à la ville, *ire ad urbem.* Arriver à la ville, *venire (advenire, devenire,* etc.) *ad* (ou *in*) *urbem* (selon qu'on est en mouvement pour s'en rapprocher ou qu'on pénètre dans la ville). Marcher à l'ennemi, *ire ad hostem.* Descendre à terre, *exire* ou *egredi in terram.* Se rendre à Rome, à Malte, *Romam, Malitam ire.* Il y a deux routes de Plaisance à Crémone, *duae viae sunt a Placentia ad Cremonam.* ¶ Proximité (dans l'espace). La bataille livrée à Cannes, *pugna ad Cannas.* Le camp d'Hannibal était à quelques jours de marche de cet endroit, *Hannibalis castra paucorum dierum iter ab eo loco aberant.* Etre à deux jours de marche, *abesse bidui spatio.* S'asseoir aux côtés de qqn, *ad alicujus latus sedere.* Etre couché aux pieds de qqn, *ad alicujus pedes jacere.* Etre à l'article de la mort, *abesse propius a morte.* Se mettre à table, *accumbère.* Etre à table, *cenâre.* L'épée au côté, *gladio accinctus.* ¶ Situation (dans l'espace). Demeurer à Rome, à Lyon, à Carthage. *Romae, Lugduni, Carthagine habitâre.* S'arrêter à Athènes, *Athenis commorâri.* Demeurer à l'armée, *manêre ad exercitum.* Un bâton à la main, *baculum manu tenens.* L'épée à la main, *destricto gladio.* (Par ext.) Avoir la rage au cœur, *furore incendi* ou *inflammari.* ¶ Direction (dans le temps). Remettre qqn à huitaine, *aliquem in septimum diem differe.* Du matin au soir, *ab orto ad occidentem solem ; a mane usque ad vesperam.* De temps à autre, *interdum,* adv. || Coïncidence (dans le temps). A une nouvelle si affreuse, *ad nuntium tam atrocem.* A la vue de César, *viso Caesare.* A ces mots, *his dictis.* S'éveiller au bruit, *audito strepitu expergisci.* Reconnaissable à sa taille, *staturâ insignis.* A l'œuvre on connaît l'artisan, *opus opificem probat.* || Accomplissement (dans le temps). A échéance, *ad diem.* A l'âge de vingt ans, *annos viginti natus.* ¶ Idée de but; tendance vers. Tendre à la gloire, *ad gloriam niti.* Réduire à la misère, *in egestatem adducere.* Tire à sa fin, *in exitu esse.* Tomber à

rien, *ad nihilum recidère.* Mettre à profit qqch., *lucrum facere ex aliqua re.* Prendre à témoin les dieux, *deos testes jacere.* Cicéron aime à dire..., *Cicero dicere solet.* Donner à boire à qqn une potion inoffensive, *alicui bibendum dare innoxium medicamentum.* || Accommodation ou adaptation. Se former à l'image de qqn, *ad similitudinem alicujus se effingere.* L'affaire marche à mon gré, *res mihi ex sententia cadit.* A dire vrai, *ut vera dicam.* A ne vous rien cacher, *ne quid tibi reticeam.* A mon sens, *meo quidem judicio.* Terrain propre à l'élevage du bétail, *ager pecori alendo bonus.* Chose facile à comprendre, *res facilis ad intelligendum.* Fille à marier, *filia nubilis.* || Situation (par rapport à un but). Etre au comble de la joie, *in caelo esse.* Il est à l'abri du froid, *tutus est a frigore.* Les habitants sont à l'aise, *laxe habitant.* Si quelque chose restait à faire, *si quid superesset agendum.* ¶ Sert à exprimer le complément indirect et signifie attribution. Ecrire une lettre à qqn, *litteras ad aliquem scribere.* Dédier un ouvrage à qqn, *ad aliquem libros mittere.* Donner un vêtement à un pauvre, *pauperi vestem dare.* || Adjonction. Ajouter une province à l'empire, *provinciam ad imperium adjungere.* Atteler des chevaux à un char, *jungere equos ad currum.* || Appartenance. Tout était aux Macédoniens, *omnia Macedonum erunt.* Ce livre est à moi, *hic liber meus est.* || Rapport d'instrument, de moyen; de manière. Pêcher à l'hameçon, *hamo piscâri.* Broder à l'aiguille, *acu pingère.* Jouer à la paume, *pilâ ladère.* Se sauver à la nage, *enâre.* A la mode grecque, *Graeco more.*

abaissement, s. m. Action de faire descendre. *Demissio, onis,* f. — de la voix, *vocis submissio.* Fig. — volontaire, *humilitas.* — de la température, *caloris remissio.* ¶ Action de diminuer la hauteur. *Deminutio, onis,* f.

abaisser, v. tr. Faire descendre plus bas. *Demittere,* tr. *Deprimere,* tr. Le soleil s'abaisse, *sol inclinat.* ¶ (Fig.). Dégrader. — le sénat, *senatum premere* ou *deprimere.* — l'orgueil de qqn, *alicujus superbiam frangere.* || Ravaler. *Deminuère,* tr. *Elevâre,* tr. — le niveau de l'art, *artes deprimere.* S'abaisser à de violentes injures, *descendere ad gravissimas verborum contumelias.* S'— (perdre de sa dignité), *se abjicere.* ǁ Diminuer la quantité, l'intensité, etc. *Minuere*, tr. *Deminuere*, tr. — le taux de l'intérêt, *usuram minuere.* — la voix, voy. BAISSER. La voix s'abaisse, *vox demittitur.* ¶ Diminuer la hauteur. *Deprimere*, tr.

abandon, s. m. Action de laisser qqch. à la merci de qqn. *Deditio, onis,* f. ǁ Faire — de sa personne et de tous ses biens, *se omniaque sua dedere.* ¶ Action de renoncer à qqch. *Renuntiatio, onis,* f. Faire — de ses droits, *jus dimittere.* ¶ Délaissement. *Relictio, onis,* f. *Dere-lictio, onis,* f. *Neglegentia, ae,* f. *Incuria, ae,* f. ǁ Isolement. *Solitudo, dinis,* f. ǁ (Loc. adv.) Laisser son bien à l'—, *rei familiaris curam abjicere.* Laisser aller ses affaires à l'—, *rebus suis deesse.* Une terre à l'—, *derelictum solum.* ¶ Action de laisser aller son corps *ou* son esprit. *Incuria, ae,* f. Qui a trop d'— dans sa tenue, *in habitu neglegentior.* ǁ (En bonne part.) *Simplicitas, atis,* f. Parler avec —, *simpliciter loqui...*

abandonné, *ée*, part. p. du v. ABAN-DONNER. ¶ (Adj.) Qui a oublié toute pudeur. *Perditus, a, um,* p. adj.

abandonnement, s. m. Voy. ABANDON.

abandonner, v. tr. Laisser à la merci, au pouvoir de *Dedere*, tr. *Tradere*, tr. *Permittere*, tr. *Condonare*, tr. — aux consuls la politique (la direction des affaires), *consulibus rem publicam per-mittere.* S'— à la discrétion de qqn, *se alicujus potestati permittere.* S'— entiè-rement à qqn, *se totum alicui credere.* S'— (s'avouer vaincu), *manus dare.* — qqn au bon plaisir de qqn, *addicere aliquem alicujus libidini.* S'— à la for-tune, *se (ou sua) fortunae permittere.* S'— au sommeil, *se somno tradere.* S'— à la douleur, *dolori parere.* ǁ Renoncer à qqch. *Relinquere*, tr. *Deserere*, tr. *Abjicere*, tr. — le parti de qqn, *ab aliquo deficere.* ¶ Laisser qqn à lui-même. *Derelinquere*, tr. *Deserere*, tr. *Destituere*, tr. Les forces m'aban-donnent, *vires me deficiunt.* S'— (avoir une défaillance morale), *se abjicere.* ¶ Laisser qqch. vacant. *Deserere*, tr. *Cedere*, intr. *Decedere*, intr. *Excedere*, intr. — l'Italie, *ex Italiâ decedere.* — la vie publique, *de foro decedere.* — son poste (lâcher pied), *locum non tenere* (quitter sa faction), *stationem deserere* (déserter) ; *praesidium relin-quere* ou *praesidio decedere.* Etre aban-donné (en parl. d'un bien), *vacare*, intr. ¶ Laisser suivre à son corps *ou* à ses facultés leur pente naturelle. Abs. S'—, *naturae non repugnare.* ǁ S'— (se laisser aller, se négliger), *se neglegere.* ǁ S'— (perdre toute retenue), *verecun-diam omnem omittere.*

abasourdir, v. tr. Rendre sourd (mo-mentanément). *Exsurdare*, tr. ¶ Hébé-

ter momentanément, *alicujus animum confundere.* Je suis tout abasourdi, *anino perturbor.*

abat, s. m. Action d'abattre. *Strages, is,* f. ¶ (Méton.) Ce qu'on abat, *d'où* (au plur.) extrémités détachées (du corps d'un animal). *Tranculi, orum,* m. pl.

abatage, s. m. Action d'abattre. *De-jectus, us,* m. — d'un bœuf, *bovis tru-cidatio.*

abâtardir, v. tr. Faire perdre les qua-lités de la race. *Degenerare*, tr. Abâtardi, *degener*, adj. S'—, *degenerare*, intr. ¶ (Fig.) Gâter; altérer. *Corrumpere*, tr. S'— (déchoir), *degenerare*, intr.

abâtardissement, s. m. Etat de ce qui est abâtardi. *Depravatio, onis,* f.

abatis, s. m. Action d'abattre. — d'arbres, *arborum dejectus.* ¶ (Méton.) Amas de choses abattues. *Strages, is,* f. ǁ Voy. ABAT.

abattement, s. m. Action d'abattre. *Dejectus, us,* m. ¶ Etat de ce qui est abattu. — physique, *corporis languor.* — moral, *animi infractio* ou *con-tractio.*

abatteur, s. m. Celui qui abat. *Eversor, oris,* m.

abattoir, s. m. Local où l'on abat les bêtes de boucherie. *Laniena, ae,* f.

abattre, tr. Faire tomber (en la frap-pant) une personne *ou* une chose. *Affligere ad terram* ou (simpl.) *affligere*, tr. *Dejicere*, tr. *Sternere* ou *prosternere*, tr. — des forêts, *silvas caedere.* — avec un bâton des têtes de pavots, *papave-rum capita baculo decutere.* Fig. — de la besogne, *opus peragere strenuê.* ǁ Faire tomber (en frappant à mort). *Caedere*, tr. *Dejicere*, tr. ǁ Faire tomber (en coupant). — la barbe de qqn, *ali-cujus barbam tondere.* ǁ Faire tomber. — les voiles (d'un navire), *vela demit-tere.* Spéc. A bride abattue, *effusissimis habenis.* ǁ Faire retomber ce qui s'était soulevé. — la poussière, *pulverem sedare.* ǁ S'abattre (tomber tout d'un coup). *Cadere*, intr. *Concidere*, intr. *Corruere*, intr. Son cheval s'abattit, *equus ejus concidit.* L'arbre s'abattit, *arbor corruit.* En parl. d'un oiseau. S'— sur une bou-tique, *in tabernam devolare.* Fig. Le malheur s'est abattu sur nous, *capitibus nostris clades incidit.* ǁ S'—, c.-à-d. s'apaiser. *Cadere*, intr. *Concidere*, intr. Le vent s'abat, *concidunt venti.* ¶ Ruiner la force (physique ou morale). *Affligere*, tr. *Abjicere*, tr. *Dejicere*, tr. ǁ Décou-rager. Ils sont tout à fait abattus, *afflicti et strati sunt.* ǁ Abattu (au phys.) *languidus, a, um,* adj. Etre abattu, *languere*, intr. ǁ (Au moral.) *Afflictus, a, um,* p. adj. *Abjectus, a, um,* p. adj.

abcès, s. m. Amas de pus dans une tumeur. *Abscessûs, ûs,* m. *Vomica, ae,* f.

abdication, s. f. Action d'abdiquer. *Abdicatio, onis,* f.

abdiquer, v. tr. Renoncer à ce qu'on possède. *Dimittere*, tr. ǁ Renoncer à qqch. *Deponĕre*, tr. *Projicĕre*, tr. ‖ Spéc. Renoncer au pouvoir. *Se abdicāre* ou *aābdicāre*.

abdomen, s. m. Partie du ventre contenant les organes de la digestion. *Abdōmen, minis*, n.

abdominal, *ale*, adj. Qui concerne l'abdomen. Muscles —, *abdominis nervi*.

abeille, s. f. Insecte qui produit le miel. *Apis, is* (gén. pl. *apium* et *apum*), f. [prit. *Error, oris*, m.

aberration, s. f. Egarement de l'esprit.

abêtir, v. tr. Rendre semblable à une bête. *Efferāre*, tr. ¶ (*V. intr.*) Devenir bête (c.-à-d. inintelligent). Il abêtit tous les jours, *stolidior fit in dies*.

abêtissement, s. m. Action de rendre bête (c.-à-d. inintelligent). Voy. ININTELLIGENT. ‖ Etat de gens qui est abêti. *Stoliditas, atis*, f. *Stupor, is*, m.

abhorrer, v. tr. Avoir de l'horreur *et par ext.* de l'éloignement pour. *Aversāri*, dép. tr. *Detestāri*, dép. tr. (av. un compl. de pers.). *Horrēre*, tr. *Abhorrēre*, intr. (av. un compl. de ch.).

abîme, s. m. Profondeur insondable. *Infinīta* (ou *immensa*) *altitūdo. Vorāgo, inis*,‖ f. (Par ext.) Mener la république à l'abîme, *rem publicam dare ad praeceps*. ¶ (Fig.) Profondeur où l'esprit se perd. *Altitūdo, inis*, f.

abîmer, v. tr. Jeter dans une profondeur insondable. *In profundum mergĕre*. Le vaisseau s'abîme, *navis fluctibus hauritur*. S'— dans les flammes, *flammis absumi*. ¶ (Fig.) Jeter dans une profondeur où l'on est perdu. *Submergĕre*, tr. Etre abîmé dans la douleur, *dolore obrui*. Abîmé dans ses pensées, *in cogitatione defixus*. S'— dans l'étude, *immergĕre se studiis*. Abîmé dans le vice, *vitiis obrutus submersusque*. ¶ Ruiner. *Perdĕre*, tr. *Obruĕre*, tr. Abîmé de dettes, *aere alieno demersus*. ¶ (Par ext.) Endommager, gâter. Voy. ces mots.

abject, *e*, adj. Que sa condition met au dernier degré de l'abaissement. *Abjectus, a, um*, p. adj. ¶ Que son caractère rend méprisable. *Abjectus, a, um*, p. adj.

abjection, s. f. Action de considérer comme un objet de rebut. *Abjectio, onis*, f. ¶ Etat de ce qui est abject. Vivre dans l'—, *flagitiose* ou *turpiter vivĕre*.

abjuration, s. f. Action de renoncer solennellement à la religion qu'il professait. — d'un culte privé, *detestatio sacrorum*.

abjurer, v. tr. Renoncer solennellement à la religion qu'on professait. *Detestāri*, dép. tr. ¶ (Par ext.) Renoncer publiquement à d'anciennes croyances. *Ejurāre*, tr.

ablatif, s. m. Cas de la déclinaison latine. *Ablatīvus* (s.-e. *casus*), i, m.

able, s. m., **ablette**, s. f. Sorte de petit poisson. *Alburnus, i*, m.

ablution, s. f. Action de laver pour purifier. Faire ses —, *rite ablui*. ‖ (Par ext.) Action de se laver. Faire ses —, *lavari*.

abnégation, s. f. Sacrifice de soi-même. Voy. SACRIFICE. Fig. Faire — de ses défiances passées, *profiteri se non jam suspiciosum esse*.

aboi, s. m. Cri du chien. *Latrātŭs, ūs*, m. ‖ (Fig.) Appel pressant. Les — de l'estomac, *stomachus latrans*. ¶ (Au plur.) Cris des chiens quand ils entourent la tête. *Canum latratus* (pl.). ‖ Etat de la bête ainsi entourée. Mettre un cerf aux —, *canibus cervum rumpĕre*. Fig. Etre aux —, *ad extremas angustias adduci*. Mettre (qqn) aux —, *(aliquem) ad summas angustias adducĕre*.

aboiement ou **aboiment**, s. m. Action d'aboyer. *Latrātŭs, ūs*, m. ¶ (Fig.) Action de crier contre qqn. *Latratūs, ūs*, m.

abolir, v. tr. Détruire de manière à empêcher de renaître. *Abolēre*, tr. ¶ Annuler. *Abolēre*, tr.

abolition, s. f. Action d'abolir. *Abolitio, onis*, f. Proposer une loi sur l'— des dettes, *legem tabularum novarum ferre*. ¶ Annulation. *Abolitio, onis*, f.

abominable, adj. Dont le caractère impie doit faire horreur. *Abominandus, a, um*, p. adj. ¶ Qui doit inspirer de l'horreur *ou* du dégoût. *Abominandus, a, um*, p. adj. Homme —, *intestabilis homo*. ¶ Horrible, affreux. *Teter, tra, trum*, adj.

abominablement, adv. D'une façon abominable. *Nefariē*, adv. *Tetrē*, adv.

abomination, s. f. Horreur inspirée par un acte *ou* par un caractère impie. *Abominatio, onis*, f. Avoir en —, *abomināri*, dép. tr. ‖ Chose impie qui fait horreur. *Nefas*, n. ¶ Horreur que fait éprouver qqch. *Exsecratio, onis*, f.

abondamment, adv. D'une manière abondante. *Abundanter*, adv. *Largē*, adv. *Effusē*, adv.

abondance, s. f. Grande quantité qui dépasse les besoins. *Abundantia, ae*, f. *Affluentia, ae*, f. *Copia, ae*, f. ¶ Grande quantité. *Copia, ae*, f. Fig. Nager dans l'—, *circumfluĕre omnibus copiis*. Etre dans l'—, *rerum copiā abundāre*. Avoir en —, *abundāre*, intr. (avec l'abl.); *affluĕre*, intr. (av. l'abl.). Produire en —, *effundĕre*, tr. ‖ Qui est en —, voy. ABONDANT. ‖ En abondance, loc. adv. *Abundanter*, adv. *Copiosē*, adv. ¶ Richesse d'idées *ou* d'expression. *Copia, ae*, f. — d'idées, *rerum frequentia*. Avec —, *fusē*, adv. *copiosē*, adv. ‖ Richesse de sentiment. Parler d'—, *effundĕre omnia quae sentias*. Parler d'— (c.-à-d. en improvisant), *ex tempore dicere*.

abondant, *ante*, adj. Dont la quantité dépasse les besoins. *Abundans, antis*, p. adj. *Affluens, entis*, p. adj. *Copiosus, a, um*, adj. Production —. *ubertas, atis*,

f. Etre —, *affluĕre*, intr. ¶ Qui possède qqch. au delà de ses besoins. *Abundans*, *antis*, p. adj. *Refertus*, *a*, *um*, p. adj. Orateur —, *copiosus homo ad dicendum*. Trop —, *redundans*. *antis*, p. adj.

abonder, v. intr. Etre en trop grande quantité, *Abundāre*, intr. *Affluĕre*, intr. ¶ (En parl. d'une personne *ou* d'une contrée.) Avoir qqch. en quantité plus que suffisante. *Abundāre*, intr. (av. l'abl.). *Circumfluĕre*, intr. (av. l'abl.). ¶ (Fig.) — dans son sens, *in sententiā suā perstāre ; sententiam tenēre mordicus*.

abord, s. m. Action d'arriver au bord, de toucher au rivage. *Appulsŭs*, *ūs*, m, *Accessŭs*, *ūs*, m. ¶ Action d'arriver qq. part. *Aditŭs*, *ūs*, m. ‖ Arrivée de qqn qq. part. *Accessŭs*, *ūs*, m. ¶ Action d'aller trouver qqn. *Aditus*, *ūs*, m. *Congressŭs*, *ūs*, m. Il est d'— facile, *faciles sunt ad eum aditus*. ‖ Manière d'être de celui qu'on va trouver. *Facies*, *ei*, *f*. *Frons*, *ontis*, f. Son — avait qqch. de charmant, *in ejus fronte erat jucunditas quaedam*. ‖ Action d'attaquer. *Congressŭs*, *ūs*, m. Dans le premier —, *in primo congressu*. ‖ (Absol.) A l'—, dans l'—, dans le premier —, d'—, dès l'—, *primo* (ou *in primo*) *congressu*. ‖ (Par ext.) Au premier *ou* de prime —, *primo aspectu ou primā fronte ou primā specie*. D'—, *c.-à-d.* du commencement, *primum*, adv. Tout d'—, *primum omnium* (dans une énumération); *primo* (opp. à *dein*, *deinde*, *post* ou *postea* dans une série).

abordable. adj. Où l'on peut aborder. *Quo appelli potest*. ¶ (En parl. d'une pers.) Qui se laisse approcher. *Ad quem faciles sunt aditus*.

abordage, s. m. Action d'aborder (en parl. de navires qui se heurtent par accident *ou* dans un combat). *Concursŭs*, *ūs*, m. *Offensio*, *onis*, f. Monter à l'—, *in hostium naves transcendĕre*.

aborder, v. tr. et intr. Venir au bord, au rivage. *Appellĕre*, intr. *Appelli*, pass. Faire —, *appellĕre*. ¶ Venir *ou* arriver qq. part. *Adīre*, intr. *Accedĕre*, intr. *Attingĕre*, tr. Fig. — la politique, *forum attingĕre*. — qqn, *adīre ad aliquem* ou *adīre aliquem; aggredi ou congredi aliquem*. S'—, *congredi inter se*. ‖ Aborder qqn en ennemi. *Congredi cum aliquo*. S'—, *concurrĕre*, intr. ‖ (Au fig.) — un sujet, *aggredi* ou *ingredi rem*. ‖ — un navire, voy. *ABORDAGE*. S'— (en parl. de deux navires), *inter se confligĕre*.

Aborigènes, m. p.l Habitants primitifs de l'Italie. *Aborigines*, *um*, m. pl.

aboucher, v. tr. Faire rencontrer bouche à bouche, mettre face à face, en conférence. Il essaya de les —, *eos contrahĕre ad colloquium est conatus*. S'— avec qqn, *venīre in alicujus congressum colloquiumque*.

aboutir, v. intr. Former un bout. *Desinĕre*, intr. *Exīre*, intr. ‖ Toucher par un bout. *Tangĕre*, tr. *Contingĕre*, tr.

Pertinēre, intr. L'œsophage aboutit au fond du palais, *stomachus palato extremo terminatur*. ‖ (Fig.) *Spectāre*, intr. *Cadĕre*, intr. Je me demandais avec inquiétude où cela aboutirait, *verebar quorsum id casurum esset*. ¶ (Absol.) Avoir un terme *ou* une terminaison. *Cadĕre*, intr. *Cedĕre*, intr. Ne pas —, *ad irritum cadĕre*. Il n'y a jamais moyen d'—, *nunquam ad exitum pervenīri potest*. ‖ (Spéc.) En parl. d'un abcès, *ad exitum venīre*. Faire —, *ad maturitatem perducĕre*.

aboutissant, p. adj. Qui touche à qqch. par un bout. *Adjacens*, *entis*, p. adj. ‖ (Subst.) Les tenants et les —, *vicinitates et confinia*.

aboyer, v. intr. Donner de la voix (en parlant du chien et de qqs animaux). *Latrāre*, intr. — contre qqn, *alicui oblatrāre*. ‖ (Fig.) Crier, invectiver. *Latrāre*, intr. — contre la philosophie, *philosophiam collatrāre*.

aboyeur, s. m. Celui qui aboie. *Latrator*, *oris*, m.

1. **abrégé**, *e*, part. Voy. *ABRÉGER*.

2. **abrégé**, s. m. Reproduction de qqch. en raccourci. *Opus in brevem formam contractum*. ¶ Réduction d'une œuvre littéraire. *Epitome*, *es*, f. *Summarium*, *ii*, n.

abréger, v. tr. Réduire la durée de qqch. *Brevius aliquid facĕre*. *Contrahĕre*, tr. *Coartāre*, tr. — les jours de qqn, *maturāre alicui mortem*. Abrège ! *Praecide*. Qui abrège, *compendiarius*, *a*, *um*, adj. ¶ Réduire l'étendue de qqch. *Contrahĕre*, tr. — l'entretien, *sermonem incīdĕre*. — un libre, *librum in breve cogĕre*. Pour —, *ne longum faciam*. En abrégeant, *breviter*, adv. Partic. — un mot, *verbum imminuĕre*.

abreuver, v. tr. Faire boire largement (partic. les troupeaux, les animaux). *Adaquare*, tr. Mener les brebis s'—, *oves ad bibendum appellĕre*. ‖ (Par ext.) S'— de vin, *se complĕre vino*. (Au fig.) Remplir abondamment. *Perfundĕre* (*aliquem aliqua re*). — qqn d'outrages, *onerāre aliquem maledictis*. — qqn de dégoûts, *vitam alicujus reddĕre insuavem*. ¶ Imprégner profondément. *Madefacere*, tr. S'—, *madescĕre*, intr. Etre abreuvé, *madēre*.

abreuvoir, s. m. Endroit où on mène boire les animaux. *Aquatio*, *onis*, f. Aller à l'—, *ad potum īre*.

abréviateur, s. m. Celui qui abrège un ouvrage. *Breviator*, *oris*, m.

abréviation, s. f. Action d'abréger. — de délai (en terme de procédure), *recisum tempus*. ¶ Suppression de lettres dans un mot *ou* de mots dans une phrase (pour l'abréger). *Contractio*, *onis*, f. Signes d'—, *notae*, *arum*, f. pl. Ecrire par —, *per notas scribĕre*; *aliquid per compendium scribĕre*.

abri, s. m. Lieu qui garantit des intempéries. *Tectum*, *i*, n. Trouver un

—, *tectum invenīre*. Donner à qqn un — sous son toit, *tectis ac sedibus aliquem recipĕre*. Ne pas trouver d'—, *tecto non recipi*. || Abri pour les vaisseaux. *Portŭs, ūs*, m. *Statio, onis*, f. || (T. milit.) Tranchée, abri, *cuniculus, i*, m. || Qui est sans —, qui n'offre pas d'—, où il n'y a pas d'—, *intutus, a, um*, adj. ¶ (Fig.) Ce qui garantit contre un danger. *Munimentum, i*, n. *Murus, i*, m. *Praesidium, ii*, n. *Perfugium, ii*, n. L'— des lois, *legum munimentum*. Fournir un — à qqn, *esse praesidio alicui*. Trouver un —, *perfugio uti*. — tutélaire, *praesidium ae tutela*. Chercher un — auprès de qqn, *refugĕre ad aliquem*. ¶ A l'abri, loc. prép. || A couvert, *in tuto*. Se mettre à l'—, *in tutum pervenīre*. Qui est à l'—, *tectus, a, um*, p. adj. A l'— derrière le mur, *muro tectus*. Mettre à l'—, *tegĕre*, tr. Se mettre à l'— derrière les remparts, *tutāri se moenibus*. A l'— de (à couvert de), *tutus ab* (av. l'abl.).

abricot, s. m. Fruit de l'abricotier. *Armenium pomum*.

abricotier, s. m. Arbre fruitier originaire d'Arménie. *Armeniaca* (s.-e. ARBOR), *ae*, f.

abriter, v. tr. Mettre à l'abri. *Tegĕre*, tr. Voy. ABRI. |*gatio, onis*, f.

abrogation, s. f. Action d'abroger. *Abro-*

abroger, v. tr. Mettre hors d'usage ce qui était établi. *Abrogāre*, tr. *Abolēre*, tr. *Rescindĕre*, tr. ¶ Faire tomber en désuétude. *Infirmāre*, tr.

abrupt, *e*, adj. Dont la pente est raide ou qui se dresse à pic. *Abruptus, a, um*, p. adj. *Praeruptus, a, um*, p. adj. *Praeceps*, adj.

abrutir, v. tr. Rendre semblable à la brute. *Efferare*, tr. *Habetem et stolidum reddĕre*. Part. prés. subst. Un abruti, *stolidus homo*. || S'—, *efferāri*.

abrutissement, s. m. Action d'abrutir. Travailler à l'— du peuple, *operam dare ut populus immanitate efferatur*. ¶ Etat de celui qui est abruti. *Stupor, oris*, m.

absence, s. f. Le fait de ne pas être quelque part. *Absentia, ae*, f. En mon absence, *me absente*. || Le fait de ne pas résider. *Peregrinatio, onis*, f. || Le fait de délaisser qq. endroit. *Solitudo, inis*, f. || Situation faite par la loi à quelqu'un qui a disparu depuis qq. temps. *Absentia, ae*, f. ¶ Manque de qq. chose. *Vacuitas, atis*, f. — d'agitation, *quies, etis*, f. — d'êtres vivants, *solitudo, inis*, f. || (Spéc.) — d'esprit. Voy. DISTRACTION. Avoir des —, *aliena agere ou loqui* (selon les cas).

absent, *ente*, adj. Qui n'est pas là où il devrait *ou* pourrait être. *Absens*, adj. Etre —, *abesse*, intr. Fig. Avoir l'esprit absent, *animo vagāri*.

absenter (s'), v. pron. Se mettre en état d'absence. *Abesse*, intr. *Peregre abire* ou simpl. *abire*.

abside, s. f. Partie postérieure des basiliques romaines. *Absis, idis*, f.

absinthe, s. f. Nom d'une plante. *Absinthium, ii*, n. ¶ (Fig.) Amertume. *Absinthium, ii*, n.

absolu, *e*, adj. Qui existe sans conditions, sans restrictions, sans limitation. *Absolutus, a, um*, p. adj. || (Par opp. à « relatif ») *Absolutus, a, um*, p. adj. *Proprius, a, um*, adj. Perfection —, *perfecta absolutio*. || (T. phil.) L'—, *perfecta atque absoluta ratio ; perfectum aliquid et absolutum*. || Par anal. Liberté — de choisir, *soluta optio eligendi*. || Souverain; qui est au-dessus de tout. *Summus, a, um*, adj. L'— bonheur, *summum bonum*. Accord —, *summa consensio*. Pouvoir —, *regnum, i*, n. Empire —, *dominatio, onis*, f. || (Par ext.) Laisser qqn maître — de sa fortune, *sinere aliquem de re familiari libera arbitria agere*. La fortune est maîtresse — de toute chose, *fortuna in omni re dominatur*. — de caractère, *imperiosus, a, um*, adj. — dans sa volonté, voy. ENTÊTÉ. | (Gramm.) Ablatif —, *ablativus absolute positus*.

absolument, adv. D'une manière absolue. *Per se*. *Propria vi sua*. || Souverainement. *Summo cum imperio*. || (T. gramm.) Sans complément, sans mot restrictif, *absolute*, adv. || — parlant, *universē*, adv.; *omnino*, adv. || (Famil.) Tout à fait. *Sine exceptione*, loc. adv. *Prorsus*, adv

absolution, s. f. Exemption de la peine, acquittement. *Absolutio, onis*, f. *Liberatio, onis*, f.

absorbant, *ante*, adj. Qui fait pénétrer des liquides dans sa propre substance. *Bibulus, a, um*, adj. ¶ (Fig.) Qui occupe l'âme, l'esprit tout entier. Avoir des occupations —, *maximis occupatio nibus distinēri*.

absorber, v. tr. Faire pénétrer un liquide dans sa propre substance. *Absorbēre*, tr. *Exsorbēre*, tr. *Bibĕre*, tr. ¶ (Fig.) Faire disparaître complètement. *Absorbēre*, tr. *Exsorbēre*, tr. *Haurīre*, tr. *Exhaurīre*, tr. *Absumĕre*, tr. || (P. ext.) Prendre et occuper qqn tout entier. *Detinēre*, tr. *Distinēre*, tr. *Distringĕre*, tr. Etre absorbé par les affaires d'autrui, *in alienis negotiis detineri*. Absorbé, *distentus*, p. adj.; *intentus*, p. adj. S'— dans ses pensées, *in cogitationibus haerēre*.

absoudre, v. tr. Dégager qqn des conséquences d'un délit commis ⋅ exempter de la peine ou des responsabilités encourues. *Absolvĕre*, tr. *Liberāre*, tr. — qqn d'un crime capital, *capitis aliquem absolvĕre*. Il fut absous, *liberatus discessit*.

abstenir (s'), v. pron. S'interdire de faire qqch. *Abstinēre se ab aliqua re*. *Sibi temperāre ab aliqua re*. S'— de combattre, de paraître au forum, *armis, foro se abstinēre*.

abstinence, s. f. Action de s'abstenir, c.-à-d. de s'interdire une action. *Abstinentia, ae,* f. ¶ Action de s'interdire l'usage de qqch. *Abstinentia, ae,* f. ¶ Privation de nourriture. *Inedia, ae,* f.

abstinent, *ente,* adj. Qui s'interdit la jouissance de certaines choses. *Abstinens, entis,* p. adj.

abstraction, s. f. Acte de l'esprit par lequel on sépare de l'objet que l'on considère tous les éléments étrangers. En faisant — *ou* — faite de qqch., *separata aliqua re.* ¶ Acte de l'esprit par lequel on considère isolément un objet. *Cogitatio, onis,* f. ‖ (Absol.) Etre de raison, qui n'a d'existence que dans l'esprit. *Res quae tantum cogitatione percipitur.*

abstraire, v. tr. Séparer ou isoler par la pensée. *Mente et cogitatione aliquid separāre.* S' — (c.-à-d. s'isoler dans ses pensées), *in cogitatione defixum esse.*

abstrait, *aite,* adj. Qui résulte de l'abstraction. *Qui (quae, quod) cogitatione tantum percipitur.* ‖ — (opp. à concret), *cogitationi tantum subjectus, non sensui; sevocatus a sensibus.* Mot —, *appellatio, onis,* f. ‖ D'un sens profond. *Subtilis et acutus.* Discussion un peu trop —, *disputatio paullo abstrusior.*

abstraitement, adv. D'une façon abstraite. *Separatim,* adv.

abstrus, *use,* adj. Difficile à comprendre. *Abstrusus, a, um,* p. adj.

absurde, adj. Contraire au sens commun. *Absurdus, a, um,* adj. *Ineptus, a, um,* adj.

absurdité, s. f. Caractère de ce qui choque le sens commun. *Insulsitas, atis,* f. ‖ (Absol.) Chose contraire au sens commun. *Res absurda. Aliquid absurdum.* Absurdités, *ineptiae, arum,* f. pl.

abus, s. m. Action d'abuser (de qqch.) *et par ext.* usage excessif ou mauvais de qqch. ‖ (Au pr.) *Malus* ou *improbus usus (alicujus rei).* L' — des plaisirs, *libidinum intemperantia.* — de la force, *vis,* f. ‖ Usage mauvais passé en habitude. *Mos pravus.* ‖ (Gramm.) Catachrèse, *abusio, onis,* f. Par —, *per abusionem.*

abuser, v. intr. et tr. ‖ (*V. intr.*) User avec excès, user mal. *Abuti* ou *malo uti* (av. l'abl.). — de la patience de qqn, *alicujus patientiam fatigāre.* Ne pas — de qqch., *ab aliquā re temperāre.* — de qqn (le tromper), *fraudem facĕre alicui.* ¶ (*V. tr.*) Tromper qqn (en abusant de sa crédulité). *Decipĕre,* tr. *In errorem inducere aliquem.* S' —, *capi* ou *decipi,* passif.

abusif, *ive,* adj. Qui constitue un abus. Cela est —, *hoc est insolenter agĕre.* ‖ Emploi — d'un mot, *abusio, onis,* f.

abusivement, adv. De manière à constituer un abus. *Perverse. Contra morem* ‖ Par catachrèse. *Per abusionem.*

acabit, s. m. Qualité bonne ou mauvaise. *Indoles, is,* f. |ae, f.

acacia, s. m. Nom d'un arbre. *Acacia, ae,* f.

académicien, s. m. Philosophe de l'académie, disciple de Platon. *Academicus philosophus.*

académie, s. f. Lieu où Platon réunissait ses disciples. *Academia, ae,* f. *Academiae spatia.* ‖ (Méton.) Ecole de philosophie fondée par Platon. *Academia, ae,* f. ¶ (Par ext.) Ecole de haut enseignement. *Schola, ae,* f. *Academia, ae,* f. ‖ — d'escrime, *ludas gladiatorius.*

académique, adj. Relatif à l'école de Platon. *Academicus, a, um,* adj. ¶ Qui appartient à une académie. *Academicus, a, um,* adj. |thus, i, m.

acanthe, s. f. Plante épineuse. *Acanthus, i, m.*

acariâtre, adj. D'humeur peu accommodante, de caractère très difficile. *Importunus, a, um,* adj. *Morosus, a, um,* adj. *Stomachosus, a, um,* adj.

accablant, *ante,* p. adj. Qui accable. *Gravis, e,* adj.

accablement, s. m. Ce qui accable. — d'affaires, *negotiorum moles.* ¶ Etat de celui qui est accablé. *Defatigatio, onis,* f. *Defectio virium.* Dans l' — de son chagrin, *aegritudine afflictus.*

accabler, v. tr. Faire succomber sous le poids. *Opprimĕre,* tr. ‖ (Par ext.) Faire succomber (un adversaire). *Opprimĕre,* tr. *Conficĕre,* tr. Accablé sous le nombre, *multitudine oppressus.* ¶ Surcharger; peser lourdement sur. *Opprimĕre,* tr. *Obruĕre,* tr. Etre accablé de dettes, *aere alieno opprimi* (ou *obrui*). Accablé de promesses, *promissis oneratus.* Etre accablé de chagrin, *maerore confici.*

accalmie, s. f. Apaisement momentané du vent. *Tranquillitas, atis,* f. Il se produit une —, *ventus intermittitur.*

accaparement, s. m. Action d'accaparer. *Coemptio, onis,* f.

accaparer, v. tr. Acheter tout ce qu'il y a de marchandises sur le marché. *Coemere,* tr. *Praemercāri,* dép. tr. *Commercari,* dép. tr. — les blés, *comprimere frumentum* (ou *annonam*). ¶ (Fig.) Prendre tout pour soi. *Ad se rapĕre.*

accéder, v. intr. Avoir accès quelque part. *Accedĕre,* intr. ¶ S'unir à d'autres en acceptant leurs décisions. *Accedĕre,* intr.

accélération, s. f. Augmentation de vitesse. *Acceleratio, onis,* f. — du pouls, *citatior venarum pulsus.* ¶ (Fig.) Prompte exécution. *Maturatio, onis,* f.

accélérer, v. tr. Rendre plus rapide. *Accelerāre,* tr. Au pas accéléré, *citato gradu.*

accent, s. m. Elévation de la voix sur une syllabe. *Accentus, ūs,* m. ‖ Intensité de la voix sur une syllabe. *Accentūs, ūs,* m. ¶ Inflexion de la voix valiant avec les émotions de l'âme. *Vox, vocis,* f. *Sonus, i,* m. — plaintif, *vox miserabilis.* Chaque émotion a son —, *omnis motus animi suum habet sonum.* Fig. L' — de la vérité, *vox veritatis.* ¶ Intonation particulière à certaines personnes. *Sonus vocis.* L' — du terroir, *vernaculus sonus.* — étranger, *peregrinitas, atis,* f.

accentuation, s. f. Action d'accentuer. Voy. ce mot. ¶ Action d'élever la voix sur une syllabe déterminée. *Accentûs, ûs,* m.

accentuer, v. tr. Elever la voix sur une syllabe. *Syllabam vocis sono efferre.* ‖ Marquer une syllabe du signe de l'accent. *Apponère syllabae notam.* ¶ Donner à la voix plus d'intensité sur une syllabe. *Cum contentione vocis syllabam appellâre.* ¶ Prononcer avec expression. *Syllabas quasdam diligenter exprimère.*

acceptable, adj. Qui peut *ou* doit être accepté. *Accipiendus, a, um,* p. adj. *Probabilis, e,* adj.

acceptation, s. f. Action d'accepter. *Acceptio, onis,* f.

accepter, v. tr. Consentir à recevoir ce qu'on offre *ou* ce qu'on propose. *Accipère,* tr. *Probâre.* — des travaux, *opera probâre.* — qqn comme général, *probare aliquem imperatorem.* — à dîner. *ad cenam promittère.* Ne pas —, *abnuère,* tr. Faire —, *approbâre,* tr.

acception, s. f. Action d'avoir égard à la qualité de la personne en cause. *Acceptio, onis,* f. ¶ Signification. Voy. ce mot.

accès, s. m. Possibilité d'arriver dans un endroit. *Aditûs, ûs,* m. — par mer, *appulsûs, ûs,* m. Donner —, *aditum dare.* ‖ Possibilité d'arriver jusqu'à une personne. *Aditûs, ûs,* m. Donner à qqn libre — auprès de sa personne, *alicui aditum conveniendi dare.* ¶ Invasion *ou* retour de phénomènes morbides. *Accessio, onis,* f. *Impetûs, ûs,* m. *Tentatio, onis,* f. Léger — de fièvre, *febricula, ae,* f. ‖ (Fig.) Explosion d'un sentiment. *Impetûs, ûs,* m. — de colère, *irae impetus.* Des — de colère, *irae, arum,* f. pl.

accessible, adj. Où l'on peut accéder, arriver. *Accessu facilis. Patens, entis,* p. adj. *Apertus, a, um,* p. adj. — à tous, *communis, e,* adj. Rendre —, *patefacère,* tr. Etre —, *patêre.* ‖ (Fig.) Qui laisse arriver qqch. jusqu'à soi, *Patiens (alicujus rei).* — à la pitié, *misericors,* adj. — à la colère, *iracundus, a, um,* adj. ‖ En parl. d'une chose à laquelle on peut atteindre. *Patens et expositus.* Etre —, *patêre,* intr.

accession, s. f. Action de s'ajouter à. *Accessio, onis,* f. ¶ Action de joindre son adhésion à celle d'autrui. *Assensio, onis,* f.

accessoire, adj. Qui s'ajoute à la chose

principale *ou* essentielle. *Adjunctus, a, um,* p. adj. *Appositus, a, um,* p. adj. D'une manière —, *obiter,* adv. Subst. L'—, *accessio, onis,* f. — de théâtre, *choragium, ii,* n. — de ferme, *instrumentum, i,* n.

accessoirement, adv. D'une manière accessoire. *Obiter,* adv.

accident, s. m. Ce qui modifie pour un temps la substance. Les —, *accidentia, ium,* n. pl. (*inus.* au sing.). Effet accessoire de qqch. *Id quod accedit ad aliquid.* ¶ Ce qui survient par hasard. *Casûs, ûs,* m. Par —, *casu,* abl. ‖ Ce qui arrive de fâcheux. *Casûs, ûs,* m. Sans —, *feliciter,* adv. ¶ Qui vient rompre l'uniformité. *Iniquitas, atis,* f. Accidents de terrain, *locorum iniquitates.*

accidentel, *elle,* adj. Qui modifie passagèrement une substance. *Adventicius, a, um,* adj. ¶ Qui survient par hasard. Voy. FORTUIT.

accidentellement, adv. D'une manière accidentelle. *Casu,* abl. *Fortuito* ou *temere ac fortuito.*

acclamation, s. f. Cri d'enthousiasme poussé par une foule. *Acclamatio, onis,* f. *Conclamatio, onis,* f. *Clamor, oris,* m. Exciter les —, *clamores facère.* Par —, *omnium assensu.*

acclamer, v. tr. Saluer d'acclamations. *Plausu et conclamatione aliquem fovère.* Se faire —, *clamores efficère.*

acclimater, v. tr. Habituer à un climat autre que celui du pays d'origine. *Alieno caelo assuefacère.* S'—, *alieno caelo* (ou *solo*) *assuescère.*

accolade, s. f. Action de jeter ses bras autour du cou de qqn pour l'embrasser. Donner l'— à qqn, *collum alicujus amplexu petère.*

accoler, v. tr. Jeter ses bras autour de qqn pour l'embrasser. Voy. ACCOLADE. ‖ (Par ext.) Embrasser. Voy. ce mot. ¶ Lier solidement autour de qqch. *Colligâre,* tr.

accommodage, s. m. Action d'accommoder qqch. *Confectio, onis,* f.

accommodant, *ante,* adj. Qui s'accommode aux personnes *ou* aux choses. *Commodus, a, um,* adj. *Facilis, e,* adj. Humeur —, *facilitas, atis,* f.

accommodement, s. m. Le fait d'être arrangé de façon à convenir à qqch. *Accommodatio, onis,* f. Fig. Il nous faut chercher qq. autre —, *quaedam alia rerum compositio nobis quaerenda est.* ¶ Le fait d'être disposé de façon à être d'accord avec qqn. *Pactio, onis,* f. *Pactum, i,* n. *Compositio, onis,* f. Entrer en — avec qqn, *ad pactionem adire cum aliquo.* Un homme d'—, *homo tractabilis.*

accommoder, v. tr. Mettre une personne *ou* une chose dans des conditions telles qu'elles conviennent à une autre. *Accommodâre,* tr. *Componère,* tr. S'— aux circonstances, *tempori servire.* ‖

Accommoder un plat, *cibum coquere et conficĕre.* — une parure à qqn, voy. PARER ou COIFFER. S'—, voy. PARER. — qqn de toutes pièces, *aliquem depectĕre.* Tu seras accommodé selon tes mérites, *exornatus eris ex tuis virtutibus.* ¶ Mettre en bon état. *Ordinăre,* tr. ¶ Disposer une chose de manière qu'elle s'accorde avec une autre. *Rem ad aliquid aptè componĕre.* S'— avec qqch., *cum aliqua re congruĕre.* || Mettre qqn dans des conditions telles qu'il s'accorde avec un autre. *Aliquem alicui conciliăre.* Par ext. — un différend, *controversiam* (ou *litem*) *componĕre.*

accompagnement, s. m. Action d'accompagner. *Comitatŭs, ŭs,* m. || Ce qui accompagne. *Accessio, onis,* f. || Action d'accompagner qqch. pour le mettre en valeur. *Comitatŭs, ŭs,* m. || (Spéc. t. mus.) Tout ce qui met en valeur la partie principale. *Succentus, ŭs,* m. Chant avec — de lyre, *vox fidibus juncta.* Chant avec — de flûte, *cum tibiis canĕre voce.*

accompagner, v. tr. Adjoindre (seul. c. verbe réfléchi). S'— de qqn, *aliquem sibi adjungĕre comitem.* || (Mus.) S'— de la cithare, *ad citharam canĕre.* — qqn de qqch., *alicui aliquid adjungĕre.* (Spéc.) — qqn (t. music.), *alicui succinĕre* ou *concinĕre.* ¶ Accompagner qqch. d'une chose. *Alicui rei aliquid adjungĕre.* — un cadeau de paroles aimables, *munus suum ornare verbis.* Un ouragan accompagné de grêle et de tonnerre, *foeda tempestas cum grandine ac tonitru.* ¶ Accompagner qqn, c.-à-d. se joindre à lui; *comitem se alicui dăre* ou *praebĕre* ou *adjungĕre.* Qui accompagne, *comes,* adj. et subst. ¶ (Fig.) S'ajouter à une chose pour la faire valoir. *Ad aliquid apte convenire.*

accompli, p. adj. Complet en son genre. *Consummatus, a, um,* p. adj. (av. comp. et superl.). *Absolutus atque perfectus.* Une femme — (beauté), *mulier omnibus simulacris emendatior;* (intelligence), *mulier omni vita et cultu exculta atque expolita.*

accomplir, v.tr. (Faire complètement.) || Faire qu'une chose soit complète, en exécutant ce qui en est la conséquence. *Perficĕre,* tr. *Efficĕre,* tr. *Persequi,* dép. tr. — un vœu, une promesse, *votum* (ou *promissum*) *solvĕre.* ¶ Achever une chose commencée ou préparée. *Facĕre,* tr. *Conficĕre,* tr. *Perficĕre,* tr. *Exsequi,* dép. tr. — un projet, *propositum exsequi.* — de grandes choses, *res magnas gerĕre.* ¶ Exécuter complètement. *Conficĕre,* tr. *Efficĕre,* tr. *Perficĕre,* tr. Fait accompli, *id quod factum est.* || Parcourir entièrement une période de temps. *Explēre,* tr. Avoir trente ans accomplis, *triginta annos complesse.*

accomplissement, s. m. Action d'accomplir. *Effectus, ŭs,* m. *Functio, onis,*

f. *Perfectio, onis,* f. — d'un oracle, d'une prophétie, *fides, ei,* f. ¶ Résultat de l'action d'accomplir. *Absolutio, onis,* f *Perfectio, onis,* f.

accord, s. m. Union que crée entre des personnes la même façon de sentir, de penser ou d'agir. *Concordia, ae,* f. *Consensio, onis,* f. Bon —, *gratia, ae,* f. D'—, *concorditer,* adv. Etre d'—, *consentire,* intr. D'un commun —, *omnium consensu.* Tout le monde demeure d'—, que..., *inter omnes constat* (avec l'acc. et l'inf.). N'être pas d'—, *discordăre,* intr. *dissentire,* intr. *discrepăre,* intr. Mettre d'—, *in concordiam redigĕre.* D'— (loc. adv.), *per me licet, ita est, non repugnabo.* || Convention, traité. *Pactio, onis,* f. *Pactum, i,* n. Etablir par un —, *pacisci,* dép. tr. ¶ Union résultant de la convenance qu'ont les choses entre elles. *Concordia, ae,* f. *Convenientia, ae,* f. D'— avec, *congruenter,* adv. Convenienter,* adv. Etre d'—, *congruĕre,* intr. Ne pas être d'—, *discordăre,* intr., *discrepăre,* intr. ¶ (Spéc.) Harmonie de sons produits simultanément. *Sonorum concentus.* Frapper un —, *consonas chordas tangĕre.* || (Par ext.) Sons d'un instrument ou de la voix. *Soni, orum,* m. pl. || Rapport exact entre les sons de divers instruments. *Concentŭs, ŭs,* m.

accordailles, s. f. pl. *Sponsalia, um* (ou *orum*), n. pl. Voy. FIANÇAILLES.

accorder, v. tr. Mettre d'accord. || Etablir entre plusieurs personnes communion d'idées ou de sentiments. *Concordiam constituĕre* inter (et l'acc.). *Componĕre gratiam inter* (et l'acc.). S'—, *consentire,* intr. — un différend, *litem* (ou *controversiam*) *componĕre.* Tout le monde s'accorde à dire que..., *inter omnes constat* (av. l'acc. et l'inf.). || Mettre plusieurs choses en harmonie. — la réalité et le merveilleux, *efficĕre ut cum veritate miracula congruant.* — sa conduite avec la nature, *congruenter naturae convenienterque vivere.* S'— (en parl. de ch.), *concordăre,* intr. *convenire,* intr. || (Spéc.) — sa lyre, *fides ita contendere ut concentum servare possint.* ¶ Convenir de; consentir à. *Concedĕre,* tr. ¶ Consentir à donner. *Tribuĕre,* tr. *Largiri,* dép. tr.

accort, *orte,* adj. Qui a quelque chose d'engageant. *Bellus, a, um,* adj.

accoster, v. tr. Aller à côté. *Aggredi* (*aliquem*). ¶ Se ranger le long du bord. *Appelli,* passif.

accoter, v. tr. Appuyer d'un côté. *Applicăre,* tr. S'—, *niti,* dép. intr.

accouchée, s. f. Femme qui vient d'accoucher. *Puerpera, ae,* f.

accouchement, s. m. Action d'accoucher. *Partŭs, ŭs,* m.

accoucher, v. intr. et tr. || (*V. intr.*) Mettre au monde. *Parĕre,* intr. ¶ (*V. tr.*) En parl. de l'accoucheur. *Aliquam partu levăre.*

accoucheur, s. m. Celui qui pratique des accouchements. *Qui opem fert parturientibus.*

accoucheuse, s. f. Celle qui pratique des accouchements. *Obstetrix, icis,* f.

accouder, v. tr. Appuyer à l'aide du coude. S'—, *in cubitum inniti* (dép. intr.).   [couder. *Cubital, alis,* n.

accoudoir, s. m. Ce qui sert à s'accouder.

accouplement, s. m. Action de réunir par couple. *Comparatio, onis,* f.

accoupler, v. tr. Réunir par couple. *Copulâre,* tr.

accourcir, v. tr. Rendre plus court. Voy. COURT et RACCOURCIR.

accourcissement, s. m. Le fait de s'accourcir. *Deminutio, onis,* f.

accourir, v. intr. Venir en courant. *Accurrêre,* intr. *Advolâre,* intr.

accoutrement, s. m. Manière étrange dont on est vêtu. *Ridiculus vestis habitus.*

accoutrer, v. tr. Habiller d'une manière étrange. *Aliquem ridicula veste ornâre.*

accoutumance, s. f. Voy. HABITUDE.

accoutumé, ée, part. p. *Assuetus, a, um,* adj. *Consuetus, a, um,* adj.

accoutumer, v. tr. Rendre qqch. d'une pratique usuelle pour soi. Comme il avait accoutumé, *ut assueverat.* ¶ Amener (qqn) à la pratique de qqch. *Assuefacêre,* tr. Voy. HABITUER.

accréditer, v. tr. Mettre qqn en crédit. *Auctoritatem alicui parâre* (ou *conciliâre*). Etre accrédité, *auctoritate plurimum valêre.* ‖ Mettre qqn en crédit commercial. (*Alicujus*) *fidem confirmâre.* ‖ Faire reconnaître qqn comme ambassadeur. *Legatum* (*aliquem*) *publicê* (ou *cum publico testimonio*) *mittêre.* ¶ Mettre (qqch.) en crédit. *Auctoritatem* (*rei*) *afferre.* S'—, *auctoritatem comparâre.* ‖ Mettre dans la créance des gens. *Fidem afferre.* S'—, *fidem sibi facêre.* Accrédité, *receptus, a, um,* part. passé.

accroc, s. m. Action d'accrocher et (fig.) empêchement, obstacle. *Offensio, onis,* f. *Offensa, ae,* f. ¶ Déchirure faite par tout objet qui accroche. *Fissura, ae,* f.

accrocher, v. tr. Suspendre, fixer à un croc *ou* à un crochet. *Suspendêre,* tr. *Affigêre,* tr. S'— à qqch, à qqn, *aliquid* (ou *aliquem*) *apprehendêre.* ¶ Retenir par un crochet. *Hamo* (ou *unco*) *retinêre.* Demeurer accroché, *haerêre,* intr.

accroire, v. tr. Seulement. *fidem facêre* (*alicui alicujus rei*). En faire — à qqn, *verba dare alicui.*

accroissement, s. m. Le fait de s'accroître. *Auctûs, ûs,* m. *Incrementum, i,* n.

accroître, v. tr. et intr. ‖ (*V. tr.*) Faire augmenter peu à peu. *Augêre,* tr. S'—, *crescêre,* intr. ‖ (Par anal.) Faire augmenter la hauteur (la force, l'étendue de...). *Augêre,* tr. *Amplificâre,* tr. S'—, *augêri,* pass. *crescêre,* intr.

accroupir, v. tr. Asseoir sur la croupe (s'emploie sous la forme pronominale). S'—, *subsidêre,* intr. *sidêre,* intr. (en parl. d'animaux); en parl. de l'homme, *conquiniscêre,* intr.

accueil, s. m. Manière dont on reçoit qqn à son arrivée. Faire bon accueil à qqn, *aliquem bene accipêre.* Faire à qqn un mauvais —, *aliquem male accipêre.* — froid, *frigus, oris,* n. ¶ Moment où l'on est reçu. *Admissio, onis,* f.   [adj. *Conis,* adj.

accueillant, ante, p. adj. *Hospitalis,*

accueillir, v. tr. Recevoir qqn à son arrivée. *Accipere,* tr. *Excipêre,* tr. — avec empressement, *amplecti,* dép. tr. ‖ (Absol.) Faire bon accueil. Voy. ACCUEIL. ‖ Prendre bien *ou* mal ce que qqn dit *ou* demande. *Accipêre,* tr. *Excipêre,* tr. Mal —, *spernêre,* tr. *aspernari,* dép. tr. ‖ Recevoir *ou* tomber sur. Etre accueilli par une grêle de pierres, *ingenti lapidum jactu excipi.* — qqn par des huées, *aliquem explodêre.*

acculer, v. tr. Pousser qqn jusqu'à ce qu'il ne puisse plus reculer. *Detrudêre aliquem* (*in angustias*).

accumulation, s. f. Action d'accumuler · le fait d'être accumulé. *Coacervatio, onis,* f. *Congestus, ûs,* m.

accumuler, v. tr. Faire mesure comble de certaines choses. *Cumulâre,* tr. *Accumulâre,* tr. *Congerêre,* tr.

1. **accusateur**, s. m. Celui qui accuse. *Accusator, oris,* m. Faire métier d'—, *accusationem factitâre.*

2. **accusateur, trice**, adj. Qui accuse. *Accusatorius, a, um,* adj.

accusatif, s. m. Nom d'un des cas de la déclinaison grecque, latine, etc. *Accusativus* (s.-e. CASUS), *i,* m.

accusation, s. f. Action d'accuser qqn. *Accusatio, onis,* f. Etre sous le coup d'une —, *in crimine esse.* Se défendre d'une —, *crimen defendêre.* Se justifier d'une —, *crimen purgâre.* ¶ Action d'accuser qqn devant les tribunaux. *Accusatio, onis,* f. Mettre qqn en état d'accusation, *reum facêre aliquem.* Formule d'—, *actio, onis,* f.

accusé, ée, part. pass. de accuser. Voy. ce mot. ¶ S. m. et f. Celui qui est accusé; celle qui est accusée. *Reus, i,* m. *Rea, ae,* f.

accuser, v. tr. Désigner qqn comme coupable *ou* responsable. *Accusâre,* tr. *Arguêre,* tr. — à tort, *Insimulâre,* tr. ‖ (Spéc.) Signaler (devant les tribunaux) qqn comme coupable. *Accusâre,* tr. — avec preuves, *arguêre,* tr. — en dénonçant, *alicujus nomen inferre.* Il est accusé d'avoir trahi l'état, *arguitur rem publicam prodidisse.* Etre accusé, *in crimine esse.* ¶ Signaler qqch. comme répréhensible. *Accusâre,* tr. *Incusâre,* tr. *Criminâri,* dép. tr. — la fortune, *fortunam conqueri.* ¶ Rendre manifeste. Voy. ce mot. ‖ (Spéc.) — réception (d'une lettre), *acceptas litteras denuntiāre.*

acerbe, adj. Qui a une saveur acide, désagréable. *Acerbus, a, um,* adj. ¶ (Fig.) Piquant et désagréable. *Acerbus, a, um,* adj.

acéré, ée, adj. Dont la pointe est aiguë, le tranchant affilé. *Acer, acris, acre,* adj. *Acutus, a, um,* adj. ¶ (Fig.) Très mordant. *Aculeatus, a, uns,* p. adj.

achalandage, s. m. Action d'achalander. Voy. ACHALANDER.

achalander, v. tr. Fournir de chalands. *Multos emptores alicui comparāre.* — une boutique, *tabernae celebritatem addēre.* Boutique bien achalandée, *tabernā celebritate semper refertissimā.* ¶ Mettre en vogue. *Celebritatem et nomen alicui* (ou *alicui rei*) *dare.*

acharnement, s. m. Action de s'acharner. *Continua rabies.* ¶ Action de s'attaquer à qqn sans lâcher prise. *Pertinacia, ae,* f. *Atrocitas, atis,* f. Avec —, *infenso animo; acriter,* adv. *atrociter,* adv. ¶ (Par anal.) Action de s'attacher à qqch. avec obstination. *Pertinacia, ae,* f.

acharner, v. tr. Attacher à une proie. La meute acharnée sur le sanglier, *canum turba acharnée apro assidua et acris.* ¶ Inspirer une haine tenace entre qqn. *Infensissimum aliquem facere alicui.* S'— contre qqn, *atrocius in aliquem saevīre.* Ennemi acharné, *infensus hostis.* || (Par anal.) Attacher obstinément à qqch. S'—, *omni studio ad* (ou *in*) *aliquid incumbēre.* S'— contre (poursuivre avec acharnement), *exagitāre,* tr. *insectari,* dép. tr. || Adj. Acharné, *c.-à-d.* où l'on s'acharne. *Acer, acris, acre,* adj. *Atrox,* adj. Le combat fut —, *diu et atrociter pugnatum est.* Travail —, *enixior opera.*

achat, s. m. Action d'acheter. *Emptio, onis,* f. ¶ Ce qu'on achète. *Emptum, i,* n.

ache, s. f. Nom d'une plante ombellifère. *Apium, ii,* n.

acheminement, s. m. Action de s'acheminer. *Iter, itineris,* n. ¶ (Fig.) Action de s'avancer par degrés. Ce fut un — au consulat, *eo gradu facta est via ad consulatum.*

acheminer, v. tr. Mettre en chemin, faire avancer, — des convois, *commeatus pervehēre.* S'—, *iter intendēre.* ¶ Faire avancer par degrés vers un but. *Promovēre,* tr. S'— vers..., *proficisci ad* (*aliquid*), *progredi ad* (*aliquid*).

acheter, v. tr. Acquérir à prix d'argent. *Emēre,* tr. *Comparāre,* tr. — une maison à qqn, *ab aliquo aedes emēre.* — des propriétés, *praedia parāre.* Acheté à prix d'argent, *pretio* (au *argento*) *paratus.* — une propriété à terme, *praedium emēre in diem.* — cher, *magno emēre.* — bon marché, *parvo emēre.* — plus cher, *emēre pluris.* ¶ (Fig.) Acheter (qqn). *Corrumpēre,* tr.

Se laisser —, *pecuniam accipēre.* Voy. VÉNAL. ¶ Obtenir qqch. au prix d'un sacrifice. *Aliquid cum aliquā re compensāre.* (*Emptor, oris,* m.

acheteur, s. m. Celui qui achète.

acheteuse, s. f. Celle qui achète. *Quae emit.*

achevé, ée, adj. A qui il ne manque plus rien. *Absolutus, a, um,* p. adj. *Perfectus, a, um,* p. adj.

achèvement, s. m. Action d'achever. *Perfectio, onis,* f. ¶ Etat de ce qui est achevé. *Absolutio, onis,* f.

achever, v. tr. Mener à fin une chose commencée. *Perficēre,* tr. *Absolvēre,* tr. — un ouvrage, *opus perpetrāre.* — ce qu'on a à dire, *finem facēre sermoni suo.* — de parler, *dicendi* (ou *loquendi*) *fixem facēre.* || (Absol.) Achève, *perge.* ¶ Rendre complet. *Absolvēre,* tr. ¶ Perdre complètement. *Funditus perdēre.* ¶ Tuer. — les blessés, *saucios conficēre.*

achoppement, s. m. Action de buter du pied. *Offensio, onis,* f. Pierre d'—, *offendiculum, i,* n. ¶ Etat de ce qui est buté. *Offensio, onis,* f. ¶ Ce qui fait buter. *Offensio, onis.* || (Fig.) Difficulté qui arrête. *Offensio, onis,* f.

achopper, v. intr. Buter du pied. *Offendēre,* intr. (avec *in* et l'acc.).

acide, adj. Qui a une saveur piquante. *Acidus, a, um,* adj. *Acer, acris, acre,* adj.

acidité, s. f. Qualité de ce qui est acide. *Acor, oris,* m.

acier, s. m. Fer soumis à une préparation spéciale. *Nucleus* (ou *acies*) *ferri.* ¶ (Fig.) Matière dure comme l'acier. *Adamas, antis,* m. || (Méton.) Epée. *Ferrum, i,* n.

acolyte, s. m. Clerc chargé des bas offices dans l'église. *Acolythus, i,* m. ¶ (Par ext.) Aide subalterne. *Administer, tri,* m.

à compte, loc. adv. A valoir sur le compte. *In antecessum.* ¶ (Subst.) Un —, *quod in antecessum datur* (ou *accipitur*). [*tum, i,* n.

aconit, s. m. Plante vénéneuse. *Aconitum, i,* n.

acquéreur, s. m. Celui qui acquiert. *Emptor, oris,* m.

acquérir, v. tr. Se procurer la possession de. *Parāre,* tr. *Sibi comparāre.* — à prix d'argent, *mercāri,* dép. tr. — en outre, *acquirēre,* tr. Chercher à —, *quaerēre,* tr. || (Au fig.) *Adipisci,* dép. tr. *Consequi,* dép. tr. Il est acquis que... *certum est* ou *pro certo habemus* (av. l'acc. et l'inf.). || Je vous suis tout acquis, *tibi sum omnino deditus.*

acquiescement, s. m. Action d'acquiescer. *Assensio, onis,* f.

acquiescer, v. intr. Donner son assentiment à l'opinion de qqn, se ranger à ses désirs. *Assensu suo comprobāre* (*aliquem* ou *aliquid*).

1. **acquis, se,** part. du verbe ACQUÉRIR. Voy. ce mot.

2. **acquis,** s. m. Connaissances acqui-

ses, habileté acquise. *Scientia atque usus rerum.*

acquisition, s. f. Action d'acquérir. *Comparatio, onis,* f. *Adeptio, onis,* f. Faire l'— de, voy. ACQUÉRIR. ¶ Ce qui est acquis. *Partum, i,* n. Les —, *parta* ou *comparata.*

acquit, s. m. Action de s'acquitter. *Solutio, onis,* f. ¶ (Par ext.) Reçu délivré par le créancier payé. *Apocha, ae,* f. || (Fig.) Par — de conscience, *ut salva sit* (ou *esset,* etc.) *religio et fides.* Par manière d'—, *dicis causā* ou *gratiā* ou *ergo* (pour la forme).

acquittement, s. m. Action d'acquitter. || — d'un accusé, *absolutio, onis,* f. — d'une dette, *solutio, onis,* f. — des impôts, *vestigalium praestatio.*

acquitter, v. tr. Rendre quitte (d'une obligation). *Liberāre,* tr. || Acquitter (un accusé). *Absolvēre,* tr. Etre acquitté à l'unanimité, *omnibus sententiis absolvi.* || S'— (d'une obligation, la remplir). *Solvēre,* tr. *Exsolvēre,* tr. *Fungi,* dép. intr. S'— envers un créancier, *creditori satisfacēre.* || (Fig.) S'— (d'un office). *fungi,* dép. intr. *explēre,* tr. *praestāre,* tr. ¶ Acquitter une chose, s'en rendre quitte. *Solvēre,* tr. *Dissolvēre,* tr. *Solvēre,* tr. — une dette, *pecuniam debitam solvēre,* — une traite, une obligation, *nomen dissolvēre.* — le prix du transport, *pro vectura solvēre.* || (Par ext.) Mettre son acquit au bas (d'une facture, etc.). *Apocham conscribēre.*

âcre, adj. D'une saveur, d'une odeur piquante, qui prend à la gorge. *Acer, acris, acre,* adj. D'un goût —, *austerus, a, um,* adj. ¶ (Fig.) D'une amertume blessante. *Acerbus, a, um,* adj.

âcreté, s. f. Caractère de ce qui est âcre. *Acrimonia, ae,* f. [*monia, ae,* f.

acrimonie, s. f. Acreté invétérée. *Acri-*

acrobate, s. m. et f. Danseur (ou danseuse) de corde. *Funambulus, i,* m. Une —, *quae per funem extentum ambulat.*

acte, s. m. Fait résultant d'une détermination de la volonté. *Facinus, oris,* n. *Factum, i,* n. *Res, rei,* f. — répréhensible, *peccatum, i,* n. Faire — de fermeté, *praestare se virum.* Faire — de dictateur, *pro dictatore agēre.* Faire — de citoyen, *se gerēre pro cive.* ¶ (Au plur.) Actes, décisions de l'autorité. *Acta, orum,* n. pl. ¶ Ecrit mentionnant certains faits. *Acta, orum,* n. pl. || Pièce (officielle ou non). *Litterae, arum,* f. pl. *Instrumentum, i,* n. ¶ Division d'une pièce de théâtre. *Actūs, ūs,* m.

acteur, **trice**, s. m. et f. Celui ou celle qui joue un rôle dans une pièce de théâtre. *Actor, oris,* m. *Mimus, i,* m. *Histrio, onis,* m. *Scenicus, i,* m. Une actrice, *mima. ae,* f.

actif, **ive**, adj. Qui agit. *Acer, acris, acre,* adj. *Impiger, gra, grum,* adj. *Industrius, a, um,* adj. Etre —, *agēre,* abs.

¶ Qui consiste à agir. Prendre une part active (à qqch.), *alicui rei interesse.* || (Gramm.) Qui exprime l'action. *Activus, a, um,* adj. ¶ Qui agit vivement. *Promptus, a, um,* adj. || Energique, efficace. Voy. ces mots.

action, s. f. Manifestation d'une force par ses effets. *Actio, onis,* f. *Vis,* f. Avoir de l'action sur (en parl. d'une ch.), *efficacem esse ad* (et l'acc.). N'avoir pas d'—, *irritum esse.*|| (Gr.) *Actio, onis,* f. || Exercice de la force ou du pouvoir qu'on a de faire qqch. L'énergie dans l'—, *industria in agendo.* Hommes d'—, *agentes,* m. pl. || Effet de la volonté. *Facinus, oris,* n. Bonne —, *benefactum, i,* n. Mauvaise —, *maleficium, ii,* n. — déshonorante, *dedecus, oris,* n. || Engagement entre deux armées. *Res, rei,* f. Engager l'—, *rem gerēre.* ¶ Exercice d'un droit en justice. *Actio, onis,* f. Intenter une — judiciaire, *agēre,* abs. ¶ Droit sur qqn. *Actio, onis,* f. Etre sous l'— de la loi, *lege tenēri.* ¶ Ensemble des gestes traduisant une émotion de l'âme. *Actio, onis,* f. L'— oratoire, *même trad.* ¶ Ensemble des événements d'un récit ou d'un drame. *Actio, onis,* f.

actionner, v. tr. Exercer contre qqn une action judiciaire. *Reum aliquem agēre.*

activement, adv. D'une manière active. *Acriter,* adv. *Impigrē,* adv. *Strenuē,* adv.

activer, v. tr. Rendre plus prompt dans son action. *Excitāre,* tr. *Urgēre,* tr. *Instāre,* intr. *Insistēre,* intr.

activité, s. f. Puissance d'agir. *Vis,* acc. *vim,* abl. *vi,* f. *Virtus, utis,* f. ¶ Exercice de la puissance d'agir. *Actio, onis,* f. *Motūs, ūs,* m. — physique, *actio corporis.* — intellectuelle, *mentis agitatio.* Plein d'—, *actuosus, a, um,* adj. ¶ Promptitude dans l'action. *Industria, ae,* f. *Celeritas, atis,* f. Avec —, *industriē,* adv. *impigrē,* adv. || (Par ext.) — d'un poison, *veneni celeritas.*

actrice, s. f. Voy. ACTEUR.

actuel, **elle**, adj. Qui existe au moment présent. *Hic, haec, hoc,* adj. pron.

actuellement, adv. Dans le moment présent. *Hoc tempore. Nunc,* adv.

adage, s. m. Sentence ancienne résumant un fait d'expérience. *Adagium, ii,* n.

adapter, v. tr. Rapprocher une chose d'une autre qui lui convient. *Aptāre,* tr. *Accommodāre,* tr. S'— *aptum esse; convenīre,* intr.

addition, s. f. Action d'ajouter. *Additio, onis,* f. *Adjectio, onis,* f. || (Méton.) Chose ajoutée à une autre. *Additamentum, i,* n. ¶ Opération d'arithmétique. *Consummatio, onis,* f.

additionner, v. tr. Augmenter par addition. *Aliquid aliqua re miscēre.* ¶ Faire une addition. *Addēre,* abs.

adepte, s. m. et f. Personne initiée à un art, à une doctrine. *Discipulus, i,* m. *Discipula, ae,* f. Voy. INITIÉ.

adhérence, s. f. Le fait d'adhérer. *Adhaesio, onis,* f.

1. **adhérent**, *ente*, adj. Qui adhère à qqch. *Adhaerens, entis,* p. adj. Etre —, *adhaerêre*, intr. Devenir —, *adhaerescêre*, intr. [*tipulator, oris,* m.

2. **adhérent**, s. m. *Fautor, oris,* m. As-

adhérer, v. intr. Tenir étroitement à qqch. *Adhaerêre*, intr. (av. le dat.). *Cohaerêre*, intr. (avec *cum* et l'abl.). *Inhaerêre*. intr. (av. *in* et l'abl.). ¶ (Par ext.) S'attacher à un parti. *Accedêre*, intr. (av. le dat.). *Assentiri*, dép. intr. (av. le dat.).

adhésion. s. f. Union étroite. Voy. UNION. ¶ Voy. ASSENTIMENT, CONSENTEMENT.

adieu, loc. interj. Formule polie pour prendre congé. *Vale* ou *valete* (selon le cas). ¶ S. m. Dire — à qqn, *aliquem valêre jubêre*. Faire ses — à qqn, *alicui valedicêre*. Dire — à la politique, *salutem foro dicêre*.

adjacent, *ente*, adj. Qui occupe une étendue contiguë. *Adjacens, entis,* p. adj. *Conjunctus, a, um.* p. adj.

adjectif. *ive*, adj. Qui s'ajoute au substantif. *Adjectivus, a, um,* adj. Nom — (et subst.) —, *adjectivum nomen.*

adjoindre, v. tr. Joindre à. Voy. JOINDRE. ¶ Joindre comme aide ou auxiliaire. *Adjungêre*, tr. *Addêre*, tr. 8'—, *asciscêre*, tr.

adjoint, *ointe*, p. adj. Voy. ADJOINDRE. ¶ S. m. *Adjutor, oris,* m.

adjonction, s. f. Action d'adjoindre. *Adjunctio, onis,* f. ¶ (Méton.) Chose adjointe. *Accessio, onis,* f. [*onis,* m.

adjudant, s. m. Sous-officier. *Optio,*

adjudicataire, s. m. Celui à qui on adjuge. *Manceps, cipis,* m.

adjudication, s. f. Acte par lequel on adjuge. *Addictio, onis,* f. Mettre en —, *in auctione vendêre*. || Adjudication à l'entreprise. *Locatio, onis,* f.

adjuger, v. tr. Attribuer par jugement. *Adjudicare*, tr. ¶ Attribuer au plus offrant. *Addicêre*, tr.

adjuration, s. f. Action d'adjurer. *Obsecratio, onis,* f.

adjurer, v. tr. Sommer (au nom d'une chose sacrée) de faire qqch. *Obsecrâre*, tr. *Obtestâri*, dép. tr.

admettre, v. tr. Recevoir (qq. part) qqn ou qqch. qui a qualité pour y entrer. *Admittêre*, tr. *Accipêre*, tr. — qqn dans la cité, *aliquem in civittaem accipere*. ¶ Recevoir (dans son esprit) qqch. comme vrai, comme valable. *Recipêre*, tr. *Approbâre*, tr. En admettant que, *ut* (av. le subj.). En admettant que ... ne... pas, *ne* (avec le subj.). Faire admettre que, voy. PERSUADER.

administrateur. m. Celui qui administre. *Curator, oris,* m.

administratif, *ive*, adj. Qui a rapport à l'administration. Talents —, *rerum civilium gerendarum peritia.*

administration, s. f. Action de diriger ou de surveiller les affaires privées ou publiques. *Administratio, onis,* f. *Cura, ae,* f. L'—, ,c -d-d. les employés, ministri, orum, m. pl.

administrer, v. tr. Fournir ou appliquer à qqn qqch. d'utile. *Dare,* tr. *Praebêre*, tr. *Adhibêre*, tr. — un remède, *alicui medicamentum praebêre*. — une correction, *verberibus (in aliquem) animadvertêre*. — la preuve que Verrès a pris illégalement l'argent, *probare Verrem contra leges pecunias cepisse.* ¶ Diriger ou surveiller les affaires. *Administrâre*, tr. *Curâre*, tr. *Gerêre*, tr.

admirable, adj. Fait pour exciter l'étonnement. *Mirus, a, um,* adj. ¶ Digne d'admiration. *Admirandus, a, um,* p. adj. [admirable. *Mirê*, adv.

admirablement, adv. D'une manière admirateur, s. m. Celui qui admire. *Admirator, oris,* m. Etre grand — de qqn, *multum esse in admiratione alicujus.*

admiratif, *ive*, adj. Qui exprime son admiration. *Admirans, antis,* p. adj. Cris —, *clamor admirantium.* ¶ Qui marque l'admiration. *Admirans, antis,* p. adj.

admiration, s. f. Ravissement de l'âme en présence de la beauté. *Admiratio, onis,* f. Exciter des cris d'—, *clamores et admirationes efficêre*. Regarder avec —, *mirâri*, dép. tr. ¶ Objet d'admiration. Voy. MERVEILLE.

admiratrice, s. f. Celle qui admire. *Ea quae miratur.*

admirer, v. tr. Considérer avec étonnement. *Mirâri*, dép. tr. *Admirâri*, tr. Etre admiré, *admirationem habêre* Faire —, *admirationem alicui movêre*. Se faire —, *injicêre alicui admirationem sui.*

admissible, adj. Qui peut être admis. || (En parlant de choses.) *Recipiendus, a, um,* adj. *Probabilis, e,* adj. || (En parl. de pers.) *Accipiendus, a, um,* p. adj.

admission, s. f. Le fait d'être admis. *Admissio, onis,* f. *Cooptatio, onis,* f.

admonestation, s. f. Avertissement sévère. *Verborum castigatio.*

admonester, v. tr. Donner (à qqn) un avertissement sévère. *Verbis (aliquem) castigâre.*

admonition, s. f. Simple avertissement de l'autorité. *Admonitio, onis,* f.

adolescence, s. f. Age qui suit l'enfance. *Adulescentia, ae,* f.

adolescent, adj. et subst. || Adj. Qui est dans l'adolescence. *Adolescens, entis,* p. adj. || (Subst.) Jeune homme, *Adulescens, entis,* m.

adonné, *ée*, p. adj. Qui se livre à la pratique de qqch. *Deditus, a, um,* p. adj. (av. le datif). *Studiosus, a, um,* adj. (avec le gén.).

adonner (s'), v. pron. Se livrer à la pratique de qqch. *Se dare (alicui rei). Dedĕre se. Tradĕre se. Studĕre (alicui rei).*

adopter, v. tr. Faire entrer dans sa famille l'enfant d'un autre. *Adoptāre,* tr. ‖ (Par ext.) Traiter qqn comme son enfant. *Adoptāre,* tr. ¶ (Fig.) Rendre sienne la manière de penser ou d'agir de qqn. *Sumĕre,* tr. *Assumĕre,* tr.

adoptif, ive, adj. Qui résulte de l'adoption, qui a adopté *ou* qui a été adopté. *Adoptivus, a, um,* adj.

adoption, s. f. Acte légal par lequel on fait entrer dans sa famille l'enfant d'un autre. *Adoptio, onis,* f.

adorable, adj. Qui mérite d'être adoré. *Adorandus, a, um,* p. adj.

adorateur, m. Celui qui adore. *Cultor, oris,* m. ¶ Celui qui aime passionnément. *Amantissimus* (avec le gén.).

adoration. Action d'adorer. *Cultus, ūs,* m. *Veneratio, onis,* f. Ils ont pour Mercure une — particulière, *Mercurium colunt eximia religione.*

adorer, v. tr. Rendre les honneurs divins. *Adorare,* tr. ‖ (Par ext.) En parl. de mortels divinisés. *Colĕre,* tr. ¶ (Fig.) Avoir un culte (pour qqch.). *Religiosissime (aliquid) venerari. Excolĕre,* tr.

adosser, v. tr. Appuyer le dos contre qqch. S'—, *applicāre se ou corpus.* Adossé, *acclinis,* e.

adoucir, v. tr. Rendre plus doux au toucher, au goût, etc. *Mollīre,* tr. *Mitigāre,* tr. — la peau, *molliorem facĕre cutem.* — la voix, *leniorem facĕre vocem.* S'—, *mollīri,* pass.; *mitigari,* pass.; *mitescĕre,* intr. ¶ (Fig.) Rendre moins rude à la sensibilité. *Mollīre,* tr. *Lenīre,* tr. *Mitigāre,* tr. S'—, *mansuescĕre,* intr., *levationem habēre* (en parl. d'un chagrin). S'— (en parl. de qui est en colère), *iracundiam remittĕre.*

adoucissant, ante, adj. Qui adoucit. *Mitigatorius, a, um,* adj. ¶ (Subst.) Des adoucissants, *lenimenta, orum,* n. pl.

adoucissement, s. m. Action d'adoucir et résultat de cette action. — de la température. *Caeli temperies mitior.* — des teintes, *colorum mollitudo.* ¶ (Au fig.) *Laxamentum, i,* n. *Levamentum, i,* n. *Solatium, ii,* n.

adresse, s. f. Direction. *Regio, onis,* f. ‖ (Par ext.) Ce reproche est à notre —, *haec objurgatio ad nos dirigitur.* ¶ Inscription d'une lettre. *Inscriptio, onis,* f. ¶ Écrit destiné à une autorité. *Libellus, i,* m. *Litterae, arum,* f. pl. ¶ Qualité nécessaire à celui qui veut aller droit au but. *Sollertia, ae,* f. Fait avec —, *sollers, ertis,* adj. ‖ (Péjor.) *Artificium, ii,* n. *Versutia, ae,* f. *Calliditas, atis,* f. ‖ (Méton.) Acte accompli avec adresse. *Res sollerter facta.*

adresser, v. tr. Faire aller droit vers qqn. *Dirigĕre,* tr. Par ext. — une lettre, un paquet à qqn, *fasciculum ou litteras*

ad aliquem mittĕre.* Ceci s'adresse à moi, *hoc in me dirigitur.* — une demande à qqn, *ab aliquo aliquid petĕre.* — des hommages à qqn, *reverentiam alicui praestāre.* ‖ — la parole (à qqn), (aliquem) appellāre ou alloqui. S'— à qqn (avoir recours à lui), *ad aliquem confugĕre.* [*Sollers, ertis,* adj.

adroit, oite, adj. Qui a de l'adresse.

adroitement, adv. D'une manière adroite. *Sollerter,* adv. *Callidē,* adv.

adulateur, s. m. Celui qui adresse de basses flatteries. *Adulator, oris,* m. *Assentator, oris,* m. [*latio, onis,* f.

adulation, s. f. Basse flatterie. *Adulatrice,* s. f. Celle qui adresse de basses flatteries. *Assentatrix, icis,* f.

aduler, v. tr. Flatter bassement. *Adulari,* dép. tr. *Assentāri,* dép. intr. (av. le datif).

adulte, adj. Parvenu au terme de la croissance. *Adultus, a, um,* p. adj. *Grandis, e,* adj.

1. adultère, adj. Qui viole la foi conjugale. *Adulter, era,* adj. ¶ (Subst.) Un —, *adulter, eri,* m. Une —, *adultera, ae,* f.

2. adultère, s. m. Violation de la foi conjugale. *Adulterium, ii,* n.

advenir, v. intr. Se produire en parlant d'un événement. *Evenire,* intr.

adverbe, s. m. Nom d'une partie du discours. *Adverbium, ii,* n.

adversaire, s. m. Celui qui, dans une lutte, est opposé à un autre. *Adversarius, ii,* m. *Hostis, is,* m.

adverse, adj. Contraire. *Adversus, a, um,* adj. Le parti —, *adversaria factio.*

adversité, s. f. Sort contraire. *Adversa fortuna.* ‖ Coup du sort. *Res adversa* (surt. au plur.). En cas d'—, *si quid adversi accidĕrit.* (l'air. Voy. AÉRER.

aéré, ée, p. adj. Mis en contact avec

aérer, v. tr. Mettre en contact avec l'air. *Aliquid aeri exponĕre ou aera in aliquid immittĕre.* ‖ Part. AÉRÉ, ÉE. Où l'air circule, *perflabilis,* e, adj.

aérien, ienne, adj. Formé d'air. *Ex aere constans.* ‖ (Fig.) Vaporeux comme l'air. *Aerius, a, um,* adj.

affabilité, s. f. Caractère d'une personne affable. *Comitas, atis,* f. Avec —, *comiter,* adv.

affable, adj. Qui accueille les gens avec bonté. *Comis, e,* adj.

affablement, adv. Avec affabilité. Voy. AFFABILITÉ.

affabulation, s. f. Morale adaptée à un récit, à une fable. *Affabulatio, onis,* f.

affadir, v. tr. Rendre dégoûté. *Fastidium creāre ou movēre.* ¶ Rendre sans goût, sans saveur. *Insulsum (aliquid) facĕre ou reddĕre.*

affaiblir, v. tr. Rendre moins fort. *Debilitāre,* tr. S'—, *debilitari,* passif· *consenescĕre,* intr. Très affaibli, *effetus, a, um,* p. adj. Affaibli par l'âge, *decrepitus, a, um,* p. adj. *defectus, a,* adj.

¶ (Au fig.) *Imminuère*, tr. *Infirmâre*. tr. La mémoire s'affaiblit, *memoria minuitur*.

affaiblissement, s. m. Diminution de la force. *Debilitatio, onis*, f. — de la vue, *oculorum hebetatio*. — des forces, *vires imminutae*. || (Par anal.) de la lumière, *luminis deminutio*. || (Au fig.) *Imminutio, onis*, f. *Debilitas, atis*, f.

affaire, s. f. Ce qu'on a à faire (en gén.). *Negotium, ii*, n. *Res, rei*, f. C'est une grosse affaire, *negotium est ou res est multi laboris*. || (En parl. de ch. déterminées.) — d'argent, *res numeraria* ou *pecuniaria*. — de conscience, *religio, onis*, f. || (Par ext.) La chose dont il s'agit. *Res, rei*, f. Je n'ai pas — avec vous, *mihi tecum nihil rei est*. || Chose grave ou difficile. *Negotium, ii*, n. S'attirer des —, *se implicare molestiis*. Tirer qqn d'—, *expedîre aliquem*. Sortir d'—, *emergère se ex aliquo negotio*. ¶ Occupation. Voy. ce mot. || Chose avantageuse. Cela fait mon —, *hoc mihi commodum est*.|| Intérêt public. *Negotium, ii*, n. *Res, rei*, f. Diriger les — publiques, *rem publicam gerère at quæ administrâre*. Les — humaines, *res humanae*. ¶ Intérêt privé *et par ext.* marché, transaction. *Negotium, ii*, n. *Res, rei*, f. *Ratio, onis*, f. S'occuper d'— faire des —, *negotiari*, dép. intr. Mettre ordre à ses —, *rebus suis prospicère*. ¶ ¶ Débat judiciaire. *Judicium, ii*, n. *Causa, ae*, f. || Débat, querelle. Voy. ces mots. ¶ Engagement, combat. *Res, rei*, f. *Negotium, ii*, n.

affairé, *ée*, adj. Qui paraît avoir ou qui a beaucoup d'affaires. *Negotiosus, a, um*, adj.

affaissement, s. m. Etat de ce qui est affaissé. *Labes, is*, f. *Lapsûs, ûs*, m. Prévenir les — du sol, *cavère ne solum subsidat*. Fig. — moral, *debilitatio atque abiectio animi*.

affaisser, v. tr. Faire fléchir sous le faix. *Deprimère*, tr. S'—, *considère*, intr. *subsidere*, intr. Au fig. *concidère*, intr.

affamé, *ée*, adj. Qui a faim. *Famelicus, a, um*, adj. Etre —, *esurire*, intr.

affamer, v. tr. Amener à avoir faim. *Alicui famem parère*. Etre affamé, *fame consumi*. Affamé, *fame confectus*.

affectation, s. f. Action de disposer er. vue de quelque chose; destination d'un édifice, d'un objet. Donner à un édifice une autre —, *aedes* (ou *aedificium*) *ad alios usus destinâre*. ¶ Action de faire semblant d'avoir telle ou telle manière d'être ou d'agir. *Simulatio, onis*, f. — de bouffonnerie, *affectata scurrilitas*.|| Affectation dans le langage. *Affectatio, onis*, f. *Molestia, ae*, f. ¶ Action de rechercher de préférence. *Affectatio, onis*, f.

1. **affecter**, v. tr. Disposer en vue de qqch. *Destinâre*, tr. ¶ Faire semblant

d'avoir telle ou telle manière d'être. *Prae se ferre*. *Ostentâre*, tr. Politesse affectée, *quaesita comitas*. || (En parl. du discours.) *Affectâre*, tr. *Consectâri*, dép. tr. Affecté, *ambitiosus, a,`um*, adj. *putidus, a, um*, adj. ¶ Rechercher de préférence. *Affectâre*, tr. *Consectâri*, dép. tr.

2. **affecter**, tr. Toucher, faire telle ou telle impression. *Afficère*, tr. *Tangère*, tr. S'—, *affici*, passif. *movèri* ou *commovèri*, passif.

affection, s. f. Impression faite sur l'âme. *Affectio, onis*, f. *Affectûs, ûs*, m. *Motûs, ûs*, m. ¶ Mouvement qui porte l'âme vers qqch. *ou* l'en détourne. *Affectio, onis*, f. *Inclinatio, onis*, f. ¶ Attache de l'âme à qqch. *Studium, ii*, n. ¶ Inclination vers qqn, bonne volonté. *Amor, oris*, m. *Studium, ii*, n. *Voluntas, atis*, f. Donner à qqn son —, *ad aliquem animum suum adjicère*. Sentiments d'—, *caritates, um*, f. pl. Avoir de l'—, *diligère*, tr. ¶ Modification physique. *Morbus, i*, m.

affectionné, *ée*, p. adj. Qui a de l'affection pour qqn. *Amantissimus, a, um*, adj. au superl. (av. le gén.).

affectionner, v. tr. Affectionner à qqch. donner de l'attache à qqch. *Aliquem ad aliquid convertère*.|| Donner de l'attachement pour. *Studium alicujus ad aliquem convertère*. S'— pour ou à, *studium suum ad aliquem adjungère*. ¶ (Par ext.) — qqch. (être attaché à qqch.). *Studiosissimum esse alicujus rei*. — qqn, avoir de l'attachement pour qqn. Voy. AFFECTION. [*Amanter*, adv.

affectueusement, adv. Avec affection.

affectueux, *euse*, adj. Qui montre de l'affection. *Amans, antis*, p. adj. (av. le gén.).

affermer, v. tr. Donner à ferme. *Locâre*, tr. Prendre à ferme: *Redimère*, tr. *Conducère*, tr.

affermir, v. tr. Rendre ferme. *Firmâre*, tr. *Confirmâre*, tr. S'—, *firmâri*, passif. ¶ (Fig.) *Firmâre*, tr. *Confirmâre*, tr. Dont la santé est affermie, *confirmatus*. S'— contre tout événement, *confirmâre animum ad omnia*. Affermi contre les dangers, *firmus contra pericula*.

affermissement, s. m. Action d'affermir et résultat de cette action. *Confirmatio, onis*, f.

affété, *ée*, adj. Qui a une grâce maniérée. *Praedulcis, e*, adj. [*ditia, ae*, f.

afféterie, s. f. Grâce maniérée. *Munditia, ae*, f.

affiche, s. f. Annonce au public, fixée à un mur. *Tabula, ae*, f. *Titulus, i*, m. Voy. AFFICHER.

afficher, v. tr. Apposer une affiche. *Figère*, tr. *Proponère*, tr. || Annoncer (par voie d'affiche). *Proscribère*, tr. — une vente aux enchères, *auctionem proscribère*. ¶ Etaler, montrer au public. *Prae se ferre*. *Ostentâre*, tr. S'—, *se in spectaculum dare*.

affidé, ée, adj. A qui l'on se fie. *Fidus, a, um*, adj. ¶. *S. m.* Membre d'une association. *Socius, ii*, m.

affiler, v. tr. Donner le fil à un tranchant. *Acuěre*, tr. *Exacuěre*, tr. Fig. Avoir la langue bien affilée, *linguā promptum esse.*

affilier, tr. Attacher à une association principale des associations secondaires. *Consociāre,* tr. ¶ Attacher qqn à une association. *Cooptāre*, tr. Subst. m. Un affilié, *socius, ii*; m. [*tio, onis*, f.

affinage, s. m. Action d'affiner. *Excocaffiner*, v. tr. Rendre un métal pur en séparant les substances étrangères. *Purgāre*, tr. *Excoquěre*, tr. ¶ Rendre fini. *Perficěre*, tr. S'—, *perfici*, passif. ¶ (Fig.) Rendre plus délicat. *Acuěre*, tr. S'— le goût, *intelligendi prudentiam acuěre.*

affinité, s. f. Parenté par alliance. *Affinitas, atis*, f. ¶ (Fig.) Tendance à s'unir. *Cognatio, onis*, f. Avoir de l'—, *cognatum esse* (av. le dat.).

affirmatif, ive, adj. Qui affirme. *Affirmans, antis*, p. adj. Etre très —, *omni asseveratione affirmāre*. D'un ton —, *asseveranter*, adv.

affirmation, s. f. Action de déclarer qu'une chose est. *Affirmatio, onis*, f. *Asseveratio, onis*, f.

affirmativement, adv. D'une manière affirmative. *Asseveranter*, adv.

affirmer, v. tr. Déclarer qu'une chose est. *Affirmāre*, tr. *Confirmāre*, tr. — avec conviction que..., *asseverāre* (avec l'acc. et l'inf.). — que... ne... pas..., *negāre* (av. l'acc. et l'infin.).

affliction, s. f. Etat de celui qui est frappé moralement d'un coup douloureux. *Maeror, oris*, m. *Aegritudo, inis*, f. Plongé dans une extrême —, *afflictus et confectus luctu*. Mettre qqn dans l'—, *affligěre aliquem*. [*tuosus, a, um*, adj.

affligeant, ante, adj. Qui afflige. *Luctuosus, a, um*, adj. Qui afflige. *Luc-affliger*, v. tr. Frapper douloureusement le corps ou l'âme. ‖ Frapper douloureusement e corps. *Affligěre*, tr. *Afflictāre*, tr. ‖ Frapper douloureusement l'âme. *Affligěre*, tr. *Conflictāre*, tr — qqn, *dolorem alicui facěre* ou *afferre*. Cela m'afflige, c'est de..., *mihi acerbum est* (av. l'inf.). Affligé, ée, adj. *Maestus, a*, adj. S'—, être affligé, *maerēre*, intr.; *angi*, passif. Si qqn s'afflige d'être pauvre, *si quis aegre ferat se pauperem esse.*

affluence, s. f. Action d'affluer. *Affluentia, ae*, f. ‖ (En parl. de la foule.) *Celebritas, atis*, f. *Frequentia, ae*, f.

affluent, ente, adj. Qui afflue, c.-à-d. qui se jette dans un cours d'eau. *Confluens, entis*, p. adj. ¶ *S. m.* Rivière qui se jette dans une autre, *amnis influens.*

affluer, v. intr. Couler abondamment. *Confluěre*, intr. ¶ (Fig.) Se porter en foule vers. *Affluěre*, intr. *Confluěre*, intr.

affoler, v. tr. Rendre comme fou. *Fere insanientem aliquem facěre*. Etre affolé du désir de qqch., *concupiscěre aliquid ad insaniam.*

affranchi. Voy. AFFRANCHIR.

affranchir, v. tr. Rendre franc ou libre. *Liberāre*, tr. — un esclave, *servum ad libertatem vocāre*. Un esclave affranchi *et* (par ext.) un affranchi, *libertus, i*, m. Fils d'—, *libertinus, i*, m. Une affranchie, *liberta, ae*, f. ‖ (Par ext.) Voy. EMANCIPER. ‖ (Par anal.) Rendre indépendant. *Liberāre*, tr. S'—, *se in libertatem vindicāre*. ‖ Délivrer l'âme, l'esprit, etc., de ce qui l'assujettit. *Liberāre*, tr. — qqn de la crainte, *levāre alicui metum*. Affranchi, e, *liber, era, erum*, adj. ; *solutus, a,' um*, p. adj. ¶ Rendre libre de ce qui grève. *Eximěre*, tr. Etre affranchi de toute redevance, *omnium resum immunitatem habēre.*

affranchissement, s. m. Action d'affranchir (et part.), action de rendre qqn de condition libre. *Manumissio, onis*, f. ‖ Etat d'une personne affranchie. *Libertas, atis*, f. ¶ Action de rendre indépendant. *Liberatio, onis*, f. ¶ Action de rendre l'âme libre de ce qui l'assujettit. *Liberatio, onis*, f. ‖ Résultat de cette action. *Vacuitas, atis*, f. — de toute douleur, *doloris vacuitas*. ¶ Action de rendre libre de ce qui grève. *Vacuatio, onis*, f. ‖ Résultat de cette action. *Imunitas, atis*, f.

affrètement, s. m. Action d'affréter un navire. *Navis locatio* ou *conductio.*

affréter, v. tr. Prendre un navire en location. *Navem conducěre*. Navire affrété, *conducticia navis.*

affreusement, adv. D'une manière affreuse. *Foedē*, adv.

affreux, euse, adj. Qui a une laideur effrayante. *Foedus, a, um*, adj. *Horrendus, a, um*, adj. *Horribilis, e*, adj. Aspect —, *foeditas, atis*, f. Avoir un aspect —, *horrēre*, intr. Rendre —, *foedāre*, tr. ¶ (Fig.) En parl. d'actions ou d'impressions physiques. *Foedus, a, um*, adj. *Atrox, ocis*, adj.

affriander, v. tr. Offrir qqch. de friand. *Cuppediis inescāre* (ou *allicěre*) *aliquem.* Au fig. *Inescāre*, tr.

affront, s. m. Insulte faite en face. *Contumelia, ae*, f. Faire un — à qqn, *alicui infamiam inferre*. Avoir l'— de qqch., rester en affront, *contumeliam accipěre propter rem male gestam.*

affronter, v. tr. Opposer front à front. *Poněre adversos* (*adversas* ou *adversa*). ¶ Placer de front. *Pariter jungěre*. ¶ Aborder hardiment. *Aggredi*, dép. tr. *Adire*, tr. — l'envie, *invidiam suscipěre.*

affublement, s. m. Ce dont on est affublé. *Vestitus, ūs*, m.

affubler, v. tr. Couvrir d'un vêtement. *Induěre alicui vestem*. S'— d'un vêtement, *sibi vestem induěre.*

affût, s. m. Poste derrière un arbre

pour guetter le gibier. *Insidiae, arum,*
f. pl. Etre à l'—, *esse in insidiis* ou
insidiari (av. le dat.). Au fig. Etre à
l'— de qqch. (la guetter), *aliquid
aucupâri.*

afin, conj. Suivie de la préposit. « de »
cu de la conjonction « que ». Sert à marquer le but de l'action, signifiée par
le verbe principal. *Ut,* av. le subj. *Quo*
(partic. avec un comparat.), conj. (av.
le subj.). — que... ne... pas..., *ne*
(av. le subj.).

agaçant, *ante*, adj. Qui irrite légèrement. *Qui (quae, quod) leviter irritat
(nervos, animum,* etc.). ¶ Qui provoque
légèrement. *Procax, acis,* adj.

agacement, s. m. Impression légère,
mais désagréable, produite sur l'oreille,
les dents (etc.). *Irritatio, onis,* f. ¶
Légère irritation morale. *Levis animi
commotio.*

agacer, v. tr. Causer une légère irritation nerveuse. *Irritāre,* tr. ¶ (Fig.)
Causer une légère irritation morale.
Irritāre, tr. ¶ Provoquer, exciter légèrement. *Leviter excitāre,* tr.

agacerie, s. f. Légère provocation.
Incitamentum, i, m. *Invitamentum, i,* n.

agape, s. f. Repas en commun des
premiers chrétiens. *Agape, ēs,* f.

agate, s. f. Pierre dure que le poli
rend brillante. *Achates, ae,* m.

âge, s. m. Succession des années qui
forment la vie humaine. *Aetas, atis,* f.
Avancé en —, *provectus aetate; grandis,*
adj. La fleur de l'— *,florens aetas* ou
flos aetatis. || Durée moyenne de la vie;
génération. *Aetas, atis,* f. ¶ Partie
déterminée de la vie humaine. *Aetas,
atis,* f. *Anni, orum,* m. pl. Avoir le
même — que qqn, *aequalem esse alicui.*
|| Chacune des périodes de la vie
humaine. *Aetas, atis,* f. Dès le jeune —,
ob ineunte aetate. L'âge mûr, *constans
aetas.* La vigueur de l'—, *aetas firmata*
ou *confirmata.* Des gens de tout —,
omnis aetas. L'— adulte, *pubertas, atis,*
f. Prendre de l'—, *procedēre aetate.* ||
(Absol.) L'—, *c.-à-d.* le grand —, *aetas,
atis,* f. Appesanti par l'âge, *gravis
aetate.* || Age requis ou légal. *Aetas,
atis,* f. ¶ (Par ext.) Période, siècle.
Aetas, atis, f.

âgé, *ée*, adj. Qui a tel ou tel âge.
Natus, a, part. — de trente-trois ans,
natus triginta tres annos... — de moins
de huit ans, *minor annis octo.* Le plus
âgé, *major natu* (en parl. de deux); ou
maximus natu (en parl. de l'aîné de
plus de deux). Le moins âgé, *minimus*
(ou *minor*) *aetu.* ¶ (Par ext.) Vieux.
V. ce mot.

agence, s. m. Fonction d'agent. *Procuratio, onis,* f. [*Dispositio, onis,*
agencement, s. m. Action d'agencer.

agencer, v. tr. Disposer les parties
d'un tout en vue de l'agrément ou
de la commodité. *Disponēre,* tr. *Com-*

ponēre, tr. *Instruēre,* tr. — des maisons,
un parc, *instruēre domos, hortos.*

agenda, s. m. Carnet contenant autant
de feuillets que l'année a de jours, et
servant à noter ce que l'cn a à faire
chaque jour. *Commentarii diurni.*

agenouiller (s'), v. pron. Se mettre à
genoux. *In genua procumbēre.* S'— devant qqn (pour le supplier), *ad pedes
alicujus procumbere.* S'— (pour adorer),
procumbentem humi venerāri (aliquem).

agent, s. m. Principe d'action. *Vis,* acc.
vim, f. ¶ Celui qui est chargé par qqn
d'agir à sa place. *Actor, oris,* m. —
d'affaires, *negotiator, oris,* m. — stipen-
diés, *operae, arum* (méton.), f. pl.

agglomération, s. f. Action d'agglomérer *et* état de ce qui est aggloméré.
Conglobatio, onis, f. || (P. ext.) Masse
d'habitants agglomérés. *Frequentia,
ae,* f.

agglomérer, tr. Rassembler en masse
compacte. *Stipāre,* tr. *Constipāre,* tr.
Conglobāre, tr.

agglutinant, *ante*, adj. Qui agglutine.
Qui (quae, quod) agglutinat (ou *conglu-
tinat*).

agglutiner. v. tr. Coller ensemble. *Conglutināre,* tr.

aggravant, *ante*, adj. Qui aggrave.
Qui (quae, quod) aliquid gravius facit
(ou *efficit*).

aggravation, s. f. Action de s'aggraver.
Exacerbatio, onis, f. ¶ Action d'aggraver. *Intentio, onis,* f.

aggraver, v. tr. Rendre plus grave (un
mal, une faute, etc.). *Aggravāre,* tr.
Onerāre, tr. *Augēre,* tr. S'—, *aggravāri,*
[passif.
aggreg... Voy. AGREG...

agile, adj. Qui a les mouvements vifs
et souples. *Alacer, cris, cre,* adj. *Expeditus, a, um,* adj. [*Expedītē,* adv.
agilement, adv. D'une manière agile.

agilité, s. f. Qualité de ce qui est
agile. *Agilitas, atis,* f. *Velocitas, atis,* f.

agir, v. intr. Faire une action. *Agēre,*
tr. — en ignorant, *imperite facēre.* —
en homme de cœur, *praebēre se virum.*
— bien (ou mal) à l'égard de qqn, *bene*
(ou *male*) *merēri de aliquo.* || (Absol.)
Manifester sa volonté par des actes.
Agēre, absol. *Facēre,* abs. Capable d'—,
après avoir réfléchi, *qui, cum cogitasset,
facēre auderet.* C'est l'honneur ou la
gloire qui nous fait agir, *honore aut
gloria ducimur.* — pour qqn, *dare
operam alicui.* — en faveur de qqn,
alicui favēre. Faire — ses amis, *operā
amicorum uti.* ¶ Exercer une action
(sur qqn ou qqch.). *Aliquem* (ou *ali-
cujus animum*) *movēre* ou *commovēre.* ||
(Absol.) Produire son action. *Vim
habēre. Vim et effectum edēre.* ¶ **s'agir**,
v. impers. Etre question (de qqn ou
de qqch.). *Agi,* passif. Il s'agit d'une
affaire, *res aliqua agitur* ou *de aliqua re
agitur.* Il s'agit de savoir si..., *quaeritur,
num* (av. le subj.).

agissant, *ante*, adj. Qui agit. *Actuosus, a, um*, adj. ‖ (En parl. de substances, de remèdes, etc.) *Efficax, acis*, adj.

agitateur, s. m. Celui qui agite les esprits. *Turbator, oris*, m.

agitation, s. f. Etat de ce qui est agité. *Agitatio, onis*. f. *Concitatio, onis*, f. *Jactatio, onis*, f. — violente, *aestûs, ûs*, m. Etre dans l'—, *tumultuâri*, dép. intr.

agiter, v. tr. Remuer en tous sens (au pr. *et* au fig.) *Agitâre*, tr. *Concitâre*, tr. *Commovère*, tr. Au part. passé AGITÉ, ÉE, *concitatus, a, um*, p. adj. *comotus, a, um*, adj. *inquietus, a, um*, adj. *tumultuosus, a, um*, adj. Etre agité, *commovêri*, passif. Part. passé. Agité vivement *ou* violemment, *conturbatus, a, um*, p. adj. *perturbatus, a, um*, p. adj. Avoir l'esprit vivement agité, *aestuâre*, intr. S'—, *trepidâre*, intr. ¶ Agiter (dans son esprit), débattre. Voy. DEBATTRE.

aglom... Voy. AGGLOM...

agnat, s. m. Parent par agnation. *Agnatus, i*, m.

agneau, s. m. Petit de la brebis. *Agnus, i*, m. D'—, *agninus, a, um*, adj.

agnelet, s. m. Petit agneau. *Agnellus, i*, m.

agonie, s. f. Lutte contre la mort, dernier terme de la maladie. *Colluctatio morientis*. Etre à l'—, *ultimum spiritum trahère* ou *animam agère*.

agonisant, *ante*, adj. Qui agonise. *Qui, quae animam agit*. [Voy. AGONIE.

agoniser, v. intr. Etre à l'agonie.

agrafe, s. f. Crochet. *Fibula, ae*, f.

agrafer, v. tr. Retenir par une agrafe, attacher avec une agrafe. *Fibulare*, tr. *Fibulâ conserère*.

agraire, adj. Relatif au partage des terres à Rome. *Agrarius, a, um*, adj.

agrandir, v. tr. Rendre plus grand (au pr.). *Ampliâre*, tr. *Amplificâre*, tr. *Augère*, tr. *Proferre*, tr. *Prolatâre*, tr. S'— (c.-à-d. agrandir son domaine), *dilatare fundum* ou *agros extendere*. S'—, c.-à-d. augmenter sa fortune, *augère rem bene*.

agrandissement, s. m. Action d'agrandir et état de ce qui est agrandi. *Amplificatio, onis*, f. — du territoire de l'état, *propagatio finium imperii*.

agrav... Voy. AGGRAV...

agréable, adj. Qui est agréé par qqn. *Gratus, a, um*, adj. *Acceptus, a, um*, p. adj. Avoir pour —, *(aliquid) acceptum habère*. ¶ Qui agrée, c.-à-d. qui fait plaisir. *Gratus, a, um*, adj. *Acceptus, a, um*, p. adj. *Jucundus, a, um*, adj. — au peuple, *popularis, e*, adj. ‖ Agréable aux yeux. *Amoenus, a, um*, adj. D'humeur *ou* de commerce — (en parl. de pers.), *comis*, adj. Il est — de, *juvat* (av. l'inf.).

agréablement, adv. D'une manière agréable. *Jucundè*, adv. *Suaviter*, adv.

agréer, v. intr. et tr. ¶ (V. intr.) Etre au gré de qqn. *Placère*, intr. *Delectâre*, tr. Voy. AGREABLE et PLAIRE. ¶ (V. tr.) Trouver à son gré. *Probâre*, tr.

agrégation, s. f. Action d'agreger. *Concretio, onis*, f. ¶ (Fig.) Le fait d'être associé à une corporation. *Allectio, onis*, f.

agréger, v. tr. Unir des molécules de manière à former un tout. *Coagmentâre*, tr. S'.—, *concrescère*, intr. ¶ (Fig.) Associer à une corporation. *Cooptâre*, tr. *Allegère (aliquem) in* (av. l'acc.).

agrément, s. m. Ce qui rend qqn *ou* qqch. agréable. *Amoenitas, atis*, f. (ne se dit que des choses *et partic.* d'un site). *Jucunditas, atis*, f. *Gratia, ae*, f. — personnels, *venustas et pulchritudo corporis*. ‖ Ce qui agrée; plaisir que procure une chose. *Delectatio, onis*, f. *Voluptas, atis*, f. Trouver de l'— dans qqch., *gratum habère aliquid*. Jardin d'—, *horti, orum*, m. pl. Voyage d'—, *voluptaria peregrinatio*. ‖ (Au pl.) Ornements accessoires. *Ornamenta, orum*, n. pl. ‖ Ce qui sert à orner le style. *Festivitas, atis*, f. (au plur. aussi). ¶ Action d'agréer qqch. *Approbatio, onis*, f.

agrès, s. m. pl. Ce qui sert à l'équipement, à la manœuvre. *Arma, orum*, n. pl. ¶ Ce qui sert à l'armement d'un vaisseau. *Armamenta, orum*, n. pl.

agresseur, s. m. Celui qui commet une agression. *Qui lacessit prior*.

agression, s. f. Attaque non justifiée. Commettre une — contre qqn, *aliquem aggredi*.

agreste, adj. Qui appartient aux champs. *Agrestis, e*, adj. *Rusticus, a, um*, adj.

agricole, adj. Qui a rapport à l'agriculture. *Agrestis, e*, adj. Exploitation —, *praedium rusticum*. Instruments —, *agrorum instrumenta*.

agriculteur, s. m. Celui qui cultive la terre. *Agri* (ou *agrorum*) *cultor*. *Agricola, ae*, m

agriculture, s. f. Culture de la terre. *Agri* (ou *agrorum*) *cultura*. S'adonner à l'—, *agri culturae studère*.

agronome, s. m. Celui qui est versé dans l'art de cultiver les terres. *Rerum rusticarum peritissimus*.

agronomie, s. f. Science de l'agriculture. *Colendi agri disciplina*.

aguérir, v. tr. Habituer aux fatigues de la guerre. *Belli laboribus assuefacère (aliquem)*. *Armis exercère*. Soldats aguerris, *armorum usu assueti milites*. S'—, *durare se labore*. Hommes aguerris, *homines in armis exercitati*. ¶ Habituer aux choses difficiles ou pénibles. *Durâre*, tr. S'—, *durare se*; *corroborari*, passif.

aguet, s. m. Embuscade. *Insidiae, arum*, f. pl. Etre aux —, *in specula esse* ou *insidiari*, dép. intr.

ah, interj. Exprimant une vive émotion. *A* ! ou *Ah* ! *Vah* ! *Pro* !

1. aide, s. f. Action d'aider, et par ext., ce qui aide. *Adjumentum, i,* n. *Auxilium, ii,* n. *Opera, ae,* f. Venir en — à qqn, *alicui esse adjumento; auxiliari alicui; alicui opem afferre.*

2. aide. Personne qui aide. *Adjutor, oris,* m. *Administer, tri,* m. — de camp, *contubernalis, is,* m. (surt. au pl.).

aider, v. tr. et intr. Prêter son concours. *Adjuvāre,* tr. *Auxiliāri,* dép. intr. (av. le dat.). *Adesse,* intr. (av. le dat.). — qqn à faire qqch., *operam suam commodāre alicui ad aliquid.* ¶ Venir au secours. *Auxiliāri,* dép. intr. *Assistēre,* intr. (av. le datif). *Opitulāri,* dép. intr. (av. le datif). Se faire — par qqn, *aliquem sibi adjutorem assumēre.* S'— soi-même, *sibi ipse non deesse.* ¶ (*V. intr.*) Aider à qqn *ou* à qqch. V. ci-dessus.

aïe, interj. Exclamation de douleur. *Ei* ou *hei* !

aïeul, s. m. Grand-père. *Avus, i,* m. ¶ (Au plur.) Ceux de qui l'on descend. *Avi, orum,* m. pl. ‖ (Par ext.) Ceux qui ont vécu avant nous. *Majores, um,* m. pl.

aïeule, s. f. La grand'mère. *Avia, ae,* f.

aigle, s. m. et f. Oiseau de proie. *Aquila, ae,* f. D'— , *aquilinus, a, um,* adj. ¶ Ce qui porte un aigle pour enseigne. *Aquila, ae,* f.

aiglefin, s. m. Voy. 2. AIGREFIN.

aiglon, s. m. Petit de l'aigle. *Aquilae pullus.*

aigre, adj. D'une forte acidité. *Acer, acris, acre,* adj. *Acidus, a, um,* adj. Saveur — , *acor, oris,* m. ‖ (Par anal.) Qui donne une sensation de piquant. *Acer, acris, acre,* adj. Froid — , *frigus aors.* ‖ (Subst.) Tourner à l'— , *acescēre,* intr. ¶ (Au fig.) En parl. du caractère. *Acerbus, a, um,* adj.

aigre-doux, douce, adj. Qui a une saveur à la fois aigre et douce. *Acerbitate et suavitate mixtus (a, um).*

1. aigrefin, s. m. Escroc. *Circumscriptor, oris,* m. *Fraudator, oris,* m.

2. aigrefin, s. m. Sorte de poisson. *Bacchus, i,* m. [*Acidulus, a, um,* adj.

aigrelet, ette, adj. Légèrement aigre.

aigrement, adv. D'une façon aigre. *Acerbē,* adv.

aigrette, s. f. Faisceau de plumes que certains oiseaux ont sur la tête. *Apex, icis,* m. ‖ (Par anal.) Faisceau de crins qui surmonte une coiffure. *Apex, icis,* m. — (d'un casque), *crista, ae,* f. Garni d'une — , *cristatus, a, um,* adj.

aigreur, s. f. Acidité désagréable. *Acor, oris,* m. ‖ Crudité d'estomac. *Acrimonia, ae,* f. ¶ (Fig.) Douleur amère. *Acerbitas, atis,* f. ‖ Irritat'on amère. *Amaritudo, inis,* f. Lettre pleine d'— , *acerbissimae litterae.* Avec — , *asperē,* adv.

aigrir, v. tr. et intr. ‖ (*V. tr.*) Rendre aigre. *Acidum (am, um) facēre.* Aigri, part. *Acidus, a, um,* adj. S'— , *acescēre,* intr.; *coacescēre,* intr. ¶ (Fig.) Causer une irritation amère. *Exacerbāre,* tr. Partic. Aigri, *exacerbatus, a, um,* p. adj. ¶ (*V. intr.*) Devenir aigre. Voy. AIGRE.

aigu, uë, adj. Qui se termine en pointe ténue. *Acutus, a, um,* adj. ¶ Qui produit une sensation vive et pénétrante. *Acer, cris, cre,* adj. ‖ (Par ext.) *Acutus, a, um,* adj. Maladie — , *acutus morbus.* Bruit — , *stridor, oris,* m.

aiguade, s. f. Approvisionnement d'eau pour un navire, lieu où il se fait. *Aquatio, onis,* f.

aiguière, s. f. Vase à eau. *Aqualis urceus* ou (subst.) *aqualis, is* (abl. *i*), m.

aiguille, s. f. Petite tige d'acier plus ou moins fine et très aiguë, employée pour coudre. *Acus, ūs,* f. Petite — , *acula, ae,* f. *acicula, ae,* f. Fig. Disputer sur une pointe d'— , *acu quaedam enucleata argumenta conquirēre.* De fil en aiguille, *ab acia et acu (aliquid exponēre).* ¶ (Par ext.) Tige (de métal) analogue à une aiguille. — de tête, *acus, ūs,* f. — d'une balance, *examen, inis,* n.

aiguillée, s. f. Quantité déterminée de fil passée dans l'aiguille à coudre. *Acia, ae,* f.

aiguillon, s. m. Tige de fer pointue placée à l'extrémité d'une gaule *ou* d'un bâton pour piquer les bœufs. *Stimulus, i,* m. (surt. au plur.) ¶ (Fig.) Tout ce qui excite (à agir). *Stimulus, i,* m. Faire sentir l'— à qqn, *alicui stimulos admovēre.* Etre un — pour... , *acuēre (studia, industriam,* etc.). Voy. STIMULER. ¶ (Par ext.) Dard (de certains êtres). *Aculeus, i,* m. *Spiculum, i,* n. ‖ (Fig.) Ce qui cause une impression profonde. *Aculeus, i,* m. ¶ (Par ext.) Piquant de certaines plantes. *Aculeus, i,* m. [*guillon. Stimulāre,* tr.

aiguillonner, v. tr. Faire sentir l'ai-

aiguiser, v. tr. Rendre aigu. *Acuēre,* tr. Aiguisé, partic. *Acutus, a, um,* p. adj. ‖ (Par ext.) Rendre tranchant. *Exacuēre,* tr. Pierre à — , *cos, cotis,* f. ¶ (Au fig.) Rendre plus vif. *Acuēre,* tr.

ail, s. m. Nom d'une plante. *Allium, ii,* n.

aile, s. f. Organe du vol chez les oiseaux et chez les insectes. *Ala, ae,* f. Les — , *pennae, arum,* f. pl. Au fig. La fortune a des — , *volucris est fortuna.* Emporté sur les — de l'espérance, *volucri spe raptus.* Etre sous l'— de qqn, *esse in alicujus sinu.* Prendre qqn sous son — , *pennis aliquem fovēre.* ¶ (Par ext.) Tout ce qui s'étend *ou* se déploie des deux côtés d'une chose. *Ala, ae,* f. — d'une armée, *ala, ae,* f. *cornu, ūs,* n.

ailé, ée, adj. Qui a des ailes. *Alatus,*

a, um, p. adj. *Pinnatus* (ou *pennatus*),
a, um, adj. *Volucer, cris, cre*, adj.

aileron, s. m. Extrémité de l'aile des
oiseaux. *Ala extrema* ou (simpl.) *pinna,
ae*, f. ¶ (Par anal.) Nageoires de certains poissons. *Pinna, ae*, f.

ailleurs, adv. Dans un autre endroit
(avec *ou* sans mouvement). ‖ (Sans
mouvem.) *Alibi*, adv. ‖ (Av. mouv.)
Alio, adv. ¶ (Par ext.) Ailleurs, c.-à-d.
dans une autre partie (du livre, du
chapitre, etc.). *Alibi*, adv. *Alio loco*.
‖ D'ailleurs, c.-à-d. d'un autre endroit.
Aliunde, adv. ¶ (Fig.) D'ailleurs, c.-à-d.
d'autre part, pour le reste. *Alioqui* ou
alioquin, adv. *Ceterum*, adv.

aimable, adj. Digne d'être aimé. *Ama-
bilis, e*, adj. ¶ (Par ext.) De nature à
plaire. *Jucundus, a, um*, adj. *Amabi-
lis, e*, adj. Un homme —, *suavis homo*.
Manières —, *comitas, atis*, f.

aimablement, adv. D'une manière
aimable. *Amabiliter*, adv. *Jucunde*,
adv. *Comiter*, adv.

1. aimant, s. m. Minéral qui attire
le fer *ou* l'acier. *Magnes, etis*, m. Fig.
Il n'est pas de meilleur aimant que la
vertu, *nihil est quod magis ad se alli-
ciat atque attrahat quam virtus*.

2. aimant, *ante*, adj. Porté à aimer.
Amans, antis, p. adj. (av. compar. et
superl.).

aimer, v. tr. Etre attaché de cœur à
qqn. *Amāre*, tr. *Diligĕre*, tr. Etre aimé
de qqn, *in amore esse alicui*. Se faire —
de tout le monde, *ab omnibus sibi
amorem conciliāre*. S'— les uns les
autres, *inter se amāre*. ¶ Aimer une
chose, s'y plaire. *Delectāri* (*aliqua re*).
Les Germains n'aiment pas beaucoup
l'agriculture, *Germani agriculturae non
student*. — à faire qqch., *solēre* (av.
l'inf.). — à dire, *dictitare*, tr. — à lire,
lectione delectāri. Il aimait à s'absenter
d'Athènes, *Athenis aberat libenter*. Je
n'aime pas la foule, *celebritatem odi*. Qui
n'aime pas, voy. ENNEMI.

aine, s. f. Partie du corps entre le
bas-ventre et les cuisses. *Inguen, inis*, n.

aîné, ée, adj. Qui est né avant un
autre enfant. *Natu major* (s'il s'agit de
l'aîné de deux enfants); *natu maximus*
(s'il s'agit de l'aîné d'au moins trois
enfants).

aînesse, s. f. Qualité de celui qui est
l'aîné. Droit d'—, *jus aetatis*.

ainsi, adv. De cette façon. *Ita*, adv.
Sic, adv. ¶ Ainsi donc, c.-à-d. par conséquent. *Itaque*, conj. *Igitur* (après un
mot), conj.

air, s. m. Gaz respirable, enveloppe
de la terre. *Aer, eris* (acc. *era*), m. —
vif, *ventus, i*, m. — (en mouvement),
spiritūs, ūs, m. *aura, ae*, f. — (un des
quatre éléments), *aura, ae*, f. —, *a, um*,
atmosphère, *caelum, i*, n. Respirer le
même —, *ex eodem caelo spiritum tra-*

hĕre. Un coup d'—, *frigus afflatusque*.
Le plein — ou l'— libre, *caelum liberum et apertum*. Bon —, *caelum salubre*.
En plein air, au grand air, *sub divo*
ou *sub Jove*. Changer d'—, *caelum mutāre*. Changer l'—, voy. AÉRER. ‖ L'air,
c.-à-d. les hautes régions de l'atmosphère. *Aether, eris* (acc. *era*), m. ‖ En
l'—, *sursum*, adv. *sublime* (avec mouv.).
Qui est en l'—, *sublimis, e*, adj. ¶
Manière d'être apparente. *Species, ei*,
f. Se donner l'— d'un brave homme,
speciem boni viri prae se ferre. — épa-
noui, *vultus hilaris atque laetus*. —
simulāre, tr. ‖ Le bel — (les manières
du beau monde), *urbanitas, atis*, f. ¶
Mélodie faite pour recevoir des paroles.
Numeri, orum, m. pl. ‖ Mélodie jouée
sur un instrument. Sur un — de flûte,
ad tibicinis modos.

airain, s. m. Métal composé d'un
alliage de cuivre et d'étain. *Aes, aeris*,
n. D'—, *aheneus, a, um*, adj. *aeneus, a,
um*, adj. *Aereus, a, um*, adj. Fig. Le
siècle, l'âge d'—, *aerea aetas*.

aire, s. f. Surface plane et bien unie
sur laquelle on bat le blé. *Area, ae*, f.
‖ Surface aplanie pour s'élever une
construction. *Area, ae*, f. ‖ (Par ext.)
Nid de grands oiseaux de proie. *Area,
ae*, f.

ais, s. m. Planche. *Axis, is*, m.

aisance, s. f. Commodité résultant de
la jouissance de certaines choses.
Opportunitas, atis, f. ¶ Manière d'être
de celui qui se sent à l'aise. *Facilitas,
atis*, f. — de parole, *oris facilitas*. Avec
—, *expedite*, adv. — dans les mouvements, *mobilitas, atis*, f. ¶ Situation
de fortune aisée. *Copia, ae*, f. *Facultates, um*, f. pl. Qui a une honnête —,
modice locuples.

1. aise, s. f. Absence de gêne. *Commoditas, atis*, f. *Commodum, i*, n. Aimer
ses —, *suis commodis inservire*. N'avoir
pas toutes ses —, *carere commodis
omnibus*. A l'—, *commode*, adv. Tout
à mon (ton, son, leur) —, *per otium*.
A votre — (comme il vous plaira),
commodo tuo. Aimer ses —, *sibi indulgēre*. ‖ (Spéc.) Etre à son —, *commode
vivĕre*. ‖ (Par ext.) Joie extrême. *Laetitia, ae*, f. Combler qqn d'—, *in laetitiam conjicĕre aliquem*.

2. aise, adj. Qui ressent une joie
extrême. *Laetissimus*, superl. de *laetus,
a, um*, adj. J'en suis bien —, *hac re
gaudeo* (ou *laetor*).

aisé, ée, adj. Qui est à l'aise. *Commodus, a, um*, adj. *Facilis, e*, adj. ‖ (Par
ext.) Où l'on est à son aise. Vêtement
—, *laxa toga*. ‖ (Spéc.) Qui est à son

aise (c.-à-d. qui peut vivre largement). Locuples, etis, adj. Bene nummatus. ‖ (Fig.) Promptus, a, um, adj. Expeditus, a um,, p. adj. ¶ Que l'on fait à l'aise. Facilis, e, adj. Expeditus, a, um, p. adj. — à comprendre, facilis ad intelligendum. Il lui était — de prendre la ville, illi proclive fuit urbem capère. Il est — à dire que..., dictu proclive est (av. l'acc. et l'inf.).

aisément, adv. Avec aisance. Commodè, adv. Expeditè, adv. Tout se fera —, omnia erunt facilia.

aisselle, s. f. Dessous du bras à l'endroit où il se joint à l'épaule. Ala, ae, f.

ajournement, s. m. Action d'ajourner, assignation à un jour déterminé. Vadimonium, ii, n. ¶ Remise d'une affaire à un jour déterminé. Prolatio, onis, f. Comperendinatio, ûs, m. ‖ (Absol.) Renvoi à un autre moment. Prolatio, onis, f. — d'une échéance, prolatio diei.

ajourner, v. tr. Assigner en justice à un jour déterminé. Diem dicère alicui. Diem alicui prodicère. ¶ Remettre une affaire à un jour déterminé. Differre, tr. Proferre, tr. ¶ (Par ext.) Renvoyer à un autre moment. Prolatàre, tr. Differre, tr. ‖ Ajourner qqn au mois d'août, aliquem rejicère in mensem Augustum.

ajouter, s. tr. Mettre en plus. Addère, tr. Adjicère, tr. Adjungère, tr. S'—, accedère, intr. A cela s'ajoute cette circonstance que..., huc accedit, ut... (et le subj.). ‖ — qqch. à ce qu'on a dit, addère, tr. — (à ce qu'on a écrit), ascribère, tr. — à la fin, subjicère, tr. — à ce qu'on sait, addiscère, tr. — à un nombre, annumeràre, tr. — à ce qu'on a déjà, acquirère, tr. ¶ (Absol.) Ajouter à. Addère, tr. Augère, tr. ¶ (Par ext.) — foi à qqch., c.-à-d. y croire, fidem adhibère alicui rei.

ajustement, s. m. Action d'ajuster. Accommodatio, onis, f. ‖ Toilette. Ornatûs, ûs, m. Cultus, ûs, m. ‖ (Au plur.) Parures. Munditiae, arum, f. pl. Mundus muliebris.

ajuster, v. tr. Mettre en juste proportion avec qqch. Aptàre, tr. Accommodàre, tr.

alarmant, ante, adj. Qui alarme. Voy. INQUIÉTANT. On a apporté à Rome beaucoup de nouvelles —, Romam multi terrores sunt allati.

alarme, s. f. Signal pour appeler aux armes. Donner l'—, ad arma conclamàre. ¶ Trouble causé par une attaque soudaine ou (par ext.) par l'approche d'un danger. Tumultûs, ûs, m. Trepidatio, onis, f. Mettre l'— dans la ville, trepidationem in urbe tollère.

alarmer, v. tr. Donner l'alarme, appeler aux armes. Ad arma conclamàre. ¶ Troubler par l'approche d'un danger. Conturbàre, tr. Perturbàre, tr. S'—, pertubari, passif; trepidàre, intr. Qui s'alarme ou alarmé, sollicitus, a, um, adj. : trepidus, a, um, adj.

albâtre, s. m. Variété de marbre. Alabastrites, ae, m.

album, s. m. Petit registre formé de pages blanches, pour prendre des notes ou des croquis. Tabulae, arum, f. pl. Pugillares (s.-e. libelli), ium, m. pl.

alcyon, s. m. Oiseau de mer. Alcedo, inis, f.

aléatoire, adj. Soumis à des chances incertaines. Plenus aleae. [bula, ae, f.

alène, s. f. Poinçon de cordonnier. Subula, ae, f.

à l'entour, loc. adv. Dans l'espace qui est autour. Circum, adv. Les champs d'—, circumjecti campi. ‖ A l'— de (loc. prépos.), circum, prép. (av. l'acc.).

alentours, s. m. pl. Les lieux situés à l'entour. Les — de la ville, vicina urbi loca.   [ou surgite.

1. alerte, loc. interj. Debout ! Surge.

2. alerte, s. f. Appel pour éveiller et mettre en garde. Donner l'— à qqn, clamore aliquem excitàre.

3. alerte, adj. Qui est en éveil. Vigilans, antis, p. adj. ¶ Prompt à agir. Alacer, cris, e, adj.

alezan, ane, adj. Qui a la robe plus ou moins claire (en parl. d'un cheval). Rufus, a, um, adj.

algarade, s. f. Brusque sortie contre qqn. Impetus insectantis aliquem. ¶ (Par ext.) Insulte. Injuria, ae, f. Contumelia, ae, f.   [ae, f.

algue, s. f. Végétal aquatique. Alga,

aliénable, adj. Dont la propriété peut être aliénée. Qui (quae, quod) alienàri potest.

aliénation, s. f. Action d'aliéner une propriété. Alienatio, onis, f. ¶ Le fait de devenir comme étranger à qqn. Alienatio, onis, f. ¶ Le fait de devenir comme étranger à soi-même; démence. — mentale, mentis alienatio ou (simpl.) alienatio, onis, f.

aliéner, v. tr. Faire passer la propriété de qqch. à un autre. Alienàre, tr. Abalienàre, tr. ¶ Rendre comme étranger à qqn, à qqch. Alienare aliquem ab aliquo. ‖ (Par ext.) Eloigner l'affection de qqn. Alienàre, tr. Alienàre, tr. ‖ Priver de la raison. Alienàre, tr. Un aliéné, mente alienatus ou captus; vesanus ou vecors, adj.

alignement, s. m. Ce qui sert à aligner et état de ce qui est aligné. Directio, onis, f. En —, rectà lineà ou rectis lineis. Fig. — ses phrases, suas dimetiri syllabas.

aligner, v. tr. Mettre en ligne. Dirigère, tr. Dimetiri, dép. tr.

aliment, s. m. Ce qui sert à nourrir. Alimentum, i, n. Cibus, i, m. ‖ (Spéc.). Ce qui sert à la subsistance d'une personne. Alimenta, orum, m. pl. ¶ (Au fig.) Ce qui sert à entretenir qqch. Alimentum, i, n. Materia, ae, f. Servir d'— à, alère, tr.

alimentaire, adj. Qui concerne les

aliments. *Alibilis, e,* adj. Pension, —, *alimenta, orum.* n. pl.

alimentation. s. f. Action d'alimenter. *Victus, us,* m.

alimenter, v. tr. Fournir d'aliments. *Alĕre,* tr. *Nutrīre,* tr. ¶ (Au fig.) Entretenir, augmenter. *Alĕre,* tr.

aliter, v. tr. Faire prendre le lit. *Lecto affligĕre* (en parl. de l'âge *ou* de la maladie). Etre alité, *in lecto jacēre ou lecto tenēri.* Alité, *cubans ou lecto affīxus.*

allaitement, s. m. Action d'allaiter. Ne peut se traduire en latin que par une périphrase où entre un des verbes signifiant « allaiter ».

allaiter, v. tr. Nourrir de son lait. *Lacte alĕre (aliquem); alicui mammam dare* (ou *praebēre*).

allant, *ante,* adj. Qui se déplace aisément. *Agilis, e,* adj. Les allants et les venants, *commeantes ultro citroque.*

alléchant, *ante,* adj. Qui allèche. *Qui (quae, quod) allicit* (ou *illicit*).

allèchement, s. m. Action d'allécher. *Lactatio, onis,* f. *Allectatio, onis,* f.

allécher, v. tr. Attirer par qqch. d'appétissant. *Inescāre,* tr. || (Fig.) Charmer, séduire. *Allicĕre,* tr. *Illicĕre,* tr.

allée, s. f. Action d'aller. *Itio, onis,* f. *Itŭs, ŭs,* m. Allées et venues, *discursatio, onis,* f. ¶ Chemin tracé pour aller d'un lieu à un autre. *Ambulatio, onis,* f. — couverte (dans un jardin), *xystus, i,* m. || Allée entre deux murs. *Andron, onis,* m. || Sentier dans un jardin. *Semita, ae,* f.

allégation, s. f. Action d'alléguer. — d'exemples, *exemplorum prolatio.* ¶ Ce qui est allégué. *Id quod affertur* (ou *profertur*). Pour qu'on ne s'étonne pas de notre —, *ne quis hoc a nobis dici miretur* [*vatio, onis,* f.

allègement, s. m. Action d'alléger. *Levatio, onis,* f. *Alléger,* v. tr. Rendre moins pesant. *Levare,* tr. ¶ Rendre moins chargé. *Levāre,* tr.

allégorie, s. f. Figure de rhétorique qui consiste à présenter à l'esprit un sens caché. *Allegoria, ae,* f. *Inversio, onis,* f. *Continua translatio.*

allégorique, adj. Qui tient à l'allégorie. *Translatus, a, um,* p. adj. *Immutatus, a, um,* p. adj. Style —, *immutata oratio.*

allégoriquement, adv. D'une manière allégorique. *Per inversionem* ou *per continuam translationem.*

allègre, adj. Qui a de l'entrain. *Alacer, cris, cre,* adj. [lègre. *Alacriter,* adv. **allégrement,** adv. D'une manière allégresse,** s. f. Joie vive. *Alacritas, atis,* f. *Laetitia, ae,* f.

alléguer, v. tr. Citer comme autorité, donner pour argument. *Afferre,* tr. *Proferre,* tr. — la maladie comme excuse, *valetudinem excusāre.* Qu'allègue-t-il pour excuse? *Quid defendit?*

alléluia, interj. Louange à Dieu !

(exclamation liturgique). *Alleluia,* n. indécl.

1. aller, v. tr. Se diriger vers un lieu (en parl. d'un être animé). *Ire,* intr. *Gradi,* dép. intr. *Ambulāre,* intr. — droit devant soi, *pergĕre,* intr. — en voiture, à cheval, *vehi,* passif. — par eau, par mer, *navigāre,* intr. — et venir, *commeāre,* intr. || S'en —, *abīre,* intr. || Aller (suivi de l'inf.), *c.-à-d.* avoir l'intention de, etc — se baigner, *ire lavatum.* — dîner, *ad cenam ire.* N'allez pas croire, vous imaginer, vous figurer, etc., *noli* ou (selon le cas) *nolite putare* (av. l'acc. et l'inf.). N'allez pas tomber, *cavē ne cadas.* — trouver, *adīre,* tr. *convenīre,* tr. — voir, *visēre,* tr. Il est allé jusqu'à dire, *eo delapsus est ut diceret.* Tu vas rire, *ridebis.* Je vais partir, *profecturus sum.* Il va bientôt mourir, *prope adest ut moriatur.* Alors qu'il allait prendre la ville, *cum iam res in eo esset, ut urbem caperet.* || (Absol.) Aller, *c.-à-d.* fonctionner. Voy. ce mot. Faire —, *impellĕre,* tr. ou *movēre,* tr. Cela va bien, *bene procedit.* Cela va mal, *male se res habet.* Comment cela va-t-il? *Quomodo vales?* Je vais bien, *valeo.* Laisser —, *mittere,* tr. Se laisser — à, *labi,* dép. intr.; *delabi,* dép. intr. Ne pas se laisser — à, voy. (s') ABSTENIR. Se laisser —, *collabi,* dép. intr. Voy. aussi (se) NÉGLIGER, (s') ABANDONNER. Se laisser —, *dormitāre* (« être inactif »), intr.

2. aller, s. m. Action d'aller. *Itŭs, ŭs,* m.

alliage, s. m. Action d'unir un métal avec d'autres. *Temperatio, onis,* f. || Combinaison de divers métaux. *Temperatura, ae,* f. Au fig. *Admixtio, onis,* f.

alliance, s. f. Union contractée entre plusieurs peuples. *Foedus, eris,* n. *Societas, atis,* f. — offensive et defensive, *belli societas.* ¶ Union par mariage. *Connubium, ii,* n. || Union entre familles, *Affinitas, atis,* f. Parent par —, *affinis, is,* m. et f. ¶ (Fig.) Union d'éléments dissemblables. *Societas, atis,* f. *Concordia, ae,* f. — de mots, *junctura, ae,* f.

allié, *ée,* s. m. et f. Peuple uni à un autre par un traité. *Socius, ii,* m. D'allié, concernant les alliés, *socialis, e,* adj. ¶ Personne unie à une autre par la parenté résultant d'un mariage. *Affinis, is,* m. et f.

allier, v. tr. Unir des peuples par un traité. *Consociāre,* tr. S'—, *societatem (cum aliquo) conjungĕre.* ¶ Unir des personnes ou des familles par un mariage. Voy. MARIER. ¶ Combiner des métaux. *Temperāre,* tr. || Unir des éléments dissemblables. *Sociāre* (ou *consociāre*), tr.

allocation, s. f. Action d'allouer, *et* ce qui est alloué. *Attributum, i,* n.

allocution, s. f. Harangue d'un général à ses soldats. *Contio, onis,* f. ¶ (Par ext.) Petit discours prononcé en public. *Oratiuncula, ae,* f.

allongé, ée, adj. Rendu plus long. *Porrectus* ou *productus, a, um,* p. adj. ¶ (Par ext.) Plus long que ne le sont d'ordinaire des objets analogues. *Procerus, a, um,* adj.

allongement, s. m. Action d'allonger. *Porrectio, onis,* f. *Productio, onis,* f.

allonger, v. tr. Rendre plus long (en ajoutant qqch.). *Longiorem (aliquam rem)* ou *longius (aliquid) reddĕre.* ¶ Rendre plus long (en étendant *ou* en déployant). *Porrigĕre,* tr. *Producĕre,* tr. Allongé, *c.-à-d.* étendu de tout son long, *projectus.* S'—, *in longitudinem crescĕre.* ¶ Rendre plus long (en faisant durer). *Producĕre,* tr. *Extendĕre,* tr.

allouer, v. tr. Attribuer à qqn, à qqch. *Attribuĕre,* tr.

allumer, v. tr. Rendre lumineux. *Illuminare,* tr. Allumé, *ardens, entis,* p. adj. ¶ Rendre lumineux en enflammant. *Accendĕre,* tr. ¶ Enflammer. *Accendĕre,* tr. *Incendĕre,* tr. — un incendie, *incendium excitare* ou *conflare.* Il défendait d'— des feux, *ignes fieri prohibuit.* || (Fig.) *Accendĕre,* tr. S'—, *ardescĕre,* intr. Être allumé, *ardĕre,* intr.

allure, s. f. Manière d'aller. *Incessus, ūs,* m. Augmenter son —, *gradum addĕre.* ¶ Manière de se comporter. *Habitŭs, ūs,* m.

allusion. Paroles qui font penser à qqn *ou* à qqch. Faire — à Zénon, *Zenonem significare.* Faire — à qqch., *ad aliquid alludĕre.*

alluvion, s. f. Mouvement de l'eau qui se porte sur le rivage. *Alluvies, ei,* f. ¶ Dépôt que laissent les eaux en se retirant. *Alluvio, onis,* f.

almanach, s. m. Voy. CALENDRIER.

aloès, s. m. Nom d'une plante. *Aloe, es,* f.

aloi, s. m. Titre de l'alliage. *Aeraria ratio.* || Valeur d'une chose *ou* d'une personne. *Pretium, ii,* n. De bon —, *bonus* ou *probus, a, um,* adj. Monnaie de — aloi, *nummus bonus.* Monnaie de mauvais —, *adulterinus nummus.*

alors, adv. A ce moment-là. *Tum* ou *tunc,* adv. ¶ (Par ext.) A ce moment. *Tum,* adv. *Illic,* adv. Et —, *atque.* || En ce cas. *Ita,* adv. || Par conséquent. *Ergo,* conj. || Par suite. *Jam,* adv. — que, *c.-à-d.* dans le moment où (*ou* que)..., *tum cum...* [ae, f.

alose, s. f. Nom d'un poisson. *Alausa,*

alouette, s. f. Nom d'un oiseau. *Alauda, ae,* f. — huppée, *cassita, ae,* f.

alourdir, v. tr. Rendre lourd. *Gravare,* tr. *Praegravare* tr. Alourdi, *gravis, e,* adj.

alphabet, s. m. Série de lettres représentant les sons d'une langue (*par anal.*). Série des sons figurés par les lettres. *Alphabetum, i,* n.

alphabétique, adj. Qui appartient à l'alphabet. *In litteras digestus.*

altérable, adj. Qui peut subir une altération. *Qui (quae, quod) mutari* ou *vitiari potest.*

altérant, ante, adv. Qui amène la soif. *Siticulosus, a, um,* adj.

altération, s. f. Changement dans la nature des choses. *Mutatio, onis,* f. Susceptible d'—, *mutabilis, e,* adj. ¶ Changement qui dénature. *Adulteratio, onis,* f. — des traits, *coloris mutatio.* || Altération d'un texte. *Corruptio, onis,* f. *Vitium, ii,* n.

altercation, s. f. Brusque échange de propos violents. *Altercatio, onis,* f. *Rixa, ae,* f.

altérer, v. tr. Modifier dans sa nature. *Mutare* ou *immutare,* tr. *Corrumpĕre,* tr. *Depravare,* tr. || Troubler. Voy. ce mot. ¶ Falsifier. *Adulterare,* tr. *Vitiare,* tr. — des documents, *corrumpĕre litteras,* — un texte, *interpolare,* tr. ¶ Donner soif. *Sitim facĕre.* Être altéré, *sitire,* intr. Altéré, ée, p. adj. *Sitiens, entis,* p. adj. (av. le gén.).

alternatif, ive, adj. Qui est alterné. *Alternus, a, um,* adj.

alternative, s. f. Succession de choses qui alternent. *Vicis* (inusité au nom. et au datif sing.), acc. *vicem,* abl. *vice;* au pl. *vices* (nom. et acc.), *vicibus* (dat. abl.), f. *Vicissitudo, inis,* f. (surt. au plur.). Avoir des — de succès et de revers, *in ancipiti variaque esse fortunā.* ¶ Nécessité de choisir entre deux partis. *Optio, onis,* f. Placer qqn dans l'— de croire ou que..., ou que..., *alicui dare optionem utrum velit... an...*

alternativement, adv. D'une manière alternative. *Alternis vicibus.*

alterner, v. intr. et tr. || *V. intr.* Venir à tour de rôle. *Variare vices.* ¶ *V. tr.* Faire venir à tour de rôle. *Alternare,* tr. Alterné, ée, part. *Alternus, a, um,* adj.

altesse, s. f. Titre d'honneur donné aux princes et aux princesses du sang. *Princeps, cipis,* m. et f.

altier, ière, adj. Qui montre un orgueil dominateur. *Superbus, a, um,* adj.

alun, s. m. Nom d'un corps chimique. *Alumen, inis,* n.

alvéole, s. m. Cellule de cire que font les abeilles. *Cella, ae,* f. Alvéoles, *fori, orum,* m. pl. ¶ Cavité où chaque dent est enfoncée. *Loculamentum, i,* n. (au plur.).

amabilité, s. f. Qualité de celui qui se montre aimable. *Amabilitas, atis,* f. Avec —, *amabiliter,* adv.

amadou, s. m. Champignon préparé pour prendre feu. *Fungus aridus,* m.

amadouer, v. tr. Gagner par des façons insinuantes. *Palpare,* intr. ou *palpari,* dép. intr. (av. le datif).

amaigrissement, s. m. Etat de ce qui devient maigre. *Macies, ei,* f.

amalgame, s. m. Mélange d'élément hétérogène. *Mixtura, ae,* f.

amalgamer, v. tr. Combiner le mercure avec un métal. *Efficĕre ut argentum* *vivum combibat aurum*, etc. S'— avec l'or, *aurum combibĕre*. ¶ (Par ext.) Mélanger des éléments hétérogènes. *Dissimillimas res miscēre atque confundĕre*. S'—, *coalescĕre*, intr. (pr. et fig.)

amande, s. f. Fruit de l'amandier. *Amygdalum, i,* n. D'—, *amygdalinus, a, um,* adj. ¶ Toute graine renfermée dans un noyau. *Nucleus, i,* m.

amandier, s. m. Arbre. *Amygdala, ae,* f.

amant, *ante,* s. m. et f. Personne qui aime. *Amans, antis,* m. et f. (surt. au plur.). *Amator, oris,* m.

amarre, s. f. Câble servant à amarrer. *Funis, is,* m. *Retinaculum, i,* n.

amarrer, v. tr. Fixer par une amarre. *Deligāre,* tr. *Religāre,* tr.

amas, s. m. Ce qui est amassé. *Acervus, i,* m. *Strues, is,* f. *Cumulus, i,* m. *Congeries, ei,* f. *Strages, is,* f.

amasser, v. tr. Réunir en masse. *Acervāre,* tr. *Coacervāre,* tr. *Congerĕre,* tr. S'—, *acervāri* ou *coacervāri,* passif.

amateur, s. m. Celui qui aime qqch. *Amator, oris,* m. ¶ Celui qui aime et cultive qqch. pour son plaisir. *Qui artem* (ou *studia*) *tantum ad voluptatem exercet.* Qui est un simple —, *idiota, ae,* m.

ambages, s. f. pl. Détour qui enveloppe la pensée. *Ambages, is,* f. (employé surt. à l'abl. sing. et à tous les cas du plur.). Sans —, *omissis ambagibus.*

ambassade, s. f. Mission près d'un gouvernement étranger. *Legatio, onis,* f. || Objet de l'ambassade. *Legatio, onis,* f. || Personnel de l'ambassade. *Legatio* (méton.), *onis,* f.

ambassadeur, s. m. Celui qui est chargé d'une mission auprès d'un gouvernement étranger. *Legatus, i,* m.

ambigu, *uë,* adj. Qui offre plusieurs sens. *Ambiguus, a, um,* adj. *Anceps, cipitis,* adj. *Perplexus, a, um,* p. adj. En termes —, *perplexē,* adv. ¶ Qui participe à deux natures différentes. *Ambiguus, a, um,* adj.

ambiguité, s. f. Caractère de ce qui est ambigu. *Ambiguitas, atis,* f. Sans —, *planē atque apertē.*

ambitieux, *euse,* adj. Qui intrigue pour arriver. *Ambitiosus, a, um,* adj. Les —, *ambitiosi, orum,* m. pl. ¶ Qui a le désir passionné des honneurs. *Glorias* (*laudis* ou *honorum*) *cupidus, a.* Etre —, *gloriā duci.* Des projets —, *consilia ambitionis plena.* Dans des vues —, *per ambitionem.* ¶ Qui cherche à éblouir. *Ambitiosus, a, um,* adj. (en parl. des pers. et des chos.). *Gloriosus, a, um,* adj. (en parl. des pers.).

ambition, s. f. Action d'intriguer pour arriver. *Ambitio, onis,* f. ¶ Désir passionné des honneurs *et* (p. ext.) désir de briller. *Ambitio, onis,* f. Agir par —, *gloriā agĕre* ou *duci.* || (Par anal.) Recherche de ce qu'on tient à honneur

d'accomplir. *Studium, ii,* n. Je mets mon — à, *mihi ambitio est* (av. l'inf.).

ambitionner, v. tr. Rechercher par ambition. *Ambitiosē petĕre* (*aliquid*). ¶ (Par anal.) Désirer ardemment. *Appetĕre,* tr.

ambre, s. m. Substance grise *ou* jaunâtre. || Ambre gris. *Glaesum, i,* n. ¶ Ambre jaune. *Sucinum, i,* n. *Electrum, i,* n.

ambroisie, s. f. Nourriture des immortels. *Ambrosia, ae,* f. D'—, *ambrosius, a, um,* adj.

ambulant, *ante.* Qui va d'un endroit à un autre. *Circumforaneus, a, um,* adj. Marchand —, *circitor, oris,* m.

âme, s. f. Principe spirituel distinct de la matière et coexistant avec elle dans le corps de l'homme. *Animus, i,* m. ¶ Ame considérée comme le principe des sentiments, des passions. *Animus, i,* m. Belle —, *animus egregius.* Bonne —, *bona indoles.* Force d'—, *constantia, ae,* f. ¶ Principe de vie. *Anima, ae,* f. Sur mon —, je n'en sais rien, *ne vivam, si scio.* || (Par ext.) Etre vivant. *Caput, itis,* n. *Homo, inis,* m. Pas âme qui vive, *nemo homo.* || (Fig.) Auteur principal. *Princeps, cipis,* m. L'argent des impôts est l'— de l'État, *vectigalia nervi sunt rei publicae.*

amélioration, s. f. Action d'améliorer. *Emendatio, onis,* f. ¶ Etat de ce qui est amélioré. On a apporté bien des — dans l'art de la guerre, *multa in re militari meliora facta sunt.* || Amélioration (dans la santé), *salubris mutatio.*

améliorer, v. tr. Rendre meilleur. *Melius* (*aliquid*) *facĕre. Corrigĕre,* tr. *Emendāre,* tr.

aménager, v. tr. Distribuer commodément pour un usage. *Disponĕre,* tr. *Distribuĕre,* tr.

amende, s. f. Réparation d'un tort. *Satisfactio, onis,* f. — honorable, *eme trad.* Faire — honorable à qqn, *alicui satisfacĕre* —, pécuniaire, *multa, ae,* f. Infliger une —, *multam dicĕre.*

amendement, s. m. Action d'amender une terre (etc.). *Stercoratio, onis,* f. ¶ (Fig.) Action d'amender (un coupable). *Correctio, onis,* f. *Emendatio, onis,* f.

amender, v. tr. Améliorer en corrigeant ce qu'il y a de défectueux. *Emendāre,* tr. *Corrigĕre,* tr.

amener, v. tr. Faire venir à soi. *Adducĕre,* tr. — les voiles, *vela subducĕre.* || (Fig.) Amener tel ou tel point au jeu de dés. *Jacĕre,* tr. — le coup de Vénus, *Venerem jacĕre* (chaque dé amenant un nombre différent). — le coup de chien (chaque dé amenant le nombre I), *canem mittĕre.* ¶ Faire venir avec soi. *Ducĕre,* tr. *Adducĕre,* tr. — (sur le marché), *producĕre,* tr. || (Fig.) Amener à..., *ducĕre,* tr. *adducĕre,* tr. — à ses fins (*aliquem*) *perducĕre.* — de force, *adigĕre*, tr.; *cogĕre*, tr. ¶ Causer, occasionner. Voy. ces mots.

aménité, s. f. Douceur aimable (des mœurs, du caractère, etc.). *Suavitas, atis*, f. *Jucunditas, atis*, f.

amer, *ère*, adj. Qui a une saveur rebutante. *Amarus, a, um*, adj. Saveur —, *amaritudo, inis*, f. Etre —, *amaritudinem habēre*. ¶ (Fig.) Qui produit une impression pénible. *Amarus, a, um*, adj. Souvenir —, *acerba recordatio*. || Qui exprime l'amertume. *Amarus, a, um*, adj. — plaisanteries, *facetiae asperae*.

amèrement, adv. D'une manière amère (au fig.). *Amarē*, adv. *Aspĕrē*, adv.

amertume, s. f. Caractère de ce qui est amer. *Amaritudo, inis*, f. ¶ (Au fig.) *Amaritudo, inis*, f. *Acerbitas, atis*, f. *Bilis, is*, f. *Fel, fellis*, n. Il y a beaucoup d'— dans ces paroles, *haec oratio plurimum fellis habet*.

ameublement, s. m. Ensemble de meubles garnissant un appartement. *Supellex, lectilis*, f.

ameublir, v. tr. Rendre meuble. *Mollīre*, tr. *Resolvĕre*, tr. *Subigĕre*, tr.

ameuter, v. tr. Réunir les chiens en meute. *Canes conglobāre*. || (Fig.) Attrouper des gens contre qqn. *Concitare (populum) adversus (aliquem)*.

1. ami, s. m. Celui avec qui on est lié d'amitié. *Amicus, i*, m. *Familiaris, is*, m. — intime, *necessarius, ii*, m. Se faire des —, *amicos sibi parāre*. Avoir qqn pour —, *aliquo uti familiariter*. ¶ Celui qui a de l'affection pour qqn. *Amicus, i*, m. *Amans, antis*, m. En —, *amicē*, adv. *familiariter*, adv. || Partisan. *Fautor, oris*, m. — du peuple, *popularis*. ¶ Celui qui a du goût pour qqch. *Amicus, i*, m. *Amator, oris*, m.

2. ami, *ie*, adj. Qui a de l'affection pour qqn, du goût pour qqch. *Amicus, a, um*, adj.¶ Qui marque de l'affection. *Amicus, a, um*, adj. Paroles —, *amantissima verba*.

amiable, adj. Qui agit par voie de conciliation. *Blandus, a, um*, adj.¶ Qui a lieu par voie de conciliation. *amicabilis, e*, adj. Arrangement —, *amicabilis compositio*. A l'— (loc. adv.), *bonā gratiā*.

amical, *ale*, adj. Qui témoigne de l'amitié. *Amicus, a, um*, adj. *Benevolus, a, um*, adj. Une lettre —, *amoris plenae litterae*. Relations —, *amicitia; ae*, f.

amicalement, adv. D'une manière amicale. *Amicē*, adv. *Amanter*, adv. *Benevole*, adv.

amie, s. f. Celle que l'amitié unit à qqn. *Amica, ae*, f. ¶ Celle qui a du goût pour qqch. *Studiosa* (av. le gén.).

amincir, v. tr. Rendre mince. *Attenuāre*, tr. S'—, *tenuari*, passif.

amincissement, s. m. État de ce qui est aminci. *Tenuitas, atis*, f.

1. amiral, s. m. Commandant d'une flotte. *Praefectus classis*.

2. amiral, *ale*, adj. Relatif à l'amiral. *Praetorius, a, um*, adj. Vaisseau —, *praetoria navis*.

amirauté, s. f. Administration supérieure de la marine. *Praefectura classis*. L'— (méton.), *officio maritimo praepositi* (m. pl.).

amitié, s. f. Lien affectueux qui existe entre deux *ou* plusieurs personnes. *Amicitia, ae*, f. — intime, étroite, *familiaritas, atis*, f. Avoir de l'— pour qqn, *aliquo familiariter uti*. || (Par anal.) Amitié (entre deux peuples). *Amicitia, ae*, f. Rester fidèle à l'— de Rome, *amicitiam populi Romani fidemque sequi*. ¶ (Par ext.) Affection, attachement. Voy. ces mots. ¶ Témoignage d'amitié. *Officium, ii*, n. *Gratia, ae*, f. Ce sera me faire beaucoup d'— que de..., *pergratum mihi feceris, si* (av. le futur).

amnistie, s. f. Pardon général. *Oblivio, onis*, f. *Venia et oblivio. Abolitio facti*. ¶ Acte du pouvoir souverain accordant l'oubli des actes criminels *ou* délictueux. *Oblivio, onis*, f.

amoindrir, v. tr. Rendre moindre. *Minuĕre*, tr. *Deminuĕre*, tr. *Imminuĕre*, tr. S'—, *minui*, passif. — la gloire de qqn, *de alicujus fama et gloria detrahĕre*.

amoindrissement, s. m. État de ce qui est amoindri. *Deminutio, onis*, f. *Imminutio, onis*, f.

amollir, v. tr. Rendre mou (au pr.). *Mollīre*, tr. *Emollīre*, tr. — (par la cuisson), *mitigāre*, tr. S'— (par la cuisson), *madescĕre*, intr. ¶ (Au fig.) Rendre moins ferme. *Emollīre*, tr. *Enervāre*, tr. S'—, *elanguescĕre*, intr. Amolli, *enervis, e*, adj.

amonceler, v. tr. Mettre en monceaux (au pr. et au fig.). *Accumulāre*, tr. *Acervāre*, tr. *Concervāre*, tr. *Congerĕre*, tr.

amoncellement, s. m. Action d'amonceler. *Aggeratio, onis*, f. *Acervatio, onis*, f.

amont, s. m. La partie supérieure. *Superior pars*. Pays d'—, *regio montana*. Vent d'—, *ventus a terrā surgens*. En d'un fleuve, *flumine adverso; contra aquam*.

amorce, s. f. Ce qui fait mordre; par suite appât pour le poisson. *Esca, ae*, f. || (Au fig.) *Esca, ae*, f. *Illecebra, ae*, f.

amorcer, v. tr. Garnir d'une amorce. *Escā* (ou *cibo*) *instruĕre*. ¶ Attirer au moyen d'une amorce. *Inescāre*, tr. *Inescāre atque illicĕre*.

amortir, v. tr. Mortifier en faisant macérer. *Subigĕre*, tr. — la chaux vive, *calcem subigĕre*. ¶ (Fig.) Éteindre peu à peu. *Restinguĕre*, tr. *Frangĕre*, tr. Voy. ÉMOUSSER. || (Spéc.) — une dette, *in annos solvĕre debitum* (ou *pecuniam debitam*).

amour, s. m. Attachement pour qqn. *Amor, oris*, m. *Studium, ii*, n. — propre *amor sui*. — pour la patrie et la famille, *caritas patriae et suorum*. — filial, *pietas in* (ou *erga*) *parentes*. Prov. Faire qqch. pour l'amour de Dieu (c.-à-d. sans s'y intéresser), *levi* (ou *molli*) *brachio agère*. ¶ Passion amoureuse. *Amor, oris,* m. ¶ (Par anal.) Amour chez les animaux. *Amor, oris,* m. ¶ (Par ext.) Objet de l'amour. *Amor, oris,* m. *Deliciae, arum,* f. pl.¶ Vif attachement pour qqch. *Studium, ii,* n. Avec —, *summo studio.*

amoureusement, adv. Avec amour. *Ex amore. Summo amore.*

amoureux, *euse,* adj. Qui a de l'amour pour qqn. *Amore captus.* Etre —, *amàre,* tr. || (Subst.) Un —, *amans, antis,* m. ; *amator, oris,* m. Avoir beaucoup d'—, *a multis amàri.* || (Par ext.) Porté à l'amour. *Ad amorem propensus.* || Qui inspire l'amour. *Amatorius, a, um,* adj. || Inspiré par l'amour. *Amatorius, a, um,* adj. Philtre —, *amatorium, ii, n.* ¶ Qui a de l'amour pour qqch. *Amans, antis,* p. adj. (av. le Gén.)*Amator, oris,*m.

amour-propre, s. m. Amour de soi. *Amor sui.* Avoir de l'—, *se ipsum amàre.* ¶ Estime de soi qui porte à vouloir être au-dessus des autres. *Aestimatio sui.*

amphibie, adj. Qui vit dans l'eau et sur la terre. *In utraque sede vivens.* ¶ Qui a une double manière d'être. *Anceps, cipitis,* adj.

amphibologie, s. f. Construction qui permet de donner deux sens différents à la même pensée. *Ambiguitas, atis,* f.

amphictyons, s. m. pl. Membres de l'association religieuse, conclue entre certains peuples voisins (chez les Grecs). *Amphictyones, um,* m. pl.

amphithéâtre, s. m. Edifice de forme ovale et garni de gradins où se donnaient certains jeux. *Amphitheatrum, i,* n.   [dîner. *Vocator, oris,* m.

amphitryon, s. m. Celui qui donne à

amphore, s. f. Vase de terre cuite où les anciens mettaient l'huile, le vin, etc. *Amphora, ae,* f. || Mesure de capacité. *Amphora, ae,* f.

ample, adj. Qui se déploie largement. *Amplus, a, um,* adj. *Magnus, a, um,* adj. ¶ Qui a une provision de... *Copiosus, a, um,* adj. ¶ (T. de procéd.) Ordonner un plus — informé, *amplius pronuntiàre.*

amplement, adv. D'une manière ample. *Amplè,* adv. *Laxè,* adv.

ampleur, s. f. Qualité de ce qui est ample. *Amplitudo, inis,* f. *Laxitas, atis,* f.

amplification, s. f. Action d'amplifier, d'où accroissement. *Amplificatio, onis,* f.

amplifier, v. tr. Rendre ample d'où agrandir. *Amplificàre,* tr. || (Fig.) *Augère,* tr. *Exaggeràre,* tr. ¶ (Rhét.) Développer un sujet. *Amplificàre,* tr.

ampoule, s. f. Fiole à ventre renflé. *Ampulla, ae,* f. ¶ (Méd.) Vésicule formée sur l'épiderme. *Pusula, ae,* f.

ampoulé, *ée,* adj. Enflé (en parl. soit de l'écrivain, soit du style). *Turgidus,*

a, um, adj. *Tumidus, a, um,* adj.

amputation, s. f. Action d'amputer. *Amputatio, onis,* f. *Sectio, onis,* f.

amputé, *ée,* s. m. et f. Qui a subi une amputation. *Truncus, a, um,* adj.

amputer, v. tr. Retrancher à qqn un membre *ou* un organe. *Amputàre,* tr. *Secàre,* tr.

amulette, s. f. Objet auquel la superstition attribue une vertu préservatrice. *Amuletum, i,* n.

amusant, *ante,* adj. Qui amuse. *Festivus, a, um,* adj.

amusement, s. m. Ce qui fait perdre le temps. *Ludus, i,* m. ¶ Ce qui distrait des choses sérieuses. *Avocamentum, i,* n. ¶ Ce qui distrait agréablement. *Delectamentum, i,* n.

amuser, v. tr. Occuper de choses qui font perdre le temps. *Demoràri et detinère.* S'—, *morari,* dép. intr. *cessère,* intr. S'— à des bagatelles, *nugàri,* dép. intr. ¶ Distraire de choses sérieuses par de fausses démonstrations. *Ludère,* tr. *Ducère,* tr.¶ Distraire agréablement. *Delectàre,* tr. *Oblectàre,* tr.

amygdales, f. pl. Glandes en forme d'amandes, situées dans la gorge. *Tonsillae, arum,* f. pl.

an, s. m. Durée de la révolution de la terre autour du soleil. *Annus, i,* m. L'— prochain, *postero anno.* L'— dernier, *anno superiore.* Une fois par —, *semel in anno.* Tous les cinq ans, *quinto quoque anno.* Espace de deux, trois, quatre —, *biennium, ii,* n.; *triennium, ii,* n.; *quadriennium, ii,* n. Qui dure un —, *annuus, a, um,* adj. Qui revient tous les —, *anniversarius, a, um,* adj.; *sollemnis, e,* adj. ¶ (Au plur.) Les ans, c.-à-d. le temps qu'on a vécu. *Anni, orum,* m. pl.

anachorète, s. m. Religieux qui s'est retiré du monde. *Anachoreta, ae,* m.

anachronisme, s. m. Erreur consistant à placer un événement avant sa date. *Peccatum in temporis ratione admissum.*

analogie, s. f. Rapport entre deux ou plusieurs choses qui offrent des traits communs. *Similitudo, inis,* f. *Vicinitas, atis,* f. Qui a de l'— avec, voy. ANALOGUE.

analogue, adj. Qui offre quelque trait commun avec un autre objet. *Similis, e,* adj. *Vicinus, a, um,* adj.

analyse, s. f. Division d'un tout en ses parties pour l'étudier. *Divisio, onis,* f. *Resolutio, onis,* f.

analyser, v. tr. Décomposer un tout en ses parties pour l'étudier. *Dividère,* tr. — une matière, *rem quasi in sua membra discernère.*

anarchie, s. f. Etat d'un peuple qui ne reconnaît aucune autorité, *ou* chez qui l'autorité n'existe plus. *Nimia* (ou *infinita*) *licentia. Leges nullae, judicii nulla. Perturbatio omnium rerum. Turba et confusio.* Vivre dans

l'—, *dominatione vacāre ; legibus carere*
ou *sine legibus esse.*

anarchique, adj. Qui tient de l'anarchie. *Legibus resolutus (a, um)* ¶ Qui
favorise l'anarchie. *Turbulentus, a,
um,* adj. [chie. *Qui nemini parēre vult.*

anarchiste, s. m. Partisan de l'anar-

anathématiser, v. tr. Frapper d'anathème. Voy. ANATHÈME. ¶ (Fig.) Réprouver. Voy. ce mot.

anathème, s. m. Malédiction par
laquelle l'église retranche qqn de sa
communion. *Anathema, atis,* n. Frapper
d'—, *exsecrationibus aliquid sancīre.* ¶
Celui qui est frappé d'—, *anathema,
atis,* n.

anatomie, f. Etude de la structure du
corps au moyen de la dissection. *Corporis apertio. Sectio corporum.*

anatomiste, s. m. Celui qui fait de
l'anatomie. *Anatomicus, i,* m.

ancêtre, s. m. Ascendant qui vient
avant le père. *Avus, i,* m. *Proavus, i,* m.
¶ (Au pl.) Série des ascendants. *Avi,
orum,* m. pl. (En gén.) *Majores, um,*
m. pl. || (Au fig.) Les générations anté-
rieures. *Patres, um,* m. pl. *Majores, um,*
m. pl. Qui vient des —, *avitus, a,
um,* adj.

| **anchois,** s. m. Petit poisson de mer.
Aphye, es, f.

ancien, enne, adj. Qui existe depuis
une époque antérieure. *Vetus, eris,*
abl. ere, adj. (Compar. *vetustior,* superl.
veterrimus). adj. *Vetustus, a, um,* adj.
|| Qui existe depuis longtemps. *Anti-
quus, a, um,* adj. Les —, *senes, um,* m.
pl *Seniores, um,* m. pl. ¶ Qui a existé
à une époque antérieure. *Antiquus, a,
um,* adj. *Pristinus, a, um,* adj. De
l'— temps, *priscus, a, um,* adj. L'—
temps, *antiquitas, atis,* f. || (Par ext.)
Qui a exercé jadis une fonction. *Qui
fuit (consul, praetor, etc.).* — roi, *quondam rex.* — questeur, *quaestorius, ii,* m.
— consul, *consularis vir* ou (absol.)
consularis, is, m.

anciennement, adv. Dans les temps
anciens. *Antiquitus,* adv.

ancienneté, s. f. Caractère de ce qui
existe dans une époque antérieure.
Antiquitas, atis, f. || (Partic.) Antério-
rité dans l'exercice d'une fonction.
Vetustas, atis, f. Par droit d'—, *jure
vetustatis.* || (Par ext.) Caractère de ce
qui existe depuis longtemps. *Antiquitas, atis,* f. *Vetustas, atis,* f.

ancile, s. m. Bouclier sacré que les
Romains croyaient tombé du ciel sous
Numa. *Ancile, is,* n.

ancrage, s. m. Action de jeter l'ancre.
Droit d'—, *ansarium, ii,* n. ¶ Lieu où
l'on peut jeter l'ancre. *Statio, onis,* f.

ancre, s. f. Pièce de fer armée de dents
qui sert à maintenir un navire à l'arrêt.
Ancora, ae, f. Jeter l'—, *ancoram
jacēre.* Lever l'—, *ancoram tollēre.*
Tenir son navire à l'—, *navem in ancoris
tenēre.* ¶ (Par anal.) Barre de fer des-

tinée à empêcher l'écartement des murs.
Ancon, onis, m.

ancrer, v. tr. Mettre à l'ancre. *Naves
ad ancoras deligāre.* || (Fig.) Fixer solide-
ment. *Stabilīre,* tr. S'—, *figēre se ;
insidēre* (intr.) *penitus.* ¶ Consolider
(une maçonnerie), avec une ancre. *Anco-
nibus confirmāre.* [*Farcimen, inis,* n.

andouille, s. f. Sorte de saucisse.

âne, s. m. Nom d'un quadrupède.
Asinus, i, m. — sauvage, *asinus ferus ;
onager, gri,* m. D'—, *asininus, a, um,*
adj. || (Au fig.) Celui qui a l'esprit obtus.
Asinus, i, m.

anéantir, v. tr. Ramener au néant.
Ad nihilum redigēre. S'—, *ad nihilum
recidēre.* ¶ (Par ext.) Réduire à rien,
Abolēre, tr. *Delēre,* tr. Notre espoir est
anéanti, *ad irritum cecidit spes nostra.*||
(Absol.) Mettre dans un état d'abattement complet. *Interimēre,* tr. Je suis
anéanti, *nullus sum.*

anéantissement, s. m. Le fait d'être
ramené au néant. *Exstinctio, onis,* f.
Ceux qui croient à l'— de l'âme, *qui
dissipari animum censent.* ¶ Le fait
d'être réduit à rien. *Interitus, us,* m.
Dissolutio, onis, f. Après l'— de l'armée
d'Hasdrubal, *post deletum Hasdrubalis
exercitum.* || (Spéc.) Tomber dans l'—,
abjicere se ou *abjicēre animum.*

anecdote, s. f. Particularité curieuse.
Dictum (ou *factum) memorabile. Nova
res et inaudita.* ¶ Court récit d'un fait
intéressant. *Fabula, ae,* f. *Fabella, ae,*f.
Narratiuncula, ae, f. [*mone, es,* f.

anémone, s. f. Nom d'une plante. *Ane-

ânerie, s. f. Ignorance grossière. *Stupor, oris,* m. *Rusticitas, atis,* f. [*ae,* f.

ânesse, s. f. Femelle de l'âne. *Asina,

anévrisme, s. m. Tumeur formée sur
une artère ou sur une des parois du
cœur. *Aneuryema, atis,* n. •

anfractueux, euse, adj. Qui a des
anfractuosités. *Anfractibus incisus (a,
um).* [nueux. *Anfractŭs, ūs,* m.

anfractuosité, s. f. Enfoncement sinueux. ¶ ange, s. m. Envoyé de Dieu. *Ange-

1. ange, s. m. Envoyé de Dieu. *Ange-
lus, i,* m. D'—, *angelicus, a, um,* adj.
Comme un —, *angelicē,* adv. || (Fig.)
Etre aux —, *in caelo esse.*

2. ange, s. m. Poisson, sorte de squale.
Squatina, ae, f.

angélique, adj. Qui est de la nature
des anges. *Angelicus, a, um,* adj.

angéliquement, adv. D'une manière
angélique. *Angelicē,* adv.

angine, s. f. Inflammation de la gorge.
Angina, ae, f. ¶ Angine de poitrine.
Angor pectoris ou (simpl.) *angor,
oris,* m.

angle, s. m. Figure formée par deux
droites qui se coupent dans un plan.
Angulus, i, m. ¶ Angle solide formé
par l'intersection de deux plans. *An-
gulus, i,* m. || (Par ext.) Partie saillante
ou rentrante où se joignent les côtés
de ce qui forme un angle. *Angulus, i,* m.
Placé aux —, *angularis, e,* adj. Qui a

des —, *angularis, e*, adj. Pierre d'—, *angularis lapis*.

angoisse, s. f. Anxiété physique accompagnée d'oppression. *Angor, oris*, m. ¶ Anxiété morale. *Anxietas, atis*, f. Etre dans l'—, *angi*, passif.

anguille, s. f. Espèce de poisson à la peau glissante. *Anguilla, ae*, f.

angulaire, adj. Qui forme un angle, qui est à un angle. *Angularis, e*, adj.

anguleux, *euse*, adj. Qui se termine par des angles. *Angulosus, a, um*, adj.

ânier, s. m. Celui qui conduit les ânes. *Asinarius, ii*, m.

animadversion, s. f. Blâme général. *Animadversio, onis*, f.

1. animal, s. m. Etre organisé doué de sentiment et de mouvement. *Animal, alis*, n. ¶ (Fig.) Personne rude et grossière. *Pecus, udis*, f.

2. animal, *ale*, adj. Propre à l'animal. Règne —, *bestiarum genus*.

animalcule, s. m. Animal microscopique. *Bestiola, ae*, f.

animation, s. f. Caractère de ce qui a de la vivacité, du mouvement. *Impetūs, ūs*, m. *Vigor, oris*, m. *Alacritas, atis*, f. || (Par ext.) — du marché, *mercatūs celebritas*.

animer, v. tr. Douer de vie. *Alicui rei animam infundĕre*. Etres animés, *animantes, ium*, m. pl. || (Fig.) Douer de l'apparence de la vie. Statues animées, *vivida* (ou *spirantia*) *signa*. || (Par anal.) Animer par un grand concours de monde. *Celebrāre*, tr. *Frequentāre*, tr. Animé, *frequens*, adj. *celeber, bris, bre*, adj. ¶ Douer de mouvement. *Movēre*, tr. *Commovēre*, tr. *Impellēre*, tr. ¶ Rendre plus vif. *Concitāre*, tr. *Commovēre*, tr. S' —, *commovēri*, passif. Etre animé du désir de, *flagrāre cupiditate* (*alicujus rei*). Animé de bons sentiments, *bene animatus*. || Exciter (contre), irriter. *Accendĕre*, tr. *Incendĕre*, tr.

animosité, s. f. Malveillance persistante. *Invidia, ae*, f. Etre en butte à l'—, *invidiam habēre*. Avec —, *inimicissimo animo*.

anis, s. m. Nom d'une plante à graine aromatique. *Anisum, i*, n.

annales, s. f. pl. Récit des événements par année. *Annales* (s.-e. *libri*), *ium*, m. pl. [annales *Annalium scriptor*.

annaliste, s. m. Celui qui écrit des annales.

anneau, s. m. Cercle de métal ou de matière dure servant à attacher. *Anulus, i*, m. Gros — de fer, *armilla, ae*, f.

année, s. f. Voy. AN. [s, m.

annelet, s. m. Petit anneau. *Anulus,*

annexe, f. Ce qui est annexé. *Accessio, onis*, f. *Appendix, icis*, f. ¶ Adj. Voy. ANNEXER.

annexer, v. tr. Joindre qqch. à qqch. de manière à en faire une dépendance. *Adjungĕre*, tr. — les Etoliens aux Locriens, *Locrenses cum Aetolis contribuĕre*.

anniversaire, adj. Qui correspond au jour où un événement s'est produit une ou plusieurs années auparavant. *Anniversarius, a, um*, adj. Subst. L'— de la naissance, *dies natalis*. Mon— *dies meus*.

annonce, s. f. Avis donné au public. *Nuntiatio, onis*, f. — (d'une vente ou d'une saisie), *proscriptio, onis*, f. ¶ (Au fig.) Signe précurseur. *Signum, i*, n. *Indicium, ii*, n.

annoncer, v. tr. Porter à la connaissance de qqn. *Nuntiāre*, tr. *Denuntiāre*, tr. Sa mort ayant été annoncée, *quo mortuo nuntiato*. — (à haute voix), *pronuntiāre*, tr. || Dire en commençant. *Praefari*, dép. tr. Comme je l'ai annoncé, *ut erat a me propositum*. Se faire — par qqn, *jubēre aliquem adventum suum praenuntiāre*. || (Spéc.) Porter à la connaissance du public (par écrit ou à la voix haute). *Pronuntiāre*, tr. *Renuntiāre*, tr. S'— comme défenseur, *se patronum profitēri*. ¶ (Au fig.) Faire connaître d'avance. Voy. PRÉSAGER. || Avertir. *Monēre*, tr. || (Par ext.) En parl. d'obj. inanim. *Significāre*, tr.

annonciation, s. f. Une des fêtes de l'Eglise. *Annuntiatio, onis*, f.

annotation, s. f. Action d'annoter un texte. *Annotatio, onis*, f. || Note qui accompagne un texte. *Nota, ae*, f.

annoter, v. tr. Accompagner un texte de notes. *Annotāre*, tr.

annuel, *elle*, adj. Qui a lieu tous les ans. *Annuus, a, um*, adj. ¶ Qui dure un an. *Annuus, a, um*, adj.

annuellement, adv. Par chaque année. *Quotannis*, adv. *Singulis annis* ou (suiv. les cas) *in singulos annos*.

annuité, s. f. Somme à payer chaque année. *Annua pecunia*.

annulaire, adj. Qui est en forme d'anneau. *Anularius, a, um*, adj. ¶ Qui porte un anneau. Doigt — ou (subst.) l'—, *anularis digitus*.

annulation, s. f. Action d'annuler. *Sublatio, onis*, f. — d'un marché, *redhibitio mancipii*. — d'une vente, *rescissio emptionis*.

annuler, v. tr. Rendre nul. *Infirmāre*, tr. *Rescindĕre*, tr. *Tollĕre*, tr. — un testament, *testamentum facĕre irritum*.

anoblir, v. tr. Rendre noble. *Aliquem facĕre nobilem*. Part. subst. Les anoblis, *allecti inter nobiles*.

anoblissement, s. m. Action d'anoblir. *Inter nobiles allectio*. [*pullus*.

ânon, s. m. Petit de l'âne. *Asininus*

ânonnement, s. m. Action d'ânonner. *Linguae haesitantia*.

ânonner, v. intr. Parler ou lire en hésitant. *Linguā haesitāre*. *Dicere* (*aliquid*) *verbis haesitantibus*.

anonyme, adj. Qui n'a pas de nom d'auteur. *Sine nomine* (*litterae scriptae*). *Sine auctore* (*liber editus*). Subst. L'auteur gardera l'—, *celabitur auctor*. ¶ Qui ne fait pas connaître son nom. *Qui nomen profitēri non vult*.

anse, s. f. Partie saillante en forme d'anneau par où l'on saisit un objet. *Ansa, ae*, f. *Manubrium, ii*, n. Qui a une —, *ansatus, a, um*, adj. || (Par ext.) Ce qui a la forme d'une anse : petite baie, petit golfe. *Sinus, us*, m.

antagonisme, s. m. Etat de lutte. *Repugnantia, ae*, f.

antagoniste, s. m. et f. (Celui *ou* celle) qui est en lutte avec un autre. *Adversarius, ii*, m. *Adversaria, ae*, f.

antarctique, adj. Opposé au pôle arctique. *Antarcticus, a, um*, adj.

antécédent, *ente*, adj. Qui précède qqch. *Antecedens, entis*, p. adj. || (Subst.) Les — de qqn (ses actes antérieurs), *ante acta*, n. pl.; *vita superior*.

antéchrist, s. m. Faux messie. *Antichristus, i*, m.

antenne, s. f. Longue vergue fixée au mât et portant une voile latine. *Antemna, ae*, f. ¶ Appendice en forme de corne que beaucoup d'insectes portent sur la tête. *Corniculum, i*, n.

antérieur, *eure*, adj. Qui est avant (dans le temps). *Superior, us*, adj. (au compar.). Etre —, voy. PRÉCÉDER. || (Spéc.) *Gramm.* Futur —, *futurum exactum*. ¶ (Absol.) Qui est de face. *Adversus, a, um*, adj. || Qui est en avant. *Prior* (opp. à *posterior*), adj. Patte — *pes prior*. || (En parl. d'un édifice.) *Anticus, a, um*, adj.

antérieurement, adv. D'une époque antérieure. *Prius*, adv. *Ante* ou *antea*, adv.

antériorité, s. f. Etat de ce qui est antérieur dans le cours du temps. Voy. PRIORITÉ.

anthologie, s. f. Recueil de petites pièces en vers. *Anthologica, orum*, n. pl. Une — poétique. *Elect e poetis loci*.

anthropophage, adj. *Elect e poetis loci.* Qui se nourrit de chair humaine. *Qui (quae) humanis cornibus vescitur.* Les Scythes étaient —, *Scythae corporibus hominum vescebantur.* Subst. Les—, *anthropophagi, orum*. m. pl.

antichambre, s. f. Pièce d'attente à l'entrée d'un appartement. *Amphithalamus, i*, m. *Procoelon, ōnis*, m.|| (Spéc.) Faire —, *in vestibulo aedium opperiri salutationem principis.*

anticipation, s. f. Action d'anticiper. *Anticipatio, onis*, f. *Antecessus, us*, m. Prendre par —, *antecapere*, tr.

anticiper, v. tr. et intr. || *V. tr.* Prendre, s'approprier avant le temps. *Anticipāre*, tr. *Praesumĕre*, tr. Notion anticipée, *anticipatio, onis*, f. Opinion anticipée, *praeceptio, onis*, f. || *V. intr.* Anticiper sur... *Anticipāre*, tr. — sur ses revenus, *praecerpĕre fructus (praediorum)*. ¶ Faire, exécuter avant le temps. *Ante diem facĕre*, — un paiement, *ante diem solvĕre*.

antidote, s. m. Substance destinée à combattre l'effet d'un poison. *Antidotum, i*, n. *Antidotus, i*, f. *Remedium* *contra* (ou *adversus*) *venenum.*

antienne, s. f. Psaume chanté à deux chœurs se répondant. *Antiphona, orum*, n. pl. Chanter toujours la même —, *eandem cantilenam canĕre.*

antimoine, s. m. Nom d'un corps simple. *Stibi, is*, n. *Stibium, ii*, n. D'—, *stibinus, a, um*, adj.

antipathie, s. f. Eloignement instinctif à l'égard de qqn ou de qqch. *Odium naturale adversus aliquem.* — pour le travail, *odium* (ou *fuga*) *laboris.* Avoir de l'— pour qqch., *abhorrĕre ab aliqua re.* ¶ (Par ext.) Antipathie des choses entre elles. *Repugnantia, ae*, f.

antipathique, adj. Qui excite l'antipathie. *Odiosus, a, um*, adj. ¶ Contraire, opposé. *Repugnans, antis*, p. adj.

antipode, s. m. Qui occupe sur la sphère terrestre une place diamétralement opposée à la nôtre. *Qui adversis vestigiis stat contra nostra vestigia.* || (Hyperb.) Etre aux —, *in diversissimā esse ac longinquissimā ratione.*

antiquaille, s. f. Chose surannée. *Res obsoleta.* Au plur. *Scruta, orum*, n. pl.

antiquaire, s. m. Celui qui recherche et sait apprécier les objets antiques. *Rerum antiquarum studiosus.*

antique, adj. Qui appartient aux mœurs, aux usages d'une époque antérieure. *Antiquus, a, um*, adj. || (Subst. m.) Genre antique. *Antiquum genus.* Travailler d'après l'— *antiqua imitando fingĕre nova.* ¶ (Par ext.) Très ancien. *Antiquus, a, um*, adj. *Priscus, a, um*, adj.

antiquité, s. f. Caractère de ce qui est antique. *Antiquitas, atis*, f. *Vetustas, atis*, f. De toute —, *omni memoria.* ¶ Ce qui est antique. *Antiquitas, atis*, f. *Vetustas, atis*, f. || Antiquité, c.-à-d. temps anciens. *Vetus memoria.* Dans l'—, *antiquitus*, adv. || (Spéc.) Le bon vieux temps. *Antiquitas, atis*, f. *Mores antiqui.* || (Méton.) Objets, monuments antiques. *Res veteres.*

antre, s. m. Excavation naturelle, repaire des fauves. *Spelunca, ae*, f.

anxiété, s. f. Vive inquiétude qui serre le cœur. *Anxietas, atis*, f. Avec —, *anxiē*, adv.

anxieux, adj. Qui éprouve de l'anxiété. *Anxius, a, um*, adj. *Sollicitus, a, um*, adj. || Qui marque l'anxiété. *Anxius, a, um*, adj.   [*Augustus mensis.*

août, s. m. Huitième mois de l'année.

apaisement, s. m. Action d'apaiser. *Sedatio, onis*, f. || Etat de ce qui est apaisé. *Tranquillitas, atis*, f.

apaiser, v. tr. Ramener à des sentiments paisibles. *Placāre*, tr. *Sedāre*, tr. D'une âme apaisée, *placatē*, adv. S'—, *placāri*, passif; *mitigāri*, passif. ¶ Ramener à un état paisible. *Sedāre*, tr. — une émeute, *tumultum sedāre.* S'—, *mansuescĕre*, intr.; *conquiescĕre*, intr. || (En parl. des dieux.) *Expiāre*, tr. Moyen d'— les dieux, *piaculum, i*, n.

apanage, s. m. Action de pourvoir un fils, de doter une fille. *Alicui praebita annua. Dos, dotis*, f. ¶ Ce qui appartient en propre à qqn, à qqch. *Quod alicujus proprium et insigne est.*

apathie, s. f. Insensibilité. Voy. ce mot. Tomber dans l'— *obdurescère*, intr. ¶ Manque d'énergie. *Inertia, ae*, f. *Segnitia, ae*, f.

apathique, adj. Qui a de l'apathie. *Iners, ertis*, adj. *Socors, ordis*, adj.

apercevoir, v. tr. Voir soudainement qqn, qqch. *Aspicère*, tr. *Conspicère*, tr. — distinctement, *perspicère*, tr. Empêcher d'— la terre, *terrae conspectum adimère*. Pouvoir être aperçu, in *conspectum cadère.*|| (Fig.) Saisir soudainement par la pensée. *Aliquid animo percipère*. ¶ V. pron. S'apercevoir, intr. Remarquer qqch. dont l'esprit n'avait pas été frappé d'abord. *Perspicère*, tr. *Animadvertère*, tr.

aperçu, s. m. Vue rapide prise de qqch. par l'esprit. *Conspectus, ûs*, m. Donner un court — de qqch., *in brevi conspectu aliquid ponère*.

api, s. m. Nom d'une petite pomme. *Appianum mâlum.*

apitoyer, v. tr. Toucher de pitié. *Misericordiam alicujus excitâre*. || (V. pron) S'—, être touché de pitié. *Misericordiâ commovêri. Adhibère (in aliqua re) misericordiam.* S'— sur qqch., *aliquid miserêri.*

aplanir. Rendre plan. *Aequâre*, tr. *Coaequâre*, tr. *Exaequâre*, tr. ¶ (Au fig.) Rendre facile. — toutes les difficultés, *omnia plana facère*. || (V. pron.) S'—, *proclive fieri*. Que toutes les difficultés s'aplaniraient, *omnia plana. proclivia fore.*

aplanissement, s. m. Action d'aplanir. *Aequatio, onis*, f. || Etat de ce qui est aplani. *Planum, i*, n. [*reddere.*

aplatir, v. tr. Rendre plat. *Planum*

aplatissement, s. m. Action d'aplatir et état de ce qui est aplati. *Complanatio, onis*, f.

aplomb, s. m. Equilibre stable d'un corps. *Libratio, onis*, f. || (Locut. adv.) D'—, *ad perpendiculum*. Muraille d'—, *murus directus ad perpendiculum*. Etre d'— (sur ses jambes), *recto talo stare*. ¶ (Fig.) Assurance imperturbable. *Fidentia, ae*, f. *Confidentia, ae*, f. Si j'avais l'— d'Appins, *si Appii os haberem.*

apocalypse, s. f. Livre du nouveau testament. *Apocalysis, is*. Acc. *im*, abl. *i*, f.

apocryphe, adj. Non reconnu par l'Eglise. *Apocryphus, a, um*, adj. || (Par ext.) Controuvé, supposé. *Subditus, a, um, p. adj. Suppositus, a, um*, p. adj. *Falsus, a, um*, p. adj. || Auteur, personnage apocryphe. *Subditivus, a, um*, adj.

apogée, s. m. Point, où la lune *ou* le soleil est le plus éloigné de la terre. *Columen, inis*, n. || (Par ext.) Degré

supérieur d'une chose. L'— de la fortune, *summum fortunae culmen.*

apologie, s. f. Ecrit *ou* discours justificatif. *Defensio, onis*, f.

apologiste, s. m. Celui qui fait l'apologie de qqn *ou* de qqch. *Defensor, oris*, m. *Laudator, oris*, m.

apologue, s. m. Court récit en prose *ou* en vers, contenant une leçon de morale pratique. *Apologus, i*, m.

apophtegme, s. m. Parole sentencieuse ordinairement attribuée à un personnage célèbre. *Dictum memorabile.*

apoplexie, s. f. Nom scientifique du coup de sang. *Ictus sanguinis.*

apostasie, s. f. Abandon de la religion dans laquelle on est né. *Apostasia, ae*, f.

apostat, s. m. Celui qui a apostasié. *Apostata, ae*, m. [*Apostema, atis*, n.

apostème, s. m. Tumeur purulente.

aposter, v. tr. Poster qqn dans un mauvais dessein. *Apponère*, tr. *Subornâre*, tr.

apostille, s. f. Annotation marginale. *Ascriptio, onis*, f. ¶ Note ajoutée à une pétition pour la recommander. *Ascriptio, onis*, f.

apostiller, v. tr. Annoter une pétition. *Commendaticias litteras alicui scribère.*

apostolat, s. m. Mission des apôtres. *Apostolatûs, ûs*, m.

apostolique, adj. Conforme à la tradition *ou* à la mission des apôtres. *Apostolicus, a, um*, adj.

1. apostrophe, s. f. Mouvement oratoire par lequel on interpelle brusquement une personne présente *ou* un être invisible. *Apostropha, ae*, f. ¶ (Par ext.) Vive interpellation. *Compellatio, onis*, f.

2. apostrophe, s. m. Signe orthographique. *Apostrophos* (ou *apostrophus*), *i*, f.

apostropher, v. tr. Interpeller par une apostrophe. *Compellâre*, tr. *Increpâre*, tr. *Corripère*, tr.

apothéose, s. f. Action de décerner des honneurs divins. *Consecrâre*, tr. Décerner l'—, *in deorum numerum referre.*

apothicaire, s. m. Celui qui vend des médicaments. *Pharmacopola, ae*, m.

apôtre, s. m. Disciple de Jésus-Christ. *Apostolus, i*, m.

apparaître, v. intr. Se montrer tout à coup aux yeux. *Apparêre*, intr. *Comparêre*, intr. ¶ Se montrer, paraître. *Apparêre*, intr. *Conspici*, passif. || Se montrer sous une forme visible. *Se ostendère*. ¶ Se présenter à l'esprit (comme vrai). *Vidêri*, passif. *Apparêre*, intr.

apparat, s. m. Caractère pompeux donné à certains actes, à certaines cérémonies. *Apparatûs, ûs*, m. D'—, *apparatus, a, um*, p. adj. *Magnificus, a, um*, adj. Avec —, *apparate*, adv.

appareil, s. m. Ensemble des instruments qui servent à exécuter une chose. *Instrumentum, i*, n. *Machina, ae*, f. —

pour réduire les fractures, *canalis, is,*
m. ,*canalicus, i,* m. — pour un cheval
malade, *cantherius, ii,* m. ¶ Ensemble
des organes qui servent à une fonction.
— digestif, *ciborum instrumenta.* ¶ Disposition des pierres (en maçonnerie).
Genus structurae. — maillé, réticulé,
reticulatum structurae genus. ¶ Déploiement extérieur de ce qui est préparé
par une opération. *Apparatûs, ûs,* m.

1. appareiller, v. tr. Préparer, disposer. Voy. ces mots. — un navire,
navem ornâre. ¶ (T. techn.) Faire la
manœuvre nécessaire pour quitter le
mouillage. *Solvère navem* ou (absol.)
solvère. [pareil. Voy. APPARIER.

2. appareiller, v. tr. Tenir à qqch. de
apparemment, adv. Selon toute apparence. *Sanê,* adv. Ironiq. *Scilicet,* adv.
apparence, s. f. Le fait de paraître sous
tel ou tel aspect. *Species, ei,* f. Qui a
de l'—, qui a belle —, de belle —,
speciosus, a, um, adj. ¶ Le fait de se
présenter à l'esprit avec l'apparence
de la vérité. *Species, ei,* f. Il y a — que,
veri simile est (avec l'acc. et l'inf.). Qui
est sans —, *vanus, a, um,* adj. ¶ Le fait
de paraître autre qu'on ne est. *Species, ei,*
f. *Simulatio, onis,* f. Garder les —,
decorum servâre. Pour sauver les —,
propter verecundiam. || (Loc. adv.) En
—, *specie; per speciem; ad speciem.*

apparent, ente, adj. Qui se montre aux
yeux. *Aspectabilis, e,* adj. Rendre —,
facère ut (aliquid) oculis cerni possit.
|| (Par ext.) Qui attire le regard ou
l'attention. *Conspicuus, a, um,* adj.
Insignis, e, adj. ¶ Qui se présente à
l'esprit. *Apertus, a, um,* p. adj. ¶ Qui
paraît autre qu'il est. *Inanis, e,* adj.
— vertu, *virtutis simulatio.*

apparenter, v. tr. Rendre parent par
alliance. *Affinitate jungère.* S'—, *affinitate sese devincire.*

appariement, s. m. Action d'apparier,
d'assortir par paire. *Compositio, onis,* f.

apparier, v. tr. Assortir de manière à
former un couple. *Conjungère,* tr. *Comparâre,* tr.

appariteur, s. m. Garde qui accompagnait les tribuns du peuple. *Apparitor,
oris,* m. Fonction d'—, *apparitura, ae.*
f. Remplir les fonctions d'— auprès de
qqn, *alicui apparêre.*

apparition, s. f. Action d'apparaître.
Visio, onis, f. *Conspectus, ûs,* m. Faire
son —, *apparêre,* intr.; *exoriri,* dép.
intr. L'— d'un livre, *editio, onis,* f.
A l'— de la fièvre, *ubi febris incipit.*
¶ (Spéc.) Le fait de se montrer (à qqn)
sous une forme visible. *Visio, onis,* f,
Visum, i, n. *Species, ei,* f.

appartement, s. m. Partie de la maison
à usage d'habitation. *Cubiculum, i,* n.

appartenant, ante, adj. Qui appartient
à qqn. *Proprius, a, um,* adj.

appartenir, v. intr. Etre la propriété
de qqn. *Alicujus esse.* La maison m'appartient, *mea est domus.* ¶ (Fig.) Etre

propre à. *Proprium esse.* Il vous appartient de..., *tuum est* (av. l'inf.). ¶ Faire
partie de qqch. *Esse alicujus rei.*

appâts, s. m. Pâture destinée à attirer
les poissons ou les oiseaux. Voy.
AMORCE. ¶ (Spéc.) Charmes extérieurs
d'une femme. *Venus, eris,* f. *Venustas,
atis,* f. *Forma, ae,* f.

appauvrir, v. tr. Rendre pauvre. *Aliquem ad paupertatem redigère.* Etre
appauvri, *in egestatem adduci.* S'—,
ad inopiam delabi.

appauvrissement, s. m. Action d'appauvrir, état de ce qui est appauvri.
Paupertas, atis, f. *Egestas, atis,* f. — de
l'Etat, *publica paupertas.*

appeau, s. m. Instrument qui sert à
imiter le cri des oiseaux qu'on veut
prendre. *Fistula aucupatoria.* || (Par
ext.) Oiseau qui sert d'appeau. *Allector,
oris,* m. *Illex, icis,* m. (pr. et fig.).

appel, s. m. Action d'inviter qqn à
venir en prononçant son nom. *Vocatus,
us* (abl. *u*). *Vox, vocis,* m. Je me suis
rendu à son —, *ab eo vocatus veni.* Je
n'ai pas entendu son —, *vocantem non
audivi.* || (Spéc.) Action de nommer
successivement les membres d'une
assemblée. *Nomenclatio, onis,* f. Faire
l'— du Sénat, *senatum recitare.* Faire
l'— des jeunes soldats, *nominatim
citare juniores.* Manquer à l'—, *ad
nomina non respondère.* ¶ Action d'inviter à venir. *Vocatio, onis,* f. — aux
armes, *evocatio, onis,* f. Faire. — à la
pitié, à la bonne foi de qqn, *alicujus
misericordiam, fidem implorâre.* ||
Appel (en justice). *Appellatio, onis,* f.
Provocatio, onis, f. — au peuple d'une
décision des magistrats, *provocatio
adversus magistratus ad populum.* Faire
—, *provocâre,* tr.

appelant, ante, adj. Qui appelle d'un
jugement. *Qui provocat.* Voy. APPELER.
Subst. L'—, *appellator, oris,* m.

appeler, v. tr. Inviter qqn à venir en
prononçant son nom ou en faisant un
signal. *Appellâre,* tr. *Vocâre,* tr. — à
soi ou auprès de, *advocâre,* tr.; *evocâre,*
tr. — en pleurant, *implorâre,* tr. — à
l'aide, *inclamâre,* tr. ¶ Inviter à venir.
Accessère, tr. *Citâre,* tr. Faire — , *arcessère.* Par ext. fig. — l'attention de qqn
sur qqch., *aliquem de aliqua re admonère.*
|| Réclamer. Voy. ce mot. || Appeler un
mal sur la tête de qqn. *Detestâri,* dép. tr.
|| Désigner qqn comme appelé à qqch.
Voy. DÉSIGNER, RÉSERVER. — qqn à
partager le butin, *aliquem in partem
praedas vocâre.* ¶ Appeler en justice.
Vocâre, tr. *Appellâre,* tr. ¶ Appeler
d'une juridiction à une autre. *Appellâre,* tr. En — du préteur aux tribuns,
a praetore tribunos appellâre. Par ext.
En — à Caton, *ad Catonem provocâre.*
¶ Désigner qqn par son nom. *Nominâre,*
tr. S'—, *nominari,* passif. Je m'appelle
Tullius, *mihi nomen est Tullius.*

appellation, s. f. Nom qu'on donne à qqn, à qqch. *Appellatio, onis, f. Nomen, inis, n.* — honorifique, *titulus, i, m.* ¶ (Spéc.) Manière de prononcer les lettres de l'alphabet. *Appellatio, onis, f.*

appendice, s. m. Partie qui tient à une chose et lui sert de prolongement. *Appendix, icis, f.*

appendre, v. tr. Voy. SUSPENDRE.

appesantir, tr. Rendre lourd à porter. *Aggravāre, tr.* Voy. ALOURDIR. Appesanti, e, *gravis, e*, adj. Appesanti par l'âge, *aetate gravis* ou (simpl.) *gravis.* Yeux appesantis, *graves oculi.* S'—, *ingravescĕre*, intr. S'— sur un sujet, *commorāri* (ou) *haerēre in aliquā re.*

appesantissement, s. m. Etat de ce qui est appesanti. *Gravitas, atis, f.*

appétissant, *ante*, adj. Qui met en appétit. *Qui (quae, quod) cibi appetentiam* (ou *aviditatem*) *facit.*

appétit, s. m. Tendance de l'être vers ce qui satisfait ses besoins. *Appetitūs, ūs, m. Appetitio, onis, f. Appetentia, ae, f. Aviditas, atis, f.* ¶ Désir naturel de manger et de boire. *Fames, is, f.* Manger à son —, *famem explēre.* Trop grand —, *edacitas, atis, f.* Manque d'—, *cibi fastidium.* Avoir de l'—, *cibum appetĕre.* Qui a de l'—, *cibi* (ou *edendi*) *appetens.* Manger avec —, *libenter cenares.* Mettre en —, *appetentiam cibi facĕre* (ou *invitāre*).

applaudir, v. intr. et tr. ‖ *V. intr.* Battre des mains à qqn ou à qqch. en signe de vive approbation. *Plaudĕre,* intr. *Plausum dare (alicui* ou *alicui rei).* ¶ (Fig.) Témoigner une vive approbation. *Plaudĕre,* intr. *Favēre,* intr. ‖ *V. tr.* — qqn ou qqch., *meme trad.* ¶ S'—, c.-à-d. se féliciter. *Gaudēre,* intr. *Gratulari sibi (de aliquā re).*

applaudissement, s. m. Battement de mains en témoignage d'approbation. *Plausūs, ūs,* m. Chercher les —, *plausus captāre.* Provoquer les — et les acclamations, *plausus et clamores movēre.* ¶ (Fig.) Témoignage de vive approbation. *Plausūs, ūs,* m. *Assensūs, ūs,* m.

applaudisseur, s. m. Celui qui applaudit. *Plausor, oris,* m.

applicable, adj. Susceptible d'être appliqué. *Qui (quae, quod) adhibēri potest.*

application, s. f. Action de poser une chose sur une autre, de manière qu'elle la recouvre et y adhère. *Illitūs, ūs,* m. *Inductio, onis, f.* — d'un remède, *appositūs, ūs,* m. ‖ (Méton.) Voy. EN-DUIT. ¶ (Fig.) Action de faire porter sur qqn ou qqch. une action, un effort. *Accommodatio, onis, f.* — d'une amende, *multae irrogatio.* Faire l'— d'un mot à qqn, *in aliquem dictum inferre.* ‖ Application (opp. à théorie). *Usūs, ūs,* m. Voy. PRATIQUE.

appliquer, v. tr. Poser une chose sur une autre de manière qu'elle y adhère et la recouvre. *Applicāre,* tr. — à ou

---

contre, *admovēre,* tr. — (avec violence), *infligĕre,* tr. *impingĕre,* tr. S'— à, convenīre, intr. (av. le datif). ¶ (Fig.) Faire porter sur qqn ou qqch. une action, un effort. *Adhibēre,* tr. *Admovēre,* tr. *Conferre,* tr. ‖ S'—, attendĕre, tr.; *incumbĕre,* intr. (av. le datif); *studēre,* intr. (av. le datif). ¶ Employer, mettre en pratique. Voy. EMPLOYER. ‖ S'—, voy. S'EMPLOYER. ¶ Transporter à qqn ce qui est dit d'un autre. *Transferre,* tr. *Transducĕre,* tr. ‖ S'—, c.-à-d. convenir à. *Cadĕre (in aliquem).* Voy. CONVENIR.

appointement, s. m. Rétribution d'un fonctionnaire ou d'un employé. Voy. SALAIRE, SOLDE.

appointer, v. tr. Donner une rétribution à un fonctionnaire, etc. *Stipendium alicui dare.*

apport, s. m. Action d'apporter. *Apportatio, onis, f.* ¶ Ce qu'on apporte. L'— d'une mariée, *sarcinula, ae, f.* — proportionnel, *contributio, onis, f.* — (en gén.), *collatio, onis, f.* — (d'un des époux), *res, rerum, f* pl.

apporter, v. tr. Venir porter qqch. à qqn et (par ext. *fig.*) venir mettre qqch. à sa disposition. *Afferre,* tr. *Conferre,* tr. *Inferre,* tr. — devant ou dehors, *proferre,* tr. — de divers côtés dans le même endroit, *comportāre,* tr. — en voiture, à cheval, par eau, *advehĕre,* tr. *convehĕre,* tr. *invehĕre,* tr. ¶ Fig. Causer, être cause de, voy. ces mots.

apposer, v. tr. Poser sur qqch. *Apponĕre,* tr. ‖ (Spéc.) — un sceau, *obsignāre,* tr. — son nom au bas de, *subscribĕre,* tr.

appréciable, adj. Qui peut être apprécié. *Aestimabilis, e,* adj.

appréciateur, *trice,* s. m. et f. Personne qui apprécie. *Aestimator, oris,* m.

appréciation, s. f. Action d'apprécier une chose. *Aestimatio, onis, f.*

apprécier, v. tr. Déterminer la valeur (vénale) de qqch. *Aestimāre,* tr. ¶ (Par ext.) Juger qu'une pers. ou une ch. a de la valeur. *Aestimare,* tr. *Facĕre,* tr. — les services de qqn, *operae alicujus pretium facĕre.* Faire —, *approbāre,* tr.

appréhender, v. tr. Prendre. Voy. ce mot. — au corps, *prehendĕre,* tr. ‖ (Spéc.) Considérer qqch. comme étant à craindre. *Exspectāre,* tr. *Metuĕre,* tr. Notre époque a moins à — d'ennemis en armes que des voluptés qui l'assiégent, *non tantum ab hostibus armatis aetati nostrae periculum est quam ab circumfusis voluptatibus.*

appréhension, s. f. Action de considérer qqch. comme étant à craindre. *Timor, oris,* m. *Metūs, ūs,* m.

apprendre, v. tr. Acquérir la connaissance de qqch., apprendre en écoutant ou en lisant. *Accipĕre,* tr. *Audire,* tr. *Cognoscĕre,* tr. — de bonne source, avec certitude. *Comperĕre,* tr. ¶ Acquérir des connaissances. *Discĕre*, tr. — par cœur, *ediscĕre*, tr. — à fond, *perdiscĕre*, tr. — d'avance, *praediscĕre*. Ce qu'on apprend, *res quarum est disciplina*. || Acquérir la pratique de qqch. *Discĕre*, tr. — par l'expérience, *experiri*, dép. tr. || S'apercevoir, reconnaître. Voy. ces mots. ¶ Donner la connaissance de qqch. *Docēre*, tr. — (en détail), *edocēre*, tr. Voy. AVERTIR, INFORMER. || Communiquer à qqn la science de qqch. *Docēre*, tr. Voy. ENSEIGNER. || Communiquer à qqn la pratique de qqch. Voy. ACCOUTUMER. || Apprendre qqn. Voy. INSTRUIRE. Homme bien appris, *liberalis homo*. Un mal appris, *vir inurbanus ou subagrestis*.

apprenti, *ie*, s. m. et f. Celui *ou* celle qui apprend un métier. *Tiro*, *onis*, m. Un —, *tiro et indoctus*.

apprentissage, s. m. Action d'apprendre un métier *Rudimentum*, *i*, n. *Tirocinium*, *ii*, n.

apprêt, s. m. Disposition prise en vue de ce qu'on a à faire et (*par ext.*) ce qui est apprêté. *Apparatio*, *onis*, f. Faire les — de..., *instruĕre et parāre*. Pendant les —, *in apparando*. ¶ (Fig.) Manière d'agir étudiée. *Apparatio*, *onis*, f. *Apparatūs*, *ūs*, m. L'— du style, *dicendi ornatus*. Qui est sans —, *nudus*, *a*, *um*, adj. Qui sent l'—, *nimia arte factus*. Ecrire avec trop d'—, *scripta sua calamistris inurĕre*.

apprêté, *ée*, adj. Dont la manière d'agir est étudiée. *Arcessitus*, *a*, *um*, p. adj. *Curiosus*, *a*, *um*, adj. D'une manière —, *apparate*, adv.; *curiose*, adv.

apprêter, v. tr. Disposer en vue d'un usage prochain. *Parāre*, tr. *Apparāre*, tr. *Compărāre*, tr. *Insternĕre*, tr. S'— à (faire qqch.) *c'.-à-d.* se mettre en disposition de faire qqch., *se parare* (*ad aliquid*) ou (abs.) *parāre* (av. l'inf.). S'— à (en parl. d'une ch.), *c'-à-d.* être près *ou* sur le point de, *instāre*, intr. *imminēre*, intr. || (Absol.) S'—, *c.-à-d.* prendre ses dispositions. *Compărāre*, abs. On s'apprête, *apparatur ou comparatur*, impers. || (Spéc.) Faire sa toilette. *Se comparāre*. ¶ Soumettre certaines choses à une préparation. *Conficĕre*, tr.

apprivoiser, v. tr. Rendre privé (un animal sauvage). *Mansuefacĕre*, tr. *Domāre*, tr. S'—, *mansuefieri*, passif; *mansuescĕre*, intr. Apprivoisé, ée, *mansuetus*, *a*, *um*, adj.; *mitis*, *e*, adj.; *cicur*, *uris*, adj. ¶ (Fig.) Rendre traitable. *Mitigāre*, tr. *Domāre*, tr. S'—, *mitescĕre*, intr. Apprivoisé, ée, p. adj. *Mitis*, *e*, adj.; *mansuetus*, *a*, *um*, adj. ¶ (Par ext.) Familiariser. Voy. ce mot.

approbateur, *trice*, s. m. et f. Celui *ou* celle qui approuve. *Probator*, *oris*, m. *Laudator*, *oris*, m. ¶ Adj. Qui approuve. Voy. APPROBATIF.

approbatif, *ive*, adj. Qui exprime l'approbation. *Qui* (*quae*, *quod*) *probat*,

approbat ou comprobat. Rire —, *arrisio*, *onis*, f.

approbation, s. f. Action d'approuver. *Approbatio*, *onis*, f. *Comprobatio*, *onis*, f. *Assensūs*, *ūs*, m. — bruyante, *plausūs*, *ūs*, m. Cri d'—, *acclamatio*, *onis*, f. Marque d'—, *assensio*, *onis*, f. Manifester son —, *plaudĕre*, intr. *ou* (au théâtre), *favēre*, intr. (av. le datif). Obtenir l'— de l'auditoire, *ab auditoribus probāri*. ¶ Autorisation donnée. *Auctoritas*, *ātis*, f.

approchant, *ante*, adj. Qui se rapproche de la manière d'être. *Propinquus*, *a*, *um*, adj. *Finitimus*, *a*, *um*, adj. ¶ (Adv.) Environ, à peu près. Voy. ENVIRON.

approche, s. f. Action d'approcher de qqn, de qqch. *Aditūs*, *ūs*, m. *Adventūs*, *ūs*, m. *Accessūs*, *ūs*, m. A l'— de l'ennemi, *adventante hoste*. || (Spéc.) Travaux d'— *et* (abs.) approches, *opera oppido admota*. Contre approches, *transversi cuniculi*. ¶ (Fig.) *Appropinquatio*, *onis*, f. Aux — de l'hiver, *hieme jam appropinquante*. Aux — de la nuit, *nocte appetente* ou *sub noctem*. Aux — de la vieillesse, de la mort, *senectute*, *morte adventante*.

approcher, v. tr. Placer près de qqch. *ou* de qqn. Placer près de qqch. *ou* de qqn. *Admovēre*, tr. Faire —, *même trad.* Action d'—, *accessio*, *onis*, f. *appulsūs*, *ūs*, m. ||'Rapprocher. Voy. ce mot. || S'—, *appropinquāre*, intr.; *accedĕre*, intr. S'— en nageant, *adnare*, intr. (avec *ad* et l'Acc.). S'— insensiblement, *adrepere*, intr. (av. le dat.). ¶ Venir près de (qqn *ou* qqch.). Cf. s'approcher. Au fig. — de quatre-vingts ans, *prope ad octogesimum annum pervenire*. — du but, *ad exitum prope pervenire*.

approfondir, v. tr. Rendre plus profond. Voy. CREUSER. ¶ (Fig.) *Scrutāri*, dép. tr. *Perscrutāri*, dép. tr. Etude approfondie, *diligentissima perversigatio*. Discussion —, *subtilis disputatio*. D'une manière approfondie, *accurate et exquisite*.

appropriation, s. f. Action d'attribuer en propre à qqn. *Addictio*, *onis*, f. ¶ Action de rendre propre à qqch. *Accommodatio*, *onis*, f.

1. approprier, v. tr. Attribuer en propre. Voy. ATTRIBUER. S'approprier, *usurpāre*, tr. ¶ Rendre propre à qqch. Voy. ACCOMMODER, ADOPTER. Approprié, ée, adj. *Accommodatus*, *a*, *um*, p. adj. *Aptus*, *a*, *um*, adj. D'une manière appropriée, *accommodate*, adv.; *apte*, adv.

2. approprier. v. tr. Rendre propre. Voy. NETTOYER.

approuver, v. tr. Juger bon *ou* louable. *Laudāre*, tr. *Probāre*, tr. *Approbāre*, tr. || Faire —, *probāre* ou *approbāre aliquid alicui*. || Donner son assentiment à. *Annuĕre*, intr. *Assentīri*, dép. intr. — constamment *ou* de parti pris, *assen-*

tāri, dép. intr. (av. le dat.). Parti pris d'—, *assentatio, onis,* f.

approvisionnement, s. m. Action d'approvisionner. Envoyer qqn pour l'—, *aliquem frumentatum mittĕre*. ¶ Ensemble des provisions. *Commeatūs, ūs,* m. — par mer, *maritimi commeatus.* Transporter des —, *commeatum* (sing coll.) *portare.* — de blé, *res frumentaria.* — de Rome, *annona, ae,* f. Service de l'—, *annona, ae,* f.

approvisionner, v. tr. Fournir de provisions. *Frumentum* ou (en gén.) *commeatum providēre.* —, *rem frumentariam comparāre.* S'— de blé pour l'hiver, *frumentum in hiemem providēre.* Etre abondamment approvisionné, *commeatu et reliquis copiis abundāre.*

approximation, s. f. Evaluation qui se rapproche du vrai. *Conjectura, ae,* f.

approximativement, adv. Par approximation, d'une manière approximative. *Conjecturā,* abl. adv.

appui, s. m. Action d'appuyer, de soutenir. Murs d'—, *fulturae, arum,* f. pl. Citer un exemple à l'— de qqch., *rem exemplo tutari.* Pièces à l'—, *documenta, orum,* n. pl. ¶ (Fig.) *Subsidium, ii,* n. *Praesidium, ii,* n. *Adjumentum, i,* n. *Adminiculum, i,* n. Prêter son — à qqn, *alicui praesidium ferre.* Servir d'—, *subsidio esse.* Avec leur —, *quibus adjutoribus.* Etre l'— de qqn, *aliquem fulcire.* Demander son — à qqn, *ab aliquo opem petĕre.* A l'— de, *c.-à-d.* en faveur de, voy. FAVEUR. Sans —, *inops auxilii.* ¶ Action de s'appuyer. Point d'—, *pressio, onis,* f. Hauteur d'—, *pectus, oris,* n. ¶ Ce sur quoi l'on s'appuie. *Fulcrum, i,* n. *Adminiculum, i,* n. ‖ Ce qui sert d'appui. Voy. ci-dessus.

appuyer, v. tr. Faire soutenir par qqch. *Applicāre (aliquid ad aliquid).* S'— sur, *incumbĕre (in aliquid)* ; *niti (aliquā re)* ; *anniti ad aliquid* ; *inniti (in aliquid* ou *aliquā re)* — contre, *obniti (trunco arboris).* Appuyé à ou contre, *acclinis, e,* adj. (av. le dat.). Appuyé sur, *subnixus, a, um,* p. adj. (av. l'abl.). ‖ (Par anal.) S'appuyer à de hautes montagnes (en parl. d'une armée), *altitudine montium tegi.* La citadelle était appuyée à la mer, *castellum ad mare adjacebat.* ‖ (Fig.) S'— *niti (aliquā re)*, S'appuyant ou appuyé sur..., *fretus, a, um (aliquā re).* Appuyé sur ..., *subnixus, a, um (aliquā re).* ¶ (Fig.) Faire peser (sur qqch.). Premère, tr. *Exprimĕre,* tr. — sur une preuve, *argumentum premĕre.* — sur les lettres avec affectation, *litteras exprimĕre politius.* En appuyant bien, *expressē,* adv. ‖ (Par ext.) Se porter vers. — à droite, *flectĕre ad dextram.* ¶ Appuyer par *c.-à-d.* soutenir à l'aide de. *Fulcire* ou *suffulcire,* tr. *(aliquid aliquā re).* ‖ (Par anal.) —, *c.-à-d.* soutenir, venir en aide. *Subvenīre,* intr. Voy. INTERVENIR,

SUBVENIR. ‖ (Fig.) Fortifier de son influence. *Adjuvāre,* tr. Voy. AIDER. — un projet de loi, *legem suadēre.* — de son suffrage, *suffragāri,* dép. intr. (av. le dat.).

âpre, adj. Dont la rudesse est désagréable. *Asper, a, um,* adj. — au toucher, *scaber, bra, brum,* adj. — au goût, *acerbus, a, um,* adj.; *austerus, a, um,* adj. Rendre —, *exasperāre,* tr. Fig — au gain, *avidus, a, um,* adj. *avarus, a, um,* adj. Etre — au gain, *quaestui servire.*

après, prép. et adv. ¶ (*Prépos.*) Plus loin que... (dans l'espace). *Post,* prép. (avec l'acc.) Immédiatement —, *juxta,* prép. (av. l'acc.); *proximē,* prép. (av. le dat.). ‖ Qui est *ou* qui vient immédiatement —, *proximus, a, um,* adj. (av. le dat.). Etre *ou* venir —, *sequi,* dép. tr. Courir — qqn, *aliquem sectari* ou *insectāri.* Se mettre — qqn, *aliquem incessĕre.* Etre — qqch., *aliquid in manibus habēre.* Courir — (les honneurs, la fortune, etc.), *consectāri (honores, fortunam).* Demander — qqn, *aliquem quaerĕre.* ‖ Plus loin que... (dans le temps). *Post,* prép. (av. l'acc.). Immédiatement —, *secundum,* prép. (av. l'Acc.). Après (*c.-à-d.* au sortir de) la marche, *ex itinere.* Qui est *ou* vient —, *proximus, a, um,* adj. (av. le dat.). ‖ Plus loin que ... (par le rang). *Post,* prép. *Secundum,* prép. (av. l'Acc.). Qui est (*ou* qui vient) —, *proximus, a, um,* adj. (avec le dat.). Mettre —, *posthabēre (aliquid alicui rei)* ; *postponĕre (aliquem alicui).* ‖ D'APRÈS, *c.-à-d.* conformément à .*Secundum,* prép. (avec l'Acc.). *Ad,* prép (av. l'Acc.). Penser d'— qqn, *secundum aliquem sentīre.* D'— le traité, *ex foedere.* D'— ses forces, *pro viribus.* Voy. SELON. ¶ (Adv.) Plus loin dans l'espace. *Post,* adv. ‖ Plus loin (dans le temps). *Post,* adv. *Postea,* adv. *Deinde,* adv. Longtemps —, *multo post.* Peu —, *paullo post* ou *haud multo post.* ‖ (Loc. conj.) Après que, *postquam,* conj.; *ubi,* conj. Après que Dion fut mort, *Dione interfecto.* ‖ Après (par le rang). Qui vient —, *proximus, a, um,* adj. (avec le dat.).

après-midi, s. m. et f. Partie de la journée de midi au soir. *Posmeridianum tempus.*

après-demain, adv. Au jour qui suivra demain *Perendie,* adv.

âpreté, s. f. Qualité de ce qui est âpre (au pr. *et* au fig.). *Asperitas, atis,* f. *Acerbitas, atis,* f. — d'un discours, *verborum amaritudo.* — du caractère, *animi atrocitas.* Avec —, *atrociter,* adv.

à-propos, s. m. Ce qui vient à propos. *Opportunitas, ātis,* f. Voy. OPPORTUN.

apte, adj. Naturellement propre à qqch. *Aptus, a, um,* adj. (avec *ad* et l'Acc.). *Idoneus, a, um,* adj. (av. *ad* et l'Acc.). *Accommodatus, a, um,* p. adj. (av. *ad* et l'Acc.).

aptitude, s. f. Qualité de celui qui est apte à qqch. *Facultas, atis,* f. — à l'éloquence, *dicendi facultas.* Avoir une — naturelle pour ..., *natum aptumque esse ad...* Avoir l'— requise pour .... *idoneum esse ad* ... (et l'Acc.).

apurement, s. m. Action d'apurer un compte. *Ratio putata.*

apurer, v. tr. Vérifier un compte et le déclarer exact. *Putāre (rationem cum aliquo).*

aquatique, adj. Qui vit dans l'eau. *Aquaticus, a, um,* adj. *Aquatilis, e,* adj.

aqueduc, s. m. Conduit fait pour amener l'eau. *Aquae ductus.* L'— de Claudius, *Claudia aqua.* Administration des —, *provincia aquaria.* Amener l'eau dans la ville par des —, *in urbem aquam ducere, adducĕre* ou *perducĕre.*

aqueux, *euse*, adj. Qui est de la nature de l'eau. *Aquosus, a, um,* adj. *Aquaticus, a, um,* adj. Qui a une saveur —, *aquatilis, e,* adj. [*a, um,* adj.

aquilin, adj. En bec d'aigle. *Aduncus,*

aquilon, s. m. Vent du nord. *Aquilo, onis,* m. ¶ (Méton.) Le Nord. *Aquilo, onis,* m.

arable, adj. Qui peut-être labouré. *Arabilis, e,* adj. *Qui (quae, quod) arari potest.*

araignée, s. f. Insecte qui file une toile. *Aranea, ae,* f. D'—, *araneus, a, um,* adj. Toile d'—, *aranea, ae,* f. Plein de toiles d'—, *araneosus, a, um,* adj.

aratoire, adj. Relatif au labourage. *Aratorius, a, um,* adj. Instruments —, *ferramenta, orum,* m. pl.

arbalète, s. f. Sorte d'arc muni d'un fût de bois, qui dirige la flèche. *Arcuballista, ae,* f.

arbalétrier, s. m. Tireur d'arbalète. *Arcuballistarius, ii,* m. ¶ (Techn.) Pièce de la charpente d'un toit. *Tignum, i,* n.

arbitrage, s. m. Mission d'arbitre. *Arbitrium, ii,* n. *Arbitratus,* abl. *u,* m.

arbitraire, adj. Qui dépend du libre arbitre. *Opinionis arbitrio relictus.* ¶ (Subst.) Laisser une chose à l'— de qqn, *arbitrio alicujus aliquid permittĕre.* ¶ Qui ne dépend que du caprice. *Libidinosus, a, um,* adj. Beaucoup d'actes —, *multa superbe et crudeliter facta.* Justice —, *judicum libido.* || (Subst.) L'arbitraire. *Libido, inis,* f. *Libido ac licentia.*

arbitrairement, adv. D'une façon arbitraire. *Ad libidinem. Ex libidine.* Disposer — de chaque chose, *libera de unâ quâque re agĕre arbitria.*

arbitral, *le*, adj. Relatif aux arbitres. *Arbitrarius, a, um,* adj. Rendre une sentence —, *arbitrāri,* dép. intr.

arbitralement, adv. D'une manière arbitrale. *Per arbitrum.*

1. arbitre, s. m. Personne désignée pour trancher une affaire litigieuse. *Arbiter, tri,* m. *Disceptator, oris,* m. Etre —, *disceptāre,* tr. Décider en

qualité d'—, *arbitrāri,* dép. intr. Décision de l'—, *arbitrium, ii,* n. S'en remettre à un —, *compromittĕre,* intr. Voy. COMPROMIS. || (Fig.) Celui qui décide. *Arbiter, tri,* m.

2. arbitre, s. m. Volonté. *Arbitrium, ii,* n. En usant de son libre —, *sponte,* abl. f.

arborer, v. tr. Dresser comme un arbre. *Tollĕre,* tr. *Proponĕre,* tr. — le drapeau, *signum proponĕre.*

arbousier, s. m. Arbuste à feuillage persistant et à fruits globuleux. *Arbutus, i,* f. Fruit de —, *arbutum, i,* n.

arbre, s. m. Végétal à tige élevée et ligneuse. *Arbor, oris,* f. Tronc d'—, *truncus, i,* m. — dur, *robur, oris,* n. Planté d'—, *arboritus consitus* Soutenu par un —, *arbustus, a, um,* adj.; *arbustivus, a, um,* adj. (en parl. exclusiv. de la vigne). Lieu planté d'—, *arbustum, i,* n, (surt. au plur.) D'—, relatif aux —, *arboreus, a, um,* adj. ¶ (Par anal.) Arbre de pressoir. *Arbor, oris,* f. Arbre d'une machine, *axis, is,* m. ¶ Ce qui figure un arbre. — généalogique, *stemma, atis,* n.

arbrisseau, s. m. Petit arbre dont la tige entière se couvre de rameaux. *Arbuscula, ae,* f. — épineux, *spina, ae,* f.

arbuste, s. m. Voy. ARBRISSEAU.

arc, s. m. Instrument destiné à lancer des flèches. *Arcŭs, ūs,* m. Avoir plus d'une corde à son —, *plurima habēre ad manum.* ¶ (Ce qui rappelle un arc tendu.) Voûte. *Arcŭs, ūs,* m. || Monument en forme d'arc. — de triomphe, *arcŭs, ūs,* m.|| — de cercle, *arcŭs, ūs,* m.|| En forme d'arc, *arcualim,* adv. Courbé en forme d'—, *arcuatus, a, um,* adj.

arcade, s. f. Construction en forme d'arc. *Arcŭs, ūs,* m. *Arcuatio, onis,* f. *Suspensio, onis,* f.

arc-boutant, s. m. Pièce de maçonnerie, de bois *ou* de fer qui sert à soutenir un mur. *Anteris, idis,* f. *Erisma, ae,* f. *Erisma, matis,* n. ¶ (Fig.) Appui. Voy. ce mot. [voûte. *Arcŭs, ūs,* m.

arceau, s. m. Partie cintrée d'une

arc-en-ciel, s. m. Météore en forme d'arc. *Arcus caelestis* ou (simpl.) *arcŭs, ūs,* m.

archaïque, adj. Qui a un caractère d'ancienneté. *Priscus, a, um,* adj.

archaïsme, s. m. Caractère d'ancienneté. *Antiquitas, atis,* f. ¶. (Méton.) Expression ayant un caractère d'ancienneté. *Priscum verbum* (surt. au plur.). [anges. *Archangelus, i,* m.

archange, s. m. Etre supérieur aux

1. arche, s. f. Nom du bateau construit par Noé. *Arca, ae,* f. || (Fig.) Arche sainte (contenant les tables de la loi). *Arca sancta.*

2. arche, s. f. Arcade qui repose sur des piles *ou* piliers et supporte le tablier d'un pont. *Arcŭs, ūs,* m.

archer, s. m. Soldat armé d'un arc. *Sagittarius, ii,* m.

archet, s. m. Baguette en forme d'arc servant à faire vibrer les cordes de certains instruments. *Plectrum, i,* n.

archevêque, s. m. Chef d'une province ecclésiastique comprenant plusieurs évêchés. *Archiepiscopus, i,* m.

archidiacre, s. m. Le plus ancien et le premier des diacres dans l'ancienne église. *Archidiaconus, i,* m.

archipel, s. m. La mer Egée parsemée d'îles *et par suite* groupe d'îles. *Mare insulis refertum. Insulae complures (et quasi de industria in ordinem compositae)*.

archiprêtre, s. m. Chef des autres prêtres dans l'ancienne église. *Archipresbyter, teri,* m.

architecte, s. m. Celui qui dresse le plan et dirige la construction d'un édifice. *Architectus, i,* m || (Fig.) Fondateur, créateur. *Architectus, i,* m.

architecture, s. f. Art de construire un édifice. *Architectura, ae,*

archives, s. f. plur. Pièces relatives à l'histoire d'un peuple, d'une cité. *Tabulae publicae*. Conservé dans les —, *in tabulis inclusus*. ¶ (Méton.) Endroit où sont déposées les archives. *Tabularium, ii,* n. — domestiques, *tablinum, i,* n. [*Ab actis*.

archiviste, s. m. Préposé aux archives.

archonte, s. m. Magistrat d'Athènes. *Archon, ontis,* m.

arçon, s. m. Une des deux pièces de bois cintrées qui forment le corps de la selle. Etre ferme sur les —, *in equo haerère*.

arctique, adj. Qui regarde la constellation de l'ours. *Septentrionalis, e,* adj.

ardélion, s. m. Officieux importun. *Ardelio* ou *ardalio, onis,* m.

ardemment, adv. Avec ardeur. *Ardenter*, adv. *Acriter*, adv. Désirer —, *inhiare*, intr. (av. le datif). Qui désire —, *avidus, a, um*. adj. (avec le gén.)

ardent, **ente**, adj. Qui est en feu. *Ardens, entis,* p. adj. *Fervens, entis,* p. adj. *Flagrans, antis,* p. adj. Etre —, *ardère*, intr. Devenir —, *ardescère*, intr. Etre sur des charbons —, *trepidàre*, intr. ¶ (Fig.) Plein de feu, d'ardeur, de passion. *Ardens, entis,* p. adj. *Acer, cris, cre*, adj. *Fervens, entis,* p. adj. *Fervidus, a, um*, adj. Avoir un désir —, *ardenter cupère*.

ardeur, s. f. Caractère de ce qui est ardent. *Ardor, oris,* m. *Calor, oris,* m. *Fervor, oris,* m. *Aestùs, ûs,* m. ¶ (Fig.) Chaleur, passion. *Ardor, oris,* m. *Ignis, is,* m. *Flamma, ae,* cf. — des passions, *incendium, ii,* n. || Vivacité. *Alacritas, atis,* f. *Impetûs, ûs,* m. || Application, zèle. Voy. ZELE. Plein d'—, *ardens, entis,* p. adj. Etre plein d'—, *ardère*, intr. *flagràre*, int. Avec —, *ardenter*, adv.

ardoise, s. f. Schiste argileux qui se débite en lames minces. *Lapis sectilis*.

ardu, **e**, adj. Difficile à gravir. *Arduus, a, um*, adj. ¶ (Au fig.) Difficile à pénétrer, à traiter. *Arduus, a, um*, adj.

arène, s. f. Sable. *Arena, ae,* f. ¶ Partie sablée d'un cirque, etc. *Arena, ae,* f. Descendre dans l'—, *in arenam descendère* ou *in certamen (in dimicationem) descendère*. ¶ (Au plur.) Amphithéâtre, cirque. Voy. ces mots.

aéropage, s. m. Tribunal suprême à Athènes. *Areopagus, i,* m.

aréopagite, s. m. Membre de l'aréopage. *Areopagites, ae,* m.

arête, s. f. Tige osseuse formant le squelette d'un poisson. *Spina, ae,* f. ¶ (Par anal.) Intersection de deux plans. Voy. INTERSECTION. ¶ (Par ext.) Arête d'une chaine de montagnes entre deux sommets. *Jugum, i,* n.

argent, s. m. Nom d'un métal. *Argentum, i,* n. — en lingot, — brut, *argentum infectum*. — travaillé, *argentum factum*. — monnayé, *argentum signatum*. || (Par anal.) Vif — (mercure), *argentum vivum*. || D'—, en —, *argenteus, a, um*, adj. Garni d'—, *argenteus, a, um*, adj. Mine d'—, *argentaria, ae,* f. Age d'—, *argentea aetas*. ¶ Argent monnayé *et par ext.* toute espèce de monnaie. *Pecunia, ae,* f. Placer de l'—, *pecuniam collocàre*. Grande somme d'—, *magna pecunia*. A prix d'—, *pretio*. Argent gagné. *Quaestùs, ûs.* m. Gagner de l'—, *quaestum facère*. ¶ Argent dépensé. *Sumptùs, ûs,* m. Affaire d'—, *res pecuniaria*. Embarras d'—, *difficultas nummaria*.

argenter, v. tr. Recouvrir d'une couche d'argent. *Alicui rei argentum inducère*. ¶ P. adj. Argenté. *Argentatus, a, um,* p. adj.

argenterie, s. f. Vaisselle *et* ustensiles d'argent. *Argentum, i,* n.

argentin, **ine**, adj. Qui a la teinte de l'argent. *Argenteus, a, um,* adj. ¶ Qui a le son de l'argent. *Argenteus, a, um,* adj.

argile, s. f. Terre glaise *ou* terre à potier. *Argilla, ae,* f. || Argile à bâtir *Lutum, i,* n.

argileux, **euse**, adj. Qui est de la nature de l'argile. *Argillaceus, a, um,* adj.

arguer, v. tr. Etablir avec évidence. *Concludère*, tr. — une pièce de faux, *falsi accusàre*.

argument, s. m. Preuve par raisonnement. *Argumentum, i,* n. *Ratio, onis,* f. — captieux, *captio, onis,* f. ¶ Exposé d'un sujet qu'on va développer. *Argumentum, i,* n.

argumentateur, s. m. Qui aime à argumenter. *Argumentator, oris,* m.

argumentation, s. f. Action *ou* art d'argumenter. *Argumentatio, onis,* f.

argumenter, v. intr. Présenter des arguments. *Argumentàri (de aliquà re)*, dép. intr. [*Argutiae, arum,* f. pl.

argutie, s. f. Subtilité de raisonnement.

aride, adj. Dépourvu d'humidité. *Aridus, a, um,* adj. Endroits —, *sitientia loca*. || (Fig.) Sans agrément (en parl. d'un sujet, de style, etc.). *Squalidus, a, um*, adj. ¶ Sans végétation. Voy. **STÉRILE**. ‖ (Fig.) Sans abondance. *Aridus, a, um*, adj.

aridité, s. f. Caractère de ce qui est aride. *Ariditas, atis*, f. *Siccitas, atis*, f. Fig. *Jejunitas, atis*, f.

aristocrate, s. m. Partisan de l'aristocratie. *Optimatium fautor*.

aristocratie, s. f. Gouvernement des nobles. *Optimatium civitas*. ¶ (Par ext.) Classe des nobles. *Nobilitas, atis*, f. *Optimates, ium*, m. pl.

aristocratique, adj. Qui concerne l'aristocratie *ou* les aristocrates. *Qui (quae, quod) ad optimatium imperium pertinet*. Un état —, *optimatium civitas*.

arithméticien, s. m. Personne versée dans l'arithmétique. *Arithmeticus, i*, m.

1. arithmétique, adj. Relatif à la science des nombres. *Arithmeticus, a, um*, adj.

2. arithmétique, s. f. Science des nombres. *Arithmetica, orum*, n. pl. *Numeri, orum*, m. pl.

armateur, s. m. Celui qui équipe un bâtiment. *Nauclerus, i*, m.

arme, s. f. Instrument dont on se sert pour attaquer *ou* se défendre. *Arma, orum*, n. pl. — de jet, *telum, i*, n. — offensives et défensives, *tela et arma*. — de trait, *missilia, um*, n. pl. ‖ Qui est en armes, sous les —, *armatus, a, um*, p. adj. Hommes d'—, *armati, orum*, m. pl. Qui est sans —, *inermis, a, um*, adj. Fabrique d'—, *armorum officina*. Maître d'—, *armorum doctor*. Fabricant d'—, voy. **ARMURIER**. ‖ (P. ext.) Les différentes armes d'une armée. *Armatura, ae*, f. Soldats de toutes —, *omnis generis milites*. ‖ Carrière des armes. *Militia, ae*, f. ‖ Armes, c.-à-d. guerre. *Arma, orum*, n. pl. Celui qui met les armes à la main. *Auctor armorum*. Compagnon d'—, *armorum* (ou *belli*) *socius*; *commilito, onis*, m. Appel aux armes —, *evocatio, onis*, f. Appeler aux —, *evocāre*, tr. Suspension d'—, *indutiae, orum*, f. pl. Premières —, *tirocinium, ii*, n. ¶ (Fig.) Moyen dont on se sert pour attaquer *ou* pour se défendre. *Arma, orum*, n. pl. *Telum, i*, n. Ce n'est point une — à dédaigner en politique, *non mediocre telum ad res gerendas*.

armée, s. f. Réunion de troupes de différentes armes, préparées à la guerre. *Exercitūs, ūs*, m. *Copiae, arum*, f. pl. — en marche, *agmen, inis*, n. — rangée en bataille, *acies, ei*, f. Ranger une — en bataille, *aciem constituĕre* (ou *instruĕre*).¶ (Au sing.) Ensemble des forces militaires d'un Etat. *Exercitūs, ūs*, m. Passer une — en revue, *exercitum lustrāre* (*recensēre* ou *recognoscĕre*).¶ (Fig.) Foule, troupe. Voy. ces mots.

armement, s. m. Action de munir. *Ornatūs, ūs*, m. Vaisseau dont l'— ne laisse rien à désirer, *navis instructa et armata egregie*. ¶ Action de munir d'armes. Voy. **ARMER**. ‖ Genre d'armement. *Armatura, ae*, f. ¶ Action de se préparer à la guerre, en réunissant des soldats. *Apparatio belli*. Faire des —, *omnia quae ad bellum pertinent providēre*.

armer, v. tr. Munir. *Armāre*, tr. *Ornāre*, tr. *Instruĕre*, tr. Au part. passé. Armé, *ornatus, a, um*, p. adj. Armé d'un bec, d'une pointe, d'un éperon, *rostratus, a, um*, p. adj. — un navire, *navem ornāre*.¶ Munir d'armes (pr. et fig.). *Armāre*, tr. S'—, *armare se* ou *armari*, passif. Etre armé en guerre, *esse in procinctu*. Lutter à main armée, *proeliari*, dép. intr. Lutte à main armée, *proelium, ii*, n. ‖ Armé à la légère, *expeditus, a, um*, p. adj. Pesamment armé, *gravis, e*, adj. ‖ (Loc. div.) Force armée. *Armati, orum*, m. pl. A main armée, *armatus, a, um*, p. adj. Paix armée, *pax bello similis*.

armistice, s. m. Suspension provisoire des hostilités. *Induciae, arum*, f. pl.

armoire, s. f. Meuble. *Armarium, i*, n.

armure, s. f. Ensemble d'armes défensives (casque, cuirasse, bouclier). *Arma, orum*, n. pl.

armurier, s. m. Fabricant *ou* marchand d'armes. *Faber armorum*.

aromate, s. m. Substance odoriférante. *Aroma, matis*, n.

aromatique, adj. Qui est de la nature de l'aromate. *Condimentarius, a, um*. Substances —, *aromatica, orum*, n. pl.

arome, s. m. Emanation de substances odorantes. *Odor, oris*, m.

arpent, s. m. Ancienne mesure agraire. *Jugerum, i*, n.

arpentage, s. m. Action d'arpenter. *Agri mensura*. L'art de l'—, *disciplina gromatica*. D'—, *gromaticus, a, um*, adj.

arpenter, v. tr. Mesurer un terrain. *Metīri*, dép. tr. — un champ, *agrum metīri* ou *metāri*. ¶ (Fig.) Parcourir rapidement. *Metīri*, dép. tr. — le terrain, *ingens spatium emetiri*.

arpenteur, s. m. Celui qui arpente un terrain. (*Agri*) *mensor, oris*, m.

arquer, v. tr. Courber en forme d'arc. *Curvāre*, tr. *Incurvāre*, tr. S'—, *arcuāri*, passif. Au partic. Arqué, ée, *arcuatus* (*arquatus*), *a, um*, p. adj. Qui a les jambes arquées, *varus*.

arrachement, s. m. Action d'arracher. *Avulsio, onis*, f.

arracher, v. tr. Détacher avec effort ce qui tient au sol par des racines. *Eradicare*, tr. *Exstirpāre*, t . *Vellēre*, tr. *Convellĕre*, tr. *Evellĕre*, tr. ‖ (Par anal.) Détacher avec effort une chose de ce à quoi elle tient. *Vellĕre*, tr. *Avellĕre*, tr. *Convellĕre*, tr. *Divellĕre*, tr. *Evellĕre*, tr. *Abrumpĕre*, tr. *Abscindĕre*, tr. *Extrahĕre*, tr. — d'une cavité, de l'orbite, *effodĕre*, tr. ‖ Fig. — du cœur de qqn la passion des richesses, *studium habendi* *penitus corde eradĕre.* ¶ Enlever de force à qqn ce qu'il retient *Eripĕre,* tr. *Extorquĕre,* tr. Il lui arracha une promesse, *expressit, ut pollicerētur.* || (Par ext.) S'arracher (les uns aux autres), un objet, une personne. *Diripĕre,* tr.

arracheur, s. m. Celui qui arrache. *Avulsor, oris,* m. — de dents, *c.-à-d.* (fig.) charlatan, voy. ce mot.

arrangement, s. m. Action d'arranger et état de ce qui est arrangé. *Compositio, onis,* f. *Dispositio, onis,* f. *Digestio, onis,* f. — ingénieux, *concinnitas, atis,* f. — de la coiffure, *comptŭs, ūs.* m. ¶ Disposition prise avec qqn. Voy. ACCORD, CONVENTION. ¶ Action de remettre les choses dans l'ordre. *Restitutio, onis,* f.

arranger, v. tr. Disposer dans l'ordre qui convient. *Disponĕre,* tr. *Componĕre,* tr. — ses affaires, *negotia expedīre.* — les affaires de qqn, *alicujus negotia explicāre.* || (Fig. *et* iron.) Arranger qqn, *c.-à-d.* le maltraiter en paroles, *aliquem ornāre* ou *exornāre.* || Arranger une affaire avec qqn (la régler par un accord mutuel). *Componĕre,* tr. S'—, *c.-à-d.* entrer en accommodement. Voy. ACCOMMODEMENT. S'— (pour dormir), *componĕre se.* || Arranger un mariage, etc. *Conciliare,* tr. S'—, *c.-à-d.* prendre ses dispositions. Voy. DISPOSITION, PRÉPARATIF. ¶ Remettre dans l'état qui convient. Voy. RÉPARER. ¶ Mettre qqn dans la disposition qui convient. Voy. CONVENIR, AGRÉER. S'— de qqch., *aliqua re contentum esse.*

arrangeur, s. m. Celui qui arrange. *Compositor, oris,* m.

arrérages, s. m. pl. Rente *ou* redevance dont le paiement est en retard. *Usurae retro debitae.*

arrestation, s. f. Action d'arrêter. *Comprehensio, onis,* f.

arrêt, s. m. Action de s'arrêter. *Statio, onis,* f. Temps d'—, *intermissio, onis,* f. Sans —, *sine ulla intermissione.* Fig. — (des troupes en marche), *mora, ae,* f. — (dans un voyage), *commoratio, onis,* f. — de toutes les affaires, *justitium omnium rerum.* Qui est sans —, *continuus, a, um,* adj. ¶ Action d'arrêter. *Retentio, onis,* f. || Action de mettre en état d'arrestation. *Comprehensio, onis,* f. Maison d'—, *custodia, ae,* f. Mettre qqn aux arrêts, *aliquem libero conclavi serrāre.* || (Par ext.) Mettre — sur les biens de qqn, *manum injicĕre in alicujus bona.* ¶ Ce qui arrête. *Retinaculum, i,* n. La lance en arrêt, *protentā hastā.* ¶ Ce qui est arrêté, fixé; décision, jugement. *Decretum, i,* n. *Judicium, ii,* n. Ne pas accepter un —, *judicatum negāre.* Rendre un —, *judicium facĕre* (*de aliquā re*). Porter un — rigoureux, *gravem sententiam pronuntiāre.* || (Fig.) *Placitum, i,* n. — du destin, *fatum, i,* n.

1. arrêté, ée. Part. passé de ARRÊTER.

2. arrêté, s. m. Ce qui est arrêté,

décidé par qqn. *Decretum, i,* n. || (Spéc.) Décision de l'autorité. *Consultum, i,* n. *Decretum, i,* n. Prendre un —, *decretum* ou *consultum facĕre.* Prendre un — pour empêcher que..., *decreto cavēre, ne...* (av. le subj.).

arrêter, v. tr. Empêcher qqn de continuer sa marche. *Sistĕre,* tr. *Morāri,* dép. tr. || S'— (ne pas continuer sa marche). *Sistĕre,* intr. *Consistĕre,* intr. *Morāri,* dép. intr. Ne pas se laisser arrêter par..., *aliquid perrumpĕre.* Passer devant sans s'—, *transcurrĕre,* tr. S'— de parler, *finem facĕre sermoni suo.* Absol. Faire qqch. sans s'—, *aliquid non intermittĕre.* || (Spéc.) Se saisir de qqn pour l'emprisonner. *Apprehendĕre,* tr. *Comprehendĕre,* tr. ¶ (Par anal.) Empêcher de continuer son mouvement, son action. *Sistĕre,* tr. *Continēre,* tr. || S'— (en parl. d'un mouvement, d'une action), *consistĕre,* intr.; *subsistĕre,* intr. Arrêté dans son développement, *constrictus.* ¶ Empêcher de quitter la place où l'on est. *Morāri,* dép. tr. *Demorāri,* dép. tr. (Par ext. fig.) Arrêter, *c.-à-d.* s'assurer par précaution. — un cuisinier, *coquum conducĕre.* — une maison, *aedes sibi conducĕre.* ¶ Arrêter ses regards sur qqch., *oculos in aliquid defigĕre.* || S'—, *immorāri* (*alicui rei*); *insistĕre* (*ad aliquid faciendum*). ¶ Arrêter, *c.-à-d.* fixer, décider. *Statuĕre,* tr. *Constituĕre,* tr. || S'— à l'avis de qqn, *alicujus judicio stāre.* || Résoudre, se résoudre à. *Destināre,* tr. *Statuĕre,* tr. Etre bien arrêté, *stāre.* J'ai la résolution bien arrêtée de..., *mihi stat sententia* (av. l'inf.). Bien arrêté, *firmus, a, um,* adj. Arrêté, ée, p. adj. *Certus, a, um,* adj. Fermement arrêté, *fixus et immotus.* || Décréter. Voy. ce mot. || Arrêter des comptes, *rationes conficĕre.*

arrhes, s. f. pl. Somme donnée en garantie d'un marché verbal. *Arra, ae,* f. *Arrabo, onis,* m.

1. arrière, adv. Du côté qui est derrière. *Retro,* adv. *Pone,* adv. Avoir vent —, *secundo vento cursum tenēre.* || (Ellipt.) Arrière ! *Apage,* interj.

2. arrière, s. m. Ce qui est arrière, *c.-à-d.* derrière. *Posterior* ou *postica pars.* L'— (d'un vaisseau), *puppis, is,* f. ¶ (Loc. prép.) En arrière de, *post,* prép. (av. l'acc.). Dire qqch. en — de qqn, *aliquid clam aliquo dicĕre.* || (Loc. adv.) En arrière. *Retro,* adv. En —, *c.-à-d.* en sens inverse, *retrorsum,* adv.

arriéré, s. m. Ce qui est en arrière, en retard. En parlant d'une dette. *Residuae pecuniae,* f. pl. Acquitter l'—, *pecunias retro debitas exsolvĕre.* Un — de solde, *praeteritum stipendium.*

arrière-gourde, s. f Partie d'un corps d'armée qui ferme la marche. *Novissimum agmen.* Soldats de l'—, *novissimi, orum,* m. pl. Former l'—, être à l'—, *agmen claudĕre* (*ou cogĕre*).

arrière-neveu, s. m. Petit-neveu, fils de neveu. *Abnepos, otis,* m. Fig. Les arrière-neveux, *seri nepotes.*

arrière-pensée, s. f. Pensée que l'on garde par derrière soi. Avoir des —, *cogitata non eloqui.* Sans —, *sine ambitione* (*litt.* sans vues intéressées).

arrière-petit-fils, s. m. Le fils du petit-fils *ou* de la petite-fille. *Pronepos, otis,* m.

arrière-petit-neveu, s. m. Fils du petit-neveu *ou* de la petite-nièce. *Fratris* (ou *sororis) pronepos.*

arrière-plan, s. m. Plan situé en arrière du premier plan. *Pars posterior.* | Fig. *Recessŭs, ŭs,* m. Etre à l'—, *recedĕre,* intr. Demeurer à l'—, *latēre,* intr. Passer à l'—, *obscurāri,* passif.

arriérer, v. tr. Laisser en arrière. *Relinquĕre,* tr. S'—, c.-à-d. demeurer en arrière, *remanēre,* intr. ¶ (Par anal.) Laisser en retard. Voy. RETARD. Paiement arriéré, *residua pecunia.* Voy. ARRIÉRÉ. || Fig. Etre arriéré, *parum proficĕre* ou *procedĕre* (*in litteris*). Pays arriéré, *gens nondum ad mansuetudinem traducta ; gens moribus incondita.* Elève —, *tardus discipulus.*

arrière-saison, s. f. Saison qui se place dans la dernière partie de l'année. *Autumnus praeceps.* A l'—, *flexu autumni.* D'—, *serus et serotinus* (en parl. de fruits). ¶ (Fig.) Age voisin de la vieillesse. *Aetas gravior.*

arrivage, s. m. Abord de navires, de bateaux. Voy. ABORD, ABORDER. ¶ Arrivée de marchandises. *Subvectio, onis,* f. Arrivages par mer, *marinae subvectiones.* — des approvisionnements, *commeatuum subvectus.*

arrivée, s. f. Action d'arriver. *Adventŭs, ŭs,* m. A mon —, *adventu meo.* — imprévue, *interventŭs, ŭs,* m.

arriver, v. intr. Toucher la rive. Voy. ABORDER. — à bon port, *salva nave in portum pervenīre.* ¶ (Par ext.) Toucher au terme de sa route *et* (en parl. d'une ch.) atteindre à destination. *Venīre,* intr. *Advenīre,* intr. — à destination, *pervenīre,* intr. — par eau, *subvehi,* passif. — à cheval, en voiture, en bateau, *advehi* ou *invehi, pervehi,* passif. || Etre arrivé, *adesse,* intr. — à un résultat (bon *ou* mauvais), voy. RÉUSSIR. — à connaître (à force de questions, de recherches, etc.), *quaerendo* (*inquirendo, sciscitando) exsequi.* — à être, *evadĕre,* intr. Il arriva à être un très grand philosophe, *maximus philosophus evasit.*|| En — à, c.-à-d. se laisser aller à, *eo delabi ut* (av. le subj.). ¶ Arriver (en parl. du temps). *Venīre,* intr. *Advenīre,* intr. Etre arrivé, *adesse,* intr. ¶ Arriver, c.-à-d. s'accomplir. *Evenīre,* intr. *Obvenīre,* intr. *Cadĕre,* intr. — par hasard, *accidĕre,* intr. ou *contingĕre,* intr. *Fieri,* passif. Etre sur le point d'—, *imminēre,* intr. — en même temps, *congruĕre,* intr. Qui arrive au bon

moment (à propos), *tempestivus, a, um,* adj. *opportunus, a, um,* adj. Qui arrive par hasard, *adventicius, a, um,* adj. Qui doit arriver, *futurus, æ, um,* adj. [*Arroganter,* adv.

arrogamment, adv. Avec arrogance.

arrogance, s. f. Hauteur blessante. *Arrogantia, ae,* f. *Ferocia, ae,* f. *Fastŭs, ŭs,* m. Avec —, *arroganter,* adv.

arrogant, *ante,* adj. Qui a de l'arrogance. *Arrogans, antis,* p. adj. *Superbus, a, um,* adj.

arroger (s'), v. pron. S'attribuer sans droit (une qualité, un pouvoir, etc.). *Sibi arrogāre,* tr. *Sibi assumĕre,* tr.

arrondir, v. tr. Rendre rond (pr. *et* fig.). *Rotundāre,* tr. Arrondi, e, adj. *Rotundus, a, um, adj.* || (Fig.) En parl. du style. — (la période), *orbem efficĕre.* En phrases arrondies, *rotundē,* adv. ¶ (Par anal.) Rendre plus complet. *Rotundāre,* tr. *Corrotundāre,* tr. S'— (agrandir son domaine), *agrum latissimē continuāre.*

arrondissement, s. m. Action d'arrondir. *Rotundatio, onis,* f. ¶ (Par ext.) Circonscription territoriale. *Regio, onis,* f. Par —, *regionatim,* adv.

arrosage, s. m. Action d'arroser. *Rigatio, onis,* f. *Irrigatio, onis,* f.

arrosement, s. m. Action d'arroser. *Rigatio, onis,* f. ¶ Le fait d'être arrosé. *Irrigatio, onis,* f.

arsenal, s. m. Lieu de fabrication *ou* de dépôt pour les armes (etc.). *Armamentarium, ii,* n.

art, s. m. Moyen par lequel on réussit à faire qqch. *Ars, artis,* f. *Artificium, ii,* n. Qui a (ou possède) l'—de..., *sciens, entis,* p. adj. (av. le gén.) ; *peritus, a, um,* adj. (av. le gén.). Possédant l'— de persuader, *artifex suadendi.* ¶ Manière de faire qqch. selon les règles. *Ars, artis,* f. *Artificium, ii,* n. *Doctrina, ae,* f. *Disciplina, ae,* f. Fait avec —, *artificiosus, a, um,* adj. Avec —, *affabrē,* adv. *scite,* adv. Sans —, qui est sans—, *incompositus, a, um,* adj. ; *incomptus, a, um,* adj. ; *inconditus, a, um,* adj. ; *indoctus, a, um,* adj. Sans — (adv.), *incompositē,* adv.; *inconditē,* adv. || (Par ext.) Chacun des genres dans lesquels l'homme produit des œuvres faites selon les règles. *Ars, artis,* f. *Disciplina, ae,* f. Les — libéraux, *disciplinae liberales.* L'— de la guerre, l'— militaire, *disciplina bellica* (ou *militaris) rei militaris scientia.* — dramatique, *scaena, ae,* f. || Ensemble des règles propres à un art. *Ars, artis,* f. ¶ L'Art (opp. à la nature). *Ars, artis,* f. Fait avec — *artificiosus, a, um,* adj. Avec art, *artificiosē,* adv. || Expression par les œuvres de l'homme de l'idée qu'il se fait du beau. *Ars, artis,* f. Œuvre d'—, *artis opus ; opus arte factum.* Les maîtres de l'—, *artifices, um,* m. pl.

artère, s. f. Vaisseau où passe le sang qui vient du cœur. *Arteria, ae,* f. *Vena, ae,* f.

artichaut, s m. Nom d'une plante comestible. *Carduuus, i,* m. *Cinara, ae,* f.

article, s. m. Jointure, voy. ce mot. ¶ Chacune des dispositions dont l'ensemble forme un traité, un statut, etc. *Articulus, i,* m. *Clausula, ae,* f. Par —, *articulatim,* adv. ‖ Chacun des éléments d'un compte. *Nomen, inis,* n. ‖ (Par ext.) Chaque sorte de marchandises mises en vente. *Species, ei,* f. ‖ Chacune des parties d'un ouvrage écrit. *Locus, i,* m. ¶ Partie de la durée qui correspond à un événement. *Articulus, i,* m. A l'— de la mort, *in extremo spiritu.* ¶ Particule qui détermine le substantif. *Articulus, i,* m.

articulation, s. f. Jointure naturelle entre deux parties du corps. *Articulus, i,* m. Qui concerne les —, *articularis, e,* adj. ¶ Action d'articuler les sons de la voix. *Explanata vocum impressio.*

articuler, v. tr. Donner aux sons de la voix une forme distincte, grâce aux mouvements de la langue. Faculté d'— les sons, *explanata vocum impressio.* Parole articulée, *vox explanabilis.* ¶ (Par ext.) Prononcer en marquant distinctement chaque syllabe. *Exprimere,* tr. ¶ Enoncer par articles. Voy. ÉNONCER. Articule les griefs que tu avais commencé à énumérer, *ede illa quae coeperas.*

artifice, s. m. Art, habileté. *Artificium, ii,* n. ¶ Art employé à parer *ou* à déguiser la nature. *Artificium, ii,* n. Avec —, *fucate,* adv. Sans —, *sincere,* adv. ¶ Art employé à déguiser la vérité. *Artificium, ii,* n. ¶ Ce qui sert à tromper. *Fraus, dis,* f. *Dolus, i,* m.

artificiel, **elle**, adj. Qui contrefait la nature au moyen de l'art. *Artificiosus, a, um,* adj. ¶ Qui substitue l'art à la nature. *Artificiosus, a, um,* adj. Mémoire — *artificiosa memoria.* Fleurs —, *ficticii* (ou *arte facti*) *flores.* Perle —, *ficta gemma.*

artificiellement, adv. Par artifice. *Artificio,* abl. adv.

artificieusement, adv. D'une manière artificieuse. *Astute,* adv.

artificieux, **euse**, adj. Qui cherche à tromper. *Dolosus, a, um,* adj. *Callidus, a, um,* adj.

artisan, s. m. Celui qui exerce un art manuel. *Faber, bri,* m. *Opifex, ficis,* m. ¶ (Au fig.) *Artifex, ficis,* m.

artistement, adv. Avec art. *Artificiose,* adv.

artistique, adj. Qui appartient à l'art. *Artificiosus, a, um,* adj.

aruspice, s. m. Prêtre qui tirait des présages ' de l'examen des victimes. *Haruspex, picis,* m.

as, s. m. Face du dé à jouer marquée d'un seul point. *Unio, onis,* m. ¶ Mon-

naie romaine servant d'unité. *As, assis,* m.

1. ascendant, *ante,* adj. Qui va en montant. *Ascendens, entis,* part. prés. ¶ (Fig.) La ligne ascendante. *Ascendentes, ium,* m. pl. ‖ Subst. m. pl. Les —, *ascendentes, ium,* m. pl.

2. ascendant, s. m. Situation où l'on domine. *Praestantia, ae,* f. ¶ Influence dominante. *Auctoritas, atis,* f. Voy. AUTORITÉ, INFLUENCE.

ascension, s. f. Miracle par lequel Jésus-Christ est monté au ciel. *Ascensio, onis,* f. ‖ Fête anniversaire de ce miracle. *Ascensio, onis,* f. ¶ Action d'aller en haut. *Ascensio, onis,* f. *Ascensus, us,* m. Faire l'— d'une montagne, *in verticem montis ascendere; in cacumen montis evadere.*

asile, s. m. Lieu considéré comme inviolable, où les criminels trouvaient un refuge. *Asylum, i,* n. Fig. Chercher un — auprès de qqn, *ad aliquem confugere* (ou *perfugere*). Chercher un — à la ville, *ad urbem refugere.* ¶ (Fig.) Lieu où l'on est en sûreté. *Arx, arcis,* f. *Receptaculum, i,* n. ‖ (Par ext.) Toit, demeure qui sert d'abri. Voy. ABRI. Donner — à qqn, *aliquem tecto recipere.* N'avoir aucun —, *non habere quo confugias.* Sans —, *sine sede; sine lare.*

aspect, s. m. Action de se présenter aux yeux. *Aspectus, us,* m. *Conspectus, us,* m. *Prospectus, us,* m. A son —, je..., *quem ubi conspexi, ego...* ¶ Manière dont un objet se présente aux yeux. *Aspectus, us,* m. *Conspectus, us,* m. — brillant, *species, ei,* f. — riant (des choses), *amoenitas, atis* f. *laetitia, ae,* f. — triste, *tristitia, ae,* f.

asperge, s. f. Plante potagère. *Asparagus, i,* m.

asperger, v. tr. Mouiller en répandant quelques gouttes. *Aspergere,* tr. *Conspergere,* tr.

aspérité, s. f. Etat de ce qui est âpre. *Asperitas, atis,* f. ¶ (Par ext.) Partie saillante, rugueuse. *Asperitas, atis,* f. Qui présente des —, *asper, era, erum,* adj. [*Aspersio, onis,* f.

aspersion, s. f. Action d'asperger.

asphalte, s. m. Bitume solide. *Asphaltus, i,* f.

asphyxie, s. f. Arrêt de la respiration déterminant la mort. *Suffocatio, onis,* f.

asphyxier, v. tr. Frapper d'asphyxie. *Suffocare,* tr.

aspic, s. m. Sorte de serpent. *Aspis, pidis* (acc. s. *pidem,* acc. pl. *pidas*), f.

1. aspirant, *ante.* Qui aspire. Voy. ASPIRER.

2. aspirant, s. m. Celui qui aspire à un titre, à une fonction. *Candidatus, i,* m. — au consulat, *candidatus consularis.*

aspiration, s. f. Action de porter son désir vers un objet. *Affectatio, onis,* f. Avoir les mêmes —, *conspirare,* intr. ¶ Action d'émettre avec un souffle.

Aspiratio, onis, f. ¶ Action d'attirer avec le souffle. *Spiritŭs, ūs,* m. Pendant l'— les poumons se contractent, *pulmones se contrahunt aspirantes.*

aspirer, v. intr. et tr.¶ (*V. intr.*) Porter ses désirs vers un objet. *Aspirāre (ad aliquid). Affectāre.* Contendĕre (ad aliquid). ¶ (*V. tr.*) Emettre avec un souffle. *Inspirāre,* tr. ¶ Attirer avec le souffle. *Trahĕre,* tr. *Haurīre,* tr.

assaillant, s. m. Celui qui assaille. *Oppugnator, oris,* m.

assaillir, v. tr. Attaquer brusquement. *Adorīri,* dép. tr. *Aggredi,* dép. tr. *Invadĕre,* intr. et tr. *Impugnāre,* tr. Fig. Les maux nous assaillent, *morbi invadunt.*

assainir, v. tr. Faire devenir sain. *Salubrem* (ou *salubre*) *facĕre.*

assaisonnement, s. m. Action d'assaisonner. *Conditio, onis,* f. *Conditura, ae,* f. ¶ Ce qui assaisonne. Voy. CONDIMENT.

assaisonner, v. tr. Rendre agréable au goût à l'aide d'ingrédients. *Condīre,* tr.

assassin, ine, adj. Qui tue. *Mortifer, fera, ferum,* adj. ¶ (Subst.) Voy. MEURTRIER.

assassinat, s. m. Guet-apens contre la vie de qqn. *Mors per insidias alicui illata.* [assassinat. *Interficĕre,* tr.

assassiner, v. tr. Rendre victime d'un

assaut, s. m. Action d'assaillir. *Aggressio, onis,* f.¶ Attaque destinée à prendre une ville de force. *Oppugnatio, onis,* f. Donner l'— à, *impetum facĕre in* (av. l'acc.); *vi oppugnāre,* Prendre d'—, *vi expugnāre.* Prise d'—, *expugnatio, onis,* f. || (Au fig.) Attaque. *Oppugnatio, onis,* f. *Impetŭs, ūs,* m. Livrer un — à qqn, *aliquem oppugnāre.* ¶ Lutte à l'escrime. *Gladiatoria exercitatio.*|| (Fig.) Lutte. *Certamen, inis,* n. Faire — de, *certāre,* intr. (av. l'abl. cf. *cum aliquo dicacitate* [« d'ironie mordante »] *certāre*).

assemblage, s. m. Action d'assembler. *Compactio, onis,* f. *Copulatio, onis,* f. *Compositio, onis,* f.¶ Résultat de cette action. *Compages, is,* f. — de choses reliées entre elles, *cragmentatio, onis,* f. — de poutres, *contignatio, onis,* f.¶ Réunion (d'hommes). *Congregatio, onis,* f.

assemblée, s. f. Personnes réunies. *Coetŭs, ūs,* m. *Concilium, ii,* n. *Consessŭs, ūs,* m. — du peuple (ou des soldats), *contio, onis,* f. — délibérante, *consilium, ii,* n. Tenir, haranguer une —, *contionāri,* dép. intr.

assembler, v. tr. Réunir plusieurs personnes dans un même lieu en vue d'un intérêt commun. *Cogĕre,* tr. *Congregāre,* tr. S'—, *congregāri,* passif. S'— (en parl. du peuple), *in contionem ire.* S'— (en parl. du sénat), *convenīre,* intr. ¶ Réunir plusieurs choses pour les ajuster. *Coagmentāre (opus), committĕre (mălos,* etc).

assener, v. tr. Porter un coup bien appliqué. *Impingĕre,* tr. *Incutĕre,* tr.

assentiment, s. m. Action de se ranger à une manière de voir qu'on approuve. *Assensio, onis,* f. *Assensŭs, ūs,* m. Donner son —, *assentīri,* dép. intr. (av. le dat.); *approbāre,* tr. Donner son — (par un signe de tête), *annuĕre,* intr.

asseoir, v. tr. Poser sur son séant. Faire — qqn, *jubēre aliquem sedēre.* Faire — qqn auprès de soi, *aliquem juxta se locāre.* Faire — qqn à sa table, *aliquem in convivium adhibēre.* Etre assis, *sedēre,* intr.; *assidēre,* intr.; *insidēre,* intr. || (V. pron.) S'—, *assidēre,* intr. S'— à la table de qqn, *apud aliquem accumbĕre.* ¶ (Par ext.) Poser sur sa base. *Statuĕre,* tr. *Constituĕre,* tr. *Ponĕre,* tr. || (Fig.) Etablir *Firmāre,* tr. *Fundāre,* tr.

assermenter, s. tr. Lier par serment. *Adigĕre (aliquid) ad jusjurandam.* Assermenté, *juratus,* p. adj.

assertion, s. f. Proposition que l'on avance comme vraie. *Asseveratio, onis,* f.

asservir, v. tr. Réduire à une dépendance servile (*Aliquem) in servitutem addicĕre.* — un peuple libre, *liberum populum servitute afficĕre.* — qqn, *alicui servitutem imponĕre.* Tenir la cité asservie, *civitatem servitute oppressam tenēre.* S' — qqn, *aliquem sibi addicĕre.* Fig. — qqn à la loi, au devoir, *aliquem legibus, officiis obstringĕre.*

asservissement, s. m. Action d'asservir. Voy. ASSERVIR. ¶ Etat de ce qui est asservi. *Servitus, utis,* f. *Servitium, ii,* n.

assesseur, s. m. Celui qui est adjoint à un juge principal ou à un président. *Assessor, oris,* m. Etre —, *assidēre,* intr. (av. le datif).

assez, adv. Autant qu'il en faut. *Satis,* adv. — d'or, *satis auri.* — de troupes, *satis copiarum.* — de brebis, *satis maltae oves.* Il a assez de prudence pour..., *tanta est ejus prudentia, ut...* (av. le subj.). En vollà —, *satis (haec) hactenus.* J'en ai assez de la vie, *taedet me vitae.* — peu de..., pas — de..., *parum,* adv. ¶ Autant qu'il faut. *Satis,* adv. — sérieux, *satis gravis.* — bravement, *satis strenuus.* Aimer —, *satis amāre.* Apprécier —, *satis magni aestimāre.* Coûter —, *satis magno constāre.* S'étant assez éloigné du camp pour..., *tantum a castris progressus, ut...* (av. le subj.) Bien —, *affatim,* adv. Pas —, *parum,* adv. || (Marquant un renforcement.) Il était assez instruit pour un Romain, *multae erant in eo, ut in homine Romano, litterae.*

assidu, ue, adj. Qui est constamment présent chez qqn ou en sq. endroit. *Assiduus, a, um,* adj. *Frequens, entis,* adj. Etre — auprès de qqn, *esse cum aliquo assiduissimē.* || Constamment appliqué à. Voy. ZÉLÉ. ¶ (Par ext.)

Continu, continuel. *Assiduus, a, um,* adj. Lecture — des poètes, *poetarum pertractatio.*

assiduité, s. f. Présence constante auprès de qqn *ou* de qq. ch. *Assiduitas, atis,* f. ¶ Application constante. Voy. APPLICATION, ZÈLE. [*Assidūe,* adv.

assidument, adv. Avec assiduité.

assiégeant, *ante,* adj. Qui assiège une place forte. Voy. ASSIÉGER. Au plur. subst. Les —, *obsidentes, ium,* m. pl.

assiéger, v. tr. Mettre le siège devant une place-forte. *Obsidēre,* tr. *Oppugnāre,* tr. — étroitement une ville, *urbem in obsidione tenēre.* — qqn, *aliquem in obsidione tenēre.* ¶ Entourer de manière à empêcher de sortir. *Circumvenīre,* tr. *Includēre,* tr. ¶ Entourer en s'efforçant d'entrer. *Obsidēre,* tr. ¶ (Fig.) Obséder. Voy. ce mot.

assiette, s. f. Manière dont qqn est assis. *Sessio, onis,* f. Avoir une bonne — (à cheval), *commode in equo sedēre.* ¶ (Par ext.) Manière dont qqn se tient. *Habitūs, ūs,* m. ¶ Situation dans laquelle on se trouve. *Statūs, ūs,* m. ¶ Manière dont qqch. est posé sur sa base. *Sedes, is,* f. L'— d'une place, *situs loci* ou *loci natura.* — d'un camp, *castrorum situs.* ¶ (Spéc.) Vase à fond plat servant à table. *Catinus, i,* m. — creuse, *gabata, ae,* f.

assignation, s. f. Action d'assigner une somme à qqn, sur un fonds. *Assignatio, onis,* f. *Attributio, onis,* f. ¶ Action d'assigner qqn à comparaître... *Vocatio in jus.* Donner une —, *alicui diem dicēre.*

assigner, v. tr. Fixer qqch. comme devant être attribué à qqn. *Assignāre,* tr. *Attribuēre,* tr. *Ascribēre,* tr. *Statuēre,* tr. *Dicēre,* tr. *Indicēre,* tr. — un terme, *finem statuēre.* A la place que César leur aurait assignée, *ubi eos Caesar constituisset.* — un terme pour l'exécution d'un travail, *dicēre diem operi.* ¶ Sommer de comparaître en justice. *Citāre,* tr. *Vocāre,* tr. — qqn en justice, *alicui diem dicēre.*

assimilation, s. f. Action de considérer comme semblable. *Comparatio, onis,* f. ¶ Action de rendre semblable. *Assimilatio, onis,* f.

assimiler, v. tr. Considérer comme semblable. *Assimulāre,* tr. *Comparāre,* tr. ¶ Rendre semblable. *Similem* (ou *simile*) *reddēre.* S'—, *similem* (ou *simile*) *fieri.* ¶ (Spéc.) S'—, *c.-à-d.* convertir les aliments en sa propre substance, *cibum concoquēre.* ¶ (Par anal.) S'— (*c.-à-d.* rendre siennes) les idées des autres. *Concoquēre,* tr.

assise, s. f. Rangée horizontale de pierres. *Ordo, inis,* m. *Strues, is,* f. Disposer par —, *struēre* (*lapides*). ¶ (Au plur.) Réunion de juges qui siègent. *Conventūs, ūs,* m.

assistance, s. f. Action d'assister à

qqch. Voy. PRÉSENCE. || (Par ext.). Ceux qui assistent à qqch. *Coetūs, ūs,* m. *Corona, ae,* f. ¶ Action de prêter son aide à qqn. Voy. AIDE. Prêter à qqn son —, *alicui adesse.* Demander l'— de qqn, *aliquem sibi advocāre.* || — devant les tribunaux, *opera forensis.* Grâce à l'— d'un ami, *ab amico adjutus.* ¶ Action d'assister qqn dans le besoin. *Ops, opis,* f. Prêter son —, *subvenīre,* intr.

1. assistant, *ante,* adj. Qui assiste qqn. Voy. ASSISTER.

2. assistant, s. m. (Au plur.) Ceux qui assistent à qqch. *Circumstantes, ium,* m. pl.

assister, v. intr. et tr. || (*V. intr.*) Etre présent à. *Adesse,* intr. *Interesse,* intr. Venir — à la séance du Sénat, *in senatum adesse.* — à un spectacle, *spectāre,* tr. ¶ (*V. tr.*) Se tenir près de qqn pour lui prêter son concours. *Adesse,* intr. *Juvāre,* tr. *Adjuvāre,* tr. || (Spéc.) Mettre à la disposition de qqn ce dont il a besoin. *Adjuvāre,* tr.

association, s. f. L'action d'associer, le fait d'être associé. *Consociatio, onis,* f. *Societas, atis,* f.

associé, *és,* part. du verbe ASSOCIER. ¶ *Subst.* m. et f. Membre d'une association. *Socius, ii,* m. *Socia, ae,* f. — à l'empire, *socius regni.*

associer, tr. Faire participer à ce que fait qqn. *Consociāre,* tr. Qui est associé à, *particeps, cipis,* adj. S'— à qqn, *aliquem sociūm sibi adjungēre* ou *adhibēre.* — qqn à sa gloire, *aliquem gloriae comitem habēre.* ¶ Unir à qqn comme devant participer à ce qu'il fait. *Adjungēre,* tr. *Aggregāre,* tr. || (Spéc.) Unir à qqn en mariage. *Conjungēre,* tr. ¶ Unir une chose à une autre. *Consociāre,* tr. *Conjungēre,* tr.

assombrir, v. tr. Rendre sombre. *Fuscāre,* tr. || Au fig. *Contristāre,* tr. Front assombri, *frons adducta.*

assommant, *ante,* adj. Qui assomme *et* (au fig.) qui accable. *Vehemens, entis,* adj. *Gravis, e,* adj. ¶ Qui accable d'ennui. *Molestissimus, a, um,* adj. (superl. de *molestus*).

assommer, v. tr. Abattre (tuer par qqch. de pesant). *Affligēre,* tr. || (Par ext.) Accabler de coups. *Contundēre,* tr. ¶ (Au fig.) Accabler. Voy. ce mot. ¶ Accabler d'ennuis. *Enecāre,* tr.

1. assomption, s. f. Enlèvement miraculeux de la Sainte-Vierge au ciel. *Assumptio, onis,* f.

2. assomption, s. f. Mineure d'un syllogisme. *Assumptio, onis,* f.

assortiment, s. m. Le fait d'être assorti. *Convenientia, ae,* f. ¶ Réunion de choses assorties. *Instrumentum, i,* n.

assortir, v. tr. Réunir des choses qui vont ensemble. *Accommodāre,* tr. *Aptāre,* tr. — des couleurs, *colores inter se conciliāre.* Au part. Assorti, e, *aequalis et par* ou (simpl.) *par.* Etre mal assorti, *discordāre*, intr. ‖ S'—, *conjungi*, passif. S'—, *c.-à-d.* avoir de la convenance, s'— à qqch., *congruĕre (cum aliquā re); convenīre (alicui rei).* Assorti avec, *conveniens, entis*, p. adj. (av. le datif). ¶ Fournir de choses assorties. *Instruĕre*, tr. Boutique bien assortie, *taberna mercibus probē instructa.*

assoupir, v. tr. Porter à un demi-sommeil. *Sopīre*, tr. S'—, *dormitāre*, intr.; *obdormiscĕre*, intr. ¶ (Fig.) Amener à l'apaisement. *Sopīre*, tr.

assoupissant, *ante*, adj. Qui assoupit. *Qui (quae, quod) somnum facit.*

assoupissement, s. m. Action d'assoupir, état d'une personne assoupie, *Sopor, oris*, m.¶ (Au fig.) Nonchalance, inertie. Voy. ces mots. Tirer qqn de l'—, *segnem excitāre.*

assouplir, v. tr. Rendre souple. *Mollīre*, tr. *Subigĕre*, tr. ¶ (Fig.) Rendre maniable. *Mollīre*, tr. *Mitigāre*, tr. *Subigĕre*, tr.

assourdir, v. tr. Rendre qqn comme sourd. *Alicujus aures obtundĕre.*¶ (Fig.) Rendre un son moins éclatant. *Obscurāre*, tr. *Obtundĕre*, tr.

assourdissant, *ante*, adj. Qui assourdit. *Qui (quae, quod) aures obtundit.*

assouvir, v. tr. Satisfaire pleinement. *Satiāre*, tr. *Saturāre*, tr. *Explēre*, tr. ¶ (Fig.) Satisfaire un désir déréglé. *Satiāre*, tr. *Exsatiāre*, tr. *Explēre*, tr.

assouvissement, s. m. Etat de ce qui est assouvi. *Satietas, atis*, f.

assujettir, v. tr. Rendre sujet, soumettre. *Subicĕre*, tr. *Subigĕre*, tr. *Subdĕre*, tr. ‖ (Par anal.) Forcer d'obéir à qqn. *Sub jugum mittĕre.* ¶ (Par ext.) Forcer d'obéir à qqch. *Subjicĕre*, tr. *Astringĕre*, tr. ¶ (Absol.) Entraver la liberté d'action de qqn. *Vincīre*, tr. ‖ Immobiliser qqch., l'empêcher de remuer. *Revincīre*, tr. Assujetti, *vinctus.*

assujettissement, s. m. Action d'assujettir; fait d'être assujetti. Voy. SUJÉTION. ¶ (Absol.) Voy. CONTRAINTE, SERVITUDE.

assumer, v. tr. Prendre sur soi, à son compte. *Assumĕre*, tr. — la responsabilité de qqch., *in se aliquid recipĕre.*

assurance, s. f. Etat de celui qui a confiance, sécurité. *Fiducia, ae*, f. *Confidentia, ae*, f. Avec —, *fidenter*, adv.; *confidenter*, adv. ‖ (Par ext.) Ce qui donne confiance, sécurité. *Confirmatio, onis*, f. Donner de l'— à qqn, *aliquem confirmāre.* ‖ Promesse, protestation. Voy. ces mots. S'étant donné de mutuelles —, *fide data acceptaque.* ¶ Etat de celui qui tient qqch. pour certain. *Fiducia, ae*, f. J'ai l'— que..., *confido* (avec l'acc. et l'inf. futur). ¶ Action de donner qqch. pour certain. *Asseveratio, onis*, f.

assuré, *ée*, adj. Ferme. Voy. ce mot. ¶ Certain. Voy. ce mot.

assurément, adv. D'une manière certaine. *Certe*, adv. *Profecto*, adv. ¶ Oui. *Plane*, adv. *Sanē*, adv. ‖ (Ironiq.) *Nimirum*, adv. *Scilicet*, adv.

assurer, v. tr. Mettre dans un état de confiance, de sécurité. Voy. RASSURER, SÉCURITÉ. S'— sur qqn, sur qqch., *c.-à-d.* y mettre sa confiance. Voy. CONFIANCE. ‖ (Par ext.) Garantir. — davantage la vie humaine, *tutiorem hominum vitam reddĕre.* Assuré contre.., *tutus (ab aliqua re* ou *adversus aliquid).* — qqn ou qqch., *in tuto collocāre aliquem* ou *aliquid.* Paix assurée, *fida pax.* — un refuge à votre vieillesse, *sedem prospicĕre senectuti vestrae.* ‖ S'— de qqn, de qqch. (s'en garantir l'emploi, le service). *Prospicĕre*, tr. *Parāre*, tr. *Conciliāre*, tr. S'— l'aide de qqn, *alicujus auxilium providēre.* S'— de la personne de qqn, *aliquem apprehendĕre*, S'— d'une ville, *urbem occupāre.* ¶ Mettre dans une position stable. *Firmāre*, tr. *Confirmāre*, tr. Assuré, *firmus, a, um*, adj. Marcher d'un pas mal assuré, *titubāre*, intr ‖ Mettre qqn dans un état de certitude. *Affirmāre*, tr. Dont on s'est ou dont on est assuré, *spectatus, a, um*, p. adj.; *exploratus, a, um*, p. adj. ¶ Assurer qqch., *c.-à-d.* le donner pour certain. *Confirmāre*, tr. *Asseverāre*, tr.

asthme, s. m. Affection des voies respiratoires. *Anhelatio, onis*, f.

astral, *ale*, adj. Qui appartient aux astres. *Astricus a, um*, adj.

astre, s. m. Corps céleste. *Astrum, i*, n. *Sidus, eris*, n.

astreindre, v. tr. Obliger strictement à qqch. *Astringĕre*, tr. *Obstringĕre*, tr. *Obligāre*, tr

astrologie, s. f. Etude des astres dans leur prétendue influence sur la destinée. *Mathematica, ae*, f.

astrologique, adj. Qui appartient à l'astrologie. *Mathematicus, a um*, adj.

astrologue, s. m. Celui qui pratique l'astrologie judiciaire. *Astrologus, i*, m. *Mathematicus, i*, m.

astronome, s. m. Celui qui étudie l'astronomie. *Astrologus, i*, m.

astronomie, s. f. Science des astres. *Astrologia, ae*, f. *Astronomia, ae*, f.

astronomique, adj. Qui appartient à l'astronomie. *Sideralis, e*, adj. Science —, *numeri, orum*, m. pl.

astuce, s. f. Adresse malfaisante. *Astutia, ae*, f. *Versutia, ae*, f.

astucieusement, adv. D'une manière astucieuse. *Astutē*, adv.

astucieux, *euse*, adj. Qui a de l'astuce. *Astutus, a, um*, adj. *Versutus, a, um*, adj.

atelier, s. m. Lieu où des ouvriers travaillent ensemble. *Fabrica, ae*, f. *Officina, ae*, f.

atellanes, s. f. pl. Farce populaire qui avait pris naissance dans la ville d'Atella. *Atellana, ae*, f.

atermoiement ou atermoiment, s m. Action d'atermoyer. *Prorogatio diei.*

atermoyer, v. tr Renvoyer à un terme plus éloigné. *Differre tempus. Rem differre (in aliud tempus).*

athée, s. m. Celui qui ne croit pas en Dieu. *Qui deum esse negat.*

athéisme, s. m. Opinion de celui qui est athée. Professer l'—, *deos nullos esse omnino putāre.*

athénée, s. m. Lieu destiné à des lectures *ou* à des leçons publiques. *Athenaeum, i, n.*

athlète, s. m. Celui qui combattait dans les jeux publics. *Athleta, ae, m.*
1. athlétique, adj. Propre à l'athlète. *Athleticus, a, um, adj.*
2. athlétique, s. f. Art des athlètes *Athletica* (s.-e. ARS), *ae, f.*

atlas, s. m. Première vertèbre du cou. *Atlantion, ii, n.* ¶ Recueil de cartes géographiques. *Tabulae, arum, f. pl.* Établir un —, *terrarum situs depingĕre.*

atmosphère, s. f. Couche d'air qui enveloppe la terre. *Aer circumjectus* ou *circumfusus.* ¶ (Par ext.) L'air qu'on respire. *Aer, aeris, m. Caelum, i, n.*

atmosphérique, adj. Qui appartient à l'atmosphère. Se traduira par un génitif comme *aeris* ou *caeli.* Troubles —, *caeli perturbationes.*

atome, s. m. Corpuscule infiniment petit et indivisible. *Atomus, i, f. Individuum, i, n.* Au plur. *Individua corpora* ou (simpl.) *individua, n. pl.*

atour, s. m. Voy. PARURE.

âtre, s. m. Partie carrelée de la cheminée sur laquelle on fait le feu. *Focus, i, m.*

atroce, adj. Affreusement cruel. *Immanis, e, adj.* ¶ (Par ext.) Très violent. *Immanis, e, adj.* ‖ Très mauvais. *Atrox, atrocis, adj.*

atrocement, adv. D'une manière atroce. *Atrociter, adv.*

atrocité, s. f. Affreuse cruauté. *Atrocitas, atis, f. Immanitas, atis, f.* Voy. BARBARIE, FÉROCITÉ. ¶ (Méton.) Acte affreusement cruel. *Facinus atrox.*

attabler, v. tr. Asseoir à une table. S'—, *mensae accumbere.*

attachant, ante, adj. Qui retient par plaisir. *Qui (quae, quod) detinet.*

attache, s. f. Action d'attacher. Chien d'—, *catenarius canis.* ¶ (Fig.) N'ayant pas les mêmes — que ceux-là, *non iisdem vinculis, quibus ipsi erant colligati.* ¶ Ce qui sert à attacher. *Vinculum, i, n.* Les — des os, des doigts, *commissurae ossium, digitorum.* ‖ (Fig.) Attachement. Voy. ce mot.

attachement, s. m. Sentiment durable qui nous unit de cœur à qqch. *ou* à qqn. *Amor, oris, m. Voluntas, atis, f.* Avoir de l'— pour qqn, *alicui esse devinctum.*

attacher, v. tr. Fixer à qqch. par une corde, une chaîne (etc.). *Ligāre,* tr. *Alligāre (ad aliquid)* — ensemble, *colligāre,* tr. — solidement, *deligāre,* tr.;

astringĕre, tr.; *constringĕre,* tr.; *destinĕre,* tr. ‖ (Par anal.) S'—, *c.-à-d.* adhérer, *adhaerēre,* intr. (av. le datif). ¶ (Fig.) Unir à qqn. à qqch. par un rapport constant. *Alligāre,* tr. *Applicāre,* tr. S'— à la personne de qqn, *se applicāre ad aliquem.* ‖ S'attacher, être attaché. *Adhaerēre,* intr. Rester attaché à, *inhaerēre,* intr. ‖ S'—, *c.-à-d.* ne pas quitter, suivre, *persequi,* dép. tr. S'— à une chose, *c.-à-d.* s'y appliquer d'une manière constante, *persequi,* dép. tr. ‖ Attacher qqn *ou* l'esprit de qqn, *c.-à-d.* l'intéresser. *Tenēre,* tr. *Detinēre,* tr. Voy. CHARMER, CAPTIVER. ‖ Attacher, *c.-à-d.* donner, attribuer. — du prix à qqch., *aliquid magni aestimare.* — une peine à…, *rei poenam constituĕre.* ‖ Unir à qqch. ou à qqn par une affection durable. *Illigāre,* tr.; *devincīre,* tr.; *obstringĕre,* tr. S'— à qqn, *alicui se dicāre.* Être attaché à…, *servāre,* tr.

attaquable, adj. Qui peut être attaqué. *Qui aditum praebet (hostibus).* ¶ (Fig.) En parl. de pers. *Reprehendendus, a, um, p. adj.*

attaquant, s. m. Celui qui attaque. Voy. ASSAILLANT.

attaque, s. f. Action d'attaquer. *Impetūs, ūs, m. Impressio, onis, f.* Prononcer une —, *impressionem jacĕre* ou *dare.* — d'une place, *oppugnatio, onis, f.* ¶ (Par ext.) Brusque invasion d'un mal. *Impetūs, ūs, m.* (cf. imp. *febris, podagrae,*etc.). — d'apoplexie, *sanguinis impetus.*

attaquer, v. tr. Porter les premiers coups (à un adversaire, etc.). *Aggredi,* dép. tr. *Invadĕre,* tr. — traîtreusement, *adoriri,* dép. tr. — la réputation de qqn, *alicujus existimationem impugnāre.* — qqn (en paroles), *in aliquem invehi.* Absol. —, *c'-à-d.* commencer le combat, *proelium inire.* ‖ (Par ext.) Provoquer. *Incessĕre,* tr. ¶ Porter les premières atteintes à qqch., entamer. *Infestāre,* tr. *Corripĕre,* tr. La rouille attaque le fer ou s'attaque au fer, *robigo ferrum corripit.* ‖ (Spéc.) T. de méd. Attaquer. *Tentāre,* tr. Le poumon est attaqué, *pulmo afficitur.* ‖ (T. de dr.) Attaquer la valeur, l'autorité de. De *auctoritate (alicujus) detrahĕre.* — une loi, *legem impugnāre.* ¶ Mettre la première main à un ouvrage. *Aggredi,* dép. tr. ¶ S'attaquer à, *c.-à-d.* ne pas craindre de porter les premiers coups. *Aggredi,* dép. tr. *Tentāre,* tr.

attarder (s'), v. pron. Se mettre en retard. *Morāri,* dép. tr.

atteindre, v. tr. et intr. ‖ V. tr. Parvenir à toucher ce qui est éloigné. ‖ (En marchant *ou* en courant.) *Attingĕre,* tr. *Contrahĕre,* tr. *Assequi,* dép. tr. *Consequi,* dép. tr. ‖ (En s'étendant, en se haussant.) *Contingĕre,* tr. — le haut du poitrail des chevaux, *equorum summa pectora aequare.* — la hauteur des remparts, *moenium altitudinem aequare: muri altitudinem adaequāre.* || (En portant un coup, en lançant un projectile) *Ferire.* Voy. TOUCHER, FRAPPER. Atteint de la foudre, *tactus fulmine.* Voy. ATTEINTE. Atteint et convaincu d'un crime, *sceleris manifestus.* Etre atteint d'une maladie, *morbo affici* ou *implicāri.* Atteint d'une grave ophtalmie, *gravi oculorum morbo affectus.* ¶ *V. intr.* Atteindre à, *c.-à-d.* atteindre avec effort. Chercher à — au sommet, *in verticem montis eniti.*

atteinte, s. f. Action d'atteindre; résultat de cette action. *Ictŭs, ūs,* m. L'— du malheur, *ictus calamitatis.* Mettre hors d'—, *extra ictum ponĕre.* Les — du froid, *frigoris appulsus.* — portée à la liberté, *libertatis deminutio.* Subir les — de la maladie, *morbo affici.* Porter atteinte à..., *laedĕre,* tr.; *violāre,* tr. Qui n'a pas subi d'—, *integer, gra, grum.* Qui ne subit pas les atteintes de..., hors des — de, *tutus, a, um,* pr. adj. *(ab aliqua re).* ¶ Attaque (d'un mal). Voy. ACCÈS.

attelage, s. m. Bêtes attelées. *Jugum, i,* n. Un — de bœufs, *boum jugum.*

atteler, v. tr. Attacher (des bêtes de traits) à un véhicule, etc.) *Jungĕre,* tr. *Subjungĕre,* tr. Faire —, *vehiculum jubēre parāre.*

attelle, s. f. Voy. ÉCLISSE.

1. attenant, *ante,* adj. Qui tient à un terrain, à une maison (etc.). Voy. CONTIGU. Etre —, *attingĕre,* tr.

2. attenant, locut. prépos. Tout proche. *Juxta,* prép. (av. l'acc.).

attendre, v. tr. (8') — à qqn à qqch., *c.-à-d.* porter attention. Voy. ATTENTION. Attendu que *(loc. conj.),* vu que, comme, *cum,* conj. (av. le subj.); *quandoquidem,* conj. (av. l'indic.). || S'— à qqch. *Exspectāre,* tr. *Sperāre,* tr. S'— que, *sperāre fore* ut (av. le sub.). Plus tôt qu'on ne s'y attend, *opinione celerius.* Sans qu'on s'y attende, *praeter exspectationem.* ¶ — qqn, qqch., *c.-à-d.* compter sur la venue de qqn, d'un événement, etc. *Exspectāre,* tr. *Sperāre,* tr. — qqch. de qqn, *aliquid ab aliquo exspectāre.* || — qqn en parl. d'une chose qui est réservée à qqn, à laquelle il est destiné. *Manēre,* tr. et intr. Indignes traitements qui attendent les vaincus, *indigna quae victos manent.* ¶ Demeurer jusqu'à l'arrivée de ... *Exspectāre,* tr. Attends que je revienne, *exspecta dum rediero.* Je me fais attendre, *desideror,* passif. Faire — qqch., *c.-à-d.* tarder à donner qqch., *aliquid protrahĕre et differre.* Qu'attendez-vous? *Quid cessas!* ¶ Différer d'agir jusqu'à l'arrivée de qqn. *Exspectāre,* tr. — au port, *ad portum exspectāre.* || (Loc. adv.) En attendant, *interim,* adv.; *interea,* adv. En attendant que, *dum* ou *donec,* conj.

attendrir, v. tr. Rendre tendre (au pr.). *Mollīre,* tr. *Mitigāre,* tr. S'—, tene-

rescĕre, intr. ¶ Rendre plus pitoyable. *Mollīre,* tr. *Commovēre,* tr. Se laisser —, *commovēri,* passif.

attendrissant, *ante,* adj. Qui attendrit. *Miserabilis, e,* adj.

attendrissement, s. m. Action de s'attendrir. *Miseratio, onis,* f. *Misericordia, ae,* f.

attentat, s. m. Tentative criminelle contre qqn. *Facinus, oris,* n. *Scelus, ěris,* n. Préparer un — contre ..., *attentāre.*

attente, s. f. Action de compter sur l'arrivée de qqn ou de qqch. *Exspectatio, onis,* f. *Spes, spei,* f. Combler l'attente, répondre à l'— générale, *explēre omnium exspectationem.* Cette — fut trompée, *quae exspectatio destituta est.* Surpasser, dépasser l'—, *exspectationem* (ou *opinionem) vincĕre.* Contre toute —, *praeter opinionem.* ¶ Action de demeurer jusqu'à l'arrivée de qqn ou de qqch. *Exspectatio, onis,* f. Etre dans l'—, *in exspectatione esse.* Tenir qqn dans l'—, *aliquem suspensum tenēre.* || Pierres d'—, *lapides eminentes.*

attenter, v. tr. Faire une tentative criminelle. — sur qqn, *insidiāri alicui.* — à la vie de qqn, *alicujus vitam petĕre.* — à ses jours, *manus sibi afferre.* Ne pas — à sa vie, *manus a se abstinēre.* — aux droits de la plèbe, *plebis jura attentāre.* — à la liberté, *libertatem imminuĕre.*

attentif, *ive,* adj. Qui prête attention à ce qu'on dit, à ce qu'on fait. *Attentus, a, um,* p. adj. *Intentus, a, um,* p. adj. Etre — à qqch., *animum ad aliquid attendĕre.* Rendre qqn — à qqch., *animum alicujus ad aliquid advertĕre.* ¶ Qui veille à qqch. *Attentus, a, um,* p. adj. — à son devoir, *diligentissimus omnis officii.*

attention, s. f. Action de porter toute sa pensée sur qqch. *Animi attentio, onis,* f. *Attentus animus. Intentio, onis,* f. Il faut de l'—, *intento opus est animadvertĕre,* tr. Attirer, fixer l'—, *omnium oculos ad se convertĕre.* Ne pas faire — à ..., *negligĕre,* tr. ¶ Action de porter tous ses soins vers. *Diligentia, ae,* f. *Cura, ae,* f. Faire — à (av. l'inf.), *curāre, ut* (avec le subj.). Faire — à ne pas, *curāre* (ou *cavēre), ne* ... (av. le subj.). || (Au pl.) Attentions, *c.-à-d.* soins attentifs. *Observantia, ae,* f. Voy. ÉGARD.

attentivement, adv. Avec attention. *Attentē,* adv. *Attento animo,* abl. adv. *Diligenter,* adv. [*Extenuatio, onis,* f.

atténuation, s. f. Action d'atténuer.

atténuer, v. tr. Rendre plus léger. *Elevāre,* tr. — *c.-à-d.* amoindrir (par l'expression), *extenuāre.* — *c.-à-d.* rabaisser, *attenuāre,* tr. — (par la parole), *deminuĕre,* tr. (cf. *quod deminuitur et attenuatur oratione).* — les soupçons, *suspiciones elevāre.*

atterrer, v. tr. Renverser à terre. *Pro-*

sternĕre, tr. ¶ (Fig.)Jeter dans une consternation profonde. *Animos affligĕre.*
Atterré, *consternatus ; afflictus.*

atterrir, v. intr. Prendre terre. Voy.
ABORDER. [*Litoris appulsus.*]

atterrissage, s. m. Action d'atterrir.

atterrissement, s. m. Amas de terre
formé par les alluvions. *Alluvio, onis,* f.

attestation, s. f. Voy. TEMOIGNAGE.

attester, v. tr. Rendre témoignage
(de qqch.) *Testāri*, dép. tr. *Testificāri*,
dép. tr. — qqch., *testimonio aliquid
confirmāre.* ¶ Prendre à témoin. *Testāri*, dép. tr. *Contestāri*, dép. tr. — les
dieux, *deos testes invocāre.*

attiédir, s. tr. Rendre tiède, *c.-à-d.*
moins chaud. *Refrigerāre*, tr. S'—,
refrigerāri, passif (au fig.); *defervescĕre*,
intr. ¶ Rendre tiède, *c.-à-d.* rendre
moins froid. *Tepefacĕre*, tr.

attiédissement, s. m. Action d'attiédir;
résultat de cette action. *Tepor, oris,* m.
Au fig. *Languor, oris,* m.

attifer, v. tr. Parer. Voy. ce mot. ¶
Parer ridiculement. *Ineptè ornāre* (ou
exornāre).

attique, adj. Propre aux habitants de
l'Attique. *Atticus, a, um,* adj. Ordre —,
atticae columnae. Sel —, *attici sales.*
A la manière —, *atticè,* adv.

attiquement, adv. A la manière attique. Voy. ATTIQUE.

attirail, s. m. Ensemble d'objets qu'on
tire après soi en vue d'un certain usage.
Instrumentum, i, n. *Apparatūs, ūs,* m.
‖ (Au fig.) Bagage inutile qu'on traîne
après soi. *Impedimenta, orum,* n. pl.

attirer, v. tr. Faire venir, amener à soi.
Attrahĕre, tr. *Allicĕre*, tr. — les regards,
oculos in se convertĕre. ‖ Engager, inviter *Allicĕre*, tr. *Elicĕre*, tr. ‖ (Fig.)
Apporter, causer. *Contrahĕre*, tr. *Afferre*
tr. — des embarras à qqn, *alicui aliquia
negotii conflāre.* S'— la haine, *odium
(invidiam) sibi parāre.* S'— la haine
de qqn, *alicujus odium suscipĕre.* — un
blâme à qqu, *aliquem in vituperationem
adducĕre.* S'— un blâme, *in vituperationem adduci.*

attiser, v. tr. Exciter le feu en rapprochant les tisons. *Ignem excitāre.* ‖ (Fig.)
Ranimer, exciter. *Accendĕre*, tr. — la
haine excitée par qqn, *subjicere faces
invidiae alicujus.*

attitré, ée, adj. Attaché par un titre
à une charge. *Constitutus in munere.*
Médecin —, *medicus domesticus.* C'est
mon médecin —, *ejus arte utor in valetudine meorum.*

attitude, s. f. Manière de se tenir. *Corporis habitus* ou (simpl.) *habitūs, ūs.* m.
L'— assise, *sedentis habitus.* — menaçante, *status minax.*

attouchement, s. m. Action de toucher. *Contactūs, ūs,* m. *Palpātio, onis,* f.

attraction, s. f. Action d'attirer, *et ce
qui attire.* Voy. ATTRAIT.

attrait, s. m. Agrément, grâce auquel
une personne *ou* un objet attire à soi.

Illecebra, ae, f. (surt. au plur.). Donner
de l'— à qqch., *aliquid commendāre.*
Avoir un puissant —, *allectare atque
invitāre.* ‖ (Au plur.) Attraits, *c.-à-d.*
beauté. *Forma, ae,* f. ¶ Le fait d'être
attiré par l'agrément de qqch. *ou* de
qqn. Je sens de l'attrait pour cela, *hujus
rei dulcedine commoveor.*

attraper, v. tr. Prendre à une trappe,
à un piège. Voy. PIÈGE. ‖ (Fig.) Prendre
à une ruse. *Decipĕre*, tr. *Fallĕre*, tr.
Chercher à — qqn, *alicui insidias parāre*
(ou *struĕre*). ¶ Arriver à prendre, à
saisir. *Excipĕre*, tr. *Apprehendĕre*, tr.
¶ (Par ext.) Atteindre. Voy. ce mot.

attrayant, *ante,* adj. Qui a de l'attrait.
Jucundus, a, um, adj. *Dulcis, e,* adj.
Suavis, e, adj.

attribuer, v. tr. Assigner (qqch.) à
qqn pour sa part. *Tribuĕre*, tr. *Attribuĕre*, tr. ‖ Considérer (qqch.) comme
propre à qqn. *Attribuĕre*, tr. Les qualités qu'on attribue à un général, *virtutes quae putantur esse ducis.* ¶ Rapporter qqch. à qqn *ou* à qqch., comme
en étant la cause. *Attribuĕre*, tr. *Conferre*, tr. — faussement un propos à
qqn, *verbum falso in aliquem conferre.*
— la responsabilité d'une faute à qqn,
causam peccati alicui delegāre. S'—
qqch., *aliquid sibi arrogāre.*

attribut, s. m. Qualité, manière d'être
considérée comme propre à qqn, à qqch.
Quod proprium est alicujus ou *alicujus
rei.* ¶ (Par ext.) Emblème caractéristique. *Insigne, is,* n.

attribution, s. f. Fonction attribuée
à qqn. Voy. FONCTION.

attristant, *ante,* adj. Qui attriste.
Tristis, e, adj. [*tristāre*, tr.

attrister, v. tr. Rendre triste. *Contristāre*, tr.

attroupement, s. m. Réunion de gens
attroupés. *Concursus hominum. Coetus
multitudinis.*

attrouper, v. tr. Rassembler en troupe.
Voy. ASSEMBLER, AMEUTER. ‖ S'—, *in
unum coire ; concurrĕre*, intr.; *concursāre*, intr. Le peuple s'attroupe, *fit
populi concursus.* En s'attroupant,
grege facto.

aubade, s. f. Concert donné le matin
sous les fenêtres de qqn. *Matutinus
symphoniae cantus.*

aubaine, s. f. Profit inattendu. *Forte
oblata opportunitas.*

aube, s. f. Pointe du jour. *Diluculum,
i,* n. *Prima lux.* Avant l'—, *ante primam
lucem.* A l'—, *albente caelo* ou *primâ
luce.* ¶ Tunique de toile blanche, vêtement ecclésiastique. *Subucula, ae,* f.

aubépine, s. f. Arbuste épineux à
fleurs blanches. *Alba spina.*

auberge, s. f. Hôtellerie de village ou
de faubourg. *Deversorium, ii,* n. *Caupona, ae,* f. Descendre à l'—, *deversāri
in tabernā.*

aubergiste, s. m. *et* f. Celui, celle qui
tient une auberge. *Caupo, onis,* m.
Caupona, ae, f.

aubier, s. m. Première couche du bois située sous l'écorce. *Alburnum, i,* n.

aucun, *une,* adj. Quelque. *Ullus, a, um* (dans les propositions negatives *ou* hypothétiques), adj. || (Absol.) Quelqu'un. *Quisquam, quaequam, quidquam,* pron. ¶ Aucun ... ne, *c.-à-d.* pas un. *Nullus, a, um,* adj. || (Absol.). Personne. *Nemo* (remplacé par *nullius* au gén. et par *nullo, nulla,* à l'abl.), subst. m.

aucunement, adv. En aucune façon. Voy. NULLEMENT.

audace, s. f. Hardiesse extraordinaire. *Audacia, ae,* f. *Confidentia, ae,* f. — confiante, *fiducia, ae,* f. Avoir l'— de, *audēre* (av. l'infin.). S'armer d'—, *c.-à-d.* dépouiller toute pudeur, *os perfricāre.* Avec —, voy. le suivant.

audacieusement, adv. Avec audace. *Audacter,* adv.

audacieux, *euse,* adj. Qui a de l'audace. *Audax, acis,* adj. *Confidens, entis,* p. adj. Rendre — (en bonne part), *animos facĕre;* (en mauv. part), *aliquem audaciā afficĕre.*

audience, s. f. Action d'entendre qqn. *Audientia, ae,* f. Donner —, *audire,* tr. ¶ Temps fixé pour entendre qqn. — (que l'on obtient), *aditūs, ūs,* m. — (que l'on donne), *admissio, onis,* f. Donner — à qqn, *aliquem admittĕre.* L'ambassadeur obtint une — du néant, *legato senatus datus est.* Demander une — du sénat, *senatum postulāre.* || (Spéc.) Jour où le tribunal se réunit pour entendre les débats. *Dies, ei,* m. et f. Tenir —, *forum ou conventum agĕre.* Salle d'—, *auditorium, ii,* n. Lever l'—, *praetorium dimittĕre.*

auditeur, s. m. Celui qui écoute. *Audiens, entis,* part. subst. (ordin. au plur.). — habituel, *auditor, oris,* m. Etre — de Cratippe, *Cratippum audire.*

auditif, *ive,* adj. Canal auditif, *auditoriae cavernae.*

audition, s. f. Action d'être entendu. — des témoins, *interrogatio testium.*

auditoire, s. m. Lieu où l'on se réunit pour écouter qqch. *Auditorium, ii,* n. ¶ L'ensemble des auditeurs. *Audientes, ium,* m. pl. *Auditores, um,* m. pl.

auge, s. f. Pierre *ou* pièce de bois creusée pour faire manger les bêtes. *Alveus, i,* m.

augmentation, s. f. Action d'augmenter. *Auctūs, ūs,* m. *Accessio, onis,* f. **augmenter**, v. tr. Rendre plus grand (par addition de parties). *Augēre,* tr. *Amplificāre,* tr. ¶ *V.* intr. Devenir plus grand (par addition de parties). *Augēri,* passif. *Crescĕre,* intr.

augural, *ale,* adj. Relatif aux augures. *Auguralis, e,* adj. Droit —, *augurium jus.* [*ratūs, ūs,* m.

augurat, s. m. Dignité d'augure. *Augu-*
1. **augure**, s. m. Prêtre *qui* était chargé de tirer des présages du vol, du chant des oiseaux. *Augur, uris,* m.
2. **augure**, s. m. Présage tiré du vol,

du chant des oiseaux. *Augurium, ii,* n. Oiseau de mauvais —, *avis infesta.* ¶ Ce qui fait pressentir qqch., présage. *Augurium, ii,* n. *Omen, inis,* n...J'en accepte l'—, *omen accipio.* De bon —, *laetus, a, um,* adj.; *faustus, a, um,* adj. De mauvais —, *funestus, a, um,* adj.; *dirus, a, um,* adj.

augurer, v. tr. Tirer un présage du vol, du chant des oiseaux. *Augurāri,* dép. intr. ¶ Tirer de qqch. un pressentiment. *Augurāre,* tr. *Augurāri,* dép. tr. —, *c.-à-d.* présager, prédire, *omināri,* dép. tr. Je ne veux rien augurer, *ominari horreo.*

auguste, adj. Titre honorifique donné par le Sénat romain à Octavien et pris après lui par les empereurs. *Augustus, i,* m. ¶ Qui commande le respect. *Augustus, a, um.*

aujourd'hui, adv. En ce jour, dans ce jour (où nous sommes). *Hodie,* adv. || (Par ext.) En ce temps-ci. *Hodie,* adv. Les mœurs d'—, *hi mores.* ¶ Dans un temps (*opp. à* hier, *à* demain). *Hodie,* adv. || D'—, *hodiernus, a, um,* adj. ¶ (Pris subst.) Ce jour-ci, le jour où nous sommes. *Hodiernus dies.* Jusqu'—, *ad hodiernum diem.* Pour —, *in hodiernum diem.*

auln... Voy. AUN...

aumône, s. f. Don charitable fait aux pauvres. *Stips, stipis,* f. Vivre d'aumônes, *collaticiā* (*ou collectā*) *stipe victitāre.*

aumônier, s. m. Celui qui est chargé de la distribution des aumônes. *A largitionibus.*

1. **aune**, s. m. Nom d'un arbre. *Alnus, i,* f. Du bois d'—, *alneus, a, um,* adj.
2. **aune**, s. f. Ancienne mesure de longueur pour les tissus. *Ulna, ae,* f. Fig. Mesurer les autres à son —, *metiri alios suo modulo ac pede.*

auparavant, prép. et adv. || (Prép.) Avant (en parlant du temps). Voy. AVANT. ¶ (Adv.) *Ante,* adv. *Antea,* adv. *Prius,* adv. D'—, *pristinus, a, um,* adj.

auprès, loc. prép. et adv. ¶ (Loc. prép.) Auprès de *c.-à-d.* tout à côté de. *Ad,* prép. (av. l'acc.). *Apud,* prép. (av. un n. de pers. à l'acc. p. complém.). D'— de, *a ou ab,* prép. (av. l'abl.). || Auprès de, *c.-à-d.* en comparaison de... *Ad,* prép. (av. l'acc.). Auprès de l'univers dans son ensemble, *ad universi caeli complexum.* || Tout auprès de, *proximē,* prép. (av. l'acc.) ¶ (Adv.) Tout à côté. *Juxta,* adv. *Propter,* adv.

auréole, s. f. Cercle lumineux dont les peintres entourent la tête du Seigneur, de la Vierge et des Saints. *Nimbus, i,* m.

auriculaire, adj. Relatif à l'oreille. *Auricularius, a, um,* adj. || Subst. L'—, *c.-à-d.* le doigt avec lequel on se nettoie l'oreille, *auricularius digitus.*

aurifère, adj. Qui contient de l'or. *Auro abundans.*

aurochs, s. m. Bœuf sauvage de Lithuanie. *Urus, i,* m.

aurore, s. f. Lueur orangée qui paraît à l'horizon avant le lever du soleil. *Aurora, ae,* f. || (Par anal.) Couleur d'— *et adj.* aurore, *luteus, a, um,* adj. || (Par ext.) Le grand matin. *Aurora, ae,* f.

1. **auspice**, s. m. Celui qui observait les augures. *Auspex, picis,* m.

2. **auspice**, s. m. Observation des présages tirés du vol, du chant des oiseaux. *Auspicium, ii,* n. || Présage. Voy. ce mot. Sous d'heureux —, *avibus secundis.* ¶ (Par ext.) Sous les auspices de Teucer, *auspice Teucro.* Voy. PROTECTION. || Recommandation. Sous les — de son maître, *magistro duce et auctore.*

aussi, adv. Egalement (par compar., avec une manière d'être exprimée ou sous-entendue.) *Tam,* adv. (dev. un adj. *ou* un adv.). — savant que modeste, *tam doctus quam modestus.* D'une voix — forte que possible, *quam maxima voce.* Vendre — cher que possible, *quam plurimo vendere.* — grand, *tantus, a, um,* adj. — grand que ..., *quantus, a, um,* adj. En — grande quantité, *tantus, a, um,* adj. En — grande quantité que ..., *quantus, a, um,* adj. Une — grande quantité d'or, *tantum auri.* — cher, *tanti.* Aussi cher qu'on a loué, *quanti locaverunt.* Aussi nombreux, en — grand nombre, *tot,* ndécl *tam multi, ae, a,* adj. pl. — nombreux que ..., en — grand nombre que, *quot,* indécl. *quam multi, ae, a,* adj. pl. — longtemps, *tamdiu,* adv. — longtemps que, *quamdiu,* adv. — souvent, *totiens,* adv. — souvent que ..., *quotiens,* adv. ¶ Pareillement (en parl. d'une action), d'un état qui est reproduit). *Etiam,* adv. *Quoque,* adv. Toi aussi, *tu quoque.* Moi, toi, lui —, *ipse,* pron. Le plus savant et aussi le plus modeste, *omnium doctissimus idemque modestissimus.* ¶ (Par ext.) Conformément à ce qui vient d'être dit. *Ideo,* adv. *Itaque,* adv.

aussitôt, adv. Au même instant. *Statim,* adv. *Confestim,* adv. — après (adv.), *subinde,* adv. — après (prép.), *secundum,* prép. (av. l'acc.). — que ..., *ubi primum; ut primum; simul atque* (ou *ac*).

austere, adj. Dont rien n'adoucit la sévérité. *Austerus, a, um,* adj. *Severus, a, um,* adj. [tère. *Austere,* adv.

austèrement, adv. D'une manière sans austérité, s. f. Caractère de ce qui est austère. *Austeritas, atis,* f. *Severitas, atis,* f.

austral, *ale*, adj. Du midi. *Australis, e,* adj. ¶ Antarctique. Voy. ce mot.

autan, s. m. Vent du sud-ouest qui amène des orages. *Auster, tri,* m.

autant, adv. et subst. || *Adv.* En même quantité, àu même degré. *Tantum,* adv. (à côté d'un verbe ordinaire); *tanti* (dev. un verbe de prix *ou* d'estime). Apprécier —, *tanti aestimāre* (ou *facēre*). Coûter —, *tanti constāre.* —, *tanto* (dev. une expr. de supér.) L'emporter — sur, *tanto praestāre.* — que jamais, *ut cum maximē.* — que personne, *ut qui maximē ...* — de fois, *totiens.* — de fois que ..., *quotiens,* adv. ¶ (Subst.) La même quantité. || (Pour exprimer simplement la quantité.) — d'or, *tantum auri.* — de troupes, *tantum copiarum.* || (S'il s'agit d'objets qui se peuvent compter.) — de brebis, *tam multae* ou *tot* (indécl.) *oves.* || (S'il s'agit d'objets qui peuvent être plus ou moins grands.) — de courage, *tanta fortitudo.* || (Absol.) — (en s.-ent. le sec. terme de la compar.). *Tantumdem,* n. (nom. et acc.); *totidem,* nom. indécl. (av. un nom plur.) || D'—, *c.-à-d.* à proportion. Voy. PROPORTION. || D'autant que, *c.-à-d.* vu que, *quando,* conj.; *quoniam,* conj. D'— plus, *tanto,* abl. adv. D'— plus que (sans compar.) — *eo magis, quod ...* D'— plus cher que ..., *eo pluris, quod...* D'— plus nombreux que ... *eo plures, quod ...* D'— moins que ... (sans compar.), *eo minus, quod...* D'— moins cher que... *eo minoris, quod...* D'— moins nombreux que ..., *eo pauciores, quod...* D'— plus que... (av. un compar.), *tanto magis ... quanto ...* D'— plus grand que ..., *eo major, quo* (av. compar.). D'— plus hardi qu'ils étaient plus nombreux, *eo audaciores quo plures erant.*

autel, s. m. Table de gazon, de pierre (etc.) destinée aux sacrifices. *Altaria, ium,* n. pl. *Ara, ae,* f.

auteur, s. m. Celui qui est la cause première de qqch. *Auctor, oris,* m. *Artifex, ficis,* m. L'— de toute l'affaire, *conditor totius negotii.* — du monde, *mundi effector.* — principal, *princeps, cipis,* m. — du projet, *princeps consilii.* Considérer qqn. comme l'auteur de qqch., *putare ortum esse aliquid ab aliquo.* L'— d'une loi (celui qui en a eu l'idée), *legis inventor;* (celui qui la met à l'ordre du jour), *auctor legis;* (celui qui la propose), *legis lator.* — d'une motion, *rogator, oris,* m. ¶ Celui qui a composé une œuvre d'art. *Artifex, ficis,* m. || (Absol.) Ecrivain. *Scriptor, oris,* m.

authenticité, s. f. Caractère de ce qui est authentique. *Fides, ei,* f. *Auctoritas, atis,* f.

authentique, adj. Dont la certitude est inattaquable. *Cui fides est veritatis.* Pièces —, *auctoritates, um,* f. pl. Avoir un caractère —, *auctoritatem habēre.* ¶ Dont la certitude est garantie par un acte, une formalité. *Publicis litteris consignatus.* || (Par ext.) Vrai, réel, exact. *Verus, a, um,* adj. *Certus, a, um,* adj.

authentiquement, adv. D'une manière authentique. *Cum auctoritate.*

autographe, adj. et s. m. || (*Adj.*) Se dit d'une lettre, d'un ouvrage écrit de la main même de l'auteur. *Meā (tuā, sua ipsius,* etc.) *manu scriptus.* Manuscrit —, *chirographum, i,* n. ¶ (*Subst.* m.). Autographe (billet, ouvrage écrit de la main même de l'auteur). *Litterae ipsius manu scriptae, libellus ipsius manu scriptas.*

automate, adj. Qui semble se mouvoir par l'effet d'un mécanisme caché. *Machinatione quadam motus.* ¶ (*Subst.*) Imitation d'un être animé au moyen d'un mécanisme caché. *Automatum, i,* n.

automne, s. m. Saison entre l'été et l'hiver. *Autumnus, i,* m. *Autumni tempus.*

autorisation, s. f. Action d'autoriser. *Auctoritas, atis,* f. *Venia, ae,* f. Avec votre —, *bonā veniā tuā.* Sans —, *nullo auctore.* Donne à qqn l'— de, *alicui potestatem facěre, ut...* (et subj.); *alicui hanc veniam dare, ut...* (et subj.). Demander l'— d'envoyer des ambassadeurs, *veniam petere legatis mittendis.*

autoriser, v. tr. Revêtir d'une autorité. *Auctoritatem* (ou *potestatem*) *dăre.* S'—, *c.-à-d.* acquérir de l'autorité. *auctoritate valere ; auctoritatem habēre.* S'— de qqn ou de l'exemple de qqn, *alicujus auctoritate (aliquid) facěre.* S'— de qqch., *aliqua re niti.* Un écrivain autorisé, *c.-à-d.* qui fait autorité, *scriptor probatus atque spectatus.* ¶ Donner l'autorisation, permettre. Voy. AUTORISATION; PERMETTRE.

autoritaire, adj. Qui aime à se faire obéir, à imposer son autorité. *Imperiosus, a, um,* adj. Voy. IMPÉRIEUX.

autorité, s. f. Droit, pouvoir d'imposer l'obéissance. *Auctoritas, atis,* f. *Imperium, ii,* n. Avoir — sur qqn, *imperium habēre in aliquo.* — suprême, *summum imperium.* Prendre de l'— sur qqn, *jus sibi in aliquem facěre.* Avoir l'— ou — sur, *impěrāre,* intr. Voy. COMMANDER. ¶ Autorité (en politique). *Auctoritas, atis,* f. *Potentia, ae,* f. *Opes, um,* f. pl. Avoir une grande —, *magnas opes habēre.* — royale, *regia potestas.* Exercer l'— royale, *regnum agěre.* — publique, *potestas, ătis,* f. Sous l'— de, *sub,* prép. (av. l'abl.). Avoir beaucoup d'— au sénat, *multum posse in senatu.* ¶ (Par anal.) — que qqn s'attribue. *Arbitrātŭs,* abl. *u,* m. Parler d'—, d'un ton d'—, *imperiose loqui* (ou *dicěre*). ¶ (Par ext.) Autorités, *c.-à-d.* personnes qui sont chargées de l'administration. *Magistrātŭs, ŭs,* m. Les — militaires et civiles, *imperia et potestates.* ¶ (Au fig.) Faculté de s'imposer à l'opinion par son mérite. *Auctoritas, atis,* f. *Gravitas, atis,* f. Avec —, *graviter.* || Créance qui s'attache à l'affirmation d'une personne autorisée. *Auctoritas, atis,* f. Faire —, *auctoritatem habēre.* Gens qui font —, *viri auctoritate graves.*

1. autour, s. m. Oiseau de proie. *Astur, aris,* n. *Accipiter, tris,* m.

2. autour, loc prép. *et* adv. Dans l'espace qui fait le tour. ¶ (*Prép.*) Autour de. *Circum,* prép. (av. l'acc.). *Circa,* prép. (av. l'Acc.). Aller autour de, *ambīre,* tr. Promener les regards autour de soi, *circumspicěre* ou *circumspectāre,* tr. et absol. ¶ (*Adv.*) —, tout —, *circum,* adv.; *circiter,* adv. — de minuit, *media circiter nocte.*

autre, adj. et pron. Qui n'est pas le même que qqn. *Alter, tera, terum,* adj. et subst. L'un des deux consuls parla, l'— se tut, *alter consul locutus est, alter tacuit.* L'— camp, *altera castra.* L'— parti, *alteri,* m. pl. || Autre (entre plusieurs), *alius, a, ud,* adj. Parmi les sénateurs, l'un proposait la mort, un autre l'exil; un autre, une amende, *inter senatores alius mortem, alius exsilium alius mortem decernebat.* Les uns, les —, *alii...,* alii. Les uns ici, les — là, *alii alio.* Ils s'égorgent les uns, les —, *alii alios trucidant.* On demande lequel des deux a voulu attraper l'—, *quaeritur uter utri insidias fecerit.* L'un et l'—, *uterque, utraque, utrumque,* adj. et pron. L'un et l'— vint, *uterque venit.* L'une et l'— oreille, *utraque auris.* L'un et l'— camp, *utraque castra.* L'un et l'— parti, *utrique,* m. pl. L'un et l'— (indistinctement), *utervis, utravis, utrumvis,* adj. et pron. L'un ou l'— (l'un des deux à l'exclus. de l'autre), *alteruter, atra, atrum,* adj. et pron. Ni l'un ni l'—, *neůter, tra, trum,* adj. et pron. Ils s'aiment l'un l'—, *inter se amant.* L'un après l'—, *singuli, ae, a,* adj. et subst. || (Ellipt.) Les —, *c.-à-d.* les — hommes, *ceteri,* m. pl. D'—, *alii,* m. pl. || (Spéc.) Second. *Alter, tera, terum,* adj. Un — moi-même, *alter ego.* ¶ Qui est différent. *Alius, a, ad,* adj. Rendre qqn tout —, *alium facěre aliquem.* Je deviens tout —, *alius fio.*

autrefois, adv. Dans un autre temps (passé). *Antea,* adv. *Olim,* adv. *Quondam,* adv. D'—, *pristinus, a, um,* adj.

autrement, adv. D'une autre manière. *Aliter,* adv. L'affaire a tourné — que tu ne pensais, *aliter res cecidit atque opinatus es.* — qu'il ne faut, *secus,* adv.; *male,* adv. ¶ (Ellipt) —, *c.-à-d.* s'il en est —, sans cela, dans le cas contraire. *Aliter,* adv.

autruche, s. f. Nom d'un oiseau. *Struthocamelus, i,* m.

autrui, subst. indéf. Un autre, les autres. *Alter,* m. D'—, *alienus, a, um,* adj. Le bien d'—, *alienum, i,* n.

auvent, s. m. Petit toit en saillie servant d'abri contre la pluie. *Suggrunda, ae,* f.

auxiliaire, adj. Qui aide par son concours. *Auxiliarius, a, um,* adj. (terme milit.). ¶ (Subst.) Aide. *Adjutor, oris,* m. *Adjutrix, icis,* f. *Administer, tri,* m. || (Spéc.) Auxiliaires, soldats —, *auxilia, orum,* n. pl.

aval, adv. *et* s. m. ¶ (*Adv.*) Vers la

partie qui est plus bas. *Infra*, adv. ¶ (*Subst.*) La partie inférieure. *Pars inferior*. En —, *secundo flumine*.

avalanche, s. f. Masse de neige qui, détachée de la montagne, roule dans la vallée. *Devolutus nivium lapsus*. *Nivium moles de monte devoluta*.

avaler, v. tr. Faire descendre dans le gosier. *Haurīre*, tr. *Exhaurīre*, tr. *Sorbēre*, tr. —, *c.-à-d.* manger avidement, *vorāre*, tr.; *devorāre*, tr. — du poison, *venenum obducĕre*. — une tasse de vin sucré, *mulsi pultarium obducĕre*.

avance, s. f. Position de ce qui est avant qqn ou qqch. *Antecessio, onis*, f. *Antecessūs ūs*, m. Avoir de l'— sur qqn, *aliquem praegredi*. Prendre de l'— (abs.), *antevertĕre*, intr. || (Fig.) La belle —! *quid profecisti!* ¶ (Dans le temps.) Arriver en —, être en —, *ante tempus advenīre*. A l'—, d'—, par —, *ante*, adv.; *prius*, adv. Faire connaître d'—, *praemonēre*, tr. Occuper par —, *praeoccupāre*, tr.¶ (Par ext.) Paiement anticipé. *Promutuum, i*, n. Faire une —, *in antecessum dare*. ¶ (Au plur.) Premières démarches pour nouer des relations. Faire des — à qqn, *officiis alicui provocāre*.¶ Avance, saillie d'un bâtiment. *Projectio, onis*, f.

avancé, ée, adj. Porté en avant. Poste —, *statio prima*. Ouvrages —, *propugnacula, orum*, n. pl. Fig. Jeune homme — dans ses études, *adulescens studiis doctrinae jam satis instructus*. A une heure — du jour, *multo dir.* A une heure — de la nuit, *multā* (ou *serā*) *nocte*. Age —, *aetas provecta.* — en âge, *provectus aetate* (ou *annis*); *grandis* (ou *grandior*) *natu*. ¶ (Par ext.) Trop mûr; qui se gâte, *Jam puter* (ou *putris*). Poisson —, *putridus piscis*.

avancement, s. m. Marche en avant dans la voie qu'on poursuit. *Progressūs, ūs*, m. *Progressio, onis*, f. ¶ Action de monter en grade. *Dignitatis accessio.* Obtenir, avoir de l'—, *promoveri ad* (ou *in*) *ampliorem gradum.* Donner de l'— à qqn, *promovēre aliquem ad* (ou *in*) *ampliorem gradum.*

avancer (s'), v. pron. Se porter en avant. *Ire*, intr. *Prodire*, intr. *Accedĕre*, intr. *Procedĕre*, intr. S'— dans les lettres, *progressus facĕre in studiis.* S'— dans la vertu, *in virtute progredi.* La journée s'avance, *procedit dies.* Comme la nuit s'avançait, *postquam nox appetebat.* ¶ S'—, *c.-à-d.* faire saillie. *Procedĕre*, intr. *Eminēre*, intr.

1. **avancer**, v. tr. Porter en avant (dans l'espace). *Admovēre*, tr. *Promovēre*, tr. *Porrigĕre*, tr. *Proferre*, tr. || (Fig.) Mettre en avant. *Proponĕre*, tr. *Afferre*, tr. Ne rien — que de sérieux, *nihil nisi certum afferre.* || (Par ext.) Rapprocher du but. *Maturāre*, tr. — son départ, *maturius proficisci* ¶ Porter en avant (dans le temps). || — l'époque d'un paiement, *ante tempus*

(ou *ante diem dictam*) *solvĕre.* — de l'argent à qqn, *prorogare nummos alicui.* || (Fig.) Rapprocher du terme. *Maturāre*, tr. Cela n'avance pas nos affaires, *nihil proficimus.*

2. **avancer**, intr. Se porter en avant (dans l'espace). *Procedĕre*, intr. *Progredi*, dép. intr. || Faire —, *agĕre*, tr.; *admovēre*, tr.; *promovēre*, tr. — ses troupes, les légions, *movēre signa ; promovēre legiones.* ¶ Etre placé en avant, faire saillie. *Exstare*, intr. ¶ (Fig.) Aller en avant dans la carrière que l'on parcourt. *Progrĕdi*, dép. intr. *Proficĕre*, intr. Voy. PROGRÈS. || (Spéc.) Etre porté à un grade supérieur. Voy. AVANCEMENT. || Faire —, *promovēre*, tr. ¶ Se porter en avant (dans le temps). *Procedĕre*, intr. *Progredi*, dép. intr. — en âge, *consenescĕre*, intr. || (Fig.) Aller plus vite. *Procedĕre*, intr. *Proficĕre*, intr.

avanie, s. f. Injure humiliante. *Indignitas, atis*, f. *Contumelia, ae*, f.

1. **avant**, prép. (Dans l'espace). *Ante*, prép. (av. l'acc.). Passer — qqn, *aliquem antegredi.* || (Loc. prép.) En— de, *ante*, prép. (av. l'Acc.). Marcher en — de qqn, *alicui anteire.* En — du camp, *pro castris.* ¶ (Dans le temps.) *Ante*, prép. (av. l'acc.). Homère vivait bien — des années — Romulus, *Homerus multio annis ante fuit quam Romulus.* — tout, *c.-à-d.* d'abord. Voy. ABORD. Qui a lieu — le point du jour, *antelucanus, a, um*, adj. Qui a lieu — midi, *antemeridianus, a, um*, adj. Cueillir avant le temps, *praecerpĕre*, tr. Prendre — le temps, *praesumĕre.* Mûr — le temps, *praecox, ocis*, adj. ¶ Marquant le rang. *Ante*, prép. (av. l'Acc.). — tout, *praecipue*, adv

2. **avant**, adv. (Dans l'espace). *Ante*, adv. Le texte qui est —, *superior scriptura.* || (Loc. adv.) En —, *ante*, adv. En —! *Perge* ou *pergite!* Celui qui est en —, *primus, a, um*, adj (en parl. de plus.); *prior, us*, adj. (en parl. de deux.) ¶ (Dans le temps.) *Ante*, adv. *Prius*, adv. Voy. AUPARAVANT. || (Loc. adv.) Le jour d'—, *prior dies.* Immédiatement —, *proximē*, adv. || (Loc. conj.) — que ou de, *ante quam* ou *prius quam*, loc. conj. Le mauvais temps menace — de se produire, *tempestas minatur ante quam surgat.* ¶ (Pour marquer le rang.) *Ante*, adv. ¶ Loin du point de départ (dans l'espace). Bien —, *penitus*, adv. || (Dans le temps.) Bien — dans la journée, *multo die.* Jusque bien — dans la nuit, *ad multam noctem.*

3. **avant**, s. m. Partie qui est en avant. *Prior* (ou *prima*) *pars* (selon qu'on envisage deux ou plusieurs parties). L'— d'un navire, *prora, ae*, f.

avantage, s. m. Le fait de passer avant qqn ou qqch. *Praestantia, ae*, f. — remporté, *victoria, ae*, f. Avoir l'— sur, *praestāre*, intr. (av. le dat.); *superāre*, tr.; *vincĕre*, tr. || Ayant l'— du vent, *aptiorem sibi ventum nactus.* L'ennemi avait l'— de la position, *loca pro hoste erant.* ¶ (Par ext.) Ce qui donne qq. supériorité (en gén.). *Bonum, i,* n. — naturel. *'los, ótis,* f. —, *c.-à-d.* privilège *praemium, ii,* n. —, *c.-à-d.* facilité, commodité, *opportunitas, atis,* f. Offrir des —, *opportunitates habēre.* ¶ Ce qui rapporte qq. profit. *Commoditas, atis,* f. *Utilitas, atis,* f. Offrir, présenter des —, *utilitatem habēre.* Il y a — à, *c.-à-d.* il est avantageux de..., voy. AVANTAGEUX. ¶ Ce qu'on donne de plus à qqn. *Praecipuum, i,* n.

avantager, v. tr. Donner un avantage, des avantages. *Alicui aliquid praecipui dare.* Etre avantagé d'une somme, *summam praecipĕre.* Absol. Etre avantagé, *praecipĕre,* intr. Avantagé, *bonis praeditus.*

avantageusement, adv. D'une manière avantageuse. *Commodē,* adv. *Utiliter,* adv. — situé, *opportunus, a, um,* adj. ¶ D'une manière flatteuse. Parler — de qqn, *bene* (ou *honorifice*) *de aliquo statuĕre.*

avantageux, *euse,* adj. Qui offre un avantage. *Bonus, a, um,* adj. *Commodus, a, um,* adj. *Opportunus, a, um,* adj. *Aequus, a, um,* adj. Occasion —, *opportunitas, atis,* f. Etre —, *adjuvāre,* tr.; *conducĕre,* intr. ¶ Qui tire vanité de certains avantages. *Gloriosus, a, um,* adj. Parler de soi d'un ton —, *gloriosius de se praedicāre.*

avant-bras, s. m. Partie du bras qui va du poignet au coude. *Brachium, ii,* n. Os de l'—, *cubitus, i,* m. Longueur de l'—, *ulna, ae,* f.

avant-corps, s. m. Partie d'un édifice en saillie sur la face principale. *Proaedificatum, i.* n. Elever un —, *praestruĕre,* tr.

avant-cour, s. f. Cour qui précède la cour d'honneur. *Area, ae,* f.

1. avant-coureur, s. m. Celui qui précède qqn pour annoncer son arr.vée. *Praenuntius, a, um,* adj.

2. avant-coureur, adj. Voy. ci-dessus.

avant-dernier, *ière,* adj. Qui est avant le dernier. *Proximus ab ultimo* (ou *ab extremo*); *paenultimus, a, um,* adj.

avant-garde, s. f. Partie détachée d'une armée, qui la précède. *Primum agmen.* Combat d'—, *procuratio, onis,* f. ‖ Première ligne d'une armée. *Prima acies.* Etre à l'—, *in prima acie versāri.*

avant-goût, s. m. Goût qu'on a par avance de qqch. *Gustŭs, ūs,* m. Donner à qqn l'— de qqch., *alicui dare gustum alicujus rei.* Prendre un — de qqch., *aliquid gustasse.*

avant-hier, adv Dans le jour qui a précédé hier. *Nudius tertius,* adv.

avant-port, s. m. Sorte de rade en avant de certains ports. *Aditus atque os portŭs.*

avant-poste, s. m. Poste avancé. *Praesidium, ii,* n. *Statio prima.* Sol-

dats qui sont aux —, *praesidiarii milites.*

avant-propos, s. m. Courte préface. *Brevis praefatio.* [*Proscaenium, ii,* n.

avant-scène, s. f. Devant de la scène.

avant-veille, s. f. Le jour qui précède la veille. *Nudius tertius,* adv.

avare, adj. Qui aime l'argent. *Avarus, a, um,* adj. *Avidus, a, um,* adj. *Cupidus, a, um,* adj. ‖ (Par ext.) Avide. Voy. ce mot. ¶ (Fig.) Qui épargne les choses. *Parcus, a, um,* adj. *Illiberalis, e,* adj. *Malignus, a, um,* adj. Etre — de, *parcĕre,* intr. (av. le dat.). Tant il était — de son temps, *tanta ei erat parsimonia temporis*

avarice, s. f. Caractère de la personne avare. *Avaritia, ae,* f. *Aviditas, atis,* f. D'une basse —, *sordidus.* Avec —, *avarē,* adv.

avarie, s. f. Tout dommage arrivé au navire *ou* aux marchandises. Voy. DOMMAGE.

avarier, v. tr. Altérer par des avaries. *Corrumpĕre,* tr. Marchandises avariées, *tabes mercium.* Navire —, *quassa navis.*

à vau, loc. prép. En suivant la pente. — l'eau, *c.-à-d.* à la dérive. Voy. DÉRIVE. L'affaire est — l'eau, *opera et impensa periit.*

avec, adv. et prép. Marquant jonction, adjonction. ¶ *Adv. Unā,* adv. ¶ (*Prép.*) Dans une situation commune. *Cum,* prép. (av. l'abl.). ‖ Pour une action commune. *Cum,* prép. (av. l'abl.). — sol, *secum.* — lesquels, *quibuscum.* La guerre — les Gaulois, *bellum cum Gallis gestum* ou (simpl.) *bellum Gallicum.* La guerre — les pirates, *bellum praedonum.* ‖ A l'aide d'un instrument, d'un moyen d'action. Frapper qqn avec une hache, *securi aliquem percutĕre.* — aliquid ou, *per,* prép. (av. l'Acc.); *alicujus, ope* ou *auxilio.* — le temps, *tempore.* ‖ (Pour signifier la manière.) — âpreté, *acerbē,* adv.

avenant, *ante,* adj. Qui va à qqn ou à qqch., *ou* s'accorde avec. A l'avenant, *c.-à-d.* (en) PROPORTION. ¶ Qui agrée. *Comis, e,* adj.

avènement, s. m. Action d'arriver au souverain pouvoir. Ayant appris l'— de Tibère, *initiis Tiberii auditis.* A son —, *ubi imperāre* (ou *regnāre*) *coepit.*

1. avenir, v. intr. Voy. ADVENIR. (Au part. passé.) Avenu, e, *factus, a, um,* part. Considérer une chose comme non avenue, *aliquid pro infecto habēre.*

2. avenir, s. m. Ce qui est à venir, *par suite* le temps futur. *Futurum tempus* ou (simpl.) *futurum, i,* n. A l'—, *in posterum.* ‖ (Par ext.) Siècle, générations futures. *Posteritas, atis,* f. ¶ Les choses futures. *Futura,* n. pl. *Futurae res,* f. pl. ‖ (Spéc.) Situation future de qqn. Triste présent, pire avenir, *mala res; spes multo asperior.*

avent, s. m. Temps fixé par l'Eglise pour la préparation des fidèles à la venue du Messie. *Adventŭs, ūs,* m.

aventure, s. f. Ce qui arrive inopinément à qqn. *Casus, us,* m. *Res, rei,* f. — merveilleuse, *portentum, i,* n.; *monstrum, i,* n. || (Loc. adv.) D'—, par —, *casu; temerē ac fortuito.* ¶ Ce dont l'issue est hasardeuse. *Fortuna, ae,* f. *Periculum, i,* n. Courir une —, *rem arduam* (ou *periculosissimam*) *suscipĕre.* || (Loc. adv.) A l'—, *temerē,* adv. Aller à l'—, *errāre,* intr.' (Spéc.) Ce qui doit arriver à qqn dans l'avenir. Diseur de bonne —, *divinus, i,* m. Diseuse de bonne —, *fatidica (anus).*

aventurer, v. tr. Mettre, laisser aller à l'aventure. *Fortunae permittĕre (aliquid).* S'—, *aleam adire; se committĕre alicui rei.*

aventureux, *euse,* adj. Qui va à l'aventure. *Qui (quae, quod) jactatur variis casibus. Periculosus, a, um,* adj. Vie, existence —, *vita multiplici periculo insignis.*

aventurier, s. m. f. Personne qui vit d'intrigues. *Planus, i,* m.

avenu, *e,* part. Voy. 1. AVENIR.

avenue, s. f. Voie par laquelle on arrive dans un lieu. *Aditus, ūs,* m. ¶ Large voie. Voy. ALLÉE.

avérer, v. tr. Reconnaître pour vrai. (Au part. passé), avéré, ée, *compertus, a, um,* part. Tenir qqch. pour avéré, *aliquid habēre pro re compertā.*

à-verse, loc. adv. Voy. le suivant.

averse, s. f. Pluie soudaine et abondante. *Subito exortus imber.*

aversion, s. f. Répulsion violente pour qqn, qqch. *Odium, ii,* n. Avoir de l'— pour, voy. HAIR. Qui a de l'— pour, *aversus, a, um,* p. adj. (*ab aliquo* ou *ab aliqua re*); *alienus, a, um,* adj. (*ab aliquo* ou *ab aliqua re*). Prendre qqn en—, *ab aliquo se avertĕre.*

avertir, v. tr. Tourner l'attention de qqn vers qqch. par un signal, une information. *Monēre,* tr. *Admonēre,* tr.

avertissement, s. m. Action d'avertir. *Monitio, onis,* f. *Admonitio, onis,* f. Donner un —, voy. AVERTIR.

aveu, s. m. (Par ext.) Action de déclarer qu'on autorise qqn. *Assensus, ūs,* m. Voy. APPROBATION. De l'— général, *consensu omnium.* De l'— je ne veux rien faire sans votre —, *nihil ego faciam te nolente* (ou, suiv. le cas, *vobis nolentibus*). ¶ Action d'avouer qqch. *Confessio, onis,* f. Arracher à qqn l'— de..., *extorquēre alicui ut fateatur....* Faire l'— de, voy. AVOUER. || Action de connaître qqch. comme vrai. De son —, *ut concessit.* De l'— général, *omnium confessione.*

aveugle, adj. Privé de la vue. *Caecus, i, um,* adj. *Oculis captus* ou *orbatus.* Devenir —, *oculis capi.* Etre —, *ocuorum usu carēre.* — et sourd, *oculis et auribus captus.* ¶ (Fig.) Privé de discernement. *Caecus, a, um,* adj. A l'—, temerē, adv. || (Par ext.) Qui ôte le discernement. *Caecus, a, um,* adj.

Colère —, *inconsulta ira.* Etre emporté par une rage —, *praecipitem amentiā ferri.*

aveuglement, s. m. Privation de la vue. *Caecitas, atis,* f. ¶ Privation de discernement. *Mentis* (ou *animi) caecitas.* — (ténèbres de l'intelligence) *caligo, inis,* f.

aveuglément, adv. D'une manière aveugle. *Temerē,* adv. *Inconsultē,* adv.

aveugler, v. tr. Rendre aveugle. *Caecāre,* tr. *Excaecāre,* tr. || Priver (pour un moment) de l'usage de la vue. *Occaecāre,* tr. ¶ (Au fig.) Priver de discernement. *Caecāre, Occaecare,* tr. S'—, *occaecari,* passif.

aveuglette (à l'), loc. adv. Sans y voir bien clair. Voy. (à) TATONS.

avide, adj. Qui a un désir immodéré de qqch. *Avidus, a, um,* adj. *Avarus, a, um,* adj.

avidement, adj. D'une manière avide. *Avidē,* adv. [*Aviditas, atis,* f.

avidité, s. f. Désir immodéré de qqch. *Avidē,* adv.

avilir, v. tr. Rendre de vil prix. *Vilitatem jacēre (alicui rei).* Cette année, tout est avili, *annus est in vilitate.* S'—, *vilem* (ou *vile) fieri.* ¶ Rendre vil, c.-à-d. indigne d'estime. *In contemptionem adducĕre.* Ame avilie, *turpificatus animus.* Prince avili, *pollutus princeps.* Discipline avilie, *prolapsa disciplina.*

avilissant, *ante,* adj. Qui avilit. *Probrosus, a, um,* adj.

avilissement, s. m. Etat de ce qui est avili. *Vilitas, atis,* f. *Turpitudo, inis,* f.

aviner, v. tr. Imbiber de vin. *Vino imbuĕre.* ¶ (Spéc.) Au part. passé. Aviné, c.-à-d. pris de vin, *vinolentus, a, um,* adj.

aviron, s. m. Voy. RAME.

avis, s. m. Manière de voir exprimée par qqn sur un sujet. *Sententia, ae,* f. Etre d'— *arbitrāri,* dép. tr.; *existimāre,* tr. Conformément à l'— de qqn, de *alicujus sententia.* A mon —, *meā sententia.* Etre du même —, *eadem mente esse.* Donner son — (dans une délibération), *sententiam dicĕre* ou *ferre.* Se ranger à l'— de qqn, *in sententiam alicujus discedĕre.* Je suis du même —, *idem sentio.* On fut d'— de lever le siège, *absistere oppugnatione* ou *oppugnationem relinquĕre placuit.* Si tel est votre —, *si placet.* Etre du même avis que qqn sur..., *consentire alicui de aliqua re.* Différer d'—, *dissentīre (ab aliquo de aliqua re.* ¶ Manière de voir qu'on fait connaître à qqn pour qu'il la suive. *Sententia, ae,* f. *Consilium, ii,* n. Donner un — à qqn, *alicui auctorem esse.* Prendre —, prendre l'— de qqn, *aliquem ad concilium adhibēre.* || (Par ext.) Ce dont on informe qqn pour qu'il agisse en conséquence. *Monitum, i,* n. Donner des —, voy AVERTIR, AVERTISSEMENT.

avisé, *ée,* adj. Dont l'esprit saisit à propos les choses. *Prudens, entis,* adj.

Esprit — jusqu'à la rouerie, *vafritia, ae*, f.

aviser, v. tr. et intr. || *V. tr.* Concevoir à propos de qqch. Ce fut à lui bien avisé, *acute argutēque cogitavit*. ¶ Aviser qqn, c.-à-d. diriger à propos d'attention de qqn sur qqch. *Commonēre*, tr. (voy. AVERTIR). || S'— de qqch., *aliquid excogitāre*. S'— de (av. l'infin.), *inducēre animum, ut...* Ne t'avise pas de..., *cavē, ne* (av. le subj.); *noli committēre ut...* (subj.). ¶ *V. intr.* Porter son esprit sur ce qu'il conviendrait de faire. *Vidēre*, tr. — à tout, *omnia providēre*. — au salut de tous, *omnium saluti providēre*.

aviver, v. tr. Rendre plus vif. Voy. VIF.

avocat, s. m. Celui dont la profession est de plaider les causes de ceux qui ont affaire à la justice. *Actor, oris*, m. *Causidicus, i*, m. *Patronus, i*, m.

avoine, s. f. Plante céréale. *Avena, ae*, f. D'—, *avenarius, a, um*, adj.; *avenaceus, a, um*, adj.

1. avoir, v. tr. Posséder. *Habēre*, tr. Il n'a absolument rien, *est sine re et spe*. Il a de quoi vivre *ou* (simpl.) il a de quoi, *habet unde utatur*. || Se servir de. *Uti*, dép. intr. — de bons yeux, *uti oculis recte*. — la paix, *pace uti*. — un père attentif, *diligente patre uti*. || Etre maitre de. *Potiri*, dép. intr. Ayant le souverain pouvoir, *summā imperii potitus*. || Tenir, porter. *Habēre*, tr. *Ferre*, tr. Voy. TENIR, PORTER. || Pour marquer le rapport d'un être avec un autre être dont il dispose. *Habēre*, tr. — Cicéron pour mari, *Ciceroni nuptam esse*. — en abondance, à profusion, *abundāre*, intr. (av. l'Abl.); *affluēre*, intr. (av. l'abl.). || Impers. Il y a, *est ou sunt* (selon le cas). Il y en a qui prétendent, *sunt* (ou *non desunt*) *qui dicant* (av. l'Acc. et l'inf.). Il y a lieu de..., *est, ubi* (av. le subj.). Il n'y a pas de raison pour..., *non est (causa), cur...* (av. le subj.); *non est, ut...* (av. le subj.). ¶ Avoir (exprimant un rapport avec une manière d'être *ou* d'agir). *Habēre*, tr. — un cœur ferme, *habere animum fortem*. — faim, *esurire*, intr. Voy. FAIM, FROID, PEUR, etc., etc. — une faible constitution, *aegro corpore esse*.

|| (Impers.) Il n'y a pas de danger, *non est periculum* ou *nullum est periculum* (*ne occasio Lysandro detur detendi nostri exercitus*). ¶ Employé comme auxiliaire. En parl. d'un acte accompli. Se traduit par les temps passés de la conj. latine. ¶ — à faire telle ou telle chose, c.-à-d. être chargé du soin de, être dans le cas de. — une terre à cultiver, *agrum habēre colendum*. Je n'ai rien à t'écrire, *nihil habebam quod ad te scriberem*. J'ai à terminer cette besogne, *hoc est mihi negotium conficiendum*.

2. avoir, s. m. Ce qu'on possède. *Res, rei*, f. *Bona, orum*, n. pl. *Fortunae, arum*, f. pl.

avoisiner, v. tr. Etre dans le voisinage. *Contingēre*, tr. *Esse ad* (av. l'acc.).

avorter, v. tr. Mourir *ou* être tué en germe. *Aborīri*, dép. intr.

avorton, s. m. Homme chétif. *Homullus, i*, m. ¶ Tout être chétif. *Abortivum, i*, n. [Voy. ce mot.

1. avoué,̃ ée, part. du v. avouer.

2. avoué, s. m. Personnage qui, sous l'ancien régime, avait l'office de défendre les villes, les églises (etc.) *Procurator, oris*, m. *Advocatus, i*, m.

avouer, v. tr. Reconnaitre qqn pour sien. *Agnoscēre*, tr. — un parent pauvre, *pauperem agnoscēre gentilem*. Ne pas —, *abdicāre*, tr. ¶ Reconnaitre qqch. pour sien. *Agnoscēre*, tr. || Reconnaitre qqch. comme vrai. *Confitēri*, dép. tr. *Profitēri*, tr. Forcer qqn à — sa faute, *culpae confessionem ab aliquo exprimēre*. Ne pas —, *infitidri*, dép. tr. S'— vaincu, *fateri se victum esse*. || S'—, c.-à-d. être avoué. Cela ne s'avoue pas, *hoc nemo confiteri solet*.

avril, s. m. Le quatrième mois de l'année. *Aprilis, is*, m. D'—, *aprilis, e*, adj.

axe, s. m. Ligne autour de laquelle s'accomplit la révolution du globe. *Axis, is*, m.

axiome, s. m. Vérité évidente par elle-même. *Pronuntiatum, i*, n.

axonge, s. f. Graisse de porc. *Axungia, ae*, f.

azur, s. m. Couleur d'un beau bleu clair. *Caeruleum, i*, n. D'—, *caeruleus, a, um*, adj. [*Caeruleus, a, uns*, adj.

azuré, ée, adj. De couleur d'azur.

azyme, adj. Sans levain. *Sine fermento*.

B

b, s. m. Deuxième lettre de l'alphabet. *B littera*. [tin. *Garrulitas, atis*, f.

babil, s. m. Bavardage futile, enfan-

babillage, s. m. Action de babiller. Voy. BABIL.

babillard, arde, adj. Qui aime à babiller. *Garrulus, a, um*, adj. *Loquax, acis*, adj.

bac, s. m. Auge *ou* cuve. Voy. ces mots.

bacchanal, ale, adj. Consacré à Bacchus. || (Subst.) Les Bacchanales, fêtes en l'honneur de Bacchus. *Bacchanalia, tium*, n. pl. || (Fig.) Orgie bruyante. *Bacchatio, onis*, f. || Tapage, vacarme. Voy. ces mots.

bacchante, s. f. Femme qui célèbre

les fêtes de Bacchus. *Baccha, ae,* f.

bachique, adj. Qui a rapport à Bacchus. *Bacchicus, a, um,* adj.

badaud, s. m. Celui que la curiosité arrête devant un spectacle inutile. *Subasilicanus, i,* m. *Cessator, oris,* m.

badigeon, s. m. Couleur en détrempe pour les murs. *Albarium, ii,* n.

badigeonner, v. tr. Enduire de badigeon. *Dealbāre,* tr.

badin, ine, adj. Qui plaisante avec enjouement. *Jocosus, a, um,* adj. *Festivus, a, um,* adj.

badinage, s. m. Action de badiner. *Jocus, i,* m. [*Virga, ae,* f.

badine, s. f. Canne mince et flexible.

badiner, v. intr. et tr. Plaisanter avec enjouement. *Jocāri,* dép. intr. *et* tr. ¶ Se jouer. *Ludĕre,* intr.

bafouer, v. tr. Couvrir publiquement de ridicule. *Aliquem palam deridēre.*

bagage, s. m. Ce qu'on emporte avec soi en voyage. *Sarcinae. arum,* f. pl. *Vasa, orum,* n. pl. *Impedimenta, orum,* n. pl. Plier —, *vasa colligĕre.*

bagarre, s. f. Désordre d'une mêlée. *Turba atque rixa.*

bagatelle, s. f. Objet de mince valeur. *Res parva.* ¶ Chose de peu d'importance. Des —, *nugae, arum,* f. pl.

bague, s. f. Anneau. Voy. ce mot. ¶ (Spéc.) Anneau que l'on porte au doigt. *Annulus, i,* m. — en or, *aurum, i,* n. [flexible. *Virga, ae,* f.

baguette, s. f. Petit bâton mince et

bah, interj. Expression de surprise mêlée de doute. Ah bah! *Babae,* interj. ¶ Expression d'insouciance. *Vah!*

bahut, s. m. Grand coffre bombé. *Arca, ae,* f. ¶ Buffet. Voy. ce mot.

bai, baie, adj. D'un rouge brun. *Badius, a, um,* adj. [*Bacca, ae,* f.

1. baie, s. f. Fruit charnu et mou.

2. baie, s. f. Petit golfe dont l'ouverture est resserrée. *Sinus maritimus.*

3. baie, s. f. Ouverture béante. *Hiatūs, ūs,* m. ‖ Vide laissé dans un mur pour une porte. *Lumen, inis,* n.

baigner, v. tr. Mettre et tenir dans l'eau pour nettoyer. *Lavāre,* tr. *Abluĕre,* tr. Se —, *lavari,* pass. Pour se —, *lavandi causa.* Au fig. Se — dans le sang de qqn, *respergere se* (ou *respergi) sanguine alicujus.* ¶ (V. intr.) Etre plongé dans. *Natāre,* intr. *Perfundi,* passif. ¶ Mouiller abondamment. *Perfundĕre,* tr. *Conspergĕre,* tr. ¶ (Par ext.) En parl. d'une mer, d'un lac, d'un cours d'eau. *Alluĕre,* tr.

baigneur, s. m. Celui qui tient une maison de bains *ou* qui y fait le service. *Balneator, oris,* m.

baignoire, s. f. Cuve dans laquelle on prend un bain. *Alveus, i,* m. *Labrum, i,* n.

bail, s. m. Cession temporaire d'un bien meuble ou immeuble d'après un contrat. *Conductio, onis,* f. Maison

prise à —, *domus (mercede) conducta.* Maison donnée à —, *domus locata.*

bâillement, s. m. Action de bailler. *Oscitatio, onis,* f.

bailler, v. tr. Mettre à la disposition de qqn. *Assignare aliquid alicui.* ¶ (Par ext.) Donner. Voy. ce mot.

bâiller, v. intr. Ouvrir la bouche par un mouvement spasmodique. *Oscidĕre,* intr. ¶ Etre ouvert à demi. *Hiscĕre,* intr.

bâillon, s. m. Tout objet qu'on met sur la bouche de qqn pour l'empêcher de crier. Mettre un — à qqn, *pannos alicui in os farcire.*

bâillonner, v. tr. Mettre un bâillon à qqn. *Os alicui claudĕre.* Voy. BAILLON.

bain, s. m. Action de plonger dans l'eau le corps *ou* une partie du corps. *Lavatio, onis,* f. — d'eau froide, *lavatio frigida.* — d'eau chaude, *lavatio calida.* Prendre des — de rivière, *in fluminibus lavari.* ¶ (Par ext.) Le liquide dans lequel on se baigne. *Aqua, ae,* — froid, *frigida* (s.-e. AQUA), *ae,* f. — chaud, *calida, ae,* f. Prendre un — chaud, *calida lavari.* ¶ Récipient dont on use. Voy. BAIGNOIRE. ¶ (Au plur.) Etablissement de bains. *Balneae, arum,* f. pl.

1. baiser, v. tr. Imprimer ses lèvres en signe d'affection *ou* de respect sur le visage, la main d'une personne. *Osculāri,* dép. tr. — tendrement, *deosculāri,* dép. tr.

2. baiser, s. m. Impression des lèvres, en signe d'affection *ou* de respect. *Osculum, i,* n.

baisse, s. f. Action de descendre à un niveau plus bas. *Deminutio, onis,* f. La — des eaux, *decrescentes aquae.* ¶ (Au fig.) Diminution du prix, de la valeur (d'un objet). *Deminutio, onis,* f.

baisser, v. tr. et intr. ‖ (V. tr.) Mettre à un niveau moins haut. *Demittĕre,* tr. Se —, *se demittĕre* ou *demitti,* passif. ‖ (Au fig.) Mettre à un degré moins élevé. *Deprimĕre,* tr. *Submittĕre,* tr. ¶ Rendre moins haut. *Minuĕre,* tr. Voy. DIMINUER. ¶ (V. intr.) Venir à un niveau moins élevé *et (au fig.)* venir à un degré moindre. *Minui,* passif. *Decrescĕre,* intr. Faire —, voy. DIMINUER. [*Saltatio, onis,* f.

bal, s. m. Grande réunion dansante.

baladin, ine, s. m. et f. Celui, celle qui dansait dans les ballets. *Saltator, oris,* m. *Saltatrix, icis,* f.

balafre, s. f. Longue entaille faite au visage. *Cicatrix adversā facie accepta.*

balafrer, v. tr. Faire une balafre à qqn. *Vulnus alicui in adversum os inferre.* Balafré, *cicatricosus, a, um,* adj.

balai, s. m. Faisceau de ramilles *ou* de crin servant à enlever la poussière. *Everriculum, i,* n.

balance, s. f. Instrument qui sert à peser les corps. *Libra, ae,* f. — romaine, *statera, ae,* f. Tenir la — droite (ou égale), être impartial, *in aequa laude ponĕre.* Emporter la — *praegravare,* intr. Mettre dans la — *ou en —, expendĕre,* tr.; *examinăre,* tr. ¶ (Spéc.) Constellation. *Libra, ae,* f. ¶ (Par ext.) Chacun des deux plateaux de la balance. *Lanx, lancis,* f. ¶ Equilibre entre deux choses. Voy. ÉQUILIBRE. || (Par ext.) Etat d'indécision. La victoire fut longtemps en —, *aequo Marte diu pugnatum est.* Laisser en —, *rem in suspenso relinquĕre.*

balancement, s. m. Etat de ce qui est en équilibre. *Libratio, onis,* f. ¶ Mouvement alternatif par lequel un corps s'éloigne *ou* se rapproche de l'équilibre. *Oscillatio, onis,* f.

balancer, v. tr. Equilibrer, mettre en équilibre. *Librare,* tr. Fig. Une période bien balancée, *aptē circumscriptus verborum ambitus.* || (Par ext.) Peser, comparer. Voy. ces mots. || Faire équilibre à (qqch.). Voy. ÉQUILIBRE, COMPENSER. ¶ Faire osciller pendant un certain temps autour d'un point d'équilibre. *Librăre,* tr. Se — (sur une escarpolette), *oscillo moveri* (ou *jactari*). || (Par ext.) Faire chanceler. *Labefacĕre,* tr. || (Fig.) Rendre incertain. *Tenēre suspensum* (*animum, aliquem,* etc.). Balancé, suspensus, p. adj. ¶ (*V. intr.*) Osciller pendant un certain temps autour de son centre. Voy. ci-dessus. || (Fig.) Etre incertain. *Suspensum esse.*

balancier, s. m. Pièce animée d'un mouvement d'oscillation régulier. *Libramentum, i,* n. ¶ Ce qui sert à maintenir en équilibre. *Halter, eris,* m.

balançoire, s. f. Planchette suspendue à deux cordes sur laquelle on se balance. *Oscillum, i,* n.

balayage, s. m. Action de balayer. Voy. les verbes cités à BALAYER.

balayer, v. tr. Pousser devant soi avec un balai la poussière. *Verrĕre,* tr. || (Fig.) Dissiper en poussant devant soi. *Verrĕre,* tr. ¶ (Par ext.) Nettoyer avec un balai. *Verrĕre,* tr. *Everrĕre,* tr.

balayeur, s. m. Celui qui balaye les rues. *Scoparius, ii,* m.

balayure, s. f. Ordure qu'on enlève avec le balai. *Purgamenta, orum,* n. pl.

balbutiement, s. m. Action de balbutier. *Haesitatio verborum.*

balcon, s. m. Galerie voisine de l'avant-scène (dans un théâtre). *Podium, ii,* n. ¶ Saillie à la façade d'une maison. *Maenianum, i,* n.

baleine, s. f. Mammifère de l'ordre des cétacés. *Balaena, ae,* f.

baliste, s. f. Machine de guerre servant à lancer de lourdes pierres. *Ballista, ae,* f.

baliverne, s. f. Propos qui n'a rien de sérieux. *Nugae, arum,* f. pl.

1. balle, s. f. Petite pelote élastique qu'on lance et qu'on reçoit en jouant. *Pila, ae,* f. Jouer à la —, *pilā ludĕre.* ¶ Petit globe de pierre *ou* de métal servant de projectile. *Glans, glandis,* f. — de plomb, *plumbĕa glans.* ¶ Paquet de marchandises enveloppé de grosse toile. *Fascis, is,* m.

2. balle, s. f. Enveloppe du grain de l'épi. *Acus, eris,* n.

ballet, s. m. Danse figurée. *Pantomimus, i, Saltatio, onis,* f.

ballon, s. m. Grosse balle à jouer. *Follis, is,* m.

ballot, s. m. Petite balle de marchandises. *Fascis, is,* m. [*Jactatio, onis,* f.

ballottement, s. m. Action de ballotter.

ballotter, v. intr. et tr. || (*V. intr.*) Se renvoyer la balle avant que la partie s'engage. *Proludĕre* (pr. et fig.), tr. ¶ (*V. tr.*) Faire aller alternativement (comme une balle) d'un côté et de l'autre. *Jactăre,* tr. Etre ballotté, *jactāri,* passif; *fluctuāre,* intr.

balsamique, adj. Qui est de la nature du baume. *Balsaminus, a, um,* adj.

balustrade, s. f. Suite de balustres surmontés d'un appui. *Cancelli, orum,* m. pl. [*onis,* m.

bambin, s. m. Petit garçon. *Pusio,*

ban, s. m. Proclamation. Voy. ce mot. ¶ Condamnation à l'exil. *Ejectio, onis,* f. || Condamnation à une amende. *Multatio pecuniae.*

banal, ale, adj. Qui est commun à tous *ou* qui est employé par tous. *Publicus, a, um,* adj. *Vulgaris, e,* adj.

banalité, s. f. Caractère de ce qui n'est point original. *Quod vulgare est.* ¶ (Par ext.) Chose qui n'est point originale. *Res vulgaris.*

banc, s. m. Siège allongé pour plusieurs personnes. *Subsellium, ii,* n. — des rameurs *ou* — de nage, *transtra,* n. pl. || Etre sur les bancs, c.-à-d. faire ses études, *in scholis sedere.* ¶ Sorte d'escabeau. *Scabellum, i,* n. ¶ Masse formant une couche horizontale. — de sable, *pulvinus, i,* m.

bancal, ale, adj. Qui a une jambe de travers. *Valgus, a, um,* adj.

bandage, s. m. Action d'assujettir à l'aide de bandes. *Colligatio, onis,* f. Opérer le —, *deligăre,* tr. ¶ Ce qui sert à bander; appareil de pansement. *Ligamentum, i,* n.

1. bande, s. f. Long et étroit morceau de toile, de cuir (etc.) qu'on tend sur qqch. *ou* autour de qqch. *Fascia, ae,* N. — de papier, *taenia, ae,* f. ¶ (Par anal.) Tout ce qui s'étend sur un espace allongé et étroit. *Limes, ĭtis,* m.

2. bande, s. f. Réunion de soldats rangés sous une même bannière. *Vexillum, i,* n. ¶ (Par anal.) Réunion d'hommes allant en troupe. *Grex, gregis,* m. *Globus, i,* m. La — de Catilina, *gregales Catilinae.* Par bandes, *gregatim,* adv.

bandeau, s. m. Bande d'étoffe dont on ceint la tête. *Fascia, ae,* f. — royal, voy. DIADÈME. ¶ Tissu qu'on attache sur les yeux de qqn pour l'empêcher de voir. Ayant un — sur les yeux, *capite velato.*

bandelette, s. f. Petite bande. *Fasciola, ae,* f. *Taeniola, ae,* f. ¶ (Antiq.) Bandelette dont les prêtres, les femmes ceignaient leur chevelure. *Vitta, ae,* f.

bander, v. tr. Maintenir qqch. en tendant une bande autour *ou* pardessus. *Alligare,* tr. — une blessure, *vulnus obligâre.* || (Par ext.) — les yeux, *oculos obligâre.* ¶ Raidir en tendant fortement. *Intendere,* tr.

banderole, s. f. Bande d'étoffe flottante. *Infula, ae,* f.

bandit, s. m. Malfaiteur de grand chemin. *Latro, onis,* m.

banlieue, s. f. Ce qui forme les alentours d'une grande ville. *Suburbium, ii,* n.

banni, s. m. Celui qui est condamné à sortir d'un lieu avec défense d'y rentrer. *Exsul, ulis,* m.

bannière, s. f. Sorte de drapeau. *Vexillum, i,* tr. Se ranger sous la — de qqn, *aliquem sequi ducem.*

bannir, v. tr. Condamner à sortir d'un pays (abs.) Avec défense d'y rentrer. *Ejicère,* tr. *Exterminâre.* tr. — à perpétuité, *deportare,* tr. Être banni, *exsulâre,* intr. ¶ (Par anal.) Ecarter, chasser. *Relegâre,* tr. *Expellère,* tr. ¶ (Au fig.) Eloigner. *Ejicère,* tr. *Expellère,* tr. *Exterminâre,* tr.

bannissement, s. m. Acte par lequel qqn est banni. *Ejectio, onis,* f. ¶ Peine infamante qui consiste à interdire à qqn le séjour d'un pays. *Exsilium, ii,* n. Condamner qqn au —, *aliquem exsilio multâre.*

banque, s. f. Maison qui fait le commerce de l'argent. *Argentaria taberna.* — publique, *mensa publica.* || Commerce que fait cet établissement. *Argentaria, ae,* f.

banqueroute, s. f. Faillite d'un commerçant puni par la loi. *Decoctio, onis,* f. Faire — (en parl. d'un banquier), *a mensâ surgère* (en parl. d'un banquier *ou* d'un marchand), *cedère foro;* (en gén.) *decoquère;* intr.

banqueroutier, s. m. Celui qui fait banqueroute. *Decoctor, oris,* m.

banquet, s. m. Repas d'apparat. *Convivium, ii,* n. *Epulae, arum,* f. pl.

banquette, s. f. Banc rembourré sans dossier. *Scamnum, i,* n. *Subsellium, ii,* n. (ordin. au plur.).

banquier, s. m. Celui qui a une maison de banque. *Argentarius, ii,* m. Etre —, *argentariam facère.*

baptême, s. m. Sacrement destiné à effacer le péché originel. *Baptismus, i,* m.

baptiser, v. tr. Rendre qqn chrétien par le baptême. *Baptizâre,* tr.

baptismal, *ale,* adj. Relatif au baptême Fonts —, *baptisterium, ii,* n.

baptistère, s. m. Edifice où l'on administrait le baptême. *Baptisterium, ii,* n.

baquet, s. m. Petit cuvier en bois à bords peu élevés. *Alveus, i,* m.

baraque, s. f. Construction en planches servant aux bergers, aux pêcheurs, etc. *Tugurium, ii,* n. — de foire, *tabernula, ae,* f.

barbare, adj. Etranger considéré par les Grecs et par les Romains comme appartenant à une civilisation inférieure. *Barbarus, a, um,* adj. ¶ Etranger à la civilisation. *Barbarus, a, um,* adj. ¶ Qui montre une cruauté impitoyable. *Immanis, e,* adj. *Saevus, a, um,* adj

barbarement, adv D'une manière barbare. *Barbarê,* adv.

barbarie, s. f. Etat de ce qui est barbare, *et spéc.* infériorité de civilisation. *Barbaria, ae,* f. || (Par ext.) Les peuples barbares. *Barbaria, ae,* f. ¶ Absence de civilisation. *Barbaria, ae,* f. || Ignorance grossière des règles. *Barbaria, ae,* f. || Cruauté impitoyable. *Barbaria, ae,* f. *Atrocitas, atis,* f. Acte de —, *atrox facinus.*

barbarisme, s. m. Faute de langue grossière. *Barbarismus, i,* m.

barbe, s. f. Poil qui couvre le menton et les joues de l'homme. *Barba, ae,* f. Laisser pousser sa —, *barbam alère.* Se faire la —, *barbam tondère.* Fig. Rire dans sa — *secum* (ou in *stomacho*) *ridère.* ¶ (Par anal.) Poils qui couvrent le menton de certains animaux. *Barba ae,* f. Par ext. — d'épi, *arista, ae,* f.

barbier, s. m. Celui qui fait la barbe. *Tonsor, oris,* m. De —, *tonsorius, a, um,* adj. Boutique de —, *tonstrina, ae,* f.

barbouiller, v. tr. Couvrir grossièrement d'une couche de peinture. *Inquinâre,* tr. Fig. Une toile barbouillée, *tabula inficetissime picta.* — en parlant, *confuse loqui.* — qqch. entre ses dents, *balbutîre,* intr.

barbu, *ue,* adj. Qui a de la barbe. *Barbatus, a, um,* adj. ¶ (Par ext.) En parl. d'animaux. *Barbatus, a, um,* adj. En parl. de plantes. *Spicatus, a, um,* adj. [*Bardus, i,* m.

1. **barde,** s. m. Poète celtique.
2. **barde,** s. f. Tranche de lard mince. *Lardi tessella.*

barder, v. tr. Couvrir un cheval d'une armure. *Cataphractâ munîre.* Bardé de fer, *cataphractus, a, um,* p. adj. ¶ (Au fig.) Garnir. Voy. ce mot.

baril, s. m. Petit tonneau, *Doliolum, i,* n.

barillet, s. m. Petit baril. *Doliolum, i,* n. ¶ Corps de pompe où se meut le piston. *Antlia, ae,* f.

bariolage, s. m. Réunion de couleurs mal assorties. *Versicolor varietas.* Fig. — du style, *discolor sermonis varietas.*

barioler, v. tr. Rendre disparate par la réunion de couleurs mal assorties. *Discoloribus pingère coloribus.* Style bariolé, *oratio discolori varietate distincta.*

baroque, adj. Qui présente une irré-

gularité bizarre. *Enormitate novus.*
¶ (Par anal.) Bizarre. Voy. ce mot.

barque, s. f. Petite embarcation.
Scapha, ae, f. — de pêcheur, *navicula
piscatoria.* — (à Charon), *cymba, ae,* f.

barrage, s. f. Fermeture d'un chemin
par une barrière. *Saeptum, i,* n. ¶ Digue
construite en travers d'un cours d'eau.
Cataracta, ae, f.

barre, s. f. Pièce de bois *ou* de métal
solide et étroite. — de bois, *asser, eris,*
m. — de fer, *ferrum, i,* n. Une — d'or,
d'argent (lingot), *later, eris,* m. ¶ (Spéc.)
Barre (servant d'appui). *Tignum, i,* n.
— de gouvernail, *clavus, i,* m. Tenir la
—, voy. GOUVERNER. ‖ Barre de porte.
Sera, ae, f. *Repagula, orum,* n. pl.
‖ Barre de justice. *Patibulum, i,* n.
‖ Barre d'un tribunal. *Cancelli, orum,*
m. pl. Faire comparaître qqn à la —,
aliquem ad judicium adisse jubēre.
‖ (Par ext.) Amoncellement de sable à
l'embouchure d'un fleuve. *Vadum, i, n.*
‖ Barre, sorte de trait. *Linea, ae,* f.

barreau, s. m. Barre de bois, de métal
servant de fermeture, de support.
Cancelli, orum, m. pl. *Clatri, orum,*
m. pl. Garni de —, *clatratus, a, um,*
adj. ¶ Partie de l'enceinte d'un tribunal réservée aux juges et aux avocats. *Subsellia, orum,* n. pl. ‖ (Par ext.)
Profession d'avocat. *Forum, i,* n. Du
—, relatif au —, *forensis, e,* adj. ‖ Corps
des avocats. *Advocatio, onis,* f.

barrer, v. tr. Consolider à l'aide d'une
barre. *Serā transversā firmāre.* ¶ Obstruer, fermer à l'aide d'une barre.
Claudēre, tr. *Obsaepīre,* tr.

barricade, s. f. Retranchement fait à
l'improviste avec des pavés, des planches, etc. *Saepimentum, i,* n. Les Macé-
doniens avaient fait des — avec des
troncs d'arbres. *Macedones obmoliti
erant arborum truncos.*

barricader, v. tr. Intercepter par une
barricade. *Intersaepīre,* tr. Se — dans
les rues de la ville, *itinera oppidi intersaepīre.*

barrière, s. f. Ce qui sert à barrer :
clôture, palissade, etc. *Claustra, orum,*
n. pl. *Saeptum, i,* n. ¶ (Spéc.) Enceinte
du cirque où se trouvent les chevaux
et les chars avant la course. *Carceres,
um,* m. pl. ¶ (Fig.) Obstacle naturel
qui ferme le passage. *Claustra, orum,*
n. pl. ¶ Obstacle qui s'oppose *ou* que
l'on oppose à qqn. *Claustra, orum,* n.
pl. Elever une — entre deux personnes,
aliquem ab aliquo distrahēre ac divellēre.

barrique, s. f. Tonneau de contenance
variable. *Cadus, i,* m.

1. bas, basse, adj. Qui n'atteint pas
le niveau ordinaire. *Humilis, e,* adj.
Demissus, a, um, p. adj. A marée —,
mari languido. Porter la tête —, *caput
demittēre.* Il est revenu la tête (l'oreille)
—, *demissus rediit.* ‖ Par ext. Vue —,
oculi non longe conspectum ferentes.

Faire main — sur, *manum injicĕre
(alicui).* ‖ (Spéc.) Grossier. *Humilis, e,*
adj. *Abjectus, a, um,* p. adj. — plaisanterie, *vernile dictum.* ¶ Vil. *Sordidus,
a, um,* adj. Se livrer à de — opérations,
in sordida arte versāri. ¶ Qui n'atteint
pas le niveau d'un autre objet. *Depres-
sus, a, um,* p. adj. Voy. INFÉRIEUR. ‖
(Fig.) Qui est à un degré moindre.
Humilis, e, adj. Voy. SUBALTERNE.
Dès le — âge, *a parvulo* ou (suiv. le cas)
a parvulis. Le — âge, *parvula aetas.*
Peu élevé (en parl. du prix). *Vilis, e,*
adj. Acheter à — prix, *parvo emĕre.*
Au — mot, *minimi facienti* (ou *aestimanti*). Une voix — *gravis vox.* A
voix —, *submissā voce.* ¶ (Par anal.)
Qui est en décadence. *Deterior, us,* adj.
(compar.).

2. bas, adv. A une place basse. *Humiliter,* adv. Etre assis —, *humili loco
sedere.* Les hirondelles volent bas,
hirundines demissius volant. Ici-bas,
his in terris. Couler — (un navire),
deprimĕre, tr. Jeter —, *dejicĕre,* tr.;
abjicĕre, tr. Etre jeté —, *deferri ad
terram.* Mettre — les armes, *arma
ponĕre* (ou *projicĕre* ou *abjicĕre*). ‖ Plus
—, *infra,* adv. ¶ (Par ext.) Loin. Un
peu plus —, *paulo infra.* Là —, *illic*
ou (suivant le cas) *illuc.* Fig. Tomber
bien —, *se abjicĕre.* Etre tombé bien
—, *jacēre,* intr. Le malade est bien —,
aeger est in praecipiti. ‖ Parler —, *mus-
sare,* intr. Parler — à qqn, *in aurem
dicĕre.* Fig. Tout bas, c.-à-d. en secret.
Voy. SECRET.

3. bas, s. m. La partie basse de qqch.
Pars inferior. Le — d'un arbre, *ima
arbor.* ¶ En —, c.-à-d. dans la partie
basse, *in inferiore parte; deorsum* (question *quo*). La tête en —, *pronus, a, um,*
adj. *praeceps, pitis,* adj. Regarder de
haut en —, *despicĕre,* tr. (pr. et fig.).

4. bas, s. m. Tissu souvrant le bas de
la jambe. *Tibiale, is,* n. (ordin. au plur.).

basalte, s. m. Roche grise d'origine
ignée. *Basaltes, ae,* m.

basané, ée, adj. De couleur foncée.
Aquilus, a, um, adj. *Adustus, a, um,*
p. adj. *Fuscus, z, um,* adj.

bascule, s. f. Servant à puiser de l'eau.
Tolleno, onis, m.

base, s. f. Partie inférieure d'une construction qui lui sert de fondement et
de support. *Basis, is,* acc. *im,* abl. *i,* f.
Voy. FONDEMENT. ‖ (Par anal.) Partie
inférieure d'un corps, par laquelle il
repose sur ce qui le porte. *Inferior* (ou
ima) *pars.* La — d'une montagne,
montis radices. ¶ (Fig.) Ce par quoi
qqch. se soutient. *Fundamentum, i,* n.
Etablir sur une — solide, *fundāre,* tr.

bas-fond, s. m. Terrain plus bas que
le sol environnant. Les bas-fonds, *loca
jacentia.* Au fig. Les — de Rome, *sentina Urbis.* ‖ (Dans un cours d'eau.)
Partie du fond voisine de la surface.
Vadum, z, n.

1. **basilic**, s. m. Reptile vivant sur les arbres. *Basiliscus, i,* m.

2. **basilic**, s. m. Nom d'une plante odoriférante. *Ocimum, i,* n.

basilique, s. f. Edifice romain contenant une grande salle entourée de colonnades où se rendait la justice, et où se traitaient les affaires. *Basilica, ae,* f.

bas-relief. Voy. RELIEF.

basse-cour, s. f. Cour réservée à la volaille. *Chors, chortis,* f.

basse-fosse, s. f. Cachot souterrain. *Puteus, i,* m.

bassement, adv. D'une manière vile, grossière. *Demissē,* adv. *Abjectē,* adv.

bassesse. Etat de ce qui est bas (fig.). *Humilitas, atis,* f. Avec —, voy. BASSEMENT. ¶ Action basse. *Indignitas, atis,* f. Faire des — (auprès de qqn pour en obtenir qqch.), *alicui humiliter servīre.*

bassin, s. m. Récipient portatif à bords relevés. *Labrum, i,* n. || (Par ext.) Plat à dessert, grand plat. *Pelvis, is,* f. *Patina, ae,* f. || Plateau d'une balance. *Lanx, lancis,* f. ¶ Construction en pierre *ou* en métal destinée à recevoir de l'eau. *Labrum, i,* n. Petit —, *labellum, i,* n. ¶ Réservoir, pièce d'eau. *Lacus, ūs,* m. *Stagnum, i,* n. || Bassin à flot, *navale, is,* n.

bassiner, v. tr. Humecter doucement. *Fovēre,* tr. *Inungēre,* tr.

bastion, s. m. Ouvrage de fortification. *Angulus muri.*

bastonnade, s. f. Application de coups de bâton. *Fustuarium, ii,* n.

bas-ventre, s. m. Région inférieure du ventre. *Venter imus.*

bât, s. m. Selle grossière qu'on place sur le dos des bêtes de somme pour supporter leur charge. *Clitellae, arum,* f. pl.

bataille, s. f. Action où deux armées ennemies se battent l'une contre l'autre. *Pugna, ae,* f. *Proelium, ii,* n. *Dimicatio, onis,* f. — navale, *proelium navale.* — rangée, *proelium justum.* Livrer —, *proelium facere.* Champ de —, *acies, ei,* f. Présenter la — à l'ennemi, *pugnandi copiam hostibus facere.* Perdre la —, *proelio vinci.* ¶ Ordre d'une armée déployée pour combattre. *Acies, ei,* f. || (Spéc.) Infanterie formant le centre d'une armée. *Media acies.* — rangée, *acies, ei,* f. Combattre en — rangée, *acie dimicāre.*

batailler, v. intr. Livrer, soutenir une suite de combats (en parl. d'individus isolés). *Proeliāri,* dép. intr. *Digladiāri,* dép. intr.

batailleur, *euse,* adj. Qui aime à disputer. *Rixarum amator. Rixarum cupidus ou cupida.* Humeur —, *bellatrix iracundia.*

bataillon, s. m. Troupe de combattants. *Cohors, ortis,* f. || Troupe nombreuse. Voy. TROUPE.

bâtard, *arde,* adj. De naissance illégitime. *Nothus, a, um,* adj. *Spurius. a, um,* adj. (Subst.) Un —, *nothus, i,* m.

bateau, s. m. Embarcation servant surtout sur les rivières. *Navis, is,* f. *Navigium, ii,* n. — de charge *ou* de transport, *navis oneraria* ou (simpl.) *oneraria, ae,* f. Construire un pont de bateaux, *navibus pontem facere.* || (Par ext.) Un — d'or, de paille, etc., *navis auri, paleae,* etc.

batelet, s. m. Petit bateau. *Lintriculus, i,* m.

bateleur, s. m. Celui qui fait des tours d'adresse en public. *Praestigiator, oris,* m. Tour de —, *praestigiae, arum,* f. pl.

batelier, s. m. Celui qui conduit des châteaux. *Naricularius, ii,* m. ¶ Celui qui fait passer l'eau. *Lintrarius, ii,* m.

bâter, v. tr. Mettre un bât à une bête de somme. *Clitellas (asino) imponēre.*

bâtiment, s. m. Ce qui est bâti pour servir de demeure. *Aedificatio, onis,* f. *Aedificium, ii,* n. ¶ (Par anal.) Construction flottante. *Navigium, ii,* n. *Navis, is,* f.

bâtir, v. tr. Elever une construction. *Aedificāre,* tr. *Exaedificāre,* tr. — une ville, *oppidum condēre.* || (Par ext.) Faire bâtir, *aedificāre,* tr. La manie de —, *cupiditas aedificandi.*¶ (Par ext.) Conformer d'une certaine façon. Un homme mal bâti, *homo naturam nactus maleficam in corpore.*

bâtisse, s. f. Gros œuvre d'une construction. *Structura, ae,* f.

bâton, s. m. Morceau de bois emprunté d'une branche d'arbre. *Fustis, is* (abl. *i* ou *e*), m. *Baculum, i,* n. ¶ Long morceau de bois servant d'appui. *Baculum, i,* n. ¶ Morceau de bois servant à frapper. *Fustis, is,* m. ¶ Emblème du commandement, etc. *Sceptrum, i,* n. *Scipio, onis,* m.

bâtonner, v. tr. Frapper à coups de bâton. *Fuste percutēre.* ¶ Annuler en traçant des bâtons sur ce qui est écrit. *Cancellāre,* tr.

battage, s. m. Opération qui consiste à battre certaines matières. *Tritura, ae,* f.

1. **battant**, *ante,* adj. Qui bat. Par une pluie —, *obstrepente pluriā.* Porte —, *valvatae fores.* ¶ (Subst.) Les — et les battus, *qui verberant quique vapulant.*

2. **battant**, s. m. Ce qui retombe en frappant. || Le battant d'une cloche, *pistillum, i,* n. || Chaque vantail d'une porte. *Singulae valvae.* Qui a des —, *valvatus, a, um,* adj. Porte à deux —, *fores, ium,* f. pl. Les — de la porte. *fores, ium,* f. pl.

battement, s. m. Coup, choc répété de pieds, *pulsus pedum.* — de rames, *remorum pulsus.* — de tambours, *tympanorum pulsus.* — de mains, *plausūs, ūs,* m. || Mouvement répété. — d'ailes, *alarum plausūs.* — du cœur, *cordis*

pulsus. — des artères, *venarum pulsus.*
— de cœur, voy. PALPITATION.

batterie, s. f. Action de se battre, d'en
venir aux coups. *Rixa, ae,* f. ¶ Ce qui
sert à battre. ‖ Réunion de bouches à
feu; *au fig.* moyen d'attaque. Dresser
ses —, *machinatione uti; machinas
adhibēre.* ¶ Ce qui est battu. — de cuisine, *vasa coquinaria* (n. pl.).

batteur, s. m. Celui qui bat les autres.
Voy. BATTRE. ‖ Ouvrier qui bat certaines matières. — en grange, *areator,
oris,* m. — d'or, *bractearius, ii,* m.

battre, v. tr. Donner des coups répétés
à qqn. *Verberāre,* tr. *Pulsāre,* tr. *Caedĕre,* tr. Etre battu, *vapulāre,* intr. ‖ Se
—, *c.-à-d.* échanger des coups (en parl.
d'individus). *Pugnāre,* v. intr. *Inter se
pugnāre.* Se — pour la défense de...,
propugnāre (*pro aliquo*). Se — à coups
de poing, à coups de pied, *certare
pugnis, calcibus.* Se — (en parl. de deux
armées), voy. COMBATTRE. Se — avec
ou contre qqn, voy. COMBATTRE. ‖
Battre qqn, lui faire subir un échec.
Superāre, tr. *Vincĕre,* tr. — complètement, d'une manière décisive, *profligāre copias hostium.* — l'ennemi à
plate couture, *hostium copias fundĕre.*
Etre battu, *superāri,* passif; *vinci,*
passif. ¶ Donner des coups répétés.
Verberāre, tr. *Tundĕre,* tr. — la terre,
pavīre terram. Aire battue, *pavita area.*
Une route battue, *trita via.* — l'or,
aurum in bracteas ducĕre. — le fer,
ictibus ferrum dundĕre. — monnaie,
nummos cudĕre. — en retraite, *se recipĕre.* Fig. — la campagne, *vagari errore,*
— les murs d'une place, *machinis murum lacessĕre.* — en brèche, voy.
BRÈCHE. Par anal. Rocher battu par
les vagues, *rupes mari collisa.* Battu
par la tempête, *procellā jactatus.* ¶ Produire des mouvements répétés. — la
mesure, *modos dare.* — des ailes, *alis
plaudĕre.* — de l'aile, *alas demittĕre.*
‖ Eprouver des mouvements répétés.
Le cœur bat, *cor palpitat.* Le cœur lui
bat, *emicat cor in pectus.*

battue, s. f. Action de battre les
bois etc. pour faire lever le gibier.,
Faire une —, *feras exagitāre.*

baudet, s. m. Voy. ANE.

baudrier, s. m. Large bande de cuir
ou d'étoffe portée en écharpe pour
soutenir le sabre. *Balteus, i,* m.

bauge, s. f. Gîte de certains animaux.
Voy. GITE. ¶ Gîte des sangliers. *Volu-
tabrum, i,* n.

baume, s. m. Substance résineuse
odorante. *Balsamum, i,* n. ‖ (Fig.) Ce
qui adoucit les peines. *Fomentum, i,* n.

bavard, *arde,* adj. Qui bavarde. *Loquax, acis,* adj. *Garrulus, a, um,* adj.
Subst. Un —, *garrulus, i,* m. ¶ Qui
commet des indiscrétions. *Garrulus,*
adj. et subst.

bavarder, v. intr. Parler avec intempérance. *Garrīre,* intr.

bave, s. f. Salive mêlée d'écume.
Saliva, ae, f.

baver, v. intr. Laisser échapper de la
bave. *Salivam edere.* Faire —, *salivam
movēre.* [*a, um,* adj.

baveux, *euse,* adj. Qui bave. *Salivosus,
a, um,* adj. Avoir la bouche grande
ouverte. *Hiare,* intr. Fig. — aux cor-
neilles, *hiare desidíá.*

béant, *ante,* adj. Tout grand ouvert.
Hians, antis, p. adj. Gouffre —, *vastus
terrae hiatus.* ‖ (Spéc.) Regarder qqch.
la bouche —, *alicui rei inhiāre.*

béatifier, v. tr. Rendre bienheureux.
Beatificare, tr.

béatitude, s. f. Bonheur des élus.
Beatitudo, inis, f.

1. beau, *belle,* adj. Remarquable et
admirable par quelque perfection physique *ou* morale. *Pulcher, chra, chrum,*
adj. *Formosus, a, um,* adj. *Venustus,
a, um,* adj. Trouver —, *laudāre,* tr.
‖ Par anal. — temps, *serena tempestas.*
Il fait —, *sudum est.* ‖ (Par ext.) De
belle apparence et permettant un bon
usage. *Bonus, a, um,* adj. — santé,
bona valetudo. — humeur, *hilaritas,
atis,* f.; *festivitas, atis,* f. ‖ (En parl
des ch. de l'art.) Beaux-arts, *artes ele-
gantes* (*ou ingenuae ou liberales*). De —
génies, *decora ingenia.* — harangue,
praeclara oratio (*contio*). — style, *elegans*
(*ou nitida*) *oratio.* ¶ (Par anal.) Qui
mérite d'être vu, considéré. *Spectandus,
a, um,* p. adj. — mobilier, *lauta supellex.*
Un — diner, *cena lantissima.* ‖ (Par
ext.) Une — réunion, *celeber amplissi-
morum hominum conventus.* Le —
monde, *lautissimi homines.* Le — air,
elegantia et munditia. ¶ Beau au moral.
Decorus, a, um, adj. *Pulcher, chra,
chrum,* adj. ¶ Beau (dans les affaires,
les entreprises). *Pulcher, chra, chrum,*
adj. *Opportunus, a, um,* adj. Un —
coup de filet, *piscatus bonus.* Une —
année, *fructuosus annus.* ‖ (Par ext. et
ellipt.) Avoir —, *c.-à-d.* parler *ou* agir
de son mieux, mais inutilement. Tu as
— faire, *nihil agis.* Vous avez — dire
et — faire, *omnia dicas et facias licet.*
De plus belle, *magis magisque.* Fig.
Déchirer la réputation de qqn à —
dents, *dente maligno aliquem carpĕre.*
Au — milieu du forum, *in medio
foro.*

2. beau, s. m. Ce qui est beau. *Pulchrum,
i,* n. *Pulchritudo, inis,* f.

1. beaucoup, s. m. Quelque chose de
considérable. *Multum, i,* n. — de peine,
multum laboris. ¶ En grande quantité.
— d'or, *multum auri ou multum aurum.*
— de sang, *multus sanguis.* ‖ S'il s'agit
d'objets pouvant être plus ou moins
gros. — de courage, *multa virtus.* ‖ S'il
s'agit d'objets pouvant se compter.
— de brebis, *multae oves.* — d'hommes,
multi, m. pl. — d'autres, *multi alii.*
— d'autres à une autre époque, *saepe
multi.* Nous étions —, *frequentes fuimus.*

Théâtre où il y a — de monde, *frequens theatrum.* Ville qui n'est pas à — près aussi considérable. *oppidum nequaquam tam opulentum.* Il n'est pas dans le vrai à — près, *abest vero longissimē.* || De —, *multo,* abl. adv.: *longē.* adv. Il est de — le plus savant. *longē doctissimus est.* Il est de — préférable, *multo praestat.*

2. **beaucoup,** adv. D'une manière considérable. ¶ (Devant un comparatif.) *Multo.* — plus sérieux, *multo gravior.* — plus sévèrement, *multo gravius.* ¶ (A côté d'un verbe.) Chérir —, *multum diligěre.* Apprécier —, *magni facěre.* Coûter —, *magno constāre.*

beau-fils, s. m. Fils par alliance. *Privignus, i,* m. ¶ Gendre. Voy. ce mot.

beau-frère, s. m. Frère par alliance. *Levir, iri,* m. *Mariti frater. Uxoris frater.*

beau-père, s. m. Père par alliance. *Socer, eri,* m. ¶ Mari de la femme qui a des enfants d'un autre lit. *Vitricus, i,* m.

beauté, s. f. Qualité de ce qui est beau. *Pulchritudo, inis,* f. *Species, ei,* f. *Forma, ae,* f. *Venustas, atis,* f. ¶ (Par ext.) Méton. Une beauté, *mulier* (ou *virgo*) *formā egregia.*

bec, s. m. Bouche des oiseaux. *Rostrum, i,* n. Il a — et ongles, *unguibus et rostro valet.* ¶ (Par plais.) Bouche de l'homme. A le — fin, *sapit et palatum.* Donner un coup de — à qqn, *carpere aliquem maledico dente.* ¶ (Par anal.) *Rostrum, i,* n. Le — d'un navire, *rostrum, i,* n.

bécasse, s. f. Nom d'un oiseau à long bec. *Rusticula, ae,* f.

bécassine, s. f. Comme BÉCASSE.

becfigue, s. m. Petit oiseau. *Ficedula, as,* f. [*ae,* f.

bêche, s. f. Outil de jardinage. *Pala,* **bêcher,** v. travailler la terre avec une bêche. *Foděre,* tr.

becq... Voy. BEQ...

bégaiement, s. m. Action de bégayer, défaut de prononciation. *Haesitatio, onis,* f. *Linguae haesitantia.*

bégayant, *ante,* adj. Qui bégaye. Voy. BÉGAYER.

bégayement. Voy. BÉGAIEMENT.

bégayer, v. intr. et tr. ¶ (*V. intr.*). Parler en hésitant par défaut naturel. *Linguā haesitāre.* || Ne pas savoir encore parler. *Loqui incerta voce.* || Parler en hésitant (par émotion, etc.) Voy. BALBUTIER. ¶ (*V. tr.*) Prononcer qqch. en bégayant. *Balbutīre,* tr. [adj.

bègue, adj. Qui bégaye. *Balbus, a, um,* **beignet,** s. m. Sorte de pâte frite. *Laganum, i,* n.

bel. Voy. BEAU.

bêlement, s. m. Cri particulier au mouton. *Balatus, ūs,* m.

bêler, v. intr. Faire entendre des bêlements. *Balāre,* intr. [*ae,* f.

belette, s. f. Nom d'une bête. *Mustela,* **bélier,** s. m. Le mâle dans le genre

mouton. *Aries, etis,* m. ¶ Nom d'une constellation. *Aries, atis,* m. ¶ Machine de guerre. *Aries, etis,* m.

belle-fille, s. f. Fille par alliance. *Privigna, ae,* f. ¶ Bru. Voy. ce mot.

belle-mère, s. f. Mère par alliance, mère de la femme. *Socrus, ūs,* f. ¶ Seconde mère d'enfants nés d'un premier lit. *Noverca, ae,* f.

belle-sœur, s. f. Sœur par alliance. Sœur du mari, *glos, oris,* f. Sœur de la femme, *soror uxoris.* Femme du frère, *fratria, ae,* f.

belligérant, *ante,* adj. Reconnu en état de guerre. *Bellum gerens.*

belliqueux, *euse,* adj. Qui aime la guerre. *Bellicosus, a, um,* adj. ¶ Qui excite l'ardeur guerrière. *Bellicus, a, um,* adj.

belvédère ou **belveder,** s. m. Lieu *et* spéc. pavillon d'où la vue est étendue et agréable. *Apopsis, is,* f.

bénédiction, s. f. Action de bénir. *Benedictio, onis,* f. Au milieu des — de tous, *omnibus laeta precantibus.*

bénéfice, s. m. Avantage que nous confère qqn *ou* qqch. *Beneficium, ii,* n. ¶ (Par ext.) Profit d'une certaine importance qu'on retire d'une entreprise. Voy. GAIN, PROFIT.

bénéficier, v. intr. Retirer un avantage de qqch. Il bénéficia de sa qualité d'étranger, *multum ei profuit quod alienae erat civitatis.*

bénévole, adj. Qui se prête à qqch. avec bienveillance. *Benevolus, a, um,* adj.

bénévolement, adj. D'une manière bénévole. *Benevolē,* adv.

bénignement, adv. D'une manière bénigne. *Benigne,* adv.

bénignité. Caractère de celui qui est bienveillant. *Benignitas, atis,* f.

bénin, *igne,* adj. Bienveillant, indulgent pour tous. *Benignus, a, um,* adj. ¶ (Fig.) En parlant de choses dont l'action est bienfaisante. Astre —, *sidus propitium.* ¶ (Spécial.) Qui agit avec douceur (en parl. d'un remède). *Lenis, e,* adj.

bénir, v. tr. Dire des paroles qui souhaitent le bonheur. *Benedicere,* intr. ¶ Appeler par des paroles *ou* des actes religieux la bénédiction de Dieu sur... *Benedicěre,* tr. || (Par ext.) Consacrer au culte. *Dedicāre,* tr. ¶ Vouer au bonheur. *Benedicěre,* tr.

bénit, *ite,* adj. Consacré par une bénédiction. *Benedictus, a, um,* p. adj.

béquée, s. f. Ce que peut contenir le bec d'un oiseau. *Esca, ae,* f. || Nourriture qu'un oiseau prend dans son bec pour ses petits. *Esca, ae,* f.

béquer, v. tr. Piquer avec le bec. Voy. BÉQUETER.

béqueter, v. tr. Piquer à coup de bec. *Rostro tundere (aliquid)*.

béquille, s. f. Bâton-support muni

d'une traverse à sa partie supérieure. *Baculum, i,* n.

bercail, s. m. Lieu où on abrite le petit bétail. Voy. BERGERIE.

berceau, s. m. Petit lit d'enfant. *Cunae, arum,* f. pl. *Cunabula, orum,* n. pl. Enfant au —, *puer vagiens.* ¶ (Au fig.) Lieu où qqn *ou* qqch. a commencé de grandir. *Incunabula, orum,* n. pl. ¶ (Par anal.) Charmille en arc. *Trichila, ae,* f. *Cunabulum, i,* n.

bercer, v. tr. Balancer doucement un enfant. *Infantis cunas movère.* ¶ (Fig.) Amuser d'espérances. *Lactâre,* tr.

berceuse, s. f. Celle qui berce un enfant. *Cunaria, ae,* f.

béret ou **berret,** s. m. Sorte de coiffure. *Birretum, i,* n.

berge, s. f. Pente escarpée qui borde une rivière, un fossé, etc. *Crepido, inis, f.*

berger, s. m. Celui qui garde les moutons. *Opilio, onis,* m. *Pastor, oris,* m. Un chien de —, *pastoralis canis.*

bergerie, s. f. Lieu où l'on abrite les troupeaux de moutons. *Ovile, is,* n.

berner, v. tr. Molester qqn. en le faisant sauter sur une couverture. *Aliquem distento linteo impositum sublime jactare.* ¶ (Fig.) Harceler qqn de plaisanteries. *Ludibrio aliquem habêre.*

besace, s. f. Bissac porté par les mendiants. *Pera, ae,* f.

besogne, s. f. Ce qu'on a à faire dans son métier, sa profession. *Opus, eris,* n. Il fait plus de bruit que de besogne, *plus sonat quam valet.*

besoin, s. m. Manque d'une chose nécessaire. *Inopia, ae,* f. *Indigentia, ae,* f. — de nourriture, *fames, is,* f. Mourir de —, *inediâ consumi.* Etre dans le —, *egêre,* intr.; *indigêre,* intr. (av. le gén.). J'ai — de nourriture, *mihi cibo opus est.* Ne pas avoir — de, *(aliqua re) facile carêre.* ¦ Au —, en cas de —, si — est, *quando opus est.* Au —, c.-à-d. faute de mieux, *ubi cetera defecerunt.* ¶ (Au plur.) Choses nécessaires. *Necessaria, orum,* n. pl. *Necessitates, um,* f. pl.

bestial, ale, adj. Qui assimile l'homme à la bête. *Immanis, e,* adj. Une fureur — *furor impurae beluae.*

bestialement, adv. D'une manière bestiale. *Pecudum ferarumque ritu.*

bestiaux, s. m. pl. Animaux formant le gros et le petit bétail d'une ferme. *Armenta et greges.* [*ae,* f.

bestiole, s. f. Petite bête. *Bestiola,*

bétail, s. m. Ensemble de quadrupèdes qu'on entretient dans une ferme. *Grex, gregis,* m. Gros —, *pecus, oris,* n. Petit —, *pecus, udis,* f. Troupeau de gros —, *armentum, i,* n. De —, relatif au —, *pecuarius, a, um,* adj.

bête, s. f. Etre dépourvu de raison. *Bestia, ae,* f. *Belua, ae,* f. — de somme (ou de charge), *jumentum, i,* n. (ou *jumentum onerarium*). — fauves, *beluae, arum,* f. pl. *ferae bestiae* ou (simpl.) *feras, arum,* f. pl. — féroces, *bestiae,*

arum, f. pl. ¶ (Au fig.) Par comparaison de l'homme avec la bête. *Bestia, ae,* f.

bêtise, s. f. Etat d'une intelligence bornée comme celle de la bête. *Stupor, oris,* m. [bœufs. *Mugitûs, ûs* m.

beuglement, s. m. Cri particulier aux beugles, v. intr. Pousser des beuglements. *Mugire,* intr.

beurre, s. m. Substance grasse extraite du lait. *Butyrum, i,* n.

bévue, s. f. Méprise grossière. Voy. MÉPRISE. ¶ (Par ext.) Maladresse. Commettre des —, *agère imperite.*

biais, s. m. Direction oblique. *Obliquitas, atis,* f. De —, *obliquê,* adv.; *ex obliquo* ou *in obliquum.* ¶ (Fig.) Moyen, expédient. *Via, ae,* f.

biaiser, v. tr. Aller en biais. *Obliquê ferri* ou *agi.* ¶ Prendre une voie détournée. *Tergiversâri,* dép. intr. Sans —, *rectâ viâ.* [boire. *Bibo, onis,* m.

1. biberon, s. m. Celui qui aime à

2. biberon, s. m. Petit vase disposé de manière à faire boire un petit enfant. *Guttus, i,* m.

bible, s. f. Réunion des livres saints formant l'Ancien et le Nouveau Testament. *Libri divini. Litterae sanctae* ou *divinae.*

bibliothécaire, s. m. Celui qui a la garde d'une bibliothèque. *Bibliothecarius, ii,* m. [*Bibliotheca, ae,* f.

bibliothèque, s. f. Collection de livres.

biche, s. f. Femelle du cerf commun. *Cerva, ae,* f.

bicoque, s. f. Place fortifiée, ville de peu d'importance. *Oppidulum, i,* n. ¶ Maison chétive. *Domuncula, ae,* f.

bidet, s. m. Petit cheval de selle, trapu et vigoureux. *Mannus, i,* m.

1. bien, adv. D'une manière avantageuse, satisfaisante pour qqn, pour qqch. *Bene,* adv. *Bellê,* adv. *Commodê.* adv. Etre — accueilli, *benigne accipi.* Bien vu, *benignê exceptus.* — vu de tout le monde, *apud omnes gratiosus.* — vendre *rectè vendere* ¶ D'une manière conforme à la perfection. *Bene,* adv. *Pulchrê,* adv. *Rectê* adv. ¦ En parl. de ce qui est arrivé à qqn qui le mérite. *Merito,* adv Tout le monde pense que c'est — fait, *illud merito factum omnes putant.* ¦ En parl. d'une chose qu'on avait annoncée. *Verê,* adv. Vous dites bien, vous avez — dit, *est ut dicis.* ¦ (Spéc.) D'une manière conforme au devoir. *Bene,* adv.; *honestê,* adv. Se conduire, *honestê se gerêre.* ¶ Aussi que..., *tam... quam...; non minus quam.* Faire périr les bons aussi — que les méchants, *juxta bonos et malos interficêre.* Aussi... que..., c.-à-d. tout comme, *et... et...* ¶ Ou —, *aut,* conj. Aussi bien, *quoquo modo se res habet.* Si — que, *ita... ut* (Subj.) Si — qu'il se défende, il sera condamné, *quamvis bene se defendat, tamen damnabitur.* Ellipt. — que, voy. QUOIQUE. ¦ (Loc. adv.) Bel et —, *planê et probê.* A le —

prendre, *recté aestimanti*. Je veux —, non *inftior*. Quand — même, *etiamsi*, conj. Eh bien ! *Heus tu! Age! Agite!* Dans les réponses. *Nempe*, adv. ¶ (Par ext.) D'une manière complète, tout à fait. *Plané*, adv. *Probé*, adv. ‖ Beaucoup. *Magnopere*, adv. Voy. BEAUCOUP.

2. **bien**, s. m Ce qui procure avantage, satisfaction. *Bonum, i*, n. *Commodum, i*, n. Vouloir du — à qqn, *alicui bene velle*. Faire du bien à, *prodesse*, intr. (av. le datif); *benefacére (alicui)*. Dire du — de qqn, *bene dicére alicui*. Mener à — une affaire, *rem bene gerére*. ¶ Ce qui constitue le mérite, la perfection. *Bonum, i*, n. *Rectum, i*, n. Prendre en —, *in bonam partem accipére*. ¶ Ce qui constitue la perfection morale. *Bonum, i*, n. *Rectum, i*, n. *Honestum, i*, n. Un homme de —, *vir bonus*. Les gens de —, *bqni*, m. pl.

bien-aimé, *ée*, adj. Qu'on aime beaucoup. *Carissimus,a,um*, adj. (au superl.). ¶ Qu'on aime particulièrement. *Dilectissimus, a, um*, adj. (au superl.).

bien-être, s. m. Etat où les sens sont satisfaits. *Voluptas, átis*, f. ¶ (Par ext.) Situation qui permet de satisfaire tous les besoins de la vie. Avoir le — matériel, *fortunatum esse*.

bienfaisance, s. f. Action de faire du bien; qualité de celui qui fait du bien aux autres. *Beneficentia, ae*, f.

bienfaisant, *ante*, adj. Qui fait du bien aux autres par générosité. *Beneficus, a, um*, adj. Un homme —, *vir ad beneficia propensus*. ¶ (Par ext.) Qui fait du bien. *Salutaris, e*, adj. *Saluber, bris, bre*, adj. Etre — (en parl. de choses), *saluti esse; prodesse* (av. le datif).

bienfait, s. m. Bien qu'on fait à autrui. *Beneftcium, ii*, n. Accorder un — à qqn, *alicui benefacére*.

bienfaiteur, s. m. Celui qui fait du bien à qqn. *Beneficiorum auctor*. Le — de qqn, *qui beneficia in aliquem confert, contulit*, etc.

bienfaitrice, s. f. Celle qui a fait du bien à qqn. *Quae beneficia in aliquem confert, contulit*, etc.

bienheureux, *euse*, adj. Qui a un grand bonheur. *Fortunatus, a, um*, p. adj. ‖ (Par ext.) Qui jouit du bonheur parfait. *Fortunatus, a, um*, p. adj. *Beatus, a, um*, p. adj. ¶ Qui procure un grand bonheur. *Beatus, a, um*, p. adj.

bienséance, s. f. Caractère de ce qui sied bien à qqn. *Decentia, ae*, f. *Decorum, i*, n. ‖ (Fig.) Convenance. Voy. ce mot. ‖ (Spéc.) Observer les —, *servare quod deceat*. ¶ Ce qui sied dans la vie du monde. *Decorum, i*, n. Avec —, *decoré*, adv.

bienséant, *ante*, adj. Qui est selon la bienséance. *Decorus, a, um*, adj. *Decens, entis*, p. adj.

bientôt, adv. Dans peu de temps. *Mox*, adv. *Brevi*, adv. — après, *paullo post*.

bienveillance, s. f. Bonne volonté à l'égard des autres. *Benevolentia, ae*, f. *Benignitas, atis*, f. Avoir de la — pour qqn, *benigno in aliquem animo esse*.

bienveillant, *ante*, adj. Qui montre de la bonne volonté pour les autres. *Benevolus, a, um*, adj. *Benignus, a, um*, adj. Faire à qqn un — accueil, *aliquem benigné accipére*.

bienvenu, *ue*, adj. Qui vient à propos et (par ext.) qui est accueilli favorablement. *Gratus acceptusque*.

bienvenue, s. f. Venue qui est bien accueillie. *Optatissimus adventus*.

1. **bière**, s. f. Cercueil. *Arca, ae*, f.

2. **bière**, s. f. Boisson fermentée. *Cervisia, ae*, f.

biffer, v. tr. Voy. EFFACER.

bifurcation, s. f. Division en deux branches qui rappellent une fourche. *Bifurcum, i*, n. — d'une route, *bivium, ii*, n.

bifurquer, v. tr. Diviser en deux branches. Se —, *in ambas partes findére*. Bifurqué, *bifurcus, a, um*, adj.

bigame, adj. Qui a contracté un second mariage avant la dissolution du premier. Un —, *bimaritus, i*, m.

bigamie, s. f. Etat d'une personne bigame. *Bigamia, ae*, f.

bigarré, *ée*, adj. Diversifié par une ou plusieurs couleurs différentes. *Varius, a, um*, adj. *Versicolor*, gén. *oris*, abl. *ori et ore*, adj.

bigarreau, s. m. Variété de cerise à chair ferme. *Cerasum duracinum*.

bigarrer, v. tr. Diversifier par des couleurs qui tranchent les unes sur les autres. *Variáre*, tr. [*Varietas, atis*, f.

bigarrure, s. f. Diversité de couleurs.

bijou, s. m. Objet de parure précieux par la matière ou par le travail. *Ornamentum, i*, n. *Aurum, i*, n. Fig. La maison est un vrai —, *venustum est aedificium*.

bijoutier, s. m. Celui qui fabrique, qui vend les bijoux. *Aurifex, ficis*, m. *Aurarius, ii*, m.

bile, s. f. Liquide amer sécrété par le foie. *Bilis, is*, abl. *i* et *e*, f. *Fel, fellis*, n. Au fig. Se faire de la —, *stomachári*, dép. intr.

bilieux, *euse*, adj. Où a bile surabonde. *Biliosus, a, um*, adj. ‖ (Au fig.) Irascible. *Stomachosus, a, um*, adj.

billet, s. m. Lettre contenant seulement qqs lignes. *Litterulae, arum*, f. pl. Un — de qqs lignes, *litterae paucorum versuum*. ‖ (Spéc.) Avis écrit ou imprimé. *Libellus, i*, m. ¶ Papier, carte donnant à qqn un droit temporaire. *Tessera, ae*, f. — à ordre, *syngrapha, ae*, f.

billevesée, s. f. Chose vide de sens, que qqn dit ou fait. *Somnia, orum*, n. pl. *Nugae, arum*, f. pl.

billon, s. m. Grosse monnaie. *Nummuli, orum*, m. pl. *Aes minutum.*

billot, s. m. Bloc de bois dont la surface est aplanie. *Caudex, icis*, m.

biographie, s. f. Ecrit racontant la vie de qqn. *Vita (alicujus). Libri de alicujus vita compositi.*

bipède, adj. Qui marche sur deux pieds. *Bipes, edis*, adj. Subst. Les —, *bipedes, um*, m. pl.

birème, s. f. Galère à deux rangs de rameurs de chaque côté. *Biremis* (s.-e. *navis*), *is*, f.

1. bis, *ise*, adr. D'un gris foncé. *Ferruginous, a, um*, adj. *Cineraceus, a, um*, adj. Pain —, *panis cibarius.*

2. bis, adv. Pour la seconde fois. *Bis*, adv. *Iterum*, adv.

bisaïeul, s. m. Père de l'aïeul *ou* de l'aïeule. *Proavus, i*, m.

bisaïeule, s. f. Mère de l'aïeul *ou* de l'aïeule. *Proavia, ae*, f.

biscuit, s. Sorte de galette. — de mer, *nauticus panis.* ¶ Pâtisserie légère. *Panis dulcis.* [*onis*, m.

bise, s. f. Vent du nord-est. *Aquilo,*

bissac, s. m. Espèce de sac en toile. *Bisaccium, ii*, n.

bistouri, s. m. Petit couteau de chirurgie. *Scalprum, i*, n.

bitume, s. m. Substance minérale combustible. *Bitumen, inis*, n. De —, *bituminous, a, um*, adj.

bitumineux, *euse*, adj. Qui tient du bitume. *Bituminosus, a, um*, adj.

bizarre, adj. Qui est d'une étrangeté singulière. *Novus, a, um*, adj. *Mirus, a, um*, adj. Un —, *mirum caput.*

bizarrement, adv. D'une bizarre manière. Voy. ÉTRANGEMENT.

blafard, *arde*, adj. D'un blanc terne. *Lividus, a, um*, adj. Etre —, *livère*, intr.

blaireau, s. m. Sorte de petit quadrupède. *Meles* (ou *melis*), *is*, f.

blâmable, adj. Digne de blâme. *Vituperabilis, e*, adj. *Vituperandus, a, um*, p. adj.

blâme, s. m. Jugement par lequel on désapprouve qqn, comme ayant mal agi. *Reprehensio, onis*, f. *Vituperatio, onis*, f.

blâmer, v. tr. Désapprouver qqn comme ayant mal agi. *Vituperäre*, tr. *Reprehendère*, tr. On l'en blâme, *ea res ei vituperationi est.*

1. blanc, *che*, adj. Qui rappelle la couleur du lait, de la neige (etc.). — sans éclat, *albus, a, um*, adj. — éclatant, *candidus, a, um*, adj. Cheveux blancs, *cani, orum*, m. pl. Barbe —, *incana barba.* ¶ Dont la couleur n'est pas ternie. *Mundus, a, um*, adj. ¶ (Fig.) Pur, innocent d'une faute. *Purus, a, um*, adj. ‖ (Spéc.) Dont le fond n'a pas reçu de peinture, d'écriture. Papier —, *charta pura.*

2. blanc, s. m. Couleur blanche.

Album, i, n. *Candidum, i*, n. Habillé, vêtu de —, *candidatus.* ¶ Matière colorante. *Album, i*, n. — de céruse, *cerussa, ae*, f. Qui a mis du —, *cerussatus.* ¶ Objet de couleur blanche. Un — (petite monnaie), *teruncius, ii*, m. ‖ Menu poisson. *Alburnus, i*, m. ¶ Partie blanche d'un objet. Le — de l'œil, *album oculi.* — d'œuf, *album ovi.* ‖ — (d'une cible), voy. BUT.

blanchâtre, adj. Qui tire sur le blanc: *Subalbus, a, um*, adj. *Subalbidus, a, um*, adj.

blancheur, s. m. Qualité de ce qui est blanc. *Albus color.* — du teint, *candor, oris*, m.

1. blanchir, v. tr. Rendre blanc. *Candorem afferre (alicui rei). Candidum reddère.* L'âge blanchit les cheveux, *tempore canescunt capilli.* ‖ (Par ext.) Couvrir d'un enduit blanc. *Dealbăre*, tr. ‖ Ramener à sa blancheur naturelle (par le lavage, etc.). — une étoffe, *maculas vestis eluère.* ‖ (Par ext.) Nettoyer, laver. — du linge, *lintea lavàre.* ‖ (Fig.) Disculper. Voy. ce mot. Se —, *purgàre se.*

2. blanchir, v. intr. Devenir blanc. *Albescère*, intr. ‖ (En parl. des cheveux.) *Canescère*, intr.

blanchissage, s. m. Action de blanchir, c.-à-d. de nettoyer le linge. *Lavatio, onis*, f.

blanchissant, *ante*, adj. Qui devient blanc. *Albescens, entis*, p. adj. Spéc. *Canus, a, um*, adj.

blaser, v. tr. Emousser par des impressions fortes souvent répétées. *Hebetàre*, tr. Etre blasé, *hebetem esse coepisse.*

blasphémateur, s. m. Celui qui blasphème. *Blasphemus, i*, m.

blasphème, s. m. Parole qui outrage la divinité. *Blasphemia, ae*, f.

blasphémer, intr. et tr. ‖ (*Intr.*) Proférer des blasphèmes. *Blasphemàre*, intr. ¶ Outrager par des blasphèmes. *Blasphemàre*, tr.

blatte, s. f. Insecte. *Blatta, ae*, f.

blé, s. m. Plante céréale dont on fait la farine. — avec sa tige (objet de culture), *frumenta, orum*, n. pl. — en graine (objet d'alimentation), *frumentum, i*, n. — en herbe *ou* sur pied, *seges, etis*, f. ¶ (Par ext.) Le grain de blé (séparé de l'épi). *Framentum, i*, n.

blême, adj. Qui a une pâleur maladive. *Pallidus, a, um*, adj. *Luridus, a, um*, adj. [*lescère*, intr.

blêmir, v. intr. Devenir blême. *Pallescant, a, um*, adj. Qui blesse (empl. seul. au figuré). *Contumeliosus, a, um*, adj. Des paroles —, *opprobria, orum*, n. pl. *contumeliae, arum*, f. pl.

blesser, v. tr. Frapper d'un coup qui fait plaie, contusion, fracture, etc. *Vulneràre*, tr. — (d'un coup pénétrant), *sauciare*, tr. Fig. *Laedère*, tr. Blessé, *saucius, a, um*, adj. — grièvement qqn, *alicui grave vulnus infligĕre.* Etre blessé à mort, *mortifero vulnere affici.* || (Par anal.) Endommager. *Offendĕre,* tr. *Lueluere,* tr. *Violāre,* tr. || (Fig.) Frapper d'un coup pénible pour l'âme. *Laedĕre,* tr. Etre blessé de qqch., *aliquid aegrĕ ferre.* || (Par ext.) Affecter péniblement les sens; causer une impression pénible. *Laedĕre,* tr.

blessure, s. f. Lésion organique déterminée par un coup. *Vulnus, eris,* n. *Plaga, ae,* f. Faire une —, voy. BLESSER. Sa — s'est rouverte, *rupta est cicatrix.* || (Au fig.) Atteinte pénible portée à l'âme. *Vulnus, eris,* n. Les blessures qui paraissaient fermées se rouvrent, *quae consanaisse videbantur, recrudescunt.*

1. bleu, *bleue,* adj. Dont la couleur rappelle celle du ciel sans nuage. *Caeruleus, a, um,* adj. *Caerulus, a, um,* adj. Tache bleue (faite par une contusion, etc.). *Livor, oris,* m.

2. bleu, s. m. Couleur bleue. *Caeruleus color.* Le — du ciel, *caelum caeruleum* ou (simpl.) *caelum.* ¶ (Spéc.) Des bleus, *c.-à-d.* des contusions, *livores, um,* m. pl. Voy. 1. BLEU.

bleuâtre, adj. Qui tire sur le bleu. *Subcaeruleus, a, um,* adj.

bleuet et **bluet,** s. m. Variété de centaurée à fleurs bleues. *Cyanus, i,* m.

bleuir, v. tr. et intr. ¶ (*Tr.*) Rendre bleu. *Caeruleum reddĕre.* ¶ (*Intr.*) Devenir bleu. *Caeruleum fieri.*

bloc, s. m. Masse solide d'un seul morceau. *Moles, is,* f. — de marbre, *gleba marmoris.* — de sel, *salis moles.* ¶ Amas de choses. *Acervus, i,* m. Loc. adv. En —, *per saturam.*

bloous, s. m. Investissement d'une place de guerre. *Obsidio, onis,* f.

blond, *blonde,* adj. D'une couleur moyenne entre le jaune d'or et le châtain clair. *Flavus, a, um,* adj. Subst. Le —, *flavus color.*

bloquer, v. tr. Investir par un blocus. *Obsidĕre,* tr. *Circumsedĕre,* tr.

blottir (se). v. pron. Se pelotonner de manière à n'occuper qu'un petit espace. *Se complicāre. Conquiniscĕre,* intr. || Se cacher. *Delitescĕre,* intr.

bluet, s. m. Voy. BLEUET.

bluette, s. f. Ouvrage (de l'esprit) peu important. *Nugae, arum,* f. pl.

bluter, v. tr. Tamiser avec le bluteau. *Tenui cribro cernĕre.* [*ae,* m.

boa, s. m. Sorte de gros serpent. *Boa,*

bobine, s. f. Petit cylindre servant à dévider. *Fusus, i,* m.

bocage, s. m. Lieu garni d'ombrage. *Nemus, oris,* n. [*Vitreum vas.*

bocal, s. n. Vase cylindrique en verre.

bœuf, s. m. Mammifère ruminant. *Bos, bovis,* m. Marché aux —, *forum boarium.* Etable à —, *bubile, is,* n. Chair *ou* viande de —, *bubula* (s.-e. *caro*), *ae,* f.

1. boire, v. tr. Avaler un liquide. *Bibĕre,* tr. — (sans soif, par plaisir), *potāre,* tr. — avidement, *haurīre,* tr. (Voy. AVALER.) — à la santé de qqn, *bibĕre Graeco more.* — du vin avec modération, *uti vino modicĕ.* Mener — les troupeaux, *armentum ad aquam appellĕre.* Eau bonne à —, *aqua potui idonea.* || (Absol.) Boire, *c.-à-d.* aimer à boire. *Bibĕre,* tr. *Potāre,* tr. — tout le temps, *perpotāre,* tr. Qui a beaucoup bu, *potus,* p. adj. Après —, *post vinum.* Prov. Le vin est tiré, il faut le —, *tute hoc intristi, tibi omne est exedendum.* ¶ (En parl. de ch.) S'imprégner de. *Bibĕre,* tr. *Imbibĕre,* tr. Qui boit, *bibulus, a, um.*

2. boire, s. m. L'action de boire. *Potio, onis,* f. *Potŭs, us,* m. Perdre le manger et le —, *cibi et potionis immemorem esse.*

bois, s. m. Réunion d'arbres. *Silva, ae,* f. *Nemus, oris,* n. — sacré, *lucus, i,* m. Couvert de —, *silvester, tris, tre,* adj. De — ou des —. *même trad.* ¶ Arbre, partie d'arbre. *Lignum, i,* n. Ramasser du — mort, *sarmenta arida legĕre.* || Espèce d'arbre. — gentil, *daphnee, es,* f. — de mai, voy. AUBEPINE. || Racine employée en pharmacie. — de réglisse, *pontica radix.* ¶ Partie dure et ligneuse d'un arbre. *Lignum, i,* n. Un morceau de —, *lignum, i,* n. Du — à brûler, *ligna, orum,* n. pl. De —, concernant le —, *ligneus, a, um,* adj. Action de couper (ou d'abattre) du —, *lignatio, onis,* f. — (de construction, de charpente), *materia, ae,* f. ¶ Objet en bois. — de lit, *sponda, ae,* f. — d'un navire, voy. COQUE. — d'une lance, *hastile, is,* n. || (Par ext.) Cornes (du cerf). *Cornua, uum,* n. pl.

boisé, *ée,* adj. Où il y a des arbres. *Silvester, tris, e,* adj. Endroits —, *loca silvestria.*

boiser, v. tr. Garnir avec du bois. *Coaxare,* tr. ¶ Garnir d'arbres. *Arboribus vestire.* Plaine —, *campus arboribus consitus.*

boiserie, s. f. Revêtement en bois des murs d'un appartement. *Coassamentum, i,* n.

boisseau, s. m. Ancienne mesure de capacité pour les grains. *Modius, ii,* n.

boisson, s. f. Tout ce que l'homme boit. *Potio, onis,* f.

boite, s. f. Réceptacle à couvercle. *Capsa, ae,* f. *Capsula, ae,* f. ¶ Boîte pour les objets de toilette. *Pyxis, idis,* acc. pl. *idas,* f.

boiter, v. intr. Marcher en appuyant inégalement sur le sol. *Claudicare,* intr. ¶ (Fig.) Manquer de proportion *ou* de nombre. *Claudicāre,* intr.

boiteux, *euse,* adj. Qui boite. *Claudus, a, um,* adj. ¶ (Fig.) Qui est *ou* agit de travers. *Claudus, a, um,* adj. *Claudicans, antis,* p. adj. Ce vers est —, *claudicat hic versus.*

1. bol, s. m. Masse arrondie bonne à être avalée. *Globŭlus, i, m.* — alimentaire, *cibi mansi ac prope liquefacti.*

2. bol, s. m. Coupe hémisphérique de faïence *ou* de porcelaine. *Calix icis, m.,*

bomber, v. tr. Cintrer comme une bombe. *Circināre, tr.*

bombonne, s. f. Vase à large ventre. *Cadus, i, m*

1. bon, bonne, adj. Qui procure avantage *ou* satisfaction. *Bonus, a, um,* adj. (compar. *melior;* superl. *optimus*). *Commodus, a, um,* adj. *Utilis, e,* adj. *Opportunus, a, um,* adj. — vent (propice), *ventus secundus.* — succès, *prosperi exitas.* Etre en — disposition. *bono animo esse.* Venir au — moment, à la — heure, *peropportunē venīre.* Loc. adv. A la — heure! *Optimē!* De — heure, *tempore* ou *in tempore* ou *ad tempus.* De — heure, c.-à-d. TÔT. Voy. ce mot. De — matin, *bene mane.* || (Loc. div.) Avoir — vent, *secundissimo vento ati.* Avoir du — temps, *otio frui.* Se donner du — temps, *dare se jucunditati.* Sentir —, *bene olēre.* Trouver —, voy. APPROUVER. Trouvez bon qu'on les reprenne, *hos corripi placeat.* || (Par ext.) *Bonus, a, um,* adj. Eau — à boire, *aqua potui idonea.* — à tout, à rien? voy. PROPRE. A quoi bon se plaindre? *quid juvat queri?* Etre — (à qqch.), voy. AVANTAGEUX, SERVIR, UTILE. ¶ (En parl. de pers.) *Bonus, a, um,* adj. *Benignus, a, um,* adj. *Clemens, entis,* adj. — pour qqn, *humanus erga aliquem.* Vous êtes trop — (formule de remerciement), *benignē.* Mon — (t. d'affect.), *bone.* Un — compagnon, *festivus homo.* Un — vivant, *homo vitae laetioris.* ¶ Qui a en soi de la perfection. (En parl. de ch.) *Bonus, a, um,* adj. Un — champ, un — terrain, *ager ferax* ou *fertilis.* Avoir de — yeux, *acriter vidēre.* La — société, *homines lautissimi.* Le — ton, les — manières, *urbanitas, atis,* f. Tenir —, *resistēre,* intr. || De bonne qualité. *Probus, a, um,* adj. — denrées, *probae merces.* || Exact, vrai. *Verus, a, um,* adj. En — latin, *purē et latinē.* Tout de —, *planē,* adv.; *ōptimē.* ¶ (Par ext.) Plein, complet. — mesure, *justa mensura.* Une bonne partie, *bona pars.* — nombre de gens, *multi homines.* Une — partie de la nuit, *aliquantum noctis.* Cela coûte — *hoc magno emitur.* Une — fois, *semel.* ¶ (En parl. de pers.) *Bonus, a, um,* adj. Un — soldat, *miles bello bonus.* ¶ Qui a la perfection morale. *Bonus, a, um,* adj.

2. bon, s. m. Ce qui est bon. *Bonum, i, n.* Voy. BIEN.

3. bon, s. m. Ordre écrit pour fourniture *ou* payement. *Tessera, ae,* f.

bonace, s. f. Temps calme qui succède à la tempête. *Malacia, ae,* f.

bonasse, adj. D'une bonté qui va jusqu'à la faiblesse. Voy. SIMPLE.

bonbon, s. m. Voy. FRIANDISE.

bonbonne. Voy. BOMBONNE.

bond, s. m. Saut brusque. *Saltŭs, ūs, m.* S'élever d'un —, *exsilīre,* intr. Par —, *saltuatim,* adv. ¶ Mouvement d'un corps inerte qui est renvoyé en l'air Saisir la balle au bond, *pilam excipĕre*

bonde, s. f. Bouchon de bois fermant un tonneau. *Obturamentum, i, n.*

bondir, intr. Sauter brusquement. *Subsilīre,* intr. *Salīre,* intr. || (En parl. d'animaux.) —, *lascivīre,* intr. ¶ (En parl. d'un corps inerte.) Etre renvoyé en l'air. Voy. REBONDIR. Fig. Le cœur bondit, *cor emicat.*

bondon, s. m. Voy. BONDE.

bonheur, s. m. Fortune favorable. *Fortuna, ae,* f. *Felicitas, atis,* f. *Prosperitas, atis,* f. Avec son — ordinaire, *fortunā suā usus.* Il a du —, *ei favet fortuna.* Par —, *forte fortunā.* Avoir du — à la guerre, *secundis proeliis uti.* N'avoir pas de —, *nihil prosperē agēre.* J'ai eu le — de, *mihi contigit ut...* (subj.) Avec bonheur, *feliciter,* adv.; *fortunate,* adv. ¶ Etat de l'âme pleinement satisfaite. *Felicitas, atis,* f. Dans le —, voy. HEUREUSEMENT.

bonhomie, s. f. Simplicité familière, aimable. Voy. SIMPLICITÉ. ¶ Simplicité d'esprit. Voy. SIMPLICITÉ. ¶ Il a eu la — de se laisser jouer, *illud subabsurde fecit ut ludificaretur.*

bonhomme, s. m. Homme qui a une simplicité familière, aimable. *Vir simplex et benignus.* Adj. Prendre un air —, *simulāre se simplicem ac benignum esse.* || Homme simple d'esprit. Voy. SIMPLE. || (Par ext.) Terme familier désignant un inférieur. *Homo, inis, m.*

bonifier, v. tr. Rendre meilleur. Voy. AMÉLIORER. — (Spéc.) Rendre de meilleur produit. — la terre par la culture, *terram feraciorem colendo efficĕre.*

bonjour, s. m. Jour heureux. Souhaiter, donner le — à qqn, *aliquem jubēre salvēre.*

bonne, s. f. Voy. SERVANTE.

bonnement, adv. Voy. SIMPLEMENT.

bonnet, s. m. Coiffure d'étoffe. *Pileus, i, m.* ¶ (Fig.) Second estomac des ruminants. *Centipellio, onis, m.*

bonsoir, s. m. Soirée heureuse. Souhaiter le — à qqn, *salvēre* (à l'arrivée) ou *valēre* (au départ) *aliquem jubēre.*

bonté, s. f. Qualité de ce qui est bon; qualité de celui qui est bon pour les autres. *Bonitas, atis,* f. *Benignitas, atis,* f. *Humanitas, atis,* f. Abuser de la — de qqn, *alicujus indulgentiā fatigāre.* Témoigner sa — à qqn, *alicui benignē facĕre.* Traiter qqn avec —, *aliquem benignē habēre.* Avoir la — de..., *dāre alicui hanc veniam ut...* (Subj.) || (Au plur.) Marques de bonté. *Beneficia, orum,* n. pl. ¶ Bonne qualité d'une chose. *Bonitas, atis,* f. ¶ Conformité au bien. *Bonitas, atis.*

bord, s. m. Extrémité du bordage qui forme le contour supérieur d'un navire. Vaisseaux de haut —, *majores naves*. Jeter qqn (ou qqch.) par-dessus. — *dejicĕre* (*aliquem* ou *aliquid*) *de navi*, Fig. Jeter qqch. par-dessus — (pour s'en débarrasser); *alicujus rei jacturam facĕre*. || Côté d'un navire. *Latus* (ou *latera*) *navis*. (Par ext.) Le navire lui-mê me. Monter à —, *navem conscendĕre*. Etre à —, *in navi esse*. Prendre à son —, *in navem inponĕre*. ¶ (Par anal.) Partie extrême qui termine le contour d'un objet. *Margo, inis*, m. et f. *Ora, ae*, f. — de la mer, *litus, oris*, n. — d'un cours d'eau, *ripa, ae*, f. Couler à pleins —, *pleno alveo fluĕre*. — d'un vase, *labrum*, i, n. Qui est tout au —, *extremus, a, um*, adj. Sur les — (d'un fleuve), etc., *juxta*, prép. (av. l'acc.); *ad*, prép. (av. l'acc.).

bordage, s. m. Revêtement de planches qui couvre la membrure d'un navire. *Latus navis*.

border, v. tr. Garnir le bord; garnir une chose en étant au bord. *Praetexere*, tr. Spéc. — la côte, voy. LONGER. ¶ Garnir une chose en mettant qqch. au bord. *Marginare*, tr. *Praetexĕre*, tr.

bordure, s. f. Ce qui garnit le bord de qqch. La — d'un vêtement, *limbus*, i, m. — de pourpre, *ora purpurea*. — (frange), *lacinia, ae*, f.

boréal, *ale*, adj. Qui est au nord. *Boreus, a, um*, adj.

borée, s. m. Le vent du nord. *Boreas, ae*, m. [*Luscus, a, um*, adj.]

borgne, adj. Qui ne voit que d'un œil.

bornage, s. m. Action de borner les champs. *Limitatio, onis*, f.

borne, s. f. Pierre qu'on plante à l'endroit où finit un champ. *Terminus, i*, m. *Lapis, pidis*, m. || (Par ext.) Obstacles naturels où s'arrête un territoire. *Finis, is*, m. L'empire romain a pour — le Rhin, *populi Romani imperium Rhenus finit*. Sans —, *immensus, a, um*, adj.; *infinitus, a, um*, adj. ¶ (Au fig.) Ce qui empêche de s'étendre. *Terminus, i*, m. *Finis, is*, m. Se fixer des —, *sibi fines terminosque constituĕre*. Mettre des — à qqch., *modum facĕre alicui rei*. Qui sort des —, *immodicus, a, um*, adj. ¶ (Par ext.) La — du cirque, *meta, ae*, f. — milliaire, *lapis, idis*, m.

borner, v. tr. Garnir un terrain de bornes. *Terminare*, tr. *Determinare*, tr. *Limitare*, tr. ¶ Limiter par des obstacles matériels. *Finire*, tr. *Definire*, tr. *Attingĕre*, tr. *Contingĕre*, tr. Etre borné, *continĕri*, passif. — a vue, *aspectum definire*. Vue bornée (par un obstacle), *prospectus ademptus*. ¶ (Au fig.) Empêcher de s'étendre. *Terminare*, tr. *Circumscribĕre*, tr. — ses désirs, *cupiditati modum adhibĕre*. Se —, *sibi certos fines terminosque constituĕre*. Se — à qqch., *aliquá re* (ou *in aliqua re*)

se continĕre. Se — à répondre, *satis habĕre respondĕre*. Je me — à dire que..., *tantum dico* (av. l'acc. et l'inf.). Qui se borne à, *contentus, a, um*, p. adj. (av. l'abl.). Qui est borné, *angustus, a, um*, adj.

bosquet, s. m. Réunion d'arbres, petit bois planté par la main de l'homme. *Silvula, ae*, f.

bosse, s. f. Protubérance dorsale naturelle (chez les animaux). *Tuber, eris*, n ¶ Protubérance due (chez l'homme) à une déviation de la colonne vertébrale. *Gibber, eris*, n. *Gibbus, i*, m. ¶ (Par anal.) Saillie arrondie de certains os. *Tuber, eris*, n. ¶ Partie convexe d'une surface. || (Spéc.) Sculpture, ciselure, relief. *Eminentia, ae*, f. Ronde —, *ectypon, i*, n. Relevé en —, *sigillatus, a, um*, adj. [*era, erum*, adj.

bossu, *ue*, adj. Qui a une bosse. *Gibber*,

bot, adj. indécl. Se dit d'une déformation du pied. Qui a un pied —, *scaurus, a, um*, adj.

botanique, adj. Relatif aux végétaux. *Herbarius, a, um*, adj. Subst. La —, *herbarum scientia*.

botaniste, s. m. Celui qui s'occupe de botanique. *Herbarius, ii*, m.

1. **botte**, s. f. Assemblage d'objets liés ensemble. *Fascis, is*, m. *Manipulus, i*, m. Petite —, *fasciculus, i*, m.

2. **botte**, s. f. Chaussure en cuir montante. *Ocrea, ae*, f.

3. **botte**, s. f. Coup de fleuret. *Petitio, onis*, f. Parer une —, *petitionem vitare* (ou *declinare*). Pousser ou porter une —, *petitionem conjicĕre*.

botteler, v. tr. Assembler et lier en bottes. *In manipulos* (*aliquid*) *colligĕre*.

bottine, s. f. Petite botte courte. *Caligula, ae*, f. ¶ (Par ext.) Sorte d'appareil orthopédique. *Calceatus, us*, m.

bouc, s. m. Mâle de la chèvre. *Caper, pri*, m. Vieux —, *hircus, i*, m. Dé vieux —, *hircinus, a, um*, adj.

bouche, s. f. Cavité communiquant avec le canal alimentaire et le canal respiratoire. *Os, oris*, m. Ouverture de la —, *rictus, us*, m. — (largement ouverte), *hiatus, us*, m. || Ce qui concerne la —, *c.-à-d.* la nourriture. Provisions ou munitions de —, *cibaria, riorum*, n. pl. || Au fig. Mangeur. Faire sortir de la place les — inutiles, *imperare, ut, qui inutiles sint bello, oppido excedant*. Une fine —, *gula ingenua*. ¶ Un des organes de la parole. *Os, oris*, n. Etre dans toutes les —, *omnibus in ore esse*. Sortir de la — de qqn, *ex alicujus ore mitti* (ou *excedĕre*). Fermer la — à qqn., *alicujus linguam retundĕre*. Ne pas ouvrir la —, *tacĕre*, intr. La menace à la —, *plenus minarum*, ¶ Bouche (faisant partie de la physionomie). *Os, oris*, n. Faire la — en cœur, *ducĕre os exquisitis modis*. ¶ En part. de certains animaux. *Os, oris*, n.

¶ (Au fig.) Ouverture. par où entre ou sort qqch. *Os, oris,* n. *Ostium, ii,* n. *Fauces, ium,* f. pl.

bouchée, s. f. Morceau qu'on met en une fois dans la bouche. *Buccea, ae,* f. *Offa, ae,* f.

1. boucher, v. tr. Remplir une ouverture en y introduisant qqch. *Obstruĕre,* tr. *Obturāre,* tr. *Claudĕre,* tr. *Occludĕre,* tr. *Praecludĕre,* tr. Se — le nez, *nares comprimĕre manu.* — les oreilles, *clausas tenēre aures.* Se — les yeux, *manum ante oculos oppōnĕre.* Par ext. — la vue, le jour, *prospectum prohibēre* (ou *adimĕre*).

2. boucher, s. m. Celui qui tue et détaille les bestiaux destinés à l'alimentation. *Lanius, ii,* m. *Lanio, onis,* m.

boucherie, s. f. Lieu où l'on tue les bestiaux. Voy. ABATTOIR. ¶ Boutique où l'on vend la viande des bestiaux. *Laniena, ae,* f. ¶ Carnage de gens incapables de se défendre. *Trucidatio, onis,* f. [un vase. *Obturamentum, i,* n.

bouchon, s. m. Ce qui sert à fermer

boucle, s. f. Sorte d'anneau servant à fixer l'extrémité d'une courroie. *Fibula, ae,* f. ¶ (Par ext.) Anneau. Voy. ce mot. Boucles d'oreilles, *inaures, ium,* f. pl. Une — d'oreille, *insigne aurium.* ‖ (Par anal.) Ce qui s'enroule en forme d'anneau. — de cheveux frisant naturellement, *cirrus, i,* m. (ordin. au plur.).

boucler, v. tr. et intr. ‖ (*V. tr.*) Fixer dans l'anneau de la boucle. *Fibulāre,* tr. ¶ Garnir de boucles. *Fibulāre,* tr. ‖ Obstruer au moyen d'un anneau. *Infibulāre,* tr. ‖ (Par ext.) Fermer avec une chaîne. *Claudĕre* ou *intercludĕre* (*portum*). ‖ Rouler en forme d'anneaux. *Crispāre,* tr. Bouclé, *crispatus, a, um* ou *calamistratus, a, um,* part. Qui a les cheveux (naturellement) bouclés, *cincinnatus.*

bouclier, s. m. Arme défensive en forme de plaque bombée. — long, *scutum, i,* n. — rond (en métal), *clipeus, i,* m. Petit — rond, *parma, ae,* f. Armé d'un —, qui porte un —, *scutatus* ou *clipeatus* (selon le cas). ‖ (Par ext.) Faire une levée de —, *bellum movēre.* ¶ (Fig.) Faire à qqn un — de son corps, *aliquem corpore velut scuto protegĕre.*

bouder, v. intr. et tr. Prendre un air rechigné en faisant la moue. *Alienato esse animo et tacēre.* Voy. MOUE.

bouderie, s. f. Action de bouder; état de celui qui boude. *Asperitas, atis,* f.

boudin, s. m. Boyau rempli de sang et de graisse de porc assaisonnés. *Botulus, i,* m.

boue, s. f. Terre, poussière détrempée par l'eau. *Lutum, i,* n. *Caenum, i,* n. De —, *luteus, a, um,* adj. Plein de —, *lutosus, a, um,* adj.

boueux, adj. Détrempé par l'eau, rempli de boue. *Lutosus, a, um,* adj.

¶ Qui charrie du limon. *Lutulentus, a, um,* adj.

bouffée, s. f. Jet d'haleine. *Halitus, ūs,* m. ‖ (Par ext.) — de vent, *flatus, ūs,* m. — de chaleur, *caloris halitus;* *vapor, oris,* m. ‖ (Spéc.) Bouffées de chaleur, *subitus rubor.* Fig. — d'orgueil, *aliquid superbiae.* — de mauvaise humeur, *indignatiuncula, ae,* f.

bouffi, ie, adj. Gonflé. *Tumidus, a, um,* adj. *Turgidus, a, um,* adj. Fig. Style —, *sermo tumidus.*

bouffir, v. intr. et tr. S'enfler. Se — et (intr.) —, *intumescĕre,* intr. Fig. Bouffi, e, p. adj. *Inflatus, a, um,* p. adj.

bouffissure, s. f. Etat de ce qui se bouffit. *Tumor, oris,* m.

1. bouffon, s. m. Personnage dont l'emploi était de faire rire. *Homo ridiculus.* ¶ Acteur chargé de rôles burlesques. *Scenicus joculator.* ‖ — de cour, *morio, onis,* m. *scurra, ae,* m. ‖ Celui qui cherche à faire rire par de grosses plaisanteries. *Scurra, ae,* m. De —, *scurrilis, e,* adj. En —, *scurriliter,* adv. Faire le —, *scurrāri,* dép. intr.

2. bouffon, onne, adj. Qui excite le rire par la grosse plaisanterie, la grosse gaieté. *Scurrilis, e,* adj.

bouffonnerie, s. f. Action, parole bouffonne. *Scurrīlitas, atis,* f. Au plur. *Scurriliter dicta* (ou *facta*).

bouge, s. m. Sorte de réduit. *Cellula, ae,* f. ‖ (Par ext.) Logement misérable. *Ganea, ae,* f.

bouger, v. intr. Faire un mouvement qui déplace légèrement. *Movēre* (ou *commovēre*) se. Ne pas —, *quiescĕre,* intr. Rester sans —, *compressis, ut aiunt, manibus sedēre.* [i, m.

bougie, s. f. Chandelle de cire. *Cereus,*

bouillant, ante, adj. Qui bout. *Fervens, entis,* p. adj. Eau —, *fervens aqua.* Poix —, *pix fervefacta.* ¶ (Au fig.) Vif, ardent. *Fervidus, a, um,* adj. Etre — de colère, *iracundiā exardescĕre.* Devenir —, *effervescĕre,* intr.

bouilli, ie, adj. Qui a été à l'état d'ébullition. *Elixus, a, um,* adj. Lait —, *lac incoctum.* Subst. — (viande de bœuf cuite à l'eau bouillante), *elixa* (s.-e. *caro*), *ae,* f.

bouillie, s. f. Pâte faite de farine et de lait bouillis ensemble. *Puls, pultis,* f. *Sorbitio, onis,* f.

bouillir, v. intr. Etre en état d'ébullition. *Bullīre,* intr. *Aestuāre,* intr. Commencer à —, *effervescĕre,* intr. Cesser de —, *defervescĕre,* intr. ‖ (Fig.) Etre vivement agité. *Effervescĕre,* intr. — de colère, *iracundiā effervescĕre.* ¶ (Fig.) Faire —, *fervefacĕre,* tr.

bouillon, s. m. Bulle qui se forme dans un liquide qui bout ou qui est agité. *Bulla, ae,* f. Bouillir à gros —, *bullīre,* intr. ¶ Agitation qui se produit à la surface d'un liquide qui entre en ébullition. *Aestus, ūs,* m. ¶ Liquide où l'on fait bouillir certaines substances. *Jus, juris*, n. — de veau, *jus vitulinum.*

bouillonnement, s. m. Agitation d'un liquide qui bout. *Aestŭs, ūs*, m. *Fervor, oris*, m.

bouillonner, v. intr. Former des bouillons. *Fervēre*, intr. *Effervescĕre*, intr.

boulanger, s. m. Celui qui fait, qui vend du pain. *Pistor, oris*, m. *Furnarius, ii*, m.

boulangère, s. f. Celle qui fait ou qui vend le pain. *Pistrix, icis*, f.

boulangerie, s. f. Fabrication du pain. *Panificium, ii*, n. ‖ Commerce de boulanger. *Furnaria, ae*, f. ¶ Etablissement où se fait, où se vend le pain. *Pistrina, ae*, f. *Pistrinum, i*, n.

boule, s. f. Corps sphérique. *Globus. i*, m. *Pila, ae*, f. Une — en pierre, *globosum saxum.* Jouer à la —, *rotāre* (ou *versāre*) *globum.* Se mettre en —, *in pilae modum convolvi.* Mettre en —, *conglobāre*, tr. ¶ (Par ext.) Boule pour le tirage au sort. *Sors, sortis*, f. [*ue*, f.

bouleau, s. m. Nom d'un arbre. *Betula.*

boulette, s. f. Petite boule. *Globulus. i*, m. — d'aliments pétris, *offa, ae*, f.

boulevard, s. m. Terre-plein en avant d'un rempart. *Agger, eris*, m. ‖ (Fig.) *Propugnaculum, i*, n.

bouleversement, s. m. Action de bouleverser. *Perturbatio, onis*. f. — général, *conversio rerum et perturbatio.*

bouleverser, v. tr. Mettre dans un désordre complet. *Conturbāre*, tr. *Perturbāre*, tr. *Miscēre*, tr. *Permiscēre*, tr. *Confundĕre*, tr. ¶ (Fig.) Agiter violemment l'âme. *Turbāre*, tr. *Perturbāre*, tr.

boulimie, s. f. Faim insatiable provenant ordinairement d'une cause morbide. *Bulimus, i*, m.

bouquet, s. m. Un bouquet d'arbres. *Nemus, oris*, n. *Silvula, ae*, f. ¶ Assemblage de fleurs coupées. *Florum fasciculus.* Faire un —, *flores nectĕre.*

bouquetière, s. f. Femme qui fait, qui vend des bouquets. *Coronaria, ae*, f. *Corollaria, ae*, f.

bouquetin, s. m. Mammifère du genre chèvre. *Ibex, ibicis*, m.

1. **bouquin**, s. m. Bouc, vieux bouc. *Hircus, i*, m.

2. **bouquin**, s. m. Petit livre *et par dédain* vieux livre. Pâlir sur les —, *in veteribus libris pallescĕre.*

bourbe, s. f. Boue épaisse qui se dépose au fond d'une eau stagnante. *Caenum, i*, n. *Limus, i*, m.

bourbeux, *euse*, adj. Où il y a de la bourbe. *Limosus, a, um*, adj. *Caenosus, a, um*, adj.

bourbier, s. m. Creux, mare pleine de bourbe. *Lama, ae*, f. Etre dans le —, *in caeno esse.* [d'abeille. *Fucus, i*, m.

bourdon, s. m. Espèce particulière

bourdonnement, s. m. Bruit sourd et continu, grave et sourd. *Murmur, uris*, n.

bourdonner, v. intr. Faire entendre un bruit continu, grave et sourd. *Fremĕre*, intr. *Murmurāre*, intr.

bourg, s. m. Gros village. *Pagus, i*, m. ¶ Gros village où se tient le marché. *Forum, i*, n.

bourgade, s. f. Petit bourg. *Vicus, i*, n.

1. **bourgeois**. s. m. Citoyen d'un bourg *ou* d'une ville affranchie. *Civis, is*, m. *Municeps, cipis*, m. ¶ Celui qui appartient à la classe moyenne d'une ville. *Oppidanus, i*, m. ‖ (Spéc) Celui qui n'est pas militaire. *Togatus, i*, m.

2. **bourgeois**, *oise*, adj. Qui appartient au bourgeois. *Plebeius, a, um*, adj. Habit —, *toga, ae*, f.

bourgeoisie, s. f. Qualité de celui qui est bourgeois. *Civitas, atis*, f. ¶ La classe bourgeoise. *Cives, ium*, m. pl. *Oppidani, orum*, m. pl.

bourgeon, s. m. Pousse rudimentaire des arbres et arbustes. *Gemma, ae*, f.

bourgeonnement, s. m. Action de bourgeonner. *Germinatio, onis*, f.

bourgeonner, v. intr. Pousser des bourgeons. *Gemmāre*, intr.

bourrache, s. f. Plante herbacée. *Borrago, inis*, f. [à qqn. *Pusticlo, onis*, f.

bourrade, s. f. Poussée que l'on donne

bourrasque, s. f. Coup de vent violent. *Procella, ae*, f. *Ventus procellosus.* — de neige, *nives, ium*, f. pl. ¶ Brusque emportement. *Procella, ae*, f.

bourre, s. f. Amas de poils détachés de la peau de certains animaux et servant à garnir les selles, les tabourets etc.. *Tomentum, i*, n.

bourreau, s. m. Celui qui a la charge d'exécuter les criminels. *Carnifex, icis*, m.

bourreler, v. tr. Tourmenter l'âme. *Mordēre*, tr. *Torquēre*, tr. *Vexāre*, tr. Avoir la conscience bourrelée, *conscientiā morderi.* [bourre. *Arculus, i*, m

bourrelet, s. m. Coussin rempli de

bourrer, v. tr. Remplir qqch. en y enfonçant de la bourre (et par ext.), remplir (qqch.) en y enfonçant qqch. *Farcīre*, tr. *Refercīre*, tr. *Stipāre*, tr.

bourrique, s. f. Femelle de l'âne. *Asina, ae*, f.

bourru, *ue*, adj. Qui bourre les gens, qui a l'accueil rude. *Asper, era, erum*, adj. *Importunus, a, um*, adj.

bourse, s. f. Petit sac destiné à recevoir de l'argent de poche. *Marsupium, ii*, n. *Crumena, ae*, f.

boursouflé, *ée*, adj. Où l'on trouve de l'enflure. Style —, *inflata oratio; sermo tumidior.*

boursoufler, v. tr. Produire une boursouflure sur qqch. *Inflāre*, tr. *Inflationem habēre.* Se —, *inflari*, passif.

boursouflure, s. f. Enflure qui se produit par endroits sur une surface unie et sous laquelle on sent le vide. *Inflatio, onis*, f. *Tumor, oris*, m. Fig. — du style, *tumor, oris*, m.

bousculer, v. tr. Culbuter. Voy. ce mot.

bout, s. m. Partie extrême qui commence *ou* qui termine un corps, une étendue considérée dans le sens de la longueur. Les deux —, *utraque pars.* Les — des poutres, *capita tignorum.* A l'autre —, *in contrariam partem.* Occuper le bas-bout (de la table), *in infimo loco accumbère.* Occuper le haut —, *accumbère in summo.* Tenir le haut — (fig.), *primum tenère locum.* D'un — à l'autre, de — en —, *totus, a, um,* adj. Tenir le bon — de son côté, *sibi meliorem servàre partem.* ¶ Partie qui termine un corps, une étendue. *Extremum, i, n. Extremitas, atis,* f. Le — des doigts, *extremi digiti.* Ne toucher (à qqch.) que du — des lèvres, *primoribus labris attingère* (ou *gustàre*). Toucher qqch. du — des doigts (sans appuyer), *extremis digitis* (ou *uno digitulo*) *aliquid attingère.* Fig. Savoir qqch. sur le — du doigt, *bene memoriter aliquid tenère.* Arriver au — de la rue, *ad extremam viam pervenìre.* On était au — de l'année, *in exitu jam annus erat.* Au — de qqs jours, *aliquot post dies.* Etre au — de ses ressources, *ad extrema venisse.* Venir à — de qqch., *aliquid perficère* (ou *peragère*). Venir à — de qqn, *aliquem vincère.* Venir à bout de faire qqch., *perficère, ut* (subj.); *expugnare ut* (subj.). Etre à — de patience, *taedio fatigari.* Etre à — de forces, *laboribus frangi.* Mettre la patience de qqn à —, *alicujus patientiam vincère.* Au — du compte, *in summa.* ¶ La partie qui termine un corps considérée comme un fragment. Un — de pain, *frustum panis.* Un — de lettre, *aliquid litterarum; epistolium, ii,* n.

boutade, s. f. Action, parole qui échappe brusquement, brusque caprice. *Praeceps et caecus animi impetus.*

boutefeu, s. m. Celui qui excite la discorde, l'émeute. *Concitator, oris,* m.

bouteille, s. f. Vase à col étroit et allongé. *Lagoena, ae,* f.

boutique, s. f. Salle sur la rue servant aux marchands à exposer et à vendre leurs marchandises au détail. *Taberna, ae,* f. Petite —, *tabernula, ae,* f.

boutiquier, s. m. Marchand en boutique. *Tabernarius, ii,* m.

boutoir, s. m. Bout du groin du sanglier. *Apri rostrum.*

bouton, s. m. Bourgeon naissant. *Gemma, ae,* f. *Oculus, i,* m. | (Par ext.) Fleur non encore épanouie. *Calyx, ycis,* m. *Calyculus, i,* m. || (Par anal.) Petite tumeur arrondie sur la peau. *Papula, ae,* f. *Pusula, ae,* f. ¶ (Par ext.) Petite pièce ronde en os, en métal, etc., servant à attacher les habits. *Malleolus, i,* m.

boutonné, ée, adj. Qui commence à avoir des boutons. *Gemmatus, a, um,* adj. || (En parl. de la peau.) Qui a des boutons. *Pusulosus, a, um,* adj. ¶

Fixé à l'aide de boutons. *Astrictus, a, um,* part.

boutonner, v. intr. et tr. || *V. intr.* Commencer à avoir des boutons. *Gemmascère,* intr. || (Fig.) Avoir des boutons sur la figure. *Papulàre,* intr. ¶ *V. tr.* Fermer (un vêtement) à l'aide de bouton. *Astringère,* tr.

bouture, s. f. Branche détachée et plantée en terre pour qu'elle s'y enracine. *Malleolus, i,* m.

bouverie, s. f. Etable à bœufs. *Bovile, is,* n. *Bubile, is,* n. [*cus, i,* m.

bouvier, s. m. Gardeur de bœufs. *Bubul-*

bouvillon, s. m. Jeune bœuf. *Juvencus, i,* m. [*Rubicilla, ae,* f.

bouvreuil, s. m. Nom d'un passereau.

bovine, adj. f. De l'espèce du bœuf. *Bubulus, a, um,* adj. La race —, *bubulum pecus.*

boyau, s. m. Nom vulgaire de l'intestin. Voy. INTESTIN. ¶ (Fig.) Conduit long et étroit. *Cuniculus, i,* m.

bracelet, s. m. Ornement en forme de cercle qu'on porte autour du poignet. *Armilla, ae,* f.

brahmanes, s. m. pl. Prêtres hindous. *Brachmani, orum,* m. pl. *Brachmanae, arum,* m. pl. [*Bracae, arum,* f. pl.

braie, s. f. Sorte de haut-de-chausse.

braillard, arde, adj. Qui a l'habitude de brailler. Voy. CRIARD. Subst. Un —, *rabula, ae,* m.

brailler, v. intr. Crier, chanter, parler en faisant des éclats de voix. *Vociferàri,* dép. intr. [*Ruditùs, ùs,* m.

braiment, s. m. Cri de l'âne qui brait.

braire, v. intr. Crier (en parl. de l'âne). *Rudère,* intr.

braise, s. f. Bois réduit par la combustion à l'état de charbon ardent. *Pruna, ae,* f. [*cerf.*] *Clocitare,* intr.

bramer, v. intr. Crier (en parl. du

brancard, s. m. Chacun des bras d'une civière *ou* d'une voiture. *Phalanga, ae,* f. ¶ (Par ext.) Civière à brancards. *Feretrum, i,* n.

branchage, s. m. Réunion de branches, l'ensemble des branches d'un arbre. *Rami, orum,* m. pl. || (Par ext.) Réunion de branches coupées. *Ramalia, um,* m. pl. ¶ Bois du cerf. *Cornua, uum,* n. pl.

branche, s. f. Bois qui se détache du tronc d'un arbre. *Ramus, i,* m. Petite —, *ramulus, i,* m. ¶ (Par anal.) Tout ce qui, partant d'une tige, rappelle les branches d'un arbre. — (d'un bois de cerf), *ramus, i,* m. — (d'une artère, d'une veine; dans les poumons), *ramex, icis,* m. (au plur.). || — (d'une mine, voy. FILON. (Fig.) — (d'une famille), *ramus, i,* m.

branchu, ue, adj. Qui a plusieurs branches. *Ramosus, a, um,* adj.

brandir, v. tr. Agiter en balançant. *Vibràre,* tr. *Libràre,* tr. *Torquère,* tr.

brandon, s. m. Tison, torche, faisceau de paille enflammée. *Fax, facis,* f.

branlant, *ante*, adj. Qui branle. *Qui (quae, quod) nutat.*

branle, s. m. Secousse par laquelle on fait osciller un corps. *Motùs, ūs*, m. Donner le —, le premier — (à qqch.), *aliquid movēre* (ou *impellēre*).

branlement, s. m. Mouvement de ce qui branle. *Nutatio, onis*, f.

branler, v. tr. et intr. || (*V. tr.*) Faire osciller en imprimant une secousse. *Quatēre*, tr. En branlant la tête, *nutans.* ¶ (*V. intr.*) Commencer à osciller. *Nutāre*, intr. *Vacillāre*, intr.

bras, s. m. Membre supérieur du corps de l'homme articulé à l'épaule et terminé par la main. *Brachium, ii*, n. *Lacertus, i*, m. *Manùs, ūs*, f. (surt. au plur.). Porter un enfant dans ses —, *puerum in manibus gestāre*. Prendre qqn dans ses —, *manibus aliquem excipēre.* Arracher qqn des — de qqn, *aliquem e complexu alicujus eripēre.* Du —, relatif au —, *brachialis, e*, adj. Moulin à —, *manuaria mola.* Qui a de bons —, *lacertosus, a, um*, adj. Porter qqch. sous le —, *sub alā aliquid portāre.* Qu'on porte sous le —, *subalaris, e*, adj. — dessus, — dessous, *amplexi* (ou *complexi*) *inter. se.* S'appuyer sur le — de qqn, *in aliquem inniti.* Prendre qqn à — le corps, *medium amplecti aliquem.* Entourer de ses —, prendre dans ses —, voy. EMBRASSER. Prendre qqn sous le —, *aliquem sustinēre.* Recevoir qqn dans ses —, *aliquem excipēre collapsum.* Se jeter entre les — de qqn, *ad aliquem confugēre.* Tendre les — à qqn, *sinum alicui praebēre.* Avoir qqn sur les —, *aliquem habēre in manibus.* Transporter les matériaux à force de —, *materiam multis manibus comportāre.* Il n'a été que le — d'autrui, *manum alteri commodavit.* Etre le — droit de qqn, *alicujus dextellam esse.* Arrêter, contenir son —, *continere (ab aliquo) manus.* Un — valeureux, *vir manu fortis* (ou *promptus*). || Pouvoir, puissance. Voy. ces mots. Le — de Dieu, *praesens Dei auxilium* ou (s'il s'agit d'un châtiment), *praesens Dei poena.* ¶ (Par anal.) — (tentacule) d'un polype, *cirrus, i*, m. Les — du scorpion, *chelae, arum*, f. pl. ¶ Parties qui s'allongent en forme de bras. — d'une civière, *asseres, um*, m. pl. Les — d'une vergue, *brachia*, n. pl. Les — de la vigne, *brachia*, n. pl. Les — d'un fleuve, *partes fluminis.* — d'un fleuve (à son embouchure), *capita*, n. pl. — de mer, *fretum, i*, n.

brasier, s. m. Foyer où le combustible est à l'état de braise ardente. *Ardens focus.*

brassard, s. m. Pièce de l'armure qui protégeait le bras. *Manica, ae*, f.

brasse, s. f. Espace que mesure l'écartement des bras étendus. *Ulna, ae*, f.

brassée, s. f. Quantité de certains objets qu'on peut porter entre ses

bras. *Manipulus, i*, m.

brasser, v. tr. Fabriquer la bière, le cidre, etc. *Coquēre cervisiam.* ¶ (Par anal.) Remuer, agiter pour une opération quelconque. Voy. REMUER. || (Fig.) Machiner, tramer. Voy. ces mots.

bravade, s. f. Ce qu'on dit, ce qu'on fait pour braver qqn. (Surt. au plur.) *Ferox dictum. (Militaris) ferocia.* Ce qu'on fait par ostentation de bravoure. *Inanis jactantia.*

brave, adj. Prêt à affronter le danger. *Fortis, e*, adj. *Animosus, a, um*, adj. *Strenuus, a, um*, adj. Un —, *vir expertae* (ou *spectatae*) *virtutis; vir manu fortis.* ¶ Prêt à faire son devoir. *Bonus, a, um*, adj. Les braves gens, *boni*, m. pl.

bravement, adv. Avec bravoure. *Fortiter*, adv. *Animosē*, adv. *Strenuē*, adv. Se conduire —, *se fortem praebēre* (ou *praestāre*).

braver, v. tr. Se montrer prêt à affronter qqn ou qqch. qui est à craindre. *Contemnere (gladios, pericula*, etc.). — la mort, *mortem appetēre.* — tous les supplices, *nullum recusāre supplicium.* ¶ (Par ext.) Provoquer par des paroles insolentes. *Contumacius se gerēre.*

bravo, interj. Exclamation dont on accompagne les applaudissements. *Sophos*, adv. *Euge*, interj. *Factum bene! Laudo!* ¶ (Subst.) Voy. APPLAUDISSEMENT.

bravoure, s. f. Qualité de celui qui est brave. *Virtus, utis*, f. *Fortitudo, inis*, f. Actes de —, *fortitudines, um*, f. pl. [mouton. *Ovis, is*, f.

brebis, s. f. Femelle, dans le genre

brèche, s. f. Solution de continuité qui permet de pénétrer dans une enceinte. *Munimentorum ruinae. Jacentis muri ruinae.* Battre les murs en —, *tormentis et arietum pulsu muros quatēre.* Faire — dans un mur, *muri partem ariete incusso subruēre.* — praticable, *idonea irruptioni ruina.* Fermer les —, *quassata reficēre.* Etre sur la —, *pro diruto muro pugnāre.* (Au fig.) Battre en —, *labefactāre*, tr. Pour réparer la — faite à leur fortune, *ut illam lacunam rei familiaris expleant.*

bredouillement, s. m. Action de parler en bredouillant. *Parum explanatae voces.*

bredouiller, v. intr. S'exprimer d'une manière inintelligible en parlant avec précipitation. *Parum explanatas voces mittēre.*

bref, *brève*, adj. Court; de courte taille (arch.). *Brevis, e*, adj. || De courte durée. *Brevis, e*, adj. *Contractus, a, um*, p. adj. Avoir le parler —, *brevitate uti imperiosē.* Parler —, *breviter et imperiose loqui.* Absol. — (en peu de mots), *ne multa* (s.-e. *dicam*); *ne longum sit* (ou *fiat*). || (Spéc.) Qui se prononce rapidement. *Brevis, e*, adj.

breuvage, s. m. Boisson préparée pour qqn. *Patio, onis,* f. *Potŭs, ūs,* m.

brevet, s. m. Acte non scellé expédié au nom du roi pour accorder une faveur. *Diploma, atis,* n. *Codicilli, orum,* m. pl. ¶ Titre délivré par l'état. Voy. DIPLÔME.

bréviaire, s. m. Réunion des prières que chaque prêtre catholique doit réciter à certaines heures du jour. *Breviarium, ii,* n.

bribe, s. f. Morceau de pain (qu'on donne à un mendiant). *Panis frustum.* ¶ Reliefs d'un repas. *Reliquiae, arum,* f. pl.

bride, s. f. Chacune des deux courroies qui sont fixées à droite et à gauche du mors et servent à diriger un cheval. *Habena, ae,* f. (au plur.). *Frenum, i,* n. (pl. *freni, orum,* m.). Mettre une — à un cheval, *infrenāre equum.* Mener un cheval par la —, *loris equum ducere.* Tourner — (pour s'enfuir), *in fugam equum vertère.* Tourner — (pour revenir en arrière), *retro redire.* Chevaux lancés à toute —, *admissi equi.* A toute —, *equo admisso* (ou *citato*). ¶ (Fig.) *Frenum, i,* n. Lâcher la — (à qqn), lui mettre la — sur le cou, *alicui habenas remittère.* Se laisser tenir en — *frenos recipère.* Tenir en — *frenāre* (ou *infrenāre*), tr. Tenir qqn en —, *aliquem continēre et regère.*

brider, v. tr. Garnir de sa bride un cheval, un mulet. *Frenāre,* tr. *Infrenāre,* tr. *Frenos equo injicère.* Cheval bridé, *frenatus equus.* Fig. — qqn, *aliquem inhibēre.*   [*viter,* adv.

brièvement, adv. En peu de mots. *Bre-*

brièveté, s. f. Courte durée. *Brevitas, atis.* f. *Angustiae, arum,* f. pl. ¶ Façon de dire les choses en peu de mots. *Brevitas, atis,* f. ¶ (Spéc.) — (des syllabes), *brevitas, atis,* f.

brigade, s. f. Troupe, réunion de personnes. Voy. ces mots. ¶ Corps de troupe. *Agmen, inis,* n.

brigand, s. m. Celui qui vole à main armée et en troupe. *Latro; onis,* m. *Praedo, onis,* m.

brigandage, s. m. Vol à main armée sur les routes. *Latrocinium, ii,* n. Exercer le —, *latrocināri,* dép. intr.

brigantin, s. m. Petit bâtiment léger. *Celox, ocis,* m. et f. *Myoparo, onis,* acc. pl. *onas,* m.

brigue, s. f. Manœuvre pour l'emporter sur des rivaux dans une élection. *Ambitus, ūs,* m. *Ambitio, onis,* f. *Petitio, onis,* f. Accessible à la —, *ambitiosus, a, um,* adj. Par —, *ambitiosé,* adv. ‖ (Par ext.) Parti qu'on a intéressé à sa candidature. *Factio, onis,* f. Voy. CABALE.

briguer, v. intr. et tr. ‖ (*V. intr.*) Exercer la brigue, intriguer. Voy. INTRIGUER. ¶ (*V. tr.*) Rechercher (qqch.) comme candidat. *Ambīre,* tr. *Petère,* tr. ‖ (Au fig.) Rechercher avec empressement, ambitionner, convoiter. *Ambīre,* tr. *Sectāri,* dép. tr. *Affectāre,* tr. ¶ (Par ext.) Solliciter qqn. Voy. SOLLICITER.

brillamment, adv. D'une manière brillante. *Splendidé,* adv. *Nitidé,* adv.

1. brillant, e, adj. Qui brille. *Splendidus, a, um,* adj. *Fulgens, entis,* p. adj. Etre —, *splendēre,* intr., *fulgēre,* intr.; *nitēre,* intr. ¶ (Fig.) Qui a de l'éclat. *Splendidus, a, um,* adj. *Fulgens, entis,* p. adj. *Illustris, e,* adj. Remporter une — victoire, *pulcherrimé vincère.* — fortune, *res florentissimae,* Qui est dans une situation —, *florens,* p. adj. Etre — de santé, *nitēre,* intr.

2. brillant, s. m. Qualité de ce qui est brillant. *Nitor, oris,* m. *Splendor, oris,* m. Faux —, *fucus, i,* m. Diamant taillé en —, *et absol.* —, *gemma, ae,* f.

briller, v. intr. Répandre et (par ext.) refléter une lumière vive. *Splendēre,* intr. *Fulgēre,* intr. *Effulgēre,* intr. *Refulgēre,* intr. *Nitēre,* intr. *Lucēre,* intr. *Collucēre,* intr. ¶ (Au fig.) *Fulgēre,* intr. *Collucēre,* intr. *Elucēre,* intr.

brin, s. m. Rejeton qui pousse droit d'une souche restée en terre après que l'arbre a été coupé. *Surculus, i,* m. *Frutex, icis,* m. ¶ (Par ext.) Tige menue. *Scopa, ae,* f. (ordin. au plur.). *Cauliculus, i,* m. — d'herbe, *herba, ae,* f. — de paille, *festuca, ae,* f. — de bois sec, *cremia, orum,* n. pl. — de bois mort, *quisquiliae, arum,* f. pl. ¶ (Fig. et famil.) Menue parcelle de qqch. *Particula, ae,* f. Un beau — de fille, *pulcherrimum baccibalum.*

brindille, s. f. Petite branche grêle. *Brindilles* (d'absinthe), d'asperges. *Scopae, arum,* f. pl.   [*centa, ae,* f.

brioche, s. f. Sorte de gâteau. *Pla-*

brique, s. f. Carreau d'argile séché au soleil *ou* cuit au four. *Later, eris,* m. Petite —, *laterculus, i,* m. En —, de —, fait en —, *latericius, a, um,* adj.

briquet, s. m. Couplet de fer tenant lieu de charnière. *Vinculum, i,* n. ¶ Pièce d'acier dont on se sert pour faire jaillir des étincelles. *Clavus, i,* m. Battre le —, *ignem e silice elicère.*

briqueterie, s. f. Fabrique de briques. *Lateraria,* f.

briquetier, s. m. Fabricant, marchand de briques. *Laterarius, ii,* m.

bris, s. m. Action de briser. *Fractura, ae,* f. ¶ Action de se briser. *Fractura, ae,* f. — de navire, *dissolutio navigii*

brisant, s. m. Ecueil à fleur d'eau. *Cautes, is,* f. *Scopulus, i,* m.

brise, s. f. Vent frais. *Aura, ae,* f.

brisé, ée, adj. Qui présente une solution de continuité. Volets —, *plicatiles fores.* ¶ (Au fig.) Saccadé. Voy. ce mot.

brisées, s. f. pl. Branches semées sur le chemin pris par la bête. *Ramalia,*

ium, n. pl. Aller *ou* marcher sur les —
de qqn, *insistère* (ou *ingredi*) *vestigiis
alicujus.* Courir sur les — de qqn, *in
alicujus agro venari,* et (au fig.) *alicujus
partes sibi sumère.*

brisement, s. m. Action de briser.
Voy. BRISER. ¶ Action d'être brisé.
Le — de la mer, *illisus,* abl. *u,* m. Fig.
— de cœur, *animi angor.*

briser, v. tr. Mettre en pièces par un
choc ou un coup violent. (Pr. et fig.)
Frangère, tr. *Effringère,* tr. *Perfringère,*
tr. *Rumpère,* tr. *Abrumpère,* tr. — les
os à qqn, voy. ROUER. Avoir le corps,
les membres brisés (accablés de fa-
tigue), *defetisci,* dép. intr. || Se —,
frangi, confringi, rumpi, disrumpi,
passif. L'anneau se brisa en morceaux
anulus fractus et comminutus est. Qu'on
peut —, *fragilis, e,* adj. ¶ Interrompre
(qqch.) dans sa continuité. *Interrum-
père,* tr. Une voix brisée, voy. ENTRE-
COUPÉE. — l'entretien, *inceptum sermonem abrumpère.* Brisons là, *sed haec
hactenus.*

brisure, s. f. Partie où un objet est
brisé. *Rima, ae,* f. *Fractura, ae,* f.

broc, s. m. Vase à anse servant à
tirer le vin. *Oenophorum, i, n.* [*oris,* m.

brocanteur, s. m. Revendeur. *Institor,*
1. brocard, s. m. Trait piquant. *Dic-
teria, orum, n. pl.*

2. brocard, s. m. Cerf, chevreuil,
daim mâle d'un an. Voy. ces mots.

brocart, s. m. Etoffe de soie brochée.
Vestes Attalicae, f. pl.

broche, s. f. Tige de fer qui sert à
suspendre les viandes qu'on veut
rôtir. *Veru, ûs, n.* ¶ Défense de sanglier. *Apri dens.*

brocher, v. tr. Passer sur le fond
d'une étoffe une des fils formant un
dessin. *Intexère,* tr. *Intertexère,* tr. Etoffe
brochée, *plumaria vestis.*

brochet, s. m. Poisson d'eau douce.
Lucius, ii, m. *Esox, ocis,* m.

brodequin, s. m. Chaussure d'étoffe
ou de peau. *Soccus, i,* m.

broder, v. tr. Rehausser un tissu d'ornements faits à l'aiguille. *Acu pingère*
ou (simpl.) *pingère.* Vêtement brodé,
toga picta. || (Par ext.) Exécuter en
broderie. *Intexère,* tr. ¶ (Fig.) Ajouter
des embellissements à une histoire.
Rem augère narrando.

broderie, s. f. Dessin, ornement en
relief fait à l'aiguille sur une étoffe.
Plumarium opus. Exécuter des — d'or
sur une étoffe, *intexère aurum vesti.*

brodeur, euse, s. m. et f. Celui, celle
qui brode. — en or, *phrygio, onis,* m.

broiement et **broiment,** s. m. Action
de broyer. *Tritûs,* abl. *u,* m.

bronche, s. f. Chacun des deux con-
duits de la bifurcation de la trachée-
artère. Les bronches, *arteriae, arum,*
f. pl.

broncher, v. intr. Faire un faux-pas.
Peccare, intr. *Offendère,* intr. || (Fig.)

Faire une faute. *Peccare,* intr.; *in aliquâ
re offendère.* ¶ Déranger son attitude.
Sans —, *recta facie.*

bronze, s. m. Alliage de cuivre et d'étain.
Aes, aeris, n. De —, en —, *aeneus
(aheneus), a, um,* adj.; *aereus, a, um,*
adj.

bronzer, v. tr. Donner à un objet une
teinte foncée, comme celle du bronze.
Teint —. Voy. HALE.

brosse, s. f. Instrument pour nettoyer,
frotter. *Peniculus, i, m.* ¶ Pinceau de
peintre. *Penicillum, i, n.*

brosser, v. tr. Frotter avec une brosse.
Peniculo tergère (ou *detergère*). Se —,
peniculo vestimenta detergère.

brou, s. m. Enveloppe verte de la
noix. *Culliola, orum, n. pl.* [*cibus.*

brouet, s. m. Aliment liquide. *Intritus*

brouette, s. f. Petit tombereau. *Pa-
billus, i, m.*

brouillard, s. m. Vapeur d'eau insuffisamment condensée qui ternit la
transparence du ciel. *Nebula, ae, f.
Caligo, inis, f.* Couvert de —, *nebulosus, a, um,* adj.

brouille, s. f. Voy. BROUILLERIE.

brouiller, v. tr. Mêler de manière à
rendre trouble. *Turbàre,* tr. — les
couleurs (d'un tableau), *permiscère et
confundère colores.* Se —, *confundi,*
passif. Le temps se brouille, *nubilatur,*
pass. impers. ou *nubilat,* impers. Un
teint brouillé, *confusus oris color.* ¶
(Fig.) Rendre confus. *Miscère,* tr.
Permiscère, tr. *Confundère,* tr. Se —,
c.-à-d. s'embrouiller. Voy. EMBROUIL-
LER. ¶ (Par ext.) Troubler l'union
entre les personnes. *Alienàre,* tr. *Abalienàre,* tr. *Distrahère,* tr. Voy. DÉSU-
NIR. Se —, *inter se dissidère.*

brouillerie, s. f. Désaccord entre personnes. *Alienatio, onis, f. Dissidium,
ii, n.* ¶ Désaccord entre les choses.
Perturbatio, onis, f.

brouillon, s. m. Celui qui brouille les
choses. *Turbator, oris, m. Turbulentus
homo.* ¶ Ce qui est brouillé, confus;
Travail destiné à être recopié, *adversaria, orum, n. pl.*

broussaille, s. f. Touffe d'épines, de
ronces enchevêtrées (surt. au plur.).
Dumetum, i, n. (au plur.).

brouter, v. tr. Manger l'herbe, les
jeunes pousses (en parl. des animaux).
Depascère, tr. *Tondère,* tr.

broutille, s. f. Pousse menue. *Ramulus,
i, m.* || (Au plur.) Menues branches
coupées dont on fait les fagots. *Cremia,
orum, n. pl.* ¶ (Fig.) Au plur. Objets
de peu de valeur. *Nugae, arum, f. pl.*

broyer, v. tr. Réduire un corps en
parcelles extrêmement petites *Terère,*
tr. *Conterère,* tr. ¶ (Par ext.) Ecraser
en délayant pour réduire en pâte.
Atterère, tr. *Conterère,* tr.

broyeur, s. m. Celui qui broie. *Tritor,
oris,* m.

bru, s. f. Femme du fils. *Nurùs, ûs,* f.

bruine, s. f. Pluie fine et froide succédant au brouillard. *Pluvia tenuissima.*

bruiner, v. impers. Faire de la bruine Il bruine, *pluvia cadit tenuissima.*

bruire. v. intr. Faire entendre une succession confuse de petits bruits. *Fremère,* intr.

bruissement, s. m. Succession confuse de petits bruits. *Fremitùs, ûs,* m.

bruit, s. m. Son ou réunion de sons provenant de vibrations irrégulières. *Sonus, i,* m. *Sonitùs, ûs,* m. Faire du —, *sonàre,* intr. ; *strepère,* intr. ¶ Mouvement tumultueux. *Tumultus, ûs,* m. || Mouvement séditieux. *Turba, ae,* f. ¶ Mouvement par lequel on attire l'attention du public sur qqn, qqch. *Strepitùs, ûs,* m. Mener grand —, *tumultuàri,* dép. intr. Sans —, *silentio.* A petit —, voy. DISCRÈTEMENT. Faire beaucoup de — de qqch., *vendïtàre aliquid.* || (Spéc.) Action de faire parler de soi. *Fama, ae,* f. *Nomen, inis,* n. Faire grand —, *omnium sermonibus celebràri.* Vivre sans —, *silentio vitam transìre.* | (Par ext.) Ce qu'on dit de qqn, de qqch. *Fama, ae,* f. *Sermo, onis,* m. *Rumor, oris,* m.

brûlant, *ante,* adj. Qui se consume par le feu (pr. et fig.). *Ardens, entis,* p. adj. *Flagrans, antis,* p. adj. ¶ (Par ext.) Qui fait éprouver une sensation de chaleur excessive. *Ardens, entis,* p. adj. *Fervidus, a, um,* adj. Être brûlant, voy. BRULER. || (Par anal.) Ardent, vif. *Ardens, entis,* p. adj.

1. brûlé, *ée,* adj. Consumé par le feu. Pain —, *panis adustus.* Fig. Cerveau —, *cerritus homo.*

2. brûlé, s. m. Ce qui est brûlé. Odeur de brûlé. *nidor, oris,* m.

1. brûler, v. tr. Consumer par l'action du feu. *Urère,* tr. *Adurère,* tr. *Comburère,* tr. Faire — (un mort), — vif (qqn), *cremàre,* tr. ¶ (Par ext.) Altérer par l'action du feu ou d'une chaleur intense. *Urère,* tr. || (Spéc.) Carboniser en faisant cuire. *Adurère,* tr. || (Par anal.) Une lumière trop vive brûle les yeux, *splendor acer adurit oculos.* || Brûler (en parl. du soleil). *Urère,* tr. *Exurère,* tr. *Torrère,* tr. ¶ Consumer, altérer, modifier par une action semblable à celle du feu. *Urère,* tr. *Exurère,* tr.

2. brûler, v. intr. Se consumer par l'action du feu. *Ardère,* intr. *Flagràre,* intr. *Conflagràre,* intr. *Uri,* passif. — (être en flammes), *incensum esse.* — entièrement, *deflagràre,* intr. ¶ S'attirer par l'action du feu ou d'une chaleur intense. *Aduri,* passif. ¶ (Fig.) Avoir la sensation d'une chaleur très vive. *Ardère,* intr. ¶ Ressentir une vive ardeur, un vif désir. *Ardère,* intr. *Flagràre,* intr. — de faire qqch., *cupère ardentissimè* (av. l'inf.).

brûlure, s. f. Lésion produite sur la peau par l'action du feu ou quelque cause analogue. *Adustio, onis,* f. Guérir des —, *adusta sanàre.*

brume, s. f. Brouillard épais et spéc. brouillard de mer. *Caligo, inis,* f

brumeux, *euse,* adj. Obscurci par la brume, le brouillard, *Nebulosus, a, um,* adj.

brun, *une,* adj. Dont la couleur tire sur le noir. *Fuscus, a, um,* adj. Avoir le teint —, *adustioris coloris* (ou *adustiore colore) esse.* ¶ (Subst.) Le —, *c.-à-d.* la couleur brune, *fuscus color.* ¶ La brune, *c.-à-d.* le soir. Il est sorti à la —, *obscurà jam luce egressus est.*

bruni, *ie,* part. Voy. BRUNIR.

brunir, v. intr. et tr. || (V. intr.) Prendre une couleur brune. *Colorari* passif. Il a bruni, *adustioris est coloris.* ¶ (V. tr.) Rendre de couleur brune. *Fuscàre,* tr. *Infuscàre,* tr. *Coloràre,* tr.

brunissage, s. m. Action de brunir les métaux. *Politio, onis,* f. *Politura, ae,* f.

brunisseur, s. m. Ouvrier qui polit l'or (etc.). *Politor, oris,* m.

brusque, adj. Qui procède par un mouvement soudain et violent. *Subitus, a, um,* adj. *Repentinus, a, um,* adj. De — décisions, *consilia raptim praecipitata.* Des manières —, voy. BRUSQUERIE. ¶ (Par ext.) Un caractère —, *mores asperi.* Un homme —, *truculentus homo.*

brusquement, adv. D'une manière brusque. Voy. SUBITEMENT, SOUDAINEMENT. ¶ Avec une violence soudaine. *Asperè,* adv.

brusquer, v. tr. Traiter qqn d'une manière brusque. *Ferociter et subaspère aliquem habère.* ¶ Faire (qqch.) d'une manière brusque. *Occupàre,* tr. — l'admiration, *alicujus admirationem occupàre.*

brusquerie, s. f. Manière d'être (ou d'agir) brusque. *Asperitas, atis,* f. *Praeceps animi impetus.*

brut, *ute,* adj. Dont l'instinct grossier n'est pas façonné par la culture. *Ferus, a, um,* adj. Une bête — et subst. une —, *pecus, udis,* f. Les —, *bestiae, arum,* f. pl. ¶ Dont la matière n'a pas été façonnée. *Rudis, e,* adj. *Informis, e,* adj. Argent, or —, *argentum, aurum infectum.*

brutal, *ale,* adj. Qui tient de la brute. *Ferinus, a, um,* adj. ¶ Qui est d'une violence farouche. *Ferus, a, um,* adj. *Truculentus, a, um,* adj.

brutalement, adv. Avec brutalité. *Ferociter,* adv. *Atrociter,* adv. *Asperè,* adv.

brutaliser tr. Traiter qqn brutalement. *Nimis asperè aliquem tractàre.*

brutalité, s. f. Instinct brutal. *Feritas, atis,* f. || Passion brutale. *Libido, inis,* f. ¶ Violence farouche. *Feritas, atis,* f. *Immanitas, atis,* f. || Acte brutal. *Vexatio acerbissima. Truculentissimum facinus*. || Parole brutale. *Asperè dictum*.

brute, s. f. Voy. BRUT.

bruyamment, adv. D'une manière bruyante. *Clamosè*, adv. Se plaindre —, *ejulāre*, intr.

bruyant, *ante*, adj. Qui fait beaucoup de bruit *et* où l'on fait beaucoup de bruit. *Strepens, entis*, part. *Clamosus, a, um*, adj.

bruyère, s. f. Arbuste qui croît dans les terrains sablonneux. *Myrica, ae*, f.

bûche, s. f. Morceau de bois scié *ou* coupé pour le chauffage. *Lignum fissum*. Au plur. *Ligna, orum*, n. pl. || (Fig.) Personne stupide à la tête dure. *Caudex, dicis*, m.

bûcher, s. m. Réduit où l'on empile le bois à brûler. *Lignaria cella. Lignarium, ii*, n. ¶ Amas de bois pour l'incinération. *Rogus, i*, m.

bûcheron, s. m. Celui qui fait métier d'abattre le bois. *Lignarius, ii*, m. *Lignator, oris*, m.

bûchette, s. f. Menu bois qu'on laisse à glaner après une coupe. *Cremium, ii*, n.

bucolique, adj. Qui appartient au genre pastoral. *Bucolicus, a, um*, adj.

budget, s. m. État comparatif des recettes et des dépenses publiques. *Ratio redituum publicorum et necessitas erogationum.* [m.

buée, s. f. Vapeur d'eau. *Sudor, oris*,

buffet, s. m. Meuble de salle à manger. *Abacus, i*, m.

bufle, s. m. Espèce de bœuf exotique acclimaté en Grèce et en Italie. *Urus, i*, m.

buis, s. m. Arbrisseau toujours vert. *Buxus, i*, f. Lieu planté de —, plantation de —, *buxetum, i*, n. Bois de buis, objet en buis. *Buxus, i*, f. De —, *buxeus, a, um*, adj.

buisson, s. m. Groupe, réunion d'arbrisseaux non fruitiers. *Sentis, is*, m. (ordin. au plur. *sentes, ium*, m.). Couvert de —, voy. BUISSONNEUX.

buissonneux, *euse*, adj. Où poussent des buissons. *Dumosus, a, um*, adj.

bulbe, s. f. Oignon de plante. *Bulbus, i*, m.

bulbeux, *euse*, adj. Qui a un bulbe. *Bulbosus, a, um*, adj.

bulle, s. f. Petite boule. || Boule de métal (or) que les enfants des patriciens romains, *et, plus tard*, des hommes libres portaient au cou jusqu'à 17 ans. *Bulla* ou *bulla aurea*. ¶ Boule de plomb attachée au sceau des actes officiels. *Bulla, ae*, f. || (Par ext.) Le sceau lui-même. Voy. SCEAU. || L'acte revêtu du

sceau. *Diploma, atis*, n. Bulles du pape, *bullae pontificis*. ¶ Clou saillant. *Bulla, ae*, f. ¶ Globule qui s'élève de l'eau (sous diverses actions). *Bulla, ae*, f.

bulletin, s. m. Écrit imprimé qui constate *ou* publie qqch. d'une manière officielle. *Litterae, arum*, f. pl.

bureau, s. m. Sorte de bure. *Burra, ae*, f. ¶ Drap de laine servant autrefois de tapis de table. *Gausapa, ae*, f. *Gausape, is*, n. || La table recouverte de ce drap sur laquelle on écrivait. *Mensa scriptoria*. ¶ La pièce où qqn travaille. *Officium, ii*, n. Les — du palais, *officia palatina*.

burette, s. f. Petit vase à goulot de verre, d'argent (etc.). *Guttus, i*, m.

burin, s. m. Outil de graveur. *Caelum, i*, n. [*Caelāre*, tr.

buriner, v. tr. Graver avec le burin.

burlesque, adj. Qui est d'un comique extravagant. *Jocularis, e*, adj.

burlesquement, adv. D'une manière burlesque. *Joculariter*, adv.

buse, s. f. Oiseau rapace. *Buteo, onis*, m. ¶ (Fig.) Personne stupide. *Caudex, dicis*, m.

buste, s. m. La tête avec la partie supérieure du corps (chez l'homme). *Caput et summa* (n. pl.) *pectoris.* ¶ Représentation de la partie supérieure du corps. *Imago ficta*.

but, s. m. Terme qu'on se propose d'atteindre. *Destinatum, i*, n. Manquer son —, *deerrāre*, intr. || (Par ext.) Lieu où les concurrents doivent arriver pour gagner. *Meta, ae*, f. ¶ (Fig.) Ce qu'on se propose d'atteindre. *Propositum, i*, n. || (En parl. de pers.) Avoir pour —, se proposer au —, prendre pour —, *spectāre*, tr.; *petěre*, tr.; *velle*, tr. Atteindre son —, *propositum assequi*. || (En parl. des ch.) Avoir pour —, *spectāre* ou *pertinēre* (ad aliquid).

butin, s. m. Tout ce qu'on recueille comme profit de la victoire. *Praeda, ae*, f. Faire du —, *praedāri*, dép. intr. || (Par ext.) Capture, gain, profit. *Praeda, ae*, f. [*Praedāri*, dép. intr.

butiner, v. tr. Prendre comme butin.

butor, s. m. Espèce de héron qu'on ne peut dresser. *Taurus, i*, m. ¶ (Fig.) *Rupex, icis*, m.

butte, s. f. Petite éminence de terre. *Tumulus, i*, m. ¶ (Spéc.) Cible. Voy. ce mot. || Fig. Être en —, *objici*, passif; *patěre*, intr. (av. le datif).

buvable, adj. Voy. POTABLE.

buveur, *euse*, s. m. et f. Celui, celle qui boit. *Potor, oris*, m. — insigne. *potator, oris*, m. [*Byssus, i*, f.

byssus, s. m. Sorte de matière textile.

C

C, troisième lettre de l'alphabet. *C,* f. n. et indécl. *C littera.*

c', voy. CE.

ça, pron. Voy. CELA.

ça, adv. famil. || *Adv. de lieu.* Ici avec (avec mouvement). *Huc,* adv. Çà et là, de çà, de là, *passim,* adv. Aller çà et là, *vagāri,* dép. intr. ¶ *Interj.* (serv. à interpeller qqn). Çà, or çà, *eho* ou *ehodum,* interj.

cabale, s. f. Doctrine mystique des Hébreux et science occulte rattachée à cette doctrine. *Cabbala, ae,* f. ¶ Manœuvres secrètement concertées contre qqn. *Machina, ae,* f. Voy. MANŒUVRE. || (Méton.) Ceux qui font ces manœuvres. *Factio, onis,* f.

cabaler, intr. Concerter des manœuvres secrètes (contre qqn). *Clandestina consilia concoquĕre.*

cabaleur, s. m. Celui qui cabale. *Factiosus, i, m. Sodalis, is, m.*

cabane, s. f. Humble habitation. *Casa, ae,* f. [boire. *Caupona, ae,* f.

cabaret, s. m. Lieu où l'on vient cabaretier, s. m. Celui qui tient un cabaret. *Caupo, onis,* m.

cabaretière, s. f. Celle qui tient un cabaret. *Copa, ae,* f.

cabas, s. m. Sorte de panier en jonc. *Fiscina, ae,* f. *Fiscella, ae,* f.

cabestan, s. m. Treuil autour duquel s'enroule un câble. *Carchesium, ii,* n.

cabine, s. f. Petite chambre à bord d'un bâtiment. *Diaeta, ae,* f. ¶ Petite chambre de bain. *Cella, ae,* f.

cabinet, s. m. Petite chambre retirée. *Zotheca, ae,* f. *Cubiculum secretius.* Un homme de —, *assiduus in cubiculo.* || Cabinet de l'empereur, du prince, etc. *Consistorium principis.* ¶ Sorte de réduit de verdure (dans un jardin). *Trichila, ae,* f. ¶ (Par ext.) Meuble élégant. *Armariolum, i,* n.

câble, s. m. Très gros cordage de chanvre. *Rudens, entis,* m.

cabotage, s. m. Navigation le long des côtes. *Litorea navigatio.* Bateau de —, *navis oraria.*

cabrer (se), v. pron. S'enlever en se dressant sur les pattes de derrière (en parl. du cheval). *Pedes priores erigere.* || (Fig.) Se révolter. *Insurgĕre (in aliquem).* [CHEVREAU.

cabri, s. m. Petit de la chèvre. Voy.

cabriole, s. f. Saut, bond que l'on fait en folâtrant. *Lascivus saltus.*

cabrioler, v. intr. Faire des cabrioles. *Lascivire,* intr. *Lascivos saltus dare.*

cabriolet, s. m. Voiture légère à un cheval. *Cisium, ii,* n. [seter, eris, m.

cachalot, s. m. Sorte de cétacé. *Phy-* cacher, v. tr. Soustraire à la vue. *Abdĕre,* tr. *Condĕre,* tr. *Abscondĕre,* tr. *Occultare,* tr. Se —, *abdĕre* (ou *condĕre*) *se.* Etre caché, *latēre,* tr. ¶ Soustraire à la connaissance. *Celāre,* tr. Etre caché, *latēre,* intr. Se — de qqn, *se alicui occultāre.* Sans se —, *palam et aperte.*

cachet, s. m. Cire marquée d'une empreinte sur une lettre, un paquet (etc.). *Signum, i,* n. *Sigillum, i,* n. — de cire, *cera, ae,* f. Briser le — d'une lettre, *linum incidĕre.* || (Fig.) Marque caractéristique. *Nota, ae,* f. *Signum, i,* n.

cacheter, v. tr. Fermer avec de la cire empreinte d'un cachet. *Obsignāre,* tr.

cachette, s. f. Petit endroit retiré où l'on cache qqn, qqch. *Latibulum, i,* n. || (Par ext.) En —, *occultē,* adv.

cachot, s. m. Cellule de prisonnier, basse et souvent souterraine. *Carcer, eris,* n. *Robur, oris,* n.

cadavéreux, euse, adj. Qui rappelle le cadavre. *Cadaverosus, a, um,* adj.

cadavérique, adj. Relatif à un cadavre. *Cadaverinus, a, um,* adj. [eris, n.

cadavre, s. m. Corps mort. *Cadaver,*

cadeau, s. m. Présent destiné à fêter qqn. *Munus, eris,* n. Petit —, *munusculum, i,* n. — du nouvel an, *strena, ae,* f. — fait à un hôte, *xenium, ii,* n. Faire — à qqn de qqch., *aliqua re aliquem donāre.*

cadence, s. f. Rythme qui résulte de l'accentuation symétrique des finales. *Numerus, i,* m. En —, *numerosē,* adv. Avec —, *numerosē* et *aptē.*

cadencer, v. tr. Rythmer en marquant la cadence. *In numerum redigĕre.* Paroles cadencées, *verba in quendam numerum exstructa.*

cadet, ette, s. m. et f. Celui, celle qui vient après l'aîné. *Natu minor* (en parl. de deux). *Natu minimus* ou *minima* (en parl. de plusieurs).

cadran, s. m. Surface où sont tracés des divisions et des chiffres correspondant aux heures de la journée. *Discus, i,* m. — solaire, *horologium solarium* ou (simpl.) *solarium.*

cadre, s. m. Bordure entourant un tableau. *Forma, ae,* f. *Margo, inis,* f. Tableaux dans leurs —, *tabulae marginatae.* ¶ (Fig.) Enfermé dans un cadre étroit, *circumscriptus, a, um,* p. adj. || Ce qui constitue les divisions et subdivisions d'une armée. *Numeri, orum,* m. pl.

cadrer, v. intr. S'adapter exactement au caractère d'une personne, d'une chose. *Quadrāre,* intr. *Respondēre,* intr.

caduc, uque, adj. Qui est près de sa chute. *Caducus, a, um,* adj. *Ruinosus, a, um,* adj.

caducée, s. m. Attribut de Mercure. *Caduceus, i, m.*

caducité, s. f. Etat de ce qui est près de sa chute. La — d'un bâtiment, *ruinosae aedes.* L'âge de la —, *decrepita aetas.*   [*Arabica,* f.

café, s. m. Graine du caféier. *Faba*

cage, s. f. Petite loge portative où l'on tient enfermés des oiseaux. *Cavea, ae,* f.

cagneux, *euse,* adj. Qui a les genoux tournés en dedans. *Varus, a, um,* adj.

cahier, s. m. Assemblage de plusieurs feuilles de papier. *Plagulae junctae,* f. pl. Les — d'un écolier, *pugillares, ium,* m. pl.

cahot, s. m. Saut que fait une voiture en roulant sur un terrain raboteux. Voy. SECOUSSE.

cahotant, *ante,* adj. Qui fait cahoter. *Salebrosus, a, um,* adj.   [*Jactāre,* tr.

cahoter, v. tr. Secouer par des cahots.

cahute s. f. Petit réduit. *Casula, ae,* f.

caille, s. f. Oiseau de passage. *Coturnix, icis,* f. Roi des —, râle de genêt, *glottis, idis,* f.

cailler, v. tr. Coaguler. *Coagulāre,* tr. Lait caillé *ou* (simpl.) caillé, *coagulum, i,* n. Se — (en parl. du lait), *coire,* intr.

caillot, s. m. Grumeau de sang. *Spissati sanguinis globulus.*

caillou, s. m. Fragment de silex. *Silex, icis,* m. *Lapillus, i,* m. *Calculus, i, m.*

caillouteux, *euse,* adj. Où il y a beaucoup de cailloux. *Calculosus, a, um,* adj. *Glareosus, a, um,* adj.

caisse, s. f. Sorte de boîte pour emballage. *Capsa, ae,* f. ¶ Boîte destinée à serrer les objets. *Cista, ae,* f. || Coffre destiné à serrer de l'argent. *Arca, ae,* f. — publique, *aerarium, ii,* n.

caissier, s. m. Celui qui tient la caisse. *Arcarius, ii,* m. *Dispensator, oris,* m.

cajoler, v. tr. Chercher à gagner qqn par des paroles, des caresses, etc. *Blandiri,* dép. intr. (av. le datif).

cajolerie, s. f. Parole, manière caressante pour gagner qqn. *Blanditia, ae,* f. (ordin. au plur.) Obtenir qqch. par des —, *aliquid eblandiri.*

cajoleur, *euse,* s. m. et f. Celui, celle qui cajole. *Blandus, a, um,* adj.

cal, s. m. Durillon. *Callum, i,* n. *Callus, i,* m.

calamité, s. f. Grand malheur qui frappe à la fois un certain nombre de personnes. *Calamitas, atis,* f.

calamiteux, *euse,* adj. Fécond en calamités. *Calamitosus, a, um,* adj.

calciner, v. tr. Soumettre des minéraux à l'action d'un feu intense à l'air libre. *Excoquěre,* tr.

1. calcul, s. m. Opération qu'on effectue sur des nombres donnés. *Computatio, onis,* f. *Ratio, onis,* f. Faire un —, *rationem ducěre* (ou *inīre*). Tout — fait, *subducta ratione.* ¶ (Fig.) Mesures, combinaisons pour atteindre un but. *Ratio,*

onis, f. *Consilium, ii,* n.

2. calcul, s. m. Concrétion pierreuse qui se forme accidentellement dans certains organes. *Calculus, i,* m.

calculable, adj. Qui peut être calculé. *Qui (quae, quod) numerari potest.*

calculateur, *trice,* s. m. f. Celui, celle qui sait calculer. *Computator, oris,* m, *Ratiocinator, oris,* m.

calculer, v. tr. Déterminer à l'aide d'opérations sur des nombres donnés un nombre que l'on cherche. *Computāre,* tr. *Ratiocināri,* dép. intr. || (Fig.) Tout bien calculé, *subductis rationibus.* || (Absol.) Faire des calculs. *Rationem ducěre* (ou *inīre*). ¶ (Fig.) Prendre ses mesures. *Ratiocināri.* dép. intr. Injustice calculée, *injuria quae meditata et praeparata infertur.*

cale, s. f. La partie la plus basse de l'intérieur du navire. *Cavernae navigii.*

calebasse, s. f. Courge vidée et séchée servant de vase de ménage. *Cucurbita, ae,* f. Voy. GOURDE.

calèche, s. f. Voiture élégante à quatre roues, ordinairement découverte sur le devant. *Carpentum, i,* n. *Reda, ae,* f.

caleçon, s. m. Vêtement de dessous, sorte de culotte. *Subligar, aris,* n.

calendes, s. f. pl. Nom donné par les Romains au premier jour de chaque mois. *Calendae, arum,* f. pl.

calendrier, s. m. Système de division du temps par année, par mois et par jour. *Fasti, orum,* m. pl. ¶ (Par ext.) Tableau reproduisant cette division. *Fasti, orum,* m. pl.   [*trahěre,* tr.

1. caler, v. tr. Laisser aller. *Con-*

2. caler, v. tr. Mettre d'aplomb à l'aide d'une cale. *Fulcīre,* tr.

calfat, s. m. Ouvrier chargé de calfater. *Stipator, oris,* m.

calfater, v. tr. Boucher les fentes (d'une embarcation) avec de l'étoupe goudronnée. *Navis rimas pice explēre.*

calfeutrer, v. tr. Garnir de bourrelets, de lisières, pour empêcher le froid de pénétrer. *Obturāre (foramina).* ¶ (Par ext *et* fig.) Se — dans sa chambre, *in occulto se continēre.*

calibre, s. m. Moule dont le volume détermine la capacité de l'objet. *Modulus, i,* m. || (Par ext.) Modèle sur lequel sont tracés les contours, les dimensions de l'objet à fabriquer. *Forma, ae,* f.

1. calice, s. m. Vase sacré où le prêtre consacre le vin de l'Eucharistie. *Calix, icis,* m.

2. calice, s. m. Enveloppe qui recouvre la partie inférieure des fleurs. *Calyx, ycis,* m. — (d'une rose), *galerus, i,* m.

califourchon (à), loc. adv. Dans la posture de celui qui se tient à cheval. Etre à —, *divaricatis cruribus sedēre.*

câlin, *ine,* m. et f. Celui, celle qui aime

à se laisser caresser. *Blandus, a, um,* adj.

câliner, v. tr. Choyer, caresser doucement. *Blandiri,* dép. intr. (av. le datif). [*ditiae, arum,* f. pl.

câlinerie, s. f. Manières câlines. *Blancalleux, euse,* adj. Dont la peau est épaisse et dure. *Callosus, a, um,* adj.

callosité, s. f. Partie calleuse de la peau. Voy. CAL.

calmant, ante, adj. Qui calme. *Mitigatorius, a, um,* adj.

calmar, s. m. Mollusque du genre des sèches. *Lolligo, inis,* f.

1. calme, s. m. Etat de ce qui est exempt d'agitation. *Tranquillitas, atis,* f. *Quies, quietis,* f. ‖ (Absol.) Absence de vent. *Malacia, ae,* f. *Tranquillitas,* f. ¶ (Fig.) Absence d'agitation morale. *Tranquillitas, atis,* f. Supporter un revers avec — et indifférence, *quieto et aequo animo casum ferre.*

2. calme, adj. Exempt d'agitation (au pr. et au fig.). *Tranquillus, a, um,* adj. *Quietus, a, um,* adj. Etre —, *quiescère,* intr.

calmer, v. tr. Rendre calme. *Sedare,* tr. *Placare,* tr. Se —, *conquiescère,* intr.

calomniateur, *trice,* s. m. et f. Celui, celle qui calomnie. Voy. CALOMNIER.

calomnie, s. f. Imputation grave et mensongère contre qqn. *Criminatio falsa* ou *falsum crimen.* Les propos de la —, *criminantium nuntii.*

calomnier, v. tr. Dénigrer par des calomnies. *Criminari,* dép. tr. On me calomnie, *detrahitur de famâ meâ.*

calomnieusement, adv. D'une manière calomnieuse. *Falsis criminationibus.*

calomnieux, adj. Qui a le caractère de la calomnie. Des bruits —, *criminantium nuntii.*

calorifère, s. m. Appareil de chauffage. *Hypocaustum, i,* n.

calorique, s. m. Principe de chaleur que contiennent les corps. *Calor, oris,* m.

calquer, v. tr. Copier en marquant chaque trait du modèle sur une surface contre laquelle il est appliqué. *Imitari,* dép. tr. ‖ (Fig.) Imiter servilement. Voy. COPIER.

calvaire, s. m. Colline que gravit Jésus-Christ portant sa croix et au sommet de laquelle il fut crucifié. *Calvaria, ae,* f.

calvitie, s. f. Etat de celui qui est chauve. *Calvitium, ii,* n.

camarade, s. m. Celui qui habite ordinairement le même endroit qu'une autre personne. *Sodalis, is,* m. *Contubernalis, is,* m.

camaraderie, s. f. Relations familières qui existent entre camarades. *Contubernium, ii,* n. ¶ (Par ext.) Aide que se prêtent mutuellement d'anciens camarades. *Sodalicium, ii,* n.

camard, *arde,* adj. Qui a le nez très court et très plat. *Simus, a, um,* adj.

cambré, *ée,* adj. Qui a une courbure arquée. *Curvus, a, um,* adj. *Incurvus, a, um,* adj. [*vare,* tr. *Incurvare,* tr.

cambrer, v. tr. Courber en arc. *Curvare,*

camée, s. m. Pierre fine sculptée en relief. *Gemma ectypa.*

caméléon, s. m. Sorte de lézard à grosse tête qui prend des teintes diverses. *Chamaeleon, onis* (et *ontis*), m. ‖ (Fig.) Celui qui change d'opinion, suivant les circonstances. *Proteus, ei,* m.

camion, s. m. Voiture (de roulage) basse pour le transport des colis. *Carrus, i,* m. [*Manicata tunica.*

camisole, s. f. Vêtement à manches.

camomille, s. f. Plante de la famille des composées. *Chamaemelum, i,* n.

camp, s. m. Etablissement que fait une armée sur un terrain choisi (*et par ext.*), le camp et les troupes qui s'y trouvent. *Castra, orum,* n. pl. Etablir son —, *castra facère.* Vie des —, *militia, ae,* f. ‖ (Fig.) Parti. *Castra, orum,* n. pl. Passer dans le — d'autrui, *in aliena castra transire.*

campagnard, *arde,* s. m. et f. Celui, celle qui est à la campagne. *Rusticus, i,* m. *Rustica femina,* f.

campagne, s. f. Plaine, terrain découvert. *Campus, i,* m. En pleine —, *in campo.* En rase —, *puro ac patenti campo.* ‖ (Spéc.) La campagne (*par oppos.* aux lieux fortifiés). *Campus, i,* m. Combattre en rase —, *in plano decertare.* Tenir la —, *extra tecta durare.* ‖ (Par ext.) Terrain où une armée manœuvre. Etre en —, *exercitum in expeditionem educère.* Se mettre en — contre qqn, *contra aliquem proficisci.*

campement, s. m. Action de camper. *Metatio, onis,* f. Art du —, *ars metandi castra.* ¶ Installation d'un camp. *Castra, orum,* n. pl.

camper, v. intr. S'établir *ou* être établi dans un camp. *Castra ponère* ou *locare.* ¶ (Par ext.) S'installer *ou* être installé d'une manière provisoire. *Tabernaculum tamquam collocare.*

camus, *use,* adj. Qui a le nez court et plat. *Simus, a, um,* adj.

canaille, s. f. Ramassis de gens de rebut *ou* considérés comme tels. *Colluvio, onis,* f. *Perditi,* m. pl.

canal, s. m. Conduit qui sert à amener l'eau. *Canalis, is,* m. *Fistula, ae,* f. ¶ (P. anal.) Sorte de rivière artificielle destinée à faire communiquer deux bassins, deux cours d'eau. *Fossa, ae,* f. — souterrain, *specus, us,* m. ‖ Bras de mer. *Fretum, i,* n. ¶ (Par anal.) Dans l'organisme animal *ou* végétal, conduit où circulent des substances liquides, etc. *Meatus, us,* m.

canard, s. m. Oiseau palmipède. *Anas, atis,* f. (Gén. plur *anatium* ou *anatum*). De —, *anatinus, a, um,* adj. Chair de —, *anatina, ae,* f.

cancer, s. m. Constellation figurée par une écrevisse, signe du zodiaque. *Cancer, cri,* m.   [*cri,* m.

cancre, s. m Espèce de crabe. *Cancer.*

candélabre, s. m. Chandelier à branches. *Candelabrum, i,* n.

candeur, s. f. Sincérité d'une âme pure qui n'a rien à cacher. *Simplicitas, atis,* f. *Candor, oris,* m.

candidat, s. m. Celui qui se met sur les rangs pour un poste vacant. *Candidatus, i,* m. De —, qui concerne les —, *candidatorius, a, um,* adj.

candidature, s. f. Action de celui qui se porte comme candidat *et par ext.* situation de celui qui est candidat. *Candidatorium munus.* Poser sa —, *fungi candidatorio munere.*

candide, adj. Qui a de la candeur. *Simplex* (gén. -*plicis*), adj.

candidement, adv. D'une manière candide. *Simpliciter,* adv.

cane, s. f. Canard femelle. *Femina anas* et (absol.) *anas, atis,* f.

caneton, s. m. Jeune canard. *Anaticula, ae,* f.

canevas, s. m. Grosse toile écrue dont on fabrique les voiles, des torchons. *Cannabina vestis.* || (Fig.) Fond sur lequel on fait un développement. *Argumentum, i,* n.

caniculaire, adj. Qui tient à la canicule. *Canicularis, e,* adj.

canicule, s. f. L'étoile de Sirius *ou* du Chien. *Canicula, ae,* f. || Période de grande chaleur. *Canicula, ae,* f.

canif, s. m. Petit instrument tranchant. *Cultellus, i,* m.

canin, ine, adj. Qui tient du chien. *Caninus, a, um,* adj. (Fig.) Faim canine, *fames extrema.*

canne, s. f. Plante à tige droite, sorte de roseau. *Arundo, dinis,* f. *Canna, ae,* f. — d'Inde, *arundo Indica.* || (Par ext.) Bâton léger sur lequel on s'appuie avec la main et en marchant. *Baculum, i,* n. et *baculus, i,* m. *Scipio, onis,* m. — à pêche, *arundo piscatoria.*

canneler, v. tr. Creuser une surface de sillons longitudinaux. *Striāre,* tr.

cannelier, s. m. Laurier cinname. *Cinnamomum, i,* n.

cannelle, s. f. Sorte de robinet. Voy. ROBINET. ¶ (P. ext.) Écorce du cannelier. *Cinnamomum, i,* n. De —, *cinnamominus, a, um,* adj.

cannelure, s. f. Sillon longitudinal alternant avec un filet. *Stria, ae,* f. *Canalis, is,* m.

Cannes, n. pr. Village d'Apulie où Annibal défit les Romains. *Cannae, arum,* f. De —, *Cannensis, e,* adj. Bataille de —, *Cannensis pugna* ou *pugna ad Cannas.*

1. canon, s. m. Tube à lancer des projectiles. Au plur. *Bellica tormenta* et simplement *tormenta,* n. pl. || Canon d'un fusil, *Fistula, ae,* f. *Tubus, i,* m.

2. canon, s. m. Loi de l'Eglise *et spéc.* décision des conciles sur la foi *ou* la discipline. *Canon, onis* (Acc. *ona*), m.

canonicat, s. m. Bénéfice ecclésiastique possédé par un chanoine. *Canonia, ae,* f. ¶ Dignité de chanoine. *Canonica dignitas.*

canonique, adj. Conforme aux canons de l'Eglise. *Canonicus, a, um,* adj.

canoniquement, adv. D'une manière canonique. *Canonicē,* adv.

canonisation, s. f. Action de canoniser. *Canonizatio, onis,* f.

canoniser, v. tr. Inscrire au canon des saints, mettre au rang des saints. *In sanctorum numerum referre.*

Canope, n. pr. Ville d'Egypte. *Canopus, i,* f.   [*Cymba, ae,* f.

canot, s. m. Embarcation légère.

Cantabres, n. pr. Peuple d'Espagne. *Cantabri, orum,* m. pl.

cantatrice, s. f. Voy. CHANTEUSE.

cantharide, s. f. Insecte. *Cantharis, idis,* f.   [*tilena, ae,* f.

cantilène, s. f. Chant monotone. *Cantilena, ae,* f.

cantine, s. f. Buvette de régiment, de caserne. *Popina, ae,* f.

cantinier, s. m. Celui qui tient une cantine. *Lixa, ae,* m.

cantique, s. m. Chant religieux des saintes Ecritures pour louer, pour remercier Dieu. *Canticum, i,* n. || Chant liturgique. *Canticum, i,* n.

canton, s. m. Coin de pays. *Angulus, i,* m. ¶ Division territoriale. *Pagus, i,* m.

cantonnement, s. m. Action de cantonner. *Distributio legionum* (in regionem ou in castra stativa). ¶ (Par ext.) Emplacement où sont installées des troupes. *Castra stativa,* et simpl. *stativa, orum,* n. pl. — d'hiver, *castra hiberna* et (simpl.) *hiberna, orum,* n. pl.

cantonner, v. tr. Etablir dans un coin de pays, dans un lieu distinct, séparé. *In certā regione collocāre.* || (Spéc.) Cantonner des troupes. *Legiones in hibernis collocāre.* Etre cantonné, *in stativis esse.*

canule, s. f. Petit tube. *Fistula, ae,* f.

cap, s. m. Tête. Voy. ce mot. Armé de pied en cap, *omnibus armis ornatus.* ¶ (Par ext.) Avant d'un navire dirigé sur un point. *Prora, ae,* f. Mettre le — sur la terre, *ad litus cursum dirigēre.* || Pointe de terre qui s'avance dans la mer. *Promunturium, ii,* n.

capable, adj. Qui peut contenir. *Capax* (gén. *acis*), adj. La peur n'est pas capable de pitié, *timor misericordiam non recipit.* ¶ (Par ext.) Qui est en état de faire qqch. *Idoneus, a, um,* adj. *Aptus, a, um,* adj. (Voy. APTE, PROPRE). Etre — de (faire telle ou telle chose), *posse* (av. l'Infin.). N'être pas — de (faire telle ou telle chose), *non posse* (av. l'Infin.). Etre — de tout, *ad omnem audaciam promptum esse.*

capacité, s. f. Propriété de contenir

une certaine quantité de qqch. *Capacitas, atis,* f. ¶ Puissance de faire. *Facultas, atis,* f. ¶ Qualité de celui qui est en état de faire qqch. *Facultas, atis,* f. ‖ (Absol.) Capacité de bien faire qqch. *Ingenium, ii,* n.

Capanée, n. pr. Géant de la Fable. *Capaneus, eos* ou *ei* (acc. *ea*), m.

caparaçon, s. m. Enveloppe qu'on met sur le poitrail et le dos du cheval. *Ephippium, ii,* n.

caparaçonner, v. tr. Recouvrir d'un caparaçon. *Sternĕre,* tr. *Insternĕre,* tr.

cape, s. f. Manteau à capuchon. *Cucullus, i,* m. Rire sous —, *ridēre secum* (ou *stomacho*).

capillaire, adj. et s. m. ‖ *Adj.* Qui ressemble à un cheveu. *Capillatus, a, um,* adj. Vaisseaux —, *fibrae, arum,* f. pl. ¶ *S. m.* Fougère à tige et à feuillage délié. *Capillaris herba. Adiantum, i,* n.

capitaine, s. m. Celui qui commande un corps d'armée. *Dux, ducis,* m. ¶ (Spéc.) Celui qui commande une compagnie dans un régiment. *Centurio, onis,* m. ‖ Celui qui commande un navire de guerre. *Trierarchus, i,* m.; un navire de commerce. *Nauarchus, i,* m.

1. capital, *ale,* adj. Qui concerne la tête, où il y va de la vie. *Capitalis, e,* adj. Procès —, *affaire* —, *capitis periculum* (ou *discrimen*). Crime —, *capital, is,* n. ¶ Qui est en tête de qqch. *Princeps* (gén. *cipis*), adj. Ville capitale, *et* (*subst.*) capitale, *caput regionis* (ou *gentis*). ‖ Lettre capitale, *littera grandis.* ¶ Qui constitue la tête, c.-à-d. la partie principale d'une chose. *Principalis, e,* adj. *Praecipuus, a, um,* adj. *Summus, a, um,* adj. *Maximus, a, um,* adj. L'œuvre — (d'un artiste, etc.), *opus potissimum.* C'est le point —, *caput est.*

2. capital, s. m. Le fonds, l'argent que qqn possède (*par opp. au revenu*). *Caput, pitis,* n. *Sors, sortis,* f. ¶ (Spéc.) L'argent considéré comme instrument de production. *Pecunia, ae,* f. (surt. au plur.). — improductif, *pecuniae otiosae* (ou *vacuae* ou *steriles*).

capitaliste, s. m. Celui qui possède des capitaux. *Fenerator, oris,* m. Un gros —, *homo pecuniosus* ou *bene nummatus.*

capitation, s. f. Impôt personnel, taxe par tête. *Capitatio, onis,* f.

capiteux, *euse,* adj. Qui porte à la tête. Un vin —, *vinum quod* (*alicui*) *in cerebrum abit.*

Capitole, n. pr. Temple de Jupiter, à Rome. *Capitolium, ii,* n. Du —, *Capitolinus, a, um,* adj.

Capitolin, adj. Du Capitole. *Capitolinus, a, um,* adj.

capitulaire, adj. et s. m. Divisé par chapitres. *In capita divisus.* ¶ (Spéc.) Règlement promulgué par les rois Francs. *Capitularia, orum,* n. pl.

capitulation, s. f. Action de capituler.

Deditio, onis, f. ‖ Convention réglant les conditions auxquelles se rend une place de guerre, etc. Arrêter avec l'ennemi les termes d'une —, *certis condicionibus de deditione cum hoste pacisci.*

capituler, v. intr. Traiter avec l'ennemi des conditions de la reddition d'une place, etc. *De condicionibus tradendae urbis cum aliquo agĕre.*

capote, s. f. Grand manteau à capuchon. *Paenula, ae,* f.

Capoue, n. pr. Ville de la Campanie. *Capua, ae,* f. Habitants de —, *Campani, orum,* m. pl.

Cappadoce, n. pr. Pays de l'Asie Mineure. *Cappadocia, ae,* f. De la —, *Cappadox* (gén.-*ocis*), adj.

Caprée, n. pr. Ile d'Italie. *Capreae, arum,* f. pl.

caprice, s. m. Volonté soudaine, changeante, non justifiée. *Libido, dinis,* f.

capricieusement, adv. D'une manière capricieuse. *Per libidinem.*

capricieux, *euse,* adj. Qui agit par caprice. *Libidinosus, a, um,* adj. Humeur —, *levitas, atis,* f.

capricorne, s. m. Constellation du zodiaque, figurée par un bouc. *Capricornus, i,* m.

captateur, s. m. Celui qui use de captation. *Captator, oris,* m.

captation, s. f. Emploi de manœuvres artificieuses pour obtenir une donation, un legs. — de testament, *captatio testamenti,* et absol. *captatio.*

capter, v. tr. Gagner d'une manière insinuante. *Captāre,* tr. — les bonnes grâces de qqn, *aucupāri alicujus gratiam.* — la faveur des soldats, *studia militum affectāre.* ‖ Obtenir par des manœuvres artificieuses (une donation, un legs, etc.). — des héritages, *captāre,* tr.

captieusement, adv. D'une manière captieuse. *Captiosē,* adv.

captieux, *euse,* adj. Qui contient des raisons spécieuses propres à tromper l'esprit. *Captiosus, a, um,* adj. *Fallax* (gén. *acis*), adj.

captif, *ive,* adj. Tomber au pouvoir de qqn. *Captivus, a, um,* adj.

captiver, v. tr. Retenir dans la dépendance. *Tenēre* tr. *Detinēre,* tr. *Capĕre,* f. tr.

captivité, s. f. Condition de celui qui est captif. *Servitus, utis,* f. Tenir qqn en —, *tenēre aliquem captivum.*

capture, s. f. Action de capturer. Après la — du roi, *post regem captum.* Ce fut une heureuse —, *percommodē accidit, quod captus est.* ¶ Ce qu'on a capturé. *Quod captum est.*

capturer, v. tr. Parvenir à s'emparer de. *Capĕre,* tr.

capuchon, s. m. Partie d'un manteau, etc., qui se rabat sur la tête. *Cucullus, i,* m.

capucine, s. f. Plante grimpante. *Tropaeolum, i, n.*

caquet, s. m. Gloussement particulier de la poule lorsqu'elle a pondu. Voy. GLOUSSEMENT. ¶ (Fig.) Bavardage indiscret. *Garrulitas, atis,* f.

caquetage, s. m. Action de caqueter. Voy. CAQUET.

caqueter, v. intr. Glousser (en parl. de la poule). *Glocire,* intr. ¶ Bavarder d'une manière indiscrète. *Garrire,* intr.

car, conj. causale. *Nam. Namque. Etenim. Enim* (après un mot ou après plusieurs mots étroitement unis).

caracole, s. f. et s. m. Mouvement circulaire qu'on fait exécuter à un cheval. *Gyrus, i, m.*

caracoler, v. intr. (En parl. d'un cheval), faire des mouvements en cercle à droite *ou* à gauche. *Gyros dăre.* Faire —, *in gyrum agĕre.*

caractère, s. m. Trait gravé, écrit. *Nota, ae,* f. *Signum, i, n.* || Signe d'écriture. *Nota, ae,* f. *Caractéres d'écriture, formae litterarum.* ¶ (Fig.) Trait particulier, manière d'être propre. *Signum, i, n. Nota, ae,* f. — particulier, distinctif, *insigne, is,* n.; *proprietas, atis,* f. Avoir un — de violence, *habēre atrocitatis aliquid.* Le — d'un auteur, *stilus, i,* m.; *genus* (ou *forma*) *dicendi,* f. De quel —, *qualis, e,* adj. ¶ (Spéc.) Trait saillant. *Insigne, is,* n. Qui a du —, *insignis, e,* adj.; *gravis, e,* adj. ¶ (Par ext.) Trait dominant *ou* traits dominants de la physionomie morale. *Habitŭs, ūs,* m. *Indoles, is,* f. *Ingenium, ii,* n. *Mos, moris,* m. (ordin. au pl. *mores, morum*). Mauvais —, — intraitable, *importunitas, atis,* f. — vertueux, désintéressé, *innocentia, ae,* f. — aimable, *jucunditas, atis,* f. || (Par ext.) Rôle qu'on joue, personnage mis en scène. *Persona, ae,* f. ¶ La manière d'être morale (*opp. à* l'intelligence). *Mores, morum,* m. pl. || Caractère, c.-à-d. fermeté de caractère. *Constantia, ae,* f. *Gravitas, atis,* f. Qui a du —, *firmus, a, um,* adj.; *constans* (gén. *antis*), adj. Avoir du —, *magnā esse constantiā.*

caractériser, v. tr. Marquer par un caractère distinctif. *Notāre,* tr. *Designāre,* tr. — qqn, *mores alicujus oratione exprimĕre.* ¶ Constituer le caractère définitif (d'une personne, d'une chose). *Esse proprium alicujus.* Ce qui caractérise la vertu, c'est de..., *hoc est proprium virtutis* (av. l'inf.).

caractéristique, adj. Qui constitue le caractère distinctif (d'une personne, d'une chose). *Proprius, a, um,* adj. *Singularis, e,* adj. *Insignis, e,* adj.

carafe, s. f. Vase portatif destiné à contenir, à verser l'eau à boire. *Aqualis, is,* m.

carapace, s. f. Sorte de cuirasse osseuse de la tortue, etc. *Cortex, ticis,* m.

caravane, s. f. Troupe de voyageurs. *Commeatŭs, ūs,* m.

Carbon, n. pr. Nom romain. *Carbo, onis,* m.

carcan, s. m. Collier de fer avec lequel on attachait à un poteau celui qui était condamné à l'exposition publique. *Collare, is,* n.

carcasse, s. f. Charpente osseuse d'un animal (dont la chair a été enlevée). *Ossa, ossium,* n. pl. ¶ (Par ext.) Ce qui forme la charpente d'un ouvrage. — d'un navire, *corpus navis.*

carde, s. f. Côte comestible des feuilles de l'artichaut, du chardon. *Carduus, i,* m. *Cinara, ae,* f. || Tête épinière de la cardère, *dite* chardon à foulon. *Carduus, i,* m. || (Par anal.) Peigne dont on se sert pour carder. *Pecten, inis.* m.

carder, v. tr. Peigner, démêler avec des cardes. *Carminăre,* tr. *Pectĕre,* tr.

cardeur, euse, s. m. et f. Ouvrier, ouvrière qui carde. *Lanarius carminator.*

1. cardinal, ale, adj. Qui sert de pivot. *Cardinalis, e,* adj. || (Fig.) Qui forme la partie essentielle sur laquelle une chose s'appuie. *Princeps* (gén. *cipis*), adj. Nombres —, *numeri cardinales.* Points —, *caeli regiones quattuor.*

2. cardinal, s. m. Chacun des prélats qui forment le Sacré Collège. *Cardinalis, is,* m. [*Cardinalatŭs, ūs,* m.

cardinalat, s. m. Dignité de cardinal.

cardon. s. m. Espèce d'artichaut. *Carduus, i, m.*

carême, s. m. Période d'abstinence et de jeûne qui précède Pâques. *Quadragesima, ae,* f.

carène, s. f. Partie inférieure de la coque d'un navire. *Carina, ae,* f.

caressant, ante, adj. Qui caresse, qui aime à caresser. *Blandus, a, um,* adj. || (Fig.) Doux, affectueux comme une caresse. *Blandus, a, um,* adj. D'une manière —, *blandē,* adv.

caresse, s. f. Attouchement tendre, affectueux, *par ext.* démonstration d'amitié. *Blanditia, ae,* f. (surt. au pl.). *Blandimentum, i,* n. (surt. au pl.). Faire des —, voy. CARESSER. Obtenir à force de —, *eblandiri,* dép. tr.

caresser, v. tr. Faire des caresses. *Blandiri,* dép. intr. *Mulcēre* tr. ¶ (Par ext.) Entretenir complaisamment. *Fovēre* tr.

cargaison, s. f. Charge d'un navire de commerce. *Onus navis,* ou simpl. *onus, oneris,* n.

cargue, s. f. Cordelette fixée aux coins d'une voile. *Rudens, entis,* m.

carguer, v. tr. Relever (une voile), au moyen des cargues. *Vela contrahĕre.*

cariatide, s. f. Statue de femme drapée, soutenant un entablement. *Caryatis, tidis,* f.

caricature, s. f. Représentation grotesque des personnes, des choses. *Imago* ou *imitatio depravata* (ou *in pejus picta* ou *efficta*).Caricatures d'animaux, *grylli, orum,* m. pl. Faire la —de qqn. Voy.

CARICATURER. ¶ (Fig.) Imitation maladroite. *Imitatio depravata.*

caricaturer, tr. Représenter en caricature. *Vultum alicujus in pejus fingĕre.*

Carie, n. pr. Province d'Asie Mineure. *Caria, ae,* f. Habitants de la —, *Cares, um,* m. pl.

carie, s. f. Altération morbide de l'os avec suppuration. *Caries* (acc. *em,* abl. *e*), f. ¶ Maladie des arbres. *Caries, ei,* f.

carier, v. tr. Attaquer par la carie. *Adedĕre,* tr. Dents cariées, *dentes cariosi* ou *erosi.*

carillon, s. m. Sonnerie de cloches. vive, allègre. *Laetus aeris tinnitus.*

Carmel, n. pr. Montagne de Palestine. *Carmelus, i,* m.

carmin, s. m. Matière colorante d'un beau rouge. *Minium, ii,* n.

carnage, s. m. Tuerie sanglante. *Caedes, is,* f. *Strages, is,* f. *Occidio, onis,* f. Grand —, *caedes et occisio; caedes et strages.*

carnassier, *ière,* adj. Qui se nourrit de chair. *Carnivorus, a, um,* adj. || (Substant.) Les carnassiers, *carnivora animalia.* ¶ (Par ext.) Les instincts carnassiers. Voy. SANGUINAIRE.

carnassière, s. f. Sac de cuir, de filet, pour mettre le gibier. *Reticulum, i,* n.

carnation, s. f. Couleur des chairs d'une personne. *Color cutis,* et (absol.) *color, oris,* m.

carnaval, s. m. Période de réjouissances. *Saturnalia* (gén. *iorum,* dat., abl. *ibus*), n. pl.

carnet, s. m. Registre de poche destiné à recevoir des notes. *Pugillares, ium,* m. pl. — de notes, *adversaria,* n. pl.

carnivore, adj. Qui mange de la chair. *Carnivorus, a, um,* adj.

Carnutes, n. pr. Peuple gaulois (Orléanais). *Carnutes, um,* m. pl.

carotte, s. f. Plante potagère. *Daucum, i,* n. et *daucos, i,* m.

caroube, s. f. Fruit du caroubier. *Siliqua, ae,* f. [très dur. *Siliqua, ae,* f.

caroubier, s. m. Arbre vert à bois

carpe, s. f. Poisson d'eau douce. *Carpa, ae,* f. [*lus, i,* n.

carpeau, s. m. Jeune carpe. *Carpel-*

carpillon, s. m. Très jeune carpe. Voy. CARPEAU.

carquois, s. m. Etui à flèches. *Pharetra, ae,* f.

1. carré, *ée,* adj. Qui forme un quadrilatère à quatre angles droits. *Quadratus, a, um,* adj. ¶ (Fig.) Bien taillé, bien proportionné, bien équilibré. *Quadratus, a, um,* adj.

2. carré, s. m. Quadrilatère dont les quatre côtés sont égaux et les quatre angles droits. *Quadratum, i,* n. Dix pieds au —, *deni in quamque partem pedes.* ¶ Surface plane semblable au carré géométrique. *Quadratum, i,* n. *Quadrum, i,* n. *Quadra, ae,* f. Un — de

fleurs, de légumes, etc., *pulvinus, i,* m.; *areola, ae,* f. Disposer des troupes en —, *orbem facĕre.* Se former en —, *in orbem consistĕre.*

carreau, s. m. Figure carrée *ou* rectangulaire. Qui a des carreaux, à —, *scutulatus, a, um,* adj. ¶ Carreau (en forme de losange), *scutula, ae,* f. || (Par ext.) Le sol d'une chambre, etc. *Pavimentum, i,* n. || Carreau de vitre *et absol.* carreau. *Vitrea quadratura.*

carrefour, s. m. Endroit où se croisent plusieurs routes, plusieurs chemins. *Trivium, ii,* n. *Quadrivium, ii,* n. || (Fig.) Le langage des — (langage trivial). Voy. TRIVIAL.

carrelage, s. m. Pavage (fait avec des carreaux). *Pavimentum, i,* n.

carreler, v. tr. Paver avec des carreaux. *Pavimentum facĕre* Carrelé, ée, *pavimentatus, a, um,* adj.

carreleur, s. m. Ouvrier qui fait les travaux de carrelage. *Pavimentarius, ii,* m. [*quadratum. Per quadrata.*

carrément, adv. A angles droits. *In*

carrer, v. tr. Rendre carré. *Quadrāre.* ¶ (Par ext.) Se —, *insolentius se efferre.*

carrier, s. m. Celui qui exploite une carrière. *Lapicida, ae,* m.

1. carrière, s. f. Espace à parcourir dans les courses de chars, etc., *et par ext. fig.* voie de luttes (d'efforts), où l'on s'engage. *Curriculum, i,* n. *Spatium, ii,* n. *Campus, i,* m. Entrée de la —, *carceres, um,* m. pl. Bout de la —, *calx, calcis,* f. Se donner — *excurrĕre,* intr. Donner — à son éloquence, *eloquentiae frenos laxāre.* || (Spéc.) Profession qui présente des degrés à parcourir. *Cursūs, ūs,* m. Suivre une —, *vitae cursum sequi.* — du barreau, *cursus forensis.* Débuter, entrer dans la — politique, *rem publicam capessĕre.* ¶ Course où l'on a parcouru un espace déterminé. *Curriculum, i,* n. *Cursūs, ūs,* m. A la fin, au terme de sa —, *decursā jam aetate.*

2. carrière. Terrain d'où l'on tire en les taillant, la pierre, le marbre, etc. *Lapicidinae, arum,* f. pl.

carriole, s. f. Petite voiture mal suspendue. *Carruca, ae,* f.

carrosse, s. m. Voiture de luxe. *Carpentum, i,* n. Aller, rouler en —, *carpento vehi.*

carrossier, s. m. Qui fabrique des carrosses. *Rhedarius, ii,* m.

carrousel, s. m. Sorte de tournoi. *Agon equester.*

carrure, s. f. Largeur du dos. *Statura quadrata.*

carte, s. f. Sorte de papier épais résistant. *Charta, ae,* f. — blanche, *c.-à-d.* où il n'y a rien d'écrit, *charta pura.* || Carte géographique. *Tabula, ae,* f. — d'une contrée, d'un pays, *regio in tabulā depicta.* || Papier constatant certains droits pour la personne qui en est munie. *Codicillus, i, m. Tessera, ae, f.* Donner à qqn — blanche, *alicui libera mandata dare.*

Carthage, n. pr. Ville d'Afrique. *Carthago, inis, f.* [*Carthago Nova, f.*

Carthagène, n. pr. Ville d'Espagne. *Carthago, inis, f.*

Carthaginois, *oise*, adj. De Carthage. *Carthaginiensis, e, adj. Les —, Carthaginiesses, ium, m. pl. Poeni, orum, m. pl.* [*Cartilago, ginis, f.*

cartilage, s. m. Tissu animal flexible.

cartilagineux, *euse*, adj. Formé de cartilages. *Cartilaginosus, a, um, adj.*

carton, s. m. Pâte de papier, de chiffon, etc., durcie et mise en feuilles. *Charta spissior.*

cartouche, s. m. Encadrement sculpté. *Clipeus, i, m.*

cartulaire, s. m. Recueil des chartes et autres actes des archives, des abbayes, églises, etc. *Chartarium, ii, n.*

cas, s. m. Événement, conjoncture. *Casūs, ūs, m. Res, rei, f. Dans un — pressant, necessario tempore. Dans ce —, quod si acciderit. Ce — se présentait rarement, hoc raro accidebat.* Dans tous —, en tous —, *quidquid est; utique,* adv. Au — où, *si,* conj. Même dans le — où..., *etiam si...* Seulement dans le — où, *ita tamen, si...* || Tu n'es pas dans le — de te relever, *non es in eā fortunā, ut restituaris.* || Faire grand — de qqch., *c.-à-d.* considérer qqch. comme un fait de grande importance, *magni facere aliquid; in magno pretio habere aliquid.* Faire — de qqch., voy. ESTIMER. Faire — de qqn., voy. APPRÉCIER. || (Spéc.) Cas juridique. *Condicio, onis, f. Causa, ae, f.* C'est un — pendable de..., *capital ou capitale est...* (av. l'inf.). || Cas de conscience, *c.-à-d.* où la conscience est engagée, *religio, onis, f.* || Cas médical, *c.-à-d.* la manière dont se présente une maladie. *Causa, ae, f.* ¶ Désinence des mots variables. *Casūs, ūs, m.*

casanier, *ière*, adj. Qui aime à rester au logis. *Qui (quae) domi sedet ou se continet.*

casaque, s. f. Surtout à manches. *Lacerna, ae, f.* || Sorte de manteau militaire. *Sagum, i, n.* Vêtu d'une —, *sagatus.*

cascade, s. f. Chute d'un petit cours d'eau tombant d'une grande hauteur. *Dejectus aquae.*

case, s. f. Petite habitation. *Casa, ae, f.* ¶ Subdivision régulière d'un espace. — d'une boite, *loculus, i, m.*

caser, v. tr. Mettre qqch. dans sa case, dans son compartiment. *Locare,* tr.

caserne, s. f. Bâtiment où on loge les troupes. *Castra, orum, n. pl.*

casernement, s. m. Action d'établir, de loger dans une caserne. Voy. CAMPEMENT.

caserner, v. tr. Etablir, loger dans une caserne. *In stativis castris milites collocare.*

casier, s. m. Meuble à cases, à compartiments. *Loculi, orum, m. pl.*

Caspienne, adj. Mer Caspienne. *Caspium mare.*

casque, s. m. Coiffure militaire. — de cuir, *galea, ae, f.* — de métal, *cassis, idis, f.* Ayant le — en tête, *galeatus.*

casqué, *ée*, adj. Qui a un casque sur la tête. *Galeatus, a, um,* adj.

cassant, *ante*, adj. Qui se casse aisément. *Fragilis, e,* adj. ¶ Qui a une raideur tranchante. Voy. RAIDE, TRANCHANT.

cassation, s. f. Annulation juridique d'un acte, d'un jugement, d'une procédure. *Abolitio, onis, f.*

casse, s. f Fruit du cassier. *Casia, ae, f.*

casse-noisettes, s. m. Instrument de table pour casser les noisettes, les amandes, etc. *Nucifrangibulum, i, n.*

casse-noix, s. m. Voy. CASSE-NOISETTES.

casser, v. tr. Mettre en morceaux par choc, pression. *Frangere,* tr. *Confringere,* tr. *Perfringere,* tr. Fig. — la tête à qqn (l'étourdir de ses propos), *aliquem obtundere.* || (Par ext.) Casser la voix, *vocem debilitare et frangere.* Voix cassée, *quassa vox.* || Etre cassé, *c.-à-d.* ruiné par l'âge, la maladie. *Frangi,* pass. Cassé par l'âge, *confectus senectute.* ¶ (*V. intr.*) Se casser. (Employer le passif des verbes ci-dessus.) ¶ (*V. tr.*) (Fig.) Annuler un acte en vertu de son autorité. Voy. ANNULER. ¶ Priver qqn de son emploi, de son grade. *Magistratum abrogare alicui.*

cassette, s. f. Petite caisse. *Arcula, ae, f. Cistula, ae, f.* [*siopea, ae, f.*

Cassiopée, n. pr. Constellation. *Cassiopea, ae, f.*

cassolette, s. f. Vase où l'on fait brûler des parfums. *Turibulum, i, n.*

cassure, s. f. Solution de continuité dans un objet cassé. *Fractura, ae, f.*

castagnette, s. f. Petite pièce de bois, d'ivoire, jointe à une autre semblable, contre laquelle on la fait battre. *Crotalum, i, n.*

Castalie, n. pr. Fontaine de Phocide. *Castalia, ae, f.* De —, *Castalius, a, um,* adj.

caste, s. f. Classe de la société considérée comme ayant un esprit d'exclusion pour les personnes des autres classes. *Ordo, dinis, m.* Esprit de —, *patricii spiritus.*

castel, s. m. Château. Voy. ce mot.

Castor, n. pr. Frère de Pollux. *Castor, oris, m.* [phible. *Fiber, bri, m.*

castor, s. m. Mammifère rongeur amcastramétation, s. f. Art d'établir un camp. *Metatio, onis, f.*

casuel, *elle*, adj. Subordonné à certains cas. *Fortuitus, a, um,* adj. || (Subst.) Le —, *adventicius fructus.*

cataclysme, s. m. Bouleversement de la surface du globe. *Deflagratio caeli atque terrarum.* || (Fig.) Un — politique, *eversio rerum publicarum.*

catacombe, s. f. Souterrain ayant servi de sépulture, d'ossuaire. *Catacumba, ae,* f.

catalepsie, s. f. Suppression apparente de la vie. *Apprehensio, onis,* f.

catalogue, s. m. Liste indicative. *Index, icis,* m.

cataloguer, v. tr. Classer en dressant un catalogue. *In indicem* (ou *in tabulam*) *referre.*

Catane, n. pr. Ville de Sicile. *Catina, ae,* f. Habitants de —, *Catinenses, ium,* m. pl.

cataplasme, s. m. Topique formé d'une substance émolliente, en bouillie épaisse. *Cataplasma, matis,* n. *Fomentum, i,* n.

catapulte, s. f. Chez les Anciens, machine de guerre. *Catapulta, ae,* f.

cataracte, s. f. Suite de chutes peu élevées qui interrompent le cours d'un fleuve. *Dejectus aquae.* Les — du Nil, *Nilus cadens.* ¶ Opacité du cristallin. *Suffusio, onis,* f. (avec ou sans *oculorum*).

catarrhe, s. m. Inflammation d'une muqueuse, accompagnée de sécrétions. *Pituita, ae,* f. *Destillatio, onis,* f.

catastrophe, s. f. Brusque renversement de la fortune. *Fortunae vicissitudo* (ou *commutatio*).

catéchiser, v. tr. Instruire oralement (qqn) dans la religion chrétienne. *Catechizāre,* tr.

catéchisme, s. m. Livre où est résumé l'enseignement religieux. *Catechismus, i,* m.

catéchiste, s. m. Celui qui fait le catéchisme aux enfants. *Qui religionis doctrinam pueros docet.*

catéchumène, s. m. et f. Celui, celle, qui reçoit l'enseignement religieux. *Catechumenus, i,* m. *Catechumena, ae,* f.

catégorie, s. f. Chacune des classes dans lesquelles on range, selon leur différence de degré, des personnes, des choses. *Genus, eris,* n. *Species, ei,* f. *Numerus, i,* m.

catégorique, adj. Qui ne permet aucun doute. Faire une réponse —, *sine ullâ dubitatione respondēre.*

catégoriquement, adv. De manière à ne permettre aucun doute. Nier —, *praecisē negāre.* S'expliquer —, *mittēre ambages.*

cathédral, *ale,* adj. Qui est le siège de l'autorité épiscopale. Une église cathédrale *et* (subst.) une —, *ecclesia episcopalis* ou (subst.) *episcopalis,* f.

catholicisme, s. m. Religion catholique. *Fides* (ou *doctrina*) *catholica.*

catholicité, s. f. L'ensemble des nations catholiques. *Catholici populi.*

catholique, adj. Qui appartient à l'Eglise romaine. *Catholicus, a, um,* adj. (Substantiv.) Un, une —, *vir catholicus, mulier catholica.* Les —, *catholici, orum,* m. pl.   [*catholique. Catholicē,* adv.

catholiquement, adv. D'une manière

Catilina, n. pr. Chef de la conspiration déjouée par Cicéron. *Catilina, ae,* m.

Caton, n. pr. Surnom dans la famille Porcia. *Cato, onis,* m.   [*i,* m.

Catulle, n. pr. Poète latin. *Catullus, i,* m.

Caucase, n. pr. Chaîne de montagnes. *Caucasus, i,* m.   [*bus, i,* m.

cauchemar, s. m. Rêve pénible. *Incucause*, s. f. Ce par quoi une chose est ou devient ce qu'elle est. *Causa, ae,* f. — finale, *finis, is,* m. ¶ (En gén.) Ce par quoi qqch. arrive. *Causa, ae,* f. Avoir sa — (dans qqch.), *ex aliquâ manāre.* A — de, *causâ,* abl. (se place après un mot); *propter,* prép. (av. l'acc.) Etre —, voy. 2. CAUSER. ¶ Ce pourquoi on fait qqch. *Causa, ae,* f. *Ratio, onis,* f. ¶ Affaire pour laquelle on paraît en justice. *Causa, ae,* f. *Res, rei,* f. Plaider une — (en parl. de l'avocat), plaider sa — (en parl. de l'accusé, du défenseur), *causam agēre; causam defendēre; causam dicēre.* Mettre qqn en —, *litem alicui intendēre.* Etre en —, c.-à-d. en question, *in quaestione versāri.* Sa probité n'est pas en —, *non ambigitur de ejus innocentiâ.* || (Fig.) En connaissance de —, *re perspectâ et cognitâ.* Qui agit en connaissance de —, *prudens et sciens.* ¶ (Par ext.) L'ensemble des intérêts à soutenir en faveur de qqn. *Causa, ae,* f. *Partes, ium,* f. pl. Faire — commune avec—, *causam suam cum* (*aliquo*) *communicāre.* Prendre fait et — pour qqn, *alicujus defensionem suscipĕre.*

1. causer, v. intr. S'entretenir familièrement avec qqn. *Colloqui cum aliquo.* — de qqch., *habēre sermones de aliquâ re.* — avec qqn, voy. PARLER. ¶ (Par ext.) Faire des bavardages. On en causa, *res est sermonibus celebrata.*

2. causer, v. tr. Etre cause de qqch. qui arrive. *Causam esse* (*alicujus rei*). *Facēre,* tr. *Creāre,* tr. *Afferre,* tr. *Inferre,* tr. — de l'irritation, du dépit, à qqn, *facēre alicui stomachum.* — un plus grand souci, *majorem curam afferre.* — de l'hésitation, *inferre cunctationem.*

causerie, s. f. Entretien familier. *Sermo, onis,* m.

causeur, *euse,* s. m. et f. Voy. BAVARD.

causticité, s. f. Propriété de ce qui est caustique. *Vis* (ou *natura*) *caustica.*|| (Fig.) Caractère acerbe de la plaisanterie. *Dicacitas, atis,* f.

caustique, adj. Qui désorganise, corrode les tissus animaux et végétaux. *Causticus, a, um,* adj. || (Subst.) Un —, *causticum, i,* n.; *cauterium, ii,* n. ¶ (Fig.) Qui est acerbe dans la plaisanterie. *Asper, a, um,* adj. *Mordax* (gén. -*acis*), adj.

cauteleusement, adv. D'une manière cauteleuse. *Versutē,* adv. *Callidē,* adv. *Subdolē,* adv.

cauteleux, *euse,* adj. Qui montre une défiance habile. *Versutus, a, um,* adj. *Callidus, a, um,* adj.

cautère, s. m. Corps brûlant. *Causticum, i,* n. *Cauterium, ii,* n. *Cauter, eris,* m. || (Par ext.) Petit ulcère artificiel. *Ulcus, eris,* n.

cautérisation, s. f. Action de cautériser, résultat de cette action. *Ustio, onis,* f.

cautériser, v. tr. Brûler avec un fer rouge, un caustique. *Urëre,* tr. *Adurëre,* tr.

caution, s. f. Somme qu'on dépose *ou* qu'on s'oblige à payer en garantie d'un engagement. *Sponsio, onis,* f. *Cautio, onis,* f. *Satisdatio, onis,* f. Donner une —, *satisdäre,* intr. (*de aliquâ re*). Recevoir —, *satis accipëre.* Exiger —, *satis exigëre.* Qui est sujet à —, *a quo caveas necesse est.* ¶ Celui qui prend cet engagement pour un autre. *Sponsor, oris,* m. *Vas, vadis,* m. *Praes, praedis,* m. Se porter —, *spondëre,* tr. Je vous suis — que..., *tibi spondëre possum* (av. l'acc. et l'inf.).

cautionnement, s. m. Action de donner caution. *Satisdatio, onis,* f. || (P. ext.) Somme déposée en garantie. *Satisdatum, i,* n.

cautionner, v. tr. Fournir caution pour qqn. *Praedem esse pro aliquo.* || (Fig.) Se porter garant pour qqn. *Praestäre aliquem de aliquâ re.*

cavalcade, s. f. Course à cheval faite par plusieurs personnes réunies. *Cursus equester.* ¶ Réunion de gens à cheval. *Equitum turmae.* || (Dans une fête.) Défilé de gens à cheval. *Equestris pompa.*

cavalerie, s. f. La partie d'une armée qui se compose de soldats à cheval. *Equitatus, üs,* m. *Equites, um,* m. pl. La — et l'infanterie, *copiae equitum peditumque; milites equitesque.* Servir dans la —, *equo merëre* (*ou equis merëri*). De —, *equester, tris, e,* adj. Combat de —, *proelium equestre.* Le commandant de la —, *magister equitum.* || L'ensemble des chevaux (dans une entreprise de voitures, de transport). *Equi, orum,* m. pl.

cavalier, s. m. Celui qui est à cheval. *Eques, equitis,* m. || Celui qui monte habituellement à cheval. Etre un bon —, *equo optimè uti.* ¶ Soldat qui appartient à la cavalerie. *Eques, equitis,* m.

1. cave, adj. Qui présente une cavité. *Cavus, a, um,* adj. || (Spéc.) Veine —, *cava vena.*

2. cave, s. f. Espace souterrain. — pour le vin, *apotheca, ae,* f *ou cella vinaria.* [*Crypta, ae,* f.

caveau, s. m. Petit réduit souterrain.

caverne, s. f. Cavité naturelle. *Caverna, ae,* f. *Specüs, üs,* m. f. et n. (ordin. masc. en parl. d'une caverne naturelle). *Spelunca, ae,* f.

caverneux, *euse,* adj. Qui présente des cavités. *Cavernosus, a, um,* adj. Fig. Voix —, *fuscum genus vocis.*

cavité, s. f. Espace vide. *Cavum, i,* n.

Caverna, ae, f. Petite —, *cavernula, ae,* f.

1. ce, pron. dém. invar. qui sert à rappeler la chose en question *ou* à annoncer celle dont il va être question. *Id,* n. (mais prendre garde à l'attraction obligatoire dans des phrases comme celle-ci; *ea causa belli fuit,* ce fut la cause de la guerre; *is denique honos mihi videri solet,* enfin c'est pour moi d'ordinaire un honneur). *Hoc,* n. (mais prendre garde à l'attraction : *puto esse hanc necessitudinem,* ce que j'appelle nécessité, c'est...). || (Interrogat.) Est-ce toi, etc. Se traduit en latin par des particules interrogatives · *ne, num,* etc. Est-ce que...? est-ce que vraiment...? quoi, est-ce que...? *né,*adv. inter. (quand on s'attend à une réponse affirmative). Est-ce que par hasard, est-ce que vraiment...? *num,* adv. interr. (quand on s'attend à une réponse négative). Est-ce que... ou..., *utrum... an...,* adv. interr. (dans les interrogations doubles). Est-ce que par hasard...? eh quoi! est-ce que...? *an,* adv. interr. || C'est, ce sont... (ne se traduit d'ordinaire que par la place donnée dans la phrase latine, au mot fr. précédé de « c'est, ce sont », etc.). C'est aux autres à en juger, *aliorum est judicium.* C'est vousmême que je cherchais, *te ipsum quaerebam.* || Employé comme complément d'un verbe actif *ou* d'une préposition *ou* comme antécédent d'une prop. relative. Ce dit-on, *ut ajunt.* Pour ce faire, *ad id efficiendum.* Ce faisant, *quod dum facit.* Sur ce, *his dictis.* Thémistocle fit ce que Coriolan avait fait, *Themistocles idem fecit quod fecerat Coriolanus.* Je dirai ce que je pense, *dicam quod sentio.*

2. ce, cet, cette, ces, adj. dém. déterminant la personne *ou* la chose qu'on désigne. *Is, ea, id,* adj. et pron. dém. (désigne la personne *ou* la chose dont il vient d'être question). *Hic, hæc, hoc,* adj. pron. dém. (démonstratif de la 1re pers., désignant ce qui la concerne, ce qui la touche de près dans le temps *ou* dans l'espace). *Iste, ista, istud,* adj. pron. dém. (démonstr. de la 2e pers., désigne ce qui la concerne). *Ille, illa, illud,* adj. pron. dém. (démonstr. de la 3e pers., désigne ce qui la concerne et, par conséquent, ce qui est plus ou moins éloigné de celui qui parle).

céans, adv. Ici, dans la maison. *Hic,* adv. *Intus,* adv. [*Cebes, etis,* m.

Cébès, n. pr. Disciple de Socrate.

ceci, pron. Pronom démonstratif invariable (employé absolument sans qualification ni détermination). Cette chose-ci. *Hoc,* n. *Id,* n. *Haec res. Haec,* n. pl. ¶ Ce dont on va parler. *Illud,* n. *Illa,* n. pl. ¶ (Par ext.) Tout ce dont on parle. *Hoc,* n. *Haec res. Haec,* n. pl. ¶ Ceci et cela (une chose et une autre), *illud et illud.* [vue. *Caecitas, atis,* f.

cécité, s. f. Privation du sens de la

Cécrops, n. pr. Ancien roi d'Athènes. *Cecrops, opis,* m.

Cécube, n. pr. Petite ville de Campanie, renommée pour son vin. *Caecubum, i,* n.

céder, v. tr. et intr. ‖ (*V. tr.*) Abandonner (qqch. à qqn) en renonçant à son droit. *Cedĕre,* intr. et tr. *Concedĕre,* tr. *Decedĕre,* intr. (*de aliquâ re*). — la place à qqn, lui — le haut du pavé, le pas, *decedĕre alicui de viâ; cedĕre semitâ, decedĕre alicui.* ‖ (Absol.) Le — à qqn *et* (ellipt.) — à qqn, c.-à-d. ne pouvoir lui disputer la prééminence en qqch. *Cedĕre,* intr. *Concedĕre,* intr. ¶ (*V. intr.*) S'abandonner à qqch., à qqn, en cessant de lui résister. *Cedĕre,* intr. *Concedĕre,* intr. *Obsequi,* dép. intr. — aux désirs de qqn, *alicui morem gerĕre.* Cédant au sommeil, *somno victus.* — à la violence du courant, *abripi vi fluminis.* ¶ Abandonner la lutte, la résistance (contre qqn, qqch.). *Cedĕre,* intr. *Recedĕre,* intr. Faire — qqn, voy. CONTRAINDRE, SOUMETTRE. ‖ (En parl. de choses matér.) Subir une dépression, ne plus résister à. *Cedĕre,* intr. Sable cédant sous les pas, *sabulum vestigio* (Dat.) *cedens.* — sous le poids, *opprimi gravi onere.*

cédrat, s. m. Fruit du cédratier. Voy. CITRON. ‖ (Par ext.) Cédratier. Voy. ce mot.

cédratier, s. m. Variété de citronnier. Voy. CITRONNIER.

1. cèdre, s. m. Grand arbre toujours vert, à bois odorant. *Cedrus, i,* f. Bois de —, *cedrus, i,* f. De —, en bois de —, *cedrinus, a, um,* adj. [*Cedris, idis,* f.

2. cèdre, s. m. Fruit du cédratier.

cédule, s. f. Papier sur lequel on notifie qqch. *Syngrapha, ae,* f.

ceindre, v. tr. Entourer une partie du corps d'une bande serrée. *Cingĕre,* tr. *Succingĕre,* tr. *Circumdăre,* tr. ¶ (Par ext.) Serrer autour d'une partie du corps. *Cingĕre,* tr. (au moyen pass. : *cinctus ferro*). *Accingĕre,* tr. *Succingĕre,* tr. Ceints du glaive, *gladiis accincti,* ou *succincti ferro.* ‖ (Par anal.) Entourer d'une ceinture (fig.). *Cingĕre,* tr.

ceinture, s. f. Bande destinée à serrer les vêtements à la taille. *Cingulum, i,* n. *Zona, ae,* f. Porter une épée à sa —, *ferro* (ou *gladio*) *cingi.* Portant une épée à leur —, *gladiis accincti* ou *ferro succincti.* ¶ Partie du corps que serre la ceinture. *Medius homo* ou *media mulier.*

ceinturon, s. m. Ceinture qui sert à suspendre une épée, un couteau de chasse, etc. *Cingulum, i,* n. *Balteus, i,* m.

cela, pr. dém. invar. Cette chose-là, ce qui est le plus éloigné de celui qui parle. *Illud,* n. ou *illa res.* ¶ Pour rappeler ce dont on vient de parler. *Id,* n. ou *ea res.* C'est —, c'est bien —, *se sic res habet.* ‖ (Par ext.) Tout ce dont

on parle. Ceci et —, *c.-à-d.* une chose ou une autre, *hoc et illud.*

célébration, s. f. Action de célébrer. *Celebratio; onis,* f.

célèbre, adj. Dont le nom est partout vanté. *Nobilis, e,* adj. *Inclutus, a, um,* adj. *Clarus, a, um,* adj. Etre —, *nomen habēre* ou *esse in laude.* Etre très —, *in magno nomine et gloriâ esse.* Devenir —, *nominis famam adipisci.* Rendre —, *clarum* (ou *nobilem*) *facĕre aliquem; aliquem illustrāre.* Se rendre —, *famam sibi acquirĕre* (ou *comparāre*).

célébrer, v. tr. Accomplir solennellement. *Celebrāre,* tr. *Agĕre,* tr. — une fête, *diem festum agĕre.* — un sacrifice, *rem divinam facĕre.* ¶ Vanter, publier solennellement. *Celebrāre,* tr. *Laudāre,* tr.

célébrité, s. f. Caractère de ce qui est célèbre. *Nobilitas, atis,* f. *ae,* f. *Gloria,* f. *Laus, laudis,* f. *Nomen, inis,* n.

celer, v. tr. Tenir caché pour qqn ce qu'on a intérêt à ne pas lui découvrir. *Celāre,* tr. A ne vous rien —, *ut vera dicam.*

céleri, s. m. Ache odorante adoucie par la culture. *Apium, ii,* n.

célérité, s. f. Vitesse dans l'exécution de qqch. *Celeritas, atis,* f. *Festinatio, onis,* f. Avec —, *celeriter,* adv.

céleste, adj. Relatif à la voûte du ciel. *Caelestis, e,* adj. (subst.) *caelestia, um* [« les corps célestes »], n. pl.). La voûte —, *caelum, i,* n. ‖ Bleu — (couleur d'azur), *caeruleus, a, um,* adj. ¶ Relatif au ciel, considéré comme séjour de la Divinité. *Caelestis, e,* adj. *Divinus, a, um,* adj.

célibat, s. m. Etat d'une personne qui n'est pas mariée. *Caelibatûs, ûs,* m.

célibataire, s. m. et f. Qui vit dans le célibat. Un —, *caelebs, libis,* m. Une femme —, *mulier vidua* et simpl. *vidua, ae,* f.

cellier, s. m. Lieu ménagé pour tenir lieu de cave. *Cella promptuaria* ou *penaria.* — à vin, *apotheca, ae,* f.

cellule, s. f. Petite chambre. *Cellula, ae,* f. ‖ Chambre d'un religieux. *Cellula, ae,* f. ¶ Petite chambre où chaque personne est isolée. *Cella, ae,* f. ¶ Alvéole que construisent les abeilles. *Cella, ae,* f.

Celtes, n. pr. Peuple de la Gaule. *Celtae, arum,* m. pl. Des —, relatif aux —, *Celticus, a, um,* adj.

Celtibérie, n. pr. Ancienne contrée d'Espagne. *Celtiberia, ae,* f.

Celtique, adj. Relatif aux Celtes. *Celticus, a, um,* adj. En —, *Celticē,* adv.

celui, m. s., **celle,** f. s., **ceux,** m. pl. **celles,** f. pl. Pron. dém. pris absol. *Is, ea, id,* pron. (antéc. du pron. relatif). « Celui » déterminé par un subst. s.-e. ne s'exprime pas dans les phrases c. **celle-ci** : Les discours de Scipion valent mieux que ceux de Lélius, *Scipionis* *orationes meliores sunt quam Laelii.*

celui-ci, m. s., **celle-ci,** f. s., **ceux-ci,** m. pl., **celles-ci,** f. pl. Pron. dém. empl. abs. La personne la plus rapprochée de celui qui parle. *Hic, haec, hoc,* pr. dém. (voir les gramm.). ¶ (Par ext.) La personne, la chose dont il a été question en dernier lieu. *Hic, haec, hoc,* pr. dém. ‖ (Spéc.) En parl. de deux personnes, de deux choses qu'on met en parallèle. *Hic, haec, hoc* (opp. à *ille, illa, illud*). ‖ La personne, la chose dont on va parler. *Hic, haec, hoc,* pron. dém. (suivi de *qui,* de l'acc. av. l'infin., de *ut* av. le subj.). ¶ Celui-ci, celle-là, c.-à-d. une personne, une chose ou une autre. *Hic et ille. Ille aut ille.*

celui-là, s. m. **celle-là,** f. s., **ceux-là,** m. pl., **celles-là,** f. pl. Pron. dém. empl. absol. La personne, la chose la plus éloignée de celui qui parle. *Ille, illa, illud,* pr. dém. ¶ (Par ext.) La personne, la chose dont il a été question en premier lieu. *Ille, illa, illud,* pr. dém. ‖ La personne, la chose dont on vient de parler. *Is, ea, id,* pr. dém. ‖ (Par ext.) Celui-là, etc. (antécédent du relatif, avec une idée emphatique). *Ille, illa, illud,* pr. dém. ¶ Celui-ci, celui-là, c.-à-d. une personne, une chose ou une autre. *Hic... ille...*

cendre, s. f. Résidu de la combustion de diverses matières. *Cinis, eris,* m. — légère (encore chaude), *favilla, ae,* f. Mettre, réduire en —, *igni concremāre* ou *igni delēre* (*aliquid*). ¶ Ce qui reste de la combustion des morts. *Cinis, eris,* m. *Ossa, ium,* n. pl.

cendré, adj. Qui a la couleur grise de la cendre. *Cinereus, a, um,* adj.

cène, s. f. Repas que Jésus-Christ fit avec ses disciples, la veille de la Passion. *Cena, ae,* f.

cénobite, s. m. Dans les premiers temps de l'Eglise, celui qui vivait en commun avec d'autres religieux. *Cenobita, ae,* m.

Cénomans, n. pr. Peuple de la Gaule. *Cenomani, orum,* m. pl.

cénotaphe, s. m. Simulacre de tombeau élevé à la mémoire d'un mort. *Honorarius tumulus.*

cens, s. m. Etat qu'on dressait tous les cinq ans à Rome de la condition et de la fortune des citoyens. *Censùs, ūs,* m. Faire le —, *censum habēre.*

censé, ée, adj. Supposé fictivement. *Habitus; existimatus; putatus, a, um,* p. adj.

censeur, s. m. L'un des deux magistrats romains chargés de contrôler la fortune et l'état civil des citoyens, etc. *Censor, oris,* m. Fonction de —, *censura, ae,* f. ¶ (Par ext. fig.) Celui qui reprend publiquement les autres. *Censor, oris,* m.

censorial, ale, adj. Relatif à la censure. *Censorius, a, um,* adj.

censurable, adj. Qui mérite d'être censuré. *Reprehendendus, a, um,* adj. verb.

censure, s. f. Charge *ou* fonction du magistrat chargé à Rome de faire le cens, etc. *Censura, ae,* f. ‖ (Par ext. et fig.) Action de reprendre publiquement les autres. *Vituperatio, onis,* f. *Objurgatio, onis,* f. Faire la — de..., voy. CENSURER.

censurer, v. tr. Reprendre publiquement qqn (pour sa conduite, ses ouvrages, etc.). *Reprehendĕre,* tr. *Notāre,* tr.

cent, adj. num. card. Nombre formé de dix dizaines d'unités. *Centum,* adj. indécl. — par —, — chaque fois, — pour chaque chose, pour chacun, *centeni, ae, a,* adj. distr. Deux cents, trois cents. Voy. DEUX, TROIS, etc. — fois, *centies,* adv. ‖ (Par ext.) Un nombre considérable, mais indéterminé. *Centum,* adj. indécl. Si l'on n'a pas dit — fois la même chose, *nisi idem dictum est centies.* ‖ (Par ext.) Adj. num. ord. Voy. CENTIÈME. Tous les — ans, *centesimo quoque anno.* ¶ (Absol.) Le nombre cent. *Centum,* adj. Le chiffre cent, *nota centenarii numeri.* Intérêt d'un pour — par mois, *et par cens.* de douze pour — (par an), *centesimae, arum,* f. pl. ¶ Centaine. Voy. ce mot.

centaine, s. f. Groupe de cent unités. *Centenarius numerus.* Par —, *centuriatim,* adv. ‖ (Par ext.) Nombre approchant de cent. Nous étions là une — de personnes, *fuimus omnino ad centum.*

centaure, s. m. Etre fabuleux, moitié homme, moitié cheval. *Centaurus, i,* m. De —, *centaureus, a, um,* adj.

centaurée, s. f. Plante. *Centaureum, ei,* n.

centenaire, adj. et s. m. ‖ Adj. Qui a accompli sa centième année. Un vieillard — et (substantif.) un — , (*senex*) *centum annorum; centum annos natus* ou *nata.* ¶ S. m. Anniversaire séculaire (d'un grand événement, de la naissance d'un grand homme). *Sollemnia* (ou *sacra*) *saecularia* (ou simpl. *saecularia*), n. pl.

centenier, s. m. Officier qui commandait cent hommes. Voy. CENTURION.

centième, adj. et s. m. Adjectif numéral et ordinal. *Centesimus, a, um,* adj. Deux —, *ducentesimus.* Trois —, *trecentesimus.* Quatre —, *quadringentesimus.* Pour la — fois, *centesimum.* ‖ (Par ext.) La centième partie. *Centesima pars; centesima, ae,* f. ¶ S. m. Un centième. Voy. ci-dessus.

central, ale, adj. Qui est situé au centre d'un cercle, d'une sphère, etc. *Centralis, e,* adj. ‖ (Par ext.) Qui est dans, situé dans la région du centre, vers le milieu. *Medius, a, um,* adj.

centre, s. m. Point intérieur situé à égale distance de tous les points d'une circonférence. *Centrum, i,* n. *Punctum in medio situm.* ¶ Ce qui est vers le milieu d'une étendue. *Medius locus* ou *media pars*. Le — de la terre, *medius terrae locus*. Le — de l'armée (en bataille), *media acies*.

centumvir, s. m. Dans l'ancienne Rome, membre d'un collège de cent magistrats (qui jugeaient les affaires civiles). *Centumvir, i, m.*

centumviral, adj. Relatif aux centumvirs. *Centumviralis, e,* adj.

centumvirat, s. m. Charge de centumvir. *Centumvirale munus.*

centuple, adj. Qui égale cent fois (une quantité donnée). *Centuplicatus, a, um,* p. adj. *Centuplex* (gén. *-plicis*), adj. (Absol.) Rapporter le — (en parl. d'une terre, etc.), *cum centesimâ fruge fenus reddĕre ex eodem semine*. Au —, *centuplicato*, adv.; *cum centesimo.*

centupler, v. tr. Porter au centuple. *Centuplicâre, tr.*

centurie, s. f. Dans l'ancienne Rome, réunion de cent citoyens formant une des divisions politiques du peuple. *Centuria, ae, f.* Les comices par —, *comitia centuriata.* ¶ Division de la cohorte formée de cent hommes. *Centuria, ae, f.* Par centuries, *centuriatim,* adv

centurion, s. m. Officier de l'armée romaine commandant cent hommes. *Centurio, onis, m.*

cep, s. m. Pied de vigne *et* (spécial.) bois de la vigne. *Vitis, is, f.*

cépage, s. m. Variété du plant de vigne cultivée dans une localité. *Vitis, is* (avec le nom de la localité au génitif *ou* avec un adj. dérivé), f.

cependant, adv. Pendant ce temps. *Interim,* adv. *Interea,* adv. ¶ (Par ext.) En regard de cela, par opposition à cela. *Sed,* conj. *Tamen,* conj. *Sed tamen,* conj.

Céphalonie, n. pr. Une des îles ioniennes. *Cephallenia, ae, f.* Habitants de —, *Cephallenes, um,* m. pl.

Céphise, n. pr. Fleuve de Phocide et de Béotie. *Cephisos, ī, m.*

Cerasonte, n. pr. Ville d'Asie Mineure. *Cerasus, untis, f.*

cérat, s. m. Médicament externe, pour onction. *Ceratum, i, n.*

Cerbère, s. m. Chien à trois têtes qui gardait la porte des enfers. *Cerberus, i, m.* [fer, d'acier. *Circulus, i, m.*

cerceau, s. m. Cercle de bois, de

cercle, s. m. Portion de plan limitée par une circonférence. *Circulus, i, m.* ¶ La circonférence d'un cercle. *Circulus, i, m. Orbis, is, m.* ‖ Circonscription territoriale. *Pars, partis,* f. *Regio, onis,* f. ‖ (Par ext.) Ce qui figure approximativement une circonférence. Orbite d'un astre, *orbis, is,* m. Rond, *gyrus, i,* m. — de personnes assemblées, *corona, ae,* f. ‖ — décrit par un compas, *circinatio, onis,* f. Tracer un —, *circulum describĕre.* Former le —, se former en —, *in orbem coïre* ou *consistĕre.* Former

un — autour de qqn, *coronâ aliquem cingĕre.* Tourner en —, *in orbem circumagi* (ou *circumferri*). ‖ (Par ext.) Réunion de personnes (groupées dans un salon, etc.). *Circulus, i, m.* ¶ (Fig.) Ce dont on fait le tour, dont on embrasse l'étendue. Tourner dans le même —, *eodem* (adv.) *revolvi.* ¶ (P. ext.) Objet formé d'une bande circulaire. — de barrique, *circulus, i, m.*

cercler, v. tr. Garnir de cercles. *Cingĕre circulis.*

cercueil, s. m. Sorte de coffre où l'on enferme les morts pour les mettre en terre. *Capulus, i, m. Arca, ae,* f.

céréale, adj. f. Qui a des grains farineux servant à la nourriture de l'homme. *Frumentarius, a, um,* adj. Les plantes — *et* (substantiv.) les —, *fruges, um,* f. pl. Prix courant des —, *annona, ae,* f.

cérébral, *ale,* adj. Relatif au cerveau. Membrane —, *cerebri membrana.* Fièvre —, *cephalaea, ae,* f.

1. **cérémonial**, *ale,* adj. Relatif aux cérémonies (du culte). *Ritualis, e,* adj.

2. **cérémonial**, s. m. Ensemble de cérémonies servant à célébrer une solennité. Suivre en tout le — accoutumé, *sollemniter omnia peragĕre.* ¶ (Par ext.) Formalités exagérées (dans les rapports mondains). Voy. CÉRÉMONIE.

cérémonie, s. f. Formes d'apparat qui accompagnent la célébration d'une solennité. *Caerimonia, ae,* f. *Ritŭs, ūs,* m. *Religiones, um* f. pl. *Sollemne, is,* n. ¶ (Dans les relations sociales.) Formalités qui sentent l'apprêt *ou* qui sont excessives. Faire des —, *officiosius facĕre.* Sans —, *nullo apparatu.* Une visite de —, *salutatio, onis,* f.

cérémonieux, *ieuse,* adj. Qui fait des cérémonies, des façons. Une personne —, *officiosior homo.* [Ceres, eris, f.

Cérès, n. pr. Déesse de l'agriculture.

cerf, s. m. Mammifère ruminant. *Cervus, i,* m. De —, *cervinus, a, um,* adj. [folium, ii, n.

cerfeuil, s. m. Plante potagère. *Caere-*

cerf-volant, s. m. Nom vulgaire du lucane. *Scarabaeus lucanus.*

cerisaie, s. f. Lieu planté de cerisiers. *Locus cerasis consitus.*

cerise, s. f. Petit fruit rouge, globuleux et charnu. *Cerasum, i, n.*

cerisier, s. m. Arbre qui donne les cerises. *Cerasus, i, f.*

cerner, v. tr. Entourer complètement. *Cingĕre, tr. Circumdăre, tr.*

certain, *aine,* adj. Qui est tenu pour vrai. *Certus, a, um,* adj. *Exploratus, a, um,* p. adj. *Verus, a, um,* adj. Tenir pour — que..., *certum habēre* (av. l'acc. et l'inf.). Etre — (en parl. de qqch.), *constāre,* intr. ‖ (Subst.) Le certain, *certum, i, n.* ‖ (Par ext.) Qui est exactement déterminé. *Certus, a, um,* adj. *Status, a, um,* p. adj. ‖ (Par ext.) Qui est à déterminer, qui n'est pas déterminé. Un certain, *quidam*, pron. indéf. Une certaine quantité de..., *aliquantum* (av. le gén.). ¶ Qui tient qqch. pour vrai, *Certus, a, um*, adj. Etre — de, *compertum habēre de aliquā re; certo scire* (ou *certis auctoribus comperisse*). On est certain que..., *inter omnes constat* (av. l'acc. et l'infin.).

certainement, adv. D'une manière certaine. *Certo, altē, adv. Certē*, adv. Cela arrivera —, *non est dubium quin hoc fiat.* ¶ (Par ext.) Sans aucun doute. *Profecto*, adv. *Sanē*, adv.

certes, adv. En vérité. *Quidem* (après un mot), adv. *Sanē*, adv.

certificat, s. m. Ecrit par lequel on garantit qu'un fait est vrai. *Testimonium, ii*, n. *Litterae, arum*, f. pl.

certifier, v. tr. Garantir comme vrai. *Confirmāre*, tr. — que..., *litteris testari* ou (abs.) *testari* (avec l'acc. et l'inf.).

certitude, s. f. Caractère de ce qui est certain pour l'esprit. La — d'un fait, *res certa.* La — d'un témoignage, *fides testium* (ou *testimonii*). || Caractère de ce qui est assuré. *Certum, i*, n. ¶ Etat de l'esprit qui considère qqch. comme certain. La — de conserver la paix, *fides tuendae pacis.* Entière —, *certa fides.* Avoir la — de, *c.-à-d.* être sûr de... voy. SÛR. || (Absol.) Etat de l'esprit qui est assuré de posséder la vérité. *Certa fides* (ou abs.) *fides, ei*, f.

céruse, s. f. Substance blanche employée comme fard, comme couleur. *Cerussa, ae*, f.

cerveau, s. m. L'encéphale. *Cerebrum, i*, n. Un transport au —, *phrenesis, is*, f.; *phrenitis, tidis* (acc. tim), f. || (Par ext.) Le vin monte au cerveau, voy. CAPITEUX. Rhume de —, *destillatio narium.* ¶ (Fig.) Cerveau considéré comme le siège de l'intelligence. *Caput, itis*, n. *Mens, mentis*, f. — fêlé, *mota mens.*

cervelas, s. m. Saucisse courte. *Tomaculum, i*, n.

cervelet, s. m. Partie postérieure et inférieure de l'encéphale. *Cerebellum, i*, n.

cervelle, s. f. Substance qui constitue le cerveau. *Cerebrum, i*, n. (En cuisine): *cerebellum, i*, n. ¶ Substance du cerveau considérée comme siège de la pensée. *Mens, mentis*, f.

César, n. pr. Conquérant de la Gaule. *Caesar, aris*, m.

cessant, *ante*, part. Voy. CESSER.

cessation, s. f. Action de cesser qqch. *Intermissio, onis*, f. La — des hostilités, *finis bellandi.*

cesse, s. f. Le fait de cesser. *Finis, is*, m. *Intermissio, onis*, f. Point de —, *c.-à-d.* point de relâche, *nec mora nec requies.* N'avoir point de — que, *non intermittĕre* (et l'infin.). Sans —, *continenter*, adv.; *sine ullā intermissione.*

cesser, v. intr. et tr. Ne pas continuer. || (*V. intr.*) S'arrêter. *Desinĕre*, intr. (av. l'infin.). *Desistĕre*, intr. (avec l'inf.). *Absistĕre*, intr. *Finem facĕre* (en parl. de qqn). *Finem capĕre* (en parl. de ch.). — pour un moment, *intermittĕre*, tr. — tout à fait de, *omittĕre*, tr. — d'espérer, de craindre, *spem, metum omittĕre.* Faire — (mettre fin), voy. FIN, TERME. ¶ (*V. tr.*) Cesser un discours, etc. *Desinĕre*, tr. *Omittĕre*, tr. Absol. Cesse (laisse-moi), *omitte me.*

cession, s. f. Action de céder (qqch. à un autre). *Cessio, onis*, f. Faire — de ses biens, de ses droits, *cedĕre* (*alicui*) *possessione, bonis, de suo jure.*

ceste, s. m. Courroie (parfois garnie de plomb), dont les athlètes s'entouraient les mains pour le pugilat. *Caestūs, ūs*, m. [vers. *Caesura, ae*, f.

césure, s. f. Division rythmique d'un vers. Voy. 2. CE. [*Cetus, i*, m.

cétacé, s. m. Grand mammifère marin.

cette. Voy. 2. CE.

ceux. Voy. CELUI.

Cévennes, n. pr. Montagnes de France. *Cebenna, ae*, m. [*Chabrias, ae*, m.

Chabrias, n. pr. Général athénien.

chacal, s. m. Carnassier d'Afrique et d'Orient. *Thos, thois*, m.

chacun, *une*, pron. distrib. Toute personne, toute chose faisant partie d'un groupe qu'on désigne, *et par ext.* toute personne, sans distinction. *Quisque, quaeque, quidque*, pron. (avec les pron. poss. ou réfléch. qui régulièrement le précèdent, après les relat. : ailleurs employer *unusquisque*). — des deux, *uterque, utraque, utrumque*, pr. distr. Un pour —, *singuli, ae, a*, adj. distrib. Il donne cinq cents deniers à — des vétérans, *quingenos denarios dat veteranis.*

1. chagrin, *ine*, adj. Qui ressent avec amertume une peine. *Sollicitus, a, um*, adj. *Aeger, gra, grum*, adj. *Maestus, a, um*, adj. Avec —, *aegrē*, adv. Etre —, *in aegritudine esse.* ¶ Qui est porté à voir les choses avec amertume. Voy. MOROSE. Avec une humeur —, *morose*, adv.

2. chagrin, s. m. Peine qui est ressentie avec amertume. *Aegritudo, inis*, f. *Dolor, oris*, m. *Maeror, oris*, m. Avoir du —, *in sollicitudine* (ou *aegritudine*) *esse.* ¶ Disposition à ressentir les choses avec amertume. *Morositas, atis*, f.

chagrinant, *ante*, adj. Qui cause du chagrin. *Qui* (*quae, quod*) *offensioni est* (ou *offensionem affert* ou *habet*). *Qui* (*quae, quod*) *aegritudinem* (ou *maerorem*) *affert.*

chagriner, v. tr. Rendre chagrin. *Sollicitudine* (ou *maerore*) *afficĕre aliquem. Aegritudinem* (ou *maerorem*) *afferre alicui.* Se —, être chagriné, *maerēre*, intr.; *in maerore esse* (ou *jacēre*). Se — de qqch., *aegritudinem suscipĕre ex aliquā re.*

chah. Voy. SCHAH.

chai, s. m. Vaste cellier pour les vins, les eaux-de-vie. Voy. CELLIER.

chaîne, s. f. Lien fait d'une suite d'anneaux. *Catena, ae,* f. — de cou, *catella, ae,* f. ¶ Lien pour retenir, pour assujettir qqn. *Catena, ae,* f. *Vinculum, i,* n. (au plur.). Etre à la —, *in catenā esse.* Charger qqn de —, *alicui catenas injicĕre.* || (Fig.) Ce qui asservit ou captive qqn. *Catena, ae,* f. *Vinculum, i,* n. ¶ Longueur formée d'éléments semblables qui forment une suite ininterrompue. || Chaîne de montagnes, *montes continui.* || Suite de personnes qui se tiennent. Une — d'avant-postes et de sentinelles, *perpetuae vigiliae stationesque.* || (Fig.) Série non interrompue de faits et d'idées. *Continuatio, onis,* f. *Series, ei,* f.   [*ae,* f.

chaînette, s. f. Petite chaîne. *Catella,*

chaînon, s. m. Anneau ou réunion d'anneaux formant chaque élément d'une chaîne. *Anulus, i,* m. || (Par anal.) Maille d'un filet. Voy. MAILLE. ¶ (Par anal.) Petite chaîne de montagnes. *Juga continentia.*

chair, s. f. Les muscles du corps de l'homme. *Caro, carnis,* f. *Viscera, um,* n. pl. || La chair considérée comme aliment. *Caro, carnis,* f. || La chair, partie succulente de certains fruits. *Caro, carnis,* f. (au sing. et au plur.). ¶ Les chairs recouvertes de la peau, la partie extérieure du corps humain. *Caro, carnis,* f. Couleur chair, *candor carnosus.*

chaire, s. f. Siège élevé du haut duquel on adresse un enseignement à des auditeurs. *Cathedra, ae,* f.

chaise, s. f. Siège à dossier moins large que le fauteuil et sans bras. *Sella, ae,* f. ¶ (Par anal.) Chaise à porteurs et (absol.) chaise. *Sella (gestatoria)* ou simpl. *sella, ae,* f.

1. chaland, s. m. Grand bateau plat servant au transport des marchandises. *Ponto, onis,* m.

2. chaland, ande, s. m. et f. Celui, celle qui va de préférence chez tel ou tel marchand. *Emptor, oris,* m. *Emptrix, tricis,* f.   [*Chalcis, idis,* f.

Chalcis, n. pr. Capitale de l'île d'Eubée.

Chaldéens, n. pr. Peuple célèbre par ses connaissances astronomiques. *Chaldaei, orum,* m. pl.

chaleur, s. f. Température élevée d'un corps. *Calor, oris,* m. Grande —, (ou *agreste*). Produits des —, *fruges, um,* f. pl. La vie des —, *agrestis vita.* Qui concerne les —, *agrarius, a, um,* adj. || Les champs, c.-à-d. la campagne, voy. CAMPAGNE. Des —, qui vit aux —, *rusticus, a, um,* adj.

brûlante, *fervor, oris,* m.; *aestus, ūs,* m. Souffrir de la —, *aestuāre,* intr. ¶ Sensation de chaleur qui accompagne certains malaises. *Calor, oris,* m. || (Par ext.) Chaleur du sang. Voy. EMPORTEMENT. ¶ Ardeur des sens. Voy. ARDEUR. ¶ Animation, passion que l'on met à faire qqch. *Ardor, oris,* m. Dans la — du combat, *ardescente pugnā.* Avec —, *ardenter,* adv.   [MENT.

chaleureusement, adv. Voy. CHAUDE-

chaleureux, euse, adj. Qui montre, qui manifeste de la chaleur. Une éloquence —, *fervidum quoddam genus dicendi.*

chaloupe, s. f. Embarcation à voile et à rame. *Lembus, i,* m. — d'un navire de guerre, *scapha longae navis.*

chalumeau, s. m. Tuyau de roseau, de paille, etc. *Calamus, i,* m. *Stipula, ae,* f. || (Par ext.) Flûte champêtre. *Arundo, dinis,* f. *Calamus, i,* m.

chamarrer, v. tr. Garnir d'ornements voyants, disparates. *Praetexĕre,* tr. Un habit chamarré (d'or et de pourpre) (*auro purpurāque*) *distincta vestis.*

chamarrure, s. f. Assemblage d'ornements voyants, disparates. *Segmenta, orum,* n. pl.

chambellan, s. m. Officier préposé au service de la chambre d'un roi. *Cubicularius, ii,* m.

chambranle, s. m. Moulure qui fait le tour de la baie d'une porte, d'une fenêtre. *Antepagmentum, i,* n.

chambre, s. f. Pièce d'une habitation. *Conclave, is,* n. *Cubiculum, i,* n. Garder la —, *domi se continēre.* Robe de —, *vestis domestica.* Femme de —, *ornatrix, tricis,* f. Valet de — *cubicularius, ii,* m. ¶ (Spéc.) Salle où l'on se réunit pour délibérer. *Curia, ae,* f.

chambrée, s. f. Ouvriers, soldats qui couchent dans une même chambre. *Contubernium, ii,* n.   [*Cellula, ae,* f.

chambrette, s. f. Petite chambre.

chambrière, s. f. Fille de chambre. *Cubicularia, ae,* f.

chameau, s. m. Quadrupède ruminant. *Camelus, i,* m. De —, *camelinus, a, um,* adj.   [meaux. *Camelarius, ii,* m.

chamelier, s. m. Conducteur de cha-

chamois, s. m. Quadrupède ruminant. *Rupicapra, ae,* f.

champ, s. m. Espace découvert et plat. *Campus, i,* m. — de foire, *forum, i,* n. — de course, *curriculum, i,* n. — de repos, voy. CIMETIÈRE. — de manœuvres, *campus, i,* m. — de bataille, voy. BATAILLE. Mourir au — d'honneur, *in proelio pugnantem occidi.* — clos, voy. LICE. — libre, *liberum spatium.* Prendre du —, *spatium sumĕre.* Donner du —, *spatium dăre.* Sur-le-champ (*loc. adv.*), *extemplo,* adv.; *confestim,* adv. ¶ Pièce de terre pour la culture, non enclose de murs. *Ager, gri,* m. Travail des —, *opus rusticum*

champêtre, adj. Qui a rapport aux champs. *Agrestis, e,* adj. *Rusticus, a, um,* adj. || (Par ext.) Qui rappelle les champs. *Agrestis, e,* adj. *Rusticus, a, um,* adj. Mœurs —, *rusticitas, atis,* f.

champignon, s. m. Plante cryptogame.

Fungus, i, m. — comestible, *boletus, i,* m.

champion, s. m. Chacun des adversaires qui combattaient en champ clos. *Pugnator, oris,* m. Ils ne trouvent pas de — dignes d'eux, *non inveniunt singulos pares.*

chance, s. f. Chute des dés. *Alea, ae,* f. || (Par ext.) Jeu de dés. *Alea, ae,* f. ¶ Manière dont une affaire, une entreprise peut tourner. *Alea, as,* f. *Casus, ūs,* m. Courir la —, *aleam adire.* — diverses, *casus varii.* Rendre les — égales, *sortes aequāre.* — déplorable, voy. REVERS. — favorable, voy. SUC-CÈS. Souhaiter bonne — à qqn, *felicitatem alicui exoptāre.* Bonne chance! *Feliciter!* || (Ellipt.) Avoir de la —, *c.-à-d.* avoir bonne —, voy. HEUREUX, BONHEUR. N'avoir pas de —, voy. [être] MALHEUREUX.

chancelant, *ante,* adj. Qui chancelle. *Titubans* (gén. *-antis*), p. adj. *Vacillans* (gén. *-antis*), p. adj. *Instabilis, e,* adj. ¶ (Au fig.) Dont la fidélité est ébranlée. *Vacillans* (gén.*-antis*), p. adj.

chanceler, v. intr. Vaciller sur sa base et (fig.) être incertain *Labāre,* intr. *Nutāre,* intr. Faire —, *labefacēre,* tr.; *labefactāre,* tr.

chancelier, s. m. Garde des sceaux. *Commentariensis, is,* m. Grand —, *cancellarius, ii,* m.

chancellement, s. m. Action de chanceler. *Vacillatio, onis,* f.

chancellerie, s. f. La résidence, les bureaux d'un chancelier. *Cancellaria, ae,* f.

chanceux, *euse,* adj. Qui dépend de la chance. *Anceps* (gén.*-cipitis*), adj. *Dubius, a, um,* adj. Qui a bonne chance, voy. HEUREUX.

chandeleur, s. f. Fête. *Candelaria, ae,* f.

chandelier, s. m. Support destiné à recevoir les chandelles. *Candelabrum, i,* n. *Lychnuchus, i,* m.

chandelle, s. f. Mèche entourée de suif, qui, allumée, sert à éclairer. *Candela, ae,* f.

change, s. m. Action de changer une chose contre une autre. *Compensatio mercium.* Gagner au —, *lucrum ex permutatione facēre.* ¶ (Spéc.) Action de changer des valeurs contre des valeurs équivalentes. Un bureau de —, *argentaria, ae,* f. — de la monnaie, *collybus, i,* m. Prix, taux du —, *collybus, i,* m. Lettre de —, *syngrapha, ae,* f. ¶ Substitution (que fait une bête poursuivie) d'une autre bête, qui prend sa place devant les chiens. Fig. Donner le — à qqn, *aliquem deludēre.* Prendre le —, voy. [être] DUPE. Faire prendre le — à qqn, *c.-à-d.* l'induire en erreur, voy. ces mots.

changeant, *ante,* adj. Qui change souvent (de manière d'être). *Mutabilis, e,* adj. *Commutabilis, e,* adj. Etoffe —,

vestis versicolor. || (Au fig.) *Mutabilis, e,* adj. *Varius, a, um,* adj. *Mobilis, e,* adj. Humeur —, *mobilitas ingenii.*

changement, s. m. Action de changer et résultat de cette action. *Mutatio, onis,* f. *Commutatio, onis,* f. *Conversio, onis,* f. Opérer un — de front, *aciem* (ou *signa*) *circumagēre.* Subir un —, des —, *mutari* (ou *commutāri*), pass.

changer, v. tr. et intr. || (V. tr.) Rendre autre ou différent. *Mutāre,* tr. *Commutāre,* tr. *Immutāre,* tr. *Convertēre,* tr. — contre, voy. ÉCHANGER. — en qqn, en qqch., voy. MÉTAMORPHOSER, TRANS-FORMER. ¶ (V. intr.) Devenir autre, différent. *Mutāri,* pass. *Commutāri,* pass. *Immutāri,* pass. || Changer de..., *mutāre,* tr. *commutāre,* tr. — d'attelage, *mutāre jumenta.* — de vêtements, *vestem mutāre.* Changeant de route, *mutato itinere.* — de résolution, *commutāre consilium.* Faire — de direction, *flectēre,* tr.; *vertēre,* tr. Faire — d'avis, forcer à — d'avis, *de sententiā aliquem demovēre.* Faire — de projet, a proposito deterrēre.

changeur, *euse,* s. m. et f. Celui, celle qui fait le commerce du change. *Argentarius, ii,* m. *Nummularius, ii,* m. Boutique de —, *argentaria taberna,* f. et (simpl.) *argentaria, ae,* f.

chanoine, s. m. Ecclésiastique séculier, membre du chapitre d'une église cathédrale. *Canonicus, i,* m.

chanoinesse, s. f. Religieuse de certaines communautés. *Canonica, ae,* f.

chanson, s. f. Pièce de petits vers avec refrain, qui se chante sur un air populaire. *Canticum, i,* n. *Cantilena, ae,* f. Chanter une —, *canticum dicēre.* Mettre en —, voy. CHANSONNER. Comme une —, *ut ajunt; ut est in vetere proverbio.* || Propos qui n'a pas plus d'importance qu'une chanson. *Nugae, arum,* f. pl.

chansonner, v. tr. Attaquer dans des chansons satiriques. *Versus in aliquem facēre* ou *carmen in aliquem scribēre.*

chansonnette, s. f. Petite chanson. *Cantiuncula, ae,* f.

chant, s. m. Suite de sons musicaux émis par une voix humaine. *Cantūs, ūs,* m. — d'allégresse, *cantus laetus.* — de deuil, *cantus lugubris; nenia, ae,* f. || (Absol.) Action de chanter. Cultiver le —, *artem sanendi excolēre.* L'art du —, *ars canendi; peritia cantandi.* || (Par anal.) Le chant des oiseaux. *Cantūs, ūs,* m. Au — du coq, *circa gallicinia.* ¶ Composition musicale destinée à être chantée. *Canticum, i,* n. *Cantilena, ae,* f. | (En parl. des instruments). Chant et accompagnement, *vocum et fidium cantus.*

chanter, v. tr. et intr. Faire entendre un chant. *Canēre,* tr. et intr. *Cantāre,* tr. et intr. — ensemble, à l'unisson, en chœur, *concinēre,* tr. et intr. Cesser de —, *decantāre*, intr. — souvent, *cantitāre*, tr. et intr. ¶ (Par anal.) Chanter (en parl. des oiseaux). *Canĕre*, tr. et intr. *Cantāre*, tr. et intr. *Concinĕre*, intr. || Chanter (en parl. des instruments). *Canĕre*, intr. ¶ Célébrer par des chants poétiques. *Canĕre*, tr. *Cantāre*, tr. Fig. — victoire, *victoriam conclamāre*. || (Par ext.) Chansonner. Voy. ce mot.

chanteur, *euse*, s. m. et f. Celui, celle qui chante. *Cantor*, *oris*, m. *Cantrix*, *tricis*, f. (Adj.) Les oiseaux chanteurs, *cantrices aves*. || Celui qui sait chanter. *Canendi peritus*.

chantier, s. m. Morceau de bois qui sert de support. Voy. SUPPORT. ¶ Lieu où les matériaux sont entassés, où l'on dépose des matériaux pour les travailler. *Locus ubi materia conditur*. || Chantier de construction navale, *navale*, *is*, n. Mettre un navire sur le —, *navem construĕre* (ou *aedificāre*).

chantonner, v. intr. et tr. Chanter à demi-voix. *Canturīre*, tr. et intr.

chantre, s. m. Celui qui chante. *Cantor*, *oris*, m. || (Spécial.) Celui qui chante, au service divin dans une église. *Praecentor*, *oris*, m. || (Fig.) Celui qui chante, célèbre en vers un héros, un grand événement. *Vates*, *is*, m.

chanvre, s. m. Plante herbacée dont les filaments servent à faire le fil, la toile. *Cannabis*, *is*, f. De —, *cannabinus*, *a*, *um*, adj.

chaos, s. m. Etat de confusion des éléments avant l'organisation du monde. *Rudis indigestaque moles*. ¶ (Fig.) Confusion et désordre complets. *Omnium rerum perturbatio et confusio*.

chape, s. f. Manteau de cérémonie ecclésiastique. *Cappa*, *ae*, f. ¶ Couche de mortier dont on enduit une voûte. *Paenula*, *ae*, f.

chapeau, s. m. Coiffure d'homme *ou* de femme pour sortir. — de feutre, *pileus*, *i*, m. — et *pileum*, *i*, n. — à larges bords, *petasus*, *i*, m. Petit —, *pileolus*, *i*, m.; *pileolum*, *i*, n. Mettre son —, *caput operīre*. Garder son —, *capite operto esse*. Oter son —, *caput aperīre*. N'avoir pas de — sur la tête, être — bas, *capite aperto esse*. Coiffé d'un —, *pileatus*, adj.

chapelain, s. m. Desservant d'une chapelle. *Sacrarius*, *ii*, m.

chapelle, s. f. Lieu consacré, où l'on gardait la chape, les reliques d'un saint. *Sacrarium*, *ii*, n. *Sacellum*, *i*, n. || (P. ext.) Lieu consacré au culte. *Aedicula*, *ae*, f. *Fanum*, *i*, n. || La réunion des musiciens qui chantent dans une —, *symphoniaci pueri* (ou *homines*) et simpl. *symphoniaci*, *orum*, m. pl.

chapiteau, s. m. Partie supérieure d'une colonne, d'un pilastre. *Capitulum*, *i*, n. *Caput columnae*.

chapitre, s. m. Chacune des parties que forment les divisions d'un ouvrage *ou* chacune des subdivisions de ces parties. *Caput*, *pitis*, n. *Locus*, *i*, m. (plur. *loci*). [Voy. RÉPRIMANDER.

chapitrer, v. tr. Faire la leçon à qqn.

chapon, s. m. Poulet engraissé. *Capo*, *ponis*, m. *Capus*, *i*, m.

chaque, adj. distrib. marquant que la personne, la chose déterminée fait partie d'une pluralité collective. *Quisque*, *quaeque*, *quodque*, adj. — jour, *singulis diebus* ou *cotidie*, adv. — année, *in annos singulos* ; *quotannis*, adv. — mois, *omnibus mensibus*. — fois, *omni tempore* ; *nunquam non* (avec un verbe). Cinq — fois, *quini*, *ae*, *a*, adj. (L'idée de « chaque fois » accompagné d'un nombre cardinal se rend par le distributif correspondant.) — fois que, *quotiescumque*.

char, s. m. Voiture légère des anciens à deux roues, char de course, de guerre, de triomphe. *Currŭs*, *ūs*, m. *Curriculum*, *i*, n. ¶ Chariot. Voy. ce mot.

charançon, s. m. Insecte coléoptère. *Curculio*, *onis*, m.

charbon, s. m. Matière de couleur noire, où domine le carbone. *Carbo*, *onis*, m. ¶ Matière employée comme combustible. *Carbo*, *onis*, m. — de bois, *ligna concocta*. Etre sur des — ardents, *trepidāre*, intr. ¶ Fusain. *Carbo*, *onis*, m. || Maladie qui désorganise et fait noircir les tissus. *Carbo*, *onis*, m. || — des graminées. Voy. NIELLE.

charbonner, v. tr. Faire passer à l'état de charbon. *In carbonem redigĕre*. ¶ Rendre noir avec du charbon. *Pice ungĕre*. — (des vers), *carbone notāre* (*versus*).

charbonnier, *ière*, s. m. et f. Celui, celle qui fait ou qui vend du charbon. *Carbonarius*, *ii*, m. *Carbonaria*, *ae*, f.

charcuterie, s. f. Etat commerce de, charcutier. *Suaria*, *ae*, f. ¶ Ce que prépare et vendent les charcutiers. *Suilla* (ou *porcina*) *caro* et (simpl.). *suilla*, *ae*, f. ou *porcina*, *ae*, f.

charcutier, s. m. Celui qui apprête, qui vend du porc. *Porcinarius*, *ii*, m. *Lardarius*, *ii*, m.

chardon, s. m. Plante à feuilles et à capitules épineux. *Carduus*, *i*, m.

chardonneret, s. m. Petit oiseau chanteur. *Carduelis*, *is*, m. *Acanthyllis*, *lidis*, f. *Acanthis*, *idis*, f.

charge, s. f. Ce dont on est chargé; ce qu'on porte. *Onus*, *eris*, n. *Sarcina*, *ae*, f. Un navire de —, *navis oneraria*. Bête de —, *jumentum*, *i*, n. Qui a une —, *onustus*, *a*, *um*, adj. || (Par ext.) Quantité de certains objets (déterminée par le poids qu'on peut porter). *Onus*, *eris*, n. *Sarcina*, *ae*, f. *Pondus*, *eris*, n. || Fonction dont qqn a tout le soin. *Munus*, *eris*, n. *Onus*, *eris*, n. J'ai pris une — trop lourde pour mes épaules, je le vois, *plus oneris sustuli quam ferre me posse intelligo*. || (Spéc.) Une femme de **charge** (celle qui est préposée à la surveillance domestique). *Dispensatrix, tricis,* f. || Fonction imposante (publique ou privée). *Munus, eris,* n. *Magistratùs, ûs,* m. *Honos, oris,* m. Entrer en —, *magistratum inire.* Etre en —, *magistratum gerere.* Sortir de —, *honore abire.* ¶ Ce qui pèse trop sur qqn, sur qqch. *Onus, eris,* n. *Molestia, ae,* f. Etre à —, *oneri esse.* Qui est à —, *molestus, a, um,* adj.; *gravis, e,* adj. || (Par ext.) Fig. Obligation onéreuse. *Onus, eris,* n. f. Exemption des — publiques, *immunitas, atis,* f. || Fait qui pèse sur la situation d'un accusé. *Crimen, inis,* n. Il n'y avait contre l'accusé qu'une seule —, mais qui était forte, *premebat reum crimen unum.* ¶ Caricature. Voy. ce mot. ¶ Action de charger. || Action de charger un navire. Le navire est en —, *naris oneratur.* || Action de se jeter sur l'ennemi. *Impetùs, ûs,* m. (au datif sing. et au plur, on se sert de *incursio* pour suppléer aux cas inusités de *impetus*). *Concursùs, ûs,* m. *Incursùs, ûs,* m. — de cavalerie, *procella equestris.* Sonner la —, *bellicum canĕre.* Au pas de —, *pleno gradu.* Revenir à la —, *proelium redintegrăre;* (et fig.) *rursus instăre.*

chargement, s. m. Action de charger une voiture, un navire, etc. Pour hâter le —, *ad celeritatem onerandi.* || (Par ext.) La charge d'une voiture, d'un navire. *Onus, eris,* n.

charger, v. tr. Mettre (qqn *ou* qqch.) sous le poids d'objets à porter. *Onerăre,* tr. *Gravăre,* tr. *Praegravăre,* tr. — qqn d'un fardeau, *imponĕre alicui onus.* ||Placer, disposer qqch. pour être porté. *Tollĕre,* tr. *Imponĕre,* tr. — qqn ou qqch. sur ses épaules, *aliquem* (ou *aliquid*) *in collum* (ou *cervices*) *accipĕre.* || Etre chargé (en parl. d'un véhicule), *portăre,* tr. Chargé de, *onustus, a, um,* adj. (av. l'abl.). ¶ (Fig.) Revêtir (qqn) d'une fonction. *Imponĕre,* tr. — qqn du gouvernement de l'Asie, *aliquem Asiae praeficĕre.* Etre chargé de, *praeesse,* intr. *(alicui rei).* Chargé de (qqch.), *praefectus* (ou *praepositus*) *alicui rei.* Il envoya des ambassadeurs chargés de demander la paix, *misit legatos qui pacem peterent.*(Ceux) qui étaient chargés de l'affaire, *quibus negotium datum erat.* Subst. Un chargé d'affaires, *procurator, oris,* m. Se — de qqch., *sumĕre,* tr.; *assumĕre,* tr.; *excipĕre,* tr.; *suscipĕre,* tr.; *recipĕre,* tr. Se — de la faute, *peccatum in se convertĕre.* ¶ Mettre sous le poids d'une chose lourde à porter. *Onerăre,* tr. *Gravăre,* tr. (ne s'emploie bien qu'au participe passé : *cibo gravatus*). *Opprimĕre,* tr *Obruĕre,* tr. Mets qui charge l'estomac, *cibus gravis.* Chargé de, *onustus, a, um,* adj.; *gravis, e,* adj. (av. l'abl.). || Charger (qqn) d'outrages, *aliquem onerăre contumeliis;* d'injures, *maledicta in aliquem congerĕre.* || Charger qqn d'honneurs, etc.,

onerăre aliquem honoribus. || (Spéc.) Charger qqn d'un crime, etc., *in aliquem culpam conferre.* Absol. — un accusé, *reum premĕre.* ¶ Se porter de tout son poids, de tout son élan contre (qqn). *Impetum facĕre. Impressionem facĕre. Signa inferre.* Il ordonne de —, *signa inferri jubet.* Faire — la cavalerie, *equites* (ou *equitatum*) *immittĕre.* Se — inter se concurrĕre.

chariot, s. m. Voiture à quatre roues, employée pour le transport. *Plaustrum, i,* n. *Carrus, i,* m.

charitable, adj. Qui montre de la charité (envers son prochain). *Misericors, in aliquem.*

charitablement, adv. D'une manière charitable. *Misericordi animo.*

charité, s. f. Amour compatissant pour le prochain. *Amor in* (ou *erga* ou *adversus*) *aliquem.* || (Spéc.) Bienfaisance envers les pauvres. Faire la —, *stipem* (ou *stipes*) *dăre.* Demander la —, *stipem colligĕre.* || (P. ext.) Secours donné aux pauvres. Vivre de —, *alienă misericordiă vivĕre.* [*Circulator, oris,* m.

charlatan, s. m. Médecin empirique.
charlatanisme, s. m. Caractère, manière d'être d'un charlatan. *Venditatio, onis,* f. Sans —, *sine vanitate.*

charmant, *ante,* adj. Qui a du charme. *Venustus, a, um,* adj. *Bellus, a, um,* adj. *Jucundus, a, um,* adj.

1. **charme,** s. m. Grand arbre forestier. *Carpinus, i,* f. De—, de bois de —, *carpineus, a, um,* adj.

2. **charme,** s. m. Influence magique. *Fascinatio, onis,* f. *Effascinatio, onis,* f. || (Par ext.) Ce qui produit cette influence magique. *Carmen, inis,* n. *Cantio, onis,* f. Voy. ENCHANTEMENT, MAGIE. ¶ (Par ext.) fig.) Agrément puissant qui captive. *Gratia, ae,* f. *Venustas, atis,* f. *Suavitas, atis,* f. *Jucunditas, atis,* f. *Delectatio, onis,* f. Cela a du — pour moi, *hoc mihi jucundum est.*

charmer, v. tr. Soumettre à une influence magique. *Fascinăre,* tr. Charmé, soumis à un charme, *veneficio contactus.* || (Fig.) Faire céder à une influence mystérieuse. *Capĕre,* tr. ¶ (Par ext.) Captiver par un attrait puissant. *Delectăre,* tr. *Oblectăre,* tr.|| (Par ext.) Charmer, *c.-à-d.* apaiser, calmer. Voy. ces mots. || Etre charmé, *c.-à-d.* être très content, très joyeux. Voy. [se] RÉJOUIR, [prendre] PLAISIR.

charmille, s. f. Buisson, allée de charmes. *Carpineus frutex.*¶ (Par anal.) Buisson, allée de toutes espèces d'arbres taillés. *Tonsile nemus.*

charnel, *elle,* adj. Qui tint à la chaire. Les plaisirs —, *corporis voluptates.*

charnier, s. m. Endroit où l'on gardait les viandes. *Carnarium, ii,* n. || (Fig.) Etal de boucher. *Laniarium, ii,* n. || (Arch.) Cimetière. Voy. ce mot.

‖ Lieu où sont déposés les ossements. *Ossuarium, ii,* n.

charnière, s. f. Attache articulée composée de deux pièces. *Verticula, ae,* f.

charnu, ue, adj. Formé de chair. *Carnosus, a, um,* adj. ‖ (Par anal.) Feuilles —, *carnosa folia.* Olive —, *olea carnosissima.*

charogne, s. f. Corps putréfié. *Cadaver, eris,* n.   [*Charon, ontis,* m.

Charon, n. pr. Nocher des enfers.

charpente, s. f. Assemblage de pièces de bois qui soutiennent les diverses parties d'une construction. *Contignatio, onis,* f. Bois de —, *materia, ae,* f. ¶ (Par ext.) — du corps humain. *Corporis compages.* ‖ Ce qui forme la structure d'un ouvrage. *Textûs, ûs,* m.

charpentier, s. m. Celui qui façonne, assemble les bois pour les charpentes. *Materiarius, ii,* m.

charpie, s. f. Amas de fils tirés de vieux linge. *Linamentum, i,* n. Tampon de —, *lemniscus, i,* m.

charretée, s. f. Chargement d'une charrette. *Vehes, is,* f.

charretier, s. m. Celui qui conduit une charrette. *Plaustrarius, ii,* m.

charrette, s. f. Voiture de transport à deux roues. *Plaustrum, i,* n.

charriage, s. m. Action de charrier. *Vectio, onis,* f. *Vectura, ae,* f.

charrier, v. tr. Transporter sur un chariot. *Vehère,* tr. *Convehère,* tr. *Devehère,* tr. *Invehère,* tr. ¶ (Par anal.) Emporter, entraîner dans son cours (en parl. de l'eau). *Invehère,* tr.

charroi, s. m. Transport par chariot. Voy. CHARRIAGE.

charron, s. m. Celui qui fabrique les chariots, charrettes, grosses voitures. *Plaustrarius, ii,* m.

charronnage, s. m. Métier, travail du charron. *Carpentaria, ae,* f.

charrue, s. f. Instrument de labourage, composé d'un soc tranchant. *Aratrum, i,* n.

charte, s. f. Tout acte où étaient enregistrés les titres d'une propriété, d'un privilège (au moyen âge). *Charta, ae,* f.

Charybde, s. f. Gouffre en Sicile. *Charybdis, is,* f.

chasse, s. f. Coffret où sont renfermées des reliques. *Capsa, ae,* f.

chasse, s. f. Action de chasser; poursuite des animaux. *Venatio, onis,* f. *Venatûs, ûs,* m. Des parties de —, *venationes, um,* f. pl. Aller à la —, *venâri,* dép. intr. ‖ (Par ext.) Ceux qui chassent. *Canes et venantes.* ‖ Bêtes que l'on chasse. *Venatûs, ûs,* m. *Venatio, onis,* f. ‖ Terrain réservé pour la chasse. *Saeptum venationis.* ¶ Action de poursuivre. *Insectatio, onis,* f. Donner la — faire la —, *insectâri,* dép. tr.; *consectâri,* dép. tr.; *venâri,* dép. tr.

chasse-mouches, s. m. Éventail pour écarter les mouches. *Muscarium, ii,* n.

chasser, v. tr. Poursuivre les animaux. *Venâri,* dép. tr. Fig. — sur les terres d'autrui, *in alieno agro venari* ou *in alienum agrum transire.* ¶ Faire fuir, pousser en avant. *Agère* tr. *Abigère,* tr. *Exigère,* tr. ¶ Pousser, hors d'un lieu. *Pellère,* tr. *Compellère,* tr. *Depellère,* tr. *Expellère,* tr. *Propellère,* tr.

chasseresse. Voy. CHASSEUR.

chasseur, s. m., **chasseuse** et **chasseresse,** s. f. Celui, celle qui se livre à la chasse. *Venator, oris,* m. *Venatrix, icis,* f. Au plur. Les —, *venantes, ium,* m. pl. De —, *venatorius, a, um,* adj. Diane —, *venatrix puella.*

chassie, s. f. Humeur sécrétée sur le bord des paupières. *Lippitudo, dinis,* f.

chassieux, euse, adj. Dont les paupières sécrètent la chassie. *Lippus, a, um,* adj. Etre —, *lippire,* intr.

chassis, s. m. Encadrement de menuiserie. *Replum, i,* n.

chaste, adj. Qui vit dans la chasteté. *Castus, a, um,* adj. *Pudicus, a, um,* adj.

chastement, adv. D'une manière chaste. *Castê,* adv. *Pudicê,* adv.

chasteté, s. f. Etat de celui qui garde son âme et son corps purs. *Castitas, atis,* f. *Pudicitia, ae,* f.   [*Capsula, ae,* f.

chasuble, s. f. Vêtement sacerdotal.

chat, chatte, s. m. et f. Genre de carnassier carnivore. *Felinum genus.* ¶ Espèce d'un genre chat, animal domestique. *Feles* ou *felis, is* (gén. pl. *ium*), f. De —, *felinus, a, um,* adj.

châtaigne, s. f. Fruit du châtaignier *Castanea, ae,* f.

châtaigneraie, s. f. Lieu planté de châtaigniers. *Castanetum, i,* n.

châtaignier, s. m. Grand arbre de nos forêts. *Castanea, ae,* f.

châtain, adj. m. Qui est d'un brun clair rappelant la couleur de la châtaigne. *Murreus, a, um,* adj.

château, s. m. Forteresse. *Arx, arcis,* f. *Castellum, i,* f. ¶ Résidence royale, princière. *Domus regia. Domicilium regis* (ou *principis*). ¶ (Par ext.) Grande habitation de plaisance. *Turris, is,* f. ¶ Château d'eau (grand réservoir d'eau). *Castellum, i,* n.   [*Dominus, i,* m.

châtelain, s. m. Seigneur d'un manoir.

châtelet, s. m. Petit château. *Parvulum castellum.*   [Voy. HIBOU.

chat-huant, s. m. Oiseau nocturne.

châtier, v. tr. Punir sévèrement pour corriger. *Castigâre,* tr. *Animadvertère,* intr. (Cf. *animadvertère in aliquem*). *Punire,* tr. — qqch., *poenam pro aliquâ re sumère.* ‖ (Au fig.) — (son style), *limâ polire.*

châtiment, s. m. Peine sévère infligée à celui qui a commis une faute. *Castigatio, onis,* f. *Supplicium, ii,* n. *Animadversio, onis,* f. *Poena, ae,* f. Recevoir, subir un —, c.-à-d. être sévèrement puni, voy. PUNIR. — corporis, *corporis* (ou *corporum*) *verbera.*

chaton, s. m. Tête d'une bague où est enchassée une pierre précieuse. *Pala, ae,* f.

chatouillement, s. m. Action de chatouiller. *Titillatio, onis,* f.

chatouiller, v. tr. Soumettre à de très légers attouchements répétés. *Titillāre,* tr. ‖ Exciter doucement par une sensation agréable. *Titillāre,* tr. (touj. au sens fig.). — le palais (en parl. des mets), *palatum permulcēre.* ‖ (Fig.) Exciter doucement par une émotion agréable. *Permulcēre,* tr. — agréablement les sens, *sensum permulcēre voluptate.*

chatouilleux, euse, adj. Sensible au chatouillement. Qui (ou *quae*) *titillatione facillimē movetur.* ¶ Sensible à la plus légère atteinte. *Qui (quae) minimo tactu offenditur.*

chatoyant, ante, adj. Qui chatoie. *Versicolor* (gén. *-oris*), adj.

chatoyer, v. intr. Présenter des reflets changeants, suivant le jeu de la lumière. *Versicolorem esse.*

chatte, s. f. Voy. CHAT.

1. **chaud, chaude**, adj. Qui a une température élevée. *Calidus, a, um,* adj. *Calens* (gén. *-entis*), p. adj. Très —, *fervens* (gén. *-entis*), p. adj. *fervidus, a, um,* adj. Devenir —, voy. [s'] ÉCHAUFFER. Etre très —, *fervēre,* intr. Boisson —, *calida potio.* Pleurer à —larmes, *vim lacrimarum profundēre.* ‖ (Par ext. fig.) Etre encore tout —, *calēre,* intr. ‖ (Par ext.) Qui conserve la chaleur du corps en préservant du froid extérieur. *Calidus, a, um,* adj. *Spissus, a, um,* adj. Etoffe —, vêtements —, *spissae, arum,* f. pl. Tenir —, *fovēre,* tr. ¶ Qui fait éprouver une sensation de chaleur. *Calidus, a, um,* adj. (en parl. de la fièvre). Etre —, *calēre,* intr.; *fervēre,* intr. Une fièvre —, *ardentissima febris.* ‖ En parlant de l'ardeur des sens. *Ardens* (gén.*-entis*), p. adj. *Fervens* (gén. *-entis*), p. adj. ‖ (Fig.) En parlant de l'ardeur du caractère, de l'humeur. *Calidus, a, um,* adj. *Ardens* (gén. *-entis*), p. adj. *Acer, cris, cre,* adj. ¶ (Au fig.) Très vif, chaleureux. Voy. ces mots. ‖ Qui met de l'animation dans tout ce qu'il fait. *Acer, acris, acre,* adj. *Studiosissimus, a, um,* adj. (cf. *alicujus studiosissimus,* chaud partisan de qqn). ‖ (En parl. de choses). Où l'on met de l'animation, de la passion. *Acer, acris, acre,* adj. *Vehemens* (gén. *-entis*), adj. Affaire —, *acris pugna.* L'affaire a été —, *acriter pugnatum est.* ‖ (En parl. des ouvrages de l'esprit). Une parole —, *verbum aliquod ardens, ut ita dicam.*

2. **chaud**, s. m. Chaleur. Voy. ce mot. S'il fait —, *si calor est.* Avoir —, *calēre,* intr.; *aestuāre,* intr. Tenir au —, *fovēre,* tr.

chaudement, adv. Avec chaleur. Voy. CHALEUR, ARDEUR. Se tenir —, être

vêtu —, *spissam tunicam induēre.* ¶ (Fig.) Avec animation. *Vehementer,* adv. *Acriter,* adv. Recommander qqu très —, *diligentissimē aliquem commendāre.*

chaudière, s. f. Grand vaisseau de métal où l'on fait chauffer, bouillir qqch. *Aenum* (ou *ahenum*), *i,* n.

chaudron, s. m. Petite chaudière. *Aenulum* (ou *ahenulum*), *i,* n.

chaudronnier, s. m. Qui vend des chaudrons. *Aerarius, ii,* m.

chauffage, s. m. Action de chauffer. *Calefactio, onis,* f. Bois de —, *lignum, i,* n. (surt. au plur. *ligna, orum,* n. pl.).

chauffer, v. tr. et intr. ‖ (V. tr.) Rendre chaud. *Calefacēre,* tr.¶— doucement, *tepefacēre,* tr. — fortement, *fervefacēre,* tr. Se —, *corpus refovēre.* Se — au soleil, *apricāri,* dép. intr. ¶ (V. intr.) Devenir chaud. *Calescēre,* intr. *Calefieri,* passif.

chauffeur, s. m. Celui qui entretient le feu. *Fornacator, oris,* m.

chaufour, s. m. Four à chaux. *Fornax calcaria,* et (simpl.) *calcaria, ae,* f.

chaufournier, s. m. Ouvrier qui travaille dans un four à chaux. *Calcarius, ii,* m.

chaume, s. m. Paille du blé, du seigle, etc. *Calamus, i,* m. ‖ (Spéc.) Partie de la tige qui reste sur pied, quand on coupe le blé, le seigle, etc. *Stipula, ae,* f. ‖ Cette paille employée à couvrir les cabanes. *Stramentum, i,* n. De —, *stramenticius, a, um,* adj.

chaumière, s. f. Maison de paysan couverte en chaume. *Casa stramenticia.*

chaumine, s. f. Petite chaumière. *Tuguriolum, i,* n. *Casula, ae,* f.

chausse, s. f. (Au plur.) Une paire de — *et* (par abrév.) des — (sorte de culotte), *bracae, arum,* f. pl. ¶ Sac de feutre qui sert à filtrer les liquides épais. *Saccus,. i,* m. Passer à la —, *saccāre,* tr.

chaussée, s. f. Bande de terrain formant une levée. *Agger, eris,* m. ¶ Le milieu d'une rue, d'une route. *Agger viae.*

chausser, v. tr. Mettre une chaussure à ses pieds. *Calceos sibi inducēre.* ¶ Munir qqn d'une chaussure qu'on lui met aux pieds. *Calceāre,* tr. ¶ Fournir qqn de chaussures. *Calceāre,* tr. ‖ (Par ext.) Des souliers qui chaussent bien, *calcei habiles et apti ad pedem.* Bien chaussé, *commodē calceatus.*

chausse-trappe, s. f. Engin de guerre. *Stimulus, i,* m. Semer des —, *murices ferreos in terram defodēre.*

chausson, s. m. Chaussure en étoffe moelleuse. *Udo, onis,* m. ‖ (P. ext.) Sorte de sandale. *Solea, ae,* f. *Crepida, ae,* f.

chaussure, s. f. Tout ce qui sert à envelopper le pied. *Crepida, ae,* f. *Calceamentum, i,* n. *Calcei, orum,* m. pl. Une paire de —, *calcei, orum,* m. pl.

chauve, adj. Dégarni de cheveux

Calvus, a, um, adj. — sur le devant de la tête, *recalvus, a, um,* adj. Un homme — et (substantiv.) un —, *calvus, i,* m. Devenir —, *calvescĕre,* intr. Etre —, *calvĕre,* intr. [*tilio, onis,* m.

chauve-souris, s. f. Animal. *Vesperchaux,* s. f. Oxyde de calcium, alcali minéral. *Calx, cis,* f. Pierre à —, *lapis calcarius.*

chavirer, v. intr. En parl. d'un vaisseau, d'un bateau, tourner, se renverser sur le flanc. *Inverti,* pass. Faire — un bateau, *naviculam evertĕre.*

chef, s. m. Tête. *Caput, itis,* n. Voy. TÈTE. ¶ Celui qui est à la tête de qqch. *Caput, itis,* n. *Princeps, ipis,* m. *Dux, ducis,* m. — d'une ambassade, *princeps legationis.* — de famille, *pater familias.* Donner comme —, *praeficĕre (aliquem alicui rei).* Etre le — de, *praeesse (alicui rei).* Fonctions de —, *principatûs, ûs,* m. Un — d'armée, *dux exercitûs.* Commander en —, *praeesse (exercitui).* Le commandement en —, *summa belli* (ou *imperii*). Exercer le commandement en —, *imperii summam tenĕre; imperii summae praeesse.* Un général en —, *summus dux* (ou *imperator*). Un — de cuisine et (abs.) un —, *c.-à-d.* le principal cuisinier, *archimagirus, i,* m. ¶ (Fig.) Autorité personnelle, droit de qqn. De son —, *suo jure.* Du — de qqn, *mandatu alicujus.* ¶ Point capital, essentiel. *Caput, itis,* n. ‖ Chef d'accusation, *crimen, inis,* n.

chef-d'œuvre, s. m. Œuvre capitale et œuvre accomplie. *Opus praecipuum et artis. Opus summo artificio factum* ou simpl. *artificium, ii,* n. [*put, itis,* n.

chef-lieu, s. m. Ville principale. *Ca-*

chemin, s. m. Espace à parcourir pour aller d'un lieu à un autre. *Iter, itineris* (« marche, trajet, chemin [qu'on fait] »), n. *Via, ae* (« chemin [qu'on fait] », trajet, parcours, voyage »), f. — parcouru ou à parcourir, *cursûs, ûs,* m. — faisant (*fig.* en passant), voy. PASSER. Passer son —, *abire,* intr.; *discedĕre,* intr. ‖ Voie, route. *Via, ae,* f. *Iter, itineris,* n. *Limes, itis,* m. Endroit où passe un —, *locus pervius.* Point où aboutissent deux —, *bivium, ii,* n. Qui est situé loin du —, *avius, a, um,* adj. Qui n'a pas de — frayés, *avius, a, um,* adj. Qui est en dehors du —, où aucun — ne conduit, *devius, a, um,* adj. ¶ (Au fig.) Direction, ligne de conduite. *Via, ae,* f. *Iter, itineris,* n. Rentrer dans le droit —, *ad viam redire.* Le — de la gloire, *via* (ou *cursus*) *ad gloriam.* Le — du ciel, *aditus ad caelum.* Montrer le — à qqn (*c.-à-d.* lui montrer l'exemple), *alicui (ad aliquid) facem praeferre.*

cheminée, s. f. Construction disposée pour faire du feu. *Caminus, i,* m. *Focus, i,* m.

cheminer, v. intr. Aller son chemin d'un pas égal. *Iter facĕre. Ambulāre,* intr.

chemise, s. f. Vêtement de dessous qu'on porte sur la peau. *Subucula, ae,* f. *Tunica intima.* [*Quercetum, i,* n.

chênaie, s. f. Lieu planté de chênes. chenal, s. m. Canal naturel ou artificiel à l'entrée d'un port, ou passe navigable. *Iter quâ meant navigia.* ¶ La partie la plus profonde et la plus navigable du lit d'une rivière. *Alveus, i,* m. — étroit, *alvei angustiae.*

chêne, s. m. Grand arbre forestier. *Quercus, ûs,* f. — yeuse, — vert, *ilex, licis,* f. — liège, *suber, eris,* n. Bois de —, *quercetum.* De —, *querceus, a, um,* adj. [de pluie. *Canalicula, ae,* f.

chéneau, s. m. Canal pour les eaux chènevière, s. f. Terrain où l'on a semé du chanvre. *Cannabetum, i,* n.

chènevis, s. m. Graine du chanvre. *Cannabis semen.*

chenil, s. m. Lieu où on loge une meute. *Canum cubile.* [*Eruca, ae,* f.

chenille, s. f. Larve des papillons.

chenu, ue, adj. Devenu blanc par l'âge. *Canus, a, um,* adj.

1. cher, chère, adj. Qui inspire une grande tendresse. *Carus, a, um,* adj. *Amicus, a, um,* adj. Etre — à qqn, *ab aliquo amari* (ou *diligi*). Etre très — à qqn, *esse in oculis alicujus* (ou *alicui*). ‖ (P. ext.) Terme de familiarité. Mon cher, *o bone.* ‖ (Par ext.) En parlant de choses. Précieux par le charme qu'il offre, l'importance qu'on y attache. *Carus, a, um,* adj. ‖ Précieux (en parl. du temps). Voy. PRÉCIEUX. ¶ (Par ext.) Qui est d'un prix élevé. *Carus, a, um,* adj. Denrées —, *res magni pretii.* ‖ (Pris adverbial.) D'un prix élevé. Voy. 2. CHER.

2. cher, adv. D'un prix élevé. *Carē,* adv. Coûter —, valoir —, *esse magni; constāre magno.* Coûter, valoir très —, *esse plurimi* (ou *maximi* ou *permagni*); *constāre plurimo* (*maximo* ou *permagno*). Coûter plus —, *esse* (ou *constāre*) *pluris.* Acheter, vendre plus —, *emĕre, vendĕre pluris.*

chercher, v. tr. Essayer de découvrir (qqn, qqch.). *Quaerĕre,* tr. — tout autour de soi, — avec soin, *anquirĕre,* tr. — à découvrir, — avec soin, *exquirĕre,* tr.; *perquirĕre,* tr.; *requirĕre,* tr. — avec soin de tous les côtés, longtemps, *quaesitāre,* tr. — avec soin (qqch.), *scrutāri,* dép. tr.; *perscrutāri,* dép. tr.; *vestigāre,* tr.; *investigāre,* tr. ¶ Essayer de se procurer qqn, qqch. *Quaerĕre,* tr. *Petĕre* (p. *mutuum* [« ch. à, emprunter] »), tr. — une occasion de tromperie, *occasionem fraudis quaerĕre.* — dispute, querelle, noise à qqn, voy. QUERELLE. ¶ Essayer de rencontrer (qqn, qqch.). *Quaerĕre,* tr. *Appetĕre, Sequi,* dép. tr. *Persequi,* dép. tr. *Consectāri,* dép. tr. Les plaisirs vous chercheront en foule, *ad te voluptates confluent.* ‖ Aller, venir chercher. *Petĕre,* tr. (*petĕre aliquid in aliquem locum* ou *ad aliquem*, aller chercher qqch. jusqu'à tel endroit, jusque chez qqn. *Arcessĕre*, tr. Aller — qqn à la charrue, *aliquem ex aratro abduoĕro*. || Suivi de la prépos. « à » et de l'inf., *operam dăre ut* (av. le subj.). — à savoir, *quaerĕre*, tr. — à saisir, *appetĕre*, tr. — à prendre, *captăre*, tr. — à obtenir, *captăre*, tr. ¶

chercheur, *euse*, s. m. et f. Celui, celle qui cherche. *Investigator, oris*, m. *Investigatrix, tricis*, f.

chère, s. f. Manière dont on traite une personne qu'on reçoit à sa table. Faire bonne — à qqn, *aliquem eleganter accipĕre*. || (P. ext.) Qualité plus ou moins succulente du repas qu'on mange. *Epulae, arum*, f. pl. *Cena lauta*. Faire grande *ou* bonne —, *bene cenăre*.

chèrement, adv. Avec tendresse, sollicitude. *Amanter*, adv. || A un prix élevé. *Carē*, adv.

chérir, v. tr. Aimer chèrement (une personne). *Diligĕre*, tr. *Habēre aliquem in amore*. — tendrement, *ferre in oculis*. Etre chéri tendrement de qqn, *esse in oculis alicujus* (ou *alicui*). Aimer chèrement (une chose), y attacher un grand prix. *Alicujus rei esse studiosum*. [*Amandus, a, um*, adj.]

chérissable, adj. Digne d'être chéri.

cherté, s. f. Prix élevé (surtout en parl. des denrées). *Caritas, atis*, f.

chérubin, s. m. Nom donné à certains anges. *Cherubim* et *cherubin*, m. indécl.

chétif, *ive*, adj. De pauvre condition. *Tenuis, e*, adj. *Humilis, e*, adj.¶ D'apparence débile. *Exilis, e*, adj. *Exiguus, a um*, adj.

chétivement, adv. D'une manière chétive. *Tenuiter*, adv. *Exiliter*, adv.

cheval, s. m. Animal domestique. *Equus, i*, m. — attelés, *equi juncti*. Monter à —, *in equum insilire*. Descendre de —, *ex equo descendĕre*. Essayer un —, *equum tentăre*. Dresser un —, *equum exercĕre*. Etre à —, *sedĕre in equo*. Combattre à —, *ex equo* (ou *ex equis*) *pugnăre*. De —, *equinus, a, um*, adj. Monter à —, aller à —, *equităre*, intr.

chevalerie, s. f. Institution militaire d'un caractère religieux et héroïque. *Militia equestris*.

chevalet, s. m. Sorte de tréteau, instrument de torture. *Equuleus, i*, m. ¶ Support pour maintenir à une certaine hauteur un objet qu'on travaille. *Machina, ae*, f.

chevalier, s. m. Citoyen appartenant à l'ordre intermédiaire entre les patriciens et les plébéiens. *Eques, quitis*, m. De —, des —, *equester, tris, tre*, adj.

chevalin, *ine*, adj. Qui est de la nature du cheval. *Equinus, a, um*, adj. La race —, *genus equinum*. |*Equităre*, intr.

chevaucher, v. intr. Aller à cheval.

chevelu, *ue*, adj. Qui a de longs cheveux. *Capillatus, a, um*, adj. *Comatus, a, um*, adj.

chevelure, s. f. L'ensemble des cheveux d'une personne. *Capillus, i*, m. *Coma, ae*, f. || Fig. La — d'une comète, *stellae crines* ; *coma, ae*, f.

chevet, s. m. Tête du lit, partie où l'on pose la tête. || (Par ext.) Traversin qui soutient la tête. *Pulvinus, i*, m. *Cervical, alis*, n.

cheveu, s. m. Poil qui, chez l'homme, revêt la peau du crâne. *Capillus, i*, m. *Crinis, is*, m. Semblable à des —, *capillaceus, a, um*, adj. Boucle de —, voy. BOUCLE. Etage de —, *gradus, us*, m. Qui a des — *capillatus, a, um*, adj. Qui a beaucoup de —, *comosus, a, um*, adj. Qui a de longs —, *comatus, a, um*, adj. Qui porte les — longs, *intonsus, a, um*, adj. Qui n'a pas de —, *nudus capillo*. Qui n'a plus de —, *calvatus, a, um*, adj. S'arracher les — (de désespoir), *comam scindĕre*. ¶ (Par anal.) Nom donné à diverses plantes. — du diable, voy. CUSCUTE. — d'évêque, voy. RAIPONCE. — de Vénus, voy. ADIANTE. — de la Vierge, voy. BYSSUS.

cheville, s. f. Petit tenon de bois, de fer, pour assembler deux pièces. *Clavus, i*, m. ¶ Tenon pour accrocher. *Uncus, i*, m. Voy. CROCHET. ¶ Cheville du pied. *Talus, i*, m. ¶ Tenon de bois qui sert à boucher un trou. *Paxillus, i*, m.

chèvre, s. f. Mammifère. *Capra, ae*, f. *Capella, ae*, f. De —, *caprinus, a, um*, adj. Etable à —, *caprile, is*, n. ¶ (Fig.) Machine à élever les fardeaux. *Artemo, onis*, m.

chevreau, s. m. Le petit de la chèvre. *Haedus, i*, m. De —, *haedinus, a, um*, adj. [*clymenos, i*, f.

chèvrefeuille, s. m. Arbrisseau. *Perichevrette*, s. f. Femelle du chevreuil. *Caprea, ae*, f.

chevreuil, s. m. Espèce de cerf, de taille plus petite. *Capreolus, i*, m.

chevrier, s. m. Celui, celle qui garde les chèvres. *Caprarius, ii*, m.

chevron, s. m. Pièce de bois sur la pente d'un toit. *Cantherius, ii*, m.

chevrotant, *ante*, adj. Qui chevrote. Voix —, *vox tremebunda* (ou *tremula*).

chevrotement, s. m. Action de chevroter. *Tremula vox*.

chevroter, v. intr. Parler, chanter d'une voix tremblotante. *Tremulá voce cantăre*.

chez, prép. Dans la demeure de (qqn). — soi, *domi*. — moi, *domi meae*. — toi, *domi tuae*. — autrui, *domi alienae*. — quelqu'un, *domi alicujus* (opp. à *in domo mea, tua*, etc., qui signifient « dans ma, ta, maison, etc. »). Aller — soi, *ire domum*. — Ils s'en vont — eux, *domos abeunt*. De — toi, *domo tua*. || Rendu par une prépos. *Ad*, av. l'acc. (*esse ad aliquem* ; *venire ad aliquem*; *reverti ad aliquem*). *Apud*, av. l'acc. (*apud me, te, se, aliquem esse*). *Cum*, av. l'abl. (*habităre cum Balbo*). || (P. ext.) Dans le pays de qqn. *In*, prép. av. l'abl.

Apud, prép. (av. l'acc. d'un nom de peuple : *apud Suessiones*). ¶ Dans la personne de qqn. *Apud*, prép. (av. l'acc.). ‖ (Spéc.) Dans la pensée de qqn. *Apud*, prép. (av. l'acc.) ‖ (Par ext.) Parmi (plusieurs personnes). Voy. PARMI.

chicane, s. f. Difficulté qu'on suscite pour embrouiller une affaire en justice. *Malitiosa juris interpretatio. Calumnia, ae,* f. ‖ (Fig.) Querelle mal fondée. *Calumnia, ae,* f. Chercher — à qqn, voy. CHICANER.

chicaner, v. intr. et tr. ‖ (*V. intr.*) Susciter des difficultés pour embrouiller une affaire en justice. *Calumniāri*, dép. intr. (*Alicui*) *calumnias struĕre*. ‖ (Fig.) Susciter des difficultés mal fondées. *Cavillāri*, dép. intr. ¶ (*V. tr.*) Chicaner qqn (lui chercher chicane). *Calumniāri*, dép. tr. ‖ Chicaner qqch., le disputer à qqn (en justice ou autrement). Voy. DISPUTER.

chicaneur, *euse*, s. m. et f. Celui, celle qui chicane. *Calumniator, oris,* m. *Cavillatrix, tricis,* f.

1. **chiche**, adj. Qui donne peu. *Parcus, a, um,* adj. *Malignus, a, um,* adj. Fig. Ne pas être — de ses peines, *non parcĕre operae*. Etre — de ses paroles, *parcĕ uti verbis*. [*eris,* n.

2. **chiche**, s. m. Un pois —, *cicer,*

chichement, adv. D'une manière chiche. En donnant peu. *Malignē,* adv. ‖ En dépensant peu. *Parcē,* adv.

chicorée, s. f. Plante potagère. *Chichorium, ii,* n. *Intibus, i,* m. et f. *Intibum, i,* n. — sauvage, *intibum erraticum.*

chien, chienne, s. m. et f. Animal domestique. *Canis, is,* m. et f. Petit —, — de petite taille, *canicula, ae,* f.; *minutus canis*. Petit —, jeune —, *catulus, i,* m. De —, *caninus, a, um,* adj. [*minis,* n.

chiendent, s. m. Graminée. *Gramen, i,* m. *verborum notae* ou (simpl.)

chiffon, s. m. Bout d'étoffe mis au rebut. *Pannus, i,* m. *Panniculus, i,* m.

chiffonner, v. tr. et intr. ‖ (*V. tr.*) Froisser comme un chiffon. Le manteau se chiffonne, *palliolum rugat.* | (*V. intr.*) Agencer des chiffons, *circa cultum occupatum esse.*

chiffre, s. m. Signe qui sert à représenter les nombres. *Nota numeri.* ‖ (Par ext. au plur.) Les chiffres, la science des chiffres, c.-à-d. les mathématiques. *Numeri, orum,* m. pl. ¶ Caractères numériques employés par convention dans une écriture secrète. *Nota secretior,* au plur. *verborum notae* ou (simpl.) *notae*. Ecrire en —, *per notas scribĕre.* ‖ (Absol.) L'ensemble de ces caractères conventionnels. Se servir d'un —, *notis secretioribus uti.* ¶ (Par ext.) Lettre initiale d'un prénom, d'un nom, etc. *Nota, ae,* f.

chignon, s. m. La partie de la chevelure qui est massée et relevée par derrière. *Nodus, i,* m.

chimère, s. f. Monstre mythologique. *Chimaera, ae,* f. ¶ (Fig.) Création imaginaire de l'esprit. *Commentum, i,* n. *Portentum, i,* n.

chimérique, adj. Qui substitue des chimères à la réalité. *Commenticius, a, um,* adj. Inventions —, *portenta, orum,* n. pl. [f. De —, *Chius, a, um,* adj.

Chio, n. pr. Ile de l'Archipel *Chios, i,*

chiourme, s. f. Réunion des rameurs d'une galère. *Remigium, ii,* n.

chiquenaude, s. f. Petit coup donné en détendant le doigt du milieu. *Talitrum, i,* n.

chiromancie, s. f. Art prétendu de prédire l'avenir, de deviner le caractère des gens d'après l'inspection de leurs mains. *Chiromantia, ae,* f. [m.

Chiron, n. pr. Centaure. *Chiron, onis,*

chirurgical, *ale*, adj. Relatif à la chirurgie. *Chirurgicus, a, um,* adj. Traitement —, *curatio quae manu editur.* Instrument —, *ferramentum, i,* n.

chirurgie, s. f. Partie de l'art médical qui s'occupe spécialement des opérations. *Chirurgia, ae,* f.

chirurgien, s. m. Celui qui exerce la chirurgie. *Chirurgus, i,* m.

chirurgique, adj. Relatif à la chirurgie. Voy. CHIRURGICAL. [*mys, idis,* f.

chlamyde, s. f. Manteau grec. *Chlamys, idis,* f.

choc, s. m. Action subie par un corps rencontré violemment par un autre corps. *Pulsŭs, ŭs,* m. *Ictŭs, ŭs, Plaga, ae,* f. *Conflictŭs, ŭs,* m. — d'une armée, *impetŭs, ŭs,* m. (dans les express. milit.: *ad primum impetum,* au premier choc; *impetum sustinēre, ferre,* soutenir le choc). ¶ (Fig.) Coup qui vient frapper violemment qqn. *Ictŭs, ŭs,* m.

chœur, s. m. Réunion d'hommes, de femmes, dansant *ou* marchant en cadence au son des voix, des instruments. *Chorus, i,* m. ¶ Réunion de personnes qui chantent ensemble. *Chorus canentium.* Chanter en —, *concinĕre,* intr. [Voy. TOMBER.

choir, v. intr. Tomber. *Cadĕre,* intr.

choisir, v. tr. Prendre de préférence *et par excl.* se décider entre deux choses. *Eligĕre,* tr. Laisser —, donner à —, voy. CHOIX. Louer en termes choisis, *exquisitissimis verbis laudāre.* Savoir les mots, s'exprimer en termes choisis, *habēre delectum verborum.*

choix, s. m. Action de choisir. *Delectŭs, ŭs,* m. Faire —, *delectum habēre · eligĕre,* tr. Faire son —, *eligĕre.* ‖ (Par ext.) Ce qui a été choisi. Un choix de poésies, *carmina selecta.* ¶ Possibilité de choisir qqn, qqch. *Optio, onis,* f. *Electio, onis,* f. Donner à qqn le —, *optionem dāre alicui.* Laisser le —, *optionem facĕre.* ¶ Caractère de ce qui mérite d'être choisi. Des hommes de —, *delecti.* Des expressions de —, *exquisitissima verba.*

choléra et **coléra**, s. m. Maladie épidémique, *Cholera, ae,* f.

cholérine et **colérine**, s. f. Diarrhée violente. *Felliflua passio.*

cholérique et **colérique**, adj. Relatif au choléra. *Cholericus, a, um,* adj. Subst. Un —, *cholericus, i,* m.

chômage, s. m. Action de chômer; suspension des travaux. *Cessatio, onis,* f. Jours de —, *feriae, arum,* f. pl.

chômer, v. intr. Suspendre pendant les jours fériés le labeur quotidien. *Cessāre,* intr. Jour où l'on chôme, *feriatus dies.* ¶ Cesser de travailler. *Cessāre,* intr. *Otiāri,* dép. intr. || (Par anal.) *Cessāre,* intr.

choquant, *ante,* adj. Qui choque. *Qui (quae, quod) offensioni est ou offensionem habet* (ou *affert*). *Qui (quae, quod) offensionem alicujus incurrit. Qui (quae, quod) offendit.*

choquer, v. tr. Rencontrer violemment qqn, qqch. *Offendĕre,* intr. et tr. *Collidĕre,* tr. *Illidĕre,* tr. *Allidĕre,* tr. || (Spéc.) En parl. de deux armées. Se —, *concurrĕre,* intr.; *configĕre,* intr. ¶ (Fig.) Contrarier qqn. *Offendĕre,* tr. Ce qui plaît aux uns, choque les autres, *quod apud alios gratiam, apud alios offensionem habet.*

choriste, s. m. Celui qui chante dans un chœur. *Choricus, i,* m.

chose, s. f. Toute réalité qu'on désigne d'une manière indéterminée. *Res, rei,* f. Les — honteuses, *turpia.* La même —, *idem.* Autre —, *aliud.* || (Spéc.) Ce qui est réel. *Res, rei,* f. Aller au fond des — *ad rem ipsam venire.* || (Par ext.) Le fond (*par opp.* à la forme). *Res, rei,* f. ¶ Ce qui est objet de possession. *Res, rei,* f. Les — et les personnes, *res et personae.* ¶ Ce qui a lieu, ce qui se fait. *Res, rei,* f. La force des —, *necessitas, atis,* f. Avant toutes —, *ante omnia.* || (Par ext.) Affaire. *Res, rei,* f. Negotium, ii, n. Ce dont on parle. *Res, rei,* f. Il a dit des — incroyables, *monstra narravit.* || Je ne sais quoi. *Negotium, ii,* n. || QUELQUE CHOSE, locut. équiv. à un subst. masc. *Aliquid,* n. *Quicquam* (dans les phrases négatives de forme ou de sens), n. C'est quelque — que cela, *res non contemnenda.* Il y a quelque — entre eux, *illis male convenit.* || GRAND'CHOSE, *c.-à-d.* qqch. de considérable. Ce n'est pas grand'chose, *parva res est.* Il n'a pas répondu grand'chose, *vix pauca respondit.* La mort même n'est pas grand'chose, *ipsum perire non est magnum.* || PEU DE CHOSE, *c.-à-d.* qqch. de peu important *Res pusilla.* C'est peu de — ! *istud leve est.* Pour si peu de —, *tantulā de causā!*

chou, s. m. Plante potagère. *Brassica, ae,* f. *Caulis, is,* m.

choucas, s. m. Petite corneille des clochers. *Graculus, i,* m. [*tua, ae,* f.

chouette, s. f. Oiseau nocturne. *Nocchou-fleur,* s. m. Espèce de chou dont on mange les fleurs naissantes. *Cyma, ae,* f. et *cyma, atis,* n.

choyer, v. tr Soigner tendrement (qqn). *Fovēre,* tr. *Permulcēre.* Se —, *nimium indulgēre sibi.* ¶ Soigner avec sollicitude (qqch.) *Indulgēre,* intr — sa vieillesse, *fovēre suam senectutem.*

chrême, s. m. Huile consacrée. Le saint —, *chrisma, atis,* n.

chrétien, *ienne,* adj. Qui professe la religion de Jésus-Christ. *Christianus, a, um,* adj. (Substantiv.) Un —, *Christianus, i,* m. Une chrétienne, *Christiana, ae,* f.

chrétiennement, adv. D'une manière chrétienne. *Christianē,* adv.

chrétienté, s. f. L'ensemble des peuples chrétiens. *Christiani, orum,* m. pl.

Christ, s. m. Messie rédempteur. *Christus, i,* m.

1. **chronique**, adj. Qui parcourt lentement ses périodes (en parl. d'une maladie). *Longinquus, a, um,* adj. || (Par ext.) Invétéré. Maladie —, *morbus tardus.*

2. **chronique**, s. f. Recueil de faits historiques dans l'ordre de leur succession. *Annales libri* ou simpl. *annales, ium,* m. pl.

chroniqueur, s. m. Auteur de chroniques historiques. *Annalium scriptor.*

chronologie, s. f. Science qui a pour but d'établir les dates des événements historiques. *Descriptio temporum.*

chronologique, adj. Relatif à la chronologie. Suivre l'ordre —, *explicāre ordines temporum.*

chrysalide, s. f. Nymphe de lépidoptère avec son enveloppe. *Chrysallis, idis,* f. [choter. *Susurri, orum,* m. pl.

chuchotement, s. m. Action de chuchuchoter, v. intr. et tr. || (*V. intr.*) Parler bas à l'oreille de qqn. *Insusurrāre,* intr. ¶ (Par ext.) (*V. tr.*) — qqch. à l'oreille de qqn, *insusurrāre alicui aliquid ad aurem.*

chut, interj. Mot qu'on adresse à qqn pour le faire taire. *St!*

chute, s. f. Action de choir (pr. et fig.). *Casus, ūs,* m. *Lapsus, ūs,* m. *Ruina, ae,* f. *Labes, is,* f. Faire une — *cadĕre,* intr. (voy. TOMBER). || La — d'un cours d'eau, *dejectus aquae;* au plur. *deiectus fluminum.* Une — d'eau *et absol.* une —, voy. CATARACTE. || (Spéc.) Action de se détacher de la tige. A la — des feuilles, *cum decidunt folia.* — des dents, (*dentium*) *lapsūs, ūs,* m. || (Fig.) La chute (du premier homme), *defectio a lege divinā.* — (morale), *lapsūs, ūs,* m. ¶ (Fig.) A la — du jour, *praecipitante sole.* ¶ La partie où une chose tombe, cesse, s'arrête. La — d'un toit, *fastigium, ii,* n. || (Fig.) — d'une période, *clausula, ae,* f.

ci, adv. Pour désigner le lieu où l'on est. *Hic,* adv. De-ci, de-là, par-ci, parlà, *huc..., illuc..., ultro... citro...* ¶ Pour désigner le temps où l'on est. *Hic, haec, hoc,* adj. Un ci-devant cordonier, *sutorius.* Ci-dessous, *infra.* Ci-dessus, *supra.* ¶ Pour désigner une personne. *Hic, haec, hoc,* adj. et pron.

cible, s. f. Plaque qui sert de but de tir. *Scopus, i,* m. Prendre qqn pour —, *aliquem ad ictum destināre.*

ciboire, s. m. Vase pour les hosties consacrées. *Sacrum ciborium.*

ciboule, s. f. Plante potagère du genre de l'oignon. *Cepula, ae,* f.

cicatrice, s. f Marque laissée sur la peau par une blessure, après la guérison. *Cicatrix, tricis,* f. Couvert de —, *cicatricosus, a, um,* adj. Petite —, *cicatricula, ae,* f.

cicatrisation, s. f. Formation d'une cicatrice. *Glutinatio* (avec ou sans *vulneris*), f.

cicatriser, v. tr. Fermer une plaie. *Vulnus ad cicatricem perducĕre.* Se —, *ad cicatricem venīre* (ou *pervenīre*).

Cicéron, n. pr. Célèbre orateur romain. *Cicero, onis,* m.

cidre, s. m. Jus de pomme fermenté, sorte de boisson. *Vinum ex malis factum.*

ciel, s. m. Réunion des sphères concentriques à la terre où, d'après les anciens, se mouvaient les astres. *Caelum, i,* n. Fig. Etre ravi au septième —, *esse in caelo.* || Espace dans lequel tous les astres accomplissent leur révolution. *Caelum, i,* n. ¶ Partie de l'espace qui apparaît comme une voûte sphérique circonscrite par l'horizon. *Caelum, i,* n. ¶ (Par ext.) Séjour de la divinité. *Caelum, i,* n. Dieux du —, *cuelites, um,* m. pl. || (P. ext.) La divinité elle-même. Voy. DIEU, DIVINITÉ. Plût au — que, *utinam,* conj. (av. le subj.). || (Spéc.) Le séjour des bienheureux. *Piorum sedes et locus.* Le royaume des —, *regnum caeleste.* || (Par anal.) Le ciel, *c.-à-d.* la béatitude, *summa felicitas.* [*cire. Cereus, i,* m.

cierge, s. m. Grande chandelle de cire,

cigale, s. f. Insecte. *Cicada, ae,* f.

cigogne, s. f. Oiseau. *Ciconia, ae,* f.

ciguë, s. f. Plante vénéneuse. *Cicuta, ae,* f. [ii, n.

cil, s. m. Poil de la paupière. *Cilium,*

cilice, s. m. Chemise, ceinture de crin *Cilicium, ii,* n.

Cilicie, n. pr. Province d'Asie. *Cilicia, ae,* f. Habitants de la —, *Cilices, um* (acc. *as*), m. pl. [*Cimbri, orum,* m. pl.

Cimbres, n. pr. Peuple germanique.

cime, s. f. Le sommet en pointe des objets élevés. *Cacumen, inis* n. *Culmen, inis,* n. *Vertex, ticis,* m.

ciment, s. m. Mélange de chaux et de briques pilées pour lier les pierres dans un travail de maçonnerie. *Arenatum, i,* n.

cimenter, v. tr. Consolider avec du ciment. *Conglutināre,* tr. ¶ Consolider par qqch. qui lie les parties. *Conglutināre,* tr. — la paix, *pacem coagmentāre.*

cimeterre, s. m. Sabre à lame recourbée. *Acinaces, is,* m.

cimetière, s. m. Lieu où l'on enterre les morts. *Locus publicus funeribus destinatus.*

cimier, s. m. Ornement d'aigrettes, de plumes (qui forme la cime du casque). *Apex, picis,* m.

Cimon, n. pr. Homme d'Etat et général athénien. *Cimon, onis,* m.

cinabre, s. m. Sulfure rouge de mercure. *Cinnabaris, is,* f.

cinéraire, adj. Qui a rapport aux cendres. *Cinerarius, a, um,* adj. ¶ Destiné à contenir les cendres d'un mort. *Funebris, e,* adj. Une urne —, *urna, ae,* f.

1. cingler, v. intr. Faire voile dans une direction. *Vela* (ou *cursum*) dirigĕre (*ad locum aliquem*).

2. cingler, v. tr. Frapper avec qqch, de long et de flexible. *Verberāre,* tr. *Flagris caedĕre* (*aliquem*).

cinname et **cinnamome,** s. m Substance aromatique. *Cinnamum, i,* n. *Cinnamomum, i,* n. De —, *cinnamominus, a, um,* adj.

cinq, adj. et s. m. Adjectif numéral et cardinal indéclinable. *Quinque,* ind, — par —, à la fois, — pour chacun, *quini, ae, a,* adj. plur. Tous les — ans. *quinto quoque anno.* Une période de — ans, *lustrum, i,* n. Un espace de — ans, *quinquennium, ii,* n — fois, *quinquies,* adv. || (Par ext.; au sens ordinal.) Cinquième. Le — des ides d'avril, *quinto* (s.-e. *die*). *Idus Apriles.* ¶ CINQ CENTS. *Quingenti, ae, a,* adj. — centième, *quingentesimus, a, um,* adj. — cents fois, *quingenties,* adv.

cinquantaine, s. f. Nombre approchant de cinquante. Une — d'hommes, *ferē* (ou *circiter*) *quinquaginta* (*numero*) *viri.*

cinquante, adj. et s. m. Adjectif numéral cardinal. *Quinquaginta,* indécl. — par —, à la fois, — pour chacun, *quinquageni, ae, a,* adj. — fois, *quinquagies* (ou *quinquagiens*), adv.

cinquantième, adj. et s. m. Adjectif numéral ordinal. *Quinquagesimus, a, um,* adj. ¶ (Par ext.) S. m. Le —, *quinquagesima pars.* L'impôt du —, *quinquagesima* (s.-e. PARS), *ae,* f.

cinquième, adj. et s. m. Adjectif numéral ordinal. *Quintus, a, um,* adj. Pour la — fois, *quintum,* adv.

cinquièmement, adv. En cinquième lieu (dans une énumération). *Quinto.*

cintre, s. m. Courbure d'une voûte. *Camera, ae,* f. *Arcūs, ūs,* m. Former un —, *arcum efficĕre.* || (P. ext.) La voûte, l'arcade qui a cette courbure. *Fornix, icis,* m.

cintrer, v. tr. Disposer en cintre, *Concamerāre,* tr. Un mur cintré, *fornicatus paries.* Voûte cintrée, voy. CINTRE.

cippe, s. m. Demi-colonne sans chapiteau, simulant une colonne brisée. *Cippus, i,* m.

circonférence, s. f. Courbe fermée qui limite le cercle, l'ellipse, etc. *Orbis, is,* m. *Linea circumcurrens.* ¶ Tour, circuit de qqch. *Ambitus, ūs,* m. *Circuitūs, ūs,* m.

circonflexe, adj. Qui a des sinuosités. Accent —, *circumflexus accentus.*

circonlocution, s. f. Circuit de paroles qui exprime la pensée d'une manière non directe. *Circumlocutio, onis,* f. *Circuitio, onis,* f.

circonscription, s. f. ¶ Division qui embrasse une portion d'un territoire. *Ager, agri,* m. *Regio, onis,* f.

circonscrire, v. tr. Limiter tout autour. *Finīre,* tr. *Definīre,* tr. *Circumscribĕre,* tr.

circonspect, *ecte,* adj. Qui surveille prudemment ce qu'il dit, ce qu'il fait, ou ce que disent, ce que font les autres. *Prudens* (gén. *-entis*), adj. *Cautus, a, um,* adj.

circonspection, s. . Qualité de l'homme circonspect. *Providentia, ae,* f. *Prudentia, ae,* f. *Cautio, onis,* f. Avec —, *providē,* adv.; *cautē,* adv.

circonstance, s. f. Chacun des faits particuliers d'un événement, d'une situation. *Res, rei,* f. *Causa, ae,* f. *Tempus, oris,* n. En cette —, *in hāc re.* Se régler d'après les —, *tempori servīre.* || (Absol.) Une amitié de —, *temporaria amicitia.* Une générosité de —, *temporaria liberalitas.* ¶ Fait secondaire qui accompagne un fait principal. — de temps, *condicio temporis* ou *temporum; tempus, oris,* n. (surt au plur. *tempora, um,* n.). — critique, *rerum discrimen.* Cette heureuse —, *haec opportunitas.*

circonstancier, v. tr. Énoncer avec toutes les circonstances. *Enarrāre,* tr. Faire un récit circonstancié, *singula persequi.*

circonvallation, s. f. Tranchée avec palissades, parapets, etc., dont une armée enveloppe une ville assiégée. *Circummunitio, onis,* f.

circonvenir, v. tr. Entourer en tous sens (ne s'emploie qu'au fig.). *Circumvenīre,* tr.

circonvoisin, *ine,* adj. Situé tout autour dans le voisinage. *Circumjectus, a, um,* p. adj.

circonvolution, s. f. Enroulement, sinuosité circulaire. *Circumactio, onis,* f. *Circumactūs, ūs,* m.

circuit, s. m. Espace à parcourir pour faire le tour d'un lieu. *Ambitus, ūs,* m. *Circuitūs, ūs,* m. ¶ Tour qu'on fait au lieu de suivre le chemin direct. *Circuitūs, ūs,* m. Faire un —, *flectĕre iter suum.*

circulaire, adj. et s. f. Relatif au cercle. *Circularis, e,* adj. ¶ Qui a la forme d'un cercle. *In orbem circumactus.* Forme —, figure —, *orbis, is,* m. || (Par ext.) Ligne —, *circulus, i,*

m. Le mouvement — (du ciel, des astres), *circuitūs, ūs,* m.; *orbis, is,* m. Lettre — *et* (absol.) une —, *s. f., litterae passim dimissae.*

circulairement, adv. D'une manière circulaire. *In orbem.*

circulation, s. f. Action de circuler. || Révolution circulaire (d'un astre). Voy. RÉVOLUTION. || Mouvement qui ramène au point de départ. — du sang, *cursus sanguinis.* L'air est en perpétuelle —, *meat et remeat aer.* ¶ (Par ext.) Action d'aller et de venir. *Itus et reditus.* || (Par ext.) — de l'air, *perflatūs, ūs,* m. || (P. anal.) Être en —, *in omnium usu esse* (ou *versāri*). || — (d'un écrit, etc.). Mettre (un livre) en —, *librum circumferre.*

circuler, v. intr. Se mouvoir circulairement. Voy. (faire sa) RÉVOLUTION. || (Par ext.) Se mouvoir de manière à revenir au point de départ. *Diffundĕre se* ou *diffundi. Permanāre,* intr. (*p. in omnes partes*). ¶ (Par ext.) Aller, venir en tous sens. *Commeāre,* intr. Faire — les badauds, *jubēre cessatores discedĕre.* || (Par anal.) Passer de mains en mains. Faire —, *circumferre,* tr.

circumnavigation, s. f. Navigation autour des côtés d'une île, d'un continent, du globe terrestre. *Ambitus navigationis.*

cire, s. f. Substance jaunâtre, molle, fusible, que produisent les abeilles et dont elles font les alvéoles des ruches. *Cera, ae,* f. || (Spécial.). Cire à modeler, à mouler. *Cera, ae,* f. Figure de —, portrait en —, *imago* (ou *effigies*) *cerea.* Modeler en —, *e cerā fingĕre.* Tablette de —, *tabula cerata* et au plur. *cerae, arum,* f. pl. ¶ Flambeau de —, bougie de —, *cereus, i,* m. ¶ (Par anal.) Cire à cacheter. Cachet de —, *cerae signum cera, ae,* f.

cirer, v. tr. Enduire (une surface) de cire. *Cerāre,* tr. *Incerāre,* tr. ¶ Enduire d'un vernis. Voy. VERNISSER.

cirier, s. m. Fabricant, marchand de cierges. *Cerarius, ii,* m.

cirque, s. m. Enceinte circulaire où l'on célébrait les jeux chez les anciens Romains. *Circus, i,* m. Du —, *circensis, e,* adj. Jeux du —, *circenses ludi* et *absolum. circenses, ium,* m. pl.

ciseau, s. m. Instrument de fer, plat, tranchant par un bout. *Scalprum, i,* n. — de sculpteur, *caelum, i,* n. ¶ (Au plur.) Des ciseaux, une paire de ciseaux. *Forfex, ficis,* m.

ciseler, v. tr. Travailler avec le ciseau. *Scalpĕre,* tr. *Caelāre,* tr. Vases ciselés en relief, *vasa caelata* et simpl. *caelata, orum,* n. pl.

ciseleur, s. m. Celui dont le métier est de ciseler les métaux. *Caelator, oris,* m.

ciselure, s. f. Art de ciseler. *Caelatura, ae,* f. ¶ Ornement ciselé. *Caelatura, ae,*

f. Orné de —, *sigillatus, a, um,* adj.

citadelle, s. f. Château fort qui protège une ville. *Arx, arcis,* f.

citadin, ine, s. m. et f. Celui ,celle qui habite à la ville. *Urbanus, i,* m. *Urbana mulier.*

citation, s. f. Action de citer. ‖ Sommation à comparaître en justice. *Vocatio, onis,* f. Envoyer une —, voy. CITER. ¶ Texte d'un auteur qu'on cite. *Locus, i,* m.

cité, s. f. Le corps des citoyens. *Civitas, atis,* f. Donner à qqn le droit de —, *aliquem civitate donāre* ou *alicui civitatem dăre.* Obtenir le droit de —, *civitatem adipisci.*

citer, v. tr. Sommer de comparaître en justice. Voy. ASSIGNER. ¶ Apporter de vive voix *ou* par écrit un passage d'un auteur à l'appui de ce qu'on avance. *Commemorāre,* tr. *Appellāre (aliquem).* — des exemples, *exempla proferre.* ¶ Désigner qqn, qqch. comme méritant d'attirer l'attention. *Laudāre,* tr.

citérieur, ieure, adj. Situé en deçà *Citerior,* m. et f. *citerius, oris,* n.

citerne, s. f. Réservoir où sont conduites et recueillies les eaux de pluie. *Cisterna, ae,* f.

cithare, s. m. Sorte d'instrument à cordes des anciens. *Cithara, ae,* f. *Fides, ium,* f. pl. Jouer de la —, *fidibus canēre,* intr.

citoyen, enne, s. m. et f. Celui, celle qui jouit du droit de cité dans un État. *Civis,* m. et f. Devenir — d'un autre État, *civitatem mutāre.* — du monde, *mundi incola; mundanus, i,* m. ‖ Adj. Soldats citoyens, *cohortes voluntariorum civium.*

citron, s. m. Fruit du citronnier. *Malum citreum* et (absol.) *citreum, i,* n.

citronnier, s. m. Arbre. *Citrus, i,* f. *Citrea, ae,* f. De —, *citreus, a, um,* adj.

citrouille, s. f. Variété de courge. *Cucurbita, ae,* f. [*culum, i,* n.

civière, s. f. Sorte de brancard. *Ferculum, i,* n.

civil, ile, adj. Relatif aux citoyens. *Civilis, e,* adj. *Civicus, a, um,* adj. La société —, *civium inter se conjunctio.* ¶ (Spéc.) Les droits — et publiques, *civitas, atis,* f. Cause —, *causa privata.* Charges —, *civilia officia.* Gouverneur —, *proconsul, ulis,* m. ¶ Qui observe les convenances, les égards en usage entre les hommes qui vivent en société. Voy. POLI.

civilement, adv. En matière civile. *Civiliter,* adv. ¶ Avec civilité. *Humaniter,* adv. *Urbanē,* adv.

civilisateur, trice, adj. Qui civilise. *Qui, quae (homines ou gentem, etc.) ad humanum cultum civilemque deducit.*

civilisation, s. f. Action de civiliser. Avant la — de la Grèce, *priusquam Graeci ad humanitatem informarentur* (ou *effingerentur*). ¶ État d'une nation civilisée. *Cultus atque humanitas.*

civiliser, v. tr. Faire passer de l'état naturel et primitif à un état plus avancé par la culture morale et intellectuelle. *Ad humanitatem informāre.*

civilité, s. f. Observation des convenances, des égards usités entre hommes qui vivent en société. *Humanitas, atis,* f. *Urbanitas, atis* f. ‖ (Par ext.) Démonstration de civilité. *Blanditia, ae,* f. Faire ses — à qqn, *alicui salutem dicēre.*

civique, adj. Relatif au citoyen (dans l'ordre politique). *Civilis, e,* adj. *Civicus, a, um,* aaj. Couronne —, *corona civica.*

civisme, s. m. Dévouement du citoyen à l'État. *Pietas in patriam.*

clabauder, v. intr. Aboyer fortement. *Gannīre,* intr. ¶ (Fig.) Criailler pour ameuter contre qqn *Gannīre,* intr. *Latrāre,* intr. [voie. *Cratis, is,* f.

claie, s. f. Treillis d'osier à claire-1. **clair,** *aire,* adj. Qui donne *ou* reçoit une lumière que rien n'obscurcit. *Clarus, a, um,* adj. *Serenus, a, um,* adj. *Luminosus, a, um,* adj. *Illustris, e,* adj. ‖ (Par ext.) Qui n'est pas d'une teinte foncée. *Clarus, a, um,* adj. *Dilutus, a, um,* p. adj. Nuit —, *nox sublustris.* ¶ Dont rien ne ternit l'éclat, la pureté. *Clarus, a, um,* adj. *Nitidus, a, um,* adj. *Purus, a, um,* adj. Teint —, *color suavis.* ¶ Transparent. ‖ Qui laisse passer le jour par des intervalles. *Rarus, a, um,* adj. ‖ En parlant d'un liquide limpide. *Liquidus, a, um,* adj. Devenir —, *liquescēre,* intr. Brouet —, *intritus cibus.* ¶ (Fig.) (En parlant du son.) Qui n'est pas sourd, qui résonne bien à l'oreille. *Canorus, a, um,* adj. *Clarus, a, um,* adj. Rendre la voix —, *voci splendorem afferre.* ‖ (En parl. de ce qui est perçu par l'esprit.) Qui n'est pas obscur. *Clarus, a, um,* adj. *Manifestus, a, um,* adj. *Perspicuus, a, um,* adj. *Dilucidus, a, um,* adj. *Illustris, e,* adj. Qui n'est pas —, voy. OBSCUR. Être —, *lucēre,* intr. Il est —, *c.-à-d.* évident, manifeste, *perspicuum est.*

2. **clair,** s. m. Un clair de lune, *luna lucens.* Au — de la lune, *lunā lucente; ad* (ou *per*) *lunam; sub lunā.* Il fait — de lune, *luna lucet.* ‖ Il fait —, *lucescit,* impers.; *dilucescit,* impers.

3. **clair,** adv. D'une manière claire. *Clārē,* adv. ‖ Il commence à voir —, *dispicit.* Ne pas voir —, *dispicĕre non posse.*

clairement, adv. D'une manière claire. *Clārē,* adv. Voir —, *perspicēre,* tr. ¶ D'une manière qui ne présente aucune obscurité à l'esprit. *Clārē,* adv. *Perspicuē,* adv. *Lucidē,* adv. *Dilucidē,* adv.

claire-voie, s. f. Clôture à jour. *Clatri, orum,* m. pl. Qui est à —, *rarus, a, um,* adj.

clairière, s. f. Partie du bois où les arbres sont clairsemés. *Silva non condensa arboribus.*

clairon, s. m. Trompette à son clair et perçant. *Lituus, i,* m. || (Par ext.) Celui qui sonne du clairon. *Liticen, inis,* m.

clairsemé, *ée,* adj. En parl. des végétaux espacés. *Rarus, a, um,* adj.

clairvoyance, s. f. Faculté de discerner clairement. *Acies ingenii.*

clairvoyant, *ante,* adj. Qui sait discerner clairement. *Acutus, a, um,* adj. *Acer, acris, acre,* adj.

clameur, s. f. Cri bruyant, prolongé. *Clamor, oris,* m. || (Spécial.) Cris tumultueux d'improbation. *Vociferatio, onis,* f. *Voces, um,* f. pl. *Convicium, ii,* n. La — publica, *publicae indignationes.*

clandestin, *ine,* adj. Que l'on tient secret, comme étant illicite. *Clandestinus, a, um,* adj.

clandestinement, adv. D'une manière clandestine. *Clam,* adv.

clapier, s. m. L'ensemble des terriers d'une garenne. *Cuniculi specus.* || (Par ext.) Lieu où l'on élève des lapins domestiques. *Cubilia cuniculorum.*

claque, s. f. Coup donné à qqn avec le plat de la main. *Colaphus, i,* m. ¶ (Au théâtre). Applaudisseurs à gage. *Plausus redemptus. Theatralis opera.*

claquement, s. m. Bruit de ce qui claque. *Crepitus, ūs,* m.

claquemurer, v. tr. Enfermer dans une prison étroite. *In carcerem includere* ou simpl. *includere,* tr.: *intra parietes continere.* || (Par ext.) Se — chez soi, *domi se continere.*

claquer, v. intr. Faire entendre un bruit sec. *Crepare,* intr. *Crepitare,* intr. — des dents, *crepitare dentibus.* — des mains (pour applaudir), *manu plaudere; manu plausum facere.* ¶ (Spécial.) En parl. de ce qui se casse avec un bruit sec. Voy. CRAQUER.

claqueur, s. m. Celui qui fait métier d'applaudir au théâtre. *Plausor redemptus* ou *delegatus.*

clarification, s. f. Opération par laquelle on clarifie un liquide. *Percolatio, onis,* f.

clarifier, v. tr. Rendre clair, limpide, en le filtrant, un liquide qui est trouble. *Liquare,* tr. *Eliquare,* tr. *Colare,* tr. *Percolare,* tr.

clarté, s. f. Effet de lumière qui rend les objets visibles. *Claritas, atis,* f. *Lux, lucis,* f. *Lumen, inis,* n. Vive —, *splendor, oris,* m. — sereine, *candor, oris,* m. A la — de la lune, *lucente lunā.* A la — des flambeaux, *ad cereos.* ¶ (Par ext.) Transparence. *Perspicuitas, atis,* f. ¶ (Fig.) Caractère de ce qui est facilement intelligible. *Perspicuitas, atis,* f. Donner de la — aux choses, *rebus lumen adhibere.* Avec —, voy. CLAIREMENT.

classe, s. f. Catégorie de citoyens dans l'ordre politique, civil. *Classis, is,* f. *Ordo, inis,* m. Les hautes —, *majores*

gentes. Les basses —, *humiliores.* || (Par ext.) Toute catégorie de citoyens. *Ordo, inis,* m. *Genus, eris,* n. ¶ Catégorie d'élèves qui suivent chaque degré d'un cours d'études. *Classis, is,* f. || (Par ext.) Enseignement. Faire la —, *docere,* tr. Suivre la — *discere.*

classement, s. m. Action de classer, résultat de cette action. *Partitio, onis,* f. *Descriptio, onis,* f.

classer, v. tr. Distribuer par classes. *In classes distribuere.* || (Par ext.) Ranger dans une certaine classe. *Distinguere,* tr. *Digerere,* tr. || (Fig.) Ranger dans une certaine catégorie. *Numerare,* tr. *Annumerare,* tr. — qqn parmi les poètes, *aliquem in vatibus annumerare.* ¶ (Par ext.) Distribuer dans un certain ordre. *Digerere,* tr. *Describere,* tr.

classification, s. f. Distribution méthodique. *Digestio, onis,* f.

classique, adj. Employé à l'usage des classes. *Scholasticus, a, um,* adj. || (Spécial.) Qui appartient à l'antiquité grecque et latine. Les auteurs —, *et* (substantiv.) les —, *classici scriptores.*

Claude, n. pr. Empereur romain. *Claudius, ii,* m. [*dianus, i,* m.

Claudien, n. pr. Poète latin. *Claudianus, i,* m.

clause, s. f. Disposition spéciale d'une loi, d'un traité, etc. *Condicio, onis,* f.

claustral, *ale,* adj. Relatif au cloître. *Monasterialis, e,* adj. Discipline —, *monachorum disciplina.*

clavicule, s. f. Os qui sert d'arc-boutant à chaque épaule. *Jugulus, i,* m.

clef, s. f. Pièce de fer qu'on introduit dans une serrure pour l'ouvrir *ou* pour la fermer. *Clavis, is,* f. ¶ (Fig.) Point dont il faut se rendre maître pour entrer dans une place, etc. *Janua, ae,* f. *Claustra, orum,* n. pl. || Ce qu'il faut connaître pour avoir l'intelligence d'une chose. Donner la — de qqch., *aliquid explanare* (ou *explicare*).

clématite, s. f. Plante grimpante. *Clematis, idis,* f.

clémence, s. f. Douceur que montre celui qui a autorité pour punir, en pardonnant *ou* en adoucissant la peine encourue. *Clementia, ae,* f. Avec —, *clementer,* adv.

clément, *ente,* adj. Qui use de clémence. *Clemens* (gén. *-entis*), adj. Se montrer — à l'égard de qqn, *clementer agere cum aliquo.*

Cléobule, n. pr. Un des sept sages de la Grèce. *Cleobulus, i,* m.

Cléon, n. pr. Démagogue athénien. *Cleon, ontis,* m.

Cléopâtre, n. pr. Reine d'Egypte. *Cleopatra, ae,* f.

clepsydre, s. f. Horloge à eau. *Clepsydra, ae,* f.

clerc, s. m. Celui qui étudie pour devenir ecclésiastique *e (par ext.* ecclésiastique. *Clericus, i,* m.

clergé, s. m. Le corps des ecclésiastiques. *Ordo clericorum.*

clérical, *ale*, adj. Relatif au clergé. *Clericalis, e*, adj.

cléricature, s. f. Condition de celui qui est clerc. *Clericatús, ús*, m.

client, *ente*, s. m. et f. Plébéien placé sous le patronage d'un patricien. *Cliens, entis*, m. Etre le — de qqn, *esse in alicujus clientelâ*. ¶ Celui qui confie ses intérêts à qqn. Le — d'un avocat, *is, pro quo quis dicit*.

clientèle, s. f. L'ensemble des clients d'un patricien. *Clientela, ae*, f. ¶ L'ensemble de ceux qui sont les clients de qqn. *Quos defendit patronus. Quos perambulat medicus*.

clignement, s. m. Action de cligner. *Nictatio, onis*, f.

cligner, v. intr. Faire un clignement. — de l'œil, des yeux, *nictári*, dép. intr.; *connivère*, intr.

clignotant, *ante*, adj. Qui clignote. Des yeux —, *oculi conniventes*.

clignotement, s. m. Clignotement d'yeux. *Oculorum palpitatio*.

clignoter, v. intr. Cligner fréquemment des yeux. *Nictári*, dép. intr.

climat, s. m. L'ensemble des conditions atmosphériques auxquelles une région est soumise. *Caelum, i*, n. Salubrité du —, *caeli salubritas*. — rude, *caelum asperum*. Des — plus tempérés, *loca temperatiora*. ¶ (Par ext.) Cette région elle-même. Voy. RÉGION.

clin, s. m. Mouvement de l'œil qui cligne. Un — d'œil, *nictatio, onis*, f. Par ext. En un — d'œil, *puncto temporis*.

clinique, adj. Qui a lieu auprès du lit (du malade). Médecine — (et substant.), — *clinice, es*, f.

clinquant, s. m. Lamelle d'or, etc., dont on rehausse des broderies, etc. *Bractea, ae*, f. ‖ (Fig.) Ce qui ne vise qu'à l'éclat. *Bracteae, arum*, f. pl. Bonheur qui n'est que du —, *bracteata felicitas*. Le — du style, *verborum praestigiae*. [*us*, f.

Clio, n. pr. Muse de l'histoire. *Clio, us*, f.

clique, s. f. Bande de gens soutenant qqn, qqch., d'une manière peu honorable. *Globus, i*, m.

cliqueter, v. intr. Produire un cliquetis. *Crepáre*, intr.

cliquetis, s. m. Bruit sec que font certains corps sonores qui se choquent. *Crepitús, ús*, m. *Strepitús, ús*, m.

cliquette, s. f. Sorte de castagnette. *Crotalum, i*, n.

cloaque, s. m. Lieu destiné à recevoir des immondices. *Cloaca, ae*, f. ‖ (Par ext.) Ce qui est sale, infect. *Sentina, ae*, f.

cloche, s. f. Instrument d'airain, qui produit des vibrations par le moyen d'un battant. *Campana, ae*, f. Le tintement d'une —, *tinnitus aeris*. ‖ Couvercle bombé de métal pour tenir les plats chauds. *Vatillum, i*, n. ‖ Vésicule, ampoule. Voy. CLOQUE.

cloche-pied (à), loc. adv. En tenant un pied en l'air et en sautant sur l'autre. *In uno pede*. [mot.

1. **clocher**, v. intr. Boiter. Voy. ce

2. **clocher**, s. m. Tour d'une église. *Turris aedi sacrae imposita*.

clochette, s. f. Cloche de très petite dimension. — des bestiaux, *tintinnabulum, i*, n.

cloison, s. f. Séparation qu'on fait dans une maison, dans un appartement. *Paries intergerivus* (ou *medius*).

cloître, s. m. Partie d'un couvent qu'une clôture sépare du reste du bâtiment. *Monasterium, ii*, n.

cloîtrer, v. tr. Enfermer dans un cloître. *Concludére aliquem in monasterium*.

clopin-clopant, loc. adv. En clochant, en traînant le pied. *Claudo pede (ire)*.

clopiner, v. intr. Clocher, traîner le pied. *Claudicare, intr* ¡ou *oniscus, i*, m.

cloporte, s. m. Petit crustacé. *Oniscos*.

cloque, s. f. Ampoule. *Vesica, ae*, f.

clore, v. tr. Entourer d'une barrière qui empêche l'accès. *Claudêre*, tr. *Saepire*, tr. *Cingêre*, tr. Champ clos, voy. LICE. — la porte, *obserâre ostium* (ou *fores*). Jugement à huis clos, *tacitum judicium*. ‖ (Par ext.) Etre clos et couvert, *sub tecto vivêre*. — l'œil *et par ext*. la paupière, *oculos operire*. (Fig.) — la bouche à qqn, *vocem alicui includêre*. ‖ — une lettre, *epistulam obsignâre* Fig. C'est pour moi lettre close, *mihi sunt tenebrae*. ¶ (Fig.) Terminer (une chose) de manière à ce qu'on ne puisse y revenir. *Concludêre*, tr. — la session d'une assemblée, *coetum dimittêre*. — une période, *sententiam explêre et concludêre*. ‖ (Par anal.) A la nuit close, *tenebris obortis*.

clos, s. m. Terrain cultivé clos de murs *ou* de haies. *Saeptum, i*, n.

clôture, s. f. Barrière qui clôt. *Saepes, is*, f. *Saepimentum, i*, n. Un mur de —, *murus objectus*. ¶ (Fig.) Action de terminer une chose d'une manière définitive. *Finis, is*, m. *Terminus, i*, m.

clou, s. m. Petite tige de fer qui sert à attacher *ou* à suspendre qqch. *Clavus, i*, m. Garni de —, *clavatus, a, um*, adj. Petit —, *clavulus, i*, m. Petits — à tête, *clavuli capitati*. ¶ (Par anal.) Furoncle, petite tumeur inflammatoire. *Claviculus, i*, m. *Clavulus, i*, m.

clouer, v. tr. Fixer au moyen de clous. *Clavo* (ou *clavis*) *figére, configére* ou *religáre*, ou simpl. *affigére*, tr. — une planche, *tabulam aculeis configére*. ‖ Fixer, attacher de force à qqch. *Defigére*, tr. ‖ (Par ext.) Fixer, attacher solidement qqch. *Alligáre*, tr.

clystère, s. m. Lavement. Voy. ce mot.

Clytemnestre, n. pr. Femme d'Agamemnon. *Clytemnaestra, ae*, f.

cnémide, s. f. Chaussure des guerriers grecs, qui protégeait le pied et le bas de la jambe. *Ocrea, ae*, f.

coaccusé, ée, s. m. et f. Chacune des personnes accusées d'un crime ou d'un délit commun, considérée par rapport aux autres. *Accusatus eodem crimine.*

coadjuteur, s. m. Ecclésiastique adjoint à un évêque ou à un archevêque. *Coeviscopus, i, m.*

coagulation, s. f. Action de se coaguler. *Coagulatio, onis, f.*

coaguler, v. tr. Réunir les parties solides en suspension dans un liquide. *Coagulāre,* tr. *Cogĕre,* tr. Sang coagulé, *sanguis concretus.* Se —, *coire,* intr.; *concrescĕre,* intr.

coaliser (se), v. pron. Former une coalition. *Coire,* intr. *Conjurāre,* intr.

coalition, s. f. Union offensive momentanée de plusieurs peuples contre un adversaire commun. *Societas, atis, f.* La — des États, *foederatae civitates.* ¶ (Par ex.) Coalition criminelle, *scelerata consensio.*

coassement, s. m. Action de coasser. *Ranarum clamor. Ranarum voces* ou *cantus.*

coasser, v. intr. En parlant de la grenouille, pousser le cri particulier à son espèce. *Coaxāre,* intr.

coassocié, s. m. Associé avec un autre. *Consocius, ii, m.*

1. coche, s. f. Petite entaille pratiquée sur une pièce de bois. *Incisura, ae, f.*

2. coche, s. m. Grand bateau pour le transport des voyageurs, dit aussi coche d'eau. *Navigium, ii, n.*

3. coche, s. f. Voy. TRUIE.

4. coche, s. m. Grande voiture couverte pour le transport des voyageurs. *Reda, ae, f.*

cocher, s. m. Celui qui mène une voiture, etc. *Qui equos regit* (ou *jumenta agit*). — (d'une voiture à deux chevaux), *bigarius, ii, m.* — du cirque (à Rome), *auriga, ae, m.*

cochère, adj. f. Porte — (grande porte d'entrée). *Porta, ae, f.*

cochon, s. m. Mammifère de l'ordre des pachydermes. — sauvage, *sus silvaticus; aper, apri, m.* — domestique, *sus, suis, m.*

cocon, s. m. Enveloppe que filent la plupart des larves et dans laquelle s'opère leur métamorphose. *Tunica, ae, f.*

coction, s. f. Cuisson. *Coctura, ae, f.*

Cocyte, n. pr. Fleuve des Enfers. *Cocytus, i, m.*

code, s. m. Recueil des lois. *Leges (scriptae). Corpus juris.* — civil, *jus civile.*

codicille, s. m. Clause additionnelle d'un testament. *Codicillus, i, m.*

coercitif, ive, adj. Qui exerce une contrainte sur les personnes. *Qui (quae, quod) coercet* ou *vi agit.* Pouvoir —, voy. COERCITION.

coercition, s. f. Action de contraindre les personnes. *Coercitio, onis, f.*

cœur, s. m. Viscère musculaire, siège de la vie. *Cor, cordis, n.* Fig. Avoir le — serré, *dolore angi. Percer le —, fodĕre animum dolore.* ¶ (Par ext.) La poitrine, qui renferme le cœur. *Pectus, oris, n.* Serrer qqn sur son —, *aliquem ad pectus premĕre.* || Région épigastrique, voisine du cœur. *Stomachus, i, m.* Avoir mal au —, *nauseāre,* intr. Fig. Avoir qqch. sur le —, *aliquid concoquĕre* (ou *devorāre*) *non posse.* ¶ (Par anat.) Ce qui a la forme du cœur. || Partie centrale de qqch. Le — de la ville, *sinus urbis.* Chercher à pénétrer au — d'un pays, *interiorem regionis partem petĕre.* Au — de la Grèce, *medio Graeciae gremio.* Le — du sujet, *viscera causae.* ¶ (Au fig.) Le cœur considéré comme siège des affections, des passions. *Pectus, oris, n. Animus, i, m.* || (Spéc.) Le cœur, siège du sentiment intérieur. *Animus, i, m. Pectus, oris, n.* Ouvrir son —, *animum nudāre.* A — ouvert, *apertis pectoribus* (en parl. de plusieurs). || (Par ext.) Apprendre par —, *ad verbum ediscĕre.* Savoir qqch. par —, *aliquid memoriā tenēre.* Réciter par —, *memoriter pronuntiāre.* ¶ Le cœur, siège du désir, de la souffrance, de la joie. *Animus, i, m.* A contre-cœur, *iniquo animo.* J'ai à — de..., *mihi cordi est* (av. l'inf.) ou *mihi curae est* (av. l'inf.) Avoir la joie au —, *gaudēre vehementerque laetāri.* Je n'ai rien plus à — que telle ou telle chose, *nihil est mihi aliquā re antiquius.* Je n'ai rien plus à — que..., *nihil mihi antiquius est quam* (av. l'inf.) Rire de tout son —, *risum effundĕre.* De bon —, *libente animo.* De tout —, *plané ex animo.* A contre —, *aegrĕ,* adv. ¶ Le cœur, siège de l'affection. *Pectus, oris, n.* Porter qqn dans son —, *aliquem ferre in oculis, in sinu habēre.* Gagner tous les —, *conciliāre sibi amorem ab omnibus.* || Le cœur, siège de l'amour. Donner son — à qqn, *amore aliquem amplecti* ou *prosequi.* ¶ Le cœur, siège de la sensibilité, de la bonté. *Animus, i, m. Pectus, oris, n.* Toucher le — des juges, *animos judicum movēre.* — dur, *durum pectus; durior animus.* Sans —, *inhumanus; durus.* ¶ Le cœur, siège du sentiment moral, de la conscience. *Animus, i, m.* ¶ Le cœur, siège de la force d'âme. *Animus, i, m.* Donner du — à qqn, *alicui animos facĕre.* Homme de —, *vir, viri, m.* Avec —, *strenuĕ,* adv. En homme de —, *viriliter,* adv. Homme de tête et de —, *consilio et manu promptus.* Manque de —, *socordia, ae, f.* Qui manque de —, *ignavus.*

coffre, s. m. Grande boîte fermée par une serrure. *Arca, ae, f. Cista, ae, f. Capsa, ae, f.* || (Spécial.) Caisse où l'on serre les choses précieuses, l'argent; coffre-fort. *Arca, ae, f.*

coffret, s. m. Petit coffre élégant où l'on serre des bijoux, etc. *Arcula, ae, f.*

cognassier, s. m. Arbre. *Cydonia arbor* et simpl. *cydonia, ae,* f.

cognée, s. f. Sorte de hache pour couper les arbres *ou* fendre le bois. *Ascia, ae,* f. *Securis, is.* f.

cogner. v. tr. Frapper à coups répétés, de manière à enfoncer. *Cuneo (aliquid in aliquid) adigère.* ¶ (Par ext.) Frapper avec qqch. de saillant. *Offendère.* tr. *Offensăre,* tr. Se — la tête (involontairement), *offendère caput.* Absol. — à la porte, *pulsare ostium.*

cohérence, s. f. Union étroite des éléments d'un tout, spécial, des molécules d'un corps. *Cohaerentia (mundi).*

cohérent, ente, adj. Qui a de la cohérence. *Cohaerens* (gén. *-entis*) adj. Continuus, a, um, adj. Etre —, *cohaerère,* intr.

cohéritier, ère, s. m. et f. Chacune des personnes qui héritent conjointement de qqn. *Coheres, edis,* m. et f.

cohésion, s. f. Force en vertu de laquelle il y a union étroite entre les molécules homogènes d'un corps. *Cohaerentia, ae,* f. — des atomes, *adhaesiones atomorum.*

cohorte, s. f. Troupe qui formait la dixième partie de la légion romaine. *Cohors, tis,* f. [ba, ae, f.

cohue, s. f. Foule tumultueuse. *Turcoi. coite,* adj. Qui se tient tranquille. *Quietus, a, um,* adj. Demeurer —, *quiescère,* intr.; *se tenère quietum.*

coiffe. s. f. Ajustement de tête pour les femmes. *Cophia, ae,* f.

coiffer, v. tr. Garnir d'une coiffe, d'une coiffure. *Caput tegère.* Né coiffé, *fortunae filius.* ¶ Ajuster en disposant les cheveux d'une certaine façon. *Comère capillos* (ou *caput*). Se faire —, *tonsori operam dăre.* Se —, *comère se; capillos componère.*

coiffeur, euse, s. m. et f. Celui, celle qui fait métier d'arranger, de tailler les cheveux, etc. *Capitum et capillorum concinnator. Ornatrix, tricis,* f.

coiffure, s. f. Ce qui sert à couvrir la tête. *Capitis tegumentum.* || (Par ext.) Ornement, ajustement de tête pour les femmes. *Comptŭs, ŭs,* m.

coin, s. m. Pointe, sommet d'un angle solide. || Corps solide terminé en angle. *Cuneus, i,* m. || Pièce de fer dont l'extrémité porte une empreinte en relief qui sert à marquer les monnaies, les médailles. *Forma, ae,* f. Monnaie marquée au — de l'Etat, *nummus publică formă percussus.* ¶ Extrémité d'un corps solide terminé en angle. *Angulus, i,* m. *Cuneus, i,* m. En forme de —, *cuneatim,* adv. ¶ Dans l'intérieur d'un angle solide, l'espace voisin du sommet. *Angulus, i,* m. || (Par ext.) Un — de terre, *angulus agri.*

coïncidence, s. f. Le fait de coïncider. | Dans l'espace. *Adhaesŭs, ŭs,* m. || Dans le temps. *Concursio, onis,* f.

coïncider, v. intr. Se rencontrer exac-

tement sur tous les points. *Congruĕre et inter se committĕre.*

coing, s. m. Fruit du cognassier. *Cydonium malum* et absol. *cydonium, ii,* n.

col, s. m. Le cou. Voy. ce mot. || (Par anal.) Partie étroite entre la tête et le corps de certains objets. Le — d'une bouteille, *collum lagoenae.* || Dépression qui ouvre un passage entre deux sommets d'une chaîne de montagnes *Fauces, ium,* f. pl. ¶ (Par anal.) Ce qui garnit le cou. Le — d'un habit, voy. COLLET.

colère, s. f. Violente irritation qu'on laisse éclater contre qqn. *Ira, ae,* f. *Iracundia, ae,* f. *Stomachus, i,* m. Avec —, *iratē,* adv.; *iracundē,* adv. Qui est en —, *iratus. a, um,* p. adj. Mettre qqn en —, *iratum aliquem facère.* Etre en —, *iratum esse.* Se mettre en —, *irasci,* dép. intr.

colérique. adj. Porté à la colère par tempérament. *Iracundus, a, um,* adj.

colifichet, s. m. Ornement futile. *Nugae, arum,* f. pl.

colimaçon, s. m. Limaçon. Voy. ce mot.

colique, s. f. Douleur d'entrailles. *Tormina, um,* n. pl. *Intestinorum tormina* (ou *dolor*).

colis, s. m. Tout objet qu'on expédie par voie de transport public. *Sarcina, ae,* f. [*tinatio, onis,* f.

collage, s. m. Action de coller. *Glucollant, ante,* adj. Qui colle. *Glutinosus, a, um,* adj. ¶ (Fig.) Qui s'applique exactement sur une partie du corps. *Apté haerens.* Vêtement —, *strictoria vestis.*

collatéral, ale, adj. Situé latéralement par rapport à qqn. *Lateri haerens.* Ligne —, *latus, eris,* n. ¶ (Fig.) Ligne —, parenté —, *latus, eris,* n. En ligne —, *ex latere.*

collation, s. f. Repas léger *Cenula, ae,* f. Faire une —, *gustăre,* intr.

collationner, v. tr. et intr. || (V. tr.) Comparer entre elles *ou* avec l'original des copies. *Conferre,* tr. *Recognoscère,* tr. ¶ (V. intr.) Faire un léger repas. *Gustāre,* intr.

colle, s. f. Matière gluante, pour faire adhérer deux objets l'un à l'autre. *Gluten, inis,* n.

collecte, s. f. Avant la Révolution, action de réunir, de recueillir l'impôt dit taille. *Exactio, onis,* f. ¶ Action de réunir, de recueillir des dons volontaires, au profit d'une personne, etc. *Collatio, onis,* f. Faire une —, *stipem colligère.*

collecteur, s. m. et adj. || *S. m.* — d'impôts. *Exactor, oris,* m. *Co-actor, oris,* m. ¶ *Adj.* Qui recueille. Egout —, *receptaculum omnium purgamentorum urbis.*

collection, s. f. Action de réunir en un ensemble des choses recueillies de divers côtés. *Collectio, onis,* f. ¶ (Spéc.)

Réunion de choses d'art, de science, etc. *Corpus, oris,* n.

collectionner, v. tr. Réunir en collection. *Colligĕre,* tr.

collectionneur, *euse*, s. m. et f. Celui, celle qui collectionne. *Qui (quae) colligit* ou *conquirit.*

collège, s. m. Corps de personnes soumises à des règlements communs. || (Dans l'ancienne Rome.) Corporation *Collegium, ii,* n. || (Spécial.) Corps de personnes revêtues de fonctions sacrées. *Collegium, ii,* n. ¶ Etablissement d'instruction publique. *Auditorium, ii,* n.

collègue, s. m. Chacun de ceux qui exercent une même fonction publique. *Collega, ae,* m.

coller, v. tr. Faire adhérer avec de la colle. *Glutināre,* tr. *Conglutināre,* tr. Se — au corps, *corpori cohaerescĕre.* ¶ (Absol.) (*V. intr.*) Coller ensemble, rester attaché. *Cohaerēre,* intr. ¶ (Par anal.) Tenir appliqué sur. *Agglutināre,* tr. Rester collé, *haerēre,* intr. ¶

collerette, s. f. Tour de cou généralement plissé. *Strophium, ii,* n.

collet, s. m. Petit col. || Partie du vêtement qui entoure le cou. *Collare, is,* n. Loc. fig. Prendre qqn au —, *apprehendĕre aliquem pallio.* Mettre la main au — de qqn, *alicui collum obstringĕre.* || (Spéc.) — de manteau. Voy. PÈLERINE. [*aliquo.*

colleter, v. tr. Se —, *luctāri cum*

colleur, s. m. Celui qui fait le métier de coller. *Glutinator, oris,* m.

collier, s. m. Cercle qui fait le tour du cou. ¶ Ornement de cou. *Torques, quis,* m. *Monile, is,* n. ¶ (*Par anal.*) Ce qui garnit le cou. || Cercle naturel autour du cou de certains oiseaux, etc. *Torques, is,* m. || Cercle de métal, de cuir, qu'on mettait au cou des esclaves et qu'on met au cou des animaux. *Collare, is,* n. || Harnais de cou des bêtes de trait. *Torques, is,* m.

colline, s. f. Elévation de terrain qui domine la plaine. *Collis, is,* m.

collision, s. f. Rencontre de deux corps qui se heurtent. *Collisŭs, ūs,* m.

colloque, s. m. Conférence, débat sur un point de doctrine. *Colloquium, ii,* n.

collusion, s. f. Entente secrète au préjudice d'un tiers (dans une affaire de justice). *Collusio, onis,* f.

collyre, s. m. Médicament destiné à être appliqué sur la conjonctive de l'œil. *Collyrium, ii,* n.

colombe, s. f. Pigeon. *Columba, ae,* f. De —, *columbinus, a, um,* adj.

colombier, s. m. Construction où l'on loge, entretient des pigeons. *Columbarium, ii,* n.

colon, s. m. Celui qui a quitté son pays pour aller peupler une terre étrangère. *Colonus, i,* m. ¶ Celui qui habite une colonie (par opposition à l'habitant de la métropole). *Colonus,*

i, m. ¶ Celui qui afferme une terre, moyennant redevance. *Colonus, i,* m.

colonial, *ale*, adj. Relatif aux colonies. *Colonicus, a, um,* adj.

colonie, s. f. Etablissement fondé par une nation sur une terre étrangère. *Colonia, ae,* f. Etablir ou fonder une —, *colonos* (ou *coloniam) aliquo deducĕre.*

colonisation, s. f. Action de coloniser. *Deductio coloniae* (*in aliquem locum* ou *agrum*).

coloniser, v. tr. Peupler de colons. *Multitudinem collocāre in agris.* Bénévent fut colonisé, *Beneventum coloni missi sunt.*

colonnade, s. f. Suite de colonnes qui décore un édifice. *Porticus, ūs,* f. *Peristylum, i,* n. et *peristylium, ii,* n.

colonne, s. f. Pilier de pierre, de marbre, servant de soutien ou d'ornement à un édifice. *Columna, ae,* f. || (Par ext.) Monument formé d'une colonne isolée. *Columna, ae,* f. || Fût de colonne servant de borne militaire. *Miliarium, ii,* n. || Pyramide élevée par les navigateurs anciens pour servir de signal. — d'Hercule, *columnae Herculis.* || (Fig.) Soutien principal d'un Etat, d'un parti, etc. *Columen, minis,* n. ¶ Ce qui s'élève en forme de colonne. *Columna, ae,* f. — vertébrale, *spina, ae,* f. || Colonne de troupes. *Agmen, inis,* n. En —, *agmine.* En — de marche, *agmine instructo.*

colonnette, s. f. Petite colonne. *Columella, ae,* f. Qui a la forme d'une —, *columellaris, e,* adj.

coloquinte, s. f. Variété de concombre. *Colocynthis, idis,* f.

colorant, *ante*, adj. Qui a la propriété de colorer. *Qui (quae, quod) colorat.* Substantivem. Un —, *pigmentum, i,* et ordin. *pigmenta, orum,* n. pl.

coloration, s. f. Etat de ce qui est coloré. *Color, oris,* m.

colorer, v. tr. Revêtir d'une certaine teinte. *Colorāre,* tr. *Pingĕre,* tr. Se —, *colorari,* pass. Visage coloré, *subrubicundus vultus.* ¶ (Fig.) Couvrir d'une apparence favorable. *Colorāre,* tr. Qui est coloré, *speciosus, a, um,* adj. ¶ (Par ext.) Style coloré, *ornata oratio.*

colorier, v. tr. Revêtir de couleurs en teintes plates. *Colorem induĕre* (*alicui rei*).

coloris, s. m. Effet qui résulte du choix, de l'emploi de certaines couleurs dans une peinture. *Color, oris,* m. — agréable, *coloris suavitas.* || (Par ext.) Le — du visage, *color.* || (Fig.) Le — du style, *color.*

coloriste, s. m. Celui qui représente par la peinture les couleurs, les objets. Un habile —, *qui summā colorum venustate aliquid depingit.*

colossal, *ale*, adj. Qui a des proportions énormes (comme un colosse). *Ingentis* (ou *immanis) magnitudinis.*

colosse. s. m. Statue de dimensions énormes. *Signum peramplum et excelsum.*

colporter, v. tr. Porter (des marchandises) en divers lieux (pour les débiter): *Bajulāre merces.* — des livres, *circumferre libros.* Fig. *Circumferre*, tr. *Differre*, t.:

colporteur, s. m. Marchand ambulant. *Mercis institor* et (simpl.) *institor, oris,* m. [*Columella, ae,* m.

Columelle, n. pr. Agronome romain.

combat, s. m. Action de se battre l'un contre l'autre (en parl. de deux adversaires). *Pugna, ae,* f. *Proelium, ii,* n. *Certamen, minis,* n. *Dimicatio, onis,* f. — malheureux, *pugna mala.* Un affreux — s'engage, *pugna atrox concitatur.* Engager un —, *pugnam committĕre; proelium conserĕre.* Livrer un —, *proelium facĕre.* Hors de —, *vulneribus inutilis.* Un — à coups de poings, *pugilatūs, ūs,* m. — de coqs, *pugna* (ou *certamen*) *gallorum.* ¶ (Fig.) Lutte morale entre deux personnes. *Certatio, onis,* f. *Certamen, minis,* n. *Concertatio, onis,* f. *Contentio, onis,* f. || Lutte de l'homme contre les obstacles. *Certamen, minis,* n. *Dimicatio, onis,* f.

combattant, s. m. Celui qui prend *ou* qui doit prendre part à un combat. *Pugnans ou propugnans, tis,* m. (s'empl. surt. au plur.). *Miles, itis,* m. *Pugnator, oris,* m.

combattre, v. intr. et tr. || (*V. intr.*) Livrer un *ou* plusieurs combats. *Pugnāre*, intr. *Proeliāri*, dép. intr. *Dimicāre*, intr. *Decertāre*, intr. ¶ (Au fig.) Lutter, rivaliser avec qqn. *Decertāre*, intr. (*cum aliquo*). *Contendĕre*, intr. (*cum aliquo ou inter se; cum aliquo de honore regni*, etc.). *Dimicāre*, intr. (*adversus aliquem*). || Lutter contre un obstacle. *Pugnāre*, intr. (*adversus aliquid*). *Obstāre*, intr. (*alicui rei*). *Obsistĕre*, intr. (*alicui rei*). ¶ (*V. tr.*) Engager le combat contre (qqn). *Pugnāre*, intr. (*adversus aliquem; cum aliquo*). *Impugnāre*, tr. (*aliquem*). *Oppugnāre*, tr. (*aliquem*). *Proeliāri*, dép. intr. (*cum aliquo*). ¶ (Fig.) Entrer en lutte avec qqn. *Certāre*, intr. (*cum aliquo de aliquid re*). ¶ Engager la lutte contre un obstacle. *Pugnāre*, intr. *Impugnāre*, tr. (*sententiam; vitia*). *Oppugnāre*, tr. *Repugnāre*, intr. (*contra aliquid*). *Niti*, dép. intr. (*contra aliquid*). *Resistĕre*, intr. (*alicui rei*). ¶ Se combattre, c.-à-d. se battre (entre deux ou plusieurs). *Inter se pugnāre.* Se combattre (c.-à-d. être en opposition), *repugnāre*, intr.; *dissidēre*, intr.

combien, adv. (Suivi d'un qualificatif.) Dans quelle mesure. *Quam*, adv. (devant un adj. *ou* adv.). *Quantum*, adv. (dev. un verbe ordinaire). *Quanti*, gén. (dev. un verbe de prix *ou* d'estime). *Quanto*, abl. n. (dev. une expression impliquant comparaison). *Quantopere*,

adv. (dev un verbe ordin.). — grand, *quantus, a, um,* adj. — nombreux, *quam multi, ae, a,* adj. pl. *quot,* indécl. — peu, *quantulum.* — petit, *quantulus, a, um,* adj. ¶ (Suivi d'une prépos. et d'un subst.) Quelle quantité. *Quantum* (av. le gén.) *Quam multi, ae, a,* adj. pl. *Quot,* indécl. (s'il s'agit d'objets que l'on peut compter). — d'années, temps y a-t-il que *et ellipt.* — y a-t-il que...? *quamdiu?* adv. Depuis — de temps, *quam dudum.* — d'argent, *quanta pecunia* (parce qu'il s'agit d'une quantité qui peut être plus ou moins grande).

combinaison, s. f. Action de combiner, résultat de cette action. *Compositio, onis,* f. *Complexio, onis,* f. ¶ (Fig.) Action de concentrer un ensemble de moyens, pour arriver à une fin. *Ratio, onis,* f. *Consilia, orum,* n. pl. Tu as dérangé toutes mes —, *conturbasti mihi rationes omnes.*

combiner, v. tr. Assembler dans un ordre et suivant des proportions déterminées. *Componĕre*, tr. ¶ (Fig.) Concerter (des mesures) en vue d'obtenir un résultat. *Componĕre*, tr. Les projets les mieux combinés, *quae diligentissimē cogitata (sunt).*

1. comble, s. m. Ce qui peut tenir au-dessus des bords d'une mesure, d'un vase déjà rempli. *Cumulus, i,* m. (Mesure) qui est au —, *cumulatus, a, um,* p. adj. ¶ Charpente qui surmonte un édifice recouvert de le toit. *Culmen, minis,* n. Loger dans les —, *habitāre sub aegulis.* De fond en —, *funditus,* adv. ¶ (Fig.) Le degré le plus élevé auquel arrive qqch. *Cumulus, i,* m. Mettre le — à, porter au —, *cumulāre*, tr. Qui est au —, *summus, a, um,* adj.; *cumulatus, a, um,* p. adj. Le — de la joie, *summa laetitia.* C'est le — de la folie, de... *summa dementia est* (av. l'inf.). [*Refertissimus, a, um,* adj.

2. comble, adj. Entièrement rempli.

combler, v. tr. Remplir par-dessus le bord. *Cumulāre*, tr. || (Fig.) — la mesure de..., *cumulum afferre alicujus rei ou alicui rei.* ¶ Remplir entièrement (le vide que présente qqch.). *Cumulāre*, tr. *Complēre*, tr. *Explēre*, tr. || (Fig.) Remplir entièrement (en suppléant ce qui manque). *Explēre*, tr. — le déficit, *rei familiaris lacunam explēre.* || Satisfaire complètement. *Explēre*, tr. — l'attente de qqn, *explēre exspectationem desiderii alicujus.* || Combler qqn de qqch. *Cumulāre*, tr. *Onerāre*, .r. *Ornāre*, tr. Comblé des faveurs de la fortune, *refertus omnibus donis fortunae.*

combustible, adj. Qui subit la combustion. *Facilis et exardescendum.* Matières — , *et* (substantivt) le —, *res quae sunt ad incendia; res quibus ignis excitāri potest.*

combustion, s. f. Action de consumer

par le feu. *Exustio, onis,* f. ¶ Action d'être consumé par le feu. *Deflagratio, onis,* f. *Conflagratio, onis,* f. Etre en —, *oomburi.*

Come, n. pr. Ville de la Gaule transpadane (Italie), patrie de Pline le Jeune. *Comum, i,* n. *Novocomum, i,* n. Habitants de —, *Novocomenses, ium,* m. pl.

comédie, s. f. Pièce de théâtre qui excite le rire. *Comoedia, ae,* f. De —, relatif à la —, *comicus, a, um,* adj. ¶ (Absol.) Le genre comique. *Comoedia, ae,* f. Fig. Donner la — aux gens, *lusum de se hominibus dâre.*

comédien, *ienne,* s. m. et f. Celui, celle dont la profession est de représenter une pièce au théâtre. Voy. ACTEUR, ACTRICE. ‖ Acteur comique. *Comoedus, i,* m. ‖ (Au fig.) Personne qui feint des sentiments qu'elle n'a pas. *Artifex, ficis,* m. Voy. HYPOCRITE.

comestible, adj. Qui peut servir d'aliment. *Esculentus, a, um,* adj. *Edulis, e,* adj. Substantiv. Des —, *esculenta, orum,* n. pl. [neuse. *Cometes, ae,* m.

comète, s. f. Astre à trainée lumineuse. *Cometa, ae,* f.

comice, s. m. Au plur. Assemblée politique. *Comitia, orum,* n. pl. Tenir, présider les —, *comitia habère.*

comique, adj. Qui appartient à la comédie. *Comicus, a, um,* adj. Pièce comique, *fabula comica.* Un acteur, un poète — (et *substantiv.*) un —, *comicus, i,* m.; *comoedus, i,* m. Sujet —, *res comica.* ‖ (Substantiv.) Le — (principe du rire dans une comédie), *quod risum movet.* ¶ (Par ext.) Qui provoque le rire. *Ridiculus, a, um,* adj. *Jocularis, e,* adj. [mique. *Comicê,* adv.

comiquement, adj. D'une manière comité, s. m. Groupe de personnes prises dans un corps plus nombreux, pour constituer une réunion spéciale. *Delecti viri. Consilium, ii,* n. ‖ (Par ext.) En petit —, *inter suos.*

1. commandant, *ante,* p. adj. Qui a qqch. d'impérieux. Voy. IMPÉRIEUX.

2. commandant, s. m. Qui a un commandement dans l'armée. *Dux, ducis,* m. *Praefectus, i,* m. — du bord, *praefectus navis.*

commande, s. f. Commission donnée à un fabricant. *Mandatum, i,* n. *Negotium, ii,* n. ‖ (Fig.) Feinte, apprêt. Larmes de —, *lacrimae jussae.* Douleur de —, *mercennarius dolor.*

commandement, s. m. Action de commander. ‖ Action de décider ce qu'on doit faire. Voy. ORDRE. A —, *ad arbitrium.* Paroles de —, *imperatoria verba.* ‖ (Spéc.) Les commandements de Dieu, *mandata Dei* et absol. *mandata, orum,* n. pl. ‖ Commandement militaire, *c.-à-d.* signal donné par un officier. *Imperium, ii,* n. ¶ Autorité supérieure exercée par qqn, *spéc.* par un chef militaire. *Imperium, ii,* n. Avoir, exercer le —, voy. COMMANDER. Con-

fier à qqn le — d'une armée, *exercitum ducendum alicui dâre.* Prendre le — de l'armée, *exercitui praeesse coepisse.*

commander, v. intr. et tr. Décider, en vertu d'une autorité supérieure, ce que qqn doit faire. *Imperâre,* tr. (*aliquid alicui*). *Praecipère,* tr. (*aliquid alicui*). *Jubêre,* tr. (*aliquem aliquid facère*). ‖ (Au fig.) Imposer. *Injungëre,* tr. *Cogëre,* tr. (*aliquem aliquid facère*). — l'admiration, le respect, *admirationem, venerationem habêre.* ‖ (Spéc.) Donner le signal d'une manœuvre. *Imperâre,* tr. — la retraite, *suos revocâre.* ‖ Charger un fabricant d'exécuter un ouvrage. *Aliquid faciendum locâre.* ¶ Commander à qqn, sur qqn; qqn, qqch. *Regère,* tr. *Imperâre,* intr. *Praeesse,* intr. — en chef, *rerum summam regère; summae imperii praeesse.* — les troupes du roi, *regis opibus praeesse.* — (à ses passions, etc.) *imperâre,* intr. ¶ Dominer une position. Voy. DOMINER.

1. comme, adv. De la même manière que. *Ut,* adv. *Velut,* adv. *Tanquam,* adv. — si, *quasi, tanquam, velut si* (av. le Subj.). Penser — un esclave, *serviliter sentire.* Se conduire — une femme, *muliobriter se gerère.* Il faut faire — les médecins, *medicorum ratio* (ou *consuetudo*) *imitanda est.* Il y a qqch. — dix mois, *abhinc menses decem ferê.* ¶ De la manière que. *Ut,* adv. Agir — il faut, *decorê agère.* Une personne — il faut, *vir honestus.* Avoir l'air — il faut, *formâ* (ou *facie*) *esse honestâ et liberali.* ‖ En guise de. *Pro,* prép. (av. l'abl.). Prendre — arme, *pro telo arripère.* ¶ De quelle manière. *Quam,* adv. *Ut,* adv. *Quomodo,* adv. (voy. COMMENT). Comme quoi, *quemadmodum,* adv.

2. comme, conj. Par suite de ce que. *Cum,* conj. (av. le Subj.). ¶ Dans le temps que. *Cum,* conj. (av. le subj.).

commençant, *ante,* s. m. et f. Celui, celle qui en est aux premiers éléments. *Puer incipiens discère.* Les —, *incipientes.*

commencement, s. m. La première partie d'une chose dans le temps et dans l'espace. *Initium, ii,* n. *Principium, ii,* n. *Exordium, ii,* n *Primordium, ii,* n. *Origo, inis,* f. Du —, qui est à son —, *primus, a, um,* adj. Le — de la lettre, *prima epistolae verba.* Au — de la nuit, *primâ nocte.* Au — du printemps, *vere novo* ou *ineunte vere.* ¶ (Fig.) Premières leçons. *Rudimentum, i,* n. *Elementa, orum,* n. pl.

commencer, v. tr. et intr. ‖ (V. tr.) Faire la première partie d'une chose. *Incipère,* tr. *Coepisse,* tr. *Inchoâre,* tr. *Ordîri,* dép. tr. *Exordîri,* dép. tr. *Aggredi,* dép. tr. intr. (*aggredi ad aliquid; aggredi dicère*). — qqch. (que d'autres finiront), *initium alicujus rei facère, capère, sumère, ducère, ponère.* — par qqn *ou* par qqch., *principium* (ou *exordium*) *ducĕre* (*capĕre*, *sumĕre*) *ab aliquo* (ou *ab aliquâ re*). || (Absol.) Il commença par garder le silence, *primum obmutuit*. || (Par ext.) Former, constituer la première partie d'une chose. La lettre C commence le nom. *C est principium nomini*. ¶ (*V. intr*.) Entrer dans sa première partie. *Incipĕre*, intr. *Oriri*, dép. intr. *Nasci*, dép. intr. — par qqch., *initium capĕre* re (ou *ex*) *aliquâ re* ; *initium sumĕre* (ou *ducĕre*) *ab aliquâ* re.

commensal, s. m. Chacun de ceux qui mangent d'ordinaire à la même table. *Conviva, ae*, m. *Sodalis, is*, m. *Convictor, oris*, m.

comment, adv. De quelle manière (avec ou sans interrog.). *Quomodo*, adv. *Quemadmodum*, adv. *Ut*, adv. — vous appelez-vous? *Quo nomine es?* — dites-vous *et* ellipt. comment? *quid ais? quid?*

commentaire, s. m. Suite d'explications pour éclaircir les passages obscurs d'un texte. *Interpretatio, onis*, f. *Enarratio, onis*, f. || Par ext. Cela a besoin de —, *hoc interprete eget*. Tel vie est le — le plus exact de ses œuvres, *quae in scriptis* (ou *libris*) *docuit, moribus suis verissimê expressit*. Donner lieu à des —, donner prise aux —, *dăre sermonem* (*alicui*). ¶ (Au plur.) Mémoires historiques. *Commentarii, orum*, m. pl.

commentateur, s. m. Auteur d'un commentaire littéraire, historique, etc. *Interpres, etis*, m.

commenter, v. tr. Expliquer par un commentaire. *Interpretări*, dép. tr. *Explicăre*, tr. — Virgile, *commentaria in Vergilium componĕre*. || (Par ext.) Commenter ce que dit, ce que fait qqn, *interpretări malignê* ou *trahĕre* (*in diversa*). [*Sermones aniles*.]

commérage, s. m. Propos de commères.

commerçant, *ante*, adj. Qui se livre au commerce. *Qui* (*quae, quod*) *mercaturam facit*. Ville ou place —, *civitas emporiis* (ou *mercaturâ*) *florens*. ¶ (Substantiv.) Un —, une —, *mercator, oris*, m.; *negotiator, oris*, m.; *negotiatrix, tricis*, f.

commerce, s. m. Relations pour l'échange des marchandises. *Commercium, ii*, n. *Mercatura, ae*, f. *Mercatûs, ûs*, m. *Negotiatio, onis*, f. — sur mer ou maritime, *mercatorum navigatio*. Faire le —, être dans le —, *mercaturam* (ou *mercaturas*) *facĕre* ; *negotiări*, dép. intr. Article de —, *merx, mercis*, f.; *res venalis*. Livre de —, *rationes mercatoriae*. Liberté de —, *jus commercii* ou (simpl.) *commercium*. Place de —, *forum rerum venalium*. ¶ Relations de —, *commercium mercatorum* ou simpl. *commercium, ii*, n.

commère, s. f. Femme délurée, bavarde, etc. *Lingulaca, ae*, f. Vieille —, *garrula anus*.

commettre, v. tr. Faire aller ensemble. || (Fig.) Mettre ensemble (des personnes), mettre aux prises. *Committĕre*, tr. || Mettre en contact avec des gens qu'on méprise. Se — avec qqn, *rationem habĕre cum aliquo*. ¶ Livrer, exposer. Se — à la furie de l'Océan, etc. voy. EXPOSER || Confier qqch. aux soins, à la garde de qqn. Voy. CONFIER || Préposer qqn à qqch. *Praeficĕre*, tr ¶ Se livrer à une action blâmable. *Committĕre*, tr. *Admittĕre*, tr. *Suscipĕre*, tr. *Facĕre*, tr. *Patrăre*, tr. *Perpetrăre*, tr. — une faute (contre la morale), *peccăre*, intr. — une erreur, *errăre*, intr. — un manque de foi, une infidélité, *fidem violăre*. — une sottise, *stultê agĕre*. — une imprudence, *imprudenter* (ou *temerê et imprudenter*) *agĕre*.

commis, s. m. Employé d'une administration. *Qui munere aliquo fungitur*. Les —, *ministeria, orum*, n. pl.

commisération, s. f. Sentiment de pitié indulgente. Voy. COMPASSION

commissaire, s. m. Celui qui est délégué pour certaines fonctions. *Curator, oris*, m. Les (deux, trois, etc.) commissaires, *duumviri, triumviri, quinqueviri, decemviri*. — des vivres, *praefectus annonae*.

commission, s. f. Pouvoir confié à qqn par l'autorité, dans une circonstance et pour un temps déterminés. *Mandatum, i*, n Donner à qqn — de, *mandatum dăre alicui*, *ut*... ¶ Charge donnée par qqn à un autre d'agir pour lui dans une affaire. *Mandatum, i*, n. Charger qqn d'une — auprès de qqn, *aliquem ad aliquem allegăre*. ¶ Ce qu'un particulier demande à un autre de faire pour lui. *Mandatum, i*, n. Fais toutes mes —, *si quae mandavi, confice*.

commissionnaire, s. m. Portefaix. Voy. ce mot.

commode, adj. Qui se prête aisément à l'usage qu'on en fait. *Commodus, a, um*, adj. *Opportunus, a, um* adj *Aptus, a, um*, adj. Une armoire — et absol. une —, *arcula, ae*, f. || (Par ext.) —, c.-à-d. où l'on a ses aises. *Commodus, a, um*, adj. || Indulgent, facile. *Commodus, a, um*, adj || (Dans un sens défav.) Qui s'accommode (de qqch. d'immoral). *Nimis indulgens*.

commodément, adv. D'une manière commode. *Commodê*, adv. *Opportunê*, adv.

commodité, s. f. Facilité qu'on trouve en quelque chose pour l'usage que l'on en veut faire. *Commoditas, atis*, f. *Commodum, i*, n. *Opportunitas, atis*, f. Les —, *opportunitates*. Avoir ses —, *commodê* (ou *bene*) *vivĕre*. Avec —, *commodê*. ¶ (Par ext.) Facilité de faire qqch. résultant de l'occasion, des circonstances. *Commodum, i*, n. *Opportunitas, atis*, f. Offrir des —, *habêre opportunitates*.

commotion, s. f. Ébranlement sou-

dain. *Quassatio, onis,* f. *Succussio, onis,*
f. Voy. SECOUSSE. || (Fig.) Une —
morale, *animi perturbatio.*

commuer, v. tr. Changer une peine
prononcée par un tribunal en une
peine moindre. *Levāre* ou *remittĕre* ou
mitigare (poenam).

1. commun, s. m. Le plus grand nombre. Un homme du —, *unus e* (ou *de*)
multis. Le — des mortels, *vulgus, i,*
n. ¶ (Au plur.) Les communs (bâtiment affecté aux services de la maison). *Aedificia rustica.*

2. commun, une, adj. Qui s'applique à
plusieurs à la fois. *Communis, e,* adj.
D'un — accord, *uno animo.* Intérêt —,
commune, is, n. Faire cause —, *causam suam* (ou *consilia* ou *rationem*)
communicāre cum aliquo. Ne pas faire
cause —, *causam suam dissocīre.* Mise
en —, *communicatio, onis,* f. Mettre
en —, avoir en —, *communicāre,* tr.
En —, *communiter,* adv. Vie en —,
societas vitae; convictus, ūs, m. Avoir
(avec qqn) des intérêts —, *utilitatis
communione sociatum esse.* Faire la
guerre en —, *bellum conjungĕre* (en
parl. de deux rois). || (Spéc.) Nom com-
mun (gramm.) *Nomen appellativum.* ¶
Lieu — (rhét.). *Locus communis* (surt.
au plur. *loci communes*). ¶ Qui s'applique au plus grand nombre ou à
tous. *Communis, e,* adj. *Promiscuus, a,
um,* adj. *Publicus, a, um,* adj. La maison — (à tous les citoyens), *domus
publica.* ¶ (Par ext.) Qui se rencontre
fréquemment. *Usitatus, a, um,* p. adj.
Communis, e, adj. *Tritus, a, um,* p.
adj. *Vulgaris, e,* adj. ¶ Qui ne s'élève
pas au-dessus de l'ordinaire. *Vulgaris,
e,* adj. *Vilis, e,* adj. Peu —, *eximius,
u, um,* adj. Lieu —. Voy. BANALITE.

communal, ale, adj. Dont la jouissance est commune à plusieurs. *Communis, e,* adj. *Publicus, a, um,* adj.
Champs communaux *et* (substantiv.
masc.), les —, *communia, ium,* n. pl.;
compascuus ager. ¶ Qui appartient à
la commune, relatif à la commune.
Municipalis, e, adj.

communauté, s. f. Caractère de ce
qui est commun. *Communio, onis,* f.
Communitas, atis, f. *Societas, atis,* f.
Mettre en — dans la —, *communicāre,*
tr. ¶ Réunion de ceux qui vivent en
commun. *Consortio, onis,* f. *Consortium,
ii,* n. L'intérêt de la —, *publica utilitas.* ¶ Réunion de religieux vivant
ensemble. Voy. CONGRÉGATION.

commune, s. f. Ville, bourg, etc.,
formant une unité territoriale. *Municipium, ii,* n.

communément, adv. Suivant l'usage
commun. *Vulgo,* adv. *Plerumque,* adv.
Comme on dit —, *ut dici solet.*

communicatif, ive, adj. Qui se communique aisément à d'autres. *Qui
(quae, quod) facile diffunditur* ou *transit
in* (Acc.) || (En parl. d'une maladie.)

Contagiosus, a, um, adj. || Une personne
—, voy. EXPANSIF.

communication, s. f. Action de communiquer qqch. à qqn. *Communicatio,
onis,* f. Donner — de qqch. à qqn,
exponĕre alicui aliquid. | (Par ext.) La
chose que l'on communique. Ces —,
ea, n. pl. Faire une — secrète, *occul-
tius perferre aliquid.* ¶ Action de com-
muniquer avec qqn ou qqch. || (En
parl. de personnes.) *Commercium, ii,*
n. Entretenir des — secrètes avec
l'ennemi, *clandestina* (ou *occulta*) *cum
hostibus colloquia habēre.* Couper les —
de qqn avec la place, *intercludĕre aliquem ab oppido.* Les — sont rompues,
viae sunt clausae. || (En parl. des choses.)
Voie de communication, *meatŭs, ūs,* m.

communier, v. intr. Recevoir le sacrement de l'eucharistie. *Ad mensam
sacram accedĕre.*

communion, s. f. Union dans la même
croyance. *Communio, onis,* f. ¶ Participation au sacrement de l'eucharistie. *Cena sacra* ou *cena Domini.*

communiquer, v. tr. et intr. || (*V. tr.*)
Rendre une chose (qu'on possède)
commune à une autre en lui en faisant
part. *Communicāre,* tr. *(aliquid cum
aliquo). Impertīre,* tr. *(aliquid alicui).*
Participāre, tr. (on dit plutôt *participem aliquem alicujus rei facĕre*). ¶
Donner communication. Voy. [faire]
SAVOIR. || (P. anal.) Se — à qqn (entrer
en union, en rapport avec lui), *cum
aliquo usu* (ou *consuetudine*) *conjunctum esse;* (se découvrir à lui), *alicui
potestatem sui facĕre.* || Se —, c.-à-d.
avoir communication (en parl. d'une
chose), *commeāre,* intr. ¶ (*V. intr.*)
Entrer en commerce d'idées, d'intérêts, etc., avec qqn. *Communicāre cum
aliquo.* || (P. anal.) Etre en rapport
au moyen d'un passage. *Adjungi,* passif. *Pertinēre,* intr. — avec la mer,
ad mare pertinēre.

compact, acte, adj. Qui présente une
masse serrée. *Densus, a, um,* adj.
Spissus, a, um, adj. Terre —, *spissum
solum.*

compagne, s. f. Celle qui vit habituellement dans la société d'une autre
personne (pr. et fig.). *Socia, ae,* f.
Comes, itis, f.

compagnie, s. f. Présence d'une personne auprès d'une autre pour qu'elle
ne reste pas seule. *Societas, atis,* f.
Convictŭs, ūs, m. En — de, *cum,* prép.
(av. l'abl.). En — de qqn, *comitante*
(ou *comite*) *aliquo.* Tenir — à qqn, *esse
cum aliquo.* De —, voy. ENSEMBLE. ¶
Réunion de personnes que rassemblent
les relations du monde. *Coetŭs, ūs,* m.
Circulus, i, m. Grande, nombreuse —,
celebritas, atis, f. Bonne —, *honestiorum
convictus ; honesti* (ou *honestiores*). Mauvaise —, *malorum convictus.* ¶ Réunion
de personnes que rassemble une règle
commune. *Societas, atis,* f. La — des

publicains de Bithynie, *socii Bithyniae.*
¶ Réunion de gens armés.*Centuria, ae,* f.

compagnon, s. m. Celui qui vit habituellement dans la société intime de qqn. *Socius, ii,* m. *Comes, itis,* m. *Consors, sortis,* m. — de jeu, de table, de classe, *sodalis, is,* m. — de table, *convictor, oris,* m. — d'esclavage, *conservus, i,* m. — d'armes, *commilito, onis,* m. ‖ (Par ext.) Celui qui va avec qqn, qui l'accompagne. *Comes, itis,* m.

compagnonnage, s. m. Association d'ouvriers compagnons. *Sodalicium, ii,* n.

comparable, adj. Qui peut être comparé avec qqn, qqch. *Comparandus, a, um,* adj. verb. *Conferendus, a, um,* adj. verb. (En parl. des choses.) *Comparabilis, e,* adj. Etre —, *aliquam comparationem habère.*

comparaison, s. f. Action de rapprocher deux *ou* plusieurs choses pour en déterminer les points de ressemblance et de dissemblance. *Comparatio, onis,* f. *Collatio, onis,* f. En — de, *collatione alicujus rei.* ‖ (Spéc.) Degrés de comparaison (gramm.). *Gradus comparativus. Comparatio, onis,* f. ‖ Comparaison (rhét.). *Comparatio, onis,* f. ‖ Faculté qu'a l'esprit de comparer deux idées pour en déterminer le rapport. *Comparatio, onis,* f. ¶ Action de rapprocher deux *ou* plusieurs choses pour établir entre elles un rapport d'égalité. Qui défie toute —, *omnium comparationem vincens ; sine exemplo maximus.* Qui ne peut soutenir la —, *non comparandus.* Le premier sans —, *longè primus ; facile princeps.*

comparaître, v. intr. Paraître en justice. *Ad judicium* (ou *in judicio*) *adesse,* ou simpl. *adesse,* intr. Faire — (pour un jour fixé), *diem dicère alicui.* Faire — des témoins, *testes producère.*

comparatif, ive, adj. Qui établit une comparaison entre des choses. *Comparativus, a, um,* adj.

comparativement, adv. Par comparaison. *Comparatè,* adv.

comparer, v. tr. Rapprocher deux *ou* plusieurs choses pour en déterminer les ressemblances et les différences. *Comparâre,* tr. (*aliquid cum aliquâ re*). *Componère,* tr. *Conferre,* tr. ¶ Rapprocher pour établir un rapport d'égalité. *Comparâre,* tr. *Conferre,* tr. Ces choses ne se sauraient —, *ista inter se comparari non possunt.* ¶ Rapprocher ce dont on parle de qqch. d'analogue. *Assimulâre,* tr. *Aequiperâre,* tr.

compartiment, s. m. Subdivision ménagée dans un espace. *Loculus, i,* m. *Fori, orum,* m. pl. Distribué en —, *loculatus, a, um,* adj.

comparution, s. f. Action de comparaître devant un juge. Fixer le jour de la —, *vadimonium constituère.* Prendre jour pour la —, *vadimonium concipère.*

compas, s. m. Instrument formé de deux branches (pour mesurer des angles, tracer des cercles). *Circinus, i,* m. Fig. Voy. œIL.

compasser, v. tr. Régler (ce qu'on fait, ce qu'on dit) sans laisser place à qqch. de libre, de spontané. *Acerrimâ normâ dirigère* (ou *componère*). Style compassé, *quaedam putidè dicta.*

compassion, s. f. Sentiment par lequel on prend part à la souffrance d'autrui. *Misericordia, ae,* f. *Miseratio, onis,* f. Ressentir de la —, *misericordem esse ; se misericordem praebère.* Avoir — de qqn, *misereri alicujus.* J'ai de la — pour toi, *miseret me tui.* Digne de —, *miserabilis, e,* adj.; *miserandus, a, um,* adj. verb.

compatible, adj. Qui peut se concilier avec… *Conveniens* (gén. *-entis*), p. adj. (avec le dat. ou *cum* avec l'abl.). *Congruens* (gén. *-entis*), p. adj. (*cum* avec l'abl.).

compatir, v. intr. Se concilier avec. *Congruère cum* (abl.). ¶ Prendre part à la souffrance d'autrui. *Idem* (ou *aequè* ou *pariter*) *dolère* (*aliquâ re*). *Pari dolore affici.* Je compatis à votre douleur, *tuam vicem doleo.*

compatissant, ante, adj. Qui prend part à la douleur d'autrui. *Misericors* (*in aliquem*). *Misericordiâ captus* (ou *commotus*).

compatriote, s. m. et f. Celui, celle qui a la même patrie qu'un autre. *Popularis, is,* m. *Civis, is,* m.

compensation, s. f. Action de se compenser réciproquement (en parl. de deux choses). *Aequatio, onis,* f. *Compensatio, onis,* f. Faire —, voy. COMPENSER.

compenser, v. tr. Neutraliser (un effet) par un effet équivalent en sens inverse. *Compensâre,* tr. *Pensâre,* tr. (*aliquid aliquâ re*). Se —, *repensâri,* pass. ou *pensâri,* pass.

compère, s. m. Appellation populaire entre gens qui se parlent familièrement. Bonjour —, *quid agis, o bone!* Un rusé —, *homo versutus.*

compétence, s. f. Attribution à qqn de ce dont il a droit de décider. *Potestas, atis,* f. *Jus, juris,* n. *Provincia, ae,* f. ‖ En vertu d'une connaissance approfondie. *Verum judicium.* Choses qui étaient de leur —, *quae judicii eorum erant.*

compétent, ente, adj. Qui doit être attribué à qqn, en vertu d'un droit. *Qui* (*quae, quod*) *ad officium alicujus pertinet. Justus, a, um,* adj. *Debitus, a, um,* adj. ¶ A qui doit être attribué le droit de décider.‖ (En vertu d'une autorité légale.) *Legitimus, a, um,* adj. *Idoneus, a, um,* adj. Un juge —, *idoneus judex.* (En vertu d'une connaissance approfondie.) Auteurs —, *idonei actores.*

compétiteur, s. m. Concurrent. — au trône, *aemulus regni*.

compilateur, s. m. Celui qui compile. Qui *librum ex aliono libro* (*aliorum ou alienis libris*) *componit* (ou *congerit*).

compilation, s. f. Livre fait d'emprunts. *Compilatio, onis*, f.

compiler, v. tr. Réunir en un seul corps (des textes sur un sujet commun, empruntés à diverses sources). *Librum ex aliono libro* (ou *ex alienis libris*) *componere*.

complainte, s. f. Chanson plaintive sur la victime de qq. malheur, de qq. crime. *Nenia, ae*, f.

complaire, v. intr. et pron. || (*V.* intr.) Plaire à qqn en s'accommodant à ses goûts, etc. *Placere*, intr. ¶ (*V.* pron.) Se complaire. *Aliquo delectari. Delectari in aliqua re*.

complaisamment, adv. Avec complaisance. *Officiose*, adv. *Obsequenter*, adv.

complaisance, s. f. Volonté de complaire à qqn. *Obsequium, ii*, n. *Obsequentia, ae*, f. *Facilitas, atis*, f. Avoir de la — pour qqn, *obsequi alicui*. Avoir trop de —, *facere officiosius*. || (Par ext.) Acte par lequel on cherche à complaire à qqn. *Obsequium, ii*, n. Avoir des — pour qqn, *officiosum esse in aliquem*. Ayez la — de…, *gratum mihi feceris, si…* ¶ Sentiment par lequel on se complaît en qqn, en qqch. Avec —, *libenti animo; libenter*, adv.

complaisant, *ante*, adj. Qui a de la complaisance pour qqn. *Obsequens* (gén. *-entis*), p. adj. *Indulgens* (gén. *-entis*), p. adj. *Officiosus, a, um*, p. adj. *Facilis, e*, adj. Subst. Se faire le — de qqn, *alicui lenocinari*. Les — du public, *populi assentatores*. || (Par ext. absol.) Disposé à se déranger pour obliger qqn. Se montrer —, *alicui commodare*.

complément, s. m. Ce qu'il faut ajouter à une chose pour la rendre complète. *Complementum, i*, n.

complémentaire, adj. Qui forme le complément d'une chose. Qui (*quae, quod*) *supplet* (ou *complet*). || Jours complémenaires (dans le calendrier). *Intercalares dies*.

complet, *ète*, adj. Auquel il ne manque aucun des éléments qui doivent le constituer. *Completus, a, um*, p. adj. *Perfectus, a, um*, p. adj. *Absolutus, a, um*, p. adj. *Au — , integer, gra, grum*, adj. Etre au —, *numeros suos habere*. Une légion au —, *justa et plena legio*. Mettre au —, *supplere*, tr.; *explere*, tr. Remettre au —, *supplere*, tr. ¶ (Par ext.) Où toutes les places sont occupées. Voy. PLEIN.

complètement, adv. D'une manière complète. *Absolute*, adv. *Perfecte*, adv. *Plane*, adv. *Omnino*, adv. — battus, *fusi fugatique*.

compléter, v. tr. Rendre complet. *Complere*, tr. *Explere*, tr. *Supplere*, tr. Fig. *Absolvere*, tr.

complexe, adj. Qui réunit en soi plusieurs éléments divers. *Multiplex* (gén. *-plicis*), adj.

complexion, s. f. Ensemble des éléments constituant la nature physique d'un individu. *Corporis constitutio* (ou *affectio*).

complication, s. f. Caractère de ce qui est compliqué. *Implicatio, onis*, f. || (Par ext.) Ce qui complique qqch. *Impedimentum, i, n. Nodus, i*, m.

complice, adj. Qui aide (qqn) à commettre une faute. *Socius, a, um*, adj. *Conscius, a, um*, adj. *Particeps* (gén. *-cipis*), adj.

complicité, s. f. Aide que l'on donne à celui qui commet un crime, un délit. *Societas* (*sceleris*). *Conscientia* (*facinoris*), et simpl. *conscientia, ae*, f. De — avec son père, *conscio patre*.

complies, s. f. pl. La dernière partie de l'office qui se dit ou se chante après vêpres. *Completorium, ii*, n.

compliment, s. m. Harangue adressée à qqn dans une occasion solennelle. *Oratio sollemnis*. Adresser un — à qqn, *affari aliquem*. ¶ Paroles flatteuses adressées à qqn. *Gratulatio, onis*, f. *Verba honorifica* (ou *verborum honos*). Faire des — à qqn, *laudare aliquem* (ou *honorificis verbis prosequi aliquem*). Adresser des — à qqn sur sa victoire, *alicui victoriam gratulari*. Lettre de —, *gratulatio, onis*, f. || (Par anal.) Faire un mauvais — (à qqn), *male precari alicui*. Faire des — de condoléance, *suum dolorem alicui declarare*. ¶ Paroles de —, *salus, salutis*, f. Faire, présenter, envoyer ses — à qqn, *salutare aliquem* ou *salutem dicere* (*imperare*) *alicui*.

complimenter, v. tr. Adresser un compliment à qqn. Voy. COMPLIMENT. FÉLICITER.

complimenteur, *euse*, adj. Qui a l'habitude de faire des compliments, de dire des choses flatteuses. *Gratulans* (gén. *-antis*), p. adj. *Laudator, oris*, m. *Laudatrix, tricis*, f.

compliqué, *ée*, adj. Embarrassé par la multiplicité des éléments. *Implicatus, a, um*, p. adj. *Impeditus, a, um* (au fig.), p. adj.

compliquer, v. tr. Embarrasser d'éléments multiples. *Implicare*, tr. *Conturbare*, tr. Les choses se —, *omnia miscentur et turbantur*.

complot, s. m. Projet concerté entre qqs personnes, contre la vie, la sûreté de qqn. Ourdir un —, *conjurare*, intr.

comploter, v. tr. Projeter au moyen d'un complot. *Conjurare*, tr. et intr. *Conspirare*, intr. — le meurtre de Pompée, *de interficiendo Pompejo conjurare*. ¶ (Par ext.) Concerter qqch. contre une autre personne. Voy. CONCERTER.

componction, s. f. Tristesse pieuse causée par la douleur d'avoir offensé

Dieu. *Animus acerbissimā paenitentiā afflictus.*

comporter, v. tr. et pronom. || (*V. tr.*) Etre fait pour (qqch. d'approprié). *Ferre*, tr. *Admittĕre*, tr. *Habĕre*, tr. *Capĕre*, tr. *Recipĕre*, tr. (voy. ADMETTRE). ¶ (*V.* pronom.) Agir de telle ou telle façon dans une circonstance donnée. Voy. [se] CONDUIRE.

composer, v. tr. et intr. || (*V. tr.*) Former un tout (en parlant de celui qui assemble, *ou* combine les éléments *ou* des éléments eux-mêmes assemblés et combinés). *Componĕre*, tr. *Coagmentāre*, tr. || Faire une œuvre. *Facĕre*, tr. *Scribĕre*, tr. || Arranger sa manière d'être, son maintien, suivant un certain plan. *Fingĕre*, tr. *Componĕre*, tr. Se — sur, voy. [se] RÉGLER. || Se composer *et* être composé, *constāre*, intr. (*ex aliquā re*); *conflari*, passif (*ex aliquā re*). Un être composé *et* (subst.) un composé, *compages, is,* f.; *coagmentatio, onis,* f. C'est un composé de divers éléments, *concretus est ex plurimis naturis.* ¶ (*V.* intr.) Se prêter à un arrangement avec qqn. *Componĕre*, intr. Voy. TRANSIGER.

compositeur, s. m. Celui qui compose des œuvres musicales. *Qui facit* (ou *componit*) *modos* (ou *cantus*).

composition. s. f. Action de composer un tout en rassemblant les parties. *Compositio, onis,* f. *Consociatio, onis,* f. *Confectio. onis,* f. La — d'un métal, *metalli temperatio.* — du bronze, *temperatura aeris.* || (Par ext.) Manière dont une chose est composée. La — du corps humain, *constitutio corporis.* || (Par ext.) Mélange de divers ingrédients. *Mixtura, ae,* f. *Temperatura, ae,* f. *Compositio, onis,* f. La — d'un mot (gramm.), *compositio, onis,* f. || (Spéc.) La — d'un tableau, *dispositio, onis,* f. ¶ Action de composer une œuvre intellectuelle. *Confectio, onis,* f. *Scriptio, onis,* f. Le travail de la —, *scribendi opera.* || (Par ext.) Ce que l'on compose. *Opus, peris,* n. *Scriptum, i,* n. *Liber, bri,* m. *Libellus, i,* m. Une — oratoire, *commentata oratio.* || (Spéc.) Exercice scolaire. *Declamatio, onis,* f. Les —, *discipulorum dictiones.* ¶ Action d'entrer en accord avec qqn (en lui faisant des concessions). *Compositio, onis,* f. *Pactio, onis,* f. Entrer en —, *ad pactionem venīre; transigĕre cum aliquo.* Fig. (Une personne) de bonne —, de facile —, *facilis; commodus.* [GIBLE.

compréhensible, adj. Voy. INTELLI-**compréhension**, s. f. Faculté d'embrasser les choses par la pensée. *Cogitatio, onis,* f.

comprendre, v. tr. Embrasser dans un ensemble; contenir en soi comme partie de l'ensemble. *Complecti*, dép. tr. *Comprehendĕre*, tr. || Faire entrer dans qqch. comme partie de l'ensemble. *Complecti*, dép. tr. *Comprehendĕre*, tr.

Y compris, *cum*, prép. (av. l'abl.). Non compris, *praeter*, prép. (avec l'acc.). ¶ Embrasser par la pensée, le sens, la nature, la raison de qqch. *Comprehendĕre*, tr. (avec ou sans *animo, cogitatione, mente, scientiā*). *Complecti*, dép. tr. (av. ou sans *animo, mente*). *Capĕre*, tr. (avec l'abl. *mente*). *Concipĕre*, tr. *Percipĕre*, tr. (avec *animo, mente*). *Intelligĕre* tr. Facile à —, *facilis intellectu* ou *ad intelligendum.*

compresse, s. f. Morceau de linge qu'on applique sur une partie malade. *Linamentum, i,* n.

compression, s. f. Action de comprimer; résultat de cette action. *Compressio, onis,* f.

comprimer, v. tr. Réduire en exerçant une pression. *Comprimĕre*, tr.

compromettant, *ante*, adj. Qui peut compromettre qqn. *Qui* (*quae, quod*) *alicujus famam laedĕre potest.*

compromettre, v. tr. et intr. || (*V. intr.*) S'en remettre à un arbitrage. *Compromittĕre*, absol. || (Fig.) S'en rapporter à. Voy. cette expression. || (*V. tr.*) Mettre dans une situation critique. *In discrimen adducĕre.* — qqn, — la réputation de qqn, *aliquem* (ou *alicujus famam*) *laedĕre.* Se —, *maculāre dignitatem suam.* Etre compromis dans une affaire, *participem esse alicujus rei* (*sceleris, consilii,* etc.). — tout à fait ses affaires, *res suas in discrimen adducĕre.*

compromis, s. m. Action de compromettre sur une chose en litige. *Arbitrium, ii,* n. *Compromissum, i,* n.

comptabilité, s. f. Tenue régulière des comptes d'une administration, d'une gestion. *Rationes, um,* f. pl.

comptable, adj. Qui a des comptes à rendre. Agent, officier —, *et* (substantiv.) un —, *a rationibus; ratiocinator, oris,* m.

comptant, adj. m Que l'on compte sur l'heure. De l'argent —, *pecunia praesens* ou *numerata.* Payement en argent —, *repraesentatio, onis,* f. Payer —, *praesenti pecuniā solvĕre.* Acheter argent —, au —, *praesentibus nummis emĕre* (*aliquid*).

compte, s. m. Calcul d'une quantité. *Ratio, onis,* f. *Summa, ae,* f. Faire le —, voy. COMPTER. || (Loc. fig.) Trouver son — à qqch., *quaestum facĕre in aliquā re; satis lucri facĕre ex aliquā re.* Au bout du —, en fin de — (fig.), *subductā ratione; ad summam.* || (P. ext.) Prix. Voy. ce mot. Acheter à bon —, *bene emĕre.* ¶ Etat des sommes déboursées ou à débourser, reçues ou à recevoir. *Ratio, onis,* f. Examiner, regarder un —, *rationes referre.* Demander des — à qqn, *rationem ab aliquo reposcĕre.* Livre de —, *liber* (*codex* ou *volumen*) *rationum; rationes, um,* f. pl. Porter une dépense sur le —, au — de qqn, *alicui expensum ferre.* (Faire une opé-ration) pour son —, pour le — d'un autre, *suo nomine, alieno nomine.* Pour mon —, *quod ad me attinet.* De — fait, tout — fait, *subductă ratione ;* (fig.) *perpensis omnibus rebus.* Tenir — de qqch., *rationem habēre alicujus rei.* Sur le — (c.-à-d. touchant), de, prép. (av. l'abl.). Faire — de, voy. APPRÉCIER, ESTIMER. Remettre une somme à —, voy. A COMPTE. Rendre ses —, *rationes reddēre* (ou *referre*). Demander — à qqn de qqch., *rationem facti reposcēre ab aliquo ; rationem alicujus rei exigēre ab aliquo.* Rendre — à qqn de qqch., *rationem reddēre alicui alicujus rei.* Le — rendu, *relatio, onis,* f.; *narratio, onis,* f.; *(rei gestae) expositio.* Se rendre — d'une chose, *alicujus rei rationem sibi reddēre.*

compter, v. tr. et intr. || (*V. tr.*) Cal-culer (une quantité). *Computāre,* tr. *Numerāre,* tr. Comptez-vous, *numerate quot sitis.* || Compter, c.-à-d. mettre au nombre de. *Annumerāre,* tr. *Referre,* tr. (dans l'expression *referre* in numero ou in numerum [av. le gén.]). Etre compté parmi..., *habēri in* (av. l'abl.). Sans le —, *praeter eum.* A — de ce jour, *abhinc.* Marcher à pas comptés, *suspensum gradum ponēre.* || Evaluer à un certain prix. *Ducēre,* tr. — pour rien, *nullo loco habēre* (ou *numerāre*). ¶ (*V. intr.*) Calculer. *Ratiocināri,* dép. intr. Savoir bien —, *numerorum potentem esse; bene calculum ponēre.* || Régler avec qqn ce qu'il doit ou ce qu'on lui doit. *Rationem putāre cum aliquo.* || Régler sa conduite sur la valeur des personnes. *Rationem habēre cum aliquo.* Il me faudra — avec la maladie, *mihi cum morbo res erit.* || Estimer comme cer-tain. *Confidēre,* intr. (voy. CONFIANCE). Il compte partir, *sperat se profecturum.* — sur qqch., *aliquid exspectāre.* Comp-tant sur, *fretus, a, um,* adj. (av. l'abl.). || Entrer en ligne de compte (en parl. des choses). Cela ne compte pas, *id non eo numero comprehenditur.*

comptoir, s. m. Sorte de table mas-sive sur laquelle le marchand compte l'argent, etc. *Mensa, ae,* f. ¶ (Par ext.) Etablissement de banque, de com-merce. *Emporium, ii,* n.

compulser, v. tr. Prendre communi-cation d'actes, de pièces, etc. *Evolvēre* (*libros, volumina*). *Explicāre* (*volumina*).

comte, s. m. (Dans les derniers temps de l'empire romain) Officier du palais, commandant militaire. *Comes, itis,* m.

comté, s. m. Domaine conférant le titre de comte. *Comitatŭs, ŭs,* m.

comtesse, s. f. Femme d'un comte. *Comitis uxor* ou *conjux.*

concasser, v. tr. Mettre en fragments (des matières dures, etc.). *Contundēre,* tr. *Terēre* (*aliquid in mortario*). *Con-terēre,* tr.

concave, adj. Qui présente une cour-

bure sphérique en creux. *Concavus, a, um,* adj.

concavité, s. f. Courbure sphérique en creux. *Cavum, i,* n. ¶ (Par ext.) Cha-cune des cavités d'une chose creuse. Les — de la terre, *concava loca terrae.*

concéder, v. tr. Abandonner à la libre disposition de qqn. *Concedēre,* tr. || Accorder. Voy. ce mot. ¶ (Fig.) Aban-donner à un adversaire un des points en discussion. *Dăre,* tr. *Concedēre,* tr.

concentration, s. f. Action de réunir vers un centre commun. *In unum col-latio.* || (Par anal.) Action de rassembler (ce qui est dispersé). La — des troupes, *conjunctae copiae.*

concentrer, v. tr. Réunir vers un centre commun *et* (par anal.) rassem-bler ce qui est dispersé. *Contrahēre* ou *cogēre* ou *conducēre* in unum locum ou (simpl.) in unum. — (l'armée), *con-trahēre* (avec ou sans *in unum locum*). Fig. — le pouvoir aux mains d'un seul, *omnia ad unum deferre.* ¶ Réunir dans un espace resserré qui empêche la dis-persion. *Densāre,* tr. *Condensāre,* tr. (Fig.) Douleur concentrée, *dolor peni-tus abstrusus.* Colère concentrée, *tacita ira.*

conception, s. f. Action de concevoir. || Formation du fœtus. En parl. de la mère. *Conceptio, onis,* f. En parl. de l'enfant. *Conceptŭs, ŭs,* m. ¶ Forma-tion d'une idée dans l'esprit. *Cogitatio, onis,* f. *Intelligentia, ae,* f. ¶ (Par ext.) L'idée qui se forme dans l'esprit. *Cogitata species,* et simpl. *species, ei,* f. *Informatio, onis,* f. || (Spécial.) Idée mère d'un ouvrage. Voy. IDÉE.

concerner, v. tr. Etre relatif (à qqn ou qqch.). *Pertinēre* (ad aliquid ou ad aliquem). *Attinēre* (ad aliquem). *Spec-tāre* (ad aliquid). Pour ce qui concerne, en ce qui concerne... *quod pertinet, attinet* (ad aliquem ou ad aliquid). Un bruit le concernant, *fama de illo.*

concert, s. m. Accord de personnes qui s'entendent en vue d'un même but. *Consensio, onis,* f. *Concentŭs, ŭs,* m. De —, *ex composito ; composito consilio.* Agir de — avec qqn, *cum aliquo agēre.* ¶ Accord de choses arrangées en vue d'une fin commune. *Concentŭs, ŭs,* m. *Concordia, ae,* f. Un — de louanges, *concentus laudantium.* || (Spéc.) Accord de plusieurs instruments de musique, de plusieurs voix. *Concentŭs, ŭs,* m.

concerter, v. tr. Arranger (un plan, un projet) avec qqn. *Constituēre* (ali-quid cum aliquo). Dès que l'on eut concerté toutes les mesures à prendre, *ut compositus est rei gerendae modus.* || (Par ext.) Se — avec qqn, *communicāre de aliquă re cum aliquo.* ¶ Arranger entre elles les parties d'un plan, d'un projet. *Constituēre* (res inter se). Ses projets les mieux concertés échouent misérablement, *cadunt ea, quae diligen-*

tissimē sunt cogitata, deterrimē.

concession, s. f. Abandon fait à qqn de la libre disposition de qqch. *Concessio, onis,* f. Special. — de terrain, *locus concessus.* — du droit de cité, *largitio civitatis.* ¶ Abandon fait à qqn d'un droit, d'une prétention, d'un point en discussion. Faire une —, *concedĕre aliquid.*

concessionnaire, s. m. Celui à qui est faite une concession de terre, de travaux. *Locator, oris,* m.

concevable, adj. Que l'esprit peut concevoir. *Qui (quae, quod) comprehendi potest. Quem (quam, quod) animo comprehendĕre* (ou *mente complecti) possumus.*

concevoir, v. tr. Former en soi par la fécondation le germe d'un être vivant. *Concipĕre,* tr. ¶ (Au fig.) Former dans son esprit une idée de qqch. *Cogitāre,* tr. *Concipĕre,* tr. — la pensée de (faire telle ou telle chose), *aliquid in animo habēre.* Une lettre conçue en termes fort polis, *humanissimē scriptae litterae.* ‖ Comprendre (avec l'esprit). *Animo* (mente, cogitatione) *aliquid percipĕre.* ‖ Former dans son cœur un sentiment. *Concipĕre,* tr.

concierge, s. m. et f. Celui, celle qui a la garde de l'entrée d'une maison importante. *Janitor, oris,* m. *Janitrix, tricis,* f.

concile, s. m. Assemblée d'évêques et de docteurs. *Concilium, ii,* n.

conciliable, adj. Qui peut se concilier avec une autre chose. *Qui (quae, quod) potest convenire alicui rei* (ou *cum aliquā re*).

conciliabule, s. m. Concile prétendu (hérétique *ou* schismatique). *Conciliabulum, i,* n. ¶ Réunion de gens poursuivant une entreprise illégale, *illicite. Conventiculum, i,* n.

conciliant, *ante,* adj. Propre à concilier les personnes entre elles. *Pacis amans. Placidus, a, um,* adj. *Commodus, a, um,* adj.

conciliateur, *trice,* adj. Qui concilie les personnes entre elles. En se portant comme —, *medium se gerendo.* Jouer un rôle —, *et substantiv.* jouer le rôle de —, *medium intervenire.*

conciliation, s. f. Action de concilier ‖ (En parlant des personnes.) *Conciliatio, onis,* f. ¶ (En parlant des choses.) *Conjunctio, onis,* f.

concilier, v. tr. Amener à s'entendre sur un point en litige. *Conciliāre,* tr. ‖ Accorder ensemble des choses qui semblent contraires. *Accommodāre,* tr. Se —, *convenīre,* intr.; *conjungi,* pass. Ne pas pouvoir se —, *inter se abhorrēre* ¶ Disposer favorablement. *Conciliāre,* tr.

concis, *ise,* adj Qui a de la concision. *Concisus, a, um,* p. adj. *Brevis, e,* adj. *Contractus, a, um,* p. adj.

concision, s. f. Qualité du style qui consiste à retrancher tout ce qui n'est pas nécessaire au sens. *Brevitas, atis,* f. (cf. *concisa brevitas dicendi* ou *in dicendo brevitas*). *Contractio orationis.* Avec —, *pressē; angustē; astrictē; compressē.*

concitoyen, *enne,* s. m. et f. Celui, celle qui est de la même cité, de la même nation que qqn. *Civis, is,* m. et f. *Municeps, ipis,* m. et f. (en parl. d'une cité). *Popularis, is,* m.

conclave, s. m. Assemblée des cardinaux. *Conclave, is,* n.

concluant, *ante,* adj. Qui rend certaine la conclusion à laquelle on veut arriver. *Gravis, e,* adj. *Firmus ad probandum.* Une raison —, *magna ratio.* Argument —, *argumentum potens.* Etre —, *magno esse argumento.*

conclure, v. tr. Terminer, clore par une solution définitive. ‖ Amener à son dénouement. *Conficĕre,* tr. *Perficĕre,* tr. *Concludĕre,* tr. — un mariage, *nuptias conficĕre.* — la paix, *pacem facĕre.* — une trêve, *indutias facĕre.* — (Par ext.) Tirer (la conséquence des prémisses posées). *Concludĕre,* tr. *Colligĕre,* tr. Perdiccas en avait conclu que..., *ex quo Perdiccas conjecerat* (av. l'acc. et l'inf.). — de soimême aux autres, *de aliis ex se conjecturam facĕre.*

conclusion, s. f. Solution finale, définitive, donnée à qqch. *Conclusio, onis,* f. *Exitus, ūs,* m. Après la — de la paix, *pace confectā.* — d'un discours, *exitus orationis; peroratio, onis,* f. ¶ Proposition finale d'un syllogisme. *Conclusio, onis,* f. Tirer une — de, *concludĕre* ou *colligĕre (ex aliquā re).*

concombre, s. m. Plante et fruit. *Cucumis, meris,* m.

concordance, s. f. Accord entre des faits relatés. *Consensio, onis,* f. *Consensūs, ūs,* m. *Constantia, ae,* f. La — des témoignages, *constantia testimoniorum.* [*conventum.*

concordat, s. m. Traité. *Pactum et*

concorde, s. f. Bonne harmonie résultant de l'accord des sentiments. *Concordia, ae,* f.

concorder, v. intr. Etre en concordance. *Consentīre,* intr. *Congruĕre,* intr.

concourir, v. intr. Contribuer avec d'autres (à un même résultat). *Conspirāre (ad aliquid).* — avec qqn à..., *adjuvāre aliquem (in aliquid* ou *ad aliquid).* ‖ (En parl. des choses.) *Conferre ad aliquid (aliquid, multum, plus, plurimum). Valēre (multum) ad aliquid.* ¶ (P. ext.) Etre sur les rangs en même temps que d'autres (pour prétendre à qqch., etc.). *Unā petĕre aliquid.*

concours, s. m. (En parl. de pers.) Voy. AFFLUENCE. ‖ (En parl. des choses.) *Concursūs, ūs,* m. Ce — de circonstances, *omnes eae res in unum congruentes.* ¶ (Au fig.) Action de contri-

buer avec d'autres à un même résultat.
Opera, ae, f. *Auxilium, ii,* n. Réclamer
le — de qqn, *operam ab aliquo exigĕre.*
Prêter son —, *operam dăre.* ¶ (P. ext.)
Action de se mettre sur les rangs en
même temps que d'autres (pour prétendre à qqch.). *Certamen, inis,* n.
Présenter des pièces (de théâtre) au —,
in certamen fabulas deferre.

concret, ète, adj. Qui a pris une consistance plus ou moins solide. *Concre-*
tus, a, um, p. adj. ¶ Qui exprime qqch.
de réel. *Sensui subjectus. Finitus ou*
definitus.

conçu. Voy. CONCEVOIR.

concurremment, adv. En se prêtant
un concours mutuel. *Communiter,* adv.
Unā, adv.

concurrence, s. f. Rivalité d'intérêts
entre personnes poursuivant un même
objet. *Certamen, inis,* n. *Certatio, onis,*
f. *Contentio, onis,* f. S'il y a —, *si res*
in contentionem veniet. Faire — à qqn,
entrer en — avec qqn, *certăre cum*
aliquo (aliquā re, de aliquā re, inter se
aliquā re); aemulari cum aliquo.

concurrent, s. m. Celui qui est sur les
rangs en même temps que d'autres
pour obtenir qqch. *Competitor, oris,* m.
Aemulus, i, m.

concussion, s. f. Gain illicite fait par
un magistrat, un fonctionnaire. *Pecu-*
latus, ūs, m. *Pecuniae repetundae et*
(simpl.) *repetundae, arum,* f. pl. Se
rendre coupable de — *peculatum*
facĕre. Accuser qqn de —, *postulăre*
aliquem de repetundis.

concussionnaire, s. m. Qui commet
des concussions. *Peculator, oris,* m.

condamnable, adj. Qui mérite d'être
condamné. *Damnandus, a, um,* p. adj.
(Par ext.) en parl. des choses. *Reji-*
ciendus, a, um, p. adj.

condamnation, s. f. Action de condamner. *Damnatio, onis,* f. De —, *dam-*
natorius, a, um, adj. Prononcer la —
de qqn, voy. CONDAMNER. ‖ (Par ext.)
Ce à quoi on est condamné par une
sentence. Voy. PEINE, AMENDE, DÉ-
PENS. ¶ Action de déclarer qqn, qqch.
coupable, répréhensible (pr. et fig.).
Damnatio, onis, f.

condamner, v. tr. Déclarer coupable
par un arrêt. *Damnăre,* tr. *Multăre,* tr.
— aux travaux forcés, *aliquem dam-*
năre in (ou ad) opus publicum. — qqn
à mort, *damnăre aliquem capite (ou*
mortis). — qqn à une amende, *multăre*
aliquem pecuniā. — qqn à l'exil, *mul-*
tăre aliquem exsilio. ‖ (Fig.) Forcer à
qqch. de pénible. — qqn au repos, *ali-*
quem ad otium adducĕre. ¶ Déclarer
qqn, qqch. coupable, répréhensible.
Improbăre, tr. *Reprobăre,* tr. *Vitupe-*
răre, tr. ‖ (Par ext.) Ses propres aveux
le condamnent, *urgetur confessione suā.*
¶ (Absol.) Déclarer (un malade) voué
à une mort certaine. *Desperăre de*
aliquo.

condensation, s. f. Action de se condenser. *Densatio, onis,* f.

condenser, v. tr. Rendre (un gaz, une
vapeur) plus dense. *Densăre,* tr. Se —,
concrescĕre, intr.

condescendance, s. f. Disposition de
caractère par quoi on condescend à ce
que qqn désire. *Obsequium, ii,* n. *Obse-*
quentia, ae, f. Avoir de la — pour qqn,
voy. CONDESCENDRE. Par —, *obsequen-*
ter (alicui).

condescendre, v. intr. Daigner consentir, se prêter à. *Alicui* (ou *alicujus*
voluntati) obsequi, — (par faiblesse ou
par bonté), *indulgĕre alicui.* — aux
désirs de qqn, *obsecundăre voluntatibus*
alicujus.

condiment, s. m. Substance destinée
à relever le goût de certains aliments
Condimentum, i, n.

condisciple, s. m. Compagnon d'étude.
Condiscipulus, i, m.

condition, s. f. Circonstance extérieure
où une personne, une chose se trouve
placée et dont dépend son état. *Con-*
dicio, onis, f. ‖ (Absol.) L'ensemble des
circonstances d'où dépend l'état de
qqn. *Condicio, onis,* f. ‖ Etat social,
rang, position. Voy. RANG. ¶ Circonstance, manière d'être, d'où dépend la
réalisation de qqch. *Condicio, onis,* f.
¶ Clause d'où dépend la validité d'un
acte. *Condicio, onis,* f. *Lex, legis,* f.
(voy. CLAUSE). Faire, poser ses —,
condiciones ferre. Dicter des —, *condi-*
ciones dicĕre. Souscrire aux — de qqn,
ad alicujus condicionem venire. — limi-
tative, voy. RESTRICTION.

conditionné, ée, adj. Qui est dans une
certaine condition (pour la matière,
le travail). *(Bene, male) constitutus.*
Bien —, *probus, a, um,* adj. Mal —,
improbus, a, um, adj.

conditionnel, elle, adj. Dont la validité,
la réalisation dépend de certaines conditions. Liberté —, *libertas quodam modo*
circumscripta. ¶ (Gramm.) Le mode —
et (substantiv.) le —, *modus condicionis.*

conditionnellement, adv. Sous certaines conditions. *Condicione. Certā (ou*
cum certā) lege.

conditionner, v. tr. Fabriquer dans
certaines conditions (pour la matière,
le travail). *(Bene male) constituĕre (ou*
conficĕre), tr.

condoléance, s. f. Expression de la
part qu'on prend à un deuil, à un
malheur. *Consolatio, onis,* f. Faire ses
— à qqn, *aliquem consolari.* Lettre de
—, *consolatoriae litterae.*

conducteur, trice, s. m. et f. et adj. ‖
S. m. et f. Celui, celle qui conduit qqn.
Dux, ducis, m. et f. *Rector, oris,* m.
Rectrix, tricis, f. ‖ (Par ext.) — d'une
voiture, d'un char, *auriga, ae,* m. Sans
—, *nullo regente.* ¶ (Adj.) Qui conduit
qqn. Fil —, *dux.*

conduire, v. tr. Faire aller avec soi
une personne *ou* une chose vers un but

en la dirigeant. *Ducĕre*, tr. *Abducĕre* (« conduire hors de »), tr. *Deducĕre* (« conduire en bas ou au loin »; « conduire sous bonne escorte »), tr. *Educĕre* (« conduire hors de »; « conduire devant les juges »), tr. *Adducĕre* (« conduire à ou vers »), tr. *Perducĕre* (« conduire jusqu'au bout »), tr. *Inducĕre* (« conduire dans »), tr. *Agĕre*, tr. — la main de celui qui écrit, *scribentis manum manu super impositā regĕre*. ¶ (Absol.) Faire agir (une personne, une chose) en la dirigeant. *Ducĕre*, tr. *Ducem esse* (voy. CHEF). *Regĕre*, tr. *Moderāri*, dép. tr. *Administrāre*, tr. — un cheval, *equum regĕre*. — une guerre, *bellum administrāre*. ¶ Se conduire, c.-à-d. agir, se comporter (bien ou mal). *Se gerĕre*. *Agĕre*, abs. Se — poliment avec qqn, *aliquem habēre liberaliter*. Se — rudement avec qqn, *aliquem asperē tractāre*. ¶ Mener (en parl. d'une route). *Ducĕre*, tr. *Ferre*, tr.

conduit, s. m. Ce qui sert à faire passer, à conduire des liquides, etc. *Canalis*, *is*, m.

conduite, s. f. Action de conduire qqn, qqch. (dans sa manière d'agir). *Ductio*, *onis*, f. *Ductŭs*, *ūs*, m. *Deductio*, *onis*, f. Sous la — de qqn, *aliquo duce*. Confier à qqn la — d'une guerre, *ducem alicquem credĕre bello gerendo*. Prendre la — d'une affaire, *alicui rei praeesse coepisse*. ¶ (Par ext.) Manière de se conduire. *Vita*, *ae*, f. *Mores*, *um*, m. pl. *Institutem vitae*.

cône, s. m. Solide. *Conus*, *i*, m. ¶ Fruit de certains arbres. *Conus*, *i*, m.

confection, s. f. Action de faire (un ouvrage) en entier. *Confectio*, *onis*, f. *Fabricatio*, *onis*, f. [*Confcĕre*]

confectionner, v. tr. Faire en entier.

confédération, s. f. Union temporaire de princes, d'Etats. Voy. LIGUE. ¶ Association permanente d'Etats. *Societas*, *atis*, f.

confédéré, s. m. Membre d'une confédération (temporaire). *Socius*, *ii*, m. *Foederatus*, *i*, m.

confédérer, v. tr. Réunir en confédération. Se —, *societatem* (ou *foedus*) *inire* (*cum aliquo*). Etre confédéré, *foedere et societate jungi* (*cum aliquo*). Etats confédérés, *foederatae civitates*.

conférence, s. f. Réunion où l'on traite un sujet en commun. *Consultatio*, *onis*, f. *Deliberatio*, *onis*, f. *Colloquium*, *ii*, n. — secrètes, *consilia arcana*.

conférer, v. tr. Rapprocher des textes pour les comparer. *Conferre*, tr. ¶ (Absol. et intr.) S'entretenir avec qqn (que l'on consulte sur un sujet donné). *Colloqui*, dép. intr. (*inter se de aliquā re*). ¶ Attribuer à qqch., à qqn en vertu de son autorité. *Conferre*, tr. *Deferre*, tr. — par un vote, *decernĕre*, tr.

confesser, v. tr. Déclarer volontairement ses péchés (au tribunal de la pénitence). *Confitēri* (*aliquid* ou *peccatum*) et

absol. *confiteri*. ‖ (Par ext.) Se — coupable d'une faute, *confiteri peccatum*. — qqn (recevoir sa confession), et absol. —, *aliquem confitentem audire*. Fig. — qqn (lui arracher son secret), *confessionem exprimĕre*. ¶ (Par ext.) Déclarer spontanément (qqch. à son désavantage). *Fatēri*, dép. tr. *Confitēri*, dép. tr.

confesseur, s. m. Prêtre à qui qqn se confesse. *Confessor*, *oris*, m. ¶ Chrétien qui, au temps des persécutions, confessait sa foi chrétienne. *Confessor*, *oris*, m.

confession, s. f. Déclaration volontaire qu'on fait de ses fautes. *Confessio*, *onis*, f.

confiance, s. f. Sécurité de celui qui compte entièrement sur le caractère ou la capacité de qqn. *Fiducia*, *ae*, f. *Fides*, *ei*, f. — en qqn, *alicujus fiducia*. Ne mériter aucune —, *fidem nullam habēre*. Mettre sa — en..., avoir — (dans)..., *confidĕre*, intr. (*alicui* et *aliquā re*); *fidĕre*, intr. (*alicui* et *alicui rei*); *fretum esse* (*aliquā re*). Abuser de la —, *fallĕre per fidem*. Esclave de —, *spectatae fidei servus*. Homme de —, *procurator*, *oris*, m. En —, c.-à-d. en se confiant à qqn, *ex animo*. ¶ Sécurité de celui qui compte sur lui-même. *Fidentia*, *ae*, f. *Confidentia*, *ae*, f. *Animus*, *i*, m. Avec —, *confidenter*, adv.; *audacter*, adv.

confiant, *ante*, adj. Qui a confiance. *Fiduciae plenus*. *Fidens* (gén. -*entis*), p. adj. (av. le dat.).

confidemment, adv. En confiant à qqn ce qu'on pense. Voy. CONFIDENCE.

confidence, s. f. Action de confier à qqn un secret. *Communicatio consilii*. Dire qqch. en —, *dicĕre alicui aliquid secreto*. Faire — de qqch. à qqn, faire une — à qqn, *credĕre aliquid alicui*. Mettre qqn dans la —, *in conscientiam aliquem assumĕre*; *conscientia alicujus uti*.

confident, *ente*, s. m. et f. Celui, celle qui reçoit les confidences de qqn. *Conscius*, *ii*, m. *Conscia*, *ae*, f. *Consiliorum particeps*.

confidentiel, *elle*, adj. Qui contient une confidence. *Arcanus*, *a*, *um*, adj.

confier, v. tr. Remettre avec sécurité (qqn ou qqch.) aux soins de qqn. *Credĕre*, tr. *Committĕre*, tr. *Permittĕre*, tr. *Mandāre*, tr. — à qqn l'exécution de qqch., *alicui aliquid dāre perficiendum*. Se — à qqn, *se credĕre alicui* ou *se permittĕre alicui*. Se — en qqch., c.-à-d. avoir confiance en qqch., voy. CONFIANCE. Se — à la fortune, *se fortunae committĕre*. ¶ Livrer à la discrétion de qqn qqch. qu'il doit taire. *Committĕre*, tr. *Concredĕre*, tr.

configuration, s. f. Forme qu'affecte un corps d'après sa structure. *Figura*, *ae*, f. *Forma*, *ae*, f.

confiner, v. intr. et tr. ‖ (*V. intr.*) Etre

situé sur les confins d'un pays. *Finitimum esse regioni*. ¶ (*V.* tr.)
Enfermer dans des limites. — un
champ, une propriété, c.-à-d. les borner,
voy. BORNER. ‖ (Par ext.) Enfermer
(qqn) dans un espace limité. *Relegāre*,
tr. Se —, *secedĕre*, intr.

confins, s. m. pl. Partie d'un territoire formant la limite où commence
un terrain limitrophe. *Confinium, ii*, n.

confire, v. tr. Préparer (les fruits) en
les faisant séjourner dans une liqueur
qui les pénètre. *Condīre*, tr.

confirmation, s. f. Action de confirmer.
Confirmatio, onis, f. ‖ Action de rendre
encore plus assuré. *Confirmatio, onis*, f.

confirmer, v. tr. Rendre encore plus
ferme, plus assuré. *Firmāre*, tr. *Affirmāre* (« confirmer, prouver, établir »),
tr. ¶ Ratifier, sanctionner. *Confirmāre*,
tr.

confiscation, s. f. Action de confisquer
(au profit de l'Etat). *Publicatio, onis*, f.

confiseur, s. m. Qui prépare des fruits
confits, etc. *Pistor dulciarius*.

confisquer, v. tr. Attribuer au fisc
(ce dont qqn était propriétaire). *Con-
fiscāre*, tr. *Publicāre*, tr.

confiture, s. f. Fruit cuit avec du
sucre. *Bellaria, orum*, n. pl.

conflagration, s. f. Embrasement général. *Conflagratio, onis*, f. ‖ (Fig.)
Etat général de lutte ardente entre les
peuples. *Incendium, ii*, n.

conflit, s. m. Action d'être aux prises
(en parl. des personnes qui se battent).
Conflictio, onis, f. ¶ (Fig. spécial.) Contestation entre deux puissances. *Conflictio, onis*, f. *Contentio, onis*, f.

confluent, s. m. Endroit où un cours
d'eau vient se réunir avec une rivière,
un fleuve. *Confluens, entis* (surt. au
pl.), m.

confluer, v. intr. (En parl. d'un cours
d'eau). Réunir ses eaux avec celles
d'un autre cours d'eau. *Confluĕre in
unum* et (absol.) *confluĕre*, intr.

confondre, v. tr. Unir ensemble (des
choses analogues) *ou* (une chose) avec
des choses analogues, de manière à
faire disparaître les différences. *Miscēre*, tr. *Permiscēre*, tr. *Commiscēre*, tr.
Confundĕre, tr. — leurs eaux (en parl.
de deux rivières), *confluĕre in unum*. ¶
Prendre l'une pour l'autre des personnes,
des choses (qui ont entre elles des ressemblances). *Confundĕre*, tr. — qqn
avec un autre, *aliquem alium esse
putāre*. Ne pas — les choses, *facĕre
discrimen rerum*. ¶ (Au fig.) Troubler
entièrement qqn en déconcertant ses
projets. *Turbāre*, tr. *Confutāre*, tr. Que
le ciel te —, *dii te perdant!* ‖ Troubler
par qqch. d'inattendu. Il demeura
confondu, *obstupuit*. ‖ Déconcerter dans
la discussion, de manière à ce qu'on ne
trouve plus rien à répondre. *Confutāre*,
tr. ¶ Troubler entièrement en couvrant
de honte. *Pudorem alicui injicĕre* ou

incutĕre. Masinissa fut confondu, *rubor
Masinissae suffusus est.* ‖ Troubler qqn
en déconcertant sa modestie. *Confundĕre*, tr. Se — en excuses, *multā excusatione uti.*

conformation, s. f. Structure et arrangement de diverses parties d'un corps
organisé. — du corps humain, *compositio membrorum.*

conforme, adj. Dont la forme se rapporte exactement à celle d'un autre
objet pour type. *Consimilis, e*, adj.
Compar, adj. *Conveniens (alicui rei).
Congruens (cum aliquā re).* Copie —,
epistola eisdem verbis scripta. ¶ (P.
anal.) Dont la manière d'être se rapporte exactement à celle d'une chose
prise pour terme de comparaison. *Consimilis, e*, adj. *Consentaneus, a, um*,
adj. *(alicui rei ou cum aliquā re).* Etre
— à, *congruĕre*, intr. *(cum aliquā re);
convenīre (cum aliqua re).* N'être pas —
à, *abhorrēre (ab aliqua re).*

conformément, adv. En se conformant à qqch. *Convenienter (alicui rei
ou cum aliqua re). Congruenter (alicui
rei). Ad (aliquam rem).* E ou *ex (aliqua
re).* — au temps et à la circonstance,
ex re et tempore.

conformer, v. tr. Organiser suivant
une certaine torme. *Formāre*, tr. *Conformāre*, tr. ¶ Rendre conforme à qqch.
qu'on prend pour type. *Accommodāre*,
tr. *Fingĕre*, tr. Se — aux circonstances,
se ad tempus accommodāre. ¶ Rendre
conforme. Se — aux volontés, aux
désirs de qqn, *se accommodare ad aliquem.* Se — à qqch., *se accommodāre
ad aliquid.* Se — aux lois, *observāre
leges.* Se — en tout aux ordres reçus,
omnia agĕre ad praescriptum.

conformité, s. f. Manière d'être conforme à celle d'une chose prise pour
type. *Convenentia, ae*, f. *Congruentia,
ae*, f. — de sentiments (avec qqn),
consensūs, ūs, m. Etre en — de sentiments (avec qqn), *consentire cum
aliquo.*

confraternité, s. f. Lien qui unit entre
eux des confrères. *Sodalitas, atis*, f.

confrère, s. m. Chacun des membres
d'un même corps considéré par rapport aux autres. *Sodalis, is*, m.

confrontation, s. f. Action de confronter qqn. *Comparatio, onis*, f.

confronter, v. tr. Mettre en présence
(deux ou plusieurs personnes). *Aliquem
cum aliquo componĕre.*

confus, use, adj. Dont les éléments
sont arrêtés de façon qu'on ne puisse
les distinguer. *Confusus, a, um*, p. adj.
Incompositus, a, um, p. adj. *Inconditus,
a, um*, p. adj. D'une manière —, voy.
CONFUSÉMENT. ¶ Qui manifeste par
son trouble un sentiment de honte *ou*
de pudeur. *Verecundiā victus.*

confusément, adv. D'une manière
confuse. *Confusē*, adv. *Perplexē*, adv.

confusion, s. f. Etat de ce qui est

confondu, confus. *Perturbatio, onis,* f.
Confusio, onis, f. *Tumultus, ūs,* m.
En —, voy. CONFUSÉMENT. ¶ Méprise
consistant à prendre une personne *ou*
une chose pour une autre. *Confusio,
onis,* f. Faire —, commettre une —,
voy. CONFONDRE. ¶ Trouble par lequel
se manifeste la honte *ou* la pudeur.
Pudor, oris, m. *Verecundia, ae,* f.

conge, s. m. Chez les Romains, mesure
de capacité pour les liquides. *Congius,
ii,* m.

congé, s. m. Permission de partir, etc.
Commeatus, ūs, m. (en parl. des per-
missions militaires). *Missio, onis* (congé
définitif), f. Donner — à un soldat, etc.
mittĕre aliquem ou *missum facĕre aliquem*
ou absol. *dimittĕre aliquem.* Recevoir
ou obtenir son —, *mitti; dimitti.*
Prendre —, *abīre,* intr.; *decedĕre,* intr.
¶ Permission de sortie, cessation de
travail pendant l'année scolaire. *Feriae,
arum,* f. pl. ¶ Invitation qu'un patron
adresse à un employé d'avoir à quitter
la maison. Donner son — à un domestique, voy. CONGÉDIER.

congédier, v. tr. Inviter à se retirer,
faire sortir de chez soi. *Mittĕre,* tr.
Dimittĕre, tr.

congélation, s. f. Action de se congeler.
Congelatio, onis, f.

congeler, v. tr. Faire passer (un
liquide) à l'état solide. *Congelāre,* tr.
Gelāre, tr. se —, *congelāri.*

congestion, s. f. Afflux excessif accidentel du sang dans les organes. *Impetus sanguinis.*

congratulation, s. f. Action de congratuler. *Gratulatio, onis,* f.

congratuler, v. tr. Témoigner (à qqn)
qu'on prend part à ce qui lui arrive
d'heureux. Voy. FÉLICITER. [*gri,* m.

congre, s. m. Poisson de mer. *Conger.*

congrégation, s. f. Compagnie de prêtres assujettis à une règle commune.
Sodalitas, atis, f. *Sodalicium, ii,* n.

congrès, s. m. Réunion de personnes
appelées à délibérer sur certaines questions. *Conventus, ūs,* m. *Concilium, ii,* n.

congru, ue, adj. Qui s'adapte particulièrement à une circonstance, à une
situation donnée. *Aptus (alicui rei* ou
ad aliquid). Accommodatus (alicui rei
ou *ad aliquid).*

conique, adj. Qui est en forme de
cône. *Cono similis.* Forme —, *turbina-
tio, onis,* f.

conjectural, ale, adj. Fondé sur des
conjectures. *Qui (quae, quod) conjecturā prospici (ou providēri) potest.* Conclusion —, jugement —, *conjectura, ae,*
f.   [nière conjecturale. *Conjecturā.*

conjecturalement, adv. D'une ma-
conjecture. s. f. Supposition que l'on
propose pour expliquer qqch. *Conjectura, ae,* f.

conjecturer, v. tr. Croire par conjecture. *Conjectāre,* tr. *Conjicĕre.*

conjoindre, v. tr. Joindre par les liens

du mariage. *Conjungĕre (aliquem cum
aliquo) matrimonio.*

conjoint, ointe, adj. Joint avec. *Conjunctus, a, um,* p. adj. (*cum aliquā re*).
¶ Joint à qqn par les liens du mariage.
Conjunctus. ‖ (Substantiv.) Les deux
conjoints, *conjuges, um,* m. pl.

conjointement, adv. (En parlant de
deux personnes.) En joignant leurs
efforts, en réunissant leurs intérêts.
Conjunctē, adv.

conjonction, s. f. Action de se joindre.
Conjunctio, onis, f. ¶ (Astron.) Position
de deux astres par rapport à un troisième. *Concursio, onis,* f. ¶ (Gramm.)
Partie du discours. *Conjunctio, onis,* f.

conjoncture, s. f. Situation qui résulte
d'un concours fortuit d'événements, de
circonstances. *Res, rei,* f. *Tempus, poris,*
n. Dans cette —, *in hoc* (ou *tali*) *tempore.* Suivant la —, *pro re ; pro tempore.*

conjugaison, s. f. Manière de conjuguer un verbe. *Conjugatio, onis,* f.

conjugal, ale, adj. Relatif aux liens
du mariage. *Conjugalis, e,* adj.

conjuguer, v. tr. (Spécial.) — un
verbe, *verbum per tempora traducĕre.*

conjurateur, s. m. Voy. MAGICIEN,
SORCIER.

conjuration, s. f. Entreprise concertée
secrètement, en vue d'amener un changement dans l'Etat. *Conjuratio, onis,* f.
¶ Cérémonies religieuses, pratiques magiques pour écarter l'influence des
puissances infernales. Voy. INCANTA-
TION.

conjuré, s. m. Celui qui s'est lié avec
d'autres en vue de se saisir du pouvoir.
Conjuratus, i, m.

conjurer, v tr. et intr. Jurer ensemble,
poursuivre d'un commun accord (la
ruine de qqn). *Conjurāre,* intr. *Conspirāre,* intr. ‖ *Intrans.* Se lier par serment avec d'autres. *Conjurationem
facĕre (contra aliquem).* ¶ Chercher à
écarter l'influence des puissances malfaisantes. *Repercutĕre,* tr. — (un
malheur), *averruncāre,* tr. ¶ Prier qqn
avec instance au nom de qqch. de
sacré. *Obsecrāre,* tr. *Obtestari,* dép. tr.

connaissance, s. f. Idée plus ou moins
complète qu'on a de qqch. *Notitia, ae,*
f. *Scientia, ae,* f. *Intelligentia, ae,* f.
Cognitio, onis, f. Porter qqch. à la —
de qqn, *aliquem certiorem facĕre alicujus
rei.* Faire — avec, prendre — de, *cognoscĕre de aliquā re.* Prendre — d'une
lettre, *litteras legĕre.* Avoir — de...,
de aliquā re certiorem factum esse. Avoir
la — de, *peritum esse alicujus rei.* ‖
(Absol.) Chacune des idées dont l'ensemble constitue une science. — théorique, *ratio, onis,* f. Les —, *scientia, ae,*
f. ‖ Faculté de se former cette idée.
Prudentia, ae, f. Avoir la — de qqch.,
alicujus rei scientiam (ou *prudentiam*)
habēre; intelligĕre aliquid. Acquérir
chaque jour de nouvelles —, *quotidie
aliquid addiscĕre.* N'avoir pas la — de

qqch., *alicujus rei ignarum esse.* ||
(Absol.) Faculté de se connaître, d'avoir
conscience de soi. *Sensûs, ûs,* m. —
intime, *conscientia, ae,* f. Il n'a plus sa
—, *sensu caret.* Avoir sa pleine —, *suae
mentis esse compotem.* Perdre —, *animo
defici; deficĕre,* intr. (Absol.) Reprendre
—, *ad sensum sui redīre.* Etre, rester
sans —, voy. S'ÉVANOUIR. ¶ (Spéc.)
Idée qu'ont l'une de l'autre des personnes qui se fréquentent. *Cognitio,
onis,* f. *Notitia, ae,* f. Faire — avec qqn,
aliquem cognoscĕre. Désirer faire —
avec qqn, *alicujus adeundi cognoscen-
dique avidum esse.* Gens de —, *noti.*
Je suis en pays de —, *res in meo foro
vertitur.* || (P. ext.) Personne avec qui
l'on fait connaissance. *Familiaris, is,* m.

connaisseur, s. m. Celui qui se connaît à qqch. *Peritus* (ou *gnarus* ou
sciens, ou *intelligens*) *alicujus rei. Existimator, oris,* m. Un fin —, *subtilis
judex.* Etre un —, *intelligĕre* (*aliquid*).
Yeux, oreilles de —, *oculi eruditi;
aures eruditae.*

connaître, v. tr. Avoir une idée plus
ou moins complète de qqch. *Novisse,*
tr. *Cognovisse,* tr. *Didicisse,* tr. *Vidisse,* tr.
Tenēre, tr. *Intelligĕre,* tr. *Scīre,* tr.
Bien — qqch., *alicujus rei notitiam
habēre* (ou *tenēre*). Les gens qu'on connaît, qu'on ne connaît pas, *noti, ignoti.*
Apprendre à —, *noscĕre,* tr.; *cognoscĕre,*
tr. Qui connaît, *gnarus,* adj. (*alicujus
rei*); *sciens* (gén. *-entis*), p. adj. (*alicujus
rei*); *prudens* (gén. *-entis*), adj. (*prudens alicujus rei*). Faire — qqch. à qqn,
aliquem alicujus rei (ou *de aliquâ re*)
facĕre certiorem. Il ne se connaît plus,
sui impotens est. || Faire — qqn, *c.-à-d.*
le produire, voy. PRODUIRE. Faire —
qqn, *c.-à-d.* le rendre célèbre, *nobilitāre
aliquem.* Faire —, *c.-à-d.* annoncer, voy.
ce mot. || (Spéc.) Connaître scientifique-
ment. Voy. SAVOIR. Le désir de —,
cupiditas cognitionis et scientiae. Qui
connaît, *peritus,* adj. || Connaître qqch.
à un sujet, se connaître à, en qqch.,
intelligĕre, tr. || Connaître par expé-
rience. *Experīri,* dép. tr. Ne pas —
une chose, *c.-à-d.* en être exempt, voy.
EXEMPT. || Avoir des relations avec
qqn, — qqn, *alicujus notitiam habēre;
uti aliquo.* || (Par ext.) Intrans. Con-
naître d'une affaire, *cognoscĕre de re.* ¶
(Par ext.) Reconnaître. *Agnoscĕre,* tr.
Cognoscĕre, tr. || (P. anal.) Trouver en
(qqn ou qqch.), une personne, une
chose telle qu'on se l'était figurée.
Faire —, *patefacĕre,* tr. || (Par ext.)
Distinguer (qqch.) de ce avec quoi on
pourrait le confondre. Voy. DISTINGUER

connivence, s. f. Complicité morale.
Conscientia, ae, f. || (Par ext.) Entente
secrète. *Collusio, onis,* f. *Consensio,
onis,* f. Il est de — avec sa mère,
conscientia est inter illum et matrem.

connu, part. Voy. CONNAITRE.

conquérant, s. m. Celui qui fait des
conquêtes, les armes à la main. *Gentium
victor* (ou *domitor*).

conquérir, v. tr. S'emparer par la
force (d'un pays, d'une province).
Armis quaerĕre sibi (*aliquid*). *Armis*
(ou *bello*) *subigĕre. Potiri* (*aliquâ re*).
Avoir conquis qqch., *armis possidēre
aliquid.* Qui peut être conquis, *expugnabilis, e,* adj. ¶ (Fig.) Se procurer,
obtenir par la force. *Expugnāre,* tr. ||
Gagner (les cœurs). *Capēre,* tr.

conquête, s. f. Action de conquérir
(un pays). *Occupatio, onis,* f. *Expugnatio, onis,* f. ¶ Pays conquis. Nos —
quae cepimus; quae armis (ou *bello*)
parta sunt. Les — de Lucullus, *parta
a Lucullo.* Faire la — de, voy. CON-
QUÉRIR.

consacrer, v. tr. Rendre sacré (en
vouant au service de Dieu). *Sacrāre,* tr.
Consecrāre, tr. || (Fig.) Donner unique-
ment au service, à l'usage d'une personne, d'une chose. *Dicāre,* tr. *Dāre,* tr.
(*dāre se ad docendum : dare se ad defen-
dendos homines*). *Dedĕre,* tr. (*se litteris*)
se totum patriae ou *rei publicae*). *Tradĕre,* tr. (*totum se tradĕre alicui rei*).
Se — (à qqch.), *omne studium ponĕre
in aliquâ re* (*cognoscendâ*). — une
somme à (qqch.), *attribuĕre,* tr. ¶
(Absol.) Revêtir d'un caractère sacré.
Consacré par la religion, *religiosus.*
Bois consacré, *lucus, i,* m. || (Spéc.)
Initiāre sacris ou simpl. *initiāre,* tr.
(Fig.) Revêtir d'un caractère durable.
Confirmāre, tr. *Comprobāre,* tr. (*quod
vetustas comprobavit,* que l'âge a consacré).

consanguin, ine, adj. Issu du même
père, mais non de la même mère.
Frère —, *consanguineus, i,* n. Sœur —,
consanguinea, ae. f.

consanguinité, s. f. Lien qui unit les
enfants issus du même père. *Consan-
guinitas, atis,* f.

conscience, s. f. Connaissance intérieure que chacun a de ce qui est bien
et de ce qui est mal. *Conscientia, ae,* f.
Animus, i, m. *Mens, mentis,* f. Fort
du témoignage de sa —, *conscientiâ
fretus.* En bonne —, *salvâ conscientiâ.*
— nette, *animus insons.* Bonne —,
mens bene sibi conscia. Qui a — de,
conscius, a, um, adj. (av. le gén.) ||
Exactitude à remplir ses devoirs, scrupules d'honneur. *Religio, onis,* f. *Fides,
ei,* f. Etre sans —, *nihil religioni sibi habēre*
Je me fais un scrupule de —, *religio
mihi est.* Homme sans —, *homo sine
ullâ religione ac fide.* || La conscience
appliquée aux prescriptions de la loi
religieuse. *Conscientia, ae,* f. || (P. ex.)
La conscience décidant entre les
croyances religieuses. Liberté de —,
proprietas religionis. ¶ (T. de philos.)
Connaissance immédiate et directe que
l'âme a d'elle-même. *Conscientia, ae,*
f. Avoir — de ce qu'on fait, *scire quare
facias.* Qui a —, *conscius.*

consciencieusement, adv. D'une manière consciencieuse. *Religiosè,* adv.

consciencieux, *euse,* adj. Qui obéit à sa conscience. *Religiosus, a, um,* adj.

conscription, s. f. Appel des jeunes gens pour le service. Voy. ENROLEMENT.

conscrit, adj. et s. m. || *Adj.* (Antiq. rom.) Les pères — (les sénateurs). *Patres conscripti.* ¶ *S. m.* Jeune homme nouvellement appelé sous les drapeaux. *Tiro, onis,* m.

consécration, s. f. Action de consacrer. *Consecratio, onis,* f. || Consécration d'un temple à la divinité. *Dedicatio, onis,* f. Recevoir la —, *consecrari.*

consécutif, *ive,* adj. (En parl. de plusieurs choses.) Qui se suivent l'une l'autre (dans le temps). *Continuus, a, um,* adj. || Qui est à la suite de qqch. Voy. SUCCESSIF.

consécutivement, adv. (En parl. de plusieurs choses.) L'une suivant immédiatement l'autre (dans le temps). *Continenter,* adv. *Continuo,* adv.

conseil, s. m Indication donnée à qqn sur ce qu'il doit faire. *Consilium, ii,* n. *Monitio, onis,* f. *Admonitio, onis,* f. Sur mes —, *me auctore.* Donner à qqn le — de..., *suadēre alicui, ut...; alicui auctorem esse, ut...* Donner (à qqn) le — de ne pas..., (*alicui*) *suadēre ne...* Prendre — de qqn, *aliquem consulĕre.* Ecouter les — de qqn, *bene monenti obœdire.* || (Par ext.) Celui de qui l'on prend conseil. *Suasor, oris,* m. || (Spéc.) Celui que qqn choisit pour l'assister dans la gestion de ses affaires. *Rector, oris,* m. || (Jurisp.) Avocat, avoué chargé de défendre la cause ou les intérêts de qqn. *Advocatus, i,* m. ¶ Résolution qu'on pèse mûrement. *Consilium, ii,* n. ¶ (P. ext.) Réunion de personnes qui délibèrent. *Consilium, ii,* n. Tenir —, *consilium habēre.* — de guerre, *consilium militare.* || Corps formant un des pouvoirs de l'Etat. *Consilium, ii,* n. — (d'une ville de province), *senatus, ūs,* m.

1. conseiller, v. tr. Guider (qqn) en lui indiquant ce qu'il doit faire. *Consilium dăre.* Absol. *Suadēre,* tr. ¶ Indiquer à qqn ce qu'il doit faire. *Auctorem esse alicui alicujus rei. Suasorem esse alicui alicujus rei. Suadēre* (*alicui*) *aliquid.* Conseiller de..., *auctorem esse ut...; suadēre, ut...* (av. le subj.) — de ne pas..., *auctorem esse ne...; suadēre, ne...* — la paix, *pacis esse auctorem.* — la concorde, *ad concordiam hortari.*

2. conseiller, *ère,* s. m. et f. Celui, celle qui donne des conseils. *Consiliarius, ii,* m. *Auctor, oris,* m. et f. *Suasor, oris,* m. ¶ Membre d'un conseil. — au parlement, *senator, oris,* m.

conseiller, s. m. Celui qui donne un conseil. *Consiliarius, ii,* m.

consentement, s. m. Acquiescement que qqn donne pour sa part à un pro-

jet. *Venia, ae,* f. *Assensûs, ûs,* m. *Assensio, onis,* f. Donner son —, *assentīre,* dép. intr. Refuser son —, *renuĕre; recusāre.* ¶ Assentiment commun. *Consensûs, ûs,* m. *Consensio, onis,* f. Sans le — du peuple, *injussu populi.*

consentir, v. intr. et tr. || (*V. intr.*) Donner son consentement (à qqch.) *Consentīre* (*alicui rei* ou *ad aliquid*). *Probāre* (*aliquid*). — à (faire qqch.), *velle* (*aliquid facĕre*). Consentant, *libens.* || (*V. tr.*) — qqch., *c.-à-d.* à qqch. Voy. ci-dessus.

conséquemment, adv. Conséquemment à qqch., par suite (logique) de cette chose. *Congruenter* (*naturae*). *Secundum* (*aliquid*). ¶ Absol. Par conséquent. Voy. CONSÉQUENT.

conséquence, s. f. Ce qui suit nécessairement qqch. || Ce qu'un fait amène après lui. *Eventûs, ûs,* m. *Exitus, ûs,* m. Etre la — de, *consequi.* Avoir pour qqn de graves, de sérieuses —, *alicui magno esse detrimento.* Avoir pour qqn d'heureuses —, *magno emolumento esse alicui.* Une chose de —, *res gravissima.* Des affaires de la dernière —, *res magni momenti* (ou *discriminis*). ¶ Ce qu'un principe conséquence amène logiquement après lui. *Consequens, entis,* n. En —, *igitur,* conj.; *itaque,* conj. En — de, *secundum,* prép. (avec l'acc.).

conséquent, *ente,* adj. Qui a de la suite. *Constans* (gén.-*antis*). p. adj. (en parl. des personnes et des choses). *Consentaneus, a, um,* adj. *Conveniens* (gén. -*entis*), p. adj. Etre — avec soi-même, ou (simpl.) être —, *constāre sibi.* ¶ Par conséquent, loc. adv. Voy. [en] CONSÉQUENCE.

conservateur, *trice,* s. m. et adj. || *S. m.* Celui, celle qui a mission de conserver qqch. *Custos, odis,* m. *Curator, oris,* m. — d'une bibliothèque, *magister a bibliothecā* (ou simpl. *a bibliotheca*). ¶ *Adj.* Qui a pour but, pour effet de conserver qqch. *Quae sunt conservantia* (*alicujus statûs*). || (En politique). Le parti — *et substant.* les —, *boni, orum,* m. pl.; *optimates, ium,* m. pl.

conservation, s. f. Action de conserver qqch. *Conservatio, onis,* f. Instinct de — personnelle, *conservandi sui custodia.* || (P. ext. spéc.) Charge de conservateur. *Cura, ae,* f. *Tutela, ae,* f. || Le fait d'être conservé. *Salus, utis,* f. Veiller à la — de qqn, de qqch., *curāre ut aliquis* (ou *aliquid*) *servetur* (ou *conservetur*).

conserve, s. f. Action de conserver. Voguer, naviguer de —, *classibus junctis vela facĕre* (ou *navigāre*); *eundem cursum tenēre.* ¶ Qui est conservé. — (Spéc.) Des — (de fruits, de légumes), *conditiones, um,* f. pl.; *condituræ, arum,* f. Faire des —, *condīre,* tr.

conserver, v. tr. Soigner (une personne, une chose), de manière à empêcher qu'elle ne soit altérée ou détruite. *Servāre*, tr. *Condĕre*, tr. *Recondĕre*, tr. Se —, *ocs jours, se conservāre; se tuĕri; curāre valetudinem.* Conservez-vous, *cura ut valeas.* Se — (en parl. de fruits, etc.), *durāre,* intr.; *vetustatem ferre.* ¶ Ne pas laisser se perdre. *Servāre,* tr. *Conservāre,* tr. — son crédit, *tuĕri fidem suam.* || (Par ext.) Ne pas perdre. *Servāre,* tr. *Tuĕri,* dép. tr. — le souvenir de qqn, *alicujus memoriam tenēre.* — ses amis, *retinēre amicos.*

considérable, adj. Qui mérite qu'on y fasse attention. || (En parl. des choses.) *Magnus, a, um,* adj. *Amplus, a, um,* adj. *Ingens* (gén. -*entis*), adj. *Gravis, e,* adj. || (En parl. des personnes). *Magnus, a, um,* adj. *Notabilis, e,* adj. Une personne —, *vir auctoritate* (ou *dignitate*) *praeditus; vir opibus* (ou *gratiâ*) *florens.* || (Par ext.) En parl. de la quantité. *Magnus, a, um,* adj. Somme assez —, *pecunia satis grandis.*

considérablement, adv. Voy. BEAUCOUP.

considérant, s. m. Considération énoncée en tête d'un arrêt, etc. *Praefatio, onis,* f. Voy. CONSIDÉRER.

considération, s. f. Action de regarder un objet avec attention, sous toutes ses faces. *Consideratio, onis,* f. *Contemplatio, onis,* f. Par cette —, j'apprends... *quae dum considero, disco...* ¶ Attention donnée à une chose pour se déterminer à agir. *Ratio,* f. Prendre qqch. en —, *rationem habēre alicujus rei; aliquid considerāre* (ou *respicĕre*). ¶ (Absol.) Ce que l'on considère dans une chose comme motif d'agir. *Causa, ae,* f. ¶ (Par ext.) Attention donnée au caractère, à la situation d'une personne, pour se déterminer à agir dans tel ou tel sens. *Causa,* f. *Reverentia, ae,* f. En — de Caton, par — pour Caton, *Catonis causâ.* Par — pour moi, *honoris mei causâ.* || (Par ext. absol.) Sentiment que l'on professe pour une personne honorable. *Observantia, ae,* f. *Existimatio, onis,* f. *Honos, oris,* m. Avoir de la —, c.-à-d. être considéré, *in honore esse.* Donner de la —, *dignitatem afferre.* Avoir une grande — pour qqn, *aliquem observantiâ colĕre.*

considérer, v. tr. Regarder attentivement sous toutes ses faces. *Considerāre,* tr. *Contemplāri,* dép. tr. *Intuēri,* dép. tr. || (Par ext.) Considérer comme, c.-à-d. tenir pour..., regarder comme... — qqn comme heureux, *felicem aliquem habēre.* ¶ Prêter attention à (tel ou tel motif déterminant) pour agir. *Considerāre,* tr. *Respicĕre,* tr. Tout bien considéré, *ad summam.* Considérant que, *quandoquidem,* conj. || (Par ext.) Faire cas de qqn, de qqch. Voy. CAS, CONSIDÉRATION, ESTIME. Etre considéré, c.-à-d. jouir d'une grande consi-

dération, voy. CONSIDÉRATION.

consignation, s. f. Dépôt d'argent, de valeurs, fait officiellement en garantie de qqch. *Depositum, i,* n.

consigne, s. f. Instruction donnée à tout agent de l'autorité. *Jussum, i,* n. Observer, respecter la —, *jusso parēre.* Recevoir une —, *juberi aliquid facĕre.*

consigner, v. tr. Déposer une somme en garantie. *Pecuniam (apud aliquem) deponĕre.* ¶ Mentionner (un fait) dans une pièce officielle. *Referre in tabulas publicas.* ¶ Retenir (qqn) par mesure d'ordre. — un soldat, *militem castris attinēre.* || (Par ext.) — qqn à sa porte, *prohibēre aliquem januâ.*

consistance, s. f. Etat d'un corps qui se rapproche de l'état solide. *Densitas, atis,* f. Prendre de la —, *crassescĕre,* intr. Acquérir une certaine —, *duritie quâdam concrescĕre.* Terre qui a de la —, *solum spissum.* || (Fig.) Etat de ce qui se maintient d'une manière solide dans une situation donnée. *Firmitas, atis,* f. *Stabilitas, atis,* f. *Constantia, ae,* f. Donner de la —, *confirmāre,* tr.; corroborāre, tr. Prendre de la —, *corroborāri.* Un bruit sans —, *inanis rumor.* Esprit sans —, *vanum ingenium.*

consistant, ante, adj. Qui a de la consistance. *Firmus, a, um,* adj. *Solidus, a, um,* adj. || (Fig.) *Stabilis, e,* adj. Caractère —, *animus firmus constansque.*

consister, v. intr. Etre constitué par certains éléments. *Constāre,* intr. (*ex aliquâ re*). *Continēri,* passif (*aliquâ re*). *Consistĕre,* intr. (*in aliquâ re*).

consistoire, s. m. Assemblée de cardinaux, etc. *Synodus, i,* m. *Concilium, ii,* n. || (Fig.) Assemblée. Voy. ce mot.

consolable, adj. Qui peut être consolé. *Consolabilis, e,* adj.

consolant, ante, adj. Propre à consoler. *Consolatorius, a, um,* adj.

consolateur, s. m. Qui console. *Consolator, oris,* m.

consolation, s. f. Soulagement apporté au chagrin de qqn. *Solacium, ii,* n. *Consolatio, onis,* f. — banale, *pervulgata consolatio.* Donner des —, *consolāri,* dép. tr. Une lettre de —, *consolatoriae litterae; consolatio, onis,* f.

console, s. f. Pièce en saillie fixée à une muraille. *Ancon, onis,* m.

consoler, v. tr. Soulager qqn dans son chagrin. *Consolāri,* dép. tr. (*aliquem de aliquâ re*). — qqn, *solacium alicui praebēre* ou *afferre* (avec un sujet de choses); *alicui solacio esse* (avec un sujet de choses). Se —, *se consolāri.* Etre —, *a maerore recreari.*

consolider, v. tr. Rendre plus solide, plus difficile à renverser. *Confirmāre,* tr. *Stabilīre,* tr. || (Au fig.) Firmare, tr. *Confirmāre,* tr. Se —, *firmari,* passif; *confirmari,* passif.

consommateur, s. m. Celui qui consomme. *Qui consumit.*

consommation, s. f. Achèvement. *Effectio, onis,* f. La — du crime, *perpetratum scelus.* ¶ Action de détruire (certains produits) par l'usage qu'on en fait. *Consumptio, onis,* f. Fournir la — journalière, *praebêre victum quotidianum.*

1. consommé, ée, adj. Parvenu par une longue expérience au plus haut degré (d'un art, d'une qualité, etc.). *Summus, a, um,* adj. *Perfectus, a, um,* p. adj. *Absolutus atque perfectus.*

2. consommé, s. m. Voy. BOUILLON.

consommer, v. tr. Amener (qqch.) à son accomplissement définitif. *Conficère,* tr. Mener à — la ruine de qqn, *aliquem evertère.* ¶ Amener (qqch.) à la destruction en en prenant la substance pour son usage. *Consumère,* tr. *Absumère,* tr. Se —, *consumi,* passif, *absumi,* pass.

consomption, s. f. Action de consumer, d'anéantir par degrés la substance. *Consumptio, onis,* f. ‖ (Fig.) Dépérissement. *Tabes, is,* f. Qui amène la —, *tabidus, a, um,* adj.

consonance, s. f. Accord de certains sons. *Concentûs, ûs,* m. ¶ Rapprochement des finales. *Similiter cadentia,* n. pl.

consonne, s. f. Mode d'articulation du son. *Littera consonans* ou (simpl.) *consonans, tis,* f.

conspirateur, s. m. Celui qui conspire. *Conjuratus, i,* m.

conspiration, s. f. Action commune pour renverser le gouvernement établi. *Conjuratio, onis,* f. *Conspiratio, onis,* f. Former une —, *conjurationem facère* (ou *conflâre*).

conspirer, v. tr. et intr. ‖ (V. tr.) Tramer en commun (la mort, le renversement du chef de l'Etat). *Conjurâre,* intr. (*de interficiendo aliquo,* la mort de qqn). *Conspirâre,* intr. (*in alicujus caedem*). ¶ (V. intr.) Tendre à un but commun. *Conspirâre,* intr. ‖ (Spéc.) Se concerter secrètement pour renverser le gouvernement établi. *Conspirâre,* intr. (mépris. Voy. HONNIR.

conspuer, v. tr. Accabler (qqn) de constamment, adv. D'une manière constante. *Constanter,* adv. *Continenter,* adv. *Sine intermissione.*

constance, s. f. Qualité de ce qui ne cesse pas d'être le même. *Constantia, ae,* f. *Stabilitas, atis,* f. La — de ses opinions, *obstinatio sententiae.* ¶ Qualité de celui dont la fermeté ne se dément pas. *Constantia, ae,* f. *Firmitas, atis,* f.

constant, ante, adj. Qui ne cesse pas d'être le même. *Constans* (gén. -*antis*), p. adj. ‖ (Fig.) Assuré. *Firmus, a, um,* adj. *Certus, a, um,* adj. *Stabilis, e,* adj. Quantité —, *quod semper idem est.* ¶ Qui reste fidèle à une affection. *Constans* (gén. -*antis*), p. adj. *Firmus, a, um,* adj. ¶ Qui garde toujours sa fermeté d'âme. *Constans* (gén. -*antis*), p.

adj. *Firmus, a, um,* adj. ¶ Dont la vérité est établie. *Certus, a, um,* adj. Il est — que..., *constat* (avec l'acc. et l'inf.). [ter. *Confirmatio, onis,* f.

constatation, s. f. Action de constater. *Confirmatio, onis,* f.

constater, v. tr. Etablir (un fait). *Confirmâre,* tr. C'est un fait bien constaté, *factum constat.*

constellation, s. f. Réunion d'étoiles. *Caeli signum* ou (simpl.) *signum, i,* n. *Sidus, dêris,* n.

consternation, s. f. Accablement où jette une catastrophe. *Consternatio, onis,* f. *Stupor, oris,* m. Etre dans la —, *perturbari* ou *oppressum jacère.* Jeter dans la —, voy. CONSTERNER. Causer à —, *animos demittère.*

consterner, v. tr. Frapper de consternation. *Consternâre,* tr. *Percellère,* tr.

constituer, v. tr. Etablir (qqn) dans telle ou telle situation légale. *Constituère,* tr. *Instituère,* tr. — (qqn) héritier, tuteur, *constituère aliquem heredem, tutorem.* Se — prisonnier, *se tradère* ou *dedère (alicui).* Les autorités constituées, *magistratûs, ûs,* m. s. ¶ Etablir (qqch.) dans son organisation essentielle. *Constituère,* tr. *Instituère,* tr. *Condère,* tr. — une société industrielle, *societatem facère.* Spécial. — un gouvernement, *rem publicam constituère.* Un Etat bien constitué, *bene morata civitas.* ¶ (Par ext. en parl. des éléments essentiels qui composent une chose.) *Constituère,* tr. Un corps bien constitué, *corpus bene constitutum.* Les individus constituent l'espèce, *ex individuis species existit.*

constitution, s. f. Action de constituer, d'établir légalement. *Institutio, onis,* f. ¶ Manière dont une chose est constituée. *Constitutio, onis,* f. *Conformatio, onis,* f. ‖ (Absol.) Disposition générale qui résulte de cette organisation. *Corporis affectio* ou *constitutio.* Qui a une bonne —, *cui corpus bene constitutum est.* ‖ (Spéc. en parl. d'un Etat). Forme du gouvernement. *Status civitatis. Constitutio* (ou *conformatio*) *rei publicae. Forma rei publicae* (ou *civitatis*). ‖ (Par ext.) L'ensemble des lois fondamentales qui déterminent la forme du gouvernement. *Disciplina publica. Instituta et leges.* Donner une — à l'Etat, *rem publicam constituère.*

constructeur, s. m. Celui qui construit qqch. *Aedificator, oris,* m

construction, s. f. Action de construire. *Aedificatio, onis,* f. *Exstructio, onis,* f. *Fabricatio, onis,* f. ¶ Manière dont une chose est construite. *Fabricatio, onis,* f. *Aedificatio, onis,* f. ‖ (Spéc.) Construction d'une phrase. *Constructio, onis,* f. *Structura, ae,* f. ¶ Ce qui est construit. *Aedificium, ii,* n. — énorme, *moles, is,* f. Achever une —, *exaedificâre domum.*

construire, v. tr. Bâtir suivant un plan (au pr. et au fig.). *Aedificâre,* tr.

Exaedificāre (« achever de bâtir, construire »), tr. *Exstruĕre*, tr. *Construĕre*, tr. *Excitāre*, tr. *(turrim, urbem)*. *Erigĕre*, tr. *Munīre* (« construire [un mur, un retranchement, etc., une route, etc.] »), tr. || (Par ext.) — une phrase, *verba componĕre*. || (Par ext.) Tracer les lignes (d'une figure géométr., etc.). *Scribĕre*, tr. *Describĕre*, tr. *(sphaeram, solarium)*.

consul, s. m. Sous la république romaine, un des deux magistrats annuels (chargés du pouvoir exécutif). *Consul, ŭlis*, m. De —, voy. CONSULAIRE. Etre —, *consulatum gerĕre*.

consulaire, adj. Relatif aux consuls. *Consularis, e*, adj.

consulat, s. m. La charge du consul romain. *Consulatŭs, ūs*, m. Sous le — de Cicéron, *Cicerone consule*.

consultant, adj. m. Qui confère (av. qqn) pour demander un conseil et (substantiv.) un —, *qui consulit*. ¶ Qui donne un conseil (t. de droit). *Consiliarius, i*, m. *Responsor, oris*, m,

consultation, s. f. Action de conférer avec qqn pour lui donner un conseil. *Consultatio, onis*, f. Donner des —, (de droit *de jure*) *respondēre*.

consulter, v. tr. Interroger (qqn) pour avoir son avis sur un parti à prendre. *Consulĕre*, tr. *(aliquem de aliquā re)*. Se — (s'interroger sur un parti à prendre), *consulĕre se*; *deliberāre*, intr. Fig. — la raison, *rationem adhibēre*. — l'intérêt, *rationem habēre utilitatis*. — un livre, *librum evolvĕre*. — les livres sibyllins, *adire libros Sibyllinos*. Ne — que sa colère, *irae parēre*.

consumer, v. tr. Détruire peu à peu dans sa substance (qqch.). *Consumĕre*, tr. *Absumĕre*, tr. *Conficĕre*, tr. — complètement, *conficĕre et consumĕre*. ¶ Faire dépérir peu à peu (qqn). *Conficĕre*, tr. *Consumĕre*, tr. Se —, *se conficĕre* ou *confici*, passif, *tabescĕre*, intr.; *contabescĕre*, intr.

contact, s. m. Rapprochement qui établit entre deux corps un *ou* plusieurs points communs. *Contagio, onis*, f. *Contactŭs, ūs*, m. Etre en — avec qqch., *strictim attingĕre*. Mettre en —, *rem rei admovēre*.

contagieux, euse, adj. Qui communique par contact un principe malfaisant. Maladie —, *morbus contagione vulgatus*. ¶ Qui se communique facilement d'une personne à une autre. Maux —, *contagiones malorum*. Exemple — des Fidénates soulevés, *belli Fidenatis contagio*.

contagion, s. f. Communication par contact d'un principe malfaisant (pr. et fig.). *Contactŭs, ūs*, m. *Contagio, onis*, f. ¶ (Par ext.) Maladie qui se communique par des miasmes. *Pestilentia, ae*, f. *Pestis, is*, f. ¶ Facilité avec laquelle une chose se communique. *Contagio, onis*, f.

conte, s. m. Action de conter. *Narratio, onis*, f. Faire le —, voy. CONTER. ¶ Ce que l'on conte à qqn. || Récit fait pour amuser. *Fabula ficta* ou (simpl.) *fabula, ae*, f. *Fabella, ae*, f. ¶ Récit fait pour abuser. *Fabula, ae*, f.

contemplateur, trice, s. m. et f. Celui, celle qui s'absorbe dans la vue d'un objet. *Spectator, oris*, m. *Spectatrix, icis*, f. *Contemplator, oris*, m. *Contemplatrix, tricis*, f.

contemplation, s. f. Action de s'absorber dans la vue de qqch. *Contemplatio, onis*, f. || (Par ext.) Etre en — devant qqn, voy. EXTASE. ¶ (Fig.) Contemplatio et cognitio rerum. ¶ (Absol.) Action de s'absorber dans ses méditations. *Meditatio, onis*, f.

contempler, v. tr. Regarder en s'absorbant dans la vue de l'objet. *Spectāre*, tr. *Contemplāri*, dép. tr. Fig. *Animo et cogitatione contemplāri*.

contemporain, aine, adj. Qui est du même temps, de la même époque que qqn. En parl. de pers. *Aequalis, e*, adj. (av. le dat.) Il fut le — d'Aristote, *fuit tempore eodem quo Aristoteles*. En parl. de choses. *Ejusdem temporis*.

contempteur, s. m. Celui qui méprise (qqn *ou* qqch.). *Contemptor, oris*, m.

contenance, s. f. Mesure de ce qu'un réceptacle peut contenir. *Quae aliquid capit* (ou *continet*). *Capacitas, atis*, f. ¶ Manière de se tenir vis-à-vis de qqn. *Habitus, ūs*, m. Une noble —, *corporis dignitas*. Perdre — et balbutier, *neque mente neque linguā consistĕre*. Faire bonne —, *pulcherrimē stāre*.

contenant, ante, adj. et s. m. Voy. CONTENIR.

contenir, v. tr. Tenir dans sa capacité. *Continēre*, tr. *Complecti*, dép. tr. *Comprehendĕre*, tr. Les lois contiennent beaucoup de dispositions, qui... *multa insunt in legibus, quae...* On m'a apporté une lettre dont voici le contenu *(pueri) epistolam mihi attulerunt, hoc exemplo*. ¶ Pouvoir tenir dans sa capacité. *Capacem esse*. Contenant, *capax* (gén. *-acis*), adj. ¶ Contenir, renfermer. *Capĕre*, tr. ¶ (P. anal.) Présenter un nombre déterminé de parties (en parl. d'un tout). *Comprehendĕre* (ou *habēre*) *in se*. ¶ Tenir dans certaines limites. *Continēre*, tr. *Cohibēre*, tr. Des larmes contenues, *prohibitae lacrimae*. Une voix contenue, *contracta vox*. Une douleur contenue, *tacitus dolor*.

content, ente, adj. Qui ne souhaite rien au delà de ce qu'il a. *Contentus, a, um*, p. adj. *(aliquā re)*. Contents de se retirer sans dommage, *qui satis habebant sine detrimento discedĕre*. Ceux-ci non — de..., *qui cum parum habuissent* (avec l'inf.)... Etre — (c.-à-d. se contenter), *aliquā re contentum esse*. || (Absol.) Content. Sorte de contentus. Etre —, *satis superque habēre*. Vivre —, *sorte suā contentum vivĕre.* ¶ Qui ne souhaite rien de mieux (ou de plus) de la part de qqn. *Laetus, a, um,* adj. Etre — de qqn, *aliquem probāre.*

contentement, s. m. Etat de celui qui ne souhaite rien au delà de ce qu'il a. *Animi aequitas.* Au grand — de tout le monde, *mirificā omnium laetitiā.* || Etat de celui qui ne souhaite rien de plus ou de mieux de la part de qqn. Ses enfants lui donnent du —, *ei liberi satisfaciunt.*

contenter, v. tr. Rendre (qqn) content; en faisant ce qu'il faut pour qu'il ne souhaite rien au delà. *Satisfacĕre,* intr. (av. le dat.). || (Par ext.) Satisfaire. *Explēre,* tr. — son désir, *cupiditatem explēre.* || (Par ext.) Savoir se —, se — de qqch., *contentum esse aliquā re.* Se — de peu, *continenter vivĕre.* Qui sait se — de, *contentus (aliquā re).* Se — (de faire qqch.), *satis habēre* (av. l'inf.) ou *si* (av. le subj.). ¶ Contenter qqn en faisant ce qu'il attend de nous pour ne rien souhaiter au delà. *Se probāre alicui; probāri alicui.* Rien ne le contente, *nihil ei placet.*

1. contention, s. f. Débat. Voy. ce mot. ¶ Forte tension des facultés. *Contentio, onis,* f. Avec —, *contentē,* adv.

2. contention, s. f. Action de contenir des parties disjointes. *Ligatio, onis,* f.

contenu, ue, adj. et s. m. Voy. CONTENIR.

conter, v. tr. Relater (un fait) en énumérant ses différentes circonstances. *Enarrāre,* tr. — que..., *narrāre* (avec l'acc. et l'infin.). || (Spécial.) Faire à qqn un récit inventé pour amuser. *Comminisci et confingĕre.* — une fable, *fabellam referre.* || (P. ext.) Dire à qqn des choses inventées pour tromper. En — à qqn, *verba dāre alicui.*

contestable, adj. Qui peut être contesté. *Controversus, a, um,* p. adj.

contestation, s. f. Action de contester. *Concertatio, onis,* f. *Contentio, onis,* f. Avoir une —, *controversiam habēre* (*cum aliquo*). Mettre en —, *adducĕre* ou *deducĕre (rem) in controversiam.* Etre en — (av. qqn au sujet de qqch.), *habēre controversiam (cum aliquo de aliquā re).*

conteste, s. f. Le fait de contester, voy. CONTESTATION. || (Spécial.) Loc. adv. Sans —, *sine ullā controversiā.*

contester, v. tr. Mettre en discussion ce que qqn revendique. *Aliquid in controversiam vocāre (adducĕre* ou *deducĕre).* *Controversiam habēre.* ¶ Mettre en discussion ce que qqn affirme. *Inftiāri.* dép. tr. — l'évidence, *rem manifestam inftiāri.* Personne ne contestait que..., *controversia nulla erat, quin* (avec le subj.).   [*Narrator, oris,* m.

conteur, s. m. Celui qui conte qqch.

contexte, s. m. Ensemble non interrompu des parties d'un texte. *Contextus orationis* (ou *verborum* ou *rerum*).

contexture, s. f. Liaison des parties. *Contextūs, ūs,* m.

contigu, ue, adj. Qui touche à. *Contiguus, a, um,* adj. *Continuus, a, um,* adj. Etre —, *adjacēre,* intr. (av. le dat.).

contiguïté, s. f. Etat de ce qui est contigu. La — de deux maisons, *continentia tecta.*

continence, s. f. Le fait de s'abstenir des plaisirs des sens. *Abstinentia, ae,* f. *Continentia, ae,* f.

continent, ente, adj. et s. m. Qui observe la continence. *Abstinens* (gén. *-entis*), p. adj. *Continens* (gén. *-entis*), p. adj. ¶ (Géog.) Qui s'étend sans interruption. *Continens* (gén. *-entis*), p. adj. || *S. m.* Chacune des grandes divisions de la terre ferme. *Continens terra* ou (simpl.) *continens, entis,* f.

contingent, ente, adj. Qui arrive, mais non pas nécessairement. *Fortuitus, a, um,* adj. ¶ Qui échoit à qqn. *Ratus, a, um,* p. adj. Pour sa — part, *pro portione.* || (Par ext. substantiv.) La part que qqn se trouve avoir à fournir. *Portio, onis,* f. Si qqn refusait de fournir son — pour la solde des troupes, *si quis in militare stipendium tributum non constituisset.* || (Spécial.) Le — de troupes *et* (simpl.) le —, *certus et constitutus numerus militum.*

continu, ue, adj. Composé d'éléments qui forment une suite ininterrompue. *Continuus, a, um,* adj. Pluies —, *assidui imbres.*

continuateur, s. m. Celui qui continue ce qu'un autre a commencé. *Qui rem institutam porro tractat* (et *absolvit).*

continuation, s. f. Action de continuer qqch. *Continuatio, onis,* f. Se charger de la — d'un ouvrage, *reliqua deinceps persequi.* ¶ Le fait d'être continué. La — de la guerre, *continuatum bellum.*

continuel, elle, adj. Qui a lieu sans interruption. *Continens* (gén. *-entis*), p. adj. *Continuus, a, um,* adj. *Assiduus, a, um,* adj.

continuellement, adv. D'une manière continuelle. *Continenter,* adv. *Sine ullā temporis intermissione.*

continuer, v. tr. et intr. || (*V. tr.*) Poursuivre (ce qu'on est en train de faire). *Persequi,* dép. tr. *Exsequi,* dép. tr. *Perseverāre,* intr. (*in aliquā re). Non desistĕre* intr. (*non desistĕre ab aliquā re*). — de, — à (av. l'inf.), *pergĕre,* tr. (av. l'inf.); *perseverāre,* tr. (av. l'inf.). — de marcher, *continuāre iter.* || (Absol.) *Pergĕre,* abs. *Perseverāre,* abs. ¶ Reprendre (ce qui a été laissé inachevé). *Repetĕre,* tr. *Resumĕre,* tr. Ne pas — une construction, *aedificationem deponĕre* (ou *abjicĕre).* || (Par anal.) En parl. de ce qui allait arriver à son terme. Voy. PROLONGER. — à qqn son commandement, *et* (par ext.) — qqn dans son commandement, *prorogāre alicui imperium.* ¶ (Par anal.) Se continuer, *c.-à-d.* s'étendre sans interruption (dans l'espace). *Continuāri,* pass. moy. ¶ ¶ (*V. intr.*) Se poursuivre (en parl. de ce qui a commencé). *Permanēre,* intr. Les hostilités continuèrent, *in bello perseveratum est.* || (Par anal.) S'étendre sans interruption dans l'espace. *Continuāri,* pass. moy.

continuité, s. f. Caractère de ce qui est continu. *Continuatio, ōnis,* f.

contorsion, s. f. Action de déformer en tordant. *Distortio, ōnis,* f. *Depravatio, ōnis,* f.

contour, s. m. Surface, ligne qui termine extérieurement un corps. *Circumscriptio, ōnis,* f. *Ambītus, ūs,* m.

contourner, v. tr. Façonner (un objet arrondi), *spécialement* en marquant le contour. *Primas lineas ducĕre alicujus rei.* ¶ Déformer en courbant. *Depravāre,* tr. Membres contournés, *corporis partes dctortae.* || (Par ext.) Style —, *contorta oratio.* ¶ Faire le tour de (qqch.) *Circumīre,* tr.

contractant, *ante,* adj. et s. m. et f. Voy. 1. CONTRACTER.

1. contracter, v. tr. Prendre un engagement envers qqn. *Contrahĕre,* tr. *Pacisci,* dép. tr. — alliance avec qqn, *foedus cum aliquo facĕre.* — mariage, *matrimonium inīre.* || (Au part. prés.) Contractant, adj. Les parties —, *contrahentes, ium,* m. pl.; *paciscentes, ium,* m. pl. || *S. m.* Le contractant, *pactor, ōris,* m. ¶ Prendre de qqn, de qqch. (une manière d'être fâcheuse). *Contrahĕre,* tr. — une mauvaise habitude, *malam consuetudinem ducĕre.*

2. contracter, v. tr. Réduire à un volume moindre sans que la masse diminue. *Contrahĕre,* tr.

contraction, s. f. Mouvement par lequel le volume d'un corps devient moindre. *Contractio, ōnis,* f.

contradicteur, s. m. Celui qui contredit. *Obloquens, entis,* m. || (T. de droit). *Contradictor, ōris,* m.

contradiction, s. f. Action de contredire qqn. *Contradictio, ōnis,* f. (s'empl. aussi au pluriel; mais on trouve plutôt *id quod contra dicitur* ou *ea quae contra dicuntur; ea quae aliquis contra dicit*). Etre en — avec qqn, *adversāri alicui.* Esprit de —, *concertationis studium.* || (Par ext.) Opposition formelle à qqn, à qqch. Sans —, *nullo obloquente.* ¶ Action de se contredire. *Repugnantia, ae,* f. *Discrepantia, ae,* f. *Dissensio, ōnis,* f. *Inconstantia, ae,* f. Etre en —, *inter se pugnāre* ou *discrepāre* ou *dissidēre* (en parl. d'opinions, etc.); *abhorrēre inter se* (en parl. de propos, de discours). Etre en — avec soi-même, *secum pugnāre.*

contradictoire, adj. Qui contredit ce qu'un autre affirme. *Pugnans* ou *repugnans* (gén. *-antis*), part. *Diversus, a, um,* adj. *Contrarius, a, um,* adj.

contradictoirement, adv. D'une manière contradictoire. *Contrariē* (*dicĕre*).

contraindre, v. tr. Réduire (qqn) à se gêner. *Alicui vim facĕre.* Se —, *sibi vim facĕre.* ¶ Réduire (qqn) à agir contre sa volonté. *Cogĕre,* tr. (*aliquem ad aliquid*). *Adigĕre,* tr. Se voir contraint à *ou* de (faire qqch.), *necessario cogi* (av. l'inf.).

contraint, *ainte,* adj. Qui est mal à l'aise dans sa manière d'être, d'agir. *Vi coactus* ou (simpl.) *coactus. Invītus, a, um,* adj.

contrainte, s. f. Etat où qqn est réduit à s'imposer la gêne. *Necessitas, atis,* f. Vivre dans une — perpétuelle, *semper aliquā re contrahi.* ¶ Action de réduire qqn à agir contre sa volonté. *Vis,* f. *Coactūs,* abl. u, m. *Coercitio, ōnis,* f. User de — contre qqn, *aliquem vi cogĕre.* || (Spéc. t. de droit) — par corps, *coercitio, ōnis,* f.

contraire, adj. Directement opposé à qqn, à qqch. *Contrarius, a, um,* adj. *Adversus, a, um,* p. adj. *Diversus, a, um,* p. adj. Vents —, *venti adversi.* Je pense le —, *id contra puto.* ¶ (Loc. prép.) Au — de, *contra atque* (*ac*) ou *quam...* Absol. Au —, *contra ea* ou *contra,* adv. Tant s'en faut... qu'au contraire..., *tantum abest, ut... ut...* Au —, tout au — bien au — (dans les réponses), *immo; immo etiam; immo vero.* ¶ Hostile. Voy. ce mot. Se montrer — à qqn, *adversāri alicui.* ¶ Défavorable, nuisible. Voy. ces mots.

contrairement, adv. D'une manière contraire. *Adversus, a,* prép. (av. l'acc.). *Contra,* prép. (av. l'acc.). — à ce que, *contra ac* ou *atque* ou *quam.* — à l'avis de son collègue, *adversante collegā.*

contrariant, *ante,* adj Porté à contrarier. *Importunus, a, um,* adj.

contrarier, v. tr. Agir contre (qqn *ou* qqch.). *Adversāri* (*alicui*). *Contrarium esse* (*alicui rei*). — tous les desseins de qqn, *omnibus alicujus consiliis occurrĕre atque obsistĕre.*

contrariété, s. f. Opposition (de choses contraires). *Repugnantia rerum. Discrepantia, ae,* f. — de sentiments, *sensus dissidentes.* ¶ Opposition qu'une chose apporte aux intentions, aux projets de qqn. *Res adversa. Casus adversus. Incommodum, i,* n. *Molestia, ae,* f. Avoir des —, *in molestiā esse.* || (P. ext.) Déplaisir, causé par ce qui nous contrarie. Eprouver une vive —, (*aliquid*) *permolestē* (ou *aegrē*) *ferre.*

contraste, s. m. Opposition de deux choses (rendue plus vive par le rapprochement). *Diversitas, atis,* f. Il y a un étrange — entre leur vie et leurs paroles, *cum eorum vitā mirabiliter pugnat oratio.*

contraster, v. intr. Etre en contraste. *Pugnāre* (*cum aliquā re, inter se*). *Discordāre* (*cum aliquā re, inter se*).

contrat, s. m. Convention revêtue d'un caractère authentique et avec effets obligatoires. *Pactum, i,* n. *Pactio, onis,* f. *Conventum, i,* n. (Dans le langage juridique). *Pactum conventum* ou *pactum et conventum. Condicio, onis,* f. *Lex, legis,* f. — d'achat, *lex mancipii.* — de vente, *lex venditionis.*

contravention, s. f. (T. juridique). Une simple — (aux règlements de police), *delictum, i,* n.

contre, prép. En face, du côté qui regarde (une chose, une personne). *Ad,* prép. (av. l'acc.). Appuyé —, *acclinis, e,* adj. Mettre —, *applicâre (aliquid ad aliquid).* Etendu — terre, *humi prostratus.* Serré les uns — les autres, *confertissimi.* ¶ A l'opposé de (qqn, qqch.). *Contra,* prép. (av. l'acc.). *Adversus,* prép. (av. l'acc.) Parler —, *dicère in* ou *contra* (av. l'acc.). Guerre — les Perses, *bellum contra Persas gestum.* Exciter le peuple — qqn, *populum inflammâre in aliquem.* Etre — qqn, *alicui adversâri.* Etre — qqch., *alicui rei adversâri; oppugnâre aliquid.* Combattre — qqn, *pugnâre cum aliquo.* Protéger, défendre, abriter — le froid *(aliquem, aliquid) tegère* (ou *munîre, defendère) a frigoribus.* || (Fig.) Discuter le pour et le —, *in contrarias partes disputâre* (ou *disserère) de aliquâ re.* Par —, *rursus,* adv.; *contra,* adv.

contre-balancer, v. tr. Faire équilibre à (un poids). Voy. ÉQUILIBRE. ¶ (Fig.) Neutraliser par une action égale en sens inverse. *Pensâre,* tr. *Compensâre,* tr.

contrebande, s. f. Introduction clandestine de marchandises. *Fraus transferentis* (ou *transferentium*).

contre-cœur (à), loc. adv. En surmontant un sentiment de répugnance. *Animo iniquo. Aegrê,* adv. *Gravatê,* adv.

contre-coup, s. m. Répercussion d'un coup, d'un choc. *Repercussus, ûs,* m. || (Fig.) Atteindre qqn par —, *recidère ad aliquem.*

contredire, v. tr. Opposer (une affirmation contraire) à qqn. *Contra (aliquem) dicère.* ¶ Combattre (qqn) en affirmant le contraire de ce qu'il dit. *Obloqui (alicui).* Se — les uns les autres, *obloqui inter se.* Se — soi-même, *secum pugnâre.* Se — (en parl. d'opinions, etc.), *inter se pugnâre.*

contredit, s. m. Affirmation contraire. *Contradictio, onis,* f. Sans — (sans contestation), *sine controversiâ.* Le premier sans —, *facile* (ou *longê) princeps.*

contrée, s. f. Division des pays (déterminée par des limites naturelles ou politiques). *Regio, onis,* f.

contrefaçon, s. f. Imitation ou reproduction illicite de l'œuvre d'autrui. *Imitatio, onis,* f. ¶ Imitation frauduleuse. *Adulteratio, onis,* f.

contrefacteur, s. m. Celui qui se rend coupable de contrefaçon. *Imitator, oris,* m.

contrefaction, s. f. Action d'imiter par fraude. Voy. CONTREFAÇON.

contrefaire, v. tr. Imiter par artifice. *Perversê (ineptê* ou *ridiculê) imitâri. Pravâ imitatione exprimère (aliquid ex aliquo).* Il contrefit la folie, *furêre se simulavit.* || (Spéc.) Pour se moquer. — la voix, la tournure de qqn, *incessum alicujus exprimère.* — Caton, *simulâre Catonem.* || (Par ext.) Changer par artifice. *Fingère (vocem, vultum).* — son écriture, *componère figuram (ad imitationem alterius) scripturae.* ¶ Imiter ou reproduire d'une manière illicite. *Imitando effingère atque exprimère.* || (Spéc.) Imiter frauduleusement. *Adulterâre,* tr. — une signature, *chirographum imitâri.* ¶ Faire dévier de la forme régulière. *Deformâre,* tr. *Depravâre,* tr. *Distorquère,* tr. Qui est contrefait, *deformatus corpore; distortus, a, um,* p. adj.

contrefait, aite, adj. Voy. CONTREFAIRE.

contremaître, s. m. Celui qui dirige les ouvriers. *Magister operum.*

contremander, v. tr. Avertir (qqn) de ne pas se rendre à l'ordre, à l'invitation de venir. *Renuntiâre (aliquid alicui).*

contremarche, s. f. Marche de troupes dans une direction contraire. Marches et —, *transversa itinera.*

contre-ordre, s. m. Ordre qui va contre un ordre précédemment donné. Donner —, *aliter* (ou *contrâ) praecipère.* Il fit donner — à ses amis, *renuntiâri amicis imperavit.*

contre-pied, s. m. Sens diamétralement opposé. *Contrarium, ii,* n. Prendre le — dans une discussion, *disputâre in contrarium.*

contrepoids, s. m. Poids qui fait équilibre à un poids, à une force donnée. *Aequilibrium, ii,* n. D'autres faisant —, *alii contrâ nitentes.*

contre-poil (à), loc. adv. Dans le sens contraire à celui dans lequel le poil est couché. *Contra pilum.*

contrepoison, s. m. Substance qui neutralise un poison. *Remedium contra* (ou *adversus) venenum.* V. ANTIDOTE.

contresens, s. m. Interprétation contraire à la signification véritable. *Depravatio verbi.* Faire un —, *non interpretâri rectê (sententiam).* || (Loc. adv.) A —, *perversê,* adv. Qui agit à —, *praeposterus.* ¶ Direction contraire à celle dans laquelle une chose doit être prise. *Pars aversa* (ou *inversa*).

contretemps, s. m. Circonstance qui va contre ce qu'on attendait. *Molestiaae,* f. S'il survient un —, *hic si quid erit offensum.* A —, *intempestivê,* adv.

contrevenir, v. intr. Aller contre les prescriptions (d'un règlement, d'une loi). *Negligère, violâre, non servâre (legem, praecepta). Adversus (legem) facère.*

contre-vérité, s. f. Affirmation contraire à la vérité. *Falsum, i,* n.

contribuable, s. m. Celui qui a des contributions à payer à l'État. *Tributarius, ii,* m.

contribuer, v. tr. et intr. || *(V. tr.)* Apporter (sa part) à une œuvre commune. *Conferre,* tr. *(aliquid ad aliquid).* ¶ *(V. intr.)* Concourir pour sa part à une œuvre commune. *Conferre (ad aliquid), Prodesse,* intr. *(alicui rei). Adjuvāre,* intr. *(ad aliquid).* — beaucoup, davantage à qqch. (en parl. d'une ch.), *magno momento esse (ad persuadendum,* etc.).

contribution, s. f. Part que chacun apporte à une dépense commune. *Pecunia ad aliquam rem conferenda* (ou *collata).* || (Spéc.) Ce que chacun paye à l'État. — directes, *tributum, i,* n. — indirectes, *vectigal, galis,* n. — de guerre, *stipendium, ii,* n. Payer ses —, *vectigalia* (ou *tributa*) *pendĕre, pensitāre.* ¶ Recouvrer les —, *vectigalia exercēre.* ¶ Concours à une œuvre commune. *Collatio, onis,* f.

contrister, v. tr. Rendre profondément triste. *Contristāre,* tr.

contrit, ite, adj. Qui a la contrition (de ses péchés). *Contritus, a,* p. adj. || P. ext. (Avec une nuance de plaisanterie.) Repentant. Voy. ce mot.

contrition, s. f. Repentir du péché. *Contritio, onis,* f.

contrôle, s. m. Registre qu'on tenait double pour que l'un servit à vérifier l'autre. *Ratio contrà scripta.* || (Spéc.) Etat nominatif des hommes qui composent une troupe. *Album, i,* n. ¶ (Par anal.) Marque du poinçon de l'Etat sur les métaux précieux. *Forma publica.* ¶ Vérification administrative. *Custodia, ae,* f.

contrôler, v. tr. Porter sur le registre de contrôle. *In tabulas publicas referre.* ¶ Marquer du poinçon de l'Etat. Voy. POINÇONNER. ¶ Soumettre à la vérification administrative. Voy. VÉRIFIER.

contrôleur, s. m. Employé chargé d'appliquer les marques de l'Etat sur certains objets. *Exactor (auri, argenti).* ¶ Employé chargé d'une vérification administrative. *Exactor, oris,* m.

controuver, v. tr. Inventer mensongèrement. *Ementiri,* dép. tr. *Fingĕre,* tr. Accusation controuvée, fait controuvé, *crimen commenticium ; res commenticia.*

controverse, s. f. Discussion suivie sur un point de doctrine. *Controversia, ae,* f.

controversé, ée, adj. Qui est l'objet d'une controverse. *Controversus, a, am,* p. adj. Etre —, *in controversiam deductum esse.*

1. contumace, s. f. Esprit de résistance. *Contumacia, ae,* f. ¶ Le fait pour un accusé de ne pas comparaître devant la justice criminelle. *Contuma-*

cia, ae, f. Condamner qqn par —, *absentem damnāre.*

2. contumace et contumax, adj. et s. m. et f. Personne qui n'a pas comparu. *Qui vadimonium deserit.*

contus, use, adj. Qui présente une contusion. *Contusus, a, um,* p. adj. Plaie —, voy. CONTUSION.

contusion, s. f. Altération produite dans les tissus par un coup. *Contusum, i,* n. *Sugillatio, onis,* f. Des —, *sugillata* (s.-e. LOCA), n. pl.

convaincant, ante, adj. Propre à convaincre. *Ad persuadendum accommodatus* (ou *aptus*). Preuve —, *argumentum gravissimum* (ou *firmissimum*).

convaincre, v. tr. Démontrer qqch. comme vrai. *Convincĕre,* tr. || Amener qqn (par des preuves) à reconnaître une vérité. *Fidem facĕre alicui. Convincĕre* (ou *persuadēre*) *aliquem de aliquā re.* ¶ Amener (qqn) à reconnaître qqch. comme vrai. *Convincĕre,* tr. *(aliquem delicti). Coarguĕre,* tr. *(aliquem avaritiae).*

convalescence, s. f. Etat d'une personne qui relève de maladie. *Valetudo confirmata* (ou *firmata*). Entrer en —, *ex morbo convalescĕre,* intr.

convalescent, ente, adj. Qui est en convalescence. *E morbo recreatus.* (Substantiv.) Convalescents, *convalescentes, ium,* m. pl.

convenable, adj. Qui convient à qqch. *Conveniens* (gén. -*entis*), p. adj. *Congruens* (gén. -*entis*), p. adj. *Consentaneus, a, um,* adj. *Idoneus, a, um,* adj. *Decorus, a, um,* adj. *(alicui, alicui rei* ou *ad aliquid*). ¶ (Absol.) Qui est selon les règles, les usages de la société. *Decorus, a, um,* adj. *Dignus, a, um,* adj. Etre —, *decēre,* tr.

convenablement, adv. D'une manière convenable. *Aptè,* adv. *Congruenter,* adv. ¶ De la manière qui est selon les règles, les usages de la société. *Decorè,* adv.

convenance, s. f. Qualité de ce qui est convenable. || Qualité de ce qui convient à qqch. *Commoditas, atis,* f. *Commodum, i,* n. Il n'y a pas de loi qui soit à la — de tout le monde, *nulla lex satis commoda omnibus est.* ¶ Qualité de ce qui est selon les règles, les usages de la société. *Decentia, ae,* f. *Decorum, i,* n. Avoir en qqch. égard aux —, *in aliquā re quid deceat considerāre* (ou *vidēre*). Avoir le sentiment des —, *quid deceat sentīre.*

convenir, v. intr. (Conjugué avec *avoir.*) Aller bien (avec ce que demande l'état, la situation de qqn, de qqch.). *Convenīre,* intr. *(in aliquem* ou *in aliquid). Congruĕre,* intr. (av. le dat.). || Aller bien (avec ce qu'on attend du caractère, de la condition de qqn). *Convenīre,* intr. (av. le dat.). *Cadĕre,* intr. *(in aliquem).* || Aller bien (avec ce qu'exigent les règles, les usages de la société). *Decēre*, tr. *(aliquem)*. ‖ Aller bien (avec le désir, le goût de qqn). *Placēre*, intr. *(alicui)*. ¶ (Conjugué avec *être*.) Etre en conformité (en parl. de plus. choses). *Convenīre*, intr. *(cum aliquā re)*. *Congruĕre*, intr. *(cum aliquā re)*. ‖ (En parl. de plus. personnes.) Tomber d'accord. voy. ACCORD, [s'] ACCORDER. Nous sommes convenus que... *inter nos convenit* (av. l'acc. et l'inf.). ‖ (Spéc.) Reconnaître avec qqn que ce qu'il avance est vrai. *Concedĕre*, tr. Je conviens avec vous que... *do tibi* (av. l'acc. et l'inf.). ‖ Conclure avec qqn un accord sur un point déterminé. *Pacisci*, dép. tr. et intr. (voy. ACCORD). *Convenīre*, intr. On convient du moment et du lieu, *tempus et locus convenit*. C'était le signal dont on était —, *id convenerat signum*. ‖ (Par ext.) Au part. passé employé adj. Convenu, c.-à-d. établi par l'usage, en vertu d'un accord entre les hommes. *Notus et apud omnes pervagatus*.

convention, s. f. Ce qui est établi par engagement réciproque entre deux ou plusieurs personnes. *Pactum, i*, n. *Pactio, onis*, f. Une — verbale, *verborum pactio*. — écrite, *syngrapha, ae*, f. D'après les —, *ex pacto*. Faire une —, *pacisci*, abs. ‖ (Absol.) Ce qui est établi par accord entre les hommes. *Pactio, onis*, f. *Pactum, i*, n. *Condicio, onis*, f. Les — sociales, *civilia instituta*. De —, *compositus, a, um*, adj.

converger, v. intr. Se diriger vers un même point en se rapprochant. *In medium vergĕre*.

conversation, s. f. Commerce que l'on a avec qqn. *Conversatio, onis*, f. ¶ (Par ext.) Echange de paroles entre personnes qui se trouvent ensemble. *Sermo, onis*, m. *Colloquium, ii*, n. Langue de la —, *sermo communis* (ou *quotidianus*). ‖ (Par ext.) Art de converser. Voy. CONVERSER.

converser, v. intr. Avoir commerce avec qqn. *Conversari*, dép. intr. *(cum aliquo)*. ¶ (Par ext.) Echanger des paroles avec qqn. *Sermocinari*, dép. intr. *(cum aliquo)*. *Colloqui*, dép. intr. *(cum aliquo)*.

conversion, s. f. Mouvement tournant par lequel un corps présente une autre face. Décrire une —, *circumagi*, pass. Faire exécuter une —, *convertĕre (signa)*.

convertir, v. tr. Tourner vers. Fig. — qqn à ses idées, *aliquem ad se convertĕre*. ¶ Changer une chose en une autre. *Convertĕre*, tr.

convexe, adj. Qui présente une courbure sphérique en relief. *Convexus, a, um*, adj.

convexité, s. f. Courbure sphérique en relief. *Convexitas, atis*, f.

conviction, s. f. Etat de l'esprit auquel qqch. a été démontré vrai. *Fides, ei*, f. Porter la — dans l'esprit de qqn,

alicui fidem facĕre. — intime, *animi judicium*. Exprimer sa —, *animi judicium proferre*. Suivant ma —, *ex animi mei sententiā*. J'ai l'intime — que, *plane non dubito quin* (av. le subj.).

convier, v. tr. Prier de venir prendre part (à qqch.). *Invitāre* (ou *vocāre*) *aliquem (ad cenam, ad prandium, ad sese, domum suam)*. ‖ (Fig.) Solliciter de faire qqch. — à, *invitāre, incitāre (ad aliquid)*.

convive, s. m. et f. Chacune des personnes invitées à un repas. *Conviva, ae*, m. et f. Etre le — de qqn, *convivio alicujus interesse*.

convocation, s. f. Action de convoquer. *Convocatio, onis*, f.

convoi, s. m. Réunion de troupes, de navires, qui escortent des voitures, des transports de vivres, etc. *Praesidium, ii*, n. ‖ (Par ext.) La suite de chariots, des navires qui portent des vivres, etc. *Commeatus, ūs*, m. ‖ Ce qu'on transporte par convois : vivres, munitions. *Commeatus, ūs*, m. ¶ Action d'accompagner le corps d'un défunt. *Exsequiae, arum*, f. pl.

convoiter, v. tr. Regarder avec convoitise. *Concupiscĕre*, tr. *Appetĕre*, tr.

convoitise, s. f. Désir condamnable de posséder. *Cupiditas, atis*, f. *Appetentia, ae*, f. Exciter la —, *appetentiam sui movēre*.

convoler, v. intr. En parl. d'une veuve qui se remarie. — en secondes noces, *et absol.* —, *iterum* (ou *denuo*) *nubĕre (alicui)*.

convoquer, v. tr. Appeler à se réunir. *Convocāre*, tr. *Advocāre*, tr.

convulsion, s. f. Contraction soudaine des muscles. *Convulsio, onis*, f. *Convulsa, orum*, n. pl. — nerveuses, *distentio nervorum*. ‖ (Fig.) Etre en proie à des — intestines, *labefactari convellique*.

coopérateur, s. m. Chacune des personnes qui prennent part à qqch. *Operis socius*.

coopération, s. f. Part prise à une œuvre faite en commun. *Opera, ae*, f. *Auxilium, ii*, n.

coopérer, v. intr. Prendre part avec d'autres (à une œuvre faite en commun). *Interesse alicui rei* (ou *in aliquā re*). *Adjuvāre*, abs. ou *adjuvare ad aliquid*.

coordination, s. f. Ordonnance des parties d'un tout suivant certains rapports. *Ordo, inis*, m.

coordonner, v. tr. Ordonner suivant certains rapports (les parties d'un tout) en vue d'en former un ensemble. *Ordināre*, tr.

copeau, s. m. Rognure enlevée avec le rabot à une pièce de bois. *Assula et astula, ae*, f.

copie, s. f. Reproduction du texte d'un écrit. *Exemplum, i*, n. Faire une —, voy. COPIER. ‖ (Spéc.) Reproduction de la minute d'un acte. — exacte d'un testament, *tabulae testamenti eodem exemplo*. ¶ Reproduction d'une œuvre originale par imitation. *Exemplar, aris*, n. *Exemplum*, i, n.

copier, v. tr. Reproduire (le texte d'un écrit) à un ou à plusieurs exemplaires. *Describĕre*, tr. *(aliquid ab aliquo, sur qqn). Exscribĕre*, tr. ¶ Reproduire par imitation. *Exscribĕre (tabulas)*. || (Fig.) Chercher à ressembler à qqn en imitant ses manières, etc. *Aliquem imĭtāri*.

copieusement, adv. D'une manière copieuse. *Largē*, adv. *Copiosē*, adv. *Abundanter*, adv. Boire —, *largiore vino uti*. Trop —, *effusē*, adv.

copieux, euse, adj. Qui fournit largement. *Copiosus, a, um*, adj. *Abundans (alicujus rei ou aliqua re)*. ¶ Dont les éléments sont largement fournis. *Copiosus, a, um*, adj. *Largus, a, um*, adj.

copiste, s. m. et f. Qui fait métier de copier. *Scriptor, oris*, m. *Librarius scriba* ou simpl. *librarius, ii*, m. ¶ (Fig.) Celui qui reproduit l'œuvre d'un autre par imitation. *Imitator, oris*, m.

coq, s. m. Le mâle de la poule. *Gallus gallinaceus* et simpl. *gallus, i*, m. Au chant du — (au point du jour), *sub galli cantum*.

coque, s. f. Enveloppe calcaire de l'œuf. *Calyx, ycis*, m. Œuf à la —, *ovum molle* ou *sorbile*. ¶ Enveloppe que file la chenille. Voy. COCON. ¶ Enveloppe ligneuse de certains fruits. *Putamen, inis*, n. f. ¶ Coque d'un navire (le corps du bâtiment). *Alveus, i*, m. *Corpus navis*.

coquelicot, s. m. Petit pavot à fleurs rouges. *Papaver, eris*, n.

coquet, ette, adj. Qui recherche les moyens de plaire. *Placendi studiosus*. ¶ Qui recherche l'élégance dans la mise, l'ajustement. *Nitidus, a, um*, adj. *Mundus, a, um*, adj.

coquetterie, s. f. Recherche des moyens de plaire. *Studium placendi*. — de manières, voy. COQUET. ¶ Recherche de l'élégance dans la mise, l'ajustement. *Munditia, ae*, f. *Elegantia, ae*, f.

coquillage, s. m. Mollusque dont le corps est recouvert d'une coquille. *Concha, ae*, f. *Conchylium, ii*, n.

coquille, s. f. Enveloppe calcaire de certains mollusques. *Testa, ae*, f. *Concha, ae*, f. ¶ (Par anal.) Coque d'œuf. (Voy. COQUE.) || Enveloppe ligneuse de certains fruits. Voy. COQUE.

coquin, ine, s. m. et f. Celui, celle qui n'a aucun scrupule d'honnêteté. *Homo improbus*, et (subst.) *improbus, i*, m. *Homo nequam*.

coquinerie, s. f. Caractère d'un coquin, d'une coquine. *Nequitia, ae*, f. ¶ Acte qui marque ce caractère. *Flagitium, ii*, n.

cor, s. m. Corne dont se servent les pâtres, etc. *Bucina, ae*, f. || (Par ext.) Instrument en ivoire, en métal. *Cornu,*

ūs, n. Donner, sonner du —, *bucināre*, intr. Celui qui sonne du —, *cornicen, inis*, m.; *bucinator, oris*, m. ¶ (Par anal.) Petit tubercule calleux de l'épiderme. *Clavus pedis*.

corail, s. m. Production calcaire rouge de certains polypes. *Corallium* ou *coralium, ii*, n.

corbeau, s. m. Oiseau à plumage noir. *Corvus, i*, m. De —, *corvinus, a, um*, adj. ¶ (Par anal.) Chez les anciens. Grappin d'une galère. *Corvus, i*, m. || Machine de guerre. *Corvus, i*, m. *Corax, acis*, m. ¶ (Architect.) Pierre en saillie. *Mutulus, i*, m.

corbeille, s. f. Panier tressé. *Corbis, is*, m. *Fiscina, ae*, f. *Sporta, ae*, f.

corbillard, s. m. Char pour transporter les morts. *Currus funebris*.

cordage, s. m. Corde servant pour les agrès la manœuvre d'un navire. *Rudens, entis*, m.

corde, s. f. Réunion de fils tordus ensemble. *Restis, is* (acc. *im*, et *em*, abl. *e*), f. *Funis, is* (" grosse corde "), m. *Vinculum, i*, n. Petite —, *funiculus, i*, m.; *resticula, ae*, f. || (Spéc.) Corde passée autour du cou de qqn pour le pendre. *Laqueus, i*, m. Se mettre la — au cou, *collum inserĕre in laqueum*. || Corde pour danser. *Restis*, f. *Funis, is*, m. Danseur de —, *funambulus, i*, m. ¶ Corde d'arc. *Nervus, i*, m. (Fig.) Avoir deux — à son arc, *duplici spe niti*. || (Géom.) Droite qui sous-tend un arc de cercle. *Basis, is*, f. ¶ Corde d'instruments de musique. *Chorda, ae*, f. *Nervus, i*, m. Instrument à —, *fides, ium*, f. pl.; *cithara, ae*, f.

cordeau, s. m. Petite corde. *Linea, ae*, f. *Funiculus, i*, m. || (Spéc.) Petite corde qu'on tend entre deux points (pour faire un alignement). *Linea, ae*, f. *Amussis, is*, f. Tracer, tirer au —, *lineāre*, tr. Au —, *ad lineam*.

cordelette, s. f. Très petite corde. *Funiculus, i*, m. *Resticula, ae*, f.

cordelle, s. f. Petite corde. Voy. CORDEAU. || (Spécial.) Corde pour le halage des bateaux. *Ductarius funis*.

cordial, ale, adj. Qui réconforte le cœur. *Qui (quae, quod) recreat* ou *reficit. Stomacho utilis, e*. ¶ Qui part du cœur. *Verus, a, um*, adj. *Sincerus, a, um*, adj. Adresser à qqn de — félicitations, *alicui ex sententiā* (ou *totā mente*) *gratulāri*.

cordialement, adv. D'une manière cordiale. *Ex animo*.

cordialité, s. f. Sentiment bienveillant qui part du cœur. *Animus verus* ou *sincerus*. ¶ Amitié cordiale. *Amicitia vera*. Avec —, voy. CORDIALEMENT.

cordier, s. m. Celui qui fabrique, vend des cordes. *Restio, onis*, m. *Restiarius, ii*, m.

cordon, s. m. Cordelette qui entre dans la composition d'une corde. *Linea, ae*, f. *Licium, ii*, n. || Petite corde, petite tresse. *Linea, ae,* f. *Linum, i,* n. *Funiculus, i,* m. *Resticula, ae,* f. — de soulier, *corrigia, ae,* f. Fig. Tenir, serrer les — de la bourse (dans un ménage), *praebēre exiguē sumptum.* ‖ (Spécial.) Lacet servant à étrangler. *Laqueus, i,* m. ¶ Ligne continue d'une série de choses. *Ordo, dinis,* m. Un — de troupes, *ordo, inis,* m.

cordonnerie, s. f. Lieu où l'on vend, où l'on fabrique des chaussures. *Sutrina, ae,* f.

cordonnier, s. m. Celui qui fabrique, qui vend des chaussures. *Sutor, oris,* m. De —, *sutrinus, a, um,* adj.

coreligionnaire, s. m. Chacune des personnes qui professent une même religion. *Iisdem sacris addictus.*

coriace, adj. Dur comme du cuir. *Durus et corio similis.* ‖ (P. plaisant.) Fig. Qui ne cède pas. *Tenax* (gén. *-acis*), adj. [*bum, i,* n.

corme, s. m. Fruit du cormier. *Sor-*

cormier, s. m. Variété de sorbier. *Sorbus, i,* f.

cormoran, s. m. Oiseau aquatique. *Phalacrocorax, acis,* m.

cornac, s. m. Conducteur d'un éléphant. *Elephanti rector* ou *magister.*

cornaline, s. f. Agate demi transparente. *Sarda, ae,* f.

corne, s. f. Excroissance de forme conique sur le front des ruminants. *Cornu, ūs,* n. Qui a des —, *cornatus, a, um,* adj. Bêtes à —, *cornigera,* n. pl. De —, en —; semblable à de la —, *corneus, a, um,* adj. ¶ (Par anal.) Antenne des insectes. *Cornu, ūs,* n. ¶ Ce qui se termine en pointe. ‖ Cornes du croissant, de la lune, *cornua lunae.* ‖ Cornes d'arc, *cornua.* ¶ Matière cornée. *Cornu, ūs,* n. Se changer en —, devenir dur comme de la —, *cornescēre,* intr. ‖ (Par anal.) Sabot de cheval. *Ungula, ae,* f. [corne. *Corneus, a, um,* adj.

corné, ée, adj. Qui a pour matière la

corneille, f. Espèce de corbeau de petite taille. *Cornix, icis,* f.

cornemuse, s. f. Instrument à vent de musique champêtre. *Utriculus, i,* m. Joueur de —, *utricularius.*

corner, v. tr. Annoncer à son de corne, de trompe. *Bucinâre,* intr.

cornet, s. m. Petite corne, trompe rustique. *Cornu, ūs,* n. — à bouquin, *cornu, ūs,* n.; *bucina, ae,* f. ¶ Ce qui est en forme de cornet. *Corniculum, i,* n. — acoustique, *corniculum auditorium.* — à dés, *fritillus, i,* m.

corniche, s. m. Ornement d'architecture. *Corona, ae,* f.

cornichon, s. m. Petit concombre confit. *Concumis conditus.*

cornouille, s. f. Fruit du cornouiller. *Cornum, i,* n.

cornouiller, s. m. Arbre à bois très dur. *Cornus, i,* f. De —, *corneus, a, um,* adj.

cornu, us, adj. Garni de cornes. *Cornutus, a, um,* adj. *Corniger, gera, gerum,* adj.

corollaire, s. m. Argument nouveau à l'appui d'une affirmation. *Accessio, onis,* f. ¶ (P. ext.) Conséquence de la conclusion d'une démonstration. *Consequens, entis,* n.

corolle, s. f. Partie de la fleur. *Corona* ou *corolla) floris.*

corporation, s. f. Association d'individus liés entre eux par une communauté. *Corpus, oris,* n. *Collegium, ii,* n.

corporel, elle, adj. Qui est de la nature des corps. *Corporalis, e,* adj. *Corporeus, a, um,* adj.

corps, s. m. Ensemble de l'organisme de la vie animale (chez l'homme et chez les animaux). *Corpus, oris,* n. Passer sur le — à qqn, *per corpus alicujus currēre;* fig. *superâre aliquem* (l'emporter sur qqn). Faire (à qqn) un rempart de son —, *corpus opponēre.* Combattre — à —, *comminus pugnâre; pedem conferre.* Saisir qqn à bras le —, *medium arripēre aliquem.* ¶ (Spéc.) Le tronc (par opp. aux autres parties). *Corpus, oris,* n. En effaçant le —, *declinatione corporis.* Passer son épée au travers du — de qqn, *alicui gladium in pectus configêre.* Prendre du —, *corpus facēre.* ¶ (Par ext.) La personne tout entière. *Corpus, oris,* n. Trembler de tout son —, *toto corpore contremiscēre.* Les gardes du —, *corporis custodes.* (Faire qqch.) à son — défendant, *invîté,* adv.; *invîtus,* adj. Se jeter à — perdu sur qqn, *omni impetu ferri in aliquem.* ¶ Ce qui reste d'un être vivant après la mort. *Corpus, oris,* n. Un — sans vie, *corpus exanimatum.* ¶ Tout agrégat de molécules matérielles. *Corpus, oris,* n. Les — organiques, *animantia,* n. pl. ou *animalia corpora.* Un — étranger, *res externa* .(Fig.) Je te suivrai comme l'ombre suit le —, *quasi umbra, quoquo ibis tu, te persequar.* ‖ (Par ext.) Epaisseur, consistance matérielle d'un objet. *Crassitudo, inis,* f. *Vis* (acc. *vim*), f. Qui a du —, *crassus* (en parl. d'un tissu). Vin qui a du —, *validum vinum.* ¶ (Par ext.) Partie principale d'une chose. — de logis, *domus, ūs,* f. Le navire a péri et biens, *navis tota cum rebus suis submersa est.* (Fig.) Le — du délit, c.-à-d. le fait principal qui le constitue, *noxa, ae,* f. ¶ Ensemble formé par une collection de personnes, de choses. *Corpus, oris,* n. Faire —, *coagmentari,* pass.; *coire,* intr. Faire — avec (qqch.), *coalescēre,* intr.; *cohaerēre,* intr. ‖ Corps d'armée. *Pars exercitûs.* Un — de garde, *custodia, ae,* f.; *custodes, um,* m. pl. — de garde (poste où se tient cette troupe), *excubitorium, ii,* n.

corpulence, s. f. Ampleur du corps. *Magnitudo corporis.*

corpulent, ents, adj. Qui est d'une

forte corpulence. *Corpulentus, a, um,* adj.

correct, *ecte,* adj. Qui ne s'écarte jamais des règles. *Emendatus, a, um,* p. adj. *Vitio carens.*

correctement, adv. D'une manière correcte. *Sine vitiis. Purē,* adv. *Emendatē,* adv.

correcteur, s. m. Celui qui corrige (qqn) en punissant. *Castigator, oris,* m. *Reprehensor, oris,* m. ¶ Celui, celle qui corrige (qqch.) en enlevant les fautes. *Qui (quae) emendat.*

correctif, s. m. Ce qui a la vertu de corriger un excès, un défaut. *Mitigatio, onis,* f. *Levatio, onis,* f.

correction, s. f. Action de corriger. *Correctio, onis,* f. *Castigatio, onis,* f. Maison de —, *ergastulum,* i, n. || Rectification à ce qui s'écarte des règles. *Emendatio, onis,* f. *Correctio, onis,* f. Sauf —, *nisi fallor.* || (Par ext.) Changement rectificatif. Manuscrit auquel il faut faire des —, *liber emendandus,* ¶ (Par ext.) Qualité de ce qui ne s'écarte pas des règles. — du style, *oratio emendata.* — de la tenue, *habitus haud indecorus.*

corrélation, s. f. Relation réciproque de deux termes. *Comparatio, onis,* f.

correspondance, s. f. Rapport de conformité mutuelle. *Convenientia, ae,* f. *Congruentia, ae,* f. ¶ Rapport entre personnes éloignées par échange de lettres. *Litterarum* (ou *epistolarum*) *commercium.*

correspondant, ante, adj. Qui correspond à qqch. par conformité. *Conveniens (alicui rei), consentiens* ou *congruens (alicui rei* ou *cum aliquid re).* ¶ Qui correspond avec qqn par lettres. Substantiv. Un —, *qui litteras dat et accipit; qui cum aliquo per litteras colloquitur.*

correspondre, v. intr. Etre en rapport de conformité mutuelle. || Par convenance de nature, de proportion, de symétrie. *Congruēre,* intr. *(cum aliquid re). Respondēre,* intr. *(verba verbis respondeant).*

corridor, s. m. Passage le long de plusieurs pièces d'un appartement. *Mesaulos,* i (plur. *mesauloe*), f.

corriger, v. tr. Ramener à la règle (ce qui s'en écarte). *Corrigēre,* tr. *Castigāre,* tr. *Emendāre,* tr. Qu'on peut —, *emendabilis, e,* adj. || (Fig.) Ramener à la mesure (qqch. d'excessif), en exerçant une action en sens contraire. *Corrigēre,* tr. *(aliquid aliquā re). Mitigāre,* tr. — la gravité par l'affabilité, *gravitatem comitate condire.* — la fortune, le sort, *arte emendāre fortunam.* ¶ Ramener à la règle (celui qui s'en écarte), en réprimandant, en punissant. *Corrigēre,* tr. *Emendāre,* tr.

corrigible, adj. Qui peut être corrigé. *Emendabilis, e,* adj.

corroborer, v. tr. Ajouter à la force

du corps. *Firmāre,* tr. *Confirmāre,* tr. ¶ (Fig.) Ajouter à la force d'une opinion, d'une affirmation. *Firmāre,* tr. *Confirmāre,* tr.

corroder, v. tr. Ronger lentement par une action chimique. *Corrodēre,* tr.

corrompre, v. tr. Altérer par décomposition (une substance). *Corrumpēre,* tr. *Vitiāre,* tr. Se —, *putescēre,* intr.; *corrumpi,* pass. ¶ (Par anal.) Altérer ce qui est sain, honnête dans l'âme. *Corrumpēre,* tr. *Depravāre,* tr. Mœurs corrompues, *pravi mores.* || (Spéc.) Altérer chez qqn par des dons, des promesses, l'intégrité de la conscience. *Corrumpēre,* tr. || Détruire ce qui est juste, sain, pur, dans la manière de juger, de sentir, de s'exprimer. *Corrumpēre,* tr. || Détruire l'intégrité du sens, du texte de qqch. *Corrumpēre,* tr.

corrosif, ive, adj. Qui corrode. *Corrosivus, a, um,* adj.

corroyer, v. tr. Préparer (une matière) pour la mettre en œuvre. — du bois, *dolāre,* tr. || Préparer le cuir. *Subigēre (corium, pelles)*

corroyeur, s. m. Celui qui prépare le cuir. *Coriarius, ii,* m.

corrupteur, *trice,* s. m. et f. Celui, celle qui corrompt le cœur et l'esprit. *Corruptor, oris,* m. *Corruptrix, tricis,* f.

corruptible, adj. Sujet à la corruption. *Facilis in tabem.* ¶ Capable de se laisser corrompre. *Venalis pretio et (simpl.) venalis.*

corruption, s. f. Altération de ce qui est sain dans une substance. *Corruptio, onis,* f. *Tabes, is,* f. Garantir le blé de la —, *cavēre ne frumentum corrumpatur* (ou *vitietur*). ¶ (Fig.) Altération de ce qui est sain, honnête dans l'âme. *Corruptio, onis,* f. *Depravatio, onis,* f. *Corruptela, ae,* f. (ordin. au plur. *corruptelae*). La — des mœurs est venue de l'admiration des richesses, *corrupti mores depravatiae sunt admiratione divitiarum.* || Atteinte portée à l'intégrité de la conscience par des dons, etc. *Corruptela, ae,* f. Tentative de —, *ambitus, ūs,* m. ¶ Altération de ce qu'il y a de sain, de juste, dans la manière de sentir, de penser, de s'exprimer. *Pravitas, atis,* f. *Depravatio, onis,* f. — du style, *corruptum dicendi genus.*

corsage, s. m. Le buste, la partie supérieure du corps. *Pars corporis superior. Pectus, oris,* n. ¶ (Par ext.) Partie de la robe qui recouvre le buste. *Thorax, acis,* m.

corsaire, adj. et s. m. || *Adj.* Qui fait la course sur mer. *Piraticus, a, um,* adj. ¶ *S. m.* Celui qui fait la course. *Pirata, ae,* m. *Praedo mavitimus* ou (simpl.) *praedo, onis,* m.

Corse, n. p. Grande île de la Méditerranée. *Corsica, ae,* f. Habitants de la —, *Corsi, orum,* m. pl. De —, *Corsicus, a, um,* adj.

cortège, s. m. Suite de personnes qui accompagnent qqn pour lui faire honneur. *Comitatus, ūs,* m. *Comites, um,* m. pl. Le — d'un haut fonctionnaire, *cohors, tis,* f. Faire — à qqn, *aliquem deducēre.* ‖ (Par anal.) Troupe. *Caterva, ae,* f. *Agmen, inis,* n. Fig. Le — des vertus, *virtutum comitatus.*

corvée, s. f. Travail gratuit dû par le vassal à son seigneur. *Corrogata opera.* ‖ (Par anal.) Travaux des soldats. *Labor, oris,* m. ‖ (Fig.) Une — (une besogne ingrate et forcée), *molestia, ae,* f.

corybante, s. m. Prêtre de la déesse Cybèle. *Corybas, antis,* m. et ordin. au plur. *Corybantes, ium,* m. pl.

coryphée, s. m. Chef du chœur (dans la tragédie et la comédie antiques). *Magister qui modis canentium praeit* ou *qui praeit ac praemonstrat modos.* Fig. (Avec une nuance d'ironie.) Celui qui est le plus en vue. *Coryphaeus, i,* m.

cosmétique, adj. Relatif à la toilette. *Qui (quae, quod) ad corporis cultum* ou *ad mundum) pertinet.* Subst. Un —, *medicamen, inis,* n. ; *medicamentum, i,* n.

cosmographe, s. m. Celui qui traite de la cosmographie. *Descriptor mundi.*

cosmographie, s. f Description du système astronomique de l'univers. *Descriptio mundi.*

cosmopolite, adj. Qui se considère comme citoyen du monde. *Mundanus, a, um,* adj. Subst. Un —, *mundanus, i,* m.

cosse, s. f. Enveloppe qui renferme les graines des légumineuses. *Folliculus, i,* m. *Siliqua, ae,* f.

costume, s. m. Manière de se vêtir propre à un peuple, etc. *Mos vestis* ou (simpl.) *vestis, is,* f. *Vestitūs, ūs,* m. *Vestimenti genus.* — de l'armée, *ornatus militaris.* — de roi, *cultus regius.* ¶ (P. ext.) L'ensemble du vêtement. *Vestitūs, ūs,* m. *Habitūs, ūs,* m. *Habitus atque vestitus. Ornatus, ūs,* m. — de théâtre, *habitus scaenicus.* — de chasse, *habitus venatorius.* — de deuil, voy. DEUIL. Qui est en grand —, *ornatus optimā veste.*

côte, s. f. Chacun des os plats qui forment la cavité osseuse de la poitrine. *Costa, ae,* f. (et ordin. *costae, arum,* f. pl.). Fausses —, *costae breves tenuioresque.* ‖ Région où sont les côtes. *Latus, eris,* n. *Ilia, ium,* n. pl. Se tenir les — de rire, *ilia risu contendēre.* ¶ (Par anal.) Les — d'un navire, *costae (navis).* ¶ (P. ext.) Pente qui forme un des flancs d'une colline. *Declivitas, atis,* f. *Clivus, i,* m. Endroit situé sur une —, *locus acclivis* (ou *declivis*). A mi —, *medio clivo.* ¶ Partie du rivage qui forme le bord de la mer. *Ora maritima* et simpl. *ora, ae,* f. *Litus, oris,* n. Les gens de la —, *maritimi homines.* Faire —, *ejici in litus.*

cote, s. f. Indication de la somme

que chaque contribuable doit payer. *Vectigal, is,* n.

côté, s. m. Région des côtes, à droite ou à gauche de la poitrine. *Latus, eris,* n. Point de —, *lateris dolor.* ¶ (Par ext.) Toute la partie droite ou la partie gauche du corps. *Latus, eris,* n. ¶ (Par anal.) Face, partie qui est à droite ou à gauche dans un objet. *Latus, eris,* n. *Pars, partis,* f. Des deux —, *hinc atque illinc ; utrimque.* D'un — ou de l'autre, *utralibet.* Vers lequel des deux —? *utro?* D'un — de l'autre, *utroque* (à la question *quo*). Ni d'un — ni de l'autre, *neutro* (à la question *quo*). De tous —, *undique,* adv. ¶ (Par ext.) Chacune des faces d'un objet. *Latus, eris,* n. *Pars, partis,* f. Le — large, *latitudo, inis,* f. Le — long, *longitudo, inis,* f. Le — épais, *crassitudo, inis,* f. Le — (d'une étoffe), *frons, frontis,* f. ¶ Toute partie de l'espace considérée par rapport aux autres. *Pars, partis,* f. *Regio, onis,* f. De tout —, *quoquoversus* (à la question *quo*). Diriger ses attaques contre les — faibles des places, *ea oppugnāre urbium loca, quae parum munita sunt.* Tâcher de trouver le — faible de qqn, *alicujus imbecillitatem aucupāri.* Attaquer une ville de trois — à la fois, *tripertito urbem aggredi.* Prendre qqch. du bon —, *aliquid in bonam partem accipēre.* Se mettre du — de qqn, *in alicujus partes transire.* Mettre qqn de son —, *aliquem suum facēre.* ¶ (*Loc. adv.*) A côté de, *prope, propter.* (av. l'acc.); *juxta,* prép. (av. l'acc.); *ad,* prép. (av. l'acc.); *propter,* prép. (av. l'acc.). Etre assis à table à — de qqn, *alicui accubāre.* Mettre qqn à — de qqn (fig.), *aliquem alicui comparāre* (ou *conferre*). Du — de, *versus,* prép. (av. l'acc.). De quel côté? *quo?* De — et d'autre, *tum huc, tum illuc.* ‖ A — de, c.-à-d. en comparaison, voy. COMPARAISON. AUPRÈS [de], [au] PRIX [de]. ī A côté de, c.-à-d. à quelque distance de. Etre à — de la question, *ab eo, quod propositum est, aberrāre.* Abs. Vous êtes à —, *erras* (ou *aberras*). ‖ Du côté de, c.-à-d. dans la direction de. *Regione,* ablat. (*alicujus rei*). *Ad,* prép. (av. l'abl.). *Ad,* prép. (av. l'acc.). Sans avantage de mon —, *sine ullo emolumento meo.* Chacun de son —, *pro se quisque.* ‖ De côté, c.-à-d. dans une direction oblique, *oblique,* adv. Regarder de —, *limis oculis intuēri.* Placé de —, *obliquus, a, um,* adj. Diriger de —, *obliquāre,* tr. ‖ De côté, c.-à-d. à part. Se mettre, se ranger de — (pour laisser passer), *de viā secedēre* ou (simpl.) *secedēre,* intr. Mettre qqch de — (fig.), *aliquid omittēre.* Laisser de —, *praeterire,* tr. Etre laissé de —, voy. NÉGLIGER. Mettre qqn de —, voy. ÉCARTER.

coteau, s. m. Petite colline. *Tumulus, i,* m. *Clivulus, i,* m. ‖ (Spécial.) Côte plantée de vignes. *Vinea, ae,* f. *Vinetum, i,* n. [veau, etc.). *Costa, ae,* f.

côtelette, s. f. Côte (de mouton, de cochon), s. f. Réunion de personnes où l'on se soutient, où l'on s'admire exclusivement. *Circulus, i,* m. *Globus, i,* m.

cothurne, s. m. (Chez les anciens.) Chaussure des personnes d'un certain rang. *Cothurnus, i,* m. Chaussé du —, *cothurnatus, a, um,* adj.

cotisation, s. f. Quote-part pour laquelle on contribue à une dépense en commun. *Collatio* (*stipis, pecuniae*). *Collecta, ae,* f.

cotiser, v. tr. Se — (contribuer à une dépense commune), *conferre,* tr.

coton, s. m. Matière textile qui recouvre les semences du cotonnier. *Erioxylon, i,* n.

cotonneux, *euse,* adj. Couvert d'un duvet semblable au coton. *Lanuginosus, a, um,* adj.

cotonnier, s. m. Arbrisseau qui produit le coton. *Xylon, i,* n.

côtoyer, v. tr. Aller au bord de qqch. *Legere* (*oram* ou *litora*). En côtoyant le fleuve, la mer, *secundum flumen, mare* En côtoyant l'Etrurie, *praeter oram Etrusci maris.*

cotte, s. f. Sorte de tunique. Voy. TUNIQUE. || Spécial. — de mailles, *lorica conserta hamis.*

cou, s. m. Partie du corps qui unit la tête au tronc. *Collum, i,* n. *Cervices, um,* f. pl. *Fauces, ium,* f. pl. Tendre le —, *collum dare,* ou *dare* (*alicui*) *cervices.* Couper le — à qqn, voy. DÉCAPITER. Se casser, se rompre le —, *defringere sibi cervices.* Prendre ses jambes à son —, *se conjicere in pedes.* ¶ (Par anal.) Le cou (d'une bouteille). *Collum, i,* n.

couchant, *ante,* adj. En parl. d'un chien de chasse. *Canis cubitor.* Fig. Chien — *palpator, oris,* m. ¶ (En parl. du soleil.) Soleil —, *sol occidens.* || *S. m.* Le — (côté de l'horizon où le soleil se couche), *sol occidens.* Voy. OCCIDENT. || (Fig.) Déclin. Voy. ce mot.

couche, s. f. lt. Voy. ce mot. ¶ (Par ext.) *Sing.* et *plur.* Alitement de la femme pendant l'enfantement. *Puerperium, ii,* n. *Partus, ûs,* m. Faire ses —, être en —, *parere,* abs. ; *parturire,* intr. ¶ (Par anal.) Etendue uniforme d'une substance sur un certain espace. *Tabulatum, i,* n. *Corium, ii,* n. Une — de peinture, VOY. ENDUIT.

1. coucher, v. tr. et intr. || (*V. tr.*) Mettre au lit. *Collocare aliquem in cubili* (ou *in lecto*) ou absol. *collocare,* tr. Aller se —, *cubitum ire* (ou *discedere*). Chambre à —, *cubiculum, i,* n. Etre couché, *cubare,* intr. (Fig.) Se coucher (en parl. d'un astre), *occidere,* intr. ¶ Etendre qqn sur qqch. *Collocare,* tr. — qqn par terre, sur le carreau sur la place, *sternere,* tr. ; *prosternere,* tr. Couché dans sa litière, *in lectica cubans.* Etre couché, *cubare,* intr. Etre

couché (étendu), *jacere,* intr. || Etendre qqn sur qqch. *Collocare,* tr. *Deponere,* tr. — *sur,* *reclinare,* ti. ¶ Incliner presque horizontalement. *Sternere,* tr. *Prosternere,* tr. Les pluies avaient couché les blés, *frumenta imbribus procubuerant.* ¶ Inscrire tout au long. — qqch. par écrit, *aliquid prescribere* (ou *litteris consignare*). — par écrit sur les actes officiels, *aliquid in tabulas publicas referre.* ¶ (*V. intr.*) Prendre le repos de la nuit. *Cubare,* intr. *Jacere,* intr. *Pernoctare,* intr. — sur ou dans, *incubare in* (abl.). — dans un temple (pour y recevoir des oracles pendant le sommeil), *incubare in fano.*

2. coucher, s. m. Action de se coucher. *Quies, etis,* f. || (Fig.) Le — d'un astre (le moment où il descend à l'horizon). *Occasus, ûs,* m. Le — du soleil, *obitus, ûs,* m. ; *occasus solis.* Au — du soleil, *solis occasu ;* *ad* (ou *sub*) *occasum solis.* ¶ Manière dont on est couché. *Cubitus, ûs,* m. || (P. ext.) Ce sur quoi on couche. Voy. COUCHETTE, LIT. ¶ Manière d'être couché. *Cubitus, ûs,* m. [m.

couchette, s. f. Petit lit. *Lectulus, i,* coucou, s. m. Oiseau. *Cuculus, i,* m.

coude, s. m. Partie du bras. *Cubitum, i,* n. S'appuyer sur le —, *levare corpus in cubitum.* ¶ (Par anal.) Angle saillant. *Cubitum, i,* n. *Flexus, ûs,* m.

coudée, s. f. Distance du coude à l'extrémité de la main. *Cubitum, i,* n. *Ulna, ae,* f. Avoir ses — franches, *laxius stare ;* fig. *libere vivere.*

couder, v. tr. Disposer en angle saillant. *Flectere,* tr. *Inflectere,* tr.

coudoyer, v. tr. Pousser (qqn) du coude, *Cubito ferire* (ou *tangere*). ¶ Toucher qqn du coude, être tout près de lui. Voy. TOUCHER. [DRIER.

1. coudre, s. m. Noisetier. Voy. COU-

2. coudre, v. tr. Attacher avec du fil et une aiguille. *Suere* (*tegumenta corporum*). *Consuere* (*tunicas*).

coudrier, s. m. Noisetier. *Corylus, i,* f. De —, *colurnus, a, um,* adj.

couenne, s. f. Peau de porc qu'on a flambée. *Tergilla, ae,* f.

1. coulant, *ante,* adj. Qui coule bien. *Fluens* (gén. *-entis*), part. *Manans* (gén. *-antis*), part. Eaux —, *aqua profluens; aqua viva.* || (Par anal.) Qui a un mouvement facile, uni. Nœud —, voy. NŒUD. Fig. Style, discours —, *expedita et perfacile currens oratio.*

2. coulant, s. m. Pièce qui glisse le long de qqch. Le — d'une chaîne d'un collier, *anulus, i,* m. || Rejeton d'une plante. *Lorum, i,* n.

couler, v. tr. et intr. || (*V. tr.*) Faire passer (un liquide) d'un endroit dans un autre par un mouvement continu. *Fundere,* tr. *Infundere,* tr. (*aliquid in aliquod vas*). ¶ Faire descendre graduellement au fond de l'eau. *Mergere,* tr. *Deprimere,* tr. (*naves ; classem*). ¶

Faire aller d'un lieu à un autre par un mouvement uni. *Insinuāre*, tr. *Inserĕre*, tr. *Infundĕre*, tr. Se — chez qqn, voy. [se] GLISSER. || (Par anal.) Couler une note, *intorquēre sonum.* — ses jours, *in tranquillitate omnem aetatem degĕre.* — d'heureux jours, *agĕre vitam beatē.* ¶ (*V. intr.*) Aller d'un lieu à un autre par un mouvement continu (en parl. d'un liquide). *Fluĕre*, intr. *Affluĕre*, intr. *Confluĕre*, intr. *Delabi*, dép. i.tr. *Ferri* (« couler avec rapidité »), passif. *Manāre*, intr. (se dit aussi en parl. des larmes). — goutte à goutte, lentement, *stillāre*, intr. Faire —, voy. VERSER, RÉPANDRE. Laisser —, *effundĕre*, tr. ¶ (Par anal.) Laisser échapper une substance liquide par suintement, liquéfaction, etc. *Persluĕre*, intr. *Manāre*, intr. || Descendre graduellement au fond de l'eau. *Mergi*, passif. *Demergi*, pass. *Deprimi*, pass.

couleur, s. f. Sensation produite sur l'organe visuel par les éléments de la lumière. *Color, oris*, m. ¶ Propriété qu'ont certains corps de produire cette sensation. *Color, oris*, m. Qui a perdu sa —, *decolor*, adj. || Couleur de la peau. *Color, oris*, m. Fort, haut en —, *coloratus*. Prendre de la —, *colorari*, pass. ¶ (Fig.) Caractère apparent des choses. *Color, oris*, m. || (Spéc.) Apparence qu'on donne à une chose pour la déguiser. *Color, oris*, m. *Species, ei*, f. Sous — de, *c.-à-d.* sous prétexte de, voy. PRÉTEXTE. ¶ Substance qu'on applique sur les objets pour donner la sensation de la couleur. *Color, oris*, m. *Pigmentum, i*, n. Marchand de —, *pigmentarius, ii*, m. || (Fig.) Peindre les choses sous de noires —, *omnia tristissimis verbis agĕre.*

couleuvre, s. f. Reptile non venimeux. *Coluber, bri*, m. *Colubra, ae*, f.

coulis, *isse*, adj. et s. f. || *Adj.* Usité seulement dans l'expression : vent —, *afflatŭs, ūs*, m. ¶ *S. f.* Coulisse. *Canaliculus, i*, m. || Partie du théâtre, placée derrière la scène, *pariĕs scaenae.* Fig. Dans la — (en secret), *post siparium.*

couloir, s. m. Ce qui sert à faire couler. || Passoire par où on filtre le lait. *Colum, i*, n. ¶ Ce qui sert à faire passer. || Passage étroit de dégagement. *Mesaulos, i*, (plur. *mesauloe*), f. *Fauces, ium*, f. pl.

coup, s. m. Mouvement par lequel un corps vient donner brusquement contre un autre corps. *Percussio, onis*, f. *Pulsŭs, ūs*, m. *Plaga, ae*, f. — porté ou reçu à la tête, *percussio capitis.* — frappé à la porte, *pulsus ostii.* Recevoir un —, *plagam accipĕre.* Se donner un — contre une colonne, *impingĕre se in columnam.* || (Spéc.) Atteinte portée par une arme *ou* par ce qui en tient lieu. *Ictŭs, ūs*, m. *Plaga, ae*, f. Coups de verge, de fouet, *verbera, um*, n. pl.

D'un seul — de hache, *uno ictu securis.* — de pied, *ictus calcis.* Porter un — mortel, *plagam mortiferam infligĕre.* Tomber percé de —, *plagis confectum concidĕre.* || Frapper qqn d'un coup d'épée, *aliquem gladio ferīre*; d'un — de bâton, *fuste.* — de dent, *morsŭs, ūs*, m. A — de pierres, *lapidibus.* Recevoir un —, des —, *pulsari ou percuti*, passif. Tomber sous les — de qqn, *cadĕre ab aliquo.* Sans — férir, *sine ullā dimicatione.* Recevoir le — de grâce, *confici.* Fig. Donner un — (en parl. d'un événement), *pungĕre (aliquem).* || (Par anal.) Action soudaine exercée par un élément. — de foudre, *fulmen, inis*, n.; *fulminis ictus.* — de vent, *venti impetus.* — d'air, *afflatŭs, ūs*, m. || (Fig.) Acte par lequel qqn est atteint dans ses intérêts, sa réputation. *Plaga, ae*, f. *Ictŭs, ūs*, m. Les — de la fortune, *fortunae tela.* Tu as reçu un —, *plaga est injecta tibi.* Etre sous le — (d'une condamnation), *esse sub ictu.* Qui tombe sous le — d'une peine, *poenae* (dat.) *obnoxius (a, um).* Etre sous le — d'un châtiment, *poenā tenēri.* || Machination, manœuvre. *Artificium, ii*, n. *Facinus, oris*, n. *Fraus, fraudis*, f. ¶ Chaque mouvement par lequel un organe, un instrument fonctionne. — d'œil, *oculorum conjectus.* Donner un — d'œil à qqch., *oculos conjicĕre in aliquid.* D'un seul — d'œil, *uno conspectu.* Au premier — d'œil, *primo aspectu.* || (P. ext.) Son que rend un instrument chaque fois qu'il est mis en vibration. Un — de cloche, *ictus aeris.* Un — de sifflet, *sibilus, i*, m. Un — de tonnerre, *caelestis fragor.* — de tonnerre (fig.), *c.-à-d.* acte retentissant, *fulmen, inis*, n. || (Par anal.) Chacune des combinaisons, des actions d'un joueur. *Jactŭs, ūs*, m. Fig. Le — a réussi, *opportuna res cecidit.* || (Au fig.) C'est lui qui a fait le —, *hic est rei auctor.* Faire un — de sa tête, *inconsultē ac temerē agĕre.* Un — de main, *furtiva expeditio.* Un — de théâtre (pr. et fig.), *subitus ictus; res improvisa atque inopinata.* || (Absol.) Chacun des efforts qu'on fait pour venir à bout de qqch. Du premier —, *uno ictu* et (fig.) *uno velut ictu.* La guerre a été terminée du premier —, *unā (ou primā) acie debellatum est.* — sur —, *subinde*, adv. Ordres donnés — sur —, *alia atque alia imperia.* Les éclaireurs annonçaient — sur —..., *exploratores alii super alios nuntiabant...* || (Loc. adv.) A ce —, *c.-à-d.* à cette fois, *tum*, adv. Pour le —, *tum vero.* . Tout d'un —, *c.-à-d.* d'un seul —, *uno ictu ou uno impetu.* Tout d'un — (*c.-à-d.* en une fois), *simul*, adv.; *una*, adv. Tout à —, *c.-à-d.* soudainement, *repente*, adv.; *subito*, adv.

coupable, adj. Qui a commis volontairement une faute. *Nocens* (gén. -*entis*), p. adj. *Noxius, a, um*, adj. Etre

—, *cœas in culpâ*. Punir les —, *sontes punire*. N'être pas —, *abesse a culpâ*. Se rendre — d'une faute, *admittĕre in se culpam*. || (P. ext.) Où il y a faute. *Nocens* (gén. *-entis*), p. adj. Amour —, *amor pravus*.

coupant, *ante*, adj. Qui coupe bien. *Acutus, a, um*, adj. || Subst. Le — (bord coupant), *acies, ei*, f.

1. **coupe**, s. f. Vase à boire, évasé, à pied, etc. *Poculum, i*, n. *Patera, ae*, f. *Scyphus, i*, m. *Calix, icis*, m. *Cyathus, i*, m. Petite —, *pocillum, i*, n. Vider une —, *poculum exhaurîre*.

2. **coupe**, s. f. Opération par laquelle on coupe régulièrement qqch., *Sectio, onis*, f. *Exsectio, onis*, f.

couper, v. tr. Diviser (un corps) au moyen d'un instrument tranchant. *Secâre*, tr. *Amputâre*. tr. *Caedêre*, tr. Se —, *sese* (*cultro, gladio*) *vulnerâre*. — bras et jambes à qqn (fig.), *elidêre nervos omnes alicui*. || (Absol.) Couper, être coupant, voy. COUPANT. ¶ (Fig.) Diviser (un tout). Voy. DIVISER, PARTAGER. Phrase bien coupée, *verborum continuatio articulis membrisque distincta*. Style coupé, *c.-à-d.* à phrases courtes, *abruptum dicendi genus* (sans conj. de liaison), ou *oratio caesa*. ¶ Passer au travers de. *Secâre*, tr. *Scindêre*, tr. *Concidêre*, tr. || (P. ext. absol.) Prendre la diagonale. — court, *c.-à-d.* prendre un chemin de traverse, *transversis tramitibus transgredi; ire qua proximum iter est*. Fig. — court, *praecidêre*. ¶ Interrompre par qqch. qui est mis en travers. *Rumpêre*, tr. *Intercludêre*, tr. (*pr.* « mettre une barrière, un obstacle au milieu », *d'où* « couper » [fig.]). *Excludêre* (« tenir éloigné de, couper les communications avec »), tr. — la retraite à qqn, *intercludêre alicui exitum*. — la respiration, *animam intercludêre*. — les vivres à qqn, *aliquem commeatu intercludêre* (ou *aliquem a re frumentariâ excludêre*).

couperet, s. m. Couteau à lame large très tranchante. *Culter, tri*, m.

couple, s. m. Réunion d'un mari et de sa femme. *Mariti*, m. pl. || (P. ext.) Réunion de deux personnes réunies par des relations d'amitié *ou* d'intérêt. *Par, is*, n. Trois — d'amis, *tria paria amicorum*.

coupler, v. tr. Réunir avec la couple. — des chiens, *copulâ alligâre canes*.

couplet, s. m. (Dans une chanson.) Chaque partie des strophes que termine un même refrain. *Stropha, ae*, f.

coupole, s. f. Dôme hémisphérique. *Tholus, i*, m.

coupure, s. f. Division faite en coupant. *Incisio, onis*, f. *Vulnus, eris*, n. — à la peau, *insecta cutis*. Faire une —, *secâre* (ou *insecâre cutem*). ¶ (Spéc.) Solution de continuité dans un terrain *Derupta, orum*, n. pl. || Tranchée pour l'écoulement des eaux. Voy. TRANCHÉE.

¶ (Fig.) Fraction, subdivision. Voy. ces mots.

cour, s. f. Résidence du souverain et de son entourage. *Aula, ae*, f. *Regia, ae*, f. *Domus principis*. || Le souverain et son conseil. *Rex, regis*, m. || Le gouvernement du souverain. *Rex, regis*, m. || L'entourage du souverain. *Regia, ae*, f. Homme de —, gens de —, voy. COURTISAN. ¶ (Par anal.) Hommage présenté au souverain par les personnes de son entourage. *Salutatio publica*. Faire à qqn sa — (pr. et fig.), *aliquem salutâre; aliquem colêre*. ¶ Assemblée qui se tenait autrefois dans la demeure du souverain. *Tribunal, alis*, n. *Auditorium, ii*, n. — d'appel, *judicium ad quod provocâri potest*. ¶ Partie d'un domaine, terrain découvert devant ou derrière l'habitation principale. *Area, ae*, f. — intérieure (d'une maison). *cavum aedium*. Basse —, *cohors, ortis*, f.

courage, s. m. Fermeté de cœur, devant le danger. *Animus, i*, m. *Virtus, utis*, f. *Fortitudo, inis*, f. Prends —, *macte animo*. Courage! *bono es animo*. Perdre —, *animum demittêre*. || Énergie en présence d'un obstacle à vaincre. Voy. ÉNERGIE. Avec —, *animosê*, adv.; *fortiter*, adv.; *forti animo; acri* (ou *alacri*) *animo*. ¶ (Par ext.) Force de résister à qqn, à qqch. *Audacia, ae*, f. *Spiritûs, ûs*, m. Avoir le — de, *audêre* (av. l'inf.). Je n'ai pas le — de, *non possum* (av. l'inf.).

courageusement, adv. *Animosê*, adv. *Fortiter*, adv. *Strenuê*, adv.

courageux, *euse*, adj. Qui a du courage. *Animosus, a, um*, adj. *Fortis, e*, adj. *Ferox* (gén. *-ocis*), adj.

couramment, adv. D'une manière courante. *Expeditê*, adv. *Exercitâtus*, adv.

courant, adj. et s. m. et f. || *Adj.* Qui court. *Currens* (gén. *-entis*), part. Chien —, *canis venaticus*. || (Par anal.) Qui se meut rapidement. *Currens* (gén. *-entis*), part. || Qui va tout du long. *Continuus, a, um*, adj. || (Spéc.) Qui suit une pente (en parl. d'un liquide). *Currens* (gén. *-entis*), part. *Fluens* (gén. *-entis*), part. || *S. m.* Courant, mouvement d'une masse d'eau. *Flumen, inis*, n. A cause de la violence du —, *propter vim fluminis*. — de la mer, *aestûs, ûs*, m. Suivre le — *secundo flumine* (ou *secundâ aquâ*) *deferri*.

courbature, s. f. Lassitude extrême dans tout le corps. *Lassitudo, inis*, f.

courbe, adj. et s. f. || *Adj.* Dont chaque élément s'écarte insensiblement de la ligne droite ou du plan. *Curvus, a, um*, adj. *Incurvus, a, um*, adj. || Ligne courbe et (subst.) une —, *flexura, ae*, f. Décrire une —, *orbem ducêre*.

courber, v. tr. Rendre courbe. || Par une action momentanée. *Incurvâre*, tr. *Inflectêre*, tr. Facile à —, *flexibilis, e*, adj. Spéc. — les genoux, *genua flectêre* (ou *submittêre*). Marcher le dos courbé, *incurvāri.* Un vieillard courbé sur son bâton, *senex in baculum pronus.* Courbé vers la terre (en parl. des animaux), *pronus,* — le front, *vultum demittēre.* Au fig. Se — devant qqn, *se alicujus potestati permittēre.* ¶ (Par une action durable.) *Inflectēre,* tr. — un arc, *arcum flectēre.* Avoir le dos courbé, *demissis humeris esse.*

courbure, s. f. Forme courbe qu'affecte un corps. *Curvatura,* ae, f. A l'endroit de leur —, *quā curvantur in flexum.* ¶ Direction courbe. *Inflexio, onis,* f. *Flexura, ae,* f. *Flexŭs, ūs,* m.

coureur, s. m. Celui qui court. *Cursor, oris,* m. ‖ (Spéc.) Celui qui, dans une joute, dispute le prix de la course. Rivaliser avec les bons —, *cum velocibus cursu certāre.* Un — à pied (un athlète), *cursor, oris,* m. Un — (en parl. d'un cheval), *equus ad cursum idoneus.* Un — (en parl. du cavalier), *cursor, oris,* m. ¶ Valet précédant à pied un carrosse, etc. *Cursor, oris,* m.

courge, s. f. Plante de la famille des cucurbitacées; fruit de cette plante. *Cucurbita, ae,* f.

courir, v. intr. et tr. ‖ (*V. intr.*) Aller par élans, d'un train plus rapide que la marche. *Currĕre,* intr. *Accurrĕre,* intr. Fatigués de —, *cursu fessi.* — aussi vite que des chevaux, *adaequāre cursum equorum.* Se mettre à —, *cursum capĕre.* — à perdre haleine, *cursu examinari.* — sur qqn, *cursu aliquem petĕre* ou *cursu tendĕre ad aliquem.* — après qqn, *cursu aliquem persequi.* — sus à qqn, *dāre impetum in aliquem.* Fig. — après les applaudissements, *captāre plausus.* ¶ (Par anal.) (*V. intr.*) Aller vite (en parl. des personnes.) *Currĕre,* intr. *Concurrĕre* (« courir en foule vers le même point »), intr. *Excurrĕre* (« sortir en courant »), intr. *Advolāre,* intr. En courant, *cursu ou cursim,* adv. Laisser — qqn, *aliquem mittĕre* ou *dimittĕre;* (fig.) *omittĕre.* ‖ Se mouvoir rapidement (en parl. des choses). *Currĕre,* intr. *Decurrĕre,* intr. *Ferri,* pass. ‖ Circuler rapidement (en parl. des pers. et des choses). *Currĕre,* intr. *Discurrĕre,* intr. *Cursāre* (« courir avec empressement, courir en tous sens »), intr. *Concursāre* (« courir çà et là, de côté et d'autre »), intr. (en parl. d'un bruit, d'une nouvelle), *ferri,* pass. Le bruit court que..., *rumor est* (av. l'acc. et l'inf.) Faire — un bruit, *rumorem dissipāre* (ou *differre*). — (en parl. d'une maladie), *manāre,* intr. ‖ (Absol.) Suivre son cours, sans interruption. L'année, le mois qui court, *annus, mensis vertens* ou *hic annus, hic mensis.* Ne plus —, *consistĕre,* intr. ‖ (Par ext.) S'étendre tout le long de qqch. *Currĕre,* intr. *Procurrĕre,* intr. Le lierre court le long des branches, *hedera ramos pererrat.* ¶ (*V. tr.*) Poursuivre à la course. — le lièvre, *leporem*

venāri. — la bête, *feras agitāre.* ‖ (Fig.) Rechercher avec empressement. *Sectāri,* dép. tr. *Venāri,* dép. tr. *Aucupāri,* dép. tr. Etre couru, *c.-à-d.* être recherché, *habēre concursum.* ‖ (P. ext.) Aller, s'exposer au-devant de qqch. — un danger, *periculum adire* (ou *subire*). ¶ (*V. tr.*) Parcourir. *Percurrĕre,* tr. *Pervagāri,* dép. tr. — les rues, *in publicum procurrĕre* et (fig.) *exire atque in vulgus emandēre.*

couronne, s. f. Cercle destiné à ceindre la tête. ‖ Cercle de fleurs, de feuillage, qu'on porte sur la tête en guise d'ornement *ou* dans certaines cérémonies. *Corona, ae,* f. ¶ Cercle de feuillage donné en récompense d'une action d'éclat. *Corona, ae,* f. ¶ Cercle de métal, insigne de souveraineté. *Insigne, is,* n. *Diadema, atis,* n. ‖ (Fig.) Un des plus beaux fleurons de sa —, *inter praecipua ejus ornamenta.* ‖ (Fig.) Absol. Royauté, puissance souveraine. *Regnum, i,* n. ‖ Etat souverain. *Regnum, i,* n. ¶ Ce qui rappelle la forme d'une couronne, ce qui est disposé en forme de couronne. *Corona, ae,* f.

couronnement, s. m. Action de couronner solennellement (un souverain). *Insigne regium* ou *diadema alicui* ou *alicujus capiti impositum.* Les fêtes du —, *sollemnia quibus aliquis diadema accipit* (ou *auspicatur*). Le jour de son —, *dies accepti imperii princeps.* ¶ (Par anal.) Action de garnir la partie supérieure de qqch. *Corona, ae,* f. ‖ (Fig.) Ce qui met le comble à qqch. *Fastigium, ii,* n. La gloire est le — du courage, *gloria virtutum sequitur.*

couronner, v. tr. Ceindre d'une couronne (de fleurs, de feuillage). *Coronāre,* tr. (au partic. passé, *coronatus:* à l'actif, on se sert de la périph. *coronam alicui imponēre*). *Redimīre,* tr. Couronné de laurier. *Laureatus.* ¶ Ceindre d'une couronne(distinction honorifique). *Coronāre,* tr. (se remplace ordin. par *donāre aliquem coronā*). — un auteur, *praemio aliquem donāre.* — un ouvrage, *praemio aliquid ornāre.* ¶ Ceindre d'une couronne (dignité souveraine). *Insigne regium capiti alicujus imponēre.* ¶ (Par anal.) Garnir, orner la tête. — le retranchement, *coronā vallum defendēre.* ‖ (Fig.) Mettre le comble à qqch. *Cumulāre* (*aliquid aliquā re*).

courre, v. intr. et tr. Courir. Voy. ce mot. ‖ (T. de chasse.) Voy. CHASSE, COURIR.

courrier, s. m. Celui qui fait le métier de courir. *Cursor, oris,* m. ‖ Homme qui court la poste à cheval. *Veredarius,* i, m. ¶ Porteur de dépêches à pied, à cheval. *Cursor, oris,* m. *Nuntius, ii,* m. *Tabellarius, ii,* m. ¶ L'ensemble des lettres, des dépêches que transporte le courrier. *Tabellae, arum,* f. pl. *Litterae, arum,* f. pl.

courroie, s. f. Bande de cuir pour attacher. *Lorum, i,* n. — (d'un javelot, d'une fronde, d'un fouet), *habena, ae,* f. — pour lancer des traits, *amentum, i,* n. Garnir d'une —, lancer des traits à l'aide d'une —, *amentāre.*

courroucer, v. tr. Mettre en courroux. *Incendĕre iram (alicujus). Iratum facĕre (aliquem). Se —, excandescĕre,* intr.

courroux, s. m. Irritation véhémente. *Saevitia, ae,* f. *Iracundia, ae,* f.

cours, s. m. Mouvement continu de ce qui parcourt une étendue déterminée. *Cursŭs, ūs,* m. Voyages de long —, *navigationes longae.* || (Spéc.) Allée servant de promenade. Voy. ALLÉE. ¶ Mouvement continu d'une eau courante. *Cursŭs, ūs,* m. *Decursŭs, ūs,* m. Par ext. Un — d'eau, *amnis, is,* m. || (Par anal.) Le — du sang, etc. *Cursŭs, ūs,* m. — de ventre. Voy. DIARRHÉE. Fig. Donner — à ses larmes, *lacrimas profundĕre.* Donner libre — à ses larmes, *lacrimis non abstinēre.* Donner — à sa colère, *irae indulgēre.* ¶ Révolution périodique d'un astre. *Cursŭs, ūs,* m. *Curriculum, i,* n. || (Par anal.) Le cours des saisons, *tempestates.* Le — du temps, *temporis decursus.* Achever son —, *conficĕre cursum.* Le — de l'année, *annus vertens.* ¶ (Par anal.) Suite continue de ce qui se développe dans le temps. *Cursŭs, ūs,* m. *Tenor, oris,* m. Fig. L'affaire suit son —, *res est in cursu.* Etre en — d'exécution, *in effectu esse.* Au — de, *inter,* prép. (av. l'Acc.). Au — de l'ouvrage, *procedente libro.* ¶ Circulation régulière de ce qui est un objet d'échange. Le — des monnaies, *circulatio.* Avoir —, *esse in usu.* || (Par ext.) Taux auquel s'achète, se vend ce qui est un objet d'échange. Le — de l'argent, *pretium pecuniae (ou nummorum).* — du marché, *nundinatio, onis,* f. Le — est élevé, *res in pretio sunt.* Le — est bas, *rerum pretium jacet.* — du blé, des halles, *annona, ae,* f. Fig. Avoir —, *circumferri,* pass. Avoir peu de —, *pretium non habēre.* N'avoir plus —, *non jam usu accipi.* ¶ Suite de leçons formant un enseignement régulier. *Schola, ae,* f. — sur un poète, des poètes, *praelectio poetae, poetarum.*

course, s. f. Action de courir (en parl. de l'homme, des animaux). *Cursŭs, ūs,* m. Partir au pas de —, *citato agmine iter ingredi.* || (Spéc.) Dans une joute. *Cursŭs, ūs,* m. — à pied, à cheval et en voiture, *curriculum, i,* n. Char de —, *curriculum, i,* n. Champ de courses, *curriculum, i,* n.; *spatium, ii,* n. || (Par ext.) Marche rapide. *Cursŭs, ūs,* m. ¶ Action de parcourir (un espace). Une — de montagne, *iter montanum.* Une — en voiture, à cheval, *vectatio, onis,* f. || (Spéc.) Action de parcourir le pays, la mer pour faire du butin.

Excursio, onis, f. Faire une —, *excurrĕre,* intr. Faire la —, c.-à-d. le métier de corsaire, voy. CORSAIRE.

coursier, s. m. Cheval. *Equus, i,* m.

court, courte, adj. et adv. || *Adj.* Qui a une petite étendue (dans le sens de la longueur ou de la hauteur). *Brevis, e,* adj. Cheveux —, *capilli tonsi.* Prendre le plus —, *compendiariam* (s.-e. *viam) sequi.* Fig. Le moyen le plus —, *promptissima via.* J'ai plus — de..., *mihi expeditius est* (av. l'inf.). Avoir la vue —, *oculis non satis prospicĕre* (ou *non longe vidēre).* || (Fig.) Restreint. Mémoire —, *memoria hebes.* Esprit —, *stultitia, ae,* f. Etre — d'argent et (loc. adv.) à — d'argent, esse *in angustiis.* ¶ Qui a une durée peu étendue. *Brevis, e,* adj. *Contractus, a, um,* p. adj. *Angustus, a, um,* adj. — (Par anal.) Le —, *prаecisus, a, um,* p. adj. Respiration, haleine —, *angustus spiritus.* Il en est pour sa — honte, *turpiter deridebitur.* Avoir l'haleine —, *anhelāre,* intr. ¶ *Adv.* Tourner —, *equum brevi flectĕre* et (par ext.) changer brusquement de direction, *cursum subito flectĕre*; (fig.) passer sans transition d'un sujet à un autre, *sermonem alio conferre.* || Couper —, *praecidĕre,* tr. Rester —, *haerēre* ; *memoriā haerēre.* Arrêter —, *inhibēre,* tr. Dire tout —, *praecise dicĕre.*

courtaud, *aude,* adj. et s. m. et f. || *Adj.* Ecourté. *Breviculus, a, um,* adj. ¶ *S. m.* Personne, chose écourtée. Un —, *une* — (personne de taille écourtée), *allex viri* —.

courtepointe, s. f. Couverture de lit ouatée et piquée. *Culcita, ae,* f.

courtier, s. m. Agent qui sert d'intermédiaire rétribué entre le vendeur et l'acheteur, *Pararius, ii,* m. *Cocio, onis,* m.

courtisan, s. m. Celui qui est attaché à la cour du prince. *Aulicus, i,* m. Les —, *aulici, orum,* m. pl. || (P. ext.) Celui qui se montre obséquieux auprès de qqn. *Assentator, oris,* m.

courtisane, s. f. Femme galante de profession. *Meretrix, tricis,* f.

courtisanerie, s. f. Conduite de courtisan. *Assentatio, onis,* f.

courtiser, v. tr. Faire sa cour à qqn. *Observāre et colĕre aliquem.*

courtois, *oise,* adj. Qui a une politesse recherchée. *Humanus, a, um,* adj.

courtoisement, adv. D'une manière courtoise. *Humanē* ou *humaniter,* adv. *Urbanē,* adv. *Comiter,* adv.

courtoisie, s. f. Politesse recherchée. *Humanitas, atis,* f. *Urbanitas, atis,* f. *Comitas, atis,* f. Marque de —, *officium, ii,* n. (courts. *Succinctus, a,* p. adj.

court-vetu, adj. Qui a des vêtements

1. **cousin**, *ine,* s. m. et f. Personne issue de l'oncle, de la tante de qqn, *Consobrinus, i,* m. *Consobrina, ae,* f.

2. **cousin** s. m. Petit moustique. *Culex, icis,* m.

coussinet, s. m. Petit coussin. *Pulvillus, i,* m. || Coussinet qu'on se met sur la tête pour porter des fardeaux. *Arculus, i,* m.

coût, s. m. Somme que coûte une chose. *Impensa, ae,* f. *Sumptûs, ûs,* m. *Pretium, ii,* n.

couteau, s. m. Petit instrument pour couper. *Culter, tri,* m. Petit — *cultellus, i,* m. Donner des coups de —, *cultro percutére.*

coutelas, s. m. Grand couteau à lame large et tranchante. *Culter, tri,* m. *Machaera, ae,* f.

coutelier, s. m. Celui qui fabrique, qui vend des couteaux, etc. *Cultrorum fabricator, mercator.*

coûter, v. intr. Nécessiter un payement pour être obtenu en échange (en parl. d'un objet, d'un ouvrage). *Constâre,* intr. *Stâre,* intr. *Esse,* intr. *Venîre,* intr. *Emi* (« être acheté »), pass. Il n'en coûte rien, *nulla est jactura.* Ce livre coûte vingt as, *hic liber constat viginti assibus.* — beaucoup, *magno constâre.* — peu, *parvo constâre.* Que (ou combien) coûte...? *Quanti constat...* — le plus, *pluris constâre.* — moins, *minoris constâre.* — le moins, *minimo constâre.* — trop, *nimis* (ou *nimium*) *magno constâre.* — assez, *satis magno constâre.* Qui ne coûte rien, voy. GRATUIT. Le prix qu'un objet a coûté, *pretium rei.* ¶ (Au fig.) Nécessiter un sacrifice pour être obtenu. *Constâre,* intr. Cette victoire coûta beaucoup de sang aux Carthaginois, *multo sanguine ea Poenis victoria stetit.* Cette victoire coûta la vie à beaucoup d'hommes de cœur, *multorum ac fortium virorum morte victoria constitit.* ¶ (Par ext.) Avoir pour conséquence qqch. d'onéreux, de pénible. Ce qui ne lui coûterait guère, *quod nullo negotio faceret.* — beaucoup de peine, *esse multi laboris.*

coûteux, euse, adj. Qui coûte beaucoup d'argent. *Carus, a, um,* adj. *Pretiosus, a, um,* adj.

coutre, s. m. Fort couteau fixé en avant du soc de la charrue. *Culter, tri,* m

coutume, s. f. Manière d'agir établie par l'habitude, par un long usage (chez les peuples et chez les individus). *Consuetudo, inis,* f. *Mos, moris.* Instituum, i, Avoir — de, *solêre,* intr. (av. l'inf.); *assuevisse,* intr. *cousuevisse,* intr. J'ai — de..., *mihi mos est...* (av. l'inf.). Comme de —, *ut solet.* ¶ (Spéc. t. jurid.) Législation établie par l'usage. *Mores et instituta.*

coutumier, ière, adj. Qui a coutume de faire qqch. *Assuefactus (aliquâ re).* *Assuetus (aliquâ re).* Etre — de qqch., de faire qqch., *consuevisse* (avec l'infin.), *assuevisse (aliquâ re,* ou avec l'infin.). Je suis — du fait, *ita* (ou *sic*) *soleo.* ¶ Qui est passé en coutume. || (Chez un peuple). Droit —, *jus consuetudinis* ou (simpl.) *consuetudo, inis,* f. || (Chez un individu). Voy. HABITUEL.

couture, s. f. Action de coudre. *Sutura, ae,* f. || (P. ext.) Art de coudre. *Suendi ars.* ¶ Marque laissée par une plaie. *Cicatrix, tricis,* f.

couturer, v. tr. Marquer de coutures venant de cicatrices. Visage couturé, *cicatricosa facies.*

couturier, ière, s. m. et f. Celui, celle qui fait métier de coudre. *Qui (quae) acu victum quaerit. Sarcinator, oris,* m. *Sarcinatrix, tricis,* f.

couvain, s. m. Réunion d'œufs d'abeilles. *Fetûs, ûs,* m.

couvaison, s. f. Temps pendant lequel les œufs sont couvés. *Incubitûs, ûs,* m. *Pullatio, onis,* f.

couvée, s. f. Ce que couve d'œufs la femelle d'un oiseau. *Ova quae mater simul fovet.* || Les petits qui viennent d'éclore. *Fetûs, ûs,* m. *Pulli a matribus exclusi fotique,* et simpl. *pulli, orum,* m. pl.

couvent, s. m. Maison religieuse. *Monasterium, ii,* n. *Coenobium, ii,* n.

couver, v. tr. et intr. || (V. tr.) Se tenir sur les œufs jusqu'à ce qu'ils soient éclos. *Incubâre,* intr. et tr. (*ovis* ou *ova*). *Fovêre,* tr. Faire — des œufs, *ova incubanda subjicêre* ou *ova gallinis supponêre.* Faire — qqch. des yeux, *alicui rei inhiâre.* ¶ (Fig.) (V. intr.) Etre entretenu de manière à éclore à un moment donné. Le feu qui couve sous la cendre, *ignis suppositus cineri.*

couvercle, s m. Ce qui sert à couvrir, à fermer (un vase, etc.). *Operculum, i,* n. *Operimentum, i,* n.

couvert, s. m. Ce qui couvre, protège qqn, qqch. *Tectum, i,* n. Un — d'arbres, de verdure, *umbracula, orum,* n. pl. ¶ Logis où l'on est à l'abri des intempéries. *Tectum, i,* n. Mettre qqn à —, donner le — à qqn, *tectis ac sedibus recipêre aliquem.* || Etre à — de qqch., c.-à-d. couvert contre cette chose, *defensum esse ab aliquâ re.* A — de la crainte, *extra formidinem.* Se mettre à — de..., *se defendêre ab...* Voy. ABRI. || Etre à couvert de qqch., c.-à-d. être couvert par cette chose, voy. ABRI. || Envoyer une lettre à qqn sous le — d'un autre, *dâre alicui litteras ad aliquem.* Fig. Sous le — de la feinte, *involucris simulationum tectus.* ¶ Ce dont on couvre une table pour le service. Mettre le —, *sternêre mensam.*

couverture, s. f. Ce qui sert à couvrir. *Tegimentum* ou *tegumentum, i,* n *Tegimen* ou *tegmen, inis,* n. *Involucrum, i,* n. *Operimentum, i,* n. La — d'une maison, *tectum, i,* n. Temple qui n'a plus de —, *aedes detecta.* Une — de lit, *stragulum, i,* n. Une — de cheval, *stratum, i,* n. || Troupes de — (placées à la frontière), *praesidium (regionis); stationes, um,* f. pl. ¶ (Fig.) Ce qui sert à cacher les intentions, les sentiments de qqn. *Color, oris,* m. *Species, ei,* f. *Integumentum (dissimulationis)* ou *involucrum (simulationis).*

couveuse, s. f. Poule qui couve. *Matrix, icis,* f. Les couveuses, *incubantes matrices.*

couvre-pied, s. m. Couverture qui sert à tenir chaud aux pieds. *Vestis stragula.*

couvreur, s. m. Entrepreneur, ouvrier qui fait les couvertures, les toits des maisons. *Scandularius, ii,* m.

couvrir, v. tr. Garnir de qqch. qu'on applique par-dessus. *Tegĕre,* tr. *Contegĕre,* tr. *Protegĕre,* tr. *Operire,* tr. Se — la tête ou simpl. se —, *caput tegĕre; caput operire.* — (de tuiles) un temple, *aedem tegĕre.* Galeries couvertes, *protectae porticus.* || Garnir en étant appliqué par-dessus. *Tegĕre,* tr. *Contegĕre,* tr. *Vestire,* tr. *Convestire,* tr. Couvert de haillons, *pannosus.* ¶ Parsemer de qqch. qu'on répand, qu'on éparpille, *et aussi,* parsemer (en étant répandu, éparpillé dessus). *Spargĕre,* tr. *Aspergĕre,* tr. *Conspergĕre,* tr. *Respergĕre,* tr. (*aliquem sanguine* ou *cruore*). *Operire,* tr. Les neiges avaient tout couvert, *nives omnia oppleverant.* Rues couvertes de mondo, *oppletae viae.* Tout était couvert de cadavres, *cadaveribus omnia constrata erant.* Femmes couvertes de bijoux, *mulieres auro oneratae.* Pays couvert d'habitations, *locus frequens tectis.* Couvert de montagnes *montibus asper.* ¶ Protéger à l'aide de qqch. qu'on met au-dessus, par-devant, en avant. *Tegĕre,* tr. *Protegĕre,* tr. — qqn de son bouclier, *aliquem protegĕre scuto.* Allée couverte, c.-à-d. ombragée, *ambulatio tecta.* Pays couvert, *loca opaca; loca impedita.* Chemin couvert (t. mil.), *cuniculus,* i, m. Par anal. — le feu, *ignem obruĕre.* Fig. — qqn de sa protection, *aliquem tuĕri ac defendĕre.* Se — de l'autorité de qqn, *nomen alicujus opponĕre.* || Protéger en étant par-dessus, par devant. *Tegĕre,* tr. ¶ Cacher en mettant qqch. par-dessus, par devant. *Tegĕre,* tr. *Obtegĕre,* tr. Fig. A mots couverts, *obscurĕ,* adv. — la voix de qqn, *alicui obstrepĕre.* || Cacher en étant par-dessus, par devant. *Tegĕre,* tr. Les forêts couvrirent leur retraite, *fugientes silvae texerunt.* Le ciel est couvert de nuages *et absol.* est couvert, *involutus est nubibus dies.* Le temps se couvre, *nubilare coepit.*

crabe, s. m. Nom vulgaire de divers crustacés. *Cancer, cri,* m.

crachat, s. m. Salive rejetée par la bouche. *Sputum, i,* n.

crachement, s. m. Rejet par la bouche d'une matière expectorée. *Exscreatio, onis,* f. *Exscreatŭs, ŭs,* m. — de sang, *sanguinis exscreatio.*

cracher, v. intr. et tr. || (*V. intr.*) Rejeter la salive de la bouche. *Exscreāre,* intr. *Spuĕre,* intr. *Exspuĕre,* intr. (Par ext.) — sur qqch., *aliquid*

respuĕre. ¶ (*V. tr.*) Rejeter (ce qu'on a dans la bouche). *Respuĕre,* tr. *Exspuĕre,* tr.

craie, s. f. Carbonate de chaux amorphe. *Creta, ae,* f. Blanchi à la —, *cretatus, a, um,* adj.

craindre, v. tr. Tendre à éviter (qqch. ou qqn dont on attend qq. mal). || Craindre qqch. *Metuĕre.* tr. *Timēre,* tr. *Verēri,* dép. tr. Je ne crains pas de..., *non dubito* (ou *non vereor* ou *non mihi verecundiae est*) ou *non me pudet* (*aliquid facĕre*). Craignant si peu la mort, que..., *ita non timidus ad mortem, ut...* || Craindre qqn. *Metuĕre,* tr. *Timēre,* tr. *Verēri,* tr. *Reformidāre,* tr. Tant il s'est fait — ! *tantum sui timorem injecit* ¶ Considérer qqch. de fâcheux comme plus ou moins prochain. *Metuĕre,* tr. (*aliquid ab aliquo*). *Timēre,* tr. Qui est à —, voy. REDOUTABLE. Nous ne craignons rien, *sine timore sumus.* Vous n'avez rien à — de moi, *nihil tibi est a me periculi.* Commencer à —, *ad timorem se convertĕre.* Ils commencent à — que, *in timorem perveniunt, ne...* Faire — à qqn que, *aliquem in eum metum adducĕre, ut...* Il est à —, il y a lieu de — que..., *timendum est* (ou *periculum est*), *ne...* Ne rien —, *bono esse animo.* N'avoir rien à — (de qqn, de qqch.), *tutum esse* (*ab aliquo, ab aliquâ re*). Cesser de —, *timēre desinĕre; metum* (ou *timorem*) *omittĕre.*

crainte, s. f. Tendance à éviter qqch. ou qqn dont on attend du mal. *Timor, oris,* m. *Metŭs, ŭs,* m. *Verecundia, ae,* f. ¶ Qui ressent de la —, *timidus, a, um,* adj. Avec —, *timidĕ,* adv.; *timido animo; pavidĕ,* adv. Qui est sans —, *metu vacuus* (ou *solutus*). Sans — au sujet de qqch., *securus de aliquâ re.* Sans —, *sine metu* (ou *timore*): *audacter,* adv. L'absence de —, *securitas, atis,* f. || (P. ext.) Timidité devant un adversaire, un supérieur. *Timiditas, atis,* f. *Pudor, oris,* m. *Verecundia, ae,* f. — superstitieuse de qqch., *religio alicujus rei.* Sans —, *impavidĕ,* adv. Qui a perdu, abjuré toute —, *oblitus pudoris et verecundiae.* Avoir une — respectueuse (qqn), *verēri aliquem* ou *verecundiam habēre alicujus.* ¶ Action de considérer comme plus ou moins prochain ce dont on attend qq. mal. *Timor, oris,* m. *Metŭs, ŭs,* m. || (Loc.) Dans la — de qqch., de qqch., *metu* ou *formidine* (*alicujus rei*). Dans cette —, *hoc metuens.* Dans la — d'un accident, *ne casus accidat.* || (Loc. conj.) Dans la —, de — que, *ne* (et le subj.).

craintif, ive, adj. Porté à la crainte. *Timidus, a, um,* adj.

craintivement, adv. D'une manière craintive. *Timidĕ,* adv.

cramoisi, ie, adj. Qui est d'un rouge foncé éclatant. *Rubidus, a, um,* adj. | (Substantiv.) *Rubor, oris,* m. ¶ (P. ext.)

Qui est d'une couleur éclatante. *Purpureus, a, um,* adj.

crampe, s. f. Contraction douloureuse des muscles du bras, de la jambe. *Spasmus, i,* m.

crampon, s. m. Pièce de fer recourbée qui sert à retenir fortement. *Fibula, ae,* f.

cramponner, v. tr. Fixer au moyen de crampons. *Fibulis vincire (aliquid).*

cran, s. m. Entaille pour servir d'arrêt. *Incisura, ae,* f. Voy. ENTAILLE. ‖ Dans une pièce dentelée, chacune des entailles qui se trouvent entre les dents. *Dens, dentis,* m.   [*Calva, ae,* f.

crâne, s. m. Boîte osseuse de la tête.

crapaud, s. m. Reptile batracien. *Bufo, onis,* f.   [f.

crapule, s. f. Excès de vin. *Crapula, ae,*

crapuleux, *euse,* adj. Qui se plaît à vivre dans la crapule. *Spurcus, a, um,* adj. *Libidinosus, a, um,* adj.

craquement, s. m. Bruit sec produit par qqch. qui craque. *Crepitûs, ûs,* m. *Stridor, oris,* m.

craquer, v. intr. Produire un bruit sec par le froissement des parties. *Crepāre,* intr. *Concrepāre,* intr. Faire — ses doigts, *articulos concrepāre.*

crasse, adj et s. f. ‖ *Adj.* (Usité seulement avec des noms féminins.) Epais. *Crassus, a, um,* adj. ‖ Fig. Une ignorance —, *omnium rerum ignoratio.* ¶ *S. f.* Couche de saleté qui s'amasse sur la peau. *Sordes, ium,* f. pl. *Squalor, oris,* m.

crasseux, *euse,* adj. Sali par la crasse. *Sordidus, a, um,* adj. *Squalidus, a, um,* adj. ¶ Qui est d'une avarice sordide. *Sordidus, a, um,* adj.

cratère, s. m. (Antiq.) Large vase où l'on mêlait le vin et l'eau. *Crater, teris* (Acc. sing. *tera,* plur. *teras*), m. ‖ (P. ext.) Coupe. Voy. ce mot. ¶ (Fig.) Ouverture d'un volcan. *Crater, eris,* m.

cravache, s. f. Badine flexible, sorte de fouet. *Flagellum, i,* n.

cravate, s. f. Morceau d'étoffe qu'on porte autour du cou. *Focale, is,* n.

crayon, s. m. Marne argileuse et sablonneuse. *Creta, ae,* f. ¶ (Par ext.) Morceau de minéral dont on se sert pour dessiner, écrire. *Creta, ae,* f. *Graphis, idis,* f. — rouge, *rubrica, ae,* f.

crayonner, v. tr. Esquisser, dessiner, écrire au crayon. *Delineāre,* tr. Batailles crayonnées, *proelia rubricâ picta.*

créance, s. f. Action de croire qqch. ou qqn. *Fides, ei,* f. *Auctoritas, atis,* f. Trouver —, *fidem habēre.* Donner —, *fidem tribuēre* (ou *adjungēre* ou *facēre*). Digne de —, *fide dignus.* ¶ Action de se fier à qqn. Lettre de —, voy. CRÉDIT. Lettre de —, *litterae publicae.* ‖ (Par ext.) Papier, pièce, titre faisant foi qu'une somme est due par qqn. *Nomen, inis,* n. *Creditum, i,* n.

créancier, s. m. Celui à qui on doit de l'argent. *Creditor, oris,* m. Mes créanciers, *illi quibus debeo.*

créateur, *trice,* s. m. et adj. *S. m.* Celui qui crée, qui fait qqch. de rien. *Procreator, oris,* m. *Creator, oris,* m. Le — de l'univers, le souverain — *et* (absol.) le —, *mundi procreator; effector, aedificator* ou *fabricator mundi.* ‖ (Par ext.) Celui qui fait une chose qui n'existait pas encore. *Conditor, oris,* m. *Effector, oris,* m. ¶ *Adj.* Qui crée. *Sollers* (gén. *-ertis*), adj. *Ingeniosus, a, um,* adj. Esprit — *sollertia, ae,* f.; *ingenii vis et sollertia.*

création, s. f. Action de créer, de faire qqch. de rien. *Procreatio, onis,* f. La — du monde, *procreatio mundi* ou *mundi orig , ortus.* Depuis la — du monde, *post homines natos.* Lors de la — des hommes, *cum homines primum fingerentur.* Le jour de la —, *primus mundi dies.* ‖ (P. ext.) L'ensemble des choses créées. *Rerum ou omnium natura. Universitas rerum.* ¶ (P. ext.) Action de faire une chose qui n'existait pas encore. *Procreatio, onis,* f. *Creatio, onis,* f. Les — de la nature, *ea quae in rerum naturâ gignuntur.* La — d'une ville, *condita urbs.* ‖ (P. ext.) Ce qui est créé. *Opus, peris,* n. Les — d'un auteur, *ea quae ab aliquo inventa et excogitata sunt.* Les — du génie, *quae finxit ingenium alicujus.*

créature, s. f. Etre que Dieu a créé. *Res procreata. Res creata. Res, rei,* f. Les créatures, *rerum natura.* ‖ (Spéc.) — raisonnable. *Animal, alis,* n. ‖ Femme, fille. *Puella, ae,* f. *Mulier, eris,* f. —Teucris, cette douce —, *Teucris illa suavissima puella.* Teucris, cette stupide —, *Teucris illa lentum negotium.* ‖ Celui, celle qui n'est rien que par la faveur de qqn. *Qui (quae) alicujus beneficio auctus (aucta) est.*

crécelle, s. f. Instrument qui crie en tournant autour d'un manche. *Crepitaculum, i,* n.

crécerelle, s. f. L'émouchet, oiseau de proie. *Tinnunculus, i,* m.

crèche, s. f. Mangeoire pour les bestiaux. *Praesaepe, is,* n. *Praesaepium, ii,* n.

crédence, s. f. Buffet sur lequel on dépose les plats, etc. *Abacus, i,* m.

crédit, s. m. Confiance qu'inspire la véracité de qqn, de qqch. *Fides, ei,* f. *Auctoritas, atis,* f. ¶ (Par ext.) Autorité dont on jouit auprès de qqn par la confiance qu'on lui inspire. *Fides, ei,* f. *Existimatio, onis,* f. *Commendatio, onis,* f. Avoir — auprès de qqn, *alicui fidem facēre.* ‖ (Spéc.) Influence dont on jouit auprès de qqn par la confiance qu'on lui inspire. *Auctoritas, atis,* f. *Gratia, ae,* f. Etre en —, *in gratiâ esse.* Avoir du —, *valēre,* intr.; *posse,* intr. ¶ Confiance qu'inspire la solvabilité de qqn. *Fides, ei,* f. Son crédit étant déjà ébranlé, *tabefactâ jam fide.* Donner qqch. à — à qqn, *credēre alicui aliquid.* Lettre de —, *permutatio, onis,* f.

crédule, adj. Qui croit trop facilement. *Credulus, a, um,* adj. Etre —, *facile impelli ad credendum.*

crédulité, s. f. Facilité trop grande à croire. *Credulitas, atis,* f.

créer, v. tr. Faire qqch. de rien, tirer du néant (en parl. de Dieu). *Creâre,* tr. — le monde, *mundum condêre (aedificâre* ou *fabricâri).* — l'homme, *fingêre hominem.* ¶ (En parl. de l'homme.) Composer (une chose qui n'existait pas auparavant). *Creâre,* tr. *Fingêre,* tr. *Facêre,* tr. *Efficêre,* tr. — un port, *efficêre portum.* — des mots, *verba fabricari.* (Spéc.) — un rôle, *primum discêre partes.* Fig. — des embarras à qqn, voy. EMBARRAS.

crème, s. f. La partie la plus épaisse du lait. *Flos lactis.* ¶ (Par ext.) Pellicule qui se forme au-dessus du lait chauffé. *Spuma lactis.* ¶ Sorte de bouillie. *Sorbitio. onis,* f.

crémier, s. m. Celui qui tient une crémerie. *Lactarius, ii,* m.

créneau, s. m. Ouverture pratiquée de distance en distance le long du parapet d'un rempart. *Pinna (muri), ae,* f.

créneler, v. tr. Entailler en pratiquant des créneaux. *Pinnas adjicêre (muro).* — un mur, *fastigium muri pinnis distinguêre.*

crêpe, s. f. Rondelle de pâte très mince. *Laganum, i,* n.

crêper, v. tr. Rebrousser les cheveux avec un peigne. *Crispâre (crines calamistro).*

crépi, s. m. Couche de plâtre ou de mortier dont on enduit un mur. *Tectorium, ii,* n. *Albarium opus.*

crépir, v. tr. Enduire un (mur) d'une couche de plâtre, de mortier. *Trustillâre,* tr.

crépitation, s. f. Bruit formé par une suite de petits craquements. *Crepitus, ûs,* m. [crépitations. *Crepitâre,* intr.

crépiter, v. intr. Faire entendre des crépitations. *Crepitâre,* intr.

crépu, ue, adj. Frisé de manière à former une touffe épaisse. *Crispus, a, um,* adj. Qui a les cheveux —, *crispus, i,* m.

crépusculaire, adj. Qui a rapport au crépuscule. *Subobscurus, a, um,* adj.

crépuscule, s. m. Clarté incertaine qui diminue avec le coucher du soleil. *Crepusculum, i,* n. ¶ (P. anal.) Lumière incertaine qui augmente avec le lever du soleil. *Diluculum, i,* n. Au —, *primo diluculo.*

cresson, s. m. Plante qui croît au bord des ruisseaux. *Lepidium, ii,* n. ‖ (P. ext.) Nom de diverses autres crucifères. — aliénois, *nasturcium, ii,* n.

crétacé, ée, adj. Qui est de nature crayeuse. *Cretaceus, a, um,* adj.

crête, s. f. Excroissance charnue qui forme saillie sur la tête de certains gallinacés. *Crista, ae,* f. *Juba, ae,* f. Qui a une crête, qui porte —, *cristatus,*

---

a, um, adj. Lever, dresser la — (montrer de la hardiesse), *caput attollêre* ou *se erigêre.* ‖ (P. ext.) Partie saillante qui surmonte un casque. *Crista, ae,* f. *Apex picis,* m. ‖ (P. anal.) Partie saillante d'une cime. La — d'une montagne, *fastigium, ii,* n.; *cacumen, inis,* n.; *summum jugum.* La — des vagues, *summi fluctus.*

creuser, v. tr. Rendre creux. *Cavâre,* tr. *Excavâre,* tr. *Fodêre,* tr. Fig. Se — la tête, le cerveau, *excogitando torquêre sibi ingenium.* — (un sujet, une question), *penitus introspicêre; perscrutari.* ¶ Faire en creusant. *Fodêre,* tr.

creuset, s. m. Vaisseau de terre réfractaire destiné à faire fondre ou calciner certaines substances. *Vasculum ad cocturam aptum.* ¶ (Spécial.) Coupelle pour l'affinage des métaux précieux. *Auraria fornax.*

creux, creuse, adj. et s. m. ‖ *Adj.* Qui produit un vide plus ou moins profond. *Cavus, a, um,* adj. *Concavus, a, um,* adj. (Par ext.) Chemin —, *via cava.* Ventre —, *inanis venter.* Cervelle, tête —, *vanum ingenium.* ‖ *Adv.* Sonner —, *sono inanitatem indicâre.* ¶ *S. m.* Vide plus ou moins profond dans un corps. *Cavum, i,* n. *Caverna, ae,* f. Plein de —, *lacunosus, a, um,* adj. Graver en —, *incidêre,* tr. ‖ (P. anal.) La partie concave de qqch. Le — de la main, *concava manus.*

crevasse, s. f. Fente qui se produit à la surface d'un corps. *Rima, ae,* f. *Fissura, ae,* f.

crevasser, v. tr. Faire fendre la surface d'un corps. *Findêre,* tr. Se —, être crevassé, *rimas agêre; findi; fatiscêre,* intr. Crevassé, *rimosus, a, um,* adj.

crève-cœur, s. m. Déplaisir cuisant. *Sollicitudo, inis,* f.

crever, v. intr. et tr. ‖ (*V. intr.*) S'ouvrir (par excès de tension). *Rumpi,* pass. *Dirumpi,* pass. (s'empl. au fig.). ‖ (P. anal.) Etre sur le point d'éclater, à force d'être gonflé (au pr. et au fig.). *Rumpi,* passif. *Dirumpi,* passif. Le succès de ton frère le fait — de rage, *fratris tui plausu dirumpitur.* ‖ (Par ext.) Mourir (en parl. d'un animal). *Rumpi,* pass. Crevé, *morticinus, a, um,* adj. De bête crevée, *morticinus, a, um,* adj. ¶ (*V. tr.*) Ouvrir en faisant éclater. *Rumpêre,* tr. Le feu crève la nue, *ignis nubes interscindit.* — les yeux à qqn, *effodêre alicui oculos.* (Par ext.) Cela crève les yeux, *hoc in oculos incurrit.* tr. Cela me crève le cœur, *dolore dirumpor.* ‖ (Par ext.) Faire mourir de fatigue, d'excès, etc. — un cheval, *equum rumpêre.* Se — de travail, *labore confici.*

cri, s. m. Son perçant que lance la voix. *Clamor, oris,* m. *Vociferatio, onis* (« grands cris »), f. *Convicium, n* (« cri d'improbation »), n. *Conclamatio, onis* (« cri d'une multitude »), f. Pousser un

—, *clamāre*, intr.; *exclamāre*, intr. ¶ Paroles prononcées d'une voix très haute. *Vox, vocis*, f. *Vociferatio, onis*, f. *Clamor, oris*, m. Nommer, désigner à grands —, *clamāre*, tr. Annoncer par des —, *clamāre*, tr. Déclarer à grands —, *acclamāre*, tr. || Appel retentissant. *Clamor, oris*, m. On entend le — : Au feu! Aux armes! *conclamant ignem ou incendium; conclamant arma*. — public, *praeconium, ii*, n. || (Fig.) Protestation. C'est le — public, *haec una vox omnium est*. Le — de leur conscience les empêche de dormir, *obstrepente conscientiâ dormire non possunt*. ¶ Voix propre à chaque animal. *Clamor, oris*, m. *Clangor, oris*, m. (cri des oies). *Vox, vocis*, f. *Cantûs, ûs*, m. (en parl. de certains oiseaux).

criailler, v. tr. Crier sans cesse d'une façon désagréable. *Clamitāre*, intr.

criaillerie, s. f. Action de criailler. *Clamitatio, onis*, f.

criailleur, euse. s. m. et f. Celui, celle qui a l'habitude de criailler. *Clamosus (homo)*. *Clamosa mulier*. (En parl. d'un orateur ou d'un avocat.) *Clamator, oris*, m.

criant, ante, adj. adj. Qui fait protester. *Indignus, a, um*, adj. Injustice —, *acerbissima (ou atrocissima) injuria*.

criard, arde, adj. Qui crie sans cesse. *Clamosus, a, um*, adj. Substantiv. Un —, voy. CRIAILLEUR. || (Fig.) Avoir des dettes — (que le créancier réclame avec importunité), *alieno aeri solvendo non esse*. ¶ Qui rend un son aigre et discordant. *Dissonus, a, um*, adj.

crible, s. m. Réceptacle pour séparer les objets de grosseur inégale. *Cribrum, i*, n. Passer au —, voy. CRIBLER.

cribler, v. tr. Passer au crible. *Cribrāre*, tr. || (Fig.) Trier. Voy. CHOISIR, TRIER. ¶ (Par ext.) Percer de trous comme un crible. *Perforāre*, tr. Criblé de blessures, *vulneribus confossus*. Fig. Etre criblé de dettes, *aere alieno premi*.

criblure, s. f. Résidu de ce qui est passé au crible. *Excreta, orum*, n. pl.

cric, s. m. Machine destinée à soulever des fardeaux. *Trochlea, ae*, f.

criée, s. f. Enchères publiques. *Auctio, onis*, f. *Hasta, ae*, f. Faire vendre à la —, *hastae subjicĕre; sub hastâ vendĕre; subjicĕre praeconi; per praeconem vendĕre*.

crier, v. intr. et tr. || (V. intr.) Lancer avec la voix un son perçant. *Clamāre*, intr. *Exclamāre*, intr. *Clamitāre*, intr. *Acclamāre* (« pousser des cris à l'adresse de qqn »), intr. *Conclamāre* (« crier » [en parl. d'une foule]), intr. — à tue-tête, *magno clamore blaterāre*. ¶ (Par anal.) Crier (en parl. des animaux). *Canĕre* (la poule), intr.; *crocire ou crocĕre* (le corbeau), intr. La porte a crié, *crepuere fores*. ¶ Faire entendre une plainte, un appel, une protestation. *Clamāre*, intr. *Reclamāre*, intr. *Clami-*

tāre, intr. — contre qqn, *clamore aliquem insequi* ou *clamoribus aliquem consectāri; allatrāre aliquem*. P. anal. — contre (un abus, etc.), *rociferāri de aliquâ re*. Faire —, *clamores jacĕre*. ¶ (V. tr.) Dire (qqch.) d'une voix forte, retentissante. *Clamāre*, intr. et tr. *Clamitāre*, intr. et tr. *Conclamāre*, intr. et tr. *Vociferāri*, dép. intr. et tr. — au feu, *conclamāre incendium*. — victoire, *conclamāre victoriam*. — famine, *conqueri inopiam*. — vengeance, *ultionem petĕre* (en parl. d'une pers.). Forfait qui crie vengeance, *animadvertendum facinus*. — une marchandise, un objet perdu, les heures, etc., *clamitāre*, tr.; *praedicāre*, tr. Faire — qqch. par le héraut, *aliquid per praeconem pronuntiāre*.

crieur, s. m. Qui crie sans cesse *Clamator, oris*, m. *Latrator, oris*, m. || (Spécial.) Crieur public (celui qui fait à haute voix les proclamations publiques). *Praeco, onis*, m.

crime, s. m. Acte par lequel la loi morale est violée de la façon la plus grave. *Scelus, eris* (pr. « scéleratesse », par ext. « crime »), n. *Facinus, oris* (« méfait, forfait, crime »), — contre la loi divine, le sentiment moral, *nefas*, n. ind. — (contre les dieux, la patrie, le prince), *impietas, atis*, f. — de haute trahison, — d'Etat, *perduellio, onis*, f. (remplacé souvent par *parricidium patriae*). — de lèse majesté, *laesa majestas*. || (Par hyperb.) Acte auquel on attache une gravité excessive. *Crimen, inis*, n. Faire à qqn un — de qqch., *dare alicui aliquid crimini*. ¶ (Absol.) Le crime, c.-à-d. le fait de commettre les crimes. *Scelus, eris*, n.

criminel, elle, adj. Coupable d'un crime. *Sceleratus, a, um*, adj. *Nefarius, a, um*, adj. *Facinorosus, a, um*, adj. Les plus — des hommes, *homines nocentissimi* ou *sceleratissimi*. Substantiv. Un —, qui commet un crime, *auctor sceleris; qui (quas) scelus fecit* (ou *commisit*). ¶ Qui constitue un crime. *Scelestus, a, um*, adj. *Sceleratus, a, um*, adj. *Plenus sceleris*. Guerre —, *impium bellum*. L'hésitation même est —, *in ipsâ dubitatione scelus inest*. Vie —, *vita nocens* (ou *flagitiosa*). ¶ Relatif au jugement d'un crime. *Publicus, a, um*, adj. *Capitalis, e*, adj. Affaire —, *quaestio publica*.

criminellement, adv. D'une manière criminelle. *Scelerate*, adv. *Sceleste*, adv. ¶ Devant la juridiction criminelle. Poursuivre, juger —, *capitis accusāre*.

crin, s. m. Poil de certains animaux. *Pilus, i*, m.

crinière, s. f. Assemblage de longs crins qui garnit le cou de certains animaux. *Juba, ae*, f.

crise, s. f. Phase grave d'une maladie. *Discrimen, inis*, n. *Crisis, is*, f. ¶ (P. anal.) Phase grave que traverse une affaire. *Discrimen, inis*, n.

crispation, s. f. Mouvement qui contracte en ridant la surface. *Contractio, onis,* f.

crisper, v. tr. Contracter en ridant la surface. *Contrahĕre,* tr. Se — (en parl. de la peau), *contrahi;* (en parl. de l'eau), *horrescĕre,* intr. ‖ (P. ext.) Avoir les nerfs crispés, *convelli.*

cristal, s. m. Matière transparente. *Crystallus, i,* f. ¶ (Par ext.) Verre blanc d'une grande transparence. *Crystallus, i,* f. (plur. *crystalla*). De —, *crystallinus, a, um,* adj.

cristallin, ine, adj. Transparent comme le cristal. *Crystallinus, a, um,* adj.

cristalliser, v. tr. Amener à la forme cristalline. *In crystallinam formam vertĕre. Coagulāre in crystallum.* Se —, *coalescĕre (concrescĕre* ou *congelāri)* in *crystallum.*

critiquable, adj. Qui donne prise à la critique. *Reprehendendus, a, um,* adj. verb. *Vituperandus, a, um,* adj. verb.

1. critique, adj. Qui décide de l'issue favorable *ou* funeste d'une maladie. Phase, période —, *suspecta tempora.* ‖ (Fig.) Qui décide du sort de qqn. Moment —, *discrimen, inis,* n. Circonstance —, *tempus, oris,* n. Situation, position —, *res dubiae,* f. pl. *discrimen, inis,* n.¶ Qui décide de la valeur d'une œuvre. *Censorius, a, um,* adj. ‖ (Subst.) Un critique, *c.-à-d.* celui qui juge les qualités propres d'une œuvre. *Judex, icis,* m. — d'art, *subtilis artium judex et callidus.* — malveillant, *judex inimicus.* ‖ Qui fait ressortir les défauts des choses, des personnes. *Censorius, a, um,* adj.

2. critique, s. f. Jugement porté sur les qualités *ou* les défauts d'une œuvre. *Judicium, ii,* n. *Censura, ae,* f. ‖ (Par ext.) Jugement où l'on fait ressortir les défauts des choses. *Censura, ae,* f. ¶ L'art de juger des qualités *ou* des défauts d'une œuvre. *Judicium, ii,* n. — littéraire, *litterarum cognitio et ratio.* — d'art, *artium scientia.* ‖ (Par ext.) Ceux qui pratiquent cet art. Etre soumis à la — (en parl. d'un ouvrage), *in existimantium arbitrium venīre.*

critiquer, v. tr. Examiner les qualités propres d'une œuvre. *Judicāre,* tr. *Judicium censuramque facĕre,* tr. *Judicium censuramque facĕre de aliquā re.*¶ Faire ressortir les défauts des choses, des personnes. *Censuram agĕre alicujus rei* (ou *alicujus).* [*Crocitŭs, ūs,* m.

croassement, s. m. Action de croasser.

croasser, v. intr. En parl. du corbeau, pousser le cri particulier à son espèce. *Crocire,* intr.

croc, s. m. Fer recourbé (pour tirer à soi qqch. *Dens, dentis,* m. *Uncus, i,* m. Un grand —, *harpago, onis,* m. ¶ Manche de fer auquel on suspend qqch. Voy. CROCHET. ¶ Longue canine de certains animaux. Les —, *canini dentes.*

croc-en-jambe, s. m. Action de passer

la jambe autour de celle de qqn pour le renverser. *Supplantatio, onis,* f. Donner le —, *supplantāre (aliquem).*

crochet, s. m. Instrument à extrémité recourbée pour tirer à soi qqch. *Uncus, i,* m. *Hamus, i,* m. Recourbé en —, *aduncus, a, um,* adj. ¶ Petite pièce servant à suspendre et fixer qqch. *Uncus, i,* m. *Fibula, ae,* f ¶ (P. ext.) Crochet de commissionnaire (pour porter les fardeaux). *Furca, ae,* f. ¶ (P. ext.) Dent aigue de certains animaux. Voy. CROC. ¶ (P. anal.) Ce qui est recourbé en forme de crochet; — de la vigne, *capreolus, i,* m.

crocheter, v. tr Ouvrir avec un crochet. *Clave* (ou *clave adulterinā) aperīre* (*ostium, fores*). — une porte (la forcer pour voler), *effringĕre,* tr.

1. crocheteur, s. m. Celui qui ouvre les serrures avec un crochet (pour voler). *Effractarius, ii,* m.

2. crocheteur, s. m. Celui qui porte des fardeaux sur des crochets. *Bajulus, i,* m.

crochu, ue, adj. Dont l'extrémité est recourbée en forme de croc. *Uncinatus, a, um,* adj. *Hamatus, a, um,* adj. *Aduncus, a, um,* adj.

crocodile, s. m. Reptile saurien des grands fleuves. *Crocodilus, i,* m.

croire, v. tr. et intr. ‖ (*V. tr.*) Admettre qqch. comme véritable. *Credĕre,* tr. *Putāre,* intr- (seul. dans des constr. comme : *eas divitias putabant,* ils croyaient que c'était la richesse). *Arbitrāri,* dép. tr. *Ducĕre,* tr. *Judicāre,* tr. Trop — de qqn, *nimiam capĕre admirationem alicujus.* Trop — de soi, voy. [être] OUTRECUIDANT. — fermement, *certā fide credĕre.* Faire — à qqn, *persuadĕre alicui.* Je ne puis —, j'ai peine à — cela, *hoc quidem non adducor ut credendum.* ‖ (Absol.) Croire. *Credĕre,* abs. *Putāre,* abs. *Exspectāre,* abs. *Arbitrāri,* abs. *Opināri,* abs. A ce que je crois, *ut ego quidem opinor ; med quidem opinione ; ut ego existimo.* ‖ (Spéc.) Croire (en matière religieuse). *Credĕre,* tr. ‖ Considérer (qqn) comme véridique dans ce qu'il dit. *Credĕre,* intr. (*alicui*). — qqn sur ce qu'il dit, *credĕre alicui de al quā re.* En — qqn, *accredĕre alicui.* S'ils voulaient l'en —, *si se audiant.* En croyant à peine ses yeux, *vix sibi credens.* Si j'en — mes yeux, *nisi me frustrantur oculi.* A en — la fable, *si fabulas audire volumus.* ¶ (*V. intr.*) — à qqch., *c.-à-d.* avoir foi à la réalité de qqch. *Credĕre,* intr. (*fabulis*). ‖ (Par ext.) — à la parole de qqn, *alicui jurato credĕre.* ‖ — en qqn, *c.-à-d.* avoir confiance en son caractère, voy. CONFIANCE.

croisé. Voy. CROISER.

croisée, s. f. Endroit où deux choses se croisent. *Transversa pars,* ou *transversum, i,* n. La — de deux chemins, *bivium, ii,* n. ¶ Ce qui présente la forme d'une croix. ‖ Châssis vitré formant la fermeture d'une fenêtre : *par ext.* la fenêtre elle-même. *Fenestra, ae,* f. *Lumen, inis,* n.

croisement, s. m. Mouvement par lequel deux choses se croisent. *Decussatio, onis,* f.

croiser, v. tr. Disposer en croix. *Decussāre,* tr. Se —, *decussāri,* pass. — qqn (aller en sens inverse de lui), *alicui obvium esse.* P. anal. Se — (faire un même trajet en sens contraire), *inter se occurrĕre.* Les courriers se croisent, *ultro citroque nuntii cursant.*

croiseur, s. m. Vaisseau de guerre qui parcourt la mer dans certains parages. Un — *et* (*adjectiv.*) un bâtiment —, *speculatorium navigium.*

croisière, s. f. Expédition de vaisseaux de guerre qui doivent croiser. Avoir une flotte de cent vaisseaux en — près de Murgance, *ad Murgantiam clossem centum navium habēre.* ‖ La réunion des vaisseaux. *Speculatoriae, arum,* f. pl.

croissance, s. f. Action de croître. *Incrementa, orum,* n. pl. Etre dans sa —, *in incremento esse.*

1. croissant, s. m. Temps pendant lequel augmente graduellement la partie de la lune éclairée par le soleil. *Luna crescens.* La lune est dans son —, *luna crescit.* ‖ (P. ext.) Forme échancrée de la lune. *Cornu, ūs,* n.

2. croissant, *ante,* adj. Qui va en augmentant par degrés. *Crescens* (gén. *-entis*), part. *Increscens* (gén. *-entis*), part. *Accrescens* (gén. *-entis*), part. Une douleur —, *accrescens dolor.*

croître, v. intr. Aller en progressant jusqu'au terme de son développement normal (en parl. d'un être organisé). *Crescĕre,* intr. Faire —, *augēre,* tr. ‖ (Par anal.) Laisser — sa barbe, ses cheveux, *barbam, capillum promittĕre.* ‖ (Par ext.) En parl. de l'eau, etc. *Crescĕre,* intr. ‖ (Fig.) Aller en s'augmentant par degrés. *Crescĕre,* intr. *Augēri,* pass. Votre valeur ne cessera pas de —, *virtus tua semper in incremento erit.* Faire — qqch., *afferre incrementum alicui rei.* — en puissance politique, *capĕre incrementa virium* (en parl. d'un Etat). — (en mérite, etc.), *proficĕre* ou *progredi* ou *progressus facĕre* (*in aliquā re*). ‖ (Spéc.) Se développer dans certaines régions (en parl. des végétaux). *Gigni,* pass. *Provenīre,* intr.

croix, s. f. (Chez les anciens.) Sorte de gibet. *Crux, crucis,* f. Mettre qqn en —, *suffigĕre aliquem cruci.* ‖ (Spéc.) Le gibet sur lequel Jésus-Christ fut cloué. *Crux, crucis,* f. ‖ (Fig.) La religion de Jésus-Christ. *Crux, crucis,* f. ‖ (Par ext.) Le signe de la —, *signum crucis.* Faire le signe de la —, *cruce se signāre.* ¶ Ce qui présente la forme d'une croix. *Crux, crucis,* f. *Decussis, is* (le signe X), f.

croque-mort, s. m. Celui qui fait métier de transporter les morts. *Pollinctor, oris,* m.

croquer, v. tr. Broyer sous la dent avec un bruit sec. *Frangĕre* (*nucem*). ¶ (P. ext.) Manger à belles dents. *Devorāre,* tr.

croquis, s. m. Représentation d'un site, etc., en quelques coups de crayon. *Adumbratio, onis,* f.

Crotone, n. pr. Ville d'Italie. *Croto, onis,* m. Habitant de —, *Crotoniates, ae,* m.

crotte, s. f. Fiente de certains animaux. *Stercus, oris,* n. ¶ (P. ext.) Boue des rues. *Lutum, i,* n.

crotter, v. tr. Salir de crotte, de boue. *Coeno replēre* ou *illinĕre* ou *inquināre.* Se —, *luto illini* (ou *oblini*).

crottin, s. m. Amas de crottes. *Stercus, oris,* n. [*nosus, a, um,* adj.

croulant, *ante,* adj. Qui croule. *Ruinosus, a, um,* adj.

croulement, s. m. Action de crouler. *Ruina, ae,* f.

crouler, v. intr. (En parl. d'une construction.) Tomber de toute sa masse. *Concidĕre,* intr. *Corruĕre,* intr. ‖ (Fig.) *Corruĕre,* intr. *Concidĕre,* intr.

croupe, s. f. (Chez certains animaux.) Partie postérieure arrondie. Mettre, prendre qqn en —, *in equum suum accipĕre aliquem.* ¶ (P. ext.) Poét.) La queue (d'un dragon). *Terga, orum,* n. pl. ¶ (Fig.) Sommet arrondi d'une montagne. *Dorsum, i,* n.

croupière, s. f. Longe de cuir passée sous la queue du cheval. *Postilena, ae,* f. ‖ (Fig.) Tailler des croupières à l'ennemi, *hostes faucibus urgēre.*

croupir, v. intr. Rester couché dans la saleté. *Jacēre in sordibus.* ¶ Se corrompre par la stagnation. *Situ corrumpi.*

croupissant, *ante,* adj. Qui croupit. *Corruptus, a, um,* p. adj. *Putridus, a, um,* adj. Eau —, *reses aqua.*

croûte, s. f. Partie extérieure du pain (durcie par la cuisson). *Crusta panis.* ‖ Petit morceau de pain. *Frustum panis.* Ne manger que des —, *lapsanā vivĕre.* ¶ Surface durcie. *Crusta, ae,* f. La — terrestre, *cutis summa terrae.*

croyable, adj. Qui mérite croyance. ‖ (En parl. d'une personne.) *Dignus cui credatur. Fide dignus.* ¶ (En parl. d'une chose.) *Credibilis, e,* adj. *Facilis ad credendum.*

croyance, s. f. Ce qu'on croit. *Opinio, onis,* f. — en Dieu, *opinio Dei.* ‖ (Spéc.) En matière religieuse. *Fides, ei,* f. Les — religieuses, *religiones, um,* f. pl.

croyant, *ante,* adj. Qui a la foi religieuse. *Pius Deum* et simpl. *pius, a, um,* adj.

1. cru, *ue,* adj. (En parl. de substances alimentaires.) Qui n'est pas cuit. *Crudus, a, um,* adj. ‖ (Par ext.) Indigeste. *Crudus, a, um,* adj. ¶ Qui n'a pas subi une préparation. *Rudis, e,* adj. *Infectus, a, um,* adj. Cuir —, *crudum corium.* ¶ (Fig.) Que rien n'atténue. *Durus, a, um,* adj. *Asper, a, um,* adj.

2. cru. s. m. Ce qui croît dans un certain sol. Vin d'un bon —, *generosum vinum.* Fig. Donner qqch. de son —, *aliquid de suo proferre.*

cruauté, s. f. Manière d'être de celui qui se plaît à faire souffrir. *Crudelitas, atis,* f. *Saevitia, ae,* f. ¶ Acte de celui qui se plaît à faire souffrir. Commettre des —, *atrocius (in aliquem) saevire.* Commettre beaucoup de —, *multa crudeliter facere.*

cruche. s. f. Vase en grès, poterie à large panse. *Urceus, i,* m. *Seria, ae,* f. — à eau, *hydra, ae,* f.

crucifiement et crucifîment, s. m. Action de crucifier. *Crux, crucis,* f. *Cruciatus et crux.*

crucifier, v. tr. Mettre en croix (*Aliquem*) *cruci affigère* ou *suffigère.*

crucifix, s. m. Croix sur laquelle est figuré Jésus-Christ crucifié. *Christus cruci affixus.*

crudité, s. f. Caractère indigeste de certains aliments qu'on mange crus. *Cruditas, atis,* f. ¶ Aigreur que donne la digestion difficile des aliments. *Cruditas, atis,* f. Qui a des —, *crudus, a, um,* adj. ¶ (Fig.) La — d'une expression (caractère choquant). *Nuda verba.*

crue. s. f. Élévation du niveau de l'eau dans un cours d'eau, etc *Auctus aquarum.* La — du Nil, *incrementum Nili.* La — du fleuve emporta le pont, *aquae magnitudine pons est interruptus.* Avoir une —, *accrescère,* intr.

cruel, elle, adj. Qui se plaît à faire souffrir. *Crudelis, e,* adj. *Saevus, a, um,* adj. *Immanis, e,* adj. ¶ Qui fait souffrir (en parl. de choses). *Crudelis, e,* adj. *Gravis, e,* adj. || (Par ext.) Où l'on souffre. *Crudelis, e,* adj.

cruellement, adv. D'une manière cruelle. *Crudeliter,* adv. *Duré,* adv. *Atrociter,* adv. Souffrir —, *gravissimis doloribus crucidri.* || (Par ext.) Offenser —, *pergraviter offendere.*

crûment, adv. D'une manière crue, sans rien atténuer. *Asperè,* adv. *Apertè,* adv. Dire —, tout —, *asperè dicère.*

crustacé, ée, adj. Revêtu d'une croûte. *Crustatus, a, um,* p. adj.

crypte, s. f. Caveau souterrain d'une église. *Crypta, ae,* f.

cube, s. m. Parallélipipède à six faces formant des carrés égaux. *Cubus, i,* m. || (Par ext.) Socle. Voy. ce mot. || (Par apposition.) Un mètre —, *quadrantal, talis,* n. ¶ Le — d'un nombre (la troisième puissance de ce nombre). *Solidus numerus. Cubus, i,* m.

cubique, adj. Qui appartient au cube. *Cubicus, a, um,* adj.

cubitus. s. m. Le plus gros des deux os de l'avant-bras. *Cubitus, i,* m.

cueillette. s. f. Action de cueillir.

Perceptio, onis, f. || (Spéc.) Récolte de certains fruits. *Perceptio fructuum.* — des olives, *olivitas, atis,* f.

cueillir, v. tr. Recueillir, récolter. Voy. ces mots. ¶ (Spéc.) Détacher de la tige (une fleur, un fruit, un rameau). *Carpère,* tr. *Decerpère,* tr. *Legère,* tr. *Destringère,* tr.

cuillère et cuiller, s. f. Ustensile de table, de cuisine, etc. *Cochlear, aris,* n. — à pot, *trua, ae,* f. — (pour puiser le vin), *trulla, ae,* f.

cuillerée, s. f. La quantité que contient une cuillère. *Cochlear, aris,* n.

cuir, s. m. Peau. *Cutis, is,* f. Le — chevelu, *cutis capillum gignens.* Entre — et chair, *intercus* (gén. *-cutis*), adj. ¶ Peau épaisse de certains animaux. *Pellis, is,* f. *Corium, ii,* n.

cuirasse, s. f. Arme défensive (enveloppant et protégeant le dos). *Lorica, ae,* f. *Thorax, acis,* m. — de fer, *tunica ferrea.*

cuirasser, v. tr. Couvrir d'une cuirasse. *Loricâ* (ou *thorace*) *induère* (*aliquem*). Se —, *loricâ* (ou *thorace*) *se induère* (ou *tegère*). Qui est cuirassé, *loricatus, a, um,* adj.; *loricâ* (ou *thorace*) *indutus.*

cuirassier, s. m. Soldat armé d'une cuirasse. Les —, *ferrati, orum,* m. pl.

cuire, v. tr. et intr. || (*V. tr.*) Rendre propre à l'alimentation par l'action du feu. *Coquère,* tr. — avec ou dans, *incoquère* (*sucum cum melle*). Faire —, *coquère,* tr. Faire — fortement, *excoquère,* tr. Faire — plusieurs choses ensemble, *concoquère,* tr. — entièrement, *percoquère* (*legumina, carnes*). On le mange cuit (le fruit), *mandunt igni paratum.* || (Spéc.) Vin cuit (qu'on obtient en faisant évaporer une partie du moût). *Defrutum, i,* n. || (P. anal.) Mûrir. *Coquère,* tr. ¶ Rendre propre à tel ou tel usage par l'action du feu. *Coquère,* tr. Terre cuite (vase), *testa, ae,* f. Une statue en terre cuite *et par ext.* une terre cuite, *fictile signum.* ¶ (*V. intr.*) Devenir propre à l'alimentation par l'action du feu. *Coqui,* pass. ¶ Produire une sensation analogue à celle que cause l'action du feu. *Pungère,* tr. *Urère,* tr. || (Fig.) Il lui en cuira (cela sera pénible pour lui), *flebit.*

cuisant, ante, adj. Qui produit une sensation analogue à celle d'une brûlure. *Acer, cris, cre,* adj. Causer une douleur — à qqn, *acerbum dolorem inurère alicui.* Ressentir une douleur —, *dolore ardère.* Fig. Des chagrins —, *cruciatus animi.*

cuisine, s. f. Pièce d'une maison où l'on fait cuire les aliments. *Culina, ae,* f. De —, *coquinarius, e,* adj. ou *coquinarius, a, um,* adj. Batterie de —, *vasa coquinaria.* Chef de —, *archimagirus, i,* m. Aide de —, voy. MARMITON. ¶ L'art d'apprêter les aliments. *Coquorum ars* (ou *artificium*). ¶ Les aliments qu'on apprête dans une maison. *Cibus,* i, m. Faire la —, *coquitāre*, intr. Faire sa —, *cibum manu suā parāre.*

cuisinier, s. m. Celui qui a pour fonction de faire la cuisine. *Coquus, i,* m. De —, *coquinus, a, um,* adj.

cuisse, s. f. Partie de la jambe qui s'étend de la hanche au genou. *Femur, oris (et feminis),* n.

cuisson, s. f. Action de cuire. ‖ Préparation des aliments par le feu. *Coctura, ae,* f. ‖ (P. anal.) Sensation analogue à celle que produit une brûlure. *Ustio, onis,* f. *Morsŭs, ūs,* m.

cuissot, s. m. Le morceau de la cuisse dans le chevreuil, le sanglier, etc. *Clunis, is,* m. et f.

cuite, s. f. Voy. CUISSON. ‖ (P. ext.) Quantité qu'on cuit en une fois. *Coctura, ae,* f.

cuivre, s. m. Métal rougeâtre (très ductile et malléable). *Aes, aeris,* n. — rouge, *aes cyprium,* simpl. *cyprium, ii,* n. Fait de —, *aeratus.* Mine de —, *aeris fodina.*

culbute, s. f. Saut. Faire des —, *per caput pedesque ire praecipitem.*

culbuter, v. intr. et tr. ‖ (V. intr.) Faire la culbute. Voy. TOMBER, RENVERSE. (Fig.) Etre renversé de la position qu'on occupait. Voy. RENVERSER. ¶ (V. tr.) Faire tomber brusquement à la renverse. *Resupināre,* tr. ‖ (Par ext.) Culbuter l'ennemi (par une attaque, un choc impétueux). *Impellĕre,* tr. *Dejicĕre,* tr.

culinaire, adj. Qui se rapporte à la cuisine. *Coquinarius, a, um,* adj.

culminant, *ante*, adj. Qui est à la plus grande hauteur qu'il puisse atteindre. *Summus, a, um,* adj. ‖ (Fig.) Le point — (de la fortune), *culmen summum (fortunae).*

culotte, s. f. Partie du train de derrière du bœuf. *Clunes, ium,* f. pl. ¶ Vêtement d'homme. *Bracae, arum,* f. pl.

culpabilité, s. f. Caractère de celui qui est coupable. *Culpa, ae,* f. Démontrer la —, *coarguĕre culpam.*

culte, s. m. Honneur suprême que l'homme rend à Dieu. *Dei* (ou (chez les anc.) *deorum) cultus.* Rendre un — aux dieux, *deos colĕre.* ‖ (Fig.) Adoration pour qqn, qqch. *Veneratio, onis,* f. *Pietas, atis,* f. Rendre un — à..., *venerāri,* dép. tr.: *colĕre* tr. ¶ (Spécial.) Ensemble des cérémonies extérieures par lesquelles l'homme honore Dieu. *Res divinae,* f. pl. *Religiones, um,* f. pl. *Sacra, orum,* n. pl.

cultivable, adj. Qui peut être cultivé. *Qui (quae, quod) arari aut coli potest.*

cultivateur, s. m. Celui qui fait valoir un fonds de terre. *Agricola, ae,* m. *Arator, oris,* m.

cultiver, v. tr. Soumettre la terre à certains travaux pour la rendre fertile. *Colĕre,* tr. *Excolĕre,* tr. ¶ Soumettre les plantes à certains soins destinés à aider la nature. *Colĕre,* tr. ‖ (Fig.) Per-

fectionner par l'éducation. *Excolĕre,* tr. — son esprit, *excolĕre se.* ¶ Exploiter certaines plantes pour en récolter le produit. *Colĕre,* tr. ‖ (Fig.) Pratiquer, entretenir, augmenter. *Colĕre,* tr. *Excolĕre,* tr. — les arts libéraux, *liberales artes excolĕre.*

culture, s. f. Action de cultiver la terre. *Agri cultura* ou (simpl.) *cultura, ae,* f. *Agrorum* (ou *agri) cultus* et simpl. *cultus, ūs,* m. On ne voyait aucune trace de —, *nullum culti soli occurrebat vestigium.* Sans —, *incultus, a, um,* adj. Qui vient sans —, *sponte editus (a, um).* ‖ (Fig.) *Cultus (ingenii, animi).* *Cultura (animi).* (Esprit) sans —, *rudis artium.*

Cumes, n. pr. Ville de Campanie. *Cumae, arum,* f. pl. De —, *Cumanus, a, um,* adj.

cumul, s. m. Le fait de cumuler. *Acervatio, onis,* f. Le — des intérêts, *renovatio (singulorum annorum).*

cumuler, v. tr. Réunir à la fois en sa personne (plusieurs droits, plusieurs qualités). *Conjungĕre,* tr. ‖ Exercer à la fois (plusieurs fonctions publiques rétribuées). *Magistratus unā gerĕre.*

cupide, adj. Passionné. *Cupidus, a, um,* adj. ¶ (Spécial.) Passionné pour l'argent. *Avidus* (ou *cupidus) pecuniae* ou simpl. *cupidus, a, um,* adj.

cupidité, s. f. Passion. *Cupiditas, atis,* f. ¶ (Spéc.) Passion pour l'argent. *Cupiditas* (ou *aviditas) pecuniae,* ou (simpl.) *cupiditas, atis,* f. *Avaritia, ae,* f.

curage, s. m. Action de curer. *Purgatio, onis,* f.

curateur, s. m. Celui que la loi charge de prendre soin des biens d'un mineur ou d'un majeur incapable. *Curator, oris,* m. (surtout pour les majeurs interdits et les absents).

cure, s. f. Soin que l'on prend de qqch. *Cura, ae,* f. Je n'en ai —, *nihil meā interest* ou *refert; nihil laboro.* ‖ (Spéc.) Bénéfice ecclésiastique. *Sacerdotale beneficium.* ¶ (De nos jours.) Fonction de curé. *Sacerdotium, ii,* n. Résidence du curé. Voy. PRESBYTÈRE. ¶ Traitement d'une maladie. *Curatio, onis,* f. *Medicina, ae,* f. *Cura, ae,* f.

curé, s. m. Prêtre placé à la tête d'une paroisse catholique. *Sacrorum antistes* ou *verbi divini minister.*

cure-dent, s. m. Instrument pour nettoyer les dents. *Dentiscalpium, ii,* n.

curée, s. f. Portion de la bête qu'on abandonne aux chiens de chasse, lorsqu'ils l'ont prise. *Praeda venatoria.*

cure-oreille, s. m. Tige pour nettoyer l'intérieur des oreilles. *Auriscalpium, ii,* n. [*Purgāre,* tr.

curer, v. tr. Nettoyer (un réceptacle).

cureur, s. m. Celui qui fait le curage d'un puits, etc. *Purgator, oris,* m.

curie, s. f. (Antiq. rom.) Fraction de la tribu. *Curia, ae,* f. Qui appartient à la même —, *curialis, e,* adj. De —,

curiatus, *a*, *um*, adj. || Edifice où se réunissait le sénat. *Curia, ae, f.* || Sénat de Rome et plus tard des villes municipales. *Curia, ae, f.*

curieusement, adv. Avec un soin particulier. *Curiosē*, adv.

curieux, *euse*, adj. Qui recherche qqch. avec un soin, un intérêt particulier. *Curiosus, a, um*, adj. Subst. Curieux, voy. AMATEUR. ¶ Qui s'intéresse à voir, à connaître qqch. *Studiosus, a, um*, adj. Etre —, *discendi studio* (ou *audiendi cupiditate*) *incensum esse.* — de nouveautés, *nova videndi* (ou *ignota visendi*) *cupidus.* || (Par ext.) Qui cherche à savoir ce qui ne le regarde pas. *Curiosus, a, um*, adj. || Intéressant à voir, à connaître. *Novus, a, um*, adj. *Mirus, a, um*, adj. Faire voir ce qu'il y a de —, voy. CURIOSITÉ.

curion, s. m. Prêtre qui présidait aux sacrifices d'une curie. *Curio, onis, m.*

curiosité, s. f. Soin, intérêt particulier que l'on met à rechercher qqch. Voy. SOIN. || (Par ext.) Ce qu'on recherche, chose rare. *Res raritate notabilis. Res rara. Miraculum, i, n.* Athènes offre bien des —, *multa Athenae visenda habent.* ¶ Intérêt que l'on prend à voir, à connaître qqch. *Curiositas, atis, f.* (on dit plutôt : *nova noscendi* ou *visendi studium ; visendi* ou *spectandi cupiditas*). Exciter *ou* piquer la —, *movēre hominum studia.* || (P. ext.) Désir indiscret de connaître. *Curiositas importuna.* || (P. ext.) Caractère d'une chose qui éveille le désir de la voir, de la connaître. *Novitas (alicujus rei). Raritas, atis, f.*

curule, adj. (Antiq. rom.) Chaise —, *sella curulis*, et absol. *sella, ae, f.*

cuve, s. f. Grand vaisseau de bois circulaire. *Cupa, ae, f. Lacūs, ūs, m.* ¶ Grand réceptacle en pierre, etc. *Labrum, i, n.* [*i, n.*

cuveau, s. m. Petite cuve. *Labellum, i, n.*

cuvée, s. f. La quantité de vin qui se fait à la fois dans une cuve. *Quod habet intus* (ou *capit*) *vinaria cupa.* || (Fig.) Provenance. Voy. ce mot.

cuver, v. intr. et tr. || (*V. intr.*) Séjourner dans la cuve pendant la fermentation. *Fermentari*, pass. ¶ (P. ext.) (*V. tr.*) Cuver son vin, *edormīre vinum.*

cuvette, s. f. Bassin peu profond pour ablutions. *Labellum, i, n.*

cuvier, s. m. Petite cuve, grand

baquet pour la lessive. *Lacūs, ūs, m. Labrum, i, n.* [*es, f.*

Cybèle, n. pr. Mère des dieux. *Cybele,*

Cyclades, n. pr. Iles de la Grèce. *Cyclades, um, f. pl.*

cycle, s. m. Période continue d'un nombre déterminé d'années. *Spatium temporis.*

cyclone, s. m. Vent de tempête qui tourbillonne. *Ventus turbo*, et (simpl.) *turbo, bnis, m.*

cyclope, s. m. Sorte de géant mythologique, ayant un œil au milieu du front. *Cyclops, opis, m.*

cygne, s. m. Oiseau palmipède, aquatique, au col et au bec allongés. *Olor, oris, m. Cycnus, i, m.* De —, *olorinus, a, um*, adj.; *cycneus, a, um*, adj.

cylindre, s. m. Solide, rouleau. *Cylindrus, i, m.*

cylindrique, adj. Qui a la forme d'un cylindre. *Cylindratus, a, um*, adj.

cymbale, s. f. Instrument de musique. *Cymbalum, i, n.* et ordin. *cymbala, orum*, n. pl. Jouer des —, *aera concrepāre.* Joueuse de —, *cymbalistria, ae, f.*

cymbalier, s. m. Celui qui joue des cymbales. *Cymbalista, ae, m.*

cynique, adj. Qui appartient à l'école philosophique d'Antisthène. *Cynicus, a, um*, adj. L'école —, *cynica gens.* || (P. ext.) *Fig.* Qui est d'une impudeur effrontée. *Impudicus, a, um*, adj. || Qui est d'une impudence effrontée. *Protervus, a, um*, adj.

cyniquement, adv. D'une manière cynique. *Cynico more.*

cynisme, s. m. Doctrine de l'école cynique. *Cynicorum ratio.* ¶ (Fig.) Impudence effrontée. *Impudicitia, ae, f. Impudentia, ae, f. Protervitas, atis, f.*

cynocéphale, s. m. Genre de singes à museau allongé. *Cynocephalus, i, m.*

cyprès, s. m. Arbre résineux au feuillage sombre. *Cupressus, i, f. Cyparissus, i, f.* De —, *cupresseus, a, um*, adj.

Cyrène, n. pr. Colonie grecque d'Afrique. *Cyrene, es, f.* De —, *Cyrenaeus, a, um*, adj.

Cyrus, n. pr. Fondateur de la monarchie perse. *Cyrus, i, m.* — le Jeune, *Cyrus minor.* [*Cythera, orum*, n. pl.

Cythère, n. pr. Ile de la mer Egée.

cytise, s. m. Genre de plantes. *Cytisum, i*, n. *Cytisus, i*, m. et f.

Cyzique, n. pr. Ville d'Asie Mineure. *Cyzicus, i, f.* De —, *Cyzicenus, a, um*, .adj.

D

d. Quatrième lettre de l'alphabet français. *D littera.*

d' voy. DE. [*prorsus; ita vero.*

da, adv. Particule. Oui-dà, dà, *ita*

Dacie, n. pr. Province romaine du Danube. *Dacia, ae*, f. Habitants de la —, *Daci, orum*, n. pl.

dactyle, s. m. Pied formé d'une syllabe longue, suivie de deux brèves. *Dactylus*, *i*, m.

dactylique, adj. Relatif au dactyle. *Dactylicus*, *a*, *um*, adj.

dague, s. f. Sorte d'ancien poignard. *Clunaculum* i, m.

daigner, v. tr. Vouloir bien (faire qqch.) en considération de qqn qu'on n'en trouve pas indigne. *Velle*, tr. Il a daigné (faire), *ipsi placuit* ou *collibuit* ou *visum est (facère)*.

daim, s. m. Genre voisin du cerf, plus petit que le cerf ordinaire. *Cervus damma*.

dais, s. m. Couronnement en forme de papillon qui surmonte un autel, etc. *Aulaeum*, *i*, n. *Papilio*, *onis*, m. || (P. ext.) Un dais de verdure. *Trichila*, *ae*, f.

dallage, s. m. Action de paver avec des dalles; pavé fait avec des dalles. *Pavimentum*, *i*, n.

dalle, s. f. Pierre, bois de construction débité en tranches minces. Voy. QUARTIER. || (Spéc.) Tablette de pierre ou de marbre, etc., qui sert à paver. *Pavimentum*, *i*, n.

daller, v. tr. Paver avec des dalles. *Pavimento tegère*. Portique dallé, *porticus pavimentata*.

Dalmatie, n. pr. Province de l'Adriatique. *Dalmatia*, *ae*, f. De —, *Dalmaticus*, *a*, *um*, adj.

Damas, n. pr. Ville de Syrie. *Damascus*, *i*, f. De —, *Damascenus*, *a*, *um*, adj.

damasquiner, v. tr. Incruster d'or, d'argent (une pièce de fer, d'acier). *Distinguere (aliquid auro, gemmis)*. Damasquiné d'or, *chrysendetos*, *a*, *um*, adj.

1. dame, s. f. Femme noble. *Domina*, *ae*, f. *Nobilis femina*. Dames de qualité, *matronae optimates*, et simpl. *optimates*, *ium* (et *um*), f. pl. (P. ext.) Titre donné à certaines femmes par respect. *Matrona*, *ae*, f. || (Spécial.) Femme appartenant à une certaine classe de la société (par opposition aux femmes du peuple); titre donné par politesse aux femmes du peuple. *Matrona*, *ae*, f. ¶ Femme mariée. *Conjux*, *jugis*, f.

2. dame, interj. Exclamation, analogue à « ma foi! » *Mehercule! Mehercules! Mehercle!*

dameret, s. m. Homme dont la tenue et les manières ont une élégance efféminée. *Trossulus*, *i*, m.

damier, s. m. Tablette servant au jeu de dames. *Abacus*, *i*, m. *Tabula*, *ae*, f.

damnable, adj. Qui mérite d'être damné; qu'on doit réprouver. *Damnandus*, *a*, *um*, adj. verb.

damnation, s. f. Condamnation aux peines éternelles. *Damnatio*, *onis*, f.

damné, *ée*, adj. Condamné aux peines éternelles. *Damnatus*, *a*, *um*, part. substantiv. Les damnés, *damnati*.

damner, v. tr. Condamner aux peines éternelles. *Damnāre*, tr. Etre damné, *esse in damnatione*. || (P. ext.) Con-

duire à la damnation. *Auctorem esse damnationis*. Faire — qqn (l'irriter violemment), voy. IRRITER.

damoiseau, s. m. Jeune homme qui ne s'occupe qu'à courtiser les dames. *Pulchellus homo*.

danger, s. m. Ce qui menace les intérêts, la sûreté de qqn. *Periculum*, *i*, n. *Discrimen*, *inis*, n. Dans un — si pressant, *in tanto discrimine periculi*. Mettre qqn en —, *periculum alicui creāre*. — de mort, *periculum vitae*. Sans —, *securē*, adv. A l'abri du —, *tutus (a, um)*, adj. Courir un —, *periclitari*, dép. intr. Etre en — de mort (en parl. d'un malade), *periclitāri*, dép. intr. Qui met la vie en —, *capitalis*, *e*, adj.

dangereusement, adv. D'une manière dangereuse. *Periculosē*, adv. Etre — blessé, *graviter vulnerari*. Etre — malade, *graviter jacēre* (ou *aegrotāre*).

dangereux, *euse*, adj. Qui présente du danger. *Periculosus*, *a*, *um*, adj. *Anceps* (gén.-*cipitis*), adj. *Gravis*, *e*, adj. *Lubricus*, *a*, *um*, adj. *Perniciosus*, *a*, *um*, adj. Situation —, *angustiae*, *arum*, f. pl.; *periculum*, *i*, n.; *discrimen*, *inis*, n. Situation très —, *res magni periculi*. Il est — de naviguer en hiver, *periculosē navigatur hieme*. Avoir une maladie —, *periculosē aegrotāre*.

dans, prép. Marque la situation d'une personne, d'une chose. || Par rapport au lieu qu'elle occupe. *In*, prép. (avec l'abl. de la question *ubi* et l'acc. de la quest. *quo*). *Apud* (« chez, dans les écrits de »), prép. (av. l'acc.). *Per* (« dans » avec l'idée accessoire de « çà et là, de place en place »), prép. (avec l'acc.). *Ex* (« hors de »), prép. (avec l'abl.) (av. les verbes signif. « puiser », « prendre », « recueillir », voy. les gramm.). — une lettre il prend Alexandre à partie, *epistolā quādam Alexandrum accusat*. — une litière, *lecticā cubans*. Avec un bâton — sa main, *baculum manu tenens*. Cassius se sauva — une barque. *Cassius exceptus scaphā refugit*. || Par rapport au temps qu'elle remplit. *In*, prép. (avec l'abl.). *Intra*, prép. (av. l'acc.). — cette conjoncture fâcheuse, *in tali tempore*. Tous moururent — l'année, *omnes intra annum exstincti sunt*. — notre siècle, *nostrā aetate*. — sa 90e année, *nonagesimum annum agens*; *nonagesimo aetatis anno*. Mourir — un âge avancé, *aetate provectā mori*. || (Par avct.) Au bout de... *Post*, adv. et prép. (av. l'acc.). On vous parlera de cela — trois jours, *triduo haec audietis*. || Par rapport au milieu dont elle fait partie, où elle vit. *In*, prép. (avec l'acc. de la question *quo* et l'abl. de la quest. *ubi*). *Secundum*, prép. (avec l'acc.). Tomber — une embuscade, *in insidias incidēre*. Descendre — la carrière, *in curriculum* descendĕre. Parler — le même sens, *in eandem sententiam loqui.* Courageux — le combat, *manu fortis.* — la paix en — la guerre, *domi militiaeque.* Versé — l'art militaire, *prudens rei militaris.* Habile — son art, *artis peritus.* || Quant à la disposition qu'elle éprouve. *In,* prép. (av. l'abl.). Etre — l'attente, *esse in exspectatione.* Etre — toute sa force, *in flore virium esse.* Il est — la force de l'âge, *floret aetate.* La lune est — son plein, *luna pleno orbe fulget.* Il est — un grand embarras d'affaires, *est negotiorum mole obrutus.* Il a fait cela — l'intention de, *eâ mente fecit, ut* (av. le subj.). Etre — son bon sens, *mentis suae compotem esse.*

danse, s. f. Série de pas, de sauts cadencés (le plus souvent au son de la musique). *Saltatio, onis,* f.

danser, v. intr. Faire une série de pas, de sauts, d'attitudes, rythmés et cadencés, le plus souvent au son de la musique. *Saltāre,* intr. — sur la corde raide, voy. CORDE. ¶ Faire une série de bonds, de mouvements réguliers, *Saltāre,* intr. *Persultāre,* intr.

danseur, *euse,* s. m. et f. *Saltans, antis,* m. et f. Etre bon —, *saltāre commodē* || (Spécial.) Celui, celle qui fait métier de danser. *Saltator, oris,* m. *Saltatrix, tricis,* f. [*Danuvius, ii,* m.

Danube, n. pr. Grand fleuve d'Europe.

dard, s. m. Ancienne arme de trait (terme poét.). *Jaculum, i,* n. *Telum missile.* || (P anal.) Le — de l'abeille, *aculeus apis,* et simpl. *aculeus, i,* m.

darder, v. tr. Lancer vivement comme un dard *Jaculāri,* dép. tr. *Vibrāre,* tr. || P. anal. — sa langue (en parl. du serpent), *linguam vibrāre.*

dartre, s. f. Maladie cutanée. *Impetigo, inis,* f.

dartreux, *euse,* adj Caractérisé par des dartres. *Impetiginosus, a, um,* adj. Affection —, voy. DARTRE.

date, s. f. Indication de l'année, du mois, du jour où un fait a eu lieu, a lieu. *Dies, ei,* m. et f. Mettre une — à une lettre, *die n in epistolâ ascribĕre.* De — plus récente, *recentior* (epistula).

dater, v. tr. et intr. || (*V. tr.*) Inscrire la date sur. — une lettre, *diem ad epistŭlam addĕre; diem in epistŭlâ ascribĕre.* ¶ (*V. intr.*) Exister depuis une certaine date. *Initium capĕre* ou *coepisse ab...* (ou *ex...*) Qui date de loin, *antiquus, a, um,* adj. A — de, *ab,* prép. (av. l'abl.).

datif, s. m. Cas de la déclinaison (latine, grecque, etc.) où l'on met le complément indirect. *Dativus casus* et (absol.) *dativus, i,* m. [*Palmae po num.*

datte, s. f. Fruit sucré du dattier.

dattier, s. m. Sorte de palmier qui produit la datte. *Palma, ae,* f.

dauber, v. tr. Charger de coups. *Contundĕre,* tr. || (Fig.) Maltraiter en paroles. *Carpĕre* (*aliquem maledico*

dente). *Vellicāre* (*aliquem*). Absol. — sur qqn, *invehi in aliquem.*

dauphin, s. m. Cétacé souffleur. *Delphinus, i,* m. [mer. *Aurata, ae,* f.

daurade et **dorade,** s. f. Poisson de

davantage, adv. Plus. Voy. PLUS. ¶ Plus (sans complément, par rapport à un terme précédemment énoncé). Exiger —, *plura postulāre* S'il y en a —, *si quae praeterea sunt.* S'éloigner —, *longius discedĕre.*

davier, s. m. Forte pince pour arracher les dents. *Forceps, cipis,* m.

de, prép. Marque un rapport de dépendance, d'appartenance. (Se rend par le génitif latin, *qqf.* par un adjectif.) Le roi de Macédoine, *rex Macedonum.* Ce n'est pas le fait d'un honnête homme *et* ce n'est pas d'un honnête homme, *non est probi hominis.* La blancheur du marbre, *candor marmoreus.* || (Par ext.) « De » servant à amener un infinitif qui est le sujet logique de la proposition. De faire des calculs d'argent, c'est une mesquinerie, *de pecuniâ ratiocinari sordidum est.* Par invers : Ce qu'il est honteux de faire, *quod facĕre turpe est.* C'est une folie de résister, *stultitia est repugnāre.* || « De » servant à amener un autre verbe complément d'un infinitif. Ne se rend pas le plus souvent : cesser de parler, *loqui desinĕre.* Il promit de s'occuper ..., *affirmavit se daturum operam...* Avec les « verbes » prier, conseiller », etc. « de » se rend par *ut* et le subj. || « De » suivi de l'infinitif descriptif. Mais les Romains de se hâter, *at Romani festināre.* ¶ Exprime le rapport d'une chose avec un terme soumis à son action. Fracture d'un os, *os fractum.* La démolition des murs, *murorum destructio.* L'amour de la patrie, *patriae caritas.* La crainte de la mort, *mortis terror.* Avide de gloire, *gloriae aridus.* Plein d'espoir, *plenus bonae spei.* Las de gémir, *plorando fessus.* ¶ Marque un rapport d'origine. *De,* prép. (avec l'abl.). Pluie d'orage, *nimbus, i,* m. Vent du nord, *septentrio.* Eau de source, *aqua fontana.* Sable de rivière, *arena fluviatica.* Biens de campagne, *fundi, orum,* m. pl.; *praedia, orum,* n. pl. Milon de Crotone, *Milo Crotoniates.* De quel pays il était, *cujus nationis esset.* Qui est de Syracuse, *oriundus ab Syracusis.* Etre de la même famille, *ex eâdem familiâ exisse.* || Substance. *E* ou *ex,* prép. (av. l'abl.). Statue de marbre, *signum e marmore* ou *signum marmoreum.* Statue de bronze, *statua aerea.* Robes de soie, *serica, orum,* n. pl. (Vases) de terre cuite, *fictilia, um,* n. pl. Cœur de pierre (fig.), *homo siliceus.* Pain d'orge, *punis hordaceus.* || (Par ext.) Quantité dont se compose un tout. Bande de voleurs, *manipulus furum.* Troupe de cavaliers *ou* (collect.) de cavalerie, *equitum turma.* || (Par ext.) Le contenant *ou* la mesure désignant la quantité. Un vaisseau de blé, *navis frumento onusta.* Un bateau (c.-à-d. un chargement) de paille, *navis paleae.* Plein de vin, *plenus vini.* ‖ Quantité dont qqch. est considéré comme la partie. *Ex*, prép. (avec l'abl.). *De*, prép. (avec l'abl.). *Inter*, prép. (av. l'abl.) (devant le compl. du superl., *ipse honestissimus inter suos numerabatur.* Un de mes amis intimes, *unus ex meis intimis.* A qui il ne restait rien d'un si grand patrimoine, *cui de tanto patrimonio nihil relictum erat.* Si j'apprends qqch. de nouveau, *si quid novi cognoro.* La colère a cela de fâcheux, *habet iracundia hoc mali...* Quelque chose de bas, *aliquid humile.* Peu, beaucoup, assez, trop, plus, moins, tant, autant de..., voy. PEU, etc. ‖ (Spéc.) Avec ellipse du terme dont « de » est le complément pour marquer une quantité indéterminée. Demander de l'argent, *pecuniam petère.* De bonnes gens, *boni homines.* De certains/d'aucuns, *nonnulli.* ‖ Destination, objet. Plan de guerre, *belli ratio.* Traité d'agriculture, *de agricultura libri.* Bateau de transport, *oneraria navis.* Homme de guerre, *militaris homo.* Hommes de peine, *operae*, f. pl. ‖ Espèce. Accès de folie, *delirium.* Affaire d'importance, *res gravis.* Un homme de qualité, *vir honestus.* Ecrivain de talent, *scriptor ingeniosus.* Homme de courage, *vir strenuus ac fortis.* Grec de naissance, d'origine, *Graecus natione.* ‖ (Spéc.) Mesure d'une quantité. Profondeur de quatre pieds, *altitudo quattuor pedum.* Lance longue de six pieds, *hasta sex pedes longa.* Plus grand de deux doigts, *duobus digitis major.* ‖ Dénomination. Le nom de mère, *maternum nomen.* Le mot de calamité, *verbum calamitatis.* La ville de Rome, *urbs Roma.* ¶ Pour indiquer d'où part l'action. ‖ Rapport de lieu. *A* ou *ab*, prép. (av. l'abl.) *De*, prép. (av. l'abl.). *Ex*, prép. (av. l'abl.). Partir — chez soi, *proficisci a domo.* Retirer un anneau — son doigt, *de digito anulum detrahère.* Se jeter du haut du mur, *de muro se dejicère.* Sortir de la ville, *exire ex urbe.* Se tenir près de qqn, voy. PRÈS. Fig. Issu d'une famille illustre, *nobili genere ortus.* Il faut effacer cet article du traité, *id eximendum est de foedere.* ‖ Rapport de temps. *A* ou *ab*, prép. (av. l'abl.). *De*, prép. (av. l'abl.). *Ex*, prép. (av. l'abl.). Du matin au soir, *a mane ad noctem usque.* De jour, *interdiu.* De nuit, *noctu.* De notre temps, *aetate nostra.* De grand ou de bon matin, *bene mane.* De jour en jour, *in dies.* Muet de naissance, *natura mutus.* Fig. De ma vie je n'avais ressenti une aussi grande joie, *ego, in vita mea, nulla unquam voluptate tanta sum affectus.* ‖ Rapport de cause. *A* ou *ab*, prép. (av. l'abl.). Aimé de ses parents, *a parentibus dilectus.* Estimé des hon-

nêtes gens, *bonis viris probatus.* ‖ Rapport de matière. *Ex*, prép. (av. l'abl.). Statue faite de bronze, *statua ex aere facta.* Se nourrir de lait et de venaison, *vesci lacte et ferina carne.* Remplir une marmite de deniers, *ollam denariorum implère.* Se vêtir de pourpre, *purpura vestiri.* Par ext. Dépouiller qqn de ses vêtements, *veste aliquem spoliare.* Parer de fleurs, *floribus ornare.* Charger qqn de lourds fardeaux, *magnis oneribus aliquem premère.* ‖ (Par ext.) Indiquant l'objet de l'action. Voy. les verbes [se] PLAINDRE, [s'] EMPARER, [se] SOUVENIR, RÊVER [de], PARLER [de], [s'] AGIR, etc. ‖ Rapport d'instrument, de moyen employé. Coup de poing, *pugnus, i*, m. Trait de scie, *linea, ae*, f. Cris d'épouvante, de joie, *paventium, gaudentium clamor.* Mouvement de colère, *irae impetus.* Traits de courage, *fortia*, n. pl. Fou de rage, *furore amens.* Frapper qqn de verges, de la hache, *virgis aliquem caedère; securi aliquem percutère* (ou *ferire*). Jouer de la flûte, *tibia canère.* Battre des mains, *manibus plaudère.* ‖ Rapport de moyen. Mourir de faim, *fame interire.* Souffrir du froid, *frigore laedi.* Malade de chagrin, *ex aegritudine miser.* ‖ Indiquant de quelle manière on agit. Marcher d'un bon pas, *contentius ambulare.* De tout cœur, *plane ex animo.* Acheter de confiance, *bona fide emère.* Roi de nom plutôt que de fait, *nomine magis quam imperio rex.*

1. dé, s. m. Petit cube en os, en ivoire, servant à différents jeux. *Talus, i*, m. *Tessera, ae*, f. Petit — à jouer, *taxillus, i*, m. Jeu de —, *ludus talarius.* Jouer aux —, *talis* (ou *tesseris*) *ludère.*

2. dé, s. m. Petite calotte de métal, etc. qu'on met au bout d'un doigt pour coudre. *Digitale tegumen.*

débâcle, s. f. Dans une rivière gelée, rupture de la glace. *Glaciei solutio.* La — arrive, *glacies se frangit.* Quand vient la —, *glacie solutā.*

déballer, v. tr. Retirer (le contenu) d'une balle qu'on défait, etc. *Exonerāre*, tr. ¶ Défaire la balle. Voy. OUVRIR. ‖ (Absol.) Faire un étalage d'objets à vendre. *Merces suas expedire.*

débandade, s. f. Action de se débander (en parl. d'une troupe). *Fuga effusa* ou *praeceps. Tumultus, ūs*, m. La — est générale, *omnes in fugam effunduntur.* Marcher à la —, *temere atque effuse ire; incomposito agmine ire.*

1. débander, v. tr. Détendre (ce qui est bandé). — un arc, *arcum remittère* (ou *laxāre*). ‖ Débarrasser d'une bande. *Solvère*, tr. *Resolvère*, tr.

2. débander, v. tr. Détacher d'une troupe. Voy. DÉTACHER. ¶ (Spécial.) (*V. pron.*) Se — (en parl. d'une troupe), *diffugère*, intr.; *fugam effusā petère.*

débarquement, s. m. Action de débarquer. *Egressūs, ūs*, m. *Escensio, onis*, f.

(escensionem facère ; *escensionem* facère *ab navibus in terram).*

débarquer, v. tr. et intr. ‖ *(V. intr.)* Faire sortir d'une une barque, d'un vaisseau, etc. *Exponère,* tr. *Educère,* tr. (cf. *educère milites e navi).* ¶ *(V. intr.)* Sortir d'une barque, etc., descendre à terre. *Exire ex* (ou *de) navi. Egredi navi* (ou *ex navi). Exire* (ou *egredi) in terram.*

débarras, s. m. Le fait d'être débarrassé de qqn, de qqch. *Liberatio molestiae.*

débarrasser, v. tr. Dégager de ce qui embarrasse. *Expedire,* tr. *Exoneràre,* tr. *Exsolvère,* tr. Se —, *deponère,* tr.; *excutère,* tr. Se — de qqn, *aliquem tollère* ou *e medio tollère.*

débat, s. m. Action de débattre un point, de discuter d'une manière suivie avec un ou plusieurs interlocuteurs. *Disceptatio, onis,* f. *Disputatio, onis,* f. *Controversia, ae,* f. — sur un mot, *controversia verbi.* Etre en — avec qqn, *contendère cum aliquo.* ‖ Les débats d'une assemblée. *Deliberatio, onis,* f. ‖ (P. ext.) Querelle. *Contentio, onis,* f. Un grand — s'éleva entre eux, *magna inter eos constitit controversia.*

débattre, v. tr. Se —, lutter en faisant des efforts pour se dégager. *Repugnàre (alicui rei). Resistère (alicui).* Se — contre le courant, *obluctàri flumini.* ‖ (Fig.) Se — contre l'adversité, *repugnàre fortunae.* ¶ *(V. tr.)* Discuter d'une manière suivie avec un ou plusieurs interlocuteurs. *Concertàre (cum aliquo de aliquá re). Contendère (aliquid* ou *de aliquá re).* Qui est débattu, *controversus, a, um,* adj.

débauche, s. f. Dérèglement de conduite par excès de table *ou* par mauvaises mœurs. *Intemperantia, ae,* f. *Libido, inis,* f. (souv. au plur.) ‖ (Spéc.) Partie de table. *Commissatio, onis,* f. *Perpotatio, onis,* f. ‖ (Fig.) Usage déréglé de qqch. Voy. ABUS. — d'esprit, *lascivia, ae,* f. …

débauché, *ée,* adj. Qui vit dans la débauche des mœurs. *Libidinosus, a, um,* adj. *Dissolutus, a, um,* p. adj. Un jeune —, *nepos, otis,* m.

débaucher, v. tr. Détourner au service d'un autre (celui qui est engagé avec qqn). *Avocàre,* tr. ‖ (Absol.) Détourner de ses devoirs et entraîner à l'inconduite. *Ad nequitiam abducère.*

débile, adj. Impuissant par manque de force. *Invalidus, a, um,* adj. *Imbecillus, a, um,* adj. *Debilis, e,* adj.

débilitation, s. f. Affaiblissement de l'organisme qui conduit à l'impuissance. *Infirmatio, onis,* f.

débilité, s. f. Etat de ce qui est débile. *Infirmitas, atis,* f. *Imbecillitas, atis,* f. — du corps, *vires corporis affectae.*

débiliter, v. tr. Rendre débile. *Debilitàre (aliquem* ou *aliquid). Infirmum* (ou *imbecillum) reddère.*

1. débit, s. m. Action de vendre en détail. *Venditio, onis,* f. Avoir le — de sa marchandise, *exigère merces.* Qui a un bon —, *vendibilis, e,* adj. ‖ (Par ext.) Boutique où l'on vend au détail certains produits. *Taberna (mercatoris).* Un — de vins, *popina, ae,* f. ¶ Action de découper par morceaux. *Desectio, onis,* f. ¶ Action de laisser écouler dans un temps donné une quantité déterminée de liquide. Voy. ÉCOULEMENT. ¶ (Fig.) Action de détailler en récitant. *Actio, onis,* f. Le — d'un orateur, *dictio, onis,* f.

2. débit, s. m. (Par opposition à crédit dans un compte-courant ;) ce qui est dû par qqn. *Debitum, i, n.*

débitant, s. m. Celui qui tient un débit, un magasin de détail. *Caupo, onis,* m. *Institor, oris,* m.

1. débiter, v. tr. Vendre au détail. *Divendère,* tr. *Distrahère,* tr. (cf. *d. merces).* Se —, voy. 1. DÉBIT. ‖ (P. ext.) Mettre en circulation. — des nouvelles, *rumores dissipàre* (ou *disseminàre).* ¶ Découper par morceaux pour un ouvrage déterminé. *Secàre,* tr. ¶ (P. anal.) Laisser écouler dans un temps déterminé une quantité déterminée de liquide. Voy. ÉCOULER, VERSER. ¶ (Fig.) Détailler en récitant. *Pronuntiàre,* tr. *Recitàre,* tr. — une harangue, *orationem habère.*

2. débiter, v. tr. Inscrire, porter au débit dans un compte. *Ferre alicui expensum. Pecunias expensas ferre.* ‖ Inscrire (qqn) comme débiteur. — qqn d'une somme, *ire* (ou *abire) in creditum.*

débiteur, s. m. Celui qui doit qqch. à qqn. *Debitor, oris,* m. (avec le gén. soit de la somme due, soit de la personne à qui elle est due). Les débiteurs, *debentes, ium,* m. pl.

déblai, s. m. Matériaux qu'on retire en déblayant. *Rudera, um,* n. pl.

déblatérer, v. intr. Se répandre en reproches, en injures. *Deblateràre,* intr. *Invehi (in aliquem).*

déblayer, v. tr. Dégager (un lieu) en enlevant des matériaux, des décombres. *Purgàre (locum). Patefacère (locum).* ‖ (Absol.) Par opp. à remblayer. Enlever les terres pour abaisser le niveau du sol. *Regerère (terram).*

débloquer, v. tr. Dégager du blocus (une ville, une place assiégée). *Oppidum obsidione liberàre.*

déboire, s. m. Déception amère. *Stomachus, i,* m. *Aegritudo animi.*

déboîtement, s. m. Déplacement d'un os sorti de son articulation. *Depravatio articulorum.*

déboîter, v. tr. Faire sortir de ce qui emboîte. *Ejicère,* tr. *Extorquère,* tr. Se —, *promovèri,* passif; *elabi,* dép. intr. Déboîté, *luxus.*

débonnaire, adj. Dont la bonté va jusqu'à un excès de tolérance. *Placidus, a, um,* adj.

débonnairement, adv. D'une manière débonnaire. *Placidè*, adv.

débonnaireté, s. f. Caractère débonnaire. *Clementia mansuetudoque.*

débordement, s. m. Action de déborder (pr. et fig.). || *Prop.* En parl. d'un cours d'eau. *Exundatio, onis*, f. || (Spéc.) Un — de bile, *redundatio stomachi.* || *Fig.* — des mauvaises mœurs, *intemperantia libidinum.* Ellipt. Le — des mœurs, *libido atque luxuria.*

déborder, v. intr. Dépasser le bord. *Exundàre*, tr. *Redundàre*, abs. *Superfluère*, intr. *Fig. Diffluère*, intr. Déborder de..., *luxuriàre*, intr. (*Capua luxurians felicitate*); *superfluère*, intr. (*superfluentes juvenili quàdam licentià*, débordant d'ardeur comme les jeunes gens). Laissant — leur joie, *laetitià effusi.*

débouché, s. m. Issue qui donne passage d'un lieu resserré dans un lieu plus ouvert. *Exitûs, ûs*, m. Le — d'un passage, d'une gorge, *fauces, ium*, f. pl. (Fig.) Un — pour des marchandises, lieu, occasion, facilité pour les écouler, les vendre. Voy. MARCHÉ, DÉBIT.

1. déboucher, v. tr. Dégager en retirant ce qui bouche. *Returàre*, tr.

2. déboucher, v. intr. Sortir d'un lieu resserré pour s'étendre dans un lieu plus ouvert. *Exire*, intr. *Prodìre*, intr. *Erumpère*, intr. (voy. SORTIR). || (Par ext.) Avoir son embouchure. *Effundi*, pass. *Se effundère. Influère*, intr.

débours, s. m. Argent déboursé par qqn. Voy. DÉBOURSÉ.

déboursé, s. m. Ce qui a été déboursé par qqn. *Pecunia pro aliquo expensa. Impensa pecunia.*

débourser, v. tr. Payer, fournir de son argent. *Solvère*, *numeràre pecuniam* (*alicui*).

debout, adv. Sur un bouts, dans le sens de la hauteur. *Rectè*, adv. Mettre (qqch.) —, *erigère*, tr. Voy. DRESSER. Qui est —, *erectus, a, um*, adj. Etre — *stàre*, intr. Rester —, *stàre*, intr. ¶ Sur ses pieds (en parl. de l'homme et des animaux). En parlant de l'homme. Etre —, *stàre*, intr. Se tenir —, *assistère*, intr. Se mettre —, *surgère*, intr. Debout ! *Surge.*

débouter, v. tr. Déclarer qqn déchu de sa requête, — qqn de sa demande, *aliquid ab aliquo abdicère.* Etre débouté, *causà cadère.*

débraillé, ée, p. adj. Découvert d'une manière indécente. *Discinctus, a, p.* adj.

débrider, v. tr. Débarrasser de la bride. *Frenos equo detrahère.* Chevaux débridés, *effrenati equi.*

débris, s. m. Reste d'un objet brisé. *Fragmentum, i*, n. (surt. au plur.) *Reliquiae, arum*, f. pl. *Ruinae, arum*, f. pl. [brouiller. *Explicatio, onis*, f.

débrouillement, s. m. Action de dé-

débrouiller, v. tr. Démêler ce qui est embrouillé. *Expedìre*, tr. *Explicàre*, tr. Par anal. Se —, *se expedìre.* ¶ Rendre clair (ce qui est brouillé). Voy. ÉCLAIRCIR.

débusquer, v. tr. Forcer (l'ennemi) de quitter un bois où il s'est retranché, *et* (par ext.), le déloger de sa position. *Expellère* (ou *proturbàre* (hostes). *Deturbàre hostes* (*ex* ou *ab vallo*).

début, s. m. Premier essai de qqn. *Principium, ii*, n. *Initium, ii*, n. Faire ses —, *rudimentum ponère.* ¶ (Par ext.) Commencement de qqch. *Initium, ii*, n. Remonter tout au —, *ab ultimo initio repetère.* Au début, *initio.* Dès le —, *a pvincipio.*

débutant, ante, s. m. et f. Celui, celle qui débute dans une carrière. *In re aliquà tiro.*

débuter, v. intr. Faire son premier essai. *Rudimentum ponère.* — dans la carrière des armes, *initium armorum facère.* ¶ (Fig.) Commencer. Voy. ce mot.

deçà, adv. et prép. || *Adv.* De ce côté-ci. *Ab hàc parte. Hinc*, adv. —, delà (de côté et d'autre), *hinc... illinc.* En —, *citra*, adv. Qui est en —, *citerior, us*, adj. || Suivi de la préposition « de ». En — de. *Cis*, prép. (avec l'acc.). *Citra*, prép. (avec l'acc.). ¶ *Prép.* De ce côté-ci de. *Cis*, prép. (avec l'acc.). *Citra*, prép. (avec l'acc.).

décacheter, v. tr. Ouvrir en rompant le cachet. *Resignàre* (*litteras*).

décade, s. f. Série de dix. Voy. DIZAINE.

décadence, s. f. Acheminement vers la ruine. *Rerum inclinatio.* Etre en —, *concidère*, intr.; *collabi*, dép. intr.

décalogue, s. m. La réunion des dix commandements de Dieu donnés à Moïse sur le Sinaï. *Decalogus, i*, m.

décamper, v. tr. Lever le camp. *Castra* (ou *signa*) *movère.* ¶ (Fig.) Quitter la place. *Vasa colligère.* Décampe, *vade foras; move te.* Faire —, *foras extrudère.*

décapitation, s. f. Action de décapiter qqn. *Amputatio capitis*, f.

décapiter, v. tr. Couper la tête (à qqn). *Caput alicujus praecidère* (ou *abscidère*). || (Fig.) Priver de ce qu'il y a de capital. *Detruncàre*, tr.

décéder, v. intr. Mourir. *Decedère ex vità*, ou simpl. *decedère. Discedère ex* (ou *a*) *vità.* [*Patefactio, onis*, f.

décèlement, s. m. Action de déceler.

déceler, v. tr. Faire connaître (qqn qui se cache de qqch.). *Detegère*, tr. Se —, voy. [se] DÉNONCER. || (Par ext.) Faire connaître ce que qqn cache. *Detegère*, tr. || (En parl. d'un indice.) Faire connaître celui qui cache qqch. ou la chose qu'il cache. *Coarguère*, tr.

décembre, s. m. Mois qui est aujourd'hui le douzième et le dernier de l'année. *Mensis december* ou absol. *December, bris, bre*, adj.

décemment, adv. D'une manière décente. *Decorē*, adv. *Decenter*, adv.

décemvir, s. m. (Antiq. rom.) Membre d'une commission de dix personnes, *decemvir*, *iri*, m.

décemviral, *ale*, adj. (Antiq. rom.) Relatif aux décemvirs. *Decemviralis*, *e*, adj.

décemvirat, s. m. Dignité, fonction de décemvir. *Decemviratūs*, *ūs*, m.

décence, s. f. Respect extérieur des bonnes mœurs. Voy. BIENSÉANCE. ¶ Respect des convenances. *Modestia*, *ae*, f. *Verecundia*, *ae*, f. Avec —, *verecundē*, adv.

décennal, *ale*, adj. Relatif à une période de dix ans. *Decennis*, *e*, adj.

décent, *ente*, adj. Conforme à la décence. *Honestus*, *a*, *um*, adj. *Decorus*, *a*, *um*, adj. *Decens* (gén. *-entis*), p. adj. Etre — pour qqn de..., *decēre aliquem* (avec l'infin.).

déception, s. f. Action de décevoir. *Fallacia*, *ae*, f. *Captio*, *onis*, f. ¶ Action d'être déçu. *Destitutio*, *onis*, f. *Frustratio*, *onis*, f. Faire éprouver une —, *spem alicujus destituere*. Avoir une —, *a spe destitui*.

décerner, v. tr. Décréter. Voy. ce mot. || Décider (une mesure relative à qqn). *Constituere* (*poenam* ou *poenas*). ¶ Attribuer à qqn (une récompense, des honneurs). — le prix à qqn, *palmam deferre* (ou *dāre*) *alicui*.

décès, s. m. Mort d'une personne. *Decessus* (*amicorum*). *Excessus e vitā*. *Excessus vitae*, et (absol.) *excessūs*, *ūs*, m.

décevant, *ante*, adj. Qui déçoit. *Fallax* (gén. *-acis*), adj. Espérance —, *spes falsa*.

décevoir, v. tr. Tromper par l'apparence séduisante. *Decipere*, tr. ¶ Tromper en ne réalisant pas l'espérance. *Destituere*, tr.

déchaînement, s. m. Libre cours donné à la violence. *Effrenatio*, *onis*, f. — de la tempête, *tempestas violentissima*. Le — de la passion, *effrenata cupiditas*.

déchaîner, v. tr. Délivrer de la chaîne. *Solvere*, tr. ¶ (Au fig.) Donner libre cours à la violence de qqn, de qqch. *Incitāre*, tr. *Mittere*, tr. *Emittere*, tr. Se —, *saevīre*, intr.; *effundi*, pass.; *erumpere*, intr. Se — (en paroles) contre..., *invehi*, dép. intr. (*in aliquem*)

décharge, s. f. Le fait d'être débarrassé d'une charge. Voy. DÉCHARGEMENT. || (Par ext.) Explosion de plusieurs armes à feu dont on fait partir simultanément la charge. *Telorum conjectus*. ¶ Le fait d'être débarrassé d'un excès de charge. Voy. SOULAGEMENT. — d'un impôt, *immunitas*, *atis*, f. || (Spéc.) Le fait (pour un accusé) d'être délivré des charges qui pèsent sur lui. *Purgatio*, *onis*, f. Témoins à —, *laudatores*. On peut dire à la — de Panétius..., *Panaetius in hoc defensus est...* || Déclaration

qu'une personne est quitte d'une dette. *Acceptilatio*, *onis*, f. ¶ Le fait d'être débarrassé du trop plein. Une chambre de —, *et* (par ext.) une —, *repositorium*, *ii*, n. || (En parl. des liquides.) *Manatio*, *onis*, f. || (Par ext.) Ce qui sert à recevoir le trop plein. *Emissarium*, *ii*, n.

déchargement, s. m. Action de décharger (une voiture, un navire, une bête de somme, etc.). *Exoneratio*, *onis*, f.

décharger, v. tr. Débarrasser d'une charge. *Onere levāre* (ou *liberāre*). *Exonerāre*. tr. *Exinanīre*, tr. — les bêtes de somme, *jumentis onera deponēre*. Par ext. — des marchandises (sur la plage, sur le quai), *exponēre merces*. — à qqn sur la tête un coup de bâton, *fustem impingēre alicui* (ou *alicujus capiti*). ¶ Débarrasser d'un excès de charge. — un navire (en jetant une partie de la cargaison), *in mari jacturam facēre*. Fig. Je vous déchargerai de ce souci, *levabo te hoc onere*. Se — sur qqn du poids de l'empire, *onus imperii in aliquem reclināre*. Se — d'une faute sur qqn, *culpam in aliquem derivāre*. — d'impôts, *tributis liberāre*. — qqn d'une dette, *debito solvēre aliquem*. ¶ Débarrasser du trop plein. Se — dans, *influēre in* (acc.); *effundi in* (acc.). — sa bile, sa colère, sa mauvaise humeur, *effundere bilem* (*in aliquem*); *effundere furorem*.

décharner, v. tr. Dégarnir de chair. *Denudāre*, tr. || (Par anal.) Etre décharné. *Macie confici*; *extabescēre*, intr. Qui est décharné, *macie confectus*. Etre tout à fait —, *vegrandi macie torridum esse*.

déchaussement, s. m. Action de déchausser (un arbre, un mur, etc.). *Ablaqueatio*, *onis*, f.

déchausser, v. tr. Débarrasser (qqn) de ses chaussures.' *Detrahēre soccos* (*alicui*). *Excalcēāre*, tr. Se —, *excalceari*. Qui est déchaussé, *excalceatus*, p. adj.; *discalceatus*, p. adj. ¶ Dénuder à la base. Dent qui se déchausse, *dens circumscarificatus*. — un arbre (en mettant les racines à nu), *ablaqueāre*, tr.

déchéance, s. f. Action de faire déchoir. Prononcer la — d'un roi, *imperium regi abrogāre*. || Etat de celui qui est déchu. *Dejectio*, *onis*, f. *Deformitas*, *atis*, f.

déchet, s. m. Quantité qui tombe, qui est perdue, dans l'emploi d'un produit, d'une matière. *Decessio*, *onis*, f.

déchiffrer, v. tr. Lire (une écriture chiffrée ou dont la langue est inconnue). *Investigāre et persequi*. || (Par ext.) Parvenir à lire, à expliquer ce qui est écrit avec des caractères inconnus. *Explicāre*, tr. || (P. anal.) Parvenir à lire une écriture informe. *Explicāre*, tr.

déchiqueter, v. tr. Découper ou déchirer en languettes. *Comminuēre*, tr. *Membratim caedēre*, tr. *Concidēre*, tr. ||

(Par ext.) Découper maladroitement. *Lacerāre*, tr. *Dilacerāre*, tr. *Differre*, tr. **déchirant**, *ante*, adj. Qui déchire (le cœur). *Miserabilis, e*, adj. *Acerbissimus, a, um*, adj.

déchirement, s. m. Action d'être déchiré. *Laceratio, onis*, f. *Laniatus, ūs*, m. ‖ Spéc. (Chirurgie.) Voy. DÉCHIRURE. ‖ (Fig.) Des déchirements d'entrailles. Voy. TRANCHÉE. ‖ — de cœur (souffrance morale aiguë), *cruciatus animi*. Eprouver un — de cœur, *acerbissimo dolore cruciari* (ou *angi*); *dolore divelli*.

déchirer, v. tr. Diviser irrégulièrement (un tissu) en rompant les fibres. *Lacerāre*, tr. *Laniāre*, tr. *Dilaniāre*, tr. *Discindĕre*, tr. *Discerpĕre*, tr. — les testaments, *rescindĕre voluntates mortuorum*. — les contrats, *rescindĕre pactiones*. — qqn à belles dents, *discerpĕre aliquem dictis*. — la réputation de qqn, *lacerāre famam alicujus*. Fig. — l'Etat, *lacerāre rem publicam*. ¶ (Par anal.) En parl. des sensations douloureuses qui semblent déchirer les organes. Toux qui déchire, *aspera tussis*. — les oreilles, *radĕre teneras auriculas* ‖ (Fig.) Emouvoir douloureusement. *Lacerāre*, tr. (*meus me maeror quotidianus lacerat*). *Laniāre*, tr. (*cor*). J'ai le cœur déchiré, *dolore divellor*.

déchirure, s. f. Solution de continuité faite en déchirant. *Scissura, ae*, f.

déchoir, v. intr. Tomber d'un rang, d'un état supérieur. *Cadĕre*, intr. *Degenerāre*, intr. Faire —, voy. DÉGRADER, DÉSHONORER.

décidé, *ée*, adj. Qui ne balance pas pour prendre un parti. *Certus, a, um*, adj. *Plenus consilii. Animo promptus*.

décidément, adv. D'une manière décisive. *Certē*, adv. *Constanter*, adv. ‖ (Absol.. en plaçant l'adverbe au commencement de la phrase.) *Certē*, adv. *Profecto*, adv.

décider, v. tr. Amener à une conclusion définitive (ce qui est en litige). *Disceptāre*, tr. et abs. *Decernĕre*, tr. *Statuĕre*, intr. (*de aliquā re*). *Constituĕre*, tr. (*aliquid de aliquā re*). C'était le préteur qui décidait, *praetor decernebat*. Vouloir tout —, *omnia sui arbitrii facĕre*. ‖ (Par ext.) Décider ce qui doit être fait. *Decernĕre*, tr. *Sancīre*, tr. *Sciscĕre*, tr. (« décider, décréter, voter », en parl. du peuple). *Consciscĕre*, tr. (*bellum*). On décide, *placet*, impers. ‖ (Absol.) Décider d'une chose, ou au sujet d'une chose. *Decernĕre*, intr. (*de aliquā re*). *Statuĕre*, abs. (*de aliquā re*). *Constituĕre*, abs. ¶ Amener à un résultat définitif (ce qui est en jeu). *Decernĕre*, tr. — le gain d'une bataille, *pugnam decernĕre*. — la victoire, *proelium profligāre*. ‖ (Absol.) Décider qqch. *Decernĕre*, tr. (*rem decernĕre*). *Statuĕre*, abs. (*de aliquā re*). *Constituĕre*, tr. — par la voie des armes, *decernĕre*, tr. et abs. ‖ Amener (qqn) à prendre un parti décisif. *Mo-*

vēre, tr. *Commovēre*, tr. *Vincĕre*, tr. *Pervincĕre*, tr. *Adducĕre* ou *inducĕre*, tr. (*aliquem ad aliquid*). Se —, voy. RÉSOUDRE. Se — à..., *decernĕre* (av. l'inf.). Je suis bien décidé, *certum est mihi mihi certum atque obstinatum est* (avec l'inf.). ‖ Décider après délibération. *Deliberāre*, intr. Décidé à, *paratus, a, um*, p. adj. (*aliquid facĕre*). Se — en faveur de qqn, *decernĕre secundum aliquem*. [*alicui oculos aperire*.

déciller, v. tr. — les yeux à qqn.

décimer, v. tr. Mettre à mort une personne sur dix, désignée par le sort. *Decimāre*, tr.

décisif, *ive*, adj. Qui décide. ‖ (En parl. d'une chose.) *Decretorius, a, um*, adj. Moment —, *temporis discrimen*. Arguments —, *argumentorum momenta*. Combat —, *universae rei dimicatio* ou *ultima dimicatio*. Combat qui n'est pas —, *proelium anceps*. Risquer, hasarder un combat —, *de summā rerum decernĕre*

décision, s. f. Action de décider. *Disceptatio, onis*, f. *Dijudicatio, onis*, f. ‖ Ce qui a été décidé. *Decretum, i*, n. *Consilium, ii*, n. *Judicium, ii*, n. Prendre une —, *consulĕre*, intr. J'attends votre —, *quid statuas exspecto*. ‖ Disposition de celui qui ne balance pas pour prendre un parti. *Audacia, ae*, f.

déclamateur, s. m. Rhéteur qui composait ou récitait des exercices oratoires appelés déclamations. *Declamator, oris*, m.

déclamation, s. f. Exercice oratoire sur des lieux communs. *Declamatio, onis*, f. ¶ Manière de réciter en déclamant. *Pronuntiatio, onis*, f. ¶ Banalité revêtue d'une force emphatique. *Declamatio, onis*, f.

déclamatoire, adj. Dont le fond est banal et la forme emphatique. *Declamatorius, a, um*, adj.

déclamer, v. tr. et intr. ‖ (*V. tr.*) Réciter en marquant le sens par les intonations et le geste. *Declamāre*, tr. et intr. *Pronuntiāre*, tr. ¶ (*V. intr.*) S'élever avec exagération contre qqn. *Declamāre* ou *declamitāre*, intr. (*in* ou *contra aliquem*).

déclaration, s. f. Action de déclarer, résultat de cette action. *Declaratio, onis*, f. *Significatio, onis*, f. ‖ — de guerre, *indictio belli ; denuntiatio belli*. Après la — de la guerre, *indicto bello*.

déclarer, v. tr. Faire connaître ouvertement (qqch.). *Aperīre*, v. tr. *Patefacĕre*, tr. *Ostendĕre*, v. tr. (Absol.) Se déclarer, *se aperīre*. Se — cont e qqn, *inimicum se alicui ostendĕre*. Se — pour qqn, *partes alicujus sequi*. ‖ Se déclarer (en parl. des choses), c.-à-d. se manifester ouvertement par qq. signe. *Se aperīre*. ¶ Enoncer ouvertement un fait. *Declarāre*, tr. *Dicĕre*, tr. *Scribĕre*, tr. *Confitēri*, dép. tr. *Profitēri* (« déclarer hautement, publiquement »), dép. tr. *Denuntiáre*, tr. (*bellum denun-tiáre*, « déclarer à qqn qu'on lui fera la guerre », ne doit pas être confondu avec *bellum indicére*, « déclarer la guerre »). ‖ (Par ext.) Faire connaître ouvertement qqn comme ayant telle ou telle qualité. *Declaráre*, tr. *Profitéri*, dép. tr. Se — vaincu, *se victum pro-fitéri*. Ennemi déclaré, *hostis haud dubius*.

déclin, s. m. Action de descendre après avoir atteint le point culminant de sa course. Le — de la lune, *luna decrescens*. Le soleil à son —, *sol praeceps in occasum*. Le — du jour, *praeceps dies*. Fig. Le — de l'âge, *aetatis fiexus*. Au — de la vie, *in extremo tempore aetatis* Qui est sur son —, *inclinatus, a, um*, p. adj.

déclinaison, s. f. (T. d'astron.) *Inclinatio, onis* f. ¶ (Gramm.) *Declinatio, ins*,

décliner, v. intr. et tr. S'écarter, écarter d'une direction donnée. ‖ (*V. intr.*) S'écarter de la verticale (phil. d'Epicure). *Declináre*, intr. ‖ (Par ext.) T. d'astron. *Inclináre*, intr. Qui décline, *devexus, a, um*, adj. ‖ (Fig.) (*V. tr.*) Ecarter comme non acceptable. *Rejicére*, tr. — toute responsabilité, *culpam praestáre nolle*. ¶ (*V. intr.*) Redescendre après avoir atteint le point culminant de sa course. *Incináre*, intr. (on empl. aussi *se incáre* et *inclinari* [pass. moy.]). *Declináre*, intr. *Vergére*, intr. (*vergente jam die*). ¶ (Par ext.) (*V. tr.*) T. de gramm. *Declináre*, tr. Se —, in *casu declinari*.

déclivité, s. f. Caractère d'un lieu élevé qui présente un plan incliné. *Declivitas, atis*, f. [cloué. *Refigére*, tr.

déclouer, v. tr. Faire cesser d'être

décocher, v. tr. Faire partir. — une flèche, un trait, *telum* (ou *sagittam*) *emittére*. [*Decoctum, i*, n.

décoction, s. f. Bouillon de plantes.

décoiffer, v. tr. Débarrasser de ce qui sert de coiffure. *Auferre alicui pileum*. Se —, *caput aperire*. ¶ Déranger dans sa coiffure. *Capillos turbáre*. ‖ Défaire la coiffure. *Solvére crines* ou *capillos*.

décollation, s. f. Action de décoller, de décapiter. Voy. DÉCAPITATION.

1. décoller, v. tr. Décapiter. Voy. ce mot.

2. décoller, v. tr. Faire cesser d'être collé. *Deglutináre*, tr. ‖ (P. ext.) Séparer (un tissu) d'un autre auquel il adhérait. *Decorticáre*, tr.

décolleter, v. tr. Découvrir en laissant voir le cou. *Nudáre* (ou *retegére*) *collum*. Se —, *pectus et colla denudáre*.

décoloration, s. f. Action de décolorer. *Decoloratio, onis*, f.

décolorer, v. tr. Dépouiller de sa couleur. *Decoloráre*, tr. Se —, *dilui*, pass.; (en parl. du teint), *colorem mutáre*.

décombre, s. m. (Au plur.) Matériaux

(pierres, plâtras) qui restent d'un édifice écroulé, démoli. *Rudera, um*, n. pl. *Ruinae, arum*, f. pl. *Parietinae, arum*, f. pl.

décombrer, v. tr. Débarrasser de ce qui encombre. *Rudera purgáre*.

décomposer, v. tr. Diviser en ses éléments composants. *Solvére*, tr. *Dissolvére*, tr. ‖ Désorganiser une substance. *In tabem resolvére*. Se —, *tabescére*, intr.

décomposition, s. f. Action par laquelle un corps est décomposé. *Dissolutio, onis*, f.

décompte, s. m. Diminution à faire dans un compte. *Deductio, onis*, f.

décompter, v. tr. Constater une diminution à faire dans un compte. *Detrahére* (ou *deducére*) *aliquid de pecuniá*.

déconcerter, v. tr. Troubler en dérangeant l'accord des parties. *Turbáre*, tr. *Perturbáre*, tr. *Confundére*, tr. ‖ (Par ext.) Déranger les mesures prises. *Perturbáre*, tr. ¶ Troubler qqn en dérangeant ses mesures, ses desseins. *Confundére*, tr. Se — *mente confundi* (ou *perturbari*. Sans se —, *intrepidé*, adv.

déconfire, v. tr. Mettre en piteux état. Voy. DÉFAIRE.

déconfiture, s. f. Action de réduire en piteux état, résultat de cette action. Voy. DÉFAITE, CARNAGE.

déconseiller, v. tr. Conseiller de ne pas faire (qqch.). *Dissuadére* (*aliquid alicui*).

déconsidération, s. f. Perte de la considération. *Imminutio dignitatis*.

déconsidérer, v. tr. Priver de la considération. *Detrahére* (*de famá alicujus*). Etre déconsidéré, *infamiá flagráre*.

décontenancer, v. tr. Troubler de manière à faire perdre contenance. *Perturbáre aliquem*.

déconvenue, s. f. Désappointement causé par un échec. *Molestia, ae*, f. *Repulsa, ae*, f. [*Ornatús, ús*, m.

décor, s. m. Ce qui sert à décorer.

décorateur, s. m. Celui qui fait des travaux de décoration. *Pictor, oris*, m.

décoration, s. f. Action de décorer. *Ornatio, onis*, f. ¶ L'ensemble de ce qui décore. *Ornatús, ús*, m.

décorer, v. tr. Garnir d'accessoires destinés à embellir. *Decoráre*, tr. *Ornáre*, tr. *Exornáre*, tr.

décorum, s. m. Convenances à observer pour tenir son rang. *Decorum, i*, n. *Decus, oris*, n. Garder le —, *decorum* (*tenére* ou *serváre*).

découcher, v. tr. et intr. ‖ (*V. tr.*) Faire lever du lit. Se —, voy. LEVER. ¶ (*V. intr.*) Coucher dans un autre lit, ou hors de chez soi. *Abnoctáre*, intr. *Excubáre*, intr.

découdre, v. tr. Faire cesser d'être cousu. *Dissuére*, tr. Se —, *discindi*. ‖ (Fig.) Décousu (dont les parties ont l'air de ne pas tenir ensemble), *non* (ou *parum, male*) *cohaerens*. Style —

oratio dissipata (ou *dissoluta*). ¶ (P. ext.) Ouvrir le ventre à (se dit spécialement du sanglier, du cerf éventrant un chien). *Rumpĕre*, tr.

découler, v. intr. Couler en s'échappant de qqch. *Effluĕre*, intr. *Defluĕre*, intr. ¶ (Fig.) Sortir d'un (principe) par développement naturel. *Fluĕre*, intr. *Manāre* (*ab* ou *ex aliquā re*).

découper, v. tr. Couper régulièrement en morceaux. *Secāre*, tr. *Consecāre*, tr. Poulet découpé, *carptus pullus*.

découpler, v. tr. Détacher les chiens couplés. *Solvĕre canes*.

découpure, s. f. Action de découper. *Exsectio, onis*, f. ¶ Résultat de cette action. *Segmentum, i*, n. Faire des —, *incidĕre* (ou *desecāre*).

décourageant, ante, adj. Propre à décourager. Qui (*quae, quod*) *animum alicujus debilitat*.

découragement, s. m. Etat de celui qui est découragé. *Animi defectio*.

décourager, v. tr. Faire perdre courage. *Aliquem frangĕre* ou *animum alicujus frangĕre*. Se —, *frangi*, pass.; *deficĕre*, intr.

décours, s. m. Période de décroissance. Le — de la lune, *deminutio luminis lunae*.

découvert, s. m. Etat de ce qui n'est pas couvert. Etre à —, c.-à-d. n'avoir pas de garantie, *neminem habēre auctorem*. || (*Loc. adv.*) A découvert, c.-à-d. dans une position où l'on n'est pas couvert. Qui est à —, *apertus, a, um*, p. adj.; *intectus, a, um*, p. adj. (on empl. plutôt *non tectus*); *nudus, a, um*, adj. Etre à —, *patēre*, intr. Mis à —, *exsertus, a, um*, p. adj.; *adopertus, a, um*, p. adj. Montrer son cœur à —, *animum nudāre*.

découverte, s. f. Action de découvrir ce qui était tenu caché. *Patefactio, onis*, f. *Deprehensio, onis*, f. *Proditio, onis*, f. La — du complot, *conjuratio deprehensa*. ¶ Action de découvrir ce qui était resté caché, ou inconnu. Longtemps avant la — des arts, *multo ante inventas artes*. Aller à la — (pour explorer), *explorare* (*Africam*). Envoyer à la — (dans la langue milit.), *exploratum* (supin) *dimittĕre*. ¶ Ce qu'on a découvert. *Res inventa* ou *reperta. Inventum, i*, n. Faire une —, *invenire* (ou *reperire*) *aliquid*.

découvrir, v. tr. Dégarnir de ce qui couvre. *Detegĕre*, tr. *Retegĕre*, tr. *Aperire*, tr. *Nudāre*, tr. *Denudāre*, tr. || (Par ext.) Ne pas couvrir. *Aperire*, tr. A visage découvert, *apertē*, adv. Lieu, pays découvert, *locus purus* ou *apertus* ou *patens*. Se —, *rejicĕre vestem : nudāre se*. || (Par anal.) Le ciel, le temps se découvre, *disserenascit*. || (Par ext.) Dégarnir de ce qui protège. *Nudāre*, tr. Se —, *latus praebēre*. Sans se —, *tectē*, adv. ¶ (Au fig.) Produire au jour ce qui était caché. *Aperire*, tr. *Nudāre*, tr.

Detegĕre, tr. *Patefacĕre*, tr. *Prodĕre*, tr. Se —, *aperire sensus*. Que ses projets étaient découverts, *sua consilia emanasse*. ¶ Voir à découvert; apercevoir d'un lieu (ce qui d'un autre point échapperait au regard). *Prospicĕre*, intr. De la ville on découvrait la plaine, *erat ex oppido despectus in campum*. Se —, *apparēre*, intr. ¶ (Fig.) Parvenir à connaître (ce qui était caché ou ignoré). *Invenire*, tr. *Reperire*, tr.

décrasser, v. tr. Débarrasser de la crasse. *Abluĕre*, tr. *Eluĕre*, tr. *Detergēre*, tr.

décréditer, v. tr. Priver de crédit. *Fidem* (*alicui* ou *alicujus*) *infirmāre*. *Auctoritatem alicui derogāre*. ¶ (Spéc.) Priver du crédit financier ou commercial. *Fiduciam arcae conturbāre*.

décrépit, *ite*, adj. Arrivé au dernier degré de la décadence physique. *Decrepitus, a, um*, adj.

décrépitude, s. f. Etat de celui qui est décrépit. *Aetas decrepita*. Etre dans la —, *aetate affectā esse*.

décret, s. m. Décision d'une autorité. *Decretum, i*, n. — du sénat, *senatus consultum*. ¶ (De nos jours.) Décision du gouvernement. *Jussum, i*, n. *Decretum, i*, n.

décréter, v. tr. Ordonner par décret. *Decernĕre*, tr. *Jubēre*, tr. *Sancire*, tr. *Consciscĕre*, tr. — la guerre, *bellum consciscĕre*.

décri, s. m. Le fait d'être décrié (en parlant des choses). *Vilitas, atis*, f. || (En parl. des personnes.) *Infamia, ae*, f.

décrier, v. tr. (En parlant des choses.) Signaler comme ayant perdu sa valeur. *Aliquid infamāre*. || (En parl. de personnes.) Signaler comme digne de mépris. *Infamāre aliquem*. Décrié, *famosus*. Etre décrié, *male audire* ou *infamiā flagrāre*.

décrire, v. tr. Représenter par écrit ou par la parole (une personne, une chose) dans ses traits extérieurs. *Describĕre*, tr. ¶ Tracer (une ligne courbe) autour d'un espace déterminé. *Describĕre* (*circulum*). *Scribĕre* (*lineam*).

décrocher, v. tr. Détacher (ce qui est accroché). *Refigĕre*, tr.

décroissance, s. f. Etat de ce qui décroît. *Deminutio, onis*, f.

décroissement, s. m. Mouvement de ce qui décroît. Voy. DÉCROISSANCE.

décroître, v. intr. Diminuer progressivement. *Decrescĕre*, intr.

décuple, adj. Qui égale dix fois (une quantité donnée). *Decemplex* (gén. *-plicis*), adj. Subst. Le —, *decies tantum*.

décupler, v. tr. Porter au décuple. *Decuplāre*, tr. Décuplé, *decemplicatus, a, um*, p. adj.

décurie, s. f. (Antiq. rom.) Groupe de dix, dixième partie d'une centurie. *Decuria, ae*, f.

décurion, s. m. (Antiq. rom.) Chef d'une décurie curiale. *Decurio, onis*, m.

dédaigner, v. tr. Considérer (qqn, qqch.) comme n'étant pas digne qu'on s'en occupe. *Dedignári*, dép. tr. *Fastidíre*, tr. *Spernóre*, tr. *Aspernári*, dép. tr. *Contemnére*, tr. — de (av. l'inf.), *nolle*. Qui n'est nullement à —, *minimè contemnendus*.

dédaigneusement, adv. D'une manière dédaigneuse. *Contemptim*, adv. *Fastidiosè*, adv.

dédaigneux, *euse*, adj. Qui a ou qui exprime du dédain. *Fastidiosus, a, um*, adj. (on dit aussi : *contemptionis et fastidii plenus*). — envers ses égaux, *fastidiosus in pares*. Substantiv. Faire le —, *fastidíre*, tr.

dédain, s. m. Sentiment par lequel on dédaigne. *Fastidium, ii*, n. Avec —, voy. DÉDAIGNEUSEMENT. Avoir du — pour qqn, voy. DÉDAIGNER.

Dédale, n. pr. Auteur du Labyrinthe de Crète. *Daedalus, i*, m.

dédale, s. m. Labyrinthe (ne s'emploie qu'au figuré). *Ambages, um*, f. pl.

dedans, prép. adv. et s. m. ¶ *Prép.* Dans, à l'intérieur de. Voy. DANS. ¶ Loc. prép. Par-dedans. *Intus in (corpore)*. Voy. INTÉRIEUR. ¶ *Adv.* A l'intérieur. *Intus*, adv. (s'opp. à *foris*, *extra*). *Intra*, adv. *Intro*, adv. (avec mouv.: *intro ire*; *intro abire*). *Introrsum* ou *introrsus*, adv. ‖ (Loc. adv.) Là-dedans, *intus* (sans mouv.); *intro* (av. mouv.), adv. De —, c.-à-d. de l'intérieur, *ex interiore parte*. En —, *interius*, adv.; *intus*, adv. (Une personne) en —, *abstrusus*. Par ext. En —, du côté de l'intérieur, *intrinsecus*, adv. Loc. prép. En — de, *intra*, prép. (avec l'acc.). ‖ (Par ext.) Du côté du milieu du corps. Avoir les jambes en —, *cruribus vatiis esse*. ¶ *S. m.* Le dedans, c.-à-d. l'intérieur. Le — de la maison, *domus interior*. Le — du royaume, *pars regni interior*. ‖ Loc. prép. Au-dedans de, *intra*, prép. (av. l'acc.). Au-dedans, *domi*.

dédicace, s. f. Action de placer un temple, une église sous l'invocation divine ou sous l'invocation d'un saint. *Consecratio, onis*, f.

dédier, v. tr. Placer sous l'invocation divine ou sous l'invocation d'un saint (un temple, une église). *Consecráre*, tr. ‖ (Fig.) Voy. CONSACRER. ¶ Placer (un ouvrage) sous le patronage de qqn en y inscrivant son nom. *Mittere librum ad aliquem*.

dédire, v. tr. Ne pas reconnaître pour vrai ce que qqn a dit. Voy. DÉSAVOUER. ¶ Revenir sur ce qu'on a dit. Se —, *mutáre sententiam; se revocáre*. ‖ (Par anal.) Revenir sur une promesse, un engagement pris. *Renuntiáre*, tr.

dédit, s. m. Le fait de se dédire. *Revocatio verbi*. ‖ (Par anal.) Le fait de revenir sur un engagement pris. *Retractatio, onis*, f. (usité seulement à l'abl. avec *sine*, cf. *sine retractatione*).

Sans —, *fide servata*. ‖ (P. ext.) Ce qu'on est convenu de payer, si l'on se dédit. *Redhibitio, onis*, f.

dédommagement, s. m. Avantage fait à qqn pour le dédommager. *Restitutio damni*. Accorder un —, *res restituére*.

dédommager, v. tr. Faire (à qqn) un avantage qui compense un dommage subi. *Damnum alicui restituére*. Se — *damnum suum leváre*.

dédoubler, v. tr. Former deux touts d'un seul. *In duas partes dissecáre*.

déduction, s. f. (Philos.) Forme du raisonnement. *Deductio, onis*, f. ‖ (P. ext.) Conséquence déduite. *Conclusio, onis*, f. *Ea quae consequuntur*. ¶ Action de retirer une partie d'un total à payer. *Deductio, onis*, f. — faite des frais, *deductis sumptibus*.

déduire, v. tr. Enoncer successivement. Voy. ÉNUMÉRER, DÉVELOPPER. ¶ Faire sortir d'une proposition (la suite des conséquences qu'elle contient implicitement). *Colligère (ex aliquâ re)*. *Ex illis quae sumpta sunt quod sequitur colligère*. Se —, de, *aliquâ re efici* (ou *confici*). ¶ Retirer (une partie) d'un total à payer. *Deducère aliquid (de summâ, de pecuniâ)*. *[Dea, ae, f.*

déesse, s. f. Divinité du sexe féminin.

défaillance, s. f. En parlant des forces physiques ou morales. *Defectio, onis*, f. ‖ (Par ext.) Faiblesse soudaine. *Defectio, onis*, f. Tomber en —, voy. [s'] ÉVANOUIR.

défaillant, *ante*, adj. En parl. des forces physiques ou morales. *Deficiens* (gén. *-entis*), p. adj. ¶ s. m. et f. Celui (celle) qui fait défaut (en justice). *Qui (quae) non adest; qui (quae) non respondit* (ou *vadimonium deseruit*).

défaillir, v. intr. En parlant des forces physiques ou morales. *Deficère*, intr. Faire défaut, (voy. [faire] DÉFAUT, MANQUER). ‖ (Absol.) Tomber en faiblesse. (Voy. [s'] ÉVANOUIR.)

défaire, v. tr. Détruire (ce qui a été fait). *Dissolvère*, tr. — un nœud, *nodum solvère*. — un tissu, *retexère*, tr. — un paquet, un ballot, *fascem explicáre*. — le couvert, *mensam tollère*. ¶ Détacher, dénouer, etc. (les pièces d'un vêtement, d'un ajustement qu'on veut ôter). *Solvère*, tr. *Exsolvère*, tr. (P. ext.) Se — d'un vêtement (voy. OTER). Fig. Se —, c.-à-d. se débarrasser de ce qui est à charge. *Abjicère*, tr. ‖ (Par anal.) *Ponère*, tr. *Deponère*, tr. *Exuère*, tr. *Exuère*, tr. *Omittère*, tr. (morem, d'une habitude). ‖ (Par ext.) Se défaire de qqn (en le tuant). *Aliquem e (ou de) medio tollère* ‖ (Spéc.) Mettre en déroute. *Fundère*, tr. *Caedère*, tr. *Profligáre*, tr.

défaite, s. f. Action de se défaire de qqch. (Marchandise) de bonne —, de —, *vendibilis, e*, adj. ¶ (Par ext.) Moyen de se défaire, de se tirer de ce

qui embarrasse. *Ratio sui expediendi.*
|| (Par ext.) Prétexte pour se tirer de
l'embarras de dire *ou* de faire ce qu'on
ne veut pas. *Latebra, ae,* f. *Deverticulum, i.* Chercher des —, *tergiversāri,*
dép. intr. ¶ Mise en déroute. *Clades,
is,* f. (On dit aussi *adversum proelium*
ou *adversa pugna.*)

défalquer, v. tr. Déduire dans une
évaluation. *Deducĕre aliquid (de summā,
de pecuniā).*

défaut, s. m. Absence d'une chose,
d'une personne là où elle serait désirable. *Defectŭs, ŭs,* m. *Inopia, ae,* f.
Penuria, ae, f. A — des autres choses,
si cetera desecerunt. Faire — (à qqn),
abesse, intr.; *deesse,* intr. (voy. MAN-
QUER); *deficĕre,* tr. et intr. || (T. de dr.)
Faire —, *vadimonium deserĕre; ad
vadimonium non venire; non adesse.*
Il fut condamné par —, *absens damn-
natus est.* || (Par anal.) Le — de la
cuirasse, *corporis pars aperta.* || (Par
ext. t. de chasse.) Perte de la voie par
les chiens. Mettre les chiens en —,
canes eludĕre. Fig. Mettre en —, *ludi-
ficari,* dép. tr.; *eludĕre,* tr. Trouver
qqn en —, *in errore aliquem deprehendĕre.* Etre pris en —, *in ipsā culpā
deprehensum tenēri.* (Par anal.) Sa mémoire est en —, *eum memoria deficit.*
Sa prudence fut en —, *non constitit ei
prudentia.* ¶ Insuffisance de la quantité
d'une chose. *Inopia, ae,* f. *Penuria, ae,*
f. || (Spéc.) En parl. de certaines quali-
tés. — de modération, *intemperantia,
ae,* f. ¶ (Par ext.) Ce qui dans une personne, dans une chose n'est pas comme
il doit être. *Vitium, ii,* n. *Pravitas,
atis,* f. — physique, *vitium corporis (ou
pravitas corporis).*

défaveur, s. f. Privation de la faveur.
Fides affecta ou *afflicta. Invidia, ae,*
f. *Offensa, ae,* f. Tomber en —,
offendĕre (apud aliquem). Etre en
—, *in invidiā esse.*

défavorable, adj. Non favorable. *Iniquus, a, um,* adj. *Malignus, a, um,* adj.
Adversus, a, um, adj.

défavorablement, adv. D'une manière
défavorable. *Animo iniquo* (ou *alieno*).
Maligné, adv.

défection, s. f. Action d'abandonner
une cause, un parti auquel on appartient. *Defectio, onis,* f. Faire —, *deficĕre* ou *desciscĕre (ab aliquo).*

défectueusement, adv. D'une manière
défectueuse. *Vitiosē,* adv.

défectueux, *euse,* adj. Qui présente
quelque imperfection. *Vitiosus, a, um,*
adj. *Mendosus, a, um,* adj.

défectuosité, s. f. Manière d'être
défectueuse. *Vitium, ii,* n.

défendeur, *deresse,* s. m. et f. (Droit.)
Dans un procès, la partie contre laquelle
est intentée la demande. (En général).
Is in quem agitur. (Dans un procès
criminel.) *Reus, i,* m. *Rea, ae,* f. *Is
qui (ea quae) accusatur.* || (Dans un procès

civil.) *Is unde petitur.* Etre —, voy.
DÉFENDRE, PLAIDER.

défendre, v. tr. Aider (qqn) contre
ceux qui l'attaquent. *Defendĕre,* tr.
Tuēri, dép. tr. *Propugnāre,* intr. (*pro
aliquo*). Il le tua à son corps défendant,
eum occidit, ne ipse occiderētur. A son
corps défendant (fig.), *invitus.* || (Spéc.)
Défendre qqn, c.-à-d. soutenir son
innocence contre ceux qui l'accusent.
Defendĕre, tr. (On dit aussi *dicĕre pro
aliquo; patrocinium alicuius suscipĕre.*)
Se —, — sa propre cause, se *defendĕre*
ou *causam dicĕre.* Se — de qqch., *defendĕre aliquid.* Se — d'accepter qqch.,
deprecāri aliquid. Se — d'avoir fait
qqch., *negāre se aliquid fecisse.* ¶ Mettre
qqn à l'abri de ce qui le menace. *Defendĕre,* tr. (*aliquem ab aliquo*). *Tuēri,*
dép. tr. (*aliquem* ou *aliquid ab aliquo*
ou *ab aliquā re*). *Tegĕre,* tr. *Protegĕre,*
tr. *Prohibēre,* tr. ¶ (Par ext.) Enjoindre
(à qqn) de ne pas faire (qqch.) *Vetāre,*
tr. (*aliquem aliquid facĕre*). *Prohibēre,*
tr. On lui défendait de donner son avis,
sententiam dicĕre vetabātur. On le lui
défendit, *eā re prohibitus est.* Qui est
défendu, *vetitus, a, um,* p. adj.

défense, s. f. Action d'aider qqn contre
ceux qui l'attaquent (pr. et fig.).
Defensio, onis, f. *Praesidium, ii,* n.
En cas de légitime —, *lacessitus injuriā.*
Faire une — énergique, *acriter se
defendĕre.* Moyen de —, *defensio, onis,* f.
Sans —, *inermis, e,* adj. (en parl. de
pers.); *intutus, a, um,* adj.; *nudus, a,
um,* adj. || (P. ext.) (En parl. de cer-
tains animaux.) Ce qui leur sert à se
défendre; longues dents de l'éléphant,
du sanglier, etc. *Dentes, ium,* m. pl. ||
(Spéc.) Action de défendre qqn contre
une accusation. *Defensio, onis,* f. *Patrocinium, ii* (« défense devant les tribunaux »), n. Alléguer pour sa —, *defendĕre,* tr. Moyens de —, *defensiones,
um,* f. pl. || (Par anal.) Ce qui est dit,
écrit pour défendre qqn. *Defensio, onis,*
f. ¶ (Par ext.) Action de mettre qqn
ou qqch. à l'abri de ce qui menace.
Defensio, onis, f. (*ad defensionem urbis*).
Custodia, ae, f. *Praesidium, ii,* n.
Mettre une ville en état de —, *quae
usui sunt ad defendendum oppidum
parāre.* Les — d'une place, *munimenta,
orum,* n. pl.; *propugnacula, orum,* n.
pl. ¶ Injonction de ne pas faire qqch.
Interdictum, i, n. *Prohibitio, onis,* f.
Faire —, *vetāre,* tr.

défenseur, s. m. Celui qui défend qqn,
qqch., contre les attaques. *Defensor,
oris,* m. *Patronus, i* (« défenseur en
justice, avocat »), m. Choisir un —,
causae patronum constituĕre.

défensif, *ive,* adj. Qui est pour la
défense et non pour l'attaque. Armes
—, *arma ad corpus tegendum apta, et
simpl. arma, orum,* n. pl. (opp. à *tela,*
« armes offensives »). Alliance offensive
et —, *foedus ad bellum ultro inserendum*

et defendendum initium. Guerre —, bellum quod defendendo geritur. Sur la —, defendendo. Etre, se tenir sur la —, vardre se ad vim propuleandam.

déférence, s. f. Egard qu'on témoigne à qqn en se conformant à son désir, à sa volonté. Observantia, ae, f. Obsequium, ii, n. Obsequentia, ae, f. Avoir, montrer de la — pour qqn, obsequi alicui. Avec —, obsequenter, adv.

déférer, v. tr. et intr. ‖ (V. tr.) Attribuer (qqch. à qqn) par privilège. ‖ En parl. d'une juridiction. Deferre, tr. (causam ad aliquem ; aliquem ad judices). ¶ Accorder (qqch.) à qqn par égard pour lui. Cedĕre, tr. Concedĕre, tr. (aliquid alicui). ‖ (Par ext.) (V. intr.) Se conformer, par égard pour qqn, à ses désirs, à sa volonté. Cedĕre, intr. (precibus). Concedĕre, intr.

défi, s. m. Action de défier qqn, de le provoquer à faire qqch. Sponsio, onis, f. Mettre au —, voy. DÉFIER. ¶ (Spéc.) Action de défier qqn à la lutte. Provocatio, onis, f. Porter un —, provocăre, tr.

défiance, s. f. Sentiment de celui qui n'est pas sûr de qqn, de qqch. Diffidentia, ae, f. Suspicio, onis, f. Entrer en —, diffidĕre (alicui ou alicui rei) coepisse. Montrer de la — pour qqn, diffidĕre alicui.

défiant, ante, adj. Porté à se défier des autres. Diffidens (gén. -entis), p. adj. Suspiciosus, a, um, p. adj. Qui est d'un caractère —, pronus ad suspiciones.　　　　　[ae, f.

déficit, s. m. Ce qui manque. Lacuna,

défier, v. tr. Provoquer. Vocăre, tr. Evocăre, tr. Provocăre, tr. ¶ Oter la confiance. Se — de, c.-à-d. se garder de (qqn, de qqch. qu'on croit dangereux). Diffidĕre, intr. (av. le datif). Dont on se défie, voy. SUSPECT.

défigurer, v. tr. Rendre (qqn) méconnaissable en altérant l'extérieur, les traits du visage. Deformăre, tr. Qui est défiguré, deformatus, a, um, p. adj. ‖ (Fig.) Dénaturer (une chose) en altérant les principaux traits. Depravăre, tr.

défilé, s. m. Endroit où l'on ne peut passer qu'à la file, et spécialement passage resserré entre deux montagnes. Angustiae, arum, f. pl. Angustus saltus. Fauces, ium, f. pl. ¶ Mouvement par lequel les troupes défilent. Decursŭs, ūs, m. Decursio, onis, f.

défiler, v. intr. Aller à la file. Spéc. En parl. de troupes (passer en files, en colonne). Ordinatim ire. Compositos et instructos procedĕre.

définir, v. tr. Faire connaître par une formule précise ce qu'est une chose ou ce qu'on entend par un terme. Definīre, tr. Terminăre, tr. (Fig.) — le caractère de qqn, c.-à-d. en donner une idée exacte, definiendo explicăre alicujus naturam. ‖ (Spéc.) Déterminer

avec précision. Voy. DÉTERMINER. Défini, definitus, a, um, p. adj.

définitif, ive, adj. Fixé de manière qu'il n'y ait plus à revenir sur la chose. Decretorius, a, um, adj. Jugement —, judicium ultimum.

définition, s. f. Formule par laquelle on définit. Definitio, onis, f.

définitivement, adv. D'une manière définitive. Ad summum.

défleurir, v. intr. et tr. ‖ (V. intr.) Perdre sa fleur. Florēre desinĕre. Deflorescĕre, intr. ¶ (V. tr.) Dépouiller de sa fleur. Florem decutĕre (alicui rei).

défoncer, v. tr. Ouvrir en faisant sauter le fond. Pertundĕre, tr. Défoncé, fundo carens. ¶ (Agricult.) — un terrain (le fouiller profondément et le retourner). Fodĕre, tr. Subigĕre, tr. ¶ Défoncer une route (la creuser de trous, d'ornières profondes). Chemin défoncé, via corrupta.　　　　　[Deformăre, tr.

déformer, v. tr. Altérer dans sa forme.

défrayer, v. tr. Fournir (qqn) de ce dont il a besoin en prenant la dépense à sa charge. Alicui sumptus suppedităre.　　　　　[cher. Cultura, ae, f.

défrichement, s. m. Action de défri-

défricher, v. tr. Mettre en culture (un terrain en friche et spécialem t un terrain qui n'a pas encore été cultivé). Eacĕre agrum. Agrum novăre.

défriser, v. tr Défaire la frisure. Capillos turbăre.

défroque, s. f. Nippe qu'une personne abandonne. Obsoleta vestis.

défunt, unte, adj. Qui a quitté la vie, Qui jam vitâ excessit. Defunctus, a, um. p. adj.

dégagement, s. m. Action de dégager ce qui est en gage. Redemptio, onis, f. ¶ (Fig.) Action de dégager ce qui est pris dans qqch. Expeditio, onis, f. ‖ Le — d'une voie (obstruée par des obstacles), purgatus locus. ‖ (P. anal.) Levatio, onis, f. Porte de —, posticum, i, n. Dégagements, circuitio, onis, f.

dégager, v. tr. Rendre libre (ce qui est en gage) en remplissant les conditions exigées. Reluĕre, tr. Repignerăre, tr. Fig. — sa parole, redimĕre verba sua (en s'acquittant de ce qu'on a promis). — sa responsabilité, periculum in se recipĕre nolle. ¶ Rendre (une personne, une chose) libre de ce dans quoi elle est prise. Expedīre, tr. Solvĕre, tr. Dissolvĕre, tr. Excludĕre, tr. (exclusis utrinque auribus). Eximĕre, tr. (aliquem ex aliquâ re). Exuĕre, tr. (au fig. : si ex his te laqueis exueris). Liberăre, tr. (aliquem aliquâ re ou ex aliquâ re). Par anal. — la poitrine, pectus purgăre. Le ciel se dégage, disserenascit, impers. Taille dégagée, justa natura. Fig. Qui a un air dégagé, expeditus.

dégainer, v. tr. Tirer de la gaîne, du fourreau (épée, sabre, etc.). Destringĕre, tr. (Gladium) e vaginâ educĕre. (Telum) vaginâ nudăre.

dégarnir, v. tr. Faire cesser d'être garni. *Nudáre*, tr. — (une robe), c.-à-d. en enlever la garniture, *defloccáre*, tr. Dégarni, *nudus, a, um*, adj.; *vacuus, a, a, um*, adj.

dégât, s. m. Dommage résultant de détérioration. *Clades, is,* f. *Injuria, ae,* f.

dégel, s. m. Fonte de la neige, de la glace, quand la température s'adoucit. *Tabes nivis. Frigus solutum.* Après le —, *solutá glacie.*

dégeler, v. intr. et tr. || (*V. intr.*) Cesser d'être gelé. *Liquescére*, intr. Il dégèle, *glacies tepefacta mollitur.* ¶ (*V. tr.*) Faire cesser d'être gelé. *Solvére (nives).* Se —, *liquescére*, intr Fig. *regelári,* pass.

dégénération, s. f. Le fait de dégénérer. *Vitium, ii,* n. *Depravatio (animi).*

dégénérer, v. tr. Perdre les qualités de sa race. *Degeneráre*, intr. Qui a dégénéré, *degener*, adj.; *indignus, a, um*, adj. (*patribus indignus*). || (Par ext.) Perdre de ses qualités. *In pejus mutari.* ¶ Dégénérer en qqch. *Degeneráre in aliquid. Abíre in aliquid.*

dégénérescence, s. f. Mouvement par lequel une chose dégénère. Voy. DÉGÉNÉRATION.

dégonfler, v. tr. Faire cesser d'être gonflé. *Exináre*, tr. Se —, *detumescére*, intr. Qui est dégonflé, *aere vacuus.*
Fig. — son cœur (en épanchant sa douleur), voy. ÉPANCHER, VIDER.

dégourdir, v. tr. Faire sortir de l'engourdissement. *Torpore solvére (membra).* — ses membres (en les approchant du feu), (*admoto igne*) *refovére artus.* Se — les jambes (se donner du mouvement), se —, *trepidáre*, intr. || (Par ext.) Dégourdir, faire — de l'eau (la faire très légèrement tiédir). *Egeláre*, tr. De l'eau à peine dégourdie, *egelida aqua.* ¶ (Fig.) Débarrasser qqn de la timidité qui le paralysait. *Excitáre animum (alicujus). Excutére verecundiam (alicui).* Se —, *excutére verecundiam.*

dégoût, s. m. Répugnance pour certains aliments. *Fastidium, ii,* n. *Taedium, ii,* n. Prendre les légumes en —, *fastidíre olus.* || (Absol.) Répugnance pour toute espèce d'aliments. *Fastidium, ii,* n. *Nausea, ae,* f. Prendre, avoir qqch. en —, prendre, avoir du — pour qqch., *fastidíre aliquid coepisse.* || (Par ext.) Satiété. *Satietas, atis,* f. Avoir du —, *nauseáre*, intr. ¶ (Au fig.) Répugnance pour une personne, une chose. *Fastidium, ii,* n. *Taedium, ii,* n. J'ai du — pour qqch., *taedet me alicujus rei.* Avec —, *fastidiosé*, adv.

dégoûtant, *ante*, adj. Qui dégoûte. *Fastidium creans* ou *afferens. Taeter, tra, trum,* adj. Paroles —, *immunda dicta.*

dégoûter, v. tr. Porter au dégoût pour les aliments *ou* ce qui tombe sous les sens. *Fastidium creáre.* Je suis

dégoûté, je me dégoûte de qqch., *fastidio aliquid; satietas* (ou *taedium*) *alicujus rei me cepit; taedet* ou (*pertaesum est*) *me (alicujus rei).* Absol. Etre dégoûté, *fastidíre*, intr. Faire le dégoûté, *fastidíre*, intr Dégoûté, *fastidiosus, a, um*, adj.; *delicatus, a, um*, adj.; *difficilis, e,* adj.

dégoutter, v. intr. Tomber goutte à goutte. *Stilláre* intr. *Distilláre*, intr. ¶ Laisser tomber goutte à goutte, *instilláre*, tr. || (Avec un régime indirect précédé de la préposition *de.*) — de sang, *sanguine manáre* ou *redundáre*). La statue dégoutta de sueur, *simulacrum sudore manavit.*

dégradant, *ante*, adj. Qui dégrade (moralement). *Indecorus, a, um*, adj. *Ignominiosus, a, um*, adj.

1. dégradation, s. f. Action de dégrader qqn. *Ab ordine motio.* ¶ Etat de celui qui est descendu très bas moralement. *Deformitas, atis,* f. Tomber dans la —, *se abjicére.* ¶ Altération du bon état d'un édifice, d'une propriété. *Damnum, i,* n. *Injuria, ae,* f.

2. dégradation, s. f. Etat de la couleur, de la lumière dégradée. *Umbra et recessus. Colorum transitus.*

1. dégrader, v. tr. Faire descendre qqn du grade, de la dignité qu'il occupe. *Aliquem ex superiore ordine* in inferiorem *detrudére.* ¶ Faire descendre très bas moralement. *Deformáre*, tr. *Dehonestáre*, tr. Ame dégradée, *turpificatus animus.* Se —, *prolabi*, dép. intr. ¶ Mettre en mauvais état. *Corrumpére*, tr. Se —, *prolabi*, dép. intr.

2. dégrader, v. tr. Distribuer (la lumière, la couleur sur un espace, de manière qu'elle aille en diminuant par degrés). *Lumen et umbras gradatim distribuére.* [agrafé. *Solvére fibulam.*

dégrafer, v. tr. Faire cesser d'être

dégraisser, v. tr. Débarrasser (le corps d'un animal) de la graisse, du suif *Adipem detrahére.* ¶ Nettoyer (ce qui est enduit de matière grasse). *Pinguitudinem lavíre.* — des vêtements, *eluére maculas vestium.*

dégraisseur, s. m. Celui qui se charge de dégraisser, de nettoyer les étoffes. *Fullo, onis,* m.

degré, s. m. Marche pour monter *ou* descendre. *Gradûs, ûs,* m. Qui a des —, *gradatus, a, um*, adj. || (Par ext.) Le perron de l'escalier. Voy. ESCALIER. ¶ Chacun des intermédiaires qui conduisent successivement d'un état à un autre. *Gradûs, ûs,* m. Par —, *gradatim*, adv. ¶ (Par ext.) Place qu'occupe un des termes dans la série par rapport aux autres. *Gradûs, ûs,* m. || (Par anal.) Vous avez ce talent à un haut —, *ea* *facultas in te est summa.* Qui est à un haut — de perfection, *absolutus et perfectus.* Le dernier — de l'avilissement, *summa ignominia.* ¶

dégréer, v. tr. Dégarnir (un navire) de ses agrès. *Navis armamenta demĕre.*

dégrèvement, s. m. Action de dégrever. *Remissio, onis,* f. *Levamentum, i,* n.

dégrever, v. tr. Décharger de ce qui grève. *Deminuĕre (tributum). Relevāre (publicanos tertiâ mercedum parte).*

dégrossir, v. tr. Commencer à façonner en enlevant le plus gros. *Dolāre,* tr. *Dedolāre,* tr *Edolāre,* tr. ‖ (Fig.) Faire les travaux préliminaires qui facilitent un travail. *Deformāre,* tr.

dégueniller, v. tr. Mettre en guenilles. Déguenillé, *pannosus, a, um,* adj.

déguerpir, v. intr. Abandonner la place. *Aufugĕre,* intr. *Se proripĕre.* Faire — qqn, *fugāre aliquem.*

déguisement, s. m. Action de déguiser, de se déguiser *Mutatio vestitûs* (ou *vestis*). ‖ (Par ext.) Costume d'emprunt qui rend qqn difficile à reconnaître. *Mutata vestis. Permutatus habitus.* Sous un —, *veste mutatâ.* ‖ (Fig.) Action de dissimuler ses intentions. *Dissimulatio, onis,* f.

déguiser, v. tr. Revêtir d'un costume insolite qui rend difficile à reconnaître. *Alicui alium vestitum dāre.* Se —, *mutāre vestem; habitum suum permutāre.* Se — en garçon (en parl. d'une femme). *pro feminâ puerum simulāre.* ¶ (Fig.) Dissimuler sous des dehors insolites. *Dissimulāre,* tr. *Fingĕre,* tr. (cf. *vocem, vultus fingĕre ac simulāre*). — son chagrin, *dissimulāre aegritudinem animi.*

dégustateur, s. m. Celui qui est chargé de déguster. *Praegustator, oris,* m. Les —, *praegustantes, ium,* m. pl.

dégustation, s. f. Action de déguster. *Degustatio, onis,* f.

déguster, v. tr. Goûter avec attention (un liquide destiné à la consommation) pour en apprécier la qualité. *Gustu explorāre (aliquid). Praegustāre,* tr.

dehors, prép. et adv. ‖ *Prép.* A l'extérieur de. *Extra,* prép. (avec l'acc.) Voy. HORS. ‖ (Loc. prép.) Par-dehors, voy. EXTÉRIEUR. ¶ *Adv.* A l'extérieur. *Foris,* adv. (sans mouv.). *Foras,* adv. (av. mouv. : *abire foras*). Mettre toutes voiles — (pr. et fig.), *totos sinus explicāre.* ‖ (Loc. adv.) De dehors, *c.-à-d.* de l'extérieur. *Foris,* adv. (s'opp. à *domo*). ‖ (Loc. prép.) En dehors de, *extra,* prép. (av. l'acc.). (Fig.) En — de la question, *extra causam.* ‖ Absol. Loc. adv. En —, *extrinsecus,* adv. Leur porte s'ouvre en —, *fores eorum extrâ aperiuntur* Loc. adv. Par — (par le côté extérieur), *foris,* adv.; *ab exteriore parte.* ¶ S. m. Le dehors, *c.-à-d.* le côté extérieur, *pars exterior.* Venir du —, *peregrè advenire.* Qui est du —, vòy. EXTÉRIEUR. Les — d'une place, *propugnacula, orum,* n. pl. ‖

(Loc. pr.) Au-dehors de, *extra,* prép. (av. l'acc.). Loc. adv. Au —, *c.-à-d.* à l'extérieur, *foris,* adv.; *extrinsecus,* adv. Au-dedans et au — (fig.), *domi militiaeque.* ¶ (Par ext.) Le dehors *et* (plus gén.) les —, *c.-à-d.* manière d'être purement extérieure. *Species, ei,* f. Les — brillants d'une chose, *splendor et species alicujus rei.* Les — trompeurs, *species simulationis* ou (abs.) *simulatio, onis,* f.

déification, s. f. Action de déifier. *Consecratio, onis,* f. La — des princes, *consecrati principes.*

déifier, v. tr. Considérer comme dieu. *Ex homine deum facĕre (aliquem).*

déité, s. f. Divinité, *Numen, minis,* n.

déjà, adv. Dès à présent. *Jam,* adv. — depuis longtemps, il y a — longtemps, *jam dudum; jam diu; jam pridem.* — auparavant, *antea.* Depuis assez longtemps —, *satis diu jam.* ¶ Dès lors, *Jam tum. Jamjam.* Il sera là dans un instant, s'il n'y est —, *ille quidem aut jam hic aderit aut jam adest.*

déjection, s. f. Evacuation par le bas des matières fécales. *Dejectio alvi.*

déjeter, v. tr. Se — (en parl. d'un arbre), *pandāre,* intr.; *panduri,* pass. ‖ (En parl. d'une personne) Se —, être déjeté, *depravari.* Taille déjetée, *pravitas, atis,* f.

déjeuné. Voy. 2. DÉJEUNER.

1. déjeuner, v. intr. Prendre le repas du matin. *Prandēre,* intr. *Jentāre et jantāre,* intr.

2. déjeuner, v. tr. Repas du matin. *Jentaculum et jantaculum, i,* n. Faire un —, *jentaculum sumĕre.* ‖ (Par ext.) Mets qui composent ce repas. Prendre un — chaud, *prandium calidum prandēre.*

déjouer, v. tr. Faire manquer (le jeu de qqn). *Vanum facĕre.* — les calculs, les plans de qqn, *alicujus consilia turbāre.* — les espérances, *spem frustrāri.*

déjuger (se), v. pron. Revenir sur un jugement, sur une décision prise. *Sententiam mutāre.*

delà, prép. et adv. ¶ *Prép.* Plus loin que. *Ultra,* prép. ¶ *Adv.* Plus loin. *Ultra,* adv. Deçà, delà, *huc et illuc.* ‖ Loc. adv. En —, par —, au —, *ultra,* adv. Au — de, *ultra,* prép. (av. l'acc.). Au — de, par —, *trans,* prép. (av. l'acc.). Aller au — de, *transire,* tr.

délabrement, s. m. Etat de ce qui est délabré. *Ruina, ae,* f. Fig. Le — de sa santé, *valetudinis imbecillitas.*

délabrer, v. tr. Amener (une chose) à un état où elle menace ruine. *Labefactāre,* tr. *Labefacĕre,* tr. Edifice délabré, *aedificium dilabens.* Mur délabré, *murus semirutus.* ‖ Fig. — la santé, *labefactāre valetudinem.* Un estomac délabré, *stomachus morbo vitiatus.*

délai, s. m. Temps donné pour faire qqch. *Spatium, ii,* n. *Intervallum, i,* f. *Dilatio, onis,* f. *Mora, ae,* f.

délaissement, s. m. Action de délaisser. *Derelictio, onis,* f. *Destitutio, onis,* f. || Etat d'isolement où qqn est laissé. *Solitudo, dinis,* f.

délaisser, v. tr. Laisser (qqn) dans l'isolement. *Derelinquĕre,* tr.

délassement, s. m. Action de délasser. *Refectio, onis,* f. *Relaxatio, onis,* f. — de l'esprit, *relaxatio animi.* Par —, *animi relaxandi causâ.* || (P. ext.) Passetemps, repos qu'on prend pour se délasser. *Otium, ii,* n. *Oblectatio, onis,* f. Par —, *otii* ou *delectationis et otii consumendi causâ.*

délasser, v. tr. Tirer de l'état de lassitude. *Lassitudinem sedăre. Recreăre,* tr. — complètement, *reficĕre et recreăre* — le corps, les membres, *corpus reficĕre.* — l'esprit, *laxăre* (ou *relaxăre*) *animum.* Se — de ses fatigues, *a lassitudine requiescĕre.* Se — l'esprit, *laxăre* (ou *relaxăre*), *reficĕre* (ou *recreăre*) *animum,* ou simpl. *se laxăre; se reficĕre.* Se — des affaires publiques, *a muneribus publicis requiescĕre.*

délateur, s. m. Dénonciateur qui agit par des moyens méprisables. *Index, dicis,* m. *Delator, oris,* m.

délation, s. f. Dénonciation inspirée par des motifs méprisables. *Delatio, onis,* f. Se livrer à la —, *delationes factitare.*

délayer, v. tr. Dissoudre (une substance) dans un liquide, de manière à ce qu'elle se mêle avec lui. *Diluĕre,* tr. Se —, *diluĕre se* ou *dilui.* ¶ (Au fig.) Exposer longuement ses idées. *Latius et diffusius dicĕre aliquid.*

délectable, adj. Qui délecte. *Jucundus, a, um,* adj. *Gratissimus, a, um,* adj.

délectation, s. f. Plaisir causé par qqch. qui délecte. *Delectatio, onis,* f. *Delectamentum, i,* n.

délecter, tr. Faire savourer une jouissance à qqn. *Delectăre* (ou *oblectăre* (*animum alicujus*). Se —, *delectari* (*aliquâ re* ou in *aliquâ re*).

délégation, s. f. Action de déléguer. *Delegatio, onis,* f.

déléguer, v. tr. Charger (qqn) d'une fonction en lui transmettant tout ou partie de son autorité. *Legăre,* tr. *Delegăre,* tr. || Charger (qqn) d'accomplir envers un autre une obligation qu'il avait envers vous. *Delegăre,* tr. ¶ Transmettre à qqn son autorité pour un objet déterminé. *Delegăre,* tr.

délétère, adj. Qui met en danger la vie. *Exitialis, e,* adj. *Mortiferus, a, um,* adj. Gaz, miasmes —, *exhalatio pestifera.*

délibérant, ante, adj. Qui délibère. *Qui (quae) consulit* ou *deliberat.* ¶ Chargé de délibérer. Corps —, assemblée —, *consilium, ii,* n.

délibératif, adj. Appelé à délibérer. Voix —, *jus sententiae dicendae.* ¶ Qui a pour objet la délibération. *Deliberativus, a, um,* adj.

délibération, s. f. Action de délibérer. *Deliberatio, onis,* f. *Consultatio, onis,* f. *Consilium, ii,* n. Mettre une affaire en — (devant le Sénat), *referre de re ad senatum).* Après mûre — *re consultâ et exploratâ.* || (Par ext.) Décision qui résulte de la délibération. *Deliberatio, onis,* f. *Sententia, ae,* f. Les — du Sénat, *quae patres censuerunt.*

délibérément, adv. D'une manière délibérée, sans montrer d'hésitation. *Haud dubitanter.*

délibérer, v. intr. et tr. Peser le pour et le contre sur une question. ¶ Avec les autres. *Deliberăre,* tr. (*cum aliquo de aliquâ re*). *Consulĕre,* intr. (*cum aliquo de aliquâ re*). *Consultăre,* intr. (*cum aliquo de aliquâ re*). || Avec soi-même. *Agităre,* tr. (*de aliquâ re*). *Consulĕre,* intr. Sans —, c.-à-d. sans hésiter *sine cunctatione.* ¶ (V. tr.) De propos délibéré, *consulto,* adv. (Par ext.) D'un air délibéré, *confidenter,* adv.

délicat, ate, adj. Qui est d'une finesse exquise. *Dedicatus, a, um,* adj. *Lautus, a, um,* adj. *Exquisitus, a, um,* p. adj. *Elegans* (gén. *-antis*), adj. ¶ Que sa, finesse rend sensible aux moindres impressions extérieures. *Mollis, e,* adj. *Tener, era, erum,* adj. || (Par ext.) Sensible aux moindres impressions extérieures. *Tenuis, e,* adj. (*valetudo tenuissima*). *Tener, era, erum,* adj. Toucher le point, l'endroit —, *ulcus tangĕre.* ¶ Que sa finesse rend à peine perceptible. *Tenuis, e,* adj. *Subtilis, s,* adj. ¶ Qui présente des nuances subtiles, embarrassantes. Un point —, *locus lubricus et anceps.* Etre dans une situation —, *in lubrico versări.* ¶ Doué d'une finesse d'appréciation qui rend sensible aux moindres nuances. *Subtilis, e,* adj *Elegans* (gén. *-antis*), adj. D'une manière délicate, voy. DÉLICATEMENT. || (Par ext.) Etre délicat, *fastidire,* intr. Un —, *delicatus; fastidiosus.* Faire le —, *fastidire,* intr. || (Fig.) Sensible aux moindres scrupules. *Religiosus, a, um,* adj. ¶ Doué d'une finesse d'exécution qui sait observer les moindres nuances. *Mollis, e,* adj. *Sollers* (gén. *-ertis*), adj. D'une manière délicate, voy. DÉLICATEMENT.

délicatement, adv. D'une manière délicate. *Tenerē,* adv. *Molliter,* adv. *Delicatē,* adv. *Eleganter,* adv. Etre couché —, *molliter et delicatē recubăre.* Ecrire —, *eleganter scribĕre.* Elever trop —, *nimium habēre (aliquem) delicatum.*

délicatesse, s. f. Finesse exquise. — des mets, *cibus delicatus.* — de la table, *lautitia, ae,* f. Fig. — du coloris, *colorum suavitas.* — de la pensée, *subtilitas sententiarum.* — de la parole, *elegantia loquendi.* Avec —, *eleganter,* adv. || Finesse qui rend sensible aux moindres impressions extérieures. *Te-*

nuitas, atis, f. *Mollitia, ae*,f. (Par ext.) Etat de ce qui est sensible aux moindres impressions extérieures. — des organes, *teneritas, atis*, f. — de la santé, *corporis imbecillitas*. ¶ Caractère de ce qui présente des nuances subtiles, difficiles à observer. *Subtilitas, atis*, f. ¶ Finesse d'appréciation qui rend sensible aux moindres nuances. — du goût, *elegantia, ae*, f. — de l'oreille, *auditus accerimus*. — de sentiments, *mollitudo humanitatis*. || (P. ext.) Finesse de goût qui rend difficile à contenter. *Fastidium delicatissimum*. || (Fig.) Caractère de celui qui est sensible aux moindres scrupules. *Religio, onis*, f. ¶ Finesse d'exécution qui sait observer les moindres nuances. *Sollertia, ae*, f. *Mollis manus*. Fig. La — des procédés, *humanitas atque urbanitas*.

délice, s. m. Jouissance exquise. *Voluptas, atis*, f. || (P. ext.) Source de jouissances exquises. *Suavitas, atis*, f.

délices, s. f. pl. Jouissance exquise. *Magna voluptas. Deliciae, arum*, f. pl. Vivre dans les —, *luxuriose et delicate vivere*. Faire ses — d'une chose, *voluptatem capere* ou *percipere ex aliquâ re delectari* (ou *perfrui*) *aliquâ re*. Faire ses — de qqn, *habere aliquem in deliciis*. Faire les — de qqn, *esse in deliciis alicujus*.

délicieusement, adv. D'une manière délicieuse. || En goûtant des jouissances exquises. *Suaviter*, adv. *Jucundissime*, adv. ¶ De manière à causer des jouissances exquises. *Bellissime*, adv. *Divine*, adv.

délicieux, *euse*, adj. Où l'on trouve des délices. *Voluptatis* (ou *jucunditatis*) *plenus. Voluptarius, a, um*, adj. || (Spéc.) En parl. de ce qui flatte les sens du goût, de l'odorat. *Suavis, e*, adj. *Jucundus, a, um*, adj.

délié, *ée*, adj. Qui tient peu de place à cause de sa finesse. *Tenuis, e*, adj. *Subtilis, e*, adj. ¶ Qui passe aisément au travers des difficultés (à cause de sa finesse).*Subtilis, e*, adj. Un esprit —, *acumen ingenii*. Avoir l'esprit —, *acute cogitare*.

délier, v. tr. Dégager de ce qui lie (matériellement). *Solvere*, tr. *Resolvere*, tr. *Expedire*, tr. — un prisonnier, *resolvere* (*aliquem*) *vinctum*. Sans bourse — (sans payer), *gratuito*, adv. || (P. anal.) — sa langue, *linguam liberare*. Qui a la langue déliée, *solutissimus in dicendo*. ¶ (Fig.) Dégager de ce qui lie moralement, de ce qui oblige. *Solvere*, tr. *Exsolvere*, tr. *Liberare*, tr. Etre délié, se — d'un serment, d'un engagement, *solvi sacramento ; liberare fidem*.

délimitation, s. f. Action de délimiter, résultat de cette action. *Determinatio, onis*, f. — des territoires, *limitati agri*.

délimiter, v. tr. Déterminer en marquant la limite (pr. et fig.). *Terminare*,

tr. *Determinare*, tr. *Finire*, tr. *Definire*, tr.

délinquant, *ante*, s. m. et f. Celui, celle qui commet un délit. *Maleficus, i*, m.

délirant, *ante*, adj. Qui présente les caractères du délire. *Delirus, a, um*, adj. Folie —, *furor, oris*, m.

délire, s. m. Incohérence et surexcitation des idées, causée par la fièvre, etc. *Delirium, ii*, n. Avoir le —, *delirare*, intr.; *furere*, intr. ¶ (P. anal.) Etat d'exaltation violente où l'on cesse d'obéir à la raison. *Amentia, ae*, f. *Vesania, ae*, f. *Furor, oris*, m. En —, *amens* (gén. *-entis*), adj. Etre en —, *insanire*, intr.; *delirare*, intr.

délirer, v. intr. Etre en délire. *Delirare*, intr. || (Fig.) *Insanire*, intr. *Furere*, intr.

délit, s. m. Acte par lequel une loi est violée. *Delictum, i*, n. *Peccatum, i*, n. Commettre un —, *peccare*, intr.; *delinquere*, intr. Etre pris en flagrant —, voy. FLAGRANT.

délivrance, s. f. Action de délivrer qqn, résultat de cette action. *Liberatio, onis*, f. Devoir sa — à qqn, *ab aliquo liberari* (ou *in libertatem vindicari*). La — d'une ville, *oppidum obsidione liberatum*. || (Fig.) *Vindicta, ae*, f. Apporter à qqn la — de ses maux, *a miseriis aliquem vindicare*. ¶ Action de délivrer qqch. à qqn. *Traditio, onis*, f.

délivrer, v. tr. Rendre (qqn) libre de ce qui le tient captif. *Liberare*, tr. (*aliquem ab aliquâ re*). *Eximere*, tr. (*aliquem ex aliquâ re*). *Exsolvere*, tr. (*aliquem vinculis*). || (Fig.) Rendre libre de ce qui gêne. *Liberare*, tr. (*aliquem ab aliquâ re* ou *aliquâ re*). *Eximere*, tr. ¶ (P. ext.) Remettre qqch. à qqn après certaines formalités. *Dare*, tr. *Reddere*, tr. *Tradere*, tr.

déloger, v. intr. et tr. || (*V. intr.*) Quitter le lieu où l'on est logé. *Mutare sedem*. || (Fig.) S'en aller. *Decedere*, intr. ¶ (*V. tr.*) Faire quitter à qqn le lieu où il était logé. *Expellere aliquem domo sud*. || (Par ext.) Faire quitter la place. (*Aliquem*) *loco movere*. (Spéc.) — l'ennemi, *deturbare*, tr.; *depellere*, tr.

Délos, n. pr. Ile de l'Archipel. *Delus, i*, f. De —, *Delius, a, um*, adj.

déloyal, *ale*, adj. Non loyal. *Perfidus, a, um*, adj. *Infidelis, e*, adj. *Infidus, a, um*, adj. [*déloyale. Perfide*, adv.

déloyalement, adv. D'une manière

déloyauté, s. — . Manque de loyauté. *Perfidia, ae*, f. *Infidelitas, atis*, f. *Mala fides*. Se plaindre de la — de qqn, *accusare fidem alicujus*.

déluge, s. m. Grande inondation qui submergea la terre et fit périr les hommes. Le — universel, *diluvium, ii*, n. ¶ (Fig.) (En parl. de grandes pluies.) *Maximus imber*. Un — de paroles vides, *flumen inanium verborum*.

démagogue, s. m. Celui qui cherche à se rendre puissant sur la multitude en la flattant. *Plebicola, ae,* m.

demain, adv. Dans le jour qui suivra immédiatement celui où l'on est. *Cras,* adv. *Crastino die.* — matin, *cras mane.* ‖ (Par ext.) Dans un des jours qui suivront celui où l'on est. *Cras,* adv. ¶ *Substantiv.* Le jour qui suivra immédiatement celui où l'on est. *Crastinus dies.* Remettre à —, *in crastinum differre* (*res*). Jusqu'à —, *in crastinum* (s.-e. *diem*).

demande, s. f. Action de demander ce que l'on veut obtenir. *Petitio, onis,* f. ‖ (Par ext.) Ce que l'on demande. *Rogatio, onis,* f. *Postulatio, onis,* f. *Rogatus* (abl. *u*), m. (us. seul à l'abl.) — pressante, *expostulatio, onis,* f. Adresser une — à qqn, voy. DEMANDER. ‖ (Spéc.) Action de s'adresser aux tribunaux pour obtenir une chose à laquelle on prétend avoir droit. *Postulatum, i,* n. *Postulatūs* (abl. *u*), m. (us. seul. à l'abl.). Une — en divorce, *libellus divortii.* ¶ Action de demander ce qu'on veut savoir. *Interrogatio, onis,* f.

demander, v. tr. Faire connaître qu'on veut avoir (qqch.). ‖ *Au propre.* Faire connaître à qqn qu'on désire obtenir de lui qqch. *Petěre,* tr. (*aliquid ab aliquo; petěre, ut...* [av. le subj.]). *Expetěre,* tr. (*aliquid ab aliquo*). *Poscěre,* tr. (*aliquid ab aliquo*). *Exposcěre,* tr. *Postulāre* (« demander comme une chose due »), tr. (*aliquid alicui* [« pour qqn »]; *aliquem in aliquid,* qqn pour qqch., *postulāre, ut...* [av. le subj.]). *Expostulāre,* tr. (*aliquid ab aliquo*). *Implorāre* (« demander qqch. en pleurant, en suppliant »), tr. (*ab aliquo; misericordiam* [« demander merci »]). *Precāri* (« demander avec prière »), dép. tr. (*aliquid ab aliquo; alicui* [« pour qqn »] *aliquid*). *Exigěre* (« requérir, demander avec autorité »), tr. (*ab aliquo aliquid*). *Flagitāre* (« demander avec insistance; demander comme un dû »), tr. (*ab aliquo aliquid*). *Efflagitāre* (« demander avec insistance »), tr. (*aliquid ab aliquo; ab aliquo, ut...* [av. le subj.]). *Rogāre* (« solliciter, demander qqch. »), tr. (*victum* [« son pain »]; *aliquam aliquid* [« qqch. à qqn » *id ut facias vehementer te rogo*]). ¶ Ne demander qu'à faire qqch., *cupidissimum esse alicujus rei.* ¶ Faire connaître à qqn qu'on désire qu'il fasse venir qqn. *Quaerěre,* tr. (*aliquem ab januā,* qqn à la porte). C'est vous que je demande, *to volo.* ¶ Faire connaître à qqn qu'on attend qqch. de lui. *Poscěre,* tr. *Postulāre,* tr. (mêmes constr. que ci-dessus). ‖ (Par ext.) En parl. d'une chose, montrer (par sa nature, son état) qu'elle a besoin de qqch. *Poscěre,* tr. *Postulāre,* tr. *Flagitāre,* tr. La prudence demande..., *est prudentis* (avec l'inf.). L'amitié demande..., *est*

amici (avec l'inf.). Travail qui demande (*ou* demandera) plusieurs jours, *opus dierum multorum.* ¶ Faire connaître à qqn qu'on désire savoir qqch. *Rogăre,* tr. (*aliquem aliquid*). *Sciscitări,* dép tr. (*aliquid ex* ou *ab aliquo*). *Quaerĕre,* tr. (*aliquid ex* ou *ab aliquo*). *Exquirĕre,* tr. *Percontari,* dép. tr. Se —, *secum reputāre.*

demandeur, *euse* ou *resse,* s. m. et f. Celui, celle qui demande qqch. (fém. « demandeuse »). *Flagitator, oris,* m. *Petitrix, tricis,* f. ¶ (Droit.) Celui, celle qui forme une demande en justice (fém. « demanderesse »). *Petitor, oris,* m. *Petitrix, tricis,* f.

démangeaison, s. f. Sensation produite par ce qui démange. *Pruritus, ūs,* m. *Prurigo, inis,* f. Avoir, éprouver des —, *prurire,* intr. ‖ (Fig.) Envie de faire qqch. *Scabies, ei,* f. *Libido, inis,* f.

démanger, v. intr. Etre le siège d'un picotement qui donne envie de se gratter. *Prurire,* intr. ¶ (Fig.) La main me démange, *gestiunt mihi pugni.*

démantèlement, s. m. Action de démanteler; état de ce qui est démantelé. *Murorum destructio.*

démanteler, v. tr. Désarmer (une ville, une place de guerre). *Munitiones demoliri.*

démarcation, s. f. Action de marquer la limite qui sépare deux territoires. *Determinatio, onis,* f. Ligne de —, *limes, itis,* m.

démarche, s. f. Pas qu'on fait dans une voie. *Incessŭs, ūs,* m. La première —, *initium, ii,* n. ¶ (Par ext.) Manière de marcher. *Incessŭs, ūs,* m. *Ingressŭs, ūs,* m. — hésitante, *titubatio, onis,* f. ¶ (Fig.) Tentative auprès de qqn. *Factum, i,* n. — d'un candidat, *ambitio, onis,* f. Faire des — auprès des vétérans, *veteranos circumire.*

démarrer, v. tr. et intr. ‖ *V. tr.* Détacher (ce qui est attaché). *Solvěre,* tr. ¶ *V. intr.* Quitter l'amarrage (en parl. d'un navire). *Solvěre,* intr. ‖ (Par anal.) Se mettre en mouvement (en parl. d'une voiture lourdement chargée). *Se loco commovēre.*

démasquer, v. tr. Découvrir en ôtant le masque. — qqn, *alicui personam deměre.* Se —, *personam deponere* (*exuěre* ou *abjicěre*). ¶ (P. ext.) *Fig.* Démasquer des batteries (attaquer ouvertement). *Aperté pugnāre.* Batteries démasquées, *aperta vis.*

démâter, v. tr. (Marine.) Dégarnir (un bâtiment) d'un ou plusieurs mâts. *Exarmāre* (*navem*). Etre démâté *et intransitivt* démâter (de tous ses mâts), *exarmāri,* pass.

démêlé, s. m. Discussion entre personnes qui ont des intérêts opposés. *Certatio, onis,* f. *Concertatio, onis,* f. *Certamen, inis,* n. *Controversia, ae,* f. *Contentio, onis,* f. *Altercatio, onis,* f.

Lis, litis, f. Avoir des — avec qqn. *certamen* (ou *controversiam*) *habēre cum aliquo; contendĕre cum aliquo.*

démêler, v. tr. Dégager (ce dont les parties sont emmêlées). *Explicāre,* tr. *Extricāre,* tr. ¶ (*Fig.*) Discerner ce qui est confondu avec autre chose. *Discernĕre,* tr. *Explicāre,* tr. *Perspicĕre,* tr.

démembrement, s. m. Action de démembrer. *Divulsio, onis,* f. *Distractio, onis,* f. || (Par ext.) Partie détachée d'un ensemble. Voy. MORCEAU, PARCELLE.

démembrer, v. tr. Morceler en détachant les membres *et p. ext.* en divisant le corps. *Quasi in membra discerpĕre. Membra (un corpus) distrahĕre.* || (Fig.) Morceler (un ensemble) en en détachant les parties. *Dividĕre membra (alicujus rei).* ¶ Détacher d'un ensemble (une partie). Voy. DÉTACHER, ENLEVER.

déménagement, s. m. Action de déménager. *Migratio, onis,* f. *Demigratio, onis,* f. *Translatio domicilii.* Ils font leur —. *suo omnia quae moveri poterant, deportant.*

déménager, v. tr. Transporter ailleurs (le mobilier qui garnit un logement, une demeure). *Deportāre omnia quae morēri possunt. Transferre res.* || (P. ext.) Changer de demeure. *In aliam domum* (ou *in alias sedes*) *migrāre. Domo emigrāre.* Il est déménagé d'ici, *emigravit ex his aedibus.*

démence, s. f. Dérangement grave de la raison. *Mentis alienatio. Vesania, ae,* f.

démener, v. tr. (Avec le pron. réfléchi.) Se —, *jactāre corpus; se jactāre.* || (Fig.) S'agiter vivement. *Trepidāre et concursāre.*

dément, ente, adj. Atteint de démence. *Demens* (gén. *-entis*), adj. *Delirus, a, um,* adj.

démenti, s. m. Action de démentir, parole par laquelle on dément. *Negatio, onis,* f. *Infitiatio, onis,* f. Donner un — à qqn, *redarguĕre: coarguĕre aliquem mendacii.* Donner un — aux assertions de qqn, *infitiari (aliquid).* Fig. Sa conduite donne un — à ses paroles, *cum vitā pugnat oratio.*

démentir, v. tr. Contredire (qqn) comme n'ayant pas dit vrai. *Aliquem redarguĕre.* ¶ Contredire (ce que dit qqn) comme contraire à la vérité. *Aliquid falsum esse contendĕre.* || (Par ext.) Désavouer. Voy. ce mot. ¶ (Par ext.) Contredire par des actes. *Dissentīre,* intr. Se —, *pugnāre secum.* Se — des principes, *desciscĕre a se.* — sa réputation, *a famā suā degenerāre.* Ses actions démentent ses paroles, *facta ejus cum dictis discrepant.* Son courage ne s'est pas démenti, *nihul a virtute deflexit.*

démérite, s. m. Ce qui fait qu'on mérite la désapprobation. *Meritum, i,* n.

démériter, v. intr. Mériter la désap-

probation. Voy. MÉRITER, DÉSAPPROBATION. ¶ Perdre les titres que l'on a à la bienveillance de qqn. *Male mereri de aliquo.* Il n'a pas démérité, *nullam commeruit culpam.*

démesuré, ée, adj. Dont les dimensions dépassent la mesure. *Immensus, a, um,* adj. *Enormis, e,* adj. *Immanis, e,* adj. || (Fig.) *Immodicus, a, um,* adj. *Immoderatus, a, um,* adj. *Inusitatus, a, um,* adj. Avoir une ambition — *immodica cupĕre.*

démesurément, adv. D'une manière démesurée. *Immoderatē,* adv. *Praeter modum.*

1. démettre, v. tr. Déplacer. Voy. ce mot. || (Spéc.) Déplacer (des pièces osseuses) de manière à les désarticuler. *Luxāre,* tr. Se — l'épaule, *armum ejicĕre.*

2. démettre, v. tr. Retirer d'une dignité, d'une charge, d'un emploi. *Aliquem loco movēre.* Se —, *abire (magistratu); abdicāre se* (av. l'abl.).

demeurant, ante, adj. Qui est encore là (par opposition à ce qui est parti). *Qui (quae, quod) manet.* || (Substantiv.) Le —, c.-à-d. le reste. *Reliquum, i,* n. || (Loc. adv.) Au demeurant (au reste). *Ceterum,* adv. ¶ Qui demeure dans un lieu. *Sedem* (ou *domicilium*) *habens aliquo loco.* ◄| (Fig.) *Infixus, a, um,* p. adj.

demeure, s. f. Le fait de demeurer, de tarder à faire qqch. *Mora, ae,* f. Il n'y a pas péril en la —, *res habet moram.* Mettre qqn en — de faire qqch., *urgēre aliquem ut* (et le subj.); *instare alicui, ut* (subj.)... ¶ Le fait de demeurer dans un lieu. *Mansio, onis,* f. *Commoratio, onis,* f. Ne pas faire longue —, *commorari paululum.* || (P. ext.) Le fait d'avoir son habitation dans un lieu. *Sedes, is,* f. *Domicilium, ii,* n. *Sedes ac domicilium.* Faire sa —, établir sa —, *sedem* (ou *domicilium*) *collocāre.* || (Loc. adv.) A demeure (pour rester dans le lieu dont il s'agit). Etre établi à —, *manēre,* intr.; *permanēre,* intr. ¶ Habitation dans laquelle on est établi. *Domicilium, ii,* n. *Domus, ūs,* f. *Habitatio, onis,* f. — sacrée, *aedes sacra.* Changer de —, *mutāre sedem; emigrāre* (*e domo*). || P. anal. (en parl. des animaux) *Cubile, is,* n. *Sedes, is,* f. || (Fig.) Conduire qqn à sa dernière —, *exsequias funeris prosequi.*

demeurer, v. tr. Tarder en chemin. *Morāri,* dép. intr. Voy. TARDER. || (Par ext.) *Fig.* Mettre du temps à faire qqch. *Morari in aliquā re.* — trop longtemps absent, *diutius abesse.* ¶ S'arrêter; être arrêté un certain temps le lieu *et par ext.* dans l'état où l'on est. *Morāri,* dép. intr. *Commorāri* (« demeurer un certain temps dans un lieu »), dép. intr. *Manēre,* intr. *Permanēre,* intr. *Remanēre,* intr. *Stāre,* intr. (*stāre in fide,* demeurer fidèle à sa parole). Faire —, *c.-à-d.* forcer à rester, *continêre,* tr. || (Loc. div.) Demeurer en chemin, *consistere,* intr.; *in itínere subsistere.* Fig. Demeurons-en là, *sed haec hactenus.* — en arrière, *remanêre,* intr.; *relinqui,* pass. — sur la place, *in vestigio mori.* — en repos, *quiescêre,* intr. — d'accord *assentire,* intr. — court, *subsistere,* intr. — assis, *non surgêre.* — debout, *stâre,* intr. Que cela demeure entre nous, *hoc inter nos sit.* ¶ (Par ext. spéc.) Se fixer, être fixé en la possession de qqn. Voy. POUVOIR, RESTER. Une gloire qui demeure, voy. DURABLE. ¶ (Par ext.) Etre établi dans un lieu, y habiter. Voy. HABITER.

demi, *ie,* adj. s. m. et f. et adv. ¶ *Adj.* Qui forme la moitié d'un tout. *Dimidius, a, um,* adj. *Dimidiatus, a, um* (« réduit à la moitié, qui n'est que la moitié; demi »), p. adj. Une — heure, *semihora, ae,* f. Une — livre, *semilibra, ae,* f. Une — once, *semuncia, ae,* f. Faire — tour, *signa convertêre.* Une heure et —, *sesquihora, ae,* f. ¶ (*Subst.*) Moitié; la moitié d'un entier. *Semis, missis,* m. *Dimidia pars.* Un et demi, *sesquialter, tera, terum,* adj. Loc. adv. A— appuyé, *semifultus, a, um,* p. adj. A— armé, *semiermis, e,* adj. Fig. A— savant, *semidoctus, a, um,* adj. A— voix, *submissâ voce.* Ne faire les choses qu'à —, *aliquid molli* (ou *levi*) *brachio agêre.* ¶ *Adv.* (Placé avant un adj. *ou* un part.) A moitié. Demi-brûlé, *semustus.*

demi-cercle, s. m. Moitié de cercle. *Semicirculus, i,* m. *Hemicyclium, ii,* n.

démission, s. f. Action de se démettre d'une charge, d'un emploi, d'une dignité. *Abdicatio muneris. Ejuratio, onis,* f. Donner sa —, voy. DÉMETTRE.

démocratie, s. f. Forme de gouvernement fondée sur la souveraineté du peuple. *Populus, i,* m. *Populi potentia* (ou *imperium*). Etablir, constituer une —, *rem publicam populari ratione constituêre.* Dans une —, *in civitate, in quâ omnia per populum geruntur.*

démocratique, adj. Qui appartient à une démocratie. *Popularis, e,* adj.

démocratiquement, adv. D'une manière démocratique. *Populariter,* adv.

démoder, v. tr. Faire passer de mode. Se —, *exolescêre,* intr. Démodé, *exoletus, a, um,* p. adj.

démolir, v. tr. Défaire (une construction) en faisant tomber successivement les parties qui la composent. *Destruêre,* tr. *Demoliri,* dép. tr. *Disturbâre,* tr. *Diruêre* (« démolir de fond en comble »), tr. *Disjicêre,* tr.

démolition, s. f. Action de démolir. *Demolitio, onis,* f. *Eversio, onis,* f. Des matériaux de — *et p. ext.* (simpl.) Des démolitions, *materia, ae,* f. et *materiae, arum,* f. pl.

démon, s. m. (Chez les anciens.) Génie bienfaisant *ou* malfaisant. *Genius, ii,*

m. || Le — familier de Socrate, *daemon, onis,* m. ¶ (De nos jours.) Diable. *Daemon, onis,* m.

démoniaque, s. m. Possédé du démon. *Arrepticius, a, um,* adj. Substantiv. Un —, une — (personne possédée du démon), *daemoniacus, i,* m. ¶ (Fig.) Frénétique. *Lymphatus, a, um,* p. adj.

démonstrateur, s. m. Celui qui démontre une vérité. *Demonstrator, oris,* m.

démonstratif, *ive,* adj. Qui sert à démontrer (une vérité). *Ad probandum firmus.* Raison —, *argumentatio, onis,* f. ¶ Qui sert à montrer. || (Rhétor.) Genre —, *demonstrativum genus.* || (Gramm.) Pronoms —, *demonstrativa pronomina.* ¶ Qui prodigue les manifestations extérieures. C'est une personne —, *sensus praeferens.*

démonstration, s. f. Ce qui sert à démontrer, raisonnement par lequel on établit la vérité d'une démonstration. *Argumentatio, onis,* f. *Probatio, onis,* f. *Confirmatio, onis,* f. — géométriques, *geometricae rationes.* Faire une —, *argumentis aliquid probâre.* ¶ Ce qui sert à montrer, manifestation extérieure de sentiments sincères *ou* affectés. *Significatio, onis,* f. *Professio, onis,* f. || (Spéc.) — militaire, *ostentatio virium.* Faire une — militaire (sur un point), *ostentâre apparatum belli.*

démonstrativement, adv. D'une manière démonstrative. *Manifestê* (ou *manifesto*), adv.

démonter, v. tr. Jeter qqn à bas de la bête sur laquelle il est monté. *Aliquem* (*equo*) *dejicêre.* Etre démonté, *ex equo cadêre.* || (Par ext.) Démunir (un cavalier) de sa monture. Cavalerie démontée, *equites sine equis.* ¶ (En parl. d'un mécanisme.) Détendre le ressort, descendre le poids, etc. *Remittêre,* tr. *Laxâre,* tr. ¶ Défaire ce qui est sur pied, disjoindre un assemblage. Qui se démonte, *solutilis, e,* adj.; *dissolubilis, e,* adj. || (Par ext.) Détraquer, mettre hors de service. *Turbâre,* tr. Fig. — les batteries de qqn, *perimêre alicujus consilia.* || (Par ext.) Se démonter, voy. (s') EMPORTER. Par anal. Une mer démontée, *turbatius mare.*

démontrer, v. tr. Etablir par le raisonnement la vérité d'une proposition. *Probâre,* tr. *Approbâre,* tr. *Arguêre,* tr. *Firmâre,* tr. *Confirmâre,* tr. ¶ Enseigner en montrant les choses, en les mettant sous les yeux. *Demonstrâre,* tr. *Ostendêre,* tr.

démoralisation, s. f. Action de démoraliser; résultat de cette action. *Morum corruptio. Mores corrupti.* || Découragement. Voy. ce mot.

démoraliser, v. tr. Priver du sens moral. *Ab honestate* (*aliquem*) *abducêre.* ¶ Priver de l'énergie morale. *Aliquem* (ou *animum alicujus*) *infringêre.* Se —, *ab spe repelli.*

démordre, v. intr. Lâcher ce qu'on a saisi avec les dents. *Morsus resolvĕre.* ¶ (Fig.) Se relâcher (de son opinion, de sa ligne de conduite) *Cedĕre alicui rē. Remittĕre (de aliquā re).* Ne pas — de son opinion, *perstāre,* ou *haerēre in sententiā.* Sans vouloir en —, *mordicus,* adv.

Démosthène, n. pr. Célèbre orateur et homme d'Etat athénien. *Demosthenes, is, m.*

dénaturer, v. tr. Altérer (qqch.) de manière à en changer la nature. *Corrumpĕre,* tr. *Vitiāre,* tr. *Infuscāre,* tr. *Invertĕre (alicujus verba).* ¶ Dépouiller (qqn) des bons sentiments naturels. Au part. Dénaturé, *inhumanus, a, um,* adj. Etre —, *exuisse omnem humanitatem.*

dénégation, s. f. Action de dénier (un fait). *Negatio, onis,* f. *Infitiatio, onis,* f. *Negatio infitiatique facti.* Opposer une — formelle, *pernegāre.*

déni, s. m. Action de dénier (un fait). Voy. DÉNÉGATION. ¶ Action de dénier (un droit). *Recusatio, onis,* f. *Detrectatio, onis,* f. Un — de justice, *injuria, ae,* f.

dénicher, v. tr. Enlever du nid. *Nido detrahĕre.* ‖ (P. ext.) *Fig.* — qqn, *detegĕre aliquem.*

denier, s. m. Ancienne monnaie romaine, d'argent, valant primitivement dix as. *Denarius, ii,* m. (gén. pl. *orum* et plus souvent *um*).

dénier, v. tr. Refuser de connaître pour vrai (un fait dont on prétend nous faire convenir). *Negāre,* tr. *Denegāre,* tr. — absolument, *pernegāre,* tr. ¶ Refuser de faire, de donner (ce que qqn réclame comme un droit). *Negāre,* tr. *Denegāre,* tr.

dénigrement, s. m. Action de dénigrer. *Obtrectatio, onis,* f. *Detrectatio, onis,* f. Par esprit de —, *detrahendi causā.*

dénigrer, v. tr. Dire du mal de (qqn). *Obtrectāre (alicui). Detrahĕre de aliquo.*

dénombrement, s. m. Action de compter et d'énoncer les parties qui composent une totalité. *Enumeratio, onis,* f. Faire le — *dinumerāre,* tr. — (fait par le censeur à Rome), *recensio, onis* f. Faire le — des citoyens, *censum habēre.*

dénombrer, v. tr. Compter et énoncer (les parties qui composent une totalité). *Enumerāre,* tr. *Dinumerāre,* tr.

dénomination, s. f. Nom attribué à une classe de choses, de personnes. *Nominatio, onis,* f. *Appellatio, onis,* f.

dénommer, v. tr. Nommer (une personne) dans un acte. *Nuncupāre,* tr. ¶ Attribuer un nom à une classe de personnes, de choses. *Nomināre,* tr. *Denomināre,* tr.

dénoncer, v. tr. Signifier officiellement. *Denuntiāre,* tr. — la fin d'un armistice, la rupture d'un traité et (ellipt.) — un armistice, un traité, voy. TRÊVE, TRAITÉ. ¶ Signaler qqn comme coupable (particulièrement à la justice). *Deferre,* tr *Indicāre,* tr. — qqn, *deferre nomen alicujus; aliquem indicāre.*

dénonciateur, s. m. Celui qui dénonce, particulièrement à la justice. *Index, icis,* m. Faire le métier de —, *delationes jactitāre.*

dénonciation, s. f. Action de signaler comme coupable, particulièrement à la justice. *Indicium, ii,* n. *Delatio, onis,* f.

dénoter, v. tr. Marquer (une particularité), *Indicāre,* tr. *Arguĕre,* tr. *Declarāre,* tr. *Significāre,* tr.

dénouement et **dénoûment**, s. m. Action de dénouer. *Solutio, onis,* f. *Exsolutio, onis,* f. ‖ (Fig.) Evénement final qui résout les complications d'une action dramatique, etc. *Exitūs, ūs,* m. *Eventūs, ūs,* m. ‖ (Par ext.) Ce qui amène la solution d'une affaire difficile. *Eventūs, ūs,* m.

dénouer, v. tr. Défaire ce qui est retenu par un nœud. *Solvĕre,* tr. *Dissolvĕre,* tr. *Resolvĕre,* tr. ‖ Fig. — la langue (faire parler), *linguae nodos solvĕre.* Sa langue se dénoue, *vox ejus laxatur.* ‖ (Spéc.) Dégager les parties du corps qui étaient nouées. *Mollīre (artus). Laxāre (brachia).* Corps dénoué, *corpus habile.* ‖ — une action dramatique *ou* épique, *argumenti explicāre nodum.*

dénoûment. Voy. DÉNOUEMENT.

denrée, s. f. Marchandise *et généralement* produit destiné à la consommation. *Merx, mercis* (gén. plur. *mercium*), f. Prix des —, *annonae pretium,* et (absol.) *annona, ae,* f. ‖ L'ensemble de ce que l'on porte au marché. Voy. PROVISIONS, VICTUAILLES. ¶ (Spécial. *Au plur.* Chacune des marchandises ainsi vendues. *Species, erum* (gén. inusité à la bonne époque), f. pl. Les — alimentaires, *esculenta, orum,* n. pl.; *cibabaria, orum,* n. pl.; *cibi, orum,* m. pl.

dense, adj. Dont la masse est considérable relativement au volume. *Densus, a, um,* adj. *Spissus, a, um,* adj. Air —, *aer crassus.*

densité, s. f. Qualité de ce qui est dense. *Densitas, atis,* f. *Spissitas, atis,* f.

dent, s. f Ce qui sert à l'homme et aux animaux à diviser, à broyer les aliments. *Dens, tis,* m. Qui a des — de longues —, *dentatus, a, um,* adj. Qui n'a pas de —, voy. ÉDENTÉ. Une — d'éléphant, *dens eburneus.* Faire ses —, *dentīre,* intr. ¶ (P. anal.) Ce qui a la forme d'une dent. *Dens, tis,* m. Dents du râteau, *dentalia, ium,* n. pl.

denté, ée, adj. Garni de dents. *Dentatus, a, um,* adj. ‖ (Par anal.) En parl. des objets. *Denticulatus, a, um,* adj.

dentelé, ée, adj. Dont le bord est découpé de dents irrégulières. *Dentatus, a, um,* adj. *Serratus, a, um,* adj. ¶ Dont le bord est découpé en petites dents fines et serrées. *Denticulatus, a, um*, adj.

dentelle, s. f. Tissu à jour. *Opus acu pictum et denticulatum.*

dentelure, s. f. Bord dentelé. *Denticulus, i, m. Incisura, ae, f.* (en parl. des feuilles).

dentier, s. m. Rang de dents. Voy. DENTURE. ¶ Rang de dents artificielles. *Dentes empti.*

dentifrice, s. m. Préparation qui sert à frotter, à nettoyer les dents. — *et adjectiv.*, poudre —, *dentifricium, ii, n.*

dentition, s. f. Action par laquelle se forment et poussent les dents. *Dentitio. onis. f.*

denture, s. f. Ensemble des dents. *Dentium ordo ou series.* Absol. *dentes, ium*, m. pl. ¶ (Fig.) Bord denté d'une roue. Voy. DENTELURE.

dénuder, v. tr. Dépouiller qqn de ce qui le recouvre dans l'état naturel. *Nudare*, tr.

dénuement et **dénûment**, s. m. Etat de celui qui est dénué du nécessaire. *Inopia, ae, f. Egestas, atis, f.* Etre dans un — complet, *in summâ mendicitate esse.* Réduire qqn au —, *aliquem ad inopiam redigere.*

dénuer, v. t. Priver entièrement. *Nudare*, tr. Etre dénué, *carère*, *excl.* (*aliquâ re*). Etre — de tout, *omnium rerum inopem esse.* Etre — de sens commun, *communi sensu planè carère.*

dénûment, s. m. Voy. DENUEMENT.

Denys, n. pr. Tyran de Syracuse. *Dionysius, ii, m.* — l'Ancien, *Dionysius Major.*

déparer, v. tr. Dépouiller de ce qui pare. *Detrahère ornamenta (alicui rei).* ¶ Enlaidir (ce dont on fait partie) en faisant désaccord dans l'ensemble. *Deformare*, tr.

départ, s. m. Action de mettre une chose à part d'une autre. Faire le — du bon et du mauvais, voy. SÉPARER, TRIER. ¶ Action de partir. *Profectio, onis, f. Abitùs, ûs, m. Decessio, onis, f. Digressio, onis, f. Digressùs, ûs, m.* Le moment du —, *tempus proficiscendi.* — qui ressemble à une fuite, *consimilis fugae projectio.* || (Spéc.) Point de départ, commencement d'une série, d'un mouvement, etc. *Caput, itis, n.* Avoir, prendre son point de — dans..., *initium capère ab...*

département, s. m. Partie de l'administration attribuée à un haut fonctionnaire. *Provincia, ae, f.* ¶ Circonscription administrative. *Regio, onis, f.*

départir, v. tr. (Avec le pron. réfléchi.) Se — de qqch. (s'en écarter, s'abandonner dans une circonstance donnée), *desistère*, intr. (a ou *de re aliquâ* ou *re aliquâ*). Se — de son calme, *discedère a quiete.* ¶ Assigner comme part. *Dividère*, tr. *Tribuère*, tr.

dépasser, v. tr. Aller au delà de qqn qui suit le même chemin. *Praecedère*,

tr. *Praecurrère*, intr. et tr. (*p. ante omnes*; *p. aliquem*). *Praeterire*, tr. *Praetergredi*, dép. tr. || (Fig.) L'emporter sur qqn. *Antecedère*, intr. (av. le dat.). *Superare*, tr. *Praecurrère*, tr. et intr. (*aliquem celeritate*; *alicui studio* [« en zèle »]). *Vincère*, tr. Etre dépassé, *relinqui*, pass. ¶ (Par ext.) Aller au delà de qqch. *Excedère*, tr. *Egredi*, dép. intr. (*egredi extra fines*). *Prodire*, intr. (*extra modum*). *Superare*, tr. *Transire*, tr. — les forces humaines, *supra humanas vires* (ou *supra hominis vires*) *esse.* — les bornes, *modum transire.* ¶ (Par anal.) S'étendre au delà de qqch. *Eminère*, intr. (*suprâ aliquid*). *Excedère*, absol. *Exstare*, intr. Qui dépasse, *eminens* (gén. -*entis*), p. adj.

dépayser, v. tr. Transporter (qqn) dans un pays qui n'est pas le sien. *Transferre (aliquem) in alias sedes.* ¶ (Par ext.) Dérouter (qqn) en le mettant dans un lieu qui ne lui est pas familier. Voy. DÉROUTER. ¶ (Par anal.) Dépaysé (à la cour), *haudquaquam accommodatus (aulae).*

dépècement, s. m. Action de dépecer qqch. *Consectio, onis, f. Laniatio, onis, f. Laceratio, onis, f.*

dépecer, v. tr. Partager en pièces, en quartiers. *Discerpère*, t.

dépêche, s. f. Communication (publique ou privée) adressée (à qqn) par voie rapide. Une — du gouvernement, *litterae publicè missae.* — secrète, *mandata clam missa (de aliquâ re).*

dépêcher, v. tr. Débarrasser de ce qui arrête, retarde. Voy. DÉBARRASSER. || (Par ext.) Se — de faire qqch. (le faire le plus vite qu'on peut), *properè* (ou *festinanter*) *agère aliquid.* Absol. Se —, *et* (absol.) —, *maturare*, intr.; *festinare*, int. ¶ Renvoyer promptement (qqn), son affaire faite; en finir avec lui. *Confecto negotio dimittère aliquem.* ¶ En finir avec qqn en le faisant mourir. *Mortem alicui properare.* — || (P. anal.) — qqch. (l'achever promptement), *absolvère* ou *expedire* (*negotium*). ¶ Envoyer promptement (qqn) pour porter un message. *Mittère*, tr.

dépeindre, v. tr. Représenter par la parole (une personne, une chose), avec les traits principaux. *Pingère*, tr. *Depingère*, tr. *Describère*, tr.

dépendance, s. f. (En parlant d'une chose.) Le fait de dépendre d'une autre chose. *Conjunctio, onis, f.* Etre sous la — de qqch., *pendère ex aliquâ re.* ¶ (En parl. d'une personne.) Le fait de dépendre d'une autre personne. *Servitus, utis, f.* Mettre, tenir qqn dans sa —, *aliquem sibi obnoxium facère.*

dépendant, ante, adj. Qui dépend de qqn, de qqch. *Subjectus* ou *obnoxius (alicui rei). Obnoxius (alicui).*

1. dépendre, v. tr. Détacher (une personne qui est pendue). *Ex suspendio detrahère aliquem.*

2. dépendre, v. intr. (En parl. d'une chose.) Etre lié nécessairement à une personne, à une chose, comme ne pouvant être, se réaliser sans elle. *Pendére,* intr. (*ex aliquâ re*). *Aptum esse* (*ex aliquâ re*). *Situm esse* (*in aliquâ re*). *Positum esse* (*in aliquâ re*). Qui dépend de, *suspensus, a, um,* p. adj. (*ex aliquâ re*); *subjectus, a, um,* p. adj. (*alicui rei*); *aptus, a, um,* adj. (*ex aliquâ re*). Faire —, *conjungére,* tr. (*aliquid cum aliquâ re*); *ponére,* tr. (*aliquid in aliquâ re*). ¶ (Par ext.) Tenir à qqch. comme appendice. *Pertinére ad aliquid.* ¶ (En parl. d'une pers.) Etre sous la puissance de qqn. *Obnoxium esse alicui.*

dépens, s. m. pl. Ce que qqn dépense. Voy. DÉPENSE. || (Spéc.) Loc. prép. Aux — de qqn, *pecuniâ alicujus alicujus sumptu;* fig. (en faisant subir à qqn le dommage), *alicujus malo: cum alicujus detrimento.* Nous savons à nos —..., *detrimento nostro experti sumus...* ¶ (Spéc.) Frais de justice. *Litis aestimatio.*

dépense, s. f. Action de dépenser. *Erogatio* (dépense publique), *onis,* f. *Impendium, ii,* n. *Impensa, ae,* f. *Sumptûs, ûs,* m. ¶ (Fig.) Action de donner, d'employer son temps, ses efforts, etc., pour obtenir un résultat. *Impendium, ii,* n. On fait une — de travail, on se met en — de travail, *labor impenditur.* ¶ Lieu où l'on serre, où l'on distribue les provisions. *Cella penaria.*

dépenser, v. r. Donner, employer (de l'argent) pour se procurer qqch. *Impendére,* tr. *Expendére,* tr. ¶ (Fig.) Donner, employer son temps, ses efforts, etc., pour arriver à un résultat. *Impendére,* tr. *Sumére,* tr. (*tantum laborem*). *Absumére,* tr. *Consumére,* tr. *Insumére,* tr. (*operam frustra,* se dépenser en pure perte).

dépensier, *ière,* s. m. et f. et adj. || *Subst.* Celui qui tient la dépense (dans une communauté, une ferme, etc.). *Dispensator, oris,* m. ¶ *Adj.* Qui aime à dépenser. *Prodigus, a, um,* adj. *Sumptuosus, a, um,* adj.

dépérir, v. intr. S'acheminer vers la mort par consomption graduelle. *Emori,* intr.

dépérissement, s. m. Etat de ce qui dépérit. *Defectio virium.*

dépeuplement, s. m. Action de dépeupler, de se dépeupler. *Vastatio, onis,* f. *Vastitas, atis,* f.

dépeupler, v. tr. Dégarnir d'habitants. *Vacuefacére* (terram). *Solitudinem facére.* Se —, *vacue fieri.* Qui est dépeuplé, *desertus, a, um,* p. adj.: *vastus, a, um,* adj.

dépister, v. tr. Retrouver (le gibier) en suivant sa piste. *Investigáre,* tr. *Indagáre et odorári,* tr. ¶ (Fig.) Retrouver (qqn) en suivant sa trace. *Mêmes verbes que ci-dessus.* ¶ Détourner de la piste. *Canes eludére.*

dépit, s. m. Mépris. Voy. ce mot. Loc. prép. En — de qqch., *nullâ alicujus rei ratione habitâ.* || (P. ext.) En — de qqn, voy. MALGRÉ. ¶ (Par ext.) Irritation. *Dolor, oris,* m. *Stomachus, i,* m. *Bilis, is,* f. En laissant éclater son — de ce que..., *indignabundus* (avec l'acc. et l'inf.); *stomachans* (avec l'acc. et l'inf.).

dépiter, v. tr. Donner du dépit (à qqn). *Stomachum alicui facére* (ou *movére*). Se —, *stomachari,* dép. intr. Dépité, *stomachans* (gén. *-antis*), p. adj.

déplacement, s. m. Action de déplacer. *Translatio, onis,* f. || Action de se déplacer. *Locorum mutatio.*

déplacer, v. tr. Oter (qqch., qqn) de sa place. (*Loco*) *movére,* tr. Se —, *locum mutáre.* || (Fig.) Etre déplacé, *non idoneum esse ad aliquid.* Une chose déplacée, *res inepta.*

déplaire, v. intr. Ne pas plaire. || (En parl. des choses.) *Displicére,* intr. Qui déplaît, *ingratus, a, um,* adj. Loc. famil. Qu'il ne vous en déplaise, *et* (ellipt.) ne vous en déplaise. *pace tua* (ou *pace tuâ dixerim*) || (En parl. des personnes.) *Offendére,* tr. *Displicére,* intr. (av. le dat.). ¶ (Par ext.) Se déplaire qq. part, *c.-à-d.* ne pas s'y plaire, *taedium capére* (*alicujus loci*).

déplaisance. s. f. Caractère déplaisant de qqn, de qqch. *Morositas, atis,* f. *Molestia, ae,* f.

déplaisant, *ante,* adj. Qui est de nature à déplaire. *Molestus, a, um,* adj. *Ingratus, a, um,* adj.

déplaisir, s. m. Impression pénible que qqch. produit sur nous. *Molestia* (*alicujus rei, alicujus*). *Taedium, ii,* n. *Fastidium, ii,* n. Causer du — à qqn, *afferre alicui molestiam.*

déplanter, v. tr. Retirer (ce qui est enfoncé dans le sol). *Deplantáre,* tr. — des pieux, voy. ARRACHER.

déplier, v. tr. Etendre en remettant simple (ce qui est plié, mis en double). *Explicáre,* tr.

déplisser, v. tr. Rendre uni en défaisant les plis. *Effundére sinum.* ¶ Friper de manière à défaire les plis. Voy. FRIPER.

déploiement ou **déploiment,** s. m. Action de déployer. *Explicatio, onis.* f. || (Par anal.) Déploiement d'une troupe. Avec le — de toutes ses forces, *tota mole belli.*

déplorable, adj. Qui est à déplorer. *Deplorandus, a, um,* adj. verb. *Miserandus, a, um,* adj. verb. *Miserabilis, e,* adj. Situation —, *res desperatae.*

déplorablement, adv. D'une manière déplorable. *Miserabiliter,* adv.

déplorer, v. tr. Considérer (qqn, qqch.) comme dans un état désespéré. *Deploráre,* tr. ¶ Témoigner une profonde douleur de qqch. *Deploráre,* tr. *Deflére,* tr.

déployer, v. tr. Etendre (ce qui est replié ou roulé) de manière à lui donner tout son jeu. *Pandĕre*, tr. *Expandĕre*, tr. *Expedīre*, tr. *Explicāre*, tr. — son armée, *expedire exercitum*. (Marcher, venir) enseignes déployées, *infestis signis*.|| (Par ext.) Rire à gorge déployée, *effundi in cachinnos*. ¶ (Au fig.) Mettre pleinement en action, en évidence. *Exercēre*, tr. *Proferre*, tr. — toute son éloquence, *pandĕre vela orationis*. — ses talents, *ingenium exercēre*.

déplumer, v. tr. Dégarnir de ses plumes (l'oiseau vivant). *Eripĕre pennas*. Hirondelles déplumées, *hirundines nudae atque deplumes*. Se —, *plumas* (ou *pennas*) *amittĕre*.

dépopulariser, v. tr. Faire perdre la popularité (à qqn). *Gratiam alicujus exstinguĕre*.

dépopulation, s. f. Le fait d'être dépeuplé, de se dépeupler. Voy. DÉPEUPLEMENT.

déportation, s. f. Peine afflictive et infamante qui consiste à déporter un condamné. *Relegatio, onis*, f.

déportement, s. m. Mauvaise manière de se comporter, mœurs déréglées. *Morum improbitas*.

déporter, v. tr. Conduire (un condamné hors du territoire dans un lieu dont il ne devra point sortir). *Relegāre*, tr.

déposant, s. m. Celui qui fait un dépôt. *Depositor, oris*, m. ¶ Celui qui fait une déposition (en justice). Voy. TÉMOIN.

déposer, v. tr. Poser qq. part (une chose qu'on porte). || Poser en un lieu qqch. (qu'on y porte). *Perferre*, tr. ¶ Poser (ce qu'on porte à une place pour s'en débarrasser). *Ponĕre*, tr. *Deponĕre*, tr. || (Par ext.) Intr. En parl. d'un liquide, laisser aller au fond les parties solides tenues en suspension. *Sidĕre*, intr. || (Fig.) Quitter. *Deponĕre*, tr. ¶ Poser (une chose) en un lieu pour qu'elle soit en sûreté. *Ponĕre*, tr. *Deponĕre*, tr. *Condĕre*, tr. || (Par ext.) Déposer une plainte. *Nomen alicujus deferre*. || '(Absol.) Déposer devant un magistrat. *Pro testimonio dicĕre*. *Testificāri*, dép. abs. — en faveur de qqn, *laudāre aliquem*. ¶ (Fig.) Destituer qqn de l'autorité souveraine. *Imperium alicui abrogāre*.

dépositaire, s. m. Celui à qui on remet qqch. en dépôt. *Custos, odis*, m. *Depositarius, ii*, m. || (Fig.) Etre — du pouvoir, *imperium tenēre* (ou *exercēre*). — de tous mes secrets, *conscius mihi in omnibus privatis*.

déposition, s. f. Action de déposer en justice. *Testimonium, ii*, n. *Indicium, ii*, n. Faire sa —, voy. DÉPOSER.

déposséder, v. tr. Priver (qqn) de la possession de qqch. *Demovēre aliquem de possessione*.

dépossession, s. f. Acte par lequel qqn est dépossédé. *Ademptio, onis*, f.

— violente, brutale, *ereptio, onis*, f.

dépôt, s. m. Action de déposer, de mettre en lieu sûr, en mains sûres. *Depositio, onis*, f. ¶ Ce qui est déposé, remis à qqn pour être gardé par lui et restitué plus tard. *Depositum, i*, n. Mettre qqch. en — chez qqn, *aliquid apud aliquem deponĕre*. ¶ Lieu où l'on dépose qqch. *Thesaurus, i*, m. ¶ Résidu qui se dépose. || Amas qui se forme au fond d'un liquide. *Sedimentum, i*, n. *Faex, faecis*, f. n. || (Méd.) Collection de matières épanchées dans le tissu cellulaire. *Collectio, onis*, f.

dépouille, s. f. Peau enlevée à un animal. *Spolium, ii*, n. *Exuviae, arum*, f. pl. —, vieille peau des serpents, *exuviae, arum*, f. pl. ; *senecta, ae*, f. || (Fig.) Le corps considéré comme l'enveloppe dont l'âme est dépouillée par la mort. La — mortelle, *corpus, oris*, n. ¶ Vêtements, armes enlevées à un ennemi sur le champ de bataille. *Spolia, orum*, n. pl. *Exuviae, arum*, f. pl. || (Par ext.) Butin fait sur les ennemis, *et par ext.* ce qu'on enlève à autrui pour se l'approprier. *Spolia, orum*, n. pl. *Exuviae, arum*, f. pl. || Ce que laisse un mort. *Exuviae, arum*, f. pl.

dépouillement, s. m. Action de dépouiller, résultat de cette action. || Action d'enlever la peau. *Detractio cutis*. ¶ Action d'enlever à qqn ce qu'il possède. *Spoliatio, onis*, f. ¶ (Spéc.) — d'un scrutin. *Tabellarum diribitio*.

dépouiller, v. tr. Mettre à vif en enlevant la peau. *Pellem detrahĕre*. Se — (en parl. du serpent), *senectam exuĕre*. || (Par ext.) Dépouiller les os, *denudāre ossa*. ¶ Mettre à nu en enlevant ce qui couvre, *et par ext.* dégarnir en enlevant ce qui décore, etc. *Nudāre*, tr. *Denudāre*, tr. *Spoliāre*, tr. ¶ Déposséder (qqn) en lui enlevant, pour se l'approprier, ce qui lui appartient. *Spoliāre*, tr. *Despoliāre*, tr. Se — du pouvoir souverain, *imperium deponĕre*. Se — de sa fierté, *superbiam abjicĕre*. Dépouiller qqch., c.-à-d. renoncer à, se dépouiller de. *Abjicĕre*, tr. *Ejicĕre*, tr. *Exuĕre*, tr. *Exuĕre*, tr. ¶ (Spéc.) Dépouiller un compte. *Rationes excutĕre*. — un scrutin, *tabellas* (ou *suffragia*) *diribēre*. — un livre, *librum evolvĕre*.

dépourvoir, v. tr. N'est plus guère usité qu'au part. passé employé adjectiv. Dépourvu, qui a cessé d'être pourvu, *et par ext.* qui n'est pas pourvu. — d'argent, *inops pecuniae*. (Absol.) Fort dépourvu, *omnium rerum inops*. (Fig.) Dépourvu de sens, *rationis* (ou *consilii*) *expers*. || (Loc. adv.) Au dépourvu, *(ex) inopinato, improviso*. Pris au —, *imparatus, a, um*, adj.

dépravation, s. f. Etat d'une nature dépravée. — des mœurs, *mores depravati* (ou *corrupti*) ; *corruptela, ae*, f.

dépraver, v. tr. Pervertir en inspirant

le goût du mal. *Pervertĕre*, tr. *Depravāre*, tr. *Corrumpĕre*, tr. Caractère méchant et dépravé, *ingenium malum pravumque*. Mœurs dépravées, voy. DÉPRAVATION. Homme dépravé, *perversus homo*.

dépréciation, s. f. Abaissement du prix, de l'estimation d'une chose au-dessous de sa valeur. *Vilitas, atis*, f.

déprécier, v. tr. Rabaisser en estimant au-dessous de sa valeur. *Alicui rei vilitatem facĕre*. (Fig.) *Alicujus* (ou *alicujus rei*) *pretium* (ou *dignitatem, praestantiam*) *imminuĕre*.

déprédateur, s. m. Celui qui commet une déprédation. *Direptor, oris*, m. *Expilator, oris*, m.

déprédation, s. f. Acte de pillage. *Expilatio, onis*, f. *Direptio, onis*, f.

dépression, s. f. Abaissement de niveau. *Lapsus, ūs*, m. *Depressio, onis*, f.

déprimer, v. tr. Faire baisser de niveau. *Deprimĕre*, tr. *Demittĕre*, tr. || (P. anal.) Pouls déprimé (si bas qu'on le sent à peine sous le doigt), *languidus venarum ictus*. || (Fig.) Abaisser au-dessous des autres. Voy. DÉPRÉCIER, RAVALER.   [mot.

dépriser, v. tr. Déprécier. Voy. ce

depuis, prép. A partir de. (En parl. du temps.) *A* ou *ab*, prép. (av. l'abl.). *E* ou *ex*, prép. (av. l'abl.). *Post*, prép. (av. l'acc.). Il est parti. — trois jours, *jam quartum diem profectus est.* — lors, *ex eo tempore.* — peu, *non ita pridem.* — longtemps, *jamdiu*, adv.; *jamdudum*, adv. — quand? *quam pridem?* || En sous-ent. le compl Depuis, *post*, adv.; *postea*, adv. || Suivi de « que », loc. conj. — que, *posteaquam*, conj.; *postquam*, conj.; *ex quo*, loc. conj. ¶ (Par ext.) En parl. du lieu. *A* ou *ab*, prép. (av. l'abl.).

députation, s. f. Action de députer qqn, le fait d'être député, envoyé par un peuple, etc. *Legatio, onis*, f. *Munus* (ou *officium*) *legati* (ou *legationis*) *Legatorum missio.* || (P. ext.) Ceux qui sont ainsi députés. *Legatio, onis*, f. *Legati, orum*, m. pl. Etre à la tête de la —, *legationis principem esse.* ¶ Mandat de député. *Legatio, onis*, f.

député, s. m. Celui qui est envoyé par un peuple, un corps, avec mandat de parler en son nom, etc. *Legatus, i*, m. *Orator, oris*, m.

députer, v. tr. Envoyer (qqn) avec mandat de parler en son nom (en parl. d'un peuple, etc.). *Legāre*, tr. || (Spéc.) Elire (qqn) pour représenter la nation dans une assemblée délibérante. *Legatos legĕre* (ou *creāre*).

déracinement, s. m. Action de déraciner; état de ce qui est déraciné. *Exstirpatio, onis*, f.

déraciner, v. tr. Arracher du sol (ce qui y a pris racine). *Cum radicibus* (ou *radicitus*) *evellĕre* (*herbam*). *Evellĕre*, tr. *Exstirpāre* (*arbores*). ¶ (Fig.) Faire

sortir de l'âme (ce qui est entré profondément dans ses habitudes, ses croyances) *Stirpitus extrahĕre.*

déraison, s. f. Caractère de ce qui s'écarte de la raison. *Stultitia, ae*, f. *Insipientia, ae*, f.

déraisonnable, adj. Qui n'est pas raisonnable. *Insipiens* (gén. *-entis*), adj. *Stultus, a, um*, adj. *Absurdus, a, um*, adj.

déraisonnablement, adv. D'une manière déraisonnable. *Imprudenter*, adv. *Stultē*, adv.

déraisonner, v. intr. Tenir des discours qui s'écartent de la raison. *Ineptīre*, intr. *Delirāre*, intr.

dérangement, s. m. Etat de ce qui est dérangé. *Perturbatio ordinis*, ou simpl. *perturbatio, onis*, f. *Confusio, onis*, f.

déranger, v. tr. Déplacer (ce qui est rangé). *De loco demovēre*, tr. — (une bibliothèque, une chambre, etc.), *ordinem* (*rerum*) *invertĕre* (ou *turbāre*). || (Par ext.) Déranger une personne (pour passer). *Aliquem movēre.* S —, *se movēre.* || (Fig.) Déranger qqn, c.-à-d. le troubler dans ce qu'il fait ou dans ce qu'il a l'habitude de faire. *Commovēre*, tr. *Interpellāre*, tr. *Obstrepĕre*, intr. (avec le dat.) ¶ Faire sortir (qqch.) de son train régulier. *Commovēre*, tr. *Turbāre*, tr. *Conturbāre*, tr. La machine se dérange facilement, *frequenter vitiatur organum.* Spéc. Avoir le corps dérangé, être dérangé, voy. DIARRHÉE. (Ses) affaires sont dérangées, *res familiaris affecta est.* Avoir le cerveau dérangé, *mente deturbatum esse.*

derechef, adv. Pour la seconde fois. *Iterum*, adv.

dérèglement, s. m. Manière d'être déréglée. *Confusio, onis*, f. *Perturbatio, onis*, f. Le — des saisons, *temporum confusio; inordinata tempestatum mutatio.* — d'esprit, *mentis effrenatio.* — des mœurs, de la vie, *mores corrupti* (ou *perditi*).

dérégler, v. tr. Mettre dans un état où l'on ne suit plus de règle. *Turbāre*, tr. *Perturbāre*, tr. Cette machine se dérègle souvent, *frequenter vitiatur organum.* Par ext. Déréglé (sans règle), *inconditus, a, um*, adj.; *incompositus, a, um*, adj.; *confusus, a, um*, p. adj. D'une manière —, *nullo ordine* (ou *sine ordine*); *inconditē*, adv. Des mœurs —, *mores dissoluti ac perditi.* Qui a des mœurs —, un homme —, *libidinosus.* Mener une vie —, *flagitiosē vivĕre; immoderatē et intemperatē vivĕre.* D'une manière —, *libidinosē*, adv.; *licenter*, adv. Se —, *effundi in luxuriam.*

dérider, v. tr. Rendre uni en faisant disparaître les rides. *Erugĕre* (*cutem*). || (Fig.) Dérider le front de qqn *et* (par ext.). — qqn (lui ôter l'air sévère, sérieux), *explicāre frontem.* Se — le front *et* simpl. se —, *frontem explicāre.*

‖ **Par ext.** — qqn, l'égayer, le faire rire, voy. ÉGAYER.

dérision, s. f. Moquerie injurieuse. *Irrisio, onis,* f. *Irrisûs, ûs,* m. Tourner en —, *deridêre,* tr. Etre tourné en —, devenir un objet de —, *irrisui esse.*

dérisoire, adj. Fait par dérision. *Ridiculus, a, um,* adj. *Contumeliosus, a, um,* adj. Paroles —, adj. *ludificatio, onis,* f.

dérivation, s. f. Action de dériver. *Derivatio, onis,* f. ‖ *Fig.* (Gramm.) Manière dont un mot sort d'un autre mot, dont un sens sort d'un autre sens. *Derivatio, onis,* f.

dérive, s. f. Mouvement d'un navire, d'un corps qui dérive. Aller, être en —, *deferri (secundo flumine).* Aller à la — (en parl. d'un navire qui n'est plus gouverné), *suo cursu decedêre.*

1. dériver, v. tr. et intr. ‖ *V. tr.* Faire sortir (une eau courante) de son lit pour lui donner une autre direction. *Derivâre,* tr. *Deducêre,* tr. ‖ (Fig.) Faire sortir (un mot) d'un autre mot (t. de gramm.). *Derivâre,* tr. *Inclinâre,* tr. ¶ *V. intr.* (Fig.) Sortir d'une chose comme de sa source, de son principe. *Defluêre,* intr. *Manâre,* intr. *Proficisci,* dép. intr.

2. dériver, v. intr. Etre entraîné par le courant. Voy. DÉRIVE.

dernier, *ière,* adj. Qui est après tous les autres. ‖ (Quant à la succession dans le temps.) *Ultimus, a, um,* adj. *Extremus, a, um,* adj. *Postremus, a, um,* adj. *Supremus, a, um,* adj. *Novissimus, a, um,* adj. Dans ses — années, *supremis suis annis.* Celui qui vient le —, *qui novissimus venit.* Le — (en parl. de deux), *posterior, us,* adj. ‖ Le plus récent. *Proximus, a, um,* adj. Dans les vingt — années, *his annis viginti.* Dans les deux — mois, *his duobus mensibus.* ‖ Le plus récent de deux. *Propior, us,* adj. *Superior, us,* adj. La dernière lettre reçue, *propior epistola.* Pendant la — guerre, *bello superiore.* ‖ Celui dont on vient de parler. *Hic, haec, hoc,* adj. et pron. dém. ‖ (Quant à la position dans l'espace.) *Extremus, a, um,* adj. *Ultimus, a, um,* adj. *Postremus, a, um,* adj. Les — marches de l'escalier (en montant), *summi gradus* (en descendant), *infimi gradus.* ‖ (Quant au rang dans une série.) *Postremus, a, um,* adj. *Ultimus, a, um,* adj. En — lieu, *extremo,* adv.; *denique* (pour terminer une énumération), adv. ¶ Après lequel il n'y en a pas d'autres. ‖ (Quant à la succession dans le temps.) *Postremus, a, um,* adj. *Extremus, a, um,* adj. *Supremus, a, um,* adj. Rendre les — devoirs à qqn, *alicui* (ou *alicujus funeri) justa facêre* (ou *solvêre).* ‖ (P. ext.) Après lequel il n'y en a plus qui existe, qui reste. Tous jusqu'au —, *omnes ad unum.* Tuer jusqu'au —, *occidione occidêre.* ‖ (Quant à la position dans l'espace.) *Extremus, a, um,* adj. *Ultimus, a, um,* adj. Etre réduit à la

— extrémité, voy. EXTRÉMITÉ. ‖ (Quant au rang dans une série.) Le — (en descendant), c.-à-d. le plus bas. *Postremus, a, um,* adj. *Ultimus, a, um,* adj. *Infimus, a, um,* adj. ‖ Le dernier (en montant), c.-à-d. le plus haut, le plus considérable. *Ultimus, a, um,* adj. *Postremus, a, um,* adj. *Summus, a, um,* adj. Affaire de la — importance, *res maximi ponderis et momenti.* Au — point, *maximé,* adv.

dernièrement, adv. Dans les derniers temps. *Nuper,* adv. Tout —, *proximé,* adv.

dérobée (à la). Voy. DEROBER.

dérober, v. tr. Dépouiller qqn. Voy. DÉPOUILLER. ¶ (Spéc.) Voler qqn en cachette. *Alicui furtum facêre.* ¶ (P. ext.) Enlever en cachette (ce qui appartient à autrui). *Furâri,* dép. tr. *(aliquid alicui; aliquid ab aliquo; aliquid ex aliqua re).* *Surripêre,* tr. *(aliquid; aliquid ab aliquo).* *Abripêre,* tr. *Subducêre,* tr. *(aliquid ab aliquo).* ‖ — du bétail, *furto abigêre pecus.* ‖ (P. ext.) Enlever par artifice à un autre (ce qui lui est dû). *Praeripêre,* tr. *Subducêre,* tr. *Fraudâre,* tr. *(aliquem aliquâ re).* ‖ (P. ext.) Prendre par surprise à qqn (ce qu'il ne veut pas accorder). *Praeripêre,* tr. Moment dérobé aux occupations, *subsecivum tempus.* ¶ (Fig.) Enlever (qqn) à ce qui l'attend. *Subtrahêre,* tr. Se — à (qqch.), *fugêre,* tr.; *defugêre* tr.; *subtrahêre se; subducêre se.* Qui se dérobe à, *fugax* (gén.) *-acis),* adj. Se — (par une fuite rapide), *abripêre se; se proripêre.* ¶ (Spéc.). Se dérober, c.-à-d. faire défaut. Le sol se dérobant sous leurs pas, *subtracto solo.* Mes genoux se dérobent sous moi, *genua succidunt.* ¶ Cacher aux regards. *Condêre,* tr. *Abscondêre,* tr. — qqn, qqch. aux regards, *conspectum alicujus* (ou *alicujus rei) auferre.* Se — aux regards, *e conspectu abire.* ‖ (Par ext.) Se — c.-à-d. s'en aller sans être vu. (César) emmena le reste des légions en se dérobant le plus qu'il put, *quam potuit occultissimé reliquas legiones duxit.* ‖ Porte dérobée, *occulti exitus.* ‖ (Loc. adv.) A la dérobée, *furtim,* adv.; *occultê,* adv. Regarder à la —, *limis oculis intuéri.* ¶ Cacher à la connaissance de qqn qui cherche à savoir. *Celâre,* tr. *(aliquem aliquid).*

dérogation, s. f. Action de déroger à une loi, à une convention, etc. *Derogatio, onis,* f.

déroger, v. intr. S'écarter de ce que stipule une convention. *Derogâre aliquid de lege.* ‖ (Par ext.) S'écarter de (ce qui est bien). *Morem non servâre.* *Contra morem aliquid facêre.* ¶ (Spéc.) *Fig.* Faire qqch. qui ne convient pas au rang, au caractère qu'on a. *Contra dignitatem suam facêre.*

dérouiller, v. tr. Débarrasser de la rouille. *Robiginem exterêre.*

dérouler, v. tr. Défaire (ce qui est roulé). *Evolvĕre*, tr. *Explicāre*, tr. Se —, *explicari*.

déroute, s. f. Défaite où l'armée vaincue se débande. *Fuga, ae,* f. Mettre en —, *fugāre*, tr.; *fundĕre*, tr. Etre en —, *fugĕre*, intr. Mis en pleine —, *fusi fugatique*. ¶ (Fig.) Ruine des affaires, des projets de qqn. *Clades, is,* f.

dérouter, v. tr. Mettre (qqn) hors de la route. *De viâ deducĕre*. || (Spéc.) Faire perdre la voie. Voy. DÉFAUT. || (Fig.) Mettre hors de la bonne direction. *De viâ deducĕre*. Se —, *de viâ decedĕre*.

derrière, prép., adv. et s. m. Du côté opposé à celui où est placé le visage d'une personne, la face d'une chose. || (Prép.) *Post*, prép. (av. l'acc.). — le camp, *post castra*. Regarder — soi, *respicĕre*, tr. Il entend un cri — lui, *clamorem a tergo accipit*. ¶ (Adv.) *Retro*, adv. *Post*, adv. Mettre une chose sens devant —, voy. REBOURS. Par —, *retro*, adv.; *a tergo*; *post tergum*. Attaquer l'ennemi par —, *hostium terga impugnāre*. Fig. Demeurer bien loin —, *relinqui*, pass. ¶ S. m. Le côté, la partie qui est derrière. *Pars aversa*. Le derrière du corps, *tergum, i,* n. Les pattes de —, *posteriores pedes*. Le — d'une maison, *posticae partes aedium*. Une porte de —, *posticum ostium* ou (subst.) *posticum, i,* n. Etre logé sur le —, *in posticis aedibus habitāre*. Fig. Les derrières (d'une armée), *terga,* n. pl. || (Spéc.) La partie charnue qui est au bas des reins. *Clunes, ium,* f. pl.

des, art. pl. Voy. DE et LE.

dès, prép. Immédiatement, à partir d'un moment donné. *A* ou *ab*, prép. (av. l'abl.). *Ex*, prép. (av. l'abl.). — le matin, *primo mane*. — longtemps, voy. DEPUIS. — à présent, *jam nunc*. — maintenant, voy. DÉSORMAIS. — lors, *jam* ou *jam tum*. || (P. ext.) Suivi d'un nom, d'un adverbe de lieu. *A* ou *ab*, prép. (avec l'abl.). Voy. [au] SORTIR [de]. || Suivi de « que », *loc. conj.* Aussitôt que. *Ubi primum*, conj. *Statim ut*, conj. *Simul ac* (ou *atque*), conj.

désabuser, v. tr. Tirer (qqn) de l'erreur qui l'abuse. *Errorem (alicui) eripĕre*.

désaccord, s. m. Le fait de n'être pas d'accord. || (En parl. de pers.) *Discordia, ae,* f. *Dissensio, onis,* f. Etre en —, *dissentīre*, intr. (*ab aliquo; ab aliquo de aliquâ re; cum aliquo; inter se*); *dissidēre*, intr. (*inter se; ab aliquo; cum aliquo*). ¶ (En parl. de choses.) *Discrepantia, ae,* f. *Dissensio, onis,* f. Etre en —, *dissentīre*, intr.; *discrepāre*, intr.

désaccoutumer, v. tr. Eloigner de ce à quoi on est accoutumé. *Consuetudine (alicujus rei) aliquem abstrahĕre*. *A consuetudine aliquâ abducĕre* ou *avocāre* ou *abstrahĕre (aliquem)*. Se — de, *a*

consuetudine (alicujus rei) recedĕre ou abstrahi.

désagréable, adj. Qui n'est pas agréable. *Injucundus, a, um*, adj. *Ingratus, a, um*, adj. *Insuavis, e*, adj. *Molestus, a, um*, adj. *Gravis, e*, adj. *Odiosus, a, um*, adj. — (au goût), *acerbus, a, um*, adj. Etre —, *displicēre*, intr. Personne d'un commerce, d'un caractère —, *et (ellipt.)* une personne —, *difficilis (senex); morosus (vir)*.

désagréablement, adv. D'une manière désagréable. *Injucundē*, adv. *Molestē*, adv. *Odiosē*, adv.

désagrément, s. m. Ce qui arrive de désagréable à qqn. *Incommodum, i,* n. *Molestia, ae,* f. Pompée a des — avec César, *negotium Pompejo est cum Caesare*.

désaltérer, v. tr. Apaiser la soif (de qqn). *Sitim (alicujus) explēre* (ou *restinguĕre*). Se —, *sitim explēre* (ou *depellĕre*).

désappointement, s. m. Etat de celui dont l'attente est trompée. *Frustratio, onis,* f.

désappointer, v. tr. Tromper (qqn) dans son attente. *Frustrari (aliquem)*. Etre —, *a spe destitui*.

désapprendre, v. tr. Oublier ce qu'on a appris. *Dediscĕre*, tr. || (P. anal.) Perdre l'habitude de (qqch.). *Desuefieri (aliquâ re)*.

désapprobateur, s. m. Celui qui désapprouve. *Reprehensor, oris,* m. || (Par ext.) *Adjectiv*. Qui marque la désapprobation. *Objurgatorius, a, um*, adj. Murmure —, *fremitus indignantium*.

désapprobation, s. f. Action de désapprouver. *Improbatio, onis,* f.

désapprouver, v. tr. Trouver mauvais (ce qui a été fait, dit par qqn). *Improbāre*, tr. *Reprehendĕre*, tr. || (P. ext.) Voy. CONDAMNER, CRITIQUER.

désarçonner, v. tr. Mettre hors des arçons, de la selle. || (En parl. du cheval.) *Excutĕre*, tr. *Effundĕre (aliquem)*. || (En parl. d'un adversaire.) *De equo dejicĕre* ou *praecipitāre (aliquem)*.

désarmer, v. tr. et intr. || (*V. tr.*) Dépouiller (qqn) de ses armes. *Armis aliquem exuĕre*. Désarmé, *dearmatus; inermis, e*, adj. || (Fig.) Dépouiller de ce qui rend menaçant, redoutable. *Exarmāre*, tr. || (Abs.) Dépouiller de tout sentiment hostile. *Mitigāre*, tr. Se laisser —, *iram mollīre*. ¶ Dégarnir un vaisseau de ses agrès, etc. *Exarmāre*, tr. ¶ (*V. intr.*) (En parl. d'un navire.) Etre dépouillé de son équipage, de ses agrès, etc. *Exarmari*, pass. || (En parl. d'une nation.) Diminuer ou supprimer son armement. *Arma ponĕre* ou *deponĕre*.

désarroi, s. m. Désorganisation complète. *Turba et confusio omnium rerum*. Etre en —, *perturbari* ou *confundi*.

désassembler, v. tr. Défaire (des

pièces assemblées les unes avec les autres). *Compages lаздrе.*

désastre, s. m. Malheur qui cause la ruine. *Clades, is,* f. *Calamitas, atis,* f.

désastreusement, adv. D'une façon désastreuse. *Perniciosē,* adv.

désastreux, euse, adj. Qui amène un désastre. *Perniciosus a, um,* adj.

désavantage, s. m. Condition d'infériorité pour réussir. *Iniquitas, atis,* f. Le — de la position, *iniquus locus.* Avoir le — (dans un procès), *inferiorem discedĕre.* Sans — pour moi, *sine incommodo meo.* A mon grand —, *cum magno meo damno.* Tourner au — de qqn, *damnosum esse (alicui).*

désavantageusement, adv. D'une manière désavantageuse. *Incommodē,* adv. *Iniquē,* adv.

désavantageux, euse, adj. Qui donne du désavantage. *Damnosus, a, um,* adj. *Incommodus, a, um,* adj. Une position —, *locus iniquus* (ou *alienus*); *iniquitas loci.*

désaveu, s. m. Acte par lequel on désavoue qqch. *Negatio, onis,* f. ¶ Acte par lequel on désavoue qqn. *Improbatio, onis,* f.

désavouer, v. tr. Refuser de reconnaître pour sien (qqch., qqn). *Abdicāre,* tr. *Aspernari* dép. tr. ¶ Refuser d'être solidaire de qqn, de ce qu'il a fait ou dit. *Improbāre,* tr. *Non comprobāre,* tr. ‖ (Par ext.) Condamner, désapprouver. Voy. ces mots.

descendance, s. f. Le fait de descendre, d'être issu de qqn. *Origo, inis,* f. *Stirps, stirpis,* f. *Genus, eris,* n. ¶ Ceux qui descendent ou sont issus de qqn. *Stirps, is,* f. *Progenies, ei,* f.

descendant, ante, adj. Qui descend. *Descendens* (gén. *-entis*), p. adj. La marée —, *recessūs, ūs,* m. ¶ Subst. Les descendants (ceux qui viendront après). *Posteri, orum,* m. pl. *Nepotes, um,* m. pl.

descendre, v. intr. et tr. ‖ (*V. intr.*) Aller de haut en bas. *Descendĕre,* intr. — en courant, *decurrĕre,* intr. Faire —, *deducĕre,* tr.; *demittĕre,* tr. ‖ Aller au fond de qqch. pour le mieux connaître. *Descendĕre,* intr. — en soi-même, in *mentem suam introspicĕre.* ‖ (Par ext.) Descendre dans une ville, chez qqn c.-à-d. loger, *devertī,* pass. — à terre, voy. DÉBARQUER. ‖ (Fig.) S'abaisser. *Descendĕre,* intr. *Delabi,* dép. intr. *Devolvī,* pass. ¶ Être porté de haut en bas. *Defluĕre,* intr. *Profluĕre,* intr. (*Mosa profluit ex monte Vogeso,* la Meuse descend des Vosges). *Delabī* (« descendre en glissant »), dép. intr. *Decurrĕre* (« descendre en courant »), intr. *Deferrī,* pass. ‖ (Par ext.) S'étendre en bas. *Descendĕre,* intr *Defluĕre,* intr en bas. *Descendĕre,* intr ¶ Faire —, Laisser ou faire —, *demittĕre,* tr. Qui descend, *declivis, e,* adj.; *proclivis, e,* adj. *devexus, a, um,* adj. ‖ (Fig.) Venir par filiation successive d'une souche primitive. *Descendĕre,* intr (*a patriciis*).

‖ Baisser de niveau. La marée commence à —, *reciprocāri coepit mare.* ‖ En parl. de la voix. *Descendĕre,* intr. ¶ (*V. tr.*) Parcourir de haut en bas. — l'escalier, *per gradus descendĕre.* — une pente, une montagne, *de colle, de monte, descendĕre.* — le fleuve, le cours de la rivière, *devehi per fluvium.* Faire — (par eau), *demittĕre,* tr. ¶ Porter de haut en bas. *Demittĕre,* tr. *Deferre,* tr. *Detrahĕre,* tr. (*aliquem de cruce*).

descente, s. f. Action de descendre. *Descensŭs, ūs,* m. La — est facile, *facile est descendĕre.* ‖ (Spéc.) Action de débarquer dans un lieu pour l'envahir. Faire une —, voy. DÉBARQUER. ¶ Action d'arriver dans un lieu pour faire une perquisition Faire une — de justice, voy. PERQUISITION. ¶ Endroit par où descend qqn ou qqch. Voy. PENTE.

description, s. f. Action de décrire, résultat de cette action. *Descriptio, onis,* f. Faire une — de qqch., *imaginem exponĕre alicujus rei.*

désemparer, v. tr. Démunir. — un navire (le mettre hors de service), *exarmāre,* tr. Vaisseau désemparé (par la tempête), *navis exarmata* (ou *armamentis spoliata*). ¶ Sans — (sans quitter la place, sur-le-champ), *e vestigio; statim,* adv.; *continuo,* adv.; *protinus,* adv. [*Deplĕre.*]

désemplir, v. tr. Rendre moins plein.

désenchantement, s. m. État, sentiment d'une personne désenchantée. *Error gratus per vim demptus.*

désenchanter, v. tr. Cesser d'être enchanté. Je suis désenchanté, *mihi hic error, quo delector, extorquetur.*

désenfler, v. tr. Faire cesser d'être enflé. *Tumorem sedāre* ou *tollĕre.* Intransitiv. *Detumescĕre,* intr.

désenivrer, v. tr. Faire cesser d'être ivre. *Ebrietatem* (ou *crapulam*) *discutĕre.*

désennuyer, v. tr. Faire cesser d'être ennuyé. *Otii molestiam fallĕre. Taedium levāre.* Se —, *tempus fallĕre* (*aliquā re*).

1. désert, erte, adj. Abandonné des habitants. *Vastus, a, um,* adj. *Desertus, a, um,* p. adj. Rues —, *vacuae hominum occursu viae.* Propriétés —, *vacuefactae possessiones.* Rendre —, *vastāre,* tr.; *vastitatem efficĕre.* ¶ Où il n'y a pas d'habitants. *Desertus, a, um,* adj. *Incultus, a, um,* adj. ¶ (P. ext.) Où il y a peu d'habitants. *Infrequens* (gén. *entis*), adj. Lieu —, *solitudo loci.*

2. désert, s. m. Lieu inhabité. *Solitudo, dinis,* f. (on dit aussi : *regio deserta; locus vastus et incultus*).

déserter, v. tr. Abandonner (un lieu qu'on ne doit pas quitter). *Deserĕre,* tr. *Relinquĕre,* tr. ‖ (Spéc.) Abandonner (son service). *Deserĕre,* tr. — à l'ennemi, *perfugĕre* (*ad aliquem*); *transfugĕre ad hostes.* ‖ (P. anal.) *Deserĕre,* tr. *Deficĕre,* intr. (*ab aliquā re*).

déserteur, s. m. Celui qui déserte. *Desertor, oris*, m. ‖ (Spéc.) En parl. d'un soldat. *Desertor, oris*, m. *Transfuga, ae*, m.

désertion, s. f. Action de déserter. *Transfugium, ii*, n. *Transitio ad hostem*.

désespérant, *ante*, adj. Qui désespère (qqn). *Desperationis plenus. Luctuosus, a, um*, adj.

désespéré, *ée*, adj. Dont on désespère. *Desperatus, a, um*, p. adj. *Deploratus, a, um*, p. adj. (on dit aussi : *desperationis* ou *discriminis plenus*). Etat —, *desperatio rerum* (ou *rerum omnium*). ‖ (Spéc.) En parl d'un malade, d'un blessé. Etre dans un état —, *sine spe jacēre*. Malades dont l'état est —, *desperati, orum*, m. pl. ¶ Qui désespère. *Spe carens. Destitutus a spe. Plenus desperationis*. Combattre en —, comme un —, *ex desperatione pugnāre*. ‖ (P. ext.) Une résolution, un parti — (qu'inspire le désespoir), *ultimum consilium*. Prendre une résolution —, *descendère ad extrema*.

désespérer, v. intr. et tr. ‖ (*V. intr.*) Avoir perdu l'espoir (de qqch.). *Desperāre, intr. (de re publicā ; de se* =), et tr. (« désespérer de =, *d. reditum ; pacem*). ‖ (Spéc.) Désespérer que (qqn). *Desperāre, intr.* Dont on désespère, *desperatus, a, um*, p. adj. ¶ (*V. tr.*) Réduire au désespoir. Voy. DÉSESPOIR. ‖ (Par hyperb.) Etre désespéré de qqch. Voy. FÂCHER.

désespoir, s. m. Etat de celui qui n'a plus d'espoir. *Desperatio, onis*, f. En — de cause, *abscisā omni spe; consilii inopiā potioris*. Etre au — de ce que, *maerore se conficěre, quod...* ¶ Etat de celui qui est désespéré. *Desperatio, onis*, f. (au plur. *desperationes*, actes de désespoir). Avec —, *desperanter*, adv.

déshabillé, s. m. Vêtement aisé que l'on porte d'ordinaire chez soi. Voy. NÉGLIGÉ.

déshabiller, v. tr. Dépouiller (qqn) de ses vêtements. *Exuěre alicui vestem*. Se — (quitter ses vêtements), *exuěre* (ou *ponere*) *vestem*.

déshabituer, v. tr. Détacher d'une habitude. *A consuetudine (alicujus rei aliquem) deducěre. Desuefacěre (aliquem ab aliquā re)*. Se — de qqch., *a consuetudine alicujus rei receděre*.

déshériter, v. tr. Priver (qqn) de l'héritage qu'on pouvait lui laisser. *Exheredāre (aliquem)*. Déshérité, *exheres* (gén. *-edis*), adj. ‖ (P. ext.) Dépouiller (qqn) de l'héritage auquel il a droit. *Patriis fortunis evertere*. Qui est déshérité, *exheres (bonorum paternorum)*.

déshonnête, adj. Qui viole les bienséances en ce qui touche la pudeur, les mœurs. *Indecorus, a, um*, adj. *Turpis, e*, adj. *Inhonestus, a, um*, adj.

déshonnêtement, adv. D'une manière déshonnête. *Turpiter*, adv. *Inhonestě*, adv.

déshonneur, s. m. Privation de l'honneur. *Dedecus, oris*, n. *Infamia, ae*, f. *Probrum, i* (« déshonneur qui naît des vilaines actions »), n. *Turpitudo, inis* (« honte, indignité, déshonneur »), f.

déshonorant, *ante*, adj. Qui déshonore. *Ignominiosus, a, um*, adj. *Probrosus, a, um*, adj. *Turpis, e*, adj. Une action —, *deducus, oris*, n.; *turpitudo, dinis*, f.

déshonorer, v. tr. Priver de l'honneur. *Dedecorāre*, tr. (mais on dit aussi : *aliquem dedecore afficěre*). *Dehonestāre*, tr. *Deformāre*, tr. Se —, *dedecus concipěre*. Qui déshonore, voy. DÉSHONORANT. Crime qui — sa mémoire, *quo scelere turpitudinis nomini ejus inusta est*.

désignation, s. f. Action de désigner. *Significatio, onis*, f. La — d'un objet, *nota, ae*, f. ¶ Action de déterminer d'avance celui qui doit remplir une fonction. *Designatio, onis*, f.

désigner, v. tr Déterminer par son nom, *ou* par qq. trait distinctif (la personne, la chose dont on parle). *Designāre*, tr. *Demonstrāre*, tr. *Nomināre* (« désigner par un nom »), tr. ¶ Déterminer pour une destination. *Destināre*, tr. *Scribere* (« désigner par écrit »), tr. [Voy. DÉSENCHANTEMENT.

désillusion, s. f. Perte de l'illusion.

désinence, s. f. Terminaison d'un mot. *Exitus, ūs*, m.

désintéressé, *ée*, adj. Qui n'a pas son intérêt engagé dans qqch. *Exsors alicujus rei*. ¶ Qui n'agit pas en vue de son intérêt. *Innocens* (gén. *-entis*), adj. *Abstinens* (gén. *-entis*), adj.

désintéressement, s. m. Qualité de celui qui est désintéressé. *Abstinentia, ae*, f. *Innocentia, ae*, f. *Integritas, atis*, f. Avec —, *abstinenter*, adv.

désintéresser, v. tr. Rendre qqn étranger à toute considération d'intérêt personnel. Se —, voy. INTÉRÊT. ‖ Se — de qqch., c.-à-d. n'y plus prendre intérêt. Voy. INTÉRÊT. ¶ Satisfaire (qqn) en sauvegardant ses intérêts. Voy. DÉDOMMAGER.

désir, s. m. Action de désirer. *Cupiditas, atis*, f. *Voluntas, atis*, f. Avoir le — de (av. l'inf.), *cupidum esse* (av. le gérond.). Ne pouvoir résister au — de..., *non se tenēre posse, quin...* (av. le subj.).

désirable, adj. Qu'on doit désirer. *Optabilis, e*, adj. *Optandus, a, um*, p. adj. *Expetendus, a, um*, p. adj.

désirer, v. tr. Tendre vers une chose qu'on voudrait posséder. *Cupĕre*, tr. (se construit avec l'inf. et avec l'acc. et l'inf.). *Appetěre*, tr. *Optāre* (« souhaiter, désirer »), tr. *Studēre*, intr. (av. l'inf.). — passionnément, vivement, ardemment, etc. *ardēre*, intr. (avec *ad* et le gér. en *-dum*) ; *concupiscěre*, tr. *gestīre*, tr. (avec l'inf.) ; *exoptāre*, tr. Se faire —, *desiderāri*, passif.

désireux, *euse*, adj. Qui désire qqch. *Cupidus, a, um*, adj. (av. le gén.).

Cupiens (gén. *-entis*), p. adj. (*alicujus rei*). *Studiosus, a, um,* adj. (av. le gén.).
Appetens (gén. *-entis*), p. adj. (av. le gén.). *Avidus, a, um,* adj. (av. le gén.).

désistement, s. m. Action de se désister. *Cessio, onis,* f. *Concessio, onis,* f.

désister (se), v. pronom. Renoncer à une action commencée, à une instance formée en justice. *Desistěre,* intr. (*de petitione ; accusatione*).

désobéir, v. intr. Agir contrairement à l'ordre ou à la défense de qqn. *Non* (ou *male*) *parěre* (*alicui*). *Dicto non audientem esse* (*alicui*).

désobéissance, s. f. Action de désobéir. *Contumaciter factum. Dedignatio parendi.* ¶ Disposition à désobéir. *Contumacia, ae,* f. — (militaire), *immodestia, ae,* f.

désobéissant, *ante,* adj. Qui désobéit. *Dicto non audiens. Non* (ou *minus*) *oboediens. Indocilis, e,* adj.

désobligeamment, adv. D'une manière désobligeante. *Illiberaliter,* adv.

désobligeance, s. f. Disposition à désobliger. *Illiberalitas, atis,* f. *Inhumanitas, atis,* f.

désobligeant, *ante,* adj. Qui tend à désobliger. *Inofficiosus, a, um,* adj. (*in aliquem*).

désobliger, v. tr. Traiter (qqn) de manière à se l'aliéner. *Offenděre* (*aliquem* ou *animum alicujus*).

désœuvré, *ée,* adj. Qui ne sait pas s'occuper. *Otiosus, a, um,* adj. *Desidiosus, a, um,* adj. Etre —, *desidem domi seděre.* Un —, *ambulator, oris,* m.

désœuvrement, s. m. Etat de celui qui est désœuvré. *Otium iners ac desidiosum.*

désolant, *ante,* adj. Qui désole (le cœur). *Luctuosus, a, um,* adj.

désolation, s. f. Dévastation qui amène la solitude dans un pays. *Vastatio, onis,* f. *Depopulatio, onis,* f. ¶ Affliction où il semble que tout nous manque. *Maeror, oris,* m. *Luctůs, ůs,* m Plonger (qqn) dans la —, *aegritudinem alicui afferre...*

désoler, v. tr. Ruiner (un pays) en détruisant, en exterminant, de manière à y faire la solitude. *Vastăre,* tr. Désolé, *vastus.* ‖ (Par ext.) Accabler de vexations. *Vexăre,* tr. ¶ Frapper (qqn) d'une affliction excessive, où il semble que tout lui manque. *Maerore aliquem affligěre* (ou *profligăre*). Se —, *maerore se conficěre.* Etre désolé, *in luctu jacěre.* Désolé, *maestus, a, um,* adj.

désordonné, *ée,* adj. Qui n'est pas réglé avec ordre. *Inordinatus, a, um,* adj. *Incompositus, a, um,* adj. *Inconditus, a, um,* adj. Luxe — *luxuria, ae,* f. Passion, désir — *libido, inis,* f.: *impotentia, ae,* f. ‖ (Par ext.) Qui ne règle pas les choses avec ordre. *Negligens* (gén. *-entis*), p. adj. *Dissolutus, a, um,* p. adj. *Effusus, a, um,* p. adj. ¶ Qui n'est pas conforme à l'ordre moral.

Dissolutus, a, um, p. adj. *Libidinosus, a, um,* adj.

désordre, s. m. Absence d'ordre. *Perturbatio, onis,* f. — domestique, *negligentia rei familiaris.* — dans le style, *confusa oratio.* En —, *incomptus, a, um,* adj.; *inornatus, a, um,* adj.; *incompositus, a, um,* adj.; *inordinatus, a, um,* adj.; *inconditus, a, um,* adj. Mettre, jeter le — dans, mettre en —, *turbăre,* tr.; *conturbăre,* tr.: *perturbăre,* tr ; *confunděre,* tr. Se diriger en — vers le camp, *profusē tenděre in castra.* Courant en —, *trepidē concursantes.* ‖ (Fig.) Perturbation dans l'ordre, dans les sentiments, les idées. *Perturbatio, onis,* f. Qui a les idées en —, *perturbatus.* ‖ Désordre dans la vie sociale, politique. *Perturbatio, onis,* f. Causer un — général, *omnia turbăre ac miscěre.* Faire du —, *tumultuări,* dép. intr. Mettre le — dans l'Etat, *miscěre rem publicam.* Qui met le —, *turbulentus, a, um,* adj. Qui est en —, *turbidus, a, um,* adj. ‖ (Par anal.) Excès contraire à la discipline. *Tumultůs, ůs,* m. Commettre des —, *turbăre,* absol. ‖ Désordre de la vie morale. *Lascivia, ae,* f.

désorganisation, s. f. Action de désorganiser. *Turbatio, onis,* f.

désorganiser, v. tr. Agir de manière à détruire l'organisation. *Dissolvěre,* tr.

désormais, adv. A l'avenir, à partir du moment actuel. *Jam,* adv. *Posthac,* adv. *In posterum.*

despote, s. m. Monarque absolu qui gouverne arbitrairement. *Dominus, i,* m. (*Saevus*) *rex, regis,* m.

despotique, adj. Qui tient du despote. *Regius, a, um,* adj.

despotiquement, adv. D'une manière despotique. *Regiē,* adv.

despotisme, s. m. Pouvoir despotique. *Dominatio impotens* ou *superba.*

dessaisir, v. tr. et pron. ‖ *V. tr.* Déposséder (qqn) de ce dont il est saisi. Voy. DÉPOSSÉDER. — un tribunal d'une affaire, *cognitionem excipěre.* ‖ *V. pron.* Se —, *ceděre alicui* (*aliquā re*).

desséchant, *ante,* adj. Qui dessèche (pr. et fig.). *Aridus, a, um,* adj. *Siccus, a, um,* adj.

dessèchement, s. m. Action de dessécher. *Siccatio, onis,* f. ¶ Etat de ce qui est desséché. *Siccitas, atis,* f.

dessécher, v. tr. Rendre sec (ce qui vit) en tarissant le suc nourricier. *Siccăre,* tr. *Exsiccăre,* tr. ‖ (Par anal.) Rendre sec. *Arefacěre,* tr. *Torrěre,* tr. *Exurěre,* tr. ‖ Se —, *arescěre,* intr.; *exarefieri,* pass.; *exarescěre,* intr. Desséché, *arens* (gén. *-entis*), p. adj.; *aridus, a, um,* adj.; *retorridus, a, um,* adj. Etre desséché, *arefieri,* pass. ‖ (Fig.) Se dessécher, languir. *Tabescěre,* intr. *Contabescěre,* intr. *Extabescěre,* intr. Desséché, *torridus, a, um,* adj. ¶ Mettre à sec (un sol couvert d'eau). *Siccăre,* tr. *Exsiccăre,* tr. Se —, *exarescěre,* intr. Fig. —

l'imagination, l'intelligence, *sterilitate mentem afficĕre.*

dessein, s. m. Idée suivant laquelle on se propose d'exécuter qqch *Mens, mentis*, f. *Animus, i*, m. *Voluntas, atis.* f. *Propositum, i*, n. *Consilium, ii*, n. ¶ Idée qu'on a d'exécuter qqch. *Consilium, ii*, n. Avoir — (de faire telle ou telle chose), voy. RÉSOUDRE, RÉSO-LUTION. Dans le — de, *eo consilio, ut...* (av. le subj.). Dans quel dessein *quem ad finem?* ‖ (Loc. adv.) A dessein de (faire telle ou telle chose), *eo consilio, ut* (et le subj.). Absol. A —, *consilio; consulto· de industriâ.*

desserrer, v. tr. Rendre moins serré. *Laxāre*, tr. *Relaxāre (tunicarum vincula).* — les rangs, *explicāre* (ou *diducĕre) ordines.* — les dents, *diducĕre labra.*

dessert, s. m Dernier service d'un repas. *Mensa secunda.* Au —, *appositâ secundâ mensâ.*

1. desservir, v. tr. Faire le service religieux. *Sacris operari.*

2. desservir, v. tr. Enlever ce qui a été servi sur la table. *Auferre ou tottĕre (patinam, cibos).* ‖ Par ext. — la table, *et absol.* —, *auferre* (ou *tollĕre) mensam.* ¶ Rendre un mauvais service à qqn. *Male merēri (de aliquo).* ¶ (Par ext.) Chercher à rendre un mauvais service. *Abalienāre (aliquem ab aliquo).*

dessiller. Voy. DÉCILLER.

dessin, s. m. Image dessinée. *Imago, inis*, f. *Forma, ae*, f. ‖ (Spéc.) Le dessin (par opp. à la couleur). *Graphis, phidis* (ou *phidos*), f. ‖ (Spéc.) Disposition des ornements dans certains objets façonnés. *Descriptio, onis*, f. ‖ (Absol.) Art de dessiner. *Graphice, es*, f. *Pictura linearis.* ¶ Tracé du plan d'une construction, etc. *Depicta (in membranulâ) species (balnearum, etc.).* ‖ (Fig.) Plan d'une œuvre littéraire, etc. Voy. PLAN.

dessiner, v. tr. Tracer sur une surface l'image d'un objet. *Delineāre*, tr. *Describĕre*, tr. ¶ (Fig.) Rendre apparents les contours. *Exprimĕre*, tr. Se —, *eminēre*. intr.

dessous, prép., adv. et s. m. ‖ *Prép.* A la face inférieure de qqch. *Subter.* prép. (avec l'acc.). ‖ (Loc. prép.) Par dessous. *Subter.* prép. (avec l'acc.). *Infrâ*, prép. (avec l'acc.). Fig. Faire qqch. par — la jambe, *aliquid levi brachio agĕre.* ‖ De dessous, *e* (ou *ex*), prép. (av. l'abl.). Sortir de — terre, *exire supra terram.* Faire sortir les morts de — terre, *elicĕre inferorum animas.* ¶ *Adv.* A la face inférieure. *Subter*, adv *Infra*, adv. Qui est —, *inferior, us* adj. Placé, situé —, *subiectus, a, um*, p. adj. Fig. Il y a qqch. là —, *aliquid subest.* ‖ (Par ext.) Le passage ci-dessous, *quod infra scripsi* ou *quod infra scriptum est.* ‖ (Loc. adv.) Lame de —, *sublamina, ae*, f. Oter, retirer de —, *subducĕre*, tr. Vêtement de —, *subucula, ae*, f. Atta-

cher par —, *subligāre*, tr.; *substringĕre*, tr. Couper par —, *succidĕre*, tr. (Spéc.) Regarder en dessous, *limis oculis aspicĕre.* ‖ (Parext.) Etre en dessous, *naturâ reconditâ esse.* Un (caractère) en—, *tectus homo.* ¶ *Subst.m.*Face inférieure de qqch. *Pars inferior.* Voy. INFÉRIEUR. ‖ (Fig.) Infériorité. Avoir le — (dans un combat), *vinci*, pass. ‖ (Loc. adv.) Au-dessous, *c.-à-d.* à un niveau inférieur. *Infra*, adv. ‖ (Loc prép.) Couler au —, *subterfluĕre*, intr. Ecrire au —, *subscribĕre*, tr. Inscription mise au —, *subscriptio, onis*, f. Etre au — de qqn, *infra aliquem esse.*

dessus, adv., s. m. et prép. ‖ *Adv.* A la face supérieure. *Supra*, adv. *Super*, adv. ‖ Là-dessus, *c.-à-d.* sur cela, sur ce sujet, *hâc de re.* Là-dessus, *c.-à-d.* à ce moment-là, *tum*, adv. ‖ Le passage ci-dessus, *quod supra scripsi* ou *quod supra scriptum est.* ¶ *Subst. m.* La face supérieure de qqch. *Pars superior.* Le — de l'eau, *summa aqua.* Voix de —, *summa* (ou *acuta) vox.*‖ (Fig.) Supériorité dans une lutte. Avoir le —, *superāre*, intr. Ellipt. Prendre le —, *resurgĕre*,intr. ‖ (Loc. adv.) Au-dessus, *supra*, adv.On les met au-dessus, *superiores habentur.* ‖ (Loc. prép.) Au-dessus de. *Super*, prép. (av. l'acc.). *Supra*, prép. (av. l'acc.). Etre au — des autres, *ceteris antecellĕre* (ou *praestāre*).Qu'y a-t-il au — de l'éloquence? *quid eloquentiâ praestabilius?* Mettre qqn au — de..., *aliquem (alicui) anteponĕre.* Les enfants au — de quinze ans, *liberi majores quam quindecim annos nati.*

destin, s. m. Puissance qui fixe par avance l'ordre des événements. *Fatum,* i. n. Arrêt du —, *fatum,* i, n. Amené, marqué, déterminé par le —, *fatalis. e,* adj. A quoi est attaché le — de qqch., *fatalis, e*, adj. Selon l'ordre du —, *fataliter*, adv ¶ L'ensemble des événements qui composent le sort de qqn. *Fatum,* i, n. ‖ Condition heureuse ou malheureuse. *Sors, sortis,* f. *Fortuna, ae*, f.

destination. s. f. Emploi fixé d'avance pour une personne. C'est là notre —, *eâ lege (condicione)* ou *ita, hoc fato nati sumus.* ¶ Emploi fixé d'avance pour une chose. Donner à qqch. une autre —, *destināre (aliquid) in aliud.* ¶ (Par ext.) Lieu où qqn doit se rendre, où qqch. doit être porté. Ma —, *locus quo tendo* (ou *intendo*). Navires à la — de l'Italie, *naves in Italiam missae.* Arriver à —, *ad locum constitutum venire.*

destinée. s. f. La suite des événements dont se compose la vie de qqn. *Fatum,* i, n. Telle est notre —, *eâ lege* (ou *condicione) nati sumus.* ‖ (Par anal.) Sort heureux ou malheureux de qqn, de qqch. *Fortuna, ae,* f. ¶ (P. ext.) Le destin qui règle le sort de chacun. Voy. DESTIN.

destiner, v. tr. Fixer d'avance dans

l'ordre des événements. *Reservāre (ad aliquid)*. Destiné à, pour, *fatalis ad (aliquid)*. ¶ Destiner à qqn, fixer d'avance comme devant être en partage à qqn. *Destināre*, tr. ¶ Destiner à qqch., fixer d'avance comme devant être employé à qqch. *Destināre*, tr. Addicĕre, tr. Qui se destine à, *is cui animus est se conferre ad (aliquid)*.

destituer, v. tr. Déposséder (d'une place, d'une charge). *Movēre aliquem loco.* — qqn d'un haut emploi, d'un commandement, *demovēre aliquem praefecturā; alicui imperium, exercitum adimĕre.* — qqn d'une charge publique, *removēre aliquem a re publicā.*

destitution, s. f. Action de destituer un fonctionnaire. *Ab ordine motio.*

destructeur, trice, s. m. et f. Celui, celle qui détruit. *Eversor, oris (regni, urbis)*, m. *Exstinctor, oris (patriae)*, m. ‖ (P. ext.) *Adjectiv.* Qui détruit. *Confector, oris*, m. *Deletrix, tricis*, f. Fléau —, *labes atque pernicies (provinciae, etc.)*

destruction, s. f. Action de détruire. *Eversio, onis*, f. *Excidium, ii*, n.

désuétude, s. f. Abandon où tombe une chose qu'on cesse de mettre en pratique. *Desuetudo, dinis*, f. Tomber en —, *obsolescĕre*, intr. *exolescĕre*, intr.

désunion, s. f. Cessation de l'union. ‖ Entre les parties d'un tout. *Diremptus, ūs*, m. *Separatio, onis*, f. *(alicujus rei ab re)*. ¶ Entre les cœurs, les esprits. *Discordia, ae*, f. *Dissensio, onis*, f.

désunir, v. tr. Faire cesser d'être uni. ‖ Désunir les parties d'un tout. *Dissolvĕre*, tr. *Disjungĕre*, tr. *Distrahĕre*, tr. ¶ Désunir les cœurs, les esprits. *Disjungĕre*, tr.

détachement, s. m. Action de celui qui se détache, état de celui qui est détaché de qqch. *Rerum humanarum contemptio ac despicientia.* ‖ Petite troupe qu'on sépare d'un corps plus considérable. *Vexillarii, orum*, m. pl.

1. détacher, v. tr. Faire cesser d'être attaché. ‖ *Propr.* Séparer (une personne, une chose) de ce à quoi elle est attachée. *Solvĕre*, tr. *Exsolvĕre*, tr. *Abscindĕre*, tr. (« détacher en déchirant »). *Detrahĕre*, tr. *(aliquem ab cruce*, détacher qqn du gibet). Ne pouvoir — ses yeux de qqn, *oculos ab aliquo deflectĕre non posse.* ‖ (Absol.) Détacher qqn. *Solvĕre*, tr. ‖ (Par ext.) Défaire ce qui tient attaché. *Solvĕre*, tr. *Abrumpĕre*, tr. (« détacher en rompant »). *Abscīdĕre*, tr. (« détacher en coupant »). ¶ Séparer une chose de ce à quoi elle adhère. *Decerpĕre*, tr. *Stringĕre*, tr. *Destringĕre*, tr. Tunique détachée des épaules, *tunica ab humeris destricta.* Se détacher, *cadĕre*, intr. ¶ (Par ext.) Séparer (qqch.) d'un ensemble, (qqn) d'un groupe. *Abrumpĕre*, tr. *Disjungĕre*, tr. (Au fig.). — (des troupes), *subducĕre*, tr. ‖ (Abs.) Envoyer séparément.

Praemittĕre, tr. Se — (pour attaquer), *procurrĕre*, intr. Fig. Des objets peints qui se détachent sur un fond obscur, *res quae ex umbrā quasi procurrunt.* ‖ *(Au fig.)* Eloigner (qqn) de ceux avec lesquels il a des liens de parenté, d'affection, etc. *Diducĕre (aliquem ab aliquo)*. *Disjungĕre*, tr. *(aliquem ab aliquo)*. *Distrahĕre*, tr. *(distrahi cum aliquo*, se détacher de qqn, rompre avec lui).

2. détacher, v. tr. Débarrasser d'une ou plusieurs taches. *Maculas auferre (de vestibus).*

détail, s. m. Action de livrer la marchandise par petites quantités. Vendre au —, *divendĕre*, tr.; *distrahĕre*, tr. Fig. En —, voy. SÉPARÉMENT, [en] PARTICULIER. ¶ (Fig.) Partie d'un tout. *Pars, partis*, f. *Singulae partes. Singula*, n. pl. Raconter en —, *enarrāre*, tr.; *(res) explicāre.* Exposer en —, *singula consectāri et colligĕre.*

détaillant, s. m. Celui qui vend en détail. Un — et *(par appos.)* un marchand —, *propola, ae*, m.

détailler, v. tr. Diviser par portions. *In partes minutas* (ou *minutatim) concidĕre* (ou *consecāre).* ‖ (P. ext.) *Spéc.* Vendre une (marchandise) par petites quantités. *Divendĕre*, tr. *Distrahĕre*, tr. ¶ Enoncer avec toutes les particularités. *Singillatim dicĕre (de aliquā re); res explicāre; diligenter* (ou *per partes) describĕre (aliquid).*

déteindre, v. tr. et intr. ‖ *(V. tr.)* Faire cesser d'être teint. *Decolorāre*, intr. Qui est déteint, *decolor*, adj. ‖ *(V. intr.)* Se décolorer (perdre sa couleur). *Colorem amittĕre.*

dételer, v. tr. Faire cesser d'être attelé. *Disjungĕre*, tr. P. ext. — une voiture, *jumentis* (ou *equo) jugum demĕre.*

détendre, v. tr. Faire cesser d'être tendu. ‖ Lâcher (ce qui est dans un état de tension). — un arc, *arcum remittĕre.* — le doigt, *digitum remittĕre.* P. ext. — les traits (du visage), *tristem vultum relaxāre.* Câble détendu, *laxus funis.* Fig. — l'esprit, *animum (ex longā contentione) relaxāre.*

détenir, v. tr. Garder (qqch.) entre ses mains, en sa possession. *Retinēre (alienum).* ¶ Garder (qqn) en prison. *Custodīre*, tr. ‖ Au part. passé employé substantiv. Un détenu, une détenue, voy. PRISONNIER.

détenteur, s. m. Celui qui détient qqch. *Detentor, oris*, m.

détention, s. f. Action de détenir qqch. *Detentio, onis*, f. ¶ Action de détenir qqn, de le garder en prison. *Custodia, ae*, f.

détérioration, s. f. Action de détériorer, état de ce qui est détérioré. *Injuria, ae*, f.

détériorer, v. tr. Mettre une chose en si mauvais état qu'elle ne peut plus servir. *Deteriorem* (ou *deterius*) *facĕre*. *Corrumpĕre*, tr.

détermination, s. f. Action de déterminer. *Constitutio, onis*, f. *Definitio, onis*, f. ¶ Action de se décider pour tel ou tel parti. *Consilium, ii*, n. || (P. ext.) Parti auquel on s'arrête. *Consilium, ii*, n. *Sententia, ae*, f. Prendre une —, *capĕre* (ou *inire*) *consilium* (*alicujus rei*).

déterminé, ée. Voy. DÉTERMINER.

déterminément, adv. En déterminant la chose dont il s'agit. *Definitē*, adv. ¶ En montrant un caractère déterminé. Voy. RÉSOLUMENT.

déterminer, v. tr. Fixer (qqch.) qui est incertain. *Statuĕre*, tr. *Constituĕre*, tr. *Finire*, tr. *Definire*, tr. *Termināre*, tr. Déterminé, *ratus, a, um*, p. adj.; *status, a, um*, p. adj. ¶ Faire arriver un événement jusque-là douteux. *Inferre*, tr. ¶ Fixer (qqn) qui est irrésolu. *Inclināre*, tr. *Adducĕre*, tr. *Perducĕre*, tr. *Commovēre*, tr. *Persuadēre*, tr. et intr. Je suis bien déterminé à..., *mihi deliberatum et constitutum est* (av. l'inf.). Se déterminer à qqch., *c.-à-d.* s'arrêter à un parti, voy. RÉSOUDRE. ¶ (Au part. passé empl. adjectiv.) Un homme déterminé, *audens*. Un caractère plus —, *voluntas obstinatior*.

déterrer, v. tr. Retirer ce qui est enterré. || Retirer ce qui se trouve dans la terre. *Effodĕre*, tr. || (Fig.) Trouver une chose cachée *ou* peu connue. *Eruĕre*, tr. ¶ Retirer ce qui a été mis dans la terre. *Effodĕre*, tr. *Eruĕre*, tr. — en labourant, *exarāre*, tr. || (Fig.) Faire reparaitre au jour. *Detegĕre*, tr. *Eruĕre*, tr.

détestable, adj. Qui doit être détesté. *Detestabilis*, e, adj. *Exsecrandus, a, um*, adj. || Très mauvais. *Pessimus, a, um*, adj. [détestable. *Nefariē*, adv.

détestablement, adv. D'une manière détester, v. tr. Maudire qqn, qqch. *Detestāri*, dép. tr. *Abomināri*, dép. tr. *Exsecrāri*, dép. tr. ¶ Avoir une aversion déclarée pour qqn, qqch. Voy. AVERSION, HAIR.

détonation. Voy. EXPLOSION.

détoner, v. intr. Produire un bruit soudain par une brusque détente de gaz; d'où produire un bruit violent et soudain. *Fragorem dăre* (ou *edĕre*).

détonner, v. intr. S'écarter de l'intonation (en parl. d'un chanteur). *Absurdē canĕre.* Voix qui détonne, *vox quasi extra modum absona atque absurda.* || (P. ext. en parl. de la musique.) *Quiddam ineptum et asperum sonāre.* || Fig. (En parl. du langage, du style.) *Absonum esse.*

détordre, v. tr. Faire cesser d'être tordu. *Evolvĕre* ou *explicāre*, tr.

détour, s. m. Action de s'écarter du chemin direct. *Circuitŭs, ūs*, m. *Error, oris*, m. *Ambitŭs, ūs*, m. Faire un —, *flectĕre iter.* Faire faire un —, *circum-*

ducĕre, tr. || (Au fig.) Moyen indirect de faire, de dire qqch. *Ambages, is* (usité surt. à l'abl. sing. et aux cas du plur.), f. *Circuitŭs, ūs*, m. Sans —, *simpliciter*, adv.; *apertē*, adv. Qui est sans —, *simplex* (gén. *-plicis*), adj. ¶ Tracé d'une route, d'un cours d'eau, qui n'est pas direct. *Anfractŭs, ūs*, m. *Flexŭs, ūs*, m. || (Par ext.) Passage d'une rue, d'un chemin dans un autre formant une courbure, un coude. *Flexŭs, ūs*, m. || (Au plur.) Ensemble de routes dirigées en sens divers, où l'on peut s'égarer (pr. et fig.) *Deverticula, orum*, n. pl.

détournement, s. m. Action de détourner (*au propre*). Le — d'un cours d'eau, *deductio, onis*, f.; *derivatio, onis*, f. Fig. — de valeurs (soustraction frauduleuse), *suppressio, onis*, f.

détourner, v. tr. Ecarter une personne, une chose de la direction qu'elle suit. || Ecarter une personne. *Avertĕre*, tr. *Deflectĕre*, tr. Absol. Se — *et* (ellipt.) *au sens intr.*, —, *avertĕre*, tr.; *deverti*, pass.; *devertĕre*, intr.; *declināre*, intr. (*de viâ*). || (Fig.) Tourner, diriger une personne d'un autre côté. *Avertĕre*, tr. *Convertĕre*, tr. *Flectĕre*, tr. *Deflectĕre*, tr. *Deducĕre*, tr. *Deterrēre* (« détourner par la crainte qu'on inspire *et simpl.* détourner »), tr. *Avocāre*, tr. *Dehortāri*, dép. tr. (*aliquem ab aliquo*). Fig. Se —, *aversāri* (« détourner la tête *et par ext.* [tr.] » se détourner (de qqn) avec dédain », avec mépris »), dép. intr.; *declināre*, intr. (*a recto itinere*); *devertĕre*, intr. (abs. *devertĕre*, se détourner de son but, et de son sujet). || Ecarter une chose. *Avertĕre*, tr. *Deflectĕre*, tr. *Derivāre*, tr. Fig. *Avertĕre*, tr. *Declināre*, tr. *Detorquēre*, tr. — le sens d'un mot, d'une phrase, etc., *detorquēre*, tr. ¶ Expression détournée, *inflexa verba.* Reproche détourné, *obliqua insectatio.* — (un malheur, par des prières, des sacrifices, etc.), *deprecāri*, dép. tr. ¶ Tourner une personne, une chose dans une autre direction. || (Une personne.) Se —, *se avertĕre*, intr.; *averti*, pass. || (Une chose.) *Avertĕre*, tr. *Deflectĕre*, tr. — ses regards, *despicĕre*, absol. Fig. *Avertĕre*, tr. ¶ Mettre à l'écart une personne, une chose. || (Une personne.) *Avertĕre*, tr. *Abducĕre*, tr. *Seducĕre*, tr. || (Une chose.) *Avertĕre*, tr. *Convertĕre*, tr. *Seducĕre*, tr. *Sevocāre*, tr. *Supprimĕre*, tr. (« détourner » à son profit, détenir illégalement », ¶ || Un lieu détourné, *c.-à-d.* qui est à l'écart, *devius locus.* Un chemin —, *flexio, onis*, f. (surt. au plur.). Fig. Des voies —, *deverticula flexionesque.*

détracteur, s. m. Celui qui dénigre. *Obtrectator, oris*, m.

détraquer, v. tr. Déranger dans son mécanisme. *Luxāre*, tr. Se —, *turbāri*.

détremper, v. tr. Délayer à demi une

substance solide) en mélangeant avec un liquide. *Diluĕre*, tr. Chemin détrempé *iter aquâ factum corruptius*.

détresse, s. f. Serrement de cœur poignant. Voy. ANGOISSE. ¶ Situation poignante. *Miseria, ae*, f. *Rerum angustia*. Etre dans la —, *in angustiis esse*. Signal de —, *periculi significatio*.

détriment, s. m. Dommage résultant de ce qu'on perd. *Damnum, i*, n. *Detrimentum, i*, n. *Incommodum, i*, n.

détroit, s. m. Bras de mer resserré entre deux terres. *Fretum, i*, n.

détromper, v. tr. Faire cesser d'être trompé, tirer de l'erreur où l'on est (au sujet de qqn, de qqch.). Voy. DÉSABUSER. || (Absol.) Tirer d'erreur. Voy. DÉSABUSER. Se —, *errorem deponĕre*.

détrôner, v. tr. Déposséder de la souveraineté. (*Alicui*) *regnum* (ou *regni dignitatem*) *adimĕre*. (*Alicui*) *regnum auferre* (ou *eripĕre*). Détrôné, *regno pulsus*.

détrousser, v. tr. En parl. des voleurs de grand chemin. — (un voyageur), *expilāre*, tr.

détruire, v. tr. Défaire ce qui est construit. *Evertĕre*, tr. *Delĕre*, tr. *Demoliri*, dép. tr. *Diruĕre*, tr. — un pont, *pontem dissolvĕre* (ou *rescindĕre*). || (Fig.) Défaire entièrement ce qui est établi, organisé. *Destruĕre*, tr. *Dissolvĕre*, tr. *Evertĕre*, tr. *Pervertĕre*, tr. || Ruiner entièrement. *Perdĕre*, tr. *Evertĕre*, tr. || (Fig.) Faire disparaître complètement. *Delĕre*, tr. *Evertĕre*, tr. || (Par ext.) Tuer. *Interficĕre*, tr. || (Fig.) Mettre à bas (un rival, etc.). *Destruĕre*, tr. (*aliquem*). *Delĕre*, tr. (*aliquem*).

dette, s. f. Ce que qqn doit à un autre (pour un prêt, pour le prix d'une chose vendue, etc.). *Debitum, i*, n. Les dettes, *aes alienum*. Avoir des —, *aes alienum habēre*. Etre criblé de —, *aere alieno demersum* (ou *oppressum*) *esse*. ¶ Devoir qu'impose une obligation contractée envers qqn. Acquitter une — de reconnaissance, *officium debitum reddĕre*. A cause de la — contractée envers Jupiter, *religione Jovis*. Payer sa — à la patrie, *patriae satisfacĕre*.

deuil, s. m. Affliction que cause la mort d'une personne aimée. *Dolor, oris*, m. *Luctûs. ûs*, m. Etre plongé dans le —, *in sordibus. lamentis luctuque jacēre*. Etre en —, *lugēre*, intr. De —, *luctuosus, a, um*, adj. ¶ Marques extérieures de l'affliction. *Luctûs, ûs*, m. *Sordes, ium* (« vêtements de deuil »), f. pl. Etre en —, *squalēre*, intr. De —, *lugubris, e*, adj. (*lugubris vestis*). Prendre le —, *vestem mutāre*. Quitter le —, *ad suum vestitum redire*. Fig. La nature est en —, *natura squalet*. ¶ Cortège funèbre. *Funus, eris*, n. Conduire le —, *funus ducĕre*.

deux, adj. et s. m. || *Adj. num. card.* Un plus un. *Duo, ae, o*, adj. *Bini, ae, a*, adj. (avec les mots usités seul au plur.: *binae litterae, bina castra; avec un nombre qui doit être répété plusieurs fois : *non didicit bis bina quot sint;* pour signifier : « deux chaque fois, deux à la fois »). Un ou —, *unus aut alter*. A l'exception d'un ou de — au plus, *excepto uno aut summum altero*. L'un des — (à l'exclusion de l'autre), *alteruter, tra, trum*, adj. Un, — plusieurs jours (se passent), *unus, alter, plures dies*. Les —, *tous* —, — ensemble, *ambo, ae, o*, adj. Chacun des —, tous les —, *uterque, traque, trumque*, adj. (au plur. avec les subst. sans singulier : *utraque castra;* pour signifier « deux groupes d'individus », *utrique*). Des — côtés, des — parts, *utrinque*, adv. Dans les — endroits, des — parts *et fig.* dans les — cas, dans les — occasions, *utrobique*, adv. — cents, *ducenti, ae, a*, adj. — cents à la fois, — cents par — cents, *duceni, ae, a*, adj. — centième, *ducentesimus, a, um*, adj. — fois, *bis*, adv. — fois autant, *duplum, i*, n. — fois plus grand, *altero tanto major*. Espace de — jours, — jours, *biduum, i*, n. Le temps de — journées de marche, *biduum, i*, n. Espace de — ans, *biennium, ii*, n. || (Fam.) Quelques. J'ai — mots à vous dire, *te tribus* (s.-e. *verbis*) *volo*. ¶ Adjectif numéral pris au sens *ordinal*. Deuxième. Le — du mois, *altero die mensis*. ¶ *S. m.* Un —, chiffre qui exprime le nombre « deux », *numeri binarii nota*.

deuxième, adj. Adjectif numéral ordinal. Qui est immédiatement après le premier (dans une série de choses qui se comptent). *Secundus, a, um*, adj. *Alter, tera, terum*, adj. Le vingt-deuxième jour, *altero vicesimo die*. La trois cent — année de la fondation de Rome, *anno trecentesimo altero quam Roma condita erat*. Consul pour la — fois, *iterum consul*.

deuxièmement, adv. En deuxième lieu. *Deinde*, adv. *Secundo loco* et simpl. *secundo*.

dévaliser, v. tr. Dépouiller (qqn) de sa valise, de son argent, etc. Voy. DÉPOUILLER, VOLER.

devancer, v. tr. Arriver avant (qqn, qqch.). || (Dans l'espace.) *Antecedĕre*, tr. *Antevenīre*, tr. || (Dans le temps.) *Antecedĕre*, tr. *Anteīre*, tr. || (Quant au rang.) *Superāre*, tr. *Antecedĕre*, intr. (av. le dat.).

devancier, s. m. Personne qui en a précédé une autre dans ce que fait celle-ci. *Prior* ou *superior* (surt. au plur.). Nos —, *majores, um*, m. pl.

devant, prép. à 'v. et s. m. || *Prép.* Du côté où est la face (d'une personne, d'une chose). *Ante*, prép. (av. l'acc.). *Pro*, prép. (av. l'abl. : *pro aede Jovis Statoris*). *Prae*, prép. (avec l'abl. : *prae se agĕre armentum*). Aller — qqn, *anteire alicui.* Amener —, *producĕre,* tr. Marcher — qqn, *praegredi aliquem,* *aliquem antecedĕre.* Mettre le siège —, *oppugnāre,* tr. Se mettre — qqn (de manière à le gêner), *alicui officĕre.* Passer — (qqn, qqch.), *praeterire,* tr. Placer —, *anteponĕre,* tr. Porter —, *praeferre,* tr. Se tenir — qqn, *obstāre alicui.* || (Spéc.) En face de qqn, en sa présence. *Coram,* prép. (av. l'abl.). Ils comparurent — le sénat, *in senatu sunt positi.* — un tel spectacle, *re tam terribili objectā.* || (Loc. prép.) Par devant. Voy. [en] PRÉSENCE. De —, *e conspectu (alicujus).* || En allant dans la direction qui s'étend en face d'une personne. Passer — qqn, voy. DEVANCER. Marcher toujours — soi, *pergĕre porro ire.* Fuir — qqn, *aliquem fugĕre.* Fig. Il avait deux jours — lui, *biduum supererat.* || En faisant face à qqn pour l'arrêter. Se jeter — qqn, *se alicui objicĕre.* ¶ *Adv.* Du côté de la face d'une personne, d'une chose. *Ante,* adv. Couler —, *praeterfluĕre,* intr. Placé —, *adversus, a, um,* adj. || En allant dans la direction qui est en face de qqn. *Prae,* adv. Aller —, *anteire,* intr.; *antecedĕre,* intr.; *praeire,* intr. Courir —, *praecurrĕre,* intr. Envoyer —, *praemittĕre,* tr. Marcher —, *praegredi,* intr. Loc. ellipt. Mettre qqch. sens —derrière, *circumagĕre in aversum.* Qui est sens — derrière, *praeposterus, a, um,* adj. || (Loc. adv.) Par —, *a fronte.* Attacher, lier par —, *praeligāre,* tr. Etre blessé par —, *vulnus adverso pectore accipĕre.* ¶ *S. m.* La partie qui est placée devant. *Pars antica. Frons, frontis,* f. Qui est sur le —, *adversus a, um,* adj. Le — du corps, *corpus adversum.* Les dents de —, *primores dentes.* Les pattes de — *priores pedes.* Le — du retranchement, *vallum exterius.* (Fig.) Prendre les —, *praeoccupāre,* tr.; *praevenīre,* tr. Sur le —, pro, prép. (av. l'abl. : *pro muris*). || (Loc. prép.) Au — de, obviam, adv. (*obviam alicui ire* ou *prodire* ou *procedĕre*). Qui se porte au — de, *obvius, a, um,* adj. (av. le dat.). Aller au — de, voy. RENCONTRER. Aller au — de qqn pour le combattre, de qqch. pour le réfuter, *occurrĕre,* intr. (av. le dat.). Pour qu'il aille au — des objections, *ut ante occupet quod putat opponi.* Se jeter au — de, *objicĕre se* (*copiis hostium*). || (Loc. adv.) Aller au —, *obviam ire.* Fig. Aller au —, *c.-à-d.* faire les premiers pas, voy. PAS.

dévastation, s. f. Action de dévaster. *Vastatio, onis,* f. *Populatio, onis,* f. Porter partout la — et l'incendie, *omnia ferro ignique vastāre.*

dévaster, v. tr. Ruiner (un pays) en détruisant arbres, récoltes, etc., de manière à laisser le sol nu. *Vastāre,* tr. *Devastāre* (*agrum, fines*). Fig. Les

domaines dévastés par la guerre, *possessiones vacuefactas bello.*

développement, s. m. Extension de ce qui était roulé sur soi-même. *Explicatio, onis,* f. || (Par anal.) Action de déployer. Voy. DÉPLOIEMENT. ¶ Croissance de ce qui est contenu dans un germe. *Incrementum, i,* n. (ordin. au pl. *incrementa, orum,* n.). || (P. anal.) Action de donner tout son accroissement à qqch. de naissant (pr. et fig.). *Progressio, onis,* f. *Progressūs, ūs,* m. *Incrementum, i,* n. (au plur.). Montrer à qqn l'origine et le — de nos institutions, *alicui nostram rem publicam et nascentem et crescentem ostendĕre.* ¶ Exposition étendue. *Explicatio, onis,* f. Avec des — étendus, *copiosē,* adv. Entrer dans de grands —, *fusius dicĕre.*

développer, v. tr. Etendre (ce qui était roulé sur soi-même). *Explicāre,* tr. *Evolvĕre,* tr. *Pandĕre,* tr. *Expandĕre,* tr. || (Par ext.) Déployer. Voy. ce mot. ¶ Tirer de ce qui enveloppe. Voy. DÉPAQUETER. || (Fig.) Dégager pour l'esprit ce qui est enveloppé d'obscurité. *Evolvĕre,* tr. *Expedire,* tr. *Explanāre,* tr. *Explicāre,* tr. Développé, *explicatus, a, um,* p. adj. Faire prendre toute sa croissance à ce qui est contenu dans un germe. *Augēre,* tr. *Alĕre,* tr. *Firmāre,* tr. *Confirmāre,* tr. Se —, *crescĕre,* intr. *accrescĕre,* intr.; *increscĕre,* intr.; *provenīre,* intr. || (Par ext.) Faire prendre tout son accroissement à qqch. *Augēre,* tr. *Alĕre,* tr. Se —, *crescĕre,* intr.; *adolescĕre,* intr.; *invalescĕre,* intr.; *proficĕre,* intr. || (Fig.) Exposer d'une manière étendue. *Explicāre,* tr. *Dilatāre,* tr. — un principe, *disputāre de dogmate.*

devenir, v. intr. Commencer d'être qqch. à un moment donné. *Fieri,* pass. — grand (en parl. d'une personne), *adolescĕre,* intr. — vieux, *senem essa coepisse; senescĕre,* intr. — puissant, *potentiam consequi.* — fort, *se corroborare; corroborari,* pass. — l'ami de qqn, *venire in amicitiam alicujus.* Que deviendrai-je? *Quid de me fiet?* Que deviendra-t-il? *Quid illo fiet!* Que —? *Quo me vertam! Quid agam!*

devers, prép. Du côté de. || (En partant de ce côté.) A ou *ab,* prép. (av. l'abl.). — l'Occident, *ab Occidente versus.* ¶ (En allant de ce côté.) *Versus,* prép. (av. l'acc.). || (Par ext. en parl. du temps.) — la fin de l'année, *anno exeunte.* || (Loc. prép.) Par — soi (de son côté), *ad manum; prae manu praesto,* adv. (av. le dat.). Chacun par — soi, *pro se quisque.*

déverser, v. tr. Verser ailleurs (le trop plein du liquide contenu dans un réceptacle). *Effundĕre,* tr. — les eaux d'un lac, *lacum educĕre* (ou *emittĕre*). Se —, *effundĕre se* (*in Oceanum*).

déviation, s. f. Action de dévier. *Decli-*

natio, onis. f. ¶ Etat de ce qui est dévié. *Depravatio, onis,* f. *Pravitas, atis,* f. — des membres, *prava membra.*

dévider, v. tr. Développer une certaine quantité de fil réunie en masse, pour la rouler en peloton, en bobine, etc. *Revolvĕre (fila).* (Fig.) Dérouler. *Evolvĕre,* tr.

dévidoir, s. m. Instrument dont on se sert pour dévider. *Girgillus, i,* m.

dévier, v. intr. et tr. ‖ *V. intr.* S'écarter de la voie droite, du chemin droit. *Deerrāre,* intr. *Declināre,* intr. (au pr. et au fig., ex. : *decl. de viā*). *Deflectĕre,* intr. (au pr. et au fig., *de rectā regione*). Faire —, *declināre,* tr.; *deflectĕre,* tr. (*aliquem ab aliquā re*). ¶ *V. tr.* Ecarter de la direction normale. Voy. ÉCARTER.

devin, s. m. Celui qui passe pour savoir, par des moyens surnaturels, ce qui est caché dans le temps. *Vates, is,* m. et f. *Divinus, i,* m. *Hariolus, i,* m.

deviner, v. tr. Savoir par des moyens surnaturels ce qui est caché dans le temps. *Divināre,* tr. *Vaticināri,* dép. tr. — certaines choses, *divinē quaedam praesentīre.* ¶ (Par ext.) Découvrir par voie d'interprétation, etc. (ce qu'on ignore). *Conjicĕre,* tr. *Praesagīre,* tr. *Praesentīre,* tr.

devineresse, s. f. Femme qui passe pour découvrir l'avenir par des moyens surnaturels. *Hariola, ae,* f.

devis, s. m. Etat des parties d'un ouvrage à exécuter et du prix de chacune d'elles. *Descriptio (aedificandi).*

1. dévisager, v. tr. Endommager le visage de (qqn). *Deformāre vultum (alicujus).*

2. dévisager, v. tr. Regarder (qqn) attentivement en plein visage. *Oculos defigĕre in (aliquem).*

dévoiler, v. tr. Découvrir ce qui était sous un voile. *Revelāre,* tr. ‖ (Fig.) Montrer à découvert. *Ostendĕre,* tr. *Patefacĕre,* tr. *Manifestum facĕre.* Se —, apparaître, intr. ¶ (Fig.) Découvrir ce qui était tenu secret. *Aperīre,* tr. *Detegĕre,* tr. *Patefacĕre,* tr. Se —, se indicāre. Etre dévoilé, patēre, intr.

1. devoir, v. tr. Etre tenu de faire qqch. ‖ (Par nécessité.) *Necesse esse* (voy. NÉCESSAIRE). *Oportēre,* intr. Il dut se donner la mort, *coactus est, ut vitā ipse se privaret.* ‖ (Par ext.) En parlant de ce qui est probable. Milon doit avoir tué Clodius, *Milo Clodium videtur interfecisse.* Il doit être coupable, *verisimile est eum commisisse.* Cela doit être vrai, *profecto hoc verum est* Puisque je devais en venir à ce degré d'infortune, *quoniam eo miseriarum venturus eram.* Dussé-je exciter les murmures, je dirai que ce que je pense, *fremant omnes licet, dicam quod sentio.* ‖ (Par obligation.) *Debēre,* tr. (on emploie l'adj. verbal en -ndus avec le verbe *sum,* expression qui sign. que l'action doit être faite. ex. : *colenda*

est virtus, « on doit pratiquer la vertu »). Tu n'aurais pas dû le demander, *ne poposcisses.* Que devais-je faire? *quid facerem!* Quoi! je ne devais pas lui donner l'argent? *non ego illi argentum redderem?* Les Gaulois se consultent sur ce qu'ils doivent faire, *Galli, quid agant, consulunt.* ¶ Avoir à livrer (qqch.) à un autre. ‖ Avoir à payer qqch. *Debēre,* tr. ‖ (Fig.) Avoir à s'acquitter envers qqn dont on a reçu un bienfait. *Debēre,* tr. Je me devais à moi-même de vous avertir, *deesse mihi nolui, quin te admonerem.* ‖ (Par ext.) En parlant d'une récompense *ou* d'un châtiment mérités par qqn. Voy. MÉRITER. ‖ (Par ext.) Avoir à attribuer à qqn, à qqch., un résultat bon *ou* mauvais. *Debēre,* tr. (*alicui beneficium*). C'est à eux qu'il devait de vivre, *eorum beneficio vivebat.*

2. devoir, s. m. Ce à quoi qqn est obligé par la loi morale. *Officium, ii,* n. Exactitude à remplir ses —, *religio, onis,* f. Sentiment du —, *pietas, atis* f. Devoirs envers les dieux, envers les parents, envers la patrie, *pietas, atis,* f. Le — d'un jeune homme est de respecter la vieillesse, *est adulescentis majores natu reverēri.* Il est de mon —, je considère comme un —, c'est un — pour moi..., *meum est, meum esse existimo* (av. l'inf.). ‖ (Loc. prép.) Etre en — de faire qqch., c.-à-d. en disposition de s'acquitter d'une obligation, *paratum esse ad aliquid.* Se mettre en — de faire qqch., *se parāre ad aliquid.* ‖ (Par ext.) Tâche d'un écolier. *Munus pensumque.* ¶ (Au plur.) Marque de politesse, à laquelle on est obligé envers qqn. *Officium, ii,* n. Rendre ses — au consul, *consulem salutāre.* ‖ Dernier hommage qu'on doit rendre à un mort. Rendre les derniers —, *justa alicui reddĕre* (ou *solvĕre*).

dévolu, ue, adj. et s. m. ‖ *Adj.* Attribué à qqn en vertu d'un droit qui le fait passer d'un autre à lui. *Quod obvenit* (*alicui*). (Fig.) Jeter un —, *et abus.* son — sur qqch., *eligĕre aliquid.*

dévorant, ante, adj. Qui dévore (sa proie). *Vorax* (gén. *-acis*), adj. *Edax* (gén. *-acis*), adj. ‖ (Par ext.) Une faim —, *rabies ventris.* Un appétit —, *edacitas, atis,* f. ¶ (P. anal.) Qui consume. *Edax* (gén. *-acis*), adj. Feu —, *ignis omnia hauriens.*

dévorer, v. tr. Se repaître de sa proie. *Vorāre,* tr. *Devorāre,* tr. ¶ Manger avidement. *Comedĕre,* tr. *Consumĕre,* tr. ‖ (Fig.) En parlant d'un objet qu'on désire. *Comedĕre,* tr. *Devorāre,* tr. ‖ (En parl. d'un sentiment pénible.) *Devorāre,* tr. — ses larmes, *devorāre lacrimas* ou *gemitus.* — un affront, *injuriam mussitāre.* ¶ (Fig.) Epuiser *Devorāre,* tr. (*patrimonium*). *Comedĕre,* tr. (*bona alicujus; patrimonium*). *Consumĕre,* tr. (*rem familiarem*). ‖ (P. anal.) Epuiser en un instant la matière que contient un livre, parce qu'on le lit rapidement. *Vorāre*, tr. *Devorāre*, tr. ¶ Consumer entièrement. *Absumĕre*, tr. *Consumĕre*, tr. (surt. au passif, en parlant des effets du feu). *Haurīre*, tr. Feu dévorant, *rapidus ignis*. | (Par anal.) Consumer. *Perurĕre*, tr. *Exedĕre*, tr.

dévot, ote, adj. Zélé pour la religion, pour les pratiques religieuses. *Pius, a, um*, adj.

dévotement, adv. D'une manière dévote. *Piē*, adv.

dévotion, s. f. Zèle pour la religion, pour les pratiques religieuses. *Pietas, atis*, f. *Religio, onis*, f. ¶ (P. ext.) Pratique religieuse. *Religio, onis*, f.

dévouement, s. m. Sacrifice que qqn fait de sa vie pour sauver les autres. *Devotio, onis*, f. ¶ Le fait de se vouer, d'être voué au service, aux intérêts de qqn. *Voluntas, atis*, f. *Studium, ii*, n.

dévouer, v. tr. Vouer à la divinité. *Devovēre*, tr. || (Spéc.) Vouer comme victime expiatoire. *Devovēre*, tr. Se — pour qqch., *caput offerre pro aliquā re.* — pour qqn, *vitam profundĕre pro aliquo.* Absol. — qqn, *devovēre aliquem.* ¶ Vouer au service, aux intérêts de qqn. *Devovēre*, tr. (*se alicui* ou *alicui rei*). *Addicĕre*, tr. (*addictus vobis*, absolument dévoué à vos intérêts). *Dedĕre*, tr. Se — à, *deservīre*, intr. (*alicui*); *incumbĕre*, intr.(*alicui rei*). Dévoué, *fidelis, e*, adj.; *pius, a, um*, adj.

dextérité, s. f. Délicatesse, légèreté de main pour exécuter qqch. || (Au propre). *Sollertia, ae*, f. *Ars, artis*, f. Qui a de la —, *habilis, e*, adj. Avec —, *sollerter*, adv. ¶ (Fig.) Tact, délicatesse d'esprit pour mener à bien une affaire. *Sollertia, ae*, f.

diable, s. m. L'esprit du mal. *Diabolus, i*, m.

diabolique, adj. Qui tient du diable. *Diabolicus, u, um*, adj.

diaconat, s. m. Ordre de diacre, office de diacre. *Diaconatus, ūs*, m.

diacre, s. m. Ecclésiastique revêtu du second des ordres majeurs. *Diaconus, i*, m.

diadème, s. m. Bandeau royal. *Diadema, matis*, n.

dialecte, s. m. Variété régionale d'une langue. *Dialectos, i*, f.

dialecticien, s. m. Celui qui emploie les procédés de la dialectique. *Dialecticus, i*, m.

dialectique, adj. et s. f. || *Adj.* Qui procède par raisonnements. *Dialecticus, a, um*, adj. Les procédés —, *disserendi ratio.* ¶ *S. f.* Méthode par laquelle on déduit des raisonnements servant à démontrer *ou* à réfuter. *Dialectica, orum*, n. pl. *Dialectica ars*, et simpl. *dialectica, ae*, f.

dialogue, s. m. Entretien entre deux personnes, *Dialogus, i*, m. *Sermo, onis*, m.

dialoguer, v. intr. et tr. || *V. intr.* — avec qqn, s'entretenir avec un interlocuteur, voy. ENTRETENIR. ¶ *V. tr.* Mettre en dialogue. *In disputatione et dialogo scribĕre.*

diamant, s. m. Pierre précieuse. *Adamas, antis* (acc. *anta*), m. De —, *adamantinus, a, um*, adj.

diamètre, s. m. Ligne droite passant par le centre d'un cercle, etc. *Diametros, i* (plur. *diametroe*), f.

diaphane, adj. Qui laisse passer à travers soi les rayons lumineux. *Perlucidus, a, um*, adj.

diaphragme, s. m. Muscle formant une cloison entre la poitrine et l'abdomen. *Transversum saeptum* ou simpl. *saeptum, i*, n.

diaprer, v. tr. Nuancer de vives couleurs variées. *Variāre*, tr. Distinguĕre, tr. Diapré, *varius, a, um*, adj.

diarrhée, s. f. Flux de ventre. *Profluvium alvi*, ou simpl. *profluvium, ii*, n.

diatribe, s. f. Critique virulente. *Convicium, ii*, n.

dictame, s. m. Plante aromatique. *Dictamnus, i*, f.

dictateur, s. m. Magistrat extraordinaire et temporaire, revêtu d'une autorité sans limites. *Dictator, oris*, m.

dictatorial, ale, adj. Qui appartient au dictateur. *Dictatorius, a, um*, adj.

dictature, s. f. Dignité, fonction de dictateur. *Dictatura, ae*, f.

dictée, s. f. Action de dicter. *Dictatio, onis*, f.

dicter, v. tr. Dire (qqch.) devant qqn, pour qu'il l'écrive au fur et à mesure. *Dictāre*, tr. ¶ (Fig.) Inspirer à qqn (ce qu'il écrit, ce qu'il dit). *Praeire*, tr. ¶ (Par ext.) Formuler à qqn (ce qu'on exige de lui). *Dicĕre*, tr. (*victis leges dicĕre*).

diction, s. f. Manière de dire. *Elocutio, onis*, f.

dictionnaire, s. m. Recueil de mots. *Index verborum.*

dicton, s. m. Voy. PROVERBE.

Didon, n. pr. Reine de Carthage. *Dido, us*, acc. *o*, f.

diète, s. f. Régime de nourriture. *Diaeta, ae*, f. ¶ (Spécial.) Régime consistant dans l'abstinence totale *ou* partielle d'aliments. *Inedia, ae*, f.

Dieu, s. m. L'Être suprême. *Deus, i*, m. Plaise, plût ' — que..., *utinam* (av. le subj.). ¶ (Par hyperb.) *Fig.* Personne, chose qui est l'objet d'un culte. *Deus, i*, m.

diffamateur, s. m. Celui qui diffame. *Homo maledicus.*

diffamation, s. f. Action de diffamer. *Obtrectatio, onis*, f.

diffamatoire, adj. Qui a pour but de diffamer. *Maledicus, a, um*, adj.

diffamer, v. tr. Porter atteinte à la

réputation de (qqn). *Infamāre (aliquem)*. Etre diffamé, *flagrāre infamiā*.

différemment, adv. D'une manière différente. *Aliter*, adv. *Dissimiliter*, adv.

différence, s. f. Caractère par lequel une personne, une chose diffère d'une autre. *Discrimen, minis*, n. *Dissimilitudo, dinis*, f. — d'opinion, *dissensio, onis*, f. Faire une —, mettre de la —, voy. DISTINGUER. Il y a une —, *distat*, impers. Constituer une —, *interesse*, intr.

différend, s. m. Voy. 2. DIFFÉRENT.

1. différent, ente, adj. qual. et déterminatif. || *Adj. qual.* Qui diffère d'une personne, d'une chose. *Dissimilis, e*, adj. (*alicujus ou alicujus rei*). *Diversus, a, um*, adj. (*ab aliquo*). De — espèce, de — nature, *varius, a, um*, adj. Etre —, *discrepāre*, intr. ¶ *Adj. déterm.* (devant un subst. plur.). *Varii, ae, a*, adj. — personnes, *nonnulli ; complures*.

2. différent, s. m. Désaccord résultant d'une différence d'avis, d'intérêts entre les personnes. *Contentio, onis*, f. Voy. DÉMÊLÉ.

différer, v. tr. et intr. | (*V. tr.*) Eloigner l'accomplissement de qqch. *Differre*, tr. *Proferre* (pr. recular », *d'où « ajourner, remettre, différer* »), tr. Sans — (c.-à-d. sans tarder), voy. REMETTRE, RETARD, SURSEOIR. ¶ (*V. intr.*) Etre dissemblable. *Differre*, intr. *Abesse* intr. (*ab aliqua re*). — d'avis, *dissidēre*, intr (voy. DÉSACCORD).

difficile, adj. Non facile. *Difficilis, e*, adj. *Arduus, a um* (« difficile à gravir, d'ou extrêmement difficile à atteindre, difficile », adj. *Impeditus, a, um* (« plein d'embarras, difficile »), p. adj. ¶ Difficile à vivre et (*absol.*) difficile (de caractère). *Difficilis*. Difficile, c.-à-d. dégoûté, dédaigneux, *delicatus*.

difficilement, adv. D'une manière difficile. *Haud* (ou *non*) *facile Difficulter*, adv.

difficulté, s. f. Caractère de ce qui est difficile. *Difficultas, atis*, f. Il a de la — à s'exprimer, *non promptē eloquitur*. Avoir de la — à admettre qqch., *aegrē probāre aliquid*. Le premier sans —, *facile princeps*. || (Par ext.) Ce qui rend une chose difficile. *Difficultas, atis*, f. (voy. EMBARRAS). *Impedimentum, i*, n. Faire des — pour—, *cunctāri* (avec l'inf.); *dubitāre* (avec l'inf.); *gravāri* (avec l'inf.). Il n'y aura de ma part aucune —, *nihil in me erit morae*. Sans —, *commodē*, adv. Avoir des — avec qqn, voy. DÉMÊLÉ, CONTESTATION.

difficultueux, euse, adj. Enclin à soulever des difficultés. *Scrupulosus, a, um*, adj.

difforme, adj. Dont la forme (physique) présente quelque anomalie choquante. *Deformis, e*, adj. *Pravus, a, um*, adj.

difformité, s. f. Caractère de ce qui est difforme. *Deformitas, atis*, f. *Pravitas membrorum* (ou *corporis*).

diffus, use, adj. Répandu en divers sens. *Diffusus, a, um*, p. adj. *Latē effusus*. || (Fig.) Qui délaye la pensée en développements trop etendus. *Verbosus, a, um*, adj. *Diffusus* (*sermo*).

diffusément, adv. D'une manière diffuse. *Latē*, adv. *Verbosē*. adv.

diffusion, s. f. Caractère d'un style diffus. *Redundans et circumfluens oratio*.

digérer, v. tr. Rendre accessible en classant, en ordonnant. *Digerēre*, tr ¶ Elaborer un aliment. *Digerēre*, tr. *Conficēre*, tr. Qui n'a pas digéré qui digère mal, *crudus, a, um*, adj. || (Fig.) Se faire à qqch. *Concoquēre*, tr. *Devorāre* tr.

digestible, adj. Qui peut être digéré. *Facilis ad concoquendum*.

digestif, ive, adj. Qui sert à la digestion. *Aptus ad concoquendum*.

digestion, s. f. Elaboration des aliments dans l'estomac. *Digestio, onis*, f. *Concoctio, onis*, f. ¶ (Fig.) Action de se faire à qqch. de rebutant. Qui est d'une — difficile, *dificilis ad concoquendum* (ou *devorandum*).

digne, adj. Qui mérite qqch. *Dignus, a, um*, adj. (avec l'abl.). — de commander, *dignus qui imperet*. — d'être cru, de créance, *dignus cui fides habeatur*. ¶ Conforme à ce que mérite qqn. *Dignus, a, um*, adj. (avec l'abl.). (Ellipt.) Un — homme, *vir gravis (ou honestus)*.

dignement, adv. D'une manière digne. *Pro dignitate* (*laudāre aliquem*). || (Fig.) *Decorē*, adv. *Graviter*, adv. Se conduire —, *cum dignitate agēre*.

dignitaire, s. m. Personnage revêtu d'une dignité. Les —, *dignitates, um*, f. pl.

dignité, s. m. Respect que mérite qqn. *Dignitas, atis*, tr. || (P. ext.) Respect de soi-même. *Dignitas, atis*, f. *Decus, oris*, n. || Manière d'être exprimant ce sentiment. *Dignitas, atis*, f. *Gravitas, atis*, f. Plein de —, *gravis, e*, adj. Avec —, *graviter*, adv. || (Par ext.) Caractère élevé qui conserve aux choses le rang qui leur est dû. *Dignitas, atis*, f. *Gravitas, atis*, f. *Decus, oris*. n. ¶ Fonction qui donne à qqn un rang éminent. *Dignitas, atis*, f. *Honor, oris*, m. Hommes investis de hautes —, *viri clari et honorati*.

digression, s. f. Développement qu s'écarte du sujet. *Digressio, onis*, f. *Digressūs, ūs*, m. Faire une —, *digredi*, dép. intr.

digue, s. f. Longue construction destinée à contenir les eaux. *Agger, eris*, m *Moles, is*, f. ¶ Obstacle opposé à ce qui tend à sortir des bornes. *Claustra, orum*, n. pl.

dilapidation, s. f. Action de dilapider. Voy. DISSIPATION.

dilapider, v. tr. Dissiper par des dépenses désordonnées (des biens dont on a la gestion): *Dilapidāre*, tr. *Profundĕre*, tr.

dilatation, s. f. Action de dilater, état de ce qui est dilaté. *Inflatio, onis*, f.

dilater, v. tr. Opérer l'extension d'un corps élastique. *Extendĕre*, tr. *Laxāre*, tr. Se —, *dilatari*, pass.: *distendi*, pass. || (Fig.) Donner de l'expansion. — le cœur, *diffundĕre animum*. Se — (en parl. du cœur), *diffundi*.

dilemme, s. m. Forme de raisonnement *Complexio, onis*, f.

diligemment, adv. D'une manière diligente. *Diligenter*, adv. *Accuratē*, adv.

diligence, s. f. Soin empressé. *Diligentia, ae*, f. *Sedulitas, atis*, f. Faire toutes les diligences possibles, pour..., *omnem diligentiam adhibēre ad* (et le gérondif, ou *ut* [et le subj.]); *summā ope eniti* ou *omnibus nervis contendĕre, ut...* (et le subj.). ¶ Activité soutenue dans l'exécution d'une chose. *Celeritas, atis*, f. *Industria, ae*, f. Faire —, *maturāre*, intr.; *properāre*, intr. En —, *properē*, adv.

diligent, ente, adj. Qui montre un soin empressé. *Diligens* (gén. *-entis*), p. adj. *Sedulus, a, um*, adj. Soins —, *diligentia industriaque*. ¶ Qui montre une activité soutenue dans l'exécution d'une chose. *Impiger, gra, grum*, adj.

diluvien, ienne, adj. Qui se rapporte au déluge. *Diluvialis, e*, adj. (Fig.) Pluie —, *imber maximus*.

dimanche, s. m. Le premier jour de la semaine. *Dominicus* (ou *dominica*) *dies*.

dime, s. f. Dixième partie du butin, du revenu offert aux dieux. *Decima, ae*, f. (en général au plur.). || Impôt du dixième des produits annuels. *Decima, ae*, f.

dimension, s. f. Chacune des trois directions différentes suivant lesquelles se mesure l'étendue. *Dimensio, onis*, f. ¶ Mesure d'un corps, d'une partie de l'espace suivant ces différentes directions. *Mensura, ae*, f.

diminuer, v. tr et intr. || (*V. tr.*) Rendre moindre par le retranchement d'une partie. *Minuĕre*, tr. *Imminuĕre*, tr. *Deminuĕre*, tr. ¶ (*V. intr.*) Devenir moindre par le retranchement d'une partie. *Minuĕre* se ou *minui*, pass. ou *minuĕre*, intr. *Imminui*, passif.

diminutif, ive, adj. Qui indique une diminution. *Deminutus, a, um*, p. adj. Une expression —, *deminutio, onis*, f. || Substantiv. Un — (ce qui reproduit une chose dans des proportions moindres), *parva imago*. La maison est un — de l'Etat, *domus pusilla res publica est*. || (Gramm.) *Deminutivum, i, n.*

diminution, s. f. Action de diminuer (Au propre.) *Deminutio, onis*, f. || (Par ext.) *Imminutio, onis*, f.

dinde, s. m. et f. Coq, poule d'Inde. *Gallus Indicus. Gallina Indica.*

dindon, s. m. Coq d'Inde. Voy. DINDE.

1. diner, v. intr. Prendre le principal repas de la journée. *Cenāre*, intr. — souvent *ou* ordinairement, avoir l'habitude de —, *cenitāre*, intr. Donner à — à qqn, *alicui cenam dāre*. Inviter qqn à —, *aliquem ad cenam invitāre*.

2. diner, s. m. Le principal repas de la journée. *Cena, ae*, f. ¶ (P. ext.) Les mets qui composent le diner. Voy. MANGER, METS.

dineur, s. m. Celui qui prend sa part d'un diner. Voy. CONVIVE, HOTE.

diocèse, s. m. Circonscription ecclésiastique d'un évêché ou d'un archevêché. *Dioecesis, eos et is* (acc. *in*), f.

Dioclétien, n. pr. Empereur romain. *Diocletianus, i*, m.   [*genes, is*, m.

Diogène, n. pr. Philosophe grec. *Dio-*

Diomède, n. pr. Héros grec. *Diomedes, is*, m.

Dionysiaques, n. pr. f. pl. Fêtes de Bacchus. *Dionysia, orum*, n. pl.

diplôme, s. m. Pièce officielle émanant d'un pouvoir souverain. *Diploma, matis, n.*

1. dire, v. tr. Faire connaître par le langage (ce qu'on a à communiquer à qqn). || (Par le langage parlé.) *Dicĕre*, tr. Dis-je, *inquam*. — souvent, *dictitāre*, tr. Je dis oui, *ajo*. — non, *negāre*. — que ne... pas, *negāre* (av. l'acc. et l'inf.). Je dis qu'il n'était pas malheureux, *nego eum fuisse miserum*. Ne savoir que —, *haesitāre*, intr. Personne ne dit mot, *verbum nemo facit*. || (Spéc.) Raconter un fait, une nouvelle. *Dicĕre*, tr. — un mensonge, *dicĕre mendacium*. Entendre —, *accipĕre*, tr. || Faire connaître sa volonté. *Dicĕre*, tr. Faire — à qqn (de faire telle chose), *denuntiāre*, tr. Voy. COMMANDER, ORDONNER. || Exprimer son opinion. *Dicĕre*, tr. A qui le dites-vous? *doctum doces*. Cela va sans —, *id facile intellegitur*. Qu'en dira-t-on? *Qui erit rumor populi?* Braver le qu'en-dira-t-on, *rumores vulgi spernĕre*. || Avoir une opinion, croire qqch. *Dicĕre*, tr. On eût dit que..., *diceres* (av. l'acc. et l'inf.). Se —, *secum reputāre* (av. l'acc. et l'inf.). Il se dit que..., *hoc ita statuit.*. Enoncer une objection. *Dicĕre*, tr. Mais, dira-t-on, *dicet aliquis; at enim*. || (Par anal.) Reprendre. *Dicĕre*, tr. Je n'ai rien à —, à cela, *causam nullam dico*. || (Par la parole lue, récitée, chantée.) *Dicĕre*, tr. *Recitāre*, tr. || (Absol.) Débiter. *Dicĕre*, tr. Posséder l'art de bien —, *valere dicendo*. || (Par le langage écrit.) *Dicĕre*, tr. (*ut diximus; ut supra diximus*). *Ajo*, abs. (*ut ait Plato, Homerus*). Ne rien — de qqch, de qqch., *aliquem* ou *aliquid praetermittĕre* ou *omittĕre*. || (Par un signe, une manifestation quelconque.) *Indicāre*, tr. Significāre, tr. *Loqui*, dép. intr. || (Par ext.)

Désigner, nommer. *Dicĕre*, tr. Se — citoyen, *ferre se civem.* Se — médecin, *medicum se profitēri.* ¶ Rendre plus ou moins bien la pensée par l'expression. *Dicĕre*, tr. Bien disant, *disertus.* Mots qui ne se disent plus, *obsoleta verba.* || (Spéc.) Faire entendre plus ou moins clairement qqch. par les paroles dont on se sert. *Dicĕre*, tr. Pour ainsi —, *ut ita dicam.* Ou pour mieux —, *vel potius.* C'est tout —, *ut uno verbo complectar.* C'est-à-dire, *id est.* Qu'est-ce à —? *quid hoc rei est?* Que veut — cela? *quid sibi vult res?* Soit dit entre nous, *hoc inter nos liceat dicĕre ;* ou simpl. *hoc inter nos sit.* Ce n'est pas à — que..., *non continuo...* Vouloir —, *significāre,* tr. || (Par ext.) Se faire comprendre, goûter de qqn. Cela ne me dit rien, *hoc mihi nullo modo placet.* Si le cœur vous en dit, *si hoc tibi cordi est.*

2. **dire**, s. m. Ce que qqn dit. *Dictum, i,* n. || (Spéc.) Ce que qqn dit pour exprimer son opinion. Au — d'Aristote, *ut ait Aristoteles.* Au — des connaisseurs, *eruditorum arbitratu* (ou *judicio*).

direct, *ecte*, adj. Qui va droit au but. *Rectus, a, um,* adj. *Directus, a, um,* adj. **directement**, adv. D'une manière directe. *Directē*, adv. *Rectē*, adv. || (P. ext.) S'adresser à qqn (sans prendre aucun intermédiaire), *ad ipsum adire; cum ipso loqui.*

directeur, *trice*, s. m. et f. Celui, celle qui dirige. *Praefectus, i,* m. *Magister, tri,* m. *Rector, oris,* m. *Reetrix, tricis,* f.

direction, s. f. Action de diriger. *Administratio, onis,* f. *Cura, ae,* f. *Curatio, onis,* f. *Gubernatio, onis,* f. Charger qqn de la — de la guerre, *praeficĕre aliquem bello gerendo.* Avoir la — de, *administrāre,* tr.; *curāre,* tr.; *regĕre,* tr. (voy. DIRIGER); *praeesse,* intr. Etre sous la —, *regi,* pass. ¶ Ligne de conduite qu'on suit. *Ratio, onis,* f. || Ligne droite suivant laquelle un corps se meut ou est disposé. *Regio, onis,* f. Placé dans une — différente, *diversus, a, um,* p. adj. Faire changer de —, *deflectĕre* Dans la — du nord, *ā septentrionibus.* Dans la — de (avec mouv.) *ad,* prép. (av. l'acc.).

diriger, v. tr. Faire fonctionner suivant une certaine ligne de conduite. *Regĕre,* tr. *Administrāre,* tr. *Curāre,* tr. — les opérations militaires, *bellum gerĕre.* — l'Etat, *tenēre rem publicam.* ¶ Faire mouvoir dans un certain sens, vers un but déterminé. *Dirigĕre,* tr. *Regĕre,* tr. — les vaisseaux vers le rivage, *agĕre naves in litus.* — sa course, se — vers Modène, *dirigĕre iter ad Mutinam.* Se —, *tendĕre,* intr.; *contendĕre* (*aliquo,* qq. part), intr. Etre dirigé, *vergĕre,* intr. || (Par anal.) Diriger (ses regards) vers... *Adjicĕre* ou *conjicĕre* (*oculos in aliquem*). || (Au fig.) Tourner vers un but. *Vertĕre,* tr. *Adver-*

tĕre, tr. *Convertĕre,* tr. (*ad* av. l'acc.) *Dirigĕre,* tr. (*suas cogitationes ad aliquid*). *Intendĕre,* tr. (*mentem* ou *animum in aliquid*).

discernement, s. m. Action de séparer ce qui est confondu parmi d'autres choses. *Delectūs, ūs,* m. ¶ Action de distinguer qqch. par le regard. Voy. DISCERNER. ¶ Action de distinguer qqch. par la pensée *Dijudicatio, onis,* f. Absol. Esprit de —, *discrimen, inis,* n. || (Par ext.) Action de discerner, *Judicium, ii,* n. Manque de —, *imprudentia, ae,* f. Avec — *diligenter,* adv.; *cautē,* adv. Sans —, *imprudenter,* adv.

discerner, v. tr. Distinguer qqch. par les sens. *Discernĕre,* tr. ¶ Distinguer (qqch.) par la pensée. *Discernĕre,* tr. *Dijudicāre,* tr.

disciple, s. m. Celui qui suit les leçons d'un maître. *Discipulus, i,* m. *Auditor, oris,* m. Etre le — de qqn, *audīre aliquem.*

disciplinable adj. Qui peut être discipliné. *Docilis, e,* adj.

discipline, s. f. Règle de subordination imposée aux membres d'un corps. *Disciplina, ae,* f. (surt. en parl. de la discipline militaire). || Règle imposée par qqn. *Disciplina, ae,* f. Prendre qqn sous sa —, *aliquem regendum suscipĕre.*

discipliner, v. tr. Accoutumer à la discipline. — des soldats, des troupes, *disciplinae assuefacĕre milites.* Discipliné, *docilis, e,* adj. Une armée bien, mal disciplinée, *milites bonā, malā disciplinā instituti.* || (Fig.) Régler. *Moderāri,* dép. tr.

discontinuation, s. f. Action de discontinuer. *Intermissio, onis,* f. *Interpellatio, onis,* f.

discontinuer, v. tr. et intr. || *V. tr.* Ne pas continuer. *Intermittĕre,* tr. Ne pas — un seul instant de..., *pergĕre* (av. l'inf.). ¶ *V. intr.* Cesser. Voy. ce mot. Sans —, *sine intermissione.*

disconvenance, s. f. Rapport de deux choses qui ne se conviennent pas. *Discrepantia, ae,* f.

disconvenir, v. intr. Ne pas convenir à qqn, à qqch. *Non convenīre in aliquem. Abhorrēre* (*ab aliquā re*). ¶ Ne pas convenir (de qqch.). Ce dont personne ne saurait —, *quod nemo eat infitias.* Je n'en disconviens pas, *non nego; non diffiteor.*

discordance, s. f. Caractère discordant. *Discrepantia, ae,* f. La — des sons, *absurdi soni.*

discordant, *ante*, adj. Qui présente un désaccord choquant. *Discrepans* (gén. *-antis*), p. adj. *Discordans* (gén. *-antis*), p. adj. || Voix —, *vox absona* (*absurda, dissona*).

discorde, s. f. Dissentiment profond qui arme des personnes les unes contre les autres. *Discordia, ae,* f. *Dissensio, onis,* f.

discoureur, *euse*, s. m. et f. Celui, celle qui aime à discourir. *Loquax* (*homo*). *Loquax* (*mulier*).

discourir, v. intr. Parler, s'entretenir de choses diverses. *Sermonem habēre* ou *conferre* (*cum aliquo*). ¶ Parler en s'étendant sur un sujet, en en traitant les diverses parties. *Disserēre* (*cum aliquo de aliquā re*).

discours, s. m. Ce qu'on dit d'une manière suivie. ‖ Ce qu'on dit en conversation *et spéc.* ce qu'on dit (par opposition à ce qu'on fait, à ce qu'on pense). *Sermo*, *onis*, m. *Verba*, *orum*, n. pl. ‖ Développement oratoire. *Oratio*, *onis*, f. *Contio*, *onis* (« discours public »). f. Prononcer un —, *orationem habēre* (ou *verba facēre*). ¶ La suite des mots, des phrases qui forment le langage écrit *ou* parlé. *Sermo*, *onis*, m. *Oratio*, *onis*, f. ‖ (Gramm.) Partie du discours, *pars orationis*.

discrédit, s. m. Diminution de la confiance dont jouit qqn. *Fides affecta* (ou *afflicta*). *Imminuta auctoritas*. Tomber dans le —, voy. DISCRÉDITER.

discréditer, v. tr. Décréditer (qqn). *Fidem* (*alicujus*) *minuēre*. *In invidiam adducēre aliquem*. Etre discrédité, *in invidiā esse*.

discret, *ète*, adj. Qui se conduit avec discernement. *Verecundus*, *a*, *um*, adj. ¶ (P. ext.) Qui ne fait que ce qu'il convient de faire. *Moderatus*, *a*, *um*, p. adj. — dans ses demandes, *verecundus in postulando*. Conduite — *verecundia*, *ae*, f. ¶ Qui ne dit que ce qu'il convient de dire, qui sait garder un secret. *Tacitus*, *a*, *um*, adj. ‖ (P. ext.) En parl. des choses. *Tacitus*, *a*, *um*, adj.

discrètement, adv. D'une manière discrète. *Modestē*, adv. *Verecundē*, adv. Parler — de qqch., *uti moderatione dicendi de aliquā re*. Garder — (un secret), (*aliquid*) *tacitē habēre*.

discrétion, s. f. Réserve de celui qui ne fait que ce qu'il convient de faire. *Modestia*, *ae*, f. *Pudor*, *oris*, m. *Verecundia*, *ae*, f. Avec —, *pudenter*, adv. ‖ Réserve de celui qui ne dit que ce qu'il convient de dire. *Taciturnitas*, *atis*, f. Montrer de la —, *aliquid tacitum tenēre*. ¶ Pouvoir de décider. *Arbitrium*, *ii*, n. Remettre à la — de, *permittēre*, tr. Recevoir qqn à —, *aliquem in deditionem accipēre* (ou *recipēre*). ‖ (Par ext.) Avoir de qqch. à sa discrétion, *aliquā re abundāre*. A —, *affatim*, adv. Etre à —, *suppetēre*, intr.

disculper, v. tr. Prouver que qqn est inculpé à tort. ‖ (Comme n'ayant pas fait ce dont il est inculpé.) *Liberāre* (*aliquem*) *culpā*. Se —, *purgāre se*. Se — de qqch., *purgāre aliquid*. ¶ (Comme n'étant pas condamnable pour ce qu'il a fait.) *Excusāre* (*aliquem de aliquā re*). Se — de qqch. auprès de qqn, *se alicui purgāre de aliquā re*.

discussion, s. f. Action de discuter. *Disputatio*, *onis*, f. *Disceptatio*, *onis*, f. *Sermo*, *onis* (« conversation savante, discussion »), m. Qui prête à la —, *controversiosus*, *a*, *um*, adj. ¶ (Par ext.) Contestation. *Riza*, *ae*, f. *Altercatio*, *onis*, f. Avoir une — avec qqn, *altercāri cum aliquo*.

discuter, v. tr. Examiner une question en agitant le pour et le contre. *Disputāre*, intr. *Disserēre*, tr. et intr. — sur qqch., *disserēre de aliquā re* Discuté, *controversus*, *a*, *um*, p. adj. ¶ (En parl. de plus. pers. divisées d'opinions.) Echanger des arguments sur un sujet. *Concertāre*, intr. *Disceptāre*, intr.

disert, *erte*, adj. Qui parle avec une facilité agréable. *Disertus*, *a*, *um*, p. adj.

disette, s. f. Rareté des choses nécessaires. *Penuria*, *ae*, f. *Egestas*, *atis*, f. *Inopia*, *ae*, f.

diseur, *euse*, s. m. et f. Celui, celle qui dit habituellement certaines choses. Un — de bonne aventure, *divinus*, *i*, m ; *hariolus*, *i*, m. Une — de bonne aventure, *divina*, *ae*, f. — de bons mots, *homo dicax*.

disgrâce, s. f. Perte des bonnes grâces, de la faveur de qqn. *Offensa*, *ae*, f. *Offensio*, *onis*, f. ‖ (Fig.) Perte de la faveur, de la fortune. *Calamitas*, *atis*, f. *Malum*, *i*, n.

disgracier, v. tr. Priver des bonnes grâces, de la faveur de qqn. *Abalienāre aliquem* (ou *voluntatem alicujus*) *ab aliquo*. Etre disgracié, *venire* (ou *incurrēre*) *in odium alicujus*. ‖ (Fig.) Il est disgracié de la nature (au physique), *naturam maleficam nactus est in corpore fingendo* (au moral), *naturam minus fautricem habuit in tribuendis ingenii bonis*.

disgracieusement, adv. D'une manière disgracieuse. *Sine venustate et lepore*.

disgracieux, *euse*, adj. Non gracieux. *Indecorus*, *a*, *um*, adj. *Ingratus*, *a*, *um*, adj. *Invenustus*, *a*, *um*, adj.

disjoindre, v. tr. Ecarter les unes des autres (des parties jointes entre elles). *Dissolvēre*, tr.

dislocation, s. f. Déplacement, séparation violente de parties jointes. *Distractio*, *onis*, f. Spéc. — d'un membre, voy. LUXATION. — d'un empire, *dissolutio imperii*.

disloquer, v. tr. Déboîter, luxer. *Dissolvēre*, tr. *Luxāre*, tr. ‖ (Fig.) Disloquer un empire, voy. DÉMEMBRER. — une armée, *copias in varias regiones distribuēre*.

disparaître, v. intr. Cesser d'être visible. *Evolāre e conspectu*. *Ex oculis* (ou *e conspectu*) *abire*. Faire —, *removēre ex conspectu*. ‖ En parl. de choses soustraites, dérobées. *Auferri*, pass. *Tolli*, pass. ‖ (Fig.) *Obscurāri*, pass.

Faire —, *obscurāre*, tr. ¶ Cesser d'être. || (En étant détruit, supprimé.) *Esse desinĕre. Evanescĕre*, intr. *Abīre*, intr. || (En mourant.) *Perīre*, intr.

disparate, adj. m. et f. Qui offre une dissemblance choquante avec ce qui l'entoure. *Dissentaneus, a, um*, adj. || *Subst. m. et f.* Dissemblance choquante d'une chose avec ce qui l'entoure. *Inaequalitas, atis*, f.

disparité, s. f. Défaut de parité. *Inaequalitas, atis*, f.

disparition, s. f. Le fait de disparaître. *Fuga, ae*, f. La — d'une coutume, *consuetudo sublata*, — d'une secte, *exstincta secta*.

dispendieux, *euse*, adj. Qui donne lieu à de grandes dépenses. *Sumptuosus, a, um*, adj.

dispensateur, *trice*, s. m. et f. Celui, celle qui donne à chacun sa part en distribuant des biens. *Largitor, oris*, m. (Fig.) Qui (quae) *tribuit aliquid*.

dispensation, s. f. Action de donner à chacun sa part. *Dispensatio, onis*, f.

dispense, s. f. Autorisation spéciale exemptant de certaines charges *ou* obligations. *Immunitas, atis*, f. *Vacatio, onis*, f. (spéc. « disp. de service militaire »).

dispenser, v. tr. Autoriser (qqn) à enfreindre une défense ecclés. *et par ext.* faire remise des infractions à la règle. *Remissionem* (ou *veniam*) *dare*. ¶ Autoriser à faire qqch. Voy. AUTORISER. || Autoriser à ne pas faire qqch. — qqn du service militaire, *alicui dare vacationem militiae*. Etre dispensé, excusāre, intr. Dispensé, *immunis, e*, adj. Se — de, *supersedēre*, tr. (av. l'inf.); *omittĕre*, tr. (av. l'inf.) Je ne puis me — de faire. —, *non possum non facĕre…* ¶ Donner à chacun sa part. *Dispensāre*, tr.

disperser, v. tr. Séparer en les poussant, en les faisant aller de divers côtés (des choses, des personnes qui étaient réunies). *Dispergĕre*, tr. *Dissipāre*, tr. — les vaisseaux (en parl. d'un coup de vent), *disjicĕre naves* (ou *classem*). (Soldats) dispersés en désordre, *sparsi et dissipati*. — et mettre en fuite, *fundĕre atque fugāre*. Dispersé, *dissipatus, a, um*, p. adj.; *dispersus, a, um*, part.; *dejectus, a, um*, part. Se —, *dissipari*, pass.; *dilabi passim*; *diffugĕre*, intr.

dispersion, s. f. Action de disperser. *Distractio, onis*, f. || Le fait d'être dispersé. *Dissipatio, onis*, f.

disponible, adj. Dont on a la disposition, l'emploi libre. *Cujus copia* (ou *potestas*) *est. Paratus, a, um*, p. adj. *Promptus expositusque*. Etre —, *praesto esse, in promptu esse*.

dispos, adj masc. Qui est en bonne disposition, en bon état pour agir. *Alacer, cris, cre*, adj. *Promptus, a, um*, p. adj. *Expeditus, a, um*, p. adj.

disposer, v. tr. et intr. || *V. tr.* Poser, établir (les choses) de la manière qui convient, en vue d'une destination. *Disponĕre*, tr. *Collocāre*, tr. *Instruĕre*, tr. || Mettre (qqn) dans l'état qui convient pour ce qu'il doit faire. *Componĕre*, tr. *Parāre*, tr. (*se ad iter, se ad dicendum.* se d. à partir, à dire). *Comparāre*, tr. (*c. se ad aliquid*). Disposé (de telle *ou* telle manière), *affectus, a, um*, p. adj.; *animatus, a, um*, p. adj. *inclinatus, a, um*, p. adj. Esprit — au soupçon, *inclinatae ad suspicionem mentes*. Bien — à l'égard de qqn, *bene animatus erga aliquem*. Mal —, *male affectus*. Tout disposé à, *promptus, a, um*, adj. (*ad aliquid*). Etre disposé à, *inclināre*, intr.; *vergĕre*, intr. (*ad aliquid*). Si vous êtes disposé, *si audes ou sodes*. Se — à, *parāre* (av. l'inf.). ¶ *V. intr.* Faire ce qu'on veut de qqch., de qqn. *Uti*, dép. intr. (*utere me*, disposez de moi). *Moderāri*, dép. intr. || (Par ext.) Pouvoir faire ce qu'on veut de qqch., en avoir le libre emploi. Voy. DISPOSITION. Dont on peut disposer, *promptus, a, um*, adj. || Décider au sujet de qqch. Voy. DÉCIDER, RÉSOUDRE.

disposition, s. f. Manière dont qqch. est disposé en vue d'une destination. *Dispositio, onis*, f. || (Spéc.) Etat de corps *ou* d'esprit où se trouve qqn pour faire qqch. *Affectio, onis*, f. (*affectio animi ou abs. affectio*). *Habitus, ūs*, m. *Habitus, ūs*, m. — naturelles, *indoles, is*, f.; *ingenium, ii*, n, — d'esprit, *animus, i*, m.; *inclinatio, onis*, f.; *voluntas, atis*, f. Ayant éprouvé les — de Metellus, *explorata Metelli voluntate*. — favorable, *benevolentia, ae*, f. — cont aire, *aliena voluntas*. Mettre dans telle ou telle —, *afficĕre*, t. (surt. au part. passé empl. adjectiv.; ex. : *cum simus ita mente affecti*, quand nous sommes dans de telles disp. d'esprit); *animāre*, tr. (au passif : « être dans telle *ou* telle disposition »). || (Par anal.) Etre en disposition de faire qqch., *sic esse affectum, ut…* (av. le subj.). ¶ (Par ext.) Manière d'être naturelle qui rend propre à faire qqch. *Indoles, is*, f. *Facilitas, atis*, f. *Proclivitas, atis*, f. Avoir des — à qqch., *ad aliquid proclivem esse*. N'avoir aucune — pour, *abhorrēre ab aliquo re*. ¶ Disposition, c.-à-d. préparatif. Voy. PRÉPARATIF. ¶ (Fig.) Ce qui est posé, établi par qqn; volonté expresse, décision. Voy. VOLONTÉ, DÉCISION. Par — testamentaire, *testamento*. ¶ Pouvoir de faire ce qu'on veut de qqch. *Arbitrium, ii* (« libre disposition »), n. *Facultas, atis*, f. *Potestas, atis*, f. Se mettre à la — de qqn., *facĕre sui potestatem alicui*. Mettre qqch. à la disposition de qqn, *subjicĕre aliquid alicui*; *commodāre ali quid alicui*. Etre à la — de qqn, *praesto esse alicui*; *in promptu esse alicui*. Avoir à sa — (*aliquid*) *in promptu habére*. Qui est à la — de, *promptus, a, um*, adj.

disproportion, s. f. Manque de proportion entre deux *ou* plusieurs choses. *Inaequalitas, atis*, f.

disproportionner, v. tr. Rendre non proportionné (à une chose). (*Aliquid*) *impar ou inaequale reddére (alicui rei)*. Etre —, *imparem esse (alicui rei); esse majus quam pro (aliquâ re)*.

dispute, s. f. Lutte d'opinion sur un point de doctrine entre deux *ou* plusieurs personnes. *Disputatio, onis*, f. *Controversia, ae*, f. *Concertatio, onis*. f. Etre en —, voy. DISPUTER. ¶ Lutte violente entre deux *ou* plusieurs personnes. *Altercatio, onis*, f.; *Jurgium, ii*, n. *Rixa, ae*, f.

disputer, v. intr. et tr. || *V. intr.* Engager une lutte d'opinions sur un point de doctrine. *Disputâre*, intr. *Concertâre*, intr. *Litigâre*, intr. *Digladiâri*, dép. intr. ¶ (Par ext.) Lutter pour la possession d'une chose à laquelle un autre prétend. || *V. intr.* Disputer de qqch. avec qqn. *Litigâre*, intr. *Certâre*, intr. *Concertâre*, intr. || *V. tr.* Disputer qqch. à qqn. *Certâre (ou concertâre) cum aliquo de aliquâ re. Contendère cum aliquo de aliquâ re*. Le disputer à.., *provocâre*, tr. Affaire vivement disputée, *res per summam contentionem acta*. ¶ *V. intr.* Engager une lutte de paroles violentes avec qqn. *Altercâri*, dép. intr. *Rixâri*, dép. intr. || (Néol.) Se disputer avec qqn. Voy. (se) QUERELLER.

disputeur, s. m. Celui qui aime à disputer. *Certandi (ou concertandi) cupidus. Rixator, oris*, m.

disque, s. m. Lourd palet de forme circulaire. *Discus, i*, m. ¶ Ce qui offre l'apparence d'une surface circulaire. *Orbis, is*, m.

dissection, s. f. Opération par laquelle on dissèque. *Sectio (mortuorum)*.

dissemblable, adj. Qui n'est point semblable à une personne, à une chose, bien qu'ayant des traits communs avec elle. *Dissimilis, e*, adj. (*alicujus ou alicui*).

dissemblance, s. f. Caractère de ce qui est dissemblable à une personne, à une chose. *Dissimilitudo, dinis*, f.

dissémination, s. f. Action de disséminer. *Diffusio, onis*, f.

disséminer, v. tr. Mettre (des personnes, des choses) à distance les unes des autres, dans un espace étendu. *Spargère*, tr. *Dispergère*, tr. *Dissipâre*, tr. Constructions disséminées, *disjecta aedificia*.

dissension, s. f. Division profonde de sentiments, d'opinions, d'intérêts. *Dissensio, onis*, f. Etre en — avec qqn, *dissentîre (ou dissidére) ab aliquo (ou cum aliquo)*.

dissentiment, s. m. Différence dans

la manière de voir, de juger. *Dissensio, onis*, f. Etre en — avec qqn, *dissentîre (ou dissidére) ab aliquo (ou cum aliquo)*.

disséquer, v. tr. Diviser méthodiquement les parties d'un corps organisé, pour en étudier la structure intérieure. *Aperire corpora*.

dissertation, s. f. Développement sur une question. *Disputatio, onis*, f.

disserter, v. intr. Présenter un développement sur une question. *Disserère de (aliquâ re)*.

dissidence, s. f. Etat de celui qui s'est séparé d'une communion religieuse, d'une école philosophique, politique. *Dissensio, onis*, f. *Discessio, onis*, f. Les dissidents, *qui dissident (a sectâ, a religione)*.

dissimulateur, s. m. Voy. DISSIMULER.

dissimulation, s. f. Action de dissimuler. *Dissimulatio, onis*, f. Avec —, en usant de —, *dissimulanter*, adv. User de —, voy. DISSIMULER. Sans —, *verê*, adv.; *sincerê*, adv.

dissimuler, v. tr. Ne pas laisser paraître ses véritables sentiments. *Dissimulâre*, tr. *Celâre*, tr. *Abscondère*, tr. Air dissimulé, *vultus ficti simulatio*. En dissimulant, *dissimulanter*, adv. Sans —, *non dissimulanter; apertissimê*. Dissimulé (en parl. de choses). *dissimulatus, a, um*, p. adj. Dissimulé (en parl. de pers.), *dissimulator; obscurus homo; homo tectus et occultus*. ¶ Ne pas montrer à l'esprit les choses telles qu'elles sont. *Dissimulâre*, tr. *Occultâre*, tr. *Tegère*, tr. || Se dissimuler qqch., c.-à-d. ne pas voir les choses telles qu'elles sont. Je ne me — pas qu'il y a bien des espèces de style, *neque me fallit quam multa sint et quam varia genera dicendi*. ¶ Ne pas laisser voir (aux yeux) les choses telles qu'elles sont. *Dissimulâre*, tr. *Contegère*, tr. *Obtegère*, tr. L'ennemi dissimule sa marche, *hostis fallit incedens*.

dissipateur, s. m. et f. Celui qui dissipe le bien dont il a la disposition. *Helluo, onis*, m. *Decoctor, oris*, m.

dissipation, s. f. Action de dissiper de l'argent, du bien. *Effusio, onis*, f. ¶ (Fig.) Action de laisser aller son esprit aux distractions. Voy. DISTRACTION.

dissiper, v. tr. Anéantir en dépensant (pr. et fig.). *Discutère*, tr. *Depellère*, tr. (seul. au fig. : *d. alicui metum ou timorem*). *Expellère*, tr. (seul. au fig. : *omnem dubitationem*, toute incertitude). Se —, *vanescère*, intr.; *evanescère*, intr.; *dilabi*, dép. intr. ¶ (Par anal.) Anéantir par de folles dépenses. *Dissipâre*, tr. (*patrimonium*). *Effundère*, tr. *Profundère*, tr. || (Fig.) Laisser aller son esprit aux distractions. *Distrahère*, tr. *Avocâre*, tr. *Distringère*, tr. || Dépenser le temps en frivolités. Un homme dissipé, *luxuriosus homo*.

dissolu, ue, adj. Dont les mœurs sont relâchées. *Dissolutus, a, um,* p. adj. *Luxuriosus, a, um,* adj. Mener une vie —, *luxuriosē* (ou *intemperatē*) *vivere*.

dissolution, s. f. Action de dissoudre, état de ce qui est dissous. *Solutio, onis,* f. *Dissolutio, onis,* f. Tomber en —, *solvi* (ou *dissolvi*); *tabescere,* intr. Qui tombe en —, *tabidus, a, um,* adj. ¶ (Fig.) La — d'un mariage, *matrimonii rescissio.* ¶ Etat dissolu. *Luxuria, ae,* f. *Intemperantia libidinum.*

dissolvant, ante, adj. Qui a la propriété de dissoudre. *Discussorius, a, um,* adj.

dissonance, s. f. Réunion de sons dissonants. *Dissonum aliquid.*

dissonant, ante, adj. Qui forme une harmonie peu agréable à l'oreille. *Absurdus, a, um,* adj. *Discrepans* (gén. *-antis*), p. adj.

dissoudre, v. tr. Désorganiser un corps en faisant cesser la cohésion de ses parties. *Dissolvere.* tr. *Resolvere,* tr. Qui peut se —, *dissolub ilis, e,* adj. ¶ (Spéc.) Désorganiser un corps solide au moyen d'un liquide. *Dissolvere,* tr. Faire —, *putrefacere,* tr. Se —, *coliquefieri,* pass.; *tabescere,* intr. ¶ (Au fig.) Défaire le lien qui unit des personnes. *Dissolvere,* tr. *Distrahere,* tr.

dissuader, v. tr. Essayer de détourner (qqn) d'une chose. *Dissuadēre (ne quis faciat aliquid). Monēre aliquem (ne faciat aliquid). Deterrēre aliquem (a scribendo* ou *ne aliquid faciat). Dehortāri aliquem (ne faciat aliquid).*

distance, s. f. Longueur de l'intervalle qui sépare une chose d'une autre chose dans l'espace. *Intervallum, i,* n. *Spatium, ii,* n. Etre à (telle ou telle) distance, *abesse,* intr.; *distare,* intr. A une — de a ou *ab,* prép. (av. l'abl.). A une grande —, voy. LOIN. || (Spéc.) Espace libre que doivent laisser entre eux les hommes d'une troupe en marche. *Intervallum, i,* n. Tenir qqn à —, *submovere* (ou *arcēre*) *aliquem.* || (Fig.) Degré de séparation que l'inégalité met entre des personnes *ou* des choses. *Intervallum, i,* n. Etre à une grande — de, *longe abesse ab...* (av. l'abl.); *plurimum distāre ab...* (av. l'abl.). A une grande —, voy. LOIN. ¶ Longueur de l'intervalle qui sépare une chose d'une autre chose dans le temps. *Intervallum, i,* n.

distancer, v. tr. Voy. DÉPASSER

distant, ante, adj. Séparé (de qqch.) par une distance. *Distans* (gén. *-antis*), p. adj. Voy. ÉLOIGNÉ. Etre —, *distāre,* intr.; *abesse,* intr.

distiller, v. tr. et intr. || (*V. tr.*) Laisser écouler goutte à goutte (un suc qu'on produit). *Stillāre,* tr. ¶ Purifier (une substance en vaporisant la partie volatile et en la condensant). *Decoquere,* tr. || (P. ext.) Tirer une substance d'une autre en distillant la partie essentielle de celle-ci. *Decoquere,* tr. || (P. anal.).

Elaborer certains sucs. Distiller le miel, *mel facere.* ¶ (*V. intr.*) Couler goutte à goutte. *Stillāre,* intr.

distinct, incte, adj. Marqué avec un caractère qui empêche de le confondre avec qqch. d'analogue. *Separatus, a, um,* p. adj. Sons —, *soni distincti.* D'une manière —, *distinctē,* adv. ¶ Qui se perçoit nettement. *Clarus, a, um,* adj. *Expressus, a, um,* p. adj. *Explanatus, a, um,* p. adj.

distinctement, adv. D'une manière distincte. *Clārē,* adv. *Distinctē,* adv. Voir, saisir — (les choses), *cernere* and *vidēre; perspicere,* tr. Entendre —, *exaudire,* tr.

distinctif, ive, adj. Qui sert à reconnaître une personne, une chose de tout ce qui n'est pas elle. *Proprius, a, um,* adj. *Singularis, e,* adj. *Insignis, e,* adj.

distinction, s. f. Action de distinguer : état de ce qui est distingué. *Distinctio, onis* (« action d'établir une différence »), *Discrimen, inis* (« état de ce qui est distingué, différence »), n. Faire une —, voy. DISTINGUER. || (Par ext.) Marque honorifique instituée pour récompenser le mérite. *Ornamentum, i,* n. || Distinction des manières. *Elegantia, ae,* f.

distinguer, v. tr. Faire reconnaître (une personne, une chose) d'une autre par quelque trait. *Distinguere,* tr. (*vera a falsis*). *Discernere,* tr. (*aliquid ab aliquā re*). *Secernere,* tr. (*aliquid ab aliquo*). Se —, *differre,* intr.; *interesse,* intr. ¶ (Spéc.) Mettre qqn à part des autres par quelque trait de supériorité. *Secernere,* tr. Se —, *excellere,* intr.; *eminēre,* intr.; *praestāre,* intr. (*alicui aliquā re,* de qqn par qqch.). Distingué, *spectatus, a, um,* p. adj.; *splendidus, a, um,* adj.; *eximius, a, um,* adj. D'une manière distinguée, *egregiē,* adv. || Mettre qqn à part des autres par des égards particuliers. *Aliquem ornāre* (ou *in honore habēre*). || Laisser voir une inclination particulière pour qqn. *Aliquem diligere* ou *unicē diligere.* ¶ Reconnaître (une personne, une chose) d'une autre par qq. trait. *Dinoscere,* tr. *Internoscere,* tr. ¶ Percevoir d'une manière distincte. *Dispicere,* tr.

distique, s. m. Réunion d'un hexamètre et d'un pentamètre. *Distichon, i,* n.

distraction, s. f. Etat de l'esprit qui est distrait. *Animus vagus.* Les distractions, *ea, quae avocant* (*animum*). Donner des — à qqn, *avocare aliquem* (ou *animum alicujus*). || (P. ext.) Amusement qui détourne l'âme des préoccupations, qui délasse l'esprit. *Animi relaxatio* (ou *remissio*).

distraire, v. tr. Détourner. — une somme (de l'emploi qui lui est assigné), *avertere pecuniam.* — l'esprit de ce à quoi il est occupé, *abstrahere* (*aliquem a negotiis*); *distinēre* (ou *distringere* aliquem. Avoir l'esprit distrait, être distrait, se —, *sevocāre mentem ab oculis; aliud* (ou *aliena*) *agěre.* || (P. ext.) Détourner de ce qui préoccupe, délasser par qq. amusement. *Animum alicujus* (*a curā* ou *a sollicitudine*) *abducěre.* Se —, *animum relaxāre* ou *remittěre.*

distraitement, adv. D'une manière distraite. *Imprudenter*, adv.

distribuer, v. tr. Diviser entre plusieurs en donnant une part à chacun. *Distribuěre*, tr. *Dividěre*, tr. (*aliquid alicui*). ¶ (Par ext.) Diviser en donnant à chaque partie la place, la destination qui convient. *Dispensāre*, tr. *Disponěre*, tr. *Digerěre*, tr.

distributeur, s. m. Celui, celle qui distribue qqch. *Divisor, oris,* m.

distribution, s. f. Action de distribuer. || (Entre plusieurs personnes.) *Partitio, onis,* f. *Largitio, onis,* f. *Assignatio, onis,* f. Faire une —, voy. DISTRIBUER. ¶ (Entre plusieurs lieux.) *Distributio, onis,* f. *Descriptio, onis,* f.

dithyrambe, s. m. Poème lyrique en l'honneur de Bacchus. *Dithyrambus, i,* m. [jour. *Diurnus, a, um,* adj.

diurne, adj. Qui a lieu pendant le

divagation, s. f. Action d'aller de côté et d'autre hors du lieu où on doit se tenir. *Discursùs, ūs,* m. *Concursatio, onis,* f. ¶ (Fig.) Action de l'esprit qui va de côté et d'autre en dehors du sujet. *Deliratio, onis,* f.

divaguer, v. intr. Laisser aller sa pensée hors des limites de la raison. *Vagāri et excurrěre.*

divergence, s. f. Etat de ce qui diverge. Fig. — d'opinion, *varietas et dissensio.*

divers, *erse*, adj. Qui présente plusieurs aspects, plusieurs caractères différents. *Varius, a, um,* adj. *Multiplex* (gén. *-plicis*), adj. ¶ (Au plur.) En parl. de choses que l'on compare, qui présentent chacune un caractère différent. *Varius, a, um,* adj. On fit la guerre avec des chances —, *variè bellatum est.* ¶ (Au plur.) *Adj. déterm.* (Se place avant le subst.) Plusieurs (personnes ou choses) de nature, de caractère différent. *Nonnulli, ae, a,* adj. *Complures, a,* adj. plur.

diversement, adv D'une manière diverse. *Variè*, adv. *Non uno modo.* ¶ De diverses manières. *Variè*, adv. *Diversè*, adv.

diversifier, v. tr. Rendre divers. *Variāre*, tr. *Distinguěre*, tr. Diversifié. *varius, a, um,* adj. Se —, *variari*, pass.

diversion, s. f. Action qui détourne. || Opération militaire ayant pour but de détourner l'ennemi d'un point qu'il attaque. Faire une —, *hostem distiněre* ou *distrahěre* ou *hostes distringěre.* ¶ Action qui détourne l'esprit, le cœur de ce qui le fatigue, le préoccupe, vers qq. autre

objet. *Avocatio, onis,* f. *Aberratio, onis,* f. Faire — aux soucis, aux chagrins, *animum a curis avocāre* (ou *abducěre*).

diversité, s. f. Caractère de ce qui est divers. *Varietas, atis,* f. La — des opinions, *varietas et dissensio.*

divertir, v. tr. Détourner de ce qui occupe. *Distrahěre*, tr. (*aliquem a negotiis*). *Avocāre*, tr. (*aliquem ab aliquā re*). ¶ (P. ext.) Distraire en récréant. *Oblectāre* (*aliquem* ou *animum alicujus*). Se —, *animum relaxāre* (ou *remittěre*). Se — aux dépens de qqn, *et* (ellipt.) se — de qqn, *aliquem pro delectamento putāre.*

divertissant, *ante*, adj. Qui distrait en récréant. *Qui* (*quae, quod*) *delectationem habet.*

divertissement, s. m. Action de détourner momentanément de ce qui occupe. *Avocatio. onis,* f. || Distraction qui récrée. *Delectamentum, i,* n. *Oblectamentum, i,* n.

dividende, s. m. Quantité à diviser par une autre. *Dividendus* (s.-e. *numerus*), i, m.

divin, *ine*, adj. Qui appartient aux dieux, à Dieu. *Divinus, a, um,* adj. *Caelestis, e,* adj. ¶ (P. hyperb.) *Fig.* Merveilleusement bon ou beau. *Divinus, a, um,* adj. Eloquence —, *loquendi divinitas.*

divination, s. f. Art, opération du devin. *Divinatio, onis,* f. || (P. hyperb.) Faculté, action de deviner. *Conjectura, ae,* f. *Praesensio rerum futurarum. Praesagitio, onis,* f.

divinatoire, adj. Qui tient à la divination. *Divinus, a, um,* adj. Art —, *divinatio, onis,* f.

divinement, adv. D'une manière divine. *Divinè*, adv. *Divinitus,* adv. || (P. hyp.) D'une manière exquise, etc. *Divinitus,* adv.

diviniser, v. tr. Revêtir du caractère divin. *Ex homine deum facěre aliquem.* — (mettre au rang des dieux), *consecrāre.* tr. Divinisé, *consecratus.*

divinité, s. f. Nature divine. *Divinitas, atis,* f. *Natura divina* ou *vis divina.* ¶ Etre divin. *Deus, i,* m. *Numen divinum.*

diviser, v. tr. Faire plusieurs parties d'un tout (au propre) *et* (par anal.) partager une quantité en quantités plus petites. *Dividěre*, tr. *Distribuěre*, tr. Absol. — une somme (entre plusieurs personnes), *dividěre aliquid compluribus.* || (Spéc.) Diviser une quantité par une autre (arithm.). *Dividěre*, tr. ¶ Mettre entre des choses, des personnes, un intervalle qui les sépare. *Dividěre*, tr. || (Spéc.) Diviser un mot. *Dividěre*, tr. ¶ (Au fig.) Faire plusieurs groupes d'un ensemble. *Dividěre*, tr. (*genus universum in species certas*). *Digerěre*, tr. ¶ Etablir entre des choses, des personnes, une séparation de direction, de destination. *Dividěre*, tr. *Diducěre*. tr. || (P. ext.) Etablir, entre des personnes une séparation d'intérêts, de sentiments. *Diridĕre*, tr. *Discordes reddĕre*. *Dissociāre*, tr. Etre divisé, *discordāre*, intr.; *distrahi*, pass. Divisé, *discors* (gén. *-cordis*), adj.

divisible, adj. Qui peut être divisé. *Dividuus, a, um*, adj. Qui (*quae, quod*) *dividi potest*.

division, s. f. Action de diviser; état de ce qui est divisé. *Divisio, onis*, f. *Distributio, onis*, f. || (Spéc.) La — (math.), *divisio, onis*, f. La — de l'Italie en onze régions, *descriptio Italiae in regiones undecim*. || Faire une — chronologique. *digĕrere in ordinem*. Absol. (Rhét.). *Divisio, onis*, f. *Partitio. onis*, f. || (Spéc.) Division de biens (partage entre vifs d'un héritage). *Divisiones patrimoniorum inter consortes*. || Faire des divisions dans un traité. *Digerĕre* (ou *dividĕre*) *in partes*. La — régulière d'un sujet. *dispositio, onis*, f. — logique d'un sujet, *distributio, onis*. f. (P. ext.) Chacune de ces parties. *Caput. pitis*. n. || (Spéc.) Dans une armée. groupe de troupes. *Pars exercitus. Legio. onis*. f. Dans une flotte : partie d'escadre. *Pars classis*. || (Fig.) La — des opinions. *distractae* (*civium*) *sententiae*. || (Spéc.) Séparation d'intérêts. de sentiments. entre deux personnes. *Distractio, onis*. f. *Dissensio. onis*. f. Mettre la — dans une.famille. voy. DÉSUNIR, DIVISER.

divorce. s. m. Dissolution légale du mariage entre les époux vivants. *Divortium. ii*. n. ¶ Rupture du lien qui attachait une chose à une autre. *Distractio, onis*, f. Voy. RUPTURE, SÉPARATION. Faire — avec qqch., voy. DIVORCER.

divorcer, v. intr. Se séparer par le divorce. *Divortium facĕre*. *Dimittĕre matrimonium*. — (en parl. du mari), *nuntium remittĕre uxori*. — (en parl. de la femme), *divortium facĕre cum marito*.

divulguer, v. tr. Porter à la connaissance d'un grand nombre de personnes. *Pervulgāre* (*rem*) Etre divulgué, *se —, vulgari; esse in vulgo*.

dix, adj. et s. m. Adjectif numéral invariable. || Adjectif cardinal. *Decem*, indécl. Dix par —, — à —, — pour chacun, *deni, as, a* (génit. plur. ord. *denum*), adj. Agé de — ans, *decem annos natus*. — fois, *deciens* (ou *decies*), adv. ¶ Adjectif ordinal. Dixième. *Decimus, a, um*, adj. ¶ La quantité formée de neuf plus un. *Decem*, indécl. Qui contient le nombre —, *denarius, a, um*, adj.

dix-huit, adj. et s. m. || Adjectif numéral invariable. || Adjectif cardinal. *Decem et octo*, indécl. *Duodeviginti*, indécl. Par —, chaque fois —, *duodeviceni, as, a*, adj. ¶ Adjectif ordinal. Dix-huit (ou dix-huitième). *Duodevi-*

cesimus, a, um, adj. ¶ La quantité formée par dix plus huit. *Duodeviginti*, indécl.

dix-huitième, adj. Qui en a dix-sept autres avant lui (dans la série). *Duodevicesimus, a, um*, adj.

dixième, adj. et s. m. || Adjectif numéral ordinal. Qui en a neuf avant lui dans une série. *Decimus, a, um*, adj. Pour la — fois, *decimum*. ¶ Adjectif numéral fractionnaire. La — partie *et s. m*. le —, *decima pars*, et absol. *decima, ae*, f.

dixièmement, adv. En dixième lieu (dans une énumération). *Decimo*, adv.

dix-neuf, adj. et s. m. Adjectif numéral invariable. *Undeviginti*, adj. plur. indécl. *Decem et novem*, indécl. — à la fois, qui sont par —, *undeviceni, ae, a*, adj.; *noveni deni*. — cents, *mille et nongenti*. Tous les — ans, *undevicesimo quoque anno*. ¶ Adjectif ordinal. Dix-neuvième. *Undevicesimus* ou *undevigesimus, a, um*, adj. ¶ S. m. La quantité formée par dix plus neuf. *Undeviginti*, ind.

dix-neuvième, adj. et s. m. || *Adjectif numéral ordinal*. Qui en a dix-huit autres avant lui (dans une série). *Undevicesimus*, ou *undevigesimus, a, um*, adj. Pour la — fois, *undevicesimum*. ¶ S. m. Le —, *undevicesima pars*.

dix-sept, adj. et s. m. Adjectif numéral invariable. .. Adjectif cardinal. *Septemdecim*, indécl. — chaque fois —, *septeni deni*. Tous les — jours, *septimo decimo quoque die*. — fois, *septies decies*. ¶ Adjectif ordinal. Dix-septième. *Septimus decimus*. ¶ S. m. La quantité formée par dix plus sept. *Septemdecim*.

dix-septième, adj. et s. m. Adjectif numéral ordinal. *Septimus decimus*. Pour la — fois, *septimum decimum*. ¶ S. m. Le —, *septima decima pars*.

dizaine, s. f. Groupe de dix unités. *Decussis, is*, m. ¶ Réunion de dix objets de même nature. *Decuria, ae*, f. || (Par ext.) Pour désigner approximativement une quantité voisine de dix. Une — de jours, *fere decem dies*.

docile, adj. Qui a de la disposition à se laisser instruire *ou* conduire. *Docilis, e*, adj.

docilement, adv. D'une manière docile. *Modestē*, adv. *Oboedienter*, adv.

docilité, s. f. Caractère de celui qui est docile. *Docilitas, atis*, f. *Oboedientia, ae*, f.

docte, adj. Savant. *Doctus, a, um*, p. adj.

doctement, adv. D'une manière docte. *Doctē*, adv.

docteur, s. m. Celui qui enseigne des choses de doctrine. *Doctor, oris*, m.

doctrine, s. f. Ensemble de notions proposées par qqn comme devant être enseignées sur une matière. *Doctrina, ae*, f. *Disciplina, ae*, f. Enseigner une —, *praecepta tradĕre*.

documest, s. m. Pièce écrite qui sert à éclairer un sujet des faits historiques, judiciaires, etc. *Litterae*, *arum*, f. pl.

Dodone, n. p. Ville d'Epire célèbre par son oracle. *Dodona*, *ae*, f. De —, *Dodonaeus*, *a*, *um*, adj.

dodu, *ue*, adj. Qui a un embonpoint appétissant. *Nitidus*, *a*, *um*, adj.

dogmatique, adj. Relatif aux dogmes. *Dogmaticus*, *a*, *um*, adj.

dogme, s. m. Point, article de croyance, de doctrine. *Dogma*, *matis*, n.

dogue, s. m. Chien trapu à museau court, à fortes mâchoires. *Molossus canis*, et simpl. *molossus*, *i*, m.

doigt, s. m. Chacune des parties articulées qui terminent la main et le pied de l'homme. *Digitus*, *i*, m. Du bout des —, *extremis digitis*. Vous avez mis le — dessus, *rem acu tetigisti*. || Doigt du pied. *Digitus*, *i*, m. ¶ La largeur d'un doigt prise pour mesure. *Digitus*, *i*, m.

doigtier, s. m. Doigt de gant isolé. *Digitale*, *is*, n.

dol, s. m. Tromperie ayant pour effet de porter préjudice aux intérêts de qqn. *Dolus malus* et abs. *dolus*, *i*, m. *Fraus*, *fraudis*, f.

doléance, s. f. Plainte répétée de celui qui veut qu'on s'apitoie sur son sort. *Conquestio*, *onis*, f. *Querela*, *ae*, f.

dolent, *ente*, adj. Affecté par un sentiment pénible. *Dolens* (gén. *-entis*), p. adj. *Maestus*, *a*, *um*, adj. Etre —, *dolore* ou *tristitiâ affici*. || (P. ext.) Porté à la plainte. *Queribundus*, *a*, *um*, adj. Voix —, ton —, *vox flebilis*.

doloire, s. f. Lame à bord oblique, instrument de tonnelier. *Dolabra*, *ae*, f.

domaine, s. m. Terre dont qqn a la propriété. *Ager*, *agri*, m. *Possessio*, *onis*, f. *Fundus*, *i*, m. Petit —, *agellus*, *i*, m. — rural, *rus*, *ruris*, n. Vaste —, *latifundium*, *ii*, n. || (Fig.) *Genus*, *eris*, n. *Pars*, *partis*, f. Etre du — des mathématiques, *mathematicorum esse*.

dôme, s. m. Comble le plus souvent en forme de coupole. *Tholus*, *i*, m.

domesticité, s. f. Condition, état de domestique, de serviteur à gages. *Famulatus*, *ûs*, m. *Servitium*, *ii*, n. || (Par ext.) L'ensemble des domestiques. *Familia*, *ae*, f.

domestique, adj. et s. m. et f. || *Adj.* Qui appartient à l'intérieur de la maison, de la famille. *Domesticus*, *a*, *um*, adj. *Privatus*, *a*, *um*, adj. *Familiaris*, *e*, adj. || (Fig.) Qui appartient à l'intérieur de l'homme, à son âme. *Intestinus*, *a*, *um*, adj. Chagrin —, *privatus dolor*. ¶ Qui vit près de l'homme et sert à ses besoins ou à ses plaisirs. *Domesticus*, *a*, *vm*, adj. *Mansuetus*, *a*, *um*, p. adj. ¶ *S. m. et f* Serviteur, servante à gages. *Famulus*, *i*, m. *Famula*, *ae*, f. ¶ (Absol.) *S. m.* Le personnel des serviteurs dans une maison. *Familia*, *ae*, f.

domicile, s. m. La demeure légale,

officielle de qqn. *Sedes*, *is*, f. *Domicilium*, *ii*, n. Elire —, *locum domicilio deligere*. ¶ (Par ext.) La demeure de qqn. *Domûs*, *ûs*, f.

domicilier, v. tr. Etablir dans un lieu servant de domicile. *Collocâre in loco aliquo*. Etre domicilié, *sedem ac domicilium habêre* (*in aliquo loco*).

dominant, *ante*, adj. Qui domine sur d'autres. *Dominans* (gén. *-antis*), p. adj. ¶ Qui domine parmi d'autres. *Eminens* (gén. *-entis*), p. adj. *Praestans* (gén. *-antis*), p. adj.

dominateur, *trice*, s. m. et f. Celui, celle qui domine sur d'autres. *Dominus*, *i*, m. *Dominator*, *oris*, m. *Dominatrix*, *tricis*, f.

domination. s. f. Action de dominer sur d'autres. *Dominatio*, *onis*, f. *Dominatûs*, *ûs*, m. Soumettre à sa —, *redigere in potestatem suam*.

dominer, v. intr. et tr. || *V. intr.* Avoir la suprématie (sur qqn). *Dominâri*, dép. intr. (*alicui*; *in aliquem*). *Imperâre*, intr. (*alicui*). *Tenêre*, tr. (*imperio tenêre aliquem* ou *aliquid*). ¶ L'emporter (parmi divers éléments). *Praevalêre*, intr. ¶ *V. tr.* Avoir sous sa suprématie. *Dominâri*, dép. intr. (*alicui*). *Tenêre*, tr. Nous sommes dominés par les passions, *cupiditates dominationem in nos habent*. Savoir se —, *sibi imperâre*. || Avoir au-dessous de soi. *Despectâre*, tr. *Imminêre*, intr. Hauteur dominant le rempart, *tumulus moenibus imminens*. Qui domine, *excelsus*, *a*, *um*, p. adj.

dominical, *ale*, adj. Qui appartient au Seigneur. *Dominicus*, *a*, *um*, adj.

Domitien, n. pr. Empereur romain. *Domitianus*, *i*, m.

dommage s. m. Perte subie par qqn, ce qui le lèse dans ses intérêts. *Damnum*, *i*, n. *Detrimentum*, *i*, n. Causer du —, *damnum dâre* ou *afferre* (*alicui*). Subir un —, *damnum accipêre* (ou *pati*). Qui cause du —, *damnosus*, *a*, *um*, adj. Sans —, *impune*, adv.

dommageable, adj. Qui fait subir à qqn un dommage. *Damnosus*, *a*, *um*, adj.

dompter v. tr. Réduire à l'obéissance un animal farouche. *Domâre*, tr. ¶ Réduire à l'obéissance ceux qui refusent de se soumettre. *Domâre*, tr. *Perdomâre*, tr.

dompteur, *teuse*, s. m. Celui, celle qui dompte. *Domitor*, *oris*, m. *Domitrix*, *tricis*, f.

don. s. m. Action de donner. || Abandon qu'on fait à qqn de la propriété de qqch. sans rien recevoir en échange. Faire — à qqn de qqch., *donâre aliquem aliquâ re*. || (Fig.) Attribution à qqn d'une qualité, d'un avantage, sans qu'il ait rien fait pour l'acquérir. Avoir le — (de faire telle chose), *facultatem habêre* (av. le gén.). ¶ Ce qu'on donne. || Ce dont on abandonne la propriété à qqn sans rien recevoir en échange. Voy.

CADEAU, PRÉSENT. ‖ Offrande. Voy. ce mot. ‖ Qualité, avantage qu'on a reçu sans avoir rien fait pour l'acquérir. *Dos, dotis* (« don naturel »), f. *Munus, eris,* n. *Facultas, atis,* f. (*facultas dicendi,* le don de la parole). *Virtus, utis* (« don, qualité naturelle »), f.

donataire, s. m. et f. Celui, celle à qui une donation est faite. *Cui bonum datur.*

donateur, trice, s. m. et f. Celui, celle qui fait une donation. *Auctor bonorum. Donator, oris,* m. *Donatrix, tricis,* f.

donation, s. f. Acte par lequel qqn donne à un autre la propriété de qqch., sans rien recevoir en retour. *Donatio, onis,* f.

donc, conj. Marque la conséquence, la conclusion. *Ergo,* conj. *Igitur,* conj. *Itaque,* conj. ¶ (Par ext.) Marque la surprise causée par ce qui précède. Quoi donc? *Quid ergo?* ‖ Marque l'impatience. *Dum,* adv. (après un impérat., cf. *agedum, agitedum*).

donjon, s. m. Tour maîtresse dominant un château fort. *Turris, is,* f.

donnant, ante, adj. Qui donne volontiers. *Largus, a, um,* adj. *Liberalis, e,* adj.

donner, v. tr. Mettre en la possession de qqn. ‖ Abandonner à qqn la propriété de qqch. sans rien recevoir en échange. *Dăre,* tr. (*aliquid alicui*). *Donăre,* tr. (*alicui munus*). *Condonăre* (« donner en toute propriété, donner »), tr. ‖ (Par ext.) Céder une chose à qqn en échange de qqch. *Dăre,* tr. *Commodăre* (« mettre à la disposition de, donner, prêter »), tr. *Tradĕre,* tr. (*tradĕre pretio aliquid,* donner qqch. contre argent). *Emĕre,* tr. Il en donna le prix que voulut Pythius, *emit tanti quanti voluit Pythius.* — son sang, sa vie pour qqn, pour la patrie, *vitam pro aliquo, sanguinem pro patriâ profundĕre.* Se — pour qqn, *dicĕre se esse aliquem; se gerĕre pro aliquo.* Se — faussement pour qqn, *ementiri aliquem.* Se — pour musicien, *se haberi velle musicum.* ‖ Procurer qqch. à qqn. *Dăre,* tr. *Ministrăre,* tr. *Praebēre,* tr. Faire — qqch. à qqn, *attribuĕre,* tr.; *assignăre,* tr. ‖ (Fig.) Attribuer à qqn la possession de qqch. *Dicĕre,* tr. On le donne pour très fortuné, *dicitur fortunatissimus.* ‖ (Par anal.) Avec un nom de chose pour sujet. *Praebēre,* tr. (voy. FOURNIR). *Ferre,* tr. *Afferre,* tr. Voy. RAPPORTER, PRODUIRE. ¶ Mettre à la disposition de qqn. ‖ Livrer une personne à qqn. *Dăre,* tr. *Dedĕre,* tr. ‖ Mettre une chose à la portée de qqn pour son usage. *Dăre,* tr. (*alicui librum; poculum veneni*). *Tradĕre,* tr. (voy. REMETTRE). ‖ Avec un nom de chose pour sujet. *Ministrăre,* tr. *Facĕre,* tr. — de l'ombre, *facĕre umbras.* ‖ Mettre en les mains de qqn une chose qu'on lui confie, dont on le charge. *Dăre,* tr. *Tradĕre,* tr. *Deferre,*

tr. ¶ Faire sentir à qqn l'effet de qqch. ‖ Faire qqch. d'agréable *ou* de pénible à qqn. *Dăre,* tr. Donner un coup d'éperon à un cheval et (*ellipt.*) donner des deux, *equo calcaria subdĕre.* — de la tête contre un mur, *in murum caput impingĕre.* Absol. — contre, dans, c.-à-d. se jeter contre, *incurrĕre,* intr. Toute l'armée donna, *omnis exercitus impetum fecit.* Fig. — dans le piège, dans le panneau, *in insidias devenire.* — un dîner, *dăre alicui cenam.* — ses soins à qqch., *alicui rei curam dăre.* ‖ (En exerçant sur lui une action qui modifie sa manière d'être.) *Dăre,* tr. *Addĕre,* tr. *Afferre,* tr. — des consolations à qqn, *dăre alicui solacia.* — du courage à qqn, *alicui animos addĕre.* — la mort à qqn, *alicui mortem afferre.* Se — la mort, *mortem sibi conscicĕre.* ‖ (Par anal.) Avec un nom de chose pour sujet. Qui donne la santé, *salutaris, e,* adj.

dorade. Voy. DAURADE.

Dordogne, n. pr. Rivière. *Duranius, ii,* m.

dorénavant, adv. Voy. DÉSORMAIS.

dorer, v. tr. Recouvrir d'une couche d'or. *Auro integĕre* (*aliquid*), Doré, *inauratus, a, um,* part. Siège doré, *aurea sella.*

doreur, s. m. Ouvrier en dorure. *Inaurator, oris,* m.

Doride, n. pr. Contrée de l'ancienne Grèce. *Doris, idis,* f.

Dorien, enne, adj. De la Doride. *Doricus, a, um,* adj. Les —, *Dores, um,* m. pl.

dorique, adj. L'ordre —, le — (le second des cinq ordres d'architecture), *Doricum genus.*

dorloter, v. tr. Entourer de soins tendres et délicats. *Fovēre in sinu* (*aliquem*). Se —, *nimium indulgēre sibi.*

dormant, ante, adj. Qui dort. Voy. DORMIR. ¶ (Fig.) Qui n'a pas de courant. *Stagnans* (gén. -*antis*), part.

dormeur, s. m. Celui qui dort, qui aime à dormir. *Dormitor, oris,* m. *Homo somno deditus.*

1. **dormir,** v. intr. Etre dans l'état de sommeil. *Dormire,* intr. (on dit aussi *somnum capĕre*). *Edormire,* intr. *Quiescĕre,* intr. Empêcher qqn de —, *aliquem somno prohibēre.* En dormant, *per somnum.* ¶ (Fig.) Etre inactif. *Dormire,* intr. — sur sa tâche, *indormire operae.*

2. **dormir,** s. m. Voy. SOMMEIL.

dormitif, ive, adj. Qui fait dormir. Qui (*quae, quod*) *sopit.*

dorsal, ale, adj. L'épine —, *spina quae in dorso est.*

dortoir, s. m. Salle commune où couchent plusieurs personnes. *Cubiculum dormitorium,* et simpl. *dormitorium, ii,* n.

dorure, s. f. Couche d'or dont on a

recouvert un objet. *Auratura, ae,* f.

dos, s. m. Partie *ou* face supérieure du corps. *Dorsum, i,* n. *Tergum, i,* n. Tourner le —, *se* (ou *multum*) *avertère*. Etre sur le — (de qqn), *in tergo haerère*. Couché, étendu sur le —, *supinus, a, um,* adj. Qui a le —, tourné, *aversus, a, um,* p. adj. ¶ (Par anal.) Partie du vêtement qui couvre le dos. *Pars aversa.* Le — de la main, *inversa manus*.

dose, s. m. Quantité d'un médicament que le malade doit prendre en une fois. *Haustûs, ûs,* m. ¶ Quantité qu'on doit mettre dans un médicament composé. *Portio, onis,* f.

dossier, s m .Partie d'un siège contre laquelle on appuie le dos. *Adminiculum, i,* n. ¶ Liasse de papiers, de titres concernant une même affaire, etc. *Litterae, arum,* f. pl.

dot, s. f. Le bien qu'une femme apporte en marlage à son époux, un époux à sa femme. *Dos, dotis,* f.

dotal, *ale,* adj. Relatif à la dot. *Dotalis, e,* adj.

dotation, s. f. Fonds assignés à un établissement. *Pecunia attributa.*

doter, v. tr. Pourvoir d'une dot. *Dotem dare.* Qui est bien *ou* richement doté, *dotatus, a, um,* p. adj. ¶ Pourvoir d'un revenu annuel. *Pecuniam (alicui* (ou *alicui rei) attribuère.* || (Fig.) Pourvoir de certains avantages *Donàre* ou *exornàre (aliquem aliquâ re).*

douane, s. f. Droit établi sur certaines marchandises à l'entrée *ou* à la sortie du territoire. *Portorium, ii,* n.

douanier, s. m. Employé de la douane, chargé de la surveillance. *Portitor, oris,* m.

double, adj. et s. m. || *Adj.* Qui égale deux fois une autre quantité. *Duplus, a, um,* adj. *Duplex* (gén. *-plicis),* adj. || (Par ext.) Qui est formé de deux choses de même nature, de même valeur. *Duplex* (gén. *-plicis),* adj. *Geminus, a, um,* adj. || (Par ext.) Double, c.-à-d. qui vient, qui menace de deux côtés. *Anceps* (gén. *-cipitis),* adj. || Qui a une double nature. *Anceps* (gén. *-cipitis),* adj. || A double sens, voy. AMBIGU. ¶ S. m. Quantité égale à deux fois une autre. *Duplum, i,* n. En —, *bifariam,* adv. || Objet qui forme le pareil d'un autre. *Exemplum, i,* n.

doublement, adv. D'une manière double. *Dupliciter,* adv.

doubler, v. tr. et intr. || *(V. tr.)* Rendre double. *Dupliciàre,* tr. *Geminàre,* tr. — un cap, *promuntorium circumvehi.* — une île, *insulam superâre.* || (Fig.) Augmenter d'une manière marquée. *Duplicàre.* tr. — le pas, *addère gradum.* ¶ *(V. tr.)* Garnir de qqch. qui augmente l'épaisseur. — un navire, *carinae laminam (aeream) inducère.* ¶ *(V. intr.)* Devenir double. *Duplicari,* pass. *Geminari,* pass.

doublure, s. f. Etoffe dont on garnit l'intérieur d'un vêtement. *Subsutus pannus.* Fig Acteur qui supplée un chet d'emploi. *Vicarius, ii,* m. *Adjutor, oris,* m.

douçâtre, adj. Qui est d'une douceur fade au goût. *Dulciculus, a, um,* adj. *Subdulcis, e,* adj.

douceâtre. Voy. DOUÇATRE.

doucement, adv. D'une manière douce. Voy. DOUCEUR et DOUX. |; (En flattant les sens.) *Dulciter,* adv. *Suaviter,* adv. *Molliter,* adv. || (En procurant une jouissance délicate.) *Delicatè,* adv. *Molliter,* adv. *Suaviter,* adv. ¶ Modérément, sans violence. *Leniter,* adv. *Molliter,* adv. *Placidè,* adv. || Avec ménagement envers les personnes. *Blandè,* adv. *Clementer,* adv. *Leniter,* adv.

doucereux, *euse,* adj. Plein de douceur. *Dulcissimus, a, um,* adj. *Blandissimus, a, um,* adj. ¶ (P. ext.) Qui est d'une douceur fade. Voy. DOUÇATRE. ¶ Qui est d'une douceur apprêtée. *Praedulcis, e,* adj.

douceur, s. f. Qualité de ce qui est doux (aux sens). *Dulcedo, dinis,* f. *Lenitas, atis,* f. *Suavitas, atis* f. Des douceurs, *ouppedia, orum,* n. pl. || (Fig.) Impression douce. *Dulcedo, dinis,* f. *Lenitas, atis,* f. *Suavitas, atis,* f. Des — (c.-à-d. des propos séduisants), *blanditiae, arum,* f. pl. ¶ Action modérée, absence de violence. *Lenitas, atis,* f. Avec —, voy. DOUCEMENT. || (Fig.) Ménagement envers les personnes, *et (par ext.)* modération aimable du caractère. *Dulcedo, dinis,* f. *Clementia, ae,* f. *Lenitas, atis,* f. *Mansuetudo, dinis,* f. Avec —, *clementer,* adv.; *humanè,* adv.; *mansuetè,* adv.; *placidè,* adv.

douer, v. tr. Pourvoir de certaines qualités,*Instruère* ou *augère, ornàre, exornàre (aliquem aliquâ re).* Doué de, *praeditus, a, um,* adj. (av. l'abl.); *instructus, a, um,* p. adj. (av. l'abl.)

douillet, *ette,* adj. Délicatement moelleux. *Mollissimus, a, um,* adj. ¶ (Par ext.) Trop délicat, trop sensible à la douleur physique. *Molliculus, a, um,* adj.

douillettement, adv. D'une manière douillette. *Molliter,* adv. *Delicatè,* adv.

douleur, s. f. Impression pénible causée par un mal physique ou moral. || Sensation pénible due à un mal physique. *Dolor, oris,* m. Cruelle —, *cruciatûs, ûs,* m. ¶ Sentiment pénible dû à un mal moral. *Dolor, oris,* m.

douloureusement, adv. D'une manière douloureuse. Etre affecté — (par qqch.), *dolère,* intr.; *aegrè ferre aliquid.*

douloureux, *euse,* adj. Qui fait ressentir la douleur. || En parl. de la douleur physique. *Dolorem efficiens.* Sensation —, *sensus doloris.* Etre —, *dolorem facère.* Qui n'est pas —, *dolore vacuus.* || (P. ext.) Qui est le siège d'une douleur. Toucher l'endroit —, *ulcus* *tangĕre.* ¶ (En parl. de la douleur morale.) *Acerbus, a, um,* adj. *Tristis, e,* adj. Choses —, *acerbitas, um,* f. pl. Sentiment —, *dolor, oris,* m.

doute, s. m. Etat de l'esprit qui doute (d'une chose). *Dubitatio, onis,* f. *Dubium, ii,* n. (dans certaines formules, ex. : *in dubium vocāre* ou *revocāre aliquid,* mettre qqch. en doute; *sine dubio,* sans doute; *in dubio relinquĕre,* laisser dans le doute). Etre en —, voy. DOUTER. Il est hors de — que..., *non est dubium, quin...* (av. le subj.). || (Par ext.) Difficulté qui cause le doute. *Dubitatio, onis,* f. *Difficultas, atis,* f. Elever des —, *ambigĕre,* intr. ¶ Etat de l'esprit qui doute de toutes choses. *Dubitatio, onis,* f.

douter, v. intr. et tr. || (*V. intr.*) Ne pas savoir laquelle de deux opinions contraires est la vraie. *Dubitāre,* intr. On doute que..., *dubium est* ou *in dubio est...* || (Par ext.) Hésiter. Voy. ce verbe. ¶ Ne pas savoir s'il y a qqch. de vrai. *Dubitāre,* intr. — de qqch., *dubitāre de aliquā re.* ¶ (*V. tr.*) Se douter de qqch., *c.-à-d.* en avoir une vague idée. Voy. SOUPÇONNER. Ne pas se — de qqch., *suspicionem nullam habēre alicujus rei.* Sans s'en —, *imprudens.* Ne pas se — que..., *suspicionem nullam habēre* (av. l'acc. et l'infin.).

douteux, euse, adj. Qui laisse dans le doute. *Dubius, a, um,* adj. *Incertus, a, um,* adj. *Anceps* (gén. *-cipitis*), adj. *Ambiguus, a, um,* adj. Etre douteux, *ambigi,* pass. D'une manière —, *dubiē,* adv. ¶ Qui est dans le doute *Dubius, a, um,* adj. *Incertus, a, um,* adj.

douve, s. f. Fossé. Voy. ce mot. ¶ (P. ext.) Chacune des planches courbes qui forment le corps d'un baquet, d'un tonneau. *Lamina, ae,* f.

doux, douce, adj. Qui flatte le goût par une saveur agréable. *Dulcis, e,* adj. Vin —, *mustum, i,* n. Gland —, *glans edulis.* || (Par anal.) Qui flatte l'odorat, l'oreille ou l'œil. *Dulcis, e,* adj. *Suavis, e,* adj. Avoir une — odeur, *olēre suave.* ¶ Qui flatte le toucher. *Lenis, e,* adj. *Mollis, e,* adj. ¶ (Fig.) Qui procure une jouissance délicate. *Dulcis, e,* adj. *Delicatus, a, um,* adj. *Lenis, e,* adj. *Mollis, e,* adj. *Suavis, e,* adj. ¶ Qui a une action modérée sans rien de violent. *Lenis, e,* adj. *Mitis, e,* adj. *Mollis, e,* adj. *Remissus, a, um,* p. adj. ¶ (Fig.) Qui agit avec modération, avec ménagement. *Lenis, e,* adj. *Mitis, e,* adj. *Mollis, e,* adj. *Clemens* (gén. *-entis*), adj. *Mansuetus, a, um,* adj. *Placidus, a, um,* adi.

douzaine, s. f. Quantité contenant douze unités, douze choses de même nature. *Duodecim,* indécl.

douze, adj. et s. m. Adjectif numéral invariable. || *Adjectif cardinal.* Dix plus deux. *Duodecim,* indécl. Par —, — chaque fois, *duodeni, ae, a,* adj. — cents, *mille ducenti.* ¶ *Adjectif ordinal.*

Douzième. *Duodecimus, a, um,* adj. ¶ S. m. Le nombre douze, *duodenarius numerus.* ¶ Le douzième. *Pars duodecima.* Intérêts à — pour cent, *centesimae, arum* (s.-e. *partes*), f. Le — d'avril, *pridie Idus Apriles.*

douzième, adj. et s. m. || *Adjectif numéral ordinal.* Qui en a onze avant lui (dans une série). *Duodecimus, a, um,* adj. Pour la — fois, *duodecimum.* ¶ S. m. Le douzième. *Pars duodecima.*

drachme, s. f. Unité de poids et de monnaie chez les Grecs anciens. *Drachma, ae,* f. [*Draco, onis,* m.

Dracon, n. pr. Législateur d'Athènes.

dragon, s. m. Serpent fabuleux. *Draco, onis,* m.

dramatique, adj. Qui appartient au théâtre. *Scaenicus, a, um,* adj. La — poésie —, l'art —, *ars scaenica.* Un poème —, *fabula, ae,* f. Les représentations —, *scaenici ludi.* Un poète, un auteur —, *poeta scaenicus.* ¶ (P. ext.) Qui a une action propre à exciter l'intérêt, à émouvoir. *Miserabilis, e,* adj.

drame, s. m. Pièce de théâtre. *Fabula, ae,* f.

drap, s. m. Etoffe à chaîne et à trame de laine. *Pannus, i,* m. || (Spéc.) Un drap mortuaire. *Stragulum, i,* n. ¶ Drap de linge *et* (*absol.*) drap. *Linteum, i,* n. *Lintea,* n. pl.

drapeau, s. m. Morceau d'étoffe attaché à une hampe qui sert de signe de ralliement, étendard. *Signum militare,* ou simpl. *signum, i,* n. Etre sous le —, *stipendia merēre* (ou *mereri*). Se ranger sous les — de qqn, *partes sequi alicujus.*

1. draperie, s. f. Etoffe flottante formant des plis. *Palla, ae,* f. ¶ Etoffe de tenture. *Aulaea, orum,* n. pl.

2. draperie, s. f. Fabrication, commerce du drap. *Textrina, ae,* f.

drapier, s. m. Celui qui fabrique, qui vend du drap. *Vestiarius negotiator,* et simpl. *vestiarius, ii,* m.

dressage, s. m. Action de dresser (un animal). *Domitura, ae,* f.

dresser, v. tr. Mettre droit (en faisant tenir verticalement). *Erigĕre,* tr. *Arrigĕre,* tr. *Attollĕre,* tr. Se —, *surgĕre,* assurgĕre, intr.; *exsurgĕre,* intr. Dressé *rectus, a, um,* adj. || (Par anal.) Mettre en position. *Statuĕre,* tr. *Constituĕre,* tr. — une statue, *statuĕre statuam.* — (un acte), *scribĕre,* tr. ¶ Amener (un être) à faire docilement et régulièrement qqch. *Domāre,* tr. *Educāre,* tr. *Erudīre,* tr. *Instituĕre,* tr. — qqn à faire qqch., *aliquem instituĕre ut aliquid faciat.* — qqn à la parole, *aliquem ad dicendum instituĕre.*

drogue, s. f. Ingrédient employé en pharmacie. *Medicamentum, i,* n.

droguiste, s. m. Marchand de drogues. *Pharmacopola, ae,* m.

1. droit, oite, adj. Qui d'un bout à l'autre est sans déviation. *Rectus, a,*

um, adj. *Erectus, a, um*, p. adj. || (Par ext.) Se tenir —, *c.-à-d.* debout. Voy. DEBOUT. Ligne —, *linea directa.* Angle —, *rectus angulus.* ¶ Qui va d'un point à un autre sans déviation. *Rectus, a, um*, adj. *Directus, a, um*, p. adj. Rendre —, *corrigère*, tr. Mettre —, *erigère*, tr. || (Fig.) Qui suit sans s'en écarter la règle du devoir. *Rectus, a, um*, adj. || Qui ne s'écarte pas de la vérité. *Rectus, a, um*, adj. Jugement —, *judicium rectum.* ¶ (Par ext.) Droit (*opposé à gauche*). *Dexter, era, erum*, adj. (subst. *dextra, ae*, f. la main droite, la droite, le côté droit : *ad dextram*, à droite; *a dextrā*, du côté droit). ¶ *Adv.* En droite ligne. *Rectē*, adv. *Rectā viā.* || (Fig.) Sans s'écarter de la vérité. *Rectē*, adv.

2. **droit**, s. m. Pouvoir d'exiger qu'on nous rende ce qui nous est dû. *Jus, juris*, n. Le bon —, *aequum et bonum.* Contre tout —, *praeter aequum et bonum.* Donner — à qqn, faire — à qqn, *alicui jus (dāre ou reddēre)*.|| (Fig.) Raison d'être de qqch. A bon —, *jure; merito; jure ac merito.* ¶ (Spéc.) Condition de qqn au point de vue légal. *Jus, juris*, n. || (Par ext.) Pouvoir de faire ce qu'on veut. *Jus, juris*, n. Potestas, atis, f. — de vie et de mort, *vitae necisque potestas.* || (Par ext.) Redevance qu'un État, une ville, etc., a le droit de toucher. *Vectigal, alis*, n. — de douane, *portorium, ii*, n. ¶ L'ensemble des lois qui déterminent ce que chacun, selon sa condition, peut légitimement faire, etc. *Jus, juris*, n. Le — naturel, *jus hominum.* Le — des gens, *jus gentium.*

droitement, adv. D'une manière droite. *Rectē*, adv. *Probē*, adv. Juger —, *verissimē judicāre.*

droiture, s. f. Qualité de l'âme qui ne s'écarte pas de la règle, du devoir. *Fides, ei*, f. *Probitas, atis*, f.

drôle, *drôlesse*, s. m. et f. || *S. m.* Plaisant coquin. *Mirum caput.* ¶ *Adjectiv.* Qui a qqch. de singulier et de plaisant. *Ridiculus, a, um*, adj. ¶ *S. m.* Coquin méprisable. *Homo nequam*, ou simpl. *nequam*, subst. indécl.

drôlement, adv. D'une manière drôle. *Ridiculē*, adv. *Jocosē*, adv.

drôlerie, s. f. Chose drôle. *Ridicula et jocosa res.*

dromadaire, s. m. Chameau à une seule bosse. *Dromas, madis*, m.

dru, *drue*, adj. Formé d'éléments nombreux et serrés. *Spissus, a, um*, adj. *Densus, a, um*, adj. Adv. Semer plus —, *spissius serère sementim.* ¶ (Par ext.) Vigoureux. Voy. ce mot.

druide, *druidesse*, s. m. et f. Prêtre, prêtresse des Gaulois. Druide ne s'emploie en latin qu'au plur. *Druidae, arum*, m. pl. *Druides, um*, m. pl. Druidesse, *Dryas, adis* (acc. plur. *adas*), f.

dryade, s. f. Divinité féminine présidant aux bois. *Dryas, adis* (acc. plur. *adas*), f.

dû. Voy. DE.

dû, s. m. Ce qui est dû. *Debitum, i*, n. Je paye mon —, *quod debeo dissolvo.*

duc, s. m. Titre de noblesse. *Dux, ducis*, m. [duc. *Ducalis, e*, adj.

ducal, *ale*, adj. Qui appartient à un duché, s. m. Seigneurie d'un duc. *Ducatūs, ūs*, m.

ductile, adj. Dont la matière peut être étirée, allongée, sans se rompre. *Lentus, a, um*, adj. *Ductilis, e*, adj.

ductilité, s. f. Propriété qu'a une matière de pouvoir être étirée, allongée, sans se rompre. La — de l'argent, *lentum argentum.*

duel, s. m. Combat singulier (où un seul adversaire est opposé à un autre). *Singularis pugna.*

dûment, adv. En due forme. *Rite*, adv. Qui est — fait, *justus, a, um*, adj. Etre — convaincu d'un délit, in manifesto *peccato teneri.* || (Fig.) Comme il faut. *Ut decet.*

dune, s. f. Colline sablonneuse sur le bord de la mer. *Collis arenosus.*

dupe, s. f. Personne qu'on trompe en abusant de sa naïveté. *Stipes, pitis*, m. Etre la — de qqn, *illudi.* || Adjectiv. *Credulus, a, um*, adj.

duper, v. tr. Rendre dupe. *Fraudēre* (*creditores*). *Decipēre*, tr. *Deludēre*, tr.

duperie, s. f. Action de duper qqn. *Circumscriptio, onis*, f. *Fraus, fraudis*, f.

dupeur, s. m. Celui qui dupe. *Fraudator, oris*, m. *Circumscriptor, oris*, m.

duplicata, s. m. Double, second exemplaire d'un acte, d'un contrat, etc. *Alterum exemplum.*

duplicité, s. f. Caractère de celui qui montre certains sentiments et qui en a d'autres dans le cœur. *Ingenium ambiguum* (ou *multiplex*). Avec —, *ambiguē*, adv.

duquel. Voy. LEQUEL.

dur, *dure*, adj. Qui présente au toucher une forte résistance. *Durus, a, um*, adj. Etre couché sur la dure, *humi jacēre* (ou *cubāre*). Devenir —, voy. DURCIR, ENDURCIR. ¶ (Par ext.) Qui provoque un effort pénible. *Durus, a, um*, adj. Voy. DIFFICILE. || (Fig.) Pénible à supporter. *Durus, a, um*, adj. Rendre à qqn la vie —, *nimis asperē tractāre aliquem.* Vie — (vie de fatigue et de privations), *duritia, ae*, f. ¶ Qui ne se laisse pas entamer aisément. *Durus, a, um*, adj. ¶ (Par ext.) Peu impressionnable. *Durus, a, um*, adj. Avoir l'oreille —, être — d'oreille, *gravius audire.* — à la fatigue, *laboribus duratus.* Avoir la vie —, *vivacem esse.* Rendre —, voy. DURCIR, ENDURCIR. || Avoir la tête —, *duri ingenii esse.* Avoir la tête —, *c.-à-d.* être obstiné, *pertinacem* (ou *pervicacem*) *esse.* ¶ Qui ne se laisse pas attendrir. *Durus, a, um*, adj.

durable, adj. Fait pour durer. *Firmus, a, um*, adj. *Stabilis, e*, adj. *Diuturnus, a, um*, adj. Etre —, voy. DURER.

durant, prép. Pendant la durée de. *Inter*, prép. (av. l'acc.). *Per*, prép. (avec l'acc.). — ces événements, *dum haec geruntur.* — mon absence, *me absente.* Sa vie —, *quamdiu vixit.* Quarante ans —, *quadraginta annos.*

durcir, v. tr. et intr. || *V. tr.* Rendre dur. *Durâre*, tr. *Indurâre*, tr. Durci, *duratus, a, um*, p. adj.; *induratus, a, um*, p. adj.; *concretus, a, um*, p. adj. Se —, *durâre*, intr.; *durescêre*, intr. ¶ *V. intr.* Devenir dur. *Durâre*, intr.

durée, s. f. Action de durer. *Continuatio, onis*, f. *Tenor, oris*, m. Etre de —, *firmitatem et stabilitatem habêre.* De — égale, *aequalis, e*, adj. Longue —, *diuturnitas, atis*, f.; *longinquitas, atis*, f. Courte —, *brevitas, atis*, f. De longue —, *diutinus, a, um*, adj.; *diuturnus, a, um*, adj.; *longinquus, a, um*, adj. De courte —, *brevis, e*, adj. (voy. COURT). ¶ Espace de temps que dure qqch. *Tempus, oris*, n. *Spatium, ii*, n.

durement, adv. D'une manière dure. || En opposant au toucher une forte résistance. *Durê* (ou *duriter*), adv. Etre couché —, *durê cubâre.* || (P. anal. en parl. de l'oreille.) *Durê*, adv. *Asperê*, adv. Parler —, *asperê loqui.* || (Fig.) D'une manière pénible à supporter. *Durê* ou *duriter*, adv. *Asperê*, adv. ¶ Sans bonté, sans humanité. *Duriter* ou *durê*, adv. *Asperê*, adv.

durer, v. intr. Subsister plus ou moins longtemps (en parl. de choses). *Manêre*, intr. *Permanêre*, intr. Faire — *continuâre*, tr.; *producêre*, tr.; *trahêre*, tr. — aussi longtemps, *aequatem (aequale) esse (alicui rei).* Faire — aussi longtemps, *aequâre*, tr. || (Abs.) Sub-

sister. *Esse*, intr. *Stâre*, intr. ¶ (Par ext. et spéc.) Se prolonger (en parl. du temps). Voy. PROLONGER. ¶ (Par ext.) Demeurer dans une certaine situation. *Durâre*, intr. *Manêre*, intr.

dureté, s. f. Caractère de ce qui est dur. *Duritia, ae*, f. *Durities, ei*, f. *Rigor, oris*, m. || (P. anal.) La — d'une consonance, *asperitas soni.* La — du style, *duritas, atis*, f. || (Par ext.) Caractère de ce qui n'est pas impressionnable. — d'oreille, *gravitas aurium, audiendi* ou *auditûs.* || (Fig.) *Animi duritia* **on** *durities.* || (Fig.) La — du climat, *asperitas caeli.* La — du sort, *violentia fortunae.* La — des temps, de *acerbitas temporis.* ¶ Dureté de cœur. *Animus durus* ou *animi duritia* ou (absol.) *duritia, ae*, f. — implacable, *atrocitas, atis*, f. Montrer de la —, *durum se praebêre.* Montrer de la — à qqn, *asperê aliquem tractâre.* Avec —, *durê*, adv. ou *duro animo· asperê*, adv.

durillon, s. m. Induration de la peau, particulièrement à certaines parties du corps (main, pied). *Callum, i*, n.

duumvir, s. m. Membre d'un collège de deux magistrats. *Duumvir, viri*, m.

duumvirat, s. m. Fonction de duumvir. *Duumviratûs, ûs*, m.

duvet, s. m. Petites plumes fines et douces qui poussent les premières chez l'oiseau. *Tenuis pluma.* De —, *plumeus, a, um*, adj. Dormir sur le —, *dormire in plumâ.* || Petit poil qu'ont en naissant la plupart des quadrupèdes. *Lanugo, inis*, f.

dynastie, s. f. Suite de souverains issus du même sang. *Domus principis* ou *domus regia.*

dysenterie, s. f. Inflammation du gros intestin. *Dysenteria, ae*, f.

E

e, s. m. Cinquième lettre de l'alphabet. *E* ou *e littera.*

eau, s. f. Liquide, combinaison de l'oxygène et de l'hydrogène. *Aqua, ae*, f. || (Spéc.) L'eau de la pluie, des mers, des fleuves, etc. *Aqua, ae*, f. Plein d'—, où il y a beaucoup d'—, *aquosus, a, um*, adj. D'—, qui vit, qui se trouve dans l'—, voy. AQUATIQUE. || Loc. div. Aller par —, *navigâre*, intr. Par —, *navibus* ou *classe.* Voie d'—, *rima, ae*, f. Un cours d'—, *amnis, is*, m. Aller chercher de l'—, *faire la provision d'—* (en parl. d'une troupe), *aquâri*, dép. intr. Corvée d'—, *aquatio, onis*, f. Endroit où se trouve de l'—, *aquatio, onis*, f. ¶ L'eau servant à divers usages. *Aqua, ae*, f. Porteur d'—, *aquarius, ii*, m. ¶ Nom donné à divers liquides. *Sucus, i*, m.

¶ Sécrétion liquide du corps. || Salive. Faire venir l'— à la bouche, *salivam alicui movêre.* || Sueur. Etre en —, *sudore multo diffluêre.* Suer sang et —, *multum sudâre.* || Liquide séreux. *Aqua, ae*, f. ¶ (Au fig.) Limpidité des diamants. *Splendor, oris*, m. D'une belle —, *clarus, a, um*, adj.

ébahir, v. tr. Frapper d'un profond étonnement. *Obstupefacêre*, tr. || S'—, rester tout ébahi. *Stupêre*, intr.

ébahissement, s. m. Etat de celui qui est ébahi. *Stupor, oris*, m.

ébat, s. m. Action de s'ébattre, pour se divertir. *Lusûs, ûs*, m. *Lascivia, ae*, f. || Se livrer à des — poétiques, *carmine ludêre.*

ébattre (s'), v. pron. Folâtrer en se donnant du mouvement sans contrainte. *Lascivīre*, intr. *Gestīre*, intr.

ébauche, s. f. Etat de ce qui est ébauché. *Adumbratio, onis*, f. — informes, *rudia primordia*. || (Fig.) *Adumbratio, onis*, f. *Lineamenta, orum*, n. pl. Œuvre à l'état d'—, *opus inchoatum*.

ébaucher, v. tr. Commencer (un ouvrage en indiquant les formes, les couleurs, etc. sans que rien en soit achevé). *Adumbrāre*, tr. *Inchoāre* (*imaginem*). Qui n'est qu'ébauché, *inchoatus, a, um*, p. adj.; *adumbratus, a, um*, p. adj.

ébène, s. f. Bois de l'ébénier. *Ebenus, i*, f. D'—, *ebeninus, a, um*, adj.

ébénier, s. m. Arbre qui fournit un bois noirâtre, très dur. *Ebenus, i*, f.

éblouir, v. tr. Frapper d'un éclat que les yeux ne peuvent soutenir. *Praestringĕre oculos*. Etre ébloui, *caligāre*, intr. ¶ (Fig.) Frapper d'un éclat qui trouble l'âme *Praestringĕre aciem animi* (ou *mentis*).

éblouissant, *ante*, adj. Qui éblouit. *Splendidus, a, um*, adj.

éblouissement, s. m. Action d'éblouir, état de celui qui est ébloui. *Caligatio, onis*, f. *Caligo oculorum* ou (absol.) *caligo, inis*, f. (Fig.) *Caecitas mentis*. || (Par ext.) Trouble de la vue produit par une congestion. *Vertigo oculorum*.

éborgner, v. tr. Rendre borgne. *Eruĕre alicui oculum*. Etre éborgné, *altero oculo captum esse*. Eborgné, *luscus, a, um*, adj.

éboulement, s. m. Chute de ce qui s'éboule; amas de choses éboulées. *Lapsus, ūs*, m. *Labes, is*, f. *Ruina, ae*, f.

ébouler, v. tr. et intr. || *V. tr.* Faire tomber par affaissement. *Proruĕre*, tr. S'—, *collabi*, dép. intr.; *corruĕre*, intr. ¶ *V. intr.* Tomber en s'affaissant. Voy. ci-dessus. Faire —, *proruĕre*, tr.

ébourgeonner, v. tr. Débarrasser (un arbre) des bourgeons superflus. *Pampināre*, tr.

ébouriffé, *ée*, adj. Rebroussé tout autour de la tête. *Hirsutus, a, um*, adj. *Horridus, a, um*, adj.

ébranchement, s. m. Action d'ébrancher. *Interlucatio, onis*, f.

ébrancher, v. tr. Dépouiller (un arbre) d'une partie de ses branches. *Ramos arboris amputāre*.

ébranlement, s. m. Action d'ébranler, état de ce qui est ébranlé. *Quassatio, onis*, f. *Labefactio* (*dentium*). *Concussio, onis*, f.

ébranler, v. tr. Faire quitter l'équilibre. || Mettre en branle, en mouvement. *Movēre*, tr. *Commovēre*, tr. *Impellĕre*, tr. S'—, *c.-à-d.* se mettre en mouvement (en parl. d'une armée), *commovēre se* ou *signa inferre*. ¶ Faire sortir un corps de son assiette en lui imprimant un choc. *Quatĕre*, tr. *Concutĕre*, tr. *Quassāre*, tr. *Conquassāre*, tr. *Labefacĕre*, tr. *Labefactāre*, tr. || (Par

ext.) Ebranler, *c.-à-d.* faire reculer (l'ennemi), *impellĕre hostem*. S'—, *c.-à-d.* se disposer à fuir, *pedem referre*. || Ebranler, *c.-à-d.* émouvoir, inquiéter, troubler. Voy. ces mots.

ébrécher, v. tr. Endommager en faisant des brèches sur le bord. — un instrument tranchant, *hebetāre aciem ferri*. ¶ (Fig.) Amoindrir par qq. atteinte. — sa fortune, *comminuĕre rem familiarem*. Fortune ébréchée, *adesa bona*.

ébriété, s. f. Etat d'une personne ivre. *Ebrietas, atis*, f.

ébruiter, v. tr. Livrer au bruit public (une chose tenue cachée). *Vulgāre*, tr. *In vulgus efferre*. S'—, *exire et in vulgus emanāre*. Ebruité, *vulgatus, a, um*, p. adj.

ébullition, s. f. Vaporisation produite dans l'intérieur de la masse liquide. *Fervor, oris*, m. Etre en —, *fervēre*, intr.; *bullāre*, intr. Entrer en —, *effervescĕre*, intr.

écaille, s. f. Chacune des plaques qui recouvrent la peau de certains reptiles, etc. *Squama, ae*, f. *Crusta, ae*, f. || (P. ext.) Lame mince et sèche qui recouvre diverses parties de certaines plantes. *Crusta, ae*, f.

écailler, v. tr. Dépouiller de ses écailles. *Desquamāre*, intr.

écailleux, *euse*, adj. Qui a des écailles. *Squamosus, a, um*, adj.

écale, s. f. Enveloppe de la coque des noix. *Putamen, minis*, n.

écaler, v. tr. Dégarnir de l'écale. *Cortice* (ou *putamine*) *nudāre* (*aliquid*).

écarlate, s. f. Couleur d'un rouge éclatant. *Coccum, i*, n. D'—, rouge comme l'—, *coccineus, a, um*, adj. || (Par anal.) Un visage —, *subrubicundus vultus*. ¶ (Par ext.) Etoffe teinte en écarlate. *Coccum, i*, n. Vêtu d'—, *coccinatus, a, um*, adj.

écart, s. m. Mouvement qui met les parties d'une chose à une certaine distance les unes des autres. *Declinatio, onis*, f. Fig. Voy. DIFFÉRENCE, DISTANCE. ¶ Le fait d'être à une certaine distance de qqn, de qqch. Aller à l'—, *secedĕre*, intr. Conduire, emmener à l'—, *seducĕre*, tr. A l'—, *secreto*, adv. Rester, se tenir à l'—, *segregāre se a ceteris*. Tenir qqn à l'—, voy. ÉCARTER, ÉLOIGNER. ¶ Le fait de s'éloigner de la direction qu'on doit suivre. *Declinatio, onis*, f. || (Fig.) Acte par lequel on s'éloigne de la raison, etc. Faire des — de conduite, *ab officio recedĕre*.

écarteler, v. tr. Déchirer en quatre le corps d'un condamné. *Distrahĕre* (*aliquem*) *equis*.

écarter, v. tr. Mettre (les parties d'une chose) à quelque distance les unes des autres. *Diducĕre*, tr. *Differre*, tr. S'—, *dehiscĕre*, intr.; *dissidēre*, intr. Empêcher de s'—, *continēre*, tr. Ecarté, *rarus, a, um,* adj. ¶ Mettre à quelque distance d'une chose, d'une personne. *Arcêre,* tr. *Avertêre,* tr. *Prohibêre,* tr. *Movêre,* tr. *Amovêre,* tr. *Demovêre,* tr. *Dimovêre,* tr. *Removêre,* tr. *Submovêre,* tr. *Deterrêre,* tr. S'—, *deficêre,* intr.; *desciscêre,* intr. *(a veritate).* ‖ (Par ext.) Eloigner des endroits fréquentés. *Removêre,* tr. Ecarté, *avius, a, um,* adj.; *devius, a, um,* adj. ¶ Eloigner de la direction qu'on doit suivre. Voy. DÉTOURNER. S'—, *deflectêre,* intr.; *discedêre,* intr.; *recedêre,* intr.; *secedêre,* intr.; *declinâre,* intr.; *digredi,* dép. intr.; *aberrâre,* intr.; *deerrâre,* intr.

ecclésiaste, s. m. Un des livres de l'Ancien Testament. *Ecclesiastes, ae,* et *is,* m.

ecclésiastique, adj. Relatif à l'Eglise, au clergé. *Ecclesiasticus, a, um,* adj. ‖ Substantiv. Un — (un membre du clergé), *clericus, i,* m.

écervelé, ée, adj. Qui est sans cervelle, sans jugement. *Excors* (gén. *-cordis*), adj.

échafaud, s. m. Charpente soutenant des gradins pour les spectateurs. *Gradus spectaculorum.* ‖ (Par ext.) Scène sur laquelle jouent les acteurs. *Pulpitum, i,* n. ¶ Construction pour le supplice d'un criminel. *Catasta, ae,* f. ¶ Charpentes servant aux ouvriers en bâtiment. Voy. ÉCHAFAUDAGE.

échafaudage, s. m. Action de dresser, de monter des échafauds. *Tabulatio, onis,* f. ¶ Assemblage de charpentes pour soutenir les ouvriers à diverses hauteurs. *Machina, ae,* f. ‖ (Fig.) Assemblage de faits, de raisons, dont les unes soutiennent les autres. *Moles, is,* f. — de preuves, *coacervatio, onis,* f.

échafauder, v. intr. et tr. ‖ *V. intr.* Dresser des échafauds (pour la construction, la décoration d'un édifice). *Tabulatum exstruêre. Machinam comparâre.* ¶ *V. tr.* Faire la première construction d'une œuvre. Voy. ÉBAUCHER.

échalas, s. m. Pieu fiché en terre; tuteur des ceps de vigne. *Palus, i,* m. *Pedamen, minis,* n.

échalasser, v. tr. Garnir d'échalas (les ceps de vigne). *Adminiculâre,* tr. *Pedâre,* tr.

échange, s. m. Action d'échanger. *Mutatio, onis,* f. — de bons procédés, *officiorum mutatio.* Faire un — avec qqn, *mutâre aliquid cum aliquo.* — des prisonniers, *commutatio captivorum.* Faire l'— des prisonniers, *captivos commutâre.* ¶ (Spéc.) Echange des produits commerciaux par vente et achat. *Mutatio, onis,* f. *Permutatio, onis,* f. En — de, *pro,* prép. (av. l'abl.). ¶ (Par anal.) Communication réciproque de renseignements. *Mutatio, onis,* f.

échanger, v. tr. Donner à qqn (une chose) et recevoir (de lui une autre chose équivalente). *Mutâre,* tr. *Commutâre,* tr. ¶ (Par anal.) Faire un envoi réciproque. Des paroles ayant été échangées, *verbis ultro citroque habitis.*

échanson, s. m. Officier chargé de verser à boire. *Pincerna, ae,* m.

échantillon, s. m. Morceau coupé sur une pièce de drap, etc. pour donner une idée du tissu. *Exemplum, i,* n. ‖ Petite quantité de marchandises servant à faire juger de la marchandise entière. *Exemplum, i,* n. ‖ (Par ext.) Partie d'un travail d'après laquelle on se fait une idée de l'ensemble. *Specimen, minis,* n. (ne s'emploie jamais au plur.).

échappatoire, s. f. Subterfuge par lequel on essaye de se tirer d'affaire. *Effugium, ii,* n.

échappée, s. f. Action de s'échapper. *Effugium, ii,* n. Faire une —, *effugêre,* intr. ‖ Action d'échapper à qqn, à qqch. *Fuga, ae,* f. ¶ (P. ext.) Interruption d'un obstacle qui intercepte. *Prospectûs, ûs,* m. Avoir une — sur la mer de Sicile, *prospectâre Siculum mare.* Par —, *per intervalla.*

échapper, v. pron. intr. et tr. ‖ *V. pron* S'échapper, *c.-à-d.* se tirer de ce dans quoi on est pris (pr. et fig.). *Evadêre,* intr. *(e manibus hostium). Fugêre,* intr. *Aufugêre,* intr. *Defugêre,* intr. *Effugêre,* intr. *(ex vinculis publicis,* de prison; *e manibus,* des mains). *Profugêre,* intr. *Refugêre,* intr. *Effluêre,* intr. *(una cum sanguine vita effluit,* la vie s'échappe avec le sang). *Excidêre,* intr. *(de manibus excidêre,* s'— des mains). ¶ *V. intr.* Echapper à, *c.-à-d.* cesser d'être retenu. *Evadêre,* intr. *(ab aliquo). Fugêre,* intr. et tr. *(nulla res hujus scientiam fugit). Effugêre,* intr. et tr. *(periculum; mortem).* ‖ Echapper de, cesser d'être retenu, voy. ci-dessus S'ÉCHAPPER. Laisser —, *amittêre,* tr. *(occasionem, tempus,* l'occasion, le moment favorable); *dimittêre,* tr. *(librum e manibus); emittêre,* tr. *(manu arma).* Ne pas laisser —, *tenêre,* tr.; *obtinêre,* tr. ¶ (Par ext.) *V. tr.* Echapper qqch. *c.-à-d.* à qqch., voy. ci-dessus.

écharpe, s. f. Large bande d'étoffe passée autour du corps. *Fascia, ae,* f. ¶ Bandage porté en bandoulière pour soutenir l'avant-bras malade. *Mitella, ae,* f.

écharper, v. tr. Mettre en pièces. *Concidêre,* tr.

échasse, s. f. Bâton, portant une sorte d'étrier de bois sur lequel on pose le pied pour s'exhausser. *Grallae, arum,* f. pl. Celui qui marche, monté sur des —, *grallator, oris,* m.

échauder, v. tr. Brûler avec de l'eau chaude. *Ferventi aquâ aspergêre* (ou *adurêre*). S'—, *ferventi aqua aspergi.*

échauffant, ante, adj. Qui échauffe. *Excalfactorius, a, um,* adj.

échauffement, s. m. Le fait d'être échauffé. *Calefactus* (abl. *û*), m.

échauffer, v. tr. Chauffer, rendre chaud par degrés. *Tepefacère*, tr. *Calefacère*, tr. S'—, calefieri, passif; *calescère*, intr.; *incalescère*, intr. || (3 péc.) Produire de l'irritation. *Concalefacère*, tr. S'—, être échauffé (par la marche, etc.), *aestuâre*, intr.; *exaestuâre*, intr. || (Par anal.) Fig. — la bile, *bilem movêre*. S'—, *incalescère*, intr. || Altérer par un commencement de fermentation. *Calefacère*, tr. S'—, *concalescère*, intr. ¶ (Au fig.) Animer par degrés, rendre de plus en plus vif. *Accendère*, tr. *Incendère*, tr. S'—, être échauffé. *exardescère*, intr. ¶ (Par anal. en parl. des choses.) *Accendère*, tr. S'—, *exardescère*, intr.

échauffourée, s. f. Coup de surprise tenté sans succès contre l'ennemi, contre les adversaires. *Temerè factum*.

échéance, s. f. Date à laquelle échoit un payement. *Dies, ei*, f. A très courte —, *in diem perexiguam*.

échéant, *ante*, adj. Qui échoit. *Quod incidit* ou *usu venit* Le cas —, *si casus inciderit* ou *si res ita interciderit*.

échec, s. m. Coup par lequel on met en prise le roi. Fig. Faire — à qqn, *aliquem ad incitas* (s.-e. *calces*) *redigère*. || Position de celui à qui l'on fait échec; revers momentané dans une entreprise. *Repulsa, ae*, f. *Offensio, onis*, f. Essuyer un —, *repulsam ferre* ou *accipère*. ¶ (Au plur.) Sorte de jeu. *Lusus latrunculorum*. Jouer aux—, *latrunculis ludère*.

échelle, s. f. Escalier portatif. *Scalae, arum*, f. pl.

échelon, s. m. Chacune des traverses qui forment les degrés de l'échelle. *Gradûs, ûs*, m. || (Fig.) Degré. *Gradûs, ûs*, m.

échelonner, v. tr. Mettre de distance en distance; ranger (des troupes) en échelons. *Disponère*, tr.

échevelé, *ée*, adj. Qui a les cheveux épars, en désordre. *Crinibus solutis* ou *resolutis* ou *passis* (signe de deuil) ou *sparsis* (marque d'une passion furieuse).

échine, s. f. Partie du dos de l'homme, de l'animal, où se trouve la colonne vertébrale. *Spina, ae*, f.

échiquier, s. m. Table pour jouer aux échecs. *Tabula latruncularia*.

écho, s. m. Réflexion du son renvoyé à l'oreille par une surface qui le répercute. *Vox repercussa*. || Imitation. *Imago, ginis*, f. Faire, former —, *referre* ou *reddère*, tr.; *resonâre*, intr.; *respondêre*, intr. (av. le dat.). Répété par l'—, *repercussus, a, um*, part. ¶ (Fig.) Parole répétée par qqn, voy. BRUIT, RUMEUR. || (Par ext.) Personne qui répète ce qu'elle a entendu dire. Se faire l'— de bruits, *rumores excipère et ad aliquem perferre*.

échoir, v. intr. Arriver par une circonstance que la loi détermine. *Venire*, intr. *Evenire*, int . *Obvenire*, intr. *Ce-*

dère, intr. *Contingère*, intr. *Obtingère*, intr. ¶ (En parl. d'une chose due.) Etre payable à une date déterminée. *Cadère*, intr.

échope, s. f. Petite boutique. *Taberna, ae*, f. Une — de savetier, *taberna sutrina*, et (simpl.) *sutrina, ae*, f.

échouer, v. intr. (En parl. d'un navire.) Venir dans un endroit où il n'y a pas assez d'eau pour le soutenir. *Sidère*, intr. Faire —, *ejicère*, tr. || (Par ext.) En parl. d'un passager. *Ejici*, pass. || (Fig.) Etre arrêté par qq. obstacle dans une entreprise, et (absol.) ne pas réussir. *Offendère*, tr. *Corruère*, intr. *Cadère*, intr. (on dit aussi *rem male gerère*). Qui échoue (en parl. de chos.), *vanus, a, um*, adj.; *irritus, a, um*, adj. Faire —, *debilitâre*, tr.; *disturbâre*, tr.

éclabousser, v. tr. Mouiller, salir (qqn) en faisant jaillir de l'eau, de la boue. *Luto spargère*. *Eclaboussé, caeno oblitus*. || Couvrir d'éclaboussures. *Respergère* ou *aspergère* (aliquem). — de sang, *respergère sanguine* (ou *cruore*).

éclaboussure, s. f. Eau, boue qui rejaillit sur qqn, sur qqch. *Aspergo, ginis*, f. *Respersûs, ûs*, m.

éclair, s. m. Lumière vive produite par une décharge électrique. *Fulgur, uris*, n. Les — et les coups de tonnerre, *fulgores et tonitrua*. Il fait des —, *fulgurat*, impers. ¶ (Par anal.) Vive lueur. *Fulgor, oris*, m. ¶ (Fig.) Ce qui a le vif de l'éclair. *Ignes, ium*, m. pl.

éclairage, s. m. Action d'éclairer (avec une lumière artificielle). *Illuminatio, onis*, f.

éclaircir, v. tr. Rendre plus clair. || Rendre moins obscur (pour la vue). *Illustriorem* (ou *illustrius*) *facère*. S'—, *clarescère*, intr. Le ciel s'éclaircit, *disserenat*. || (Fig.) Rendre moins sombre. — le front, *explicâre frontem*. ¶ Rendre moins foncé. — le teint, *cuti nitorem inducère*. S'— (en parl. du teint), *nitère*, intr. ¶ (Fig.) Rendre moins obscur (pour l'esprit). *Illustrâre*, tr. Pour — l'affaire, *rei dilucidandae causâ*. S'—, *clarescère*, intr. Tout s'éclaircit, *omnia illustrantur*. ¶ (Au propre.) Eclaircir la vue (endre plus clairvoyant). *Claritatem oculis afferre* (ou *facère*). ¶ Rendre moins épais. Voy. CLARIFIER. || Rendre moins serré. — les rangs, *ordines laxâre*. Rangs éclaircis, *rarior acies*.

éclaircissement, s. m. (Au propre.) Action d'éclaircir. *Extenuatio, onis*, f. ¶ (Fig.) Action de rendre clair à l'esprit ce qui est obscur. *Explanatio, onis*, f.

éclairer, v. intr. et tr. || V. *intr.* Répandre la clarté. *Lucêre*, intr. *Fulgêre*, intr. ¶ (Spéc.) Lancer des éclairs. *Fulgère*, intr. Impers. Il —, *fulgurat*. ¶ V. tr. Répandre de la clarté sur (qqn ou qqch.). *Collus(t)râre*, tr. *Illuminâre*, tr. || Fig. Rendre clair pour l'esprit. *Illustrâre*, tr. || (Par ext.) Eclairer sa marche

(t. mil.), *loca et itinera explorāre.* ¶
Mettre en état de voir clair. *Illustrāre,*
tr. *Illumināre,* tr — qqn (avec une
lumière), *alicui lucem (lucernam, facem)
praebēre.* Eclairé, *illustris, e,* adj. ‖
(Fig.) Rendre clairvoyant. *Lumen alicui
praeferre.* Eclairé, *intelligens,* adj. (en
parl. de pers. et de chos.); *prudens,* adj.

éclaireur, s. m. Soldat qu'on envoie
en avant reconnaître la situation de
l'ennemi. *Explorator, oris,* m. *Speculator, oris,* m.

éclat, s. m. Fragment jeté par un
corps qui éclate. *Fragmentum, i,* n.
Assula, ae, f. Voler en —, *in multas
partes dissilīre.* Faire voler en —, *dif-
fringĕre,* tr.; *perfringĕre,* tr. ¶ Action
d'éclater; bruit de ce qui éclate. *Fragor,
oris,* m. — de voix, *clamor, oris,* m. —
de rire, *cachinnus, i,* m. ‖ (Spéc.) Manifestation soudaine et bruyante. *Tumultŭs, ūs,* m. Faire un —, *turbam
facĕre* ou *concitāre.* Il faut s'attendre à
qq. éclat, *certē videntur haec aliquo
eruptura.* ¶ Vive lumière projetée par
les objets. *Claritas, atis,* f. *Fulgor, oris,*
m. *Lux, lucis,* f. *Color, oris* (« brillant
coloris, éclat »), m. *Ignis, is* (« feu,
par ext.* lumière, éclat »), m. ‖ (Fig.)
Caractère brillant de la beauté. *Nitor,
oris,* m. *Splendor, oris,* m. Qui a de
l'—, voy. ÉCLATANT. Avec —, *splendidē,* adv.; *illuminatē,* adv. Action d'—,
facinus egregium. Avoir de l'—, voy.
BRILLER. Donner de l'—, *illumināre,*
tr.; *illustrāre,* tr. — emprunté, *fucus,
i,* m.

éclatant, *ante,* adj. Qui éclate. *Sonans*
(gén. *-antis*), p. adj. *Clarus. a, um,* adj.
Bruit —, *fragor, oris,* m. Voix —, *claritas, atis,* f. ‖ Qui a de l'éclat. *Splendidus, a, um,* adj. *Nitens* (gén. *-entis*),
p. adj. Lumière —, *fulgor, oris,* m.;
nitor, oris, m. Avoir une couleur —,
splendēre, intr.; *fulgēre,* intr. Victoire
—, *egregia victoria.* Une vengeance —,
exemplum ultionis. Nom —, *splendidum
nomen.* Gloire —, *fulgor gloriae.* Actions
—, *res illustres.*

éclater, v. intr. Se rompre soudain
avec bruit en projetant des fragments.
Dissilīre, intr. *Diffindi,* pass. Faire
—, *diffindĕre,* tr. ‖ (P. anal.) Se décharger soudain avec fracas. *Coorīri,*
dép. intr. ‖ (Fig.) Se manifester soudain
avec bruit. *Erumpĕre,* intr. *Prorum-
pĕre,* intr. *Coorīri,* dép. intr. *Exorīri,*
dép. intr. Faire —, *erumpĕre,* tr.;
effundĕre, tr. — en reproches, *stomachum erumpĕre in aliquem.* Absol. J'ai
peine à ne pas —, *vix me contineo.* —
de rire, *risum tollĕre.* ¶ Frapper la vue
par une vive lumière. *Fulgēre,* intr.
Splendēre, intr. Faire —, *illumināre,*
tr. ‖ (Fig.) Frapper l'esprit par qqch.
de brillant. *Elucēre,* intr. *Enitēre,* intr.
Faire —, voy. MANIFESTER.

éclipse, s. f. Phénomène astronomique
par lequel un astre cesse exceptionnel-

lement d'être visible. *Obscuratio, onis,*
f. *Defectio, onis,* f. *Defectŭs, ūs,* m. Il
y a une — de lune, de soleil, *sol, luna
deficit.* ‖ (Fig.) Disparition momentanée
d'une personne, d'une chose. *Defectio,
onis,* f.

éclipser, v. tr. Faire cesser d'être
visible (un astre). *Obscurāre,* tr. S'—,
deficĕre, intr.; *obscurari,* passif. ‖ (Par
anal.) Faire cesser d'être visible. *Occultāre,* tr. ¶ Obscurcir en répandant un
éclat supérieur. *Obscurāre* (pr. et fig.),
tr.

éclisse, s. f. Plaque de bois, de carton,
qu'on applique le long d'un membre
fracturé, pour maintenir les os. *Canalis,
is,* m. *Canaliculus, i,* m.

écloper, v. tr. Rendre boiteux ou
bancal. *(Alicui) claudicationem afferre.*
‖ Eclopé, ée, p. adj. Qui marche péniblement en traînant la jambe, *claudus
ac debilis.*

éclore, v. tr. et intr. ‖ *V. tr.* Faire
sortir. *Excludĕre,* tr. ‖ (Spéc.) Faire
naître (en couvant). *Excludĕre,* tr. ¶ *V.
intr.* Sortir de l'œuf. *Excludi,* pass. *De
ovo exire* (ou *nasci*). Faire —, *excludĕre,*
tr. ‖ (Par ext.) S'ouvrir pour laisser
sortir les poussins. *Fetum fundĕre.* Les
œufs sont éclos, *ova fetum fundunt.* ‖
(Par anal.) Sortir du bouton. *Dehiscĕre,*
intr. Fleurs écloses, *nati flores.* ‖ (Par
ext.) S'épanouir (en parl. d'un bouton
de fleur). Voy. (S') ÉPANOUIR. ¶ (Fig.)
Naître. *In lucem prodire.*

éclosion, s. f. Le fait d'éclore. *Fetŭs,
ūs,* m. Voy. PONTE.

écluse, s. f. Bassin formé par des clô-
tures mobiles établies entre deux
parties d'une rivière. *Cataracta, ae,* f.

école, s. f. Etablissement où l'on
enseigne. *Schola, ae,* f. D'—, *scholasticus, a, um,* adj. ¶ (Spéc.) Etas-
blissement où l'on enseigne aux enfants les premiers éléments. *Ludus,
i,* m. ‖ Etablissement d'enseignement
spécial. *Schola, ae,* f. — de philosophie, *philosophorum scholae.* ¶ L'ensemble des disciples attachés à une
même école, *c.-à-d.* à une même doctrine, *et (par ext.)* doctrine. *Schola, ae,*
f. *Secta, ae,* f. *Disciplina, ae,* f. Les
tenants de cette école, *qui sunt ab eā
disciplinā.* ‖ (Par ext.) Apprentissage.
Schola, ae, f. Etre encore à l'—, *nondum
e scholā egressum esse.* ‖ (Fig.) Tout ce
qui est propre à donner la connaissance,
l'expérience d'une chose. *Schola, ae,* f.
Ludus, i, m. *Disciplina, ae,* f. A l'—
d'Annibal, *Hannibale magistro.* A son
—, *quā (sapientia) praeceptrice.*

écolier, s. m. Celui qui va à une école
élémentaire. *Scholasticus, i,* m. ‖ (Spécial.) Enfant qui va à une école élémentaire. *Discipulus, i,* m. Ecolière. *Discipula, ae,* f.

éconduire, v. tr. Se débarrasser par
des défaites de qqn qui demande. Il
l'éconduisit en disant... *eum dimisit*

causam *interponens*... ¶ Congédier. *Excludĕre*, tr.

économe, s. m. et f. et adj. || *S. m.* et *f.* Personne chargée de la dépense dans une grande maison. *Dispensator. oris*, m. *Dispensatrix, tricis*, f.¶ (Adj). Qui sait éviter toute dépense inutile. *Parcus, a, um*, adj. *Diligens* (gén. -*entis*), p. adj.

économie, s. f. Gestion intérieure d'une maison, d'un ménage. *Cura rei familiaris*. ¶ Ordre avec lequel les choses sont administrées. — domestique, *rei familiaris diligentia*. — rurale, *res rustica*. || (Par ext.) Harmonie établie entre les diverses parties d'un tout. *Dispensatio, onis*, f. *Compositio, onis*, f. — du corps, *corporis constitutio*. ¶ Gestion où l'on évite toute dépense inutile. *Diligentia, ae*, f. *Frugalitas, atis*, f. *Parcimonia, ae*, f. Avec —, *frugaliter*, adv.; *parcĕ*, adv. || (Par ext.) Ce qu'on épargne. *Compendium, ii*, n.

économique, adj. Relatif à l'administration matérielle d'une maison, d'un établissement. *Domesticus, a, um*, adj. La science — *et* (substantiv.) *fém*, l'—, *cura rei familiaris*. || (P. ext., Relatif à l'économie politique. *Publicus, a, um*, adj. ¶ Qui épargne la dépense. *Qui* (*quae, quod*) *parvo impendio constat*. Etre très —, *minimo sumptu esse*.

économiquement, adv. En épargnant la dépense. *Parcĕ*, adv.

économiser, v. tr. Epargner en ménageant la dépense. *Parcĕre*, intr. (av. le dat.). Fig. — ses forces, *viribus parcĕre*. — son temps, *parcĕ tempore uti*. Absol. Faire des économies, *parcĕre*, intr.

écorce, s. f. Enveloppe de la tige et des branches de certains arbres. *Cortex, icis* (extérieure), m. et f. *Liber, bri* (écorce intérieure), m. Garni d'—, *corticatus, a, um*, adj. D'—, *corticeus, a, um*, adj. ¶ Enveloppe coriace de certains fruits. *Cortex, icis*, m.

écorcer, v. tr. Dépouiller de son écorce. *Decorticāre*, tr.

écorcher, v. tr. Dépouiller un animal (mort *ou* vif) de sa peau. *Detrahĕre pellem* (*bestiae, alicui*). *Alicujus corpori cutem detrahĕre*. ¶ Blesser en éraflant la peau sur une étendue plus ou moins grande. *Leviter vulnerāre* (*aliquem*). *Perstringĕre* (*cutem*). Peau écorchée, *cutis vulnerata*. || (P. ext.) Détério er un objet en en éraflant la surface. *Delibāre*, tr. || (P. anal.) — les oreilles (en parl. d'un son), *radĕre aures* (*delicatas*).

écorcheur, s. m. Celui qui écorche. *Lanius, ii*, m.

écorchure, s. f. Eraflure de la peau *ou* des tissus externes. *Perfrictio, onis*, f.

écorner, v. tr. Dégarnir de ses cornes. *Cornua frangĕre*. *Mutilāre*, tr. Ecorné, *mutilus, a, um*, adj. ¶ (P. ext.) Endommager (un objet) en en cassant un

angle, un coin. *Delibāre*, tr. *Mutilāre*, tr. || (P. anal.) Entamer en qq. partie. — (*uno propriété*), *deminuĕre* ou *detrahĕre* (*aliquid de aliquâ re*).

écosser, v. tr. Dépouiller de la cosse. *Purgāre*, tr. Fève écossée, *excussa faba*.

écot, s. m. Ce que doit chaque convive dans un repas où chacun paye sa part. *Colleta, ae*, f. *Symbola, ae*, f.

écoulement, s. m. Action de s'écouler. *Fluxŭs, ŭs*, m. — continu, *perennitas, atis*, f. || (Spéc.) Mouvement d'une humeur qui sort d'un organe. *Fluctio, nŭis*, f. *Destillatio, onis*, f. *Effluvium, ii*, n. ¶ (Au fig.) Mouvement de la foule qui se dissipe peu à peu. *Discessŭs, ŭs*, m.

écouler (s'), v. pron. S'écouler, couler hors. *Defluĕre*, intr. *Effluĕre*, intr. *Diffluĕre*, intr. *Profluĕre*, intr. *Delabi*, dép. intr. Laisser — l'eau, *humorem deducĕre*. || (Par anal.) Se dissiper, s'en aller. *Fluĕre*, intr. *Defluĕre*, intr. *Effluĕre*, intr. *Praeterfluĕre*, intr.

écourter, v. tr. Rendre trop court. *Breviorem facĕre aliquam rem*. *Contrahĕre* (*orationem ; opus*).

écouter, v. tr. Donner attention (à ce que dit qqn), s'appliquer à entendre *Adhibēre aures*. *Admovēre aurem*. *Aures ad alicujus vocem admovēre*. || (Par ext.) Ecouter qqn. *Dāre aures alicui*. *Audīre*, tr. — avec attention, *attentĕ* ou *attentissimĕ audīre*. S' —parler, *se dicentem ipsum mirari*. ¶ (Par ext.) Donner adhésion à ce que dit qqn. *Audīre*, tr. — les prières de qqn, *preces alicujus audire*. || (Fig.) Se laisser aller à faire ce que dicte un sentiment. *Parēre*, intr. *Indulgēre*, intr. — sa colère, *irae parēre*. — son mal *ou* s'—, *sibi indulgēre*.

écraser, v. tr. Aplatir et déformer un corps par choc *ou* compression. *Contundĕre*, tr. *Terĕre*, tr. *Conterĕre*, tr. *Deterĕre*, tr. *Proterĕre*, tr. *Elidĕre*, tr. *Illidĕre*, tr. *Opprimĕre*, tr. || (Spéc.) Rendre aplati, bas. Nez écrasé, *simae nares*.¶ (Au fig.) Faire succomber sous une charge trop lourde, trop onéreuse. *Opprimĕre*, tr. *Obruĕre*, tr. || Faire succomber dans la lutte sous une force irrésistible. *Obruĕre*, tr. *Opprimĕre*, tr.

écrevisse, s. f. Crustacé. *Cancer, cri*, m.

écrier (s'), v. pron. Pousser un cri soudain. *Clamorem edĕre* (ou *tollĕre*). *Exclamāre*, intr. *Conclamāre*, intr.

écrin, s. m. Coffret, étui à bijoux. *Scrinium, ii*, n. *Loculus, i*, m. (et ordin.) *loculi, orum*, m. pl.

écrire, v. tr. Figurer sa pensée au moyen de signes convenus représentant des mots. *Scribĕre*, tr. *Ascribĕre*, tr. *Conscribĕre*, tr. *Inscribĕre*, tr. *Perscribĕre*, tr. *Praescribĕre* (« écrire en tête »), tr. *Rescribĕre* (« écrire de nouveau »), tr.) — d'ordinaire, *scriptitāre*, tr. —(*qqch*.) sur le bronze, la pierre, etc., *incidĕre aliquid (leges, decreta) in aes,* etc. Apprendre à —, *litterarum formas discĕre.* Qui ne sait ni lire ni —, *nescius litterarum.* Savoir —, *scire litteras.* ¶ (P. ext.) Consigner (qqch.) en écrivant. *Scribĕre,* tr. *Conscribĕre,* tr. *Inscribĕre,* tr. *Perscribĕre* (« écrire en entier »). tr. ¶ Faire savoir (qqch.) à une personne éloignée, en écrivant. *Scribĕre,* tr. *Conscribĕre,* tr. — souvent, *scriptitāre,* tr. ¶ Composer un ouvrage qui doit être lu. *Scribĕre,* tr. *Conscribĕre,* tr. ‖ (Absol.) Exprimer sa pensée par le style avec un bonheur plus ou moins grand. *Scribĕre,* abs.

écrit, s. m. Le fait d'écrire. *Scriptio, onis,* f. *Scriptura, ae,* f. Par —, *litteris; per litteras.* Mettre une chose en —, marquer, noter, coucher qqch. par —, *aliquid perscribĕre; aliquid scriptis* (ou *litteris*) *mandāre.* Traiter un sujet par —, *scripturā aliquid persĕqui.* Laisser par — que..., *scriptum relinquĕre* (av. l'acc. et l'inf.). ‖ Spéc. (Droit) Preuve par —, *fides litterarum* ou *tabularum.* ¶ Ce qui est écrit sur du papier, du parchemin, etc. *Scriptum, i,* n. *Scriptio, onis,* f. *Litterae, arum,* f. pl. Un — de sa main, *chirographum, i,* n. Un — (une convention écrite), *syngrapha, ae,* f.; *chirographum, i,* n. ¶ (P. ext.) Composition littéraire, scientifique. *Scriptum, i,* n. *Scriptio, onis,* f. *Liber, bri,* m. **écriteau,** s. m. Placard portant une inscription destinée au public, et qu'on place en évidence. *Tabula, ae,* f. *Titulus, i,* m.

écritoire, s. m. Encrier. Voy. ce mot. **écriture,** s. f. Action d'écrire. *Scriptio, onis,* f. ‖ Art d'écrire. *Litteratura, ae,* f. *Litterae, arum,* f. pl. Caractères d'—, *litterarum notae.* ‖ (Par ext.) Manière d'écrire. *Manŭs, ŭs,* f. Avoir une jolie —, *lepidā manu scribĕre.* ¶ Ce qui est écrit sur un papier, etc. *Scriptura, ae,* f. *Scriptum, i,* n. ‖ (Spéc.) *Au plur.* Ensemble des écrits qu'on fait à l'occasion d'un procès. *Scripta, orum,* n. pl. *Litterae, arum,* f. pl. ‖ Ensemble des écrits qu'on fait dans une maison de commerce, etc. *Rationes, um,* f. pl. Passer —, *perscribĕre,* tr. ¶ Ouvrage écrit. L'Ecriture Sainte, *Sancta Scriptura. Sacrae* ou (sanctae) *litterae.*

écrivain, s. m. Celui dont la profession est d'écrire pour le compte d'autres. *Scriba, ae,* m. *Scriptor, oris,* m. ¶ Personne qui écrit des livres, auteur. *Scriptor, oris,* m.

écrouelles, s. m. Scrofules. Voy. ce mot.

écrouer, v. tr. Inscrire sur le registre d'écrou. *In carceris ratione inscribĕre.* ‖ (P. ext.) Mettre en prison. Voy. EMPRISONNER.

écroulement, s. m. Le fait de s'écrouler *Ruina, ae,* f.

écrouler (s'), v. pron. (En parl. d'une construction.) Tomber soudainement en débris de toute sa masse. *Ruĕre,* intr. *Corruĕre,* intr. *Concidĕre,* intr. ¶ (Au fig.) Tomber tout à coup et tout entier. Voy. CROULER.

écru, s. m. Bouclier que portaient, au moyen âge, les hommes d'armes. *Scutum, i,* n. ¶ (P. ext.) Ancienne monnaie (d'or et d'argent). *Nummus, i,* m.

écueil, s. m. Rocher, banc de roches, de sable, à fleur d'eau. *Scopulus, i,* m. *Saxum, i,* n. Lieux pleins d'—, *scopulosa, orum,* n. pl. ‖ (Fig.) Obstacle dangereux. *Scopulus, i,* m.

écuelle, s. f. Vase creux où l'on sert du bouillon pour le manger. *Gabata, ae,* f.

écumant, *ante,* adj. Qui jette de l'écume. *Spumans* (gén. *-antis*), p. adj. *Spumosus, a, um,* adj. *Spumeus, a, um,* adj.

écume, s. f. Mousse qui se forme à la surface d'un liquide qu'on agite, etc. *Spuma, ae,* f. Jeter l'—, *spumāre,* intr. Se couvrir d'—, voy. ÉCUMER. Oter l'—, voy. ÉCUMER. Couvert d'—, voy. ÉCUMANT. ‖ (Fig.) Amas de gens qui forment la partie la plus vile d'une classe, etc. *Faex, aecis,* f. ¶ (P. ext.) Bave mousseuse. *Spuma, ae,* f.

écumer, v. tr. et intr. ‖ (*V. tr.*) Débarrasser de l'écume. *Despumāre,* tr. ‖ (Fig.) — les mers, les côtes (y exercer la piraterie), *infestare mare.* ¶ (*V. intr.* Se couvrir d'écume. *Spumāre,* intr. Fig. — de rage, *spumas agĕre in ore.*

écumeux, *euse,* adj. Couvert d'écume. *Spumans* (gén. *-antis*), p. adj.

écumoire, s. f. Grande cuillère pour écumer. *Trua, ae,* f.

écurer, v. tr. Curer entièrement. *Aquā perluĕre. Commundāre,* tr.   [i, m.

écureuil, s. m. Petit animal. *Sciurus,*

écurie, s. f. Lieu destiné à loger des chevaux, des mulets. *Stabulum, i,* n. *Equile. is,* n.

écusson, s. m. Petit écu figuré comme pièce dans l'écu des armoiries, *p. ext.* écu d'armoiries. *Scutulum, i,* n.

écuyer, s. m. Au moyen âge, personnage attaché à un chevalier, pour porter son écu et le servir. *Armiger, geri,* m. ¶ (P. ext.) — tranchant (officier qui coupait les viandes), *scissor, oris,* m. ‖ (Par ext.) Ecuyer de bouche (officier qui range les plats sur la table de l'office d'un prince). *Penator, oris,* m. ¶ (P. ext.) Titre inférieur à celui de chevalier. *Eques, quitis,* m. ¶ (Spéc.) Celui qui enseigne à monter à cheval et dresse les chevaux au manège. *Equiso, onis,* m.

édenter, v. tr. Priver de ses dents. *Edentāre,* tr. Edenté, *edentulus, a, um,* adj.

édicter, v. tr. Etablir par un édit, par une loi. *Edicĕre* (*legem*). *Proponĕre* (*poenas*).

édifiant, *ante,* adj. Qui édifie; qui

porte à la vertu, à la piété. *Pius, a, um*, adj. *Aptus ad sensus pios excitandos*.

édification, s. f. Action d'édifier, de construire un édifice. *Aedificatio, onis*, f. *Exstructio, onis*, f. ¶ Action d'édifier qqn. *Pietas, atis*, f.

édifice, s. m. Bâtiment monumental. *Aedificium, ii*, n. *Aedes, ium*, f. pl.

édifier, v. tr. Elever (un édifice). *Aedificare* ou *exaedificare*, tr. ‖ (Fig.) Composer un vaste ensemble. *Aedificare*, tr. *Exaedificare (opus)*. ¶ (Fig.) Affermir dans la piété. *Aedificare*, tr. Edifié, *tactus religione*. ¶ (P. ext.) Instruire pleinement sur une personne, une chose. Voy. INSTRUIRE.

édile, s. m. Magistrat qui avait, à Rome, l'inspection des édifices, des jeux, etc. *Aedilis, is* (abl. sing. *aedile*) m. D'—, concernant l'—, *aedilicius, a, um*, adj. Un ancien —, *aedilicius, ii*, m.

édilité, s. f. Magistrature des édiles; exercice de cette magistrature. *Aedilitas, atis*, f.

édit, s. m. Ordonnance rendue par le souverain. *Edictum, i*, n.

éditer, v. tr. Publier (le texte d'un auteur). *Edere (librum)*. ¶ (P. ext.) Publier et mettre en vente (un livre), etc. *Edere (librum)*.

édition, s. f. Impression et publication d'un ouvrage. *Editio, onis*, f.

éducation, s. f. Action de former un enfant; résultat de cette action. *Educatio, onis*, f. *Disciplina, ae*, f. *Cultûs, ûs*, m. *Humanitas, atis*, f. Confier à qqn l'— d'un enfant, *puerum alicui educandum tradere*. Donner à qqn une bonne — *aliquem honeste* (ou *liberaliter*, *ingenuê*) *educare*. ‖ (Spéc.) Action de former qqn aux bonnes manières. *Cultûs, ûs*, m. *Disciplina, ae*, f. ‖ Résultat de cette action. *Humanitas, atis*, f. *Urbanitas, atis*, f. Qui manque d'—, *inhumanus* ou *humanitatis inops*. Sans —, *inurbanus*. ¶ (Par anal.) Action de dresser des animaux à certains exercices. *Domitura, ae*, f. *Domitus* (abl. *u*), m. ¶ Art d'élever, d'entretenir, etc., certains animaux. *Educatio, onis*, f.

effacer, v. tr. Faire disparaître ce qui est tracé. *Delere*, tr. *Abolere*, tr. S'—, *aboleri*, pass.; *evanescere*, intr. ¶ (Au fig.) Faire oublier. *Oblitterare*, tr. *Abolere*, tr. *Delere*, tr. *Exstinguere*, tr. S'—, *evanescere*, intr. ¶ Empêcher de paraître en attirant le regard par qqch. de plus éclatant. *Obscurare*, tr. S'— devant qqn, *cedere alicui*.

effarer, v. tr. Frapper d'un trouble qui produit une sorte d'égarement. *Perturbare*, tr. Effaré, *trepidus*. Etre effaré; *trepidare*, intr.

effaroucher, v. tr. Rendre (un animal) farouche. *Consternare*, tr. *Efferare*, tr. S'—, *expavescere*, intr.; *consternari*, pass.

effectif, ive, adj. Qui produit l'effet

qu'on attend. *In re positus*. *Verus, a, um*, adj. ‖ Substantiv. (au masc.). L'— d'une armée, *numeri, orum*, m. pl.

effectivement, adv. D'une manière effective. *Re. Reapse. Re vera*.

effectuer, v. tr. Mettre à effet (ce qui est annoncé). *Efficere*, tr. *Perficere*, tr. S'—, *effici*, pass.

efféminer, v. tr. Rendre faible, délicat comme une femme. *Mollire*, tr. *Effeminare*, tr. S'—, devenir efféminé, *molliri* ou *effeminari*. Efféminé, *effeminatus, a, um*, p. adj.

effervescence, s. f. Etat de ce qui est effervescent. *Fervor, oris*, m. ‖ Fig. — des esprits, *aestûs, ûs*, m.

effervescent, ente, adj. Qui bouillonne. *Effervescens* (gén. *-entis*), p. adj. ¶ Qui s'agite sous l'influence de quelque émotion. *Fervens* (gén. *-entis*), p. adj.

effet, s. m. Résultat de l'action d'une cause. *Effectûs, ûs*, m. *Opus, eris*, n. Produire un —, *opus efficere*. Les —, *causarum eventus*. Les causes et les —, *causae rerum et consecutiones*. Prompt — d'un poison, *celeritas veneni*. Lent — d'un poison, *tarditas veneni*. Ne produire aucun —, *irritum esse*. Etre l'— du hasard, *casu fieri*. Qui est l'— du hasard, *fortuitus, a, um*, adj. ¶ (Par ext.) Réalisation d'une chose. *Res, rei*, f. *Factum, i*, n. *Effectûs, ûs*, m. En venir à l'—, mettre une chose à —, *rem ad effectum adducere* Qui est sans —, voy. VAIN. Avoir, recevoir son —, *fieri*, pass.; *effici*, pass. Etre l'— de qqch., *ab aliquâ re proficisci*. ¶ Loc. adv. En effet, c.-à-d. en réalité, *re; reipsê; re verâ*. ‖ (Par ext.) Absol. Pour confirmer une affirmation. *Nam*, conj. *Namque*, conj. *Enim* (ap. un mot), conj. *Etenim*, conj. ‖ (Loc. adv.) A cet —, pour cet —, *ad id efficiendum*. ‖ (Loc. prép.) A l'— de, *ut* (av. le subj.). ¶ (Spéc.) Impression produite sur le cœur, sur l'esprit. *Vis*, f. Faire, produire de l'—, *animum* (ou *animos*) *movere* (ou *commovere*). ‖ (Spéc.) Faire l'— de qqch., c.-à-d. avoir l'apparence de cette chose *speciem habere alicujus rei*. Effets de style, *lumina dicendi*. ¶ (Par ext.) Ce qui représente sous une forme effective l'avoir de qqn. Effets mobiliers *et* (absol.) effets. *Res, rerum*, f. pl. (Par ext.) Vêtements, linge, etc. Voy. ces mots. ‖ Effets publics. *Chartae publicae*. ‖ Effet de commerce. *Chirographum, i*, n.

effeuiller, v. tr. Dépouiller (une branche, une tige) de ses feuilles. — un arbre, *folia stringere* (ou *decerpere*) *arbori*. S'—, *folia deperdere* (ou *dimittere*).

efficace, adj. Qui a la vertu de produire l'effet qu'on attend. *Efficax* (gén. *-acis*), adj. *Valens* (gén. *-entis*), p. adj. *Praesens* (gén. *-entis*), adj. *Potens* (gén. *-entis*), adj. Peu —, *infirmus*.

a, um, adj. D'une manière —, *effi-cienter*, adv.; *potenter*, adv. Etre —, *valēre*, intr. (en parl. de remèdes); *prodesse*, intr. (*contra aliquid*).

efficacement, adv. D'une manière efficace. *Efficienter*, adv.

efficacité, s. f. Caractère de ce qui est efficace. *Efficientia, ae*, f. *Vis, vis*, f.

effigie, s. f. Représentation de la figure d'une personne. *Effigies, ei*, f. *Imago, inis*, f.

effiler, v. tr. Amincir comme un fil. *Tenuāre*, tr. S'—, *tenuāri* ou *attenuari*. || (Au part. passé employé adjectiv.) Effilé. *Acer, cris, cre*, adj. *Tenuis, e*, adj.

efflanquer, v. tr. Rendre maigre des flancs. Efflanqué, *strigosus, a, um*, adj.

effleurer, v. tr. Enlever légèrement le dessus de qqch. *Delibāre*, tr. ¶ Toucher à peine, en passant, le bord, la surface de qqch. *Delibāre*, tr. *Stringēre*, tr. ¶ Porter une légère atteinte à... *Leviter laedēre*. || Examiner superficiellement. *Delibāre*, tr. *Perstringēre*, tr. En effleurant, *strictim*, adv., *leviter*, adv.

effondrement, s. m. Action de s'effondrer. *Ruina, ae*, f.

effondrer, v. tr. Faire manquer par le fond (en surchargeant). *Fundum effringēre*. La salle s'est effondrée sur les convives, *triclinium super convivas corruit*.

efforcer (s'), v. pron. Déployer de la force pour résister *ou* pour vaincre une résistance. *Conāri*, dép. tr. (av. l'inf.). *Niti*, dép. intr. (abs. et av. l'inf.).

effort, s. m. Action de s'efforcer. || (En déployant de la force physique.) *Conatūs, ūs*, m. *Nisūs, ūs*, m. *Contentio, onis*, f. *Labor, oris*, m. Durs efforts, *molimentum, i*, n. ¶ (En déployant de la force morale.) *Contentio, onis*, f. *Intentio, onis*, f. *Conatūs, ūs*, m. Faire —, *niti*, dép. intr.; *conniti*, dép. intr.; *eniti*, dép. intr.; *eniti ut*... (av. le subj.); *eniti et contendēre* (« faire les plus grands efforts ») *ut*...; *eniti et efficēre, ut*... (« réussir grâce à ses efforts, à »); *obniti*, dép. intr.; *contendēre*, intr. (*contendēre et laborare ut*...; *contendēre et elaborare* (« déployer tous ses efforts »), *ut*... (av. le subj.); *contendēre* (av. l'inf.); *laborāre, ut*... (et le subj.); *conāri*, dép. intr. Qui demande, a demandé beaucoup d'efforts, *laboriosus, a, um*, adj. Avec —, en faisant des —, avec de grands —, *contentē*, adv.; *enixē*, adv.; *obnixē*, adv. Sans —, *quietē*, adv.

effraction, s. f. Bris de clôture d'un lieu habité, dans une intention criminelle. *Effractura, ae*, f.

effrayant, *ante*, adj. Qui est de nature à effrayer. *Terribilis, e*, adj. *Horribilis, e*, adj. *Formidolosus, a, um*, adj. Nouvelles —, *atroces nuntii*. Objet —,

terror, oris, m. D'une manière —, *formidolosē*, adv.

effrayer, v. tr. Frapper de frayeur. *Terrēre*, tr. *Conterrēre*, tr. *Exterrēre*, tr. *Perterrēre* tr. Effrayé, *pavidus, a, um*, adj. Etre effrayé, *terrēri*, pass. S'—, *extimescēre*, intr.; *formidāre*, tr. et intr.

effréné, *ée*, adj. Sans frein (*fig.*) ; que rien ne retient. *Effrenatus, a, um*, p. adj. Passions —, *intemperantia libidinum*.

effroi, s. m. Saisissement causé par la frayeur. *Pavor, oris*, m. *Formido, inis*, f. *Terror, oris*, m. Remplir d'—, voy. EFFRAYER, ÉPOUVANTER. Avec —, *pavidē*, adv.

effronté, *ée*, adj. Qui n'a point de honte. Un homme —, une femme —, *et* (*substantiv.*) un —, une —, *petulans homo, petulans mulier*; *procax* (gén. -*acis*), m.; *protervus homo*. || (P. ext.) Qui marque de l'effronterie. *Impudens* (gén. -*entis*), adj. *Inverecundus, a, um*, adj. *Protervus, a, um*, adj.

effrontément, adv. Avec effronterie. *Impudenter*, adv.

effronterie, s. f. Caractère de celui qui est effronté. *Impudentia, ae*, f. *Petulantia, ae*, f. *Protervitas, atis*, f. *Procacitas, atis*, f.

effroyable, adj. Qui cause de l'effroi. *Horribilis, e*, adj. *Terribilis, e*, adj. *Atrox* (gén. -*trocis*), adj. || (P. anal.) Un cri —, *clamor terribilis*. Fig. Nouvelles —, *atroces nuntii*.

effroyablement, adv. D'une manière effroyable. *Horrendum in modum*.

effusion, s. f. Action de répandre. *Effusio, onis*, f. L'— de sang, *cruor et caedes*. ¶ (Fig.) Action de donner une libre issue aux sentiments que le cœur renferme. *Effusio, onis*, f. — de tendresse, *summa amoris significatio*.

égal, *ale*, adj. De même quantité *ou* de même dimension que ce à quoi on le compare. *Aequalis, e*, adj. *Aequabilis, e*, adj. *Aequus, a, um*, adj. Par, adj. Sans —, *unicus, a, um*, adj. Rendre —, *aequāre*, tr.; *exaequāre*, tr. Regarder comme —, *aequāre*, tr. || (Loc. prép.) A l'— de, *aeque et*... || D'— (sur le même niveau, *ex aequo*. || (Par anal.) Qui est toujours le même. *Aequabilis, e*, adj. || Dont le niveau est partout le même. *Aequus, a, um*, adj. *Aequalis, e*, adj. || (Au *fig.*) Dont la nature reste toujours la même. *Aequabilis, e*, adj. *Aequus, a, um*, adj. Humeur —, *animus aequus*. ¶ Qui est le même à l'égard de personnes, de choses diverses. *Aequus, a, um*, adj. || Qui est le même pour qqn qu'autre chose. Voy. INDIFFÉRENT.

également, adv. D'une manière égale. *Aeque*, adv. *Aequabiliter*, adv. *Aequaliter*, adv. *Pariter*, adv. Etre — distant, *paribus intervallis distāre*. — grand, *aeque magnus*. || (Fig.) *Aequē*, adv. *Pariter*, adv. *Eodem modo*.

égaler, v. tr. Rendre égal à. *Aequâre*, tr. *Adaequâre*, tr. *Exaequâre*. ‖ (Par ext.) Considérer qqn comme égal à un autre. *Aliquem alicui parem* (ou *in aequo*) *ponère*. ‖ (Par ext.) Proportionner. *Exaequâre*, tr. (*aliquid alicui rei*). ¶ Etre égal à. *Adaequâre*, tr. *Aequiperâre*, tr.

égaliser, v. tr. Rendre plusieurs choses égales entre elles. *Aequâre*, tr. *Exaequâre*, tr. ¶ (P. ext.) Niveler, aplanir. *Aequâre* (*locum*). *Exaequâre* (*planitiem*).

égalité, s. f. Etat de ce qui est égal. *Aequalitas, atis*, f. *Aequabilitas, atis*, f. — des fortunes, *aequatio bonorum*. — de droits (entre citoyens d'une même cité), *aequabilitas* ou *aequatio juris*. Etablir l'— des lois, *aequâre leges*. Etablir l'—, *exaequâre omnia jura*. Sur un pied d'—, *ex aequo*. ‖ L'— du pouls, *aequalis pulsus*. ‖ (P. anal.) — du sol (état du sol dont le niveau est partout le même), *Aequitas, atis*, f. (on dit aussi *locus aequus et planus*). ‖ Fig. — d'humeur, de caractère, *aequitas* (*animi*) ; *aequus animus · aequanimitas, atis*, f.

égard, s. m. Action de considérer les personnes, les choses d'une manière particulière. *Ratio, onis*, f. *Respectûs, ûs*, m. Avoir — à qqn, à qqch., *respicère* (*aliquem; aliquid*) ; *alicujus rei rationem habère*. N'avoir aucun — pour, *negligère aliquem* (ou *aliquid*). Eu — à, *pro ratione alicujus rei*, ou *pro aliquâ re*. Eu — à l'utilité, *si utilitate judicandum est*. Par — à, par — pour, *aliquid* ou *aliquem respiciens*. Par — pour Diviciacus, *Diviciaci honoris causâ*. Sans — pour, *nullâ alicujus* (ou *alicujus rei*) *ratione habitâ*. A l'— de cette affaire, à cet —, *quod ad rem attinet*, A tous —, *omnino*, adv. A l'— de qqn, *erga aliquem*. ¶ Action de montrer à qqn qu'on le considère particulièrement. *Observantia, ae*, f. *Reverentia, ae*, f.

égarement, s. m. Action de s'égarer. *Error, oris*, m. ¶ (Fig.) — de l'esprit, *error mentis* ou simpl. *error*. — d'esprit (aliénation mentale), *amentia, ae*, f. Les — (en parl. de la conduite), *errores, um*, m. pl.

égarer, v. tr. Mettre (qqn) hors du chemin qu'il doit suivre. *A recta viâ abducère*. Egaré, *deerrans* (gén. *-antis*) S'égarer, *errâre*, intr.; *vagari et errar.* ou *deerrâre*. ‖ (Par anal.) Placer une chose qq. part où on ne la retrouve plus. J'ai égaré ma clef, mon livre, *nescio ubi clavem reliquerim, ubi librum. deposuerim.* ‖ Placer (une chose) qqe part où elle ne doit pas être. *In alieno loco ponère*. S'égarer, *deerrâre*, intr. ‖ (Par ext.) Laisser aller sans direction. — ses pas, *latius vagari*. Yeux égarés, *errantes oculi*. ¶ (Fig.) Mettre l'esprit, le cœur, hors de la voie droite. *Inducère aliquem in errorem*. Etre égaré, *in errorem induci* (ou *rapi*). Esprit égaré, *mens emota*. Avoir l'esprit égaré, *mente alienatum* (ou *captum*) *esse*. Egaré, *amens* (gén. *-entis*), adj.

Egates, n. pr. f. pl. Groupe d'îles à l'O. de la Sicile. *Aegates, ium*, f. pl.

égayer, v. tr. Rendre gai. *Hilarâre*, tr. *Exhilarâre*, tr.

1. **Egée**, n. pr. Héros athénien, père de Thésée. *Aegeus, i*, m.

2. **Egée** (mer). L'archipel. *Aegeum mare*, n.

égide, s. f. Bouclier de Pallas. *Aegis, idis* (acc. *ida*), f. ¶ (Fig.) Ce qui protège. *Praesidium, ii*, n. *Tutela, ae*, f.

Egine, n. pr. Ile et ville de la mer Egée. *Aegina, ae*, f. D'—, *Aeginensis, e*, adj. Habitant d'—. *Aegineta, ae*, m.

églantier, s. m. Rosier sauvage. *Silvestris rosa*.

églantine, s. Fleur de l'églantier. *Silvestris rosa*.

église, s. f. Assemblée de ceux qui adorent le Dieu des chrétiens. *Ecclesia, ae*, f. ¶ Edifice consacré au culte catholique. *Ecclesia, ae*, f.

églogue, s. f. Petit poème où l'on met en scène des bergers. *Egloga, ae*, f.

égoïsme, s. m. Disposition à rapporter tout à soi. *Amor sui*.

égoïste, s. m. et f. Celui, celle qui rapporte tout à soi et (adjectiv.) un homme, une femme —, *se ipse* (ou *ipsa*) *amans*.

égorger, v. tr. Tuer (un animal) en lui coupant la gorge. *Jugulâre*, tr. ¶ Tuer par le fer (un être humain) en lui coupant la gorge *ou* autrement. *Jugulare*, tr. *Trucidâre*, tr.

égosiller (s'), v. pron. Se fatiguer le gosier en criant, en chantant. *Ad ravim clamâre.*

égout, s. m. Canal souterrain par où s'écoulent les eaux sales et les immondices d'une ville. *Cloaca, ae*, f.

égoutter, v. tr. Débarrasser d'un liquide en le faisant écouler goutte à goutte. *Destillâre*, tr. S'—, *stillari*. Faire —, *percolâre*, tr.: *exsiccâre*, tr.

égratigner, v. tr. Déchirer légèrement la peau. *Radère*, tr. *Leviter vulnerâre* ou *perstringère* (*aliquem*).

égratignure, s. f. Légère déchirure faite en égratignant. *Nota, ae*, f. Faire une —, voy. ÉGRATIGNER. ‖ (P. ext.) Blessure légère. *Vellicatio, onis*, f.

égrener, v. tr. Dégarnir de grains, et détacher les grains des épis, d'une gousse. *Excutère*, tr. S'—, *excuti.*

Egypte, n. pr. Contrée d'Afrique arrosée par le Nil. *Aegyptus, i*, f. D'—, *Aegyptius, a, um*, adj.

Egyptien, *enne*, adj. *Aegyptius, a, um*, adj. Les —, *Aegyptii, orum*, m. pl.

eh. Voy. HÉ.

éhonté, *ée*, adj. Qui n'a pas de honte. *Impudens* (gén. *-entis*), adj.

élaboration, s. f. Action d'élaborer. *Confectio, onis*, f.

élaborer, v. tr. Transformer, produire par le travail. *Confícère*, tr. S'—. *concoqui*. Aliments élaborés, *confectus cibus*. || (Fig.) *Elaboráre*, tr.

élagage, s. m. Action d'élaguer, résultat de cette action. *Amputatio, onis*, f. *Putatio, onis*, f. *Interlucatio, onis*.

élaguer, v. tr. Retrancher (les branches superflues). *Amputáre* (*ritem*). *Circumcídère*, tr. *Interlucáre*, tr. || (Fig.) Retrancher ce qui est inutile. *Amputáre. Recídère*, tr.

élagueur, s. m. Celui qui élague. *Putator, oris*, m.

1. élan, s. m. Mouvement par lequel on s'élance. *Impetùs, ûs*, m. Prendre son —, *impetum collígère*. || (Par ext.) Ardeur avec laquelle qqn s'élance. *Impetùs, ûs*, m. ¶ (Fig.) Vif sentiment qui jaillit de l'âme et l'entraine. *Impetùs, ûs*, m.

2. élan, s. m. Espèce de cerf qui habite le Nord. *Alces, is* (acc. *en*), f.

élancement, s. m. Douleur aiguë qu'on sent brusquement monter d'une partie du corps. *Punctio, onis*, f.

élancer, v. tr. et intr. || *V. tr.* Lancer avec force. Voy. LANCER. || S'élancer, *c.-à-d.* se lancer en avant. *Se proripère. Prosilíre*, intr. *Proruère*, intr. (*in hostem*). *Procurrère*, intr. (*in publicum*). ¶ (P. ext.) Elancé, *procerus, a, um*, adj. ¶ *V. intr.* Etre le siège d'élancements. *Pungère*, intr.

élargir, v. tr. Rendre plus large. *Dilatáre*, tr. *Prolatáre*, tr. *Laxáre*, tr. *Relaxáre*, tr. *Extendère*, tr. *Proferre*, tr. S'—, *latius patère*. ¶ Rendre plus ample. *Dilatáre*, tr. *Amplificáre*, tr. || (Spéc.) Fig. Etendre. *Dilatáre*, tr. ¶ Mettre au large. — un prisonnier, *missum facère aliquem*.

élargissement, s. m. Action d'élargir. *Laxamentum, i*, n. L'— d'un prisonnier, *missio, onis*, f.

Elbe. n. pr. Fleuve d'Allemagne. *Albis, ùs*, m.

électeur, s. m. Celui qui élit; celui qui a le droit de voter pour l'élection à une fonction civile, etc. *Qui suffragium habet*.

électif, ive, adj. Où on est nommé par voie de suffrages. Roi —, *rex non natus, sed electus*.

élection, s. f. Choix qu'on fait de qqn par voie de suffrages. *Creatio, onis*, f.

électoral, ale, adj. Relatif à l'élection ou à l'éligibilité des candidats à une fonction publique. Droit —, *jus suffragii*.

élégamment, adv. D'une manière élégante. *Ornaté*, adv. *Polité*, adv. *Scité*, adv.

élégance, s. f. Qualité de ce qui est élégant. *Elegantia, ae*, f. *Venustas, âtis*, f. || (En parl. du langage, du style.) *Elegantia, ae* (« précision élégante et de bon goût »), f. *Ornatús, ûs*, m. *Urbanitas, atis*, f. Avec —, *ornaté*, adv.;

scité, adv. Qui est sans —, *inelegans* (gén. *-antis*), adj. Sans —, *ineleganter*, adv.

élégant, ante, adj. Qui présente une distinction pleine de grâce et d'aisance. *Ornatus, a, um*, p. adj. *Distinctus, a, um*, p. adj. *Lautus, a, um*, adj. Urbanus, a, um, adj. *Venustus, a, um*, adj. Subst. Un —, *qui cultui studet; homo nitidus*.

élégiaque, adj. Relatif à l'élégie. *Elegeus* (ou *elegius*), *a, um*, adj. Vers —, *elegi, orum*, m. pl.

élégie, s. f. Petit poème d'un caractère mélancolique *ou* tendre. *Elegia, ae*, f.

élément, s. m. Partie constitutive d'une chose. *Elementum, i*, n. (ordin. au plur.) *Primordia, orum*, n. pl. *Natura, ae*, f. ¶ Corps réputé simple. *Atomus, i*, f. || Chacune des choses dont la réunion ou la combinaison forme une autre chose. *Elementa, orum*, n. pl. *Res, rei*, f. || (P. ext.) Les éléments d'une chose (premiers principes). *Elementa, orum*, n. pl. *Rudimenta, orum*, n. pl.

élémentaire, adj. Qui appartient à l'élément, corps simple. Les corps —, *primordia rerum*. ¶ (Par ext.) Qui appartient aux premiers éléments d'une science. Traité —, *liber in quo traduntur litterarum initia*. Enseignement —, *disciplina quâ prima litterarum initia traduntur*.

éléphant, s. m. Mammifère de l'ordre des pachydermes. *Elephantus, i*, m. D'—, *elephantinus, a, um*, adj.

élevage, s. m. Art d'élever les animaux domestiques. *Educatio, onis*, f.

élévation, s. f. Action d'élever, résultat de cette action. || Action de transporter à un niveau supérieur. *Levatio, onis*, f. *Sublatio, onis*, f. || (Fig.) Action de mettre plus haut quant à la position; résultat de cette action. *Amplificatio, onis*, f. || (P. ext.) Rang supérieur auquel qqn est élevé. *Amplitudo, inis*, f. ¶ Action de mettre plus haut dans l'ordre moral; résultat de cette action. L'— de l'âme vers Dieu, *animus qui ad divina erigitur*. Absolt. L'— du caractère, des sentiments, *elatio* (*amplitudo* ou *excelsitas*) *animi*; *altitudo animi*. — des pensées, *sensus sublimes*. — du style, *altitudo orationis*. ¶ Action d'étendre jusqu'à un niveau supérieur; résultat de cette action. *Altitudo, dinis*, f. *Excelsitas, atis*, f. L'— du terrain, une —, *locus editus*.

1. élève, s. m. et f. Personne qui est instruite dans un art par un maitre. *Discipulus, i*, m. *Alumnus, i*, m. || (P. ext.) Celui, celle qui reçoit ou a reçu les leçons, les instructions de qqn. *Alumnus, i*, m. *Alumna, ae*, f. *Discipulus, i*, m. *Discipula, ae*, f. Etre l'— de qqn, *disciplinâ alicujus uti*. || (Spéc.)

Celui, celle qui reçoit l'instruction dans un établissement spécial. *Discipulus, i,* m. *Discipula, ae,* f. ¶ (P. anal.) Animal domestique dont on a commencé l'élevage. *Pullus, i,* m.

2. **élève,** s. f. Education des animaux domestiques. *Educatio, onis,* f. *Cura, ae,* f.

élever, v. tr. Transporter à un niveau supérieur. *Tollĕre,* tr. *Attollĕre,* tr. *Extollĕre.* tr. *Exprimĕre.* tr. S'—, *evadĕre;* intr. S'— dans les airs, *sublime* (ou *sublimiter*) *ferri,* || (Fig.) Mettre plus haut quant à la position, au rang. *Producĕre.* tr. *Extollĕre,* tr. *Evehĕre.* *Provehĕre.* tr. S'— à de hautes dignités, *consurgĕre ad summam dignitatem; ascendĕre ad honores.* Elevé, *altus. a. um,* adj.: *celsus, a, um,* adj.; *excelsus, a, um,* adj. Le plus —, *très* —, *summus, a, um,* adj. || Mettre plus haut dans l'ordre moral. *Tollĕre,* tr. *Attollĕre,* tr. *Extollĕre,* tr. *Erigĕre,* tr. S'—, *assurgĕre,* intr. Elevé, *altus, a, um,* adj.; *celsus, a, um,* adj.; *excelsus, a, um,* adj.; *elatus, a, um,* p. adj. Esprit —, *elatus animus.* Mettre plus haut dans l'opinion des autres. *Efferre,* tr. *Tollĕre,* tr. *Extollĕre,* tr. qqn jusqu'aux nues, *aliquem summis laudibus ad caelum efferre.* || Mettre plus haut dans sa propre opinion. *Efferre,* tr. ¶ Etendre jusqu'à un niveau supérieur. *Tollĕre,* tr. *Exaggerāre* (*pr.* « élever en forme de remblai »), tr. Elevé, *altus, a, um,* adj. S'—, *tollĕre se* ou *tolli,* pass.; *attollĕre se* ou *attolli,* pass. || Edifier, bâtir. *Erigĕre,* tr. *Excitāre,* tr. || (Par ext.) Tenir à une certaine hauteur. *Tollĕre,* tr. *Attollĕre,* tr. *Efferre,* tr. *Extollĕre,* tr. S'—, *assurgĕre,* intr.; *omergĕre,* intr. Elevé, *altus, a, um,* adj.; *excelsus, a, um,* adj.; *editus, a, um,* adj. Le plus élevé, *summus, a, um,* adj. || S'élever au-dessus, *superāre,* tr. voy. SURPASSER, DÉPASSER), *excellĕre* intr. (*alicui; inter homines*). || (Fig.) Augmenter de quantité, de degré. *Augĕre,* tr. *Efferre,* tr. (*pretium alicujus rei*). *Attollĕre,* tr. (*attollĕre vocem,* élever la voix). Acheter, vendre, louer à un prix élevé, *magno emĕre, vendĕre, conducĕre.* Etre d'un prix peu élevé, *parvi esse.* Sur un ton très élevé, *erectā et concitatā voce.* ¶ (Par ext.) Faire naitre, se développer. — la voix en faveur de qqn, *vocem pro aliquo mittĕre.* S'—, *oriri,* dép. intr.; *cooriri,* dép. intr.; *exoriri,* dép. intr. Un grand vent s'étant —, *maximo coorto vento.* S'— contre qqn, *cooriri in aliquem; invehi in aliquem.* || (Fig.) Susciter. *Excitāre,* tr. *Movēre,* tr. — un débat, controversiam *movēre.* ¶ Amener (un être) à son développement physique, intellectuel *ou* moral. *Educāre,* tr. Bien élevé, *humanus, a, um,* adj. Mal élevé, *rusticus, a, um,* adj.

éleveur, s. m. Celui qui élève des animaux domestiques. *Pecuarius, ii,* m.

élidor, v. tr. Supprimer dans la prononciation la voyelle finale d'un mot devant la voyelle initiale du mot suivant. *Elidĕre (litteras).* S'—, *elidi.*

éliminer, v. tr. Faire sortir, écarter. — des calculs, *calculos ejicĕre.* — qqn (de sa tribu, du sénat), *movēre aliquem* (*tribu, senatu*).

élire, v. tr. Choisir. Voy. ce mot. — domicile, *domicilium collocāre.* ¶ Choisir qqn par voie de suffrages. *Eligĕre,* tr. *Creāre,* tr.

élision, s. f. Action d'élider, résultat de cette action. *Elisio onis,* f.

élite, s. f. Ce qui est choisi dans un ensemble comme le meilleur. *Flos, floris,* m. *Robur, oris,* n. L'— de l'infanterie, *peditum robur.* D'—, *lectus, a, um,* adj. *delectus, a, um,* p. adj.

elle, pr. pers. f. Pronom de la 3e personne. *Ea, ejus,* f. *Illa, illius,* f. (Quand « elle » est sujet du verbe, on ne l'exprime pas en latin, si l'on n'insiste pas sur le sujet ou qu'on ne l'oppose pas à un autre.) Elle-même, *ipsa, ipsius,* f.

ellébore, m. Nom d'une plante. *Elleborus, i,* m.

élocution, s. f. Manière dont on fait entendre les sons en parlant. *Dictio, onis,* f. ¶ (P. ext.) Manière dont on exprime sa pensée par le choix et l'arrangement des mots. *Sermo, onis,* m. ¶ (P. ext.) Partie de la rhétorique qui traite du choix et de l'arrangement des mots. *Elocutio, onis,* f.

éloge, s. m. Discours en l'honneur de qqn *ou* de qqch. *Laudatio, onis,* f. *Collaudatio, onis,* f. Faire un grand —, *de* ,*collaudāre (aliquem).* (Par ext.) Paroles par lesquelles on loue une personne, une chose. *Laus, laudis,* f. (au plur., *laudes funebres; laudes meritae*). Praedicatio, onis,* f. Faire l'—, voy. LOUER, LOUANGE.

élogieux, *euse,* adj. Qui contient l'éloge de qqn. *Plenus (a, um) laudum.* Discours —, *collaudatio, onis,* f. Parler de qqn en termes très —, *praedicāre honorificē de aliquo.*

éloignement, s. m. Action d'éloigner de soi qqn *ou* qqch. || (Dans l'espace.) *Ablegatio, onis,* f. *Abscessio, onis.* f. *Discessus, ūs,* m. *Projectio, onis.* f. || (Dans le temps.) Voy. ABSENCE. || (Fig.) Action d'éloigner de soi qq. action, qq. pensée. *Amotio, onis.* f. ¶ Le fait d'être éloigné de qqn. | (Dans l'espace.) *Longinquitas, atis.* f. Dans un certain —, *procul,* adv. (Dans le temps.) *Longinquitas, atis,* f. *Intervallum, i, n.* Fig. *Declinatio, onis,* f. ¶ (Au fig.) Disposition à se tenir loin de ce qui déplait Voy AVERSION.

éloigner, v. tr. Mettre, faire aller loin, à distance. || (Dans l'espace.) *Movēre* tr. *Amovēre,* tr. *Dimovēre,* tr. *Removēre,* tr. *Submovēre*, tr. S'—, *cedēre*, intr.; *bascedēre*, intr.; *decedēre*, intr.; *recedēre*, intr. Eloigné, *longinquus, a, um*, adj.; *retractus, a, um*, p. adj.; *remotus, a, um*, p. adj. Etre éloigné, *abesse*, intr.; *distāre*, intr. ‖ (Dans le temps.) *Differre*, tr. *Proferre*, tr. *Prolatāre*, tr. Eloigné, *longinquus, a, um*, adj.; *disjunctus, a, um*, p. adj.; *remotus, a, um*, p. adj. Etre éloigné, *abesse*, intr. ¶ (Au fig.) Mettre à distance. *Removēre*, tr. *Avocāre*, tr. *Depellēre*, tr. *Repellēre*, tr. — (un malheur), *averruncāre*, tr. S'— *decedēre*, intr.; *discedēre*, intr.; *recedēre*, intr.; *se removēre (a negotiis publicis)*; *se subtrahēre ab aliquā re*. Eloigné, *disjunctus, a, um*, p. adj.; *remotus, a, um*, p. adj. Etre éloigné, *abesse*, intr. (*ab aliquā re*). ‖ (Spéc.) Eloigner qqn d'une personne, *c.-à-d.* lui inspirer de l'éloignement pour elle. *Distrahēre*, tr. *Disjungēre*, tr. *Alienāre*, tr. S'—, *recedēre*, inr. Etre éloigné, *abhorrēre*, intr. (voy. AVERSION, RÉPUGNER).

éloquemment, adv. D'une manière éloquente. *Disertē*, adv.

éloquence, s. f. Qualité de celui qui est éloquent. *Eloquentia, ae*, f. *Facundia, ae*, f. *Facultas, atis*, f. Avec —, voy. ÉLOQUEMMENT. Avoir de l'—, voy. ÉLOQUENT.

éloquent, *ente*, adj. Qui a le talent de la parole. *Eloquens*, p. adj. *Facundus, a, um*, adj. *Dicendi peritus*. Etre —, *valēre dicendo*.

élu, *ue*, part. Voy. ÉLIRE.

élucubration, s. f. Action d'élucubrer, résultat de cette action. *Lucubratio, onis*, f.

éluder, v. tr. Eviter adroitement. *Eludēre*, tr.

élysée, s. m. Région des enfers, séjour des bienheureux. *Elysium, ii*, n. Les Champs-Elysées, *Elysii campi*.

élyséen, *éenne*, adj. Qui appartient à l'Elysée. *Elysius, a, um*, adj.

émail, s. m. Vernis qu'on applique par la fusion sur les poteries. *Smaltum*, t, n. ‖ (P. anal.) Substance blanche qui recouvre les dents. *Alba dentium crusta*.

émailler, v. tr. (En parl. des fleurs.) Orner de diverses couleurs. *Distinguēre*, tr. *Variāre*, tr. Emaillé, *varius, a, um*, adj.

émanation, s. f. Emission de particules impalpables qui s'échappent d'un corps. *Efflurium, ii*, n. ‖ (P. ext.) Les particules qui s'échappent ainsi. *Afflatūs, ūs*, m. *Vapor, oris*, m. ‖ (Fig.) Ce qui procède de qqn, de qqch. Nous avons une âme qui est une — de la divinité, *ex universā mente divinā delibatos animos habemus*.

émancipation, s. f. Acte par lequel qqn est émancipé. *Emancipatio, onis*, f.

émanciper, v. tr. Affranchir de la puissance paternelle. *Emancipāre*, tr. ¶ (Fig.) Affranchir des lois, des devoirs,

des bienséances. *Dāre licentiam (alicui)*. S'—, *sibi indulgēre*.

émaner, v. intr. (En parl. des particules impalpables.) S'échapper d'un corps. *Effluēre*, intr. *Emanāre*, intr. ‖ (Fig.) Procéder de qqn, de qqch. *Emanāre*, intr. *Manāre (ab aliqua re)*.

emballage, s. m. Action d'emballer. *Merces in cistam impositae*. Toile d'—, *segestre, is*, n.; *involucrum, i*, n.

emballer, v. tr. Mettre en balle (des objets) pour transporter. *Colligēre*, tr. ‖ (P. ext.) Mettre dans une caisse, un panier, etc. *Imponēre* ou *condēre (aliquid in cistam)*. Emballé, *involutus, a, um*, p. adj.

embarcation, s. f. Bateau non ponté. *Navigium, ii*, n. Petite —, *navicula, ae*, f.

embarquement, s. m. Action d'embarquer. *Conscensio in naves*. Après l'— des troupes, *imposito in naves exercitu*.

embarquer, v. tr. et intr. ‖ (V. tr.) Faire entrer dans une barque. *Imponēre in navem* ou *in naves* ou (s'il s'agit d'une flotte entière) *in classem*. S'— et (absol.) (v. intr.) —, *conscendēre in navem* ou *in naves; conscendēre navem, naves* et (absol.) *conscendēre*. ¶ (Fig.) Faire entrer dans une affaire difficile. *Implicāre*, tr. S'— dans de fâcheuses affaires, *implicāri molestis negotiis*.

embarras, s. m. Action de ce qui embarrasse; état de ce qui est embarrassé. *Impedimentum, i*, n. *Difficultas, atis*, f. *Molestia, ae*, f. Créer des — à qqn, *impedimentum alicui facēre*. Je me trouve dans un plus grand —, *operosius me habeo*. Qui donne de l'—, *operosus, a, um*, adj. Se tirer d'—, *se expedire*. ‖ (Par anal.) Trouble dans une fonction. *Gravitas, atis*, f. — de la langue, *obligatio linguae*. ¶ (Par ext.) Situation perplexe. *Difficultas, atis*, f. ‖ (Par ext.) Gêne où l'on est quand on ne sait que dire ou que faire. *Difficultas, atis*, f. Je suis dans l'—, *incertus (ou dubius) sum, quid faciam*.

embarrassant, *ante*, adj. Qui met dans l'embarras. *Molestus, a, um*, adj. *Incommodus, a, um*, adj. *Difficilis, e*, adj. ‖ (Fig.) Question très obscure et très —, *quaestio perdifficilis et perobscura*.

embarrasser, v. tr. Gêner pour agir, se mouvoir (pr. et fig.). *Impedire*, tr. *Implicāre*, tr. — dans (qqch.), *irretire*, tr. (*aliqua re* ou *laqueis alicujus rei*); *alligāre*, tr. (*se aliqua re*); *illaqueāre*, tr. (*illaqueari aliquā re*). Embarrassé, *impeditus, a, um*, p. adj.; *angustus, a, um*, adj.; *implicatus, a, um*, p. adj. Ne s'— de rien, *nihil curāre* ou *nihil laborāre*. ‖ (Par ext.) Gêner le jeu d'un organe. — la poitrine, *gravitatem pectori facēre*. Langue embarrassée, *lingua hebes*. Parole embarrassée, *parum explanata verba*. ‖ (Spéc.) Mettre dans une situation perplexe. *Implicāre*, tr. Embarrassé, *incertus, a, um,* adj. Etre embarrassé, *aestuāre,* intr.; *haerēre* intr.; *haesitāre,* intr.

embaucher, v. tr. Engager (un ouvrier) pour travailler dans un atelier, etc. *Conducĕre,* tr. ¶ (P. ext.) Décider (un soldat) à passer à l'ennemi. *Sollicitāre (aliquem).*

embaumement, s. m. Action d'embaumer un cadavre. *Conditūra, ae,* f.

embaumer, v. tr. Préserver (un cadavre) de la corruption à l'aide d'aromates. *Condīre (mortuos).* ¶ Parfumer d'une manière suave. Voy. PARFUMER. || Absol. *Suavem odorem spargĕre.*

embellir, v. intr. et tr. || (*V. intr.*) Devenir plus beau. *Pulchriorem* (ou *formosiorem) fieri.* ¶ (*V. tr.*) Rendre plus beau. *Ornāre (domum suam). Excolĕre (urbem).* Adornāre (urbem *monumentis).* || (P. ext.) Embellir un discours, *ornāre orationem.*

embellissement, s. m. Action d'embellir. *Exornatio, onis,* f. *Ornatio, onis,* f. || (Par ext.) Ce par quoi une chose est embellie. *Ornatūs, ūs,* m. *Ornamentum, i,* n.

emblée (d'). Voy. EMBLER.

emblématique, adj. Qui présente un emblème. Voy. SYMBOLIQUE.

emblème, s. m. Objet visible pour représenter une idée; figure rappelant une chose abstraite par quelque allusion. *Imago, inis,* f. *Signum, i,* n.

embler, v. tr. Prendre, ravir. Voy. ces mots. || *Loc.* adv. D'emblée (en enlevant la chose du premier coup), *ictu princ.*

emboîter, v. tr. Faire entrer (une partie saillante) dans une pièce creuse à laquelle elle s'ajuste. *Coagmentāre,* tr. S'— (en parl. des os), *inseri.*

embonpoint, s. m. Etat du corps en bon point, bien en chair. *Corpus suci plenum. Corporis habitus opimus.*

emboucher, v. tr. Mettre dans la bouche (la partie appropriée d'un instrument à vent). *Admovēre (tibiam) labris. Inflāre (tubam).* || (Fig.) — la trompette guerrière, *bellicum quodammodo canĕre.*

embouchure, s. f. Partie d'un fleuve, d'une rivière, où ses eaux s'écoulent dans la mer. *Ostium, ii,* n. *Os, oris,* n. Avoir son — dans, *influĕre in* (et l'acc.).

embourber, v. tr. Engager dans un bourbier, *In lustrum deducĕre.* S'—, in *limum demergi.*

embourser, v. tr. Mettre dans sa bourse. *In crumenam condĕre.*

embranchement, s. m. Subdivision d'une chaine de montagnes, d'une route, etc., en chaines, routes secondaires. *Ramus, i,* m. *Divortium, ii,* n.

embrasement, s. m. Action d'embraser, résultat de cette action. *Incendium, ii,* n. *Deflagratio, onis,* f.

embraser, v. tr. Mettre en feu. *Incen-*

dĕre, tr. Embrasé, *flagrans* (gén. *-antis)* p. adj. Etre embrasé, *ardēre,* intr.; *flagrāre,* intr. S'—, *ardēre coepisse.* || (Par ext.) Rendre d'une chaleur ardente. *Torrēre,* tr. Embrasé, *fervidus, a, um,* adj. ¶ (*Fig.*) Livrer entièrement le cœur aux ardeurs d'une passion. *Accendĕre,* tr. *Incendĕre.* tr. Embrasé, *fervidus, a, um,* adj. Etre embrasé *ardēre,* intr.; *flagrāre,* intr. S'—, *ardēre coepisse; incendi; inflammāri.*

embrassade, s. f. Action d'embrasser qqn. Voy. EMBRASSEMENT.

embrassement, s. m. Action d'embrasser. *Complexūs, ūs,* m.

embrasser, v. tr. Prendre et serrer entre les bras. *Amplecti,* dép. tr. *Complecti,* dép. tr. Tenir qqn étroitement embrassé, *aliquem amplexāri.* || (Fig.) S'attacher passionnément à qqch. *Complecti,* dép. tr. *Amplexāri.* dép. tr. Voy. (s') ADONNER. || (Par ext.) Prendre qqn entre ses bras pour lui donner un baiser. *Aliquem complexu tenēre.* Etre embrassé par qqn, *amplexum alicujus accipĕre.* ¶ Contenir (qqch.) dans toute son étendue. *Capĕre,* tr. *Tenēre,* tr. *Continēre,* tr. *Comprehendĕre,* tr. || (Fig.) Saisir par la vue une chose dans son étendue. — du regard, *conspicĕre,* tr. || Saisir par la pensée une chose dans son étendue. *Amplecti,* dép. tr. *Complecti,* dép. tr. *Concipĕre,* tr.

embrasure, s. f. Espace vide ménagé dans un mur. *Fenestra, ae,* f.

embrocher, v. tr. Traverser avec la broche (une pièce de viande). *Veru figĕre,* tr.

embrouiller, v. tr. Brouiller les choses les unes dans les autres de manière qu'on ait peine à les démêler. *Implicāre,* tr. *Impedīre,* tr. *Intricāre,* tr. || Fig. — une affaire, *conturbāre rem.* Tout —, *omnia perturbāre* (ou *miscēre).* Embrouillé, *confusus, a, um,* p. adj.; *perturbatus, a, um,* p. adj. S'—, *perturbari animo.*

embûche, s. f. Embuscade. Voy. ce mot. ¶ (Au fig.) Artifice dressé contre qqn. *Insidiae, arum,* f. pl. Dresser des —, *insidiāri,* dép. intr. *(alicui;* abs.).

embuscade, s. f. Lieu où l'on se porte; action de se porter pour surprendre un ennemi. *Insidiae, arum,* f. pl. Dresser une —, *insidiari,* dép. intr. (s'emploie surtout absol.) Mettre en —, voy. EMBUSQUER. Soldat qui se tient en —, *insidiator, oris,* m.

embusquer, v. tr. Poster dans un lieu pour surprendre l'ennemi. *In insidiis ponĕre* ou *collocāre.* Etre embusqué, *in insidiis esse* ou *in insidiis subsistĕre.* S'—, *subsidĕre in insidiis.*

émeraude, s. f. Pierre précieuse diaphane, de couleur verte. *Smaragdus, i,* m. D'—, *smaragdinus, a, um,* adj.

émerger, v. intr. Sortir du milieu où l'on est plongé et paraître à la surface.

Emergère, intr. P. anal. (En parl. des astres.) *Emergère*, intr.

émérite, adj. Qui est à la retraite après avoir accompli sa carrière. *Emeritus, a, um*, p. adj.

émerveiller, v. tr. Frapper d'une vive admiration. (*Alicui*) *maximam admirationem movère*. S'—, être émerveillé de, *admirari vehementer* (*aliquid*). Emerveillé, *mirabundus, a, um*, adj.

émétique, adj. Qui fait vomir. Voy. VOMITIF.

émettre, v. tr. Produire au dehors. — un son, *vocem emittère*. Fig. — une opinion, *dicère quod sentias; dicère sententiam*.

émeute, s. f. Soulèvement populaire. *Motūs, ūs*, m. *Seditio, onis*, f.

émentier, s. m. Celui qui fait une émeute, qui excite un mouvement populaire *ou* y prend part. *Turbae ac tumultus concitator.*

émigrant, *ante*, adj. Qui émigre. Subst. Un —, *qui e patria migrat*. Les —, *migrantes, ium*, m. pl.

émigration, s. f. Départ annuel et régulier de certaines espèces animales. *Abitūs, ūs*, m. *Peregrinatio, onis*, f. ¶ (Par anal.) Action de quitter son pays pour s'établir ailleurs. *Migratio, onis*, f. *Demigratio, onis*, f.

émigré, s. m. et f. Personne qui est sortie de son pays et s'est établie ailleurs. *Qui (quae) patriam reliquit.*

émigrer, v. intr. Quitter par troupes une contrée pour aller hiverner ailleurs. *Migrāre*, intr. ¶ (P. anal.) Quitter son pays pour s'établir ailleurs. *Migrāre*, intr. *Demigrāre*, intr.

éminemment, adv. A un degré éminent. *Maximē*, adv. *Egregiē*, adv. *Eximiē*, adv.

éminence, s. f. Ce qui s'élève au-dessus d'un niveau. *Collis, is*, m. *Tumulus, i*, m. ¶ Fig. Haut degré où se trouve une personne. *Dignitas, atis*, f. *Amplitudo, inis*, f. (Spéc.) ‖ Titre d'honneur. *Eminentia, ae*, f.

éminent, *ente*, adj. Qui est à un haut degré. En parlant des personnes et des choses. *Excellens* (gén. -*entis*), p. adj. *Praestans* (gén. -*antis*), p. adj. *Summus, a, um*, adj.

émissaire, s. m. adj. ‖ *S. m.* Agent envoyé pour s'acquitter d'une mission secrète. *Emissarius, ii*, m. ¶ *Adj.* Bouc — (chez les Hébreux), *caper emissarius.*

émission, s. f. Action de projeter au dehors. *Emissio, onis*, f. L'— des rayons (du soleil), *emissi radii*. L'— de la voix, *vox emissa*. D'une seule — de voix, *uno tenore.*

emmagasiner, v. tr. Mettre en magasin. *Condère*, tr. *Recondère*, tr. *Reponère*, tr.

emmailloter, v. tr. Envelopper (un enfant) d'un maillot. *Fasciis* (ou *pan-*

nis) *involvère* (*infantem*).

emmancher, v. tr. Ajuster dans un manche. *Manubrium aptāre* (*alicui rei*).

emménager, v. tr. Installer dans un nouveau logement. *Collocāre aliquem in domo.* S'—, *et* (intransitiv.) —, *migrāre* (ou *immigrāre*) *in domum.*

emmener, v. tr. Mener avec soi d'un lieu dans un autre. (*Secum*) *ducère* (*aliquem*). *Abducère*, tr. — en voiture, sur un navire, *avehère*, tr. — par fraude (le bétail), *abigère* (*pecus*). — de force, *abstrahère*, tr.; *abripère*; *vi abducère.*

émoi, s. m. Trouble causé par la crainte. *Trepidatio, onis*, f. Mettre en —, *trepidationem injicère.*

émolument, s. m. Avantage, profit revenant légalement à qqn. *Emolumentum, i*, n.

émondage, s. m. Action d'émonder un arbre. *Amputatio, onis*, f.

émonder, v. tr. Purger (un arbre) des branches mortes, des branches parasites. *Amputāre* (*vitem ferro*). *Deputāre* (*vineam*).

émondeur, s. m. Celui qui émonde les arbres. *Putator, oris*, m.

émotion, s. f. Action d'émouvoir; résultat de cette action. ‖ (*Au physique.*) *Motio, onis*, f. Donner de l'—, *movère*, tr.; *commovère*, tr. Eprouver de l'—, *movēri; commovēri*. ‖ (Par ext.) Mouvement d'agitation populaire. *Motūs, ūs*, m. ¶ (*Au moral.*) *Motio, onis*, f. *Commotio, onis*, f. *Permotio, onis*, f. ‖ (Spéc.) Mouvement de sensibilité. Voy. ATTENDRISSEMENT.

émouchet, s. m. Nom générique du faucon de petite taille. *Nisus, i*, m.

émoudre, v. tr. Aiguiser sur la meule. Voy. AIGUISER.

émousser, v. tr. Rendre mousse, non coupant. *Obtundère*, tr. *Hebetāre*, tr. S'—, *hebescère*, intr. ¶ (*Fig.*) Rendre moins vif, moins pénétrant. *Obtundère* (*mentem*). *Hebetāre* (*ingenia*). Emoussé, *hebes* (gén. -*etis*), adj. Etre émoussé, *hebescère*, intr.; *hebetem fieri; hebetāri.*

émouvant, *ante*, adj. Propre à émouvoir. *Animos vehementer commovens. Gravis, e*, adj.

émouvoir, v. tr. Faire sortir (un corps) de l'équilibre, du repos. *Movère*, tr. *Commovère*, tr. *Conciāre*, tr. ‖ (Spéc.) Agiter d'un mouvement anormal. *Movère*, tr. *Commovère*, tr. ¶ (Par anal.) Faire sortir du calme. *Movère*, tr. *Commovère*, tr. *Permovère*, tr. *Tangère*, tr.

empaqueter, v. tr. Mettre en paquet. *Convasāre*, tr. *Stipāre*, tr.

emparer, v. tr. et pron. ‖ *V. tr.* Munir, fortifier. Voy. FORTIFIER. ¶ *V. pron.* S'emparer de qqch., c.-à-d. prendre violemment possession de qqch. *et* (*fig.*) prendre violemment possession d'une chose pour y régner en maître.

Potiri, dép. intr. (*urbe*). *Capère*, tr. Corripère, tr. *Occupâre*, tr. S'— de l'esprit, du cœur de qqn, *aliquem* (ou *animum alicujus*) *occupâre*.

empêchement, s. m. Ce qui empêche. *Impedimentum, i,* n. *Mora, ae,* f. *Obstaculum, i,* n. Apporter — à qqch., *alicui rei moram facère.* Les obstacles et les —, *quae obstant et impediunt.*

empêcher, v. tr. Entraver, embarrasser (qqn) dans son action. *Impedire,* tr. ǁ (Absol.) Embarrasser par des occupations. *Distinère,* tr. ¶ Mettre obstacle à ce qu'une chose ait lieu. *Impedire,* tr. *Praepedire,* tr. *Obstâre* (« faire obstacle »), intr. *Officère,* intr. *Prohibère,* tr. *Inhibère,* tr. ¶ Faire obstacle à l'action de qqn, de qqch. *Impedire,* tr. *Prohibère,* tr. *Obstâre,* intr. *Absterrère,* tr. *Deterrère,* tr. L'état de ma santé m'— de sortir, *impedit valetudo ne exeam.* Rien ne nous — de sortir, *nihil obstat quominus* (ou *quin*) *exeamus.* Il empêcha qu'on ne le tuât, *eum occidi prohibuit.* On les empêche de sortir, *exire prohibentur.* Je ne puis m'— de parler, *non possum non loqui.*

empereur, s. m. Titre donné depuis Auguste au chef de l'empire romain. *Imperator, oris,* m. D'—, voy. IMPÉRIAL.

empeser, v. tr. Apprêter avec de l'empois. *Amylâre,* tr. ǁ (Fig.) *Au part. passé pris adjectiv.* Qui a de la raideur dans ses manières. Voy. RAIDE, GUINDÉ.

empester, v. tr. Infecter de miasmes pestilentiels. *Vitiâre,* tr. *Pestilentiam afferre.* Empesté, *pestilens* (gén. *-entis*), adj. Etre —, *pestilentiâ laborare.* ǁ (P. hyperb.) Infecter d'une odeur fétide. *Inficère,* tr.

empêtrer, v. tr. Engager dans qqch., d'où l'on ne peut se tirer. *Implicâre,* tr. *Irretire aliquem aliquâ re.* S'—, *inhaerescère,* intr.

emphase, s. f. Exagération de ton, de termes, qui vise à grandir les choses. *Magnificentia verborum. Tumor* (*verborum*).

emphatique, adj. Qui a de l'emphase. *Inflatus, a, um,* p. adj. *Tumidus, a, um.*

emphatiquement, adv. D'une manière emphatique. *Tumidè,* adv.

empiétement, s. m. Action d'empiéter; résultat de cette action. *Vis alicui illata. Injuria, ae,* f.

empiéter, v. tr. S'établir au delà de son terrain sur celui d'un autre. *Manus porrigère in alicujus possessiones.*

empiler, v. tr. Mettre en pile. *Struère* (*arbores in pyram*). Empiler du bois, *struem lignorum facère.*

empire, s. m. Autorité souveraine. *Imperium, ii,* n. (Au fig.) Domination exercée par qq. force morale. *Imperium, ii,* n. Exercer un grand —, *multum posse* ou *valère* (*apud aliquem*). Avoir de l'— sur soi-même, *sibimet ipsi imperâre.* ¶ (Spéc.) Autorité souveraine d'un monarque qui porte le titre d'empereur. *Imperium, ii,* n. ǁ (Par ext.) L'Etat soumis à cette autorité souveraine. *Imperium, ii,* n.

empirer, v. tr. et intr. ǁ V. tr. Rendre pire. (*Malum*) *augère. Deteriorem* (ou *deterius*) *facère.* ¶ V. intr. Devenir pire, plus mauvais. *Deteriorem* (ou *deterius*) *fieri.*

empirique, adj. Qui s'appuie sur l'expérience. Voy. EXPÉRIMENTAL. Méthode —, *usus et experimenta.* ǁ (P. ext.) Qui s'appuie sur une expérience incomplète, non scientifique. *Experimenta tantum spectans.* La médecine —, *empirice, es,* f. (Substantiv.) Un — *empiricus, i,* m.

empiriquement, adv. D'une façon empirique. *Usu* ou *exercitatione* (*procedère*).

empirisme, s. m. Méthode fondée sur l'expérience. Voy. EMPIRIQUE.

emplacement, s. m. Lieu choisi pour y établir quelque chose. *Locus, i,* m. *Area, ae,* f. *Solum, i,* n.

emplâtre, s. m. Médicament externe qui adhère aux parties du corps sur lesquelles on l'applique. *Emplastrum, i,* n.

emplette, s. f. Achat de détail. Voy. ACHAT. Faire ses —, voy. ACHETER. ǁ (P. ext.) Ce qu'on achète ainsi. *Emptum, i,* n.

emplir, v. tr. Faire entièrement occuper par qqch. la capacité d'un réceptacle. *Complère* ou *implère* (*aliquid aliquâ re*).

emploi, s. m. Action d'employer. *Usus, ûs,* m. *Usurpatio, onis,* f. Faire —, voy. EMPLOYER. ¶ Ce à quoi qqn est employé, *et* (*par ext.*) fonction. *Munus, eris,* n. Remplir un —, *munus administrâre* (ou *gerère*). Etre sans —, *c.-à-d.* être sans occupation (voy. INOCCUPÉ), *ou* être sans fonction, *esse inhonoratum.*

employer, v. tr. Mettre en œuvre pour une destination. *Adhibère,* tr. *Admovère,* tr. *Consumère,* tr. (*aliquid in aliquid*). *Collocâre* (*aliquid in aliquâ re*), tr. *Uti* (« faire usage de »), intr. (on se sert de ce verbe quand « employer » n'est pas suivi de « à »). Employer (en parlant), *usurpâre,* tr. — souvent, *celebrâre,* tr. Etre employé, *in usu esse.* Etre très employé, *in maximo usu esse.* N'être pas employé, *sine usu esse.* ¶ Se servir de qqn pour des travaux à faire. *Adhibère,* tr. *Admovère,* tr. (*aliquem ad aliquid*). ǁ Au part. passé pris subst. Un employé, *minister, tri,* m. ǁ (Par ext.) Employer utilement qqn, *alicujus operâ uti bonâ* (ou *singulari*) *in aliquâ re.* S'— pour qqn, en faveur de qqn, *pro aliquo eniti* ou *operam navâre alicui.*

empocher, v. tr. Mettre dans sa poche. *In crumenam condère.*

empoigner, v. tr. Saisir en serrant fortement la poigne. *Apprehendère,* tr.

empois, s. m. Sorte de colle faite avec de l'amidon. *Amylum, i, n.*

empoisonnement, s. m. Action d'empoisonner; résultat de cette action. Crime d'—, *veneficium, ii, n.* Mourir d'—, *veneno sumpto perire.*

empoisonner, v. tr. Tuer, mettre en danger de mort en faisant absorber du poison. *Venenum (alicui) dăre.* S'—, *veneno sibi mortem consciscĕre.* Etre empoisonné, *veneno occidi* (ou *interimi*). Chercher à — qqn, *aliquem veneno appetĕre.* ¶ (Au fig.) Gâter (qqn) en lui communiquant des idées, des sentiments nuisibles. *Inficĕre, tr.* || Gâter, altérer (qqch.) en y mêlant qqch. de nuisible, de funeste. — la vie de qqn, *vitam alicujus insuavem reddĕre.* ¶ Rendre qqch. nuisible en y mettant du poison. *(Aliquid veneno) imbuĕre.* Empoisonné, *venenatus, a, um,* part. Air empoisonné, *pestilens aer.*

empoisonneur, *euse*, s. m. et f. Celui, celle qui empoisonne qqn. *Veneficus, i, m. Venefica, ae, m.*

emportement, s. m. (Action de s'emporter.) Mouvement violent par lequel l'âme est portée vers qqch. *Impetus, ûs, m. Concitatio animi.* Homme livré à tous les —, *homo impotentissimus.* Avec —, *impotenter,* adv. || (Spéc.) Mouvement violent de colère. *Iracundia, ae, f.*

emporter, v. tr. Porter hors du lieu. *Portāre,* tr. *Asportāre, tr. Deportāre, tr. Exportāre, tr. Ferre, tr. Auferre, tr. Efferre, tr. Tollĕre, tr. Rapĕre, tr. Abripĕre, tr. Eripĕre, tr.* — de vive force, d'assaut, *expugnāre, tr.* Fig. — (un avantage), *ferre, tr.; auferre, tr.* (*auferre pretium, praemium*). ¶ Entraîner de force. *Ferre, tr. Efferre, tr.* S'— (en parl. d'un cheval), *consternari,* dép. intr. Cheval qui s'emporte ou emporté, *concitatus equus.* S'— (de colère), *exardescĕre,* intr. S'— (contre), *iram* (ou *stomachum*) *erumpĕre in aliquem* (ou *in aliquid*). Absol. Emporté, *vehemens* (gén. *-entis*), adj.; *violentus, a, um,* adj.; *commotus, a, um,* p. adj.; *iracundus, a, um,* adj. || (Spéc.) Entraîner un des plateaux de la balance. *Praeponderāre, tr. Deprimĕre, tr.* (dans l'express. *depr. lancem,* — la balance). Ellipt. L'— sur qqn, c.-à-d. avoir sur lui l'avantage, *praestāre,* intr.; *superāre,* tr.; *vincĕre,* tr. Absol. L'—, *praevalēre,* intr.; *vincĕre,* tr. || (Par ext.) Entraîner comme conséquence. *Habēre,* tr. Voy. ENTRAINER, IMPLIQUER.

empourprer, v. tr. Colorer en pourpre. *Puniceo colore tingĕre.* S'—, *purpurascĕre,* intr. Etre empourpré, *purpurāre,* intr. Empourpré, *purpureus, a, um,* adj.

empreindre, v. tr. Marquer en creux ou en relief la forme d'un corps dur sur une matière plus molle. *Imprimĕre,* tr. Voy. IMPRIMER. || (Fig.) Marquer

profondément un sentiment, une idée dans l'expression du visage, dans le cœur. *Imprimĕre (in animis).* || (Par ext.) Marquer. Voy. ce mot.

empreinte, s. f. Marque laissée par un corps empreint dans un autre. *Nota, ae, f. Signum, i, n.*

empressé, *ée*, adj. Qui s'empresse. *Sedulus, a, um,* adj. *Studiosus, a, um,* adj. *Alacer, cris, cre,* adj. Etre — à faire qqch., *festinanter aliquid agĕre.* — à obéir, *ad nutum paratus.* Faire l'— (auprès de qqn), *ardalio, onis, m.* || (Par ext.) Ardeur —, *alacritas, atis, f.* Soins —, *sedulitas, atis, f.*

empressement, s. m. Action de s'empresser. *Festinatio, onis, f. Properantia, ae, f. Cura, ae, f. Diligentia, ae, f. Navitas, atis, f. Sedulitas, atis, f.* Avec —, *sedulo,* adv.

empresser (s'), v. pron. Se hâter avec zèle. *Operam dare ut...* (av. le subj.). *Festinare* (avec l'inf.).

emprisonnement, s. m. Action d'emprisonner. *Comprehensio, onis, f.* || Etat de celui qui est emprisonné. *Captivitas, atis, f. Custodia, ae, f.*

emprisonner, v. tr. Mettre en prison. — qqn, faire — qqn, *in carcerem conjicĕre* (*dare, condĕre, tradĕre, includĕre*) *aliquem.*

emprunt, s. m. Action d'emprunter. *Mutuatio, onis, f.* Objet d'—, *res credita.* Spéc. d'argent, *mutuatio, onis, f.; versura, ae, f.* || (Fig.) *Mutuatio, onis, f.* ¶ Ce qu'on emprunte. *Mutuum, i, n. Mutua pecunia.* || (Spéc.) Somme qu'un Etat, etc., obtient par souscription, à la charge d'en payer les intérêts. *Versura, ae, f.* Faire un — d'Etat, *versuram publicé facĕre.*

emprunter, v. tr. Se faire prêter. *Mutuāri,* dép. tr. (*m. pecunias*); abs. *mutuari ab aliquo*). Emprunté, *mutuus, a, um,* adj. ¶ (Par ext.) Tirer (qqch.) d'un autre. *Mutuāri,* dép. tr. (*aliquid ab aliquo*). Emprunté, *alienus, a, um,* adj.; *adscitus, a, um,* part. || Recourir à une aide étrangère. *Adscisĕre,* tr. — les talents de qqn, *ingenio alicujus uti.* || (Par ext.) Un air emprunté, des manières empruntées, voy. GAUCHE.

emprunteur, *euse*, s. m. et f. Celui, celle qui fait un emprunt d'argent. *Qui* (*quae*) *sumit ab aliquo pecunias mutuas.* || (Fig.) Plagiaire. *Imitator, oris, m.*

émulation, s. f. Sentiment par lequel on se fait l'émule d'autrui. *Aemulatio, onis, f.* Donner de l'—, *aemulationem concitāre; ad aemulandum animos excitāre.*

émule, s. m. et f. Celui, celle qui cherche à égaler, à surpasser qqn. *Aemulus, i, m. Aemula, ae, f.*

1. en, prép. Dans (suivi d'un compl. pris au sens indéterm.). || (En parl. d'un lieu.) *In,* prép. (av. l'acc. et l'abl.) En voiture, *curru vectus.* Monter en char, *currum ascendĕre.* || (Fig.) *In* prép. (avec l'acc. et l'abl). ¶ (En parl. d'un temps. (*In*, prép. (av. l'abl.). *Intra*, prép (av. l'acc.). En moins de cent jours, *intra dies centum.* D'aujourd'hui en huit, *post diem septimum.* En l'an 753 av. J.-C., *anno ante Christum natum septingentesimo quinquagesimo teitio.* En hiver, *hieme.* En été, *aestate.* ¶ En parl. d'un état). *in*, prép. (av. l'acc. et l'abl.). Etre en affaires, *negotiāri*, dép intr. Qui est en appétit, *cibi* (ou *edendi*) *appetens.* || (Par ext. pour indiquer la matière.) *E* ou *ex*, prép. (av. l'abl.) Statue en or, *signum ex auro.* || (Spéc.) Suivi du gérondif *ou* du part. présent. *In*, prép. (av. l'abl.). *Dum*, conj. (av. l'indic.) *Cum*, conj. (av. l'ind.). || En, *c.-à-d.* en qualité de, à la manière de. Agir en femme, *muliebriter se gerĕre.* Se conduire en esclave, *servĭliter agĕre.* || En, *c.-à-d.* en fait de, *a* ou *ab*, prép. (av. l'abl.).

2. **en**, adv. et pron. relat. || *Adv.* De là. Inde, adv. *Hinc* (« d'ici où je suis »), adv. *Istinc* (« de là où tu es, où vous êtes »), adv. *Illinc* (« de là-bas où il est »), adv. ¶ *Pron. relat.* De ceci, de cela; de lui, d'elle, d'eux, d'elles. Se traduit en latin par un pronom mis au cas déterminé par le verbe, l'adjectif *ou* le substantif dont il est le complément (*ea re usus est*, il s'en est servi; *de hoc non tacebo*, je ne veux point m'en taire).

encaissement, s. m. Action d'encaisser (le prix d'une marchandise, de l'argent) *Accepta pecunia.* ¶ Etat de ce qui est encaissé. L'— d'un fleuve, *amnis coercitus ripis.*

encaisser, v. tr. Recevoir et mettre dans sa caisse une somme d'argent; toucher, etc. *Cogĕre pecuniam.* ¶ Rendre profond (le lit d'une rivière, un chemin), en élevant les bords. *Aggere cingĕre* (*aliquid*). Encaisse. *ripis coercitus*; *praealtis utrinque ripis clausus* (*rivus*).

encan, s. m. Vente publique aux enchères. *Auctio, onis*, f. *Hasta, ae*, f. *Sectio, onis*, f. Faire une vente à l'—, *auctionari*, dép. intr.

enceindre, v. tr. Entourer de qqch. qui circonscrit. *Saepīre* (*urbem moenibus*).

enceinte, s. f. Ce qui enceint. *Circuitūs, ūs*, m. Mur d'—, *murus, i*, m. L'— d'une ville, *moenia, ium*, n. pl. ¶ Espace enceint. *Claustra, orum*, n. pl. Dans l' — des murs, *intra munitiones.* | (Fig.) Dans l'— de, *intra* (av. l'acc.).

encens, s. m. Résine aromatique. *Tus, turis*, n. D'—, *tureus, a, um*, adj. || (Fig.) Louanges excessives dont on flatte qqn. *Summae* ou *divinae laudes.*

encenser, v. tr. Honorer en brûlant de l'encens. *Turis honorem tribuĕre.* || (Fig.) Honorer d'un culte. *Colĕre*, tr. ° (Fig.) Flatter par des louanges excessives. *Praedicare de laudibus* (*alicujus*).

encensoir, s. m. Vase où l'on brûle de l'encens. *Turibulum, i*, n.

enchaînement, s. m. Caractère de ce qui enchaîne: succession de choses enchaînées. *Colligatio, onis*, f. Continuatio, *onis*, f.

enchaîner, v. tr. Lier avec des chaînes. *Alicui catenas injicĕre. Aliquem catenis vincīre.* Enchaîné, *catenis vinctus.* Etre enchaîné, *in catenis esse.* || (Fig.) Rendre esclave. *Alligāre*, tr. || (Par anal.) Fixer dans un lieu. *Aliquem constrictum tenēre.* || (Fig.) S'enchaîner, *c.-à-d.* s'engager, s'obliger, voy. ces mots. ¶ Attacher qqch. au moyen de chaines. *Alligāre*, tr. *Deligāre*, tr. || (Par anal.) Lier étroitement à qqch. *Colligāre*, tr. *Nectĕre*, tr. *Connectĕre*, tr.

enchantement, s. m. Action d'enchanter, résultat de cette action. *Fascinatio, onis*, f. || (Par hyperb.) Séduction. Voy. ce mot. || (Fig.) Influence inexplicable exercée sur qqn. *Devotio, onis*, f. || (Par ext.) Ravissement de plaisir. Voy. RAVISSEMENT.

enchanter, v. tr. Mettre dans un état surnaturel, par un pouvoir occulte, etc. *Fascināre*, tr. || (Fig.) Soumettre à une influence irrésistible. Voy. CHARMER, RAVIR. || (Par hyperb.) Ravir de plaisir. Voy. RAVIR.

enchanteur, *eresse*, s. m. et f. et adj. || *S. m.* et *f.* Celui, celle qui fait des enchantements. *Veneficus, i*, m. *Venefica, ae*, f. *Saga, ae*, f. ¶ *Adj.* Qui ravit de plaisir. Un spectacle —, *res fruenda oculis.*

enchâsser, v. tr. Mettre des reliques dans une châsse. *Reliquias capsā includĕre.* ¶ Mettre dans une monture dĕre. ¶ Mettre dans une monture *Insorbĕre*, tr. (*aliquid in aliquid*).

enchère, s. f. Dans une vente au plus offrant, offre supérieure à la mise à prix, etc. *Licitatio, onis*, f. Vendre qqch. à l'—, aux —, *auctionari*, dép. intr. Mettre une —, *licer.* dép. tr.

enchérir, v. tr. et intr. || (*V. tr.*) Rendre plus cher. *Pretium augēre.* ¶ (*V. intr.*) Devenir plus cher (*ariorem* (ou *carius*) *fieri.* ¶ (Dans une vente.) Mettre une enchère. Voy. ENCHÈRE. — sur qqn. *aliquid plus* (ou *suprā*) *adjicĕre*; *contra licēri.* || (Fig.) Aller au delà de ce qui a été fait ou dit. On enchérit sur ce récit. *haec inflatius commemorantur.*

enchérissement, s m. Augmentation de prix. *Pretium auctum. Caritas, atis*, f.

enchérisseur, s. m. Celui qui fait une enchère. *Licens, entis*, m.

enchevêtrer, v. tr. Engager les unes dans les autres les parties d'une chose. *Implicāre*, tr. || (P. ext.) S'— dans des sophismes, se *induĕre in captiones.*

enclave, s. f. Terrain engagé dans un autre sur lequel il empiète. *Ager extra fines porrectus.* Domaines qui forment des enclaves, *praedia adjuncta.*

enclaver, v. tr. Encastrer. *Inserĕre aliquid in aliquid.* || Faire entrer (une terre, un territoire) comme dépendance dans les limites d'une autre terre, d'un autre territoire. *Circumcludĕre*, tr. Etre enclavé dans..., *procurrĕre in* (et l'acc.).

enclin, *ine,* adj. Porté par inclination à qqch. *Inclinatus, a, um,* p. adj. (*ad aliquid*). *Propensus, a, um,* p. adj. (*ad aliquid*). *Proclivis, e,* adj. (*ad aliquid*). *Pronus, a, um,* adj. (*ad aliquid*).

enclore, v. tr. Entourer d'une clôture. *Saepire,* tr. || (Par ext.) Enfermer dans une enceinte. *Includĕre,* tr.

enclos, s. m. Terrain, espace entouré d'une clôture. *Consaeptus ager. Locus saeptus. Saeptum, i,* n.

enclume, s. f. Masse de fer aciéré sur laquelle on forge les métaux. *Incus, ūdis,* f.

encoignure et encoignure, s. f. Espace que forme le coin d'une chambre. *Angulus parietum.*

encolure, s. f. Dimension et forme du cou. L'— d'un cheval, *cervices* (gén. plur. *cervicum*), f.

encombrant, *ante,* adj. Qui encombre. *Qui* (*quae, quod*) *impedimento est.*

encombre, s. m. Embarras causé par ce qui fait obstacle. *Impedimentum, i,* n. Sans —, *sine offensa.*

encombrement, s. m. Embarras causé par ce qui encombre. L'— des rues, *obstructae viae.* L'— d'une armée, *impeditum agmen.*

encombrer, v. tr. Embarrasser en faisant obstacle à la circulation. *Impedire,* tr. *Obstruĕre,* tr.

encontre, prép. et loc. prép. || *Prép.* Contre. Voy. ce mot. ¶ (Loc. prép.) A l'— de (en opposition à), *contra* (avec l'acc.); *adversus* (avec l'acc.).

encore, adv. A cette heure. *Adhuc* (pr. « jusqu'à ce moment, jusqu'à présent »), adv. *Etiamnunc,* adv. *Tum* ou *etiam tum* (quand on fait retour au passé), adv. — une fois, *iterum,* adv. — longtemps, *diu,* adv. — aujourd'hui, *hodie.* Pas —, *nondum,* adv. || (Par ext.) En plus, *Etiam,* adv. Non seulement, mais —, *non solum... sed etiam.* D'autres —, *praeterea alii.* ¶ En l'état où sont les choses. — si, *saltem si...* Avec une seule légion et — était-elle peu sûre, *cum unā legione et eā quidem vacillante.*

encouragement, s. m. Action d'encourager. *Hortatio, onis,* f. *Cohortatio, onis,* f. Donner des —, voy. ENCOURAGER. ¶ Ce qui encourage. *Incitamentum, i,* n. *Stimulus, i,* m. Donner des — à qqn, *alicui stimulos admovēre.*

encourager, v. tr. Exciter à montrer du courage (voy. COURAGE). *Acuĕre,* tr. *Concitāre,* tr. *Incitāre,* tr. — par des paroles, etc., *cohortari,* dép. tr. Voy. EXHORTER.

encourir, v. tr. Se mettre dans le cas de subir (qqch.). *Incurrĕre,* intr. (cf. *inc. in reprehensionem*). *Suscipĕre,* tr. (*suscipĕre inimicitias ; odium alicujus*). *Subire* (*odium, vituperationem*).

encrasser, v. tr. Couvrir de crasse. Voy. SALIR.

encre, s. f. Liquide dont on se sert pour écrire. *Atramentum, i,* n.

encrier, s. m. Petit vase où l'on met de l'encre. *Atramentarium, ii,* n.

endetter, v. tr. Charger d'une dette. *Aere alieno obstringĕre* (ou *obruĕre*). S'—, *aes alienum suscipĕre, contrahĕre* ou *facĕre.* Etre endetté, *esse in aere alieno.*

endoctriner, v. tr. Faire entrer dans certaines opinions, certaines doctrines. *Condocefacĕre animum ut* (et le subj.).

endommager, v. intr. Mettre en mauvais état. *Laedĕre,* tr. *Corrumpĕre,* tr. Etre endommagé par les pluies, par l'humidité, *pluviis infestari* ou *humore corrumpi.* Etre gravement endommagé (en parl. d'un édifice), *vitium facĕre.*

endormir, v. tr. Faire dormir. *Sopire,* tr. *Consopire* (« endormir d'un profond sommeil »), tr. S'—, *obdormiscĕre,* intr. Endormi, *dormiens* ou *sopitus.* Etre endormi, *somno esse sopitum.* || (Spéc.) Endormir qqn (en parl. d'un narcotique). *Somnum allicĕre.* || (Par ext.) Donner envie de dormir (à force d'ennui). *Somnum afferre.* || (Au fig.) Calmer, faire cesser. *Sopire,* tr. ¶ (Fig.) Bercer d'illusions qui paralysent l'activité. Voy. AMUSER, TROMPER. S'—, *torpescĕre,* intr. Etre endormi, *torpēre* intr.

endosser, v. tr. Mettre sur son dos (un vêtement). *Induĕre sibi* et simpl. *induĕre* (*vestem*). || (Fig.) Prendre sur son compte, sous sa responsabilité. *Recipĕre in se.*

endroit, s. m. Place qu'on a directement en vue dans une localité. *Locus, i,* m. En cet —, *eo loco ; ibi.* Vers cet endroit, *eo,* adv. || (P. ext.) Localité qu'on habite. *Locus, i,* m. (plur. *loca*), ¶ Place que l'on considère dans un objet. *Locus, i,* m. *Pars, partis,* f. Fig. Porter la main à l'— sensible, *manum ad id referre quod dolet.* || Passage déterminé que l'on considère dans un ouvrage. *Locus, i,* m. (au plur. *loci*). || Côté déterminé que l'on considère dans une personne ou une chose. *Pars, partis,* f. Loc. adv. A l'— de qqn, voy. ÉGARD, ENVERS. ¶ Côté par lequel une chose doit être regardée. *Exterior facies.*

enduire, v. tr. Mettre sur : *spéc.* couvrir d'un enduit. *Illinĕre,* tr. *Circumlinĕre,* tr. *Oblinĕre,* tr.

enduit, s. m. Matière molle dont on couvre la surface de certains objets. *Tectorium, ii,* n. *Crusta, ae,* f. ¶ Enduit, action d'enduire. *Litura, ae,* f. Mettre, appliquer un — sur, revêtir d'un —, voy. ENDUIRE.

endurant, *ante,* adj. Qui endure. *Patiens* (gén. *-entis*), p. adj. *Perferens* (gén. *-entis*), p. adj.

endurcir, v. tr. Rendre dur par degrés. Voy. DURCIR. S'—, *durescĕre,* intr. ¶

(Fig.) Rendre insensible par degrés (le corps *ou* l'âme). *Durāre*, tr. *Indurāre*, tr. S'—, *durum fieri; obdurescĕre*, intr. Endurci, *durus, a, um*, adj.

endurcissement, s. m. Action de s'endurcir. *Duritia corporis.* ¶ (En parl. de l'âme.) Voy. INSENSIBILITÉ.

endurer, v. tr. Supporter avec une patience constante. *Ferre*, tr. *Perferre*, tr. *Perpeti*, dép. tr.

Enée, n. pr. Héros troyen. *Aeneas* (voc. *Aenea*, gén. Dat. *Aeneae*, acc. *Aenean*, abl. *Aenea*), m.

énergie, s. f. Force vive de l'organisme. *Vis*, f. *Virtus, utis*, f. Sans —, *languidus, a, um*, adj. || (Par ext.) En parl. d'un remède. L'— d'un remède, *remedium efficax*. Sans —, *imbecillus a, um*, adj. || (Fig.) L'énergie des expressions, *gravitas verborum et sententiarum.* Plein d'—, *actuosus, a, um*, adj. Avec —, *nervose* (*dicĕre, disserĕre aliquid*). ¶ Force vive de l'âme. *Vis*, f. *Vigor* (*ingenii* ou *animi*). *Nervi, orum*, m. pl. Montrer de l'—, voy. (être) ÉNERGIQUE. Sans —, *ignavus, a, um*, adj.; *iners* (gén. *-ertis*), adj.; *socors* (gén. *-cordis*), adj.

énergique, adj. Qui déploie une force vive, agissante. || (En parl. de l'organisme.) *Firmus, i, um*, adj. *Validus, a, um*, adj. || (Par ext.) En parl. de choses. Remède —, *medicamentum acre* ou *strenuum*. || (Fig.) En parl. de l'expression. Discours —, *oratio gravitatis plena*. ¶ (En parl. de l'âme.) *Fortis, e*, adj. *Impiger, gra, grum*, adj. *Strenuus, a, um*, adj. *Acer, cris, cre*, adj. Se montrer —, être —, *impigrum* (ou *strenuum, acrem*) *se praebēre* (*in aliquā re*).

énergiquement, adv. D'une manière énergique. *Fortiter*, adv. *Acriter*, adv. *Strenue*, adv. *Vehementer*, adv. || (Par ext.) En parl. d'un remède. Voy. EFFICACEMENT. (Cette substance) agit plus —, *acriorem vim habet.* | Résister —, *acerrime resistĕre.*

énergumène, s. m. Personne possédée du démon. *Energumenus, i*, m. ¶ (Fig.) Personne qui s'emporte violemment. *Furore correptus.*

énervant, ante, adj. Qui a la propriété d'énerver. *Corporis vires frangens.* | (Fig.) *Animi vires frangens.*

énervement, s. m. État de celui qui est énervé. *Languor, oris*, m. L'— des courages, *enerves animi.*

énerver, v. tr. Priver de l'usage des nerfs. *Nervos omnes exsecāre.* ¶ (Fig.) Priver de nerfs, *c.-à-d.* d'énergie. *Enervāre*, tr. *Debilitāre*, tr. S'—, *mollescĕre*, intr.; *languescĕre*, intr. Enervé, *mollis, e*, adj. S'— complètement dans l'oisiveté, *otio languēre et hebescĕre.*

enfance, s. f. La première période de la vie de l'homme. *Pueritia, ae*, f. La première —, *infantia, ae*, f. Dès l'—, *a parvula aetate; a parvo; a parvis* (en

parl. de plusieurs). || (Par ext.) L'ensemble de ceux qui sont à cet âge. *Pueri, orum*, m. pl. ¶ (Au fig.) Première période d'une chose capable de développement. *Prima initia.* ¶ (Par anal.) État de celui qui garde les habitudes, les goûts de l'enfant. *Puerilitas, atis*, f. *Mores pueriles.* || Affaiblissement sénile qui rappelle l'enfance. Qui est tombé en —, *cui fluxa senio mens est.*

enfant, s. m. Celui qui est dans la première partie de la vie humaine. *Puer, eri*, m. Un petit —, *infans puer; parvulus.* D'—, *puerilis, e*, adj. En —, *pueriliter*, adv. Redevenir —, *repuerascĕre*, intr. || — gâté, *puer delicatus.* — gâté de la fortune, *fortunae filius.* || (Au fém.) Une enfant, *c.-à-d.* une petite fille. *Puella, ae*, f. ¶ Fils *ou* fille (par rapport aux parents). *Filius, ii*, m. (surt. au plur.). *Filia, ae*, f. Les —, *liberi, orum* (« personnes libres nées d'un chef de famille » *par opp.* aux esclaves), m. pl. || (Par anal.) En parl. des animaux. Les bêtes aiment à ce point leurs — que..., *bestiae... ex se natos ita amant, ut...* || (Par ext.) Descendant. *Progenies, ei*, f. ¶ (Fig.) Ce que l'on considère comme rattaché à qqn, à qqch. par un lien mutuel de filiation. La patrie dont nous sommes tous les enfants, *patria quae communis est omnium nostrum parens.* || (Par ext.) Celui qui est né dans tel ou tel lieu. — de Troie, *a Trojā oriundus.*

enfantement, s. m. Action d'enfanter. *Partus, ūs*, m.

enfanter. v. tr. Mettre au monde (l'enfant arrivé à terme). *Parĕre*, tr. — deux jumeaux, *uno partu parĕre duos liberos.* ¶ (P. anal.) Faire naître, produire. *Parĕre*, tr. *Gignĕre*, tr.

enfantillage, s. m. Manière d'agir qui conviendrait à un enfant. *Puerilitas, atis*, f. Faire des —, *pueriliter facĕre.*

enfantin, ine, adj. Qui a le caractère de l'enfance *Puerilis, e*, adj.

enfer, s. m. (Dans la mythologie ancienne) lieu souterrain habité par les ombres des morts. *Inferi, orum*, m. pl. Aux — (dans les — (sans mouvement), *apud inferos.* Descendre aux —, *sub terras ire.* Faire sortir, rappeler des —, *ab inferis excitāre* (ou *revocāre*). De l'—, des —, *infernus, a, um*, adj. ¶ (Dans la religion chrétienne) lieu destiné au supplice des damnés. *Inferus* (s.-e. *locus*), *i*, m. *Infernus* (s.-e. *locus*), *i*, m. *Inferna* (s.-e. *loca*), *orum*, n. pl.

enfermer. v. tr. Mettre dans un lieu fermé. *Claudĕre*, tr. (*aliquem in curiā*). *Concludĕre*, tr. (*aliquem in aliquo loco* ou *in aliquo locum*). *Includĕre*, tr. (*aliquem in cellā*; *aliquem carcere*). — à part, *discludĕre*, tr. || (Absol.) Enfermer, *c.-à-d.* mettre sous clef. *Condĕre*, tr. (*c. aliquid in aliquid*). ¶ Entourer complètement. *Claudĕre*, tr. *Circum-*

cludĕrs, tr. ¶ Contenir en soi. *Conclu-dĕre*, tr. *Continēre*, tr.

enferrer, v. tr. Traverser (qqn) avec le fer de son arme. *Transfigĕre* ou *transfodĕre* ou *transverberāre* (*aliquem*) *gladio*. S'—, *se induĕre ferro*.

enfilade, s. f. Disposition de choses qui se suivent sur une même ligne, l'une menant à l'autre. *Series*, *ei*, f.

enfiler, v. tr. Traverser par un fil. — une aiguille, *filum in acum inserĕre* (ou *conjicĕre*).

enfin adv. Pour marquer que l'on conclut après une énumération. *De-nique*, adv. (devant le dernier terme d'une énumération exprimée à l'aide des particules, *primum, deinde, tum,* etc. ou sans particules). *Postremo* (« enfin, à la fin, en dernier lieu »), adv. ¶ Pour marquer qu'une chose arrive après s'être fait attendre. *Tandem* (« enfin, une bonne fois »), adv.

enflammer, v. tr. Mettre en flamme. *Inflammāre*, tr. *Accendĕre*, tr. *Incendĕre*, tr. *Succendĕre*, tr. Enflammé, *ardens* (gén. -*entis*), adj. Etre enflammé, voy. FEU, FLAMME. S'—, *c.-à-d.* prendre feu, voy. FEU. Fig. Œil enflammé, *ardens oculus.* ¶ (Par ext.) Mettre dans un état inflammatoire. *Inflammationes movēre*. S'—, *excandescĕre*, intr. ¶ (Fig.) Animer d'une vive passion. *Inflam-māre*, tr. *Accendĕre*, tr. *Incendĕre*, tr. S'—, *exardescĕre*, intr. Etre enflammé, *ardēre*, intr.; *flagrāre*, intr.

enfler, v. tr. Emplir d'un gaz qu'on insuffle. Voy. GONFLER. ¶ (Par ext.) Faire augmenter de volume. *Inflāre*, tr. S'—, *tumescĕre*, intr. ; *intumescĕre*, intr. || (Spéc.) Distendre par une cause morbide. *Inflāre*, tr. Etre enflé, *tumēre*, intr. Enflé, *tumidus, a, um,* adj. || (Par anal.) — sa voix. *vocem attollĕre*. ¶ (Fig.) Grossir. Voy. ce mot. || (En parl. du style.) Style enflé, *inflata oratio*. Etre enflé, *turgēre*, intr. S'—, *turgescĕre*, intr. || (Par ext.) Exalter. *Inflāre*, tr. (*ani-mos*). S'—, *tumescĕre*, intr. Etre enflé, *tumēre*, intr.

enflure, s. f. Etat de ce qui est enflé. *Tumor, oris*, m. ¶ (Fig.) En parl. du style. *Tumor, oris*, m. Parler avec —, *tumidē dicĕre*. Enflé, voy. BOURSOUFLÉ, EMPHATIQUE.

enfoncement, s. m. Action d'enfoncer, état de ce qui est enfoncé. *Depressio, onis*, f. ¶ (P. ext.) Partie reculée, qui va vers le fond de qqch. *Recessŭs, ūs*, m. || (Spéc.) Partie que la perspective représente comme la plus éloignée du plan. *Recessŭs, ūs*, m.

enfoncer, v. tr. Faire aller vers le fond ou jusqu'au fond. *Figĕre* tr. *Defi-gĕre*, tr. *Infigĕre*, tr. *Imprimĕre*, tr. *De-primĕre*, tr. *Demittĕre*, tr. *Immittĕre*, tr. *Adigĕre*, tr. S'—, *descendĕre*, intr.; *desi-dĕre*, intr. ; Etre enfoncé, *haerēre*, intr. S'— dans une épaisse forêt, *abstrudĕre*

se in silvam densam. || (Absol.) Aller vers le fond, jusqu'au fond. *Pěnetrāre*, intr. || (Au fig.) Enfoncer, *c.-à-d.* faire entrer profondément. *Figĕre*, tr. S'—, descendĕre, intr. *penetrāre*, intr. (*in animos*). Etre enfoncé, *haerēre*, intr. *inhaerēre*, intr. || (P. anal.) Qui a la tête enfoncée dans les épaules, *cerviculā contractā.* || Enfoncé, *c.-à-d.* placé tout au fond. *Demissus, a, um*, p. adj. *Re-conditus, a, um*, p. adj. Yeux enfoncés, *oculi conditi.* || (Fig.) Etre enfoncé dans qqch., s'enfoncer dans qqch., *c.-à-d.* se plonger, s'absorber dans... voy. AB-SORBER. ¶ (Par ext.) Pousser vers l'in-térieur et *par ext.* mettre en déroute. *Effringĕre*, tr. *Perfringĕre*, tr. *Refrin-gĕre*, tr. (*portas*). *Perrumpĕre*, tr. || (Par ext.) Creuser. Voy. ce mot. (Fig.) — une question, voy. CREUSER.

enfouir, v. tr. Mettre dans un trou qu'on a creusé et rejeter la terre par-dessus. *Defodĕre*, tr. (*aliquid in terram*). *Infodĕre*, tr. *Obruĕre*, tr. ¶ (P. anal.) Mettre au fond, en entassant d'autres objets par-dessus. *Condĕre*, tr. Etre enfoui, *latēre*, intr. Etre — (sous qqch.), *obrui* (*aliquā re*). S'—, *se abdĕre* ou *se abscondĕre*.

enfouissement, s. m. Action d'enfouir, résultat de cette action. L'— des vignes, d'un trésor, *vites defossae*; *defossus thesaurus.*

enfouisseur, s. m. Celui qui enfouit. Qui *defodit*.

enfourcher, v. tr. Percer d'une fourche, *Furcā transfigĕre*. ¶ (Fig.) Monter (un cheval, un âne), s'asseoir sur (un banc, etc.). *Divaricari* (*in equo*). — un cheval, *equum conscendĕre*.

enfourner, v. tr. Mettre au four. *In furnum conjicĕre* (ou *condĕre*).

enfreindre, v. tr. Ne pas respecter (une loi, un engagement). *Frangĕre*, tr. *Rumpĕre*, tr.

enfuir (s'), v. pron. Fuir loin (de qqn ou de qqch). *Fugĕre*, intr. *Confugĕre*, intr. *Aufugĕre*, intr. *Defugĕre* (« fuir précipitamment, s'enfuir »), intr. *Dif-fugĕre* (« s'enfuir dans des directions différentes »), intr. *Effugĕre*, intr. *Pro-fugĕre*, intr. *Refugĕre* (« fuir en reve-nant sur ses pas, s'enfuir, reculer »), intr. S'— devant (qqn, qqch.), *fugĕre*, tr. S'— à, auprès de..., *confugĕre*, intr. (voy. SE REFUGIER.) ¶ (P. anal.) S'échapper (du vase qui le contient), en parl. d'un liquide. *Fugĕre*, intr. *Effluĕre*, intr. (voy. (S') ÉCOULER.) || (Par anal.) En parl. du temps. *Fu-gĕre*, intr. *Labi*, dép. intr.

enfumer, v. tr. Emplir de fumée. *Fumo imbuĕre* (*aliquid*). Enfumé, *ple-nus fumi.* || (P. ext.) Incommoder par la fumée. *Fumigāre* (*alvos*). S'—, *fumo excruciari.* On est enfumé, *fumus molestus est.* Enfumé, *fumidus, a, um,* adj.

engageant, adj. Qui engage (en parl.

des choses) *Blandus, a, um*, adj.

engagement, s. m. Action d'engager, de mettre en gage, *Pigneratio, onis*, f. ¶ Action d'engager, de lier une promesse, une convention; promesse, convention. *Obligatio, onis*, f. *Pactio, onis*, f. *Fides, ei*, f. *Promissum, i*, n. Faire honneur à ses —, *fidem servāre*. Rompre un —, *fidem solvēre*. Manquer à ses —, *fidem mutāre* (*frangēre* ou *violāre*). ¶ Action de commencer la lutte; combat partiel qui précède une grande bataille. *Collatio, onis*, f. *Congressio, onis*, f. *Dimicatio, onis*, f.

engager, v. tr. Mettre en gage. *Pignerāre*, tr. *Oppignerāre*, tr. S'— pour qqn, c.-à-d. se porter caution pour qqn, *spondēre pro aliquo*. ¶ (Au fig.) Lier par une promesse, une convention. *Alligāre*, tr. *Obligāre*, tr. *Astringēre*, tr. *Obstringēre*, tr. S'—, *pacisci*, dép. tr.; *polliceri* (« s'engager à, promettre, c.-à-d. accepter l'obligation de… »), dép. tr.; *promittēre*, tr.; *spondēre*, tr. ¶ (Spéc.) Lier qqn par une convention qui lui impose une situation déterminée. *Auctorāre*, tr. S'—, *locāre se* (ou *operam suam*); *locāre se* (*alicui ad aliquid*). ¶ Faire entrer dans qqch. qui ne laisse pas libre. *Inserēre*, tr. *Indūcere*, tr. (*in aliquid*). S'—, *inire*, tr.; *ingredi*, dép. tr. S'— dans une voie, *inire* (ou *ingredi*) *viam*. — des troupes, voy. (mettre aux) PRISES. || (Par anal.) Commencer. *Inire*, tr. *Committēre*, tr. — le combat (avec qqn), *inire proelium; pugnam cum aliquo committēre*. — le combat, c.-à-d. en venir aux mains, *conserēre manum* (ou *manus*). *conserēre pugnam*. La bataille s'engage sur plusieurs points à la fois, *proelium simul pluribus locis conseritur*. La conversation s'engage, *sermo oritur*. ¶ (Fig.) Tâcher d'amener qqn à qqch. *Indūcere*, tr. *Allicēre*, tr. *Invitāre*, tr. (*aliquem in aliquid*). — à, *cohortari ut* (av. le subj.). — à ne pas…, *cohortari, ne* (av. le subj.).

engeance, s. f. Race d'animaux. *Genus, eris*, n. || (Spéc.) En mauvaise part. *Natio, onis*, f. Race d'hommes. *Natio, onis*, f.

engelure, s. f. Rougeur, tuméfaction, gercure de certaines parties du corps que le froid a saisies, etc. *Tumor, oris*, m. — aux pieds, *pernio, onis*, m.

engendrer, v. tr. Produire par voie de génération. *Gignēre*, tr. *Generāre*, tr. *Creāre*, tr. || (Fig.) Faire naitre. *Parēre*, tr. *Generāre*, tr. || (Fig.) Causer, produire. *Parēre*, tr. *Gignēre*, tr. Etre engendré, *nasci*, dép. intr.

engin, s. m. Machine. — de guerre. *Machina, ae*, f. Engins de guerre, *machinamenta, orum*, n. pl.

englober, v. tr. Faire entrer dans un ensemble. *Conglobāre*, tr. — (tous les comptes dans un article général), *colligēre* (ou *contrahēre*), tr.

engloutir, v. tr. Avaler tout d'un coup. *Vorāre*, tr. *Devorāre*, tr. *Hau-*

rire, tr. || (Fig.) Absorber rapidement. *Devorāre*, t . ¶ (Par anal.) Faire disparaître soudainement (dans un gouffre, un abime). *Absorbēre*, tr. *Absumēre*, tr. *Submergēre*, tr. (au part. passé surtout). Qui engloutit *vorax*, adj.

engluer, v. tr. Enduire de glu. *Viscāre*, tr. *Visco oblinēre*. Englué, *viscatus, a, um*, p. adj. ¶ Prendre à la glu. *Fallēre visco* (*aves*). Etre englué, *haerēre*, intr. (pr. et fig.) S'—, *in visco inhaerescēre*.

engorgement, s. m. Action d'engorger, résultat de cette action. *Obtrusio, onis*, f.

engorger, v. tr. Obstruer (un conduit) par l'accumulation des matières. *Obturāre* (*foramina*).

engouement et **engoûment**, s. m. Action d'engouer, résultat de cette action. *Strangulatio, onis*, f. || (Fig.) Etat de celui qui s'engoue d'une personne, d'une chose. *Praecipuum studium*, ou simpl. *studium, ii*, n. *Pravus favor*.

engouer, v. tr. Obstruer le gosier de qqn qui mange avidement. Voy. ÉTRANGLER. (Par anal.) S'— à force de crier, voy. ETRANGLER. || (Fig.) S'—, être engoué d'une personne, d'une chose, *praecipuē studēre* ou *indulgēre* (*alicui rei*). S'— d'une science, *se totum dedēre* (*alicui studio*).

engouffrer, v. tr. Précipiter dans un gouffre. *Summergēre voraginibus*. S'— (en parl. d'un cours d'eau, d'un torrent), *mergi* (moyen réfl.). || (P. anal.) S'— (en parl. du vent, de l'orage), *ruēre* (in et l'acc.); *deferri* (in et l'acc.).

engourdir, v. tr. Rendre presque inerte et insensible. *Torporem afferre* (ou *torpore affidēre*). Engourdi (par le froid), *rigens*, p. adj. Etre engourdi, *rigēre*, intr.; *stupēre*, intr.; *torpēre*, intr. || (Fig.) En parl. de l'âme. *Stupefacēre*, tr. S'—, *torpescēre*, intr. Engourdi, *marcidus, a, um*, adj.; *somniculosus, a, um*, adj. Etre engourdi, *frigēre*, intr.; *hebēre*, intr.

engourdissement, s. m. Sorte d'inertie produite par la suspension de la sensibilité ou de l'activité dans le corps ou dans un membre. *Torpor, oris*, m. || (Fig.) En parl. de l'âme. *Somnus, i*, m. *Torpedo, inis*, f.

engrais, s. m. Pâture avec laquelle on engraisse les animaux. *Pabulum, i*, n. *Pastus, ūs*, m. Mettre à l'—, voy. ENGRAISSER. ¶ Matières qu'on dispose à la surface du sol pour le fertiliser. *Fimum, i*, n. *Stercus, coris*, n. Mettre ou répandre de l'—, *stercorāre*, tr.

engraissement, s. m. Action de rendre gras (les animaux). *Saginatio, onis*, f.

engraisser, v. tr. Rendre gras. *Sagināre*, tr. *Pinguefacēre*, tr. S'—, *pinguescēre*, intr. Engraissé, *altilis, e*, adj. || (P. anal.) S'—, c.-à-d. devenir huileux (en parl. du vin), *crassescēre*, intr. || Intr. Devenir gras. *Corpus augēre. Pin-*

guescĕre, intr. Il a engraissé, *implevit se.* || (Par ext.) Rendre fertile. *Stercorāre*, tr. S'—, *pinguescĕre*, intr. || (Au fig.) Rendre riche, florissant. *Sagināre*, tr.   [grange. *Condĕre*, tr.

engranger, v. tr. Mettre dans la

engraver, v. tr. Engager dans le gravier, le sable (un bateau). *Aggere arenae cingĕre.* S'—, *arenis obrui* ou *se obruĕre.* Navires engravés, *naves haerentes.* ¶ Recouvrir de gravier, de sable. *Glareā substruĕre (vias).*

engrenage, s. m. Système de roues dentées qui s'engrènent les unes dans les autres. *Tympani denticuli.*

enhardir, v. tr. Rendre plus hardi. *Animos alicui addĕre.* Le peuple s'était enhardi, *plebi creverant animi.* S'— jusqu'à..., *hoc sibi sumĕre, ut...* (av. le subj.).

énigmatique, adj. Qui présente une énigme. *Obscurus, a, um*, adj. *Ambiguus, a, um*, adj.

énigmatiquement, adv. D'une manière énigmatique. *Obscurè*, adv. *Per ambages.*

énigme, s. f. Chose à deviner d'après une définition obscure. *Aenigma, atis* (dat. et abl. plur. *aenigmatis*), n. *Ambages, um*, f. pl. || (Au fig.) Chose obscure. C'est pour moi une —, *haec non intelligo.*

enivrant, ante, adj. Qui enivre. *Qui (quae, quod) temulentum facit.* || (P. ext.) Des parfums —, voy. CAPITEUX. || (Fig.) Des paroles —, *blandae voces.* Des louanges —, *divinae laudes.*

enivrement, s. m. Action d'enivrer. *Temulentia, ae*, f. || (Fig.) L'— de l'âme, *sublatio animi.* L'— de la joie, *laetitia exsultans.* Dans l'— de la joie, *laetitiā elatus.* Dans l'— de la prospérité, *ferox secundis rebus.*

enivrer, v. tr. Rendre ivre. *Ebrium facĕre.* S'—, *vino se obruĕre* (ou *obrui*). Enivré, *bene potus : ebrius a, um*, adj. || Exalter sans mesure, *ebrium facĕre (aliquem).* || (Fig.) Exalter follement. — de louanges, *efferre (aliquem) summis laudibus.* Enivré de cette victoire, *sublatus hāc victoriā.* Enivré de sa prospérité, *ferox secundis rebus.*

enjambée, s. f. Pas où l'on donne aux jambes un grand écart. *Passus, ūs*, m. A grandes —, *passu grandi.*

enjamber, v. tr. et intr. || (V. tr.) Franchir (un espace) en écartant les jambes. *Varicāre*, tr. *Transilīre*, tr. Voy. FRANCHIR. ¶ (P. ext.) (V. intr.) Empiéter, s'avancer au delà. Voy. SAILLIE.

enjeu, s. m. Argent qu'on met au jeu. *Pignus, oris*, n. Mettre pour —, *deponĕre*, tr.

enjoindre, v. tr. Imposer péremptoirement (une chose à faire). *Injungĕre (aliquid alicui). Imperāre (aliquid alicui). Praecipĕre (aliquid alicui).* — de, *praecipĕre ut* (et le subj.).

enjôler, v. tr. Captiver par des paroles, des manières flatteuses. *Pellicĕre*, tr.

enjôleur, euse, s. m. et f. Celui, celle qui enjôle. *Palpator, oris*, m. *Blandidica, ae*, f.

enjolivement, s. m. Action d'enjoliver. *Exornatio, onis*, f. || Ce qui enjolive. *Ornamentum, i*, n. [Voy. ORNER, JOLI.

enjoliver, v. tr. Rendre plus joli.

enjoué, ée, adj. Qui a une gaieté douce et gracieuse. *Hilaris, e*, adj. *Jocosus, a, um*, adj. Humeur —, *festivitas, atis*, f. || (P. ext.) Où il y a de l'enjouement. *Jocosus, a, um*, adj. *Festivus, a, um*, adj.

enjouement, s. m. Gaieté douce et gracieuse. *Hilaritas, atis*, f. *Festivitas, atis*, f. Avec —, *facetè*, adv.; *jocosè*, adv.

enlacement, s. m. Action d'enlacer, état de ce qui est enlacé. *Nexus, ūs*, m. *Complexūs, ūs*, m.

enlacer, v. tr. Engager dans des cordons, des rubans, etc. *Implicāre*, tr. *Intexĕre*, tr. || (P. anal.) Branches enlacées, *rami inter sese connexi.* || (P. ext.) — qqn dans ses bras, *impedire aliquem amplexu.* Les mains enlacées, *consertis manibus.* || (Fig.) *Irretire*, tr. *Implicāre*, tr.

enlaidir, v. tr. et intr. || (V. tr.) Rendre laid. *Turpāre*, tr. *Deturpāre*, tr. ¶ (V. intr.) Devenir laid. *Deformem fieri.*

enlaidissement, s. m. Action d'enlaidir. *Deformatio corporis.*

enlèvement, s. m. Action d'enlever, d'emporter. *Asportatio, onis*, f. *Detractio, onis*, f. L'— (d'une femme), *raptus, ūs*, m.

enlever, v. tr. Lever pour retirer de sa place. *Removēre*, tr. *Demĕre*, tr. *Eximĕre*, tr. *Detrahĕre*, tr. *Tollĕre*, tr. — le blé de l'aire, *frumentum de areā tollĕre.* — (en creusant), *exhaurīre*, tr. — la terre avec ses mains, *terram manibus exhaurīre.* || Enlever qqn (pour le mettre en prison). *Abripĕre*, tr. *Arripĕre*, tr. || Enlever un corps, un cadavre, un mort. *Efferre*, tr. || Enlever, c.-à-d. faire périr. *Consumĕre*, tr. *Eripĕre*, tr. Enlevé à la fleur de son âge, *in flore aetatis ereptus.* || (Par ext.) Faire disparaître. *Abstergēre* (« enlever en essuyant »), tr. *Abluĕre* (« enlever en lavant »), tr. *Eluĕre* (« enlever en lavant »). tr. || (Au fig.) Dissiper. *Abstergēre*, tr. (*omnem dolorem*). *Demĕre*, tr. (*alicui sollicitudines*). *Adimĕre*, tr. (*alicui spem*). *Eximĕre*, tr. ¶ (Spéc.) Prendre par force ou par ruse. *Tollĕre*, tr. *Detrahĕre*, tr. (*telum e corpore*). *Subtrahĕre*, tr. (au fig. *materiem furori tuo*). *Rapĕre*, tr. *Abripĕre*, tr. *Demĕre*, tr. *Adimĕre*, tr. (*aliquid alicui*). *Eximĕre*, tr. *Auferre*, tr. *Abscidĕre*, tr. Enlever par jugement et fig. enlever, *abjudicāre*, tr. Enlever qqch. à qqn, *aliquem aliquā re exuĕre.* || Enlever, c.-à-d. commettre un rapt. *Abripĕre*, tr. *Abducĕre*, tr. || (T. milit.) Enlever, c.-à-d. prendre de vive force.

Capère, tr. *Intercipère*, tr. (*commeatum*, un convoi*). *Expugnāre*, tr. ¶ (Par ext.) Faire aller en haut, *Levāre*, tr *Ferre*, tr. (*aliquem sublimem ferre*, enlever qqn en l'air; *sublime ferri*, s'enlever en l'air). *Efferre*, tr. || (Au fig.) Transporter, exalter. *Rapère*, tr. *Excitāre*, tr.

enluminer, v. tr. Peindre de couleurs vives, appliquées en teintes plates. *Colores inducĕre* (*alicui rei*). || (Fig.) Teint enluminé (échauffé et rougi par la boisson), *facies rubida*.

enluminure, s. f. Action d'enluminer. *Pictura, ae*, f. || (P. ext.) Couleurs qui enluminent. *Pigmenta, orum*, n. pl. || (Fig.) Coloris artificiel, faux éclat du style. *Pigmenta, orum*, n. pl.

ennemi, *ie*, s. m. et f. Celui, celle qui est contraire à qqn. *Inimicus, i*, m. *Inimica, ae*, f. *Adversarius, ii*, m. *Adversaria, ae*, f. || Adjectiv. *Inimicus, a, um*, adj. *Adversus, a, um*, adj. *Aversus, a, um*, p. adj. *Infensus, a, um*, adj. *Infestus, a, um*, adj. || En —, *inimicè*, adv. || (Par ext. fig.) Qui est contraire à qqch. *Inimicus, i*, m. *Fugiens* (gén. -*entis*), p. adj. Etre — de, *abhorrēre*, intr. (*ab aliquá re*). || *Adject. Aversus, a, um*, p. adj. (*aversus a vero*). *Alienus, a, um*, adj. (*alienus ab aliquá re*). | (En parl. de choses.) Dont la nature est contraire. Voy. CONTRAIRE. Etre —, *repugnāre*, intr. (*alicui rei*). || (Spéc.) Celui qui fait la guerre contre qqn. *Hostis, is*, m. Passer à l'—, *transfugĕre ad hostes*. || *Adjectiv. Hostilis, e*, adj. En —, *hostiliter*, adv.

ennoblir, v. tr. Faire croître en dignité morale. *Nobilem efficĕre* (*aliquem*) S'—, *illustrari*.

ennui, s. m. Peine que l'on ressent vivement. Voy. CHAGRIN, DOULEUR, PEINE, SOUFFRANCE, TOURMENT. || (P. ext.) Contrariété. *Molestia, ae*, f. ¶ Malaise que ressent l'âme quand elle n'a rien qui l'intéresse, qui l'occupe. *Taedium, ii*, n.

ennuyant, *ante*, adj. Voy. ENNUYEUX.

ennuyer, v. tr. Affecter en causant de l'ennui. *Odium parĕre*. *Molestiam alicui afferre* (en parl. d'une chose), ou *exhibēre* (en parl. d'une pers.). S'—, être ennuyé, *taedēre*, intr. (cf. *taedet nos vitae*).

ennuyeusement, adv. D'une manière ennuyeuse. *Molestē*, adv. *Odiosē*, adv. *Fastidiosē*, adv.

ennuyeux, *euse*, adj. Qui cause de l'ennui. *Molestus, a, um*, adj. *Odiosus, a, um*, adj. || (En parl. de choses.) *Molestus, a, um*, adj. *Gravis, e*, adj. *Odiosus, a, um*, adj. *Fastidiosus, a, um*, adj.

énoncé, s. m. Formule par laquelle on énonce qqch. *Enuntiatum, i*, n.

énoncer, v. tr. Produire au dehors en lui donnant une forme arrêtée ce qu'on a dans l'esprit. *Enuntiāre*, tr.

énonciation, s. f. Action d'énoncer.

Enuntiatio, onis, f. ¶ Manière d'énoncer sa pensée. *Elocutio, onis*, f.

enorgueillir, v. tr. Rendre orgueilleux. *Inflāre* (*aliquem* ou *animum alicujus ad superbiam*). *Superbiorem* (ou *ferociorem*) *facĕre* (ou *reddĕre*). *Spiritus afferre, facĕre* ou *subdĕre*. Enorgueilli, *elatus* ou *sublatus* (*aliquá re*). S'—, *gloriari*, moyen réfl.; *efferri*, moyen réfl.; *superbīre*, intr. (*aliquá re*).

énorme, adj. Qui dépasse toute mesure. *Immanis, e*, adj.

énormément, adv. D'une manière énorme. *Maximē*, adv.

énormité, s. f. Qualité de ce qui est énorme. L'— d'une faute, d'un crime, *et absol.* — (faute, crime énorme), *atrocitas peccati* ou *immanitas sceleris*. L'— de l'injustice, *insignis injuria*. || (Absol.) Parole d'une sottise ou d'un cynisme énorme. Raconter, dire des —, *monstra nuntiāre* (ou *dicĕre*). || (Spéc.) Caractère de ce qui dépasse toute mesure en grandeur, en quantité. L'— du prix, *pretii immanitas*.

enquérir, v. tr. et pron. || (*V. tr.*) Rechercher en interrogeant, en examinant. Voy. RECHERCHER, EXAMINER. ¶ (*V. pron.*) S'enquérir de qqch. *Quaerĕre*, tr. (*aliquid ab*, ex ou *de aliquo*). *Exquirĕre*, tr. *Sciscitāri*, dép. tr.

enquête, s. f. Recherche pour savoir qqch. par interrogation, examen, etc. *Quaestio, onis*, f. *Inquisitio, onis*, f. Faire une —, *quaestionem* (*de aliquá re*) *habēre* ou *adhibēre* ou *instituĕre* o *constituĕre*.

enraciner, v. tr. Fixer dans le sol par des racines. *Defigĕre radicibus* (*arborem*). S'—, *inolescĕre*, intr. S'— profondément, *radices, altius agĕre*. || (Fig.) Fixer profondément dans l'esprit, dans le cœur. *Infigĕre altius* (*in aliquo*). Enraciné, *inveteratus, a, um*, p. adj.; *penitus insitus*. S'—, *insidĕre*, intr.; *inveterascĕre*. intr.

enrager, v. tr. Avoir la rage (usité seulement au part. passé, pris adjectiv. ou substantiv.). Enragé. *Rabiosus, a, um*, adj. *Rabidus, a, um*, adj. Rendre enragé, *in rabiem agĕre*. Devenir enragé, *rabidum fieri*. ¶ (Fig.) Avoir un furieux désir. *Rabidè appetĕre* (*omnia*). || Avoir un furieux dépit. *Ringi*, pass.

enrégimenter, v. tr. Incorpo er dans un régiment. *Centuriāre* (*juventutem*). || (Fig). Faire entrer dans une coterie, un parti. *Ascribĕre in numerum*. S'—, *se adjungĕre* (*ad causam alicujus*).

enregistrement, s. m. Action d'enregistrer. *Perscriptio, onis*, f.

enregistrer, v. tr. Inscrire ou transcrire officiellement sur des registres. *Referre* (*in tabulas publicas*).

enrhumer, v. tr. Affecter d'un rhume. *Gravedinem facĕre* (ou *afferre*). Etre enrhumé, *tussīre*, intr.

enrichir, v. tr. Rendre riche. *Divitem facĕre*. *Divitiis ornāre* ou *augēre* (*ali-*

quem). *Locupletem facĕre. Locupletāre,* tr. S'—, *divitem fieri; divitiis ornari* ou *augeri.* ¶ (Fig.) Garnir de choses précieuses. *Locupletāre,* tr.

enrôlement, s. m. Action d'enrôler. *Conquisitio, onis,* f. *Dilectŭs, ūs, m.* Faire des —, *scribĕre* (ou *conscribĕre*) *milites.*

enrôler, v. tr. Inscrire sur les rôles de l'armée. *Scribĕre,* tr. *Conscribĕre,* tr. *Evocāre,* tr. ‖ S'enrôler, se faire inscrire sur les rôles de l'armée. *Nomen dăre* (ou *profitēri*).

enrôleur, s. m. Celui qui enrôle les soldats. *Conquisitor, oris, m.*

enrouement, s. m. Etat de celui qui est enroué. *Raucitas, atis,* f.

enrouer, v. tr. Affecter d'enrouement. *Exasperāre fauces.* S'—, *raucum fieri; irraucescĕre* ou *irraucīre,* intr. Enroué, *raucus, a, um,* adj.

enrouement, s. m. Etat de ce qui est enroulé. *Involutio, onis,* f.

enrouler, v. tr. Rouler (une chose autour d'une autre). *Involvĕre,* tr. *Intorquēre,* tr. (*puludanentun circa brachium*). S'—, *circumvolvĕre se* ou *circumvolvi,* moyen réfl.

ensanglanter, v. tr. Tacher de sang. *Cruentāre,* tr. Ensanglanté, *cruentus, a, um,* adj.; *sanguine respersus* (ou *imbutus*). ‖ (Fig.) Souiller par le meurtre *Cruentāre,* tr. Ensanglanté, *cruentus, a, um,* adj. Etre ensanglanté, *respergi sanguine.*

enseigne, s. f. Tableau servant à un commerçant à faire reconnaître sa maison. *Signum, i,* n. *Titulus, i, m.* ¶ Etendard, signe de ralliement pour des troupes. *Signum, i, n.*

enseignement, s. m. Ce que qqn enseigne. *Doctrina, ae,* f. *Disciplina, ae,* f. Donner, recevoir un —, voy. INSTRUIRE. ¶ Action, art d'enseigner. *Institutio, onis,* f. *Praeceptio, onis,* f. Faire payer son —, *mercede docēre.*

enseigner, v. tr. Faire connaître (qqch.) par un signe, une indication. *Significāre,* tr. — à faire qqch., voy. MONTRER. ¶ Communiquer à qqn (un art, une science) par des leçons régulières. *Docēre,* tr. (*aliquem aliquid*). *Tradĕre* tr. (*praecepta dicendi,* l'art de la parole). *Praecipĕre,* tr. — publiquement, *profitēri,* dép. empl. abs. Voy. INSTRUIRE.

ensemble, adv. et s. m. ‖ *Adv.* L'un avec l'autre. *Unā,* adv. *Conjunctē,* adv. Attacher —, *colligāre,* tr.; *conjungĕre,* tr. Courir —, *concurrĕre,* tr. Venir —, *convenīre,* intr. ¶ L'un en même temps que l'autre. *Simul,* adv. ¶ *S. m.* Réunion de personnes *ou* de choses formant un tout. *Universitas, atis,* f. *Contextŭs, ūs, m.* L'— du discours, *tota oratio.* Dans l'—, *in universum.* ‖ Réunion de choses qui se font en même temps. Morceau d'—, *concentŭs, ūs, m.* Avec —, voy. d' ACCORD.

ensemencement, s. m. Action d'ensemencer. *Sementis, is,* f. *Consitio, onis,* f.

ensemencer, v. tr. Garnir de semences. *Serĕre* ou *conserĕre* (*agrum*). *Obserĕre* (*terram frugibus*).

ensevelir, v. tr. Déposer dans le tombeau. *Sepelīre,* tr. ¶ (P. anal.) Faire disparaître sous un amoncellement. *Sepelīre,* tr. *Obruĕre,* tr. *Opprimĕre,* tr. S'— sous les ruines de sa patrie, *communi patriae ruinā opprimi.* ¶ (Fig.) Cacher profondément aux regards, à la connaissance des hommes. *Sepelīre,* tr.

ensevelissement, s. m. Action d'ensevelir. *Sepultura, ae,* f.

ensevelisseur, s. m. Celui qui ensevelit les morts. *Pollinctor, oris, m.*

ensorceler, v. tr. Soumettre à l'influence d'un sortilège. *Fascināre,* tr. ¶ (Fig.) Voy. SÉDUIRE.

ensorcellement, s. m. Action d'ensorceler, résultat de cette action. *Fascinatio, onis,* f.

ensuite, loc. prép. et adv. ‖ *Loc. prép.* A la suite de. (Dans l'espace.) *Post,* prép. (av. l'acc.). (Dans le temps.) *Post,* prép. (av. l'acc.). ¶ Par suite de. *Propter,* prép. (av. l'acc.). — de cela, de quoi, *quo facto; quā re factā, propterea,* adv. ¶ (Absol.) *Adv.* A la suite, après cela. (Dans l'espace.) *Deinde* ou *dein,* adv. (Dans le temps.) *Deinde* ou *dein,* adv. *Post,* adv. *Postea,* adv.

ensuivre (s'), v. pron. ‖ (Au propre.) Venir à la suite de qqch. Voy. SUIVRE. ¶ (Fig.) Arriver par suite de qqch. *Sequi,* dép. tr. *Consequi,* dép. tr. Il s'ensuit que..., *sequitur, ut...; inde efficitur, ut...; ex quo fit ut...* (av. le subj.).

entablement, s. m. Saillie qui règne au haut d'une muraille, d'un bâtiment, etc. *Corona, ae,* f. ‖ (Spéc.) Partie d'un édifice qui s'élève au-dessus de la colonnade, etc. *Epistylium, ii,* n.

entacher, v. tr. Marquer d'une tache. Voy. TACHER. ‖ (Fig.) Souiller, gâter. *Afficĕre maculā* ou *adspergĕre maculis.* — l'honneur (de qqn), *polluĕre famam* (*alicujus*).

entaille, s. f. Coupure profonde qui enlève une partie. *Incisura, ae,* f.

entailler, v. tr. Couper profondément en enlevant une partie. *Insecāre,* tr. *Incidĕre,* tr.

entamer, v. tr. Toucher à (une chose intacte) en en enlevant un premier morceau. *Accidĕre,* tr. *Incidĕre,* tr. *Stringĕre,* tr. Qui ne peut être entamé, *impenetrabilis, e,* adj. ‖ (Par ext.) Porter atteinte à. *Adedĕre,* tr. *Minuĕre,* tr. *Libāre,* tr. ‖ (Par anal.) — (un corps de troupes), *scindĕre,* tr.; *perfringĕre,* tr. Qu'on ne peut —, *inexpugnabilis, e,* adj. ‖ (Fig.) Blesser, endommager. *Laedĕre,* tr. Non entamé, *illibatus, a, um,* p. adj.; *intactus, a, um,* adj.; *integer, gra, grum,* adj. ¶ (Par ext.) Toucher à, commencer l'exécution. *Inchoāre,* tr.

entassement, s. m. Action d'entasser, résultat de cette action. *Acervatio, onis,* f. *Coacervatio, onis,* f. *Congestŭs, ŭs,* m.

entasser, v. tr. Mettre en tas. *Coacervāre,* tr. *Congerěre,* tr.

entendement, s. m. Aptitude à comprendre. *Intelligentia, ae,* f. *Judicium, ii,* n. ‖ (Spéc.) Faculté de connaître. *Intelligentia, ae,* f.

entendeur, s. m. Celui qui entend, c.-à-d. comprend ce qu'on lui dit. *Intelligens, entis,* m. Loc. prov. A bon — peu de paroles, *dictum sapienti sat est.*

entendre, v. intr. et tr. ¶ V. intr. Prêter attention à qqch. Voy. ATTENTION. Je ne sais à qui, à quoi —, *cui* (ou *cui rei*) *primum operam dem, nescio.* ¶ V. tr. Avoir comme intention (qqch.). Voy. VOULOIR, RÉSOUDRE [former le] PROJET (de). ¶ Percevoir par l'ouïe. *Audīre,* tr. Il n'entend pas de cette oreille-là, *surdae sunt ad hoc ejus aures.* ‖ Entendre dire qqch. — parler de qqch., etc. *audīre,* tr. Je ne veux plus — parler de lui, *de eo silentium sit.* Ne pas vouloir — parler de qqch., *aliquid abnuěre.* ‖ Entendre parler de soi en bien, *bene audīre* ; en mal, *male audīre.* ‖ Entendre distinctement, *exaudīre,* tr. ‖ Faire entendre. *Eděre,* tr. ‖ (Par ext.) Prêter l'oreille à qqn. *Audīre,* tr. (*aliquem libenter,* avoir plaisir à entendre qqn). Condamner qqn sans l'—, *aliquem causā indictā condemnāre.* A l'—, c'est lui qui fait tout cela, *haec sit se omnia facěre.* ‖ (Par anal.) Exaucer. Voy. ce mot. ¶ Percevoir par l'intelligence. *Intelligěre,* tr. Qu'entend-il ici par l'honnêteté? *quid hoc loco intelligit honestum* ? Cela s'entend tout seul, *hoc ex se intelligitur.* Donner à —, faire —, *significāre,* tr. Vous m'entendez bien, *quid loquar intelligis.* Il est bien entendu que, *et* (*ellipt.*) bien entendu que, *ita convenit, ut...* (subj.). Absol. Bien entendu, s'entend, *scilicet,* adv.; *videlicet,* adv. (Dans les réponses.) Entendu, *intelligo.* Bien entendu, *nempe,* adv. ‖ — la raillerie, *sales in bonam partem accipěre.* ‖ (Par ext.) S'— avec qqn, c.-à-d. se mettre d'intelligence avec qqn. *Consentīre,* intr. *Conspirāre,* intr. S'— avec qqn, c.-à-d. avoir avec qqn des intelligences secrètes, *colluděre,* intr. ¶ Avoir l'intelligence de qqch. *Intelligěre,* tr. Il ne s'— pas beaucoup à cela, *non multum in illis rebus intelligit.*

entendu, ue, adj. Qui s'entend à qqch. *Intelligens* (gén. -*entis*), p. adj. *Prudens* (gén. -*entis*), adj. (*prudens alicujus rei*). *Peritus, a, um,* adj. (*peritus alicujus rei*). Un qui faisait l'entendu, *quidam qui omnia sciret.*

entente, s. f. Le fait d'entendre le sens de qqch. *Intellectŭs, ŭs,* m. Mot à double —, *ambiguum nomen.* ‖ (Par anal.) Le fait d'avoir l'intelligence de qqch. *Intelligentia, ae,* f. ¶ Le fait de s'entendre avec qqn: bonne intelligence. *Gratia, ae,* f. *Concordia, ae,* f. — secrète, *collusio, onis,* f.

enter, v. tr. Greffer en insérant un scion. *Inserěre* (*surculum*).

enterrement, s. m. Action d'enterrer (un mort). *Sepultura, ae,* f. *Humatio, onis,* f. ¶ (Par ext.) Cérémonie des funérailles. *Exsequiae funeris* et simpl. *exsequiae, arum,* f. pl.

enterrer, v. tr. Mettre dans la terre. *Defoděre,* tr. *Infoděre,* tr. *Obruěre,*tr. ‖ (Par ext.) Recouvrir de choses entassées. *Obruěre,* tr. *Oppriměre,* tr. ‖ (Fig.) Faire disparaître. *Abděre,* tr. ¶ (Spéc.) Mettre un mort en terre. *Humāre,* tr. *Defoděre,* tr. *Infoděre* (« enfouir, enterrer sans honneurs »), tr. *Conděre,* tr. *Efferre,* tr. pr. « porter en terre »). Enterré, *situs, a, um,* part. ‖ (Fig.) Mettre au tombeau, voir disparaître. *Sepelīre,* tr.

entêté, ée. Voy. ENTÊTER.

entêtement, s. m. Etat de celui qui s'est mis qqch. en tête avec une prévention aveugle. *Pertinacia, ae,* f. *Animus obstinatus* ou *affirmatus.* Avec —, *pertinaciter,* adv.

entêter, v. tr. Affecter (qqn) en agissant sur la tête. — qqn, *et* (*absol.*) —, *caput tentāre.* ¶ (Fig.) Remplir, occuper la tête d'une prévention aveugle. *Inflāre* (*animos*). Etre — d'une chose, *plane aliquid re captum esse.* S'— d'une chose, *capi re aliquā.* ¶ (Absol.) Attacher obstinément à une opinion. S'— dans une opinion, *in sententiā suā pertinaciter perstāre* ou *persistěre.* S'— à faire qqch., *pertinaciter aliquid facěre.* ‖ (Au part. passé employé adjectiv. et substantiv.) Un homme entêté, une femme entêtée, un entêté, une entêtée (*homo, mulier*) *offirmati* (ou *obstinati*) *animi.*

enthousiasme, s. m. Excitation de l'âme sous l'inspiration divine. *Afflatŭs, ŭs,* m. *Instinctŭs, ŭs,* m. *Spiritŭs, ŭs,* m. ¶ (Par ext.) Exaltation de l'âme. *Mentis incitatio* et *motus. Ardentis animi impetus.* ‖ (Spéc.) Transport de joie. Voy. TRANSPORT. ‖ (Par ext.) Admiration passionnée. *Studium ardens* ou *ardentius* (*alicujus rei*).

enthousiasmer, v. tr. Remplir d'enthousiasme. *Divino quodam ardore incenděre.* — pour qqch., (*animum alicujus*) *inflammāre amore* ou *studio* (*alicujus rei*). S'—, *alacritate efferri.* Etre enthousiasmé de qqn, de qqch., *ardēre studio alicujus, alicujus rei.*

enthousiaste, s. m. et f. Celui, celle qui ressent de l'enthousiasme. *Nimius admirator.* Un — de l'antiquité, *anti-*

quitatis admirator. || Adjectiv. Etre —
de, voy. ENTHOUSIASMER.

enticher, v. tr. Envahir par une prédilection excessive. — qqn de fausses
opinions, de préjugés, *imbuĕre aliquem
opinionum pravitate.* Etre entiché, s'—
de qqch., *insano rei alicujus amore capi.*

entier, *ière*, adj. Dont on n'a rien
retranché. *Integer, gra, grum*, adj.
Solidus, a, um (pr. « qui forme une
masse compacte »), adj. || Tout entier.
Totus, a, um, adj. *Solidus, a, um*, adj.
Universus, a, um (« réuni en un, pris
dans son ensemble »), adj. ¶ (Fig.)
Qui n'a subi aucune altération. *Integer,
gra, grum*, adj. || Qui ne comporte point
de restriction. *Integer, gra, grum*, adj.

entièrement, adv. D'une manière entière; sans diminution. *Omnino*, adv.
Planĕ, adv. || Sans restriction. *Prorsus*,
adv. *Omnino*, adv.

1. **entonner**, v. tr. Mettre en tonneau.
Infundĕre, tr.

2. **entonner**, v. tr. Commencer à
chanter (un air) pour donner le ton
aux autres. *Praeĭre voce (alicui).* || (P.
ext.) Commencer à chanter un air.
Canĕre incipĕre. Praecinĕre , tr.

entonnoir, s. m. Tube pour entonner.
Infundibŭlum, i, n.

entorse, s. f. Distension violente des
ligaments et des muscles de l'articulation du pied. *Luxum, i*, n. Se donner
une —, *intorquĕre talum.*

entortillement, s. m. Etat de ce qui
s'entortille, est entortillé autour d'une
chose. *Implicatio, onis*, f.

entortiller, v. tr. Entourer en tortil-
lant qqch. autour. *Implicāre*, tr. *Obvol-
vĕre*, tr. || Rouler autour de qqch., en
tortillant. *Circumligāre*, tr. || (Fig.)
Embarrasser de circonlocutions. — sa
pensée, *contortĕ aliquid dicĕre.* Entortillé, *implicatus, a, um*, p. adj.

entour, s. m. Espace qui est autour,
à peu de distance. Les entours de (la
place), *loca quae circumjacent.*

entourage, s. m. Ce qui entoure qqch.
— de tablettes, *forma, ae*, f. L'— d'un
bassin, *crepido, dinis*, f. L'— d'un
monument, *saeptum, i*, n. ¶ (Fig.)
Ceux qui sont habituellement autour
de qqn, qui l'approchent familièrement. *Ii qui circa sunt. Quos aliquis
circa se habet.* Mon —, ton —, son —,
mei, tui, sui, m. pl.

entourer, v. tr. Etre autour de. *Circumstāre*, tr. *Circumsistĕre*, tr. *Cingĕre*,
tr. *Circumvenīre*, tr. ¶ Garnir tout
autour. *Cingĕre*, tr. *Circumdāre*, tr.
Circumsedĕre, tr. *Circumĭre*, tr. *Circumvenīre*, tr. *Saepīre*, tr. *Vallāre*, tr.
Circumvallāre, tr. || Entourer, c-à-d.
enchâsser. Voy. ce mot. || (Fig.) En-
tourer qqn de soins, voy. SOIN, PRÉ-
VENANCE. S'— de précautions, de mystère, voy. PRÉCAUTION, MYSTÈRE.

entr'accuser (s'), v. pron. S'accuser

mutuellement. *Inter se accusāre.*

entr'aider (s'), v. pron. S'aider mutuellement. Ils s'entr'aident, *alter alterum
adjuvat.*

entrailles, s. f. pl. Viscères de l'ab-
domen. *Exta, orum*, n. pl. || (Spéc.) Les
intestins. *Intestina, orum*, n. pl. ¶ (Fig.)
Le fond de l'âme. *Viscera, um*, n. pl.
|| L'âme. *Affectus intimi*, m. pl.

entr'aimer (s'), v. tr. S'aimer mutuellement. *Inter se amāre.*

entrain, s. m. Vivacité communicative.
Alacritas, atis, f. *Animus, i*, m. Avec
—, *animosĕ*, adv.; *impigrĕ*, adv. Qui
n'a pas d'—, qui est sans —, *frigidus,
a, um*, adj.

entraînant, *ante*, adj. Qui entraîne.
Omnium animos permovens. Vehemens,
adj. Eloquence —, *eloquentia omnium
animos ad se rapiens.*

entraînement, s. m. Action d'entraîner, état de celui qui est entraîné.
Incitatio, onis, f. *Impetŭs, ūs*, m.

entraîner, v. tr. Trainer avec soi.
Rapĕre, tr. *Abripĕre*, tr. *Proripĕre*, tr.
Trahĕre, tr. *Abstrahĕre*, tr. *Attrahĕre*,
tr. *Pertrahĕre*, tr. || (Au fig.) *Rapĕre*, tr.
Trahĕre, tr. *Abstrahĕre*, tr. *Attrahĕre*, tr.
Se laisser —, *prolabi*, dép. intr. ¶ (Fig.)
Avoir pour conséquence forcée. *Con-
trahĕre*, tr. Voy. CAUSER.

entrave, s. f. Lien qu'on met aux
jambes de certains animaux. *Vincŭ-
lum, i*, n. *Compĕdes, um*, f. pl. Mettre
des — à, voy. ENTRAVER. || (Fig.) Ce
qui retient, assujettit. *Impedimentum,
i*, n. *Mora, ae*, f. *Vinculum, i*, n. Libre
d'—, *solutus, a, um*, p. adj. Sans —,
solutĕ, adv.; *expedītĕ*, adv.

entraver, v. tr. Retenir par des en-
traves. *Vincīre*, tr. Etre entravé, *in
compedibus esse.* || (Fig.) Retenir par
qqch. qui arrête, embarrasse. *Impe-
dīre*, tr. *Praepedīre*, tr.

entre, prép. Dans l'espace qui sépare
(deux ou plusieurs personnes, deux ou
plusieurs choses). *Inter*, prép. (av.
l'acc.). *In*, prép. (av. l'ab .). par idée
trouve entre deux, *medius, a, um*, adj.
Venir se placer —, *intercedĕre*, intr.
|| (Par anal.) Dans le temps qui sépare
(deux *ou* plusieurs moments, deux ou
plusieurs faits). *Inter*, prép. (av. l'acc.).
|| (Par ext.) A distance égale de (deux
ou plusieurs personnes, deux ou plusieurs choses). *Inter*, prép. (av. l'acc.).
Qui est — deux, — les deux, voy. IN-
TERMÉDIAIRE, MOYEN. ¶ Au milieu de
(plusieurs personnes *ou* plus. choses).
|| En distinguant les unes des autres.
Inter, prép. (av. l'acc.). D'—, *de*, prép.
(av. l'abl.); *e* ou *ex*, prép. (av. l'abl.).
|| En réunissant les unes avec les autres.
Inter, prép. (av. l'acc.). || (Spéc.) En
parlant de personnes qui sont ensemble.
Inter, prép. (av. l'acc.). Nous sommes
— nous, *soli sumus.* ¶ (Fig.) Par relation d'accord *ou* de désaccord. *Inter*,
prép. (av. l'acc.). Que tout est com-

mun — amis, *communia esse amicorum inter se omnia.* La guerre — les Romains et Philippe, *Romanorum cum Philippo bellum.*

entre-bâiller ou **entrebâiller**, v. tr. Ouvrir très peu. Voy. ENTR'OUVRIR.

entre-choquer (s'), v. pron. Se choquer l'un contre l'autre. *Collidi inter se*, ou (absol.) *collidi*, pass. *Concurrère* (ou *confligère*) *inter se.*

entrecouper, v. tr. et pron. || *V. tr.* Couper, diviser par intervalles. *Intercidère*, tr. Plaine entrecoupée de collines, *planities collibus intermissa.* || (Fig.) *Interrumpère*, tr. Sons entrecoupés, *interruptae voces.*

entre-croiser ou **entrecroiser**, v. tr. Croiser ensemble. Voy. CROISER.

entre-déchirer (s'), v. pron. Se déchirer mutuellement. *Inter se laniäre.*

entre-deux ou **entredeux**, s. m. Espace qui sépare deux choses. *Intervällum, i, n.*

entre-dévorer (s'), v. pron. Se dévorer mutuellement. Voy. DÉVORER.

entre-donner (s'), v. pron. Se donner mutuellement qqch. *Accipère et reddère.*

entrée, s. f. Action d'entrer. *Introitus, ûs*, m. *Ingressio, onis*, f. *Ingressùs, ûs*, m. || (Spéc.) Action d'entrer avec un cortège. Faire son —, *invehi*, dép. intr. (*curru in Capitolium*); *intrâre*, intr. et tr.; *ingredi*, dép. intr. ¶ Accès dans un lieu. *Aditus, ûs*, m. || Importation d'une marchandise. *Invectio, onis*, f. Droit d'—, *portorium, ii, n.* || (Par ext.) Entrée en possession d'un héritage, *aditio hereditatis.* ¶ Ce qui donne accès dans un lieu. *Aditus, ûs*, m. || (Par ext.) Première partie d'une chose. Voy. COMMENCEMENT. A l'— du printemps, *primo vere.* A l'— de l'hiver, *hieme ineunte.* || (Spéc.) Mets qu'on sert avant le rôti. *Promulsis, sidis*, f.

entrefaite, s. f. Intervalle de temps où survient qqch. *Tempus interjectum* (ou *interpositum*). Sur l'— (*spéc.* au plur.) sur ces —, *interim*, adv.; *interea*, adv. *dum haec geruntur.*

entre-frapper (s'), v. pron. Se frapper mutuellement. *Ictus inferre et accipère.*

entr'égorger (s'), v. pron. S'égorger mutuellement. Voy. ÉGORGER.

entre-haïr (s'), v. pron. Se haïr mutuellement. *Inter se odisse.*

entrelacement, s. m. Action d'entrelacer, état de ce qui est entrelacé. *Implicatio, onis*, f.

entrelacer, v. tr. Enlacer l'un dans l'autre. *Implicâre*, tr. || (Fig.) Voy. ENTORTILLER, EMBROUILLER.

entremêler, v. tr. Mêler parmi d'autres choses. *Intermiscère (aliquid alicui rei)*. *Intexère (laeta tristibus).* S'— (en parl. de jours), voy. INTERCALER.

entremetteur, *euse*, s. m. et f. Celui, celle qui s'entremet. *Internuntius, ii*, m. *Interpres, pretis*, m.

entremettre (s'), v. pron. Se mettre

entre deux ou plusieurs personnes, pour les servir, dans une affaire à conclure, un débat à vider. *Intervenîre*, intr. *Se interponère (in aliquid).*

entremise, s. f. Action de s'entremettre *Intercessio, onis*, f. Par l'— de qqn, *per aliquem* (ou *alicujus operà*).

entrepôt, s. m. Lieu où l'on entrepose des marchandises. *Receptaculum, i, n.* ¶ (Par ext.) Place de commerce. *Emporium, ii, n.*

entreprenant, *ante*, adj. Qui entreprend hardiment qqch. *Promptus, a, um*, p. adj. *Acer, acris, acre*, adj. *Strenuus, a, um*, adj.

entreprendre, v. tr. Prendre en main (une affaire), commencer à exécuter. *Suscipère*, tr. *Incipère*, tr. *Adoriri*, dép. tr. *Aggredi*, dép. tr. *Inchoâre*, tr. — (une chose difficile), *moliri*, dép. tr. ¶ (Spéc.) S'engager en qualité d'entrepreneur à faire certains travaux, etc. *Conducère (opus).* ¶ Entreprendre contre ou sur qqn, prendre des mesures à son désavantage. *Attentâre*, tr. *Audère*, tr. — sur les droits d'autrui, *detrahère aliquid alteri.* — contre la vie de qqn., *vitam alicujus petère.* ¶ Se prendre à (qqn ou à qqch.). *Aggredi*, dép. tr. *Adoriri*, dép. tr.

entrepreneur, *euse*, s. m. et f. Celui, celle qui entreprend d'exécuter certains travaux, de faire certaines fournitures, etc. *Redemptor, oris*, m. *Conductor, oris*, m.

entreprise, s. f. Ce qu'on entreprend. *Inceptum, i, n. Inceptùs, ûs*, m. *Coeptum, i, n. Coeptùs, ûs*, m. —, insensée, *amentia, ae*, f. — hardie, *expeditio, onis*, f. ¶ (Spéc.) Action de s'engager à faire certains travaux donnés à l'adjudication. *Redemptura, ae*, f. Prendre à l'—, avoir l'— de, *conducère*, tr.

entrer, v. intr. Aller dans un lieu. ¶ (En parl. d'une personne.) *Intrâre*, intr. et tr. *Inire*, tr. *Introire*, intr. *Ingredi*, dép. intr. — en rampant, *correpère*, intr. — de vive force ou de force, *invadère*, intr. et tr. Faire — *inducère*, tr.; *introducère*, tr.; *admittère*, tr. (ex. : *aliquem in cubiculum*, qqn dans la chambre; *aliquem ad aliquem*, qqn auprès de qqn). Faire — de force, *compellère*, tr. Laisser —, *intromittère*, tr. Empêcher d'—, *excludère*, tr. || Entrer (à cheval, en voiture, en bateau). *Invehi*, pass. || Fig. — en lice, *venire in certamen.* || (En parl. d'une chose.) *Intrâre*, intr. et tr. *Penetrâre*, intr. Laisser —, *admittère*, tr.; *accipère*, tr. ¶ Se mettre dans une situation, une manière d'être. *Intrâre*, intr. *Inire*, tr. (*munus*, en fonction). *Venire*, intr. (in *possessionem alicujus rei*). *Adire*, intr. (ex. : *adire ad rem publicam*, entrer aux affaires). || (Par ext.) Etre admis dans un corps, une compagnie. *Coop-*

tari, pass. (*in collegium*). Faire —, *cooptāre*, tr.; *inducĕre*, tr. (*aliquem in familiam Caesarum*). || (Fig.) *Intrāre*, intr.'(*in alicujus familiaritatem*). *Venire*, intr. (*in contentionem venire*, entrer en contestation; *in pactionem venire*, entrer en composition). ¶ Prendre part à qqch. *Venire*, intr. *Intrāre*, intr. (*in haec intrare*, dans ces idées, dans ces sentiments). || (Par ext.) Faire partie de qqch. *Continēri*, pass. (*in aliquā re*). *Inesse* intr. (*in aliquā re*). Il n'entre pas dans mes projets de..., *non est mei consilii* (av. l'inf.).

entre-secourir (s'), v. pron. Se secourir mutuellement. Voy. ENTR-AIDER (S').

entretenir, v. tr. Tenir dans le même état. *Sustinēre*, tr. *Sustentāre*, tr. *Fovēre*, tr. (*alicujus spem*). S'—, voy. SUBSISTER, PERSISTER. || Fig. — qqn d'illusion, *jucundā opinione oblectāre aliquem.* — (son esprit de qqch.), *pascĕre*, tr. (*pascĕre oculos animumque aliquā re*). || (Par ext.) Tenir en bon état. *Tuēri*, dép. tr. (*aedem Castoris*, le temple de C.). Bien entretenu, *nitidus, a, um*, adj. ¶ Tenir pourvu de ce qui est nécessaire. *Alĕre*, tr. (*ignem; vires; exercitum*). *Nutrīre*, tr. *Sustentāre*, tr. *Sustinĕre*, tr. — qqn (de qqch.), *praebēre*, tr. (*aliquid alicui*). ¶ (Par ext.) Tenir dans une conversation suivie. *Sermonem habēre cum aliquo de aliquā re.* — le Sénat (d'une affaire), *aliquid referre ad Senatum.* Venir — qqn, *convenire aliquem.* S'— avec qqn, *loqui cum aliquo; colloqui cum aliquo; habēre sermones (de aliquā re) cum aliquo.* S'— avec soi-même, *secum ipsum loqui.*

entretien, s. m. Action de tenir en bon état. *Tutela, ae*, f. Action de pourvoir de ce qui est nécessaire. *Victŭs, ūs*, m. *Cultŭs, ūs*, m. ¶ Conversation suivie avec qqn. *Sermo, onis*, m. (*sermonem cum aliquo habēre de amicitiā*). *Colloquium, ii*, n. *Collocutio, onis*, f.

entre-tuer (s'), v. pron. Se tuer mutuellement. *Mutuā caede occidĕre.*

entrevoir, v. tr. Voir à demi. *Quasi per transennam aspicĕre.* ¶ (Fig.) Soupçonner, deviner. *Praesagīre aliquid animo. Praesentīre aliquid animo.*

entrevue, s. f. Rencontre concertée entre personnes qui ont à parler ensemble. *Congressŭs, ūs*, m. *Congressio, onis*, f. *Colloquium, ii*, n. Avoir une — avec qqn, *ad alicujus congressum pervenire; ad colloquium congredi; in colloquium convenire.*

entrouvrir, v. tr. Ouvrir en disjoignant certaines parties. *Laxāre*, tr. S'—, *hiāre*, intr.; *dehiscĕre*, intr.; *discedĕre*, intr. Entrouvert, *hians*. ¶ Ouvrir à demi. *Paulum aperīre.* Entrouvert, *semiapertus.* [*Enumeratio, onis*, f. **énumération**, s. f. Action d'énumérer.

énumérer, v. tr. Enoncer une à une les parties d'un tout. *Enumerāre*, tr. *Numerāre*, tr.

envahir, v. tr. Occuper brusquement par force (un territoire). *Invadĕre*, intr. (*in Asiam*). *Irrumpĕre*, intr. *Irruĕre*, intr. (*in alienum locum*). || (P. ext.) Occuper brusquement un endroit. *Invadĕre*, intr. (*in alicujus fortunas*). *Irrumpĕre*, intr. (*in castra*). || (Fig.) Pénétrer violemment. *Invadĕre*, intr. *Irrumpĕre*, intr.

envahissement, s. m. Action d'envahir. *Irruptio, onis*, f. *Incursio, onis*, f.

envahisseur, s. m. Celui qui envahit. *Qui impetum facit* ou *qui irrumpit* (*in aliquem locum*).

enveloppe, s. f. Ce qui sert à envelopper. *Involucrum, i*, n. *Tegimentum* et *tegmentum, i*, n.

envelopper, v. tr. Entourer de qqch. qui couvre en tous sens. *Involvĕre*, tr. *Obvolvĕre*, tr. *Circumdăre*, tr. *Amicīre*, tr. ¶ Entourer de manière à ne pas laisser d'issue. *Cingĕre*, tr. *Circumdāre*, tr. *Circumstāre*, tr. *Circumsistĕre*, tr. (voy. ENTOURER). — l'ennemi, *hostes a tergo circumvenire.* ¶ Comprendre avec d'autres. *Illigāre*, tr.

envenimer, v. tr. Rendre malfaisant en imprégnant de venin. *Venenāre*, tr. Envenimé, *venenatus, a um*, p. adj. || (Fig.) Rendre odieux en tournant en un mauvais sens. *Acerbāre*, tr. || (P. ext.) Irriter (une plaie). *Exulcerāre*, tr. S'—, *exasperari.* || (Fig.) Rendre plus virulent. *Exulcerāre*, tr. *Exacerbāre*, tr. S'— (en parl. de la colère, de la haine, etc.), *exacerbāri.*

envergure, s. f. Etendue qu'embrassent les ailes déployées d'un oiseau. *Extentae alae.*

1. envers, s. m. Côté opposé à celui par lequel une chose doit être regardée. *Altera pars.* || (Loc. adv.) A l'envers. *Perversē*, adv. Qui est à l'—, *perversus, a, um*, p. adj.

2. envers, prép. Vis-à-vis de. *Adversus*, prép. (av. l'acc.). Fig. — et contre tous, voy. MALGRÉ. ¶ A l'égard de. *Erga*, prép. (av. l'acc.) *In*, prép. (av. l'acc. : *amor in patriam; severus in filium*). *Adversus*, prép. (av. l'acc. : *fides adversus Romanos*).

envi, s. m. Provocation. Voy. ce mot. ¶ (Loc. adv.) A l'—, *certatim*, adv.

enviable, adj. Qui est à envier. *Dignus (a, um) cui invideatur.*

envie, s. f. Désir soudain. *Libido, inis*, f. *Animus, i*, m. *Cupiditas, atis*, f. Satisfaire son —, *animum suum explēre.* Avoir — de, *cupĕre*, tr. On a l'— de, *libet*, impers. ¶ Désir de ce qu'un autre possède. Voy. CONVOITISE, DÉSIR. Porter —, voy. ENVIER. Faire —, *cupiditatem excitāre.* || Désir d'être à la place d'un autre. Jeter des regards d'— sur, *inhiāre*, intr. Digne d'—, voy. ENVIABLE. ¶ Sentiment de haine contre celui qui possède un bien que nous n'avons pas. *Invidia, ae*, f. *Invidentia,* ae, f. Obtrectatio, onis, f. Porter l'—, invidēre, intr. (av. le dat.). Qui excite l'—, invidiosus, a, um, adj. || (Absol.) L'envie, c.-à-d. les envieux, invidentes. ¶ Pellicule qui se détache de la peau autour des ongles. Reduviae, arum, f. pl.

envier, v. tr. Désirer (une chose qu'un autre possède). Invidēre, intr. (invidēre alicujus virtuti ; invidēre alicui in aliquâ re). ¶ Désirer être à la place (de qqn). Invidēre (alicui). || (P. ext.) Avoir de la haine (pour celui qui possède un bien que nous n'avons pas). Invidēre, intr. Etre envié (alicui) invidiae esse; in invidiâ esse. Etre envié à cause de qqch., invidiam habēre ex aliquâ re. ¶ Désirer (une chose) à la place de celui qui la possède. Invidēre, intr.

envieux, euse, adj. Qui ressent de l'envie. Invidus, a, um, adj. Aemulus, a, um, adj. Etre — de qqn, invidēre alicui. Rendre qqn —, invidiam alicujus movēre.

environ, prép., adv. et s. m. || (Prép.) Aux alentours de. Voy. ALENTOUR. ¶ Adv. A peu près. Ferē, adv. Fermē, adv. Ad, prép. (av. l'acc.) (fuimus omnino ad ducentos). Circiter, adv. (mediâ circiter nocte). Circiter, prép. (av. l'acc. : c. meridiem). ¶ S. m. Les alentours. Loca quae circumjacent.

environnant, ante, adj. Qui environne. Circumjectus, a, um, p. adj. Circumjacens (gén. -entis), p. adj.

environner, v. tr. Entourer, dans nu rayon étendu. En parl. des pers. Circumstāre, tr. Circumsistēre, tr. En parl. des pers. et des choses. Circumdāre (aliquid alicui rei ou aliquâ re). Circumvenire, tr. || (Fig.) Etre — de gloire, circumfluēre gloriâ. || (Par ext.) — (une ville) de remparts, voy. ENTOURER, ENCEINDRE. Environnés d'une foule d'amis, stipati gregibus amicorum.

envisager, v. tr. Regarder au visage. Os (ou vultum) alicujus intuēri. S'—, l'un l'autre, aspicēre (ou intuēri ou contuēri) inter se. ¶ (Au fig.) Considérer Voy. ce mot. Manière d'—, interpretatio, onis, f. || Regarder en face. Aliquem (ou aliquid) contra aspicēre. Aliquem (ou aliquid) contra aspicēre ou intuēri).

envoi, s. m. Action d'envoyer. Missio, onis, f. Missûs (abl. û), m. Faire l'— de qqch., voy. ENVOYER. || (Par ext.) Ce qui est envoyé. Quod mittitur. || (Jurid.) — en possession, missio, onis, f.

envoler (s'), v. pron. Prendre son vol. Levāre se alis. Avolāre. intr. Evolāre, intr.

envoyer, v. tr. Faire partir pour une destination (qqn ou qqch.). Mittēre, tr. Dimittēre (« envoyer de côté et d'autre » et « envoyer loin de soi »), tr. Emittēre (« envoyer hors de »), tr. Immittēre (« envoyer dans, vers ou contre »), tr. Praemittēre (« envoyer en avant ou d'avance »), tr. Submittēre (« envoyer sous main, secrètement »), tr. Circum-

mittēre (« envoyer çà et là, de tous côtés »), tr. — c.-à-d. adresser, expédier, dāre, tr. (d. litteras ad aliquem). — vers qqn (au nom de l'Etat), legāre aliquem ad aliquem. (Subst.) Un envoyé, legatus, i, m. — chercher, arcessēre, tr. || Lancer, Emittēre, tr. Contorquēre, tr.

envoyeur, euse, s. m. et f. Voy. EXPÉDITEUR.

Eolie, n. pr. Contrée de la Grèce ancienne. Aeolis, idis, f. D'—, Aeolius, a, um, adj. Habitants de l'—, Aeoles, um, m. pl.

épais, sse, adj. Dont la matière est dense, serrée. Densus, a, um, adj. Pinguis, e, adj. Spissus, a, um, adj. Confertus, a, um (« accumulé, entassé, serré, en rangs pressés »), p. adj. Crassus, a, um, adj. Concretus, a, um, p. adj. Dont la peau est —, callosus, a, um, adj. || Lourd. Langue épaisse, lingua inexplanata. Qui à la taille —, compacto corpore. || (Fig.) Grossier. Tardus, a, um, adj. Crassus, a, um, adj. ¶ Considéré selon la dimension opposée à la longueur et à la largeur. Crassus, a, um, adj.

épaisseur, s. 1. Caractère de ce qui est épais. Densitas, atis, f. Crassitudo, dinis, f. Spissitas, atis, f. ¶ Dimension du corps opposée à la longueur et à la largeur. Crassitudo, dinis, f.

épaissir, v. tr. Rendre plus épais. Densēre (et densēre), tr. Crassiorem (ou crassius) facēre. || S'—, crassescēre, intr. Epaissi, concretus, a, um, p. adj.; spissatus, a, um, p. adj.

épaississement, s. m. Action d'épaissir. Densatio, onis, f.

Epaminondas, n. pr. Général Thébain. Epaminondas, ae, m.

épamprement, s. m. Action d'épamprer. Pampinatio, onis, f.

épamprer, v. tr. Débarrasser (la vigne) des pampres, des feuilles inutiles. Pampināre, tr.

épanchement, s. m. Action d'épancher. Effusio, onis, f. ¶ Action de s'épancher. Suffusio, onis, f. — de sang dans les yeux, suffusi cruore oculi. (Fig.) — de cœur, animi effusio. Avec —, effusē, adv.

épancher, v. tr. Verser largement, et (fig.) verser librement dans le cœur d'un autre ce qu'on ressent. Effundēre, tr. Profundēre, tr.

épandre, v. tr. Répandre (un liquide) sur une étendue. Effundēre, tr.

épanouir, v. tr. Ouvrir (une fleur) en déployant les pétales. Aperire florem. Expandēre florem. Solvēre florem. || S'—, se pandēre; dehiscēre, intr. || (Fig.) Mettre dans un état d'expansion joyeuse. Diffundēre (vultum).

épanouissement, s. m. Déploiement des pétales de la fleur. Apertio floris. || (P. anal.) Déploiement. Voy. ce mot. || Dilatation. — du cœur, animi effusio (ou *diffusio*). || (Fig.) Expansion joyeuse. *Relaxatio animi.*

épargne, s. f. Action d'épargner sur la dépense. *Parsimonia, æ,* f. *Diligentia, æ,* f. Vivre d'—, *parcè vivĕre.* ¶ Ce qu'on a épargné. *Compendium, ii,* n.

épargner, v. tr. Ménager (qqch.) pour mettre en réserve. *(Alicujus. rei) compendium facĕre. Parcĕre,* intr. || (Au fig.) Employer avec réserve. *Parcĕre,* intr. (av. le dat.). S'—, c.-à-d. ménager sa peine, *segnius agĕre.* || Ne pas imposer à qqn. *Parcĕre,* intr. *(p. auribus alicujus).* ¶ Ménager (qqn) en le traitant avec indulgence. *Parcĕre,* intr. *Temperăre,* intr. Voy. MÉNAGER. || (Spéc.) Laisser vivre, ne pas faire de mal. *Parcĕre,* intr. || Ménager en paroles. *Cum aliquo leniter agĕre.*

éparpillement, s. m. Action d'éparpiller, état de ce qui est éparpillé. *Dissipatio, onis,* f.

éparpiller, v. tr. Disperser sans ordre de tous côtés. *Spargĕre,* tr. S'—, *dispergi; disjici; dissipari.* Fig. — ses forces, *dispergĕre vires.* Eparpillé, *dissipatus, a, um,* p. adj.

épars, *arse,* adj. Jeté, répandu çà et là. *Sparsus, a, um,* p. adj. *Dispersus, a, um,* p. adj. *Dissipatus, a, um,* p. adj. *Disjectus, a, um,* p. adj. *Effusus, a, um,* p. adj.

épater, v. tr. Aplatir en élargissant la base. Nez épaté, *simae nares.* Qui a le nez épaté, *simus, a, um,* adj.

épaule, s. f. Partie du corps par laquelle le bras s'attache au tronc. *Humerus, i,* m. *Scapulae, arum,* f. pl. Regarder qqn par-dessus l'épaule —, *aliquem despicĕre.* Donner un coup d'—, prêter l'— à qqn, *aliquem sublevăre* (ou *fulcire*).¶ (Chez les quadrupèdes.) Partie du corps qui joint la jambe de devant au tronc. *Armus, i,* m.

épaulement, s. m. Rempart de fascines, de sacs de terre, etc. *Lorica, æ,* f.

épauler, v. tr. — qqn (lui donner aide), *aliquem fulcire.*

épave, s. f. Objet naufragé que la mer rejette sur ses bords. *Naufragium, ii,* n. — d'un vaisseau, *navis fracta.*

épeautre, s. m. Espèce de froment. *Far, farris,* n.

épée, s. f. Arme offensive formée d'une lame aigue en acier. *Gladius, ii,* m. *Ensis, is* (« épée longue »), m. *Ferrum, i,* n. Emporter qqch. à la pointe de l'—, *aliquid per vim extorquĕre.* Rendre son —, *arma tradĕre.* Les hommes, les gens d'—, *milites.*

épeler, v. tr. Lire en décomposant les syllabes lettre par lettre. *Ordinăre syllabas litterarum.* || (P. ext.) Lire lentement et avec peine. *Litteras computăre.*

éperdu, *ue,* adj. Egaré par un sentiment violent. *Amens* (gén. *-entis*), adj. *Graviter commotus. Perturbatus, a, um,*

p. adj. *Attonitus, a, um,* adj.

éperdument, adv. D'une manière éperdue. *Perditè,* adv. *Miserè,* adv.

éperon, s. m. Branche de métal qui s'adapte au talon du cavalier, pour aiguillonner le cheval. *Calcar, ăris,* n. (ordin. au plur. *calcaria, ium*). Donner des —, faire sentir l'—, enfoncer l'—, *calcaria subdĕre (equo).* ¶ Pointe, masse d'acier tranchante terminant la proue d'un navire. *Rostrum, i,* n. Vaisseaux à —, *rostratae naves.* ¶ Ouvrage de maçonnerie, destiné à soutenir une muraille, etc. *Dens, dentis,* m.

éperonner, v. tr. Frapper de l'éperon. Voy. ÉPERON. ¶ (P. ext.) Exciter à courir. *Fugam facĕre alicui.* || (Fig.) Exciter à agir promptement, stimuler. *Calcaria adhibĕre alicui.*

épervier, s. m. Nom donné à divers oiseaux rapaces. *Accipiter, tris,* m. ¶ (P. anal.) Filet qu'on lance pour prendre le poisson. *Everriculum, i,* n.

éphèbe, s. m. Jeune homme de 15 à 21 ans (chez les Grecs). *Ephebus, i,* m.

éphémère, adj. Qui ne dure qu'un jour. *Unius diei.* ¶ (Fig.) Qui dure peu. *Fluxus, a, um,* adj. *Caducus, a, um,* adj. *Brevis, e,* adj.

éphéméride, s. f. Journal racontant jour par jour les événements de la vie d'un personnage. *Ephemeris, idis* et *idos* (acc. plur. *idas*), f. ¶ Tables astronomiques donnant pour chaque jour de l'année la position d'un astre. *Mathematica ephemeris.*

Ephèse, n. pr. Ville d'Asie Mineure. *Ephesus, i,* f. D'—, *Ephesius, a, um,* adj.

éphore, s. m. Chacun des cinq magistrats annuels de Sparte. *Ephorus, i,* m.

épi, s. m. Partie terminale de la tige des graminées qui porte les graines de la plante. *Spica, æ,* f. Barbe d'—, *arista, æ,* f. Monter en —, *spicam concipĕre.*

épice, s. f. Substance végétale qui sert d'assaisonnement. *Species, ei,* f. *Aroma, atis,* n.

épicer, v. tr. Assaisonner avec des épices. *Condĭre (aliquid aliquâ re).*

Epicharme, n. pr. Poète et philosophe, disciple de Pythagore. *Epicharmus, i,* m.

épicier, s. m. Celui qui tient un commerce d'épicerie. *Condimentarius, ii,* m.

Epictète, n. pr. Philosophe grec. *Epictetus, i,* m.

Epicure, n. pr. Philosophe grec. *Epicurus, i,* m.

épicurien, *ienne,* adj. Qui suit la doctrine d'Epicure. *Epicureus, a, um,* adj. Philosophe — et (*substantiv.*) un —, *epicureus, i,* m. || (P. ext.) Personne qui aime les plaisirs sensuels. *Epicureus, i,* m. ¶ Conforme à la doctrine d'Epicure. *Epicureus, a, um,* adj. Le système —, voy. ÉPICURISME.

épicurisme, s. m. Système d'Epicure. *Epicureorum philosophia.*

Epidaure, n. pr. Ville de la Grèce ancienne, en Argolide. *Epiduurus, i, f.* D'—, *Epidaurius, a, um*, adj.

épidémie, s. f. Maladie qui attaque dans le mêmc lieu un grand nombre de personnes à la fois, etc. *Morbus qui vulgo ingruit.*

épidémique, adj. Qui offre les caractères de l'épidémie. Maladie —, voy. ÉPIDÉMIE.

épiderme, s. m. Couche superficielle de la peau. *Summa cutis. Prima cutis.*

épié, *ée*, adj. Qui est en forme d'épi. *Spicatus, a, um, p.* adj.

épier, v. tr. Observer adroitement et secrètement. *Explorāre*, tr. *Speculāri*, dép. tr. ¶ (Par ext.) Chercher à saisir. *Captāre*, tr. *Aucupāri*, dép. tr.

épieu, s. m. Sorte de pique armée d'un fer pointu, pour la chasse du sanglier, etc. *Venabulum, i, n.*

épigrammatique, adj. Qui est propre à l'épigramme. *Epigrammaticus, a, um*, adj. Fig. *Mordax* (gén. *-acis*), adj.

épigramme, s. f. Petite pièce de vers. *Epigramma, matis* (gén. plur. *epigrammaton*, dat. abl. *epigrammatis*), n. ¶ (Spéc.) Petite pièce de vers qui renferme un trait piquant. *Epigramma, matis*, n. ‖ (P. ext.) Trait satirique, mordant. *Aculei, orum*, m. pl.

épigraphe, s. f. Inscription placée sur un édifice. *Inscriptio, onis, f.*

épilepsie, s. f. Haut mal. *Morbus comitialis.* Avoir une attaque d'—, tomber en —, *comitiali morbo corrŭēre.*

épileptique, adj. Propre à l'épilepsie. *Comitialis, e*, adj. ¶ Sujet à l'épilepsie. *Comitialis, e*, adj. Substantiv. Les —, *comitiales, ium*, m. pl.

épiler, v. tr. Dépouiller des poils, des cheveux. *Pilāre*, tr. S'—, *vellēre* (ou *evellēre*) *capillum* (ou *capillos*) *sibi.* Se faire —, *velli.*

épilogue, s. m. Résumé, conclusion, placés à la fin d'un poème, etc. *Epilogus, i*, m.

épiloguer, v. tr. Trouver à redire sur ce que qqn fait *ou* dit. — (les actions d'autrui), *carpěre*, tr.; *reprehenděre*, tr. Absol. —, *cavillari*, dép. intr.

Epiménide, n. pr. Philosophe crétois. *Epimenides, is*, m.

épine, s. f. Arbrisseau à branches armées de piquants. *Spina, ae, f.* D'—, voy. ÉPINEUX. — blanche (aubépine), *spina alba.* ¶ Piquant qui vient sur certaines plantes. *Spina, ae, f. Aculeus, i*, m. (P. anal.) Eminence osseuse allongée en forme d'épine. *Spina, ae, f.* Spéc. L'— dorsale, l'— du dos, *spina dorsi*, et simpl. *spina, ae, f.* ¶ Piquant de certains animaux, spécialement des poissons. *Spina, ae, f.*

épineux, *euse*, adj. Qui a des épines. *Spinosus, a, um*, adj. *Spineus, a, um*, adj. ¶ (Fig.) Qui présente des difficultés. *Spinosus, a, um*, adj. ‖ Qui fait des difficultés sur tout. *Difficilis, e*, adj.

épine-vinette, s. f. Nom d'une plante couverte de piquants. *Appendix spina* et simpl. *appendix, icis, f.*

épingle, s. f. Petite tige de laiton, pointue d'un bout, garnie d'une tête de l'autre. *Fibula, ae, f.*

épinier, *ière*, adj. Relatif à l'épine (dorsale). Moelle —, *medulla spinae.*

Epiphanie, s. f. Fête d'église célébrant l'adoration des Mages, *Epiphania, orum*, n. pl.

épique, adj. Qui raconte en vers une action héroïque. *Epicus, a, um*, adj. *Herous, a, um*, adj. Les poètes épiques, *epici, orum*, m. pl. Poème —, *carmen epicum* (ou *heroum*). ‖ Propre à l'épopée. *Herous, a, um*, adj. ‖ (P. ext.) Digne d'être le sujet d'une épopée. *Heroicus, a, um*, adj.

Epire, n. pr. Contrée de l'ancienne Grèce. *Epirus, i, f.* D'—, *Epirota, ae*, m.

épiscopal, *ale*, adj. Qui est propre à l'évêque. *Episcopalis, e*, adj.

épiscopaf, s. m. Dignité, fonction d'évêque. *Episcopatŭs, ūs*, m.

épisode, s. m. Action accessoire qui ne se rattache pas rigoureusement au sujet. *Digressio, onis, f. Narratio interposita* (ou *interjecta*). — ‖ (P. ext.) Fait accessoire qui se rattache plus ou moins rigoureusement à un ensemble de faits. *Res minor.*

épisodique, adj. Qui appartient à un épisode. *Interpositus, a, um*, p. adj.

épistolaire, adj. Qui a rapport à la correspondance par lettres. *Epistolaris, e*, adj. Commerce —, *epistolarum commercium.*

épitaphe, s. f. Inscription funéraire. *Elogium, ii, n.*

épithalame, s. m. Petit poème composé à l'occasion d'un mariage. *Epithalamium, ii, n.*

épithète, s. f. Mot qu'on ajoute à un substantif pour mieux faire valoir l'idée qu'on exprime. *Appositum, i, n.*

épitomé, s. m. Abrégé d'un livre. Voy. ABRÉGÉ.

épître, s. f. Lettre missive. *Epistola, ae, f.* ¶ (P. ext.) Lettre en vers. *Epistola, ae, f.*

épizootie, s. f. Maladie épidémique qui frappe une classe d'animaux à la fois. *Pestis, is, f.* [*Plenus lacrimarum.*]

éploré, *ée*, adj. Qui est tout en pleurs.

épluchage, s. m. Voy. ÉPLUCHEMENT.

épluchement, s. m. Action d'éplucher qqch. *Purgatio, onis, f.*

éplucher, v. tr. Nettoyer en enlevant les parties inutiles. *Purgāre*, tr. ¶ (Fig.) Relever ce qu'il peut y avoir de défectueux chez qqn, dans une chose. *Excutēre*, tr.

épluchure, s. f. Ce qu'on enlève à une chose en l'épluchant. *Purgamentum, i, n.*

éponge, s. f. Zoophyte qui a la propriété d'absorber les liquides, etc. *Spongia, ae,* f.

éponger, v. tr. Etancher avec une éponge, avec un corps spongieux. — de l'eau, *aquam tollĕre spongiis.* ¶ Essuyer avec une éponge. *Spongiā detergĕre.*

épopée, s. f. Poème épique. Voy. ÉPIQUE.

époque, s. f. Temps marqué par qqch. d'important dans l'histoire. *Memoria, ae,* f. *Aetas, atis,* f. *Tempus, oris,* n. Pour quitter les temps fabuleux et arriver à l'— historique, *ut a fabulis ad facta veniamus.* ¶ Temps marqué. *Dies, ei,* m. et f.

époumonner, v. tr. Fatiguer les poumons. *Vocem frangĕre.* S'—, *dirumpĕre se.*

épousailles, s. f. pl. Célébration d'un mariage. *Nuptiae, arum,* f. pl.

épouse. Voy. ÉPOUX.

épousée. Voy. ÉPOUSER, ÉPOUX.

épouser, v. tr. Prendre pour époux. *Nubĕre,* intr. (av. le dat.). Prendre pour épouse. *Ducĕre,* tr. (*uxorem*). ‖ Epousé, part. passé pris subst. au *masc.* Celui qui vient d'être pris pour époux. Voy. ÉPOUX. ‖ Epousée, part. passé pris subst. au *fém.* Celle qui est prise pour épouse. Voy. ÉPOUX. ¶ (Au fig.) S'attacher par choix à qqch. — les intérêts de qqn, *commodis alicujus servire.* — les querelles d'autrui, *ex aliis susceptas simultates habēre.*

épouseur, s. m. Celui qui cherche à se marier et se pose en prétendant. *Procus, i,* m.

épousseter, v. tr. Secouer, chasser la poussière de (qqch.) avec une brosse, un plumeau, etc. *Pulverem (e veste) excutĕre.*

épouvantable, adj. Qui épouvante. *Terribilis, e,* adj. *Atrox* (gén. *-trocis*), adj. ‖ (P. hyperb.) Un temps —, *atrox tempestas.*

épouvantablement, adv. D'une manière épouvantable. *Formidolosē,* adv.

épouvantail, s. m. Mannequin grossier pour effrayer les oiseaux. *Formido, dinis,* f. ‖ (Fig.) Ce qui cause l'épouvante. *Formido, dinis,* f. *Terror, oris,* m. Pour servir d'— aux ennemis, *in terrorem hostium.*

épouvante, s. f. Terreur soudaine qui trouble profondément. *Terror, oris,* m. *Pavor, oris,* m. *Formido, dinis,* f. *Horror, oris,* m. Etre frappé d'—, *pavēre,* intr.

épouvanter, v. tr. Frapper d'épouvante. *Terrēre,* tr. *Conterrēre,* tr. *Exterrēre,* tr. *Perterrēre,* tr. Etre épouvanté, *pavēre,* intr. Etre épouvantable de..., *pavēre,* tr. S'—, *horrescĕre,* intr.; *cohorrescĕre,* intr.; *perhorrescĕre,* intr. et tr.

époux, *ouse*, s. m. et f. Personne unie à une autre par le mariage. ‖ Epoux. *Conjux, ugis,* m. *Maritus, i,* m. ‖

Epouse. *Conjux, ugis,* f. *Uxor, oris,* f. D'épouse, *uxorius, a, um,* adj. Les deux — (le mari et la femme), *vir et uxor; conjuges, um,* m. pl.

éprendre, v. tr. Epris d'un ardent courroux, *incensus irā.* Trop épris de la gloire, *appentior famae.* ‖ (Absol.) S'— (de qqn), *amore (alicujus) incendi.* Epris, *amore captus.*

épreuve, s. f. Action d'éprouver (qqch. ou qqn). *Probatio, onis,* f. *Tentatio, onis,* f. *Experientia, ae,* f. *Periculum, i,* n. *Periclitatio, onis,* f. Mettre qqn à l'—, *alicujus periculum facĕre.* Mettre qqch. à l'—, *periculum alicujus rei* (ou *in aliquā re*) *facĕre.* Tenter une —, *periclitāri,* dép. intr. Faire l'— de, mettre à l'—, *experīri,* dép. tr.; *periclitari,* dép. tr.; *tentāre,* tr.; *spectāre,* tr. Mis à l'—, à toute —, c.-à-d. éprouvé, voy. ÉPROUVER. — décisive, *discrimen, inis,* n. (voy. CRISE). ¶ (Spéc.) Afflictions, tentations auxquelles on est soumis. S'il survient qq. —, *si quid incurrat adversi, quod animum probet.* ‖ Agitations, chagrins. *Exercitatio, onis,* f. *Labor, oris,* m.

épris, *ise.* Voy. ÉPRENDRE.

éprouver, v. tr. Soumettre (une chose, une personne) à certaines expériences pour en apprécier la valeur. *Probāre,* tr. *Experīri,* dép. tr. *Tentāre,* tr. *Periclitāri,* dép. tr. *Explorāre,* tr. *Spectāre,* tr. *Perspicĕre,* tr. ¶ (Spéc.) Soumettre qqn à des afflictions, à des tentations. *Exercēre,* tr. *Afficĕre,* tr. Maintes fois et durement éprouvé, *multis variisque perfunctus laboribus.* ¶ Apprécier, constater par une expérience personnelle. *Experīri,* dép. tr.‖ (Par ext.) Ressentir. *Experīri,* dép. tr. *Capĕre,* tr. *Accipĕre,* tr. — du chagrin de qqch., *capĕre* (ou *accipĕre* ou *percipĕre*) *dolorem ex aliquā re.* — de la haine pour qqn, *concipĕre odium in aliquem.* Faire —, *afficĕre,* tr.; *afferre,* tr.

épuisement, s. m. Action d'épuiser, état de ce qui est épuisé. *Defatigatio, onis,* f. *Defectio, onis,* f.

épuiser, v. tr. Mettre à sec à force de puiser. *Exhaurīre,* tr. ‖ (Au fig.) Employer jusqu'à consommation. *Exhaurīre,* tr. *Absumĕre,* tr. *Consumĕre,* tr. — tous les maux, *nihil relinquĕre quod humanis supersit malis.* — tous les moyens, *nihil intactum relinquĕre.* ¶ Réduire à un affaiblissement complet. *Exhaurīre,* tr. *Conficĕre,* tr. *Atterĕre,* tr. *Conterĕre,* tr. *Fatigāre,* tr. *Defatigāre,* tr. (ordin. au part. passé : cf. *defatigati cursu; miles defatigatus labore*). S' —, *deficĕre,* intr.; *fatiscĕre,* intr. Epuisé, *effetus, a, um,* p. adj.

épuration, s. f. Action d'épurer. *Purgatio, onis,* f.

épurer, v. tr. Rendre pur en éliminant les éléments étrangers. *Purgāre,* tr. S'—, *purgari,* pass. Fig. *Expurgāre* (*sermonem*).

équarrir, v. tr. Rendre carré. || Tailler en forme carrée, à angles droits. *Quadrāre*, tr. Equarri, *quadratus, a, um*, p. adj.

équateur, s. m. Grand cercle de la sphère terrestre. *Circulus aequinoctialis.*

équerre, s. f. Instrument servant à tracer des angles droits ou à tirer des perpendiculaires. *Norma, ae, f.*

équestre, adj. Qui représente une personne à cheval. *Equester, stris, stre,* adj.

équilibre, s. m. Etat d'un corps qui, sollicité par des forces égales et contraires, reste en repos. *Aequilibrium, ii,* n. *Aequilibritas, atis,* f. Tenir, maintenir en —, *librāre* (*corpus*). Perdre l'—, *labi,* dép. intr. ¶ (Par ext.) Egale distribution d'un fluide. *Temperatio, oni., f. Libratio, onis,* f. ¶ (Au fig.) Distribution bien pondérée des choses. *Aequitas, atis,* f. Qui est dans un parfait —, *tanquam paribus examinatus ponderibus.*

équilibrer, v. tr. Mettre, tenir en équilibre. *Librāre,* tr. || (Fig.) Un esprit bien équilibré, *animus tanquam paribus ponderibus examinatus.*

équinoxe, s. m. Chacune des deux époques de l'année où le jour est égal à la nuit pour toute la terre. *Aequinoctium, ii,* n.

équinoxial, *ale,* adj. Relatif à l'équinoxe. *Aequinoctialis, e,* adj.

équipage, s. m. Ensemble des hommes embarqués pour le service d'un navire. *Homines, um,* m. pl. *Nautae, arum,* m. ¶ Ensemble d'objets qu'un corps d'armée traine à sa suite. *Impedimenta, orum,* n. pl. *Instrumentum, i,* n. Supellex, lectilis (abl. *lectite* ou *lectili*), f. — des soldats, *vasa, orum,* n. pl. || (Par ext.) Suite de chevaux, voitures, etc., que qqn mène avec lui en voyage. *Itineris instrumentum* ou *instrumenta* (et (absol.) *instrumentum, i,* n. || (Spéc.) Cheval et voiture *Equi currusque. Carpentum et equi.* Avoir —, *equos alēre.*

équipée, s. f. Entreprise, démarche irréfléchie. *Temerē factum.*

équipement, s. m. Action d'équiper un vaisseau. *Apparatus navis.* || L'ensemble des objets nécessaires au gréement et à l'armement d'un navire. *Armamenta, orum,* n. pl. ¶ Action d'équiper des troupes. *Apparatūs, ūs,* m. || Ensemble de ce qu'on leur fournit. *Instrumentum, i,* n.

équiper, v. tr. Pourvoir (un esquif) de tout ce qui est nécessaire. *Armāre,* tr. *Instruēre,* tr. *Ornāre,* tr. ¶ Pourvoir (des troupes) de tout le nécessaire *Instruēre,* tr. *Ornāre,* tr. *Armāre,* tr. *Comparāre,* tr.

équitable, adj. Qui a de l'équité. *Aequus, a, um,* adj. Etre —, *servāre aequitatem.* || Conforme à l'équité. *Aequus, a, um* adj. *Aequabilis, e,* adj.

équitablement, adv. D'une manière équitable. *Aequē,* adv. *Justē,* adv.

équitation, s. f. Action de monter à cheval. *Vectatio equi.* || Art de monter à cheval. *Equitandi ars.* Donner des leçons d'—, *docēre equis.*

équité, s. f. Justice naturelle (*par opposition à* justice légale). *Aequitas, atis,* f. *Aequum, i,* n. L'— naturelle, *aequum et bonum.* ¶ Justice égale envers tous. *Aequabilitas juris Aequabile jus.*

équivalent, *ente,* adj. et s m. Qui a la même valeur. *Par,* adj. *Aequalis ε,* adj. *Aequabilis, e,* adj. *Aequus, a, um,* adj. ¶ *S. m.* Ce qui a même valeur *Res ejusdem pretii.*

équivaloir, v. intr. Etre de même valeur. *Idem valēre.*

équivoque, adj. Qui peut être interprété en divers sens. *Ambiguus, a, um,* adj. *Anceps* (gén. *-cipitis*), adj. || *Substantiv.* Au fém. *Ambiguitas, atis,* f. ¶ (P. ext.) Qui peut être expliqué de diverses manières, *Ambiguus, a, um,* adj.

équivoquer, v. tr. Faire des équivoques, des jeux de mots. *Ambiguē dicēre* (ou *loqui*).

érable, s. m. Arbre. *Acer, ēris,* n. De bois d'—, *acernus, a, um,* adj.

érailler, v. tr. Détériorer en écartant, en distendant les fils, les mailles (un tissu). *Relaxāre,* tr. || P. ext. Une voix éraillée, *rausa vox.*

ère, s. f. Epoque déterminée, d'où l'on commence à compter les années d'une nation. *Ratio temporum.* Avant notre —, *ante hanc temporum rationem.*

érection, s. f. Action d'élever (un monument). *Aedificatio, onis,* f.

ergot, s. m. Ongle pointu des gallinacés. *Calcar, aris,* n.

ergoter, v. intr. Chicaner par des raisonnements subtils. *Calumniāri,* intr. *Tricāri,* dép. intr.

ergoteur, *euse,* s. m. Celui, celle qui aime à ergoter, à chicaner par des raisonnements sophistiques. *Cavillator, oris,* m. *Calumniator, oris,* m. Ergoteuse, *cavillatrix, tricis,* f.

ériger, v. tr. Elever (un monument). *Erigēre,* tr. || (P. anal.) Instituer. *Constituēre,* tr. *Instituēre,* tr.|| (Fig.) Elever à une certaine condition. — une province en..., *ex provinciā facēre* (acc.). Ils érigent la ruse en sagesse, *malitiam sapientiam judicent.* S'— en défenseur de qqn, *patrocinium alicujus profitēri.* S'— en sage, *arrogāre sibi sapientiam.*

ermitage, s. m. Habitation d'ermite. *Eremitae cella.* || (Fig.) Site écarté, solitaire. *Secessūs, ūs,* m.

ermite, s. m. Solitaire retiré dans un lieu désert pour s'y livrer à des exercices de piété. *Eremita, ae,* m.

errant, *ante,* adj. Qui n'est pas fixé. *Errans* (gén. *-antis*), p. adj. *Vagus, a, um,* adj. Peuples —, voy. NOMADE. ¶

Qui va de côté d'autre, au hasard.
Errans, p. adj. *Errabundus, a, um*, adj.
Vie —, *error, oris*, m. Mener une vie
—, *vagā,˙' et errāre*.

errements, s. m. pl. Marche que l'on
suit habituellement dans ses actions.
Ratio, onis, f. *Institutum*, i, n.

errer, v. intr. Aller au hasard, de côté
et d'autre. *Errāre*, intr. *Vagāri*, dép.
intr. (en parl. d'êtres animés et fig. :
quorum animus vagatur, qui laissent
errer leurs pensées). *Palāri* (« errer
cà et là »), dép. intr. Laisser — ses
regards, *circumferre oculos*. ¶ (Au fig.)
S'éloigner de la vérité. *Errāre*, intr.

erreur, s. f. Action de .'é oigner de
la vérité. *Error, oris*. m. *Erratum*, i, n.
— de copie, *mendum*, i, n. ‖ Erreur,
faute (isolée). *Erratum, i*, n. *Peccatum*,
i, n. ¶ (Spéc.) Doctrine, opinion qui
n'est pas conforme à la vérité. *Falsum*,
i, n. ¶ (Au plur.) Egarements de conduite. *Errata, orum*, n. pl.

erroné, ée, adj. Entaché d'erreur.
Plenus erroris. *Falsus, a, um*, adj.

érudit, ite, adj. Qui a de l'érudition.
Doctus, a, um, p. adj. *Doctrinā instructus* ou *eruditus*. (Substantiv.) Un
—, (*vir* ou *homo*) *doctus*. Les —, *viri
docti* ou *eruditi* et simpl. *docti, orum*,
m. pl.

érudition, s. f. Science des documents
relatifs à telle ou telle des connaissances
humaines. *Doctrina, ae*, f. *Eruditio,
onis*, f. Avoir de l'—, *doctrinā instructum* (ou *eruditum*) *esse*. Avec —,
doctē, adv. ¶ (P. ext.) Recherche éru-
dite. *Scientiae pervestigatio*.

éruptif, ive, adj. Caractérisé par des
éruptions. *Pusulosus, a, um*, adj.

éruption, s. f. Sortie de choses qui se
dégagent brusquement de ce qui les
contient, *Eruptio, onis*, f. — volca-
niques, *incendia ruptis montium ver-
ticibus effusa*. ‖ Spéc. — cutanée, *impetigo, inis*, f.

escabeau, s. m. Siège de bois peu
élevé, sans bras ni dossier. *Scamnum*, i,
n. ¶ (Par ext.) Marchepied. *Scabellum*,
i, n.

escadre, s. f. Réunion de vaisseaux
de guerre sous les ordres d'un amiral.
Classis, is, f.

escadron, s. m. Troupe de combattants
a cheval. *Turma, ae*, f. D'—, *turmalis,
e*, adj.

escalade, s. f. Assaut d'une muraille,
d'une maison à l'aide d'échelles. *Ascensūs, ūs*, m. *Impetus scalis factus*. Monter
à l'—, *muros scalis aggredi*.

escalader, v. tr. Prendre par escalade.
Scandēre (*in aggerem*). *Positis scalis
muros ascendēre*.

escale, s. f. Port où un navire fait
relâche pour trafiquer. *Statio, onis*, f.

escalier, s. m. Suite de degrés. *Scalae,
arum*, f. pl.

escamotage, s. m. Action d'escamoter.
Praestigiae, arum, f. ¶ (Fig.) Voy. VOL.

escamoter, v. tr. Faire disparaître,
supprimer (qqch.) devant qqn sans
qu'il s'en aperçoive. *Clam subducēre
(aliquid)*. Fig. *Surripēre*, tr. En esca-
motant, *furtim*, adv.

escamoteur, euse, s. m. et f. Celui,
celle qui escamote. *Praestigiator, oris*,
m. *Praestigiatrix, tricis*, f.

escarbot, s. m. Insecte qui vit dans
les fumiers. *Scarabaeus*, i, m.

escarboucle, s. f. Pierre précieuse.
Carbunculus, i, m.

escarcelle, s. f. Bourse pendue à la
ceinture. *Crumena, ae*, f.

escargot, s. m. Sorte de limaçon à
coquille en spirale. *Cochlea, ae*, f.

escarmouche, s. f. Léger engagement
entre des détachements, des tirailleurs
de deux armées. *Proelium leve*. *Pro-
cursatio, onis*, f.

escarmoucher, v. intr. Faire des escar-
mouches. *Procursāre*, intr.

escarpé, ée, adj. Qui est en pente
raide. *Abruptus, a, um*, p. adj. *Praeruptus, a, um*, p. adj.   [*praeruptus*.

escarpement, s. m. Pente raide. *Locus*

Escaut, n. pr. Rivière de la Gaule
Belgique. *Scaldis, is*, m.

Eschine, n. pr. Orateur attique, rival
de Démosthène. *Aeschines, is*, m.

Eschyle, n. pr. Célèbre poète tragique.
Aeschylus, i, m.

escient, s. m. Connaissance qu'o:. a
de qqch. A mon, ton, son — (*sciemment*), *me* (*te*, etc.) *sciente*. A bon —,
prudens et sciens.

esclandre, s. m. Scandale. *Facinus
indignum*. ‖ (Par ext.) Faire un — à
qqn (lui faire une querelle bruyante
et scandaleuse), *turbam concire (alicui)*.

esclavage, s. m. Etat de celui, de celle
qui n'est pas de condition libre. *Servitus, utis*, f. *Servitium, ii*, n. ¶ (Par
ext.) Etat de celui, de celle qui est
soumis à une autorité tyrannique. *Servitus, utis*, f. *Servitium, ii*, n. Joug de
l'—, *jugum servile*, ou simpl. *jugum, i*,
n. ‖ (Spéc.) Etat de celui qui subit la
domination d'une amante. *Servitus,
utis*, f. ¶ Etat de celui, de celle qui
subit la domination d'une chose. *Servitus, utis*, f.

esclave, s. m. et f. Celui, celle qui
n'est pas de condition libre. *Servus, i*,
m. *Serva, ae*, f. Jeune —, *servulus, i*,
m.; *servula, ae*, f. — (né et élevé dans
la maison du maître), *verna, ae*, f.
Ensemble des esclaves appartenant à
un seul maître, *familia, ae*, f. D'—,
servilis, e, adj. En —, *serviliter*, adv.
Condition d'—, *servitus, utis*, f.; *famu-
latūs, ūs*, m. Etre esclave, *servīre*, intr.
¶ (Par ext.) Celui, celle qui subit une
tyrannie. *Servus, i*, m. *Serva, ae*, f. ‖
Celui, celle qui obéit servilement à qqn.
Servus, i, m. Se faire l'— de qqn, *servīre (alicui)*. ¶ (Par anal.) Celui, celle
qui subit l'empire d'une chose. *Servus, i*,
m. *Famula, ae*, f. Etre — de, *servīre*,

intr. (*cupiditatibus*); *deservīre*, intr. (*corpori*).

escorte, s. f. Troupe qui accompagne une personne pour veiller à sa sûreté *ou* lui faire honneur, un prisonnier pour l'empêcher de s'évader, etc. *Praesidium, ii*, n. *Custodia, ae*, f. *Comitatūs, ūs*, m. Faire — à qqn, servir d'— à qqn, voy. ESCORTER. Sans —, *sine praesidio*. Conduire sous —, *deducĕre*, tr.

escorter, v. tr. Faire escorte à qqn. (Pour le protéger *ou* le garder.) *Praesidio* ou *custodiae esse alicui*. (Pour lui faire honneur.) *Prosequi aliquem*. *Deducĕre aliquem*. || (Fig.) Accompagner Voy. ce mot.

escouade, s. f. Fraction d'une compagnie de fantassins *ou* de cavaliers. *Manipulus, i*, m. || (En parl. des cavaliers.) *Turma, ae*, f.

escrime, s. f. Exercice qui apprend l'art de faire des armes, etc. *Ars pugnandi* ou *ars armorum*.

escrimer, v. intr. et pron. || (*V. inttr.*) Faire de l'escrime. *Rudibus dimicāre*. ¶ *V. pron.* Se servir de qqch. comme d'une arme contre un adversaire. *Certāre (pugnis)*. || (Fig.) Se servir d'arguments contre qqn avec qui on dispute. *Digladiāri cum aliquo* (ou *inter se*) *de aliqua re*.

escroc, s. m. Celui qui vole les gens en les dupant. Voy. FRIPON.

escroquer, v. tr. Voler (qqch.) à qqn en le dupant. (*Fraude aliquid ab aliquo*) *auferre*. (*Dolo aliquid alicui*) *elicĕre*. (P. ext.) — qqn (le voler en le dupant), voy. DUPER, VOLER.

escroquerie, s. f. Action d'escroquer. *Fallacia, ae*, f. || (Spéc.) Vol commis à l'aide de moyens frauduleux. *Dolus malus*, et simpl. *dolus, i*, m.

Esculape, n. pr. Dieu de la médecine. *Aesculapius, ii*, m.

Esope, n. pr. Fabuliste grec. *Aesopus, i*, m.

espace, s. m. Intervalle d'un point à un autre, vide de corps solides. *Spatium, ii*, n. Vaste —, *laxitas, atis*, f. — libre, *laxamentum, i*, n. Qui a de l'—, voy. SPACIEUX, ÉTENDU. Sur un grand —, *spatiosē*, adv. || Etendue idéale. *Spatium, ii*, n. || Portion de cette étendue idéale. *Spatium, ii*, n. ¶ (Par anal.) Portion de la durée. *Spatium, ii*, n.

espacement, s. m. Action d'espacer, résultat de cette action. *Intervallum, i*, n.

espacer, v. tr. Séparer par un intervalle. *Intermittĕre*, tr. || (P. ext.) Disposer sur un espace étendu. *Diducĕre*, tr. *Laxāre*, tr. Espacé, *rarus, a, um*, adj. ¶ (P. anal.) Séparer par un intervalle de temps. *Interjicĕre spatium (ad aliquid faciendum)*. Espacé, *rarus, a, um*, adj.

espadon, s. m. Grande et large épée à deux tranchants, qu'on maniait à deux mains. *Spatha, ae*, f. ¶ (P. anal.) Poisson. *Gladius, ii*, m.

Espagne, n. pr. Contrée de l'Europe. *Hispania, ae*, f. D'—, *Hispaniensis, e*, adj.

Espagnol, n. pr Habitant de l'Espagne. *Hispanus, i*, m.

espèce, s. f. Nature propre à un certain nombre de personnes, de choses, qui permet de les classer. *Genus, eris*, n. De même —, *ejusdem generis*. De toute —, *omnis, e*, adj. || Personne, chose d'une certaine catégorie. *Genus, eris*, n. Quelle — de femme as-tu épousée? *quid mulieris uxorem habes!* || (Par anal.) Personne, chose qu'on range dans une certaine catégorie. *Pars, partis*, f. Une — d'homme, *quasi homo*. Deux — de mémoires, *duae memoriae*. ¶ (Spéc.) Substances végétales ayant des propriétés analogues et servant à faire des infusions. *Species, ei*, f. || (Finances.) Espèces sonnantes, *pecunia numerata*. Payer en—, en — sonnantes, *numerato solvĕre*. || (Droit.) Le cas dont il s'agit. *Species, ei*, f. ¶ (Par ext. t. de log.) Groupe naturel d'individus que distinguent des traits accidentels. *Species, ei*, f. (au plur. remplacer *species* par *formae* ou par *partes* sauf au nom. et à l'acc.). ¶ Groupe d'individus semblables entre eux et issus d'individus semblables. *Genus, eris*, n.

espérance, s. f. Disposition de l'âme par laquelle on croit à la réalisation de ce qu'on désire. *Spes, ei*, f. ¶ Espérance appliquée à un objet déterminé. *Spes, ei*, f. *Opinio, onis*, f. *Exspectatio, onis*, f. Les —, *sperata, orum*, n. pl. || (Spéc.) Attente avantageuse que l'on conçoit de qqn. *Spes, ei*, f. *Opinio, onis*, f. ¶ (P. ext.) La personne *ou* la chose qui est l'objet de l'espérance. *Spes, ei*, f.

espérer, v. tr. Considérer ce qu'on désire comme devant se réaliser. *Sperāre*, tr. (av. l'acc. et l'inf. fut.; av. l'acc. et l'inf. prés., quand « espérer » est syn. de « croire »). — qqch. de qqn, *sperāre aliquid ab aliquo*. — qqch. de qqch., *aliquid sperāre ex aliquā re*. — fermement, *confidĕre*, intr. (voy. COMPTER). — en qqn, en qqch., *spem ponĕre in aliquo* ou *in aliquā re*. Faire —, *spem afferre* ou *facĕre (alicujus rei alicui)*; *in spem inducĕre* ou *adducĕre (aliquem)*. N'— plus rien de qqch., *desperare de aliquā re*.

espiègle, s. m. et f. Personne malicieuse avec gentillesse. *Lascivus puer; lasciva puella*.

espièglerie, s. f. Caractère espiègle. *Lascivia, ae*, f. ¶ Tour d'espiègle. *Lascive factum*.

espion, *ionne*, s. m. et f. Celui, celle qu'on charge d'épier ceux dont on a intérêt à surprendre les intentions, etc. *Emissarius, ii*, m. Espionne, *speculatrix, tricis*, f. || (Spéc.) Celui qui épie ce qui se passe chez l'ennemi. *Explo-*

rator, oris. m. Speculator, oris, m. D'—,
speculatorius, a, um, adj. ‖ Celui qui
est employé à la police secrète dans
un pays. Index, dicis, m. et f.

espionnage, s. m. Action d'espionner.
(Dans le sens général.) Occulta exploratio. (Comme t. milit.) Exploratio,
onis, f.

espionner, v. tr. Observer en espion.
(Dans le sens général.) Speculari (con-
silia alicujus). (T. milit.) Speculāri, tr.
Explorāre (hostium consilia).

esplanade, s. f. Espace découvert qui
s'étend devant certains édifices. Area,
f. Spatium, ii, n.

espoir, s. m. Voy. ESPÉRANCE.

esprit, s. m. Souffle. Spiritūs, ūs, m.
(voy. SOUFFLE). ‖ (T. bibl.) Souffle
envoyé par Dieu. Spiritūs, ūs, m.
‖ Souffle vital. Spiritūs, ūs, m. Voy.
SOUFFLE. ‖ (T. de gramm.) — rude,
spiritūs asper. — doux, spiritus lenis.
‖ (Fig.) Inspiration divine. Spiritūs,
ūs, m. ‖ (Par ext.) Le Saint-Esprit.
Spiritus Sanctus. ¶ Emanation des
corps; au plur. corps subtils regardés
comme le principe de la vie. Spiritūs,
ūs, m. Animus, i, m. Reprendre ses —,
spiritum resumēre. Il a perdu ses —,
animus eum reliquit. ‖ Substance qui
s'échappe des corps soumis à la distillation. Spiritūs, ūs, m. ¶ Principe
immatériel. ‖ La substance incorpo-
relle. Spiritūs, ūs, m. Animus, i, m.
Mens, mentis, f. ‖ Etre incorporel.
Spiritūs, ūs, m. Le malin —, nocenr
spiritus. Chasser les —, daemonas
expellēre ac fugāre. ‖ (Par ext.) Génie
attaché à la personne de qqn. Genius,
ii, m. ‖ Fantôme, revenant. Les —,
animae, arum, f. pl. — malfaisants,
larvae, arum, f.; lemures, um, m. pl.
¶ Principe intelligent; principe de nos
résolutions, de nos sentiments. Animus, i, m. Mens, mentis, f. Ingenium,
ii, n. ‖ (Spéc.) L'— (opp. à la chair),
spiritus, ūs, m. ‖ (Par ext.) Un grand
—, animus magnus ou vir magni ingenii. De brillants —, clarissima ingenia. ‖ Le principe pensant. Mens,
mentis, f. Animus, i, m. Ingenium, ii,
n. ‖ (Par ext.) Etre pensant. Ingenium.
ii, n. Un — fort, religionis negligens
ou contemptor. Une femme bel —,
mulier elegantiorum litterarum studiosa.
‖ (Par ext.) Vivacité piquante de
l'esprit. Ingenium, ii, n. Acumen, minis,
n. Dicacitas, atis, f. (sign. pr. « caus-
ticité d'esprit »). Lepos, oris (« grâce,
finesse d'esprit »). m. Festivitas, atis,
(« enjouement, gaieté, esprit »), f. Sal,
salis, m. Urbanitas, atis, f. Un homme
d'—, homo valdē acutus (ou facetus).
Qui ne manque pas d'—, non infacetus.
Trait d'—, facetē dictum. Traits d'—,
acumina, um, n. pl.; festivitates, um,
f. pl.; sales, um, m. pl.; argutiae, arum,
f. pl. Faire de l'— aux dépens de qqn,
dicta dicēre in aliquem. Faire de l'—,

à propos de qqch., aliquid transferre
ad sales. Avec —, facetē; haud inficetē.
¶ Manière de voir, de penser, de sentir.
‖ Impulsion dominante qui fait agir.
Animus, i, m. Mens, mentis, f. L'—
d'indiscipline, effrenata licentia; effrenata audacia. ‖ Fond de sentiments ou
d'idées qui font agir un individu ou un
groupe d'individus. Animus, i, m. Ingenium, ii, n. Voluntas, atis, f. Sensūs,
ūs, m. Studium, ii, n. L'— de parti,
partium studium ou (simpl.) studia,
orum, n. pl. — de conduite, prudentia,
ae, f. ¶ Direction générale que suit
l'intelligence appliquée à certains travaux. Ingenium, ii, n. L'— d'invention,
ingenium ad inveniendum sollers ou
simpl. sollertia, ae, f. — politique, prudentia civilis. ‖ Pensée dominante
d'une œuvre, etc. Voluntas, atis, f.
Sententia, ae, f. S'attacher à l'— (de
la loi), sententiam sequi.

esquif, s. m. Légère embarcation.
Cymba, ae, f.

esquille, s. f. Petit fragment qui se
détache d'un os fracturé ou carié.
Parvulum fragmentum ossis.

esquinancie, s. f. Inflammation de la
gorge. Angina, ae, f.

esquisse, s. f. Premier trait des principales lignes d'un dessin ou d'une
peinture. Adumbratio, onis, f. Imago
adumbrata. Faire une —, voy. ESQUIS-
SER. ‖ Premier modèle d'une œuvre de
sculpture. Exemplum, i, n. ‖ (P. ext.)
Premier plan d'une œuvre littéraire.
Adumbratio, onis, f.

esquisser, v. tr. Exécuter en esquisse.
Adumbrāre (aliquid). Formam ac speciem alicujus rei delineāre. ‖ (P. ext.)
Tracer le premier plan d'une œuvre
littéraire. Adumbrāre, tr. Primas lineas
ducēre. ‖ (Fig.) Décrire à grands traits.
Paucis (ou breviter) exponēre.

esquiver, v. tr. et pron. ‖ V. tr. Eviter
adroitement. Vitāre (tela). Effugēre
(ictum). ¶ V. pron. S'— (se retirer
adroitement d'un lieu où l'on court
qq. risques). Fugēre, intr.

essai, s. m. Première application
d'une chose à une destination, pour
voir si elle lui est propre. Tentatio, onis,
f. Experimentum, i, n. Experientia, ae,
f. Periculum, i, n. Faire l'— de...,
voy. ÉPREUVE, ÉPROUVER. ‖ (Métall.)
— de l'or, obrussa, ae, f. — (des
métaux), spectatio, onis, f. ‖ (Fig.)
Mettre à l'—, faire l'—, experiri, dép.
tr.¶ (Spéc.) Action d'aborder une chose
pour la première fois. Conatūs, ūs, m.
Conatum, i, n. (surt. au plur.). Faire
un —, periculum facēre. Faire des —,
experientiā tentāre quaedam. Coup d'—,
rudimentum, i, n. ‖ (Par ext.) Ouvrage
qui résulte de ce premier effort. Prolusio, onis, f.

essaim, s. m. Groupe d'abeilles, de
guêpes, vivant en commun. Examen,
inis, n. ‖ (Fig.) Turba, ae, f.

essaimer, v. intr. Former un *ou* plusieurs essaims. *Examinâre*, intr.

essayer, v. tr. et intr. ‖ *V. tr.* Mettre à l'essai. *Experiri*, dép. tr. *Periclitâri*, dép. tr. *Tentâre*, tr. *Attentâre*, tr. *Pertentâre*, tr. *Conâri*, dép. tr. *Eniti*, dép. tr. ‖ (Par ext.) Mettre à l'épreuve. Voy. ÉPREUVE, ÉPROUVER. ‖ Absol. (avec un partitif pour compl.). *Gustâre*, tr. *Degustâre*, tr. ‖ S'— à *ou* dans qqch, attingêre, tr.; *experiri se (aliquâ re)*. ¶ *V. intr.* Essayer de faire qqch. *Conâri*, dép tr. *Aggredi*, dép. tr. *Pertentâre*, tr.

essayeur, s. m. Celui qui est chargé de faire l'essai des matières d'or et d'argent. *Exactor auri ou argenti*.

essence, s. f. Ce qui constitue le fond de l'être. *Natura, ae*, f. ‖ L'être considéré dans ce qui fait le fond de sa nature. *Substantia, ae*, f. ¶ Ce qui constitue la nature propre d'une chose. *Natura, ae*, f. *Proprietas, atis*, f.

essentiel, *elle*, adj. Qui constitue le fond de l'être. *Intimus, a, um*, adj. ¶ Qui constitue la nature propre d'une chose. *Verus, a, um*, adj. *Proprius, a, um*, adj. ¶ Qui constitue la partie la plus importante dans une chose. *Praecipuus, a, um*, adj. *Princeps* (gén. *-cipis*), adj.

essentiellement, adv. D'une manière essentielle. *Naturâ ipsâ* ou simpl. *naturâ*. ¶ Surtout. *Praecipuê*, adv.

essieu, s. m. Pièce de bois ou de fer dont les extrémités entrent dans les moyeux des roues. *Axis, is*, m.

essor, s. m. Élan d'un oiseau dans l'air. *Nisûs* ou *nixûs, ûs*, m. Prendre l'—, *alis se levâre*. ‖ (Fig.) Élan de l'esprit. Prendre son —, *evolâre*, intr. Donner l'— à son éloquence, *pandêre vela orationis*.

essoufflement, s. m. État de celui qui est essoufflé. *Anhelatio, onis*, f.

essouffler, v. tr. Mettre hors d'haleine. *Anhelitum movêre (alicui)*. S'—, être essoufflé, *anhelâre*.

essuie-main, s. m. Serviette. *Mantele, is*, n.

essuyer, v. tr. Sécher (un objet mouillé) à l'aide de qqch. qui enlève l'humidité *et (par ext.)* nettoyer à l'aide de qqch. *Abstergêre*, tr. *Detergêre*, tr. ‖ (Fig.) Avoir à supporter (qqch. de fâcheux). *Accipêre*, tr. *Experiri*, dép. tr. — une défaite, *accipêre cladem*. — un refus, *repulsam ferre*.

est, s. m. Côté où le soleil se lève. *Oriens sol. Oriens, entis*, m.

estafette, s. f. Courrier portant les dépêches d'une poste à l'autre. *Nuntius, ii*, m.

estimable, adj. Digne d'estime. *Aestimatione dignus*.

estimatif, *ive*, adj. Qui contient l'estimation d'une chose. *Aestimatorius, a, um*, adj.

estimation, s. f. Action de déterminer le prix, la valeur qu'on attribue à une chose. *Aestimatio, onis*, f.

estime, s. f. Détermination faite par qqn du prix, de la valeur qu'il attribue à une chose. *Aestimatio, onis*, f. ‖ (Par ext.) Calcul approximatif. *Ratio, onis*, f. *Conjectura, ae*, f. ¶ (Fig.) Opinion de qqn sur ce que vaut une personne, une chose. *Aestimatio, onis*, f. *Existimatio, onis*, f. ‖ (Par ext.) Bonne opinion qu'on a de ce que vaut qqn ou qqch. *Existimatio, onis*, f. Il ne perdit pas dans l'— publique, *nullum detrimentum existimationis fecit*. Faire peu, très peu, plus, beaucoup d'— de qqn *ou* de qqch., *aliquem (ou aliquid) parvi, minimi, pluris, maximi facêre*. Avoir en haute —, *suspicêre*, tr.

estimer, v. tr. Déterminer le prix, la valeur qu'on attribue à qqch. *Aestimâre*, tr. *Putâre*, tr. ‖ (Par ext.) Calculer. *Aestimâre*, tr. *Judicâre*, abs. ‖ (Fig.) Apprécier. *Aestimâre*, tr. *Facêre*, tr. *Ducêre*, tr. *Existimâre*, tr. ¶ (Fig.) Avoir une opinion sur ce que vaut une personne, une chose. Voy. PENSER, CROIRE. ‖ Suivi d'un adjectif exprimant la qualité reconnue à qqn, à qqch. *Ducêre*, tr. *Existimâre*, tr. — qqn heureux, *ducêre aliquem beatum*. ‖ Suivi d'une propos. complétive. — que, *censêre*, tr.; *existimâre*, tr.; *putâre*, tr. (tous avec l'acc. et l'inf.). ‖ (Par ext.) Avoir bonne opinion de ce que vaut une personne, une chose. *Bene de aliquo (ou de aliquâ re) existimâre. Magni facêre (aliquem ou aliquid)*. Se faire — probâri, passif. Estimé, *laudatus*. Peu estimé, *vilis, e*, adj.

estoc, s. m. Frapper d'— (en droite ligne, avec la pointe de l'épée), *punctim ferire*. D'— et de taille, *punctim ac caesim*.

estomac, s. m. Poche où les aliments se transforment. *Stomachus, i*, m. ¶ Partie extérieure du corps qui correspond à l'estomac. *Pectus, oris*, n.

estrade, s. m. Route. Voy. ce mot. Batteur d'—, *explorator, oris*, m. ¶ Partie élevée au-dessus du plancher d'une chambre, d'une salle, etc. *Suggestûs, ûs*, m. *Suggestum, i*, n. *Pulpitum, i*, n.

estragon, s. m. Plante d'assaisonnement. *Dracunculus, i*, m.

estropier, v. tr. Priver de l'usage d'un membre, par blessure, maladie, etc. *Debilitâre*, tr. Estropié, *mancus ac debilis*. Être estropié, s'—, *mancum ac debilem (ou claudum ac debilem) fieri*. ‖ (Fig.) Mutiler, défigurer. Voy. ces mots. — (des mots), *corrumpêre*, tr.

esturgeon, s. m. Gros poisson dont les œufs sont estimés. *Acipenser, êris*, m.

et, conj. Conjonction de coordination, servant à unir des mots et des propositions. *Et*, conj. *-que* (après un mot), conj. *Ac* (dev. une consonne) et *atque* (devant une voy. et *h*).

étable, s. f. Endroit couvert où on loge les bestiaux. *Stabulum, i,* n. — à bœufs, *bubile, is,* n. — à moutons, *ovile, is,* n. — à chèvres, *caprile, is,* n. — à porcs, *suile, is,* n.; *hara, ae,* f.

établir, v. tr. Fonder d'une manière stable. *Ponère* tr. *Statuère,* tr. || *Constituère,* tr. *Instituère,* tr. || (Par anal.) Installer. *Ponère.* tr. *Locâre,* tr. *Collocâre,* tr. || (Par ext.) Mettre dans un lieu de résidence. *Constituère,* tr. *Ponère* tr. *Collocâre,* tr. || S'—, considère, intr.; *consistère,* intr. Aller *ou* venir s'— dans..., à..., *migrâre,* intr.; *commigrâre,* intr.; *demigrâre,* intr. Etre établi, *residère,* intr. Un homme établi (domicilié), *assiduus, i,* m. || Placer à demeure. *Locâre,* tr. *Collocâre,* tr. *Constituère,* tr. ¶ (Au fig.) Rendre solide, durable. *Stabilire,* tr. *Constabilire,* tr. *Fundâre,* tr. *Constituère,* tr. C'est un usage établi, *positum id in more est.* || Confirmer, prouver, démontrer. *Affirmâre,* tr. *Constituère,* tr. *Probâre,* tr. ¶ Instituer. *Statuère,* tr. *Constituère,* tr. *Instituère,* tr. *Ponère,* tr. || (Par anal.) Disposer, régler. *Ponère,* tr. Voy. DISPOSER, RÉGLER. ¶ Caser dans le monde. *Locâre,* tr. *Collocâre,* tr. — sa fille, *filiam collocâre.* S'—, voy. [se] MARIER. S'—, c.-à-d. se mettre dans le commerce, à son compte, *mercaturam instituère.*

établissement, s. m. Action d'établir. *Constitutio, onis,* f. Procéder à l'— d'un pont, *pontem instituère.* Faire un solide —, *res suas firmiter constituère.* || Institution. Voy. ce mot. || Mariage (d'une fille). *Collocatio, onis,* f. ¶ Action de s'établir. *Sedes, is,* f. ¶ Ce qui est établi. *Institutum, i,* n. || Colonie. Fonder des —, *colonias constituère.* || Un établissement commercial, voy. COMMERCE. Un — d'éducation, voy. ÉCOLE.

étage, s. m. Dans une demeure formée de plusieurs appartements superposés chaque partie de plain-pied. *Contignatio onis,* f. *Contabulatio, onis,* f. *Tabulatum, i,* n. || (P. anal.) Dans une chose formée de parties superposées, chacune de ces parties. *Gradus, uum,* m. pl. Par —, *gradatim,* adv.; *per gradus.* || (Fig.) Une personne de bas —, *humillimæ sortis homo.* Les gens de bas —, *infimi, orum,* m. pl.

étager, v. tr. Disposer par étages, par rangs superposés. *Per gradus distribuère (aliquid).* Etagé, *gradatus, a, um,* p. adj. S'—, *per gradus se tollère.*

étagère, s. f. Meuble formé de tablettes disposées par étages. *Repositorium, ii,* n.

étai, s. m. Pièce de bois pour soutenir une construction. *Adminiculum, i,* n. *Fultura, ae,* f. [*stanneus, a, um,* adj.

étain, s. m. Métal. *Stannum, i,* n. D'—,

étal, s. m. Table où l'on exposait en vente les marchandises dans les marchés publics. *Mensa, ae,* f. || (Spéc.)

Table sur laquelle les bouchers débitent la viande. *Laniena, ae,* f.

étalage, s. m. Action d'étaler. — (de marchandises), *propositae merces.* Mettre en —, voy. ÉTALER. ¶ (Fig.) Action d'exposer qqch. aux regards avec ostentation. *Ostentatio, onis,* f. *Venditatio, onis,* f. — d'érudition, *jactatio eruditionis.* Faire — de qqch., *venditâre (ou ostentâre, ou jactâre) aliquid.* Celui qui fait — de, *ostentator, oris,* m.

étaler, v. tr. Exposer des marchandises à vendre. *Exponère (ou proponère) merces (ou res venales).* Etre étalé, *palam propositum esse.* ¶ Etendre complètement sur une surface. *Exponère (herbam in sole). Explicâre (aliquid).* ¶ Exposer complètement à la vue. *Ponère ante oculos. Prae se ferre. Prae se gerère.* || (P. ext.) Exposer avec ostentation. *Ostentâre (prudentiam). Venditâre (ingenium).*

étalon, s. m. Type légal des mesures et des poids autorisés. *Mensura legitima.*

étamer, v. tr. Recouvrir un métal d'une couche d'étain. *Album (plumbum) incoquère (aereis operibus).*

étanchement, s. m. Action d'étancher. L'— de la soif, *restinctio, onis,* f. L'— du sang, *suppressus sanguis.*

étancher, v. tr. Arrêter (un liquide) dans son épanchement. — le sang, *sanguinem sistère (supprimère ou reprimère).* || (P. ext.) — la soif, *sitim restinguère (ou explère).*

étançon, s. m. Etai pour soutenir un mur, une voûte, etc. *Adminiculum, i,* n.

étançonner, v. tr. Soutenir à l'aide d'étançons. *Fulcire (porticum).*

étang, s. m. Etendue d'eau dormante naturelle *ou* artificielle. *Stagnum, i,* n. *Lacus, ūs* (dat. abl. plur., *lacubus*), m.

étape, s. f. Localité où les troupes en marche s'arrêtent pour passer la nuit. *Statio, onis,* f. ¶ (Par ext.) Distance à parcourir pour arriver à l'étape. *Iter, itineris,* n. *Castra, orum,* n. pl. (parce que les Romains établissaient leur camp chaque soir : *trinis castris,* en trois étapes).

état, s. m. Manière d'être d'une personne *ou* d'une chose à un moment donné. || Manière d'être (d'une pers.). *Status, ūs,* m. *Habitus, ūs,* m. *Fortuna, ae,* f. Mettre qqn (dans tel ou tel) —, *aliquem afficère.* Etre (dans tel ou tel) —, *affici,* pass. Etre en — (de faire telle ou telle chose), *posse* (avec l'inf.). Etre hors d'— de..., *non posse* (avec l'inf.). Mettre qqn en — de..., *alicui facultatem dâre (aliquid faciendi).* Mettre qqn hors d'— de..., *alicui facultatem eripère (aliquid faciendi).* || Manière d'être (d'une chose). *Status, ūs,* m. *Habitus, ūs,* m. *Affectio, onis,* f. *Condicio, onis,* f. *Constitutio, onis,* f. Les différentes — de la santé, *valetudines.* Tenir en bon —, *tuéri,* dép. tr.; *con-*

servâre, tr. En bon —, *integer, gra, grum*, adj. Mettre qqch. en —, *aliquid parâre*. Remettre en —, *reficĕre*, tr.; *restituĕre, tr* Des bâtiments en mauvais —, *aedes vitiosae*. || (Spéc.) Etat de maison. Avoir un grand — de maison, *speciosam domum producĕre*. || (Par anal.) Ce qui constate l'état des choses à un moment donné; inventaire. *Ratio, onis*, f. ¶ Manière d'être d'une personne dans l'ordre social. || Condition civile d'une personne. *Condicio, onis*, f. || Condition résultant de la profession. *Conducio, onis*, f. *Fortuna, ae*, f. *Sors, sortis*, f. || Condition politique. *Ordo, inis*, m. *Corpus, oris*, n. ¶ Manière d'être des hommes réunis en société. *Habitus, ûs*, m. *Condicio, onis*, f. L'— de liberté, *libertas, atis*, f. Etre en — de guerre, *bellum gerĕre*. || (Par ext.) Régime politique d'une nation. *Forma, ae*, f. *Civitas, atis*, f. — monarchique, *regia civitas*. — républicain, *popularis civitas*. || La nation considérée comme formant un corps politique. *Civitas, atis*, f. *Res publica*, f. De l'—, *civilis, e*, adj.; *publicus, a, um*, adj. Les affaires de l'—, *res civiles*. Un crime d'—, *quod in re publicâ peccatum est*. || (Par anal.) Pays soumis à une même loi politique. *Res, rei*, f. *Imperium, ii*, n.

état-major, s. m. Corps d'officiers choisis pour être attaché à un officier supérieur. *Cohors praetoria*.

étayer, v. tr. Soutenir à l'aide d'étais. *Fulcīre*, tr. *Adminiculâre*, tr. *Statuminâre*, tr. || (Fig.) Soutenir. *Fulcīre*, tr. *Adminiculâre*, tr. Etayé sur (qqch.), *fretus (aliquâ re)*; *subnixus (aliquâ re)*.

été, s. m. Saison chaude de l'année. *Aestas, atis*, f. D'—, *aestivus, a, um*, adj.

éteindre, v. tr. Faire cesser de brûler. *Extinguĕre*, tr. *Restinguĕre*, tr. s'—, *extingui; restingui*. Laisser le feu s'—, *et (ellipt.)* laisser — le feu, *ignem exstingui sinĕre*. || (P. ext.) Calmer, apaiser. *Exstinguĕre*, tr. *Restinguĕre*, tr. — la soif, *exstinguĕre sitim*. — la haine, *restinguĕre odium*. s'—, *languescĕre*, intr. || Faire cesser de vivre. *Exstinguĕre*, tr. s'—, *occidĕre*, intr. || Faire cesser de subsister. *Exstinguĕre*, tr. s'—, *mori*, dép. intr.; *emori*, dép. intr.; *intermori*, dép. intr. ¶ Faire cesser d'éclairer. *Exstinguĕre*, tr. s'—, *occidĕre*, intr.

étendard, s. m. Drapeau de guerre. *Vexillum, i*, n. L'— des légions, *signum, i*, n. Porte —, *vexillarius, ii*, m.; *signifer, feri*, m. ¶ (Fig.) Suivre les — de qqn, se ranger sous les —, marcher sous les — de qqn (combattre pour sa cause), *sub aliquo militâri*.

étendre, v. tr. Développer en longueur, en largeur, ce qui est plié, etc. *Extendĕre*, tr. *Obtendĕre* (« étendre devant »), tr. *Praetendĕre* (« étendre en avant ou devant »), tr. *Pandĕre*, tr.

Expandĕre, tr. *Porrigĕre*, tr. || (Fig.) Développer dans toute son étendue. *Extendĕre*, tr. *Dilatâre*, tr. *Explicâre*, tr. S'— (sur un sujet), *latius se fundĕre*. || Développer en augmentant la longueur, la largeur. *Extendĕre*, tr. *Distendĕre* (« étendre, déployer »), tr. *Explicâre*, tr. *Pandĕre*, tr. *Porrigĕre*, tr. || (Par anal.) Agrandir, augmenter, accroître. *Proferre*, tr. *Dilatâre*, tr. *Prolatâre*, tr. *Propagâre*, tr. *Diffundĕre*, tr. || (Fig.) Rendre plus large, plus lâche. *Laxâre*, tr. ¶ Etaler sur un espace de manière à le couvrir. *Extendĕre*, tr. *Sternĕre*, tr. *Consternĕre*, tr. *Prosternĕre* (« coucher en longueur »), tr. Etendu à terre, *prostratus humi*. Etendu (de son long), *projectus*. S'—, *accumbĕre*, intr. Etre étendu, *cubâre*, intr.; *recubâre*, intr.; *jacêre*, intr. Etre — aux pieds de qqn, *jacêre ad alicujus pedes*. || (Par anal.) S'—, *c.-à-d.* occuper un certain espace, *jacêre*, intr.; *patêre*, intr.; *porrigi*, pass. Etendu, *patens* (gén. *-entis*), adj.; *latus, a, um*, adj. Peu étendu, *brevis, e*, adj. || S'—, *c.-à-d.* se répandre, *emanâre*, intr.; *fundi*, pass. *serpĕre* (pr. « se répandre [de proche en proche] »), intr. || S'—, *c.-à-d.* se propager, *spatiâri*, dép. intr.; *vagâri*, dép. intr.; *evagâri*, dép. intr. || Autant que la vue peut s'—, *quo longissimê oculi conspectum ferunt*. || (Fig.) Appliquer à plusieurs choses de manière à les embrasser. *Dilatâre*, tr. *Intendĕre*, tr. s'—, *patêre*, intr.; *pertinêre*, intr.

étendue, s. f. Portion de l'espace qu'occupe un corps en superficie. *Spatium, ii*, n. *Amplitudo, dinis*, f. *Laxitas, atis*, f. Grande, vaste —, *magnitudo, dinis*, f. Qui a une grande —, *spatiosus, a, um*, adj. Avoir de l'—, *latê patêre*. Sur une grande —, *longê latêque*. || (Fig.) Comprendre toute l'— de cette remarque, *quam hoc latê pateat intelligas*.

éternel, elle, adj. Qui n'a ni commencement ni fin. *Aeternus, a, um*, adj. || (Substantiv.) L'Eternel, *Deus aeternus*. || (P. ext.) En parl. de ce qui tient à la nature de l'Etre éternel. *Aeternus, a, um*, adj. ¶ (P. ext.) Qui n'a pas de fin. *Aeternus, a, um*, adj. *Sempiternus, a, um*, adj. ¶ (P. anal.) Dont on n'entrevoit pas la fin. *Aeternus, a, um*, adj. *Sempiternus, a, um*, adj. *Immortalis, e*, adj. Sa gloire est —, *ejus gloria semper vivet*.

éternellement, adv. D'une manière éternelle. || Sans commencement ni fin. *Ex omni aeternitate*. ¶ Sans fin. *In aeternum*.

éterniser, v. tr. Faire durer toujours. *Immortalitati* (ou *sempiternae memoriae*) *commendâre*.

éternité, s. f. Durée sans commencement ni fin. *Aeternitas, atis*, f. *Tempus aeternum*. De toute —, *ex omni aeternitate*.

éternuer, v. tr. Expirer brusquement du nez et de la bouche. *Sternuěre*, intr. — à plusieurs reprises, *sternutāre*, intr. éternûement, s. m. Action d'éternuer. *Sternutamentum, i,* n.

étésien, adj. m. Vents — (vents du nord qui soufflent dans la Méditerranée pendant la canicule). *Etesiae, arum,* m. pl.

éther, s. m. La partie la plus subtile de l'air. *Aether, eris* (acc. *era*), m.

éthéré, ée, adj. Qui tient à l'éther, aux espaces célestes. *Aetherius, a, um,* adj.

Éthiopie, n. pr. Contrée d'Afrique. *Aethiopia, ae,* f. D'—, *Aethiopius, a, um,* adj.

Éthiopiens, n. pr. Habitants de 'Éthiopie. *Aethiopes, um,* m. pl. Au sing. *Aethiops, opis,* m. f.

étincelant, ante, adj. Qui jette de vifs éclats de lumière. *Micans* (gén. *-antis*), p. adj. *Fulgens* (gén. *-entis*), p. adj. || (P. anal.) *Ardens* (gén. *-entis*), p. adj. || (Fig.) Qui lance des traits brillants. Éloquence —, *splendida ratio dicendi.*

étinceler, v. intr. Jeter de vifs éclats de lumière. *Micāre,* intr. *Collucēre,* intr. || (P. anal.) (En parl. des yeux.) *Ardēre,* intr. || (Fig.) Lancer des traits brillants. *Fulgēre,* intr. *Fulgurāre,* intr.

étincelle, s. f. Parcelle de feu. *Scintilla, ae,* f. ¶ (Fig.) *Igniculus, i,* m.

étiolement, s. m. Sorte de dépérissement (des plantes). *Marcor, oris,* m. (pr. et et fig.).

étioler, v. tr. Causer l'étiolement. *Tabem afferre (alicui rei).* S'—, *languescěre,* intr.; *marcescěre,* intr.

étique, adj. Amaigri par la consomption. *Tabidus, a, um,* adj.

étiqueter, v. tr. Marquer d'une étiquette. *Notam* (ou *signum*) *apponěre (alicui rei).*

étiquette, s. f. Indication fixée sur un objet pour en faire connaître la nature, la valeur, etc. *Nota, ae,* f. *Pittacium, ii,* n.

étirer, v. tr. Allonger, étendre. *Producěre,* tr.

Etna, n. pr. Volcan de Sicile. *Aetna, ae,* f. De l'—, *Aetnaeus, a, um,* adj. ¶ Ville de Sicile. *Aetna, ae,* f. Habitants d'—, *Aetnaei, orum,* m. pl.

étoffe, s. f. Tissu dont on fait les vêtements, etc. *Textile, is,* n. Pièce d'—, *vestis, is,* f. ¶ (Par ext.) Fig. Facultés qui rendent qqn apte à devenir qqch. *Materia, ae,* f.

étoffer, v. tr. Façonner en employant largement l'étoffe. Un vêtement étoffé, voy. AMPLE. || (P. anal.) Où l'on n'a pas épargné la matière. *Lautus, a, um,* p. adj.

étoile, s. f. Tout astre qui brille dans le ciel (à l'except. du soleil et de la lune). *Stella, ae,* f. *Sidus, eris,* n. Coucher à la belle —, *sub divo* (ou *sub Jove*) *cubāre.* ¶ Corps céleste sans mou-

vement apparent. *Stella inerrans.* Les — fixes, *sidera certis locis infixa.* ¶ Étoile filante. Voy. FILANT. ¶ (Astrol.) Astre qui passe pour exercer une certaine influence sur la destinée. *Sidus, eris,* n. ¶ (Fig.) Objet ressemblant à une étoile. *Stella, ae,* f.

étoilé, ée, adj. Parsemé d'étoiles. *Astris distinctus et ornatus. Stellatus, a, um,* p. adj. ¶ Disposé en rayons. *Stellae formam habens.*

étoiler, v. tr. Parsemer d'étoiles. *Stellis distinguěre.*

étonnamment, adv. D'une manière étonnante. *Mirum in modum.*

étonnant, ante, adj. Qui frappe l'esprit par qqch. d'extraordinaire. *Mirabilis, e,* adj. *Admirabilis, e,* adj. *Mirus, a, um,* adj. Être — pour qqn, *miraculo esse alicui.*

étonnement, s. m. Brusque commotion morale. *Stupor, oris,* m. Frapper d'—, *obstupefacěre,* tr. Frappé d'—, *attonitus, a, um,* adj. Être frappé d'—, *obstupescěre,* intr. ¶ État de l'esprit frappé par qqch. d'extraordinaire. *Admiratio, onis,* f. Ressentir de l'—, voir, se demander avec —, *mirari,* dép. tr.; *admirari,* dép. tr.

étonner, v. tr. Frapper d'une commotion morale. *Aliquem* (ou *alicujus animum*) *confunděre.* Étonné, *attonitus, a, um,* p. adj. ¶ Frapper l'esprit par qqch. d'extraordinaire. *Permověre,* tr. S'—, *mirāri,* dép. tr.; *admirāri,* dép. tr.

étouffant, ante, adj. Qui fait étouffer. *Qui* (*quae, quod*) *suffocat.*

étouffement, s. m. Action d'étouffer; le fait d'être étouffé. *Suffocatio, onis,* f.

étouffer, v. tr. Faire mourir en arrêtant la respiration. *Suffocāre,* tr. *Opprimēre,* tr. || (Par ext.) Priver de vie. *Exanimāre,* tr. *Enecāre,* tr. || (Spécial.) Empêcher le développement de... *Comprimēre,* tr. *Opprimēre,* tr. || Ne pas laisser se propager, se transmettre. *Suffocāre,* tr. *Intercludēre,* tr. *Praecludēre,* tr. (au fig. *pr. vocem alicui*). ¶ (Par ext.) Empêcher de respirer. *Suffocāre,* tr. || (Au sens intr.) Pouvoir à peine respirer. *Exanimari,* pass. — de chaleur, *aestuāre,* intr. ¶ (Par anal.) Priver les plantes de l'air nécessaire à la végétation. *Enecāre,* tr. || Priver (l· feu) de l'air nécessaire à la combustion. *Opprimēre,* tr. Fig *Comprimēre,* tr.

étoupe, s. f. Partie la plus grossière des filaments du chanvre ou du lin. *Stuppa, ae,* f. D'—, *stuppeus, a, um,* adj.

étourderie, s. f. Acte d'étourdi. *Imprudentia, ae,* f. ¶ Caractère de celui qui est étourdi. *Levitas, atis,* f. *Temeritas, atis,* f. Par —, *per imprudentiam.*

étourdi, ie, adj Qui agit sans réflexion. *Temerarius, a, um,* adj. *Inconsultus, a, um,* adj.

étourdiment, adv. A la manière d'un étourdi. *Temerě,* adv.

étourdir, v. tr. Frapper d'une sorte d'engourdissement du cerveau (par commotion, vertige, etc.), *Obturbāre*, tr. *Turporem afferre alicui.* ¶ (Par anal.) Fatiguer le cerveau par le bruit. *Obtundĕre*, tr. ¶ (Par ext.) Rendre qqn presque insensible à ce qu'il éprouve en l'empêchant d'y penser. *Sopīre*, tr.

étourdissement, s. m. Action d'étourdir; état de celui qui est étourdi. *Vertigo, ĭnis,* f. Avoir un —, *vertigine corripi.* ¶ Fig. *Vertigo animi.*

étourneau, s. m. Passereau à plumage noir et blanc. *Sturnus, i,* m.

étrange, adj. Qui est en dehors de l'ordinaire. *Insolitus, a, um,* adj. *Novus, a, um,* adj. *Mirus, a, um,* adj.

étrangement, adv. D'une manière étrange. *Mirē*, adv. ¶ (Par hyperb.) Beaucoup, *Magnopere,* adv.

étranger, *ère*, adj. Qui est d'un autre pays. *Peregrinus, a, um,* adj. *Externus, a, um,* adj. *Alienus, a, um,* adj. ‖ (Subst.) Un étranger, *peregrinus, i,* m.; *advena, ae,* m. ‖ Mœurs, habitudes, coutumes étrangères, *peregrinitas, atis,* f. ‖ L'—, *c.-à-d.* les pays étrangers, *barbaria, ae,* f. À l'—, *peregrē,* adv.; *foris,* adv. De l'—, *peregrē,* adv. Voyager à l'—, *peregrinari,* dép. intr. Séjourner à l'—, *peregrinari,* dép. intr. ¶ (Par anal.) Qui est d'une autre famille. *Alienus, a, um,* adj. ‖ (Subst.) Un —, *alienus, i,* m. ¶ Qui n'a point de relation, de rapport avec une personne *ou* une chose. *Alienus, a, um,* adj. *Externus, a, um,* adj. ‖ (Par anal.) Qui n'est point connu d'une personne. *Alienus, a, um,* adj. ¶ Qui n'a point de part à une chose. *Alienus, a, um,* adj. *Expers* (gén. *-ertis*), adj. Etre — (à qqch.), *abhorrēre (ab aliqua re).* ‖ (Par anal.) Qui n'est point initié à la connaissance de qqch. *Alienus, a, um,* adj. *(ab aliquā re). Rudis, e,* adj. (avec le gén.). ‖ Qui n'appartient point au sujet, à la question. *Alienus, a, um,* adj. ¶ (Spéc.) Qui s'est introduit accidentellement du dehors. *Adventicius, a, um,* adj.

étrangeté, s. f. Caractère de ce qui est étrange. *Novitas (rei alicujus).* Une —, *miraculum, i,* n.

étranglement, s. m. Le fait d'être étranglé. *Strangulatio, onis,* f. ¶ Arrêt de la respiration. *Strangulatio, onis,* f. ¶ Compression d'une partie qui devient trop étroite par rapport au reste. *Coartatio, onis,* f.

étrangler, v. tr. Tuer en arrêtant la respiration. *Gulam alicui oblidĕre. Alicui elidĕre spiritum.* ¶ (Par anal.) Comprimer dans une partie. *Strangulāre,* tr. *Coartāre,* tr. ‖ (Fig.) Ne pas laisser suivre son cours, ne pas donner tout le développement. *Coartāre,* tr.

1. être, v. intr. et subst. ‖ V. intr. qui exprime la réalité. *Esse,* intr.

voy. EXISTER. ¶ Verbe subst. qui lie l'attribut au sujet. *Esse,* v. subst. ¶ Verbe auxiliaire qui se joint au participe passé. (Consulter les grammaires.) ¶ « Etre » suivi d'une prépos. ‖ (De la prép. « à »). (En parl. d'une pers.) S'être donné à qqn par affection, *esse,* intr. Je suis tout à vous, *totus sum vester.* Etre à qqn, *c.-à-d.* au service de qqn, *esse ab aliquo.* ‖ (En parl. d'une ch.) Etre à qqn, *c.-à-d.* lui appartenir, *esse alicui; esse alicujus.* ‖ (P. anal.) C'est à vous de voir, *est tuum vidēre.* — à qqch., voy. [S'] OCCUPER. — au travail, voy. TRAVAILLER. ‖ Avec un infin. pour compl. Une chose qui est à louer, *res locanda.* ‖ (Avec la prép. « de »). Etre de la même époque, *ejusdem aetatis esse.* Qui est de Syracuse, *oriundus ab Syracusis.* Ceux qui sont d'une noble famille, *qui ab ingenuis oriundi sunt.* — de la même famille, *ex eādem familiā exiisse.* Cette comédie est de Ménandre, *haec est fabula Menandri.* — d'un grand prix, voy. VALOIR. Qui n'est pas du complot, *expers conjurationis.* ‖ (Avec la prép. « pour »). pour qqn, *esse pro* (ou *ab*) *aliquo; stāre cum aliquo; facĕre cum aliquo.* ‖ (Avec une prép., un adv. de lieu, marquant la situation.) *Esse,* intr. — au camp, *esse in castris.* Etre là, *adesse,* intr. — sous la main, *adesse,* intr. — entre, *interesse,* intr. — dans, sur, *inesse,* intr. — sous, *subesse,* intr. ‖ (Fig.) Il est en moi, *c.-à-d.* il dépend de moi de..., *in me est* (av. l'inf.). — en dehors du complot, *esse ab conjurationem.* — à côté de la vérité, *ab eo, quod verum est, aberrāre.* — au dessus de qqn, *aliquem superāre.* Tu y es, *c.-à-d.* tu comprends, *habes.* ¶ (Construit avec l'antécédent « ce ».) Voy. CE.

2. être, s. m. La réalité de ce qui est. *Quod est.* ‖ (Par ext.) Naissance. Voy. NAISSANCE. ‖ Existence. Voy. ce mot. ‖ (Par ext.) L'essence. *Natura, ae,* f. ¶ Ce qui est. *Natura, ae,* f. *Res, rei,* f. — vivants (animaux *ou* plantes), *animantia,* n. pl. — raisonnables, *animantes,* m. pl. Les — animés et inanimés, *animata* (ou *animalia*) *inanimaque.*

étreindre, v. tr. Entourer en serrant étroitement. *Amplecti,* dép. tr. *Amplexāri,* dép. tr. *Complecti (aliquem artius).* Etreint, *occupatus complexu.*

étreinte, s. f. Action d'étreindre. *Amplexūs, ūs,* m. ‖ (Fig.) L'— d'un nœud, *artissima vincula.* ‖ Etreinte (*c.-à-d.* embrassement). *Complexūs, ūs,* m.

étrenne, s. f. Présent à l'occasion du premier jour de l'an. *Strena, ae,* f. (ordin. au pluriel).

étrille, s. f. Outil qui sert à nettoyer les chevaux. *Strigilis, is,* f.

étriller, v. tr. Frotter, nettoyer avec l'étrille. (*Equum*) *strigili radĕre* (ou *subradĕre*). ¶ Etriller qqn (le frotter d'importance, le battre). *Male mulcăre* (*aliquem*).

étriquer, v. tr. Priver d'ampleur. Voy. RÉTRÉCIR, SERRER.

étrivière, s. f. Lanière de cuir dont on se sert pour châtier. *Lorum, i,* n. Donner les — à qqn, *loris caedĕre aliquem.* Recevoir les —, *verberāri,* pass.

étroit, oite, adj. Qui a très peu de largeur. *Angustus, a, um,* adj. *Artus, a, um,* adj. *Contractus, a, um,* p. adj. *Brevis, e,* adj. Passage —, *angustiae, arum,* f. pl. ‖ (Fig.) Mesquin, petit, bas. *Angustus, a, um,* adj. *Contractus, a, um,* p. adj. ¶ Qui tient serré. *Strictus, a, um,* p. adj. *Astrictus, a, um,* p. adj. *Artus, a, um,* adj. ‖ (Fig.) Serré. *Artus, a, um,* adj. Surveillance —, *arta custodia.* Alliance, union —, *societas interior* ou *propior.* ¶ (Loc. adv.) A L'ÉTROIT. En occupant une espace étroit. *Angustē,* adv. ‖ (Fig.) En étant gêné. *Angustē,* adv.

étroitement, adv. Dans un espace très peu large. *Angustē,* adv. *In arto.* ¶ En tenant très serré. *Artē,* adv. ‖ (Fig.) En tenant unies de près des personnes, des choses. *Aptē,* adv. Pour que nous soyons plus — unis, *ut nosmet ipsi inter nos conjunctiores simus.*

Etrurie, n. pr Région de l'ancienne Italie. *Etruria, ae,* f. Habitants de l'—, *Tusci, orum,* m. pl.

Etrusques, n. pr. Habitants de l'Etrurie. Voy. ÉTRURIE.

étude, s. f. Application de l'esprit à une chose (pour l'apprendre). *Studium, ii,* n. ¶ (Au plur.) Exercices gradués pour l'instruction de la jeunesse. *Studia, orum,* n. pl. Continuer ses —, *artes persequi.* ‖ Salle d'étude, *auditorium, ii,* n. ¶ (Par ext.) Exercice de certains arts, de certains jeux, pour en acquérir la pratique. Voy. EXERCICE, PRATIQUE. ¶ Application de l'esprit à observer qqch. pour s'en rendre compte. *Studium, ii,* n. *Cognitio, onis,* f. ¶ Application de l'esprit à une chose (pour la bien faire). *Studium, ii,* n. (voy. APPLICATION, ARDEUR, ZÈLE). ‖ (Spéc.) Travail d'esprit. *Labor, oris,* m. ¶ Application en vue d'un résultat qu'on veut produire. *Cura, ae,* f. *Studium, ii,* n.

étudiant, s. m. Celui qui étudie dans une université. *Adolescens* (ou *juvenis*) *bonarum litterarum* (ou *doctrinae*) *studiosus.*

étudier, v. intr., tr. et pron. ‖ *V. intr.* S'appliquer. Voy. [S'] APPLIQUER. ¶ *V. tr.* Chercher à acquérir la connaissance de qqch. *Studēre,* intr. (av. le dat.). *Discĕre,* tr. — avec qqn, *audīre aliquem.* ¶ Examiner attentivement (qqch.) pour en déterminer le caractère, la signification, etc. *Cognoscĕre,*

tr. *Pertractāre,* tr. *Observāre,* tr. ‖ (Par anal.) Examiner attentivement une œuvre pour l'interpréter, etc. *Discĕre,* tr. ¶ Préparer soigneusement. *Meditāri,* dép. tr. Etudié (fait avec application), *accuratus, a, um,* p. adj.; *elaboratus, a, um,* p. adj. ‖ (Par ext.) Apprêter. Voy. ce mot. ¶ Préparer d'avance un effet qu'on veut produire. *Meditāri,* dép. tr. *Componĕre,* tr. ‖ Etudié, *c.-à-d.* affecté, recherché, voy. AFFECTER, RECHERCHER. ¶ *V. pron.* S'étudier à; pour..., *c.-à-d.* s'appliquer en vue d'un résultat qu'on veut produire. *Studēre,* intr. (av. l'inf.). *Laborāre,* intr. (av. l'inf.)

étui, s. m. Sorte de boîte adaptée à la forme de l'objet qu'elle doit enfermer. *Theca, ae,* f.

étuve, s. f. Lieu clos à température élevée. *Sudatorium, ii,* n. *Caldarium, ii,* n.

étymologie, s. f. Filiation d'un mot par rapport à celui ou à ceux dont il dérive. *Origo, inis,* f.

étymologique, adj. Relatif à l'étymologie *Ad originem* (ou *ad vim verbi*) *pertinens.*

Eubée, n. pr. Ile de la Grèce ancienne. *Euboea, ae,* f.

eucharistie, s. f. Sacrement de la religion catholique. *Eucharistia, ae,* f.

eunuque, s. m. Gardien de sérail, de harem. *Eunuchus, i,* m.

euphonie, s. f. Soin que l'on prend d'éviter les sons durs à l'oreille. *Vocalitas, atis,* f.

euphorbe, s. f. Plante à suc laiteux. *Euphorbia, ae,* f.

Euphrate, n. pr. Fleuve d'Assyrie *Euphrates, is,* m.

Euripide, n. pr. Célèbre poète tragique. *Euripides, is,* m.

Europe, n. pr. Une des cinq parties du monde. *Europa, ae,* f.

Eurybiade, n. pr. Général lacédémonien. *Eurybiades, is,* m.

Eurydice, n. pr. Epouse d'Orphée. *Eurydice, es,* f.

Euterpe, n. pr. Une des Muses. *Euterpe, es,* f. [ii, m.

Eutrope, n. pr. d'homme. *Eutropius, eux.* Voy. IL.

évacuation, s. f. Rejet de matières accumulées dans une partie du corps. *Egestio, onis,* f. *Egestas, ūs,* m. *Purgatio, onis,* f. Amener l'—, voy. VIDER. ¶ Sortie en masse des personnes qui occupent un lieu. *Discessus, ūs,* m.

évacuer, v. tr. Rejeter des matières accumulées dans une partie du corps. *Egerĕre,* tr. *Exinanīre* (*alvum*). Faire —, *evacuāre,* tr. Voy. PURGER. ¶ Renvoyer en masse (ceux qui occupent un lieu). *Vacuefacĕre,* tr. — des troupes, *exercitum deducĕre* (*loco* ou *ex loco*). — une place, *praesidium educĕre* (*ex oppido*). ¶ Quitter en masse (un lieu qu'on occupe). *Vacuum* (ou racuam) facĕre. Vacuefacĕre (domum). Camp évacué, vacua castra.

évader, v. intr. et pron. ‖ *V. intr.* S'échapper furtivement. *Evadĕre,* intr. Faire —, *emittĕre aliquem.* Evadé, *fugitivus, a, um,* adj.; *elapsus, a, um,* p. adj. ¶ *V. pron.* S'—, *effugĕre (ex vinculis publicis).*

évaluation, s. f. Action d'évaluer. *Aestimatio, onis,* f. *Taxatio, onis,* f.

évaluer, v. tr. Déterminer approximativement la valeur de qqch. *Aestimāre,* tr. *Putāre,* tr. *Taxāre,* tr. — une statue à quatre cents deniers, *quadringentis denariis statuam putāre.* ‖ (Par ext.) Déterminer approximativement la mesure, le poids, la durée, etc. *Putāre,* tr. *Computāre,* tr. (voy. CALCULER, COMPTER).

évangélique, adj. Relatif à l'Evangile. *Evangelicus, a, um,* adj.

évangéliser, v. tr. Instruire dans la doctrine de l'Evangile. *Evangelizare,* tr.

évangéliste, s. m. Auteur de l'un des quatre Evangiles canoniques. *Evangelista, ae,* m.

évangile, s. m. Doctrine et loi de Jésus-Christ. *Evangelium, ii,* n.

évanouir (s'), v. pron. Disparaître sans laisser de traces. *Evanescĕre,* intr. *Perīre,* intr. ‖ (Fig.) Disparaître. *Evanescĕre,* intr. *Interīre,* intr. *Perīre,* intr. Faire —, *abolēre,* tr.; *ad nihilum redigĕre.* ¶ Perdre connaissance. *Animo linqui.* Il s'évanouit, *animus eum reliquit.*

évanouissement, s. m. Action de perdre connaissance. *(Subita) animi defectio.*

évaporation, s. f. Résolution d'un liquide en vapeur. *Evaporatio, onis,* f.

évaporer, v. tr. et pron. ‖ *V. tr.* Résoudre en vapeurs. *Evaporāre,* v. tr. ¶ *V. pron.* (En parl. d'un liquide.) Se résoudre en vapeurs. *In vapores abire.* ‖ S'exhaler (en parl. des parfums). *Exspirāre,* intr. ‖ (Fig.) Se répandre au dehors. *Vanescĕre,* intr. *Evanescĕre,* intr.

évaser, v. tr. Elargir graduellement vers l'orifice, l'extrémité. *Laxāre (os, oram).* Evasé, *patulus, a, um,* adj.

évasif, *ive,* adj. Qui cherche à échapper à une difficulté par quelque détour. Une réponse —, *responsum medium.*

évasion, s. f. Action de s'évader, de s'échapper furtivement. *Fuga, ae,* f. Moyen d'—, *effugium, ii,* n. Empêcher l'— de qqn, *alicui fugienti obsistĕre.*

Eve, n. pr. Mère du genre humain. *Eva, ae,* f.

évêché, s. m. Juridiction d'un évêque. *Dioecesis, is* et *eos* (acc. *in*), f. ¶ Dignité épiscopale *Episcopatus, ūs,* m. ¶ Palais épiscopal *Episcopium ii,* n.

éveil, s. m Etat de qqn qui est sur ses gardes *Vigilantia, ae,* f. *Intentior cura* Etre en —, *vigilāre,* intr Qui est en —, *vigilans* (gén. *-antis*), p. adj.;

intentus, a, um, p. adj. Tenir qqn en —, *animum alicujus advertĕre (ad aliquid)* : *aliquem intentum tenēre.* ‖ (P. ext.) Excitation à se tenir sur ses gardes. *Admonitio, onis,* f. Donner l'— à qqn, *monēre* (ou *praemonēre*) *aliquem ut caveat.*

éveiller, v. tr. Tirer du sommeil. *Somno* (ou *e somno*) *excitāre* (ou *suscitāre*). *Exsuscitāre,* tr. S'—, *somno solvi ; expergisci,* dép. intr. Etre éveillé, rester éveillé, *vigilāre,* intr. Eveillé, *experrectus, a, um,* p. adj : *excitatus, a, um,* p. adj. ¶ Tirer de l'illusion. Voy. DÉTROMPER, ILLUSION. ¶ Tirer de l'indifférence. *Excitāre,* tr. *Exsuscitāre,* tr. S'—, *erigi,* pass. ‖ Eveillé, qui a un air éveillé. *Erectus, a, um,* p. adj. *Alacer, cris, cre,* adj.

événement, s. m. Fait auquel vient aboutir une situation. *Eventum, i,* n. *Eventus, ūs,* m. *Res, rei,* f. ¶ Fait d'une certaine importance dans la vie d'un peuple ou d'un individu. *Eventum, i,* n. *Eventus, ūs,* m. (surtout dans le sens d' « événement favorable »). *Res, rei,* f.

éventail, s. m. Objet servant à agiter l'air autour de soi. *Flabellum, i,* n.

éventer, v. tr. Exposer au vent, à l'air. *Aeri exponĕre (aliquid). Ventilāre,* tr. Eventé, *perflabilis, e,* adj. ¶ Rafraîchir en agitant l'air avec un éventail. *Flabello ventum facĕre alicui.* ¶ Altérer (une substance) en la laissant exposée trop longtemps au contact de l'air. *Vapidum* (ou *vapidam*) *facĕre.* S'— evanescĕre, intr.; exanimari, pass. Eventé, *vapidus, a, um,* adj. ¶ (Fig.) Rendre sans effet (une chose secrètement préparée) en la découvrant. *Aperīre (conjurationem). Detegĕre (consilia alicujus).* ¶ Flairer (les émanations) qu'apporte le vent. *Odorari,* dép. tr.

éventrer, v. tr. Déchirer en ouvrant le ventre. *Exenterāre,* tr. *Eviscerāre,* tr.

éventualité, s. f. Caractère de ce qui est éventuel. *Eventus rei.*

éventuel, *le,* adj. Qui peut arriver dans certaines circonstances. *Qui (quae, quod) potest evenire.*

éventuellement, adv. Voy. FORTUITEMENT.

évêque, s. m. Dignitaire de l'Eglise, chef et premier pasteur d'un diocèse. *Episcopus, i,* m.

évertuer (s'), v. pron. Mettre en jeu tout ce qu'on a d'activité, d'énergie. *Omnes nervos contendĕre.*

évidemment, adv. D'une manière évidente. *Evidenter,* adv. *Apertē,* adv.

évidence, s. f. Clarté qui rend qqch. visible. Mettre en —, *ante oculos ponĕre* (ou *proponĕre*). Etre en —, *conspicuum esse.* Se mettre en —, *conspici velle.* Mettre qqch. en —, *aliquid planum facĕre.* ¶ Clarté que présente la vérité à l'esprit. *Evidentia, ae,* f. *Perspicuitas, atis,* f.

évident, *ente*, adj Qui a de l'évidence. **Evidens** (gén -*entis*), adj. *Perspicuus, a, um*, adj. *Manifestus, a, um*, adj. Il est — que, *liquet.* impers.; *patet*, impers.; *constat*, impers. (avec l'acc. et l'inf.).

évider, v. tr. Dégager en creusant, en échancrant. *Interradĕre*, tr.

évier, s. m. Large pierre sur laquelle on lave la vaisselle. *Trua, ae*, f.

évincer, v. tr. Déposséder légalement. *Evincĕre*, tr. ¶ (P. ext.) Faire exclure (qqn) par intrigue. *Depellĕre*, tr.

évitable, adj. Qu'on peut éviter. *Qui* (*quae, quod*) *vitari potest.*

éviter, v. tr. Tâcher de ne pas rencontrer (qqn), se tenir loin de. *Vitāre* tr. *Declināre*, tr. Chercher à —, *fugĕre* tr. — de, *cavēre ne* (av. le subj.). ¶ Tâcher de ne pas être atteint par qqch. *Vitāre*, tr. *Evitāre*, tr. *Declināre*, tr.

évocation, s. f. Action d'évoquer. *Evocatio, onis*, f.

évolution, s. f. Action de manœuvrer en tournant sur soi-même. *Circumactus, ūs*, m. || (Par ext.) Changement de position. *Motŭs, ūs*, m. *Decursio, onis*, f. *Decursŭs, ūs*, m. Faire des —, *decurrĕre in armis.*

évoquer, v. tr. Appeler à soi par des formules, des opérations magiques, etc. *Evocāre*, tr.

ex, adv. Particule adverbiale désignant l'ancien état, l'ancienne profession de qqn. *Pristinus, a, um*, adj. *Qui olim erat*, etc. Un ex-consul, *consularis vir;* absol. *consularis, is*, m. Un ex-préteur, *praetorius, ii*, m.

exact, *acte*, adj. Rigoureusement conforme à la vérité. *Verus, a, um*, adj. *Subtilis, e* (« précis et exact »), adj. || (Par ext.) Qui a le respect de la vérité. *Diligens* (gén. -*entis*), p. adj. *Religiosus, a, um*, adj. ¶ Rigoureusement conforme à la règle. *Legitimus, a, um*, adj. *Justus, a, um*, adj. Etre —, *quadrāre*, intr. || Propre, précis. Voy. ces mots. || Soigné. Voy. ce mot. || (P. ext.) Qui n'omet rien de ce qui a été convenu. *Diligens* (gén. -*entis*), p. adj. — à remplir tous ses devoirs, *diligentissimus omnis officii.*

exactement, adv. D'une manière exacte. *Verē*, adv. *Diligenter*, adv. *Accuratē*, adv. *Subtiliter*, adv. || Soigneusement; avec scrupule. *Religiosē*, adv. Venir —, *venire tempore.*

exacteur, s. m. Voy. CONCUSSIONNAIRE.

exaction, s. f. Action d'extorquer de l'argent aux administrés par abus de pouvoir. *Violenta exactio pecuniarum.*

exactitude, s. f. Caractère de ce qui est exact. *Veritas, atis*, f. *Subtilitas, atis*, f. || (P. ext.) Soin, scrupule. *Diligentia, ae*, f. *Religio, onis*, f. *Fides, ei*, i.

exagération, s. f. Action d'exagérer, de pousser qqch. au delà de la juste mesure, en paroles, en pensées, en

actions. *Res in majus aucta.*

exagérer, v. tr. Porter qqch. au delà de la juste mesure. *Exaggerāre*, tr. *Augēre*, tr. Expressions exagérées, *verba superlata.* S'— tout, *omnia in majus accipĕre.* || Exagéré, *c.-à-d.* démesuré, excessif, voy. EXCESSIF. || Exagéré (en parl. d'une pers.). *Nimius, a, um*, adj.

exaltation, s. f. Surexcitation de l'esprit. *Impetŭs, ūs*, m.

exalter, tr. Elever au-dessus de son état ordinaire. || (Spéc.) Elever très haut (le mérite de qqn) par des louanges. *Efferre*, tr. *Attollĕre*, tr. || (Par ext.) Elever qqn à ses propres yeux, par un sentiment d'orgueil. *Efferre*, tr. Voy. ENORGUEILLIR. ¶ Elever (un sentiment de l'âme) à un haut degré d'intensité. *Accendĕre*, tr. || (Par anal.) Surexciter l'esprit. Voy. SUREXCITER. Etre exalté, *vaticinari*, dép. intr. Un exalté, *fanaticus homo.*

examen, s. m. Action d'observer minutieusement, en détail. *Inspectio, onis*, f. *Spectatio, onis*, f. *Consideratio, onis*, f. *Deliberatio, onis*, f. L'affaire mérite —, *res habet deliberationem.* Faire son — de conscience, *se diligenter excutĕre.* ¶ Epreuve à laquelle on soumet un candidat. *Cognitio, onis*, f.

examinateur, s. m. Celui qui soumet un candidat à une épreuve. *Inquisitor, oris*, m.

examiner, v. tr. Observer minutieusement, en détail. *Examināre*, tr. *Circumspicĕre*, tr. *Inspicĕre*, tr. *Perspicĕre*, tr. *Considerāre*, tr. *Inquirĕre*, tr. *Cognoscĕre*, tr. ¶ Soumettre (un candidat) à une épreuve. *Alicujus litterarum* (ou *artis*) *scientiam tentāre.*

exaspération, s. f. Irritation morale portée à son comble. *Irritatio, onis*, f. *Ira vehementior* (ou *acerbior*).

exaspérer, v. tr. Amener qqn au comble de l'irritation morale. *Exasperāre* (*animos*). *Exacerbāre* (*aliquem* ou *animum alicujus*). S'—, *exardescĕre*, intr.; *irā exacerbari.* Exaspéré, *irā efferatus*, ou (abs.) *exacerbatus*, p. adj.

exaucer, v. tr. Satisfaire (qqn) en lui accordant ce qui est l'objet de ses vœux, de ses prières. *Audīre* (*aliquem* ou *preces alicujus*). *Exaudīre* (*preces*).

excavation, s. f. Action de creuser sous terre. *Fossio, onis*, f. Des —, *suffosiones, um*, f. pl. ¶ Creux pratiqué ou existant naturellement sous terre. *Cavatio, onis*, f.

excaver, v. tr. Creuser sous terre. *Excavāre*, tr.

excédant, *ante*, adj. Qui excède. *Justum numerum superans.*

excédent, s. m. Ce qui dépasse la quantité, la somme fixée. *Numero justo major. Id quod superest. Quod redundat de aliquâ re.*

excéder, v. tr. Aller au delà d'une limite fixée. *Transire modum.* ¶ Aller

au delà de ce que qqn peut supporter.
Exhaurīre vires (alicujus). Excédé de
fatigue, *lassitudine exanimatus*

excellemment, adv. D'une manière
excellente, éminemment bonne. *Egregie*,
adv. *Eximie*, adv. ¶ Par excellence, en
un degré éminent. *Praecipuē*, adv.
Praeter ceteros.

excellence, s. f. Degré éminent dans
le bien qu'une personne, une chose a
en son genre. *Excellentia, ae*, f. *Praestantia, ae*, f. ¶ Degré éminent. *Excellentia, ae*, f. Par — (en un degré éminent), *praecipuē*, adv.; *praeter ceteros*.

excellent, ente, adj. Qui a, en son
genre, un degré éminent dans le bien.
Egregius, a, um, adj. *Eximius, a, um*,
adj. *Excellens* (gén. *-entis*), p. adj.
Probatus, a, um, p. adj.

exceller, v. intr. Etre, en son genre,
à un degré éminent. *Excellēre*, intr.
Eminēre, intr. *Praestāre*, intr. Qui
excelle dans..., *praestans aliquā re*;
eminens aliquā re (ou *in aliquā re*).
‖ Avec une proposition infinitive pour
complément. Qui excelle à..., *artifex*
(avec le gérond. en *-ndi*).

excentricité, s. f. Manière d'être de
celui qui est en dehors des habitudes
reçues. *Insolentia, ae*, f.

excentrique, adj. Dont la manière
d'être est en dehors des habitudes
reçues. *Temerarius, a, um*, adj. Manières —, *insolentia, ae*, f.

excepter, v. tr. Laisser en dehors des
personnes, des objets dont on affirme
qqch. *Excipēre*, tr. *Eximēre*, tr. ‖ (Spéc.)
Au participe passé placé avant un
nom et employé prépositivement.
Excepté, *praeter*, prép. (acc.); *extra*,
prép. (acc.). —, *c.-à-d.* si ce n'est,
praeterquam, adv. — que, *praeterquam
quod* (av. l'ind.). — si, *nisi quod*, ou
simpl. *nisi*.

exception, s. f. Action d'excepter.
Exceptio, onis, f. Faire une — en
faveur de qqn, *excipēre aliquem praecipuē*. Tous sans —, *ad unum omnes*.
Tout sans —, *nihil non*. Par —,
praeter morem. ‖ (Loc. prép.) A l'—
de, voy. EXCEPTÉ. ¶ Ce qui est
excepté. *Exceptio, onis*, f. Ne pas demander d'—, *nihil sibi praecipui appetēre*.

exceptionnel, elle, adj. Qui est rare.
Praecipuus, a, um, adj. Voy. RARE.
‖ (P. ext.) Un homme — (en bonne
part), *insignis vir*; (en mauvaise part),
monstrum, i, n.

excès, s. m. Ce qui dépasse une quantité; différence en plus. *Quod excedit*
ou *excurrit*. *Quod redundat (de aliquā re)*.
Etat de ce qui dépasse la mesure.
Nimium, ii, n. *Iniquitas, atis*, f. — de
végétation, *luxuria, ae*, f. Aller à l'—,
transire modum. A l'—, voy. EXCES-
SIVEMENT. Etre en—, voy. SURABON-
DER. Avec —, *immoderatē*, adv. ¶ Acte
qui dépasse la mesure. *Intemperantia*,

ae, f. *Insolentia, ae*, f. ‖ (Absol.) Acte
d'injustice, de violence, qui passe la
mesure. *Vis*, f. *Licentia, ae*, f.

excessif, ive, adj. Qui dépasse la
mesure. *Immodicus, a, um*, adj. *Immoderatus, a, um*, adj. *Nimius, a, um*, adj.
Intemperans (gén. *-antis*), p. adj. *In-
temperatus, a, um*, p. adj. Donner à
qqn des éloges —, *nimis laudes efferre
alicujus*. ‖ Avec une proposition infinitive pour complément. — à donner
des louanges, *effusus in laudando*.

excessivement, adv. D'une manière
excessive. *Immoderatē*, adv. *Intemperatē*, adv. *Extra* (*praeter* ou *ultra*)
modum.

excitation, s. f. Action d'exciter. *Incitatio, onis*, f. *Impulsio, onis*, f. *Impulsūs, ūs*, m. (seul. à l'abl. *impulsu*).
¶ Etat de celui qui est excité. *Concitatio onis*, f.

exciter, v. tr. Provoquer (un mouvement) dans l'âme, dans l'organisme.
‖ (Dans l'âme.) *Excitāre*, tr. *Concitāre*,
tr. ‖ (Spéc.) Exciter l'envie, la pitié,
l'admiration, *c.-à-d.* être un objet de
pitié, etc., *magno odio, magna mise-
ratione esse (apud aliquem)*. ‖ (Dans
l'organisme.) *Concitāre*, tr. *Excitāre*, tr.
‖ (Par anal.) *Concitāre*, tr. (cf. *tumultum; seditionem ac discordiam*). *Excitāre*, tr. (*bellum*). ¶ Provoquer (qqn) à
un mouvement de l'âme (sentiment,
résolution, etc.). *Concitāre*, tr. *Incitāre*, tr. *Stimulāre*, tr. ¶ Rendre (un
mouvement de l'âme) plus vif. *Accen-
dēre*, tr. *Acuēre*, tr. — les sympathies,
studia acuēre. ‖ Rendre (qqn) plus vif,
plus ardent à sentir, à vouloir, etc.
Concitāre, tr. *Arrigēre*, tr. ‖ (Spéc.)
Incitāre, tr. (cf. : *aliquem in aliquem*).
Instigāre, tr. (*canem in aliquem*).

exclamation, s. f. Cri exprimant un
sentiment vif et soudain. *Exclamatio,
onis*, f.

exclamer (s'), v. pron. Pousser une
exclamation. Voy. S'ÉCRIER.

exclure, v. tr. Mettre (qqn) en dehors
d'une chose comme ne devant plus y
participer. *Excludēre*, tr. (*ab aliquā
re* ou *aliquā re*). *Segregāre*, tr. S'— de
qqch., *non accedēre ad societatem alicujus rei*. ‖ (Fig.) Rejeter (une chose)
comme incompatible avec une autre.
Excludēre, tr. S'—, *c.-à-d.* être incompatible, voy. INCOMPATIBLE.

exclusif, ive, adj. Qui exclut une chose
comme incompatible. *Qui (quae, quod)
non recipit (aliquid)*. ¶ (Absol.) Qui
exclut toute autre personne, toute
autre chose. *Proprius, a, um*, adj.
Praecipuus, a, um, adj. *Singularis, e*,
adj.

exclusion, s. f. Action d'exclure qqn,
qqch. *Exclusio, onis*, f. ‖ (Loc. prép.)
A l'— de (*hoc* ou *eo*) *excepto excluso*,
secreto); *ita ut (hoc* ou *id) excludatur*.

exclusivement, adv. En excluant tout
le reste. *Propriē*, adv.

excommunication, s. f. ·Peine ecclésiastique par laquelle on est retranché de la communion de l'Eglise. *Excommunicatio, onis,* f.

excommunier, v. tr. Retrancher (qqn) de la communion de l'Eglise. *Excommunicăre,* tr.

excroissance, s. f. Proéminence, tumeur superficielle qui se développe sur la peau, etc. *Caro supercrescens* (ou *excreta*).

excursion, s. f. Course dans laquelle on explore une certaine étendue de pays. *Excursio, onis,* f. Faire une ou des —, *excurrĕre,* intr.

excusable, adj. (En parl. des pers.) Qui mérite d'être excusé. *Excusatione* (ou *veniă*) *dignus.* || (En parl. des choses.) *Excusabilis, e,* adj. *Excusatione dignus.*

excuse, s. f. Motif allégué pour atténuer ce qu'on reproche à qqn ou l'en justifier. *Excusatio, onis,* f. Etre sans —, voy. INEXCUSABLE. Trouver son — dans (en parl. d'une chose), *excusari aliquă re.* || Demander — à qqn, voy. PARDON. Faites —, *ignoscas precor.* || (Spéc.) Regrets qu'on témoigne à qqn de l'avoir offensé. *Satisfactio, onis,* f. Faire, ou présenter des — à qqn, *satisfacĕre alicui.* ¶ Motif allégué par qqn pour être dispensé de qqch. *Excusatio, onis,* f. *Causa, ae,* f. Donner comme —, *excusăre,* tr. Dire pour — que, le roi s'était trompé, *deprecări errasse regem.*

excuser, v. tr. Alléguer en faveur de (qqn) des motifs pour atténuer ce qu'on lui reproche ou l'en justifier. *Excusăre,* tr. (*se apud aliquem; se alicui: se de aliquă re*). *Purgăre,* tr. (*se alicui; sui purgandi causă*). S'— sur qqch., *excusatione alicujus rei uti; aliquid excusăre.* ¶ Accepter en faveur de qqn des motifs qui atténuent ce qu'on lui reproche en l'en justifiant. *Veniam alicujus rei dare.*

exécrable, adj. Qu'on doit avoir en horreur, comme digne de malédiction. (En parl. des pers.) *Abominandus, a, um,* adj. verb. *Detestabilis, e,* adj. || (P. ext., en parl. des choses.) *Exsecrabilis, e,* adj.

exécrablement, adv. D'une manière exécrable. *Foedě,* adv. *Nefariě,* adv.

exécration, s. f. Serment accompagné d'imprécations. *Exsecratio, on is,* f. *Detestatio, onis,* f. pl. Formule d'—, *exsecrabile carmen.* ¶ Horreur pour une personne qui est digne de malédiction. *Summum odium* (*alicujus, in aliquem, alicujus rei*).

exécrer, v. tr. Avoir en horreur, comme digne de malédiction. *Exsecrări,* dép. tr. *Detestări,* dép.

exécuter, v. tr. Donner suite ou effet à une chose arrêtée, résolue. *Facĕre,* tr. *Conficĕre,* tr. *Efficĕre,* tr. *Perficĕre,* tr. Faire — un arrêt, *jus exsequi.* ¶ (Par ext.) Donner suite à ce qui est décidé

sur la personne de qqn. — un débiteur, *publicăre bona debitoris.* || Exécuter à mort et (ellipt.) — (un criminel), *aliquem supplicio necăre.* ¶ S'exécuter, c.-à-d. se résoudre à faire qqch., en surmontant sa répugnance. *Aliquid a se* (ou *ab animo*) *impetrăre.*

exécuteur, *trice,* s. m. et f. Celui, celle qui exécute. *Confector, oris,* m. *Patrator, oris,* m. — des hautes œuvres et (ellipt.) —, voy. BOURREAU.

exécutif, *ive,* adj. Relatif à l'exécution des lois. Le pouvoir — et (ellipt.) l'—, *imperium, ii,* n.

exécution, s. f. Action d'exécuter qqch. *Res, rei,* f. (s'opp. à *ratio,* « le plan »). *Confectio, onis,* f. *Effectăs, ūs,* m (s'opp. à *conatus*). — (d'une œuvre d'art), *opus, eris,* n. Mettre à —, voy. EXÉCUTER. ¶ Action d'exécuter qqch. *Supplicium, ii,* n.

1. **exemplaire,** adj. Dont l'exemple peut servir de modèle (ou de leçon). *Recti exempli.* Mœurs —, *emendati mores.* Conduite, vie —, *summa morum probitas.* Une punition —, *supplicii exemplum.*

2. **exemplaire,** s. m. Chacun des objets formés à l'aide d'un type unique qu'on a reproduit. *Exemplar, aris,* n. *Exemplum, i,* n.

exemple, s. m. Manière d'être ou d'agir de qqn considérée comme pouvant être imitée. *Exemplum, i,* n. || (Par ext.) La personne qui a cette manière d'être ou d'agir. *Exemplum, i,* n. || (Loc. prép.) A l'— de, *alicujus exemplo; ad* (*alicuius*) *exemplum.* || (Spéc.) Un — d'écriture, *praescriptum, i,* n. ¶ Ce que subit qqn (malheur, châtiment, etc.) considéré comme pouvant servir de leçon. *Exemplum, i,* n. *Documentum, i,* n. Faire un —, *exemplum severitatis edĕre.* || (Par ext.) La personne qui subit ce malheur, ce châtiment. *Exemplum, i,* n. ¶ Ce qui est arrivé considéré comme terme de comparaison pour ce qui peut arriver de semblable. *Exemplum, i,* n. Qui est sans —, *inauditus, a, um,* adj.; *novus, a, um,* adj. ¶ (Spéc.) Fait qu'on cite à l'appui d'une assertion. *Exemplum, i,* n. ¶ (Loc. adv.) Pour servir d'—, *exempli causă* ou *gratiă* (ne s'emploie que comme compl. d'un verbe, ex. : *exempli causă paucos nominavi*). Par —, *verbi gratiă* ou *verbi causă* (quand un seul mot est pris comme exemple). ¶ Passage d'un auteur qu'on cite à l'appui d'une explication grammaticale. *Exemplum, i,* n.

exempt, adj. Qui est affranchi d'une charge, d'un service commun. *Immunis, e,* adj. *Vacuus, a, um,* adj. *Liber, bera, berum,* adj. Etre — de..., *vacăre,* intr. (av. l'abl.). ¶ (Fig.) Qui est affranchi du sort des autres. *Immunis, e,* adj. (av. l'abl.). *Liber, bera, erum,* adj. (av. l'abl.). *Vacuus, a, um,* adj. (av. l'abl.) *Expers* (gén. *-ertis*), adj. (av.

le gén.). Etre — de..., *tucāre*, intr. (av. l'abl.). || (Par ext.) Avec un nom de chose pour sujet. *Immunis, e*, adj. *Liber, bera, berum*, adj. *Vacuus, a, um*, adj. Ame — de soucis, *animus vacuus*.

exempter, v. tr. Affranchir (qqn) d'une charge, d'un service commun. *Liberāre*, tr. (av. l'abl.). ¶ (Par ext.) Délivrer de qqch. de pénible. *Liberāre*, tr. (av. l'abl.). *Solvēre*. tr. (av. l'abl.).

exemption, s. f. Affranchissement d'une charge, d'un service commun. *Vacatio, onis*, f. *Immunitas, atis*, f.

exercer, v. tr. Former, façonner par la pratique. *Exercēre*, tr. *Assuefacēre*, tr. S'—, *exercēre se* ou *exerceri*, pass. moy. ¶ Mettre à une épreuve pénible. *Exercēre*, tr. (voy. TRACASSER, TOUR-MENTER.) ¶ Mettre en jeu, en usage (un moyen d'action). *Exercēre*, tr. *Adhibēre*, tr. — son droit, *jure suo uti*. ¶ Mettre en pratique (une occupation). *Exercēre*, tr. *Facēre*, tr. (*argentariam*, la profession de banquier; *piraticam*, la piraterie). *Profitēri*, dép. tr. (« exercer publiquement »). *Gerēre*, tr.

exercice, s. m. Action de façonner par la pratique. *Exercitatio, onis*, f. *Usus, ūs*, m. || (Par ext.) Travail de corps, d'esprit, destiné à former, à façonner par la pratique. *Meditatio, onis*, f. Faire ou prendre de l'—, *uti exercitatione*. Se livrer à l'— de (qqch.), *in (aliquā re) exerceri*. || (T. milit.) Ensemble des mouvements d'une manœuvre militaire. *Exercitium, ii*, n. Faire l'—, *exercēri* (ou *se exercēre*) *in armis*. ¶ Usage d'un moyen d'action. *Functio, onis*, f. Après l'— de l'édilité, *functus munere aedilicio*. ¶ Pratique d'une occupation. *Exercitatio, onis*, f. *Usus, ūs*, m. Entrer en — , voy. FONCTION.

exhalaison, s. f. Ce qui s'exhale. *Exhalatio, onis*, f. *Exspiratio, onis*, f.

exhaler, v. tr. Dégager (une odeur, un gaz, une vapeur). *Exhalāre*, tr. *Exspirāre*, tr. *Efflāre*, tr. || (Fig.) Redolēre, tr. et intr. — un parfum d'antiquité, *redolēre antiquitatem*. || (Spéc.) En parl. des animaux, des végétaux, laisser échapper à travers les tissus certains éléments éliminés par l'organisme. *Exhalāre*, tr. *Redolēre*, tr. — une odeur de vin, *redolēre vinum*. || (Fig.) Laisser échapper (un sentiment). *Effundēre*, tr. (*iram in aliquem*). *Profundēre*, tr. (*omne odium in aliquem*). S'—, voy. [se] RÉPANDRE.

exhaussement, s. m. Action d'exhausser, résultat de cette action. *Exaggeratio, onis*, f.

exhausser, v. tr. Augmenter en hauteur. *Elevāre* (*contabulationem*). *Tollēre altius* (*tectum*).

exhiber, v. tr. Produire; mettre en vue. *Exhibēre*, tr. [*Ostentatio, onis*, f.

exhibition, s. f. Action d'exhiber.

exhortation, s. f. Discours pour exhorter. *Hortatio, onis*, f. *Adhortatio, onis*, f.

exhorter, v. tr. Chercher à entraîner qqn à qqch. par des discours persuasifs. *Hortāri*, dép. tr. *Adhortāri*, dép. tr. *Cohortāri*, dép. tr. [Voy. EXHUMER.

exhumation, s. f. Action d'exhumer.

exhumer, v. tr. Retirer (un corps) de la sépulture où il a été inhumé. *Eruēre* (*mortuum*).

exigeant, *ante*, adj. Qui exige beaucoup. *Acerbus, a, um*, adj. ¶ (Par ext.) Qui a coutume d'exiger beaucoup des autres. *Difficilis, e*, adj. *Asper, a, um*, adj. *Durus, a, um*, adj.

exigence, s. f. Action d'exiger qqch. || (En parl. d'une personne.) *Expostulatio, onis*, f. || (P. ext.) Habitude d'exiger beaucoup des autres. *Severitas, atis*, f. || (En parl. d'une circonstance.) *Necessitas, atis*, f.

exiger, v. tr. Demander rigoureusement (qqch.) en vertu de son droit, de son autorité, de sa force. *Exigēre*, tr. *Postulāre*, tr. (*aliquid ab aliquo*). *Deposcēre*, tr. *Exposcēre*, tr. (*aliquid ab aliquo*). ¶ Rendre indispensable. *Exigēre*, tr. *Postulāre*, tr. Si les circonstances l'exigent, *si res exigit* (ou *postulat*).

exigu, *uë*, adj. Insuffisant à cause de sa petitesse. *Parvus, a, um*, adj. *Exiguus, a, um*, adj.

exiguïté, s. f. Caractère de ce qui est exigu. *Exiguitas, atis*, f. L'— de la taille, *humilitas, atis*, f.

exil, s. m. Obligation de sortir de sa patrie avec défense d'y rentrer. *Exsilium, ii*, n. Condamner à l'—, *aliquem exsilio afficēre* (ou *multāre*). Aller en —, *in exsilium ire* (ou *proficisci*). Rappeler qqn d'—, *aliquem revocāre de exsilio*; *aliquem reducēre de exsilio*. || (Par ext.) Séjour obligé hors de la patrie. *Exsilium, ii*, n. ¶ (Au fig.) *Exsilium, ii*, n.

exiler, v. tr. Obliger (qqn) à sortir de sa patrie, avec défense d'y rentrer. *E patriā exire jubēre aliquem. Ex urbe* (ou *civitate*) *expellēre* (ou *pellēre*) *aliquem*. S'—, *in exsilium ire*. Exilé, *extorris, e*, adj.; *profugus, a, um*, adj. Une personne exilée et (subst.) un exilé, une exilée, *exsul*, m. et f. Etre ou vivre —, *exsulāre*, intr. || (Par ext.) Eloigner qqn d'un lieu avec défense d'y revenir. Voy. BANNIR. || (Au fig.) Bannir, écarter. Voy. BANNIR. S'—, *exsulatum abire*; *hominum societatem relinquēre*.

existant, *ante*, adj. Qui existe. *Qui* (*quae, quod*) *est*.

existence, s. f. Le fait d'exister. *Vita, ae*, f. Donner l'—, *gignēre*, tr. Voy. ENGENDRER. Nier l'— des dieux, *negare deos esse*. ¶ (Spéc.) La vie de l'homme ici-bas. Voy. VIE, CONDITION. Moyen d'—, *necessaria*, n. pl.

exister, v. intr. Etre actuellement. *Esse*, intr. *Vivēre*, intr. Ne plus —, interisse. Depuis que le monde —, *post homines natos.*

exode, s. f. Second livre de la Bible, qui contient l'histoire de la sortie d'Egypte. *Exodus, i,* f.

exorbitant, adj. Qui sort des bornes. *Infinitus, a, um,* adj.

exorciser, v. tr. Faire sur les démons, pour les chasser du corps d'un possédé, les prières de l'Eglise. *Per Deum daemones adjurāre.* ¶ Faire sur un possédé, pour le délivrer des démons, les prières de l'Eglise. *Daemonium ab aliquo compescēre.*

exorde, s. m. Début d'un discours. *Exordium, ii,* n.

exotique, adj. Qui n'est pas une production naturelle de nos climats. *Adventicius, a, um,* adj. *Invecticius, a, um,* adj.

expansif, ive, adj. Qui ne sait pas renfermer ses sentiments, qui les répand au dehors. *Affabilis, e,* adj. *Obvius, a, um,* adj. Peu —, *reconditus.* *Expansion,* s. f. Voy. EXIL.

expatriation, s. f. Voy. EXIL.

expatrier, v. tr. Eloigner (qqn) de sa patrie. Voy. EXILER. S'— (quitter sa patrie), voy. EXILER.

expectative, s. f. Attente d'une chose qu'on a le droit d'espérer. Etre dans l'—, *in exspectatione esse.*

expectoration, s. f. Action d'expectorer. *Exscreatio, onis,* f.

expectorer, v. tr. Rejeter hors des voies respiratoires. *Exscreāre,* tr.

expédient, ente, adj. et s. m. || *Adj.* Qui convient pour la circonstance. *Qui (quae, quod) expedit* ou *convenit. Conveniens,* p. adj. Il est — de, *expedit* (av. l'inf.). ¶ *S. m.* Moyen de se tirer d'affaire pour le moment. *Via, ae,* f. *Consilium, ii,* n. Trouver un —, *rem expedire.*

expédier, v. tr. — qqn (le mettre hors d'affaire, terminer son affaire). Voy. DÉPÊCHER. || (Par ext.) En finir avec qqn, le tuer. (*Aliquem*) *conficĕre* || (Fig.) Ruiner, perdre qqn. Voy. ce smots. ¶ Expédier qqch., en finir avec une chose, la terminer promptement. *Absolvĕre,* tr. *Conficĕre (negotium).* || (Spéc.) — un acte, un contrat, etc. (en faire une copie conforme à la minute). *Describĕre,* tr.¶ (Par ext.) Faire partir (qqch., qqn), pour une destination. *Mittĕre,* tr.

expéditif, ive, adj. Qui expédie les choses. *Strenuus, a, um,* adj. || (P. ext.) En parl. des choses. Voy. PROMPT, RAPIDE.

expédition, s. f. Action d'en finir avec ce qu'on a à faire. *Expeditio, onis,* f. Absol. *Festinatio, onis,* f. Un homme d'—, voy. EXPÉDITIF. || (Spéc.) — d'un acte, d'un contrat, etc., copie conforme à la minute, *Exemplum, i,* n. ¶ Action de faire partir pour une destination. *Missio, onis,* f. || (Spéc.) Expédition militaire. *Expeditio, onis,* f. — maritime

bellum maritimum (ou navale). || (P. anal.) Envoi d'hommes, de navires, pour explorer une région, etc. *Peregrinatio, onis,* f. — maritime, *navigatio, onis,* f.

expérience, s. f. Usage pratique d'une chose. *Usŭs, ŭs,* m. *Res, rei,* f. Instruit par l'—, *re doctus.* Savoir, connaître par —, *experiri,* dép. tr. Sans — de la guerre, *rei militaris rudis.* Qui n'a pas l'— du monde, *rerum imperitus.* ¶ Connaissance d'une chose acquise par l'expérience. *Usŭs, ŭs,* m. || (Absol.) Connaissance des choses acquise par l'usage, par la pratique. *Usŭs, ŭs,* m. Qui est sans —, *rudis,* adj. ¶ (T scient.) Opération qu'on effectue pour vérifier ou démontrer qqch. par la pratique. *Experimentum, i,* n. ¶ (Par ext.) Essai pratique. Voy. ESSAI. || (P. anal.) Tenter une expérience sur qqn, sur qqch. Voy. ÉPREUVE, ÉPROUVER.

expérimenté, ée, adj. Instruit par l'expérience. *Usu peritus* et simpl. *peritus, a, um,* adj. || (Absol.) *Re* (ou *usu*) *doctus* (ou *edoctus*).

expérimenter, v. tr. Vérifier par expérience. *Tentāre,* tr. *Experiri,* dép. tr.

expert, te, adj. Versé dans la connaissance d'une chose par la pratique. *Multarum rerum peritus in doctrinā. Exercitatus* (ou *versatus*) *in aliquā re.*

expertise, s. f. Appréciation faite par des experts. *Probatio, onis,* f.

expiation, s. f. Cérémonie religieuse, sacrifice fait pour purifier de la souillure d'un crime. *Expiatio, onis,* f. *Piaculum, i,* n. ¶ Réparation d'une faute, d'un crime par la peine qu'on subit. *Expiatio, onis,* f.

expiatoire, adj. Destiné à une expiation religieuse. *Piacularis, e,* adj. Sacrifice, cérémonie —, *piaculum, i,* n.

expier, v. tr. Laver par une cérémonie religieuse, etc., un crime dont on s'est souillé. *Luĕre,* tr. || (Fig.) Réparer une faute, un crime par la peine qu'on subit. *Expiāre,* tr.

expirant, ante, adj. Qui est près d'expirer. Voy. MOURANT. || (Fig.) *Intermortuus, a, um,* p. adj.

expiration, s. f. Mouvement par lequel l'air est expulsé des poumons. *Respiratio, onis,* f. ¶ (Fig.) Le fait de prendre fin. *Exitŭs, ŭs,* m. A l'— de l'armistice, *cum induciarum dies exiret.*

expirer, v. tr. et intr. || (*V. tr.*) Expulser des poumons l'air qui a servi à la respiration. *Animam reddĕre respirando.* ¶ (Absol.) (*V. intr.*) Rendre le dernier soupir. *Exspirāre,* intr. || (Fig.) Cesser d'être. Voy. PÉRIR. La parole — sur ses lèvres, *excidit illi oratio.* || Prendre fin. *Exire,* intr. Etre sur le point d'—, *in exitu esse.*

explicable, adj. Qui peut être expliqué. *Qui (quae, quod) explicationem habet.*

explication, s. f. Développement destiné à éclaircir le sens d'qqch. *Explicatio, onis,* f. *Explanatio, onis,* f. ¶ (Par ext.) Ce qui rend raison d'un fait. *Ratio, onis,* f. || (Spéc.) Compte que l'on demande *ou* que l'on rend à qqn de paroles *ou* d'actes qui doivent être justifiés. Voy. COMPTE, [S'] EXPLIQUER. Vive —, voy. CONTESTATION.

explicite, adj. Enoncé complètement. *Expressus, a, um,* p. adj.

explicitement, adv. D'une manière explicite. *Expressé,* adv.

expliquer, v. tr. Eclaircir par un développement le sens de qqch. *Explicāre,* tr. *Explanāre,* tr. ¶ (Par ext.) Rendre raison d'un fait. *Explicāre,* tr. *Expedīre,* tr. || (Par ext.) S'— avec qqn, *c.-à-d.* lui donner *ou* recevoir de lui des éclaircissements sur ce qui a besoin d'être justifié, *conferre aliquid cum aliquo.*

exploit, s. m. Action d'éclat (à la guerre). *Facinus, oris,* n. *Res, rei,* f. (*res bello gesta* ou simpl. *res gesta*).

exploitation, s. f. Action d'exploiter, de faire valoir une chose en tirant parti du produit. *Administratio, onis,* f. L'— d'une terre, d'un domaine, *villicatio, onis,* f. || (Par ext.) Une — (une ferme, une terre). *Villa, ae,* f. *Praedium, ii,* n.

exploiter, v. tr. Faire valoir (une chose) en tirant profit du produit. *Exercēre,* tr. || (Par anal.) Abuser de qqn à son profit. *Alicujus operā abuti.* — l'ignorance, *quaestum ex errore exercēre.*

explorateur, trice, s. m. et f. Celui, celle qui explore (un pays). *Explorator, oris,* m. [*Exploratio, onis,* f.

exploration, s. f. Action d'explorer.

explorer, v. tr. Parcourir (un pays) en l'étudiant avec soin. *Explorāre,* tr. *Scrutāri,* dép. tr. || (Fig.) *Vestigāre,* tr. *Investigāre,* tr.

explosion, s. f. Action d'éclater avec force. *Fragor atque eruptio.* Faire —, *crepāre,* intr. || (Fig.) Elan d'une passion qui ne se contient plus. — de colère, *irae impetus.*

exportateur, s. m. Celui qui exporte des marchandises. Un — *et* (p. appos.) un marchand —, *qui exportat merces.*

exportation, s. f. Action d'exporter des marchandises. *Exportatio, onis,* f.

exporter, v. tr. Transporter et vendre en pays étranger (les produits du sol où de l'industrie nationale). *Exportāre,* tr. *Evehěre,* tr.

exposé, s. m. Développement où l'on présente les diverses parties d'un ensemble. *Expositio, onis,* f. *Explicatio, onis,* f.

exposer, v. tr. Présenter, placer de manière à mettre en vue. *Exponēre,* tr. *Proponěre,* tr. *Proferre,* tr. S'— aux regards, *palam se ferre; praebēre se conspiciendum.* Etre — sur un lit de parade, *jacēre in solio.* || (Fig.) Présenter de manière à mettre en évidence. *Exponēre. Proponēre,* tr. *Disserěre,* tr. et intr. — l'action, *argu-*

mentum (fabulae) narrāre. ¶ Présenter, placer de manière à soumettre à l'action de qqch. *Exponēre,* tr. (*aliquid in sole,* qqch. au soleil). — à l'air, *ventilāre,* tr. Exposé au soleil, *apricus, a, um,* adj. Etre exposé à, *c.-à-d.* être tourné vers, *spectāre,* intr. (*ad orientem solem; ad meridiem).* || (Par ext.) *Objicěre,* tr. || Exposer (un enfant), *exponěre,* tr. || (Par anal.) Mettre en danger; livrer aux attaques. *Opponēre,* tr. (*periculis).* *Proponēre,* tr. (*omnibus telis fortunae proposita est vita nostra).* *Objicěre,* tr. (*consulem morti; se hostium telis).* Subjicěre, tr. *Offerre,* tr. *Committěre,* tr. (*se committěre periculo).* S'— (à faire telle ou telle chose), *committěre,* absol. S'— par sa faute à ce que, *committěre, ut* (av. le subj.). Exposé, *expositus, a, um,* p. adj.; *subjectus, a, um,* p. adj.; *objectus, a, um,* p. adj.; *patens* (gén. -*entis*), p. adj. (*vulneribus patens equus).* Etre exposé à, *patēre,* intr. (*vulneri; morbis; invidiae).* Etre exposé (absol.), *c.-à-d.* courir des dangers, *periclitāri,* dép. intr.

exposition, s. f. Action d'exposer. || De manière à mettre en vue. Voy. EXHIBITION, EXPOSER. — des marchandises, *merces venditioni expositas.* Faire une — de... *spectandum proponěre aliquid.* || (Fig.) De manière à mettre en évidence. *Expositio, onis,* f. *Explicatio, onis,* f. Faire l'— d'une doctrine, etc., voy. EXPOSER. ¶ (De manière à soumettre à l'action de qqch.) Situation. *Situs, ūs,* m. *Positio, onis,* f. Bonne — d'un lieu, *opportunitas loci.* || (Par anal.) Avoir une belle —, *situ ad aspectum praeclaro esse.* || L'— d'un enfant. *Expositio, onis,* f.

1. exprès, esse, adj. Qui exprime formellement la pensée, la volonté de qqn. *Certus, a, um,* adj. *Apertus, a, um,* p. adj. Il y est dit en termes —, *disertissimē planissiměque in eo* [decreto] *scriptum est.* || (Par ext.) Etre exprès, *c.-à-d.* dire en termes exprès, voy. EXPRESSÉMENT, FORMELLEMENT. ¶ (Par ext.) Qui est chargé spécialement de transmettre la pensée, la volonté de qqn. Un courrier — *et* (subst.) un —, *tabellarius datā operā* (ou *dedĭtā operā*) *missus.*

2. exprès, adv. Avec intention formelle. *Consulto. Consilio. De industriā.* —, tout —, *ad id ipsum.* Il fait — de le blesser, *prudens et sciens offendit eum.* Sans le faire —, *imprudenter,* adv.

expressément, adv. D'une manière expresse, qui exprime formellement la pensée, la volonté de qqn. *Definitē,* adv. *Disertē,* adv.

expressif, ive, adj. Qui manifeste vivement la pensée, le sentiment. *Expressus, a, um,* p. adj. *Significans* (gén. -*antis*), p. adj. D'une manière —, *significanter,* adv. Yeux —, *oculi arguti.*

expression, s. f. Action d'exprimer d'une substance le suc qu'elle renferme. *Quod exprimimus.* ¶ (Fig.) Manifestation de la pensée, du sentiment par la parole, la physionomie, etc. || (Par la parole.) *Enuntiatio, onis,* f. *Significatio, onis,* f. *Elocutio, onis,* f. || (P. ext.) Forme de langage qui manifeste la pensée. *Vox, vocis,* f. *Verbum, i,* n. || (Par la physionomie, le geste, l'accent, etc.) *Significatio, onis,* f. || (P. ext.) Caractère de la physionomie qui manifeste le sentiment. *Vultûs, ûs,* m. Yeux qui ont de l'—, voy. EXPRESSIF.

exprimable, adj. Qui peut être exprimé. *Qui (quae, quod) exprimi potest.*

exprimer, v. tr. Faire sortir d'une substance en la pressant (le suc qu'elle renferme). *Exprimĕre,* tr. ¶ (Fig.) Manifester la pensée, le sentiment par la parole, le geste, un signe. || (Par la parole.) *Exprimĕre,* tr. *Dicĕre,* tr. *Significāre,* tr. S'—, *loqui,* dép. intr.; *dicĕre,* absol. || (Par la physionomie, le geste, l'accent.) *Exprimĕre,* tr. *Declarāre,* tr. || (P. ext.) Son visage exprimait la cruauté, *ex ore crudelitas eminebat.* || (Par anal.) Représenter. *Effingĕre,* tr. || (Spéc.) Représenter sous une forme sensible. *Effingĕre,* tr. *Imitāri,* dép. tr.

expropriation, s. f. Action d'exproprier. *Dejectio, onis,* f.

exproprier, v. tr. Déposséder légalement (qqn) de la propriété d'un bien. *Dejicĕre aliquem de possessione fundi.*

expulser, v. tr. Chasser (qqn) d'un lieu comme n'ayant plus droit d'y rester. *Exigĕre,* tr. *Ejicĕre,* tr. *Expellĕre,* tr.

expulsion, s. f. Action d'expulser. *Expulsio, onis,* f. *Ejectio, onis,* f.

exquis, ise, adj. Choisi parmi ce qu'il y a de plus délicat pour le goût. *Exquisitus, a, um,* p. adj.

extase, s. f. Ravissement de l'âme. *Secessus mentis atque animi a corpore.* ¶ Ravissement de joie. *Summa voluptas.* Ravissement d'admiration. *Summa admiratio.* Etre en —, voy. EXTASIER.

extasier (s'), v. pron. Etre ravi d'admiration, de joie. *Mirificè* (ou *unicè*) *aliquâ re laetari. Stupēre gaudio.* Extasié, *singulari voluptate perfusus.*

extatique, adj. Qui a le caractère de l'extase. Transports —, *effusè exsultans animus.*

extension, s. f. Action de mettre dans toute sa longueur, sa largeur, ce qui est plié, contracté, etc. *Porrectio, onis,* f. ¶ Action de donner à qqch. des proportions plus grandes. *Amplificatio, oni ,* f.

exténuer, v. tr. Mettre à bout de forces. *Debilitāre,* tr. *Conficĕre,* tr. Exténué, *effetus, a, um,* adj.

extérieur, eure, adj. et s. m. || *Adj.* Situé hors d'un corps, dans la portion de l'espace qui commence où le corps se termine. *Externus, a, um,* adj.

Extraneus, a, um, adj. Le monde —, *ea quae extra sunt.* || (P. anal.) *Externus, a, um,* adj. Manière d'être tout —, *species, ei,* f.; *frons, frontis,* f. ¶ (P. ext.) Situé dans la partie d'un corps qui regarde cette partie de l'espace. *Exterior, us,* adj. ¶ S. m. La portion de l'espace qui commence où un corps se termine. *Exterior pars.* A l'— de, *extra,* prép. (av. l'acc.) || (P. ext.) Ce qui se passe hors de l'homme, ses actes extérieurs. Voy. APPARENCE, DEHORS. ¶ La partie d'un corps qui regarde cette portion de l'espace. *Exterior pars.* *Frons, frontis,* f. L'— de la maison, *exterior domus.* || (Spéc.) En parl. d'une personne : ses traits, son apparence physique. *Species, ei,* f. *Forma, ae,* f. Sa tenue, ses manières —, *cultus, ûs* ; *habitus, ûs,* m.

extérieurement, adv. A l'extérieur. || Dans la partie de l'espace en dehors d'un corps. *Extra,* adv. *Foris* (av. mouv.), adv. *Extrinsecus,* adv. || Dans la partie d'un corps qui regarde cette partie de l'espace. *Exterius,* adv.

exterminateur, s. m. et f. et adj. || *S. m.* et *f.* Celui (celle) qui extermine. *Exstinctor, oris,* m. *Deletrix, tricis,* f. ¶ *Adj.* Qui extermine. *Internecivus, a, um,* adj.

extermination, s. f. Action d'exterminer, de chasser *ou* de détruire jusqu'au dernier (d'une race *ou* d'une espèce). *Occidio, onis,* f. *Internecio, onis,* f.

exterminer, v. tr. Détruire jusqu'au dernier (d'une race, d'une espèce). *Occidione occidĕre. A stirpe evertĕre.*

externe, adj. Situé en dehors. *Externus, a, um,* adj.

extinction, s. f. Action par laquelle qqch. est éteint, cesse de brûler. Voy. ÉTEINDRE. ¶ (Fig.) Action par laquelle qqch. cesse de vivre. *Exstinctio, onis,* f. — de voix, *raucitas, atis,* f.

extirpation, s. f. Action d'extirper. *Evulsio, onis,* f.

extirper, v. tr. Arracher avec les racines (une plante), pour qu'elle ne puisse repousser. *Exstirpāre,* tr. *Evellĕre,* tr. || (P. anal.) Enlever radicalement (une partie morbide). *Avellĕre,* tr. ¶ (Fig.) Détruire radicalement (une chose établie chez les hommes). *Exstirpāre,* tr. (*gentem*).

extorquer. Arracher qqch. à qqn par la violence morale. *Extorquēre,* tr. (*aliquid ab aliquo*).

extorsion, s. f. Action d'extorquer. *Violenta exactio pecuniarum.*

extraction, s. f. Action de retirer une chose d'un lieu où elle est enfoncée. *Exemptio, onis,* f. ¶ Action de retirer d'une substance, en la décomposant, un élément qu'on sépare. *Expressio, onis,* f. ¶ Origine d'où qqn tire sa naissance. *Stirps, stirpis,* f. *Genus, neris,* n.

Noble —, voy. NOBLESSE. Basse —, *humilitas generis.*

extradition, s. f. Acte par lequel un gouvernement livre une personne, accusée d'un crime, etc. *Traditio, onis,* f. Réclamer l'— de qqn, *exposcĕre aliquem.*

extraire, v. tr. Retirer (une chose) d'un lieu où elle est enfoncée. *Extrahĕre,* tr. || (Par anal.) Tirer qqn d'un lieu où on l'a enfermé. *Educĕre,* tr. *Extrahĕre,* tr. || (Fig.) Tirer d'un livre, etc. un ou des passages qu'on copie. *Excerpĕre,* tr. || Faire un abrégé. *In breve cogĕre.* ¶ Retirer qqch. d'une substance. *Exprimĕre,* tr.

extrait, s. m. Elément qu'on retire d'une substance en la décomposant. *Expressus sucus,* ou (simpl.) *sucus,* i, m ¶ Passage tiré, détaché d'un livre, d'un manuscrit où on le copie. *Excerptum,* i, n.

extraordinaire, adj. et s. m. || *Adj.* Qui est en dehors de la règle habituellement suivie. *Extraordinarius, a, um,* adj. Un envoyé —, *legatus extra ordinem missus.* || Qui est en dehors de ce qui se voit habituellement. *Extraordinarius, a, um,* adj. *Singularis, e,* adj. *Novus, a, um,* adj. || Qui est au-dessus du niveau qu'atteignent habituellement les choses, les personnes. *Insignis, e,* adj.

extraordinairement, adv. D'une manière extraordinaire. || En dehors de la règle habituellement suivie. *Extra ordinem. Praeter morem. Praeter consuetudinem.* || Au-dessus du niveau qu'atteignent habituellement les personnes, les choses. *Eximiē,* adv. *Egregiē,* adv.

extravagance, s. f. Caractère de ce qui manque de règle. Voy DÉSORDRE, IRRÉGULARITÉ. ¶ (P. ext.) Caractère de celui qui est en dehors du sens commun. *Dementia, ae,* f. *Desipientia, ae,* f. || (P. ext.) Caractère de ce qui est en dehors du sens commun. *Perversitas, atis,* f. ¶ (Par ext.) Action, parole qui est en dehors du sens commun. *Deliramentum, i,* n. *Stultē* (ou *ineptē*) *factum.* Faire des —, *desipĕre,* intr. Dire des —, *deliramenta loqui.*

extravagant, *ante,* adj. Qui est en dehors du sens commun dans ce qu'il fait, dans ce qu'il dit. *Delirus, a, um,* adj. *Amens* (gén. *-entis*), adj. ¶ (P. ext.) en parl. d'une chose. *Amens* (gén. *-entis*), adj. *Demens* (gén. *-entis*), adj. *Desipiens* (gén. *-entis*), p. adj. Tenir des propos —, *deliramenta loqui.*

extravaguer, v. intr. Faire *ou* dire des choses qui sont hors du sens commun. *Desipĕre,* intr.

extrême, adj. Qui est tout à fait au bout. *Extremus, a, um,* adj. *Ultimus, a, um,* adj. || (Fig.) Qui est au dernier degré. *Summus, a, um,* adj. *Extremus, a, um,* adj. *Maximus, a, um,* adj. || (P. hyperb.) Qui est à un très haut degré. *Summus, a, um,* adj. *Maximus, a, um,* adj. Avoir une envie — de..., *vehementer cupĕre* (avec l'inf.) ¶ (Fig.) Qui pousse les choses à la dernière limite. *Immodicus, a, um,* adj. *Immoderatus, a, um,* adj. || (P. ext.) Etre — (en parl. des choses), *finem et modum transire.* Prendre les voies —, recourir aux moyens —, aux —, *ultima* (ou *extremum auxilium*) *experiri; ad ultima auxilia descendĕre.* ¶ *S. m.* La dernière limite d'une chose. *Extremum, i, n. Ultimum, i, n.* Porter les choses à l'—, *ultima audēre.* Tomber, passer d'un — dans l'autre, *vehementem esse in utramque partem.* || Aimer les —, *contraria sequi.*

extrêmement, adv. D'une manière extrême, à un très haut degré. *Summē,* adv. *Quam* (ou *vel*) *maximē.*

extrême-onction, s. f. Sacrement de l'Eglise catholique qu'on administre à un malade en danger de mourir. *Inunctio, onis,* f.

extrémité, s. f. La partie extrême d'une chose. *Extremitas, atis,* f. Ce subst. est remplacé par un des adj. suiv. s'accordant avec le nom, *extremus, a, um,* adj.; *ultimus, a, um,* adj. L'— de l'île, *extrema insula.* || (Absol.) Les extrémités (du corps), *summa,* n. pl. || A l'extrémité de, *c.-à-d.* au bout, à la fin de, voy. BOUT, FIN. || (Fig.) La dernière limite à laquelle qqch. peut arriver. Réduire qqn à l'—, *aliquem ad ultimam desperationem redigĕre.*

extrinsèque, adj. Qui est tiré, non de la chose elle-même, mais des circonstances accessoires, extérieures. *Extrinsecus* (adv.) *assumptus.*

exubérance, s. f. Excès de fécondité. *Nimia copia* (ou *abundantia*).

exubérant, *ante,* adj. Qui a un excès de fécondité. *Luxuriosus, a, um,* adj. Etre —, *luxuriāre,* intr. || (P. anal.) Qui a un excès de plénitude. *Luxuriosus, a, um,* adj.

ex-voto, s. m. Tableau, figure, etc., qu'on suspend dans une chapelle pour l'accomplissement d'un vœu. *Tabula votiva,* ou (simpl.) *tabula, ae,* f.

F

f, s. m. Sixième lettre de l'alphabet. F ou *f littera.*

fable, s. f. Sujet de récit. || Suite des faits qui composent l'action d'un poème

narratif *ou* dramatique. *Fabula, ae,* f.
|| Sujet de récits, de propos (surtout
railleurs). *Fabula, ae,* f. || Court récit
servant de preuve à une leçon de
morale pratique. *Fabula, ae,* f. *Apologus,* i, m. ¶ Sujet de récit imaginaire.
Fabula, ae, f. || (Par ext.) Fait controuvé,
nouvelle mensongère. *Fabula, ae,* f.
Fabella, ae, f.

fabricant, s. m. Celui qui fabrique
certaines catégories d'objets destinés
à être livrés au commerce. *Artifex,
ficis,* m.

fabrication, s. f. Action de fabriquer.
Fabricatio, onis, f. *Fabrica, ae,* f.

fabrique, s. f. Construction d'un édifice. *Fabricatio, onis,* f. ¶ Manière dont
une chose est fabriquée. *Fabrica, ae,* f.
Opus, peris, n. ¶ Établissement où
l'on fabrique. *Officina, ae,* f.

fabriquer, v. tr. Faire avec des matières premières mises en œuvre des
articles destinés au commerce. *Fabricāri,* dép. tr. *Facĕre,* tr.

fabuleusement, adv. D'une manière
fabuleuse. *Fabulosē,* adv.

fabuleux, *euse,* adj. Qui a le caractère
d'une fable. *Fabulosus, a, um,* adj.
Récits —, *fabulae, arum,* f. pl. || Fig.
Qui n'est pas croyable. *Fabulosus, a,
um,* adj. Prix —, voy. INCROYABLE.
¶ (Spéc.) Qui tient à la Fable, à la mythologie ancienne. *Fabulosus, a, um,* adj.

fabuliste, s. m. Auteur qui compose
des fables (apologues). *Fabularum* (ou
apologorum) *scriptor.*

façade, s. f. Partie antérieure d'un
bâtiment. *Pars antica. Frons, frontis,* f.

face, s. f. Partie antérieure de la tête
de l'homme. *Facies, ei,* f. *Vultūs, ūs,*
m. Homme à double —, *homo duplex.*
|| (Par anal.) En parlant de certains
animaux. *Os, oris,* n. ¶ (Par ext.) Partie
antérieure du corps par laquelle
l'homme se présente. *Frons, frontis,* f.
Os, oris, n. De face, qui se présente de
—, *adversus, a, um,* adj. En face,
contra, adv. Situé en —, *adversus, a,
um,* adj. En —, *coram,* adv.; *adversus,*
adv.; *contra,* adv. En — à la — de,
coram, prép. (avec l'abl.); *adversus,*
prép. (av. l'acc.) Face à —, voy. VIS-
A-VIS. ¶ Partie antérieure d'une chose.
Frons, frontis, f. ¶ Chacun des côtés
d'une chose. *Frons, frontis,* f. *Latus,
eris,* n. || (Spéc.) Chacun des plans
qui terminent un solide (géom.). *Latus,
eris,* n. || (Fig.) Aspect qu'une chose
présente. *Facies, ei,* f.

facétie, s. f. Grosse plaisanterie que
qqn dit *ou* fait pour égayer. *Jocus,* i,
m. Des —, *facetiae, arum,* f. pl.

facétieusement. D'une manière facétieuse. *Jocosē,* adv. *Facetē,* adv.

facétieux, *euse,* adj. Qui tient de la
facétie. *Jocosus, a, um,* adj. *Jocularis,
e,* adj. Un trait —, *ridiculum,* i, n.
Traits —, *jocularia, ium,* n. pl. ¶ Qui

dit *ou* fait des facéties. Un homme —,
ridiculus, i, m.

facette, s. f. Petite face. *Latusculum,*
i, n. Taillé à —, *scutulatus, a, um,* adj.

fâcher, v. tr. Affecter péniblement.
Molestiam afferre. Offendĕre, tr. Être
fâché de qqch., *aegrē (molestē* ou *graviter) ferre aliquid.* Je ne suis pas
fâché de m'en aller, *non invitus abeo.*
¶ Irriter. Voy. ce verbe. Se —, voy.
[S'] IRRITER. ¶ (Par ext.) Se fâcher avec
qqn, c.-à-d. se brouiller avec qqn, voy.
BROUILLER.

fâcher:2, s. f. Brouille. Voy. ce mot.

fâcheux, *euse,* adj. Qui fâche. || Qui
fait de la peine. (En parl. des choses.)
Molestus, a, um, adj. || (En parl. des
pers.) *Importunus, a, um,* adj. || (Subst.)
Personne qui importune les gens.
Interpellator, oris, m. *Interventor, oris,* m.

facile, adj. Qui se fait sans peine. *Facilis, e,* adj. *Expeditus, a, um,* p. adj.
Promptus, a, um, p. adj. ¶ Qui fait
(qqch.) sans peine. *Facilis, e,* adj.
Promptus, a, um, p. adj. ¶ Qui se prête
sans peine à qqch. *Facilis, e,* adj.
Tractabilis, e, adj. Homme — à vivre,
naturā comis facilique. Cheval — à
monter, *equus patiens sessoris.* || (Absol.)
Qui se prête sans peine à ce qu'on
attend de lui. *Facilis, e,* adj. *Comis, e,*
adj. Humeur —, *facilitas, atis,* f.

facilement, adv. D'une manière facile.
Facile, adv.

facilité, s. f. Propriété de ce qui se
fait sans peine. *Facilitas, atis,* f. || (Par
ext.) Moyen qui aide à faire qqch. sans
peine. *Opportunitas, atis,* f. *Commoditas,
atis,* f. || (Spéc.) Délai accordé à un
débiteur. Voy. DÉLAI. ¶ Faculté de
faire qqch. sans peine. *Facilitas, atis,*
f. *Facultas, atis,* f. La — à s'exprimer,
celeritas dicendi (ou *in dicendo*). La —
à comprendre, — de conception, *celeritas ingenii* (ou *percipiendi*).

faciliter, v. tr. Rendre facile. *Faciliorem reddĕre aliquam rem alicui.*

façon, s. f. Action de donner une
certaine forme à une matière, de la
mettre en œuvre. *Manus, ūs,* f. || (Spéc.)
Modification que la culture fait subir
au sol. *Cultio, onis,* f. — du sol (pour
la vigne), *pastinatio, onis,* f. Seconde
— donnée à la terre, *repastinatio, onis,*
f. Donner une — à la terre, *terram subigĕre.* Donner une seconde — à un
champ, à sa vigne, *iterāre agrum ; repastināre vineas.* || (Par ext.) Fig. Ce qui
n'a plus que la forme, l'apparence
d'une chose. *Species, ei,* f. ¶ Forme
d'un acte accompli par qqn. *Genus,
eris,* n. Voy. MANIÈRE. La façon dont
le combat est mené, *proelii ratio.* —
d'agir et de penser, *mores ; instituta et
facta.* A la — de, *ritu* (av. le gén.). De
la —, c.-à-d. de la sorte, voy. SORTE.
De façon que, *ita ut* (av. le subj.). En
aucune —, *nullo modo.* ¶ Caractère

extérieur que présente une personne, une chose. *Habitus, ūs,* m. ‖ (Par ext.) Démonstration extérieure. *Significatio, onis,* f. Par —, *simulatē,* adv. ‖ (Spéc.) Démonstration cérémonieuse. Faire des — (avec qqn), *officiosius facĕre.* Point de —, *mitte ambages!* Sans —, *simpliciter,* adv.

faconde, s. f. Elocution facile et abondante. *Loquentia, ae,* f.

façonner, v. tr. Mettre en œuvre une matière. *Formāre,* tr. *Informāre,* tr. ‖ (Par ext.) Faire (une œuvre) en travaillant la matière. *Fabricāri,* dép. tr. *Fingĕre,* tr. ‖ (Spéc.) Modifier par la culture. *Subigĕre,* tr. ‖ (Par ext.) Enrichir d'ornements. *Figurāre,* tr. ¶ (Fig.) Former (peu à peu) par l'éducation. *Formāre,* tr. *Conformāre,* tr. ‖ (Absol.) Former aux habitudes du monde. *Mores alicujus excolĕre.* ‖ Former intellectuellement. *Erudīre,* tr. Se —, *erudīri,* pass.

facteur, s. m. Celui qui fabrique des instruments de musique. — d'orgues, *organorum artifex.* ¶ Celui qui porte et distribue les lettres. *Tabellarius, ii,* m.

factice, adj. Qui n'est pas de création naturelle. Voy. ARTIFICIEL. ‖ (Fig.) Feint. *Fictus, a, um,* p. adj.

factieux, euse, adj. Qui agit contre un gouvernement établi. *Factiosus, a, um,* adj. *Seditiosus, a, um,* adj. *Turbulentus, a, um,* adj.

faction, s. f. Fonction d'un soldat qui est chargé de veiller à la sûreté d'un poste. *Statio, onis,* f. *Excubiae, arum,* f. pl. Etre en —, *excubāre,* intr. ¶ Cabale. *Factio, onis,* f.

factionnaire, s. m. Soldat en faction. Voy. SENTINELLE.

1. facture, s. f. Exécution de la partie matérielle d'une composition musicale, d'un tableau, etc. *Manūs, ūs,* f. Vers de bonne —, *versus concinnior.* — des vers, *versuum ratio.*

2. facture, s. f. Note que le vendeur fournit à l'acheteur des marchandises qu'il livre. *Litterae pretii indices.*

facultatif, ive, adj. Dont on a la faculté de faire *ou* de ne pas faire usage. *Liber, era, erum,* adj.

faculté, s. f. Pouvoir qu'un être libre a de faire *ou* de ne pas faire telle chose. *Facultas, atis,* f. *Potestas, atis,* f. *Copia,* f. Avoir la — de, *posse* (av. l'inf.). ¶ Pouvoir naturel qu'un être libre a d'exercer telle *ou* telle fonction. — de voir, *visūs, ūs,* m. — d'entendre, *auditūs, ūs,* m. Avoir la — de penser, de connaître, de sentir, *cogitāre, cognoscĕre, sentīre posse.* Les — de l'âme, *partes animi.* ‖ (Par ext.) Aptitude naturelle. *Facultas, atis,* f. ¶ (Par ext.) Ressources dont qqn peut disposer d'après sa fortune. *Facultates, um,* f. pl.

fadaise, s. f. Propos plat et sot. *Fatuitas, atis,* f.

fade, adj. Qui est sans saveur, d'un goût plat. *Nullius saporis. Fatuus, a, um,* adj. (Fig.) Qui est sans vivacité. *Insulsus, a, um,* adj. (Insulsē, adv.

fadement, adv. D'une manière fade.

fadeur, s. f. Caractère de ce qui est sans saveur. *Sapor nullus.* ¶ (Fig.) Caractère de ce qui est insignifiant. *Insulsitas, atis,* f.

fagot, s. m. Faisceau de menues branches auxquelles sont joints quelques brins plus gros. *Fascis, is,* m. — de sarments, *sarmenta, orum,* n. pl.

faible, adj. Qui n'est pas en état de produire un grand effet. *Infirmus, a, um,* adj. *Invalidus, a, um,* adj. *Imbecillus, a, um,* adj. *Debilis, e* (« qui manque de force pour agir [naturellement *ou* accidentellement] »). adj. *Impotens* (gén. -*entis*), adj. *Languidus, a, um,* adj. Vin un peu —, *vinum dilutius.* Voix —, *imbecilla vox.* ‖ (P. ext.) Qui n'est pas en état de lutter. *Infirmus, a, um,* adj. *Invalidus, a, um,* adj. Les — mortels, *homunculi, orum,* m. pl. Une — femme, *muliercula, ae,* f. Subst. Le —, *impotens.* ‖ Le côté — (d'une place), *pars oppidi quae minus firma videtur.* Le côté —, *et* (subst.) le — d'une chose, *quod in aliquā re imbecillum est.* ¶ Qui manque de capacité. *Imbecillus, a, um,* adj. *Tardus, a, um,* adj. *Hebes* (gén. -*etis*), adj. ‖ Par ext. Des vers —, *versus inertes.* ¶ Qui est peu considérable. *Tenuis, e,* adj. *Exiguus, a, um,* adj. *Exilis, e,* adj. ¶ Qui manque de fermeté. *Infirmus, a, um,* adj. *Imbecillus, a, um,* adj. Etre — pour qqn, *et* (subst.) avoir un — pour qqn, *indulgēre praecipuē alicui.*

faiblement, adv. D'une manière faible. *Exiliter,* adv. *Sine vi. Infirmē,* adv. *Languidē,* adv.

faiblesse, s. f. Etat d'une personne, d'une chose faible; impuissance à produire un grand effet. *Infirmitas, atis,* f. *Imbecillitas, atis,* f. *Debilitas, atis,* f. ‖ (Par ext.) Impuissance à se défendre. *Infirmitas, atis,* m. *Imbecillitas, atis,* f. Avoir une —, voy. DÉFAILLANCE. ¶ Petit nombre. *Exiguitas, atis,* f. ¶ Défaut de capacité, de mérite. *Infirmitas, atis,* f. Voy. FAIBLE. ¶ Défaut de fermeté. *Imbecillitas, atis,* f. *Infirmitas, atis,* f. *Mollitia, ae,* f. *Levitas, atis,* f. — indulgente, *segnis indulgentia ou nimia facilitas.* ‖ (Par ext.) Avoir une — pour qqn, pour qqch., *nimium alicui ou alicui rei indulgēre.* ‖ Côté faible, défaut, passion. *Imbecillitas, atis,* f. *Error, oris,* m.

faiblir, v. intr. Devenir faible. *Se remittĕre ou* (absol.) *remittĕre,* intr. et *remitti* (pass. moyen). ‖ (Fig.) Languescĕre, intr. *Senescĕre,* intr. *Enervāri,* pass. Dont l'intelligence avait quelque peu faibli, *mente paululum imminutā.* ¶ Se montrer faible, céder. Voy. CÉDER. ‖ (Fig.) *Remittĕre* (de severitate). — dans ses résolutions, *mollius consulĕre.*

faillir, v. intr. Faire faute, manquer là où l'on serait utile. *Deficère*, intr. et tr. *Deesse*, intr. (voy. MANQUER). ‖ (Par ext.) Manquer (en parl. d'une constr. ébranlée). *Labi ac prope cadère*. ‖ Faillir à qqch., c.-à-d. y manquer, voy. MANQUER. ‖ (Absol.) Faire faillite. Voy. FAILLITE. ‖ (Suivi d'un infin.) Faillir faire, c.-à-d. y manquer de peu. Il a failli mourir, *paene* (ou *prope*) *mortuus est*. ¶ Tomber en faute. *Delinquère*, intr. *Labi*, dép. intr. *Peccàre*, intr. (voy. [faire une] FAUTE).

faillite, s. f. Situation d'un commerçant qui dépose son bilan et cesse ses payements. *Ruina* (ou *naufragium*) *fortunaram*. Faire —, *cedère foro*. Se déclarer en —, *bonam copiam ejurari*.

faim, s. f. Besoin de manger. *Fames, is*, f. *Inedia, ae* (« privation de nourriture, faim »), f. Avoir —, *esurire*, intr. Qui n'a plus —, voy. RASSASIÉ. ¶ (*Fig.*) Avidité. *Fames, is*, f. *Sitis, is* (pr. « soif »), f. (voy. SOIF, PASSION).

faine et **fêne**, s. f. Fruit du hêtre dont on extrait l'huile. *Fagea* (ou *fagina*) *glans*.

fainéant, *ante*, s. m. et f. et adj. ‖ *S. m. et f.* Celui, celle qui ne veut pas travailler. *Cessator, oris*, m. *Homo deses* (ou *desidiosus*). Une —, *mulier deses* (ou *desidiosa*). ¶ *Adj.* Qui ne veut pas travailler. *Deses* (gén. *-sidis*), adj. *Desidiosus, a, um*, adj.

fainéanter, v. intr. Vivre en fainéant. *Desidem esse*.

fainéantise, s. f. Vie du fainéant. *Otium iners ac desidiosum*. Une — extrême, *otium inertissimum ac desidiosissimum*. S'abandonner à la —, *languori et desidiae se dare*.

1. faire, v. tr. Réaliser qqch. en lui donnant l'être *ou* une certaine manière d'être. ‖ Créer (faire de rien). *Facère*, tr. *Aedificàre*, tr. *Efficère*, tr. *Fabricari*, dép. tr. ‖ Produire (faire d'un germe). *Facère*, tr. ‖ (Par ext.) Faire ses dents. Voy. DENT. ‖ (Par anal.) Sécréter certaines matières. *Facère*, tr. Fig. — de la bile, c.-à-d. s'irriter, *bilem habère*. ‖ Construire (faire de matériaux assemblés). *Facère*, tr. *Efficère*, tr. ‖ (Fig.) Composer (une œuvre intellectuelle). *Facère*, tr. *Efficère*, tr. Voy. COMPOSER, ÉCRIRE. Conte fait à plaisir, *ficta et commenticia fabula*. ‖ Façonner une matière avec art. *Facère*, tr. *Efficère*, tr. *Fabricàri*, dép. tr. Fait de main d'ouvrier, *affabrè factus*. Fait de marbre, *marmoreus*. ‖ (Par anal.) En parl. du corps. Pied mal fait, *pes turpis*. Jambe mal faite, *crus malum*. Bien fait de sa personne, *forma insigni* ou simpl. *formosus homo*. En parl. de l'âme. Ame bien faite, *animus bene constitutus*. Esprit bien, mal fait, *recta, prava mens*. Nous sommes ainsi faits, *ita sumus compositi*. ‖ Fabriquer un

produit industriel. *Facère*, tr. *Conficère*, tr. *Fabricàri*, dép. tr. ‖ (Par anal.) Faire (un plat), voy. CONFECTIONNER, PRÉPARER. ‖ (*Fig.*) Tirer une chose d'une autre en l'appropriant à une destination nouvelle. *Facère*, tr. — ses délices d'une chose, *aliquà re laetari* ou *delectari*. Se — un mérite de qqch., *laudi ducère aliquid*. — gloire, vanité de qqch., *aliquà re gloriari*. ‖ Fournir. *Praestàre*, tr. *Statuère*, tr. — une rente à qqn, *annua praestàre alicui*. — les fonds d'une entreprise, *in inceptum opus pecuniam conferre*. Se — des amis, *amicitias paràre*. Se — des alliés, *socios conciliàre*. Se — un nom, *nomen sibi magnum facère*. Fig. Se — une idée de qqch., *notionem* (ou *rationem*) *alicujus rei in animo informàre* (ou *animo concipère*). ‖ (Par anal.) Faire ses provisions de voyage, *viaticum congerère*. Aller — du bois, de l'eau, du fourrage, *lignàri, aquàri, pabulàri*. ‖ Faire des bénéfices, *lucrum facère*. — argent de qqch., *quaestui aliquid habère*. — des conquêtes, *aliquid acquirère*. — des prosélytes, *multis se probàre*. ¶ Réaliser qq. manière d'être. ‖ Commettre un acte. *Facère*, tr. *Efficère*, tr. — une sottise, voy. SOTTISE. — une faute, voy. FAUTE. — une faute de chronologie, *temporibus erràre*. Aussitôt dit, aussitôt fait, *dictum factum*. Si fait, *ita vero*. C'est bien fait pour lui, *jure plectitur*. Qu'ils fassent en gens de cœur, *se viros praebeant*. — à sa tête, *de suà unius sententià omnia gerère*. — qqch., voy. SERVIR. — que, — en sorte que, *facère* ou *efficère, ut* (subj.). — Fasse le ciel que…, *utinam* (av. le subj.). ‖ Ne — que, c.-à-d. ne pas cesser, *non desistère* (*aliquid facère*). Ne — que, c.-à-d. faire à peine, seulement. Je n'ai fait qu'apercevoir Virgile, *Vergilium vidi tantum*. ‖ Ne — que, c.-à-d. n'avoir d'autre résultat que, *nihil agère nisi*… — Nous ne faisons que rappeler, *quid aliud quam admonemus?* Il ne fait que d'arriver, *modo vènit*. ‖ Accomplir un dessein, tenir une certaine conduite. *Facère*, tr. *Agère*, tr. — un compliment, voy. COMPLIMENT. — un serment, voy. SERMENT. ‖ Faire usage de qqch., voy. USAGE. — part de, *denuntiare*, voy. ANNONCER. — sa cour (*aliquem*) *colère*. ‖ Exécuter une prescription ; s'acquitter d'un office. *Facère*, tr. *Efficère*, tr. *Conficère*, tr. *Exsequi*, dép. tr. (voy. EXÉCUTER, ACCOMPLIR). ‖ Effectuer un mouvement, pratiquer une opération. *Facère*, tr. — une manœuvre, voy. MANŒUVRE. — un détour, voy. DÉTOUR. ‖ Causer, occasionner un effet. *Facère*, tr. *Afferre*, tr. *Inferre*, tr. — faute, voy. MANQUER. — défaut, voy. DÉFAUT. ‖ (Par ext.) En parl. des choses. — son effet, *valère*, intr. Voy. EFFICACE. ‖ (Par anal.) Eprouver un effet. *Facère*, tr.

— une chute, une maladie, voy. ces mots. Impers. S'il fait chaud, *si est calor*. 8'il fait beau, *si est sudum*. Il fait jour, *lucet*. Il se fait tard, *advesperascit*. ‖ (Par ext.) Avoir une certaine influence, une certaine importance. Voy. POUVOIR, IMPORTANCE. Cela ne me fait rien, *nihil ad nos*. Cela ne fait rien à l'affaire, *ad rem nihil interest*. ‖ (Absol.) Faire une réponse. *Inquam*, défect. Quoi? fera qqn, *quid? inquiet quispiam*. ‖ Fixer un prix. Combien, d'après toi, on a fait le parc, *quanti licuisse, scribis, hortos*. Il en donna le prix fait par Pythius (*hortos emit*) *tanti quanti voluit Pythius*. ¶ Déterminer un être dans sa manière d'être. ‖ Former à une certaine manière d'être. *Formâre*, tr. Conformâre, tr. *Fingère*, tr. Se —, *fieri*, passif. Se — à qqch., voy. [s'] ACCOUTUMER. Se — aux exigences de qqn, *ad arbitrium alicujus se fingère*. Se — homme, *adolescère*, intr. Homme fait, *maturus*. ‖ Disposer suivant une certaine manière d'être. — un lit, *lectulum sternère*. Se — les ongles, *ungues resecâre*. ‖ Rendre tel ou tel quant à la manière d'être, à la condition. *Facère*, tr. *Efficère*, tr. Se — belle, voy. [se] PARER. Se — meilleur, voy. DEVENIR. ‖ Fait pour, *aptus*. ‖ (Par anal.) Donner pour tel ou tel. *Facère*, tr. Se — fort d'obtenir qqch., *jactâre se aliquid adepturum*. ‖ Constituer essentiellement, quant à la manière d'être. Voy. CONSTITUER, CONSISTER. ‖ (T. d'arith.) *J'acère*, tr. (T. de gramm.) *Facère*, tr. ‖ Imiter, contrefaire quant à la manière d'être, — le malade, se — malade, *aegrum simulâre*. ‖ (Spéc.) Représenter au théâtre. Voy. JOUER, ROLE, REPRÉSENTER. ¶ Faire (tenant la place d'un verbe d'action sous-entendu). (On répète le verbe en pareil cas.) ‖ Se laisser —, *omnia perpeti*. ¶ Faire devant un infinitif. — chanceler, *labefactâre* (pr. et fig.). — changer d'avis, *de sententiâ aliquem movère* (ou *deducère*). — concevoir à qqn les plus grandes espérances, *in maximam spem aliquem adducère*. — croire qqch. à qqn, *fidem alicujus rei facère alicui*. — croire à qqn que..., *fidem facère alicui* (avec l'acc. et l'inf.). — échouer qqch., *irritum facère* (ou *reddère*) *aliquid*. — espérer à qqn, *spem alicui facère* ou *afferre* ou *injicère* ou *dâre*. — jouer une pièce, *fabulam docère*. — parler qqn, *aliquem disputantem facère* (ou *inducère* ou *fingère*). — passer un projet de loi, *legem perferre*. — rire, *risum movère* (ou *concitâre*). Chercher à — rire, *risum captâre*. — pleurer qqn, *lacrimas* (ou *fletum*) *alicui movère*. Se — écouter, *facère sibi audientiam*.

2. faire, s. m. Acte de celui qui fait qqch. Voy. ACTE, ACTION. ¶ (Spéc.) La facture d'un artiste. *Manûs, ûs*, f.

faisable, adj. Qui peut se faire. *Qui*

(*quae, quod*) *fieri* (ou *effici*) *potest. Facilis, e*, adj.

faisan, s. m. Nom d'un oiseau. *Phasianus* (s.-e. ALES), *i*, m.

faisander, v. tr. Mortifier (le faisan, *et par ext.* toute espèce de gibier). *Vitiâre*, tr. Faisandé, *vitiatus, a, um*, p. adj. Se —, *corrumpi*, pass.; *vitiâri*, pass.

faisceau, s. m. Réunion d'un certain nombre de choses semblables, de forme allongée, liées ensemble. *Fascis, is*, m. En —, *fasciatim*, adv. ‖ Spéc. (Antiq. rom.) Assemblage de gerbes liées autour d'une hache, porté comme symbole de l'autorité devant le dictateur, les consuls. *Fasces, ium*, m. pl.

faiseur, euse, s. m. et f. Celui, celle qui fait qqch. par profession ou habituellement. *Effector, oris*, m. *Auctor, oris*, m. *Opifex, ficis*, m. Bon —, *artifex, ficis*, m. Faiseuse, *effectrix, tricis*, f.

fait, s. m. Action de faire qqch. Le — de mentir, *mentiri*. Pour le — de, *ob*, prép. (av. l'acc.); *propter*, prép. (av. l'acc.). Etre condamné pour — de trahison, *proditionis condemnari*. Prendre qqn sur le —, *aliquem in recenti re* (ou *ipsa re*) *deprehendère*. Par le — de qqn, *per aliquem*. Du — de qqn, *ab aliquo*. C'est le — d'un honnête homme de..., *viri boni est* (av. l'inf.) ‖ (P. anal.) Manière d'agir propre à qqn. *Consilia et facta*, n. pl. ‖ (Par ext.) Affaire. Voy. ce mot. Ce n'est pas mon —, *hoc non meum est* (ou *hoc a me alienum est*). ‖ Voie de fait. *Vis*, f. ‖ (Par ext.) Procédé violent, coups portés à qqn. *Injuriae, arum*, f. pl. Se livrer sur qqn à des voies de —, *alicui vim et manus inferre*. ‖ Ce que qqn a fait. *Factum, i*, n. ¶ Ce qui a eu lieu. *Res, rei*, f. Les — accomplis, *quae jam facta sunt*. ‖ (Spéc.) Ce qui a lieu dans une affaire en litige. *Factum, i*, n. *Res, rei*, f. Prendre — et cause pour qqn, *alicujus factum praestâre tuerique*; (fig.) *alicujus suspicère defensionem* (ou *causam*). ¶ Ce qui est réellement, effectivement. *Res, rei*, f. Le — est que..., *constat* (av. l'acc. et l'inf.). Au —, *at etiam*. ‖ (Par ext.) Matière dont il s'agit. Etre au —, voy. SAVOIR. Mettre qqn au —, *aliquem erudire* (de *aliquâ re*). Etre sûr de son —, *aliquid certum habère*. En — de..., *quod attinet ad...* ‖ (Loc. adv.) Tout à fait. *Omnino*, adv.

faitage, s. m. Voy. FAITE.

faite, s. f. Arête supérieure d'un comble. *Culmen, minis*, n. ¶ Partie la plus élevée d'un édifice. *Fastigium, ii*, n. ‖ (Par ext.) Cime, sommet. Voy. ces mots. ‖ (Fig.) Le plus haut point, le plus haut degré. *Fastigium, ii*, n. Etre au — de la gloire, *summâ gloriâ florère*.

faix, s. m. Charge pénible à supporter. *Onus, eris*, n. ‖ (Fig.) *Onus, eris*, n.

falaise, s. f. Escarpement de terre ou de roche qui borde la mer. *Cautes, is*, f.

Faléries, n. pr. Ville d'Etrurie. *Falerii, orum,* m. pl. [*Falernus, i,* m.

Falerne, n. pr. Montagne d'Italie.

Falisques, n. pr. Peuple de l'Italie ancienne. *Falisci, orum,* m. pl.

fallacieusement, adv. D'une manière fallacieuse. *Fallaciter,* adv. *Dolosē,* adv.

fallacieux, *euse,* adj. Qui cherche à tromper. *Fallax* (gén. *-acis*), adj.

falloir, v. impers. Manquer. *Abesse,* intr. ¶ (Par ext.) Être nécessaire. *Opus esse,* impers. *Oportere,* impers. *Necesse esse,* impers. (voy. NÉCESSAIRE). Ne — que, voy. SUFFIRE. ‖ (Absol.) Comme il faut, *ut par est.* Des gens comme il faut, *belli homines.* [TERNE.

falot, s. m. Grande lanterne. Voy. LAN-

falsificateur, s. m. Celui qui falsifie. *Adulterator, oris,* m.

falsification, s. f. Altération volontaire en vue de tromper. *Adulteratio, onis,* f.

falsifier, v. tr. Altérer volontairement, en vue de tromper. *Adulterare,* tr. *Vitiāre,* tr.

famé, *ée,* adj. Qui a telle ou telle réputation. *Qui (bene ou male) audit.* Mal famé, *famosus, a, um,* adj.; *infamis, e,* adj.

famélique, adj. Voy. AFFAMÉ.

fameux, *euse,* adj. Qui a une grande réputation (en bien ou en mal). ‖ (En bonne part.) *Clarus, a, um,* adj. *Praeclarus, a, um,* adj. ‖ (En mauvaise part.) *Famosus, a, um,* adj.

familiariser, v. tr. Rendre (qqn) familier avec une personne, une chose. ‖ Apprivoiser. Voy. ce mot. ‖ (Par ext.) Se —, devenir trop libre avec qqn, *familiarius quam par est cum aliquo agère.* ‖ (Fig.) Rendre familier avec les choses. Voy. ACCOUTUMER.

familiarité, s. m. Commerce libre, aisé avec qqn. *Familiaritas, atis,* f. *Consuetudo, inis* (« commerce habituel »), f. Etre dans la — de qqn, *familiariter cum aliquo vivère.* ¶ Manière d'être, parole, acte trop libre. *Licentia, ae,* f. Prendre des — avec qqn, *familiarius quam par est cum aliquo agère.* ‖ Manière qui rappelle le ton de la conversation. La — du style, *familiaris sermo.* ‖ (Par ext.) Expression simple, aisée. *Verbum de medio sumptum.*

familier, *ière,* adj. Qui est de la famille. *Familiaris, e,* adj. Génie ou esprit —, *genius, ii,* m. ¶ (Par ext.) Qui est avec qqn dans un commerce libre, aisé. *Familiaris, e,* adj. ‖ (Par anal.) Animal —, *cicur bestia.* ‖ (Par ext.) Qui met les gens à l'aise par la simplicité de ses manières. *Familiaris, e,* adj. *Commodus, a, um,* adj. *Affabilis, e,* adj. ‖ Qui est trop libre. Voy. FAMILIARITÉ. ‖ Qui a le ton simple, aisé. *Familiaris, e,* adj. ¶ Qui est accoutumé à la pratique, à l'usage de qqch. *Exercitatus* (ou *versatus*) *in aliqua re.* ‖ Dont la pratique, l'usage est ordinaire à qqn.

Notus, a, um, p. adj. Voy. ACCOUTUMÉ, ORDINAIRE.

familièrement, adv. D'une manière familière. *Familiariter,* adv.

famille, s. f. L'ensemble des personnes unies par le sang qui vivent sous le même toit. *Familia, ae,* f. *Domūs, ūs,* f. (comme en fr. « maison » c.-à-d. « famille »). De la —, de —, *familiaris, e,* adj. ‖ (Spéc.) Les enfants issus du mariage. *Liberi, orum,* m. pl. ¶ Ensemble des personnes unies par le sang ou l'alliance. *Familia, ae,* f. *Domūs, ūs,* f. *Propinqui, orum,* m. pl. De —, *familiaris, e,* adj.; *domesticus a, um,* adj. Sentiments de —, *pietas, atis,* f. Air de —, *lineamentorum similitudo.* ¶ Succession des personnes issues d'une même souche de génération en génération. *Familia, ae,* f. *Gens, gentis,* f. De —, *gentilicius, a, um,* adj. ¶ (Fig.) Réunion d'êtres ayant une commune origine, des intérêts communs. *Genus, eris,* n. *Familia, ae,* f.

famine, s. f. Souffrance générale causée par le manque de vivres. *Fames, is,* f. Crier —, *conqueri inopiam.*

fanage, s. m. Action de faner. *Fenisicium, ii* (usité seul. au plur.), n.

fanaison et **fenaison,** s. f. Temps ou l'on fane l'herbe des prés. *Fenicisia ae,* f.

fanal, s. m. Voy. PHARE.

fanatique, adj. Qu'un zèle aveugle pour la religion pousse à des excès. *Fanaticus, a, um,* adj.

fanatiser, v. tr. Rendre fanatique. *Errore* (ou *impetu*) *quodam fanatico abripère animos.*

fanatisme, s. m. Zèle aveugle pour la religion qui pousse à des excès. *Furor* (ou *error*) *fanaticus,* ou simpl. *furor, oris,* m.

faner, v. tr. Retourner l'herbe (d'un pré fauché) pour la faire sécher. *Fenum convertère.* ¶ Faire perdre (à une plante, à une fleur) sa fraîcheur. *Marcidum* (ou *flaccidum*) *efficère.* Fané, *marcidus, a, um,* adj. Etre fané, *marcēre,* intr. Se —, *marcescère,* intr.

faneur, s. m. Qui fane, qui retourne l'herbe d'un pré fauché. *Qui (quae) fenum convertit.*

fanfare, s. f. Air militaire exécuté par des trompettes, des instruments de cuivre. *Tubarum cantus* ou *sonitus.*

fanfaron et **fanfaronnde,** s. m. et f. *Gloriosus, a, um,* adj. En —, *gloriosē,* adv.

fanfaronnade, s. f. Vanterie de fanfaron. *Venditatio, onis,* f. *Gloriatio, onis,* f.

fange, s. f. Boue épaisse. *Caenum, i,* n. ‖ (Fig.) Ce qui est abject. *Lutum, i,* n. *Caenum, i,* n.

fangeux, *euse,* adj. Rempli de fange. *Caenosus, a, um,* adj. ‖ (P. ext.) Couvert de fange. *Lutulentus, a, um,* adj. ‖ (Fig.) Abject. *Lutulentus, a, um,* adj.

fantaisie, s. f. Imagination. Voy. ce mot. ¶ (Par ext.) Manière de voir qui naît d'un caprice de l'imagination, *Animus, i,* m. On a la — de..., *libet* ou *collibet,* imp. (av. l'inf.). ¶ (Par ext.) Désir capricieux. *Libido, inis,* f. Satisfaire ses —, *libidinosē facĕre; animo obsequi.* || (Par ext.) Ce qui plaît à qqn. *Arbitrium, ii,* n.

fantasque, adj. Qui agit par fantaisie. *Mobilis, e,* adj.; Caractère —, *varietas* ou *mobilitas ingenii.*

fantassin, s. m. Soldat d'infanterie. *Pedes, itis,* m. Les —, *pedites, um,* m. pl.

fantastique, adj. Créé par la fantaisie. *Fictus, a, um,* p. adj. *Commenticius, a, um,* adj.

fantôme, s. m. Apparition. *Visum, i,* n. (au plur.) *Imago, inis,* f. || (Fig.) Ce qui n'a d'une personne, d'une chose que l'apparence. *Imago, inis,* f.

faon, s. m. Petit de la biche. *Hinnuleus, i,* m.

farce, s. m. Sorte de hachis. Voy. HACHIS. ¶ Petite pièce de théâtre bouffonne. *Mimus, i,* m. ¶ (P. ext.) Chose bouffonne qu'on dit, qu'on fait. *Mimicus jocus.*

farceur, s. m. Celui qui fait des farces. *Scurra, ae,* m. *Ridiculus, i,* m.

farcir, v. tr. Garnir de farces. *Farcīre,* tr. ¶ (P. anal.) Bourrer, *Farcīre,* tr. *Effarcīre,* tr.

fard, s. m. Composition qu'on applique sur la peau pour embellir le teint. *Fucus, i,* m. *Medicamentum, i,* n. ¶ (Fig.) Dehors spécieux qui colore *ou* déguise la vérité. *Fucus, i,* m. Sans —, *sincerus, a, um,* adj.; *nudus, a, um,* adj.

fardeau, s. m. Chose plus ou moins pesante qu'on doit porter. *Onus, eris,* n. *Sarcina, ae,* f. || (Fig.) Chose plus ou moins pénible à supporter. *Onus, eris,* n.

farder, v. tr. Colorer (le visage) avec une composition destinée à l'embellir. *Fucāre,* tr. S'—, *fuco tingĕre faciem.* ¶ Colorer *ou* déguiser sous les dehors spécieux (le vrai caractère de qqch.). *Fucāre,* tr.

farine, s. f. Substance nutritive de certaines graines céréales réduites en poudre. *Farina, ae,* f. Fleur de —, *siligo, ginis,* f.

farineux, euse, adj. Qui a l'aspect de la farine. *Farinae similis.*

farouche, adj. Qui se montre ombrageux, irritable contre ceux qui l'approchent, rébarbatif. *Ferus, a, um,* adj. *Ferox* (gén. *-ocis*), adj. Rendre —, *efferāre,* tr. Rendu —, *efferatus, a, um,* p. adj. Naturel —, *feritas, atis,* f.

fascination, s. f. Action de fasciner. *Fascinatio, onis,* f. *Effascinatio, onis,* f.

fascine, s. f. Fagot de branchages. *Fascis sarmentorum.*

fasciner, v. tr. Captiver irrésistiblement. *Fascināre,* tr. *Effascināre,* tr. ¶ (Fig.) Eblouir par le prestige. *Praes-*

tringĕre (aciem mentis).

1. faste, s. m. Etalage de magnificence. *Magnificentia, ae,* f. || (Fig.) Etalage qu'on fait d'une chose par ostentation. *Magnificentia, ae,* f.

2. faste, adj. (Antiq. rom.) Jour faste. *Dies fastus.*

fastes, s. m. pl. Tables marquant les jours d'audiences, de fêtes, d'assemblées, etc. *Fasti, orum,* m. pl.

fastidieusement, adv. D'une manière fastidieuse. *Fastidiosē,* adv.

fastidieux, euse, adj. Qui cause du dégoût. *Fastidiosus, a, um,* adj *Taedii plenus.* Etre —, *fastidium parĕre.* ¶ (Fig.) Qui rebute en causant un ennui répété ou prolongé. *Fastidiosus, a, um,* adj. *Odiosus, a, um,* adj. : (P. ext.) En parl. des personnes. *Odiosus, a, um,* adj.

fastueusement, adv. D'une manière fastueuse. *Magnificē,* adv.

fastueux, euse, adj. Qui aime le faste. *Magnificus, a, um,* adj. *Sumptuosus, a, um,* adj. || (Fig.) En parl. des choses. *Magnificus, a, um,* adj. *Ambitiosus, a, um,* adj.

fat, s. m. Sot satisfait de lui-même. Un —, *fatuus* (ou *ineptus*) *homo.*

fatal, ale, adj. Que le destin rend inévitable. *Fatalis, e,* adj. *Necessarius, a, um,* adj. L'heure —, *fatum extremum* ou simpl. *fatum, i,* n. ¶ (Par ext.) Qui entraîne inévitablement la ruine. *Exitiosus, a, um,* adj. Etre — à qqn, *exitio* (ou *perniciei*) *esse alicui.*

fatalement, adv. D'une manière fatale. *Fataliter,* adv.

fatalité, s. f. Force qui détermine d'avance tous les événements d'une manière inévitable, *et (par ext.)* enchaînement inévitable. *Fatum, i,* n. ¶ (Spéc.) Adversité inévitable. *Fatum, i,* n.

fatidique, adj. Qui fait connaître les arrêts du destin. *Fatidicus, a, um,* adj.

fatigant, ante, adj. Qui fatigue. *Laboriosus, a, um,* adj. *Operosus, a, um,* adj. || (Par ext.) Qui importune. *Molestus, a, um,* adj. *Gravis, e,* adj.

fatigue, s. f. Action de fatiguer; résultat de cette action. *Labor, oris,* m. *Sudor, oris,* m — extrême, accablante, *fatigatio, onis,* f.; *defatigatio, onis,* f.

fatiguer, v. tr. et intr. || *V. tr.* Abattre par la dépense de force. *Fatigāre,* tr. *Defatigāre,* tr. Se —, *fatigari,* pass. moy.; *defatigari,* pass. moy. Fatigué, *fessus, a, um,* adj.; *defessus, a, um,* p adj. Etre fatigué, *fatigari,* pass.; *defatigari,* pass. ¶ Rebuter par l'importunité. *Fatigāre,* tr. *Defatigāre,* tr. || (Absol.) Dégoûter, rebuter. Je suis fatigué de.... *me taedet (alicujus rei).* ¶ *V. intr.* Faire une grande dépense de force. *Sudāre,* intr. *Defatigari,* pass. moy. || Avoir à supporter un grand effort. *Laborāre,* intr. Le navire fatigue, *navis laborat.*

fatras, s. m. Pêle-mêle de divers objets. *Indigesta moles.*

fatuité, s. f. Satisfaction impertinente de soi-même. *Levitas et jactatio.*

faubourg, s. m. Partie d'une ville située en dehors de son enceinte. *Suburbium, ii, n.*

fauchaison, s. f. Temps où l'on fauche. *Fenisecium, ii, n.* Après la —, *desecto pabulo.*

faucher, v. tr. Couper avec la faux. — l'herbe, *fenum secāre.* — les prés, *prata desecāre.* (Abs.) *Falce succidĕre* (ou *secāre*).

faucheur, s. m. Ouvrier employé à faucher l'herbe, l'avoine. *Fenisex, secis,* m. *Feniseca, ae,* m.

faucille, s. f. Outil dont on se sert pour couper les blés, etc. *Falcula, ae,* f.

faucon, s. m. Oiseau de proie. *Falco, onis,* m.

faune, s. m. (Ant. rom.) Dieu champêtre. *Faunus, i,* m.

faussaire, s. m. Celui qui fait une fausse signature, un acte faux, etc. *Falsarius, ii,* m. *Falsus signator* ou *signator falsi.*

faussement, adv. D'une manière fausse. *Falso,* adv. *Fictē,* adv.

fausser, v. tr. Rendre faux. ‖ Détourner de la vérité. *Depravāre,* tr. *Adulterāre,* tr. Sens faussé d'un mot, *depravatio verbi.* — le véritable esprit de..., *circumscribĕre,* tr. ¶ Rendre non conforme à la justesse, à l'exactitude. — le jugement, *tollĕre judicium veri atque adulterāre.* Esprit, goût faussé, *pravitas mentis, judicii.* ‖ (Par anal.) Rendre irrégulier en déformant. Voy. BOSSUER.

fausset, s. m. Voix aiguë dite voix de tête. *Falsa vocula.*

fausseté, s. f. Caractère de ce qui est faux. *Vanitas, atis,* f. Démontrer la — d'une accusation, *falsam esse accusationem ostendĕre.* ‖ (Par ext.) Allégation fausse. *Falsum, i,* n. *Mendacium, ii,* n. ‖ (Fig.) *Pravitas, atis,* f. — de la voix, *vox absurda et absona.* ¶ Caractère de celui qui est faux. Voy. DUPLICITÉ, FOURBERIE.

faute, s. f. Action de faillir. ‖ Le fait de manquer où l'on serait nécessaire. *Defectio, onis,* f. *Desiderium, ii,* n. *Inopia, ae,* f. Avoir — de qqch., *esse in desiderio alicujus rei; alicujus rei inopiā laborāre.* Faire —, voy. MANQUER. Ne pas se faire — de qqch., *c.-à-d.* ne pas s'en abstenir, voy. [8°] ABSTENIR. ‖ (Loc. adv.) Sans faute, *c.-à-d.* sans manquer, *sedulo,* adv.; *diligenter,* adv. ‖ (Loc. prép.) Faute de, *c.-à-d.* par manque de, voy. MANQUE. — de temps, *tempore exclusus.* — d'attention, *per imprudentiam.* — de savoir, *propter inscitiam.* ¶ Le fait de manquer à ce qu'on doit. ‖ Manquement à la morale. *Culpa, ae,* f. *Peccatum, i,*

n. ‖ Manquement à la règle. *Vitium, ii,* n. *Erratum, i,* n. Sans —, voy. CORRECT. Faire une —, *labi,* dép. intr.; *errāre,* intr.; *peccāre,* intr. ‖ Manquement à la prudence, à l'habileté. *Culpa, ae,* f. *Vitium, ii,* n. Tout m'est arrivé par ma —, *omnia culpā contracta sunt.* Ce sera ma —, *meum vitium erit.*

fauteur, *trice,* s. m. et f. Celui qui agit en faveur de qqn, de qqch. *Fautor, oris,* m. Qui (quae) favet (alicui ou alicui rei). Fautrice, *fautrix, tricis,* f. ‖ (Spéc.) — de troubles, de désordres, *turbae ac tumultūs concitator.*

fautif, *ive,* adj. Sujet à être en faute. *Pravus, a, um,* adj. ¶ Qui est en faute. Qui (quae) peccat ou delinquit. ‖ (En parl. des choses.) *Vitiosus, a, um,* adj. *Mendosus, a, um,* adj.

fauve, adj. Qui est d'un jaune roux. *Fulvus, a, um,* adj. Couleur — *et (substantiv.)* le —, *fulvus color.* ‖ (P. ext.) *Substantiv.* Les grands —, les — (les animaux féroces de couleur fauve), *ferae, arum,* f. pl. Un —, *fera bestia* ou simpl. *fera, ae,* f.

fauvette, s. f. Oiseau. *Silvia, ae,* f.

1. faux, *fausse,* adj. et s. m. Qui n'est pas vrai; ce qui n'est pas vrai. ¶ *Adj.* Qui n'est pas vrai. ‖ (Par erreur.) *Falsus, a, um,* adj. *Vanus, a, um,* adj. Il est — que..., *falsum est* (avec l'acc. et l'inf.). ‖ (Par tromperie.) *Falsus, a, um,* adj. — serment, *perjurium, ii,* n. Faire un — serment, *pejerāre,* intr. ¶ Qui n'est pas réel. ‖ Qui n'a d'une chose que l'apparence. *Simulatus, a, um,* p. adj. *Assimulatus, a, um,* p. adj. *Commenticius, a, um,* adj. *Fictus, a, um,* part. *Falsus, a, um,* adj. — air, — apparence, *species, ei,* f. ‖ Qui prend pour tromper l'apparence d'une chose. *Falsus, a, um,* adj. *Adulterinus, a, um,* adj. *Fallax,* adj. *Alienus, a, um,* adj. — semblant de vertu, *virtutis fallax imitatio.* Porter de — cheveux, *alienis capillis uti.* ‖ (P. ext.) En parl. des personnes. Un — ami, *homo qui amicitiam simulat.* ‖ (Absol.) Qui affecte des sentiments qu'il n'a pas. *Fallax* (gén. *-acis*), adj. Voy. FOURBE, TROMPEUR. ¶ Qui n'est pas exact. *Falsus, a, um,* adj. *Malus, a, um,* adj. Vers —, *malus versus.* Voix —, *vox absona* ou *absurda.* Chanter — (adv.), *absurdē canĕre.* ‖ (P. ext.) Qui n'est pas dans la direction juste. *Pravus, a, um,* adj. *Perversus, a, um,* p. adj. — calcul, *pravum consilium.* Un — pas, *lapsus, ūs,* m.; *prolapsio, onis,* f. Faire — route, *declināre de viā.* ‖ (Loc. adv.) A faux, *frustra,* adv. ‖ (Fig.) A —, *falso,* adv.; *perversē,* adv. ¶ *S. m.* Ce qui n'est pas vrai. *Falsum, i,* n. Ce qui n'est pas réel. *Falsum, i,* n. Des — en écritures, *falsae et corruptae litterae.*

2. faux, s. f. Instrument qui sert à couper les fourrages, les céréales. *Falx, cis* (gén. plur. *falcium*), f.

faux-fuyant, s. m. Moyen détourné pour éviter de répondre. *Deverticulum, i,* n. *Tergiversatio, onis,* f.

faveur, s. f. Disposition à accorder un avantage à qqn de préférence aux autres. *Favor, oris,* m. *Gratia, ae* (« faveur que l'on témoigne » ou « faveur dont on est l'objet »), f. Accorder sa faveur à qqn, *alicui gratiam dāre* ou *facĕre.* Se concilier la — de qqn, *gratiam alicujus sibi conciliāre* (ou *colligĕre*). Donner par —, *gratificari,* dép. tr. Donné par —, *gratiosus, a, um,* adj. Qui est en —, *gratiosus, a, um,* adj. || (Loc. adv.) En — de, *gratiā,* abl. adv. (se place après son complément); *pro,* prép. (av. l'abl.). Disposer qqn en sa — *aliquem propitium facĕre* (ou *reddĕre*). ¶ Avantage que l'on accorde à qqn de préférence à un autre. *Favor, oris,* m. *Beneficium, ii,* n. *Gratificatio, onis,* f. Accorder une — à qqn, *beneficium dāre alicui.* Accorder à qqn la — de, *alicui veniam dāre, ut* (et le subj.). Profiter des — de la fortune, *occasione et beneficio fortunae uti.* || (P. ext.) Avantage que l'on accorde à qqn. Voy. AVANTAGE. La — des circonstances, *temporis opportunitas.* La — du moment, *occasio temporis* ou (abs.) *occasio, onis,* f. || (Loc. adv.) En — de, *c.-à-d.* en considération de, voy. CONSIDÉRATION. A la — de, *c.-à-d.* en profitant de, *per,* prép. (av. l'acc.).

favorable, adj. Disposer en faveur de qqn. *Amicus, a, um,* adj. *Praesens* (gén. *-entis*), adj. *Propitius, a, um,* adj. *Secundus, a, um,* adj. Etre —, *favēre,* intr. (av. le dat.); *studēre,* intr. (av. le dat.). ¶ Qui est à l'avantage de qqn. *Aequus, a, um,* adj. *Bonus, a, um,* adj. *Opportunus, a, um,* adj. *Secundus, a, um,* adj.

favorablement, adv. D'une manière favorable. *Benignē,* adv. *Faustē,* adv. *Prosperē,* adv.

favori, *ite,* adj. et s. m. et f. || *Adj.* Qui est l'objet de la prédilection de qqn. *Dilectissimus, a, um,* adj. (av. le dat.). *Acceptissimus, a, um,* adj. (av. le dat.). *Gratissimus, a, um,* adj. (av. le dat.). Etude —, *studium praecipuum.* ¶ *S. m. et f.* Objet de la prédilection de qqn. *Amor* ou *amores. Deliciae* (ou *amores* et *deliciae*) *alicujus.* ¶ (Spéc.) Un — (qui jouit de la faveur d'une personne et spéc. d'un souverain), *homo gratiosus apud aliquem,* ou simpl. *gratiosus, i,* m.

favoriser, v. tr. Agir en faveur de qqn (*par ext.*) aider au développement, au succès (de qqch.). *Favēre,* intr. (av. le dat.). *Fovēre,* tr. *Gratificāri,* dép. tr. *Indulgēre,* intr. (av. le dat.). ¶ Gratifier (qqn) d'une faveur. *Gratificari,* dép. intr. Favorisés par la tombée de la nuit, les vaisseaux purent aborder, *naves noctis interventu ad terram pervenerunt.*

fébrifuge, adj. Qui a la propriété de combattre la fièvre. (*Medicamentum*) *quod febrim discutit* ou *depellit.*

fébrile, adj. Agité par la fièvre. Voy. FIÈVREUX. || Chaleur —, *ardor febris.* Mouvements —, *aestus febrisque.*

fécial, s. m. Membre d'un collège de prêtres chargés de demander satisfaction au nom du peuple romain. *Fetialis, is,* m.

fécond, *onde,* adj. Qui a la vertu productrice. || Qui peut produire des enfants, des petits, des rejetons. *Fecundus, a, um,* adj. || (P. anal.) Qui peut donner du fruit (en parl. des animaux et des plantes). *Fructuarius, a, um,* adj. ¶ (P. ext.) Qui peut fournir d'abondantes récoltes. *Fecundus, a, um,* adj. *Fertilis, e,* adj. || (Fig.) Abondant. *Fecundus, a, um,* adj. *Ferax* (gén. *-acis*), adj. *Fertilis, e,* adj. — en ressources, *abundans ingenio.*

féconder, v. tr. Rendre fécond ou productif. *Fecundum* (ou *fecundam*) *facĕre. Fecunditatem dare.*

fécondité, s. f. Vertu productrice. *Fecunditas, atis,* f. ¶ Propriété de fournir d'abondantes récoltes. *Fertilitas, atis,* f. *Ubertas, atis,* f. ¶ (Fig.) Abondance. *Copia, ae,* f. *Ubertas, atis,* f. Avec —, *copiosē,* adv.

fédération, s. f. Voy. CONFÉDÉRATION.

fédéré, *ée,* adj. Qui appartient à une fédération. *Foederatus, a, um,* p. adj.

fée, s. f. Etre fantastique, doué d'un pouvoir surnaturel. *Diva, ae,* f. Conte de —, *fabula, ae,* f.

feindre, v. tr. Donner pour réelle une manière d'être dont on prend l'apparence. *Fingĕre,* tr. *Simulāre,* tr. *Assimulāre,* tr. Art de —, *artificium simulationis.* ¶ Donner pour vraie (une chose qu'on imagine). *Fingĕre,* tr. *Confingĕre,* tr. *Mentiri,* dép. tr. D'une manière feinte, *fictē,* adv.; *fictē simulatēque.*

feinte, s. f. Acte par lequel on donne pour réelle une manière d'être dont on prend l'apparence. *Simulatio, onis,* f. *Dissimulatio, onis,* f. Avec —, *simulatē,* adv.; *per simulationem; fictē,* adv. Sans —, *verē,* adv.; *sincerē,* adv.; *sine fuco et fallaciis.* || (Escrime) Coup où l'on menace un côté pour que l'adversaire en découvre un autre. *Captatio, onis,* f. Faire une —, *conatum simulāre.*

fêler, v. tr. Fendre légèrement, superficiellement (un objet cassant). *Findĕre,* tr. *Fēlé, fissus, a, um,* adj.

félicitation, s. f. Action de féliciter. *Gratulatio, onis,* f.

félicité, s. f. Jouissance du bonheur. *Felicitas, atis,* f.

féliciter, v. tr. Complimenter sur ce qui arrive d'heureux. *Gratulāri,* dép. intr. (*alicui de aliquā re* ou *alicui aliquid*). Se — avec qqn (de qqch.), *congratulari,* dép. intr. (*alicui aliquid*).

¶ Se féliciter (de qqch.), c.-à-d. s'estimer heureux de qqch., gratulari sibi, et simpl. gratulari; gaudēre aliquā re.

fêlure, s. f. Fente légère, superficielle (dans un objet cassant). Rima, ae, f.

femelle, s. f. Femina, ae, f. ¶ Adj. Qui appartient au sexe des femelles. Femineus, a, um, adj. Eléphant —, femina elephas.

féminin, ine, adj. Qui est propre à la femme. Muliebris, e, adj. Femineus, a, um, adj.

femme, s. f. La compagne de l'homme. Femina, ae, f. Mulier, eris, f. Vieille —, anus, ūs, f. Bonne —, anicula, ae, f Je ne suis pas — à, non ea sum quae... (av. le subj.). Jeune —, puella, ae, f. De —, muliebris, e, adj. ¶ Epouse. Uxor, oris, f. Conjux, jugis, f. Prendre —, uxorem ducēre. De la —, relatif à la —, uxorius, a, um, adj. ¶ Domestique. Famula, ae, f. Ancilla, ae, f.

femmelette, s. f. Femme faible, ignorante. Muliercula, ae, f.

fenaison, s. f. Voy. FANAISON.

fendiller, v. tr. Diviser par de petites fentes. Findĕre, tr. Se —, fatiscĕre, intr.

fendre, v. tr. Diviser dans le sens de la longueur. Findĕre, tr. Diffindĕre, tr. Scindĕre, tr. Discindĕre, tr. Se —, dehiscĕre, intr.; fatiscĕre, intr. || (Fig.) Fendre la tête à qqn, aliquem obtundĕre. — le cœur, l'âme à qqn, alicujus animum percutĕre. ¶ (P. ext.) Diviser en écartant les parties peu adhérentes. Findĕre, tr. Scindĕre, tr. Secāre, tr. Dividĕre, tr. — l'air, secāre aera. Se —, dissilīre, intr. ¶ Fendre (la foule ou la presse), dimovēre, tr.; perrumpĕre, tr.

fêne. Voy. FAINE.

fenêtre, s. f. Ouverture ménagée dans les murs d'une construction pour laisser pénétrer l'air et le jour. Fenestra, ae, f.

fenouil, s. m. Plante aromatique. Feniculum, i, n.

fente, s. f. Division (dans un corps résistant) par scission ou rupture dans le sens de la longueur. Rima, ae, f. Hiatūs, ūs, m. Plein de —, rimosus, a, um, adj.

fenugrec, s. m. Plante légumineuse. Fenum graecum.

fer, s. m. Sorte de métal dur. Ferrum, i, n. Qui concerne le —, relatif au —, a —, ferrarius, a, um, adj. De —, en —, ferreus, a, um, adj. Garni de —, ferratus, a, um, adj. || (Fig.) De fer, c.-à-d. très résistant, ferreus, a, um, adj. De —, c.-à-d. très dur, inflexible, ferreus, a, um, adj. ¶ Instrument en fer. Ferrum, i, n. Un — à friser, calamistrum, i, n. (au plur. calamistri, orum, m.). Frisé au petit —, calamistratus, a, um, adj. — rouge (pour marquer les criminels), ignea lamina. Marquer qqn au — rouge, notam alicui inurēre. — de cheval ou à cheval, solea ferrea. — de lance, spiculum hastae. Outil, instru-

ment en —, ferramentum, i, n. Le —, c.-à-d. l'épée, ferrum, i, n. || (Spéc.) Instrument tranchant. Ferrum, i, n. Ferramentum, i, n. ¶ (Au plur.). Menottes, chaines d'un prisonnier. Vincula, orum, n. pl. Catenae, arum, f. pl. Voy. PRISON.

féries, s. f. plur. Jours où l'on ne doit pas travailler. Feriae, arum, f. pl.

férié, adj. Où il y a cessation de travail. Feriatus, a, um, p. adj. Jours —, ferias, arum, f. pl.

férir, v. tr. Frapper. Sans coup — (immédiatement), continuo, adv. Voy IMMÉDIATEMENT. Sans coup — (sans combat), sine proelio.

fermage, s. m. Loyer d'une ferme. Merces conductionis. Contrat de —, voy. BAIL.

1. ferme, adj. adv. et interj. || Adj. Qui ne fléchit pas. Firmus, a, um, adj Stabilis, e, adj. Solidus, a, um, adj. || (P. ext.) La terre ferme, terra continens ou (abs.) continens (gén. -entis), f. ¶ Qui ne chancelle pas. Firmus, a, um, adj. Constans (gén. -antis), adj. Stabilis, e, adj. Immobilis, e, adj. Immotus, a, um, adj. ¶ (Fig.) Qui ne faiblit pas. Firmus, a, um, adj. Confirmatus, a, um, p. adj. Etre ferme —, stāre, intr.; constāre, intr.; consistĕre, intr. J'ai le — propos de..., mihi stat (avec l'inf.). ¶ (Adv.) Sans fléchir, sans chanceler. Voy. FERMEMENT. Se tenir —, stāre, intr.; consistĕre, intr. Tenir —, stāre, intr.; resistĕre, intr. || (Fig.) Sans se laisser ébranler dans sa résolution. Offirmato animo. ¶ (Interjection.) Allons, ferme! Macte virtute!

2. ferme, s. f. Convention par laquelle un propriétaire donne à bail un fonds, un domaine à qqn. Conductio, onis, f. Locatio, onis, f. Donner à —, voy. AFFERMER, LOUER. Prendre à —, voy. LOUER. || (P. ext.) Le domaine, le fonds de terre donné à ferme. Fundus (ou ager) conductus. || Métairie, villa, ae, f. De —, villaris, e, adj.; villaticus, a, um, adj. Exploiter une —, villicāre, intr. ¶ (P. anal.) Perception de certains revenus publics, etc. donnés à bail. Redemptio, onis, f. Prendre à — les impôts, conducĕre (ou redimĕre) vectigalia.

fermement, adv. D'une manière ferme. || Sans chanceler. Firmē, adv. Firmiter, adv. Etablir —, stabilīre, tr. ¶ Fig.) Sans faiblir. Firmē, adv. Firmiter, adv. Constanter, adv. Fortiter, adv

ferment, s. m. Principe de certaines transformations moléculaires. Fermentum, i, n.

fermentation, s. f. Vive agitation de l'âme, de l'esprit. Fervor, oris, m. Tumor, oris, m. Etre en —, tumēre, intr. ¶ Action d'un ferment. Fermentum, i, n. Entrer en —, voy. FERMENTER.

fermenter, v. tr. et intr. ‖ *V. tr.* Mettre dans un état de fermentation. *Fermentáre*, tr. Faire —, *coquére*, tr. ¶ *V. intr.* Etre en fermentation. *Fermentári*, passif. *Fermentescére*, intr.

fermer, v. tr. et intr. ‖ *V. tr.* Rendre ferme. — une voûte, *medio saxo fornicem alligáre*. ¶ Fixer devant une ouverture quelque chose qui l'intercepte. *Claudére*, tr. ‖ (Par ext.) Fixer à l'aide d'un verrou, d'une serrure, d'une clôture, etc. *Claudére*, tr. *Concludére*, tr. *Saepíre*, tr. ‖ (Par anal.) Fig. — la discussion, *finire controversiam*. — la marche, *agmen claudére*. ‖ (Spéc.) Rapprocher des parties écartées. *Claudére*, tr. *Includére*, tr. (*vocem alicui*, « f. la bouche à qqn », ne pas le laisser parler). *Praecludére*, tr. (*vocem alicui*, « f. la bouche à qqn »). *Operíre*, tr. (*oculos morientis*). *Comprimére*, tr. (*morientis oculos*). Je — les yeux sur certaines choses, *quibusdam in rebus conniveo*. Se —, *coïre*, intr.; comprimi (en parl. des yeux); comprimére florem suum (en parl. d'une rose); connivére (en parl. des yeux), intr. ‖ (Par anal.) — l'oreille à la vérité, *claudére aures veritati*. — (une blessure), *claudére*, tr. Se — (en parl. d'une blessure, *coalescére*, intr. ‖ (Par anal.) — un livre, *librum plicáre*. — une lettre, *epistolam complicáre*. — les rideaux, *vela obducére*. Litière fermée, *lectica operta*. Voiture fermée, *tectum vehiculum*. Fig. — sa bourse, *rem familiarem claudére*. ¶ *V. intr.* Se fermer, être fermé. Voy. ci-dessus.

fermeté, s. f. Etat de ce qui ne fléchit pas. *Firmitas, atis*, f. *Firmitudo, dinis*, f. ¶ Etat de ce qui ne chancelle pas. *Firmitas, atis*, f. *Stabilitas, atis*, f. ‖ (Par anal.) Contenance ferme, assurance. *Firmitas, atis*, f. *Constantia, ae*, f. ‖ (Par ext.) Caractère de celui qui ne faiblit pas. *Firmitas, atis*, f. *Constantia, ae*, f. Avec —, *firmé*, adv.; *constanter*, adv. Donner de la —, *confirmáre*, tr.

fermeture, s. f. Ce qui sert à fermer qqch. *Claustrum, i*, n.

fermier, *ière*, s. m. f. Celui, celle qui a pris à ferme un domaine, une terre. *Conductor, oris*, m. *Villicus, i*, m. Fermière, *villica*, f. Etre —, *villicáre*, intr. ¶ Celui qui a affermé la perception de certains revenus, de certains impôts. *Redemptor vectigalium*. — général, *publicanus, i*, m.

fermoir, s. m. Sorte d'agrafe servant à fermer. *Offendix, dicis*, f.

féroce, adj. Qui est d'un caractère cruel, sanguinaire. *Ferus, a, um*, adj. *Immanis, e*, adj. ‖ (P. ext.) En parl. des ch. *Ferus, a, um*, adj. *Atrox* (gén. -*trocis*), adj.

férocité, s. f. Caractère cruel, sanguinaire. *Feritas, atis*, f. *Immanitas, atis*, f.

ferrement, s. m. Pièce de fer. *Ferramentum, i*, n.

ferrer, v. tr. Garnir de fer. (*Aliquid*) *ferro muníre* ou *instruére*. Ferré, *ferratus, a, um*, adj. — un cheval, *soleas induére* (*equo*).

ferrugineux, *euse*, adj. Qui contient du fer. *Ferratus, a, um*, adj. *Ferrugineus, a, um*, adj.

fertile, adj. Qui produit beaucoup. *Fertilis, e*, adj. *Ferax* (gén. -*acis*), adj. *Fecundus, a, um*, adj. *Fructuosus, a, um* (« qui donne beaucoup de fruits »), adj.

fertiliser, v. tr. Rendre fertile. *Fecunditatem dáre alicui rei*.

fertilité, s. f. Etat de ce qui est fertile. *Fertilitas, atis*, f. ‖ (Fig.) Fertilité d'esprit, d'imagination. *Ingenii ubertas*.

férule, s. f. Plante. *Ferula, ae*, f. ‖ (P. ext.) Palette pour frapper dans la main les écoliers en faute. *Ferula, ae*, f.

fervent, *ente*, adj. Qui a une vive ardeur. *Acerrimus, a, um*, adj. Avoir un amour — de l'étude, *litterarum studio flagráre*. ¶ Qui a une ardeur pieuse. Voy. PIEUX.

ferveur, s. f. Ardeur pieuse. *Divinus quidam ardor*.

festin, s. m. Repas de fête, d'apparat. *Convivium, ii*, n. *Epulae, arum*, f. pl. Assister à un —, *epulari*, dép. intr.

feston, s. m. Enroulement de feuillages et de fleurs. *Sertum, i*, n. (ordin. plur. *serta, orum*).

festoyer, v. tr. Faire fête (à qqn). *Festivé aliquem accipére*.

fête, s. f. Solennité religieuse. *Dies festus*. De —, *festus, a, um*, adj.; *sollemnis, e*, adj. ‖ (P. anal.) La — d'une personne, *dies natalis*. La — d'un village, *paganalia, ium*, n. pl. Habits de—, *festus vestitus*. ¶ Réjouissance publique en l'honneur de quelque événement mémorable. *Sollemne, is*, n. *Ludi, orum*, m. pl. Les — publiques, *feriae publicae*.

fêter, v. tr. Célébrer (une fête). *Agére festum diem*.

fétide, adj. Qui a une puanteur répugnante. *Foetidus, a, um*, adj. *Foetens* (gén. -*entis*), p. adj. Odeur —, *foetiditas odoris*.

fétidité, s. f. Caractère de ce qui est fétide. *Odor malus* ou *taeter* ou *foetor, oris*, m.

fétu, s. m. Brin de paille. *Festuca, ae*, f.

1. feu, s. m. Dégagement de chaleur et de lumière produit par la combustion de certains corps : un des quatre éléments. *Ignis, is*, m. De —, *igneus, a, um*, adj. (Fig.) Faire — des quatre pieds, *manibus pedibusque eniti*. ‖ (Spéc.) Le — du ciel, *caelestis ignis*. Ruisseau de —, *ignium rivus*. — follet, voy. FOLLET. ‖ (Dans les fictions mythol.) *Ignis, is*, m. *Flamma, ae*, f. Fig. Jeter — et flamme, *excandescére*, intr. ‖ (Poét.) Ardeur du soleil. *Ignes* *solis.* Les — de l'été, *aestus, uum,* m. pl. ¶ Feu qu'on allume pour se chauffer, pour cuire les aliments, etc. *Ignis, is,* m. Allumer du —, *ignem facĕre.* Qui n'a ni —, ni lieu, *ejectus homo.* || (Chirurg.) Employer le fer et le —, *urĕre ac secāre.* ¶ (P. ext.) Incendie. *Ignis, is,* m. *Flamma, ae,* f. *Incendium, ii,* n. Mettre le — à, *accendĕre,* tr.; *incendĕre,* tr. Etre en —, *ardēre,* intr. || Supplice du bûcher. *Ignis, is,* m. || (Par anal.) Le feu éternel (de l'enfer), *ignis perpetuus.* ¶ Décharge de matières fulminantes. Faire —, *tormentum cu tormenta mittĕre* (en parl. de bouches à feu). ¶ Feu qui éclaire, lumière. *Ignis, is,* m. — d'un navire, voy. FANAL. — d'une côte, voy. PHARE. || (Fig.) N'y voir que du feu, *caligĕre,* intr. ¶ Feu symbolique. *Ignis, is,* m. || (Fig.) Ardeur généreuse. Avoir le — sacré, voy. ENTHOUSIASME. ¶ Ardeur d'un sang enflammé. *Ignis, is,* m. *Ardor, oris,* m. || Ardeur de l'âme, des passions. *Ignis, is,* m. *Ardor, oris,* m. *Aestus, ūs,* m. Plein de —, *acer, cris, cre,* adj. Avec —, *acriter,* adv. || Eclat. *Ignis, is,* m. *Ador, oris,* m. Couleur de —, *igneus color.*

2. **feu,** *feue,* adj. Dernièrement défunt. Les enfants du — roi, *liberi ejus qui regnans decessit.*

feuillage, s. m. Ensemble des feuilles d'un arbre, d'une plante. *Frons, frondis,* f. et *frondes, ium,* f. pl. De —, *frondeus, a, um,* adj. ¶ Amas de feuilles détachées de l'arbre. *Frons, frondis,* f. *Folia, orum,* n. pl. || (P. ext.) Les rameaux avec leurs feuilles. *Frondes, ium,* f. pl.

feuille, s. f. Lamelle verdoyante qui naît des tiges, des rameaux. *Folium, ii,* n. *Frons, frondis,* f. Couvert de —, *frondosus, a, um,* adj. Avoir des —, *frondēre,* intr. Se couvrir de —, *frondescĕre,* intr. ¶ Ce qui est mince et plat comme une feuille d'arbre. *Bractea, ae,* f. || Une — de parchemin, *pergamena charta.* Une — de papier, *chartu, ae,* f.

feuillée, s. f. Abri que forme le feuillage des arbres. *Frons, frondis,* f.

feuillet, s. m. Partie d'une feuille de papier. *Scida, ae,* f.

feuilleter, v. tr. Lire (un livre, un registre) en passant d'un feuillet à un autre. *Volvĕre* (*Catonis libros*). *Evolvĕre* (*poetas*).

feuillu, *ue,* adj. Très garni de feuilles. *Foliis densus. Frondosus, a, um,* adj.

feutre, s. m. Tissu dru, serré, fait de laine ou de poil agglutiné et foulé. *Lana coacta* ou (subst.) *coacta, orum,* n. pl. Fait de —, *e lanis coactis factus.*

fève, s. f. Plante de la famille des légumineuses. *Faba, ae,* f. De — *fabaceus, a, um,* adj.

février, s. m. Second mois de l'année. *Mensis februarius* ou simpl. *februarius, ii,* m. Qui appartient au mois de —,

februarius, a, um, adj.

fi, interj. Exprimant le mépris de qqch. *Phui* ou *phyy* Fi ! fi donc ! *fufae !* Faire — de qqch., voy. MÉPRISER.

fiançailles, s. f. pl. Promesse mutuelle de mariage. *Sponsalia* (gén. *-ium,* et *iorum*). n. pl.

fiancé, ée. Voy. FIANCER.

fiancer, v. tr. Engager par une promesse mutuelle de mariage. *Spondēre* (ou *despondēre*) *alicui* (*aliquam*). Se —, *sponsalia facĕre.* (En parl. du jeune homme), *despondēre sibi aliquam.* (En parl. de la jeune fille), *despondēri alicui.* Au part. passé employé substantiv. Un —, *sponsus, i,* m. Une —, *sponsa, ae,* f. Les —, *sponsi, orum,* m. pl.

fibre, s. f. Chacun des éléments ténus dont l'entrelacement constitue certaines substances. *Fibra, ae,* f.

ficeler, v. tr. Lier avec une ficelle. *Funiculis circumdare* (ou *constringĕre*).

ficelle, s. f. Corde mince de fils de chanvre. *Funiculus, i,* m.

fiche, s. f. Morceau de bois, de fer, destiné à être fiché dans qqch. *Clavus, i,* m. *Scapus, i,* m.

ficher, v. tr. Fixer en enfonçant par la pointe. *Figĕre,* tr. *Defigĕre,* tr.

fichu, s. m. Pointe d'étoffe dont les femmes s'entourent le cou. *Pallula, ae,* f.

fictif, ive, adj. Imaginé à plaisir. *Fictus, a, um,* p. adj. *Commenticius, a, um,* adj.

fiction, s. f. Fait imaginé à plaisir. *Commentum, i,* n.

fictivement, adv. D'une manière fictive. *Fictē,* adv.

fidéicommis, s. m. Don ou legs fait à qqn, confié à sa bonne foi, pour être remis à un autre. *Fideicommissum, i,* n.

fidèle, adj. Qui ne manque pas à ce qu'on attend, à ses engagements. *Fidelis, e* (pr. « à qui l'on peut se fier »), adj. *Fidus, a, um* (pr. « à qui l'on peut se fier »), adj. *Firmus, a, um* (« ferme, constant, sûr »), adj. Etre —, *fidem servāre* (ou *tenēre*). Rester, demeurer — à qqn, *in fide alicujus manēre.* ¶ (Spéc.) Probe envers son maître. *Fidelis, e,* adj. ‖ Véridique. *Verus, a, um,* adj Un historien — *scriptor qui res ad fidem historiae narrat.* ¶ (P. ext.) En parlant des choses. || Qui ne fait pas défaut. *Fidelis, e,* adj. *Fidus, a, um,* adj. ¶ Exact. *Verus, a, um,* adj. Faire un récit —, *cuncta ex fide nuntiāre.*

fidèlement, adv. D'une manière fidèle. *Fideliter,* adv. *Fidissimē,* adv. *Verē.* adv. Traduire —, *aliquid ad verbum exprimĕre.*

fidélité, s. f. Qualité de celui, de celle qui est fidèle. *Fides, ei,* f. *Fidelitas, atis,* f. || (Spéc.) Probité envers son maître. *Fides, ei,* f. || Véracité. Voy. VÉ-

RACITÉ. || (Par ext.) En parlant des choses. La — de la mémoire, *firmitas memoriae.*

fiel, s. m. Liquide amer sécrété par le foie. *Fel, fellis,* n. *Bilis, is* (abl. *i* ou *e*), f. De —, chargé de —, *felleus, a, um,* adj. || (Fig.) Amertume qu'on ressent, douleur amère. *Fel, fellis,* n. || Amertume qu'on fait sentir aux autres. *Fel, fellis,* n.

fier, v. tr. et v. pron. || *V. tr.* Livrer à la foi de qqn en comptant sur sa fidélité. Voy. CONFIER. ¶ *V. pron.* Se — à, c.-à-d. avoir confiance en, *fidĕre,* intr. (*alicui; aliquâ re*)· *confidĕre,* intr.; *credĕre,* intr. (av. le dat.); *fretum, esse* (« être fort de, se fier sur », av. l'abl.).

fier, ière, adj. Farouche, intraitable. Voy. ces mots. ¶ Qui laisse voir qu'il se croit supérieur aux autres. *Elatus, a, um,* p. adj. *Ferox* (gén. -*ocis*), adj. *Superbus, a, um,* adj. Etre — de, *superbire,* intr. (av. l'abl.); *gloriâri,* dép. intr. (av. l'abl.). Etre — (absol.), *magnos gerĕre spiritus·* *se insolentius efferre.* ¶ Soucieux de sa dignité. *Elatus, a, um,* p. adj. ¶ (Par ext.) Audacieux. *Animosus, a, um,* adj.

fièrement, adv. D'une manière fière, farouche. *Superbē,* adv. *Elatē,* adv. *Ferociter,* adv.

fierté, s. f. Caractère d'une personne fière. *Superbia, ae,* f. *Animus superbus,* ou simpl. *animus, i,* m. (plus fréquemment au plur. *animi, orum,* m.). *Spiritūs, ūs,* m. *Ferocia, ae,* f. || Noblesse de sentiments. *Elatio et magnitudo animi.* Montrer de la —, *magnum et excelsum se praebēre.*

fièvre, s. f. Etat maladif caractérisé par la fréquence du pouls et l'élévation de la température du corps. *Febris, is* (acc. *em* et *im,* abl. *e* et *i*), f. — légère, léger accès de —, *febricula, ae,* f. Avoir la —, *febrire,* intr.; *febricitâre,* intr. ¶ (Fig.) Vive ardeur. Voy. ARDEUR.

fiévreux, *euse,* adj. Qui offre les symptômes de la fièvre. *Febriculosus, a. um,* adj. || (P. ext.) Sujet à la fièvre où, règne la fièvre. *Febriculosus, a, um,* adj.

figer, v. tr. Coaguler (le sang). *Spissâre* (*sanguinem*). || (P. ext.) Epaissir, solidifier (un corps gras). *Coagulâre,* tr. *Congelâre,* tr. Se —, *coire,* intr.

figue, s. m. Fruit du figuier. *Ficus, itet ūs,* f.

figuier, s. m. Arbre qui porte des figues. *Arbor fici. Ficus, i,* et *us,* f. De —, *ficulneus, a, um,* adj.

figure, s. f. Forme visible d'un corps. *Figura, ae,* f. *Forma, ae,* f. *Species, ei,* f. || (Par ext.) Forme visible représentée par le dessin, la peinture, la sculpture, etc. *Effigies, ei,* f. *Figura, ae,* f. *Imago, ginis,* f. *Signum, i* (« figure en relief »), n. || (Géom.) Représentation

graphique. *Forma, ae,* f. — de géométrie, *formae geometricae.* ¶ (Spéc.) Forme de visage. *Oris lineamenta.* || (Par ext.) Visage. Voy. ce mot. || (Par ext.) Air, expression du visage. *Oris habitus.* || (Fig.) Personnage que chacun joue dans le monde. *Partes, ium,* f. pl. Faire —, *florēre,* intr. ¶ (Fig.) Représentation d'une chose à l'esprit, à l'imagination par le langage. *Figura, ae,* f. [*gurae. Per translationem.*

figurément, adv. D'une manière figurée, *figuratē,* adv.

figurer, v. tr. et intr. || (*V. tr*) Façonner (une matière) en lui donnant une certaine figure. *Figurâre,* tr. ¶ Représenter sous une forme visible. || Représenter une personne, une chose, en imitant par le dessin, la peinture, la sculpture, etc., sa forme visible. *Describĕre,* tr. *Exprimĕre,* tr. *Fingĕre,* tr. *Effingĕre,* tr. || (Par ext.) Offrir l'apparence d'une chose. *Exhibēre faciem alicujus rei.* || Représenter une personne, une chose par un signe de convention. *Effingĕre,* tr. *Notâre,* tr. ¶ Représenter à l'esprit sous certains traits. *Fingĕre,* tr. *Depingĕre,* tr. Se —, *credĕre, suspicâri,* dép. tr. ¶ Exprimer par métaphore. *Figurâre,* tr. Expressions figurées, *verborum immutationes.* Parler au figuré, *translatione uti.* Style figuré. *figurata oratio.* ¶ (*V. intr.*) Faire figure, voy. FIGURE. || (P. anal.) Paraître. *Esse,* intr. *Comparēre,* intr. — parmi, *intervenire,* intr.

figurine, s. f. Petite figure. *Imaguncula, ae,* f.

fil, s. m. Brin ténu, allongé, de matière textile. *Filum, i,* n. — de lin, *linum, i,* n. || Réunion de ces brins tordus ensemble en un seul brin, dont on se sert pour coudre, etc. *Filum, i,* n. Fig. Démêler les — d'une intrigue, *nodum erroris exsolvĕre.* Ne tenir qu'à un —, *tenui filo pendēre.* || Fil de quenouille, de fuseau. *Stamen, inis,* n. *Subtemen, inis,* n. || Absol. Toile de —, *linum, i,* n. || (Par anal.) Les — d'une araignée, *fila aranei.* — métallique, *filum, i,* n. ¶ (P. ext.) Fil à plomb. *Linea, ae,* f. *Perpendiculum, i,* n. — conducteur, *filum, i,* n. Fig. Le — du discours, du récit, *cursus in oratione.* Perdre le — son discours, *longius labi; longius abire.* Les — des marionnettes, *nervi, orum,* m. pl. || (Par allusion aux Parques.) Le — de nos destinées, de nos jours, de la vie, *fila, orum,* n. pl. || (Fig.) Le — du bois, *Filum, i,* n. *Vena, ae,* f. Le — de l'eau (la direction que suit le courant), *secunda aqua; secundus amnis.* Suivre le — de l'eau, *secundo flumine deferri.* || Le — d'une lame, *acies, ei,* f. Passer au — de l'épée, *ferro trucidâre* (ou *caedĕre*).

filament, s. m. (En parl. des végétaux et des animaux.) *Fibra, ae,* f.

filant, *ante*, adj. Qui file. Etoile —, *stellæ transvolans.*

filasse, s. f. Matière textile non encore filée. *Lanugo, inis,* f.

file, s. f. Suite de personnes, de choses qui vont l'une derrière l'autre sur une même ligne. *Ordo, dinis,* m. Marcher en rangs et en —, *ordinatim ire; compositos et instructos procedêre.* En —, à la —, *ordine,* abl. *ordinatim,* adv.

filer, v. tr. et intr. || (*V. tr.*) Réunir en un fil continu (des brins de matière textile) en les tordant ensemble. *Nêre,* tr. ¶ (*V. intr.*) Prendre la forme d'un fil. || (En parl. d'une liqueur, etc.) S'allonger en filets. *Fila mittêre.* ¶ (En parl. d'un cordage.) Se dérouler d'une manière suivie. *Explicari,* pass.

1. filet, s. m. Petit fil. *Praetenue filum.* — d'eau, *tenuis aqua.*

2. filet, s. m. Tissu de mailles nouées, fait avec de la ficelle, du fil, etc. *Reticulum, i,* n. — pour prendre les poissons, *rete, is* (abl. *e,* génit. plur. *ium*), n. Jeter le —, *rete jacêre.* Un coup de —, *jactus retis.* — pour prendre les oiseaux ou d'autres animaux. *Rete, is,* n. *Cassis, is* (usité surtout au pl.), m. *Plaga, ae,* f. || (Fig.) *Laquei, orum,* m. pl.

fileur, *euse,* s. m. et f. Celui, celle qui file. — de laine, *lanarius, ii,* m. || (P. anal.) Fileuse de laine, *lanifica, ae,* f.

filial, *ale,* adj. Qui convient à un fils, à une fille (à l'égard de ses parents). Amour —, piété —, *amor in parentes; pietas, atis,* f.

filiation, s. f. Lien de descendance immédiate qui unit un fils, une fille au père et à la mère dont ils sont issus. *Filiatio, onis,* f.

fille, s. f. Personne du sexe féminin considérée par rapport au père *ou* à la mère. *Filia, ae,* f. — de Jupiter, de Cérès, *Jove, Cerere nata.* — chérie, *filiola, ae,* f. Petite-fille, *neptis, is,* f. Arrière-petite-fille, *proneptis, is,* f. || (Par anal.) — adoptive, *alumna, ae,* f. Traiter qqn comme sa propre —, *aliquam in liberorum loco habêre.* Belle-fille, *c.-à-d.* bru, *nurus, ûs,* f. Belle-fille (fille d'un autre lit), *privigna, ae,* f. || (Par ext.) Celle qui est issue d'une famille, d'une nation, d'une race. Voy. DESCENDANT. || (Par ext. fig.) Que l'amitié est fille du besoin, *amicitiam ex inopiâ natam.* ¶ Enfant du sexe féminin. *Puella, ae,* f. ¶ Personne du sexe féminin non mariée. *Puella, ae,* f. Une jeune —, *adulescentula, ae,* f. ¶ Servante. *Famula, ae,* f. [*ae,* f.

fillette, s. f. Petite fille. *Puellula,*

filon, s. m. Suite non interrompue d'une même matière minérale dans un terrain. *Vena, ae,* f.

filou, s. m. Celui qui dérobe subtilement. *Circumscriptor, oris,* m.

fils, s. m. Personne du sexe masculin considérée par rapport au père et à la mère. *Filius, ii,* m. Fils de Cérès, *Cerere nati.* Fils chéri, *filiolus, i,* m. Petit-fils, *nepos potis,* m. Arrière-petit-fils, *pronepos, potis,* m. Beau-fils, *c.-à-d.* gendre, voy. GENDRE. Beau-fils (*c.-à-d.* fils d'un autre lit), *privignus, i,* m. || (Par ext.) Celui qui est issu d'une famille, d'une nation, d'une race. Voy. DESCENDANT, ISSU, ORIGINAIRE. || (Fig.) Fils chéri de la fortune, *fortunae filius.* Que chacun est — de ses œuvres, *fabrum esse quemquam fortunae suae.* ¶ Enfant du sexe masculin. *Filius, ii,* m., *Puer, eri,* m. Laisser des —, *stirpem ex se virilem relinquêre.*

filtre, s. m. Corps poreux à travers lequel on fait passer un liquide pour le clarifier. *Colum, i,* n.

filtrer, v. tr. Faire passer à travers un filtre. *Colâre,* tr. *Percolâre,* tr. || *Intransitiv.* Se faire jour à travers un milieu perméable. *Permanâre.* intr.

1. fin, s. f. Terme auquel une chose s'arrête (dans le temps, dans l'espace). *Finis, is,* m. *Terminus, i,* m. Sans —, *infinitus, a, um,* adj. A la —, *c.-à-d.* au bout du temps, *ad ultimum; ad extremum.* || (P. ext.) La dernière partie d'une chose, celle après laquelle il n'y a plus rien. *Finis, is,* m. (voy. BOUT, EXTRÉMITÉ). Qui est à la —, *extremus, a, um,* adj.; *ultimus, a, um,* adj. La nuit mit — au combat, *nox proelium diremit.* Mener à —. voy. TERMINER, ACHEVER. Prendre —, voy. CESSER. Etre à la (*ou* à sa) —, *exire,* intr. || (Spéc.) Dernière partie de la vie. *Vitae finis ou vitae exitus.* *Extremum vitae tempus.* Fin tragique, *exitium, ii,* n. ¶ Terme auquel tend une action. *Propositum, i,* n. Arriver à ses —, *propositum assequi.* A cette —, à ces —, *c.-à-d.* en vue d'atteindre ce but, *ad eam rem.* A seule — de *ou* que…, *eo consilio* (ou *eâ mente*) *ut…* (av. le subj.) || Renvoyer qqn des — de la plainte, voy. DÉBOUTER. Je ne vous opposerai point une — de non-recevoir, *non a me repulsus abibis.* || (P. ext.) But auquel un être doit tendre, pour lequel il a été créé. *Finis, is,* m. Voy. BUT.

2. fin, *e,* adj. Qui atteint la limite. Fig. Le — mot d'une affaire, *res ut est.* Le — mot du métier, *ars intima.* ¶ Qui est de la dernière pureté. *Purus, a, um,* adj. (seul ou avec *putus*). Or —, *argentum purum putum.* — fleur de farine, *subtilis farina.* || (P. anal.) Qui est de la matière la plus choisie. *Bellus, a, um,* adj. *Bonus, a, um,* adj. *Delicatus, a, um,* adj. — étoffe, *delicata vestis.* || Qui est du travail le plus fin. *Politus, a, um,* p. adj. *Limatus, a, um,* p. adj. Chaussures —, *alutae tenuiter confectae.* ¶ Qui présente des différences subtiles. *Subtilis, e,* adj. *Tenuis, e,* adj. *Argutus, a, um,* adj. *Acutus, a, um,* adj. Subst. Le —, voy. FINESSE. || (Par ext.) Qui discerne

les moindres nuances. *Acer, cris, cre*, adj. *Acutus, a, um,* p. adj. *Argutus, a, um,* adj. *Elegans* (gén. *-antis*), adj. Jugement —, *acre judicium.* Un — connaisseur, *homo intelligentissimus.* || (Par ext.) Adroit (d'esprit). *Acutus, a, um,* adj. *Astutus, a, um,* adj. *Callidus, a, um,* adj. ¶ Qui est d'une extrême petitesse. *Tenuis, e,* adj. *Minutus, a, um,* p. adj. Adv. Moudre très —, *minutissimē commolēre.* ¶ Qui est extrêmement mince. *Subtilis, e,* adj. *Tenuis, e,* adj. || Mince avec élégance. Taille —, *gracilitas, atis,* f.

final, *ale,* adj. Qui est à la fin d'une chose. *Extremus, a, um,* adj.

finalement, adv. En dernier résultat. *Ad ultimum. Ad extremum.*

finance, s. f. Ressources pécuniaires dont qqn dispose. *Res familiaris.* Pécunia, *ae,* f. Mauvais état des —, *res familiaris perturbata.* ¶ (Au plur.) Ressources pécuniaires d'un Etat. *Reditus publici.*

financer, v. intr. Débourser de l'argent comptant. *Numerāre pecuniam.*

financier, *ière,* s. m. et adj. || *S. m.* Celui qui manie les affaires d'argent. *Argentarius, ii,* m. ¶ *Adj.* Qui concerne les finances de l Etat. *Nummarius, a, um,* adj.

finement, adv. D'une manière fine. *Subtiliter,* adv. *Tenuiter,* adv. || Avec esprit, *Salsē,* adv.; || Adroitement. *Callidē,* adv.

finesse, s. f. Caractère de ce qui est fini. *Tenuitas, atis,* f. *Elegantia, ae,* f. Avec —, *tenuiter,* adv. || (Par ext.) *Sagacitas, atis,* f. || Pénétration. *Acies, ei,* f. *Acumen, minis,* n. *Subtilitas, atis,* f. *Sollertia, ae,* f. Donner de la —, *acuēre,* tr. Avec —, *subtiliter,* adv.; *acutē,* adv.; *acriter,* adv. || Distinction. *Elegantia, ae,* f. || Adresse. *Astutia, ae,* f. *Callidias, atis,* f. Avec —, *nasutē,* adv. || Caractère de ce qui est mince. *tenuitas, atis,* f. — de la taille, *gracilitas.*

finir, v. tr. et intr. || (*V. tr.*) Amener à la fin. *Finīre,* tr. (ordin. remplacé par une périphrase comme : *ad finem adducĕre* ou *perducĕre aliquid*). — sa vie, *cursum vitae conficĕre.* — ses jours, *extremum tempus aetatis consumĕre.* ¶ Fig. Tout est fini, *actum est* ou *transactum est.* ¶ Achever en faisant la dernière partie. *Conficĕre,* tr. *Perficĕre,* tr. (voy. ACHEVER). *Finīre,* tr. (remplacé ordin. par une des périphr. suiv.: *finem alicujus rei facĕre* ou *afferre*). *Absolvĕre.* || (Spéc.) — une pièce, *operi summam manum imponĕre.* || T. d'art. — (une œuvre), *limāre,* tr.; *polīre,* tr. Au part. passé pris subst. Le fini, *perpolitio, onis,* f. ¶ (Arch.) Limiter. *Finīre,* tr. (voy. BORNER, LIMITER, DÉTERMINER). || (Au part passé pris adj.) Fini, *c.-à-d.* limité dans son être, *circumscriptus, a, um,* p. adj. || (Gramm,) Fini, *finitus, a, um,* p. adj. ¶ (*V. intr.*)

Arriver à sa fin. *Finīri,* pass. (à remplacer par une des périphr. suiv. : *res finem invenit* ou *rei finis reperitur*). *Cadĕre,* intr. *Occidĕre,* intr. *Exīre,* intr. Ainsi finit Hannibal, *hic exitus fuit Hannibalis.* || En finir avec qqn, avec qqch., *c.-à-d.* s'en débarrasser, *aliquem e medio tollĕre.* || Suivi de la prép. « de » — de parler, *dicendi finem facĕre.* || (Absol.) Finir, *c.-à-d.*cesser, voy.CESSER. Pour en —, *ne multis morer.* Finis-en, *praecide.* On n'en finirait pas, on n'aurait jamais fini d'expliquer..., *infinitum est explicāre...* Il finira par céder, *ad extremum manus dabit.* ¶ Prendre fin. *Finīri,* pass. (à rempl. par la périphr. *finem habēre*). — par, voy. ABOUTIR. — par, *c.-à-d.* se terminer par, *exīre,* intr. (*in easdem litteras*); *excidĕre,* intr. (*in longam syllabam*). Tout cela finira mal, *omnia male cedent.* || (Spéc.) Périr. Voy. ce mot. || (Par ext.) Finir en, *c.-à-d.* se terminer en. *Desinĕre,* intr. (*desinĕre in piscem*).

fiole, s. f. Petit flacon de verre à col étroit. *Phiala, ae,* f.

firmament, s. m. La voûte céleste. *Caelum, i,* n.

fisc, s. m. Trésor du souverain. *Fiscus, i,* m. ¶ Trésor public. *Aerarium, ii,* n.

fiscal, *ale,* adj. Qui se rapporte au fisc. *Fiscalis, e,* adj.

fissure, s. f. Petite fente. *Fissura, ae,* f.

fistule, s. f. Canal accidentel formé par une ulcération. *Fistula, ae,* f.

fixation, s. f. Action de fixer. *Definitio, onis,* f.

fixe, adj. Etabli, assujetti d'une manière durable à une place déterminée. *Fixus, a, um,* p. adj. *Stabilis, e,* adj. *Immobilis, e,* adj. Etre — *stāre,* intr.; *haerēre,* intr. D'un regard —, *rectis* (ou *intentis*) *oculis.* ¶ (Par ext.) Etabli d'une manière durable dans un état déterminé. Voy. STABLE. Fig. Qui a une idée —, *intentus* (*ud aliquid*). ¶ Défini, réglé d'une manière déterminée. *Status, a, um,* p. adj. *Certus, a, um,* adj.

fixement, adv. D'un regard fixe. *Oculis rectis* (ou *intentis*).

fixer, v. tr. Etablir d'une manière durable à une place déterminée. *Figĕre,* tr. *Deligāre* (« attacher solidement, fixer, assujettir »). tr. Fixé, *aptus, a, um,* p. adj.; *fixus, a, um,* p. adj. — (son domicile, sa résidence), *constituĕre* tr.; *insidĕre,* intr.; *consistĕre,* intr. Rester fixé, *haerēre,* intr. (*in aliquo loco*); *inhaerēre,* intr. (*in aliquo loco*). Se —, *c.-à-d.* établir sa résidence, *considĕre,* intr.; *consistĕre,* intr. || (P. ext.) Fixer les yeux, son attention, etc. *Figĕre,* tr. *Defigĕre,* tr. ¶ Etablir d'une façon durable dans un état déterminé. *Sistĕre,* tr. *Detinēre,* tr. Fig. *Sistĕre,* tr. *Detinēre,* tr. ¶ Définir, régler d'une façon déterminée. *Finīre* (*diem*, « la date »), tr. *Definīre* (*suum cuique locum*), tr. *Statuĕre* (*locum* ou *tempus* *colloquio*), tr. *Constituĕre* (*tempus* ou *diem*), tr.

fixité, s. f. Etat de ce qui est fixe. La — du regard, *intentio oculorum.* (Fig.) *Constantia, ae, f.*

fiacon, s. m. Petite bouteille. *Lagoena, ae, f.*

flageller, v. tr. Battre de coups de fouet, de verges. *Flagellāre*, tr. *Flagris* (ou *flagellis*) *caedĕre aliquem.* Fig. — le vice, *insectāri vitia.*

flagorner, v. tr. Flatter bassement. *Adulari aliquem.*

flagornerie, s. f. Flatterie basse et intéressée. *Sordida adulatio.*

flagorneur, s. m. Celui qui flagorne. *Sordidus adulator.*

flagrant, ante, adj. Qui éclate sous les yeux. *Manifestus, a, um*, adj. *Apertus, a, um*, p. adj. — délit, *ipsa res : recens* (ou *ipsum*) *delictum.* En — délit (*deprehendi*)-*in ipsâ re* ou in ipso *facinore.*

flair, s. m. Propriété de discerner par l'odeur. *Narium sagacitas.*

flairer, v. tr. Essayer de discerner par l'odeur, *et par ext.* discerner par l'odeur. *Indagāre et odorari; odorari,* dép. tr. (Fig.) Discerner instinctivement. *Odorari* (*pecuniam*).

flamant, s. m. Oiseau de l'ordre des échassiers. *Phoenicopterus, i*, m.

flambeau, s. m. Mèche enduite de résine ou de cire servant à éclairer. *Fax, facis*, f. *Taeda, ae*, f. ‖ (Fig.) Ce qui éclaire *et par ext. :* ornement, gloire, etc. *Lumen, minis*, n. *Lux, lucis*, f.

flamber, v. intr. et tr. ‖ *V. intr.* Brûler en faisant une flamme claire. *Flammam edĕre.* Faire —, *ignem concitāre.* ¶ *V. tr.* Passer à la flamme pour brûler le duvet, et les poils, pour sécher, etc. *Ustulāre*, tr.

flamboyant, ante, adj. Qui flamboie. *Flammeus, a, um*, adj.

flamboyer, v. intr. Jeter par intervalles une éclatante lumière. *Coruscāre,* intr. Faire —, *incendĕre,* tr.

flamine, s. m. (Antiq. rom.) Membre d'un collège de prêtres. *Flamen, inis*, m.

flamme, s. f. Combinaison de l'oxygène de l'air avec les gaz que dégage la combustion. *Flamma, ae*, f. *Ignis, is*, m. Jeter feu et —, voy. FEU. ‖ La — (d'une bougie), *igniculus, i*, m. ‖ La — d'un incendie, *flamma, ae*, f.; *ignis, is*, m. Livrer aux —, voy. INCENDIER. Etre en —, voy. 2. BRULER. ‖ (Par ext.) Les flammes de l'enfer. *Perpetuus ignis.* ¶ (Fig.) Ardeur passionnée. *Flamma, ae*, f.

flammèche, s. f. Parcelle enflammée qui se détache d'un foyer. *Scintilla, ae*, f.

flanc, s. m. Partie latérale du ventre entre le défaut des côtes et la naissance de la hanche. *Latus, eris*, n.

‖ Les — d'un cheval, *ilia, ium*, n. pl. ‖ (P. ext.) *Poét.* Le sein, les entrailles. *Latus, eris*, n. *Alvus, i*, f. Percer le — de qqn, *latus fodĕre alicui.* ¶ (Fig.) Partie latérale d'une chose. *Latus, eris*, n. Le — d'un navire, *alvus, i*, f. ‖ Flanc d'une montagne. *Latus, eris*, n. ‖ (Spéc.) *T. milit.* Côté d'une troupe en ordre plus ou moins profond. *Latus, eris*, n. Attaquer les ennemis de —, prendre les ennemis en —, *transversos invadĕre hostes.*

flâner, v. intr. Aller sans but, pour passer le temps. *Otiosum vagāri.*

flânerie, s. f. Action de flâner. *Otiosa ambulatio.*

flâneur, s. m. Celui, celle qui flâne. *Ambulator, oris*, m.

flanquer, v. tr. Garnir sur les flancs, les côtés *et* (*t. milit.*) placer sur les flancs pour protéger. *Tegĕre latera* (*munitionibus*).

flaque, s. f. Petite mare d'eau sans profondeur. *Lacuna, ae*, f.

flasque, adj. Dont le tissu est lâche, sans fermeté. *Flaccidus, a, um*, adj.

flatter, v. tr. Caresser avec la main. *Palpāre*, tr. ou *palpari*, dép. tr. *Mulcēre*, tr. *Permulcēre*, tr. ‖ (Par ext.) En parl. du chien. *Adulāri*, dép. tr. Fig. *Blandīri*, dép. intr. ¶ (Par anal.) Manier avec douceur. *Delenīre*, tr. ‖ (Par ext.) Traiter avec complaisance, de manière à encourager. *Morem gerĕre* (*alicui*). ¶ Affecter d'une manière douce, agréable. *Mulcēre*, tr. *Permulcēre*, tr. *Blandīri*, dép. intr. ¶ Charmer par une illusion. *Oblectāre*, tr. Se — d'un espoir, *oblectāri spes culâ.* Se — (qqch.), *aliquid sibi promittĕre* (ou *pollicēri*). Se — de faire qqch. *sperdre fore, ut...* (subj.); *confidĕre* (avec l'acc. et l'inf. ou avec *fore, ut* et le subj.). ¶ Chercher à séduire par des louanges fausses *ou* exagérées. *Blandīri*, dép. intr. *Adulāri*, dép. tr. et intr. *Assentāri*, dép. intr. ‖ Se flatter, *c.-à-d.* se juger trop favorablement, *sibi assentāri.*

flatterie, s. f. Action de flatter, de caresser par des louanges fausses *ou* exagérées. *Adulatio, onis*, f. *Assentatio, onis*, f. — intéressée, *ambitio, onis*, f. Basse —, voy. FLAGORNERIE. Avec, par —, *assentatoriē*, adv.; *ambitiosē*, adv. Sans —, *ingenuē*, adv.; *apertē*, adv. ¶ Louange fausse *ou* exagérée. *Blanditiae, arum*, f. pl.

flatteur, *euse*, s. m. et f. Celui, celle qui flatte. *Homo blandus* ou *blandiens.* Un bas —, un —, rampant, *adulator, oris*, m. En —, *assentatoriē*, adv. ¶ *Adjectivmt.* Qui flatte. *Blandus, a, um*, adj.

flatteusement, adv. D'une manière flatteuse. *Blandē*, adv.

fléau, s. m. Instrument à battre le blé. *Fustis, is*, m. (au plur., parce que le fléau comprend deux bâtons).

Pertica, ae, f. (au plur.). ¶ (Fig.) Calamité qui s'abat sur un peuple. *Calamitas, atis,* f. *Clades, is,* f. || (Par ext.) Ce qui est funeste à une personne, à une chose. *Pestis, is,* f. *Malum, i,* n.

1. flèche, s. f. Arme qu'on lance avec un arc *ou* une arbalète. *Sagitta, ae,* f. *Telum, i,* n. Pointe d'une —, *sagittae mucro.* || (Fig.) Se percer de ses propres —, *suo gladio jugulâri.* ¶ Ce qui se dresse en avant dans la position de la flèche posée sur l'arc. — d'une voiture, *temo, onis,* m.

fléchir, v. tr. et intr. || *V. tr.* Faire plier, courber peu à peu. *Flectĕre,* tr. *Inflectĕre,* tr. *Curvâre,* tr. || (Fig.) Faire céder peu à peu. *Flectĕre,* tr. — qqn par d'instantes prières, *exorâre,* tr. ¶ *V. intr.* Plier, se courber peu à peu. *Flecti,* pass. *Inflecti,* pass. || (Fig.) Céder peu à peu. *Flecti,* pass. *Inflecti,* pass. *Labâre,* intr.

flegmatique, adj. Qui a un caractère calme, qui se possède. *Iners* (gén. *-ertis*), adj.

flegme, s. m. Caractère de celui qui se possède. *Patientia, ae,* f.

1. flétrir, v. tr. Rendre languissant, décoloré (le feuillage, les fleurs d'une plante, d'un arbre). *Decolorâre,* tr. Flétri, *flaccidus, a, um,* adj.; *marcidus, a, um,* adj. Etre flétri, *marcĕre,* intr. Se — *marcescĕre,* intr. || (P. anal.) En parl. d'un fruit. Flétri, *vietus, a, um,* adj. ¶ (Fig.) Dépouiller de son éclat. *Deformâre,* tr. *Turpâre,* tr. — la gloire, *florem dignitatis infringĕre.* || Rendre languissant. Voy. LANGUISSANT, DESSÉCHER.

2. flétrir, v. tr. Marquer ignominieusement d'un fer chaud. *Maculam alicujus fronti inurĕre.* || (P. anal.) Marquer d'une empreinte honteuse. Voy. STIGMATISER. ¶ (Fig.) Frapper d'ignominie. *Notam turpitudinis ou infamias (alicui ou vitae alicujus) inurĕre.*

flétrissant, *ante,* adj. Qui flétrit. *Ignominiosus, a, um,* adj.

1. flétrissure, s. f. Action par laquelle une plante se flétrit. *Marcor, oris,* m.

2. flétrissure, s. f. Marque ignominieuse. *Nota, ae,* f. Atteinte ignominieuse portée à l'honneur, à la réputation de qqn. *Nota, ae,* f. *Macula, ae,* f.

fleur, s. f. Partie de la plante qui se développe pour produire le fruit. *Flos, floris,* m. *Flosculus, i,* m. Etre en —, *florêre,* intr. Faire un bouquet de —, *flores nectĕre.* ¶ (Par ext.) Efflorescence. — du vin, *flos vini.* Avoir des —, *florêre,* intr. ¶ (Fig.) Ce qui a l'éclat, la fraicheur *ou* la fragilité de la fleur. *Flos, oris,* m. || Epanouissement d'une chose dans toute sa fraicheur. *Flos, floris,* m. Qui est dans sa —, *florens* (gén. *-entis*), p. adj. || La partie la plus belle, la plus délicate d'une chose. *Flos, floris,* m. ¶ (Par ext.) La super-

ficie d'une chose. A — de terre, *summo solo.* Yeux à — de tête, *oculi exsilientes.*

fleuraison et **floraison,** s. f. Production de la fleur. *Flos, floris,* m. *Conceptus, ûs,* m.

fleuret, s. m. Sorte d'épée sans pointe. *Rudis, is,* m.

fleurir, v. intr. et tr. || *V. intr.* (Au propr.) Etre en fleur. *Florêre,* intr. Commencer à —, *florescĕre,* intr. Fleuri, *florens* (gén. *-entis*), p. adj.; *floridus, a, um,* adj. ¶ (Fig.) Etre dans sa fleur (dans l'éclat, la fraicheur de la jeunesse). *Florêre,* intr. *Vigêre,* intr. ¶ Croître, s'épanouir *Efflorescĕre,* intr. Teint fleuri, *nitor cutis.* ¶ Offrir un aspect riant et séduisant. Voy. CARESSER, CHARMER. Fleuri, *laetus, a, um,* adj. ¶ (Fig.) *V. intr.* Prospérer, être en pleine vigueur. *Florescĕre,* intr. ¶ *V. tr.* Orner de fleurs, de bouquets. *Ornâre floribus.* ¶ (Fig.) Orner. *Conspergĕre floribus.* Fleuri, *floridus, a, um,* adj. Style fleuri, *laetum* (ou *nitidum*) *genus orationis* (ou *verborum*).

fleurissant, *ante,* adj. Qui est en fleurs. *Florens* (gén. *-entis*), p. adj.

fleuron, s. m. Ornement en forme de fleur. *Flos, floris,* m.

fleuve, s. m. Grand cours d'eau qui verse ses eaux dans la mer. *Fluvius, ii,* m. *Flumen, inis,* n.

flexibilité, s. f. Qualité de ce qui est flexible. *Lentitia, ae,* f.

flexible, adv. Qui peut aisément fléchir. *Flexibilis, e,* adj. *Flexilis, e,* adj. *Lentus, a, um,* adj. *Mollis, e,* adj. || (Fig.) Esprit —, *mollis animus.* Caractère —, *mollis animus.*

flexion, s. f. Mouvement par lequel une chose fléchit. *Flexûs, ûs,* m. *Flexio, onis,* f.

flocon, s. m. Petite touffe légère de laine, etc. *Floccus, i,* m. — de laine, *lanula, ae,* f. || (P. ext.) Petite masse peu dense. *Globula, ae,* f. — de neige, *nives, ium,* f. pl.

floraison, voy. FLEURAISON.

floral, *ale,* adj. Qui appartient à la fleur. *Floreus, a, um,* adj. ¶ Jeux floraux (concours littéraire). *Floralia, ium,* n. pl.

florissant, *ante,* adj. Qui prospère, qui est en pleine vigueur. *Florens* (gén. *-entis*), p. adj. *Integer, gra, grum,* adj. Etre —, *florêre,* intr.

flot, s. m. Partie de la surface de l'eau que le vent et le courant soulèvent et abaissent alternativement. *Fluctûs, ûs,* m. *Unda, ae,* f. || (Absol.) *Au plur.* Les flots, *c.-à-d.* la mer, *fluctus, uum,* m. pl. || *Au sing.* La marée montante. *Aestûs, ûs,* m. ¶ Quantité considérable de liquide versé *ou* répandu. *Flumen, inis,* n. *Vis,* f A —, *effusè,* adv.: *ubertim,* adv. || (Fig.) Un — de lumière, *multa lux.* ¶ (Fig.) Grande affluence. *Unda, ae,* f. Etat de ce qui flotte. Mettre un navire à —, *navem deducĕre.*

flottant, *ante*. adj. Qui flotte *Fluctuans* (gén. *-antis*), p. adj. *Fluttans* (gén. *-antis*), p. adj. Ile —, *natans insula*. ¶ (Par anal.) Qui est ondoyant. *Fluens* (gén. *-entis*), p. adj. *Fluctuans* (gén. *-antis*), p. adj. ¶ (P. ext.) Qui est porté de côté et d'autre. *Fluctuans*, p. adj. || (Fig.) Qui va d'une pensée, d'un sentiment, d'un projet à un autre, sans s'arrêter à aucun. *Fluctuans*, p. adj.

flotte, s. f. Réunion plus ou moins importante de vaisseaux de guerre *ou* de navires marchands. *Classis*, *is*, f. || (Par ext.) L'ensemble de la marine militaire d'une nation. *Copiae navales*. *Naves*, *ium*, f. pl.

flotter, v. intr. et tr. || *V. intr.* Etre porté au gré du flot. *Fluctuare*, intr. *Fluctuari*, dép. intr. *Natare*, intr. (en parl. d'épaves: d'une île.) || (Par anal.) Ondoyer au gré du vent, etc. Voy. ON-DOYER. ¶ (Par ext.) Etre porté de côté et d'autre (pr. et fig.) *Fluctuare*, intr. *Fluctuari*, dép. intr. ¶ *V. tr.* Flotter du bois. *Ligna flumine secundo demittere*.

flottille, s. f. Flotte de petits bâtiments. *Parva classis*.

fluctuation, s. f. Mouvement de ce qui passe par des alternatives opposées. *Fluctuatio*, *onis*, f.

fluet, *ette*, adj. En parl. du corps *ou* d'une partie du corps, très mince. *Gracillimus*, *a*, *um*, adj.

fluide, adj. et s. m. || *Adj.* Qui coule. *Fluens* (gén. *-entis*), p. adj. *Liquidus*, *a*, *um*, adj. Etre —, *fluere*, intr. || (Fig.) Qui est coulant, limpide. *Profluens* (gén. *-entis*), p. adj. ¶ *S. m.* Corps fluide (liquide *ou* gaz). *Liquidum*, *i*, n.

fluidité, s. f. Caractère de ce qui est fluide. *Liquor*, *oris*, m.

flûte, s. f. Instrument à vent percé de trous. *Tibia*, *ae*, f. *Fistula*, *ae*, f. De —, *tibialis*, *e*, adj. Joueur de —, *tibicen*, *cinis*, m. Joueuse de —, *tibicina*, *ae*, f. Au son de la —, *ad tibicinem* ou *ad tibicinis modos* (*saltare*).

fluvial, *ale*, adj. Qui appartient aux fleuves, aux rivières. *Fluviatilis*, *e*, adj.

flux, s. m. Action de couler. *Fluxus*, *ûs*, m. Fig. — (de paroles), *profluentia*, *ae*, f. ¶ (Médec.) Ecoulement d'un des liquides de l'économie animale. *Fluxus*, *ûs*, m. ¶ (Par ext.) *Spéc.* Marée montante (*opp.* à reflux). *Aestus*, *ûs*, m. Le — et le reflux. *cursus maris alterni et recursus*.

fluxion, s. f. Afflux de sang *ou* d'autres liquides dans certains tissus, etc. *Tumor*, *oris*, m.

foi, s. f. Assurance donnée de tenir un engagement. *Fides*, *ei*, f. Sans —, *fallax* (gén. *-acis*), adj.; *infidus*, *a*, *um*, adj. Sur la — de qqn, *c.-à-d.* confiant en la parole de qqn, voy. FIER, CON-FIER. || (Par ext.) Fidélité à qqn. *Fides*, *ei*, f. || Fidélité à ce que commande la conscience. *Fides*, *ei*, f. || Assurance qui résulte de l'engagement pris par qqn. *Fides*, *ei*, f. ¶ Croyance assurée en la fidélité de qqn. Avoir — en qqn, *fidem habere alicui* ou *fidere alicui*. || (P. ext.) Pleine croyance en la véracité de qqn. *Fides*, *ei*, f. Digne de —, *dignus cui credatur*. || Pleine croyance en la capacité de qqn. Avoir foi en qqn, voy. CONFIANCE, FIER. ¶ Croyance assurée à la vérité de qqch. *Fides*, *ei*, f. Avoir —, *credere*, intr. (*alicui*). ¶ (*Spéc.*) Croyance aux dogmes révélés de la religion. La — en Dieu, *opinio Dei*. La — (des fidèles), *fides*, *ei*, f. N'avoir ni — ni loi, *jus ac fas omne delere*. || (Par ext.) Le dogme même, les croyances qui sont le fond d'une religion. *Religio*, *onis*, f.

foie, s. m. Viscère qui sécrète la bile. *Jecur* (gén. *jecoris* et *jecinoris*), n.

foin, s. m. Herbe qu'on fauche et qu'on fait sécher pour servir de nourriture aux chevaux, aux bestiaux. *Fenum*, *i*, n.

foire, s. f. Grand marché qui se tient une ou plusieurs fois chaque année dans une localité, etc. *Mercatus*, *ûs*, m. Champ de —, *forum*, *i*, n.

fois, s. f. Chacun des cas où un fait a lieu. Une —, *semel*, adv. Une première —, *semel*, adv. Une — pour toutes, *semel*, adv. Une seule —, *semel*, adv. Une — plus grand, *altero tanto major*. Une — autant, *alterum tantum*. Pour la première —, *primum*, adv. Pour la seconde —, *iterum*, adv. Pour la troisième —, *tertium*, adv. Pour la seconde et la troisième —, *iterum atque tertium*. Encore une —, *etiam atque etiam* (p. insister.) Ce fut la première — que..., *tum primum factum est, ut...* Pour la dernière —, *ultimum*, adv.; *postremum*. adv. Une autre —, *alias*, adv.; *alio tempore*. Cent —, *centies*, adv. ¶ Mille —, *c.-à-d.* bien des —, *sexcenties*, adv. || (Suivi de la conj. « que »). Toutes les — que, *cum*, conj. (avec l'ind.); *quotiescumque*, conj. (av. l'ind.); *si*, conj. (av. l'ind.). Une — que, *ut semel* (av. l'ind.): *cum semel* (av. l'ind.). || (Dans les récits légendaires.) Une fois, *c.-à-d.* à une certaine époque. *Aliquando*, adv. *Quondam*, adv. || (Loc. adv.) A la —, *uno tempore*; *simul*, adv. ¶ Chacun des cas où une quantité rentre comme élément dans un tout. Deux — deux, *bis bini*. Quatre fois sept, *quater septeni*.

foison, s. f. Quantité d'une chose qui se multiplie. Voy. MULTIPLICATION, PULLULEMENT. || (P. anal.) Voy. ABON-DANCE, MULTITUDE. || Loc. adverb. A — (en grande quantité), *affatim*, adv. Avoir qqch. à —, *abundare aliqua re*.

foisonner, intr. Voy. PULLULER.

fol. Voy. FOU.

folâtre, adj. Qui badine follement. *Lascivus*, *a*, *um*, adj. *Jocosus*, *a*, *um*, adj. *Petulans* (gén. *-antis*), p. adj.

folâtrer, v. intr. Badiner follement. Lascivire, intr.

folâtrerie, s. f. Badinerie folle. Lascivia, ae, f.

folie, s. f. Etat de celui qui a perdu la raison. Insania, ae, f. Furor, oris, m. Dementia, ae, f. || (Spéc.) Maladie mentale. Voy. ALIÉNATION. ¶ (Par anal.) Déraison complète. Dementia, ae, f. || Passion désordonnée. Furor, oris, m. Insania, ae, f. A la —, voy. FOLLEMENT. || (Par ext.) Acte de complète déraison. Insania, ae, f. Dementia, ae, f. C'est — de dire de pareilles choses et d'y croire, haec et dicuntur et creduntur stultissimē. || (Spéc.) Ecart de conduite. Erratum, i, n. Faire des — pour..., insanire in (av. l'acc.). ¶ (Par ext.) Acte, parole d'une gaieté un peu extravagante. Voy. EXTRAVAGANCE.

follement, adv. D'une manière folle. Insanē, adv. Dementer, adv. Stultē, adv.

fomentation, s. f. Action de fomenter. Fotūs, ūs, m. Fomentum, i, n.

fomenter, v. tr. Soigner (une partie du corps) en y entretenant un topique chaud. Fovēre, tr. ¶ (Fig.) Entretenir. Alēre, tr. — la sédition, subdēre ignem seditioni.

foncer, v. tr. Garnir d'un fond. — un tonneau, instruēre (ou sternēre) fundo dolium. ¶ Pousser au fond. Voy. ENFONCER. || (Fig.) — une teinte, fuscāre, tr. Foncé, fuscus, a, um, adj. Couleur ou teinte foncée, color satur ou saturatus.

foncier, ière, adj. Relatif à un fonds de terre (avec ou sans bâtiments). Biens —, fundus, i, m. Propriétaire —, dominus, i, m.; possessor, oris, m.

foncièrement, adv. Dans le fond. Fundilus, adv. Penitus, adv.

fonction, s. f. Emploi que doit remplir une personne ou une chose. || (En parl. de pers.) Munus, eris, n. Officium, ii, n. Partes, ium, f. pl. || (Spéc.) Fonction publique. Magistratūs, ūs, m. Munus, eris, n. Exercer une — publique, magistratum gerère. Remplir de hautes — dans l'Etat, rem publicam gerère. ¶ (En parl. des choses.) Action des organes. Munus, eris, n. Officium, ii, n. || Action d'une machine. Motūs, ūs, m.

fonctionnaire, s. m. et f. Celui, celle qui exerce des fonctions. Les — publics, ii per quos publica administrantur. Les hauts —, dignitates, um, f. pl.

fonctionner, v. intr. (En parl. d'un organe, d'un appareil, d'une machine.) Accomplir sa fonction. Movēri, pass. In effectu esse.

fond, s. m. Le lieu le plus bas de ce qui est creux. Fundus, i, m. Solum, i, n. Le — du fossé, solum fossae. Qui est au —, imus, a, um, adj. Bas fond, voy. BAS-FOND. Etre au —, subesse, intr. Aller au —, tomber au —, sidēre, intr. Couler à —, voy. COULER. || (Par ext.) Couche inférieure d'un liquide.

Eau dont on voit le —, perlucentes ad imum aquae. Le — du tonneau, voy. LIE. ¶ (Fig.) La partie intérieure, cachée. Recessūs, ūs, m. Le mal est au — de notre être, inhaeret in visceribus malum. Qui est au —, intimus, a, um, adj. Le — du sanctuaire, intimum sacrarium. Au —, à —, penitus, adv. A —, altē, adv. Connaître à — penitus nosse. Examiner plus à —, altius perspicēre. Apprendre à —, perdiscēre, tr. Savoir, connaître à —, pernovisse ou (sync.) pernosse, tr. Un cheval lancé à — de train, citatissimus equus. Charge à —, voy. CHARGE. ¶ Ce sur quoi qqch. s'appuie. Solum, i, n. De — en comble. ad solum (diruēre); a fundamentis; funditus, adv. De — en comble (fig.), voy. COMPLÈTEMENT, ENTIÈREMENT. || (Par anal.) Partie sur laquelle se détachent des figures, des ornements, etc. Le — d'un tableau, recessūs, ūs, m. || (Fig.) Assurance établie sur qqn ou sur qqch. Firmamentum, i, n. Fiducia, ae, f. Faire — sur..., sperare (ou confidēre) fore ut... (av. le subj.). Voy. COMPTER. || Partie essentielle d'une chose. Principium, ii, n. Fundamentum, i, n. Caput, itis, n. Natura, ae, f. Qui a un — excellent, naturā optimus. Faire le — de, continēre, tr. Le fond (c.-à-d. les idées) opp. à la forme (c.-à-d. au style), res. ¶ Le lieu le plus reculé. Recessūs, ūs, m. Sinūs, ūs, m. Qui est au —, qui forme le —, intimus, a, um, adj. Le — de la Macédoine, intima Macedonia.

fondamental, adj. Qui sert de fondement. Idée —, prima notio ou notitia; principium, ii, n.

fondateur, trice, s. m. et f. Celui, celle qui construit une ville. Conditor, oris, m. Les — de la colonie, qui initio deduxerunt ou (sel. le cas) deduxerant.

fondation, s. f. Action de fonder. Substructio, onis, f. Au plur. Fondations, fundamenta, orum, n. pl. || (P. ext.) Ce sur quoi on fonde. Fundamentum, i, n. || (Spéc.) Action de construire une ville. Depuis la — de Rome, ab condita urbe Roma; post Urbem (ou Romam) conditam.

fondement, s. m. Maçonnerie servant d'assise solide à une construction. Fundamentum, i, n. Bâtir sur des — solides, fundāre, tr. (seul. au fig.). ¶ (Au fig.) Dans un ensemble, l'élément essentiel sur quoi s'appuie le reste. Fundamentum, i, n. Sedes, is, f. Solum, i, n. || Ce sur quoi l'on appuie son jugement, son appréciation. Fundamentum, i, n. Firmamentum, i, n. Avec —, jure, abl. adv.; merito, abl. adv. Sans —, sine causa; temere, adv.

fonder, v. tr. Asseoir (une construction) sur des fondements. Fundāre, tr. (rare en prose, à remplacer par fundamenta alicujus rei jacēre). || (Absol.) Poser les fondements, voy. BATIR.

‖ (Fig.) Asseoir sur des fondements solides. *Fundāre*, tr. ‖ Edifier en commençant par les fondements, être le premier à édifier une ville. *Condĕre*, tr. ‖ (Fig.) Etablir, instituer. *Condĕre*, tr. *Constituĕre*, tr. ¶ (Fig.) Appuyer sur qqn. sur qqch. ce qu'on se propose, etc. *Ponĕre* (*aliquid in aliquo* ou *in aliquā re*), tr. *Fundāre*, tr. Se —, *niti*, dép. intr.; *innĭti*, dép. intr. (av. l'abl.). Etre fondé sur, *niti*, dép. intr.; *constāre*, intr.; *consistĕre*, intr. (tous les trois av. l'abl.); *continēri*, passif. ‖ (Absol.) Etablir (qqch.) d'une manière solide, assurée. *Firmāre*, tr. Fondé, *certus, a, um*, adj.; *verus, a, um*, adj.; *justus, a, um*, adj. ‖ (En parl. d'une pers.) Etre fondé à faire qqch., *justis de causis facĕre aliquid*. ‖ (Spéc.) Une personne fondée de pouvoir. *Qui mandata habet ab aliquo*. (Subst.) Un fondé de pouvoir, *procurator, oris*, m.

fonderie, s. f. Usine où l'on fond, où l'on raffine les métaux. *Officina fabri aerarii* ou *officina aeraria. Aeraria, ae*, f.

fondeur, s. m. Celui qui fond les métaux. *Fusor, oris*, m. *Excussor, oris*, m.

fondre, v. tr. et intr. ‖ *V. tr.* Liquéfier (un corps solide) par l'action de la chaleur. *Fundĕre*, tr. *Liquāre*, tr. Se —, voy. ci-dessous « fondre », intr. Faire —, *conflāre*, tr. ‖ (Fig.) Attendrir. *Mollĕre*, tr. *Frangĕre*, tr. ‖ (Par ext.) Fabriquer qqch. avec une substance en fusion. *Fundĕre*, tr. *Conflāre*, tr. ¶ Dissoudre dans un liquide (une substance solide). Voy. DISSOUDRE. ‖ (Fig.) Mêler une chose avec une autre de manière qu'elle ne fasse plus qu'un tout avec elle. *Confundĕre*, tr. (*duo populi confusi in unum*). *Conflāre*, tr. Se —, *coire*, intr.; *coalescĕre*, intr. ¶ Diminuer une chose jusqu'à ce qu'elle soit réduite à rien. *Attenuāre*, tr. Se —, *dilabi*, dép. intr. ¶ *V. intr.* Se liquéfier (par l'action de la chaleur). *Liquefĭeri*, pass. *Liquescĕre*, intr. ‖ (Par hyperb.) Fondre en larmes, *collacrĭmāre*, intr. ‖ Se dissoudre dans un liquide. *Tabescĕre*, intr. *Resolvi*, pass. ‖ (Fig.) Se réduire à rien. *Decoqui*, pass. ¶ *V. intr.* S'abattre sur qqn. sur qqch. *Irruĕre*, intr. *Irrumpĕre*, intr. *Incurrĕre*, intr. *Invadĕre*, intr. Fig. S'abattre sur, *ingruĕre*, intr.

fondrière, s. f. Trou bourbeux dans un chemin défoncé par les pluies. *Vorago, ginis*, f.

fonds, s. m. Terre dont qqn est propriétaire, qui est cultivée et sur laquelle on bâtit. *Agri solum* et simpl. *solum*, i, n. *Ager, agri*, m. Bien — (immeuble), *fundus, i*, m. Les biens —, *possessiones, um*, f. pl. ‖ (P. anal.) Un — de commerce, *negotium, ii*, n. ‖ (Fig.) Principes de qualités, de tendances bonnes *ou* mauvaises. *Materia, ae*, f. et *materies,*

ei, f. Avoir un grand — de, *abundāre* (*aliquā re*). Avoir un bon —, *bonā indole praeditum esse*. Tirer toujours qqch. de son propre —, *promĕre semper aliquid ex se*. ¶ (P. ext.) Capital dont qqn dispose, qu'il applique à telle ou telle chose. *Pecunia, ae*, f. *Nummi, orum*, m. pl. Qui est en —, *bene nummatus*. ¶ Le capital que qqn possède (par opposition aux revenus, aux intérêts). *Caput, pitis*, n. *Sors, sortis*, f.

fontaine, s. f. ‖ Eau vive qui vient d'une source. *Fons, fontis*, m. ¶ Appareil qui verse par un robinet l'eau dont on l'emplit. *Aqua saliens*.

fontainier. Voy. FONTENIER.

fonte, s. f. Action de fondre, de liquéfier. *Fusura, ae*, f. *Fusio, onis*, f. Mettre à la —, voy. FONDRE. Remettre à la —, voy. REFONDRE. ¶ Action de se fondre, de se liquéfier. *Tabes, is*, f. A la — des neiges, *liquescente nive*.

fontenier et **fontainier**, s. m. Celui est chargé de l'entretien des ontaines. *Aquarius, ii*, m.

forain, aine, adj. Relatif aux personnes, aux choses du dehors. Voy. DEHORS. Marchand —, *circulator, oris*, m.

forçat, s. f. Celui qui subit la peine des travaux forcés. *Homo ad opus publicum damnatus*.

force, s. f. ‖ Propriété d'un corps *ou* d'une partie d'un corps capable de grands effets. ‖ (En parl. des êtres animés.) *Vis*, f. *Nervi, orum*, m. pl. — vitale, *vigor, oris*, m. Qui est de — à par, adj. (av. le dat.). Etre de — à, voy. POUVOIR. Etre dans la — de l'âge, *bonā aetate esse*. Etre encore dans la — de l'âge, *aetate integrā esse*. Etre plein de —, *vigēre*, intr.; *valēre*, intr.; Etre dans toute sa —, *vigēre*, intr. Donner de la — à, *corroborāre*, tr.; *firmāre*, tr.: *confirmāre*, tr. Acquérir, prendre de la —, *corroborāre se*; *corroborari*. Sans —, *invalidus, a, um*, adj. ‖ (P. ext.) Intensité d'un effet. Voy. INTENSITÉ, EFFET. ‖ (Spéc.) Emploi de la force matérielle comme moyen de contrainte. *Vis*, f. Force lui fut de..., *vi coactus est* (avec l'inf.). A toute —, *summā vi* ou *summā ope*. ‖ Maison de —, *nervus*, i, m. ¶ En parl. des êtres inanimés. *Vis*, f. *Firmitas, atis*, f. *Vehementia, ae*, f. — du courant, *vis fluminis*. ¶ Faculté ou fonction de l'âme capable de grands efforts. *Vis*, f. *Virtus, utis*, f. Donner de la —, voy. FORTIFIER. Acquérir, prendre de la —, *corroborāri*, pass. Etre dans toute sa —, être plein de —, *vigēre*, intr. ‖ (Spéc.) Capacité. *Vires, ium*, f. pl. Par mes (tes, ses) propres —, *per me* (*te, se*) *ipsum*. ‖ (Par ext.) Effet de la force d'âme, d'esprit, etc. *Vis*, f. *Virtus, utis*, f. Avec —, *nervosē*, adv. Qui est sans —, *enervatus, a, um*, p. adj.

¶ Puissance. *Potestas, atis,* f. (voy. PUIS-SANCE). ¶ Ressources d'un Etat. *Opes, um,* f. pl. *Vires, ium,* f. pl. Trouver ss — dans..., *valēre,* intr. (av. l'abl.). || (Spéc.) Puissance militaire. *Vires, ium,* f. pl. *Opes, um,* f. pl. *Copiae, arum,* f. pl. La — publique, *ministri publici.* La — armée, *armati, orum,* m. pl. ¶ Quantité. *Vis,* f. (*vim argenti dare,* donner force argent). *Copia, ae,* f. (voy. ABONDANCE). Faire — de rames, *remis contendēre.* Faire — de voiles, *plenis velis ferri.* A — de peine, *multo labore.* A — de bras, *multis manibus.* A — de prier, *assiduis precibus.*

forcément, adv. En subissant la force, la contrainte. *Vi. Per vim.*

forcené, ée, adj. Emporté par une rage aveugle. *Furiosus, a, um,* adj.

forcer, v. tr. Faire céder par force. || Contraindre (qqn) par force. *Cogĕre,* tr. *Adigĕre,* tr. *Subigĕre,* tr. Fig. — la main à qqn, *cogĕre aliquem.* Se —, *sibi vim facĕre.* Forcer, c.-à-d. faire violence à, voy. RÉDUIRE, TRIOMPHER. Forcé, *coactus, a, um,* p. adj.; *invitus, a, um,* adj. (ne se dit que des personnes); *necessarius, a, um,* adj. ¡ Enfoncer qqch. (par force). *Rumpĕre,* tr. *Perrumpĕre,* intr. et tr. *Effringĕre,* tr. *Perfringĕre,* tr. — une ville, *oppidum expugnāre.* — la passe, *vim per angustias facĕre.* — le passage d'un fleuve, *per vim (navibus) flumen transīre.* ¶ Pousser à un effort excessif. — sa voix, *nimis imperāre voci.* — un lièvre, *leporem rumpĕre.* — le pas, *gradum addĕre* (s.-e. *gradui*). Se diriger qq. part à marches forcées, *magnis itineribus aliquo contendĕre.* || (Fig.) Outrer. Voy. ce mot.

forestier, ière, adj. Qui concerne les forêts. *Silvestris, e,* adj.

forêt, s. f. Vaste étendue de terrain boisé. *Silva, ae,* f. *Saltus, ūs,* m. Couvert de —, *silvestris, e,* adj. De —, *silvestris, e,* adj.

forfaire, v. intr. Manquer gravement à ce que l'on doit. *Officio suo deesse.*

1. **forfait,** s. m. Crime détestable. *Facinus, oris,* n.

2. **forfait,** s. m. Prix déterminé d'avance. A —, *aversione* ou *per aversionem* (*emĕre, vendĕre, locāre,* etc.).

forfanterie, s. f. Vanterie impudente. *Frivola jactatio.* Avec —, *gloriosē,* adv.

forge, s. f. Atelier où on travaille les métaux au feu et au marteau. *Fabri officina. Officina ferraria.* ¶ Usine où la fonte est transformée en fer. Voy. FONDERIE. || (P. ext.) Haut fourneau où le mineral est réduit en fonte. *Fornax aeraria,* ou simpl. *fornax, acis,* f.

forger, v. tr. Travailler (un métal) sur l'enclume, au feu et au marteau. *Tundĕre (ferrum). Cudĕre (ferrum). Excudĕre (ferrum). Procudĕre (aes).* ¶ Façonner sur l'enclume (un objet en métal) en lui donnant la forme avec

le marteau. *Malleo tundĕre* ou *contundĕre.* ¶ Inventer, créer *Fabricāri (fallaciam). Conflāre (crimen, accusationem).*

forgeron, s. m. Celui qui forge. *Ferrarius faber,* et simpl. *ferrarius, ii,* m.

formaliser (se), v. pron. Etre blessé par un manquement aux formes, à l'étiquette. *Offendĕre,* intr. (*in aliquâ re*).

formaliste, adj. Qui observe trop scrupuleusement les formalités. *Observantissimus, a, um,* adj. Un juge —, *formularius, ii,* m.

formalité, s. f. Forme réglée suivant laquelle on doit procéder dans l'accomplissement de certains actes. *Ritus, ūs,* m. Une — légale, *legitima quaedam,* n. pl.

format, s. m. Dimension d'un volume. *Forma, ae,* f.

formation, s. f. Action de former, résultat de cette action. *Formatio, onis,* f.

forme, s. f. Apparence sensible que présente extérieurement un corps. *Forma, ae,* f. *Figura, ae,* f. *Species, ei,* f. L'élégance des —, *forma, ae,* f. Donner une — à, *formāre,* tr.; *informāre,* tr. Sans —, *informis, e,* adj. || (Fig.) Caractère sous lequel une chose se manifeste. *Species, ei,* f. || (Spéc.) Caractère sous lequel se présente un Etat. *Forma, ae,* f. *Modus, i,* m. || Manière extérieure dont qqn se conduit dans la vie sociale. *Habitus, ūs,* m. || Manière extérieure de procéder suivant certaines formes. — religieuses, *ritus, ūs,* m. — légale, *ritus, ūs,* m. Dans les —, *jure; ex lege.* Observer toutes les —, *omnia justa perficĕre.* Pour la —, *consuetudinis* (ou *moris) causâ; dicis causâ; simulandi causâ.* ||Manière d'exprimer la pensée. *Forma, ae,* f. *Praescriptio, onis,* f. ¶ Moule en relief ou en creux. *Forma, ae,* f.

formel, elle, adj. Formulé avec une précision qui ne permet pas d'éluder. *Definitus, a, um,* p. adj.

formellement, adv. D'une manière formelle. *Definitē,* adv. *Apertē,* adv.

former, v. tr. Créer en donnant l'être et la forme. *Formāre,* tr. *Fingĕre,* tr. *Effingĕre,* tr. *Figurāre,* tr. Se —, *nasci,* dép. intr.; *enasci,* dép. intr.; *innasci,* dép. intr. || (Au fig.) *Informāre,* tr. *Fingĕre,* tr. *Effingĕre,* tr. *Facĕre,* tr. *Conficĕre,* tr. *Constituĕre,* tr. *Instituĕre,* tr. — des vœux, des souhaits, voy. VŒU, SOUHAIT. Se —, *nasci,* dép. intr.; *innasci,* dép. intr.; *oriri,* dép. intr. ¶ Façonner en donnant la forme à la matière. *Formāre,* tr. *Figurāre,* tr. *Fingĕre,* tr. Voy. FAÇONNER. || (Par anal.) Les soldats se — en carré, *milites in orbem consistunt.* L'armée se forme en bataille, *acies instruitur.* || (Fig.) Façonner (qqn) en donnant à son âme une certaine direction ou à son corps certaines habitudes. *For-*

māre; tr. *Conformāre*, tr. *Informāre*, tr. *Instituĕre*, tr. Etre formé à l'école de qqn, *a disciplinā alicujus profectum esse*. ¶ Servir à constituer (qqn, qqch.) dans la forme qui lui est propre. *Constituĕre*, tr. *Instituĕre*, tr. *Facĕre*, tr. *Efficĕre*, tr. — l'aile droite, *dextrum cornu tenēre*. — le centre, *in mediā acie consistĕre*. — l'arrière garde, *agmen claudĕre*. — un accord, *consonāre*, intr. Etre formé de qqch., *ex aliquā re constāre; aliquā re contineri*, pass. Se —, *fieri*, pass.

formidable, adj. Qui déploie une puissance menaçante. *Formidandus, a, um*, adj. verb.

formulaire, s. m. Recueil de formules. *Formularum* (ou *exemplorum*) *libri*.

formule, s. f. Forme déterminée suivant laquelle on est convenu d'exprimer une chose. *Formula, ae*, f. *Carmen, minis* (« formule de serment, f. religieuse *ou* judiciaire, f. magique ») = *Verba, orum*, n. pl. *Exemplum, i*, n.

formuler, v. tr. Mettre en formule. *In formam redigĕre*. *Concipĕre* (*jusjurandum*).

fort, *forte*, adj. adv. et s. m. ‖ *Adj.* Qui a une puissance d'impulsion, de résistance capable de grands effets. *Fortis, e*, adj. *Validus, a, um*, adj. *Valens* (gén. *-entis*), p. adj. *Robustus, a, um*, adj. — *valēre*, intr. Rendre —, *corroborāre*, tr. ‖ (P. anal.) En parlant de certains organes. *Validus, a, um*, adj. *Bonus, a, um*, adj. En parle de la voix, *magnus, a, um*, adj. ‖ (En parl. des êtres inanimés). *Fortis, e*, (« résistant, fort, solide »), adj. *Firmus, a, um* (« solide, fort, résistant »), adj. *Robustus, a, um*, adj. ‖ (En parl. des agents physiques.) *Fortis, e*, adj. *Firmus, a, um*, adj. *Valens* (gén. *-entis*), p. adj. *Magnus, a, um*, adj. (*imber magnus* ou *maximus; ventus magnus*). ‖ Fortifié. *Munitus, a, um*, p. adj. *Firmus, a, um*, adj. ‖ (En parl. du sol.) *Validus, a, um*, adj. *Robustus, a, um*, adj. ‖ (Par ext.) Qui a une saveur, une odeur désagréable. *Gravis, e*, adj. ‖ (Par ext.) Déjà grand. *Grandis, e*, adj. Devenir —, *adolescĕre*, intr. ‖ (Au fig.) En possession de tous ses moyens; puissant. *Firmus, a, um*, adj. *Potens* (gén. *-entis*), adj. *Robustus, a, um*, adj. *Valens* (gén. *-entis*), p. adj. *Validus, a, um*, adj. Etre —, *valēre*, intr.; *pollēre*, intr. ¶ En parl. de l'âme et de ses facultés. ‖ (En parl. de la volonté.) *Fortis, e*, adj. ‖ (En parl. du sentiment.) *Acer, cris, cre*, adj. *Magnus, a, um*, adj. ‖ (En parl. de l'intelligence.) *Vegetus, a, um*, adj. Un esprit —, voy. ESPRIT. ‖ (Par anal.) *Fortis, e*, adj. *Gravis, e*, adj. *Nervosus, a, um*, adj. *Valens* (gén. *-entis*), p. adj. *Potens* (gén. *-entis*), adj. Etre —, *valēre*, intr.; *pollēre*, intr. A plus — raison, *ne et*

(surt.) *nedum* (« encore bien moins »), conj. (dans une phrase négat. *ou* de sens négat., ex. : *assentatio ne libero quidem, nedum amico, digna est*. ‖ (P. anal.) Habile, capable. *Peritus, a, um*, adj. ‖ (Par ext.) Se faire — de, *spondēre* (« s'engager à »), tr.; *profitēri*, dép. tr. Se faire — de, *jactāre* (« se vanter »), tr. ‖ (P. ext.) Fort de, *fretus, a, um*, adj. (av. l'abl.). ¶ En parl. de ce qui est considérable (par l'étendue, la quantité, etc.) *Crassus, a, um*, adj. *Amplus, a, um*, adj. *Grandis, e*, adj. *Magnus, a, um*, adj. *Ingens* (gén. *-entis*), adj. *Multus, a, um*, adj. Une armée — de trente mille fantassins, *exercitus triginta milium peditum*. ‖ *Adv.* D'une manière forte. Voy. FORTEMENT. ‖ (Par ext.) Beaucoup. Voy. ce mot. ‖ Très. Voy. ce mot. ¶ *S. m.* Personne, chose forte. — de la halle, *bajulus, i*, m. Le —, *valens* ou *potens*. ‖ (Spéc.) Fourré où se retirent les bêtes sauvages. *Cubile, is*, n. ‖ (T. milit.) Ouvrage fortifié. *Castellum, i*, n. ¶ Côté par lequel qqch., qqn est fort. ‖ La partie forte d'une chose. *Pars firma* (ou *valida*). ‖ (Fig.) Ce qui constitue la valeur essentielle. *Caput, pitis*, n. *Quod praecipuum est*. ‖ Le plus haut degré d'une chose. Le — de l'hiver, *summa hiems*. Au — de la tempête, *gravissimā tempestate*.

fortement, adv. Avec force. *Fortiter*, adv. *Validē*, adv. *Firmē*, adv. *Firmiter*, adv. *Vehementer*, adv. *Acriter*, adv. Etre attaché — à qqch., *haerēre in aliquā re*. En serrant —, *astrictē*, adv. ‖ (Fig.) *Validē*, adv. *Graviter*, adv. *Firmē*, adv. Insister — (pour avoir qqch.), *deposcēre aliquid*. Emouvoir —, *permovēre*, tr.

forteresse, s. f. Place fortifiée. *Arx, arcis*, f. *Locus munitus*.

fortification, s. f. Action de fortifier une place. *Munitio, onis*, f. Des ouvrages de —, *et* (ellipt.) des —, *munimentum, i*, n. ordin. au plur. *munitiones, um*, f. pl.

fortifier, v. tr. Rendre fort. ‖ (Le corps.) *Firmāre*, tr. *Confirmāre*, tr. *Corroborāre*, tr. ‖ (L'âme.) *Firmāre*, tr. *Confirmāre*, tr. *Roborāre*, tr. *Corroborāre*, tr. Se —, *adolescēre*, intr.; *confirmāri*, passif. ‖ Développer les ressources, la puissance. *Firmāre*, tr. *Confirmāre*, tr. *Corroborāre*, tr. Se —, *convalescēre*, intr. Se — (avec le temps), *inveterascĕre*, intr. ¶ Munir d'ouvrages de défense. *Firmāre*, tr. *Munīre*, tr.; *Communīre*, tr.

fortuit, *uite*, adj. Qui semble produit par hasard, sans dessein. *Fortuitus, a, um*, adj. [fortuite. *Fortuito*, adv.

fortuitement, adv. D'une manière fortuite. *Fortuitō*, adv.

fortune, s. f. Divinité païenne, puissance qui distribue au hasard les biens et les maux. *Fortuna, ae*, f. ‖ (Par ext.) Chance. *Fortuna, ae*, ‖ ¶ Ce qui arrive d'heureux *ou* de malheureux à qqn. *Fortuna, ae*, f. (Voy. SORT). ‖ Etat heureux ou malheureux de qqn. *Fortuna, ae*, f. (ellipt.) Situation avantageuse. *Fortuna, ae*, f. ‖ Situation désavantageuse. Faire contre — bon cœur, *adversa pati aequo animo*. ‖ (Par ext.) Etat qui résulte de la possession de biens considérables. *Facultas, atis*, f. (au plur, *facultates* [« ressources, moyens, fortune »]). ‖ (P. ext.) Biens considérables. *Fortuna, ae*, f. (ordin. au plur. ex. : *alicui bona fortunasque adimere*). *Res, rei*, f. Qui a de la —, *pecuniosus, a, um*, adj.; *locuples* (gén.- *pletis*), adj.

fortuné, ée, adj. Que la fortune a comblé de ses faveurs. *Fortunatus, a, um*, p. adj.

fosse, s. f. Cavité creusée dans le sol pour servir de réceptacle. *Fossa, ae*, f. *Fovea, ae*, f. *Scrobis, is*, m. et f. ‖ Trou creusé en terre pour les morts. *Scrobis, scrobis*. m. ‖ Basse fosse, *carcer subterraneus*. ‖ (Spéc.) Dans une mine. *Fodina, ae*, f. *Puteus, i*, m.

fossé, s. m. Cavité longitudinale pratiquée dans le sol. *Fossa, ae*, f.

fossette, s. f. Petit creux. — de la joue, *gelasinus, i*, m.

fossile, adj. Extrait du sein de la terre. *Fossilis, e*, adj.

fossoyeur, s. m. Celui qui creuse les fosses dans un cimetière. *Fossor, oris*, m.

1. **fou**, s. m. Hêtre. Voy. ce mot.

2. **fou**, *folle*, s. m. et f. et adj. ‖ *S. m. et f.* Celui, celle qui a perdu la raison. Un —, *homo mente captus* (ou *alienatus*). Une —, *mulier mente capta* (ou *alienata*). ‖ (Par ext.) Fou de cour, *fatuus, i*, m.; *morio, onis*, m. ‖ Celui, celle qui est très déraisonnable. *Insanus homo*; *insana mulier* (subst. au plur. *insani* [« les fous »].) Un vieux —, *senex delirus*. ‖ (Par ext.) Celui, celle qui est d'une gaieté un peu extravagante. Faire le —, *desipere*, intr.; *insanire*, intr. ¶ *Adj.* Qui a perdu la raison. *Amens* (gén. *-entis*), adj. *Delirus, a, um*, adj. *Demens* (gén. *-entis*), adj. *Insanus, a, um*, adj. *Vesanus, a, um*, adj. Rendre —, *aliquem ad insaniam redigere*. Etre —, *delirare*, intr.; *desipere*, intr.; *insanire*, intr. ‖ (Par anal.) Très déraisonnable. *Stultus, a, um*, adj. *Amens* (gén. *-entis*), adj.; ‖ (En parl. de choses.) *Amens* (gén. *-entis*), adj. *Demens* (gén. *-entis*), adj. *Insanus, a, um*, adj. *Stultus, a, um*, adj. *Inepus, a, um*, adj. — espoir, *inepta spes*. ¶ (Spéc.) Qui a une passion déraisonnable. *Insanus, a, um*, adj. Etre —, *insanire*, intr. ‖ Qui va à l'excès. Etre pris de — rire, *miros risus edere*. Faire de — dépenses, *insanire*, intr.

foudre, s. f. et m. Feu du ciel. *Fulmen, inis*, n. Relatif à la —, *fulguralis, e*,

adj. ¶ (Fig.) Ce qui frappe d'un coup soudain, irrésistible. *Fulmen, inis*, n. Un — de guerre, *belli fulmen*.

foudroiement et foudroiment, s. m. Action de foudroyer. *Fulminatio, onis*, f.

foudroyant, *ante*, adj. Qui frappe de la foudre. *Fulminans* (gén. *-antis*), p. adj.¶ (Fig.). Qui frappe d'un coup soudain et irrésistible comme la foudre. *Fulmineus, a, um*, adj.

foudroyer, v. tr. et intr. ‖ (*V. tr.*) Frapper de la foudre. *Fulmine percutere*. Foudroyé, *fulmine ictus* ou *percussus*; *caelo ictus*; *de caelo tactus*. Mourir foudroyé, *fulmine exanimari*. ¶ Frapper d'un coup soudain et irrésistible comme la foudre. *Aliquem tanquam fulmine quodam percutere*. Foudroyé, *attonitus, a, um*, p adj. ¶ (*V. intr.*) Lancer la foudre. *Fulminare*, intr. ‖ Lancer des éclats comme la foudre. *Fulgurare*, intr. Fig. *Fulgurare*, intr. ou *tonare*, intr.

fouet, s. m. Faisceau de verges (pour châtier). *Virgae, arum*, f. pl. ¶ (Par ext.) Châtiment appliqué à coups de verges, *et, p. ext.* avec la main. *Virgas, arum*, f. pl. *Verbera, um*, n. pl. *Flagrum, i*, n.¶ (P. ext.) Lanière, cordelette dont on se sert pour frapper les animaux. *Flagellum, i*, n.

fouetter, v. tr. Frapper avec un fouet (verges, lanières *ou* cordes). — (un cheval *ou* un animal), (*equum*) *flagello admonere*; (*jumentum*) *flagello excitare*. ‖ — (un esclave, un criminel), *verberare aliquem virgis: loris* (ou *flagris, flagello* ou *verberibus*) *caedere aliquem*

fouetteur. s. m. Celui qui fouette. *Lorarius, ii*, m. [*licis, f.*

fougère, s. f. Plante herbacée. *Filix, *

fougue, s. f. Elan d'une ardeur impétueuse. *Impetus, us*, m. *Aestus, us*, m. *Fervor, oris*, m. Une trop grande —, *vehementior animi concitatio*.

fougueux, *euse*, adj. Qui a de la fougue. *Ardens* (gén. *-entis*), p. adj. *Vehemens* (gén. *-entis*), adj.

fouille, s. f. Action de fouiller (la terre). *Fossio, onis*, f. *Fossura, ae*, f.

fouiller, v. tr. Creuser (la terre) pour chercher ce qui peut y être enfoui. *Fodere*, tr. *Effodere*, tr. *Eruere*, tr. *Rimari*, dép. tr.

fouine, s. f. Mammifère carnassier. *Mustela rustica*. [tr.

fouir, v. tr. Creuser (le sol). *Fodere*, tr.

foule, s. f. Presse qui résulte de la présence d'une multitude de personnes. *Turba* (ou *multitudo*) *conferta*. ‖ La multitude elle-même. *Turba, ae*, f. *Multitudo, dinis*, f. *Frequentia, ae*, f. ‖ (Par anal.) Quantité très considérable de personnes, de choses. *Multitudo, dinis*, f. *Frequentia, ae*, f. Avoir une —de..., *abundare* (ou *affluere*) *aliqua re*. ‖ (Loc. adv.) En —, *catervatim*, adv.; (les deux en parl. de pers.) : *acervatim*, adv. (en parl. de choses); *frequenter,* adv. Ils accourent en —, *frequentes conveniunt.* Se porter en —, *confluĕre,* intr. || (Par ext.) Le commun des hommes pris indistinctement. *Turba, ae,* f. *Multitudo, dinis,* f. *Vulgus, i,* n.

fouler, v. tr. Presser en appuyant à plusieurs reprises, etc. — le drap, des étoffes, *cogĕre,* tr. — les peaux, *subigĕre corium* ou *pelles.* — des grappes de raisin, le raisin, *calcăre uvas* (in *torculario*); *proculcăre uvas.* || (P. ext.) Marcher (sur qqch.). *Proculcăre,* tr. *Terĕre,* tr. || — aux pieds, sous les pieds, *obterĕre,* tr.; *calcăre,* tr. || (Fig.) Traiter avec le dernier mépris. *Calcăre* (ou *conculcăre*), tr. || (Médec.) Se — le pied, le poignet, avoir le pied, le poignet foulé. Voy. LUXER. || (Fig.) Opprimer par des mesures vexatoires, des exactions, des impôts trop lourds. *Opprimĕre,* tr. *Conculcăre* (*miseram Italiam*).

foulon, s. m. Artisan qui feutre les étoffes. *Fullo, onis,* m.

foulure, s. f. Distension d'un ligament, d'une articulation. *Luxata, orum,* n. pl

four, s. m. Ouvrage de maçonnerie voûté où l'on fait cuire le pain, etc. *Furnus, i,* m.

fourbe, adj. Qui trompe par des artifices. *Dolosus, a, um,* adj. *Versutus, a, um,* adj.

fourberie, s. f. Tromperie bassement artificieuse. *Fraus, fraudis,* f. *Dolus, i,* m. *Fallacia, ae,* f.

fourbir, v. tr. Nettoyer en frottant (des armes, etc.). *Polīre,* tr.

fourbisseur, s. m. Celui qui finit les armes blanches, qui les polit et les monte. *Samiator, oris,* m.

fourbu, ue, adj. (En parl. d'un animal de trait.) Qui a une inflammation au pied. *Orthocolus, a, um,* adj.

fourche, s. f. Instrument aratoire. — à deux dents, *furca, ae,* f. — à trois dents, *fuscina, ae,* f. Une — à fumier, *rutabulum, i,* n. ¶ (Par anal.) Objet rappelant la forme d'une fourche. Fourches patibulaires (gibet), *furca, ae,* f.; *patibulum, i,* n. || (Fig.) Un endroit où le chemin fait la —, *bivium, ii,* n.

fourchette, s. f. Instrument de table qui sert à piquer les morceaux. *Fuscinula, ae,* f.

fourchu, ue, adj. Qui se divise en forme de fourche. *Furcae similis.*

1. fourgon, s. m. Tige de fer qui sert à attiser le feu dans un four, un foyer. *Rutabulum, i,* n.

2. fourgon, s. m. Longue voiture couverte pour le transport des bagages, etc. *Carrus, i,* m. [*mica, ae,* f.

fourmi, s. f. Nom d'un insecte. *Formiourmiliere,* s. f. Habitation que se font les fourmis dans la terre. *Formicarum cuniculus* (ou *caverna*).

fourmiller, v. intr. Etre plein de per-

sonnes, de choses en grand nombre. *Effervescĕre,* intr. *Scatĕre,* intr. ¶ Etre le siège d'une sensation de picotement. *Formicăre,* intr.

fournaise, s. f. Four incandescent. *Fornax ardens,* f.

fourneau, s. m. Sorte de four dans lequel on fait chauffer certaines substances. *Fornax, acis,* f.

fournée, s. f. La quantité de pain qu'on fait cuire en une fois dans un four. *Coctura, ae,* f.

fournil, s. m. Local où est placé le four. *Furnus, i,* m.

fournir, v. tr. et intr. || *V. tr.* Remplir. Voy. ce mot. Un bois bien fourni, *densissima silva.* Peu fourni, *rarus, a, um,* adj. || (Fig.) Fournir une course, une carrière. *Emetiri,* dép. tr. || (Par ext.) Pourvoir de ce qui est nécessaire. *Instruĕre,* tr. *Ornăre,* tr. Bien fourni, *locuples* (gén. *-pletis*), adj. ¶ Livrer en quantité suffisante. || (En vendant.) Voy. VENDRE. Se —, voy. ACHETER. || (En donnant.) *Praebēre,* tr. *Ministrăre,* tr. — abondamment, *suppedităre,* tr. ¶ *V. intr.* (Absol.) Subvenir à un besoin, à une nécessité. *Suppedităre,* intr. et tr. *Suggerĕre,* tr. — aux dépenses, *suppedităre* (ou *suggerĕre*) *sumptus.*

fournisseur, s. m. Celui qui fournit une maison de ce dont elle a besoin. *Subminister, oris,* m.

fourniture, s. f. Action de fournir. *Suppeditatio, onis,* f.

fourrage, s. m. Foin de prairies naturelles *ou* artificielles. *Pabulum, i,* n. || (Spéc.) T. milit. Le foin et la paille qui doivent servir à la nourriture des chevaux. *Pabulum, i,* n. Aller au —, voy. FOURRAGER.

fourrager, v. intr. et tr. || *V. intr.* (T. milit.) Faire du ravage dans la campagne pour faire du fourrage. *Pabulări,* dép. intr. ¶ (Fig.) *V. tr.* Ravager. Voy. ce mot.

fourrageur, s. m. Soldat qui va au fourrage. *Pabulator, oris,* m.

fourré, s. m. Endroit d'un bois garni d'arbrisseaux, d'arbustes épais et serrés. *Locus arboribus et rubis sentibusque obsitus.* — de buissons, *frutices, um,* m. pl.

fourreau, s. m. Enveloppe allongée destinée à recevoir une chose de même forme pour la préserver. *Vagina, ae,* f. Remettre l'épée au —, *in vaginam gladium recondĕre* (ou simpl. *gladium condĕre*).

fourrer, v. tr. Doubler d'une peau d'animal garnie de son poil. *Pellibus induĕre.* Fourré, *pellitus, a, um,* adj.; *pellicius, a, um,* adj. ¶ Doubler de qqch. qui déguise. Voy. DOUBLER, DÉGUISER. ¶ (Par ext.) Famil. Faire entrer (une chose, une personne) là où elle ne doit pas être. *Farcīre,* tr. (*aliquid in aliquid*). *Confercīre,* tr. *In-*

serère, tr. (aliquid in aliquid).

fourreur, s. m. Fabricant, marchand de fourrures. *Pellio, onis,* m.

fourrure, s. f. Peau de certains animaux avec son poil, préparée et confectionnée pour garnir, *ou* doubler des vêtements. *Pellis, is,* f. Vêtu de —, *pellitus, a, um,* adj.

fourvoyer, v. tr. Mettre hors de la voie. Voy. ÉGARER. || (Par anal.) Se — (s'écarter du but), voy. ÉCARTER, [S'] ÉGARER.

foyer, s. m. Partie de l'âtre sur laquelle on fait le feu. *Focus, i,* m. || (Par anal.) Centre autour duquel se réunit la famille, séjour domestique de qqn. *Focus, i,* m. *Lar, laris,* m. *Penates, ium,* m. pl. || (Fig.) Voy. SIÈGE.

fracas, s. m. Action de se fracasser. *Fragor, oris,* m. Fig. *Ruina, ae,* f. *Clades, is,* f. ¶ Bruit violent. *Fragor, oris,* m. *Strepitus, ūs,* m. || (Fig.) Agitation bruyante. *Tumultus, ūs,* m.

fracasser, v. tr. Briser en éclats. *Frangère,* tr. *Elidère,* tr. Se —, *frangi ou confringi,* pass.: *diffringi,* pass.

fraction, s. f. 1. Partie d'une totalité prise à part. *Pars, partis,* f. Voy. DIVISER.

fracture, s. f. Solution de continuité produite violemment dans un corps solide. *Fractura, ae,* f.

fracturer, v. tr. Endommager par une fracture. *Perrumpère,* tr. Os fracturé, *os fractum.*

fragile, adj. Qui se casse facilement. *Fragilis, e,* adj. || (Par anal.) Qui se détériore aisément. *Debilis, e,* adj. || (Fig.) *Caducus, a, um,* adj. *Fragilis, e,* adj.

fragilité, s. f. Facilité à se casser. *Fragilitas, atis,* f. || (Par anal.) Facilité à se détériorer. *Infirmitas, atis,* f. *Fragilitas, atis,* f. ¶ Facilité à succomber aux tentations. *Infirmitas, atis,* f.

fragment, s. m. Morceau d'une chose cassée. *Fragmentum, i,* n. (usité surt. au plur.) || (Par anal.) Morceau d'une chose déchirée. *Pars, partis,* f. *Particula, ae,* f. || (Fig.) Ce qui reste d'un ouvrage. *Reliquiae, arum,* f. pl. || Morceau détaché d'un ouvrage. *Locus, i,* m.

frai, s. m. Ponte des œufs par la femelle du poisson. *Partus, ūs,* m. || (Par ext.) Les œufs ainsi pondus et fécondés. *Marina semina,* n. pl.

fraîchement, adv. Voy. RÉCEMMENT.

fraîcheur, s. f. Froid doux et modéré. *Frigus, oris,* n. || (Spéc.) Froid modéré, agréable quand on a chaud. *Frigus, oris,* n. Lieu plein de — et d'ombre, *locus opacus et frigidus.* || Éclat du teint (surtout dans la jeunesse). *Laetus color. Color suavis* (ou *nitidus*), et simpl. *color, oris,* m. || (Par anal.) — du style, *nitor orationis.*

fraîchir, v. intr. Devenir frais. Le vent fraichit, *ventus increbrescit.*

1. frais, *fraîche,* adj. et s. m. et f.

|| Adj. Qui a un froid modéré. *Frigidus, a, um,* adj. || (Adv.) Boire —, *frigidā uti potione.* Il vente —, *ventus increbrescit.* | (Par anal.) Qui donne une sensation de fraicheur. Rendre la bouche, l'haleine —, *halitūs suavitatem commendāre.* ¶ (Fig.) Qui a toute sa fraicheur. || Qui n'est pas fané. *Recens* (gén. *-entis*), adj. *Vivus, a, um,* adj. || Qui n'est pas flétri. *Nitidus, a, um,* adj. Teint —, *color suavis.* || (Par anal.) Qui a de l'éclat, de la vivacité. *Nitidus, a, um,* adj. || Qui n'est point terni; qui n'est pas altéré. *Recens,* adj. || (Par opp. à ce qu'on a séché *ou* sali.) *Viridis, e,* adj. *Recens,* adj. Noix fraîches, *virides nuces.* || Qui n'est pas fatigué. *Recens,* adj. *Integer, gra, grum,* adj. Des troupes —, *milites integri et recentes.* || Qui est tout à fait récent. *Recens,* adj. Le souvenir en est tout —, *recens est ejus rei memoria.* ¶ Subst. Le frais, c.-à-d. l'air frais, la fraicheur. *Frigus, oris,* n.

2. **frais**, s. m. pl. Ce que coûte l'exécution d'un ouvrage, l'établissement d'une chose. *Sumptus, ūs,* m. *Impendium, ii,* n. *Impensa, ae,* f. Faire des —, se mettre en — pour qqch, *impensam facère in aliquid.* Aux — de qqn, *alicujus impensā.* Faire ses —, *operae pretium habère.* A — communs, *communiter,* adv. A grands —, *sumptuosē,* adv. || (Fig.) Dépense de peine, d'efforts qu'on fait pour qqch., pour qqn. Se mettre en — (pour qqch.), *operam* (ou *curam, laborem*) *impendère in aliquid.* Faire ses —, *operae pretium facère.* Se mettre en — pour que..., *studiosē operam dāre, ut...* (av. le subj.). ¶ A peu de —, voy. FACILEMENT.

1. fraise, s. f. Fruit du fraisier. *Fragum, i,* n. (ordin. au plur. *fraga*).

2. fraise, s. f. Mésentère du veau, de l'agneau. *Lactes, ium,* f. pl.

fraisier, s. m. Plante qui produit la fraise. *Fragum, i,* n.

framboise, s. f. Fruit du framboisier. *Rubus, i,* m.

framboisier, s. m. Arbrisseau épineux. *Idaeus rubus,* et simpl. *rubus, i,* m.

framée, s. f. Arme des Francs, sorte de long javelot. *Framea, ae,* f.

franc, *anche,* adj. Qui est de condition libre. *Ingenuus, a, um,* adj. *Liber, bera, berum,* adj. Par ext. — arbitre, *liberum arbitrium.* || (Fig.) Libre, exempt de certaines charges. *Liber, bera, berum,* adj. *Immunis, e,* adj. Ville — (exempte de la taille), *civitas immunis.* || (Par ext.) Corps franc. *Volones, um,* m. pl. ¶ (Par ext.) Qui dit librement ce qu'il pense. *Ingenuus, a, um,* adj. *Liber, bera, berum,* adj. *Candidus, a, um,* adj. *Simplex* (gén. *-plicis*), adj. Avoir son — parler, *liberē dicère* ou *liberius loqui.* || (Fig.) Non douteux. Vent —, voy. RÉGULIER, FAVORABLE.

— allure, voy. ASSURÉ. ‖ Pur, sans mélange. *Sincerus, a, um*, adj. *Simplex* (gén. *-plicis*), adj. *Merus, a, um*, adj. *Purus, a, um*, adj. *Verus, a, um*, adj. Terre —, *terra pura*. Un — coquin, *merus veterator*. Dont l'action est nette, entière. Huit jours —, voy. PLEIN, ENTIER.

Français, aise, adj. s. m. et f. Qui appartient à la France. *Gallicus, a, um*, adj. ¶ *S. m.* et *f.* Un —, une Française *Gallus, i,* m. *Galla, ae,* f. ‖ Le —, la langue française, *lingua gallica.* En —, *Gallicē,* adv.

France, n. p. Contrée d'Europe. *Gallia, ae,* f.

franchement, adv. D'une manière franche. ‖ En condition libre. *Suo arbitrio* ou *suo jure.* ¶ Librement, sans arrière-pensée. *Ingenuē,* adv. *Simpliciter,* adv.

franchir, v. tr. Passer au delà de ce qui fait obstacle. *Transgredi,* dép. tr. *Transīre,* tr. *Transcendĕre,* tr. *Transilīre,* tr. *Superāre,* tr. Action de —, *transitūs, ūs,* m. Faire —, *traducĕre,* intr. et tr *(traducĕre flumen exercitum); trajicĕre (trajicĕre flumen copias).* ‖(Fig.) Franchir les bornes. *Transīre,* tr.

franchise, s. f. Condition libre. *Ingenuitas, atis,* f. ‖ (P. ext.) *Au plur.* Les — (d'une province, d'une ville), *immunitates, um,* f. pl. ‖ (Spéc.) Exemption de droits pour les marchandises dans certains ports. *Immunitas, atis,* f. ¶ Qualité de celui qui dit librement, ouvertement ce qu'il pense. *Libertas, atis,* f. *Simplicitas, atis,* f. *Sinceritas, atis,* f. Qui a de la —, *apertior in dicendo.* Avec —, voy. FRANCHEMENT.

francisque, s. f. Sorte de hache d'armes des Francs. *Francisca, ae,* f.

frange, s. f. Ornement formé d'une suite de brins, de torsades pendantes. *Fimbrae, arum,* f. pl.

franger, v. tr. Découper, effiler sur le bord de manière à former des franges. *Fimbrias dūducĕre.* Frangé, *fimbriatus, a, um,* adj.

frappant, ante, adj. Qui frappe, qui fait une impression marquée sur les sens, sur l'esprit. *Insignis, e,* adj. *Conspicuus, a, um,* adj. D'une laideur —, *insignis ad deformitatem.* Preuve —, *insigne documentum.*

frappement, s. m. Action de frapper. *Percussio, onis,* f.

frapper, v. tr. Donner des coups. *Verberāre,* tr. *Pulsāre,* tr. *Ferīre,* tr. *Percutĕre,* tr. *Tundĕre,* tr. *Contundĕre,* tr. — qqn à mort, *occidĕre,* tr.; *interimĕre,* tr. Tomber frappé à mort, *mortifero ictu concĭdĕre.* ‖ Frapper (une monnaie). *Cudĕre,* tr. *Ferīre,* tr. *Percutĕre,* tr. Fig. Frappé au bon coin, *optimā notā percussus.* ‖ (Par ext.) Frapper (l'air, l'oreille, etc.). *Verberāre,* tr. *Ferīre,* tr. ‖ (Par ext.) Frapper

un coup, *pulsāre,* abs. — un coup (décisif), *gravem facĕre plagam.* ¶ (Fig.) Atteindre (qqn) par les afflictions, etc. *Ferīre,* tr. *Percutĕre,* tr. *Afficĕre,* tr. *(morbo gravi et mortifero affectum esse).* ‖ (Spéc.) Atteindre par une condamnation. *Plectĕre,* tr. (au passif, ex. : *jure plectimur,* nous avons mérité d'être frappés). *Afficĕre (aliquem capitali paenā).* *Multāre,* tr. ‖ (Par ext.) Atteindre par une décision juridique, administrative. — les terres d'un impôt excessif, *vectigal pergrande imponĕre agris.* ¶ (Par ext. fig.) Affecter d'une impression soudaine. *Icĕre,* tr. *(metu ictus).* *Percutĕre,* tr. — les yeux, *convertĕre omnium oculos.* — l'attention de qqn et (absol.) — qqn, voy. ÉTONNER. Je suis frappé de ce fait, *hoc miror.* ¶ (Absol. *Au sens intrans.*) *Plaudĕre,* intr. (ex. : *plaudĕre manibus,* frapper dans ses mains). *Pulsāre,* tr. *(p. ostium,* fr. à la porte).

fraternel, elle, adj. Relatif au lien de parenté qui existe entre frères et sœurs. *Fraternus, a, um,* adj.

fraternellement, adv. D'une manière fraternelle. *Fraternē,* adv.

fraternité, s. f. Lien de parenté entre frères et sœurs. *Fraternitas, atis,* f.

1. **fratricide,** s. m. Meurtre d'un frère, d'une sœur. *Caedes fratris* ou *fraterna.*

2. **fratricide,** s. m. Meurtrier de son frère, de sa sœur. *Fratricida, ae,* m. *Sororicida, ae,* m.

fraude, s. f. Acte de frauder. *Fraus, fraudis,* f. *Circumscriptio, onis,* f.

frauder, v. tr. Tromper (qqn) pour se procurer à son détriment qq. avantage *Fraudāre,* tr.

frauduleusement, adv. D'une manière frauduleuse. *Fraudulenter,* adv. *Dolo malo,* loc. adv.

frauduleux, euse, adj. Où l'on emploie la fraude. *Fraudulentus, a, um,* adj. ‖ Qui emploie la fraude. *Fraudulentus, a, um,* adj.

frayer, v. tr. Rendre (un chemin) praticable. *Munīre,* tr. *Pandĕre,* tr. *Facĕre,* tr. (au fig. : *ferro viam facĕre per confertos hostes,* « se fr. avec le fer un chemin à travers les rangs ennemis ») *Patefacĕre,* tr. (voy. OUVRIR). *Aperīre* tr. Chemins frayés, *via ante trita.* ¶ V. intr. Déposer le frai. *Fetificāre,* intr. ¶ Vivre avec qqn dans de bonnes relations. *Cum aliquo concorditer vivĕre.*

frayeur, s. f. Peur soudaine. *Pavor, oris,* m. *Terror repentinus.*

fredonner, v. tr. Chanter (un air) à mi-voix. — un air et (absol.) —, *susurrāre (cantica).*

frégate, s. f. Le plus grand des navires de guerre. *Navis longa. Major navis.*

frein, s. m. Partie de la bride qui entre dans la bouche du cheval. *Frenum, i* (plur. plutôt *freni* que *frena*), n. Mettre un — à, *frenāre,* tr.; *infrenāre,* tr. ¶

(Fig.) Ce qui retient l'élan impétueux, excessif. *Frenum, i,* n. Mettre un — à, voy. REFRÉNER. Sans —, *effrenatus, a, um,* adj. || Mécanisme servant à ralentir *ou* à arrêter le mouvement d'une machine. *Sufflamen, inis,* n.

Fréjus, n. pr. Ville de Provence. *Forojulium, ii,* n. De —, *Forojuliensis, e,* adj.

frelater, v. tr. Mélanger (le vin, les liqueurs, etc. de substances étrangères). *Spurcāre (vinum).*

frêle, adj. Dont la faible apparence marque peu de solidité. *Fragilis, e,* adj. *Tener, a, um,* adj. || (Fig.) *Fragilis, e,* adj. *Infirmus, a, um,* adj. Santé —, *imbecillitas valetudinis,* ou absol. *imbecillitas, atis,* f. [onis, m.

frelon, s. m. Grande guêpe. *Crabro,*

freluquet, s. m. Personne frivole. *Trossulus, i,* m.

frémir, v. intr. S'agiter avec un bruissement. *Fremēre,* intr. || (Spéc.) Vibrer fortement. Voy. VIBRER. ¶ S'agiter convulsivement. *Fremēre,* intr. || (Fig.) Ressentir une vive agitation de l'âme. *Horrēre,* intr. *Horrescēre,* intr. *Perhorrescēre,* intr.

frémissement, s. m. Mouvement de ce qui frémit. *Fremitŭs, ūs,* m. || Agitation convulsive. *Horror, oris,* m. *Fremitŭs, ūs,* m. || (Fig.) *Fremitŭs, ūs,* m. *Horror, oris,* m.

frêne, s. m. Arbre. *Fraxinus, i,* f. De —, *fraxineus, a, um,* adj.

frénésie, s. f. Délire furieux. *Phrenesis, is,* f. *Phrenitis, tidis* (acc. tim), f. *Furor, oris,* m. ¶ (P. ext.) Emportement furieux. *Furor, oris,* m. Avec —, *furiosē,* adv.

frénétique, adj. Qui a du délire furieux. *Phreneticus, a, um,* adj. *Furiosus, a, um,* adj. ¶ Qui marque un emportement furieux. *Furiosus, a, um,* adj. || D'une manière frénétique. *Furiosē,* adv.

fréquemment, adv. D'une manière fréquente. *Saepe,* adv. *Crebro,* adv.

fréquence, s. f. Caractère de ce qui se produit d'une manière fréquente. *Frequentia, ae,* f. *Frequentatio, onis,* f.

fréquent, ente, adj. Qui a lieu un grand nombre de fois, à des reprises très rapprochées. *Frequens* (gén. *-entis*), adj. *Creber, bra, brum,* adj. *Multus, a, um,* adj. Usage —, *frequentatio, onis,* f. Devenir —, *crebrescēre,* intr. Peu —, *rarus, a, um,* adj.

fréquentation, s. m. Action de fréquenter. || (En parl. des choses.) *Celebritas, atis,* f. || (En parl. des pers.) *Assiduus usus. Frequentior familiaritas.*

fréquenter, v. tr. et intr. || (*V. tr.*) Fréquenter un lieu, y venir en grand nombre. *Celebrāre,* dép. tr. *Frequentāre,* tr. Fréquenté, *celeber, bris, bre,* adj. *Frequens* (gén. *-entis*), adj. || Y venir souvent. *Frequentāre,* tr. *Versari,* dép. intr. (*versari in foro*). *Celebrāre,* tr. ¶ Fréquenter une personne. *Frequentem*

esse cum aliquo. Uti aliquo.

frère, s. m. Personne du sexe masculin qui est du même père et de la même mère, *ou* de l'un des deux. *Frater, tris,* m. De —, voy. FRATERNEL. En —, voy. FRATERNELLEMENT.

fresque, s. f. Sorte de peinture murale. Peindre à la —, *udo colores inducēre.*

fret, s. m. Location d'un navire à qqn pour transporter des marchandises. *Vectura, ae,* f.

fréter, v. tr. Donner un navire en location. *Locāre navem.*

fréteur, s. m. (Commerce.) Celui qui frète (un navire). *Navis exercitor.*

frétillement, s. m. Mouvement de ce qui frétille. *Palpitatio, onis,* f.

frétiller, v. intr. S'agiter par petits mouvements rapides. *Palpitāre,* intr.

fretin, s. m. Menu poisson. *Minuti pisces. Pisciculi, orum,* m. pl. ¶ (Fig.) Ce qui est de moindre valeur. *Quisquiliae, arum,* f. pl.

friable, adj. Qui se désagrège facilement en parcelles. *Friabilis, e,* adj. *Puter, putris, putre,* adj.

friand, ande, adj. Qui est alléché par ce qui est fin, délicat au goût. *Gulae fastidiosae (homo). Fastidii delicati (homo),* Etre — de qqch., *ligurrire aliquid.* || (Fig.) Etre friand de qqch., *ligurrire,* tr.

friandise, s. f. Caractère de celui qui est friand. *Ligurritio, onis,* f. ¶ Morceau fin, délicat. *Cuppedium, ii,* n.

friche, s. f. Etat d'une terre laissée un certain temps sans culture. *Cessatio agri* ou (abs.) *cessatio, onis,* f. En —, *sine cultu.* Etre en —, *cessāre,* intr.; *quiescēre,* intr. || (P. ext.) Terre laissée un certain temps sans culture. *Terra illaborata.*

friction, s. f. Frottement du corps. *Frictio, onis,* f. *Fricatŭs, ūs,* m.

frictionner, v. tr. Soumettre à une friction. *Fricāre,* tr. *Confricāre,* tr. Se faire —, *frictione uti.*

frileux, euse, adj. Qui craint le froid. *Frigoris impatiens. Alsiosus, a, um,* adj.

frimas, s. m. Petit glaçon produit par un brouillard qui se congèle en tombant. *Pruina, ae,* f. Couvert de —, *pruinosus, a, um,* adj.

fringant, ante, adj. Qui gambade. *Alacer, cris, cre,* adj.

friper, v. tr. Défraîchir en chiffonnant. *Corrugāre,* tr.

friperie, s. f. Habits, linge, meubles vieux. *Scruta, orum,* n. pl.

fripier, s. m. Celui qui revend d'occasion du vieux linge, etc. *Scrutarius, ii,* m.

fripon, onne, s. m. et f. Celui, celle qui vole adroitement de petites choses. *Fur, furis,* m. et f.

friponnerie, s. f. Manière d'être du fripon. *Furacitas, atis,* f. || Acte du fripon. *Furtum, i,* n.

frire, v. tr. et intr. ‖ (*V. tr.*) Faire cuire à la poêle dans de la graisse, de l'huile *ou* du beurre bouillant. *Frigĕre*, v. tr. Poêle à —, *sartago, ginis*, f. ¶ (*V. intr.*) Se cuire dans la poêle. *Frigi*, pass. Faire — dans *ou* à l'huile, *coquĕre ex oleo*.

friser, v. tr. et intr. ‖ (*V. tr.*) Enrouler (des cheveux, des poils, etc.) sur eux-mêmes. *Crines calamistro convertĕre*. Frisé, ée, *calamistratus, a, um*, adj. Qui a les cheveux frisés, *cincinnatus*. Fer à —, *calamister, tri*, m. ‖ (Par anal.) Chou frisé, *crispa brassica*. ‖ (Fig.) Passer tout près de qqch. *finitimum esse alicui rei*. ¶ (*V. intr.*) S'enrouler sur eux-mêmes (en parl. de cheveux). *Crispum esse*.

frisson, s. m. Tremblement avec sensation de froid qui précède un accès de fièvre. *Horror, oris*, m. *Frigus, oris*, n. Avoir le —, voy. FRISSONNER. ‖ (Par anal.) Tremblement causé par le froid. *Horror, oris*, m. (P. ext.) Ebranlement nerveux produit par une émotion. *Horror, oris*, m. Etre saisi d'un —, voy. FRISSONNER.

frissonner, v. intr. Avoir le frisson. Frissonner de froid *ou simpl.* frissonner *Horrēre*, intr. — de tous ses membres *cohorrescĕre*, intr. ‖ (Par ext.) Au fig Etre épouvanté. *Horrēre*, intr. *Horrescĕre*, intr. *Perhorrescĕre*, intr. — (en présence de, à l'idée de), *horrēre*, tr.

frisure, s. f. Etat des cheveux, des poils frisés. *Capillus crispus*.

friture, s. f. Cuisson de certains aliments à la poêle. Voy. FRIRE. ‖ (P. ext.) Aliments qui ont subi cette cuisson. — de poissons, *pisces ex oleo cocti*.

frivole, adj. Trop vain pour mériter qu'on s'y attache. *Nugatorius, a, um*, adj. *Lĕvis, e*, adj. ¶ Qui s'attache à des choses vaines. *Futilis, e*, adj. (subst. *futiles, ium*, m. pl.)

frivolité, s. f. Caractère de ce qui est frivole. *Futilitas, atis*, f. *Vanitas, atis*, f. ‖ (P. ext.) Chose frivole. S'attacher à des —, *levia consectāri*. ¶ Caractère de celui qui est frivole. Voy. LÉGÈRETÉ.

1. froid, oide, adj. Qui a peu de chaleur. *Frigidus, a, um*, adj. *Gelidus, a, um*, adj. ‖ (En parl. de ce qui a perdu sa chaleur.) *Frigidus, a, um*, adj. Etre —, *frigēre*, intr. Chambre —, *conclave non calfactum*. Devenir —, voy. REFROIDIR. Loc. adv. A —, *igne non admoto*. ‖ (En parl. d'êtres vivants, dont le sang manque de chaleur.) *Frigidus, a, um*, adj. Etre —, *frigēre*, intr. ¶ (*Au fig.*) Qui n'est pas animé, passionné. *Frigidus, a, um*, adj. *Languidus, u, um*, adj. Une — plaisanterie, *dictum frigidius*. Demeurer —, *(aliquā rē) non movēri*. Loc. adv. A —, *c.-à-d.* sans passion, voy. PASSION. ¶ Qui ne montre pas d'empressement. *Frigidus, a, um*,

adj. *Languidus, a, um*, adj. Donner de — éloges, *frigidē laudāre*.

2. froid, s. m. Manque de chaleur. *Frigus, oris*, n. *Frigidum, i*, n. — glacial, *rigor, oris*, m. ¶ Sensation produite par le défaut de chaleur. *Algor, oris*, m. *Frigus, oris*, n. Avoir —, *algēre*, intr.; *frigēre*, intr. Prendre. — *refrigescĕre*, intr.; *refrigerāri*, passif. ¶ (Fig.) Défaut d'animation, de passion. *Frigus, oris*, n. ¶ Défaut d'empressement, d'intérêt pour qqn. *Frigus, oris*, n. Voy. FROIDEUR.

froidement, adv. D'une manière froide. On est — même dans les maisons, *vix in ipsis tectis frigus vitatur*. Etre —, *frigēre*, intr. ‖ (Fig.) Sans animation, sans passion. *Frigidē (aliquid agĕre)*. Accueillir qqch. —, *aliquā re non movēri*. Etre reçu —, *frigēre*, intr.

froideur, s. f. Etat de ce qui manque de chaleur. *Frigus, oris*, n. ¶ (Fig.) Manière d'être qui manque d'animation, de passion. *Languor, oris*, m. La — du style, *lentitudo, dinis*, f. ¶ Manière d'être qui manque d'empressement, d'intérêt (pour qqn, qqch.). *Frigus, oris*, n. [REFROIDIR.

froidir, v. intr. Devenir froid. Voy. **froidure**, s. f. Température froide. *Frigus, oris*, n. ¶ Saison du froid. *Frigora, orum*, n. pl.

froissement, s. m. Action de froisser. *Collisio, onis*, f. ¶ (P. ext.) Mécontentement de celui qui se trouve offensé. *Offensa, ae*, f.

froisser, v. tr. Heurter, comprimer brusquement. Voy. HEURTER, MEURTRIR. ‖ (Fig.) Voy. BLESSER. ¶ Friper brusquement. Voy. FRIPER. Se —, *rugāre*, intr. ¶ (Fig.) Offenser par un manque d'égards. *Offendĕre*, tr.

frôlement, s. m. Action de frôler. *Tactŭs, ūs*, m.

frôler, v. tr. Toucher légèrement, le bord, l'extrémité de qqch. *Stringĕre*, tr.

fromage, s. m. Substance alimentaire extraite du lait. *Caseus, i*, m.

froment, s. m. La meilleure qualité de blé cultivé. *Triticum, i*, n.

froncement, s. m. Action de froncer. *Contractio, onis*, f.

froncer, v. tr. Plisser en contractant. *Contrahĕre*, tr. *Adducĕre*, tr. ‖ (P. anal.) — une étoffe. *Rugāre*, tr. Se —, *rugāre*, intr.; *corrugāri*, passif.

fronde, s. f. Arme de jet. *Funda, ae*, f.

fronder, v. tr. V. CRITIQUER.

frondeur, s. m. Soldat armé de la fronde. *Funditor, oris* (ordin. au plur.), m.

front, s. m. Le haut de la face humaine, depuis les sourcils jusqu'aux cheveux. *Frons, frontis*, f. ‖ (Par ext.) Le front considéré comme siège de la pensée, du sentiment. *Frons, frontis*, f. Os, *oris*, n. *Vultŭs, ūs*, m. Avez-vous bien le — de..., *quā confidentiā audes* (avec l'inf.). ¶ (Par anal.) Le haut de la face de certains animaux, *Frons, frontis, f.* || (Par ext.) Le haut d'un édifice, la cime d'une montagne, etc. *Vertex, ticis,* m. ¶ (P. anal.) La face antérieure que présentent certaines choses. *Frons, frontis,* f. Sur le — de, *pro,* prép. (av. l'abl.). Faire — contre l'ennemi, *in hostem obverti.* Faire faire un changement de —, *signa convertère.* || (Loc. adv.) De front (du côté de la face), *a fronte;* (sur une même ligne), *pariter,* adv.

frontière, s. f. Limite qui sépare le territoire d'un Etat de celui d'un Etat voisin. *Finis, is,* m. (ordin. au plur. *fines*). Marquer la — de l'empire, *definire imperium.* || (Adjectiv.) *Finitimus, a, um,* adj. Pays —, *ager confinis* ou *confinium, ii,* n. Ligne —, *limes. itis,* m.

frontispice, s. m. Face principale d'un grand édifice. *Pars prior* ou *antica.* ¶ (P. ext.) Titre d'un livre accompagné de vignettes, *Frons, frontis,* f.

fronton, s. m. Ornement surmontant l'entrée d'un édifice. *Fastigium, ii,* n.

frottement, s. m. Action de frotter. *Tritus, ûs,* m.

frotter, v. tr. et intr. || (*V. tr.*) Soumettre un corps au contact d'un autre corps qu'on fait passer sur lui en appuyant. *Fricâre,* tr. *Confricâre,* tr. || Enduire. *Fricâre,* tr. *Perfricâre,* tr. (Fig.) Il est frotté de littérature, *litteris satis inquinatus est.* Se — à une chose, à une personne, *c.-à-d.* s'attaquer à, *vexâre,* tr.; *tangère,* tr. ¶ (*V. intr.*) Etre en contact avec un autre corps. *Atteri,* passif.

fructifier, v. tr. Produire le fruit (en parl. du végétal). *Fructum edère.* ¶ (Fig.) Donner des résultats avantageux. *Fractum ferre (alicui).*

fructueusement, adv. D'une manière fructueuse. *Cum bono* (ou *multo) fructu.*

fructueux, euse, adj. Qui donne du fruit. *Fructuosus, a, um,* adj. ¶ (Fig.) Qui donne des résultats avantageux. *Fructuosus, a, um,* adj. *Quaestuosus, a, um,* adj.

frugal, ale, adj. Qui se contente d'aliments simples. *Sobrius, a, um,* adj. || (Fig.) Voy. SIMPLE. ¶ Qui consiste en aliments simples. *Frugi,* indécl. *Sobrius, a, um,* adj. [frugale. *Frugaliter,* adv.

frugalement, adv. D'une manière frugale. *Frugaliter,* adv.

frugalité, s. f. Caractère de celui qui est frugal. *Frugalitas, atis,* f. ¶ Caractère de ce qui est frugal. *Parsimonia victûs* ou *temperantia in victu.*

fruit, s. m. Production du végétal qui succède à la fleur. *Fructus, ûs,* m. (seul. au plur. pour désigner ce que produisent les champs et les arbres). Fruits de la terre, *fruges, um,* f. pl. Fruits des arbres, *poma, orum,* m. pl. — à noyau, *pomum cum osse natum.* — à pépin,

pomum cum granis natum. Un arbre à —, *pomus, i,* f. ¶ (Par plur. Les productions. *Fructûs, ûs,* m. (au plur. *terrae fructus*). *Fruges, um,* f. pl. ¶ (Fig.) Résultat avantageux que produit qqch. *Fructûs, ûs,* m. Avec —, sans —, voy. PROFIT, UTILEMENT, INUTILEMENT.

fruiterie, s. f. Local où l'on conserve les fruits. *Pomarium, ii,* n.

fruitier, ière, adj. Qui produit des fruits. *Fructuarius, a, um,* adj. *Fructuosus, a, um,* adj. Jardin —, *pomarium, ii,* n. Arbre —, *felix arbor.* || Local où l'on garde des fruits. Voy. FRUITERIE. ¶ S. m. et f. Celui, celle qui fait le commerce de fruits, de légumes frais. *Pomarius, ii,* m. *Olitor, oris,* m. Fruitière, *pomaria, ae,* f.

frustrer, v. tr. Priver (qqn) d'un bien, d'un avantage qui lui est dû. *Frustrari,* tr. *Fraudâre (aliquem) aliquâ re.*

fugitif, ive, adj. Qui s'enfuit. *Fugitivus, a, um,* adj. *Profugus, a, um,* adj. ¶ (Fig.) Qui s'échappe rapidement. *Fugax* (gén. *-acis*), adj. *Fugitivus, a, um,* adj.

fuir, v. intr. et tr. || (*V. intr.*) S'éloigner à la hâte pour éviter qqn ou qqch. *Fugère,* intr. *Aufugère,* intr. *Defugère* (« fuir précipitamment »), intr. *Diffugère* (« fuir de côté et d'autre »), intr. *Effugère,* intr. *Profugère,* intr. *Refugère* (« fuir en revenant sur ses pas »), intr. Faire — (mettre en fuite), voy. FUITE. Qui fuit, voy. FUGITIF FUYARD. || (En parl. des choses.) S'éloigner rapidement. *Fugère,* intr. *Diffugère,* intr. *Effluère* (« s'échapper comme un liquide, fuir »), intr. *Refugère,* intr. En parl. du temps. *Volâre,* intr. *Effluère,* intr. —, c.-à-d. se retirer, *recedère,* intr. Qui fuit, voy. FUGITIF. || Fuir (en parl. d'un liquide). *Manâre,* intr. Par ext. — (en parl. d'un vase), *perfluère,* intr. || (Fig.) S'en aller en arrière. *Abscedère,* intr. *Refugère,* intr. ¶ (*V. tr.*) Chercher à éviter (une personne, une chose). *Fugère,* tr. *Defugère,* tr. *Effugère,* tr. *Profugère,* tr. *Refugère,* tr. *Fugitâre,* tr. *Declinâre,* tr. Qui fuit, *fugiens* (gén. *-entis*), p. adj. (av. le gén.). || (En parl. d'une chose.) Echapper à qqn. *Fugère,* tr. *Effluère,* intr. || (Spéc.) Echapper à l'intelligence. Voy. ÉCHAPPER.

fuite, s. f. Action de fuir. *Fuga, ae,* f. Mettre en —, *fugâre,* tr. Moyen de —, *effugium, ii,* n. || (Par anal.) Action de s'échapper. *Fuga, ae,* f. || (Par ext.) Action de s'échapper par une fente, etc. (en parl. d'un liquide, d'un gaz). *Manatio, onis,* f.

fumant, ante, adj. Qui laisse échapper la fumée. *Fumans* (gén. *-antis*), p. adj. *Fumidus, a, um,* adj. || (Fig.) *Fumans* (gén. *-antis*), p. adj. ¶ (P. ext.) Qui exhale de la vapeur. Voy. VAPEUR, ÉVAPORER.

fumé. Voy. FUMER.

fumée, s. f. Produit gazeux que dégagent les corps en combustion. *Fumus, i,* m. Plein de —, *fumeus, a, um,* adj.; *fumosus, a, um,* adj. Qui a été exposé à la —, *fumeus, a, um,* adj. ‖ (Fig.) Ce qui passe *ou* s'évanouit en un instant. *Fumus, i,* m. ¶ Vapeur qu'exhale un liquide, un corps humide plus chaud que l'air. *Vapor, oris,* m. *Nidor, oris* (« odeur de graisse *ou* de viande brûlée, fumée qui a une odeur »), m. ‖ (Spéc.) Vapeur produite par la respiration. *Halitus, us,* m. ‖ (Par anal.) Excitation produite au cerveau par les boissons fermentées. *Crapula, ae,* f. Les — de l'orgueil, *tumidi spiritus.*

1. fumer, v. intr. et tr. ‖ (*V. intr.*) Dégager de la fumée (en parl. d'un corps en combustion). *Fumāre,* intr. ¶ (*V. tr.*) Exposer à l'action de la fumée. — un renard, voy. ENFUMER. — (de la viande, du poisson, pour les conserver), (*aliquid*) *fumo siccāre* ou *macerāre* ou *in fumo suspendēre.* ‖ Fumé (en parl. d'un verre), *fumigatus, a, um,* p. adj.

2. fumer, v. tr. Amender (une terre) en y mettant du fumier. *Stercorāre,* tr.

fumet, s. m. Emanation odorante de certains mets, de certains vins. *Nidor, oris,* m.

fumeterre, s. f. Plante. *Capnos, i,* f.

fumier, s. m. Engrais formé de la litière des animaux domestiques. *Fimum, i,* n. *Stercus, oris,* n. De —, *stercorarius, a, um,* adj. Trou, fosse à —, *fimetum, i,* n.; *sterquilinium, ii,* n.

fumigation, s. f. Opération par laquelle on expose à la fumée, à la vapeur, etc. *Suffitio, onis,* f.

fumure, s. f. Amendement d'une terre par le fumier, l'engrais. *Stercoratio, onis,* f.

funambule, s. m. Celui qui danse sur la corde raide. *Funambulus, i,* m.

funèbre, adj. Qui a rapport aux funérailles. *Funebris, e,* adj. *Feralis, e,* adj. *Lugubris, e,* adj. ¶ Qui se rapporte à la mort. *Funebris, e,* adj.

funérailles, s. f. pl. Ensemble des cérémonies d'un enterrement. *Funus, eris,* n. *Exsequiae, arum,* s. f. pl. *Pompa, ae,* f. — publiques, nationales, *funus publicum.* Faire à qqn de magnifiques —, *amplo funere aliquem efferre.*

funéraire, adj. Qui concerne les funérailles. *Funereus, a, um,* adj. *Feralis, e,* adj.

funeste, adj. Qui apporte la mort. *Funestus, a, um,* adj. ¶ Qui apporte le malheur. *Funestus, a, um,* adj. *Exitiabilis, e,* adj.

funestement, adv. D'une manière funeste. *Perniciose,* adv.

furet, s. m. Petit mammifère carnivore. *Viverra, ae,* f.

fureter, v. intr. S'introduire, fouiller de tous côtés pour découvrir qqch. *Rimari,* intr.

fureteur, euse, s. m. et f. Qui fouille de tous côtés pour découvrir qqch. *Investigator, oris,* m. Fureteuse, *indagatrix, tricis,* f.

fureur, s. f. Colère où l'on ne se possède plus. *Furor, oris,* m. *Ira, ae,* f. *Saevitia, ae,* f. *Vecordia, ae,* f. *Rabies, ei,* f. Etre en —, *furēre,* intr. ‖ (Au plur.) Fureurs, *c.-à-d.* emportement violent. *Furor, oris,* m. (Spéc.) Folie qui pousse à des actes de violence. *Furor, oris,* m. Exercer sa —, *saevīre,* intr. ‖ (Par ext.) *Amentia, ae,* f. ‖ (Poét.) Délire prophétique, poétique. *Furor, oris,* m. ‖ (Fig.) Violence désordonnée (d'une chose). *Furor, oris,* m. *Saevitia, ae,* f. *Rabies, ei,* f. Exercer ses —, *saevire,* intr. ‖ (Par hyperb.) Impétuosité. Voy. ce mot. ¶ (Par ext.) Passion déréglée qu'on fait éclater pour une personne, pour une chose. *Furor, oris,* m.

furibond, onde, adj. Qui entre en fureur. *Furibundus, a, um,* adj. ‖ (P. ext.) Qui trahit la fureur. *Furibundus, a, um,* adj.

furie, s. f. Divinité infernale du paganisme. *Furia, ae,* f. (ordin. au plur. *furiae, arum,* f.) Qui appartient aux —, *furialis, e,* adj. (Fig.) Femme animée d'un sentiment violent. *Furia, ae,* f. *Furore animus* (ou *abrepta* ou *capta*) *mulier.* ¶ Mouvement de colère où l'on ne se possède plus. *Furiae, arum,* f. pl. *Furor, oris,* m. Lions en —, voy. FURIEUX. [furieuse. *Furiose,* adv.

furieusement, adv. D'une manière furieuse. *Furiose,* adv.

furieux, euse, adj. Livré à la fureur. *Furiosus, a, um,* adj. *Furens* (gén. *-entis*), p. adj. *Furibundus, a, um,* adj. *Rabidus, a, um,* adj. En —, *furenter,* adv.; *furiose,* adv. Etre —, *furēre,* intr.; *saevire,* intr. Devenir —, *irasci,* dép. intr. Rendre —, *efferāre,* tr. ‖ (Par ext.) Qui marque la fureur. *Furialis, e,* adj. *Rabidus, a, um,* adj. ‖ (Fig.) Qui a une violence désordonnée. *Furiosus, a, um,* adj. *Efferatus, a, um,* p. adj. *Saevus, a, um,* adj. Etre —, *saevire,* intr. ¶ (Par hyp.) Impétueux. Voy. ce mot. ¶ Livré à une passion déréglée. *Furens* (gén. *-entis*), p. adj.

furtif, ive, adj. Qui se fait de manière à échapper aux regards, à l'attention. *Furtivus, a, um,* adj.

furtivement, adv. D'une manière furtive. *Furtim,* adv.

fuseau, s. m. Instrument pour filer la quenouille. *Fusus, i,* m.

fusion, s. f. Liquéfaction d'un corps par l'action de la chaleur. *Fusus, us,* m. Entrer en —, *liquescēre,* intr. Etre en —, *liquefieri,* pass. Qui est en —, *fusilis, e,* adj. ¶ Dissolution d'un corps dans un liquide avec lequel il se mélange. *Mixtura, ae,* f.

fustigation, s. f. Action de fustiger. *Verbera, um,* n. pl.

fustiger, v. tr. Châtier à coups de fouet. *Flagris* (ou *loris*) *caedĕre.*

fût, s. m. Tige d'une colonne. *Truncus, i,* m. ‖ (P. anal.) Le fût d'un candélabre *Scapus, i,* m. ¶ Tonneau. *Dolium, ii,* n.

futaie, s. f. Bois où l'on a laissé les arbres arriver à leur plus grand développement. *Silva vetus.* Arbres de haute —, *procerae arbores.*

futaille, s. f. Tonneau, barrique. Voy. ces mots.

futé, ée, adj. Fin, madré. Voy. ces mots.

futile, adj. Qui ne vaut pas la peine qu'on s'en occupe. *Futilis, e,* adj. *Frivolus, a, um,* adj. *Tenuis, e,* adj.

¶ Qui s'occupe de choses qui n'en valent pas la peine. *Futilis, e,* adj. *Tenuis, e,* adj.

futilité, s. f. Caractère d'une chose, d'une personne futile. *Futilitas, atis,* f. ‖ (P. ext.) Chose futile. *Vanum, i,* n. *Nugae, arum,* f. pl.

futur, ure, adj. et s. m. ‖ *Adj.* Qui sera. *Futurus, a, um,* p. adj. *Venturus, a, um,* p. adj. Les races —, les générations —, *posteri, orum,* m. pl. ¶ *S. m.* Ce qui sera. *Futurum, i,* n.

fuyant, ante, adj. Qui fuit. *Fugiens* (gén. *-entis*), p. adj. ¶ (Par ext.) Qui va en arrière. *Recedens* (gén. *-entis*), p. adj.

fuyard, s. m. Celui qui s'enfuit. *Fugiens, entis,* s. m.

G

g, s. m. Septième lettre de l'alphabet français. *G* ou *g littera.*

gabare, s. f. Bâtiment de transport. *Oneraria navis* ou simpl. *oneraria, ae,* f.

gabelle, s. f. Impôt sur le sel. *Vectigal salis* ou *salinarum* ou *ex sale.*

Gabies, n. pr. Ville des Volsques. *Gabii, orum,* m. pl.

gâcher, v. tr. Délayer le plâtre avec de l'eau. *Asciāre,* tr.

gâchis, s. m. Boue détrempée. *Limus, i,* m. *Lutum, i,* n.

Gaète, n. pr. Ville du pays de Naples. *Caieta, ae,* f. De —, *caietanus, a, um,* adj.

gaffe, s. f. Perche garnie d'un crochet pour pousser une barque, etc. *Contus, i,* m.

gage, s. m. Objet déposé pour garantir le payement d'une somme due *Pignus, oris,* n. Donner, mettre en —, *pignorāre,* tr.; *oppignerāre,* tr. ‖ (Fig.) Garantie. *Pignus, oris,* n. Voy. GARANTIE. ‖ Enjeu déposé. *Pignus, oris,* n. ¶ Prix convenu dont on paye un serviteur. Voy. SALAIRE. Homme à —, *mercennarius, ii,* m. Prendre à —, *(aliquem) conducĕre.* Se mettre aux — de qqn *tribuĕre se mercennarium (comitem) alicui.*

gager, v. tr. Dans une contestation avec qqn, déposer (qqch.) comme gage. *Ponĕre,* tr. *Opponĕre,* tr. ‖ (Absol.) Parier. *Pignore certāre* (ou *contendĕre*). ¶ Payer (un serviteur) par an, par mois, etc. d'un prix convenu. *Conducĕre,* tr.

gageure, s. f. Convention (entre parties contestantes) de déposer un enjeu devant revenir à celui qui a raison. *Sponsio, onis,* f.

gagnant, ante, adj. Qui gagne (au jeu, etc.). ¶ *Qui (quae) vincit.* La personne —, et (substantiv.) le —, *victor, oris,* m.

gagner, v. intr. et tr. ‖ *V. intr.* (Anc. français) Paître. Voy. ce mot. ‖ (Par ext.) Faire du butin. Voy DUTIN. ¶ (Par ext.) *V. tr.* Conquérir (un territoire, une ville). Voy. CONQUÉRIR. Fig. Croyant avoir ville gagnée, *ratus se omnia tenēre.* ‖ (Par ext.) Occuper un lieu. *Petĕre,* tr. *Nancisci,* dép. tr. *Tenēre* (« occuper, aborder, parvenir à »), tr. *Venīre,* intr. *Pervenīre,* intr. — la porte, le large, etc., *furtim digredi; clam se subducĕre.* Absol. — au pied, *se abripĕre* (ou *proripĕre*). ‖ (Fig.) Atteindre. *Invadĕre,* intr. *Incessĕre,* tr. *Occupāre,* tr. *Opprimĕre,* tr. La nuit gagne qqn, *alicui nox obrepit.* ¶ (Par ext.) *V. tr.* Acquérir (un profit). *Quaerĕre,* tr. *Acquirĕre,* tr. *Invenīre,* tr. *Merēre* (« gagner un salaire, acquérir (qqch.) par son travail »), tr. *Demerēre* (« gagner de l'argent »), tr. *Proficĕre,* intr. *Lucrāri,* dép. tr. *Lucri facĕre,* tr. (av. l'acc. de la somme gagnée ou du profit réalisé). — l'enjeu de la partie, et (ellipt.) la partie, *vincĕre,* absol. — qqn au jeu, *prosperiore aleā uti.* — l'enjeu d'un pari, et (ellipt.) un pari, une gageure, *sponsione* (ou *sponsionem*) *vincĕre.* ¶ Conquérir (un succès). *Sibi parĕre,* et *Sibi parĕre,* tr. *Ferre,* tr. — une bataille, *superiorem discedĕre: in proelio* (ou *in pugnā*) *vincĕre; hostem vincĕre proelio.* — un procès. une cause, *causam* (ou *litem*) *obtinēre* (et fig.) — sa cause, *obtinēre (aliquid).* — le prix (dans une lutte, etc.), *palmam ferre; praemium auferre.* Par ext. — qqn de vitesse, voy. DEVANCER, PRÉVENIR. — du terrain, voy. AVANCER [8'] ÉTENDRE. Absol. L'eau gagne, *aqua serpit.* L'incendie gagne, *latè incendium pervagatur.* ‖ (Absol.) Fig. Être en progrès. Voy. PROGRÈS. ¶ Obtenir (un avantage). *Adipisci,* dép. tr. *Sibi parĕre* ou *com-*

varāre, tr. *Sibi parēre*, tr. *Invenīre*, tr. *Assequi*, tr. *Colligĕre*, tr. Chercher à — du temps, *tempus ducĕre*. — sur soi de..., *animum inducĕre* ou in *animum inducĕre* (avec l'infin. ou avec *ut* et le subj.). ‖ Gagner à qqch., c.-à-d. y trouver un avantage. *Proficĕre*, intr. *Assequi*, dép. intr. Que gagne-t-on à mourir? *quid lucri est mori!* Je ne gagne rien à ce que tu..., *nullum in eo facio quaestum, quod tu...* On gagne à ne pas s'éloigner, *prodest nusquam discedĕre*. Absol. — près de qqn, *pluris esse apud aliquem.* ‖ (Iron.) En parl. d'un désavantage. *Contrahĕre*, tr. (passif *contrahi* « se gagner »). Voy. CONTRACTER.

gai, gaie, adj. Qui est d'humeur riante. *Hilaris, e,* adj. *Laetus, a, um,* adj. ¶ (Par ext.) Où règne la gaieté. *Hilaris, e,* adj. Assez —, *hilariculus* (*vultus*). ‖ Qui a un aspect riant. *Hilaris, e,* adj. ‖ Interj. Gai! *Gaudeamus!*

gaiement ou gaiment, adv. D'une manière gaie. *Hilarē,* adv. *Hilari* (ou *alacri*) *animo.* *Festivē,* adv.

gaieté ou gaîté, s. f. Humeur riante. *Hilaritas, atis,* f. *Animus laetus* ou *hilaris. Alacritas, atis,* f. Mettre en —, *hilarāre.* tr.; *exhilarāre,* tr. Se mettre en —, *hilarescĕre,* intr. ‖ (Par hyperb.) *Loc.* adv. De — de cœur (de bonne volonté, sans y être obligé), *ultro,* adv.; *ex animo.* ‖ (P. ext.) Une —, un acte de —, *petulanter factum.*

gaillard, arde, adj. Vif et réjoui. *Alacer, cris, cre,* adj. *Jocosus, a, um,* adj.

gaillardement, adv. D'une manière gaillarde. *Festivē,* adv.

gaillardise, s. f. Manière d'être, propos, écrit d'une gaieté un peu libre. *Petulantia, ae,* f.

gaiment. Voy. GAIEMENT.

gain, s. m. Action de gagner. Le — d'une bataille, *parta victoria,* ou abs. *victoria.* Avoir — de cause, *causam vincĕre* ou *litem obtinēre.* Donner — de cause à qqn, *litem dare secundum aliquem.* ¶ Ce qu'on gagne. *Lucrum, i,* n. *Quaestus, ūs,* m. *Emolumentum, i,* n.

gaine, s. f. Etui de la lame d'un instrument tranchant ou aigu. *Vagina, ae,* f.

gaîté. Voy. GAIETÉ.

galamment, adv. D'une manière galante, avec bonne grâce. *Festivē,* adv. *Bellē* et *festivē. Urbanē,* adv. Vers tournés —, *lepidi versus.* ‖ (Fig.) De bonne grâce. *Libenter,* adv. ¶ En cherchant à plaire. *Amatoriē,* adv.

galant, ante, adj. Qui a bonne grâce. *Elegans* (gén. -*antis*), adj. *Urbanus, a, um,* adj. *Bellus, a, um,* adj. *Lepidus, a, um,* adj. ‖ Avec l'adj. avant le subst. Qui a des procédés délicats. *Liberalis, e,* adj. *Ingenuus, a, um,* adj. Un —

homme, *vir ingenuus.* En — homme, *ingenuē,* adv. Un — homme (un homme du monde), *urbanus homo.* Ne pas agir en — homme, *illiberaliter facĕre.*

galanterie, s. f. Caractère de ce qui a bonne grâce. *Elegantia, ae,* f.

Galatie, n. pr. Province d'Asie-Mineure. *Galatia, ae,* f.

gale, s. m. Maladie contagieuse de la peau. *Scabies, ei,* f.

galère, s. f. Navire de guerre des anciens. *Triremis, is* (abl. *e* et *i*), f. ¶ Navire de guerre à rames, employé surtout dans la Méditerranée. *Triremis, is,* f. Ramer sur les — du roi et ellipt. être condamné aux — (c.-à-d. aux travaux forcés), *remo publicae triremis affigi.* fig. Ramer sur la même —, *in eodem pistrino vivĕre.* ‖ (P. ext.) Bagne. Voy. ce mot.

galerie, s. f. Espace couvert qui règne autour d'un bâtiment et sert de lieu de promenade, etc. *Ambulatio, onis,* f. — à colonnes, *porticus, ūs,* f. Une — de tableaux, *pinacotheca, ae,* f. ‖ (Spéc.) Dans un jeu de paume, allée d'où l'on regarde les joueurs. *Xystus, i,* m. ‖ (P. ext.) Ceux qui regardent jouer. *Corona, ae,* f. ¶ (P. ext.) Sorte de balcon, qui couronne l'arrière d'un navire. *Forus, i,* m. ‖ Balcon en saillie qui règne autour d'une maison, d'un monument. *Maenianum, i,* n. ‖ Passage souterrain pratiqué dans une mine. *Cuniculus, i,* m. ‖ Passage souterrain voûté pour l'écoulement des eaux. *Specus, ūs,* m.

galérien, s. m. Celui qui a été condamné à ramer sur les galères du roi. *Remo publicae triremis affixus.*

galet, s. m. Caillou déposé par la mer sur le rivage et généralement arrondi. Des —, *lapides marini.*

galetas, s. m. Logement sous les toits. *Cenaculum, i,* n.

galette, s. f. Sorte de gâteau rond et plat. *Placenta, ae,* f.

galeux, euse, adj. Atteint de la gale. *Scaber, bra, brum,* adj.

Galilée, n. pr. Province de la Palestine. *Galilaea, ae,* f. De —, *Galilaeus, a, um,* adj.

galimatias, s. m. Discours, écrit, offrant un mélange confus, inintelligible. *Obscuritas verborum.* [LÈRE.

galiote, s. f. Petite galère. Voy. GA-

galle, s. f. Excroissance sur certaines feuilles. *Galla, ae,* f. Noix de —, *galla, ae,* f.

gallinacés, s. m. pl. Ordre de la classe des oiseaux de basse-cour. *Gallinaceum genus.*

galon, s. m. Tissu dont on orne des uniformes, des costumes, etc. *Limbus, i,* m. Petit — d'or cousu sur les robes des femmes, *segmentum, i,* n.

galop, s. m. L'allure la plus rapide

du cheval. *Cursus incitatissimus.* Au —, au grand —, *equo citato* ou *equis citatis.* Chevaux lancés au —, *incitati equi.*

galoper, v. intr. et tr. || *V. intr.* Aller au galop. *Equo citato* ou *admisso* (*equis citatis* ou *admissis*) *vehi* (ou *currĕre*).

gambade, s. f. Saut où l'on agite le jambes. *Exsultatio, onis,* f. *Puerulus, i,* m.

gambader, v. intr. Faire des gambades. *Exsultare,* intr. [*ae,* f.

gamelle, s. f. Grande écuelle. *Scutra,*

gamin, s. m. Petit garçon, petite fille, qui joue dans les rues, qui fait des espiègleries. *Pusio, onis,* f.

gamme, s. f. Série des sept notes de l'échelle musicale, disposées dans leur succession naturelle, etc. *Gradus sonorum.* || (Fig.) Chanter toujours la même —, *cantilenam eandem canĕre.* [*is,* m.

Gange, n. pr. Fleuve de l'Inde. *Ganges*

gangrène, s. f. Désorganisation putride des tissus animaux. *Gangraena, ae,* f.

gangrener, v. tr. Affecter de la gangrène. *Gangraenā vitiăre.* Se —, *tabescĕre,* intr. || (Fig.) Corrompre moralement. *Contaminăre,* tr. *Vitiis suis inficĕre.*

gangreneux, euse, adj. Qui est de la nature de la gangrène. *Tabidus, a, um,* adj. [à border. *Torus, i,* m.

ganse, s. f. Cordonnet rond qui sert

gant, s. m. Enveloppe de peau, etc. qui recouvre la paume de la main. *Digitale, is,* n.

gantelet, s. m. Gant recouvert de lames d'acier. *Caestŭs, ŭs,* m.

garance, s. f. Plante. *Rubia, ae,* f.

garant, s. m. Personne, chose qui assure qqch. à qqn. *Sponsor, oris,* m. *Vas, vadis,* m. *Praes, dis,* m. Se porter — pour qqn, *spondĕre* (ou *intercedĕre*) *pro aliquo.* Se porter — de, *recipĕre,* tr.

garantie, s. f. Action de garantir. || Engagement par lequel on assure qqch. à qqn *et par ext.* ce qui sert de gage. *Cautio, onis,* f. *Sponsio, onis,* f. *Pignus, oris,* n. Se faire donner des —, *cavēre,* Donner des —, *cavēre,* tr. Avec ou sur ma —, *me auctore.* ¶ Moyen par lequel on assure contre ce qui peut arriver de fâcheux. *Fides, ei,* f. Etre une —, *praesidio esse* (alicui).

garantir, v. tr. Assurer à qqn une chose sous sa responsabilité. *Cavēre,* tr. et abs. *Praestāre,* tr. *Recipĕre,* tr. *Spondĕre,* tr. || (Par ext.) Certifier sous sa responsabilité. *Spondĕre,*tr. *Recipĕre,* tr. *Asseverăre,* intr. ¶ Assurer (une personne, une chose) contre qq. événement fâcheux. *Servăre,* tr. *Munire,* tr. *Tuēri,* dép. tr. *Tutari,* dép. tr.

garçon, s. m. Enfant du sexe masculin. *Puer,* eri, m. ¶ Personne du sexe masculin non mariée. *Caelebs, ibis,* m. ¶ Jeune ouvrier. *Puer, eri,* m.

1. garde, s. f. Action de garder,

c.-à-d. de veiller à ce qu'une personne, une chose ne parte pas, ne se perde pas. *Custodia, ae,* f. *Tutela, ae,* f. *Praesidium, ii,* n. Avoir, prendre sous sa —, *custodire,* tr. Monter la —, être de —, *excubăre,* intr. Celui, celle qui a la — de, *custos, odis,* m. et f. || Un corps de garde. *Vigiliarium, ii,* n. || Prendre en garde (des fourrures, etc.). Voy. GARDER, CONSERVER. Qui est de —, *conditivus, a, um,* adj. ¶ (Escrime.) Action d'éviter un coup. Se mettre en —, *projicĕre gladium* (ou *ferrum* ou *hastam*); *statum pugnantis componĕre.* Etre en —, *in gradu stăre.* || (Fig.) Se mettre en — contre qqn, contre qqch., *cavēre,* intr. et tr. (ex. : *c. ab aliquo; a veneno*). Se donner — de..., — prendre de..., *cavēre,* intr. et tr. Etre sur ses —, *praecavēre,* intr.; *custodire se.* Qui n'est pas sur ses —, qui ne prend pas —, *incautus, a, um,* adj. || (Par ext.) Prendre — à qqn, à qqch., c.-à-d. faire attention à qqn, à qqch. Voy. ATTENTION. N'avoir — (de faire qqch.), *non committĕre ut...* (av. le subj.). ¶ Ce qui sert à garder. || Personnes qui gardent; ceux qui montent la garde. *Custodia, ae,* f. *Statio, onis,* f. *Vigilia, ae,* f. *Excubiae, arum,* f. pl. || Grand garde. *Statio, onis,* f. || Soldats qui gardent un chef, un souverain, etc. *Cohors, ortis,* f. || Choses qui gardent. — d'une épée, d'un poignard, *capulus gladii, pugionis.*

2. garde, s. m. et f. Celui, celle qui a la garde de qqn, de qqch. *Custos, todis,* m. et f. || Soldat de la garde d'un souverain. *Satelles, litis,* m. || Gardes de nuit, *vigiles, um,* m. pl. ¶ *S. f.* Une garde, *quae curam habet aegri* (ou *aegrorum*).

garde-corps, s. m. Voy. GARDE-FOU.

garde-fou, s. m. Balustrade, parapet. *Lorica, ae,* f.

garde-malade, s. m. et f. Celui, celle qui garde les malades. *Aegri* ou *aegrorum minister* (*ministra*).

garde-manger, s. m. Lieu où l'on conserve les aliments. *Cella penaria.*

garder, v. intr. ,tr. et pron. ¶ (*V. intr.*) Eviter que qqch. ait lieu. *Cavēre,* intr. *Vidēre,* tr. || (Par ext.) Veiller à éviter de faire qqch. *Non committĕre ut...* (Subj.) ¶ *V. pron.* Se garder de, c.-à-d. éviter de faire qqch. *Cavēre,* tr. *Praecavēre,* tr. *Vidēre,* tr. || Veiller à se préserver de qqch., de qqn. *Cavēre,* tr. et intr. ¶ *V. tr.* Préserver de qqch. *Servăre,* tr. *Tueri,* dép. tr. *Defendĕre,* tr. (*aliquem ab* [et l'abl.]). Absol. Dieu nous garde l *di meliora! di averruncent!* || (Absol.) Préserver qqch. — des fruits, du vin, etc. voy. CONSERVER. Qui peut se —, *durabilis, e,* adj. || Préserver qqn. *Custodire,* tr. || Garder pour défendre. *Custodire,* tr. *Praesidēre,* intr. (*huic imperio; urbi*)en parl.

d'une armée, d'une flotte. — les troupeaux, *greges pascĕre*. | Garder (un malade). *Assidĕre (aegro)*. || Garder la personne d'un souverain, etc. *Custodīre*, tr. || (Par ext.) Empêcher de partir. *Custodīre*, tr. *Retinēre*, tr. || Ne pas quitter. — son chapeau, *capite operto esse*. En gardant ses gants, *velatā manū*. || (Au fig.) Ne pas se dessaisir. *Custodīre*, tr. *Tuēri*, dép. tr. *Conservāre*, tr. *Tenēre*, tr. *Continēre*, (« garder par devers soi »), tr. *Obtinēre* tr. (*silentium* « g. obstinément le silence »). *Retinēre*, tr. || (Par ext.) Réserver. Voy. ce mot. || Ne pas quitter un lieu. *Servāre*, tr. (*ordines*, « les rangs »). *Conservāre*, tr. — le lit, *lecto teneri*. — les arrêts, *libero conclavi servari*.

garde-robe, s. f. Lieu où l'on serre les robes, les habits. *Vestiarium*, ii, n. ¶ (Spéc.) *Latrina*, ae, f.

gardeur, *euse*, s. m. et f. Celui, celle qui garde qqch. *Custos, odis*, m. et f.

gardien, *ienne*, s. m. et f. Celui, celle qui garde. *Custos, odis*, m. et f. — d'un temple, *aedituus, i*, m. — d'un magasin, *horrearius, ii*, m. || (Fig.) Défenseur, protecteur. Voy. ces mots.

gare, interj. Avertissement d'avoir à se garer. — à toi ! — à vous ! *care, cavete*. — au chien ! *cave canem*. Crier —, *praeclamāre*, intr.

garenne, s. f. Enclos peuplé de lapins. *Vivarium, ii*, n.

garer, v. tr. Mettre hors de l'atteinte de qqch. Se — de qqch., *cavēre (aliquid* ou *ab aliqua re)*.

garnir, v. tr. Entourer de qqch. qui protège. *Saepire*, tr. *Munire*, tr. Se — être garni (contre le froid, etc.), *muniri*, pass. ¶ Compléter (une chose) en y mettant ce qu'elle est destinée à contenir. *Instruĕre*, tr. Avoir la bourse, le gousset bien garni *,bene nummatum esse*. Coussin garni de roses, *pulvinus rosā fartus*.

garnison, s. f. Action de garnir de qqch. *Ornatio, onis*, f ¶ Ensemble des troupes qui occupent une place de guerre. *Praesidium, ii*, n. Ville sans —, *oppidum vacuum ad defensoribus*. ¶ (P. ext.) Ensemble des troupes qui sont casernées dans une ville. *Praesidium, ii*, n.

garniture, s. f. Ensemble des accessoires qui complètent une chose ou servent à la décorer. *Ornamentum, i*, n.

Garonne, n. pr. Fleuve de France. *Garumna, ae*, m.

garrotter, v. tr. Lier fortement. *Circumvincīre*, tr. || (P. ext.) Serrer fortement (qqn) avec des liens. *Artē colligāre*. Etre garrotté, *restringi vinculis*. || (Fig.) *Artius astringĕre*.

gaspillage, s. m. Action de gaspiller. *Dissipatio, onis*, f. Voy. DISSIPATION.

gaspiller, v. tr. Voy. DISSIPER, DÉPENSER, DILAPIDER. — en dépenses

inutiles ou frivoles, *intervertĕre*, tr. || (Fig.) *Abuti*, dép. intr. *Perdĕre*, tr.

gaspilleur, *euse*, s. m. et f. Voy. DISSIPATEUR.

gastronome, s. m. Celui qui est expert dans l'art de faire bonne chère. *Homo subtilioris palati*. [chère. *Gula, ae,*f .

gastronomie, s. f. Art de faire bonne

gâteau, s. m. Pâtisserie. *Crustulum, i*, n. ¶ Masse de cire où les abeilles déposent leur miel. *Favus, i*, m.

gâter, v. tr. Détériorer (une chose, une personne) en l'altérant. *Corrumpĕre*, tr. *Vitiāre*, tr. Gâté, *corruptus, a, um*, p. adj. || Détériorer en salissant. *Inquināre*, tr. || Détériorer en pourrissant. *Corrumpĕre*, tr. *Vitiāre*, tr. Se —, *putescĕre*, intr.; *putrescĕre*, intr. || (Par hyperb.) Gâter qqn. *Corrumpĕre*, tr. *Depravāre*, tr. Gâté, *delicatus, a, um*, adj. || (En parl. de l'esprit, du cœur, etc.: *Corrumpĕre*, tr.

gâterie, s. f. Acte par lequel on gâte, on choie à l'excès. *Deliciae, arum*, f. pl.

gauche, adj. Qui présente une déviation. *Pravus, a, um*, adj. Fig. Jugement —, *judicium pravum*. Opinion —, *perversa sententia*. ¶ (P. anal.) Qui s'y prend de travers. *Laevus, a, um*, adj. *Pravus, a, um*, adj. || (Par ext.) Maladroit, embarrassé. *Ineptus, a, um*, adj. ¶ (Par ext.) En parl. du bras qui est moins habile. *Sinister, tra, trum*, adj. *Laevus, a, um*, adj. (l. manus; subst. *laeva* [s.-e. MANUS], f.; *laevam petĕre*, prendre sa gauche; *ad laevam*, « vers la gauche »; *laevā*, « à gauche »).

gauchement, adv. D'une manière gauche, maladroite. *Laevē*, adv.

gaucher, adj. Qui se sert de la main gauche. Un homme — *et* (substantiv.) un —, *scaeva, ae*, m.

gaucherie, s. f. Manière d'agir gauche. *Sinisteritas, atis,* f. [*Favus, i*, m.

gaufre, s. f. Gâteau de cire des abeilles.

gaule, s. f. Longue perche. *Pertica, ae*, f.

Gaule, n. pr. Ancien nom de la France. *Gallia, ae*, f. De la —, *Gallicus, a, um*, adj. Habitants de la —, *Galli, orum*, m. pl. [*Perticā decutĕre*.

gauler, v. tr. Battre avec une gaule.

gaz, s. m. Fluide aériforme. *Vapor, oris*, m.

gaze, s. f. Etoffe d'un tissu léger, transparent. *Nubes, is*, f. — de lin, *linea nebula*.

gazelle, s. f. Espèce d'antilope qui habite l'Afrique et l'Asie. *Oryx, rygis*, m. *Dorcas, cadis* (acc. *cada*), f.

gazon, s. m. Herbe menue. *Gramen, minis*, n. *Herba, ae*, f. De —, *gramineus, a, um*, adj. Motte de —, *caespes, itis*, m.

gazouillement, s. m. Action de gazouiller. *Garruli cantus (lusciniae)*. *Garrulitas, atis*, f. Le — (des petits oiseaux), *minurritiones, um*, f. pl. P. ext. (en parl. d'un ruisseau), *susurrus, i*, m.

gazouiller, v. tr. En parl. des petits oiseaux, faire entendre un chant léger. *Fritultīre*, intr. *Fritinnīre*, intr. || (P anal.) Produire un murmure (en coulant). *Susurrāre*, intr.

gazouillis, s. m. Voy. GAZOUILLEMENT.

geai, s. m. Oiseau formant un genre voisin de celui des corbeaux. *Graculus, i, m.*

géant, *géante*, s. m. et f. Personnage d'une taille démesurée. || (Mythol.) Les Géants. *Gigantes, gigantum* (acc. *gigantas*), m. pl. ¶ Homme, femme qui dépasse la taille ordinaire. *Homo, vir (mulier) corporis ingentis.*

geindre, v. intr. Se lamenter à plaisir. Voy. GÉMIR.

gelée, s. f. Etat de la température où l'eau se solidifie. *Gelu, ūs, n.* — blanche, *pruina, ae, f.* ¶ Suc de substance animale qui a pris de la consistance en refroidissant. *Garimatium, ii, n.* || (Par anal.) Suc de fruit congelé. *Liquamen, inis, n.*

geler, v. tr. et intr. || (*V. tr.*) Transformer en glace. *Gelāre*, tr. *Congelāre*, tr. Eau gelée, *aqua concreta.* || (Par anal.) Durcir par la gelée. La terre est gelée, *terra obriguit nive pruināque.* || (Par ext.) Altérer un corps organisé par l'action du froid. *Urěre*, tr. *Perurěre*, tr. || (Par hyperb.) Etre gelé, *c.-à-d.* avoir froid, *frigore rigēre.* (Fig.) Rendre contraint. Voy. GLACER. ¶ (*V. intr.*) Se transformer en glace. *Gelāre*, intr. *Congelāre*, intr. *Congelari*, pass. Impersonn. Il gèle, *gelascit.* Il a gelé, *gelavit.* || (Par ext.) S'altérer par un froid excessif. *Aduri*, pass. La vigne gèle, *frigus vites adurit.* || (Par hyb.) Avoir grand froid. *Algēre*, intr.

gelinotte, s. f. Sorte de poule d'eau. *Attagen, genis, m.*

gémeaux, s. m. pl. (Castor et Pollux), un des douze signes du zodiaque. *Gemini, orum, m. pl.*

gémir, v. intr. Pousser une plainte inarticulée. *Geměre*, intr. *Ejulāre*, intr. — sur, *geměre*, tr.; *commiserāri*, dép. tr. || (Par anal.) Faire entendre un chant, un bruit plaintif. *Geměre*, intr. || (Fig.) Se sentir oppressé. *Oppressum esse (aliquā re).*

gémissant, *ante*, adj. Qui gémit. *Gemens* (gén. *-entis*), p. adj.

gémissement, s. m. Plainte de qqn qui gémit. *Gemitūs, ūs, m.* *Lamentatio, onis, f.* Pousser des —, *ingemiscěre*, intr. || (P. anal.) Le — de la tourterelle, *querela, ae, f.* || (P. ext.) Bruit d'une chose qui gémit. *Gemitūs, ūs, m.*

gémonies, s. f. pl. Escalier où l'on exposait, à Rome, le corps des suppliciés. *Gemonias scalae*, et simpl. *gemoniae, arum, f. pl.*

gênant, *ante*, adj. Qui gêne. *Molestus, a, um*, adj. *Gravis, e*, adj.

gencive, s. f. Tissu charnu des arcades dentaires. *Gingiva, ae, f.*

gendre, s. m. Celui qui a épousé une fille (par rapport au père *ou* à la mère de celle qu'il a épousée). *Gener, eri, m.*

gêne, s. f. Aveu arraché par la torture. *Confessio cruciatu expressa.* || (Par ext.) Question, torture. Voy. ces mots. || Tourment. Voy. ce mot. ¶ Malaise qu'on éprouve, quand on est serré, oppressé. *Angor, oris, m.* ¶ (Fig.) Embarras où l'on met qqn. Voy. EMBARRAS. || Embarras où l'on met le manque d'argent. *Angustiae, arum, f. pl. Difficultas, tatis, f.* || Contrainte qu'on s'impose. *Necessitas, atis, f.* — en présence de qqn, *pudor alicujus.* Sans —, *solutiore animo.* Qui est sans —, *liber, bera, berum*, adj.

généalogie, s. f. Filiation d'une *ou* de plusieurs personnes, établie par la succession de leurs ancêtres. *Origo familiae* (ou *familiarum*).

généalogique, adj. Relatif à la généalogie. Arbre —, *stemma, atis, n.*

gêner, v. tr. Mettre à la torture. Voy. TORTURER. || Tourmenter. Voy. ce mot. ¶ Mettre mal à l'aise. *Impedīre*, tr. Respiration gênée, *spiritus angustus.* Soldats gênés, *milites in artum compulsi.* ¶ (Fig.) Embarrasser, contraindre. *Molestum esse. Incommodāre*, tr. *Obesse*, intr. *Officěre*, intr. Absol. Etre gêné, *c.-à-d.* avoir des embarras d'argent, voy. GÊNE. Se —, *c.-à-d.* s'imposer une contrainte, *se coercēre; contrahi*, passif. Sans se —, *solutiore animo.*

général, *ale*, adj. Qui se rapporte à un ensemble de personnes, de choses. *Generalis, e*, adj. *Universus, a, um*, adj. *Publicus, a, um*, adj. *Communis, e*, adj. *Pervagatus, a, um* (« très répandu »), p. adj. Subst. Le — (t. de logique), *genus, eris, n.* || (Loc. adv.) En —, *c.-à-d.* au point de vue —, *in universum universē*, adv.; *generatim*, adv. Traiter une question en —, *de re universā agěre.* || (Par ext.) D'une manière générale, voy. ORDINAIREMENT. ¶ Qui embrasse l'ensemble d'un service, d'une administration, d'un commandement. *Summus, a, um*, adj. Quartier —, *praetorium, ii, n.* Intendant —, *praefectus fabrum.* Officiers —, *duces, m. pl.* || (Subst.) Un —, *dux, ducis, m.* Un — en chef, *imperator, oris, m.*

généralat, s. m. Grade de général d'armée. *Imperium, ii, n.*

généralement, adv. Au point de vue général. *Omnino*, adv. *Universē*, adv. ¶ D'une manière générale. *Ferē*, adv. *Vulgo*, adv. *Plerumque*, adv. On convient — que..., *apud omnes constat ou satis convenit* (avec l'acc. et l'infin.). C'est un bruit — répandu que..., *fama vulgatior est* (avec l'acc. et l'infin.).

généraliser, v. tr. Rendre général, applicable à l'ensemble. — les notions les plus connues, *generatim ea, quae maxime nota sunt, exponěre.*

généralissime, s. m. Général chargé du commandement en chef. *Imperator, oris*, m.

généralité, s. f. Caractère de ce qui est général. Pour exposer le fait dans sa —, *ut de re universâ dicamus*. ¶ (P. ext.) Idée générale. *Communes rerum summae*. ¶ Le plus grand nombre. *Vulgus, i,* n.

générateur, *trice*, adj. Qui sert à la génération. *Genetivus, a, um*, adj.

génération, s. f. Production d'un être vivant par des êtres de même nature. *Procreatio, onis*, f. ¶ (Par ext.) Ceux qui descendent de qqn par filiation directe. *Soboles, is*, f. *Progenies, ei*, f. || (P. anal.) Ceux qui vivent dans le même temps (évalué à la durée moyenne de la vie humaine). *Aetas, atis*, f. *Saeculum, i*, n. La — actuelle *haec aetas*. Bien des — d'hommes, *multa saecula hominum*.

généreusement, adv. D'une manière généreuse. ¶ Avec noblesse de sentiments. *Liberaliter*, adv. ¶ En donnant plus qu'on est tenu de faire. *Munificè*, adv.

généreux, *euse*, adj. Qui est de noble race. *Generosus, a, um*, adj. ¶ (P. ext.) Qui a de nobles sentiments. *Magno animo praeditus*. || (P. ext.) En parl. des choses. Voy. NOBLE. ¶ Qui donne plus qu'il n'est tenu de faire. *Largus, a, um*, (in *aliquem*). *Liberalis, e*, adj. | (P. ext.) En parl. d'un don. *Amplus, a, um*, adj.   [*Generalis, e*, adj.]

générique, adj. Qui tient à un genre.

générosité, s. f. Noblesse de sentiments. *Magnanimitas, atis*, f. ¶ Disposition à donner plus qu'on est tenu de le faire. *Liberalitas, atis*, f. || (P. ext.) Une — (un acte de générosité). *Largitio, onis*, f.

Gênes, n. pr. Ville d'Italie. *Genua, ae*, f. Qui est de —, *Genuensis, e*, adj. Golfe de —, *Ligusticum mare*.

genêt, s. m. Arbrisseau à fleur jaune. *Genista, ae*, f.

Genève, n. pr. Ville de la Suisse. *Genava, ae*, f. Qui est de —, *Genavensis, e*, adj. Lac de —, *Lemannus lacus*.

genévrier et **genevrier**, s. m. Arbuste à baies aromatiques. *Juniperus, i*, f.

génie, s. m. Esprit bon *ou* mauvais qui présidait à la destinée des humains. *Genius, ii*, m. ¶ Disposition, talent naturel. *Ingenium, ii*, n. *Natura, ae*, f. Le — d'une langue, *proprietas* (ou *natura*) *sermonis* (ou *linguae*). || Aptitude supérieure que certains esprits tiennent de la nature. *Ingenium, ii*, n. Un homme de —, *et* (*ellipt.*) un génie, *vir magni ingenii*; *vir ingenio praestans*.

genièvre, s. m. Genévrier Voy ce mot.

génisse, s. f. Jeune vache. *Bucula, ae*, f.

génitif, s. m. Cas auquel on met un mot déclinable pour exprimer son rapport à un autre mot. *Genetivus casus* et simpl. *genevivus, i*, m· **genou**, s. m.. Articulation de la jambe avec la cuisse, à la partie antérieure. *Genu, ûs*, n. Se mettre à —, voy. AGENOUILLER. Se jeter aux — de qqn, *se alicui ad pedes* (ou *se ad alicujus pedes*) *abjicère*.

genouillère, s. f. Ce qu'on attache sur le genou pour le préserver. *Genuale, is*, n.

genre, s. m. Groupe naturel d'êtres qui se ressemblent par certains traits essentiels. *Genus, eris*, n. ¶ (Par ext.) Le — humain, *genus humanum* (ou *hominum*). ¶ Ensemble des caractères essentiels d'une chose. *Genus, eris*, n. De ce —, *ejusmodi*. ¶ (Gramm.) Forme employée pour distinguer le sexe. *Genus, eris*, n.

gens, s. m. et f. pl. Nombre indéterminé de personnes prises collectivement. *Homines, um*, m. pl. Bien des —, *multi*. Plus de —, *plures*. La plupart des —, *plerique*. Tous les — *omnes*. Il y a des — qui prétendent..., *sunt qui dicant...* Les jeunes —, *adolescentes, ium*, m. pl. Les vieilles —, *natu majores*. Les — d'armes, *armati*. || (Absol.) Ceux qui sont sous les ordres de qqn. *Homines, um*, m. pl. *Famuli, orum*, m. pl.

gent, s. f. Nation. Voy. NATION. Le droit des —, *jus gentium*.

gentiane, s. f. Plante à suc amer. *Gentiana, ae*, f.

1. gentil, *ille*, adj. Qui a un agrément délicat. *Bellus, a, um*, adj. *Venustus, a, um*, adj.

2. gentil, s. m. Païen. Voy. ce mot.

gentilhomme, s. m. Noy. NOBLE.

gentillesse, s. f. Agrément délicat. *Festivitas, atis*, f. *Venustas, atis*, f. || (P. ext.) Action, parole qui a un agrément délicat. *Facetè dicta*. *Facetiae, arum*, f. pl.

gentiment, adv. D'une manière gentille. *Festivè*, adv.

génuflexion, s. f. Action de fléchir le genou. *Genua flexa* ou *curvata* Faire des —, *genua ponère*.

géographe, s. m. Celui qui s'occupe de géographie. *Qui terras* (ou *regiones*) *describit*.

géographie, s. f. Science qui a pour objet la description du globe. *Terrarum descriptio*.

géographique, adj. Qui se rapporte à la géographie. *Ad terrarum descriptionem pertinens*.

geôle, s. f. Voy. PRISON.

geôlier, s. m. Gardien d'une prison. *Janitor* (ou *custos*) *carceris*.

géomètre, s. m. Celui qui sait la géométrie. *Geometres, ae*, m.

géométrie, s. f. Science qui a pour objet la mesure de l'étendue. *Geometria, ae,* f.

géométrique, adj. Relatif à la géométrie. *Geometricus, a, um,* adj.

géométriquement, adv. D'une manière géométrique. *Geometricē,* adv.

gérant, s. m. Celui qui administre pour le compte d'un autre. *Procurator, oris,* m.

gerbe, s. f. Faisceau d'épis coupés. *Merges, gitis,* f. *Manipulus, i,* m. En —, *manipulatim,* adv.

gercer, v. tr. Fendiller. *Scindĕre,* v. tr. Se —, *rimas facĕre; findi,* pass. Etre gercé par le froid, *rumpi gelu.* Gercé, *rimosus, a, um,* adj.

gerçure, s. f. Fente légère. *Fissura, ae,* f. *Rima, ae,* f.

gérer, v. tr. Administrer pour le compte d'un autre (un domaine, une entreprise industrielle, etc.). *Alicujus rem* (ou *negotium*) *gerĕre. Res alicujus curāre.*

germain, *aine,* adj. Né du même père et de la même mère. *Germanus, a, um,* adj. Frère —, *germanus, i,* m. Sœur —, *germana, ae,* f.

Germanie, n. pr. Ancien nom de l'Allemagne. *Germania, ae,* f.

germe, s. m. Rudiment de l'embryon destiné à reproduire la plante, l'animal. *Germen, inis,* n. ¶ Principe, élément du développement d'une chose. *Germen, inis,* n. *Semen, inis,* n.

germer, v. intr. (En parl. de la semence) faire paraître le germe. *Germināre,* intr. ¶ (P. ext.) En parl. de la plante. Se montrer en germe. *Germināre,* intr. Faire —, *evocāre,* tr.

germination, s. f. Production, accroissement du germe, de l'embryon végétal. *Germinatio, onis,* f.

gérondif, s. m. Sorte d'infinitif déclinable. *Gerundium, ii,* n.

gésir, v. intr. Etre couché, étendu. *Jacēre,* intr. ¶ (Spéc.) Etre couché dans la tombe. *Jacēre,* intr.

gesse, s. f. Plante légumineuse. *Cicera, ae,* f.

gestation, s. f. Séjour du fœtus dans le sein de la mère. *Praegnatio, onis,* f.

geste, s. m. Mouvement du bras, de la main, de la tête, etc. qui exprime certaines pensées, etc. *Gestŭs, ŭs,* m. (s'opp. à *motus,* qui s'applique au corps tout entier). *Nutŭs, ŭs* (« signe de tête, geste »), m. Gestes et débit de l'orateur, *actio, onis,* f.

gesticulateur, s. m. Qui gesticule. *Gesticulator, oris,* m.

gesticulation, s. f. Action de gesticuler. *Gestŭs, ŭs,* m.

gesticuler, v. intr. Faire beaucoup de gestes. *Gestum agĕre* (ou *facĕre*).

gestion, s. f. Action de gérer. *Gestio, onis,* f. Sage —, *dispensatio, onis,* f. ¶ Manière de gérer. *Administrandi*

ratio, ou simpl. *administratio, onis,* f.

Gètes, n. pr. Peuple de la Dacie. *Getae, arum,* m. pl.

gibecière, s. f. Sac pour mettre les provisions *Panarium, ii,* n. *Pera, ae,* f.

gibet, s. m. Potence. *Crux, crucis,* f. *Furca, ae,* f.

gibier, s. m. Animaux qu'on prend à la chasse. *Venatio, onis,* f. Une pièce de —, *fera, ae,* f. Gros —, *ferae, arum,* f. pl. — tué, *venatŭs, ŭs,* m.; *venatio, onis,* f.

giboulée, s. f. Coup de vent accompagné d'averse, et bientôt suivi d'une éclaircie. *Subitus* (ou *subito coortus*) *imber.*

giboyeux, *euse,* adj. Qui abonde en gibier. *Plenus ferarum.*

gigantesque, adj. Qui passe de beaucoup la grandeur ordinaire. *Eximiae* (ou *mirae*), *ingentis* (ou *immanis*) *magnitudinis.*

gigot, s. m. Cuisse de mouton, d'agneau, etc., préparée pour être cuite. *Vervecis coxa.*

gingembre, s. m. Plante à racine aromatique. *Zingiber, běris,* n.

girafe, s. f. Mammifère à très long cou et à robe mouchetée. *Camelopardalis, is* (Acc. *im*), f.

girandole, s. f. Chandelier à plusieurs branches. *Candelabrum, i,* n.

gisant, *ante,* adj. Etendu sans mouvement. *Jacens* (gén. *-entis*), p. adj. Etre —, *jacēre,* intr.

gît, Voy. GÉSIR. Ci-gît, *hic jacet.*

gîte, s. m. Lieu où l'on trouve à se coucher, à se loger. *Mansio, onis,* f. Trouver, prendre son — qq. part, *manēre aliquo loco.* || (Spéc.) Retraite des animaux. *Cubile, ŭs,* n. || (Fig.) Demeure de l'homme. *Sedes, ŭs,* f. Revenir au —, *ad larem suum reverti.*

givre, s. m. Gelée blanche, congélation de la rosée, etc. *Pruina, ae,* f.

glaçant, *ante,* adj. Qui glace. Voy. GLACIAL.

glace, s. f. Eau congelée par le froid. *Glacies, ei,* f. Rompre la — (faire ouvrir le chemin), *viam aperīre.* Morceau de —, *moles glaciata.* ¶ (Fig.) Froideur extrême. *Frigus, oris,* n. De —, *frigidus, a, um,* adj. Etre de —, *frigēre,* intr. ¶ Plaque de verre, vitremiroir. Voy. VERRE, VITRE : MIROIR.

glacer, v. tr. Refroidir (un liquide) de manière à le convertir en glace. *Glaciāre,* tr. *Gelāre.* Se —, voy. GELER. Glacé, *glacie* (ou *gelu*) *duratus.* || (P. ext.) Rendre très froid. *Astringĕre,* tr. Froid qui glace, *algor, oris,* m. Etre glacé, *algēre,* intr. ¶ Frapper du froid de la mort, du frisson de la crainte. Voy. ENGOURDIR. ¶ (Fig.) Paralyser. Les assistants sont glacés d'effroi, *ingens horror spectantes perstringit.* || (Spéc.) Rendre sans ardeur, sans passion. *Refrigerāre,* tr. Etre glacé, *frigēre,* intr.

glacial, ale, adj. Qui a la température de la glace. *Gelidus, a, um,* adj. *Frigidissimus, a, um,* adj. ¶ (Fig.) Qui est sans ardeur, sans passion. *Frigidus, a, um,* adj. || Qui est d'un accueil contraint. *Frigidus, a, um,* adj.

glacier, s. m. Amas de glace. *Mons perpetuâ glacie rigens.*

glaçon, s. m. Morceau de glace. *Moles glaciata.*

gladiateur, s. m. Homme qu'on faisait combattre dans le cirque pour l'amusement du peuple. *Gladiator, oris,* m. Qui concerne les —, de —, *gladiatorius, a, um,* adj.

glaïeul, s. m. Plante voisine de l'iris. *Gladiolus, i,* m.

glaise, s. f. Argile grasse. Voy. ARGILE. (P. appos.) De la terre —, *argilla, ae,* f.

glaive, s. m. Epée. *Gladius, ii,* m. Spéc. Le — du bourreau, et *p. ext.* fig.) le — de la justice et (ellipt.) le —, *securis, is,* f.

gland, s. m. Fruit du chêne. *Glans, glandis,* f.

glande, s. f. Organe qui effectue la sécrétion de certains liquides. Les — du cou, *glanduiae. arum,* f. pl. ¶ (P. ext.) Tumeur formée dans une glande. *Tuber, beris,* n.

glaner, v. tr. Recueillir dans un champ (les épis qui restent après la moisson). *Spicas legère* ou *colligère.*

glaneur, euse, s. m. et f. Celui, celle qui glane. Qui (ou *quas) relictas spicas legit* (ou *colligit).*

glapir, v. intr. (En parl. de certains animaux.) Faire entendre un cri aigu ou précipité. *Gannîre,* intr. || (P. ext.) En parl. de l'homme. *Gannîre,* intr.

glapissant, ante, adj. Qui glapit. Qui (quae) gannit.

glapissement, s. m. Cri de l'animal qui glapit. *Gannîtus, ûs,* m.

glauque, adj. Qui est de couleur vert de mer. *Glaucus, a, um,* adj.

glèbe, s. f. Motte de terre. *Gleba, ae,* f.

glissant, ante, adj. Qui fait glisser. *Lubricus, a, um,* adj. Rendre —, *lubricâre,* tr. || (P. ext.) Qui glisse. *Lévis, e,* adj. || (Fig.) *Lubricus, a, um,* adj.

glisser, v. intr. et tr. || *V. intr.* Etre mû ou se mouvoir d'une manière continue sur la surface d'un corps lisse, l'impulsion une fois donnée, *et par ext.* ne pas être retenu, échapper (en parl. d'un corps lisse, etc.). *Labi,* dép. intr. Faire —, *fallère,* tr. (d'où au passif *falli,* « glisser »). Qui fait —, *lubricus, a, um,* adj. Laisser —, *demittère,* tr. || (Fig.) Ne pas faire impression sur qqn. *Sensum alicujus leviter movêre.* || Ne pas s'appesantir sur qqch. Voy. EFFLEURER. ¶ *V. tr.* Faire entrer ou sortir insensiblement. *Insérère,* tr. *Immittère,* tr. Se —, *repère,* intr. Se — vers, *arrepère,* intr. (av. *ad* et l'acc.).

globe, s. m. Corps de forme sphérique ou sphéroïdale. *Globus, i,* m.|| (En parl. d'un globe artificiel.) *Sphaera, ae,* f. Le — terrestre *et ellipt.,* le —, *orbis terrarum.*

globuleux, euse, adj. Formé de globules. *Globosus, a, um,* adj.

gloire, s. f. Eclat de la célébrité. *Gloria, ae,* f. *Laus, laudis,* f. *Claritas, atis,* f. Mettre sa — à, se faire — de, *gloriâri,* dép. intr. (*in aliquâ re).* Sans —, *inglorius, a, um,* adj.; *obscurus, a, um,* adj. (en parl. des pers. et des choses). || (Par ext.) Prix qu'on attache à la réputation. *Gloriae cupiditas* ou *aviditas. Gloriae laudisque cupiditas;* absol. *gloria, ae,* f. ¶ (Par ext.) Eclat de la grandeur. *Decus, oris,* n. *Splendor, oris,* m.

glorieusement, adv. D'une manière glorieuse. *Gloriosê,* adv. *Splendidê,* adv.

glorieux, euse, adj. Qui donne de la gloire. *Gloriosus, a, um,* adj. *Splendidus, a, um,* adj. *Praeclarus, a, um,* adj. Etre — pour qqn, *alicui laudi* (ou *gloriae) esse; alicui gloriam afferre.* || (P. anal.) Qui a acquis de la gloire. *Clarus, a, um,* adj. *Praeclarus, a, um,* adj.

glorification, s. f. Action de glorifier. *Laudatio, onis,* f.

glorifier, v. tr. Honorer (qqn, l'œuvre de qqn) en lui donnant une éclatante célébrité. *Praedicâre,* tr. *Celebrâre,* tr. Se — *efferre se* (dans l'express. *gloriâ et praedicatione sese efferre); gloriâri,* dép. intr. (av l'abl.). ¶ (Spéc.) Honorer Dieu en publiant sa grandeur. *Glorificâre,* tr. [*superbia.*

gloriole, s. f. Vaine gloire. *Inanis*

glose, s. f. Explication des mots vieillis ou obscurs d'un auteur. *Glossa, ae,* f.

gloser, v. intr. Donner des explications sur un terme, un passage obscur. *Glossas scribère.* || (Fig.) Faire des critiques. *Cavillâri,* dép. intr.

glossaire, s. m. Dictionnaire des mots vieillis ou obscurs qui ont besoin de glose. *Glossarium, ii,* n.

gloussement, s. m. Cri de la poule. *Singultûs, ûs,* m.

glousser, v. intr. (En parl. de la poule), faire entendre son cri. *Glocîre,* intr.

glouton, onne, s. m. et f. Celui, celle qui engloutit les morceaux, qui mange avec avidité. *Homo edax* (ou *gulosus). Edo, onis,* m. Une gloutonne, *mulier edax* (ou *gulosa).* ¶ (Adjectiv.) *Edax* gén. *-acis),* adj.

gloutonnement, adv. D'une manière gloutonne. *Gulosê,* adv.

gloutonnerie, s. f. Caractère de celui qui est glouton. *Edacitas, atis,* f.

glu, s. f. Substance visqueuse. *Viscum, i,* n.

gluant, ante, adj. Visqueux et collant comme la glu. *Glutinosus, a, um,* adj.

‖ (P. ext.) Enduit de glu. *Viscatus, a, um*, p. adj.

gluau, s. m. Petite branche enduite de glu, qui sert à prendre les petits oiseaux. *Viscata virga.*

gobelet, s. m. Vase à boire, sans anse. *Pocillum, i*, n. *Caliculus, i*, m. ¶ (P. anal.) Vase en fer-blanc dont se servent les escamoteurs. *Acetabulum, i*, n.

gober, v. tr. Manger, avaler sans prendre le temps de mâcher. *Sorbēre*, tr. *Devorāre (ovum).*

godet, s. m. Petit bassin, petit vase. *Acetabulum, i*, n.

goguenard, arde, adj. Voy. MOQUEUR. Substantiv. Un —, *cavillator, oris*, m.

goguenarder, v. intr. Faire le goguenard. Voy. RAILLER.

goitre, s. m. Tumeur à la partie antérieure du cou. *Guttur tumidum.*

golfe, s. m. Partie de mer formant un large enfoncement dans les terres. *Sinus maritimus* (ou *maris*) ou (simpl.) *sinus, ūs*, m.

gomme, s. f. Substance qui découle de certains arbres et dont on se sert pour coller, etc. *Cummi*, indécl. et *cummis* (acc. *im*, abl. *i*, gén. pl. *ium*), f. et m.   [*Cummi* (fém.)

gommer, v. tr. Enduire de gomme.

gommeux, euse, adj. Qui contient de la gomme. *Cumminosus, a, um*, adj.

gond, s. m. Fiche de fer sur laquelle s'emboîte et tourne une penture de porte, etc. *Cardo, dinis*, m. ‖ (Fig.) Sortir des —, *iracundiā efferri.*

gondole, s. f. Sorte de bateau léger. *Navis cubiculata.*

gonflement, s. m. État de ce qui est gonflé. *Tumor, oris*, m.

gonfler, v. tr. Distendre en tous sens (un corps élastique) par une pression intérieure. *Inflāre*, tr. Gonflé, *tumidus, a, um*, adj.; *distentus, a, um*, p. adj. Être gonflé, *tumēre*, intr. Se —, *turgēre*, intr. ‖ (Fig.) Remplir (qqn) du sentiment de son importance. *Inflāre*, tr. Gonflé (d'orgueil), *tumidus, a, um*, adj.

gorge, s. f. Partie antérieure du cou. *Jugulum, i*, n. *Fauces, faucium*, f. pl. *Guttur, uris*, m. Couper la —, *jugulāre*, intr. ¶ Gosier, intérieur de la gorge. *Fauces, ium*, f. pl. Crier à pleine —, à — déployée, *maximā voce clamāre.* Rire à — déployée, *maximā voce clamāre*, Rire à — déployée, *cachinnum tollēre.* Avoir la — altérée, *arēre siti.*

gorgée, s. f. Ce qu'on peut avaler de liquide en une fois. *Haustŭs, ūs*, m. Boire à petites —, *sorbillāre*, tr.

gorger, v. tr. Emplir jusqu'à la gorge (de nourriture). *Farcīre*, tr. Gorgés, *expleti atque saturi.*

gosier, s. m. Partie intérieure de la gorge. *Fauces, ium*, f. pl.

gothique, adj. Qui appartient au moyen âge, suranné. *Gothicus, a, um*, adj.

Goths, n. pr. Peuple germanique. *Gothi, orum*, m. pl.

goudron, s. m. Sorte de poix. *Pix liquida* ou simpl. *pix, icis*, f.

goudronner, v. tr. Enduire de goudron. *Pice oblinĕre (aliquid).*

gouffre, s. m. Cavité béante où l'on serait englouti. *Gurges, gitis*, m. *Vorago, inis*, f. *Fauces, ium*, f. pl. ‖ (Fig.) Abîme. *Gurges, itis*, m. *Vorago, inis*, f. Précipiter qqn dans le —, *aliquem dare ad praeceps.*

goujat, s. m. Valet d'armée. *Calo, onis*, m. *Lixa, ae*, m.

goujon, s. m. Petit poisson comestible. *Gobius, ii*, m.

goulet, s. m. Entrée en entonnoir. *Fauces, ium*, f. pl.   [*lum, ii*, n.

goulot, s. m. Col d'une bouteille. *Collum, i*, n.

goulu, ue, adj. Qui mange gloutonnement. Voy. GLOUTON.

goulûment, adv. D'une manière oulue. Voy. GLOUTONNEMENT.

gourde, s. f. Courge séchée et vidée pour y mettre de la boisson. *Lagoena, ae*, f.   [*is*, m.

gourdin, s. m. Gros bâton. *Fustis, is*, m.

gourmade, s. f. Coup de poing sur la figure. *Colaphus, i*, m.

gourmand, ande, adj. Qui aime les bons morceaux. *Gulosus, a, um*, adj. Substantiv. Un —, *lurco, onis*, m.

gourmander, v. tr. Reprendre sévèrement. *Increpāre*, tr. *Increpāre (aliquem voce gravissimā).*

gourmandise, s. f. Caractère de celui qui est gourmand. *Gula, ae*, f.

gourmet, s. m. Fin gourmand. *Homo subtilioris palati.*

goût, s. m. Sens par lequel on perçoit les saveurs. *Gustatŭs, ūs*, m. *Palatum, i* (pr. « palais, siège du goût; par ext. goût »), n. ¶ Saveur. *Gustatŭs, ūs*, m. *Sapor, oris*, m. Avoir un —, *sapĕre*, intr. ¶ Sensation agréable que produisent certaines saveurs. Prendre — à qqch., *aliquā re delectāri*, tr. ‖ (Fig.) Discernement des qualités et des défauts dans une œuvre d'art. *Sensŭs, ūs*, m. *Judicium, ii*, n. *Intelligentia, ae*, f. — fin, délicat, *et* (ellipt.), goût, c.-à-d.: bon —, *elegantia, ae*, f. *urbanitas, atis*, f. — difficile, *fastidium, ii*, n. Mauvais —, *inscitia, ae*, f.; *insulsitas, atis*, f. Avoir du —, *sapĕre*, intr. Qui a du —, qui fait preuve de —, *elegans* (gén. *-antis*), adj.; *intelligens* (gén. *-entis*), p. adj. De bon —, où il y a du —, *elegans* (gén. *-antis*), adj.; *urbanus, a, um*, adj. Avec —, *eleganter*, adv.; *intelligenter*, adv. Qui n'a pas de —, *ineptus, a, um*, adj.; *inficetus, a, um*, adj. Dans le — des Grecs, *Graecorum* *more* (ou *ritu*). Au — moderne, *novo ritu*. || (Par anal.) Observation des convenances. *Urbanitas, atis,* f. De bon —, *elegans ; urbanus.* Plaisanterie de bon —, *jocus ingenuus* (ou *liberalis*). De mauvais —, *illiberalis.* ¶ Manière, style d'une œuvre d'art. *Stilus, i,* m. Le — antique, *antiquitas, atis,* f. ¶ Préférence donnée à certaines choses, à certaines personnes. *Studium, ii,* n. (av. le gén.). Avoir du — pour... *studĕre,* intr. (av. le dat.). Prendre — à..., *aliquâ re gaudêre* (ou *delectari*). N'avoir aucun — pour..., *ab aliquâ re abhorrêre.* || (Spéc.) Inclination. Voy. ce mot.

goûter, v. tr. et intr. Percevoir la saveur de (qqch.). *Palato percipêre.* || (Spéc.) Percevoir la saveur en vue d'apprécier. *Gustatu explorâre.* || (Fig.) Apprécier la saveur de (qqch.). *Gustâre,* tr. *Perfrui,* dép. intr. Faire — qqch. à qqn, *aliquem aliquâ re oblectâre ; sensum alicujus rei alicui dare.* ¶ (*V.* intr.) Goûter (à qqch.) *Gustâre,* tr. *Degustâre,* tr. || (Absol.) Faire un léger repas entre le déjeuner et le dîner. *Merendam capêre.* Subst. Le —, *merenda, ae,* f. ¶ Goûter (de qqch.), en manger pour la première fois. *Gustâre,* tr. *Attingĕre,* tr. || (Fig.) Faire pour la première fois l'épreuve d'une chose. *Degustâre,* tr.

goutte, s. f. Petite quantité de liquide qui se détache sous forme de globule. *Gutta, ae,* f. *Stilla, ae,* (en parl. surt. d'un corps gras *ou* visqueux), f. Suer à grosses —, *sudore manâre* (ou *diffluĕre*). — à —, *stillatim,* adv. Couler — à —, *stillâre,* intr. || (P. ext.) Petite quantité d'un liquide. *Gutta, ae,* f. *Stilla, ae,* f. Ne pas boire une —, *ne minimo quidem haustu bibĕre.* || (P. hyperb.) Pas une — de sang, *nihil sanguinis.* || Goutte (petite quantité négligeable). *Ne tantillum* (ou *ne minimum*) *quidem.* Ne voir —, *nihil cernĕre.* ¶ Nom de diverses maladies. Maladie des articulations, *morbus articularius ; dolor* ou *dolores articulorum* ou *artuum.* Atteint de la —, voy. GOUTTEUX. — aux mains, *chiragra, ae,* f. — aux pieds, *podagra, ae,* f.

gouttelette, s. f. Petite goutte d'un liquide. *Guttula, ae,* f.

goutteux, *euse,* adj. Qui a la goutte (maladie des articulations), adj. *Arthriticus, a, um,* adj. *Podagrosus, a, um,* adj.

gouttière, s. f. Bord d'un toit par lequel s'égoutte l'eau de pluie. *Suggrunda, ae,* f.

gouvernail, s. m. Pièce mobile placée à l'arrière d'un navire pour le diriger. *Gubernaculum, i,* n. Tenir le —, *gubernâre,* intr. || (Fig.) *Gubernacula, orum,* n. pl. *Clavus, i,* m. Prendre en mains le — de l'Etat, *ad gubernacula accedĕre.* Celui qui tient en mains le — de l'Etat,

rei publicae gubernator. [*um,* m. pl.

gouvernant, s. m. Les — *principes, gouverne,* s. f. Action de diriger de telle ou telle manière. *Ratio vitae.*

gouvernement, s. m. Action de gouverner une embarcation. *Gubernatio, onis,* f. ¶ Action de gouverner, de diriger la conduite des choses, des personnes. *Gubernatio, onis,* f. Administratio, onis,* f. || Action de gouverner (un pays), etc. *Gubernatio, onis,* f. *Administratio, onis,* f. Avoir le —, être à la tête du —, voy. GOUVERNER et GOUVERNEUR. || (Spéc.) Direction politique et militaire d'une province, d'une ville (exercé au nom du souverain). *Administratio, onis,* f. *Provincia, ae,* f. || La province, la ville ainsi dirigée. Voy. PROVINCE, VILLE. || Résidence du gouverneur. *Domus praetoria. Praetorium, ii,* n. || (Par ext.) Ceux qui ont la direction politique de l'Etat. *Qui rem publicam regunt et moderantur. Consilium publicum.* Au nom du —, *publicè,* adv. ¶ (Par ext.) Forme politique suivant laquelle un Etat est dirigé *Res publica. Civitas, atis,* f. *Civitatis forma.* — républicain, *popularis civitas.* — monarchique. *regnum, i,* n. — despotique, *dominatio, onis,* f. Changement de —, *civiles commutationes.*

gouverner, v. tr. Diriger à l'aide du gouvernail (une embarcation). *Gubernâre,* tr. *Regêre,* tr. — (dans une direction), *navem dirigĕre ad...* — vers..., (*navem*) *applicâre ad...* Un bâtiment qui — bien, *navis gubernaculo parens.* || (Fig.) Qui sait gouverner sa barque, *rerum suarum prudens.* ¶ (Par ext.) Diriger la conduite des choses, des personnes. *Gubernâre,* tr. *Regêre,* tr. ¶ Diriger les affaires de l'Etat. *Rem publicam gerêre* ou *administrâre.* Se — soi-même, *sui juris esse.*

gouverneur, s. m. Celui qui est chargé de la direction politique et militaire d'une province. *Proconsul, ulis,* m. *Praefectus, i,* m. ¶ (P. anal.) Celui qui est chargé de la direction du commandement dans une ville. *Praefectus urbis* ou *urbi.* Etre — d'une ville, de la citadelle, *urbi, arci praeesse* (ou *praefectum esse*).¶ Celui qui est chargé de la direction morale d'un jeune homme. *Magister, tri,* m. *Paedagogus, i,* m. [*i,* m.

grabat, s. m. Lit misérable. *Grabatus,*

grâce, s. f. Agrément qui réside dans une personne. *Gratia, ae,* f. *Venustas, atis,* f. *Elegantia, ae,* f. Qui a de la —, *venustus, a, um,* adj.; *festivus, a, um,* adj.; *plenus jucunditatis.* Qui n'a pas de —, qui est sans —, *invenustus, a, um,* adj.; *inconcinnus, a, um,* adj. Avec —, *bellè,* adv.; *decenter,* adv. Sans —, *ineleganter,* adv.; *invenustè,* adv. Fig. Avoir mauvaise — à faire qqch., *aliquid non bellè facêre.* Vous avez mauvaise — à..., *te minime decet* (inf.). De bonne —, voy. VOLONTIERS. De mauvaise —, *repugnanter*, adv.; *gravate̅*, adv. ‖ Agrément répandu dans les choses. *Venustas, atis*, f. *Lepos, oris*, m. Qui manque d'—, qui n'a pas de —, *invenustus, a, um*, adj. ¶ Disposition à être agréable. *Gratia, ae*, f. *Voluntas, atis*, f. Voy. BIENVEILLANCE. ‖ (Par ext.) Chose qu'on accorde à qqn pour lui être agréable sans qu'elle lui soit due. *Gratia, ae*, f. *Beneficium, ii*, n. *Venia, ae*, f. Demander en —, *ora̅re atque obtestari, ut*... De —, *quaeso*. ‖ (Spéc.) Secours surnaturel que Dieu accorde à l'homme. *Gratia, ae*, f. Par la — des dieux, *deorum beneficio*. ¶ Remise d'une peine accordée bénévolement. *Venia, ae*, f. Lettres de —, *absolutoria tabella*. Faire —, voy. ÉPARGNER, PARDONNER. Demander —, *deprecari*, dép. tr. Trouver — devant qqn, *alicui place̅re*. ‖ (Par anal.) Coup de grâce. *Plaga extrema* (ou *mortifera*). Donner le coup de — à qqn, *aliquem conficere*. ¶ Remise de qqch. *Gratia, ae*, f. Voy. REMISE. Faire — de qqch., *remittere aliquid*. Faites-nous — du reste, *omitte, quaeso, cetera*. ¶ Action de reconnaître un bienfait reçu. *Gratia, ae*, f. (touj. au sing. avec *gratiam habe̅re, referre, debe̅re*; au plur. *gratias age̅re*). Actions de —, *gratulatio, onis*, f. ‖ (Par anal.) Grâce à, *per*, prép. (av. l'acc.); *beneficio*, abl. adv. (av. le gén.); *opera̅*, abl. adv. (av. le gén.)

gracier, v. tr. Exempter (qqn) de la peine à laquelle il a été condamné. *Veniam delicti alicujus alicui da̅re* (ou *tribue̅re*). *Ignosce̅re alicui*.

gracieusement, adv. D'une manière gracieuse. ‖ Avec grâce. *Venuste̅*, adv. *Belle̅*, adv. ‖ Avec obligeance. *Urbane̅*, adv. [*Officium, i*, n.

gracieuseté, s. f. Acte d'obligeance **gracieux**, *euse*, adj. Qui a de la grâce (agrément). *Venustus, a, um*, adj. *Lepidus, a, um*, adj. ¶ Qui témoigne de la grâce (disposition à être agréable à qqn). *Urbanus, a, um*, adj. ¶ Qui fait une grâce à qqn (lui accorde une chose qui ne lui est pas due). *Gratiosus, a, um*, adj. [*u̅s*, m.

gradation, s. f. Progression. *Gradus,* **grade**, s. m. Degré de dignité. *Gradus dignitatis* (ou *honoris*) ou simpl. *gradu̅s, u̅s*, m. ¶ Degré de commandement dans l'armée. *Ordo, dinis*, m. *Locus, i*, m. Avoir le — de centurion, *ordinem ducere*.

gradin, s. m. Degré d'un support en étages. *Gradus, u̅s*, m.

graduel, *elle*, adj. Qui a lieu par degrés. *Qui* (*quae, quod*) *per gradus crescit*.

graduellement, adv. D'une manière graduelle. *Gradatim*, adv.

grain, s. m. Chacun des fruits contenus dans l'épi des céréales. *Granum, i*, n. — de blé, *frumentum, i*, n. Petit

—, *granulum, i*, n. ‖ Céréales *Frumenta, orum*, n. pl. Commerce de —, *negotiatio frumentaria*. ¶ (P. ext.) Fruit *ou* semence grenue de certains fruits. *Granum, i*, n. — de raisin, *acinum, i*, n. ¶ (P. anal.) Morceau grenu d'une substance quelconque. *Mica, ae*, f. *Granum, i*, n. Grains de sel, *sales, ium*, m. pl. ¶ (Absol.) En parl. d'une pierre, d'un métal. *Granum, i*, n. ¶ (Fig.) Très petite quantité de qqch. *Tantillum, i*, n. *Paululum, i*, n. ¶ Petit poids. *Siliqua, ae*, f.

graine, s. f. Partie du fruit de la plante qui sert à la reproduire. *Semen, inis*, n. ¶ Cette partie du fruit considérée comme servant de nourriture. *Granum, i*, n.

grainer. Voy. GRENER.

graineterie, grainetier. Voy. GRÉNETERIE, GRÉNETIER.

graisse, s. f. Substance onctueuse. *Adeps, dipis*, m. et f.

graisser, v. tr. Oindre de graisse. (*Aliquid*) *adipe perungere*.

graisseux, *euse*, adj. Qui est de la nature de la graisse. *Pinguis, e*, adj. *Unctus, a, um*, p. adj.

grammaire, s. f. Science des règles du langage. *Ars grammatica*, ou simpl. *grammatica, ae*, f.

grammairien, s. m. Celui qui s'occupe de grammaire. *Grammaticus, i*, m.

grammatical, *ale*, adj. Relatif *ou* conforme à la grammaire. *Grammaticus, a, um*, adj.

grammaticalement, adv. D'une manière grammaticale. *Grammatice̅*, adv.

grand, *ande*, adj. Qui passe les dimensions ordinaires (surt. en hauteur *ou* en longueur). *Magnus, a, um*, adj. *Grandis, e*, adj. (« d'une belle venue »). *Amplus, a, um*, (« étendu, spacieux; grand »), adj. *Procerus, a, um* (« long, allongé, de haute taille »), adj. *Celsus, a, um*, adj. (« de grande taille »). Extrêmement —, *ingens* (gén. *-entis*), adj. Démesurément —, *immanis, e*, adj. ‖ (Par anal.) Qui a atteint toute sa dimension. *Grandis, e*, adj. *Adultus, a, um*, adj. Devenir —, *adolesce̅re*, intr. ‖ (Par ext.) Les — parents, *avi, orum*, m. pl. — père, *avus* (*paternus* ou *maternus*). — mère, *avia* (*paterna* ou *materna*). — oncle (paternel), *patruus magnus*; (maternel), *avunculus magnus*. — tante (paternelle), *amita magna* (maternelle), *matertera magna*. ‖ (Par ext.) En parl. des eaux. *Magnus, a, um*, adj. ‖ (Par anal.) *Magnus, a, um*, adj. *Plenus, a, um*, adj. *Bonus, a, um*, adj. —, c.-à-d. élevé, *altus, a, um*, adj. — arbre, *arbor alta*. Au — jour, *luce clara̅*, ou simpl. *luce*. ¶ Qui passe la mesure ordinaire (en quantité, en qualité). *Magnus, a, um*, adj. *Grandis, e*. adj. *Amplus, a, um*, adj. Aussi — que..., *quantus, a, um*, adj. Combien —, *quantus, a, um,* adj. Aussi —, *tantus, a, um,* adj. Si —, *tantus, a, um,* adj. Très —, *summus, a, um,* adj. || (Par anal.) *Magnus, a, um,* adj. Un — homme d'état, *rei publicae gerendae scientissimus.* Un — savant, *homo nobilis et clarus ex doctrinā.* ¶ Qui passe le niveau ordinaire (par le rang, la condition). *Magnus, a, um,* adj. *Amplus, a, um,* adj. *Summus, a, um,* adj. Un — homme, *summus vir.* Le — monde, *homines lauti et urbani.* || (Subst.) Personnage élevé en dignité. Un —, *vir primarius.* Les —, *proceres, um,* m. pl. ¶ Qui passe le niveau ordinaire pour le mérite. *Magnus, a, um,* adj. Si —, *tantus, a, um,* adj. Combien —, *quantus, a, um,* adj. Combien —, *quantus, a, um,* adj. || (Spéc.) Qui a de l'élévation morale. *Magnus, a, um,* adj.

grandement, adv. Au delà de la mesure ordinaire. || Beaucoup, extrêmement. *Valdē,* adv. *Magnopere,* adv. || Magnifiquement, somptueusement. *Lautē,* adv. *Magnificē,* adv.

grandeur, s. f. Caractère de ce qui est grand. *Magnitudo, dinis,* f. *Amplitudo, dinis,* f. || (Par ext.) Dimension dans tel ou tel sens. *Magnitudo, dinis,* f. De — égale, *par,* adj. || (Spéc.) Hauteur, stature. *Magnitudo, dinis,* f. *Proceritas, atis,* f. Fig. Regarder qqn du haut de sa —, *supernē despicēre aliquem.* || (Absol.) Quantité continue susceptible d'accroissement *ou* de décroissement (mathém.). *Magnitudo, dinis,* f. (au plur. *magnitudines,* les grandeurs géométriques). ¶ (Au fig.) Haut degré, importance. *Magnitudo, dinis,* f. || Haut degré de puissance. *Amplitudo, dinis,* f. Les —, voy. DIGNITÉ. || (Spéc.) Élévation morale. — d'âme, *magnitudo animi; magnus animus; magnanimitas, atis,* f.

grandiose, adj. Qui a un caractère de grandeur imposant. *Amplus, a, um,* adj. *Grandis, e,* adj.

grandir, v. intr. et tr. || *V. intr.* Devenir plus grand. *Crescēre,* intr. *Adolescēre,* intr. Qui grandit, *adolescens, entis,* p. adj. Qui a grandi, *grandis, e,* adj. || (Fig.) Devenir plus grand. *Crescēre,* intr. ¶ *V. tr.* Rendre plus grand. *Augēre,* tr. Se —, voy. HAUSSER. — les choses, *rem verbis augēre.*

grand-mère, etc. Voy. GRAND.

grange, s. f. Lieu où l'on serre les gerbes. *Horreum, i,* n.

graphique, adj. Qui trace au moyen du dessin. *Graphicus, a, um,* adj. Représentation — d'un plan, *descriptio aedificandi.*

grapin. Voy. GRAPPIN.

grappe, s. f. Assemblage de fleurs, de fruits étalés sur un pédoncule commun. *Uva, ae,* f. — de raisin, *racemus, i,* m.; *uva, ae,* f. ¶ Ce qui est en forme de grappe. *Uva, ae,* f

grappiller, v. intr. Cueillir les grappillons laissés par les vendangeurs. *Racemāri,* dép. intr.

grappin ou **grapin,** s. m. Crochet d'abordage. *Manus ferrea. Harpago, onis,* m. || (Fig.) Mettre le — sur qqn, *manum injicēre alicui.*

gras, asse, adj. Qui renferme de la graisse. *Pinguis, e,* adj. Partie —, *adeps, dipis,* m. et f. Laine —, *sucida lana.* || (Spéc.) En parl. des aliments. *Adipatus, a, um,* adj. Du lard —, *laridum pingue.* || Substantiv. Le — (la partie grasse de la viande), voy. GRAISSE. Les aliments —, *caro, carnis,* f. ¶ (Par ext.) Qui a de la graisse en abondance. *Pinguis, e,* adj. *Opimus, a, um,* adj. *Obesus, a, um,* adj. Devenir gros et —, *pinguescēre,* intr. ¶ Oint de graisse. *Unctus, a, um,* p. adj. || Taché de graisse. *Unctus, a, um,* p. adj. || (P. anal.) Qui a une consistance onctueuse. *Pinguis, e,* adj. Terre —, *glutinosa terra.* || (Fig.) Abondant. *Pinguis, e,* adj. *Opimus, a, um,* adj.

gras-double, s. m. Membrane de l'estomac du bœuf. *Omasum, i,* n.

grassement, adv. D'une manière grasse, large. *Opimē,* adv. *Lautē,* adv.

gratification, s. f. Argent donné à qqn comme témoignage de satisfaction. *Beneficium, ii,* n. *Munus, eris,* n.

gratifier, v. tr. Enrichir d'une libéralité. *Donāre (aliquem aliquā re).* Fig. *Augēre,* tr. *Afficēre (aliquem honore). Ornāre,* tr.

gratis, adv. Voy. GRATUITEMENT.

gratitude, s. f. Sentiment affectueux pour celui dont on est l'obligé. *Animus gratus.* Sentiment de —, *pietas, atis,* f.

gratter, v. tr. Frotter en raclant la superficie. *Radēre,* tr. — avec le ciseau, *scalpēre,* tr. || Gratter un endroit qui démange (avec ses ongles). *Scalpēre,* tr. *Scabēre,* tr.

gratuit, uite, adj. Dont on jouit sans payer. *Gratuitus, a, um,* adj. || (P. ext.) Donné bénévolement, voy. VOLONTAIRE. Don —, voy. DONATION. LARGESSE. A titre —, *nullā impensā.* || (Fig.) Non motivé. *Gratuitus, a, um,* adj.

gratuitement, adv. D'une manière gratuite. *Gratiis* (ou *gratis*), adv. *Gratuito,* adv. *Frustra,* adv.

gravats et gravois, s. m. pl. Plâtras, pierres provenant de démolitions. *Rudus vetus* et (absol.) *rudus, deris,* n. *Rudera, um,* n. pl.

grave, adj. Qui tend vers le centre de la terre, en vertu de la pesanteur. *Gravis, e,* adj. ¶ (Fig.) Qui a de l'importance. *Gravis, e,* adj. *Magnus, a, um,* adj. (Par anal.) Qui appartient aux degrés inférieurs de l'échelle musicale. *Gravis, e,* adj.

gravelle, s. f. Concrétion qui se forme dans les reins. *Calculus, i,* m.

gravement, adv. D'une manière grave. *Graviter*, adv. ‖ Fortement, beaucoup. *Graviter*, adv. *Vehementer*, adv. Tomber — malade, *in gravem morbum incidere*.

graver, v. tr. Tracer (une figure, une inscription, etc.) sur une matière dure. *Sculpere*, tr. *Insculpere*, tr. ¶ (Fig.) Rendre manifeste dans qqch. l'idée d'une personne, d'une chose. *Insculpere*, tr. *Imprimere*, tr. ‖ Rendre qqch. durable dans l'esprit, dans le cœur. *Inscribere*, tr. *Affigere*, tr. Se —, *insidere*, intr.

graveur, s. m. Dont la profession est de graver. *Sculptor, oris*, m.

gravier, s. m. Sable à gros grains. *Glarea, ae*, f.

gravir, v. intr. et tr. ‖ *V. intr.* S'élever avec effort sur une pente escarpée. Voy. ci-après. ‖ *V. tr.* Même sens. *Scandere*, intr. (*in aliquid*). *Ascendere*, intr. et tr. (*in montem* ou *montem*).

gravité, s. f. Tendance des corps vers le centre de la terre. *Gravitas, atis*, f. Centre de —, *momentum, i*, n. ‖ (P. ext.) — d'un son, *gravitas soni*. ¶ (Fig.) Caractère de ce qui a de l'importance. *Gravitas, atis*, f. *Magnitudo, dinis*, f. *Pondus, eris*, n. La — des circonstances, *difficultas rerum*. ¶ Manière d'être de celui qui attache aux choses de l'importance; (p. ext.) maintien sérieux. *Gravitas, atis*, f. Air de —, *gravitas, atis*, f.

graviter, v. intr. Obéir à la gravitation. *Ferri gravitate in medium locum mundi. Suo nutu ferri.*

gravois, s. m. pl. Voy. GRAVATS.

gravure, s. f. Action de graver. *Sculptura, ae*, f.

gré, s. m. Satisfaction qu'on trouve dans qqn ou qqch. *Inclinatio voluntatis*. ‖ Volonté, désir. *Voluntas atis*, f. *Arbitratus* (abl. *u*), m. (ne s'emploie qu'à l'ablatif avec les adj. *meo, tuo, suo*). Au — de ses désirs, *ex voto*. Au — de son caprice, *ut libido fert*. ¶ Satisfaction avec laquelle qqn se porte à faire qqch. De plein —, *voluntate; suâ sponte et voluntate*. Contre son —, *aegrè*, adv.; *gravatè*, adv. De — ou de force, bon — mal —, *aut vi aut voluntate*. ¶ Satisfaction que qqn témoigne à celui qui a fait qqch. pour lui. *Gratia, ae*, f. Dont on sait —, *gratus, a, um*, adj.

grec, *grecque*, adj. et s. m. ‖ *Adj.* Relatif à la Grèce. *Graecus, a, um*, adj. ¶ *S. m.* La langue grecque. *Litterae Gracae. Sermo Graecus. Lingua Graeca.* En —, *Graecè*, adv. Parler —, *Graecè, ae, loqui.*

Grèce, n. pr. Contrée de l'Europe. *Graecia, ae*, f.

gréement. Voy. GRÉMENT.

gréer, v. tr. Garnir (un navire) de mâts, de vergues, cordages, etc. *Armāre*, tr.

1. greffe, s. f. Pousse d'une plante qu'on insère sur une autre. *Surculus, i*, m.

2. greffe, s. m. Lieu où l'on dépose les minutes des actes judiciaires. *Tabularium, ii*, n.

greffer, v. tr. Soumettre à l'opération de la greffe. *Inserere*, tr.

greffier, s. m. Officier public préposé au greffe. *Scriba, ae*, m.

1. grêle, adj. Trop mince. *Gracilis, e*, adj. *Exilis, e*, adj.

2. grêle, s. f. Pluie congelée qui tombe en grains. *Grando, dinis*, f. Chargé de —, *grandinosus, a, um*, adj. ‖ (Fig.) Grande quantité. *Grando, dinis*, f.

grêler, v. intr. Faire de la grêle. Il grêle, *grandinat*, impers.

grêlon, s. m. Grain de grêle. *Grando, dinis*, f.

grelot, s. m. Petite boule servant de clochette. *Tintinnabulum, i*, n.

grelotter, v. intr. Trembler de froid. *Frigore tremulo quati.*

grément et **gréement**, s. m. Ensemble des agrès. *Armamenta, orum*, n. pl.

grenade, s. f. Fruit du grenadier. *Malum granatum*, n. simpl. *granatum, i*, n.

grenadier, s. m. Arbuste qui produit la grenade. *Punica malus.*

grenat, s. m. Pierre fine d'un rouge vineux. *Carbunculus, i*, m.

grener, v. intr. Produire de la graine. *In semen abire* (ou *exire*).

grèneterie, s. f. Commerce de grains. *Negotiatio frumentaria.*

grènetier, *ière*, s. m. et f. Celui, celle qui vend des grains, des fourrages. *Frumentarius, ii*, m.

grenette, s. f. Petite graine. *Granulum, i*, n.

grenier, s. m. Lieu destiné à conserver les grains. — à blé, *granarium, ii*, n.; *horreum, i*, n. — à fourrage, à foin, *fenile, is*, n.

grenouille, s. f. Batracien qui recherche le voisinage des eaux. *Rana, ae*, f.

grès, s. m. Sorte de roche. *Gressius, ii*, m.

grésil, s. m. Brouillard, pluie fine qui se congèle. *Gelicidium, ii*, n.

grésiller, v. intr. Faire du grésil. S'il grésille, *si gelicidia erunt*.

grève, s. f. Terrain uni, sablonneux au bord de la mer ou d'un fleuve. *Arena, ae*, f.

grever, v. tr. Charger de qqch. d'onéreux. *Onerāre*, tr.

1. grief, *ieve*, adj. Grave. Voy. ce mot.

2. grief, s. m. Grave sujet de plainte. *Querimonia, ae*, f. *Querela, ae*, f. *Crimen, minis*, n.

grièvement, adv. D'une manière griève. *Graviter*, adv.

griffe, s. f. Ongle aigu et recourbé de certains carnassiers, de certains oiseaux de proie. *Unguis, is*, m.

griffer, v. tr. Frapper de la griffe. *Ungues conjicĕre in aliquem.*

griffon, s. m. Animal fabuleux. *Gryps, grypis* (acc. pl. *grypas*), m.

griffonner, v. tr. Ecrire en formant mal les lettres. *Litterarum notas inscitĕ inscribĕre.*

grignoter, v. tr. Ronger par petites parcelles, du bout des dents. *Circumrodĕre*, tr.

gril, s. m. Ustensile de cuisine sur lequel on fait griller, rôtir. *Craticula, ae*, f.

grillade, s. f. Cuisson sur le gril. De la viande en —, *assa caro.*

grillage, s. m. Garniture de fil de fer qu'on met devant une fenêtre, etc. *Reticulum, i*, n.

grille, s. f. Assemblage à claire-voie de barreaux de fer ou de bois. *Cancelli, orum*, m. pl. *Clatri, orum*, m. pl.

1. griller, v. tr. Saisir par un feu vif un aliment mis sur le gril. *In craticulā assāre* (ou *subassāre*). Grillé, *assus, a, um*, p. adj. ‖ (P. ext.) Brûler (en parl. du soleil ou du froid). *Urĕre*, tr.

2. griller, v. tr. Garnir d'une grille (une ouverture). *Clatrāre*, tr.

grillon, s. m. Insecte. *Gryllus, i*, m.

grimace, s. f. Contorsion de la figure. *Os distortum.* Des —, *depravatio oris.* ‖ (Fig.) Mine par laquelle on singe des sentiments qu'on n'éprouve pas. *Simulatio, onis*, f.

grimacer, v. intr. Faire des grimaces. *Os distorquĕre.*

grimpant, *ante*, adj. Qui grimpe. *Serpens* (gén. *-entis*), p. adj.

grimper, v. intr. S'élever en s'accrochant à ce qui peut aider, *et* (p. ext.) monter péniblement. *Eniti*, dép. intr. *Evadĕre*, intr.

grincement, s. m. Action de grincer. *Stridor, oris*, m.

grincer, v. intr. Frotter de manière à produire un son aigre. *Stridĕre*, intr. Grinçant, *stridulus, a, um*, adj. — des dents, *frendĕre dentibus* ou (simpl.) *frendĕre*, intr.

gris, *ise*, adj. Qui est d'une couleur intermédiaire entre le blanc et le noir. — (blanc), *canus, a, um*, adj. Etre — (blanc), *canēre*, intr. — cendré, *cinereus, a, um*, adj. — (foncé), *pullus, a, um*, adj. Cheveux —, *cani, orum*, m. pl.; *canities, ei*, f. Avoir la tête —, être — (en parl. des cheveux), *canēre*, intr. ‖ (Substantiv.) La couleur grise. *Canus color.*

grisâtre, adj. Qui tire sur le gris. *Cineraceus, a, um*, adj.

grison, *onne*, adj. et s. m. ‖ *Adj.* Qui est un peu gris. *Canens* (gén. *-entis*), p. adj. ‖ *Substantiv.* Un — (un homme qui grisonne), *canus, i*, m.

grisonner, v. intr. Commencer à devenir gris (en parl. des cheveux, de la barbe). *Canescĕre*, intr.

grive, s. f. Oiseau du genre merle. *Turdus, i*, m.   [*Grunditus, ūs*, m.

grognement, s. m. Action de grogner.

grogner, v. intr. (En parl. du porc.) *Grunnire*, intr.   [glier. *Rostrum, i*, n.

groin, s. m. Museau de cochon, du sangrommeler, v. intr. Murmurer entre ses dents. *Mutīre*, intr. *Mussitāre*, intr.

grondement, s. m. Son menacant, sourd et prolongé. *Murmur, is*, n.

gronder, v. intr. Faire entendre un son menacant, sourd et prolongé. *Fremĕre*, intr. Fig. *Murmurāre*, intr. ‖ (Transitiv.) Réprimander avec humeur. *Graviter aliquem objurgāre.*

gronderie, s. f. Réprimande faite avec humeur. *Objurgatio, onis*, f.

grondeur, *euse*, adj. Qui a l'habitude de gronder. *Querulus, a, um*, adj. Un —, *objurgator, oris*, m.

gros, *osse*, adj. et s. m. et f. ‖ *Adj.* Qui dépasse le volume ordinaire. *Crassus, a, um*, adj. *Corpulentus, a, um*, adj. *Amplus, a, um*, adj. *Plenus, a, um*, adj. Devenir — et gras, *corpus facĕre.* ‖ Fig.— pain, *panis secundus.* — miel, *secundarium mel.* — gaieté, *cachinnatio, onis*, f. — rire, *cachinnus, i*, m. — mots, *maledicta, orum*, n. pl. ‖ (P. anal.) Qui dépasse la mesure ordinaire, en quantité, en intensité, etc. *Magnus, a, um*, adj. ¶ Qui dépasse le volume d'une autre chose. Les — dents, *genuini dentes.* Les — pois, *majora pisa* (opp. à *minora*). Le — bagage, *impedimenta, orum*, n. pl. — cavalerie, *equites gravis armaturae.* — comme le doigt, *crassitudine digitali* (ou *digiti*). ¶ Qui dépasse son volume habituel. Les eaux étaient —, *magnae erant aquae.* Une — mer, *mare fluctuosum.* — temps, *turbulenta tempestas.* ¶ *S. m.* La partie la plus grosse d'une chose. Le — de l'arbre, *truncus, i*, m. ‖ Le gros, c.-à-d. la grosseur, voy. GROSSEUR. ‖ Le gros, c.-à-d. de l'écriture en gros. Ecrire en —, *grandibus litteris conscribĕre.* ‖ La plus grande quantité d'une chose. *Maxima pars.* Le — de l'armée, *summa exercitūs* ou *agmen, minis*, m. ‖ Adv. Gagner —, *multum lucri facĕre.* ‖ (Spéc.) Le gros, c.-à-d le commerce en gros, *mercatura magna; negotiatio, onis*, f. ‖ (Fig.) La partie la plus considérable d'une chose. *Caput, itis*, n. *Summa, ae*, f. ‖ (Loc. adv.) En gros, *summatim*, adv. Voilà l'affaire en —, *haec ferè sunt omnia.*

gros-bec, s. m. Oiseau. *Fringilla, ae*, f.

groseille, s. f. Fruit du groseillier. *Rhamni racemus.*

groseillier, s. m. Arbuste de la famille des grossulariées. *Rhamnus, i*, f.

grossesse, s. f. *Graviditas, atis*, f.

grosseur, s. f. Volume qui passe la mesure ordinaire. — démesurée, *enormitas, atis*, f. ‖ (P. ext.) Voy. ENFLURE. ¶ Volume considéré par comparaison. *Magnitudo, dinis*, f.

grossier, ère, adj. Fait d'une matière commune ou façonné imparfaitement. *Crassus, a, um,* adj. *Hirtus, a, um,* adj. *Rudis, e,* adj. Pain —, *panis cibarius.* ¶ Dont la rudesse n'a pas été adoucie par la culture *et par ext.* qui se ressent du défaut de culture. *Incultus, a, um,* adj. *Inurbanus, a, um,* adj. *Rusticus, a, um,* adj. || (Par anal.) Qui dépasse la mesure. *Magnus, a, um,* adj. *(magnum mendacium ; magna culpa).* Summus, a, um, adj. *(summa omnium ignoratio).*

grossièrement, adv. D'une manière grossière. *Infabrē,* adv. *Infacetē,* adv. Vêtement — fait, *rudis vestis.* — vêtu, *hirtâ togâ indutus.* || (Par ext.) *Inscitē,* adv. *Crassē,* adv. ¶ En parl. de celui qui parle, agit comme s'il était sans culture. *Rusticē,* adv. *Incultē,* adv. Parler à qqn, injurier — qqn, *asperē aliquem alloqui ; asperē* (ou *contumeliosē*) *in aliquem invehi.* || (Par anal.) Se tromper —, *turpissimē labi.*

grossièreté, s. f. Caractère de celui qui est grossier. *Inhumanitas, atis,* f. *Rusticitas, atis,* f. ¶ Acte, parole grossière. *Asperē* (ou *rusticē*) *factum* (ou *dictum*).

grossir, v. intr. et tr. || (*V. intr.*) Devenir gros. *Crassescēre,* intr. *Pinguescēre,* intr. Ceux qui veulent —, *corpus augēre volentes.* || (Spéc.) En parl. de l'eau. *Crescēre,* intr. *Accrescēre,* intr. || (Par anal.) Devenir plus considérable. *Crescēre,* intr. *Augēri,* passif. ¶ (*V. tr.*) Rendre gros. *Majorem* (ou *majus*) *facēre.* || (Par anal.) Faire paraître gros. *Aliquid majus ostentāre* (ou *ostendēre*). || (P. anal.) Rendre plus considérable. *Augēre,* tr. || (Par ext.) Exagérer. Voy. ce mot.

grotesque, adj. Risible par son apparence bizarre. *Ridiculus, a, um,* adj.

grotesquement, adv. D'une manière grotesque. *Ridiculē,* adv.

grotte, s. f. Excavation pittoresque. *Specûs, ûs,* m.

groupe, s. m. Ensemble de personnages. *Turma, ae* (« gr. de statues équestres »), f. *Symplegma, matis* (« gr. de lutteurs »), n. Le — des Grâces dansantes, *ille consertis manibus in se redeuntium Gratiarum chorus.* || (P. ext.) Un groupe de colonnes. Voy. COLONNADE. ¶ Un certain nombre d'êtres que qqch. de commun rapproche. *Globus, i,* m. Un — d'îles, *insulae complures et quasi in ordinem expositae.*

grouper, v. tr. Rapprocher en vertu de qqch. de commun et mettre à part des autres. *Glomerāre,* tr. *Conglobāre,* tr.

gruau, s. m. Partie du froment qui enveloppe le germe du grain. *Far, farris,* n. Pain de —, *panis siligineus.*

grue, s. f. Grand oiseau voyageur.

Grus, gruis, m. et plus souvent f. ¶ (Fig.) Appareil pour soulever les fardeaux. *Carchesium, ii,* n.

grumeau, s. m. Petite masse de substance agglomérée. *Ofella, ae,* f.

gué, s. m. Endroit d'un cours d'eau que l'on peut traverser à pied. *Vadum, i,* n. Qu'on peut passer à —, voy. GUÉABLE. [gué. *Vadosus, a, um,* adj.

guéable, adj. Qu'on peut passer à

guenille, s. f. Vêtement en lambeaux. *Pannus, i,* m. Qui est en —, *pannosus, a, um,* adj. [ae, f.

guenon, s. f. Femelle du singe. *Simia,*

guêpe, s. f. Insecte presque semblable à l'abeille. *Vespa, ae,* f.

guêpier, s. m. Nid de guêpes. *Nidus vesparum.*

guère et guères, adv. Beaucoup. Voy. ce mot. || Avec la négation NE au sens de « pas beaucoup ». *Parum,* adv. *Non multum.*

guéret, s. m. Terre labourée non ensemencée. *Arvum, i,* n. || (P. anal.) Terre laissée en jachère. *Vervactum, i,* n.

guéridon, s. m. Table ronde à un seul pied. *Orbis, is,* m.

guérir, v. tr. et intr. || (*V. tr.*) Délivrer d'une maladie. *Sanāre,* tr. (on dit aussi *ad sanitatem perducēre aliquid,* ou encore *aliquem sanum facēre*). *Medēri,* dép. intr. (ex. : en parl. du médecin : *m. morbo ;* en parl. des remèdes : *m. oculis aut vulneribus*). Qu'on peut —, *sanabilis, e,* adj. || (Au fig.) Délivrer d'un mal. *Sanāre,* tr. *Medēri,* dép. intr. ¶ (*V. intr.*) Etre délivré d'une maladie. *Sanāri,* passif. *Convalescēre,* intr. || (Au fig.) Etre délivré d'un mal. *Consanescēre,* intr. *Sanāri,* passif.

guérison, s. f. Action de guérir. *Sanatio, onis,* f. *Curatio, onis,* f. Après sa —, *valetudine restitutâ ; postquam convaluit.* Etre en voie de —, *convalescēre,* intr. || (Fig.) Action de se délivrer d'un mal. *Sanatio, onis,* f. *Salus, utis,* f. *Medicina, ae,* f. Entreprendre la — de, *medēri,* dép. intr. (av. le dat.).

guérissable, adj. Qui peut être guéri. *Sanabilis, e,* adj. [nelle. *Specula, ae,* f.

guérite, s. f. Logette d'une senti-

guerre, s. f. Lutte à main armée entre deux peuples. *Bellum, i,* n. Faire la —, *bellāre,* intr.; *belligerāre,* intr. De —, *militaris, e,* adj. Métier de la —, *res militaris.* L'art, la science de la —, *rei militaris scientia,* Homme de —, *vir militaris.* De — lasse, *fatigatus.* || (Par ext.) Lutte à main armée entre citoyens d'un même Etat. *Bellum, i,* n. ¶ (Au fig.) Etat de guerre. *Bellum, i,* n.

guerrier, ière, adj. et s. m. et f. || *Adj.* Relatif à la guerre. *Bellicus, a, um,* adj. *Militaris, e,* adj. || Porté à la guerre. *Bellicus, a, um,* adj. *Bellicosus, a, um,* adj. ¶ *S. m.* Celui qui fait la guerre (par devoir ou nécessité). *Miles, itis,* m.; (par tempérament), *bellator, oris,* m.

guerroyer, v. intr. Faire la guerre. Voy. GUERRE.

guet, s. m. Action de guetter. *Vigilia, ae,* f. *Insidiae, arum,* f. pl. *Specula, ae,* f. Faire le —, être au —, avoir l'oreille au —, avoir l'œil au —, *speculári,* dép. intr.

guet-apens, s. m. Embûche dressée pour tuer, voler, par surprise. *Insidiae, arum,* f. pl.

guêtre, s. f. Chaussure qui couvre le dessus du soulier et le bas de la jambe. *Pero, onis,* m.

guetter, v. tr. Surveiller patiemment pour surprendre (qqn, qqch.). *Observāre (aliquem). Speculari (aliquem).* — sa proie (en parl. d'un animal), voy. AFFUT. ¶ (Fig.) Captāre (*occasionem*). — l'occasion de faire la preuve de son courage, *locum probandae virtutis spectāre.* [animaux. *Os, oris,* n.

gueule, s. f. La bouche de certains gueux, *euse,* s. m. et f. Vil mendiant. *Mendicus, i,* m. Gueuse, *mendica, ae,* f. ¶ (P. ext.) Vil personnage. *Homo nequam.*

gui, s. m. Plante ligneuse qui vit en parasite sur certains arbres. *Viscum, i,* n.

guichet, s. m. Petite porte pratiquée dans une grande. *Portula, ae,* f.

guichetier, s. m. Celui qui garde le guichet d'une prison. *Janitor carceris.*

guide, s. m. et f. || *S. m.* Personne qui accompagne qqn pour lui montrer le chemin. *Dux, ducis,* m. f. Être —, servir de —, *ducēre,* tr. ¶ *S. f.* Lanière de cuir *ou* cordelette, qui sert à diriger les chevaux attelés. *Habena, ae,* f. (ne s'empl. qu'au pluriel). *Lorum, i,* n.

guider, v. tr. Accompagner qqn pour lui montrer le chemin. *Ducēre,* tr. *Praeīre,* tr. || (Fig.) Mettre qqn dans une certaine direction intellectuelle, morale, etc. *Ducēre,* tr. *Regēre,* tr. ¶ Aider qqn à reconnaître le chemin, *et fig.* à choisir une direction. *Monstrāre,* tr. *Demonstrāre,* tr. [*mula, ae,* f.

guidon, s. m. Petit drapeau. *Flamguilleret, ette,* adj. Qui est en gaîté. *Alacer, cris, cre,* adj. [*Hibiscum, i,* n.

guimauve, s. f. Plante mucilagineuse.

guinder, v. tr. Hausser artificiellement (qqn) à un niveau intellectuel ou moral qui le dépasse. *Extollēre.* Se —, *se attollēre nimis.* Guindé, *contortus, a, um,* p. adj. [*orum,* n. pl.

guirlande, s. f. Chaîne de fleurs. *Serta,*

guise, s. f. Manière d'être, d'agir, propre à une personne, à une chose. *Mos, moris,* m. *Arbitratus, abl. ū,* m. || Loc. adv. En — de, *pro,* prép. (av. l'abl.); *vice,* abl. adv.

gymnase, s. m. Endroit public où les anciens se livraient à des exercices, etc. *Gymnasium, ii,* n. *Palaestra, ae,* f.

gymnastique, adj. Qui sert à assouplir et à fortifier le corps. *Gymnasticus, a, um,* adj. *Palaestricus, a, um,* adj. Exercices —, *palaestra, ae,* f. ¶ *S. f.* Ensemble des exercices propres à assouplir et à fortifier le corps. *Ars gymnastica. Palaestrica* (s.-e. *ars*), *ae,* f. *Palaestra, ae,* f.

gymnique, adj. Qui se rapporte aux travaux, aux luttes des athlètes. *Gymnicus, a, um,* adj.

gynécée, s. m. Partie de la maison réservée aux femmes. *Gynaeceum, i,* n. et *gynaecium, ii,* n.

H

h, s. f. ou s. m. ou s. m. La huitième lettre de l'alphabet. *H ou* h littera. [*Ah! ou a!*

ha, interject. Interjection de surprise.

habile, adj. Propre à qqch. *Aptus, a, um,* adj. *Idoneus, a, um,* adj. — à succéder, *capax* (gén. *-acis*), adj. ¶ (Par ext.) Propre à réussir dans ce qu'il fait. *Bonus, a, um,* adj. (b. *gubernator, gladiator, imperator;* subst. *boni,* les habiles). *Peritus, a, um,* adj. (av. le gén. « habile dans... »; av. le gér. « habile à... »). *Exercitatus, a, um,* adj. (*exercitatus in aliquā re*).

habilement, adv. D'une manière habile. *Perīte,* adv. *Doctē,* adv.

habileté, s. f. Qualité de celui qui est propre à réussir dans ce qu'il fait. *Sollertia, ae,* f. *Peritia, ae,* f. — de la main. *manus erudita.*

habillement, s. m. Ce qui sert à habiller. *Vestitūs, ūs,* m. *Vestis, is,* f.

habiller, v. tr. Couvrir (qqn) de ses vêtements habituels. *Induēre vestem*

alicui (ou *veste aliquem vestire*). S'—, *calceos et vestimenta sumēre; induēre sibi vestem; vestiri,* passif.

habit, s. m. Vêtement qu'on met pardessus le linge de corps. *Vestis, is,* f. *Vestimentum, i,* n. Mettre de beaux —, *politiorem cultum induēre.* Sous des — de bergers, *pastorum habitu.* Mettre — bas, *vestem deponēre.*

habitable, adj. Où 'on peut habiter. *Habitabilis, e,* adj. [*culum, i,* n.

habitacle, s. m. Habitation. *Habitahabitant, ante,* s. m. et f. Celui, celle qui habite en un lieu. *Incola, ae,* m. et f. *Accola, ae,* m. et f. — de la campagne, *paganus, i,* m. Les — d'une ville, *oppidani, orum,* m. pl.

habitation, s. f. Action d'habiter dans un lieu, séjour à demeure. *Habitatio, onis,* f. ¶ Endroit, maison où l'on habite. *Sedes, is,* f. *Domicilium, ii,* n. *Domūs, ūs,* f.

habiter, v. intr. et tr. || (*V. intr.*)

Faire un séjour à demeure (dans un lieu). *Habitāre*, intr. (*ad* ou *apud aliquem; eum aliquo; Athenis; Romae; in casis et tuguriis*). ¶ (*V. tr.*) Faire un séjour à demeure (dans un lieu). **Colère**, tr. *Incolère*, tr. — près de, *accolère*.

habitude, s. f. Disposition générale du corps. *Habitus, ūs*, m. ¶ (Par ext.) Disposition, manière d'être usuelle contractée par qqn. *Consuetudo, dinis*, f. *Mos, moris*, m. *Institutum, i*, n. Avoir l'—, voy. HABITUER. ¶ Relation avec qqn que l'on fréquente. *Consuetudo, dinis*, f.

habituel, *elle*, adj. Passé en habitude chez qqn. *Consuetus, a, um*, p. adj. *Assuetus, a, um*, p. adj. *Solitus, a, um*, p. adj.

habituellement, adv. D'une manière habituelle. *Ex more* (ou *consuetudine*). *Ut est consuetudo. Ut fieri solet* (ou *ut fit*).

habituer, v. tr. Amener à une disposition, à une manière d'être usuelle. *Assuefacère aliquem aliquâ re*. S'— à qqch., *consuescère aliquâ re; se assuefacère aliquâ re; assuescère aliquâ re*. Etre habitué à qqch., *consuevisse aliquâ re*. Habitué à qqch., *assuefactus aliquâ re*. Suivi de la préposition « à » et de l'infinitif *assuefacère* (ou *consuefacère*) *aliquem* (avec l'inf.). S'— à, *consuescère* (avec l'infin.); *assuescère* (avec l'infin.); *se assuefacère* (avec l'inf.); *discère* (avec l'infin.)

hâbler, v. intr. Se vanter avec emphase. *De se ipso gloriosius loqui*.

hâblerie, s. f. Langage de celui qui hâble. *Vaniloquentia, ae*, f.

hâbleur, s. m. Celui qui aime à hâbler. Voy. FANFARON.

hache, s. f. Instrument de fer servant à couper ou à fendre. *Securis, is* (acc. *im*, abl. *i*), f. — à deux tranchants, *bipennis, is* (acc. *em* ou *im*, abl. *e* ou *i*), f.

hacher, v. tr. Couper en morceaux avec une hache, un couperet, etc. *Ferro dividère. Membratim caedère* (ou *concidère*), tr.

hachette, s. f. Petite hache. *Securicula, ae*, f.

hachis, s. m. Mets de viande, de poisson cuit, haché menu. *Minutal, alis*, n.

hagard, *arde*, adj. Dont l'aspect a qqch. de farouche et d'étrange. *Trux* (gén. *trucis*), adj. Air —, *vesanus vultus*.

hai. Voy. HÉ.

haie, s. f. Clôture faite d'arbrisseaux entrelacés. *Saepes* (ou *sepes*), *is*, f. ‖ (Fig.) Obstacle formé d'une file de choses. Voy. BORDURE, FILE. S'avancer entre deux — de soldats, *saeptum armatis incedère*.

haillon, s. m. Vieux lambeau d'étoffe et de toile. *Pannus, i*, m. Couvert de —, *pannosus, a, um*, adj.

haine, s. f. Malveillance profonde. *Odium, ii*, n. *Invidia, ae*, f. Qui est de nature à soulever la — contre qqn, *invidiosus, a, um*, adj. Par —, *invidiosê*, adv. Avoir de la —, voy. HAIR. ¶ Répugnance profonde pour qqch. *Odium, ii*, n.

haineux, *euse*, adj. Porté à la haine. *Inimicus, a, um*, adj. *Iniquus, a, um*, adj. Sentiments —, *odium, ii*, n.

haïr, v. tr. Avoir (qqn) en haine. *Odisse*, tr. (le passif est remplacé par *odio esse alicui*, « être haï par qqn », *in odio* [ou *in invidia*] *esse*). Faire — qqn (*in odium*) *vocāre aliquem; invidiam alicui conflāre*. ¶ Avoir (qqch.) en haine. *Odisse*, tr.

haïssable, adj. Qui mérite d'être haï. *Odio dignus* (*a, um*).

hâle, s. m. Action de l'air et du soleil qui dessèche, brunit et flétrit. Le — du visage, *adustus color*.

haleine, s. f. Air qui s'échappe des poumons dans l'expiration. *Anima, ae*, f. *Halitūs, ūs*, m. ¶ (Par ext.) Respiration. *Anima, ae*, f. *Spiritūs, ūs*, m. Hors d'—, *anhelans* (gén. *-antis*), p. adj. Etre hors d'—, *anhelitum ducère*. Mettre hors d'—, *anhelitum movère*. Tout d'une —, *sine ullâ intermissione*. ‖ (Fig.) Capacité de soutenir un effort. *Spiritūs, ūs*, m. De longue —, voy. LONG. Tenir en —, *intentum tenère*.

halenée, s. f. Bouffée avec odeur qui sort par la bouche. *Halitūs, ūs*, m.

hâler, v. tr. Brunir (le teint). *Colorāre*, tr. Hâlé, *coloratus, a, um*, p. adj.; *adustus, a, um*, p. adj.

haletant, *ante*, adj. Qui respire avec des mouvements précipités. *Anhelans* (gén. *-antis*), p. adj.

haleter, v. intr. Respirer précipitamment. *Anhelāre*, intr.

Halicarnasse, n. pr. Ville de Carie. *Halicarnassus, i*, f. D'—, *Halicarnasseus, a, um*, adj. *Halicarnassensis, e*, adj.

halle, s. f. Grande place couverte où se tient le marché. Voy. MARCHÉ.

hallebarde, s. f. Arme à long manche à fer tranchant et pointu, etc. *Gaesum, i*, n.

hallier, s. m. Réunion de buissons serrés et touffus. *Dumetum, i*, n. (au plur.). *Locus rubis sentibusque obsitus*.

hallucination, s. f. Sorte d'aliénation passagère. *Alucinatio, onis*, f.

halluciné, *ée*, adj. Qui est en état d'hallucination. *Alucinatus, a, um*, p. adj.

halo, s. m. Cercle lumineux qui apparaît qqf. autour du disque des planètes. *Halos* (gén. *o*, acc. *o*), m. — solaire ou lunaire, *corona, ae*, f.

halte, s. f. Station que des gens de guerre, des chasseurs, des voyageurs font pour se reposer. *Statio, onis*, f. Faire —, *subsistère*, intr.; *consistère*, intr. Faire — (en parl. d'une colonne de marche), faire faire —, *agmen* (ou *signa*) *constituĕre*. ‖ (Spéc.) Halte! Ordre de s'arrêter. *Sta uo state!* ‖ (P. ext.) Endroit où l'on fait la halte. *Locus consistendi.*

hamadryade, s. f. Nymphe des bois. *Hamadryas, adis* (acc. pl. *-dryadas*, dat. pl. *-dryasin*), f.

hameau, s. m. Petit groupe de maisons. *Viculus, i,* m.

hameçon, s. m. Crochet de fer pour pêcher à la ligne. *Uncus hamus* et simpl. *hamus, i,* m. Mordre à l'—, *hamum vorāre.*

hampe, s. f. Bois d'une lance. *Hasta, ae,* f.

hanche, s. f. Chacune des deux parties symétriques du corps, entre la cuisse et les côtes. *Coxendix, dicis,* f.

hanter, v. tr. Fréquenter familièrement. Voy. FRÉQUENTER.

happer, v. tr. Saisir brusquement d'un coup de mâchoire. *Ore hiante captāre.*

haquenée, s. f. Cheval qui va l'amble. *Asturco, onis,* m.

harangue, s. f. Discours solennel devant une assemblée. *Oratio sollemnis,* et simpl. *oratio, onis,* f. *Contio, onis,* f. Prononcer, faire une —, voy. HARANGUER. Dire une — que..., *contionari* (avec l'acc. et l'infin.).

haranguer, v. tr. Adresser une harangue à qqn. *Hortāri,* dép. tr. *Cohortāri,* dép. tr. *Contionāri,* dép. intr. (ex : *ad populum; apud milites;* on dit aussi : *contionem habēre apud milites,* etc.).

harangueur, *euse,* s. m. et f. Qui (ou *quae*) *contionatur* (ou *contionem habet*).

haras, s. m. Établissement où l'on tient réunis les étalons et les cavales. *Equaria, ae,* f.

harasser, v. tr. Accabler de fatigue. *Defatigāre,* tr. Harassé, *defessus, a, um,* adj.; *lassitudine confectus.*

harceler, v. tr. Tourmenter par des attaques réitérées. *Lacessĕre,* tr.

hardes, s. f. pl. Effets d'habillement. *Vestitūs, ūs,* m. *Vestimenta, orum,* n. pl. *Sarcina, ae,* f.

hardi, *ie,* adj. Qui ne se laisse pas intimider. ‖ (En bonne part.) *Audens* (gén. *-entis*), p. adj. *Audax* (gén. *-acis*), adj. *Fidens* (gén. *-entis*), p. adj. Être assez — pour, *sustinēre* (avec l'infin.). ‖ (En mauvaise part.) *Audax* (gén. *-acis*), adj. (subst. *audax,* m.; *audaces,* m. pl.). *Confidens* (gén. *-entis*), p. adj. ‖ (P. ext.) En parl. des choses. *Audax* (gén. *-acis*), adj. Une résolution —, *consilium plenum audaciae.*

hardiesse, s. f. Manière d'être hardie. ‖ (En bonne part.) *Audacia, ae,* f. *Fidentia, ae,* f. Avoir la — de, *audēre* (et l'infin.). ‖ (En mauvaise part.) *Audacia, ae,* f. *Confidentia, ae,* f. *Procacitas, atis,* f. Avoir la — de, *audēre* (avec l'infin.); *hoc sibi sumĕre,* ut (et le subj.); *sustinēre* (av. l'Inf.).‖(Fig.) En

parl. du style. *Audacia, ae,* f. ‖ Action, parole hardie. *Audacter factum* (ou *dictum*).

hardiment, adv. D'une manière hardie. ‖ (En bonne part.) *Audacter,* adv. *Confidenter,* adv. ‖ Avec franchise. *Liberē,* adv. ‖ (En mauvaise part.) *Confidenter,* adv. *Protervē,* adv. *Procaciter,* adv.

hargneux, *euse,* adj. D'humeur agressive. *Pugnax* (gén. *-acis*), adj. Humeur —, *acerbitas, atis,* f.

haricot, s. m. Plante légumineuse. *Phaseolus, i,* m.   [*strigosus.*

haridelle, s. f. Méchante rosse. *Equus*

harmonie, s. f. Accord de sons agréables à l'oreille. *Concentŭs, ūs,* m. ‖ (Spéc.) Série de sons simultanés dont on accompagne les sons correspondants d'une mélodie. *Nervorum sociata concordia.* ‖ (Spéc.) Ensemble des instruments composant un orchestre. *Symphonia, ae,* f. ‖ (Par ext.) Succession de sons agréables à l'oreille. *Sonorum concentus. Concentus consors et congruens.* ‖ (Spéc.) Succession de mots formant des sons agréables à l'oreille. *Sonus, i,* m. *Numerus, i,* m. Sans —, *inconditus* ou *incompositus.* ‖ Disposition telle entre les divers parties d'un ensemble que les unes s'accordent avec les autres. *Concentus, ūs,* m. *Consensŭs, ūs,* m. *Concordia, ae,* f.

harmonieusement, adv. D'une façon harmonieuse. *Modulatē,* adv. ‖ En parl. du style. *Congruenter,* adv.

harmonieux, *euse,* adj. Qui a de l'harmonie. *Concors* (gén. *-cordis*), adj. *Consonus, a, um,* adj. Sons —, *soni sibi consonantes* (ou *sibi consoni*). ‖ (Par ext.) *Aptus, a, um,* adj.

harnachement, s. m. Voy. ÉQUIPEMENT; HARNAIS.

harnacher, v. tr. Couvrir du harnais. *(Jumentis) jugum imponĕre.*

harnais, s. m. Armure, équipage d'un homme d'armes. Voy. ARMURE. ¶ (P. anal.) Équipage d'un cheval de selle ou d'attelage. *Ornatŭs, ūs,* m.

harpe, s. f. Instrument de musique. *Psalterium, ii,* n.

harpie, s. f. Être qu'on représentait avec un visage de femme et un corps de vautour. *Harpya, ae* (ordin. au pl.), f.

harpon, s. m. Grappin. *Harpago, onis,* m. ¶ Large fer de flèche qu'on lance contre la baleine, etc. *Hamatus ensis.*

hart, s. f. Voy. CORDE.

hasard, s. m. Sorte de jeu de dés. *Alea, ae,* f. Jeu de —, *alea, ae,* f. ¶ (Par ext.) Risque. *Alea, ae,* f. Au — de, c.-à-d. au risque de, *cum periculo (alicujus rei).* ‖ (Par anal.) Aventure, chance bonne ou mauvaise. *Alea, ae,* f. *Casŭs, ūs,* m. *Fors,* abl. *forte,* f. *Fortuna, ae,* f. Qui arrive par —, *fortuitus, a, um,* adj. Dû au —, *temerarius, a, um,* adj. Par —, c.-à-d. par aventure, *forte,* abl. adv.; *fortuito*, abl. adv.; *casu*, abl. adv. Au —, *c.-à-d.* à l'aventure, *temerē*, adv. ¶ (Absol.) Cause aveugle assignée aux faits dont on ne connaît pas bien l'origine. *Casûs, ûs*, m. *Temeritas, atis*, f.

hasarder, v. tr. Se livrer au hasard *et par ext.* exposer à un risque. *Dăre (aliquid) in aleam casûs. In aleam (aliquid) committěre*. — sa vie, *vitae* (ou *capitis*) *periculum adîre*. — la vie de qqn, *periculum mortis facěre alicui*. Se —, *se committěre* (*in aliquem locum*). Entreprise hasardée, *temerarium consilium*. Fig. Expressions —, *verba ex periculo petita*. Se — à qqch., *se committěre alicui rei*. Se hasarder à faire qqch., *audêre* (et l'infin.).¶ Tenter avec risque. *Periculum facěre alicujus rei*.

hasardeusement, adv. D'une manière hasardeuse. *Temerē*, adv.

hasardeux, euse, adj. Qui expose à un risque. *Audax* (gén. *-acis*), adj. *Periculosus, a, um*, adj. *Praeceps* (gén. *-cipitis*), adj.

hase, s. f. Femelle du lièvre. *Lepus femina*.

hâte, s. f. Vivacité à faire qqch. *Festinatio, onis*, f. *Properantia, ae*, f. *Properatio, onis*, f. — fébrile, *trepidatio, onis*, f. En —, à la —, *properē*, adv.; *raptim*, adv.; *festinanter*, adv.; *properanter*, adv. Fait, réuni, recruté à la —, *repentinus, a, um*, adj.; *subitarius, a, um*, adj. *tumultuarius, a, um*, adj.

hâter, v tr. Faire arriver vivement. — son départ, *festinâre abîre; maturâre proficisci; properâre proficisci; maturê proficisci*. ‖ Faire vivement. *Accelerâre*, tr. *Maturâre*, tr. *Approperâre*, tr. Hâté, *citatus, a, um*, p. adj.; *incitatus, a, um*, adj. ‖ (Par ext.) Hâter qqn, voy. PRESSER. ‖ Se hâter. *Festinâre*, intr. *Maturâre*, intr. *Properâre*, intr. ‖ (Au part. passé.) Hâté, *c.-à-d.* pressé, voy. PRESSER. Hâté, *c.-à-d.* qui a hâte, *properans* ou *festinans*. Hâté, *c.-à-d.* qu'on a hâte de faire, *praeceps* (gén. *-cipitis*), adj.

hâtif, ive, adj. Qui vient tôt. *Praecox* (gén. *-ocis*), adj.

hâtivement, adv. D'une manière hâtive. *Maturê*, adv.

hausse, s. f. Elévation de la valeur des effets publics, des denrées, etc. *Pretium rei auctum*. La — des denrées, *annonae caritas*.

haussement, s. m. Action de hausser. *Sublatio, onis*, f.

hausser, v. tr. et intr. ‖ *V. tr.* Rendre plus haut. *Altiorem facěre* (*partem muri*). Par ext. — la voix, *vocem contenděre*. ‖ Mettre à un niveau plus haut. *Efferre*, tr. — le niveau du sol par un remblai, *exaggerâre planitiem aggestâ humo*. Se — sur la pointe des pieds, *in plantas exsurgěre*. ‖ (Fig.) Augmenter. *Augêre*, tr. *Efferre*, tr. —

le prix des denrées, *annonam incenděre*. ¶ *V. intr.* Devenir plus haut. *Crescěre*, intr. *Accrescěre*, intr.

haut, haute, adj., adv. et s. m. ‖ *Adj.* Qui dépasse le niveau ordinaire. *Altus, a, um*, adj. *Celsus, a, um*, adj. *Excelsus, a, um*, adj. *Editus, a um*, p. adj. Les eaux sont —, *aquae magnae sunt*. A marée —, *pleno aestu*. Tenir la bride — à un cheval, *habenas adducěre*. Avoir la — main, voy. COMMANDER, DOMINER. — en couleur, *coloratior*. Le — mal voy. ÉPILEPSIE. — température, *aestûs ûs*, m. Une — situation, *fortunae magnitudo* — faits, voy. EXPLOIT. Emporter qqch. de — lutte, *manibus pedibusque omnia obnixē facěre*. Crime de — trahison, *perduellio, onis*, f. Tenir qqn en — estime, *magni facěre* (ou *aestimâre*) *aliquem*. ¶ Qui dépasse le niveau d'un autre objet. *Altus, a, um*, adj. *Superior, ius*, adj. (au compar.) *Summus, a, um*, adj. Le soleil est —, *multa lux est*. ‖ (Fig.) Supérieur aux choses de même espèce. *Altus, a, um*, adj. *Summus, a, um*, adj. *Superior, us*, adj. compar. ¶ Qui a une certaine dimension du pied au sommet. *Altus, a, um*, adj. — de six pieds, *sex pedes altus*. ¶ *Adv.* A une place haute. *Altē*, adv. *Sublimē*, n. adv. Etre logé —, *in superiore parte aedium habitâre*. Porter — la tête, *caput attollěre*. Parler — *magnâ voce dicěre*. Dire qqch. tout —, *palam* (ou *coram multis* ou *omnibus*) *de aliquâ re loqui*. Fig. Le prendre —, voy. ARROGANCE. Reprendre les choses de plus —, *aliquid altius repetěre*. Comme nous l'avons montré plus —, *uti suprâ demonstravimus*. ¶ *S. m.* La partie haute de qqch. Le — de la maison, *superior pars aedium*. Le — du toit, *fastigium summum*. Le — de la montagne, *summus mons*. Tomber de son —, *conciděre*, intr. (pr. et fig.). Regarder qqn de — en bas, *aliquem despicěre*. Tomber de —, *ex alto deciděre*. Du — du ciel, *e caelo*. Le — (en parl. des notes hautes), *acuti soni*. ‖(Loc. adv.) Dans le —, en —, *supernê*, adv. En —, vers le —, *sursum*, adv.

hautain, aine, adj. Qui a des manières arrogantes, dédaigneuses. *Superbus, a, um*, adj. Caractère —, voy. HAUTEUR.

hautainement, adv. D'une manière hautaine. *Superbê*, adv.

hautement, adv. A haute voix. *Clarê*, adv. *Magnâ voce*. Dire —, *praedicâre*, tr. Reconnaître, avouer —, *profitêri*, dép. tr. Crier —, *clamâre* (ou *vociferari*), intr. ‖ Déclarer, annoncer, proclamer — que..., *clamâre* ou *clamitâre*, et (en parlant de plusieurs) *conclamâre* (avec l'acc. et l'infin.). ‖ (Fig.) Librement, ouvertement. *Liberê* (*loqui*). *Palam* (*ferre*). Parler —, *coram multis* ou *omnibus loqui* (*de aliquâ re*). ¶ D'une façon supérieure. *Eximiê*, adv. ¶ Avec hauteur. *Superbē*, adv.

hauteur, s. f. Qualité de ce qui est haut. *Altitudo, dinis*, f. — escarpée, *arduum, i*, n. (au sing., seul. avec une prép., ex. : *per arduum ducuntur ;* au plur. surt. au n. et à l'acc.). ‖ (Fig.) Elévation. *Fastigium, ii*, n. ‖ Caractère de celui qui regarde les autres de haut. *Arrogantia, ae*, f. Avec —, *superbē*, adv. ‖ (Par ext.) Elévation de terrain, éminence. Les —, *loca superiora.* — boisée, *saltūs, ūs*, m. ¶ Dimension d'un corps du pied au sommet. *Altitudo, dinis*, f. ‖ (Marine.) Arrivé à la — de l'île, *evectus insulam.* A la — du camp, *e regione castrorum.*

hâve, adj. Pâle et décharné. *Exsanguis, e*, adj.

havre, s. m. Port de mer. Voy. PORT.

havresac, s. m. Sac de peau. *Pera, ae*, f.

hé, interj. *Heus! Eho!*

heaume, s. m. Casque en pointe couvrant la tête et le visage. *Cassis, idis*, f.

hebdomadaire, adj. Qui se renouvelle chaque semaine. *Qui (quae, quod) octavo quoque die fit.*

héberger, v. tr. Loger chez soi (qqn de passage). *Hospitio accipĕre* (ou *excipĕre*) *aliquem.*

hébéter, v. tr. Rendre émoussé. *Hebetāre (ingenia). Hebetem reddĕre*, tr.

hébraïque, adj. Qui appartient aux Hébreux. *Hebraeus, a, um*, adj. La langue —, voy. HÉBREU.

hébreu, adj. m. Relatif aux Hébreux. Voy. H!BRAIQUE. ‖ Substantiv. L'— (la langue hébraïque), *lingua hebraïca* ou *hebraea.* En —, *hebraicē*, adv.

hécatombe, s. f. Sacrifice de cent victimes, d'un grand nombre de victimes. *Hecatombe, es*, f. [oris, m.

Hector, n. pr. Fils de Priam. *Hector, hein*, interj. *Heus! Hem!*

hélas, interj. Interjection exprimant la douleur. *A!* ou *ah! Eheu! Heu!* ‖ Substantiv. Faire de grands hélas! *multa queri* ou *ejulare.*

Hélène, n. pr. Femme de Ménélas. *Helena, ae*, f.

héler, v. tr. Appeler à l'aide d'un porte-voix. *Inclamāre*, tr.

Hélicon, n. pr. Montagne de Béotie. *Helicon, onis*, m.

héliotrope, s. m. Sorte de plante. *Heliotropium, ii*, n.

hellénique, adj. Qui appartient à l'ancienne Grèce. Voy. GREC.

hellénisme, s. m. Idiotisme propre à la langue grecque. *Quod proprium est Graecae linguae.*

helléniste, s. m. Celui qui s'adonne à l'étude de la langue et de la littérature grecques. *Homo Graecarum litterarum studiosus.*

Hellespont, n. pr. Détroit des Dardanelles. *Hellespontus, i*, m.

hem, interj. *Hem!*

hémicycle, s. m. Salle demi-circulaire. *Hemicyclium, ii*, n.

hémine, s. f. Mesure de capacité chez les Romains. *Hemina, ae*, f.

hémisphère, s. m. Moitié de sphère. *Hemisphaerium, ii*, n.

hémisphérique, adj. Qui a la forme d'un hémisphère. *In hemisphaerii formam effectus.* [Hemistichium, ii, n.

hémistiche, s. m. Moitié de vers.

hémorragie et hémorrhagie, s. f. Ecoulement du sang hors des vaisseaux. *Sanguinis profusio fortuita* (ou *fluxio* ou *eruptio*).

hennir, v. intr. En parl. du cheval, pousser le cri particulier à son espèce. *Hinnīre*, intr.

hennissement, s. m. Cri particulier du cheval. *Hinnitūs, ūs*, m.

héraut, s. m. Officier chargé de porter des messages, de faire des proclamations, etc. *Praeco, onis*, m.

herbage, s. m. L'herbe des prés. *Herba, ae*, f. ‖ (Spéc.) Pré où l'on fait paître les bestiaux à engraisser. *Herbae, arum*, f. pl.

herbe, s. f. Plante. *Herba, ae*, f. — potagère, *olera*, um, n. pl. Marché aux —, *forum olitorium.* Mauvaise —, *herba inutilis.* ¶ Végétation servant à la nourriture des bestiaux. *Herba, ae*, f. Se couvrir d'—, *herbescĕre*, intr. Un brin d'—, *herba, ae*, f. ; *festuca, ae*, f. ¶ Etat de certaines plantes quand elles ne sont pas encore à maturité. *Herba, ae*, f. Couper le blé en —, *pectināre segetem.*

herbette, s. f. Herbe courte et menue des champs. *Herbula, ae*, f.

herbeux, euse, adj. Où il pousse de l'herbe. *Herbosus, a, um*, adj.

herbivore, adj. Qui se nourrit d'herbes. Etre —, *vivĕre herbis.*

herboriser, v. tr. Recueillir les plantes pour les étudier. *Herbas quaerĕre.*

herbu, ue, adj. Couvert d'herbes. *Herbidus, a, um*, adj.

Herculanum, n. pr. Ville d'Italie. *Herculaneum, i*, n.

Hercule, n. pr. Fils de Jupiter et d'Alcmène. *Hercules, is*, m.

hère, s. m. Homme sans fortune. *Homo pauper et miser.*

héréditaire, adj. Qui se transmet par héritage. *Hereditarius, a, um*, adj. *Avitus, a, um*, adj. Biens —, *res paternae ; patrimonium, ii*, n. Ennemi —, *hostis velut natus.*

héréditairement, adv. D'une façon héréditaire. *Jure hereditatis.*

hérédité, s. f. Pouvoir d'hériter. *Jus hereditatis.*

hérésiarque, s. m. Auteur d'une doctrine, chef d'une secte hérétique. *Haeresiarcha* et *haeresiarches, ae*, m.

hérésie, s. f. Doctrine contraire à la foi catholique. *Haeresis, eos* (acc. *im*, Abl. *i*), f.

hérétique, adj. Qui soutient une

hérésie, entaché d'hérésie. *Haereticus, a, um*, adj. Substantiv. Un —, *haereticus, i*, m.

hérisser, v. tr. En parl. de l'homme ou des animaux, dresser (ses cheveux, son poil, ses plumes). *Erigĕre*, tr. Hérissé, *horridus, a, um*, adj.; Etre hérissé, *horrēre*, intr. Se —, *horrescĕre*, intr.; *inhorrescĕre*, intr. ¶ (Par anal.) Garnir (un objet) de choses piquantes, pointues, qui empêchent de le toucher. *Asperāre*, tr. Hérissé, *horridus, a, um*, adj. Etre hérissé, *horrēre*, intr.

hérisson, s. m. Mammifère insectivore dont la peau est couverte de piquants. *Ericius, ii*, m.

héritage, s. m. Ce qui échoit à qqn par voie de succession. *Hereditas, atis*, f. Qu'on possède par —, qu'on a reçu en —, *hereditarius, a, um*, adj. ‖ (Spéc.) Immeuble réel reçu par voie de succession. *Heredium, ii*, n. Petit —. *herediolum, i*, n. ¶ (Au fig.) Condition, situation que qqn reçoit d'un autre. *Hereditas, atis*, f. Qu'on a reçu en —, qu'on possède par —, *hereditarius, a, um*, adj.

hériter, v. intr. et tr. ‖ (*V. intr.*) Devenir par héritage possesseur de qqch. *Heredem esse. Hereditatem accipĕre ou consequi*. J'ai —, *hereditas mihi obvenit*. Fig. — de la liberté, *libertatem velut hereditate recipĕre*. ¶ *V. tr.* Posséder (qqch.) par héritage. *Hereditate accipĕre. Hereditate possidēre (aliquid)*.

héritier, *ière*, s. m. et f. Personne que la loi appelle à hériter de qqn. *Heres, edis*, m. et f. ‖ Absol. Enfant. *Filius, ii*, m. ‖ (Au fig.) *Heres, redis*, m. et f. *Successor, oris*, m.

hermine, s. f. Martre dont la fourrure est de grand prix. *Mus Ponticus, muris Pontici*, m. [ERMITE.

hermitage, hermite. Voy. ERMITAGE,

héroïne, s. f. Femme qui se distingue par le courage. *Mulier* (ou *femina*) *fortissima*.

héroïque, adj. Qui appartient aux héros, aux demi-dieux mythologiques. *Heroïcus, a, um*, adj. ¶ Qui montre de l'héroïsme. *Fortissimus, a, um*, adj. (au superl.).

héroïquement, adv. D'une manière héroïque. *Fortissimē*, adv.

héroïsme, s. m. Vertu supérieure qui fait les héros. *Virtus, utis*, f. *Animus fortis et invictus*. Trait d'—, *res fortior* (ou *egregiē*) *facta*.

héron, s. m. Grand oiseau de l'ordre des échassiers. *Ardea, ae*, f. *Ardeola, ae*, f.

héros, s. m. Demi-dieu. *Heros, ros*, m. ¶ (Par ext.) Celui qui se distingue par sa valeur, etc. *Vir fortis* (ou *fortissimus*).

herse, s. f. Instrument à dents qu'on promène sur le sol pour briser les mottes, etc. *Cratis dentata* ou simpl. *cratis, is*, f. ¶ (P. anal.) Grille à fortes

pointes à l'entrée d'une porte fortifiée. *Cataracta, ae*, f.

herser, v. tr. Travailler (la terre) avec la herse. *Occāre*, tr. [*dus, i*, m.

Hésiode, n. pr. Poète grec. *Hesiohésitant*, *ante*, adj. Qui hésite. *Incertus, a, um*, adj. *Dubius, a, um*, adj. *Anceps* (gén. *-cipitis*), adj.

hésitation, s. f. Action d'hésiter. *Cunctatio, onis*, f. *Dubitatio, onis*, f. *Haesitatio, onis*, f. ‖ Incertitude de prononciation. *Haesitatio, onis*, f. *Haesitantia, ae*, f. *Titubantia, ae*, f.

hésiter, v. intr. Ne pas se décider à prendre un parti. *Haesitāre*, intr. *Cunctāri*, dép. intr. *Dubitāre*, intr. *Tergiversāri*, dép. intr. *Morāri*, dép. intr. ¶ (Par ext.) Parler, réciter d'une manière incertaine. *Haesitāre*, intr.

hêtre, s. m. Grand arbre qui produit la faîne. *Fagus, i*, f. De —, *fageus, a, um*, adj.; *faginus, a, um*, adj. Qui appartient au —, *fagutalis, e*, adj.

heure, s. f. Division du jour (en gén.). *Hora, ae*, f. *Tempus, oris*, n. Le court espace d'une —, *horae momentum*. A toute —, *omni tempore*. A l'— convenable, à l'—, *tempore*. L'— était avancée, *multa jam dies erat*. Une demi —, *semihora, ae*, f. Une —, et demie *sesquihora, ae*, f. Il y a une heure que..., *jamdudum*, adv. Dans une —, voy. BIENTOT. Donner à qqn qqs — de répit, *alicui dieculam addĕre*. ¶ Division du jour déterminée par une horloge. *Hora, ae*, f. Demander l'— à qqn, *horas quaerĕre ab aliquo*. Regarder l'—, *horas inspicĕre*. Quelle — est-il? *Hora quota est?* ‖ (Par ext.) A l'— qu'il est, *hoc tempore*. Sur l'—, à cette —, *ipso tempore*. Tout à l'—, c.-à-d. dans un moment, voy. MOMENT. De bonne, —, voy. MATIN (fig.) voy. TOT. ¶ Moment du jour, moment de faire qqch. *Tempus, oris*, n. L'— fatale, la dernière —, *hora mortis; hora suprema*. ‖ La bonne —, c.-à-d. le moment favorable, voy. MOMENT, OPPORTUN. A la bonne —, *optimē*, adv. ‖ Temps que l'on passe à travailler ou à ne rien faire. *Hora, ae*, f. Heures de loisir, *otium, ii*, n.; *otiosum tempus*. Heures dont on peut disposer, qu'on a de reste, *subsiciva tempora*.

heureusement, adv. D'une manière heureuse. *Feliciter*, adv. *Beatē*, adv. ‖ Par bonheur. *Forte fortunā*. (*Mihi, tibi*, etc.) *contigit ut* (subj.).

heureux, *euse*, adj. Dont l'âme est pleinement satisfaite. *Felix* (gén. *-icis*), adj. *Beatus, a, um*, adj. *Fortunatus, a, um*, adj. ‖ Qui satisfait pleinement l'âme. *Felix* (gén. *-icis*), adj. *Fortunatus, a, um*, adj. *Beatus, a, um*, adj. *Prosper, a, um*, adj. ¶ Qui est favorisé par le sort. *Felix* (gén. *-icis*), adj. Etre plus —, *meliore uti fortunā*. J'ai été assez — pour..., *contigit mihi, ut* (subj.).

¶ Qui favorise. *Felix* (gén. *-icis*), adj. *Faustus, a, um,* adj. *Prosper, era, um,* adj.

heurt, s. m. Coup donné en heurtant contre un corps. *Ictus, ūs,* m. *Offensio, onis,* f.

heurter, v. tr. Venir frapper d'un coup brusque. *Offendĕre,* tr. — à la porte, *pulsāre ostium.* Se — contre et (absol. au sens intr.) — contre. *offendĕre,* intr.; *confligĕre,* intr. et *confligi,* passif. ¶ Venir contrecarrer. *Offendĕre,* tr.

hexamètre, adj. Qui a six pieds. *Sex pedibus* ou *sex pedum.* Un vers —, et (substantiv.) un —, *hexameter versus; hexameter, tri,* m.

hiatus, s. m. Son produit par la rencontre de la voyelle finale d'un mot et de la voyelle initiale d'un autre mot. *Hiatŭs, ūs,* m. [turne. *Bubo, onis,* m.

hibou, s. m. Oiseau de proie nocturne. *Bubo, onis,* m.

hideusement, adv. D'une manière hideuse. *Foedissīmē,* adv. (au superl.).

hideux, *euse,* adj. Dont la laideur est repoussante. *Insignis ad deformitatem. Foedus, a, um,* adj.

hie, s. f. Lourde masse de bois pour enfoncer les pavés, les pilotis. *Fistuca, ae,* f.

hièble ou **yèble,** s. m. et f. Espèce de sureau à tige herbacée. *Ebulum, i,* n.

hier, adv. Le jour qui précède immédiatement celui où l'on est. *Heri,* adv. *Hesterno die.* D'—, *hesternus, a, um,* adj. — matin, *heri mane.* — soir, *heri vesperi.* Avant —, *nudius tertius.* || (P. ext.) Il y a peu de temps. *Nuper,* adv.

hiérarchie, s. f. Ordre de subordination. *Ordinis descriptio* ou simpl. *ordo, dinis,* m.

hiéroglyphe, s. m. Dans l'écriture des anciens Egyptiens, caractères sacrés exprimant symboliquement les idées. Employer des —, *per figuras animalium sensus mentis effingĕre.*

hiéroglyphique, adj. Propre à l'hiéroglyphe. *Hieroglyphicus, a, um,* adj.

Hiéron, n. pr. Tyran de Syracuse. *Hiero, onis,* m.

hilarité, s. f. Douce gaîté. *Hilaritas, atis,* f. Exciter l'—, *risum movēre.*

Hippocrate, n. pr. Célèbre médecin grec. *Hippocrates, is,* m.

hippodrome, s. m. Cirque disposé pour les courses de chevaux et de chars. *Hippodromos et hippodromus, i,* m. *Curriculum, i,* n.

hippopotame, s. m. Mammifère pachyderme qu'on trouve dans les fleuves d'Afrique. *Hippopotamus, i,* m. *Equus fluviatilis.* [*Hirundo, inis,* f.

hirondelle, s. f. Oiseau de passage.

hisser, v. tr. Elever, tirer en haut. *Sursum torquēre. Attollĕre,* tr. — la voile, *subducĕre velum.* || (P. anal.) Se — (s'élever avec effort), *evadĕre,* intr

histoire, s. f. Récit des événements de la vie d'un peuple et *par ext.* ouvrage contenant ce récit. *Res, rei,* f. (au plur., *res Romanae,* l'histoire romaine, c.-à-d. l'ensemble même des faits). *Historia, ae,* f. (*historia Romana; rerum Romanarum historia*). *Memoria, ae.* f. Nous savons par l'—, l'— nous apprend que..., *memoriâ proditum est* (avec l'aec. et l'inf.). || (Par ext.) Etude des divers êtres qui sont dans la nature. — naturelle, *naturae* (ou *naturalis*) *historia.* || (Absol.) L'ensemble des témoignages historiques. *Historia rerum gestarum* ou absol. *historia, ae,* f. *Memoria, ae,* f. ¶ Récit des événements de la vie d'un individu. *Memoria vitae alicujus* ou simpl. *vita, ae,* f. Ecrire l'— du roi, *regis facta scribĕre.* || Ce qui arrive à qqn. *Res, rei,* f. (voy. AVENTURE, AFFAIRE). || Récit de qq. aventure. *Fabula, ae,* f.

historien, s. m. Celui qui écrit une histoire, des histoires. *Historiarum* (ou *rerum gestarum* ou *rerum*) *scriptor,* ou simpl. *scriptor, oris,* m. *Historicus, i,* m.

historiette, s. f. Récit d'une petite aventure. *Narratiuncula, ae,* f.

historique, adj. Qui a rapport à l'histoire. *Historicus, a, um,* adj. (se traduit ordin. par un génitif, *historiae* [ou *historiarum*] *fide contestata memoria,* l'époque h.; *rerum gestarum studia historiae,* études historiques). Tradition —, *memoria, ae,* f. Temps, époque —, *facta, orum,* n. pl.

historiquement, adv. D'une manière historique. *Ad historiae fidem.*

histrion, s. m. Acteur jouant des farces grossières. *Histrio, onis,* m. D'—, *histricus, a, um,* adj.

hiver, s. m. La plus froide des saisons de l'année. *Hiems, hiemis,* f. Saison d'—, *tempus hibernum.*

hivernage, s. m. Temps de la mauvaise saison que les navires passent en relâche. *Hiematio, onis,* f.

hiverner, v. intr. Passer l'hiver à l'abri. *Hibernāre,* intr.

ho, interj. Interjection servant à appeler. *Heus! heus tu! Eho!* || A exprimer l'indignation *ou* l'étonnement. *Hui! Ehem!*

hochement, s. m. Action de hocher (la tête, le corps). *Jactatio (corporis). Nutatio (capitis).* — de tête (en signe de refus), *renutus, ūs,* m.

hocher, v. tr. Secouer. Voy. ce mot. — la tête (en signe de dénégation), *renuĕre,* intr.

hochet, s. m. Jouet qu'on met entre les mains d'un petit enfant pour qu'il s'amuse à le secouer. *Crepitaculum, i,* n. || (Fig.) Chose futile. Voy. FUTILITÉ.

holà, interj. Interjection qui sert à appeler. *Heus! Heus tu! Ohe!* ¶ Pour arrêter. *Ohe!* || Substantiv. Mettre le —, *rixam sedāre.*

holocauste, s. m. Sacrifice où la victime était entièrement consumée par le feu. *Holocaustum, i,* n.

Holopherne, n. pr. Général assyrien. *Holophernes, is,* m.

homard, s. m. Genre de crustacé. *Astacus, i,* m.

homélie, s. f. Instruction familière faite au peuple sur l'Evangile. *Homilia, ae,* f.

Homère, n. pr. Le père de la poésie grecque. *Homerus, i,* m.

1. homicide, s. m. et f. et adj. || *S. m.* et *f.* Celui, celle qui tue un être humain. *Homicida, ae,* m. et f. Une —, *homicida, ae,* f. ¶ *Adj.* Qui sert à tuer qqn. Voy. MEURTRIER. || (Fig.) Voy. FATAL, FUNESTE.

2. homicide, s. m. Action de tuer un être humain. *Homicidium, ii,* n.

hommage, s. m. Acte du vassal se déclarant l'homme de son seigneur. Rendre —, *in verba jurāre.* ¶ (Fig.) Acte de soumission et de respect. Rendre — à qqn, *alicuum venerāri.* ¶ (Par ext.) Devoir de politesse. *Officium, ii,* n. Au plur. Hommages, voy. COMPLIMENT. || Don respectueux d'une chose. Faire — d'un livre, *librum mittĕre ad aliquem.*

homme, s. m. Mammifère bimane, doué de raison et de réflexion. *Homo, minis,* m. (s'opp. à *bestia* ou à *belua,* et s'emp. dans les mêmes locut. que le franc.; toutefois, quand il sign. « homme » en général, il s'emploie surt. au plur., cf. *homines sunt mortales* « l'h. est mortel »). D'—, *humanus, a, um,* adj. || Cet être considéré par rapport aux variétés de race. *Homo, minis,* m. — de couleur, voy. MULATRE. || Cet être considéré au point de vue de son développement. *Homo, minis,* m. *Vir, viri* (« homme fait »), m. Un jeune —, *adolescens,* m.; *juvenis, is,* m. D'—, *virilis, e,* adj. Un petit — faible, *homuncio, onis,* m.; *homullus, i,* m. || Homme opposé à femme. *Vir, viri,* m. Homo, *minis,* m. D'—, *virilis, e,* adj. || Cet être considéré comme ayant la qualité essentielle de la nature humaine. *Homo, minis,* m. *Vir, viri,* m. Montre que tu es un — *virum te praesta.* ¶ L'homme individuel. || Considéré comme membre de l'espèce humaine. *Homo, minis,* m. Tous les —, *omnes.* Tout —, *quivis* ou *quilibet.* Tout — qui..., *quicumque...* Il y a des — qui..., *sunt qui* (et le subj.). Cet — (la personne dont on vient de parler), *hic; hic vir* (quand on veut insister). Cet — (la personne qui a été nommée plus haut), *ille* ou *is.* || Individu considéré comme ayant telle *ou* telle manière d'être (qualités, défauts, etc.). *Homo, minis,* m. *Vir, viri,* m. Je suis — à..., *is sum qui* (avec le subj.). Un — qui..., *is qui...* (av. le subj.). || Individu considéré comme ayant telle

ou telle profession, etc. *Homo, minis,* m. — de guerre, *homo militaris.* — de lettres, *homo litteratus.* — du monde, *homo urbanus.* || Individu considéré comme dépendant d'un autre. || Vassal. Voy. ec mot. || Soldat. *Vir, viri,* m. *Miles, itis,* m. Une armée de dix mille —, *exercitus decem millium.*

homogène, adj. Dont les éléments sont de même nature. *Ejusdem generis.*

homonyme, adj. et s. m. et f. || *Adj.* (Gramm.) *Homonymus, a, um,* adj. ¶ *S. m.* et *f.* Celui, celle qui porte le même nom qu'un autre. *Is* (ou *ea*) *cui idem nomen* (ou *cognomen*) *est.*

honnête, adj. Qui se conforme à la probité, au devoir. *Honestus, a, um,* adj. *Bonus, a, um,* adj. *Castus, a, um,* adj. *Probus, a, um,* adj. ¶ Qui se conforme aux convenances. — homme, *homo urbanus; homo omni vita et victu excultus atque expolitus.* || Poli. Voy. ce mot. || Convenable. Voy. ce mot.

honnêtement, adv. D'une manière honnête. *Honestē,* adv. *Castē,* adv. ¶ Avec ménagement, avec modération. *Modestē,* adv. *Humanē,* adv. || Civilement, courtoisement. Voy. ces mots. || Chastement. Voy. ce mot.

honnêteté, s. f. Conformité à la probité, au devoir. *Honestas, atis,* f. *Innocentia, ae,* f. *Probitas, atis,* f. Avec —, *honestē,* adv. ¶ Conformité aux convenances. *Humanitas, atis,* f. *Urbanitas, atis,* f. || Politesse Voy. ce mot. ¶ Convenance. Voy. ce mot.

honneur, s. m. Dignité morale qui naît du besoin de l'estime des autres et de soi-même. *Honestas, atis,* f. *Fides, ei,* f. *Dignitas, atis,* f. Sentiment de l'—, *pudor, oris,* m.; *verecundia, ae,* f. Homme d'—, *bonus* (ou *optimus*) *vir; honestus vir.* Point d'—, *res in quā existimatio* (ou *fama* ou *gloria* ou *dignitas*) *alicujus agitur; res in quā existimatio alicujus in discrimen venit.* Perdu d'—, *infamis* ou *famosus.* Avec —, *honestē,* adv. || (Spéc.) Pureté d'une femme. *Pudicitia, ae,* f. Une femme d'—, *pudica mulier.* ¶ Distinction avec laquelle on traite qqn. *Honos, oris,* m. *Dignitas, atis,* f. *Decus, oris,* n. Avec —, *honorificē,* adv. Faire — à, *honestāre,* tr. || Place d'— (à table, chez les Romains), *locus consularis.* Place d'— (en général), *locus honoratissimus.* ¶ Marque de distinction flatteuse, etc. *Honos, oris,* m. *Officium, ii,* n. Rendre à qqn les — (militaires), *aliquem salutāre* (ou *consalutāre*). Enterrer qqn avec les — militaires, *militari honesto funere aliquem humāre.*

honnir, v. tr. Couvrir de honte publiquement. *Infamāre,* tr.

honorable, s. m. Digne d'honneur. *Honestus, a, um,* adj. *Honoratus, a, um,* p. adj. *Ornatus, a, um,* p. adj. (dans l'express. *vir ornatissimus*). ¶

Qui fait honneur. *Honorabilis, e,* adj.
Honestus, a, um, adj. *Honorificus, a, um,* adj.

honorablement, adv. D'une manière honorable. *Honorificē,* adv. *Honestē* (*mori*). *Cum honore* (*dimitti*). *Cum dignitate* (*vivĕre*). Très —, *cum summā dignitate.* || Richement. *Splendidē,* adv.

honoraire, adj. et s. m. || *Adj.* Qui, n'exerçant plus une fonction, en garde le titre honorifique. *Honorarius, a, um,* adj. ¶ *S. m.* (surtout au pluriel). Rétribution des services de celui qui a une profession honorable. *Honos, oris,* m. *Merces. edis.* f.

honorer, v. tr. Traiter avec honneur. *Honorāre,* tr. *Ornāre,* tr. *Prosĕqui,* dép. tr. *Decorāre,* tr. *Colĕre,* tr. *Reverēri,* dép. tr. *Venerāri,* dép. tr. — de sa présence des funérailles, *cohonestāre exsequias.* ¶ Mettre en honneur. *Honestāre,* tr. Qui honore, *honorificus, a, um,* adj.; *honestus. a, um,* adj. S'— de, voy. SE GLORIFIER.

honorifique, adj. Qui procure des honneurs (sans avantages matériels). *Honorarius, a, um,* adj.

honte, s. f. Déshonneur humiliant. *Dedecus, oris,* n. (souv. avec un autre mot, *ignominia atque dedecus; dedecus atque infamia*). *Turpitudo, dinis,* f. *Ignominia, ae,* f. *Infamia, ae,* f. Regarder qqch. comme une —, *aliquid putăre* (ou *ducĕre*) *turpe; turpe sibi esse aliquid arbitrāri.* Couvrir de —, *turpĕre,* tr. || (P. ext.) Une — (un acte honteux), *flagitium, ii,* n.; *probrum, i,* n. ¶ Humiliation du déshonneur. *Pudor, oris,* m. *Verecundia, ae,* f. *Rubor, oris,* m. Avoir —, *erubescĕre,* intr. J'ai —, *me pudet,* impers. J'ai grande —, *depudet me,* impers.

honteusement, adv. D'une manière honteuse. *Turpiter,* adv. *Flagitiosē,* adv.

honteux, euse, adj. Qui cause de la honte. *Turpis, e,* adj. *Deformis, e,* adj. *Foedus, a, um,* adj. *Flagitiosus, a, um,* adj. *Ignominiosus, a, um,* adj. *Infamis, e,* adj. D'une façon —, *turpiter,* adv.; *foedē,* adv.; *flagitiosē,* adv. ¶ Qui éprouve de la honte. *Pudore confusus.* Je suis —, *me pudet.* || Timide. *Pudens* (gén. *-entis*), adj. *Verecundus, a, um,* adj.

hôpital, s. m. Etablissement pour les infirmes et les malades. *Valetudinarium, ii,* n.

hoplite, s. m. Fantassin pesamment armé. *Hoplites, ae,* m.

hoquet, s. m. Contraction spasmodique du diaphragme avec un bruit inarticulé. *Singultŭs, ŭs,* m. Avoir le —, *singultire,* intr.

Horace, n. pr. d'homme. *Horatius, ii,* m. D'—, *Horatianus, a, um,* adj.

horde, s. f. Troupe d'hommes qui se livrent à toutes sortes de désordres. *Caterva, ae,* f.

horizon, s. m. Limite de la vue en tous sens. *Finiens circulus* (ou *orbis*).

horizontal, ale, adj. Parallèle au plan de l'horizon. *Directus, a, um,* p. adj. *Aequus ad libellam.*

horizontalement, adv. Dans une direction horizontale. *Ad libellam.*

horloge, s. f. Instrument qui sert à marquer les heures. *Horologium, ii,* n.

hormis, adv. Excepté. Voy. ce mot.

horoscope, s. m. Observation de l'état du ciel à l'heure de la naissance d'un enfant. *Genitalis hora. Genesis, is* (acc. *im,* abl. *i*), f. Tirer, dresser, faire l'—, *ponĕre horam.*

horreur, s. f. Frémissement que cause la vue d'un objet affreux. *Horror, oris,* m. Frissonner d'—, *horrēre,* intr. Eprouver de l'—, *perhorrescĕre,* intr. || (Absol.) Ce qui cause cet effet. *Turpe* (ou *foedum*) *aliquid.* ¶ Sentiment de répulsion profonde qu'on éprouve à la vue d'un objet affreux. *Aversatio, onis,* f. *Horror, oris,* m. Avoir — pour ou de qqch., *horrēre,* tr.; *abhorrēre,* intr. (*ab aliquā re*). Etre en —, *in maximum odium pervenisse.* Qui a — de, *aversissimus ab...* ¶ (Absol.) La personne, la chose qui inspire ce sentiment. *Pestis, is,* f. *Monstrum, i,* n. ¶ Caractère de ce qui inspire ce sentiment. *Atrocitas, atis,* f. *Foeditas, atis,* f. *Immanitas, atis,* f. Faire sentir à un territoire toutes les — de la guerre, *agrum omni clade belli pervastāre.* || (Absol.) Conduite, acte, opinion qui inspire ce sentiment. *Res atrox* ou *nefaria. Facinus atrox.*

horrible, adj. Qui fait horreur. *Horribilis, e,* adj. *Horrendus, a, um,* adj. *Immanis, e,* adj. Caractère — d'une chose, *atrocitas, atis,* f. ¶ (P. exag.) Voy. AFFREUX.

horriblement, adv. D'une manière horrible. *Foedē,* adv. || (P. exag.) Voy. EXTRAORDINAIREMENT.

hors, prép. et adv. || (*Prép.*) A l'extérieur de. *Extra,* prép. (av. l'acc.). || (Par anal.) Hors ligne, voy. EXTRAORDINAIRE. — rang, *eximius* ou *egregius, a, um,* adj. Mettre qqn — la loi, *caput alicujus sacrāre.* || (Fig.) Excepté, *hormis.* Voy. EXCEPTÉ. ¶ (*Adv.*) A l'extérieur. *Foris,* adv. *Foras,* adv. Voy. DEHORS. ¶ (*Loc. prép.*) Hors de, c.-à-d. à l'extérieur de... *Extra,* prép. (av. l'acc.). — d'œuvre, voy. HORS-D'ŒUVRE. *Fig.* Etre — de soi, *sui* (ou *mentis*) *non compotem esse.* Etre — d'état de ..., voy. INCAPABLE. ¶ (*Loc. conj.*) Hors que, c.-à-d. à moins que. *Nisi,* conj.

hors-d'œuvre, s. m. Ce qui est en dehors de l'œuvre, ce qui est accessoire. *Opus quod alteri accedit.* — (en peinture), *parergon, i,* n.

horticulteur, s. m. Celui qui s'occupe de l'art de cultiver les jardins. Voy. JARDINIER.

horticulture, s. f. Art de cultiver les jardins. *Hortorum cultus.*

hospice, s. m. Maison hospitalière pour les infirmes, des malades. Voy. HOPITAL.

1. **hospitalier**, *ière*, adj. Relatif aux hospices et aux hôpitaux. *Hospitalis, e,* adj.

2. **hospitalier**, *ière*, adj. Qui aime à exercer l'hospitalité. *Hospitalis, e,* adj.

hospitalité, s. f. Droit réciproque de loger, en voyage, les uns chez les autres, etc. *Hospitalitas, atis,* f. *Hospitium, ii,* n. ¶ (P. ext.) Libéralité *ou* charité qu'on exerce en hébergeant gratuitement un étranger. *Hospitium, ii,* n. Donner l'— à qqn, *aliquem hospitio accipere.*

hostie, s. f. Victime offerte en sacrifice à Dieu. *Hostia, ae,* f.

hostile, adj. Qui est inspiré par un ennemi. *Inimicus, a, um,* adj. *Infestus, a, um,* adj.

hostilement, adv. En ennemi. *Hostiliter,* adv. *Inimice,* adv.

hostilité, s. f. Acte d'ennemi exercé par les troupes d'un État. *Hostilia, ium,* n. pl. Les — ont commencé, *bellum geri coeptum est.* Commencer, ouvrir les —, *initium facere armorum.* Suspendre les —, *mettre fin aux —, ab armis recedere.* ¶ Disposition hostile. *Animus inimicus* (ou *infensus*).

hôte, s. m. Celui qui donne l'hospitalité. *Hospes, itis,* m.

hôtel, s. m. Grande maison garnie. Voy. HOTELLERIE. ¶ Demeure importante d'une personne considérable. *Domus ampla* (*locuples, praeclara ou nobilis*), f. *Aedes, ium,* f. pl. ¶ (P. anal.) Grand édifice servant à un établissement public. *Aedes, ium,* f. pl. — de ville dans les provinces, *curia, ae,* f.

hôtelier, *ière*, s. m. et f. Voy. AUBERGISTE.

hôtellerie, s. f. Maison où les voyageurs mangent et logent en payant. *Deversorium, ii,* n.

houblon, s. m. Plante. *Lupus, i,* m.

houe, s. f. Outil de labourage. *Ligo, onis,* m.

houer, v. tr. Travailler (le sol) avec la houe. *Pastinare,* tr.

houle, s. f. Forte ondulation de la mer. *Aestus, ûs,* m.

houlette, s. f. Bâton de berger. *Pedum, i,* n.

houleux, *euse*, adj. Agité par la houle. *Fluctuosus, a, um,* adj.

houppe, s. f. Cime d'un arbre épanouie en bouquet. *Apex, picis,* m.

houppelande, s. f. Long vêtement que les hommes mettaient par-dessus les habits, etc. *Paenula, ae,* f.

housse, s. f. Couverture de cheval. *Ephippium, ii,* n.

houssine, s. f. Verge flexible pour faire aller un cheval, battre des meubles, etc. *Flagellum, i,* n.

houx, s. m. Arbre, toujours vert, armé de piquants. *Acrifolium* ou *agrifolium, ii,* n.

hoyau, s. m. Petite houe. *Ligo, onis,* m.

huche, s. f. Grand coffre de bois pour pétrir le pain. *Magis, idis,* f.

huée, s. f. Cri de dérision contre qqn. *Convicium, ii,* n. *Explosio, onis,* f.

huer, v. tr. Accueillir par des cris de dérision. *Explodere,* tr.

huile, s. f. Substance grasse liquide extraite de certains corps. *Oleum, i,* n.

huiler, v. tr. enduire d'huile. *Oleo ungere* (ou *perungere*).

huilerie, s. f. Fabrique, magasin, commerce d'huile. *Olearia cella.*

huileux, *euse*, adj. Qui est de la nature de l'huile. *Oleaceus, a, um,* adj. ¶ Qui semble frotté d'huile. *Unctus, a, um,* p. adj.

huissier, s. m. Officier chargé d'introduire chez un prince, un haut fonctionnaire. *Admissionalis, is,* m. Le chef des —, *magister admissionum.* ¶ (P. ext.) Employé chargé du service de séance (dans les assemblées). *Silentiarius, ii,* m. ¶ Officier de justice, chargé de signifier les actes de procédure. *Viator, oris,* m.

huit, adj. et s. m. Adjectif numéral cardinal indéclinable. Sept plus un. *Octo,* indécl. — chaque fois, *octoni, ae, a.* adj. — fois, *octies* (ou *octiens*), adv. Dix-huit, *decem et octo; duodeviginti.* Huit cents, *octingenti, ae, a,* adj. Par — cents, chaque fois — cents, *octingeni et octingenteni, ae, a,* adj. — centième, *octingentesimus, a, um,* adj. — cents fois, *octingenties,* adv. — mille, *octo milia.* Tous les — jours, *octavo quoque die.* || Au sens ordinal. Huitième. Au livre —, *octavo libro.* ¶ Nom de nombre indéclinable. Le nombre huit. *Octas, adis,* f.

huitaine, s. f. Réunion de huit objets de même espèce. *Fermé* (ou *feré*) *octo.* || (Spéc.) Durée de huit jours. *Octo dierum spatium.*

huitième, adj. et s. m. || *Adjectif numéral ordinal.* Qui vient immédiatement après le septième. *Octavus, a, um,* adj. Pour la — fois, *octavum.* Soldat de la — légion, *octavianus, i,* m. ¶ *S. m.* Une des parties d'un tout divisé en huit parties égales. *Octava pars.*

huitièmement, adv. En huitième lieu (dans une énumération). *Octavo.*

huître, s. f. Mollusque acéphale qui vit dans la mer. *Ostrea, ae,* f.

humain, *aine*, adj. et s. m. || *Adj.* Qui caractérise l'homme en général. *Humanus, a, um,* adj. || (Spéc.) Par opposition à « divin ». *Humanus, a, um,* adj. *Mortalis, e,* adj. Nature —, *humanitas, atis,* f. Respect —, *frontis infirmitas.* || (Spéc.) Qui a de la sympathie pour l'homme. *Humanus, a, um,* adj. Sentiments —, *humanitas, atis,* f. ¶ *S. m.* Dans le style élevé (au plur.). Les —, *mortales, ium,* m. pl.

humainement, adv. D'une manière humaine. *Humano modo.* ‖ Avec humanité, bonté. *Humanē,* adv. *Humaniter,* adv.

humaniser, v. tr. Animer de sentiments humains. *Ad humanitatem informāre.* S'—, *mitiore fieri animo.*

humanité, s. f. La nature humaine. *Hamanitas, atis,* f. (on dit aussi *natura* ou *condicio humana).* ¶ Le genre humain. *Humanum* (ou *hominum*) *genus.* ¶ Sympathie pour le malheur. *Humanitas, atis,* f. Avec —, voy. HUMAINEMENT.

humble, adj. Qui s'abaisse volontairement. *Submissus, a, um,* p. adj. *Demissus, a, um,* p. adj. ¶ De condition inférieure. *Humilis, e,* adj.

humblement, adv. D'une manière humble. *Demissē,* adv. *Submissē,* adv. *Tenuiter.* adv.

humecter, v. tr. Rendre humide. *Humectāre,* tr. S'—, *humescĕre,* intr.

humer, v. tr. Aspirer pour avaler. *Haurīre,* tr. |*Humerus, i,* m.

humérus, s. m. Os supérieur du bras.

humeur, s. f. Liquide. *Humor, oris,* m. ¶ Liquide qui se trouve dans un corps organisé. *Humor, oris,* m. *Pituita. ae.* f. ‖ (Par ext.) Humeurs viciées considérées comme causes de diverses maladies. *Sanies, ei,* f. *Tabum, i,* n. ¶ (Par ext.) Tempérament, caractère. *Affectio, onis,* f. *Affectŭs, ūs,* m. Bonne —, *alacritas* (ou *animi alacritas).* —noire, *bilis, is,* f. — chagrine, *morositas, atis,* f. Mauvaise —, *stomachus, i,* m.; *bilis, is,* f. Absol. Prendre de l'—, *stomachāri,* dép. intr. Avec —, *stomachosius,* adv. (au compar.).

humide, adj. Qui tient de la nature de l'eau. *Humidus, a, um,* adj. ¶ Chargé de substance aqueuse. *Humidus, a, um,* adj. *Humectus, a, um,* adj. (on dit aussi *plenus aquae).* Tout —, *madidus, a, um,* adj. Etre tout —, *madēre,* intr. |humide. *Humidē,* adv.

humidement, adv. D'une manière

humidité, s. f. Etat de ce qui est humide. *Humor, oris,* m.

humiliant, *ante,* adj. Qui humilie. *Contumeliosus, a, um,* adj.

humiliation, s. f. Action d'humilier. *Contumelia, ae,* f. ¶ Etat de celui qui est humilié. *Humilitas, atis,* f.

humilier, v. tr. Rendre humble. *Alicujus spiritus reprimĕre. Frangĕre alicujus spiritus reprimĕre. Frangĕre alicujem et comminuĕre.* S' —, *se* (ou *animum*) *submittĕre.* ¶ Rabaisser d'une manière blessante. *Contumeliosē agĕre cum aliquo.*

humilité, s. f. Abaissement volontaire. *Animus submissus* (ou *demissus*). Faire preuve d'—, montrer de l'—, *submissē se gerĕre.* Avec —, *submissē,* adv. |*orum,* m. pl

Huns, n. pr. Peuple tartare. *Hunni,*

1. **huppe,** s. f. Genre de passereau qui porte sur la tête une touffe de plumes. *Upupa, ae,* f. *Epops, opis,* m.

2. **huppe,** s. f. Touffe de plumes sur la tête de certains oiseaux. *Crista, ae,* f. *Apex, picis,* m.

hure, s. f. Tête hérissée. — de sanglier, *apri caput.*   [*Ululatŭs, ūs,* m.

hurlement, s. m. Action de hurler.

hurler, v. intr. Pousser des cris stridents. *Ululāre,* intr. *Ululatus edĕre.*

hutte, s. f. Petite cabane grossièrement faite. *Casa, ae,* f.

hyacinthe, s. m. et f. Jacinthe (fleur et pierre précieuse). *Hyacinthus, i,* m. De couleur d'—, *hyacinthinus, a, um,* adj.

hydraulique, adj. Relatif aux mouvements de l'eau dans des tuyaux, dans des corps de pompe. *Hydraulicus, a, um,* adj.

hydre, s. f. — de Lerne (serpent à sept têtes), *hydra Lernae* et simpl. *hydra, ae,* f.

hydromel, s. m. Breuvage fait de miel dissous dans l'eau. *Hydromeli, itis,* m. et *hydromel, mellis,* n.

hydropique, adj. Qui est atteint d'hydropisie. *Hydropicus, a, um,* adj.

hydropisie, s. f. Accumulation de liquide séreux dans une cavité du corps. *Hydropisis, is,* f. *Hydrops, opis* (acc. *opem* et *opa*), m. *Aqua intercus.* Etre atteint d'—, *aquae intercutis morbo implicari.*

hyène, s. f. Mammifère carnassier, voisin du loup. *Hyaena, ae,* f.

hygiène, s. f. Art de conserver la santé. *Ars curandi tuendique corporis.*

hygiénique, adj. Qui a rapport à l'hygiène. *Diaeteticus, a, um,* adj.

hymen, s. m. Divinité qui préside aux mariages. *Deus conjugii* ou *deus conjugalis.* ‖ (P. ext.) Mariage. Voy. HYMÉNÉE, MARIAGE.

hyménée, s. m. Divinité qui préside au mariage. *Hymenaeus, i,* m. ‖ (P. ext.) Mariage. *Hymenaei, orum,* m. pl.

Hymette, n. pr. Montagne de l'Attique. *Hymettus, i,* m.

hymne, s. m. et f. Poème religieux. *Hymnus, i,* m. *Carmen, inis,* n.

hyperbole, s. f. Figure de style. *Superlatio veritatis,* ou simpl. *superlatio, onis,* f.

hyperbolique, adj. Relatif à l'hyperbole. *Superlatus, a, um,* adj.

hyperboliquement, adv. D'une manière hyperbolique. *Praeter modum.*

1. **hypocondre,** s. m. Chacune des deux parties latérales de la région épigastrique. *Praecordia, orum,* n. pl.

2. **hypocondre,** adj. Qui est atteint d'hypocondrie. *Melancholicus, a, um,* adj.   [rend atrabilaire. *Bilis atra.*

hypocondrie, s. f. Etat maladif qui

hypocrisie, s. f. Vice de l'hypocrite. *Simulatio, onis,* f. (on dit aussi *species virtutis assimulata,* ou simpl. *assimu-*

lata virtus). — dans l'amour, *amor fictus* (ou *simulatus*).

hypocrite, s. m. et f. Personne qui affecte des sentiments religieux. *Pietatis et religionis simulator. Qui (quae) pietatem et religionem simulat.* | Dans un sens plus large. *Simulator, oris, m. Dissimulator, oris,* m. Etre —, *simulāre* (ou *dissimulāre*), intr. || Adjectiv. *Simulatus, a, um,* p. adj.

hypocritement, adv. D'une manière hypocrite. *Simulatē,* adv. *Fictē,* adv.

hypoténuse, s. f. Côté d'un triangle rectangle opposé à l'angle droit. *Hypotenusa, ae,* f.

hypothécaire, adj. Qui a, qui donne droit à une hypothèque. *Hypothecarius, a, um,* adj. Bien, prêt —, voy. HYPOTHÈQUE. ¶ Qui a rapport aux hypothèques. *Hypothecarius, a, um,*

adj. Contrat —, voy. HYPOTHÈQUE. Engagement —, *pigneratio, onis,* f. Prendre un engagement —, voy. HYPOTHÉQUER.

hypothèque, s. f. Droit d'un créancier sur un immeuble affecté par le débiteur à l'acquittement de son obligation. *Hypotheca, ae,* f. *Pignus, oris,* n. Donné en —, *pigneraticius, a, um,* adj. Donner en —, voy. HYPOTHÉQUER.

hypothéquer, v. tr. Grever d'une hypothèque. *Obligāre pignori (bon sua)* et simpl. *obligāre,* tr. Hypothéqué, *pigneraticius, a, um,* adj.

hypothèse, s. f. Supposition dont on tire des conséquences à vérifier. *Conjectura, ae,* f. *Opinio, onis,* f.

hypothétique, adj. Qui repose sur une hypothèse. *Opinabilis, e,* adj.

hysope, s. f. Plante. *Hyssopum, i,* n.

I

i, s. m. Neuvième lettre de l'alphabet français. *I* ou *i littera*.

iambe, s. m. Pied composé d'une brève et d'une longue. *Iambus, i,* m.

iambique, adj. Composé d'iambes. *Iambicus, a, um,* adj.

Ibérie, n. pr. Ancien nom de l'Espagne *Iberia, ae,* f.

ibis, s. m. Oiseau échassier. *Ibis* (gén. *ibis* ou *ibidis,* acc. *ibim*), f.

ichneumon, s. m. Mangouste, mammifère. *Ichneumon, monis,* m.

ichthyophage, adj. Qui se nourrit de poisson. *Qui (quae) piscibus vescitur.* Etre —, *piscibus vivēre.*

ici, adv. Dans le lieu où se trouve celui qui parle. *Hic,* adv. Etre —, *adesse,* intr. Ne pas être —, *abesse,* intr. || Vers et dans le lieu où se trouve celui qui parle. *Huc,* adv. || D'ici, *hinc,* adv. || Par ici, *huc,* adv. || (Par ext.) Dans ce pays. Les gens d'ici, *hi homines.* Il est d'—, *hinc natus est.* Ici bas, in *terris.* ¶ (Par ext.) Dans cet endroit du discours. *Hic,* adv. *Hoc loco.* Jusqu'—, *hactenus,* adv. || Dans le temps présent. *Hic,* adv. Jusqu'—, *usque ad hoc tempus.* D'— à qqs jours, *post aliquot dies.*

idéal, *ale,* adj. Qui n'a d'existence que dans l'idée. *Commenticius, a, um,* adj. ¶ Qui répond à l'idée que nous nous faisons de la perfection. *Optimus, a, um,* adj. *Summus, a, um,* adj. Beauté —, *species eximia quaedam pulchritudinis.* Perfection —, *absolutio et perfectio.* || (Substant.) L'idéal. *Species eximia quaedam.* Proposer un — d'éloquence, *excellentis eloquentiae speciem et formam adumbrāre.* — d'un bon gouvernement, *effigies justi imperii.* Mon —, *id quod volumus.* Mon — d'éloquence, *ea quam sentio eloquentia.*

Se proposer un —, *absolutionis imaginem sibi perficēre.*

idée, s. f. Représentation dans l'esprit de qq. être *ou* de qq. manière d'être. *Notio, onis,* f. *Intelligentia, ae,* f. *Opinio, onis,* f. *Informatio, onis,* f. *Cogitatio, onis,* f. (*de aliquā re*). *Forma, ae,* f. L'— d'honneur, *honestas, atis,* f. || (Par ext.) Conception élémentaire d'une chose. Voy. APERCU. || Conception d'un être *ou* d'une manière d'être qui n'existe que dans l'esprit. *Cogitatio, onis,* f. *Species, ei,* f. *Imago, ginis,* f. || Conception à réaliser. *Cogitatio, onis,* f. *Cogitatum, i,* n. *Propositum, i,* n. L'— du forfait, *cogitatum facinus.* || L'idée première d'un sujet. *Materia, ae,* f. || Esquisse, ébauche. Voy. ces mots. ¶ Manière de concevoir un être *ou* une manière d'être. *Cogitatio, onis,* f. Se faire une — de qqch., *aliquid animo* (ou *mente*) *formāre* (ou *fingēre*); *aliquid cogitatione* (ou *cogitatione et mente*) *complecti.* Avoir une haute, une grande — de qqn, *magni aestimāre* (ou *facēre*) *aliquem ; de* qqch., *aliquid in magnā laude ponēre.* ¶ (P. ext.) L'esprit qui conçoit. *Cogitatio, onis,* f. *Animus, i,* m. *Mens, mentis,* f. Se mettre dans l'— (de faire qqch.), in *animum* (ou *animum*) *inducēre (aliquid facēre).* Donner à qqn l'— (de faire qqch.), *inducēre aliquem (ad aliquid ; ut mentiatur,* etc.). ¶ Représentation d'un être *ou* d'une manière d'être par l'imagination. Image. Voy. ce mot. || Type qu'on imagine. *Species cogitata. Forma, ae,* f. Mon —, *id quod volumus.*

identifier, v. tr. Rendre identique. *Assimilāre.* tr. *Aequāre* (ou *adaequāre*) *aliquid rei alicui.*

identique, adj. Dont la nature est absolument la même que celle d'une autre chose. *Idem, eadem, idem,* adj. *Unus atque idem.* Etre —, *idem esse.*

identiquement, adv. D'une manière identique. *Aeque,* adv. — semblable, *plane similis.*

identité, s. f. Caractère de ce qui est identique. *Quod idem semper est.* ¶ Le fait qu'un individu est bien celui qu'il dit être. Affirmer, attester l'— de qqn, *aliquem agnoscere* (ou *cognoscere*).

ides, s. f. pl. Le 13e ou le 15e jour des mois romains. *Idus, uum,* f. pl.

idiome, s. m. Langue propre à une nation. *Sermo, onis,* m.

idiot, ote, adj. Dont le cerveau est insuffisamment développé. *Brutus, a, um,* adj. ‖ (P. hyperb.) Qui a l'esprit très borné. *Stolidus, a, um,* adj.

1. idiotisme, s. m. Construction particulière à telle *ou* telle langue. *Quod proprium est linguae alicujus.*

2. idiotisme, s. m. Etat d'un esprit très borné. *Stupor animi.*

idolâtre, adj. Qui rend un culte divin aux idoles. *Deorum fictorum* (ou *factorum*) *cultor* (ou *cultrix*). Etre —, *idola colere.* Culte —, voy. IDOLATRIE. ‖ Substantiv. Voy. PAIEN. ¶ (Fig.) Qui a une sorte de culte pour qqn, pour qqch. *Nimius admirator (antiquitatis).*

idolâtrer, v. tr. Avoir une sorte de culte pour qqn, qqch. *Aliquem pro deo venerari* (ou *tanquam deum colere*).

idolâtrie, s. f. Adoration des idoles. *Impius* (ou *deorum fictorum* ou *falsorum*) *cultus.* Pratiquer l'—, voy. IDOLE. ¶ (Fig.) Culte pour une personne, une chose. *Nimius amor (alicujus).*

idole, s. f. Statue, figure, représentant une fausse divinité. *Simulacrum dei ficti* ou *falsi* ou simpl. *simulacrum dei.* ‖ Dans un sens plus large. *Deus fictus* ou *commenticius.* ¶ (Fig.) Personne, chose qui est l'objet d'un culte. Platon, notre —, *deus ille noster, Plato.*

Idoménée, n. pr. Roi de Crète. *Idomeneus, i,* m.

idylle, s. f. Petit poème pastoral. *Idyllium, ii,* n. ‖ (Spéc.) Récit d'amour pastoral. *Idyllium, ii,* n.

if, s. m. Arbre vert. *Taxus, i,* f.

ignare, adj. Qui ne sait rien. *Plane rudis*

igné, ée, adj. Qui a la propriété du feu. *Igneus, a, um,* adj. ‖ (P. ext.) Qui est produit par l'actior. du feu Voy. VOLCANIQUE.

ignoble, adj. Non noble. *Ignobilis, e,* adj. ¶ Qui est une bassesse repoussante. *Abjectus, a, um,* p. adj. Langage —, *sordes verborum.* Ce sale et — personnage, *caenum illud ac labes.*

ignoblement, adv. D'une manière ignoble. *Abjecte,* adv.

ignominie, s. f. Avilissement public. *Ignominia, ae,* f. *Contumelia, ae,* f. *Dedecus, oris,* n. *Probrum, i,* n.

ignominieusement, adv. Avec igno-minie. *Cum dedecore. Foede,* adv. *Contumeliose,* adv.

ignomineux, euse, adj. Qui cause de l'ignominie. *Ignominiosus, a, um,* adj. *Plenus ignominiae.* Mort —, *ignominia mortis.* Traitement —, *contumelia, ae,* f.

ignorance, s. f. Etat de celui qui est ignorant. *Ignorantia, ae,* f. *Ignoratio, onis,* f.

ignorant, ante, adj. Qui n'a pas la connaissance de telle ou telle chose. *Ignarus, a, um,* adj. (avec le gén.; avec un accus. et l'inf.; avec une interrog. indir.). *Imperitus, a, um,* adj. (avec le gén.). *Inscius, a, um,* adj. (avec le gén.). *Rudis, e,* adj. (av. le gén.). *Indoctus, a, um,* adj. Un — (en matière artistique), *idiota, ae,* m. En —, *indocte,* adv.

ignorer, v. tr. Ne pas connaître. *Ignorare,* tr. *Nescire,* tr. Qui ignore, *ignarus, a,* adj. Ignoré, *ignotus, a, um,* adj. Etre ignoré, *latere,* intr. Tenir ignoré, voy. CACHER, DISSIMULER.

il, au plur. ils, pron. pers. de la 3e pers. *Ille,* pron. dém. (ne s'emploie que par emphase, quand il s'agit de l'opposer à un autre pronom). ¶ Sujet apparent d'un verbe impersonnel *ou* employé impers. *Ne se traduit pas.* Il pleut, *pluit.* ¶ Employé au sens réfléchi. *Se,* accus. sing. et plur. Voy. les grammaires.

île, s. f. Espace de terre entouré d'eau de tous côtés. *Insula, ae,* f.

îles, s. m. Nom scientifique des flancs. *Ilia, ium,* n. pl.

1. iliaque, adj. Qui a rapport aux flancs. *Os —, iliacum os.*

2. iliaque, adj. Passion — (souffrance causée par l'obstruction de l'intestin), *iliaca passio.*

Ilion, n. pr Nom de la ville de Troie. *Ilium* ou *Ilion, ii,* n.

illégal, ale, adj. Qui n'est pas légal. *Non legitimus.*

illégalement, adv. D'une manière illégale. *Contra legem* ou *leges.*

illégalité, s. f. Caractère de ce qui est illégal. *Injuria, ae,* f.

illégitime, adj. Qui n'est pas légitime. *Illicitus, a, um,* adj. En parl. des enfants : *nothus, a, um,* adj.

illégitimement, adv. D'une manière illégitime. *Per injuriam.*

illettré, ée, adj. Qui ne sait rien. *Indoctus, a, um,* adj. Etre —, *nescire litteras.*

illicite, adj. Qui n'est pas licite. *Illicitus, a, um,* adj. *Vetitus, a, um,* p. adj. Etre —, *non licere.*

illimité, adj. Qui n'est pas limité. *Infinitus, a, um,* adj. *Immensus, a, um,* adj. (on dit aussi *nullis finibus* (ou *terminis*) *circumscriptus.* Pouvoir, puissance —, *summa* (ou *omnium rerum*) *potestas.*

illisible, adj. Qui n'est pas lisible. *Difficilis ad legendum.*

illogique, adj. Qui n'est pas logique. *Minime consectarius* (ou *consequens*).

illumination, s. f. Action d'illuminer. *Illustratio, onis,* f. ‖ (Spéc.) Eclairage des monuments. *Lumina festa.* ‖ (Fig.) Action de recevoir la lumière de la vérité. *Divinus instinctus* (ou *afflatus*).

illuminer, v. tr. Eclairer tout à coup d'une lumière vive. *Illustrāre,* tr. *Collustrāre,* tr. *Luce complēre.* Etre illuminé, *collucēre,* intr. ¶ Eclairer de la lumière de la vérité. *Praeferre menti lumen clarissimum.* Illuminé, *instinctus, a, um,* p. adj. Au part. passé employé substantiv. Un —, *homo fanaticus.* ¶ (P. ext.) Rendre très brillant. *Illustrāre,* tr. *Illumināre,* tr.

illusion, s. f. Erreur des sens ou de l'esprit qui fait prendre l'apparence pour la réalité. *Error, oris,* m. *Fallacia, ae,* f. Faire —, *fallĕre,* tr. Se faire —, *sibi falsas imagines fingĕre.*

illusoire, adj. Qui cherche à faire illusion. *Fallax* (gén. *-acis*), adj. *Captiosus, a, um,* adj.

illustration, s. f. Action de rendre illustre. *Claritas, atis,* f. *Splendor, oris,* m. *Nobilitas, atis,* f. ‖ (P. ext.) Personnage illustre. Des —, *viri claritate praestantes.* ¶ Action de rendre plus clair. Voy. ÉCLAIRCISSEMENT.

illustre, adj. Dont le renom est éclatant. *Illustris, e,* adj. *Clarus, a, um,* adj. *Praeclarus, a, um,* adj. *Inclutus, a, um,* adj. Etre —, *gloriā florēre: esse in laude; gloriā circumfluēre.* Rendre —, voy. ILLUSTRER. Devenir —, voy. [s'] ILLUSTRER.

illustrer, v. tr. Rendre illustre. *Illustrāre,* tr. (on dit aussi *clarum* ou *illustrem facĕre aliquem; aliquem gloriā afficĕre*). S'—, *claritatem sibi parāre.* ¶ Rendre plus clair. *Explanāre,* tr. *Enarrāre,* tr. ‖ Orner (un manuscrit) de miniatures, etc. Voy. ENLUMINER.

ilot, s. m. Très petite île. *Insula parva.* ¶ (Fig.) Petit groupe de maisons. *Insula, ae,* f.

ilote, s. m. Esclave des Spartiates. Les —, *Hilotae* et *Ilotae, arum,* m. pl.

image, s. f. Apparence visible d'un objet éclairé, formée par les rayons lumineux qui s'en échappent. *Imago, ginis,* f. *Effigies, ei,* f. *Simulacrum, i,* n. ¶ Apparence visible d'un objet, imitée par le dessin, la peinture, la sculpture. *Imago, ginis,* f. Petite —, *imaguncula, ae,* f. ‖ (Fig.) Ressemblance. *Imago, ginis,* f. ¶ Apparence visible d'un objet conçue par l'imagination. *Imago, ginis,* f. ‖ (Spéc.) Idée rendue sensible à l'esprit par qq. analogie matérielle. *Imago, ginis,* f. *Figura, ae,* f. Style plein d'—, *oratio nitens.*

imaginable, adj. Qui peut être imaginé. *Qui* (*quae, quod*) *cogitari* (ou *excogitari*), *fingi* (ou *fingi aut excogitari*) *potest.* Rendre à qqn tous les honneurs —, *nihil praetermittĕre quod ad honorem*

alicujus excogitari potest. Avec toute la vitesse —, *maximā quae fieri potest celeritate.*

imaginaire, adj. Qui n'existe que dans l'imagination. *Opinione fictus. Commenticius, a, um,* adj.

imaginatif, ive, adj. Capable d'imaginer. *Ad excogitandum acutus.*

imagination, s. f. Faculté que possède l'esprit de se représenter les images des objets. *Vis imaginandi.* ¶ Faculté de concevoir des combinaisons que ne fournit pas la réalité. *Cogitatio, onis,* f.

imaginer, v. tr. Se représenter (qqch.) dans l'esprit. *Imaginari,* dép. tr. (on dit aussi *animo fingĕre; imaginem cogitatione fingĕre; cogitatione depingĕre*). ¶ Concevoir, inventer (qqch.). *Fingĕre,* tr. *Affingĕre,* tr. *Excogitāre,* tr. *Invenīre,* tr. S'—, *opinari,* dép. intr. (on dit aussi *in opinionem venire, fore ut...*); *cogitāre,* tr.

imbécile, adj. Faible. Voy. ce mot. ¶ Faible d'esprit. Substantiv. Un —, *homo imbecilli* (ou *tardi*) *ingenii.*

imbécillité, s. f. Faiblesse. Voy. ce mot. ¶ (P. ext.) Faiblesse d'esprit. *Animi imbecillitas.* ‖ (P. hyperb.) Esprit borné. Voy. SOTTISE, STUPIDITÉ.

imberbe, adj. Qui est sans barbe. *Imberbis, e,* adj.

imbiber, v. tr. Mouiller en faisant absorber la plus grande partie de liquide. *Imbuĕre,* tr. S'— de, *imbibĕre,* tr.; *combibĕre,* tr. Imbibé, *madidus. a, um,* adj.

imbriqué, ée, adj. Disposé comme les tuiles d'un toit. *Imbricatus, a, um,* p. adj.

imbu, ue, part. Imprégné. *Imbutus, a, um,* p. adj.

imitable, adj. Qui peut être imité. *Imitabilis, e,* adj.

imitateur, trice, s. m. et f. Celui, celle qui imite. *Imitator, oris,* m. Imitatrice, *imitatrix, tricis,* f. ¶ (Adjectivement.) *Imitator, oris,* m. *Imitatrix, tricis,* f.

imitatif, ive, adj. Qui imite. *Qui* (*quae, quod*) *imitatur.* Harmonie — (d'un mot), *imitatio, onis,* f.

imitation, s. f. Action d'imiter, résultat de cette action. *Imitatio, onis,* f. L'instinct d'—, *imitandi studium* (*ab ipsā naturā ingenitum*). ‖ (P. ext.) Action de prendre pour modèle. *Imitatio, onis,* f. *Aemulatio, onis,* f. Des —, *res imitatione* (ou *imitando*) *expressae.* A l'— de qqn, *alicujus imitatione* (ou *ad exemplum*). A l'— de qqch., *ad exemplar* (ou *similitudinem* ou *effigiem*) *alicujus rei.*

imiter, v. tr. Faire la même chose que qqn. *Imitāri,* dép. tr. ‖ (Par ext.) Prendre pour modèle. *Imitāri,* dép. tr. *Sequi,* dép. tr. *Consequi,* dép. tr. *Persequi,* dép. tr. *Prosequi,* dép. tr. *Exprimĕre,* tr. ¶ Présenter l'apparence de qqch. *Imitāri*, dép. tr. *Mentīri*, dép. tr. *Repraesentāre*, tr.

immaculé, *ée*, adj. Qui est sans tache. *Immaculatus, a, um*, adj.

immanquable, adj. Qui ne peut manquer. *Certus, a, um*, adj.

immanquablement, adj. D'une manière immanquable. *Certo*, adv.

immatériel, *elle*, adj. Qui n'est pas matériel. *Corpore carens. Sine corpore.*

immatriculer, v. tr. Insérer au registre matricule. *Referre in album. Referre in tabulas.*

immédiat, *ate*, adj. Qui se produit sans intermédiaire. Recevoir un secours —, *ab ipso adjuvāri*. Châtiment —, *proxima poena.* ¶ Qui a lieu sans intervalle (soit avant, soit après qqch.). *Proximus, a, um*, adj. *Praesens* (gén. *-entis*), adj. Etre le successeur — de qqn, *proximē aliquem sequi.*

immédiatement, adv. D'une manière immédiate. Voy. IMMÉDIAT. ¶ (Spéc.) Avant *ou* après qqch. (sans intermédiaire, sans intervalle). — après, *secundum*, prép.; *sub*, prép. (av. l'acc.); *ab*, prép. (avec l'abl.); *ex*, prép. (avec l'abl.) (on dit aussi *statim* [ou *confestim*] *ab* [ou *ex*] *aliquā re*). Venir — après qqn (dans l'espace), *aliquem consequi ; aliquem vestigiis sequi*; (dans le temps), *continuo sequi aliquem.* — avant la bataille, *ante ipsam pugnam.* Suivre —, *subsequi*, dép. tr.

immémorial, *ale*, adj. Dont l'origine est sortie de la mémoire. *Ab nostrā memoriā propter vetustatem remotus.* Depuis un temps —, *post hominum memoriam.*

immense, adj. Dont la grandeur échappe à toute mesure. *Immensus, a, um*, adj. ¶ Dont la grandeur est difficilement mesurable. *Immensus, a, um*, adj. *Infinitus, a, um*, adj.

immensément, adv. D'une manière immense. *In immensum.* — grand, *immanis, e*, adj. — haut, *in immanem altitudinem editus.* || (Spéc.) D'une manière très considérable. Voy. EXTRÊMEMENT. Etre — riche, *circumfluere omnibus copiis.*

immensité, s. f. Etat de ce qui est immense. || Grandeur qui échappe à toute mesure. *Infinitas, atis*, f. || Etendue trop grande pour être facilement mesurée. *Immensitas, atis*, f. || Etendue très considérable. L'— des richesses, *opum amplitudo.* — des désirs, *cupiditates immensae.*

immerger, v. tr. Plonger (un corps) dans un liquide. *Immergēre*, tr.

immérité, *ée*, adj. Qui n'est pas mérité. *Immeritus, a, um*, adj. D'une façon —, *immerito*, adv.

immersion, s. f. Action d'immerger. Après son — dans le fleuve, *immersus in flumen.*

immeuble, adj. Qui ne peut être trans-

porté d'un lieu à un autre. *Qui (quae, quod) moveri non potest.* Biens —, *et, substantiv.* des —, *res quae moveri non possunt; res soli.*

imminence, s. f. Menace d'un mal prochain. *Instantia, ae*, f. L'— de la mort ne l'effraya pas, *morte instante nihil territus est.*

imminent, *ente*, adj. Qui menace. *Imminens* (gén. *-entis*), p. adj.

immiscer (s'), v. tr. Se mêler de. Voy. MÊLER.

immixtion, s. f. Action d'immiscer, de s'immiscer. *Admistio, onis*, f.

immobile, adj. Qui reste sans se mouvoir. *Immobilis, e*, adj. *Immotus, a, um*, p. adj. Rester —, *insistēre*, intr. Rendre —, *sistēre*, tr.

immobilier, *ière*, adj. Qui ne peut être transporté d'un lieu dans à un autre. Voy. IMMEUBLE. Propriété —, *solum, i*, n. || (P. ext.) Qui a pour objet un immeuble. Loi sur les ventes —, *praediatoria lex.*

immobiliser, v. tr. Rendre immobile. *Immobilem facěre* (ou *tenēre*).

immobilité, s. f. Etat de ce qui est immobile. *Statio, onis*, f. *Stabilitas, atis*, f. Garder l'—, *non se movēre* (ou *non movēri*).

immodéré, *ée*, adj. Qui manque de modération. *Immoderatus, a, um*, adj. *Immodicus, a, um*, adj. ¶ Qui dépasse la mesure *ou* la moyenne. *Immoderatus, a, um*, adj. *Nimius, a, um*, adj. *Effusus, a, um*, p. adj.

immodérément, adv. D'une manière immodérée. *Immoderatē*, adv.

immodeste, adj. Qui manque à la modestie. Voy. IMPUDIQUE.

immodestie, s. f. Manque de modestie. *Immodestia, ae*, f. ¶ Manque de pudeur. Voy. INDÉCENCE.

immolation, s. f. Action d'immoler (dans un sacrifice). *Immolatio, onis*, f.

immoler, v. tr. Tuer en sacrifice pour satisfaire à la Divinité. *Immolāre*, tr. *Mactāre*, tr. || (P. ext.) Faire périr. *Mactāre*, tr. ¶ (Fig.) Perdre (qqn, qqch.) pour satisfaire à un intérêt, une passion, etc. — la république à son caprice, *substernēre rem publicam libidini.*

immonde, adj. Impur. *Immundus, a, um*, adj.

immondice, s. f. Ordure d'une saleté repoussante. *Immunditia, ae*, f. || (Spéc.) Au plur. Ordures entassées. *Purgamenta, orum*, n. pl.

immoral, *ale*, adj. Qui viole les lois de la morale. *Inhonestus, a, um*, adj. *Turpis, e*, adj.

immoralité, s. f. Caractère de ce qui est immoral. *Turpitudo morum. Pravitas, atis*, f. *Mores corrupti* (ou *perditi*). ¶ (Par ext.) Chose immorale. *Pravē factum.*

immortaliser, v. tr. Rendre immortel. *Reddĕre aliquem immortalem. Alicui donăro immortalitatem.* S'—, *immortalitatem sibi parĕre.*

immortalité, s. f. Qualité de ce qui est immortel. *Immortalitas, atis,* f. *Aeternitas, atis,* f. Affirmer l'— de l'âme, *dicĕre hominum animos esse immortales.* ¶ (Au fig.) Renom immortel. *Immortalitas, atis,* f.

immortel, elle, adj. Qui n'est pas sujet à la mort. *Immortalis, e,* adj. *Sempiternus, a, um,* adj. ¶ (P. ext.) Qui a une durée très longue. Voy. ÉTERNEL. || (Subst. au fém.) L'immortelle (nom d'une plante), *helichryson, i,* n. ¶ (Fig.) Dont le souvenir demeure dans la mémoire des hommes. *Immortalis, e,* adj.

immortelle, s. f. Voy. IMMORTEL.

immortellement, adv. Voy. ÉTERNELLEMENT.

immuable, adj. Qui ne peut point changer. *Immutabilis, e,* adj.

immuablement, adv. D'une manière immuable. *Constanter,* adv.

immunité, s. f. Droit en vertu duquel une classe de personnes est affranchie d'une obligation. *Immunitas, atis,* f. ¶ Avantage qui met le corps à l'abri de certaines maladies. *Immunitas, atis,* f.

immutabilité, s. f. Caractère de ce qui est immuable. *Immutabilitas, atis,* f.

impair, aire, adj. Qui ne peut être divisé en deux nombres entiers égaux. *Impar* (gén. *-aris*), adj.

impalpable, adj. Qui ne peut être palpé à cause de sa ténuité. *Subtilis, e,* adj.

impardonnable, adj. Qui ne peut être pardonné. *Qui (quae, quod) nihil excusationis habet.*

imparfait, aite, adj. Qui n'es pas achevé. *Imperfectus, a, um,* adj.

imparfaitement, adv. D'une manière imparfaite. *Non perfectè.*

impartial, ale, adj. Qui n'est pas partial. *Aequus, a, um,* adj. *Aequabilis, e,* adj. Etre —, *neutri favēre.* Rester —, *aequitatem servāre.*

impartialement, adv. D'une manière impartiale. *Aequè,* adv. *Sine partium studio* ou simpl. *sine studio* (*dicĕre*).

impartialité, s. f. Caractère de celui qui est impartial. *Aequitas, atis,* f. Montrer de l'—, voy. IMPARTIAL. Avec —, *sine ambitione.*

impartir, v. tr. Accorder (un droit, une faveur). Voy. ACCORDER.

impasse, s. f. Petite rue ouverte seulement à l'une de ses extrémités. *Angiportum, i,* n. et *angiportŭs, ūs,* m. || (Fig.) Situation où l'on ne peut avancer. *Angustiae, arum,* f. pl.

impassibilité, s. f. Caractère impassible. *Impatientia, ae,* f.

impassible, adj. Insensible à la dou-

leur physique ou morale. Voy. INSENSIBLE. ¶ Insensible aux émotions *Immotus, a, um,* p. adj. Air —, *os durum.* Etre, rester — *non movēri* (ou *non commovēri*). D'une âme —, *animo immoto.*

impassiblement, adv. D'une manière impassible. *Animo immoto.*

impatiemment, adv. D'une manière impatiente. *Aegrē,* adv. *Molestē,* adv. *Animo iniquo.* Attendre — qqch., *aliquid acerrimē* (ou *cupidissimē* ou *avidissimē* ou *vehementer*) *exspectāre.* Etre attendu —, *in summā exspectatione esse.*

impatience, s. f. Manque de patience. || Pour supporter. *Impatientia, ae,* f. *Intolerantia, ae,* f. Avec —, voy. IMPATIEMMENT. ¶ Pour attendre. *Cupiditas, atis,* f. *Exspectatio, onis,* f. Etre dans l'— de, *gestīre* (et l'infin.).

impatient, adj. Qui manque de patience. || Pour supporter. *Impatiens* (gén. *-entis*), adj. *Minimē patiens.* || Absol. *Acer, acris, acre,* adj. *Impotens* (gén. *-entis*), adj. Etre —, *frenum* (ou *frenos*) *mordēre.* ¶ Pour attendre. *Desiderio (alicujus rei faciendae) flagrans* (ou *incensus*). Etre — de faire une chose, *gestīre aliquid facĕre.* || (Absol.) *Impatiens morae.* Etre —, *morae taedium non ferre.*

impatientant, ante, adj. Qui impatiente. *Molestus, a, um,* adj.

impatienter, v. tr. Rendre impatient. *Irrutāre,* tr. *Bilem commovēre (alicui).* S'— (perdre patience), *moram non ferre* (ou *vix pati*) S'— (se fâcher), *patientiam rumpĕre; stomachāri,* dép. intr.

impayable, adj. Qu'on ne peut payer assez cher. *Inaestimabilis, e,* adj.

impayé, ée, adj. Qui n'a pas été payé. *Non solutus.* Un créancier —, *cui satisfactum non est.*

impénétrable, adj. Où l'on ne peut pénétrer. *Impenetrabilis, e,* adj. Etre —, *nequire penetrāri.* || (P. ext.) Inaccessible. Voy. ce mot. || (Fig.) Dont l'intelligence ne peut pénétrer le sens. *Inexplicabilis, e,* adj. Mystères —, *res abditae et obscurae.* — pour l'ignorant, *longissimē ab imperitorum intelligentiā sensuque disjunctus.* || (P. ext.) Qui ne laisse pas pénétrer ses sentiments. *Abstrusus, a, um,* p. adj. Caractère mélancolique et —, *natura tristis et reconduta.*

impératif, ive, adj. Qui impose un ordre, un commandement. *Imperiosus, a, um,* adj. Voy. IMPÉRIEUX. || Loi —, *lex certa,* ou *summa lex.* ¶ (Gramm.) Qui exprime le commandement Phrases —, *imperativae sententiae.* S. m. L'—, *imperativus modus.*

impératrice, s. f. Femme d'un empereur. *Augusta, ae,* f.

imperceptible, adj. Qui ne peut être reçu. *Qui (quae, quod) sentiri* (ou *animadverti) non (ou vix) potest.* ¶ Petit, peu visible. *Effugiens oculos (ou visum).*

imperceptiblement, adv. D'une manière imperceptible. *Ita ut non (ou vix) sentiatur.*

imperfection, s. f. Etat de ce qui n'est point achevé. *Res imperfecta.* ¶ Etat de ce qui n'est pas complet, voy. DÉFECTUEUX, INCOMPLET. ¶ Etat de ce qui n'est pas parfait. *Natura imperfecta.* || (P. ext.) Défaut. *Vitium, ii,* n. En parl. des ouvrages de l'esprit. *Mendum, i,* n.

impérial, *ale,* adj. Qui appartient à un empereur *ou* à un empire. *Imperatorius, a, um,* adj. Garde —, *praetorium, ii,* n. De la garde —, *praetorianus, a, um,* adj.

impérieusement, adv. D'une manière impérieuse. *Imperiosē,* adv.

impérieux, *euse,* adj. Qui commande en maître. *Imperiosus, a, um,* adj. *Superbus, a, um,* adj. Caractère —, *impotentia, ae,* f. ¶ Qui force à céder. *Instans* (gén. *-antis*), p. adj. Une — nécessité, *summa (ou ultima) necessitas.*

impérissable, adj. Qui ne peut périr. *Immortalis, e,* adj. *Aeternus, a, um,* adj. || (Par ext.) D'une très longue durée. *Perennis, e,* ad.

impéritie, s. f. Défaut d'habileté. Voy. INCAPACITÉ.

imperméable, adj. Qui ne se laisse point traverser. *Impenetrabilis, e,* adj.

impersonnel, *elle,* adj. Qui n'appartient pas à une personne. *Communis, e,* adj. ¶ (Gramm.) *Impersonalis, e,* adj.

impersonnellement, adv. D'une manière impersonnelle. *Communiter,* adv. || (T. de gramm.) *Impersonaliter,* adv.

impertinemment, adv. D'une manière impertinente. *Insolenter,* adv.

impertinence, s. f. Caractère de ce qui est déplacé. Voy. INCONVENANCE. || (P. ext.) Parole, action déplacée. *Insolens verbum (ou factum).* ¶ Irrévérence malséante. *Insolentia, ae,* f.

impertinent, *ente,* adj. Qui est déplacé. Voy. DÉPLACÉ. ¶ (P. ext.) D'une irrévérence malséante. *Insolens* (gén. *-entis*), adj.

imperturbable, adj. Dont rien ne peut troubler la continuité. *Imperturbatus, a, um,* adj.

imperturbablement, adv. D'une manière imperturbable. *Firmē,* adv. *Constanter,* adv.

impétueusement, adv. D'une manière impétueuse. *Magno impetu,* ou simpl. *impetu.*

impétueux, *euse,* adj. Qui a un élan violent et rapide. *Violentus, a, um,* adj. *Vehemens* (gén. *-entis*), adj. || (Fig.) *Violentus, a, um,* adj.

impétuosité, s. f. Caractère de ce qui

est impétueux (pr. et fig.). *Impetūs, ūs,* m. *Incitatio, onis,* f.

impie, adj. Qui montre du mépris pour la religion. *Impius, a, um,* adj. *Nefarius, a, um,* adj. Un —, *impius homo,* et (subst.) *impius, ii,* m. Une —, *mulier impia.* || (Par ext.) En parl. des choses. *Impius, a, um,* adj. *Sacrilegus, a, um,* adj. Actions —, *impiē facta.* || (Fig.) Qui offense ce que tout le monde respecte. *Impius, a, um,* adj.

impiété, s. f. Mépris pour la religion. *Impietas, atis,* f. *Nulla religio.* Avec —, *impiē,* adv.; *nefariē,* adv. || (P. ext.) Acte *ou* parole impie. *Impiē (ou nefariē) factum.*

impitoyable, adj. Qui est sans pitié. *Immisericors* (gén. *-cordis*), adj.

impitoyablement, adv. D'une manière impitoyable. *Sine misericordiā.*

implacable, adj. Qu'on ne peut apaiser. *Implacabilis, e,* adj. Dureté —, *atrocitas, atis,* f.

implacablement, adv. D'une manière implacable. *Sine misericordiā.*

implanter, v. tr. Faire prendre racine à qqch. *Inserĕre,* tr. S'—, *coalescĕre,* intr.; *radices agĕre,* S'— (dans un endroit), *inveterascĕre,* intr.

implicite, adj. Enveloppé dans le sens sans être formellement exprimé. *Tacitus, a, um,* adj. D'une manière —, voy. IMPLICITEMENT.

implicitement, adv. D'une manière implicite. *Tacitē,* adv.

impliquer, v. tr. Envelopper, contenir. *Unā comprehendĕre cum aliquā rē.* || Spéc. — contradiction, *et (ellipt.)* —, *pugnāre,* intr. ¶ Engager dans qqch. *Implicāre,* tr.

implorer, v. tr. Supplier d'une manière touchante, *et par ext.* demander en suppliant d'une manière touchante. *Implorāre,* tr. *Orāre,* tr. *Efflagitāre,* tr. *Obtestāri,* dép. tr. *Obsecrāre,* tr.

impoli, *ie,* adj. Qui n'est pas poli. *Inurbanus, a, um,* adj. *Inhumanus, a, um,* adj.

impoliment, adv. D'une manière impolie. *Inurbanē,* adv.

impolitesse, s. f. Manque de politesse. *Inurbanitas, atis,* f. *Inhumanitas, atis,* f. Avec —, voy. IMPOLIMENT. || (P. ext.) Procédé impoli. *Illiberale facinus.*

impolitique, adj. Contraire à la bonne politique. *Alienus a prudentiā civili.*

impopulaire, adj. Qui n'est pas populaire. || (En parl. des pers.) *Invidiosus, a, um,* adj. Etre —, *offendĕre apud plebem.* || (En parl. des choses.) *Invisus* (ou *ingratus,* ou *odiosus*) *populo* (ou *plebi*). Etre —, *displicēre populo.*

impopularité, s. f. Etat de ce qui n'est pas populaire. *Offensio populi* (ou *civium*). *Invidia, ae,* f.

importance, s. f. Caractère de ce qui est important. *Vis,* f. *Pondus, eris,* n. *Momentum, i,* n. D'—, voy. IMPORTANT. Sans —, *inanis, e,* adj. Avoir de l'—, valére, intr. (on dit aussi *vim* [ou *magnam vim*] *habère ; magni esse momenti*). N'avoir aucune —, *nullius momenti esse*. || (P. ext.) Loc. adv. D'— (c.-à-d. en mettant de l'importance à ce qu'on fait), *graviter*, adv. ¶ Autorité que qqn retire d'une situation considérable. *Auctoritas, atis*, f. *Gravitas, atis*, f. D'—, qui a de l'—, *gravis, e*, adj.; *amplus, a, um*, adj.; *magnus, a, um*, adj. Sans —, *levis*. Avoir de l'—, *magni esse momenti*. N'avoir aucune —, *nullius esse momenti*.

important, *ante*, adj. Qui est de conséquence sérieuse pour qqn. *Gravis, e*, adj. *Magnus, a, um*, adj. Etre —, *gravem* ou *grave* (*magnum, amplum, luculentum*) *esse*. Peu —, *levis, e*, adj. ¶ A qui sa situation donne une autorité considérab e. *Gravis, e*, adj. *Amplus, a, um*, adj. Un personnage —, *vir auctoritate* (ou *dignitate*) *praeditus*. || (Par ext.) *En mauv. part.* Faire l'—, *se suspicère*.

importateur, s. m. Celui qui fait le commerce d'importation. *Qui merces invehit*.

importation, s. f. Action d'importer, de faire entrer dans un pays des productions d'un pays étranger. *Invectio, onis*, f. D'—, *advecticius, a, um*, adj.; *adventicius, a, um*, adj. || (P. ext.) Ce qui est importé. Les —, *res quae importantur*.

1. importer, v. intr. Etre de conséquence grave pour qqn. *Magni momenti esse alicui*. || (Impers.) Il importe, *interest*, impers.; *refert*, impers. Cela importe beaucoup au roi, *id multum interest regis*. Il m'importe, *interest meâ*. Cela importe à votre réputation, *ih ad famam tuam interest*. || (Ellipt.) N'importe qui, *quilibet* ou *quivis*. N'importe, qu'importe? *quid refert* ?

2. importer, v. tr. Faire entrer dans un pays (les productions, l'industrie d'un pays étranger). *Importàre (aliquid ad aliquem)*, tr. *Invehère*, tr.

importun, *une*, adj. Qui fatigue en étant mal venu, mal à propos. *Incommodus, a, um*, adj. *Molestus, a, um*, adj. *Odiosus, a, um*, adj. Un visiteur —, *interventor, oris*, m. || (Substantiv.) Un —, *interpellator, oris*, m.: *interventor, oris*, m. || (En parl. des choses.) *Molestus, a, um*, adj. *Incommodus, a, um*, adj.

importunément, adv. D'une manière importune. *Molestè*, adv.

importuner, v. tr. Fatiguer en venant mal à propos. *Molestum* ou *oneri esse (alicui)*. *Fatigàre (aliquem precibus)*. *Obtundère*, tr.

importunité, s. f. Caractère de ce qui est importun. *Incommoditas, atis*, f. *Odium, ii*, n. Avec —, voy. IMPORTUNÉMENT.

imposable, adj. Qui peut être soumis à l'impôt. *Vectgalisi, e*, adj.

imposant, *ante*, adj. Qui impose le respect. *Gravis, e*, adj.

imposer, v. tr. Poscr sur. — les mains, *manus imponère*. || (P. anal.) Donner, attribuer. — un nom, *nomen imponère* (ou *indère*). ¶ (Fig.) Faire subir. *Imponère*, tr. *Injungère*, tr. *Imperàre*, tr. *Exigère*, tr. S'— (imposer ses services), *se intrudère*. || (Absol.) Imposer une ville, *tributum civitati imponère*. Imposé, *vectigalis, e*, adj. || (Au fig.) Imposer du respect *ou* le respect, *pudorem alicui imponère*. || (Intransit.) —, en — à qqn, *c.-à-d.* lui — le respect, *verecundiam facère alicui*. || (Intrans.) —, en — à qqn (*c.-à-d.* le tromper), *imponère*, intr.; *decipère*, tr. (voy. TROMPER).

imposition, s. f. Action d'imposer. || Action de poser sur. *Impositio, onis*, f. ¶ Action de faire subir. L'— d'une amende, *irrogatio multae*. ¶ Part de la dépense publique fixée pour chacun. Voy. IMPOT.

impossibilité, s. f. Caractère de ce qui est impossible. Quand il vit bien l'— de prendre la ville de force, *cum intelligeret fieri non posse ut urbs pugnaretur*. Cela est de toute —, d'une — absolue, *hoc fieri non* (ou *nullo pacto*) *potest*. || (P. ext.) Chose impossible. *Res quae fieri non potest*.

impossible, adj. Qui n'est pas possible. *Qui (quae, quod) fieri non potest*. Il est — que tout soit pareil, *non fieri potest, ut paria sint omnia*. || (Subst.) L'impossible. *Quod fieri nullo modo potest*.

imposteur, s. m. Celui qui en impose aux autres. *Homo mendax* ou simpl. *mendax, acis*, m. *Circumscriptor, oris*, m.

imposture, s. f. Action d'en imposer. *Mendacium, ii*, n. *Fraus, fraudis*, f. || (Spéc.) Fausse doctrine. *Superstitio vana*.

impôt, s. m. Part de la dépense publique imposée par l'Etat à chaque citoyen. *Tributum. i* (« impôt direct »). n. *Vectigal, alis* (« impôt indirect »), n. — directs ou indirects, *tributa aut vectigalia*.

impotence, s. f. Etat de celui qui est impotent. *Debilitas, atis*, f.

impotent, *ente*, adj. Privé de l'usage d'un membre. *Debilis, e*, adj. || Substantiv. Un —, voy. PARALYTIQUE.

impraticable, adj. Qui n'est pas praticable. || (Pour être exécuté.) *Qui (quae, quod) effici non potest*. || (Pour être fréquenté.) *Invius, a, um*, adj.

imprécation, s. f. Souhait de malheur contre qqn. *Imprecatio, onis*, f. Serment accompagné d'—, *exsecratio, onis*, f. Formule d'—, *exsecrabile carmen*. Faire, prononcer, lancer, vomir des — contre qqn, charger qqn d'—, *exsecràri* ou *detestàri aliquem*.

imprégner, v. tr. Pénétrer un corps dans toutes ses parties. *Imbuère*, tr. *Inficère*, tr. Imprégné, *madidus, a, um*, adj. Etre imprégné, *madère*, intr. (*aliquā re*). S'— de, *bibère*, tr.; *imbibère*, tr.; *perbibère*, tr. || (Fig.) *Inficère*, tr. *Imbuère*, tr.

imprenable, adj. Qu'on ne peut prendre, dont on ne peut s'emparer. *Inexpugnabilis, e*, adj.

impression, s. f. Pression que l'on subit. *Pulsùs, ûs*, m. *Impulsio, onis*, f. *Motio, onis*, f. *Motùs, ûs*, m. *Commotio, onis*, f. Mauvaise, fâcheuse —, *offensio, onis*, f. Bonne —, *delectatio, onis*, f. || (Au fig.) Influence que l'on ressent. *Sensùs, ûs*, m. Faire —, *movère*, tr.; *commovère*, tr.; *permovère*, tr.; *pellère*, tr.; *afficère*, tr.; *tangère*, tr.; *percutère*, tr. Fâcheuse —, *offensio, onis*, f. Faire une fâcheuse —, *offendère*, tr. Produire une bonne —, causer une agréable —, *delectàre*, tr. ¶ Empreinte laissée par la pression. Voy. EMPREINTE. Fig. Recevoir une —, *imprimi*, pass.|| (Spéc.) Empreinte (sur une surface) de lettres enduites d'encre, etc. Voy. TYPOGRAPHIE. Donner un livre à l'—, *librum typis exscribère*. || (Par ext.) Edition. Voy. ce mot. | (Fig.) Marque, signe. Voy. ces mots.

impressionnable, adj. Susceptible d'être impressionné. *Qui (quae, quod) facile movèri potest.*

impressionner, v. tr. Affecter d'une impression matérielle. *Movère corpus* (ou *corpora*). ¶ Affecter d'une impression morale. *Movère*, tr.

imprévoyance, s f. Manque de prévoyance. *Imprudentia, ae*, f. Avec —, *incautè*, adv.

imprévoyant, *ante*, adj. Qui manque de prévoyance. *Improvidus, a, um*, adj. *Incautus, a, um*, adj. *Imprudens* (gén. *-entis*), adj.

imprévu, *ue*, adj. Qui n'a pas été prévu, qui arrive lorsqu'on y pense le moins. *Improvisus, a, um*, adj. *Inopinatus, a, um*, adj. D'une manière —, voy. IMPROVISTE.

imprimer, v. tr. Communiquer l'effet d'une pression. *Motum dàre. Incutère vim.* || (Fig.) Voy. COMMUNIQUER. ¶ Laisser la marque d'une pression. *Imprimère*, tr. (*aliquid in aliquā re*). *Infigère*, tr. (*aliquid in aliquā re*). || (Par anal.) Imprimer (des étoffes, etc.). *Inficère* (*vestes aliquā re*). || (Spéc.) Reproduire à l'aide de caractères enduits d'encre. *Typis exscribère*.

improbable, adj. Qui n'est pas probable. *Non veri similis.*

improbation, s. f. Action d'improuver. *Improbatio, onis*, f.

improbité, s. f. Manque de probité. *Improbitas, atis*, f.

improductif, *ive*, Qui ne produit, ne rapporte rien. *Infecundus, a, um*, adj. *Sterilis, e*, adj. Sol —, *segne solum.* Argent, capital — *otiosae pecuniae.*

impromptu, adv. Sur-le-champ, sans

préparation. *Ex tempore.* || Adjectiv. Improvisé. Voy. IMPROVISER.

impropre, adj. Qui n'est pas propre à qqch. *Inutilis (ad aliquid). Non aptus (ad aliquid). Alienus, a, um*, adj. (*ab aliquā re*). || (Spéc.) Qui n'est pas propre à exprimer exactement l'idée. *Improprius, a, um*, adj.

improprement, adv. D'une manière impropre. *Improprie*, adv.

impropriété, s. f. Caractère d'un terme impropre. *Improprium, ii*, n.

improuver, v. tr. Ne pas approuver. *Improbàre*, tr.

improvisateur, *trice*, s. m. et f. Celui, celle qui improvise. *Qui (quae) ex tempore aliquid facit.*

improvisation, s. f. Action d'improviser. *Extemporalis facultas.* Talent d'—, *extemporalitas, atis*, f. || Résultat de cette action. *Extemporalis dictio* (ou *oratio*).

improviser, v. tr. Produire sur-le-champ et sans préparation. — un discours, *subito* (ou *ex tempore*) *dicère.* Improvisé, adj. *subitus, a, um*, adj.; *extemporalis, e*, adj. || (Par ext.) Faire à la hâte. — des chefs, *subitos duces legère.* Edifices —, *subitaria aedificia.*

improviste, adj. Loc. adv. A l'— (d'une manière inattendue, *de* (ou *ex*) *improviso*, ou simpl. *improviso.* Qqch. m'est arrivé à l'—, *nec opinanti* (ou *insperanti*) *mihi aliquid accidit.*

imprudemment, adv. D'une manière imprudente. *Imprudenter*, adv. *Incautè*, adv.

imprudence, s. f. Manque de prudence. *Imprudentia, ae*, f. *Temeritas, atis*, f. Esprit d'—, *dementia, ae*, f. | (P. ext.) Acte qui manque de prudence. *Imprudenter* (ou *temerè*) *factum.*

imprudent, *ente*, adj. Qui manque de prudence. | (En parl. des pers.) *Imprudens* (gén. *-entis*), adj. *Temerarius, a, um*, adj. || (En parl. des choses.) *Temerarius, a, um*, adj. *Inconsultus, a, um*, adj.

impudemment, adv. D'une manière impudente. *Impudenter*, adv.

impudence, s. f. Effronterie sans pudeur. *Impudentia, ae*, f.

impudent, *ente*, adj. Effronté sans pudeur. *Impudens* (gén. *-entis*), adj. *Protervus, a, um*, adj.

impudeur, s. f. Manque de pudeur. *Impudicitia, ae*, f. *Nulla verecundia.*

impudicité, s. f. Caractère impudique. *Impudicitia, ae*, f. || Acte impudique. *Stuprum, i*, n.

impudique, adj. Qui outrage la pudeur. *Impudicus, a, um*, adj.

impudiquement, adv. D'une manière impudique. *Parum castè. Impudicè*, adv.

impuissance, s. f. Caractère de celui qui est impuissant. *Impotentia, ae*, f. *Infirmitas, atis*, f. *Imbecilitas, atis*, f.

impuissant, *ante*, adj. Qui n'a pas la puissance de faire qqch. *Impotens* (gén. *-entis*), adj. *Impar* (gén. *aris*), adj. Être — à (faire qqch.), *non posse* ou *nequire aliquid facĕre*.

impulsion, s. f. Action de pousser un corps. *Impulsio, onis,* f. *Pulsŭs, ūs,* m. Donner l'—, *impellĕre*, tr.; *propellĕre*, tr. ¶ (Fig.) Action de pousser (qqn) à faire qqch. *Impulsio, onis,* f. *Impulsŭs* (abl. *ŭ*), m.

impunément, adv. Sans être puni. *Impune*, adv. ǁ Sans danger. *Impune*, adv. *Sine noxā*.

impuni, *ie*, adj. Qui n'est pas puni. *Impunitus, a, um,* adj. *Inultus, a, um,* adj. Demeurer — (en parl. des fautes), *impune esse*: *non puniri* · (en parl. des coupables), *impune abire*; *impunitum dimitti*. Rester —, *aliquid impune ferre* (ou *facĕre*).

impunité, s. f. Caractère de ce qui est impuni. *Impunĭtas, atis,* f. Obtenir l'—, jouir de l'—, *impune ferre*.

impur, *ure*, adj. Qui n'est pas pur (matériellement). *Non purus* (*aer*). *Impurus, a, um,* adj. Eaux —, *aqua corrupta*. ǁ (Spéc. Dans certaines lois religieuses : souillé. *Immundus, a, um,* adj. *Impurus, a, um,* adj. ¶ Qui n'est pas pur (moralement). *Impurus, a, um,* adj.

impureté, s. f. Caractère de ce qui est impur. ǁ Matériellement. *Immundĭtia, ae,* f. Par anal. — du sang, voy. SANIE. ǁ (Spéc.) Dans certaines lois religieuses : souillure. Voy. ce mot. ǁ Moralement. *Impuritas, atis,* f. *Impudicitia, ae,* f.

imputable, adj. Qui peut être imputé. *Tribuendus, a, um,* adj.

imputation, s. f. Action d'imputer. *Crimen, minis,* n. *Criminatio, onis,* f. ǁ Spéc. (Finances.) Action de porter en compte. *Reputatio, onis,* f.

imputer, v. tr. Attribuer (la responsabilité de qqch. à qqn). *Tribuĕre*, tr. *Attribuĕre*, tr. *Assignāre*, tr. *Conferre*, tr. *Delegāre*, tr. ¶ Porter en compte, attribuer à un paiement. *Inducĕre*, tr. *Inferre*, tr.

inabordable, adj. Où l'on ne peut aborder. *Ad quem* (*quam, quod*) *aditus non est*. ǁ (Par ext.) Inaccessible. Voy. ce mot. ǀ (Fig.) Prix —, *iniquum pretium*.

inacceptable, adj. Qu'on ne peut accepter. *Minimē accipiendus*.

inaccessible, adj. Qui n'est pas accessible. *Inaccessus, a, um,* adj. Rendre —, *obsaepire*, tr. ¶ (Au fig.) Qu'on ne peut aborder. *Inexpugnabilis, e,* adj.

inaccoutumé, *ée*, adj. Qui n'est pas accoutumé. *Insolitus, a, um,* adj. *Inusitatus, a, um,* adj. *Insuetus, a, um,* adj.

inachevé, *ée*, adj. Non achevé. *Non perfectus*.

inactif, *ive*, adj. Qui n'agit pas. *Segnis, e,* adj. *Ignavus, a, um,* adj. *Iners* (gén. *-ertis*), adj. *Otiosus, a, um,* adj. Être rester —, *sedēre*, intr.

inaction, s. f. Etat de celui qui n'agit pas. *Segnitia, ae,* f. *Ignavia, ae,* f. *Inertia, ae,* f. *Desidia, ae,* f. *Quies, etis,* f. Etre, rester dans l'—, *nihil agĕre; otiosum esse; cessāre*, intr.

inactivité, s. f. Manque d'activité. *Inertia, ae,* f. *Desidia, ae,* f.

inadmissible, adj. Qui ne peut être admis. *Minime accipiendus*. *Improbabilis, e,* adj.

inadvertance, s. f. Faute de celui qui ne prend pas garde à ce qu'il fait. *Imprudentia, ae,* f.

inaliénable, adj. Qui n'est pas aliénable. *Qui* (*quae, quod*) *abalienāri* (ou *mancipāri*) *non potest*.

inaltérable, adj. Qui n'est pas altérable. *Qui* (*quae, quod*) *corrumpi non potest. Incorruptus, a, um,* adj. ǁ (Fig.) *Inconcussus, a, um,* adj. *Inoffensus, a, um,* adj.

inamovible, adj. Qui n'est pas amovible, qui ne peut être déplacé. *In perpetuum ratus* ou simpl. *perpetuus, a, um,* adj.

inanimé, *ée*, adj. Qui n'est point animé (doué de vie). *Inanimus, a, um,* adj. Les êtres —, *inanima, orum,* n. pl. ǁ Qui n'est plus animé. *Exanimus, a, um,* adj. ¶ (Fig.) Qui manque d'animation. Voy. LANGUISSANT.

inanition, s. f. Epuisement par manque ou insuffisance de nourriture. *Inedia, ae,* f.

inapplicable, adj. Qui n'est pas applicable à ce dont il est question. *Qui* (*quae, quod*) *non cadit* (ou *non incidit*) *in aliquid*.

inapplication, s. f. Défaut d'application (à ce qu'on a à faire). *Incuria, ae,* f. *Negligentia, ae,* f.

inappliqué, *ée*, adj. Qui n'est pas appliqué (à ce qu'il a à faire). *Non attentus*.

inappréciable, adj. Qui n'est pas appréciable. *Inaestimabilis, e,* adj.

inaptitude, s. f. Défaut d'aptitude. *Inscitia, ae,* f.

inarticulé, *ée*, adj. Non articulé. *Non explanabilis* (*vox*). Sons —, *vox verborum inefficax.* [assouvi. *Non satiatus*.

inassouvi, *ie*, adj. Qui n'est pas inattaquable, adj. Qui n'est pas attaquable. *Inexpugnabilis, e,* adj.

inattendu, *ue*, adj. Qui n'est pas attendu. *Non exspectatus* (ou *inexspectatus, a, um,* adj.

inattentif, *ive*, adj. Qui n'est pas attentif. *Non attentus*.

inattention, s. f. Manque d'attention (à ce qu'on fait). *Indiligentia, ae,* f.

inaugural, *ale*, adj. Qui a rapport à une inauguration. *Aditialis, e,* adj. Fête —, *dedicatio, onis,* f.

inauguration, s. f. Action d'inaugurer. *Dedicatio, onis,* f. *Consecratio, onis,* f. La cérémonie d'— (pour l'entrée en fonctions d'un consul *ou* d'un général en chef), *imperii auspicia.*

inaugurer, v. tr. Consacrer par une cérémonie officielle. *Inaugurāre,* tr. *Dedicāre,* tr. ‖ (P. ext.) Commencer, débuter, — son règne par un parricide, *auspicia regni coepisse a parricidio.*

inavouable, adj. Qu. n'est pas avouable. *Erubescendus, a, um,* adj.

incalculable, adj. Qui n'est pas calculable. *Major quam qui aestimari possit.*

incandescent, ente, adj. Porté à la chaleur blanche. *Candens* (gén. *-entis*), p. adj. *Candefactus, a, um,* p. adj. Rendre —, *candefacěre,* tr. Etre —, *candēre,* intr.

incantation, s. f. Emploi de paroles magiques. *Carmen, inis,* n.

incapable, adj. Qui n'est pas capable (de qqch.). *Inutilis, e,* adj. *Impar* (gén. *-aris*), adj. *Non idoneus, a, um,* adj. Tu es —, *neque tu is es, qui* (subj.). Absol. Un —, *homo iners.* Les —, *ii, qui non possunt.* ¶ (Spéc.) T. de droit. Exclu par la loi de certains droits. *Non idoneus.* — (par suite d'une condamnation), *capite deminutus.*

incapacité, s. f. Etat de celui qui n'est pas capable de qqch. *Imperitia, ae,* f. *Inscitia, ae,* f.

incarcération, s. f. Action d'incarcérer, état de celui qui est incarcéré. Voy. EMPRISONNEMENT.

incarcérer, v. tr. Mettre en prison. Voy. EMPRISONNER.

incarnat, ate, adj. Qui est d'un rouge de chair. *Roseus, a, um,* adj.

incarnation, s. f. Action de devenir chair, de prendre la forme humaine. *Incarnatio, onis,* f.

incarner, v. tr. Revêtir d'un corps de chair, de la forme humaine. *Incarnāre,* tr. S'—, *incarnari,* moy. réfl. ¶ Faire entrer dans la chair. *In carnem defigěre.* S'— (en parl. d'ongles), *penitus in carnibus inhaerescěre.*

incartade, s. f. Boutade fâcheuse. Voy. BOUTADE, ÉCART.

incendiaire, adj. Propre à incendier. *Aptus ad incendendum.* Projectiles —, *ignes, ium,* m. pl. *ferrefacta jacula.*

incendie, s. m. Grand feu qui se propage et fait des ravages. *Incendium, ii,* n. Voy. FEU, BRULER.

incendier, v. tr. Mettre en feu. *Incenděre,* tr. Voy. BRULER.

incertain, aine, adj. Qui ne donne pas la certitude. *Incertus, a, um,* adj. *Dubius, a, um,* adj. *Anceps* (gén. *-cipitis*), adj. *Ambiguus, a, um,* adj. Le fait est —, *incertum est.* D'une manière incertaine, *dubiē,* adv. ‖ Substantiv. L'—, *incertum, i,* n. (surt. au plur.). ‖ (P. anal.) Vague. *Incertus, a, um,* adj. *Dubius, a, um,* adj. ¶ Qui n'a

pas la certitude. *Incertus, a, um,* adj. *Dubius, a, um,* adj. Rendre qqn —, *dubitationem alicui injicěre.*

incertitude, s. f. Etat de ce qui est incertain. *Incertum, i,* n. *Dubitatio, onis,* f. L'— d'un fait, *res incerta* (ou *dubia*). Dans cette —, *quae cum essent incerta.* Etre dans l'— (en parl. des ch.), présenter de l'—, *in dubio esse.* ¶ Etat de celui qui est incertain, *et spéc.* de celui qui est incertain de ce qu'il doit faire. *Dubitatio, onis,* f. Etre dans l'—, *dubium* (ou *incertum*) *haerēre.* Tenir qqn dans l'—, *aliquem suspensum tenēre.*

incessamment, adv. D'une manière incessante. *Assiduē,* adv. ‖ (P. ext.) Sans délai. *Sine cunctatione.*

incessant, ante, adj. Qui ne cesse pas. *Assiduus, a, um,* adj.

incessible, adj. Qui n'est pas cessible. *Qui (quae, quod) cedi non potest.*

inceste, s. m. Commerce illicite entre personnes parentes *ou* alliées. *Incestŭs, ŭs,* m.

incestueusement, adv. D'une manière incestueuse. *Incestē,* adv.

incestueux, euse, adj. Coupable d'inceste. *Incestus, a, um,* adj.

incidemment, adv. D'une manière incidente. *Quasi praeteriens. In transitu. Obiter,* adv.

incident, ente, s. m. et adj. ‖ *S. m.* Petit événement qui survient. *Casŭs, ŭs,* m. *Res, rei,* f. S'il se survient pas d'—, *nisi quid intervenerit* (ou *inciderit*). ¶ *Adj.* Qui survient accessoirement. *Qui (quae, quod) incidit* (ou *incurrit*).

incinération, s. f. Réduction en cendres. — des morts, *corporum crematio.*

incinérer, v. tr. Réduire en cendres. *In cinerem comburěre.*

incise, s. f. Petit groupe de mots formant un sens partiel. *Incisum, i,* n.

inciser, v. tr. Fendre avec un instrument tranchant. *Inciděre,* tr.

incisif, ive, adj. Qui incise. *Qui (quae, quod) secat.* Dents —, et (substantiv.) les —, *dentes praecisores.* ‖ (Fig.) Qui a un caractère tranchant. *Mordax* (gén. *acis*), adj.

incision, s. f. Action d'inciser. *Incisio, onis,* f. *Sectura, ae,* f. Faire une —, *inciděre,* tr.

incitant, ante, adj. Qui augmente l'énergie vitale. Voy. EXCITANT.

incitation, s. f. Action d'inciter. *Incitatio, onis,* f.

inciter, v. tr. Engager vivement à faire qqch. *Incitāre,* tr.

incivil, ile, adj. Qui manque de civilité (en parl. des pers. et des ch.). *Inurbanus, a, um,* adj.

incivilement, adv. D'une manière incivile. *Inhumaniter,* adv.

incivilité, s. f. Manque de civilité. *Inhumanitas, atis,* f.

inclémence, s. f. Manque de clémence. *Inclementia, ae*, f. || (Par ext.) Rigueur. *Inclementiu, ue*, f. L'— de la saison, du climat, *intemperies* (ou *tristitia*) *caeli.*

inclément, *ente*, adj. Qui n'est pas clément. *Inclemens* (gén. *-entis*), adj. *Immitis, e*, adj.

inclinaison, s. f. Etat de ce qui est incliné. *Inclinatio, onis*, f. *Fastigiu n, ii*, n.

inclination, s. f. Action d'incliner. *Inclinatio, onis*, f. Une — de tête, *nutûs, ûs*, m. ¶ (Au fig.) Mouvement de l'âme qui se sent portée vers qqch. *Inclinatio, onis*, f. *Voluntas, atis*, f. || (Spéc.) Mouvement qui porte à aimer. *Amor, oris*, m. *Voluntas, atis*, f. Avoir de l'— pour qqn, *propenso animo esse in aliquem.*

incliner, v. tr. et intr. || *V. tr.* Pencher légèrement. *Inclinâre*, tr. 8'—, *procumbêre*, intr.; *vergêre*, intr. 8'— (en signe de respect), *caput inclinâre.* 8'— devant qqn (céder par respect), voy. CÉDER. En s'inclinant, *venerabundus.* Incliné, *proclivis, e*, adj. || (Fig.) Disposer à se porter vers qqch. *Inclinâre*, tr. ¶ *V. intr.* Se pencher légèrement. *Inclinâre*, intr. (on trouve, à la fois, en ce sens, *inclinare*, intr. *se inclinare* et *inclinari*). ¶ (Fig.) Se sentir porter vers qqn, vers qqch. *Inclinâre*, intr. (on dit aussi *inclinari, inclinâre se*). *Tendêre*, intr. (*ad aliquem*).

inclure, v. tr. Renfermer. *Includêre*, tr. Ci-inclus, *inclusus* (*in re aliqua*).

inclusivement, adv. Y compris. (Se rend par *cum* ou par *in* et l'abl.) Il y avait là vingt hommes avec les ambassadeurs —, *erant ibi cum legatis* (ou *praeter legatos*) *viginti homines.*

incoercible, adj. Qu'on ne peut contenir. *Qui* (*quae, quod*) *coerceri* (ou *reprimi*) *non potest.*

incognito, adv. Sans être connu. *Omnibus ignotus.*

incohérence, s. f. Caractère incohérent. L'— des paroles, *verba parum cohaerentia.*

incohérent, *ente*, adj. Qui n'est pas cohérent. *Non* (ou *parum* ou *male*) *cohaerens.*

incolore, adj. Qui n'est pas coloré. *Sine colore.*

incomber, v. intr. Etre imposé à qqn). *Incumbêre* (*alicui*). Qqch. incombe à qqn, *aliquid ad officium* (ou *curam*) *alicujus pertinet.*

incombustible, adj. Qui n'est pas combustible. *Igni inviolatus.* Etre —, *ignibus non absumi.*

incommode, adj. Qui cause de la gêne. *Incommodus, a, um*, adj. *Inhabilis, e*, adj. ¶ Qui cause du malaise. *Incommodus, a, um*, adj. *Molestus, a, um*, adj. || (En parl. des pers.) *Importunus, a, um*, adj.

incommodément, adv. D'une manière incommode. *Moleste*, adv.

incommoder, v. tr. Mettre mal à l'aise. *Vexâre* (*aliquem*). Etre incommodé, *laborâre*, intr. || (Spéc.) Mettre mal à l'aise en ce qui concerne la santé. *Laedêre*, tr. Etre incommodé, *laborâre* (*aliquâ re*).

incommodité, s. f. Malaise causé par ce qui gêne, *et p. ext.* par ce qui fatigue. *Incommoditas, atis*, f. *Incommodum, i*, n. *Molestia. ae*, f. || (Spéc.) Malaise causé par la mauvaise santé. *Incommoda valetudo.*

incomparable, adj. Qui n'est pas comparable (à autre chose). *Non comparabilis. Quo (quâ) nihil est majus* (ou *pulchrius*). *Cui par nemo* (ou *nihil*) *est.*

incomparablement, adv. D'une manière incomparable. *Sine exemplo.*

incompatibilité, s. f. Caractère incompatible. — d'humeurs, *naturae inter se repugnantes.* || (En parl. des ch.) Opposition très forte. *Repugnantia, ae*, f. Les —, *repugnantia, ium*, n. pl.

incompatible, adj. Qui n'est pas compatible (avec une autre chose). *Insociabilis, e*, adj. *Abhorrens* (*ab aliquâ re*). Etre —, *pugnâre* ou *repugnâre* (*inter se*); *pugnâre* (*cum re aliquâ*) ; *repugnâre* (*alicui rei*). Substantiv. Les —, *repugnantia, ium*, n. pl.; *contraria, orum*, n. pl.

incompétence, s. f. Défaut de compétence. *Nullum judicandi* (ou *cognoscendi*) *de aliquâ re jus.*

incompétent, *ente*, adj. Qui n'a pas la capacité légale pour décider d'une chose. *Non aptus ad cognoscendum* ou *statuendum* (*de aliquâ re*).

incomplet, *ète*, adj. Qui n'est pas complet. *Imperfectus, a, um*, adj. Sénat —, *infrequens senatus.*

incomplexe, adj. Qui n'est pas complexe. Voy. SIMPLE.

incompréhensible, adj. Qui n'est pas compréhensible. *Qui* (*quae, quod*) *comprehendi* (ou *percipi*) *non potest.*

inconcevable, adj. Que l'esprit ne peut concevoir. *Qui* (*quae, quod*) *percipi non potest.*

inconciliable, adj. Qu'on ne peut concilier. Voy. INCOMPATIBLE.

inconduite, s. f. Défaut de conduite. *Mali mores.*

incongru, *ue*, adj. Qui n'est pas congru. Voy. DÉPLACÉ, INCONVENANT.

incongruité, s. f. Caractère de ce qui est incongru. Voy. INCONVENANCE. || Faute contre la bienséance. *Indignitas, atis*, f.

incongrûment, adv. D'une manière incongrue. Voy. INDÉCEMMENT.

inconnu, *ue*, adj. Qui n'est point connu. *Ignotus, a, um*, adj. || Qui n'est pas célèbre. *Ignobilis, e*, adj. *Ignotus, a, um*, adj. ¶ (Par ext.) Qu'on n'avait pas connu jusque-là. *Incognitus, a, um*, p. adj.

inconscience, s. f. Etat de l'âme accomplissant certains actes sans en avoir conscience. *Imprudentia, ae,* f.

inconsciemment, adv. D'une manière inconsciente. *Me* (*te*, etc.) *invito.*

inconscient, *ente*, adj. Qui n'est pas conscient. (En parl. d'une pers.) *Non conscius.*

inconséquence, s. f. Caractère de ce qui est inconséquent. *Inconsequentia, ae,* f. *Inconstantia, ae,* f.

inconséquent, *ente*, adj. Qui n'est pas suivi logiquement. *Parum* (ou *non*) *sibi conveniens. Minimè consectarius* (ou *consequens*).

inconsidéré, *ée*, adj. Qui ne considère pas suffisamment les choses. *Inconsideratus, a, um,* adj. *Inconsultus, a, um,* adj. ¶ Qui n'a pas été suffisamment considéré. *Inconsideratus, a, um,* adj. Actions —, *temeritates, um,* f. pl. Propos —, *inconsultè dicta.*

inconsidérément, adv. D'une manière inconsidérée. *Inconsideratè,* adv.

inconsistant, *ante*, adj. Qui n'a pas de consistance. *Instabilis, e,* adj.

inconsolable, adj. Qui n'est pas consolable. ∥ (En parl. des pers.) *Omne solacium repudians.* ∥ (En parl. des choses.) Etre —, *consolationem non admittère.*

inconstamment, adv. D'une manière inconstante. *Parum constanter.*

inconstance, s. f. Caractère inconstant. *Inconstantia, ae,* f. *Mobilitas, atis,* f. ∥ (P. ext.) Acte inconstant. *Inconstanter factum.* ∥ (P. anal.) L'— de la fortune, *mobilitas fortunae.*

inconstant, *ante*, adj. Qui n'est pas constant. *Inconstans* (gén. *-antis*), adj. *Mobilis, e,* adj. Etre —, *sibi non constàre.* ∥ (P. anal.) Fortune —, *fortuna volubilis.*

incontestable, adj. Qui n'est pas contestable. *Haud dubius. Certus, a, um,* adj. Il est — que…, *hoc constat* (avec l'acc. et l'infin.).

incontestablement, adv. D'une manière incontestable. *Sine ullâ controversiâ.*

incontesté, *ée*, adj. Qui n'est pas contesté. *Non controversus.*

incontinence, s. f. Absence de retenue. *Incontinentia, ae,* f. *Intemperantia, ae,* f.

1. incontinent, adv. Tout de suite. *Continuo,* adv.

2. incontinent, *ente*, adj. Qui ne garde pas la continence. *Incontinens* (gén. *-entis*), adj.

inconvenance, s. f. Manque de convenance. *Indecentia, ae,* f.

inconvenant, *ante*, adj. Qui manque aux convenances. *Indecorus, a, um,* adj. *Indecens* (gén. *-entis*), adj. ∥ (En parl. des pers.) *Immodestus, a, um,* adj.

inconvénient, s. m. Désavantage attaché à une chose, à cause duquel il ne convient pas de la faire. *Incommodum, i,* n. Si vous n'y voyez pas d'—, *nisi molestum est.*

incorporation, s. f. Action d'incorporer. Voy. MÉLANGE, FUSION. ∥ Fig. (En parl. d'un domaine, d'une propriété.) *Adjectio, onis,* f.

incorporel, *elle*, adj. Qui n'est pas corporel. *Corpore vacans* (ou *corporis expers*). Etre —, *esse sine corpore.*

incorporer, v. tr. Faire entrer comme partie dans un tout. *Immiscère,* tr. *Inserère,* tr. Etre — à un Etat, *contribui in civitatem.*

incorrect, *ecte*, adj. Qui n'est pas correct. *Vitiosus, a, um,* adj. *Mendosus, a, um,* adj.

incorrectement, adv. D'une manière incorrecte. *Vitiosè,* adv. *Mendosè,* adv.

incorrection, s. f. Caractère incorrect. — du style, *vitium orationis.* — d'un copiste, *mendum, i,* n. ∥ — des manières, *rusticitas, atis,* f.

incorrigible, adj. Qui ne peut être corrigé. *Insanabilis, e,* adj. *Inemendabilis, e,* adj. Etre —, *numquam corrigi* (ou *emendari*) *posse.*

incorruptibilité, s. f. Caractère de ce qui est incorruptible. *Incorrupta natura.* ∥ (P. ext.) Caractère de celui qui ne se laisse pas corrompre. Voy. INTÉGRITÉ.

incorruptible, adj. Qui n'est pas corruptible. *Qui* (*quae, quod*) *corrumpi non pôtest.* ∥ (Fig.) Qui ne se laisse pas corrompre. *Incorruptus, a, um,* adj. *Integer, gra, grum,* adj.

incrédule, adj. Qui n'est pas crédule. *Incredulus, a, um,* adj. Etre —, *non credère* (ou *non fidem habère*). ∥ (Spéc.) Qui n'a pas la foi religieuse. *Impius, a, um,* adj.

incrédulité, s. f. Etat de celui qui est incrédule. L'— de qqn, *qui non credit* (ou *non fidem habet*). ∥ (Spéc.) Manque de foi religieuse. *Impietas, atis,* f.

incriminer, v. tr. Déclarer criminel. *Insimulàre,* tr. *Criminàri,* dép. tr. ∥ (Fig.) *Culpàre,* tr. *Incusàre,* tr.

incroyable, adj. Qui n'est pas croyable. *Incredibilis, e,* adj. (on dit aussi *a fide abhorrens*). *Mirus, a, um,* adj. *Mirificus, a, um,* adj.

incroyablement, adv. D'une manière incroyable. *Incredibiliter,* adv.

incrustation, s. f. Action de recouvrir un corps d'une couche pierreuse qui forme croûte. *Crusta obducta* (*corpori*). ∥ (P. anal.) Dépôt calcaire. *Crusta, ae,* f. ¶ Action de rehausser d'ornements qui entrent dans la surface entaillée. *Crusta, ae,* f. ∥ (P. ext.) Incrustations, objets incrustés. *Crustae, arum,* f. pl.

incruster, tr. Couvrir (un objet) d'une couche pierreuse en forme de croûte. *Crustis* (*aliquid*) *obducère.* S'—, *crustâ obduci.* ¶ Rehausser d'ornements qui entrent dans la surface entaillée. *Incrustàre,* tr. — de marbre, *marmoràre,* tr. ¶ (P. ext.) Engager dans une surface (des objets d'ornement). Voy. EN-CHASSER.

incubation, s. f. Action de couver (des œufs). *Incubatio, onis,* f.

inculpation, s. f. Action d'inculper. *Criminatio, onis,* f.

inculper, tr. Croire coupable (d'une faute). *Arguĕre,* tr. Substantiv. L'inculpé, *reus, i,* m. L'inculpée, *rea, ae,* f.

inculquer, v. tr. Faire entrer avant (dans l'esprit). *Imprimĕre (aliquid in animo). Infigĕre (animis). Imbuĕre (animum opinione).* — dès la naissance, *ingenerăre,* tr.

inculte, adj. Qui n'est pas cultivé. *Incultus, a, um,* adj. Pays âpre et —, *dura cultu et aspera plaga.* ‖ (Fig.) *Incultus, a, um,* adj. *Horridus, a, um,* adj. *Hirtus, a, um,* adj.

incurable, adj. Qui ne peut être guéri. *Insanabilis, e,* adj.

incurie, s. f. Manque de soin. *Incuria, ae,* f. *Negligentia, ae,* f. *Indiligentia. ae,* f

incursion, s. f. Course de gens de guerre en pays ennemi. *Incursio, onis,* f. *(incursionem facĕre in regionem). Impetŭs, ŭs,* m. *(impetum facĕre [ou dare] in regionem).* Faire une —, *incurrĕre (in Macedoniam); excurrĕre (in fines Romanos).*

Inde, n. pr. Contrée d'Asie. *India, ae,* f. Habitant de l'—, *Indus, i,* m. De l'—, *Indicus, a, um,* adj.

indécemment, adv. D'une manière indécente. *Indecorē,* adv. *Immodestē,* adv.

indécence, s. f. Caractère de ce qui est indécent. Voy. INCONVENANCE. ¶ Manque de pudeur. *Turpitudo, dinis,* f.

indécent, *ente,* adj. Qui manque de convenance. *Indecens* (gén. *-entis*), adj. *Indecorus, a, um,* adj. ¶ Qui manque de pudeur. *Turpis, e,* adj. Conduite —, *morum turpitudo.*

indéchiffrable, adj. Qu'on ne peut déchiffrer. *Inexplicabilis, e,* adj.

indécis, *ise,* adj. Qui n'est pas décidé. *Nondum dijudicatus. In neutram partem inclinatus* (en parl. d'un combat). *Dubius, a, um,* adj. *Incertus, a, um,* adj. Laisser une chose —, *aliquid in medio* (ou *in incerto*) *relinquĕre.* ‖ (P. ext.) Qui n'est pas bien déterminé. *Incertus, a, um,* adj. *Dubius, a, um,* adj. ¶ Qui ne sait pas se décider. Je suis — sur ce que j'ai à faire, *non satis mihi constat quid agam.*

indécision, s. f. Caractère de celui qui est indécis. *Dubitatio, onis,* f. *Cunctatio, onis,* f.

indéclinable, adj. Qui ne se décline point. *Indeclinabilis, e,* adj.

indéfini, *ie,* adj. Qu'on ne peut délimiter. *Infinitus, a, um,* adj. ‖ Qu'on ne peut définir. *Indefinitus, a, um,* adj. *Incertus, a, um,* adj. ‖ (Spéc.) Gramm. *Indefinitus, a, um,* adj.

indéfiniment, adv. D'une manière indéfinie. *Infinitē,* adv.

indélébile, adj. Qui ne peut être effacé (au propre et au fig.). *Qui (quae, quod) deleri non potest.*

indélicat, *ate,* adj. Qui n'est pas délicat (dans ses sentiments). *Parum verecundus* ou *decorus. Inurbanus, a, um,* adj.

indélicatesse, s. f. Manque de délicatesse (dans les sentiments). *Illiberalitas, atis,* f. Une —, *illiberale facinus.*

indemne, adj. Qui n'a pas éprouvé de dommage. *Indemnis, e,* adj.

indemniser, v. tr. Dédommager (qqn) de ses pertes, de ses frais. *Damnum restituĕre alicui.*

indemnité, s. f. Ce qu'on alloue à qqn pour l'indemniser. Recevoir une —, *damnum pensāre* (ou *compensāre*) *aliquā re.* ‖ (Spéc.) Emoluments de certains personnages. Allouer une — à qqn, *sumptum alicui decernĕre.*

indéniable, adj. Qu'on ne peut dénier. Voy. INCONTESTABLE.

indépendamment, adv. D'une manière indépendante. *Liberē,* adv. *Sine arbitrio.* ‖ Sans égard à...; sans tenir compte de..., *nullā alicujus rei ratione habitā.* ‖ (P. ext.) En outre. Voy. OUTRE.

indépendance, s. f. Etat de celui qui est indépendant. *Liberum arbitrium. Libera voluntas* — de caractère, *liber animus.* Avoir de l'—, *sui juris* (*sui judicii* ou *arbitrii*) *esse.* Avec —, *liberē,* adv.; *sotutē,* adv. ‖ (Spéc.) En parl. d'une nation *ou* des citoyens. *Libertas, atis,* f. Posséder l'—, jouir de l'—, voy. INDÉPENDANT.

indépendant, *ante.* adj. Qui ne dépend de personne. *Sui juris. Liber, era, um,* adj. Etre —, *sui juris esse; integrae ac solidae libertatis esse; suas leges habēre; suis legibus uti.* Etre — dans ses jugements, *sui juris sententiaeque esse in judicando.* Etre libre et —, *libertatem et suas leges habēre.*

indéracinable, adj. Qu'on ne peut déraciner. *Qui (quae, quod) radicitus erui non potest.*

indescriptible, adj. Qu'on ne peut décrire. *Inenarrabilis, e,* adj.

indestructible, adj. Qui ne peut être détruit. *Qui (quae, quod) dirui non potest.*

indéterminé, *ée,* adj. Qui n'est pas déterminé. *Infinitus, a, um,* adj.

index, s. m. Le doigt le plus près du pouce de la main. *Digitus index* ou simpl. *index, icis,* m. ¶ Table indicative. *Liber index,* ou simpl. *index, icis,* m.

indicateur, *trice,* s. m. et f. Celui, celle qui indique (dénonce). *Index, icis,* m. et f. ¶ Ce qui sert à indiquer. *Index, icis,* m. L'—, *et adjectiv.* le doigt —, voy. INDEX.

indicatif, *ive,* adj. Qui indique. *Demonstrativus, a, um,* adj. ‖ Spéc. (Gramm.) Mode —, *et substantiv.* l'—, *modus indicativus* ou simpl. *indicativus, i,* m.

indication, s. f. Action d'indiquer. *Indicium, ii*, n. *Significatio, onis*, f. Sur l'— de qqn, *alicujus indicio; aliquo indice* (ou *indicante* ou *significante*). ¶ Ce qui est indiqué. *Argumentum, i*, n.

indice, s. m. Signe qui met sur la trace de qqch. *Signum, i*, n.

indicible, adj. Qu'on ne peut exprimer. *Qui (quae, quod) verbis exprimi non potest.*

indifféremment, adv. Sans faire de différence. *Sine discrimine.* Les faire périr tous —, *omnes promiscuè interficěre.* ¶ Avec indifférence. *Aequo animo (ferre aliquid).*

indifférence, s. f. Etat de ce qui est indifférent. *Levitas, atis*, f. Etre dans un état d'—, *in neutram partem inclināre.* ¶ Etat de celui qui est indifférent. *Animus aequus* (ou *aequitas animi*). Montrer de l'— en face de la mort, *mortem negligěre.* ‖ Avec une idée de blâme. *Negligentia, ae, i. Neglectio, onis*, f. *Lentitudo, dinis*, f. Regarder avec —, *lentum spectāre.*

indifférent, *ente*, adj. Qui ne tend pas vers une chose plutôt que vers une autre. *Indifferens* (gén. *-entis*), adj. *Medius, a, um*, adj. ¶ Qui ne porte pas intérêt à une personne, à une chose, plutôt qu'à une autre. *Aequus, a, um*, adj. *Securus, a, um*, adj. *Lentus, a, um*, adj. *Negligens* (gén. *-entis*), p. adj. Demeurer —, *in neutram partem mověri.* ¶ Qui n'offre pas plus d'intérêt qu'une autre chose. *Levis, e*, adj. Cela (ou il) m'est —, *aliquid* (ou *aliquem*) *non* (ou *nihil) curo.*

indigence, s. f. Etat de celui qui est indigent. *Egestas, atis*, f. *Indigentia, ae*, f. *Inopia, ae*, f. Absol. Au sens concret. Etre dans l'—, *egēre*, intr.

indigène, adj. Né dans le pays qu'il habite. *Vernaculus, a, um*, adj. Produits —, *domestica, orum*, n. pl. ‖ (Spéc.) En parl. des pers. *Indigena, ae*, m. f. Populations —, *aborigines, um*, m. pl. Substantiv. Un —, *indigena, ae*, m.

indigent, *ente*, adj. Qui manque des choses les plus nécessaires à la vie. *Egens* (gén. *-entis*), p. adj. *Indigens* (gén. *-entis*), p. adj. ‖ Substantiv. Un —, *egens, entis*, s. m.

indigeste, adj. Difficile à digérer. *Difficilis ad concoquendum.*

indigestion, s. f. Mauvaise digestion. *Cruditas, atis*, f.

indigète, adj. Divinité. *Indiges, getis*, adj. Dieux —, *dii indigetes.* Héros —, *indigetes, um*, m. pl.

indignation, s. f. Action de s'indigner. *Indignatio, onis*, f. *Indignitas, atis*, f. *Stomachus, i*, m. *Bilis, is*, f. Rempli d'—, *indignabundus.* Avec —, *indignè*, adv.

indigne, adj. Qui n'est pas digne de

qqch. *Indignus, a, um*, adj. *Immeritus, a, um*, adj. Un homme —, *homo nullā re bonā dignus.* ¶ Qui n'est pas digne de qqn. *Indignus, a, um*, adj. Une action —, *indignitas, atis*, f. ‖ (Absol.) Qui n'est pas digne de sa fonction. *Indignus, a, um*, adj.

indignement, adv. D'une manière indigne. *Turpiter*, adv. *Indecorè*, adv.

indigner, v. tr. Révolter par une conduite indigne. *Indignationem (alicujus) movēre.* Indigné (en parl. d'une pers.), *indignabundus.* S'—, *indignāri*, dép. tr. (on dit aussi *aliquid indignè ferre*); *stomachāri*, dép. intr.

indignité, s. f. Caractère de ce qui est indigne. ‖ (En parl. des personnes.) *Indignitas, atis*, f. *Vilitas, atis*, f. ‖ (En parl. des choses.) *Indignitas, atis*, f. *Deformitas, atis*, f. ‖ (P. ext.) Action, conduite indigne vis-à-vis de qqn. *Indignitas, atis*, f. (on dit aussi : *facinus indignum*). Commettre une —, *indignè facěre.*

indiquer, v. tr. Montrer où se trouve (qqn, qqch.). *Indicāre*, tr. *Monstrāre*, tr. *Commonstrāre*, tr. *Demonstrāre*, tr. *Significāre*, tr. *Notāre*, tr. — clairement, *declarāre*, tr. — par avance, *praesignificāre*, tr.

indirect, *ecte*, adj. Qui n'est pas direct. *Non rectus* ou *directus* (s'emploie surtout au fig.). *Qui (quae, quod) non rectā via instituitur.* Voies —, *circuitio, onis*, f. Par des voies, des moyens —, voy. INDIRECTEMENT. ‖ (P. ext.) Style —, *obliqua allocutio.* Discours —, *obliqua oratio.* Cas —, *obliqui casus.*

indirectement, adv. D'une manière indirecte. *Circuitione quādam. Per ambages.*

indisciplinable, adj. Qu'on ne peut discipliner. *Qui (quae, quod) domāri non potest.* [*Disciplina nulla.*

indiscipline, s. f. Manque de discipline.

indiscipliné, *ée*, adj. Qui n'est pas discipliné. *Nullā disciplinā* (ou *non metu) coercitus.* Fig. *Effrenatus, a, um*, adj.

indiscret, *ète*, adj. Qui manque de réserve. *Immodestus, a, um*, adj. Un —, *curiosus, i*, m. ‖ (En parl. des ch.) *Molestus, a, um*, adj. *Importunus, a, um*, adj. ¶ Qui dit ce qu'il doit garder secret. *Nullius secreti capax.* ‖ (P. ext.) Langue —, *immodica lingua.*

indiscrètement, adv. D'une manière indiscrète. ‖ En manquant de réserve. *Immodestè*, adv. *Intemperanter*, adv. ¶ Sans réflexion. *Inconsideratè*, adv.

indiscrétion, s. f. Manque de discrétion. ‖ Manque de réserve. *Immodestia, ae*, f. *Intemperantia, ae*, f. ‖ Action indiscrète. *Imprudentia, ae*, f. ¶ Manque de secret. *Petulantia linguae.* ‖ (P. ext.) Révélation d'un secret. *Proditio arcanorum.* Commettre des —, *proděre commissa.*

indiscutable, adj. Qui n'est pas discutable. *Haud dubius, a, um*, adj.

indispensable, adj. Dont on ne peut se dispenser. *Necessarius, a, um*, adj.

indispensablement, adv. D'une manière indispensable. *Necessario*, adv.

indisposer, v. tr. Mettre dans un état de légère incommodité physique. *Incommodum facĕre aliquem*. Etre (un peu) indisposé, *leviter aegrotāre*. Se sentir, se trouver indisposé, *leviter aegrotāre coepisse*. ¶ (Fig.) Mettre dans une disposition peu favorable. *Alienāre*, tr. *Abalienāre (aliquem ab aliquo)*. Comme les soldats étaient indisposés contre lui, *offensā in eum militum voluntate*.

indisposition, s. f. Légère incommodité physique. *Valetudo incommoda*, ou simpl. *valetudo, ĭnis*, f. Pris d'une — subite, *infirmitate correptus*.

indissolubilité, s. f. Propriété de ce qui est indissoluble. Voy. INDISSOLUBLE. || (Au fig.) Voy. CONSISTANCE, FERMETÉ.

indissoluble, adj. Qui ne peut être dissous. *Qui (quae, quod) dissolvi non potest*.

indissolublement, adv. D'une manière indissoluble. Le bien est — lié à la vertu. *honestum a virtute divelli non potest*.

indistinct *incte*, adj. Qui n'est pas distinct. *Indistinctus, a, um*, adj.

indistinctement, adv. Sans distinction. *Promiscuē*, adv.

individu, s. m. Etre formant une unité distincte dans une espèce, un genre. *Homo, ĭnis*, m. *Res, rei*, f. (corpus, oris*, n. || (Spéc.) Tout membre d'une société humaine. *Homo, ĭnis*, m. *Caput, pĭtis*, n. Des —, *homines singuli; res singulae; singuli, orum*, m. pl.; *singula*, n. pl. || (P. ext.) Personne indéterminée. *Quidam. Aliquis* ou *quis*.

individuel, *elle*, adj. Qui est propre à l'individu. *Proprius, a, um*, adj. Caractère, qualité —, *proprietas, atis*, f.

individuellement, adv. D'une manière individuelle. *Singulariter*, adv. *Pro se quisque*. Parler — à chacun, *singulis dicĕre*.

individis, *ise*, adj. Qui ne se divise pas. *Indivisus, a, um*, adj.

indivisible, adj. Qui n'est pas divisible. *Individuus, a, um*, adj.

indocile, adj. Qui n'est pas docile. *Indocilis, e*, adj. [*Ingenium indocile*].

indocilité, s. f. Caractère indocile. *Indolemment*, adv. D'une manière indolente. *Segniter*, adv.

indolence, s. f. Disposition à éviter de se donner de la peine. *Lentitudo, ĭnis*, f. *Inertia, ae*, f.

indolent, *ente*, adj. Qui évite de se donner de la peine. *Lentus, a, um*, adj. *Iners* (gén. *-ertis*), adj. Etre —, *desidĕre*, intr.

indomptable, adj. Qu'on ne peut

dompter. *Indomitus, a, um*, adj. || (Fig.) Qu'on ne peut maîtriser. *Indomitus, a, um*, adj.

indompté, *ée*, adj. Qui n'a pas été dompté. *Indomitus, a, um*, adj.

indu, *ue*, adj. Contraire à ce qu'on doit. *Injurius, a, um*, adj. A une heure —, *alieno tempore*.

indubitable, adj. Dont on ne peut douter. *Non* (ou *minimē*) *dubius*. Etre nihil dubitationis habēre*.

indubitablement, adv. D'une manière indubitable. *Sine dubio*.

induction, s. f. Opération qui rattache une chose à une autre par voie de conséquence. *Consequentia, ae*, f. Faire une —, *consequentia cernĕre*. || (Par ext.) Raisonnement. *Inductio, onis*, f.

induire, v. tr. Amener (qqn) à qqch. *Inducĕre*, tr. (*aliquem ad aliquid; aliquem ut* [et le subj.]). *Impellĕre*, tr. (*aliquem in fraudem, in spem; ad aliquid; imp. ut* [et le subj.]). Etre induit en erreur, *in errorem rapi*. ¶ Etablir par voie de conséquence. Voy. CONCLURE. || (P. ext.) Raisonner par induction. *Aliquid inferre ex aliquā re*.

indulgemment, adv. D'une manière indulgente. *Indulgenter*, adv.

indulgence, s. f. Facilité à excuser, à pardonner. *Indulgentia, ae*, f. *Benignitas, atis*, f. *Facilitas, atis*, f. Avec —, *benignē*, adv.; *indulgenter*, adv. Avoir de l'—, *indulgēre*, intr. (*alicui* ou *alicui rei*). || (Spéc.) Rémission des peines dues aux péchés. *Indulgentia, ae*, f.

indulgent, *ente*, adj. Qui excuse, pardonne facilement. *Indulgens* (gén. *-entis*), p. adj. *Clemens* (gén. *-entis*), adj. *Benignus, a, um*, adj. Etre — pour qqn, pour qqch., *indulgenter habēre aliquem; indulgēre*, intr. (*alicui*).

indûment, adv. D'une manière indue. *Injuriā*, adv.

industrie, s. f. Adresse à exécuter qqch. *Sollertia, ae*, f. *Ars, artis*, f. || (Par ext.) Procédé adroit. *Artificium, ii, n.* || (Par ext.) Habileté peu scrupuleuse. *Calliditas, atis*, f. Chevalier d'—, voy. ESCROC. ¶ Art, métier que l'on exerce. *Ars, artis*, f. *Artificium, ii*, n. || (P. ext.) L'ensemble des arts et des métiers. *Artes et artificia*.

industriel, *elle*, adj. Qui appartient à l'industrie. *Ad artes* (ou *artificium*) *pertinens*.

industrieusement, adv. D'une manière industrieuse. *Industriē*, adv. *Sollerter*, adv.

industrieux, *euse*, adj. Qui fait preuve d'industrie. *Sollers* (gén. *-ertis*), adj.

inébranlable, adj. Qu'on ne peut ébranler. *Immobilis, e*, adj. *Inconcussus, a, um*, adj. Etre —, *movēri non possis*.

inébranlablement, adv. D'une manière inébranlable. *Firmiter*, adv.

inédit, *ute*, adj. Qui n'a point été édité. *Nondum editus* ou *vulgatus*.

ineffable, adj. Que la parole ne peut rendre. *Qui (quae, quod) dici non potest.*

ineffaçable, adj. Qui ne peut être effacé. *Qui (quae, quod) delēri* (ou *elui non potest*).

inefficace, adj. Qui ne produit pas l'effet qu'on en attend. *Inefficax* (gén. *-acis*), adj. Etre —, *nihil proficĕre.*

inefficacité, s. f. Manque d'efficacité. *Nulla vis. Nulla utilitas.*

inégal, *ale*, adj. Qui n'est pas égal à une autre chose. *Inaequalis, e*, adj. *Impar* (gén. *-aris*), adj. *Dispar* (gén. *-aris*), adj. De force —, *impar*, adj. ¶ Qui n'est pas égal à soi-même. *Inaequabilis, e*, adj. ‖ (P. anal.) Terrain —, *iniquus locus; inaequalia loca.*

inégalement, adv. D'une manière inégale. *Inaequaliter*, adv.

inégalité, s. f. Etat de ce qui n'est pas égal à autre chose. *Inaequalitas, atis, f. Inaequabilitas, atis*, f. ¶ Etat de ce qui n'est pas égal à soi-même. — du sol, *iniquitas loci*, et au plur. *iniquitates locorum.* (Fig.) L'— d'humeur, de caractère. *Inconstantia, f. Varietas, atis*, f. [*Nulla elegantia.*

inélégance, s. f. Manque d'élégance.

inélégant, *ante*, adj. Qui n'est pas élégant. *Inelegans*, adj.

inéligible, adj. Qui n'est pas éligible. *Qui populi suffragiis legi non potest.*

inéluctable, adj. Contre quoi on ne peut pas lutter. *Necessarius, a, um*, adj.

inénarrable, adj. Qui ne peut être raconté. *Qui (quae, quod) narrāri non potest.*

inepte, adj. Qui n'a d'aptitude pour rien. *Ineptus, a, um*, adj. *Inutilis, e*, adj. [*inepte. Ineptia, ae*, f.

ineptie, s. f. Caractère de ce qui est inépuisable, adj. Qu'on ne peut épuiser. *Qui (quae, quod) exhauriri non potest.* Etre —, *exhauriri non posse.*

inerte, adj. Qui n'a pas d'activité propre. *Iners* (gén. *-ertis*), adj. Etre —, *jacēre*, intr.

inertie, s. f. Caractère de ce qui est inerte (au prop. et au fig.). *Inertia, ae, f. Segnitia, ae*, f. Avec —, *segniter*, adv. ‖ Force d'—, *immobilitas, atis*, f.

inespéré, *ée*, adj. Que l'on n'espérait pas. *Insperatus, a, um*, adj.

inespérément, adv. D'une manière inespérée. *Ex insperato. Praeter spem.*

inestimable, adj. Qui ne peut être estimé à un assez haut prix. *Inaestimabilis, e*, adj.

inévitable, adj. Qu'on ne peut éviter. *Qui (quae, quod) vitari non potest.*

inévitablement, adv. D'une manière inévitable. *Necessariē*, adv.

inexact, *acte*, adj. Qui n'est pas exact. *Parum accuratus. Non verus.* ‖ (En parl. des pers.) *Indiligens* (gén. *-entis*), adj.

inexactement, adv. D'une manière inexacte. *Parum diligenter.*

inexactitude, s. f. Défaut d'exactitude. *Pravitas, atis*, f. Rempli d'—, *mendosus, a, um*, adj. ¶ (En parl. des pers.) *Indiligentia, ae*, f.

inexcusable, adj. Qui n'est pas excusable. *Indignus veniā.*

inexécutable, adj. Qu'on ne peut exécuter. *Qui (quae, quod) effici non potest.*

inexécuté, *ée*, adj. Qui n'a pas été exécuté. *Non perfectus.*

inexécution, s. f. Manque d'exécution. L'— d'un traité, *foedus non servatum.*

inexercé, *ée*, adj. Qui n'est pas exercé. *Inexercitatus, a, um*, adj.

inexorable, adj. Insensible aux prières. *Inexorabilis, e*, adj.

inexorablement, adv. D'une manière inexorable. *Severissimē*, adv.

inexpérience, s. f. Défaut d'expérience. *Imperitia, ae, f. Inscientia, ae, f. Imprudentia, ae*, f.

inexpérimenté, *ée*, adj. Qui manque d'expérience. *Imperitus, a, um*, adj. *Rudis, e*, adj.

inexpiable, adj. Qui ne peut être expié. *Inexpiabilis, e*, adj.

inexplicable, adj. Qui ne peut être expliqué. *Inexplicabilis, e*, adj.

inexpliqué, *ée*, adj. Qui n'a pas été expliqué. *Nondum explicatus.*

inexploité, *ée*, adj. Qui n'a pas été exploité. *Nondum exercitus.*

inexploré, *ée*, adj. Qui n'est pas encore exploré. *Inexploratus, a, um*, adj.

inexprimable, adj. Qu'on ne peut exprimer par des paroles. *Qui (quae, quod) verbis exprimi non potest.*

inexpugnable, adj. Dont on ne peut s'emparer. *Inexpugnabilis, e*, adj.

inextinguible, adj. Que rien ne peut éteindre. *Qui (quae, quod) exstingui non potest.*

inextricable, adj. Qu'on ne peut démêler. *Inexplicabilis, e*, adj.

infaillibilité, s. f. Caractère de ce qui est infaillible. *Erroris immunitas* (ou *vacuitas*).

infaillible, adj. Qui ne peut faire défaut. *Certus, a, um*, adj. ‖ Un remède —, voy. EFFICACE, SOUVERAIN. ¶ Qui ne peut commettre d'erreur. *Qui errare non potest.*

infailliblement, adv. D'une manière infaillible. *Certo*, adv.

infamant, *ante*, adj. Qui rend infâme. *Infamis, e*, adj. Action —, *flagitium, ii*, n.

infâme, adj. Flétri par l'opinion. *Infamis, e*, adj. *Famosus, a, um*, adj

infamie, s. f. Caractère de ce qui est infâme. *Infamia, ae*, f. ‖ (Spéc.) Flétrissure imprimée par la loi. *Ignominia, ae*, f. *Nota, ae*, f. ‖ (Par ext.)

Action, parole infâme. *Flagitium, ii,* n. *Probrum, i,* n.

infanterie, s. f. L'ensemble des gens de guerre qui marchent et combattent à pied. *Peditatûs, ûs,* m. *Peditum copiae* (et simpl. *pedites, um,* m. pl.). *Copiae pedestres.* — légère, *expediti milites.* Servir dans l'—, *pedibus merère* (s.-e. *stipendium*).

1. infanticide, s. m. Celui, celle qui tue un enfant, *et spéc.,* son enfant nouveau-né. *Parricida liberum* (ou *infantium* ou *filii* ou *filiae*).

2. infanticide, s. m. Meurtre d'un enfant nouveau-né, *et spéc.,* meurtre par la mère de son enfant nouveau-né. *Caedes infantis* (ou *infantium*).

infatigable, adj. Qui ne se fatigue pas *Qui (quae) nullo labore defatigari potest.* Activité —, *labor et industria.*

infatigablement, adv. D'une manière infatigable. *Assiduê,* adv. *Impigrê,* adv.

infatuation, s. f. Caractère d'une personne infatuée. *Vana de se persuasio.*

infatuer, v. tr. Enchanter ridiculement. *Nimiam* (ou *ridiculam*) *admirationem injicère alicui.* Etre infatué de soi, *se mirari ; se et sua amâre.* Etre — de qqn, *mirâri stultê aliquem.* S'— de qqn, *indulgère praecipuê alicui.* S'— d'une chose, *insano rei alicujus amore capi.* Infatué de soi-même, *mirator sui.*

infect, *ecte,* adj. Qui dégage des émanations puantes. *Taeter, tra, trum,* adj.

infecter, v tr. Imprégner de germes malfaisants. *Vitiâre,* tr. *Inficère,* tr. Air infecté, *aer pestilens.* ‖ (Fig.) Corrompre par une influence pernicieuse. *Inficère,* tr. ¶ Remplir d'émanations puantes. Voy. EMPOISONNER. ‖ (Absol.) Voy. PUER.

infectieux, *euse,* adj. Qui produit l'infection. *Tabidus, a, um,* adj. Matière —, *lues, is,* f. Liquide —, *tabum, i,* n.

infection, s. f. Action d'infecter. *Contagio, onis,* f. ‖ (Fig.) Voy. CORRUPTION, SOUILLURE. ¶ Odeur infecte. *Odor malus. Foetor, oris,* m.

inférer, v tr. Tirer une conséquence. *Inferre,* tr. *Colligère,* tr.

inférieur, *eure,* adj. Qui occupe un lieu au-dessous. *Inferus, a, um,* adj. *Inferior, us,* adj. (au compar.). *Infimus, a, um,* adj. (au superl.). *Imus, a, um,* adj. ¶ (Au fig.) Qui occupe un degré au-dessous. *Inferior, us,* adj. (au compar.) *Infimus, a, um,* adj. (au superl.).

inférieurement, adv. A une place inférieure. *Infra,* adv.

infériorité, s. f. Caractère de ce qui est inférieur. *Humilitas, atis,* f. Fig. L'— du rang, *humilitas, atis,* f.; *inferior gradus.*

infernal, *ale,* adj. Qui appartient à l'enfer. *Inferus, a, um,* adj. Le monde —, *inferi, orum,* m. pl.

infertile, adj. Qui n'est pas fertile (au propre et au fig.). Voy. STERILE.

infertilité, s. f. Etat de ce qui est infertile. Voy. STÉRILITÉ.

infester, v. tr. Ravager par des courses hostiles. *Infestum* (am, um) *habêre* (ou *facêre*). ‖ (P. anal.) En parl. d'animaux nuisibles *ou* de mauvaises herbes. *Infestâre,* tr.

infidèle, adj. Qui n'est pas fidèle. *Infidus, a, um,* adj. *Perfidus, a, um* adj. Rendre qqn —, *aliquem fide dimovêre.* Rendre qqn — à qqn, *aliquem dimovêre ab aliquo.* Ma mémoire devient —, *memoria mihi non constat.* Etre — à ses principes, *a se desciscère.* ‖ (Spéc.) Qui n'est pas fidèle à Dieu. *Infidelis, e,* adj. Les —, *infideles, ium,* m. pl.

infidélité, s. f. Caractère infidèle. *Infidelitas, atis,* f. *Perfidia, ae,* f. Se plaindre de l'— de qqn, *accusâre fidem alicujus* (ou *de fide queri alicujus*). ‖ (P. anal.) L'— d'un traducteur, d'une traduction, d'un récit, *indiligentia, ae,* f. ‖ (Spéc.) Manque de fidélité à Dieu. *Infidelitas, atis,* f. ¶ Acte infidèle. *Infidum facinus,* Faire preuve d'—, *perfidê agêre.*

infiltration, s. f. Action de s'infiltrer. L'— de l'eau, *permanans aqua.*

infiltrer (s'), v. pron. S'insinuer peu à peu dans les pores, les interstices d'un corps solide. *Permanâre,* intr.

infime, adj. Qui est au plus bas degré. *Infimus, a, um,* adj.

infini, *ie,* adj. Qui n'a point de fin, qui ne finit point. *Infinitus, a, um,* adj. *Fine carens. Sine fine.* Loc. adv. A l'—, *ad infinitum.*

infiniment, adv. D'une manière infinie. *Infinitê,* adv. ¶ Extrêmement. *Mirabiliter,* adv.

infinité, s. f. Caractère de ce qui est infini. *Infinitas, atis,* f. ‖ Quantité très considérable. *Infinita multitudo.*

infinitif, adj. Le mode —, *et,* subst., l'—, *modus infinitivus* ou absol. *infinitivus, i,* m. [*Infirmatio, onis,* f.

infirmation, s. f. Action d'infirmer.

infirme, adj. Qui n'est pas ferme, qui n'a pas de force. *Infirmus, a, um,* adj. *Debilis, e,* adj.

infirmer, v. tr. Affaiblir dans son autorité. *Infirmâre,* tr. — l'autorité d'un témoin, *destruêre testem.* ‖ (Spéc.) — un jugement, *rescindêre judicium.*

infirmerie, s. f. Local destiné aux malades. *Valetudinarium, ii,* n.

infirmier, s. m. Celui qui soigne les malades. *Aegri* (ou *aegrorum*) *minister.*

infirmité, s. f. Défaut de fermeté, de force. *Infirmitas, atis,* f. ¶ Incapacité de remplir telle ou telle fonction de l'organisme. *Infirmitas, atis,* f. *Debilitas, atis,* f.

inflammable, adj. Qui s'enflamme facilement. *Facilis ad exardescendum,*

inflammation, s. f. Action par laquelle une matière combustible s'enflamme. *Incensio, onis*, f. ¶ Etat morbide. *Inflammatio, onis*, f.

infléchir, v. tr. Fléchir insensiblement. *Inflectĕre*, tr. S'—, *sinuāri*, moyen réfl.

inflexibilité, s. f. Caractère de ce qui est inflexible (au propre). *Rigor, oris*, m. ‖ (Fig.) Caractère de celui qu'aucune considération ne fait fléchir. *Rigor, oris*, m.

inflexible, adj. Qu'on ne peut fléchir. *Inflexibĭlis, e*, adj. *Rigidus, a, um*, adj.

inflexiblement, adv. D'une manière inflexible. *Obstinatē*, adv.

inflexion, s. f. Changement de ton, d'accent (en parlant *ou* en chantant). *Sonus, i*, m. Des — de voix, *flexiones vocis: inclinationes vocis*.

infliger, v. tr. Appliquer (une peine). *Infligĕre*, tr. *Injungĕre*, tr. *Irrogāre*, tr. — une défaite à l'ennemi, *cladem hostibus afferre* (ou *inferre*).

influence, s. f. Action par laquelle s'écoule des astres un fluide qui est supposé agir sur la destinée des hommes. *Affectio, onis*, f. Les astres n'ont aucune — sur la vie humaine, *non est quod a sideribus ad hominum vitam permanāre possit*. ‖ (P. ext.) Fluide qui émane de ces astres. Voy. FLUIDE. ¶ (Au fig.) Action qu'une personne ou une chose exerce sur une autre. *Tactŭs, ūs*, m. *Contagio, onis*, f. *Vis*, f. *Effectŭs, ūs*, m. Avoir une — décisive, *esse maximi momenti et ponderis*. — bienfaisante, salutaire, *vis et utilitas* ou simpl. *utilitas*. — nuisible, *vis noxia*. Avoir de l'—, *valēre*, intr.; *posse*, intr. Subir l'— de, *movēri*, pass. Avoir une — bienfaisante sur qqn, qqch., *juvāre* (ou *adjuvāre*) *aliquem* (ou *aliquid*); *prodesse*, intr. (s'empl. abs. ou avec le dat. *alicui* ou *alicui rei*; ou avec *ad* et l'acc.). Avoir une — nuisible, *nocēre*, intr. Etre sous l'— de qqch., *aliquā re regi* (ou *duci et regi*); *aliquā re movēri*. ‖ (Absol.) Autorité que donne cette action. *Auctoritas, atis*, f. *Gratia, ae*, f. *Potentia, ae*, f. Avoir de l'—, *gratiā valēre*. — politique, *opes, um*, f. pl. Avoir de l'—, *valēre*, intr.; *posse*, intr.

influencer, v. tr. Soumettre à son influence. *Praeoccupāre*, tr. *Impellĕre* (ou *movēre*) *aliquem ut* (et le subj.) ou *ad* (et le gérondif).

influent, *ente*, adj. Qui a de l'influence, de l'autorité. *Potens, entis*, p. adj. *Validus* (ou *potens*) *opibus. Gratiā valens* (ou *pollens*). Etre —, *gratiā valēre* (ou *pollēre*). Etre très —, *plurimum gratiā posse*.

influer, v. intr. En parl. des astres, exercer son action (sur qqn *ou* qqch.). *Valēre ad* (et l'acc.). ¶ (Fig.) En parl. d'une cause morale, exercer sur une personne, une chose, une action de nature à la modifier. *Habēre* (ou *afferre*) *momentum*.

information, s. f. Le fait de prendre connaissance d'un fait. *Percontatio, onis*, f. ‖ *Spéc.* Instruction d'une affaire criminelle. *Quaestio, onis*, f. Procéder à une —, voy. INFORMER. ‖ (P. ext.) Enquête. Voy. ce mot. ‖ (P. ext.) Ce qu'on cherche à connaitre sur qqn, sur qqch. *Percontatio, onis*, f. Aller aux —, *inquisitum ire*. Prendre des — auprès de qqn, *percontāri* (ou *quaerĕre* ou *exquirĕre*) *ab aliquo*.

informe, adj. Dont la forme est mal déterminée. *Informis, e*, adj.

informer, v. tr. Mettre au courant de qqch. *Nuntiāre*, tr. *Docēre*, tr. Informé, *certior factus*. S'—, *quaerĕre* (*situm*), tr.; *percontāri*, dép. tr. S'— de qqch. auprès de qqn, *percontāri aliquid ex aliquo* (ou *aliquem de aliquā re*). On s'informe, *perquiritur*. ‖ (Spéc.) Faire une instruction criminelle, une enquête. *Quaerĕre*, tr. *Anquirĕre*, tr.

infortune, s. f. Mauvaise fortune. *Infelicitas, atis*, f. *Res adversae*, f. pl. ¶ Revers de fortune. *Casŭs adversus*, ou simpl. *casŭs, ūs*, m.

infortuné, *ée*, adj. Qui a une mauvaise fortune. *Infortunatus, a, um*, adj. *Infelix* (gén. *-icis*), adj. Subst. Un —, une —, *infelix homo; infelix mulier*.

infraction, s. f. Violation d'un engagement, d'une loi. *Violatio, onis*, f. Commettre une —, *contra legem facĕre* (ou *committĕre*).

infranchissable, adj. Qu'on ne peut franchir *Insuperabĭlis, e*, adj.

infructueusement, adv. D'une manière infructueuse. *Frustra*, adv.

infructueux, *euse*, adj. Qui ne donne pas de fruits (pr. et fig.). *Infructuosus, a, um*, adj.

infus, *use*, adj. Répandu dans l'âme. *Insitus, a, um*, p. adj. *Insitus et innatus*.

infuser, v. tr. Faire pénétrer un (liquide) dans un corps. *Infundĕre in* (et l'acc.). Faire —, *diluĕre*, tr.

infusion, s. f. Action de verser dans ou sur qqch. *Infusio, onis*, f. ¶ Action de faire infuser dans un liquide; résultat de cette action. *Maceratio, onis*, f.

ingambe, adj. Qui a les jambes lestes, alerte. Voy. ALERTE.

ingénier (s'), v. pron. Se travailler l'esprit pour arriver à qqch. *Excogitāre*, tr.

ingénieur, s. m. Celui qui invente et construit des engins. *Machinator tormentorum*. ‖ (P. ext.) Celui qui construit des machines, conduit des travaux publics, etc. *Machinator, oris*, m.

ingénieusement, adv. D'une manière ingénieuse. *Ingeniosē*, adv. *Sollerter*, adv.

ingénieux, *euse*, adj. Qui a de l'invention, de l'adresse. *Ingeniosus, a*, *um*, adj. *Sollers* (gén. *-ertis*), adj. Esprit —, *ingenii sollertia*. || Où il y a de l'invention, de l'adresse. Invention —, *ingenium, ii*, n

ingéniosité, s. f. Caractère d'une personne, d'une chose ingénieuse. *Sollertia, ae*. f.

ingénu, *ue*, adj. Qui a une innocente franchise. *Candidus, a, um*, adj.

ingénuité, s. f. Innocente franchise. *Simplicitas, atis*, f.

ingénument, adv. D'une manière ingénue. *Candidē*, adv.

ingérence, s. f. Voy. IMMIXTION.

ingérer, v. tr. et pron. || *V. tr.* Introduire (dans l'estomac). *Infundĕre*, tr. ¶ *V. pron.* S'— dans (s'introduire indûment), *se immiscēre* (*negotiis alienis*); *se interponĕre in aliquā*.

ingestion, s. f. Action d'introduire dans l'estomac. L'— des aliments, *cibi ingesti*.

ingrat, *ate*, adj. Qui n'est pas gracieux. *Ingratus, a, um*, adj. ¶ Qui n'est pas reconnaissant. *Ingratus, a, um*, adj. ¶ Qui ne répond pas à la peine qu'on se donne. *Ingratus, a, um*, adj. Terre —, *maligna terra*.

ingratitude. Caractère de celui qui est ingrat. *Animus ingratus* (ou *beneficii immemor*). Avec —, *animo ingrato*. || (P. ext.) Acte d'ingrat. *Ingrati animi crimen*.

ingrédient, s. m. Elément qui entre dans la composition de qqch. *Medicamentum, i*, n.

inguérissable, adj. Qui n'est pas guérissable. *Insanabilis, e*, adj.

inhabile, adj. Qui n'est pas apte. *Inhabilis, e*, adj. (*ad aliquid*; ou *ad aliquid faciendum*). ¶ Qui n'a pas d'habileté. *Imperitus, a, um*, adj. (*alicujus, rei; in aliquā re faciendā*). *Rudis, e*, adj. (av. le gén.)

inhabilement, adv. D'une manière inhabile. *Imperitē*, adv.

inhabileté, s. f. Manque d'habileté. *Imperitia, ae*, f.

inhabitable, adj. Qui n'est pas habitable. *Inhabitabilis, e*, adj.

inhabité, *ée*, adj. Qui n'est pas habité. *Habitatoribus* (ou *cultoribus* ou *hominibus*) *vacuus*.

inhérent, *ente*, adj. Qui tient profondément à l'être. *Inhaerens* (gén. *-entis*), p. adj. (av. le dat.).

inhospitalier, *ière*, adj. Qui n'est point hospitalier. *Non hospitalis*.

inhumain, *aine*, adj. Qui est sans humanité. *Inhumanus, a, um*, adj. *Immanis, e*, adj.

inhumainement, adv. D'une manière inhumaine. *Inhumanē*, adv.

inhumanité, s. f. Manque d'humanité. *Inhumanitas, atis*, f. *Immanitas, atis*, f. || (P. ext.) Acte inhumain. *Inhumanum facinus*.

inhumation, s. f. Action d'inhumer. *Humatio, onis*, f.

inhumer, v. tr. Mettre en terre (un corps humain) avec les cérémonies d'usage. *Humāre*, tr. *Sepulturā afficĕre* (*aliquem*).

inimaginable, adj. Qui dépasse ce qu'on peut imaginer. *Qui* (*quae, quod*) *ne cogitāri quidem potest*. Etre —, *ne cogitāri quidem posse*.

inimitable, adj. Qu'on ne saurait imiter. *Non imitabilis*. *Quem* (*quam, quod*) *nemo imitando assequi potest*.

inimitié, s. f. Sentiment hostile. *Inimicitia, ae*, f. (ordin. au pl.). *Simultas, atis*, f. ¶ Dispute, querelle. Voy. ces mots.

inintelligence, s. f. Manque d'intelligence. *Stultitia, ae*, f.

inintelligent, *ente*, adj. Qui n'est pas intelligent. *Nullius consilii*. D'une façon —, *stultē*, adv.

inintelligible, adj. Qui n'est pas intelligible. *Non apertus ad intelligendum*.

ininterrompu, *ue*, adj. Qui n'est pas interrompu. *Continens* (gén. *-entis*). p. adj. *Continuus, a, um*, adj. *Perpetuus, a, um*, adj.

inique, adj. Qui manque à l'équité. *Iniquus, a, um*, adj.

iniquement, adv. D'une manière inique. *Iniquē*, adv.

iniquité, s. f. Manque d'équité. *Iniquitas, atis*, f. || Acte contraire à l'équité. *Iniquum* (ou *injustē*) *factum*. Commettre des —, *injusta facĕre*.

initial, *ale*, adj. Qui constitue le commencement de (qqch.). Point —, *initium, ii*, n.

initiateur, *trice*, s. m. et f. Celui, celle qui initie. *Qui* (*quae*) *initiat*.

initiation, s. f. Action d'initier. *Initiatio, onis*, f. || (Fig.) *Inituatio, onis*, f.

initiative, s. f. Action de celui qui est le premier à proposer, à organiser qqch. *Auctoritas, atis*, f. De sa propre —, *suā sponte*. Qui a l'— d'une entreprise, *auctor ad rem instituendam*. Sur mon —, *me auctore*.

initier, v. tr. Admettre à la connaissance, à la participation des mystères religieux. *Initāre*, tr.

injecter, v. tr. Lancer (un liquide) dans une substance. *Infundĕre* (*aliquid in aliquid*). Yeux injectés de sang, *oculi sanguine suffecti*.

injection, s. f. Action d'injecter. *Injectio, onis*, f.

injonction, s. f. Voy. ORDRE.

injure, s. f. Injustice. Voy. ce mot. || (Par ext.) Tort immérité fait à qqn. *Injuria, ae*, f. Faire — à qqn, *alicui injuriam facĕre*. || (P. anal.) Dommage causé à qqn par les éléments, le temps, etc. *Injuria, ae*, f. ¶ Action offensante. *Contumelia, ae*, f. ¶ Parole offensante. *Contumelia, ae*, f. *Convicium, ii*, n. *Maledictum, i*, n.

injurier, v. tr. Charger (qqn) d'injures, d'outrages. *Maledicĕre* (*alicui*).

Maledicta in aliquem dicĕre (ou *congerĕre*).

injurieusement, adv. D'une manière injurieuse. *Contumeliosē*, adv.

injurieux, *euse*, adj. Offensant. *Contumeliosus, a, um*, adj. *Probrosus, a, um*, adj. Paroles —, *verborum contumeliae*.

injuste, adj. Qui n'est pas juste. *Injustus, a, um*, adj. *Iniquus, a, um*. adj.

injustement, adv. D'une manière injuste. *Injustē*, adv.

injustice, s. f. Manque de justice. *Injustitia, ae*, f. *Iniquitas. atis*. f. *Injuria, ae*, f. || (P. ext.) Les gens injustes. Voy. INJUSTE. || Acte qui manque de justice. *Injuria, ae*, f. *Iniquitas, atis*, f. Commettre une — des —, *injustē* (ou *iniquē*) *facĕre aliquid*.

injustifiable, adj. Qu'on ne peut justifier. *Qui (quae, quod) purgāri* (ou *probāri) non potest*.

inné, *ée*, adj. Qui est né avec nous. *Ingeneratus, a, um*. p. adj.

innocemment, adv. D'une manière innocente; sans faire de mal. *Innocenter*, adv. ¶ Ingénument; sans malice. Voy. INGENUMENT. || Niaisement. Voy. ce mot.

innocence, s. f. Etat de celui qui n'a pas fait le mal. *Innocentia, ae*, f. (Par anal.) Qualité de ce qui ne fait pas de mal. Voy. INNOCITÉ. ¶ Etat de celui qui ignore le mal. *Integritas, atis*, f. *Pudicitia, ae*, f. L'— du cœur. *castus animus purusque*.

innocent, *ente*, adj. Qui ne fait pas de mal. *Innocens* (gén. *-entis*), adj. *Integer, gra, grum*, adj. ¶ Qui n'a pas fait de mal. *Innocens* (gén. *-entis*), adj. *Innoxius, a, um*, adj. ¶ Qui ignore le mal. *Integer, gra, grum*, adj. *Castus, a, um*, adj. *Pudicus, a, um*, adj. || (Par ext.) Simple d'esprit. Voy. SIMPLE. || Les —, *liberi, qui nihil meruerunt*.

innocenter, v. tr. Déclarer (qqn) innocent. Voy. ABSOUDRE.

innocité, s. f. Qualité de ce qui n'est pas nuisible. *Innocentia, ae*, f.

innombrable, adj. De nombre trop considérable pour être compté. *Innumerabilis, e*, adj.

innovateur, *trice*, s. m. et f. Celui, celle qui innove. *Qui (quae) in re aliquā ahquid* (ou *omnia) novat*.

innovation, s. f. Action d'innover, résultat de cette action. *Res nova*. *Novitas, atis*, f. — politiques, *res novae*. Faire des —, *res novāre*.

innover, v. tr. Introduire qqch. de nouveau dans une chose établie. *Novāre res. Innovāre, tr.*

inobservation, s. f. Action de ne pas observer *Negligentia, ae*, f.

inoccupé *ée*, adj. Qui n'est pas occupé. | Qui n'a pas d'occupation. *Otiosus, a, um*, adj. Etre —, voy. INACTIF. ¶ Qui n'est pas occupé par qqn *Vacuus, a, um*, adj. Etre —, *vacāre*, intr. Espace —, *spatium liberum*.

inoculer, v. tr. Communiquer à qqn (un virus, un principe de maladie contagieuse). *Virus transferre* (in *aliquem*).

inodore, adj. Sans odeur. *Odore carens*. Etre —, *olēre nihil*.

inoffensif, *ive*, adj. Qui ne fait de mal à personne. *Innoxius, a, um*, adj. Etre —, *nihil nocēre*.

inondation, s. f. Action d'inonder. résultat de cette action. *Eluvio, onis*, f, || (Fig.) Voy. TORRENT.

inonder, v. tr. Couvrir d'eau. *Inundāre*, tr. Etre inondé, *stagnāre*, intr. Inondé, *stagnans* (gén. -antis), p. adj. || (Par anal.) Mouiller abondamment. *Inundāre*, tr. *Perfundĕre*, tr. Etre —, *redundāre*, intr. || (Fig.) Couvrir d'une multitude. *Inundāre*, tr. *Redundāre*, intr. || (Fig.) Etre —, *abundāre*, intr.

inopiné, *ée*, adj. Qui arrive sans qu'on y ait songé. *Inopinatus, a, um*, adj.

inopinément, adv. D'une manière inopinée. *Inopinato*, adv.

inopportun, adj. Qui n'est pas opportun. *Non opportunus*.

inouï, *ie*, adj. Qu'on n'a jamais ouï, qui est sans exemple. *Inauditus, a, um*, adj. *Insignis, e*, adj. Tout à fait —, *portenti similis*. Il lui paraît tout à fait — *que...*, *portenti simile ei videtur* (avec l'acc. et l'infin.). C'est —, *| facinus indignum* !

inqualifiable, adj. Qu'on ne peut qualifier. *Inaestimabilis, e*, adj.

inquiet, *ète*, adj. Qui ne trouve pas le repos. *Inquietus, a, um*, adj. *Turbidus, a, um*, adj. Sommeil — *suspensus somnus*. ¶ Qui ne trouve pas la tranquillité. *Anxius, a, um*, adj. *Exercitatus, a, um*, adj. *Sollicitus, a, um*, adj.

inquiétant, *ante*, adj. Qui inquiète. *Metuendus, a, um*, adj. verb.

inquiéter, v. tr. Rendre inquiet. *Inquietāre*, tr. (ce verbe peut être remplacé par *quietem turbāre*; *molestiam afferre*; *molestum esse*). *Agitāre*, tr. *Exagitāre*, tr. *Angĕre*, tr. *Commovēre*, tr. *Sollicitāre*, tr. S'—, *angi animo*; *commovēri*. S'— *de* .., *curāre*, tr.; *laborāre*, intr. (*de aliquā re*). S'— d'avance de .., *prospicĕre*, tr. Ne pas s'— de .., *negligĕre*, tr.|| (Spéc.) Harceler, déranger. *Lacessĕre*, tr. || Poursuivre. Voy. ce mot.

inquiétude, s. f. Etat de celui qui est inquiet. || (Parce qu'il ne trouve pas le repos.) Voy. AGITATION. ¶ (Parce qu'il ne trouve pas la tranquillité.) *Sollicitudo, dinis*, f. (on dit aussi *sollicitus animus*, inquiétude). *Angor, oris*, m. *Anxietas, atis*, f. *Cura, ae* f. *Metus, ūs*, m. — causée par l'attente, *exspectatio, onis*, f. Avec —, *anxiē*, adv. Donner, causer de l'—, mettre, jeter dans l'—, *sollicitāre aliquem*; ou *sollicitum habēre aliquem*.

inquisiteur, s. m. Celui qui se livre à

des enquêtes (sur qqn, qqch.). *Inquisitor, oris,* m.

inquisition, f. s. Enquête. Voy ce mot.

insaisissable, adj. Qui ne peut être saisi. *Incomprehensibilis, e,* adj.

insalubre, adj. Qui n'est pas salubre. *Insalubris, e,* adj. *Gravis, e,* adj. *Pestilens* (gén. *-entis),* adj. Climat —, *caeli gravitas.*

insalubrité, s. f. Caractère de ce qui est insalubre. *Gravitas, atis,* f. *Pestilentia, ae,* f.

insanité, s. f. Etat d'un esprit qui n'est pas sain. *Insanitas, atis,* f. || Action, parole qui n'est pas saine. Voy. FOLIE

insatiable, adj. Qui ne peut être rassasié. *Insaturabilis, e,* adj. *Insatiabilis, e,* adj. || (Fig.) *Insaturabilis, e,* adj. *Insatiabilis, e,* adj. Etre —, *expleri* (ou *satiari) non posse.*

insciemment, adv. Non sciemment. *Inscienter,* adv.

inscription, s. f. Action d'inscrire. *Inscriptio, onis,* f. ¶ Ce qui est inscrit, gravé, pour conserver la mémoire de qqn, de qqch. *Inscriptio, onis,* f. — tumulaire ou funéraire, *epigramma, atis,* n.; *titulus, i,* m. — en vers, *carmen (incisum in sepulcro).* ¶ Indication écrite dans un lieu apparent pour servir de renseignement. *Titulus, i,* m.

inscrire, v. tr. Graver sur la pierre, le marbre, etc., pour conserver le souvenir de qqn, de qqch. *Inscribere,* tr. *Incidere,* tr. Voy. GRAVER. — au bas de..., *ascribere,* tr.: *subscribere,* tr. ¶ Noter sur un registre. *Scribere,* tr. *Inscribere,* tr. S'—, se faire —, *profiteri,* dép. tr. Se faire — (pour le service militaire, pour une fonction publique), *profiteri nomen,* et absol. *profiteri; nomen dare.*

insecte, s. m. Petit animal invertébré. *Bestiola, ae,* f.

insécurité, s. f. Défaut de sécurité. *Nulla securitas.*

insensé, ée, adj. Qui a perdu le sens. *Amens* (gén. *-entis),* adj. *Demens* (gén. *-entis),* adj. *Insanus, a, um,* adj. *Vesanus, a, um ,*adj. Etre —, *insanire,* intr. Substantiv Un —, *insanus homo.* || (Par ext.) En parl. des choses. *Insanus, a, um,* adj. *Amens,* adj. *Demens,* adj. Passions, ardeurs —, *insania libidinum.* Dépenses —, luxe —, *insania, ae,* f.

insensibilité, s. f. Absence de sensibilité *Torpor, oris,* m. *Stupor, oris,* m. Etre frappé d'—, être dans un état d' *obdurescere,* intr.: *torpescere,* intr. || Au fig. *Duritia, ae,* f. Etre frappé d'—, *obtorpescere,* intr.

insensible, adj. Qui ne sent pas. *Sensu carens.* Etre —, *sensu carère.* Etre — à qqch., *aliquid non sentire; non tangi* (ou *movèri) aliquà re.* Rester - à, *aliquid non accipère.* Je suis devenu - à la douleur, *animus meus ad*

dolorem obduruit. || Inhumain. *Durus, a, um,* adj. ¶ Qu'on ne sent pas. Qui *(quae, quod) vix sentiri* (ou *sensibus percipi) potest.*

insensiblement, adv. Par degrés insensibles. *Sensim,* adv.

inséparable, adj. Qui ne peut être séparé. Qui *(quae, quod) separari* (ou *disjungi) non potest.* — de qqch., *artissimè cum aliquà re conjunctus.* Deux amis — *et* (substantiv.), deux —, *amici fidissimi* ou *conjunctissimi.*

inséparablement, adv. D'une manière inséparable *Conjunctissimè,* adv.

insérer, tr. Introduire (une chose dans une autre), de manière à ce qu'elle fasse corps avec elle. *Inserère (aliquid) alicui rei* (ou *in aliquid). Includère (aliquid in aliquà re).*

insertion, s. f. Action d'insérer, résultat de cette action. *Interjectio, onis,* f. — de la greffe, *insitio, onis,* f.

insidieusement, adv. D'une manière insidieuse. *Insidiis* ou *ex insidiis. Insidiosè,* adv.

insidieux, euse, adj. Qui tend à faire tomber dans un piège. *Insidiosus, a, um,* adj.

1. insigne, adj. Remarquable entre tous. *Insignis, e,* adj. *Insignitus, a, um,* p. adj.

2. insigne, s. m. Marque distinctive. *Honoris insigne.*

insignifiance, s. f. Caractère de ce qui est insignifiant. *Vilitas, atis,* f. *Vanitas, atis,* f. *Levitas, atis,* f.

insignifiant, ante, adj. Qui ne signifie rien. *Levis, e,* adj. *Inanis, e,* adj. Considérer qqch. comme —, tenir qqch. pour —, *aliquid parvi facère.* || (P. ext.) Sans valeur. *Nullus, a, um,* adj. Un personnage —, *homo mediocris* (ou *ignobilis).*

insinuant, ante, adj. Qui s'insinue. Qui *(quae, quod) sese insinuat.*

insinuation, s. f. Action d'insinuer qqch. *Insinuatio, onis,* f. *Criminatio, onis,* f. Des —, *obliquae orationes.*

insinuer, v. tr. Introduire qqch. doucement, par degrés. *Insinuare,* tr. S'—, *obrepère,* intr.; *illabi,* dép. intr. Chercher à s'— auprès de qqn. *venditare se alicui.* || (Fig.) Faire pénétrer adroitement dans l'esprit. — qqch. à qqn, *insusurrare alicui aliquid.*

insipide, adj. Qui est sans saveur. *Sine sapore. Cujus nullus sapor est.* ¶ (Fig.) Qui rebute l'esprit par sa fadeur. *Insulsus, a, um,* adj.

insipidité, s. f. Caractère de ce qui est insipide. *Sapor nullus.* Au fig. *Insulsitas, atis,* f.

insistance s. f. Action d'insister. *Instantia, ae,* f. *Perseverantia, ae,* f. Demander qqch. avec —, *etiam atque etiam rogàre* (ou *petère) aliquid.* Demander avec — à ne pas, *acriter instàre, ne* (et le subj.) Grâce à ton —, devant ton —, *e orante et obsecrante.*

insister, v. intr. Appuyer avec force sur une chose. *Insistĕre*, intr. *Commorāri*, dép. intr. *Incumbĕre*, intr. ‖ (Spéc.) Appuyer avec force sur une demande. *Instāre*, intr. (*instāre* ou *alicui instāre ut* insister auprès de qqn pour que... »). En insistant, *obnixē*, adv.

insociable, adj Qui n'est pas sociable. *Insociabilis, e*, adj. Etre —, *fugĕre congressus hominum.*

insolation, s. f. Exposition à la chaleur du soleil. *Apricatio, onis*, f.

insolemment, adv. D'une manière insolente. *Insolenter*, adv. *Petulanter*, adv.

insolence s. f. Manque de respect injurieux. *Insolentia, ae*, f. *Protervitas, atis*, f. *Improbitas, atis*, f. ‖ Acte insolent. *Protervē* (ou *petulanter*) *factum.*

insolent, ente, adj. Qui choque par un excès insolite. *Immodicus, a, um*, adj. ¶ Qui montre un manque de respect injurieux. *Procax* (gén. -*acis*), adj. *Protervus, a, um*, adj. ‖ Orgueilleux, arrogant. *Superbus, a, um*, adj. Etre —, *devenir* —, *insolenter* (ou *insolentius*) *se efferre*. ‖ (En parl. des choses.) *Insolens* (gén. -*entis*), adj. Orgueil —, *ferocia, ae*, f

insolite, adj. Qui étonne par son caractère inaccoutumé. *Insolitus a, m*, adj.

insoluble, adj. Qui ne peut se dissoudre *Qui* (*quae, quod*) *dissolvi non potest. Inenodabilis, e*, adj.

insolvabilité, s. f. Etat de celui qui est insolvable. *Nulla solvendi facultas.*

insolvable, adj. Qui ne peut payer ce qu'il doit. *Qui* (*quae*) *aes alienum solvĕre non potest.*

insomnie, s. f. Etat de celui qui ne peut dormir. *Insomnia, orum*, n. pl. Avoir des — *somnum capĕre non posse.*

insouciance, s. f. Caractère de celui qui est insouciant. *Negligentia, ae*, f. Avec —, *sine curā.*

insouciant, ante, adj. Qui ne prend pas souci des choses. *Securus, a, um*, adj. Etre —, *non curāre* (*aliquid*).

insoucieux, euse, adj. Voy. INSOUCIANT.

insoumis, ise, adj. Qui n'est pas soumis. *Indomitus, a, um*, adj.

insoutenable, adj. Qui n'est pas soutenable. *Qui* (*quae, quod*) *defendi nullo modo potest.*

inspecter, v. tr. Examiner attentivement (ce dont on a la surveillance). *Inspicĕre*, tr. *Recognoscĕre*, tr.

inspecteur, s. m. Personne chargée d'inspecter. *Custos, odis*, m.

inspection, s. f. Action d'inspecter. *Inspectio, onis*, f. Faire l'— de qqch., *inspicĕre aliquid.*

inspiration, s. f. Action de faire pénétrer l'air dans les poumons. *Spiritus haustus.* ¶ Action d'inspirer (une pensée, une résolution). *Afflatūs, ūs*, m. *Instinctūs, ūs*. m.

inspirer, v. tr. Faire aspirer. Voy. INSUFFLER. ‖ Absol. — et expirer, *animam reciprocāre.* ‖ (Par ext.) Introduire en soufflant. *Inspirāre*, tr. ¶ (Au fig.) Faire naître (chez qqn) une pensée, une résolution. *Inspirāre*, tr. *Subjicĕre*, tr. *Injicĕre*, tr. *Incutĕre*, tr. — une idée à qqn, *monēre aliquem aliquid.* — à qqn l'idée de..., *monēre aliquem ut...* (et le subj.). ‖ (Par ext.) Animer d'un élan surnaturel. *Afflare*, tr. (on dit aussi *alicujus mentem divino afflatu concitāre*).

instabilité, s. f. Manque de stabilité. *Instabilitas, atis*, f. ‖ (Fig.) *Inconstantia, ae*, f. [*Instabilis, e*, adj.

instable, adj. Qui n'est pas stable.

installation, s. f. Action d'installer. L'— d'un juge, d'un fonctionnaire, *collocatus judex; magistratus constitutus in munere.*

installer, v. tr. Etablir solennellement dans sa fonction. *Constituĕre*, tr. *Inaugurāre*, tr. ‖ (P. ext.) Etablir (qqn) dans la demeure *ou* le lieu qui lui est destiné. *Collocāre*, tr. S'— à Magnésie, *constituĕre sibi domicilium Magnesiae.*

instamment, adv. D'une manière instante. *Instanter*, adv. *Vehementer*, adv. Demander —, *flagitāre*, tr.; *efflagitāre*, tr.; *exposcĕre*, tr.

instance, s. f. Sollicitation pressante. *Flagitatio, onis*, f. *Efflagitatio, onis*, f. Demander, prier avec —, et (*au plur.*) faire de vives —, demander avec de vives —, voy. INSTAMMENT. Refuser qqch. aux — de qqn, *alicui instanti negāre aliquid.* Céder aux — de qqn, *alicui enixē roganti non deesse.*

1. instant, ante, adj. Qui presse vivement. *Vehemens* (gén. -*entis*), adj. *Impensus, a, um*, p. adj. D'— prières, voy. INSISTANCE. INSTANCE. ‖ Imminent. Voy. ce mot.

2. instant, s. m. Tout espace de temps immédiat. *Tempus, oris*, n. *Momentum, i*, n. A l'— même, *vestigio temporis; e vestigio* ou *vestivio.* Dans un —, *jam jam.* Tremblant à l'— du danger, *in re praesenti pavidus.* Abandonner qqn à l'— du péril, *aliquem in ipso discrimine periculi destituĕre.* A l'— du départ, *sub ipsā profectione.* A l'— de la mort, *in ipsā morte.*

instantané, ée, adj. Qui ne dure qu'un instant. *Qui* (*quae, quod*), *ad tempus est.* ‖ (P. ext.) Qui se produit soudainement. *Subitus, a, um*, adj.

instantanément, adv. D'une manière instantanée. *In vestigio temporis.*

instar (à l'), loc. adv. A la manière de... (*Alicujus rei*) *instar.*

instigateur, trice, s. m. et f. Celui, celle qui pousse à... *Princeps, cipis*, m. *Auctor, oris*, m. Etre l'— de la guerre *concitāsse bellum.*

instigation, s. f. Action de pousser à... *Instigatio, onis*, f. *Instinctūs, ūs*, m. *Impulsūs, ūs*, m. A l'— de qqn, *auctores*

aliquo: *alicujus auctoritate impulsus* ou *commotus.*

instinct, s. m. Impulsion naturelle. *Sensŭs, ŭs,* m. *Impetŭs, ŭs,* m. Nobles —, *virtus, utis,* f. || (Spéc.) Impulsion intérieure. *Natura, ae,* f. Par — *naturā duce.*

instinctif, *ive,* adj. Qui vient de l'instinct. *Naturalis, e,* adj.

instinctivement, adv. D'une manière instinctive. *Naturā duce (aliquid facĕre).*

instituer, v. tr. Etablir d'une manière durable. *Instituĕre,* tr.

institut, s. m. Voy. ACADÉMIE.

instituteur, s. m. Celui qui enseigne. *Magister, tri,* m.

institution, s. f. Action d'instituer qqch. *Institutio, onis,* f. *Constitutio, onis,* f. || (Par ext.) Chose instituée. *Institutum, i,* n.

instructeur, adj. Qui instruit qqn. Spéc. Officier —, *qui milites exercet* ou *armis (ou disciplinā militari) erudit.*

instructif, *ive,* adj. Qui instruit qqn. *Idoneus ad docendum (liber). Ad discendum utilis (liber).*

instruction, s. f. Action d'instruire qqn de qqch. Pour leur —, *docendi causā.* || Explication pour la conduite d'une affaire. *Praecepta, orum,* n. pl. *Mandata, orum,* n. pl. *Monitum, i,* n. J'ai reçu pour — de, *mihi mandatum est, ut* (av. le subj.) ¶ Action d'instruire, de former l'esprit. *Institutio, onis,* f. *Disciplina, ae,* f. *Doctrina, ae,* f. Donner l'— à la jeunesse, *erudire atque docēre juventutem.* Recevoir l'—, *docēri,* passif; *discĕre,* tr. Spéc. — militaire, *militiae disciplina.* || (Par ext.) Résultat de l'action d'instruire. *Eruditio, onis,* f. *Doctrina, ae,* f. Sans —, voy. IGNORANT. || Leçon servant à instruire. *Praecepta, orum,* n. ¶ (Droit) Action d'instruire une cause civile ou criminelle et de la mettre en état d'être jugée. *Cognitio, onis,* f. Juge d'— (au civ il), *judex quaestionis;* (au criminel), *quaesitor, oris,* m.

instruire, v. tr. Donner (à qqn) connaissance de qqch. *Certiorem facĕre (aliquem alicujus rei* ou *de aliquā se). Monēre (aliquem aliquid* ou *de aliquā re).* Etre instruit, *certiorem fieri alicujus rei (ou de aliquā re).* ¶ Former l'esprit (de qqn) par des leçons, etc. *Instruĕre,* tr. (seul. dans la constr. *instr. aliquem artibus, praeceptis). Erudīre,* tr. *Docēre,* tr. S' —, *disciplinam accipĕre; erudiri,* pass.; *discĕre,* tr. Se faire — par qqn, *discĕre ab aliquo.* Instruit, *eruditus, a, um,* p. adj. (avec comp. et superl.); *doctus, a, um,* p. adj. (av. comp. et sup.). || (Par ext.) Dresser (un animal). Voy. DRESSER. ¶ Mettre une cause en état d'être jugée. *Litem ordināre.*

instrument, s. m. Objet fabriqué dont on se sert pour une opération.

Instrumentum, i, n. || (En parl. d'un instr. de grande dimension et artistement fabriqué). *Machina, ae,* f. — en fer, *ferramentum, i,* n. || — de musique, *organum, i,* n. || (P. ext.) Tout ce dont on se sert pour produire un effet matériel. *Instrumentum, i,* n. Les — du supplice, *supplicii apparatus.* || (Fig.) Tout ce dont on se sert pour arriver à un résultat. *Instrumentum, i,* n. Servir à qqn d'—, être l'— de qqn, *alicui operam suam commendāre.* ¶ Acte, titre public servant à établir des droits. *Instrumentum, i,* n.

instrumental, *ale,* adj. Musique —, *nervorum et tibiarum cantus; symphonia, ae,* f.

insu, s. m. Ignorance où on laisse qqn d'un fait qu'il a intérêt à connaître. A l'— de qqn, *aliquo inscio (ou insciente).*

insubmersible, adj. Qui ne peut être submergé. *Qui (quae, quod) submergi non potest.*

insubordination, s. f. Manque de subordination. *Disciplina nulla. Immodestia, ae,* f.

insubordonné, *ée,* adj. Qui manque à la subordination. *Nullā disciplinā coercitus.*

insuccès, s. m. Voy. ÉCHEC.

insuffisamment, adv. D'une manière insuffisante. *Non satis.*

insuffisance, s. f. Etat de ce qui est insuffisant. — du blé, *angustiae rei frumentariae.* L.— du talent, des connaissances de qqn, et absol., l'—, *infirmitas, atis,* f.

insuffisant, *ante,* adj. Qui ne suffit pas. *Non sufficiens.* Etre —, *non sufficĕre* (ou *non satis esse).* || (Absol.) Voy. INCAPABLE. *[Suffiatio, onis,* f.

insufflation, s. f. Action d'insuffler.

insuffler, v. tr. Souffler dans. *Inspirāre (aliquid per scriptorium calamum).* || (P. ext.) Gonfler en soufflant. *Inflāre,* tr.

insulaire, adj. Qui habite une île. *Qui, quae insulam incolit.* Substantiv. Un —, *insulae incola.* Les — (c.-à-d. les habitants de l'île), *insulani, orum,* m. pl.

insultant, *ante,* adj. Qui constitue une insulte. *Contumeliosus, a, um,* adj. Procédé —, *contumelia, ae,* f.

insulte, s. f. Agression. Voy. ce mot. || (Spéc.) Attaque militaire. *Impetŭs, ŭs,* m. Mettre les villes à l'abri des — de l'ennemi, *prohibēre vim hostium ab oppidis.* ¶ Offense outrageante. *Contumelia, ae,* f. || Paroles insultantes. *Contumeliarum aculei* ou *contumeliarum voces.*

insulter, v. intr. et tr. || *V. intr.)* Faire acte d'agression. *Lacessĕre aliquem injuriā. Facĕre* (ou *inferre) injuriam alicui.* || (Fig.) Faire (à qqn) une offense outrageante. *Insultāre,* intr.

(av. le datif). || (P. ext.) En parl. des choses. *Offendĕre*, tr. ¶ (*V. tr.*) Attaquer, s'attaquer à qqch. *Impetum facĕre in* (*oppidum*). || Fig. — (un arbre, les récoltes, etc.). *Laedĕre*, tr. ¶ Offenser d'une manière outrageante. *Contumeliā afficĕre* (*aliquem*).

insupportable, adj. Qu'on ne peut supporter. *Intolerabilis, e,* adj. *Intolerandus, a, um,* adj. Etre —, *ferri non posse.*

insurger (s'), v. pron. Se soulever contre (l'autorité), *et absol.* se révolter. *Rebellāre*, intr. (on dit aussi *rebellionem facĕre: seditionem* ou *tumultum movēre*). *Resistĕre*, intr. (on dit aussi *imperium alicujus detrectāre*). Subst. Les insurgés, *rebelles, ium,* m. pl. || (Transitiv.) — (le peuple), faire —, *ad seditionem concitāre.*

insurmontable, adj. Qu'on ne peut surmonter. *Inexsuperabilis, e,* adj. Etre —, *superari non posse.*

insurrection, s. f. Action de s'insurger. *Rebellio, onis,* f.

insurrectionnel, *elle,* adj. Qui appartient à l'insurrection. *Seditiosus, a, um,* adj. Mouvement —, *motus, ūs,* m.

intact, *acte,* adj. Qui n'a pas été touché, endommagé. *Intactus, a, um,* adj. *Integer, gra, grum,* adj.

intarissable, adj. Qui ne peut être tari. *Perennis, e,* adj.

intégral, *ale,* adj. Dont le total ne subit aucune diminution. *Integer, gra, grum,* adj. *Totus, a, um,* adj.

intégralement, adv. D'une manière intégrale. *In solidum.*

intégrant, *ante,* adj. Qui est nécessaire à l'intégrité du tout. Faire partie — de qqch., *inhaerēre in nervis alicujus rei.*

intègre, adj. Dont la probité est entière. *Integer, gra, grum,* adj. Un homme —, *innocens, entis,* m.

intégrité, s. f. Etat d'une chose qui est dans son entier. *Integritas, atis,* f. ¶ (Fig.) Caractère de celui dont la probité est entière. *Integritas, atis,* f. *Innocentia, ae,* f. Avec —, *integrē,* adv.

intellectuel, *elle,* adj. Relatif à l'intelligence. Activité —, *motus animi* (ou *cogitationis*). Aptitudes —, *ingenii facultates.*

intelligemment, adv. D'une façon intelligente. *Intelligenter,* adv.

intelligence, s. f. Action de comprendre qqch. par la pensée. *Intelligentia, ae,* f. *Prudentia, ae,* f. Avoir l'— de qqch., voy. COMPRENDRE. ¶ (Spéc.) Entente. Voy. ce mot. ¶ (Absol.) Faculté de comprendre. *Intelligentia, ae* f. *Prudentia, ae,* f. Homme sans —, *homo mente carens.* Avec —, *intelligenter,* adv.: *judicio* (ou *cum judicio*). || Faculté de connaître. *Mens, mentis,* f. *Ingenium, ii,* n. ¶ Communication entre personnes qui s'entendent. *Con-*

scientia, ae, f. Etre d'— avec qqn, *consentīre cum aliquo.* Etre d'— avec qqn pour..., *conspirāre cum aliquo ad* (et l'acc.). || (P. ext.) En parl. des choses. Etre d'—, *c.-à-d.* être d'accord, s'accorder, voy. ACCORD, ACCORDER. (Par ext.) Accord des sentiments entre plusieurs personnes. *Consensio, onis,* f. *Conspiratio, onis,* f. Bonne —, voy. ACCORD. Mauvaise —, voy. DÉSACCORD.

intelligent, *ente.* adj. Qui comprend facilement. *Intelligens* (gén. *-entis*), p. adj. *Prudentiae plenus.* ¶ (Philos.) Qui a la faculté de connaître. *Mente* (ou *ratione*) *praeditus.*

intelligible, adj. Qui se comprend. *Facilis ad intelligendum* ou *facilis intellectu* Ne pas être —, *intellectu carēre.* Rendre qqch. —, *aliquid explanāre.*

intelligiblement, adv. D'une manière intelligible. Pour parler —, *ut ea quae dicimus intelligantur.*

intempéramment, adv. D'une manière intempérante. *Intemperanter,* adv.

intempérance, s. f. Manque de tempérance. *Intemperantia, ae,* f. Avec —, *incontinenter,* adv. *immodestē,* adv.

intempérant, *ante,* adj. Qui n'est pas tempérant. *Intemperans* (gén. *-antis*), adj. *Immoderatus, a, um,* adj.

intempérie, s. f. Manque d'un juste tempérament. || Dans les conditions atmosphériques. *Intemperies, ei,* f. Les — de l'air, *et absol.* les —, *vis caeli.*

intempestif, *ive,* adj. Qui se produit à contretemps. *Intempestivus, a, um,* adj.

intempestivement, adv. D'une manière intempestive. *Intempestivē,* adv.

intenable, adj. Qui n'est pas tenable. *Intutus, a, um,* adj.

intendance, s. f. Fonction d'intendant, *et spéc.* charge d'intendant préposé à un service public. *Cura, ae,* f. *Dispensatio, onis,* f.

intendant, *ante,* s. m. Celui qui est chargé de gérer les affaires d'un homme riche. *Procurator, oris,* m. *Dispensator, oris,* m.

intense, adj. Dont l'action a une énergie extrême. *Intentus, a, um,* p. adj. *Gravis, e,* adj.

intensité, s. f. Haut degré de l'énergie d'une action. *Magnitudo, dinis,* f. *Vehementia, ae,* f.

intenter, v. tr. Diriger contre qqn (une accusation). *Intendĕre*, tr. (*litem alicui*).

intention, s. f. Acte de la volonté qui tend vers un but. *Voluntas, atis,* f. *Mens, mentis,* f. *Animus, i,* m. *Consilium, ii,* n. Avoir l'— de, voy. [se] PROPOSER, PROJETER. Sans —, *imprudenter,* adv. Je l'ai fait sans —, *id insciens feci.* (Qui est fait) sans —, *qui (quae, quod) non consulto neque* *cogitatus (a, um)* fit. || (Par ext.) Volonté de qqn. Voy. DÉSIR, VOLONTÉ. ¶ Action de tendre. *Intentio, onis,* f. **Iutentionné**, *ée,* adj. Qui a une certaine intention. *Affectus, a, um,* p. adj. Absol. Etre bien — (à l'égard de qqn), *bono animo esse (in aliquem).*

intercalaire, adj. Qui est intercalé. *Intercalaris, e,* adj.

intercalation, s. f. Action d'intercaler. *Interpositio, onis,* f.

intercaler, v. tr. Faire entrer après coup dans une série. *Intercalare*, tr. Intercalé, *intercalaris, e,* adj. || Insérer. *Interponère,* tr. Mot intercalé, *interpositio, onis,* f.

intercéder, v. tr. Intervenir pour obtenir le pardon, la grâce de qqn. *Deprecari (pro aliquo).*

intercepter, v. tr. Arrêter au passage. *Intercipère,* tr. || (Spéc.) Saisir au passage une chose qui est à la destination de qqn. *Intercipère,* tr., *Deprehendère,* tr.

intercession, s. f. *Deprecatio, onis,* f. *Intercessûs, ûs* m. Par (ou grâce à) son —, *eo deprecante.*

interdiction, s. f. Action d'interdire. *Interdictio, onis,* f.

interdire, v. tr. Défendre à qqn (l'usage de qqch.). *Interdicère (alicui aliquâ re).* Il m'est interdit, on m'interdit de..., *vetor* (avec l'inf.). La loi interdit de..., *lege cautum* (ou *sancitum*) *est, ne...* (subj.). S'— qqch., *aliquâ re se abstinère.* ¶ Priver qqn du droit d'exercer ses fonctions. *Interdicère (alicui aliquâ re).* ¶ Priver qqn de la libre disposition de ses biens, de sa personne. *Interdicère,* intr. || (Par ext.) Fig. Troubler de manière à ôter l'usage de la raison, de la parole. *Aliquem* (ou *alicujus animum*) *confundère.* Il était tout interdit, *torpebat vox spiritusque.*

interdit, s. m. Acte d'interdiction. *Interdictum, i,* n.

intéressant, *ante,* adj. Qui intéresse. *Aptus (a, um) ad alliciendos (hominum) animos. Aptus (a, um) ad delectandos homines.* Très, extrêmement —, *delectationis plenus.* Etre —, *allicère* ou *delectare (aliquem* ou *hominum animos) delectationem habère.*

intéresser, v. tr. Associer (qqn) au profit d'une affaire. *Participem aliquem alicujus rei facère.* Etre intéressé (à qqch.), *participem* (ou *socium*) *esse alicujus rei.* Les intéressés, *ii, quorum interest.* || (Absol.) Attacher (qqn) à son avantage personnel. Etre intéressé, *rebus suis consulère; suis commodis servire.* Intéressé, *rebus suis intentus.* Prières intéressées, *ambitiosae rogationes.* || Impliquer (qqn) dans les conséquences bonnes *ou* mauvaises de qqch. *Interesse,* intr. *Pertinère,* intr. L'affaire m'intéresse assez peu, *minor res mea agitur.* || (Spéc.) Blessure qui intéresse le poumon, *vulnus quod per-*

tinet ad pulmonem. ¶ Rendre favorable *ou* défavorable à qqn, à qqch. *Commenulare,* tr. S'intéresser à, *studère* (av. le dat.). Je m'— à qqch., *aliquid ad me pertinère puto.* Je m'— à qqn. *alicui studeo* (ou *faveo*). || (Absol.) Intéresser. *Studio dignum esse.* || Attacher (qqn) à qqch. qui excite sa curiosité, son émotion. *Delectare,* tr. (on dit aussi *delectatione aliquem allicère*). *Capère,* tr. Cela ne m'intéresse pas, *nihil moror.* Absol. —, *jucundum esse.*

intérêt, s. m. Ce qui touche qqn par le profit qu'il en retire. Voy. PROFIT, INTÉRESSER. ||(Spéc.) Intérêt de l'argent. *Usura, ae,* f. *Fenus, oris,* n. || Dommages et intérêts. Voy. DOMMAGE.|| (Par l'avantage qu'il y trouve.) *Commodum, i,* n. *Usus, us,* m. *Utilitas, atis,* f. Il est de l'— de, *interest,* imp. *(interest alicujus; tuâ et meâ interest; magni meâ interest).* ¶ Ce qui touche qqn par la part qu'il y prend. || (Par sympathie pour autrui.) *Studium, ii,* n. Prendre — à qqch., voy. (S') INTÉRESSER. || (Par l'attrait de ce qui excite sa curiosité, son émotion, etc.) *Voluptas, atis,* f. *Jucunditas, atis,* f. *Delectatio, onis,* f. Offrir de l'—, *jucundum esse.* Offrir peu d'—, *mediocriter aliquem retinère.* Il ne paraît pas sans — de..., *non indignum videtur* (av. l'inf.).

intérieur, *eure,* adj. et s. m. || *Adj.* Qui est dans l'espace compris entre les limites d'un corps. *Interior, us,* adj. || (Par anal.) *Interior, us,* adj. *Intestinus, a, um,* adj *Domesticus, a, um,* adj. || (Par ext.) Qui regarde l'espace compris dans les limites d'un corps. *Interior, us,* adj. Comp. || (Au fig.) Qui se passe dans l'âme. *Interior, us,* adj. *Innatus, a, um,* adj *Insitus, a, um,* p. adj. Douleur, joie —, *dolor, laetitia animi.* ¶ *S. m.* L'espace compris entre les limites d'un corps. *Pars interior.* L'— d'un pays, *interior regio.* L'— de l'Afrique, *Africa interior.* || (Par anal.) Dans l'— de la ville, *intra moenia.* L'—, voy. PAYS, PATRIE. A l'—, *domi.* Guerre à l'—, *bellum intestinum.* A l'— de la maison, *intus domique.* || (Au fig.) L'intérieur, c.-à-d. l'âme. *Conscientia animi.*

intérieurement, adv. A l'intérieur d'un corps. *Intus,* adv.

interjection, s. f. Partie du discours. *Interjectio, onis,* f

interjeter, v. tr. Interjeter appel (faire intervenir un appel en revision). *Appellationem interponère.*

interlocuteur, s. m. Personne qui a un dialogue avec une autre. *Qui cum aliquo colloquitur.*

interlocution, s. f. Voy. DIALOGUE.

intermède, s. m. Divertissement entre les actes d'une pièce. *Embolium, ii,* n.

intermédiaire, adj. et s. m. et f. || *Adj.* En parl. d'une chose qui, étant placée entre deux termes, sert de transition de l'un à l'autre. *Medius, a, um*, adj. **Interjectus, a, um** p. adj. Espace —, *intervallum, i*, n. ¶ *S. m.* Action d'une personne dont on se sert pour arriver à un certain résultat. *Interventůs, ůs*, m. Par l'— de qqn, *alicujus operā; per aliquem.* || (P. ext.) La personne dont l'action est ainsi utilisée. *Interpres, pretis*, m.

interminable, adj. Dont on ne voit pas le terme. *Infinitus, a, um*, adj.

intermittent, e, adj Qui discontinue et reprend par intervalles. Source —, *fons interquiescens* (ou *cessans*). || En parl. de la fièvre, etc. *Recidivus, a, um*, adj. *Periodicus, a, um*, adj. La fièvre est —, *febris intermittit*.

international, ale, adj. Qui a lieu de nation à nation. Le droit —, *jus gentium*.

interne, adj. Qui est en dedans et, *au fig.* qui appartient au dedans. *Iniestinus, a, um*, adj.

interner, v. tr. Obliger à résider dans une localité déterminée, avec défense d'en sortir. *In liberā custodiā aliquem habēre.*

interpellation, s. f. Action d'interpeller. *Interpellatio, onis*, f.

interpeller, v. tr. Adresser la parole (à qqn) pour lui demander qqch. *Interpellāre*, tr.

interpolateur, s. m. Celui qui fait une interpolation. *Qui interpolat.*

interpolation, s. f. Action d'interpoler; résultat de cette action. *Interpolatio, onis*, f.

interpoler, v. tr. Insérer dans un texte (une phrase qui n'en fait pas partie). *Interpolāre*, tr.

interposer, v. tr. Poser entre deux. *Interponēre*, tr. S'—, être —, *intervenīre*, intr.; *interjectum esse.*

interposition, s. f. Action d'interposer. *Interpositio, onis*, f. *Interpositůs* (abl. u), m. *Interventůs, ůs*, m.

interprétation, s. f. Action d'interpréter. *Interpretatio, onis*, f. Donner une — de..., *de aliquā re* (ou *aliquid*) *interpretāri.*

interprète, s. m. Celui qui explique. *Interpres, etis*, m. || P. anal. — des songes, *somniorum interpres* (ou *conjector*).

interpréter, v. tr. Expliquer ce qu'un texte présente d'obscur ou d'ambigu. *Interpretāri*, dép. tr. *Explanāre*, tr. (on dit aussi *conjecturā explanăre aliquid*). ¶ Donner à une chose telle ou telle signification. *Interpretāri*, dép. tr. (Spéc.) Prendre en bonne ou en mauvaise part. *Inierpretāri*, dép. tr. (*bene* ou *benignē; male interpretari aliquid*). *Accupēre*, tr. (*in malam partem aliquid*).

interrègne, s. m. Intervalle durant lequel l'Etat est sans chef. *Interregnum, i*, n.

interrogation, s. f. Action d'interroger. *Interrogatio, onis*, f.

interrogatoire, s. m. Ensemble des questions posées par le juge et des réponses faites par l'accusé. *Interrogatio, onis*, f.

interroger, v. tr. Demander avec autorité. *Rogāre* (*aliquem aliquid* ou *de aliquā re*). *Interrogāre* (*aliquem aliquid* ou *de aliquā re*). *Percontāri* (*aliquem de aliquā re*). || (Fig.) Observer attentivement (une chose) pour en tirer qq. connaissance. *Consulēre* (*speculum*). *Explorāre* (*aliquid* ou *de aliquā re*). — les livres sybillins, *adīre libros Sybillinos.*

interrompre, v. tr. Rompre dans sa continuité. *Interrumpēre*, tr. ¶ Suspendre dans sa continuation. *Interrumpēre*, tr. *Interpellāre*, tr. *Intermittēre*, tr. *Intervenīre*, intr. || (Par ext.) *Interpellāre*, tr.

interrupteur, s. m. Qui interrompt qqn qui parle. *Qui loquentem interpellat.*

interruption, s. f. Action d'interrompre. *Interpellatio, onis*, f. *Intermissio, onis*, f. Sans —, *perpetuo*, adv. Faire sans —, *perpetuāre*, tr.

intersection, s. f. Rencontre de deux lignes, de deux surfaces, de deux solides qui se coupent. *Intersectio, onis*, f.

interstice, s. m. Petit espace vide entre les parties d'un corps. *Intervallum, i*, n.

intervalle, s. m. Distance entre un lieu et un autre. *Intervallum, i*, n. *Spatium, ii*, n. ¶ Distance entre un temps et un autre. *Tempus, oris*, n. *Intervallum, i*, n. *Spatium, ii*, n. *Momentum, i*, n. Dans l'—, *interim*, adv.

intervenir, v. intr. Prendre part à qqch. *Intervenīre*, intr. *Intercedēre*, intr. — dans des affaires, *interesse negotiis*. Faire —, *interponēre* (*aliquem* ou *aliquid*).

intervention, s. f. Action d'intervenir. *Interventůs, ůs*, m. *Intercursůs, ůs*, m.

interversion, s. f. Renversement d'ordre. *Inverso ,onis*, f.

intervertir, v. tr Déplacer en renversant l'ordre. *Invertēre*, tr.

intestat, adj. invar. Qui n'a pas fait de testament. *Intestatus, a, um*, adj.

1. intestin, ine, adj. Qui est dans l'intérieur du corps, et, *spéc.*, du corps humain. *Intestinus, a, um*, adj. *Internus, a, um*, adj. || Qui est dans l'intérieur du corps social, d'un Etat. *Intestinus, a, um*, adj. *Domesticus, a, um*, adj.

2. intestin, m. Viscère logé dans la cavité abdominale. *Intestinum, i*, n.

intime, adj. Qui est tout à fait intérieur. *Intimus, a, um*, adj. *Arcanus, a, um*, adj. ¶ Qui atteint le fond des choses. *Summus, a, um*, adj. || (Fig.) Rapports —, voy. ÉTROIT. || (Spéc.) En parl. d'une étroite union entre personnes. *Intimus, a, um,* adj. *Conjunctus, a, um,* p adj Etre l'ami de qqn, *familiariter ab aliquo diligi.*

intimement, adv. D'une manière intime. *Intimē,* adv. *Conjunctē,* adv.

intimer, v. tr. Signifier (qqch.) à quelqu'un, d'autorité. — à qqn l'ordre de..., *denuntiāre* (ou *indicĕre*) *alicui ut* (et le subj.).

intimidation, s. f. Action d'intimider. *Metūs, ūs,* m.

intimider, v. tr. Rendre timide à faire qqch. *Metum afferre alicui.* Se laisser —, *deterrēri,* pass.

intimité, s. f. Caractère de ce qui est intime. Dans l'— de la conscience, *in intimā animi conscientiā.* ¶ (Spéc.) Liaison intime. *Artissimum amicitiae vinculum.*

intituler, v. tr. Désigner par un titre. *Inscribĕre,* tr. Dans le livre intitulé Parménide, *in libro cui Parmenides titulus est.*

intolérable, adj. Qui n'est pas tolérable. *Intolerabilis, e,* adj. Etre —, *ferri non posse.*

intolérablement, adv. D'une manière intolérable. *Intoleranter,* adv.

intolérance, s. f. Défaut de tolérance. *Animus aliorum opiniones de rebus divinis haud leniter ferens.*

intolérant, *ante,* adj. Qui manque de tolérance (en général). *Difficilis, e,* adj. (En matière religieuse, politique *ou* philosophique.) *De aliorum opiniones* (*de rebus divinis, de re publicā, de naturā rerum*) *haud leniter ferens.*

intonation, s. f. Manière de produire le son. *Sonus, i,* m. ‖ (P. ext.) Ton que prend la voix. *Vox, vocis,* f. *Inclinatio vocis.*

intraduisible, adj. Qu'on ne peut traduire. *Qui* (*quae, quod*) *uno verbo* (ou *totidem verbis*) *reddi non potest.*

intraitable, adj. Avec qui on ne peut traiter, *et, spéc.,* à qui on ne peut faire entendre raison sur un point. *Intractabilis, e,* adj. Caractère, humeur —, *contumacia, ae,* f.

intransitif, adj. Qui ne passe point hors du sujet. *Intransitivus, a, um,* adj.

intrépide, adj. Qui va sans trembler au-devant du péril. *Impavidus, a, um,* adj.

intrépidement, adv. D'une manière intrépide. *Impavidē,* adv

intrépidité, s. f. Caractère de celui qui est intrépide. *Animus impavidus. Fortitudo, dinis,* f.

intrigant, *ante,* adj. Qui intrigue. *Conflandae aliis invidiae* (ou *fallacias componendae*) *clandestina consilia struendi* (*callidus*) *artifex.* — (en matière politique), *factiosus, a, um,* adj.

intrigue, s. f. Complication. Voy. ce mot. ¶ Combinaison machinée pour faire réussir ce qu'on souhaite. *Ars, artis,* f. (surt. au plur.). *Artificium, ii,* n. *Machina, ae,* f. Ourdir bien des —,

multa machināri. ¶ (Litt. dram) Enchaînement d'événements qui forment le nœud d'une action. *Implicatio, onis,* f.

intriguer, v. tr. Mettre dans l'embarras. *Intricāre,* tr. ‖ (P. ext.) Embarrasser l'esprit, exciter une curiosité inquiète. *Exspectationem alicui movēre.* ¶ (*Intransiv.*) Machiner une combinaison pour faire réussir qqch. *Fallaciam facĕre in rs.*

intrinsèque, adj. Qui constitue le fond intime d'une chose. *Proprius, a, um,* adj.

introduction, s. f. Action d'introduire. *Introductio, onis,* f. *Interpositio, onis,* f. L'— (des denrées), *invectio, onis,* f. Lettre d'—, *litterae commendaticiae.* (P. ext.) Voy. PRÉAMBULE.

introduire, v. tr. Faire entrer. *Introducĕre,* tr. *Intromittĕre,* tr. (dans un récit, etc.), *inducĕre,* tr. S'—, *se immittĕre* ou *insinuāre.* ‖ (Spéc.) Faire entrer dans la société de qqn. *Aliquem introducĕre ad aliquem.* ‖ (Fig.) Faire entrer qqch. dans l'usage. *Inducĕre,* tr. *Introducĕre,* tr. — un culte, *religionem advehĕre.* S'—, *penetrāre,* intr. L'usage s'est introduit, *usu receptum est.*

introuvable, adj. Qu'on ne peut trouver. *Qui* (*quae, quod*) *reperiri non potest.*

intrure, v. tr. Au participe passé masculin « intrus ». Il s'est intrus (dans le Sénat), *irrepsit.* Un intrus, *insitus, i,* m.

intrus, *use.* Voy. INTRURE.

intrusion, s. f. Action par laquelle on s'introduit sans droit dans une société, une charge. *Irreptio, onis* f.

intuition, s. f. Vision directe et immédiate de Dieu. *Dei contemplatio.* ¶ (Philos.) Connaissance immédiate. *Animi conspectus. Contemplatio, onis,* f. ‖ (P. ext.) Intelligence rapide des choses. *Perspicuitas, atis, .*

intuitivement, adv. D'une manière intuitive. *Animi conspectu.*

inusable, adj. Qui ne s'use pas. *Qui* (*quae, quod*) *deteri non potest.*

inusité, *ée,* adj. Qui n'est pas usité. *Inusitatus, a, um,* adj. *Insuetus, a, um,* adj. Mot —, *verbum ab usu remotum.*

inutile, adj. Qui n'est pas utile. *Inutilis, e,* adj. (*inutilis alicui rei* ou *ad aliquid :* on dit aussi *ad nullam rem* ou *ad nullam partem utilis*). *Inanis, e,* adj. *Iners* (gén. *-ertis*), adj.

inutilement, adv. D'une manière inutile. *Inutiliter,* adv. *Frustra,* adv.

inutilité, s. f. Caractère de ce qui est inutile. *Inutilitas, atis,* f. *Vanitas, atis,* f. ‖ (P. ext.) Ce qui est inutile. *Supervacua, orum,* n. pl.

invaincu, *ue,* adj. Qui n'a pas été vaincu. *Invictus, a, um,* adj.

invalidation, s. f. Action d'invalider. Voy. ABROGATION.

invalide, adj. Qui n'est pas valide. *Invalidus, a, um*, adj.

invalider, v. tr. Rendre non valable. *Irritum facĕre* (*testamentum*). *Infirmāre* (*legem*).   [*Auctoritas nulla.*

invalidité, s. f. Manque de validité.

invariabilité, s. f. Caractère, qualité de ce qui est invariable. *Immutabilitas, atis*, f.   [*Immutabilis, e*, adj.

invariable, adj. Qui ne varie pas.

invariablement, adv. D'une manière invariable. *Constanter*, adv.

invasion, s. f. Action d'envahir. *Irruptio, onis*, f. *Incursio, onis*, f. Faire une —, voy. ENVAHIR.

invective, s. f. Discours violent ou l'on s'emporte contre qqn, qqch. *Maledictum, i*, n. *Convicium, ii*, n.

invectiver, v. tr. Lancer des invectives. *Invehi multa in* (*aliquem*). *Maledicta in aliquem conferre* ou *conjicĕre*.

inventaire, s. m. Dénombrement par articles. *Repertorium, ii*, n. Faire un —, *recognoscĕre*, tr.

inventer, v. tr. Créer qqch. de nouveau. *Invenīre*, tr. *Reperīre*, tr. *Excogitāre*, tr. ¶ Imaginer (quelque idée). *Cogitāre*, tr. *Excogitāre*, tr. *Invenīre*, tr. *Reperīre*, tr. *Fingĕre*, tr. ¶ Imaginer une chose qu'on donne comme réelle. *Comminisci*, dép. tr. *Fingĕre*, tr. Inventé, *commenticius, a, um*, adj.

inventeur, s. m. Celui qui invente, *Inventor, oris*, m. *Repertor, oris*, m.

inventif, ive, adj. Qui a le talent d'inventer. *Sollers* (gén. *-ertis*), adj. *Ad excogitandum acutus.* Esprit, génie —, *ratio atque sollertia*. Imagination —, *inventio et excogitatio*.

invention, s. f. Action de trouver. *Inventio, onis*, f. ¶ Action de créer qqch. de nouveau. *Inventio, onis*, f. ‖ (P. ext.) Chose inventée. *Inventum, i*, n. Etre l'auteur d'un grand nombre d'— nouvelles, *multa ac nova invenisse*. ¶ Action d'imaginer; ce qu'on imagine. *Fictio, onis*. f. *Commentum, i*, n.

inventorier, v. tr. Dénombrer dans un inventaire. *Recognoscĕre*, tr.

inverse, adj. Qui est, qui vient dans un sens opposé. *Contrarius, a, um*, adj. *Inversus, a, um*, p. adj. En sens —, dans l'ordre —, *retro*, adv.

inversement, adv. D'une manière inverse. *Permutatā ratione.*

inversion, s. f. Action de mettre dans un sens opposé. *Inversio, onis*, f.

investigateur, s. m. Celui qui fait des investigations. *Investigator, oris*, m. Investigatrice, *indagatrix, tricis*, f.

investigation, s. f. Recherche suivie, attentive d'un objet. *Investigatio, onis*, f.

investir, v. tr. Mettre en possession d'un pouvoir, d'une autorité. *Munus alicui dăre. Muneri aliquem praeficĕre.* ¶ (T. milit.) Entourer de manière à fermer les issues. (*Urbem, oppidum*) *circumsĕdĕre; circumīre* ou *circuīre* (*urbem*).   [*vestir. Obsidio, onis*, f.

investissement, s. m. Action d'investir.   [vestir. *Obsidio, onis*, f.

invétérer, v. tr. Fortifier avec le temps. Voy. ENRACINER, IMPLANTER. S'—, *inveterascĕre*, intr. Invétéré, *inveteratus, a, um*, p. adj. Maladie invétérée, *inveteratio, onis*, f.

invincible, adj. Qui ne peut pas être vaincu. *Qui* (*quae, quod*) *vinci non potest. Invictus, a, um*, adj.

invinciblement, adv. D'une manière invincible. *Ita ut vinci* (ou *superāri*) *non possit.*

inviolabilité, s. f. Caractère inviolable. *Sanctitas, atis*, f.

inviolable, adj. Qu'il n'est pas permis de violer. *Inviolatus, a, um*, adj. *Sanctus, a, um*, adj. *Sacrosanctus, a, um*, adj. Sa personne est —, *sacrosanctus est.*

inviolablement, adv. D'une manière inviolable. *Sanctē*, adv.

invisible, adj. Qui échappe à la vue. ‖ (Par sa nature.) *Non aspectabilis. Nulli cernendus.* ‖ (Par sa position derrière qqch. qui le cache.) *Occultus, a, um*, adj. Etre —, *non aperīre* (en parl. d'étoiles); *non comparēre* (en parl. d'astres). Devenir —, *desinĕre apparēre.* ¶ (Spéc.) Qui ne se laisse point voir. *Qui se a nullo videri sinit.*

invisiblement, adv. D'une manière invisible. *Ita ut oculis perspici non possit.*

invitation, s. f. Action d'inviter. *Invitatio, onis*, f. Sur votre —, *invitatu tuo.* Accepter une —, *se non spontè venturum esse.* Refuser une —, *abnuĕre*, tr. Lettre d'—, *litterae per quas aliquem invito.* Carte d'—, *libellus, i*, m.

inviter, v. tr. Prier de se rendre à qq. endroit. *Invitāre*, tr. *Vocāre*, tr. — à son tour, *revocāre*, tr. Les invités (à un dîner), *convivae, arum*, m. pl. ‖ (Par ext.) Prier de vouloir bien faire qqch. *Invitāre*, tr. *Vocāre*, tr.

invocation, s. f. Action d'invoquer. *Invocatio, onis*, f.

involontaire, adj. Qui n'est pas volontaire. *Non voluntarius.*

involontairement, adv. D'une manière involontaire. *Non spontè.*

invoquer, v. tr. Appeler à son aide par une prière. *Invocāre*, tr.

invraisemblable, adj. Qui n'est pas vraisemblable. *Non veri similis.*

invraisemblance, s. f. Défaut de vraisemblance. *Nulla veri* (ou *veritatis*) *species.*

invulnérable, adj. Qui n'est pas vulnérable. *Invulnerabilis, e*, adj. Etre —, *vulnerāri non posse.*

Ionie, n. pr. Contrée d'Asie Mineure. *Ionia, ae*, f.

Ionien, ienne, adj. D'Ionie. *Ionius* ou *Ionicus, a, um*, adj. Subst. Les —, *Iones, um*, pl.

ionique, adj. (Architect.) Ordre —, *ionicae columnae.*

iota, s, m. Nom d'une lettre grecque *Iota*, n. indécl.

irascibilité, s. f. Défaut de celui qui est irascible. *Iracundia, ae,* f.

irascible, adj. Prompt à s'irriter *Iracundus, a, um,* adj.

iris, s. m. Arc-en-ciel. Voy. ce mot. ¶ Genre de plantes. *Iris, ris,* f. D'—, *irinus, a, um,* adj.

Irlande, n. pr. Une des Iles britanniques. *Hibernia, ae,* f.

ironie, s. f. Interrogation que Socrate adressait aux sophistes. *Ironia, ae,* f. L'— socratique, *dissimulatio, onis,* f. ¶ (Par ext.) Forme de raillerie. *Ironia, ae,* f. *Dissimulantia, ae,* f.

ironique, adj. Qui a de l'ironie. *Simulatus, a, um, .* adj.

ironiquement, adv. D'une manière ironique. *Per ironiam. Simulatē,* adv.

irrationnel, *lle,* adj. Qui n'est pas rationnel *Irrationalis, e,* adj.

irréalisable, adj. Qui ne peut être réalisé. *Qui (quae, quod) effici non potest.*

irréconciliable, adj. Qu'on ne peut réconcilier entre eux. *Implacabilis, e,* adj.

irrecouvrable, adj. Qu'on ne peut recouvrer. *Qui (quae, quod) recipi non potest.*

irrécusable, adj. Qu'on ne peut récuser. *Probus, a, um,* adj. Un témoin —, *testis locuples.*

irréfléchi, *ie,* adj. Qui n'est pas réfléchi. *Inconsideratus, a, um,* adj.

irréflexion, s. f. Manque de réflexion. *Temeritas, atis,* f. *Inconsiderantia, ae,* f.

irréfragable, adj. Qui ne peut être contredit. *Contra quod nihil dici potest.*

irréfutable, adj. Qui n'est pas réfutable. *Qui (quae, quod) infirmāri non potest.*

irrégularité, s. f. Caractère de ce qui n'est pas conforme à la règle. *Enormitas, atis,* f. *Pravitas, atis,* f. — des proportions du corps, *minus apta compositio.*

irrégulier, *ère,* adj. Qui n'est pas régulier. *Solutus, a, um,* p. adj. Qui n'est pas conforme à la règle. *Praeter (ou contra) regulam. Enormis, e,* adj. ‖ Qui ne s'astreint pas à une règle. *Solutus, a, um,* p. adj. *Dissolutus, a, um,* p. adj.

irrégulierement, adv. D'une manière irrégulière. *Enormiter,* adv.

irréligieusement, adv. D'une manière irréligieuse. *Impiē,* adv.

irréligieux, *euse,* adj. Qui marque l'irréligion. *Impius, a, um,* adj.

irréligion, s. f. Manque de religion. *Impietas, atis,* f.

irrémédiable, adj. A quoi l'on ne peut remédier. Voy. INCURABLE.

irrémissible, adj. Qui ne mérite pas de rémission. *Major quam cui ignosci possit.*

irréparable, adj. Qu'on ne peut réparer. *Qui (quae, quod) reparāri nequit.*

irrépréhensible, adj. Qu'on ne saurait reprendre. Voy. IRRÉPROCHABLE.

irréprochable, s. f. A qui on ne peut faire de reproche. *Non reprehendendus.* Etre —, *nihil in se habēre quod reprehendi possit.* ¶ En quoi on ne peut trouver matière à aucun reproche. *Non reprehendendus.* Conduite, vie —, *summa morum probitas.* Etre —, *omni vitio carēre.*

irrésistible, adj. A quoi on ne peut résister. *Cui nullā vi resisti potest.*

irrésistiblement, adv. D'une manière irrésistible. *Ita ut resisti non possit.*

irrésolu, *ue,* adj. Qui n'a pas été résolu. *Injudicatus, a, um,* adj. ¶ Qui ne peut se résoudre à qqch. *Incertus, a, um,* adj. *Dubius, a, um,* adj. Etre —, *animo pendēre.*

irrésolument, adv. D'une manière irrésolue. *Dubitanter,* adv.

irrésolution, s. f. Caractère de celui qui est irrésolu. *Dubitatio, onis,* f. *Cunctatio, onis,* f.

irrespectueux, *euse,* adj. Qui n'est pas respectueux. *Inverecundus, a, um,* adj. *Irreverens (alicujus rei).* Contenance —, *irreverentia, ae,* f.

irrespirable, adj. Qui n'est pas respirable. *Non spirabilis.*

irresponsable, adj. Qui n'est pas responsable. *Cui dictorum factorumque ratio non est reddenda.*

irrévérence, s. f. Manque de révérence. *Irreverentia, ae,* f.

irrévérencieux, *euse,* adj. Qui montre de l'irrévérence. *Irreverens* (gén. -*entis*), adj.

irrévocable, adj. Qui ne peut être révoqué. *In perpetuum ratus. Irrevocabilis, e,* adj. *Immutabilis, e,* adj. Etre —, *revocari non posse.*

irrévocablement, adv. D'une manière irrévocable. *In perpetuum.*

irrigation, s. f. Arrosement des terres. *Irrigatio, onis,* f.

irriguer, v. tr. Arroser. Voy. ce mot. ‖ (Spéc.) Irriguer (une prairie, à l'aide de canaux, drains, etc.). *Rigāre* (*agrum*).

irritabilité, s. f. Caractère de celui qui s'irrite facilement. *Iracundia, ae,* f

irritable, adj. Qui se met facilement en colère. *Irritabilis, e,* adj. *Iracundus, a, um,* adj. *Pronus ad iram.* ¶ Qui est vivement affecté. *Qui (quae, quod), facile movetur.*

irritant, *ante,* adj. Qui met en colère. Voy. COLÈRE, IRRITER. ¶ Qui excite vivement. *Asper, era, erum,* adj. Une pensée —, *gravis atque vehemens opinio.*

irritation, s. f. Etat d'une personne irritée. *Irritatio animorum.* Marques d'—, *indignationes, um,* f. pl. ‖ (Physiol.) Etat d'un organe irrité. — de la gorge, *exasperatio faucium.*

irriter, v. tr Mettre en colère. *Irritāre*, tr. *Incitāre*, tr. S'—, *irasci*, dép. intr. (av. le datif, *irasci amicis*; avec *ob* et l'acc. : *ob admonitionem alicujus*, on dit *aliquid iracundē ferre*). Irrité, *iratus, a, um* p. adj. (on dit aussi *irā incensus*). Etre irrité, *iratum esse*; *succensēre*, intr. (av. le dat.) ¶ Exciter vivement. *Incitāre*, tr. *Exulcerāre*, tr. || (Spéc.) Produire une légère inflammation. *Irritāre*, tr. *Exasperāre*, tr.

irruption, s. f. Invasion subite et violente. *Irruptio, onis*, f. Faire —, *irrumpère*, intr. (*in urbem, in oppidum*); *perrumpère*, intr. (*in urbem*). [*ae*, m.

Isaïe, n. pr. Prophète hébreu. *Isaias*, isard, s. m. Chamois des Pyrénées. Voy. CHAMOIS.

Isère, n. pr. Rivière. *Isara, ae*, m.

Isis, n. pr. Divinité égyptienne. *Isis, Isidis*, f. [*Isocrates, is*. m.

Isocrate, n. pr. Orateur attique.

isolé, ée, adj. Séparé de toute chose (au propre et au fig.). *Separatus, a, um*, p. adj. [isolé. *Solitudo, dinis* f.

isolement, s. m. Etat de ce qui est isolément, adv. D'une manière isolée. *Separatim*, adv.

isoler, v. tr. Séparer de toute chose. *Separāre*, tr. *Segregāre* tr. S'—, *secedère*, intr.

issu, ue, adj. Sorti. Voy. SORTIR. (Spéc.) Sorti, né d'une personne, d'une race. *Natus, a, um*, p. adj. *Ortus, a, um*, p. adj. (*ab aliquo*). Etre — de qqn, *originem habère ab aliquo*.

issue, s f. Sortie. Voy. ce mot. || (Loc. adv.) A l'issue de, *ex*, prép. (av. l'abl.) A l'— de la séance, *misso senatu*. A l'— des comices, *comitiis confectis*. ¶ Ouverture par où l'on sort. *Exitus, ūs*, m. *Egressus, ūs*, m. Ménager à l'eau une —, *aquam derivāre*. Trouver une — (en parl. de l'eau, etc.), *viam exeundi nancisci*. ¶ (Au fig.) Façon dont on sort d'une affaire. *Exitus, ūs*, m. *Eventus, ūs*, m. Avoir (telle ou

telle) —, *cadère*, intr. (c. *feliciter ; male*); *evenire*, intr.; *erumpère*, intr.; *evadère*, intr.

isthme, s. m. Langue de terre resserrée entre deux mers. *Isthmus* (ou *isthmos*) i, m.

Italie, n. pr. Contrée d'Europe. *Italia, ae*, f. D'—, *Italicus, a, um*, adj. Habitants d'—, *Itali, orum*, m. pl.

item, adv. De même. *Item*, adv.

itératif, ive, adj. Répété plusieurs fois de suite. *Iterativus, a, um*, adj.

Ithaque, n. pr. Ile de la mer Ionienne. *Ithaca, ae*, f. D'—, *Ithacus, a, um*, adj.

itinéraire, s. m. Indication du chemin à suivre. *Itineris* (ou *itinerum*) ratio. *Itineris faciendi consilium*. J'avais fait, réglé ainsi mon —, *ego itinera sic composueram*. || (P. ext.) Indication de tous les lieux par où l'on passe pour aller d'un pays dans un autre. *Itineris descriptio* ou *iter descriptum*.

ivoire, adj. Substance dentaire qui constitue les défenses de l'éléphant. *Ebur, oris*, n. D'—, fait en —, *eburneus* et *eburnus, a, um*, adj.

ivraie, s. f. Herbe qui croît parmi le froment. *Lolium, ii*, n.

ivre, adj. Qui a le cerveau troublé par qq. boisson fermentée. *Ebrius, a, um*, adj. *Temulentus, a, um*, adj. ¶ (Fig.) Qui a l'esprit troublé par le transport d'une passion. — de joie *laetitiā nimiā elatus*.

ivresse, s. f. Trouble cérébral déterminé par l'abus des boissons fermentées. *Ebrietas, atis*, f. *Temulentia, ae*, f. — de la joie, *laetitia effusa* (ou *exultans*). L'— des passions, *ardor cupiditatum*.

ivrogne, s. m. Qui a l'habitude de s'enivrer. *Homo ebriosus* ou *semper ebrius*. *Homo vinolentus*. Les —, *vino lenti, orum*, m. pl.

ivrognerie, s. f. Habitude de boire et de s'enivrer. *Ebriositas, atis*, f. *Vinolentia, ae*, f.

J

jabot, s. m. Poche membraneuse des ciseaux. *Ingluvies, ei*, f.

jachère, s. f. Terre labourable qu'on n'a pas ensemencée pour la laisser reposer. *Ager novalis*. || Etat d'une terre qu'on laisse ainsi reposer. *Agri* (ou *soli*) *cessatio*, ou simpl. *cessatio, onis*, f. Etre en —, *cessāre*, intr.

jactance, s. f. Vanterie insolente. *Magniloquentia, ae*, f. *Vanitas, atis*, f.

jadis, adv. Au temps passé. *Olim*, adv. *Quondam*, adv.

jaillir, v. intr. S'élancer impétueusement (en parl. d'un fluide). *Emicāre*, intr. *Salīre*, intr *Prosilīre*, intr. *Prorumpère*, intr. Faire —, *elicère*, tr.;

elidère, tr.; *exprimère*, tr.

jaillissant, ante, adj. Qui jaillit. *Saliens* (gén. -*entis*), p. adj. *Scaturiens* (gén. -*entis*), p. adj.

jais, s. m. Lignite d'un noir luisant. *Gagates, is*, m.

jalon, s. m. Voy. PERCHE.

jalonner, v. tr. Déterminer à l'aide de jalons. *Dimetiri*, dép. tr.

jalouser, v. tr. Regarder avec jalousie. *Aemulāri*, dép. intr. *Invidère*, intr. (*alicui*). Se —, *obtrectāre inter se*.

jalousie, s. f. Amour ombrageux de celui qui craint qu'un autre ne lui soit préféré. *Sollicitudo et suspicio amantis*. ¶ Ombrage que nous donne celui qui jouit d'un avantage que nous désirons pour nous mômes. *Invidia, ae,* f. Sentiment de —, *invidentia, ae,* f. Basse —, *livor, oris,* m.

jaloux, ouse, adj. Qui s'attache avec un zèle ombrageux à ce qu'il a à cœur. *Tenax* (gén. *-acis*), adj. (av. le gén.). Se montrer — d'un nom, *nomen mordicus tenēre.* ¶ Qui voit avec ombrage un autre jouir d'un avantage qu'il désire pour lui. *Invidus, a, um,* adj. *Invidiosus, a, um,* adj. Etre — de qqn, *aemulāri* (ou *obtrectāre* ou *invidēre*) *alicui.* Etre — les uns des autres, *obtrectāre* (ou *aemulari*) *inter se.*

jamais, adv. En un temps quelconque (futur ou passé). *Unquam,* adv. (dans les phrases négatives de forme ou du sens). || (Loc. adv.) A —, à tout —, *in omne tempus.* Pour —, *in aeternum.* — plus... ne..., *nunquam post...* ¶ En aucun temps. *Nunquam,* adv.

jambage, s. m. Assise de pierre soutenant de chaque côté le manteau d'une cheminée. *Parastata, ae,* m. — d'une porte. *postis, is,* m.

jambe, s. f. Partie du membre inférieur de l'homme du genou jusqu'au pied, *et p. ext.* le membre entier. *Crus, cruris,* n. De —, relatif à la —, *cruralis, e,* adj. La — (considérée comme instrument de locomotion). *Pes, pedis,* m. Jouer des —, *in pedes se dăre.* Aller, courir à toutes —, *propere currĕre.* N'avoir pas de —, *pedibus non valēre.*

jambon, s. m. Cuisse ou épaule de cochon. *Perna, ae,* f.

jambonneau, s. m. Petit jambon. *Petasunculus, i,* m.

Janicule, n. pr. Une des collines de Rome. *Janiculus, i,* m.

janvier, s. m. Premier mois de l'année. *Januarius mensis,* et subst. *Januarius, ii,* m. [*Gannitŭs, ūs,* m.

jappement, s. m. Action de japper.

japper, v. intr. Pousser un aboiement clair et aigu. *Gannĭre,* intr.

jardin, s. m. Terrain planté de végétaux utiles *ou* d'agrément. *Hortus, i,* m. Petit —, *hortulus, i,* m. Plantes, fruits de —, *hortensia, orum,* n. pl. — d'agrément, de plaisance, *horti, orum,* m. pl.

jardinage, s. m. Culture des jardins. *Hortorum cultura.*

jardiner, v. tr. Travailler un jardin. *Hortum colĕre.*

jardinet, s. m. Petit jardin. *Hortulus, i,* m.

jardinier, *ière,* s. m. et f. et adj. || *S. m. et f.* Celui, celle dont le métier est de cultiver les jardins. *Olitor, oris,* m. De —, *olitorius, a, um,* adj. Jardinière, *hortorum cultrix.* ¶ *Adj.* Qui a rapport aux jardins. *Hortensis, e,* adj.

jargon, s. m. Langage corrompu. *Inquinatus sermo.*

jarre, s. f. Grand vaisseau de terre cuite. *Orca, ae,* f. *Seria, ae,* f.

jarret, s. m. Partie du membre inférieur qui est derrière le genou. *Poples, itis,* m.

jars, s. m. Mâle de l'oie domestique. *Anser masculus.*

jaser, v. intr. Babiller doucement. *Garrīre,* intr. || En parlant des oiseaux. Voy. GAZOUILLER. ¶ Bavarder malignement. *Deblaterāre,* intr. Faire —, *sermones praebēre aliis.*

jaseur, euse, s. m. et f. Celui, celle qui jase. Voy. BAVARD.

jasmin, s. m. Arbuste à fleurs odorantes. *Jasminum, i,* n.

jaspe, s. m. Pierre dure et opaque, de couleur fort variée. *Iaspis, pidis,* f. De —, *iaspideus, a, um,* adj.

jatte, s. f. Vase rond et sans rebord. *Catinus, i,* m. *Sinum, i,* n.

jauger, v. tr. Voy. MESURER.

jaunâtre, adj. Qui tire sur le jaune. *Sufflavus, a, um,* adj. Couleur, teint —, *luror, oris,* m. Couleur —, *color in luteum inclinatus.*

jaune, adj., adv. et s. m. ¶ *Adj.* Qui est de la couleur de l'or, du safran, du citron, etc. *Flavus, a, um,* adj. *Flavens* (gén. *-entis*), p. adj. *Helvus, a, um,* adj. — safran, — orange, *luteus, a, um,* adj. — d'or, *croceus, a, um,* adj. — pâle, — gris, *gilvus, a, um,* adj. D'un — de cire, *cereolus, a, um,* adj. Etre — *flavēre,* intr. Devenir —, prendre une teinte —, voy. JAUNIR. || (Spéc.) En parl. de la peau : qui a une teinte jaune. *Luridus, a, um,* adj. *Lividus, a, um,* adj. Etre — comme un coing, *lurēre,* intr. ¶ *S. m.* Couleur jaune. *Luteum, i,* n. — d'œuf, *vitellus, i,* m.

jaunir, v. intr. et tr. || *V. intr.* Devenir jaune. *Flavescĕre,* intr. *Flavēre coepisse.* En parl. du teint, *livescĕre,* intr. ¶ *V. tr.* Rendre de couleur jaune, peindre, teindre en jaune. *Flavum colorem (alicui rei) inducĕre.*

jaunisse, s. f. Maladie qui jaunit la peau. *Arquatus morbus.*

javeline, s. f. Dard long et mince. *Jaculum, i,* n.

javelle, s. f. Chacune des poignées de blé scié qu'on couche sur le sillon. *Manipulus, i,* m.

javelot, s. m. Arme de trait se lançant à la main. *Telum, i,* n. — (de l'infanterie romaine), *pilum, i,* n. Le bois du —, *hastile, is,* n. Fer du —, *spiculum, i,* n. Lancer, jeter le —, *jaculāri,* dép. intr.

je, pron. pers. Pronom personnel de la première personne du singulier. *Ego* (gén. *-mei*), pron. pers. (Ne s'emploie que pour insister *ou* pour opposer à une autre personne.)

Jean, n. pr. d'homme. *Joannes, is,* m.

Jérémie, n. pr. Prophète hébreu. *Jeremias, ae,* m.

Jérôme, n. pr. Père de l'Église. *Hieronymus, i,* m.

Jérusalem, n. pr. Ville de Palestine. *Hierosolyma, ae* f. De —, *Hierosolymitanus, a, um,* adj.

jet, s. m. Action de jeter. *Jactŭs, ŭs,* m. *Conjectŭs, ŭs,* m. *Conjectio, onis,* f *Missŭs, ŭs,* m. De —, *missilis, e,* adj. || (Spéc.) Action de jeter dans le moule le métal en fusion. *Fusura, ae,* f. Etre fondu d'un seul —, *unā formā percussum esse.* || Jet de liquide. *Linea, ae,* f || Jet d'eau. *Aqua saliens.* — d'eau (ajutage placé à l'extrémité d'une conduite), *silanus, i,* m.; *tullius, ii,* m.

jeté. Voy. JETER.

jetée, s. f. Amas de pierres, de sable jetés à l'entrée d'un port, etc. *Agger, eris,* m. In mare *jacta moles,* et abs. *moles, is,* f.

jeter, v. tr Envoyer dans l'espace par une impulsion rapide. *Jacĕre,* f. *Abjicĕre* (« jeter loin de soi »), tr. *Adjicĕre* (« jeter vers ou jusqu'à »), tr. *Conjicĕre* (« jeter ensemble », *c.-à-d.* dans le même endroit, d'où « jeter »), tr. *Dejicĕre* (« jeter en bas »), tr. *Ejicĕre,* tr. *Injicĕre* (« jeter dans »), tr. *Objicĕre* (« jeter devant et par ext. fig. jeter à la face »), tr. *Projicĕre* (« jeter devant, jeter à »), tr. *Rejicĕre* (« jeter en arrière »), tr. *Subjicĕre* (« jeter de bas en haut, jeter en l'air »), tr. *Jactāre* (« jeter à plusieurs reprises ou d'une manière continue »), tr. *Emittĕre,* tr. (voy. LANCER). — une coupe à la tête de qqn, *jacĕre in aliquem scyphum de manu.* — les dés, *jacĕre talos.* — les fondements, *jacĕre fundamenta.* — son anneau dans la mer, *abjicĕre anulum in mare.* Se — du haut du rempart dans la mer, *se abjicĕre e muro in mare.* — le cadavre sur un chariot, *conjicĕre interfectum in plaustrum.* — les noms dans l'urne, *conjicĕre nomina in urnam.* — un livre dans la mer, *librum in mare dejicĕre.* Se — dans le feu, *se injicĕre in ignem.* — les yeux sur, *oculos conjicĕre* in (av. l'acc.). — une chose à la tête de qqn, *aliquid alicui obtrudĕre.* — de la poudre aux yeux de qqn, *fucum facĕre alicui.* || Se — (en parl. d'un fleuve, etc.), in (*mare,* etc.) *effundi* (ou *se effundĕre*); *fluĕre* ou *influĕre; erumpĕre.* ¶ Pousser vivement. *Abjicĕre,* tr. *Conjicĕre,* tr. *Dejicĕre* (« jeter en bas *et p. ext.* jeter à la côte »), tr. *Disjicĕre* (« jeter de côté et d'autre, jeter bas »), tr. *Ejicĕre* (« jeter dehors »), tr. *Projicĕre.* *Detrudĕre* (« pousser violemment, jeter en bas »), tr. *Afflig̅e̅ e* (« jeter violemment à, sur ou contre; jeter bas »), tr. (*aliquem ad terram*). *Consternĕre* (« jeter bas »), tr. *Depellĕre* (« précipiter en bas, jeter »), tr. *Deturbāre* (« jeter à bas »), tr. *Diruĕre* (« jeter bas »), tr. Se — aux pieds de qqn, *abjicĕre se ad pedes alicujus.* — qqn en prison, *aliquem in vincula conjicĕre.* — qqn en bas de son cheval, *dejicĕre aliquem equo.* —

qqn dans la rue, *ejicĕre aliquem in vium.* Se — du haut de, *desilire,* intr. Se — sur, *incumbĕre,* intr. (ex. : *in gladium,* sur son épée). Se — dans ou sur, *irruĕre,* intr.; *irrumpĕre,* intr. Se — dans la ville, *in urbem repente se includĕre* (ou *recipĕre*). Se — sur ses armes, *arma arripĕre.*

jeton, s. m. Pièce de métal, d'ivoire, dont on se servait autrefois pour calculer. *Calculus, i,* m.

jeu, s. m. Action de se livrer à un amusement. *Jocus, i,* m. (*per jocum,* par jeu). *Lusŭs, ŭs,* m. *Lusio, onis,* f. *Ludus, i,* m. — de mots, *litterarum mutatio.* ¶ Amusement soumis à des règles, où l'un perd tandis que l'autre gagne. — de dés, de hasard, *alea, ae,* f. — de paume, *lusio pilae: pila, ae,* f. || (Spéc.) Luttes corporelles, représentations diverses chez les anciens. *Ludi, orum,* m. pl. — public, — du cirque, *ladicrum, i,* n. — d'esprit, voy. FACÉTIE. || (Spéc.) Amusement où l'on risque de l'argent. *Alea, ae,* f. Etre en — (fig.), voy. [s'] AGIR. ¶ Ce qui sert à ces amusements. — d'échecs, *latrunculi, orum,* m. pl. — de paume (endroit où l'on y joue), *sphaeristerium, ii,* n. ¶ Façon de manier un instrument. || Façon de manier les armes. *Ars, artis,* f. Savoir le — de qqn (fig.), *alicujus artes perspexisse.* || (Fig.) Manière dont un acteur joue un rôle. *Gestŭs, ŭs,* m. *Actio, onis,* f. || (Par ext.) Jeu de la physionomie. *Vultŭs, ŭs,* m.

jendi. s. m. Le cinquième jour de la semaine. *Dies Joris.*

jeun, adj. Loc. adv. A — (sans avoir rien mangé depuis le commencement de la journée). *Jejunus, a, um,* adj. *Impransus, a, um,* adj.

jeune, adj. Qui n'est pas avancé en âge. *Juvenis,* adj. (rare comme adj.). Un — époux, *novus maritus.* Une — épouse, *nova nupta.* Un — maître, une — maîtresse, *dominus, domina infans.* || (Spéc.) Jeune (par opp. à « aîné »). *Natu minor* ou abs. *minor.* Le plus — des deux fils, *minor natu e filiis.* Plus — de qqs années, *aliquot annis minor.* Le plus — (des trois fils), *natu minimus.* || (Par ext.) Jeune (par opp. à « ancien »). *Junior* (ou *minor* ou *inferior*) *aetate.* || (Par ext.) Qui appartient à un jeune homme, à une jeune fille. *Juvenilis, e,* adj. Le — âge, voy. JEUNESSE.

jeûne, s. m. Abstinence d'aliments. *Inedia, ae,* f. || (Spéc.) Acte de dévotion qui consiste à s'abstenir d'aliments. *Jejunium, ii,* n.

jeûner, v. intr. Rester dans une abstinence plus ou moins complète d'aliments. *Cibo abstinēre.* || (Spéc.) Faire abstinence. *Jejunium servāre.*

jeunesse, s. f. Temps de la vie entre l'enfance et l'âge mûr. *Pueritia, ae,* f. (l'enfance, la première jeunesse jusqu'à 17 ans). *Adolescentia, ae,* f. (de 17 à

30 ans env.). *Juventus, utis,* f. (30 à 45 ans). De —, *juvenilis, e,* adj. ¶ (Par ext.) L'ensemble de ceux qui sont dans cette période de la vie. *Juventus, utis,* f. *Adolescentia, ae,* f.

jeûneur, *euse,* s. m. et f. Celui, celle qui jeûne. *Qui (quae) jejunium servat.*

joaillier, s. m. Celui qui travaille en joyaux. *Gemmarius, ii,* m.

joie, s. f. Vive impression de plaisir. *Gaudium, ii,* n. *Laetitia, ae,* f. Etre presque fou de —, *nimio gaudio paene desipĕre.* S'abandonner à la —, *gestire,* intr. S'abandonner à la —, et à la gaieté, *gaudium atque laetitiam agitāre.* Avec —, *cupidĕ,* adv.; *gratĕ,* adv.; *lactĕ,* adv. Etre à la —, dans la — de son cœur, *gaudio perfundi ou compleri,*

joindre, v. tr. Approcher une chose d'une autre de manière qu'elles se touchent *ou* se tiennent. *Jungĕre,* tr. *Adjungĕre,* tr. *Conjungĕre,* tr. *Addĕre,* tr. ‖ (Par ext.) — c.-à-d. être tout à fait contigu à, *junctum* (ou *conjunctum*) *esse.* ‖ Ajouter à. Voy. AJOUTER ¶ (Fig.) Ajouter et réunir ensemble par un lien moral. *Jungĕre,* tr. *Adjungĕre,* tr. *Conjungĕre,* tr. ‖ (Spéc.) Unir des personnes. Se — à qqn, *socium alicui accedĕre.* ¶ En parl. de plusieurs personnes, etc., unir d'autres et aller se réunir à d'autres. *Aggregāre,* tr. *Conjungĕre,* tr. — l'ennemi, *pedem cum pede conferre.* ‖ Arriver auprès de qqn, l'atteindre. Voy. ATTEINDRE, RE - JOINDRE.

joint, s. m. Endroit où deux pièces contiguës se joignent, se touchent. *Commissura, ae,* f.

jointure, s. f. Endroit où les os se joignent aux articulations. *Junctura, ae,* f. *Commissura, ae,* f.

joli, *ie,* adj. Qui a de l'agrément extérieur. *Bellus, a, um,* adj. *Lepidus, a, um,* adj. *Festivus, a, um,* adj.

joliment, adv. D'une manière jolie. *Bellĕ,* adv. *Venustĕ,* adv. *Lepidĕ,* adv.

jonc, s. m. Plante herbacée et aquatique, droite et flexible. *Juncus, i,* m. *Scirpus, i,* m. De —, *juncinus, a, um,* adj.

jonchée, s. f. Amas de feuilles, de fleurs, de branches qu'on étend sur le sol. *Strata cubilia herbis.* ‖ (Fig.) Une — de cadavres, *corporum strages.*

joncher, v. tr. Couvrir (le sol) de jonc, de feuilles, de fleurs, etc. *Spargĕre* (*humum foliis*). *Conspergĕre* (*totum iter floribus*). *Consternĕre* (*viam rosis*).

jonction, s. f. Action de joindre une chose à une autre; le fait de se joindre. *Junctio, onis,* f. *Conjunctio, onis,* f. Faire, opérer sa — (en parl. de troupes), *jungĕre arma · conjungĕre copias. se jungĕre* (ou *se conjungĕre*) *cum aliquo.*

jongler, v. tr. Faire des tours de passe-passe, etc. *Praestigiāri.* dép. intr.

jonglerie, s. f. Tour de passe-passe. *Praestigiae, arum,* f. pl.

jongleur. s. m. Bateleur qui fait des tours de passe-passe. *Ventilator, oris,* m. *Praestigiator, oris,* m. [indécl.

Joseph, n. pr. d'homme. *Joseph,* m.

Josué, n. pr. Juge hébreu. *Josue,* indécl. [*pervivum, i,* n.

joubarbe, s. f. Plante grasse. *Sem-*

joue, s. f. Chez l'homme, partie du visage allant du dessous de l'œil jusqu'au menton. *Gena, ae,* f. et ordin. au pl. *genae, arum,* f. *Māla, ae,* f.

jouer, v. intr. Faire qqch. pour s'amuser. *Ludĕre,* intr. ‖ (Par anal.) Badiner. Voy. ce mot. — sur les mots, *verba cavillari.* ‖ Fig. — avec sa vie, voy. RISQUE, RISQUER. ‖ Se —, *ludĕre,* intr. En se jouant (fig.), *ludibundus, a, um,* adj. ‖ (P. ext.) Se — de qqn, *deludĕre aliquem, eludĕre aliquem; aliquem ludificāri.* Se — de l'autorité de qqn, *illudĕre alicujus auctoritati.* Transit. — qqn, *ludĕre aliquem.* ¶ (Spéc.) Se livrer avec une *ou* d'autres personnes à un amusement où les uns gagnent et les autres perdent. *Ludĕre,* intr. — aux dés, *ludĕre talis.* — de malheur, voy. PERDRE, et (fig.), *cadĕre,* intr. Transitiv. — une pièce (aux échecs), *promovēre calculum.* ‖ Absol. Jouer, *ludĕre,* abs. Un homme qui joue, voy. JOUEUR. ‖ (Transit.) Risquer au jeu. Voy. RISQUER. ¶ (Spéc.) S'amuser en maniant un instrument. — avec un objet, voy. [s'] AMUSER. — des jambes, *se dăre in pedes.* — du bâton, *justi petĕre* ou *percutĕre* (*aliquem*). ‖ Jouer d'un instrument de musique. *Canĕre,* intr. — de la lyre, *fidibus canĕre.* — de la flûte, *inflāre tibias.* Apprendre à qqn à — de la lyre, *docēre aliquem fidibus.* Apprendre à — de la lyre, *fidibus discĕre.* ¶ (Transit.) Représenter une pièce de théâtre. *Agĕre,* tr. Faire — une pièce, *fabulam docēre* (la faire répéter aux acteurs); *fabulam edĕre* (en faire les frais); *fabulam dăre* (en parl. de l'auteur). — la colère, *iratum imitari.* — la folie, *simulāre se furĕre.* ‖ Jouer un rôle, c.-à-d. le représenter sur la scène, *partes agĕre alicujus: gerĕre personam alicujus.* — un rôle d'esclave, *agĕre servum.* — qqn, le tourner en ridicule, *deridēre aliquem.* ¶ (En parl. d'un objet.) Se mouvoir aisément dans un espace déterminé. *Movēri,* pass. Faire — tous les ressorts (fig.), *omnem machinam adhibēre.*

jouet, s. m. Ce avec quoi l'on joue. — d'enfants, *crepundia, orum,* n. pl. Etre le — de qqn, voy. AMUSER. ¶ Ce dont on se joue. *Ludibrium, ii,* n. *Ludus, i,* m. Servir de — (à qqn), *ludibrio esse alicui.*

joueur, *euse,* s. m. et f. et adj. ‖ S. m. et f. Celui, celle qui joue à quelque jeu. *Lusor, oris,* m. *Quae ludit.* ‖ (Spéc.) Celui, celle qui aime à jouer des jeux d'argent. *Lusor, oris,* m. *Aleator, oris,* m. ¶ (Spéc.) Celui, celle qui joue d'un instrument de musique. Un — de flûte, *tibicen, cinis,* m. Une — de flûte, *tibicina, ae,* f. Un — d'instruments à cordes, de lyre, *fidicen, cinis,* m.; *citharista, ae,* m. Une — de lyre, *fidicina, ae,* f. ¶ *Adj.* Qui aime à jouer. *Lusor, oris,* m. ¶ (Spéc.) Qui aime à jouer des jeux d'argent. *Aleae indulgens.*

jouffu, *ue,* adj. Qui a de grosses joues. *Bucculentus, a, um,* adj.

joug, s. m. Pièce de bois qu'on met sur la tête des bœufs pour les atteler deux à deux. *Jugum, i,* n. ‖ (Fig.) Sujétion qu'impose un maître. *Jugum, i,* n. ‖ Contrainte qu'impose un engagement, une passion, etc. *Jugum, i,* n. ¶ Forte pièce de bois qui relie le bordage d'un navire. *Juga, orum,* n. pl. ‖ Bâton *ou* fléau d'une balance. *Jugum, i,* n. ¶ (Antiq.) Pique sous laquelle on faisait passer les ennemis vaincus pour les humilier. *Jugum, i,* n. Faire passer sous le —, *sub jugo mittère.*

jouir, v. intr. Goûter un plaisir extrême dans la possession de qqch. *Frui,* dép. intr. *Delectāri,* pass. *Gaudēre,* intr. (av. l'abl.). ¶ (P. ext.) Avoir la possession d'une chose dont on tire avantage, profit. *Frui,* dép. intr. — d'un grand crédit, *florēre gratiā et auctoritate.*

jouissance, s. f. Action de jouir. ‖ Plaisir extrême qu'on goûte dans la possession de qqch. *Fructus, ūs,* m. *Voluptas, atis,* f. *Delectatio, onis,* f. Avoir la — de qqch., *frui aliquā re.* Trouver une — à, *fructum capĕre* (ou *percipĕre*) *alicujus rei* (ou *ex aliquā re*). ¶ Possession d'une chose dont on tire avantage. *Usus, ūs,* m. *Usura, ae,* f. Avoir la — de qqch., *aliquā re frui.* Entrer en — de (au propre et au fig.), *potiri,* dép. intr. ‖ (Spéc.) Perception des fruits. *Usus et fructus. Usūs, ūs,* m. Avoir la — d'une propriété, *frui fundis.*

jour, s. m. Clarté que le soleil répand sur la terre. *Dies, ei,* m. *Lux, lucis,* f. Avant le —, *ante lucem.* Au point, à la pointe du —, *primā luce.* En plein —, *luce clarā.* Il fait —, *lucet,* impers.: *lucescit,* impers.; *illucescit,* imp. Point du —, *diluculum, i,* n. Le grand — (*fig.*), *lux, lucis,* f. Au grand — *luce palam* ou simpl. *palam,* adv.; *apertē palamque.* ‖ (Spéc.) Clarté qui permet de voir. *Lux, lucis,* f. *Lumen, minis,* n. Mettre en son —, *illumināre,* tr. ‖ (Fig.) Clarté avec laquelle l'esprit saisit une chose. *Lumen, minis,* n. ‖ (Par ext.) Ouverture pratiquée pour éclairer l'intérieur d'un objet. *Lumina, um,* n. pl. ‖ Fente, crevasse. Percé à —, *rimosus, a, um,* adj. Se faire — (fig.), *iter (manu) facĕre; (ferro) sibi*

iter aperire. ¶ Espace de temps déterminé par le mouvement de rotation de la terre. *Dies, diei,* m. *Lux, lucis,* f. De —, qui a lieu pendant le —, *diurnus, a, um,* adj. ‖ Cet espace de temps considéré par rapport à l'état de l'atmosphère, de la température. *Dies, diei,* m. ‖ Cet espace de temps considéré par rapport à l'emploi qu'on en fait. *Dies, diei,* m. — fixé, *dies, ei,* f au sing. m. au plur. ‖ (Locut. div.). Un de ces —, *propediem.* Quelque —, *aliquando,* adv. Un —, *olim,* adv.; *quondam,* adv. D'un — à l'autre, voy. BIENTOT. Vivre au — la journée, au — le —, *in dies vivĕre.* Qui est du —, *hodiernus, a, um,* adj. Le goût du —, *hi mores.* ‖ (Par ext.) Espace de temps plus ou moins long. *Tempus, oris,* n. ‖ (Partic.) Les jours, *c.-à-d.* la vie humaine. *Aetas, atis,* f. De nos —, *hoc tempore* ou *his temporibus.*

Jourdain, n. pr. Fleuve de Palestine. *Jordanis, is,* m.

journal, s. m. Relation jour par jour de ce qui s'est passé en quelque lieu. *Ephemeris* (gén *idis* et *idos,* acc. pl. *idas*), f. ‖ (Spéc.) Publication quotidienne, périodique, etc. *Acta, orum,* n. pl.

journalier, *ière,* adj. Qui se fait chaque jour. *Cotidianus* (ou *quotidianus*), *a, um,* adj. ‖ (P. ext.) Voy HABITUEL. ‖ Un ouvrier —, *et subst.,* un — (qui travaille à la journée), *mercenarius* (*in diem conductus*); *operarius, ii,* m. Des —, *operae, arum,* f. pl.

journée, s. f. Espace de temps qui s'écoule du lever au coucher du soleil (par rapport à la température). *Dies, ei,* m. ¶ Cet espace de temps considéré par rapport à l'emploi qu'on en fait. *Dies, ei,* m. Une — de chemin, de marche, *iter unius diei,* ou simpl. *dies. ei,* m. ¶ Ce qu'on fait dans une journée. Travail d'un ouvrier dans une —, *opus diurnum* ou *opera, ae,* f. Ouvrier à la —, homme de —, voy. JOURNALIER. ‖ Ce qui s'est passé de remarquable dans une journée; fait d'armes. *Dies, ei,* m. et f.

journellement, adv. Chaque jour *Quotidie* (ou *cotidie*), adv.

joute, s. f. Combat à cheval; *et par ext.* combat. *Certamen, inis,* n. *Certatio, onis,* f. ¶ (Fig.) Lutte brillante qui se fait sous les yeux du public. *Certamen, minis,* n.

jouter, v. intr. Voy. LUTTER.

jouvenceau, s. m. Voy. ADOLESCENT.

jovial, *ale,* adj. Qui aime la gaîté. *Jucundus, a, um,* adj.

jovialité, s. f. Humeur joviale. *Hilaritas, atis,* f.   [*ma, ae,* f.

joyau, s. m. Ornement précieux. *Gem-*

joyeusement, adv. D'une manière joyeuse. *Hilarē,* adv.

joyeux, *euse,* adj. Qui a de la joie

(état habituel). *Hilaris, e,* adj. et *hilarus, a, um,* adj *Laetus, a, um,* adj. Rendre qqn —, *hilarâre aliquem.* Etre —, *laetâri (aliquâ re).* Etre très —, *exsultâre laetitiâ* (ou *gaudio).*

jubilation, s. f. Joie expansive et bruyante. *Mira laetitia.*

jubilé, s. m. Voy. FÊTE.

jubiler, v. tr. Eprouver une joie expansive, bruyante. *Laetitiâ exsultâre.*

jucher, v. in Reposer dormir perché sur une branche. —, se —, *insidêre et insidêre,* intr.

Judas, n. pr. Traître qui livra le Christ. *Judas, ae,* m.

Judée, n. pr. Province de la Palestine. *Judea, ae,* f.

judiciaire, adj. Relatif à la justice. *Judicialis, e,* adj. *Judiciarius, a, um,* adj. Le genre —, *genus dicendi judiciis aptum.*

judicieusement, adv. D'une manière judicieuse. *Judicio,* abl. adv.

judicieux, euse, adj. Qui a du jugement, qui a la faculté de juger. *Qui (quae) judicium intelligens habet.* Etre —, *sapêre,* intr. ǁ Qui marque du jugement. *Prudens,* adj.

juge, s. m. Celui qui est chargé d'appliquer les lois civiles, pénales, etc. *Judex, dicis,* m. ǁ (Par ext.) Juge d'un concours. *Judex, dicis,* m. ¶ Celui qui est en état de donner son avis sur qqn, sur qqch. *Existimator, oris,* m. — sévère, *censor, oris,* m.

jugement, s. m. Action de juger Amener en —, *in jus vocâre.* Traduit en — devant le peuple, *reus ad populum.* ¶ Résultat de cette action. *Judicium, ii,* n. *Judicatum, i,* n. — prononcé, *res judicata.* Sans —, *indemnatus, a, um,* adj. ¶ (Par ext.) Opinion par laquelle on approuve ou on blâme. *Judicium, ii,* n. *Existimatio, onis,* f. Au — de qqn, *aliquo judice; ut illi quidem videtur* (ou *videbatur).* Porter un — sur qqn, sur qqch., *judicâre (rectê) de aliquo, de aliquâ re.* ¶ Avis, manière de voir particulière à qqn. *Arbitrium, ii,* n. *Sensûs, ûs,* m. (voy. AVIS, OPINION). S'en remettre au — de qqn, *aliquid alicui permittêre* ǁ (Par ext. et absol) Manière de voir conforme au bon sens. *Judicium, ii,* n. Etre capable de —, *judicâre posse.* Un homme d'un — éclairé, *vir ad consilia prudens* Le manque de —, *pravitas mentis.* Avoir du —, *sapêre,* intr.

juger, v. tr. Prononcer une décision comme juge. *Judicâre,* tr. *Decernêre,* tr. et intr. *Pronuntiâre,* tr. ǁ Emettre une opinion par laquelle on approuve ou l'on blâme. *Judicâre,* tr. *Dijudicâre,* tr. *Aestimâre,* tr. *Existimâre,* tr. ¶ Etre d'une certaine opinion sur une personne ou une chose. Voy PENSER, ESTIMER, REGARDER [comme]. ǁ Discerner le vrai du faux. Voy. DISCERNER.

juillet, s. m. Le mois de —, *mensis Julius,* ou simpl., *Julius, ii,* m.

juin, s. m. Le sixième mois de l'année moderne. *Mensis Junius,* ou (simpl.). *Junius, ii,* m. [*phum, i, n.*

jujube, s. f. Fruit du jujubier. *Zizijujubier,* s. m. Arbre voisin du houx et du fusain. *Zizyphus, i,* f.

Julien, n. pr. Empereur romain. *Julianus, i,* m.

jumeau, elle, adj. Né d'un même accouchement qu'un autre enfant. *Geminus, a, um,* adj. *Gemellus, a, um,* adj. Trois fils — ou subst., trois —, *trigemini filii.*

jument, s. f. Femelle du cheval. *Equa, ae* (dat. et abl. plur. *equabus),* f.

Junon, n. pr. Sœur et épouse de Jupiter. *Juno, onis,* f.

Jupiter, n. pr. Souverain des dieux. *Juppiter, Jovis,* m. [*Jura, ae,* m.

Jura, n. pr. Chaîne de montagnes,

juré, ée, adj. Qui est consacré par serment dans ses fonctions. *Juratus, a, um,* p. adj. Fig. Ennemi —, *inimicus* (ou *hostis* ou *adversarius) capitalis.* Etre l'ennemi — de qqn, *capitali odio dissidêre ab aliquo.* ǁ (Spéc.) Citoyen appelé dans les assises. *Judex juratus.* Les —. *judices qui ex lege jurati judicant.*

jurement, s. m. Action de jurer, de faire un serment, sans nécessité. *Jus jurandum, i,* n.

jurer, v. tr. Attester par serment Dieu, une personne ou une chose que l'on juge sacrée. *Jurâre,* tr. *Adjurâre,* tr. — sa foi, *confirmâre fide.* ǁ Absol. *Jurâre,* intr. — qu'on est malade, *jurâre morbum.* Faire — qqn, *adigêre jure jurando.* ǁ (En mauvaise part.) Blasphémer. Voy. ce mot. ǁ (Par ext.) Fig. Etre discordant. *Abhorrêre inter se.* ¶ (Par ext.) Promettre par serment (qqch. à qqn). *Jurâre,* tr. — ensemble, *conjurâre,* tr — fidélité (à un général, etc.), *jurâre in verba alicujus.* — fidélité à qqn), *obstringêre suam fidem alicui.* Violer la foi jurée, *fallêre datam fidem; fidem violâre.* [*Jurisdictio, onis,* f.

juridiction, s. f. Pouvoir d'un juge.

juridique, adj. Qui se fait en justice suivant les formes égales. *Juridicus, a, um,* adj.

juridiquement, adv D'une manière juridique. *Lege,* abl. adv. *Jure,* abl. adv.

jurisconsulte, s. m. Celui qui fait profession du droit. *Juris consulus* (ou *peritus).*

jurisprudence, s. f. Science du droit et des lois. *Scientia legum* (ou *juris).* *Juris disciplina.*

juriste, s. m. Celui qui écrit sur les matières de droit. *Qui scribit de jure civili.* [*lecti* (ou *jurati) judices.*

jury s. m. L'ensemble des jurés. *Sejus,* s. m. Suc. *Sucus, i,* m. Plein de — *sucosus, a, um,* adj. ¶ Suc de viandes, de légumes, etc. *Jus, juris,* n.

jusant, s. m. Descente de la marée qui baisse. *Recĕssus aestūs*

jusque et **jusques,** prép. Signifie arrivée à un terme qu'on ne dépasse pas. *Usque,* adv. (joint à l'acc. des noms de villes [l'accus. marquant le terme du mouvement]). *Ad,* prép. (av. l'acc.). — au dernier, *ad unum.* — à quand...? *quousque...?* — alors, *ad id tempus.* — ici, — à nos jours, *adhuc,* adv. || (Loc. conj.) Jusqu'à ce que, *dum; donec* conj. (voy. les gramm.).

jusquiame, s. f. Plante. *Hyoscyamus, i,* m. et *hyoscyamum, i,* n.

1. juste, adj. Qui est conforme à la justice. *Justus, a, um,* adj. *Aequus, a, um,* adj. ¶ Qui agit conformément à la justice. *Justus, a, um,* adj. — ciel ! *dii boni!* || (Par ext.) Qui agit conformément à la loi religieuse. *Justus, a, um,* adj. || Légitime. Voy. ce mot. ¶ Qui a de la justesse. || Qui s'adapte exactement. *Aptus, a, um,* adj. *Astrictus, a, um,* p. adj. Trop —, voy. SERRÉ. || Exact *Justus a, um,* adj. *Aequus, a, um,* adj Voix qui n'est pas —, *vox absŭrda* Ils ont la voix si peu —, *sunt ita voce absŏni.* Compte, calcul —, *ratio quae convĕnit* (ou *constat*). Expressions —, *verba apta.* || (Fig.) Qui apprécie les choses comme il faut. *Rectus, a, um,* adj. *Verus, a, um,* adj. Penser —, *verē judicāre.*

2. juste, adv. Conformément à la justice. Voy. JUSTEMENT. ¶ En s'adaptant bien. *Aptē,* adv. ¶ En accomplissant une chose à exécuter. Chanter —, *bene* (ou *non absŭrdē*) *canĕre.* Viser, tirer —, *certo telo uti; ictu certo destinata ferire.* Rencontrer —, frapper —, *locum percutĕre.* || (Fig.) *Aptē,* adv. *Rectē,* adv. Dire —, *aptē dicĕre.*

justement, adv. D'une manière juste, conformément à la justice. *Justē,* adv. || D'une manière légitime. *Justē,* adv. *Rectē,* adv. Accuser — qqn, *non injustē aliquem accusāre.* ¶ Avec justesse, exactement, à point nommé. *Rectē,* adv. *Justo tempore.* Justement ! *res ita est, u dicis!* — à ce moment, *tum maximē.*

justesse. Qualité par laquelle une chose est exactement adaptée *ou* appropriée à ce à quoi elle est destinée. *Justa rei ratio. Convenientia partium.* || (Fig.) Qualité par laquelle on apprécie les choses comme il le faut. Parler avec —, *dicerĕ aptē.* Penser avec —, *verē judicāre.*

justice, s. f. Caractère de ce qui est selon le droit. *Jus, juris,* n. *Justitia, ae,* f *Aequitas, atis,* f. Avec —, *justē,* adv.; *aequē,* adv. || Vertu morale qui consiste dans le respect du bien d'autrui. *Justitia, ae,* f. *Aequitas, atis,* f. ¶ Pouvoir de faire droit à chacun; exercice de ce droit. *Jus, juris,* n. *Justitia, ae,* f. Rendre — à qqn, *alicui jus dare* et (fig.) *alicui non detrahĕre laudem suam.* Faire —, *alicui suam tribuĕre.* Faire — de qqn, de qqch., *poenam* (ou *poenas*) *expetĕre ab aliquo; aliquid opprimĕre.* Faire — à qqn, *secundum aliquem pronuntiāre.* Se faire — à soi-même, *suae rei judicem esse,* et (fig.) se faire —, *supplicium manu sumĕre.* ¶ Exercice de la justice par ceux qui en sont chargés. *Jus, juris,* n. *Judicium, ii,* n. || (Par ext.) Juridiction. *Judicium, ii,* n. Assemblée de —, *conventŭs, ūs,* m.

justiciable, adj. Qui appartient à la juridiction de certains juges. *Jurisdictioni* (ou *juri*) *obnoxius* (ou *subjectus*).

justificatif, ive, adj. Qui sert à justifier qqn *ou* qqch. Qui *(quae, quod) purgandi* (ou *excusandi*) *causā fit.* Pièces —, *defensio, onis,* f.

justification, s. f. Action de déclarer ou de démontrer que qqn est innocent. *Purgatio, onis,* f. *Excusatio, onis,* f. — suffisante, *satisfactio,* f. Pour sa (ou leur) —, *sui purgandi causā.* Alléguer qqch. pour sa —, *defendĕre (aliquid).* Dire pour sa — que..., *defendĕre* (avec l'acc. et l'infin.); *purgāre* (avec l'acc. et l'infin.).

justifier, v. tr. Rendre conforme à la justice. *(Aliquid) ad justitiam accommodāre.* ¶ Démontrer innocent. *Purgāre,* tr. *Excusāre,* tr. *Liberāre,* tr. *Defendĕre,* tr. *(aliquem de aliquid re).* ¶ Déclarer, montrer légitime. *Probāre,* tr. || (Par ext.) Prouver comme étant réel. *Approbāre,* tr. *Comprobāre,* tr.

Justin, n. pr. Historien latin. *Justinus, i,* m.

Justinien, n. pr. Empereur romain. *Justinianus, i,* m.

juteux, euse, adj. Qui a beaucoup de jus. *Suci plenus.*

Juvénal, n. pr. Poète satirique romain. *Juvenalis, is,* m.

juvénile, adj. Qui appartient à la jeunesse. *Juvenilis, e,* adj.

juxtaposer, v. tr. Poser une chose à côté d'une autre. *Apponĕre,* tr. *Applicāre,* tr.

juxtaposition, s. f. Action de juxtaposer des objets, résultat de cette action. *Appositio, onis,* f.

K

k, s. m. Onzième lettre de l'alphabet français. *K*, f. n. indécl.

kermès, s. m. Beau rouge écarlate. *Coccum, i*, n.

kermesse, s. f. Voy. FÊTE.

kyrielle, s. f. Litanie. Voy. ce mot. ¶ (Fig.) Longue suite de choses qu'on n'en finit pas de dire. *Cantilena, ae*, f.

L

l, s. f. Douzième lettre de l'alphabet français. *L*, f. n.

là, adv. et interj. || *Adv.* En cet endroit (par opp. à celui où l'on est). *Ibi*, adv. (à la quest. *ubi*). *Eo*, adv. (à la quest. *quo*). — où || est. *illic*, adv. (à la quest. *ubi*); *illuc* adv. (à la quest. *quo*). — où tu es, *istic*, adv. (à la quest. *ubi*); *istuc*, adv. (à la quest. *quo*). De —, *inde*, adv. (à la quest. *unde*). De — (où il est), *illinc*, adv. (à la quest. *unde*). De — (où tu es), *istinc*, adv. Par —, *eā*, adv.; *illac*, adv.; *istac* (« par là, par le chemin que tu suis »), adv. Çà et —, voy. ça. Halte là, *siste*. ou *sta!* Là-haut, *in edito*. Là-bas, *illic* (à la quest. *ubi*); *illuc* (à la quest. *quo*). — dessus, *super*, adv. — dessous, *subter*, adv. Là-dedans, *intus*, adv. (à la quest. *ubi*); *intro*, adv. (à la quest. *quo*). || (Par ext.) Pour indiquer ce dont on parle. Cette personne-là, *ille homo*; *illa res*; *illud*, n. || Pour indiquer ce dont on vient de parler. Cette personne —, *is*. Cette chose —, *ea res*; *id*. De —, *inde*, adv. || (P. anal.) En ce temps (par opp. à celui où l'on est). *Ibi*, adv. *Illic*, adv. Jusque —, *usque ad id tempus*. A quelque temps de là, *interposito spatio*. || (Fig.) A ce point. Les choses en étaient —, *res erat eo jam loci*. Restons-en là, *sed hactenus*. Là-dessus, *quo facto...* ¶ *Interj.* Là, là! *Eho!*

labeur, s. m. Travail prolongé. *Labor, oris*, m. || (Spéc.) Bêtes de —, *pecus, oris*, n. Terre en —, *restibilis ager*.

laboratoire, s. m. Local pour expériences. *Officina, ae*, f.

laborieusement, adv. D'une manière laborieuse. *Operosè*, adv.

laborieux, *euse*, adj. Qui coûte de la peine, du travail. *Laboriosus, a, um*, adj. (on dit aussi *res multi laboris*). *Operosus, a, um*, adj. Soins —, *labor et industria*. ¶ Qui se donne de la peine, qui aime le travail. *Laboriosus, a, um*, adj. (on dit aussi *qui* [quae] *laborem non detrectat*). *Strenuus, a, um*, adj.

labour, s. m. Façon donnée à la terre en labourant. *Aratio, onis*, f. Terre de —, *arvum, i*, n.

labourable, adj. Qui peut être labouré. *Ad arandum aptus.*

labourage, s. m. Action de travailler la terre. *Aratio, onis*, f.

labourer, v. tr. Ouvrir et retourner (la terre) avec un hoyau, une bêche *et spéc.* creuser des sillons avec le soc de la charrue. *Arâre*, tr. Terre labourée, *arvum, i*, n.; *seges, getis*, f. || (Par ext.) Sillonner. Voy. ce mot.

laboureur, s. m. Celui qui laboure la terre. *Agricola, ae*, m.

labyrinthe, s. m. Enclos à circuits compliqués, au milieu desquels il est difficile de retrouver son chemin. *Labyrinthos* et *labyrinthus, i*, m. De —, *labyrintheus, a, um*, adj. || (P. ext.) Chemins entre-croisés où il est difficile de se reconnaître. *Error, oris* ,m. || (Fig.) Voy. DÉDALE.

lac, s. m. Grande étendue d'eau dormante dans l'intérieur des terres. *Lacûs, ûs* (dat. abl. pl. *lacubus*), m.

Lacédémone, n. pr. Capitale de la Laconie. *Lacedaemon, onis*, f.

Lacédémonien, *enne*, adj. De Lacédémone. *Lacedaemonius, a, um*, adj.

lacer, v. tr. Attacher avec un lacet. *Vincîre*, tr. *Ligâre*, tr. ¶ Mailler. Voy. ce mot.

lacération, s. f. Action de lacérer. *Laceratio, onis*, f.

lacérer, v. tr. Déchirer de manière à mettre hors d'usage. *Lacerâre*, tr. *Dilaniâre*, tr.

lacet, s. m. Cordon étroit, à bout ferré, etc. *Laqueus, i*, m. — de brodequin, *corrigia, ae*, f. ¶ Cordon tendu formant un piège. *Laqueus, i*, m.

lâche, adj. Qui n'est pas tendu. *Larus, a, um*, adj. Courroie —, *fluxa habena*. ¶ (Fig.) Qui est sans énergie. *Remissus, a, um*, p. adj. Vie —, *inertia, ae*, f. Style —, *languida oratio*. ¶ Qui est sans courage. *Ignavus, a, um*, adj. Un soldat —, *miles sine animo* (ou *nullius animi*). Une crainte —, *metus ac timor.*

lâchement, adv. D'une manière lâche. *Ignavè*, adv.

lâcher, v. tr. Laisser aller. || (En détendant.) *Laxâre*, tr. *Remittêre*, tr. (Fig.) — la bride à qqn, voy. BRIDE. || (En cessant de tenir.) *Amittêre*, tr. *Emittêre*, tr. — pied, *referre pedem.* Faire — pied, *movêre aliquem gradu.* || (En cessant de retenir.) *Emittêre*, tr.

Immittĕre, tr. — une écluse, *aperire lacum.* — une ruade, *calces remittĕre.*

lâcheté, s. f. État de celui qui est lâche. *Ignavia, ae,* f. || (Par ext.) Acte qui montre le manque de courage. *Ignavè 'actum.* Commettre une —, *aliquid ignavè facĕre.*

Laconie, n. pr. Contrée du Péloponnèse. *Laconia, ae,* f.

laconique, adj. Qui exprime la pensée en très peu de mots (à la manière des Laconiens). *Breviloquens* (gén. *-entis*), adj. Réponse —, *brevitas respondendi.*

laconiquement, adv. D'une manière laconique. *Paucis* (s.-e. *verbis*).

laconisme, s. m. Manière d'exprimer la pensée laconiquement. *Laconica brevitas.*

lacrymal, *ale*, adj. Relatif aux larmes. Fistule —, *oculi epiphora.*

lacs, s. m. Cordon pour prendre le gibier. *Laqueus, i,* m. || (Fig.) Piège. Voy. ce mot.

lacté, *ée*, adj. Relatif au lait. *Lacteus, a, um,* adj. || (Par anal.) Plantes lactées, *lacteae herbae.* || Fig. Voie —, *orbis lacteus; via lactea.*

lacune, s. f. Espace vide dans la continuité d'un corps. *Hiatus, ūs,* m. ¶ Lacune dans un ouvrage, une construction, un mur. *(Quâ est) opus intermissum.* Qui a, qui offre des —, *lacunosus, a, um,* adj.

ladre, s. m. et f. et adj. || *S. m. et f.* Ladre, ladresse. Celui, celle qui a la lèpre. Voy. LÉPREUX. || (Fig.) Celui, celle qui a une avarice sordide. Un —, *homo sordidus.*

ladrerie, s. f. Maladie. Voy. LÈPRE. || (Fig.) Défaut de celui qui est ladre. *Sordes, ium,* f. pl.

lagune, s. f. Espace de mer peu profond entre des îlots *ou* des hauts-fonds. Des —, *lacunae, arum,* f. pl.

laïc, **laïque**. Voy. LAIQUE.

laid, *laide*, adj. Qui est d'aspect désagréable. *Deformis, e,* adj. *Turpis, e,* adj. — à effrayer, *teter, tra, trum,* adj. (on dit aussi : *insignis ad deformitatem*). || (Fig.) Qui déplaît moralement. *Turpis, e,* adj. *Deformis, e,* adj. Une action —, *turpiter factum.*

laideron, s. f. Fille *ou* femme laide. *Femina turpis.*

laideur, s. f. État de ce qui est laid. *Deformitas, atis,* f. Qui est d'une — repoussante, *teterrimus, a, um,* adj.

laie, s. f. Femelle du sanglier. *Sus fera.*

lainage, s. m. Tissu de laine. *Lana, ae,* f.

laine, s. f. Poil touffu qui croît sur la peau de certains animaux. *Lana, ae,* f. Flocon de —, *lanula, ae,* f. Les animaux à —, *lanata animalia.* De —, *laneus, a, um,* adj. Couvert de —, *lanatus, a, um,* adj. Travail de la —, *lanificium, ii,* n. || Étoffe de laine.

Porter des vêtements de —, *lanis vestiri.*

laineux, *euse*, adj. Garni de laine. *Lanatus, a, um,* adj. *Lanosus, a, um,* adj.

laïque, adj. Qui n'est pas ecclésiastique. *Laïcus, a, um,* adj.

laisse et **lesse**, s. f. Lien avec lequel on conduit un animal (chien, etc.). *Copula, ae,* f. Tenir en —, *vinculo vincire.*

laisser, v. tr. Faire relâcher qqch., en cessant de le tenir. — le champ libre à qqn, *spatium alicui dare.* — libre carrière, *permittĕre,* tr. — (faire), *sinĕre,* tr. (voy. PERMETTRE, SOUFFRIR, TOLÉRER). Ne pas —, *prohibĕre,* tr. (voy. EMPÊCHER). — tomber, *dimittĕre,* tr.; *demittĕre,* tr. Se — tomber, *labi,* intr.; *concidĕre,* intr. Se — *traduit par le passif* (cf. *sine gemitu aduruntur,* se laissent brûler sans pousser un gémissement). Se —, *trad. par le passif et le v.* « *posse* » (*moveri posse,* « se l. ébranler »). — aller, entrer, pénétrer, *admittĕre,* tr. — sortir, *emittĕre,* tr. Se — aller, *se remittĕre: sibi* (ou *ingenio suo*) *temperare.* Se laisser aller, *facilitas, atis,* f.; *negligentia, ae,* f. ¶ Faire rester, ne pas prendre avec soi. *Relinquĕre,* tr. *Deserĕre* tr. *Destituĕre* tr. — à l'abandon, *derelinquĕre,* tr. — qqch. *c.-à-d.* y renoncer, *relinquĕre,* tr. — de côté, *omittĕre,* tr. ¶ Ne pas laisser de..., ne pas — que de..., *non absistĕre* (av. l'inf.; mais le sens de cette express. se rend ord. par *tamen, nihilominus,* cf. *tamen scribe aliquid,* ne laisse pas de m'écrire). || (Fig.) Faire rester dans l'état où l'on est. *Relinquĕre,* tr. *Deserĕre,* tr. — la vie sauve à qqn, *aliquem demittĕre incolumem.* ¶ Faire garder qqch., ne pas l'ôter à qqn. *Relinquĕre,* tr. *Remittĕre,* tr. *Permittĕre,* tr. || (Spéc.) Laisser qqch. à qqn, *c.-à-d.* ne pas prendre, ne pas imiter ce qu'on blâme en lui, *non invidĕre alicui in aliquâ re.* || Faire que qqn entre en possession de qqch. qu'on cesse de garder. — qqch. à qqn pour 60 deniers, *addicĕre alicui aliquid sexaginta denariis.* || (Fig.) Laisser à, *c.-à-d.* donner matière à, voy. MATIÈRE. — à désirer, *requiri,* pass. Ne rien — à désirer, *nihil relinquĕre quod requiras;* ou abs. *nihil relinquĕre.* Je vous — à penser..., *intelligĕre potes...*

lait, s. m. Liquide blanc sécrété par les glandes mammaires. *Lac, lactis,* n. Frère de —, *collactaneus, i,* m. Sœur de —, *collactanea, ae,* f. ¶ Ce liquide employé comme aliment. *Lac, lactis,* n. Pot au —, *sinum* (ou *sinus*) *lactis.* Qui est couleur de —, blanc comme le —, *lacteus, a, um,* adj.

laitage, s. m. Le lait et ce qui se fait avec le lait. *Lac, lactis,* n.

laiterie, s. f. Endroit où l'on garde le lait. *Lactaria cella.*

laiteux, *euse*, adj. Qui a rapport au lait. *Lacteus, a, um,* adj.

laitier, *ière*, s. m. et f. Celui celle qui vend du lait. *Lactarius, ii,* m. Laitière. *Lactaria, ae,* f.

laiton, s. m. Alliage de cuivre et de zinc. *Orichalcum, i,* n.

laitue, s. f. Plante potagère. *Lactuca, ae,* f.

lambeau, s. m. Morceau d'un tissu arraché ou presque entièrement déchiré. *Pannus, i,* m. Mettre en —, *conscindère,* tr.; *dilacerāre,* tr.

lambris, s. m. — de plafond, *laquear* et *laqueare, is,* ordin. au plur. *laquearia, ium,* pl.

lambrisser, v. tr. Revêtir de lambris. — des murs, *tesseris parietes operīre.* — un plafond, *laqueāre,* tr. Lambrissé, *laqueatus, a, um,* p. adj. Plafond lambrissé, *laquearia, ium,* n. pl.

lambruche et lambrusque, s. f. Vigne sauvage. *Labrusca uva* ou *vitis,* f.

lame, s. f. Morceau de métal, de bois, etc., plat, mince et étroit. *Lamina, ae,* f. || (P. ext.) Fer d'un instrument, d'un outil, propre à couper, etc. *Lamina, ae,* f. — d'une épée, *ferrum, i,* n.

lamentable, adj. Qui fait qu'on se lamente. *Lamentabilis, e,* adj. ¶ Qui a le caractère de la lamentation. *Flebilis, e,* adj. Cris —, *ejulatūs, ūs,* m.

lamentablement, adv. D'une manière lamentable. *Flebiliter,* adv.

lamentation, s. f. Plainte bruyante et prolongée. *Lamentatio, onis,* f.

lamenter (se), v. pron. Laisser éclater des plaintes bruyantes et prolongées. *Lamentāri,* dép. intr. Se — sur..., voy. DÉPLORER.

laminer, v. tr. Réduire (une masse métallique) en lames. *In laminas tenuāre.*

lampadaire, s. m. Support d'une ou de plusieurs lampes. *Lychnuchus, i,* m.

lampe, s. f. Ustensile pour éclairer. *Lucerna, ae,* f. *Lampas, adis* [acc. ada, acc. plur. *ades* et *adas*], f. *Lumen, inis,* n.

lampiste, s. m. et f. Celui, celle qui fabrique, ou vend des lampes. *Lucernarum artifex.* [*raena, ae,* f.

lamproie, s. f. Sorte de poisson. Mulance, s. f. Arme formée d'une hampe terminée par un fer pointu. *Hasta, ae,* f. *Lancea, ae,* f. Le bois de la —, *hastile, is,* n. Fer de —, *spiculum, i,* n. Pointe d'une —, *cuspis, idis,* f.

lancer, v. tr. Envoyer à travers les airs en imprimant une vive impulsion. *Mittěre,* tr. *Emittěre,* tr. *Immittěre,* tr. *Jacěre,* tr. (voy. JETER). || (Par anal.) Lancer qqn, *mittěre,* tr. ¶ (P. anal.) Envoyer brusquement un coup à qqn. — un coup de poing, *impingěre pugnum in os.* || (Fig.) Décocher. *Emittěre,* tr. *Conjicěre,* tr. || (Par ext.) — un coup

d'œil, *conjicěre oculos* (*in aliquem*). ¶ Faire partir vivement dans une direction déterminée. *Admittěre,* tr. *Immittěre,* tr. || (Spéc.) — le cerf, le sanglier, *excitāre cervum, aprum.* || (Marine.) — un vaisseau, *navem in aquam deducěre* ou (abs.) *navem deducěre.*

lancette, s. f. Instrument de chirurgie. *Scalpellum, i,* n.

lancier, s. m. Cavalier armé de la lance. *Lanceā armatus.*

lancinant, *ante,* adj. Douleur —, *doloris acer morsus.*

lande, s. f. Terrain où il ne croît que des broussailles. *Tesca* (et *tesqua*), *orum,* n. pl.

langage, s. m. Expression de la pensée par la parole. *Lingua, ae,* f. *Oratio, onis,* f. Tenir ce —, *hanc orationem habēre.* || (Spéc.) Langue propre à un peuple. *Lingua, ae,* f. *Sermo, onis,* m. || (Par ext.) Manière dont qqn exprime sa pensée par la parole. *Sermo, onis,* m. *Oratio, onis* f. ¶ Manifestation du sentiment, de la sensation par le son articulé, le geste, etc. *Lingua, ae,* f.

lange, s. m. Morceau d'étoffe de laine dont on enveloppe les enfants au berceau. *Pannus, i,* m. *Fasciae, arum,* f. pl.

langoureusement, adv. D'une manière langoureuse. *Cum languore.*

langoureux, *euse,* adj. Qui exprime la langueur. *Languoris plenus.*

langouste, s. f. Crustacé analogue au homard. *Locusta, ae,* f.

langue, s. f. Organe servant à la déglutition : siège du goût. *Lingua, ae,* f. || Langue employée comme aliment. *Lingua, ae,* f. ¶ Organe, agent de la parole. *Lingua, ae,* f. Se mordre la — (fig.), *verba devorāre.* || (Par ext.) La personne qui parle. Une bonne —, voy. BAVARD. Une mauvaise —, *homo maledicus.* Une — de vipère, *excetra, ae,* f. ¶ (Par ext.) Le langage parlé ou écrit propre à une nation. *Lingua, ae,* f. *Sermo, onis,* m. || (Par anal.) Le langage parlé ou écrit spécial à certaines matières. *Lingua, ae,* f. *Sermo, onis,* m. *Oratio, onis,* f. Parler une — étrangère, *e.-à-d.* à laquelle on n'est pas habitué, *alienā oratione uti.* || L'ensemble des règles qui régissent le vocabulaire et la grammaire d'une langue. *Ratio dicendi. Dictio* et *genus dicendi.* Une — correcte, *recta loquendi consuetudo.* || L'ensemble des locutions et des tournures employées dans une certaine époque, ou par certains écrivains. *Genus dicendi.* ¶ (Par anal.) Ce qui a la forme d'une langue. — de terre, *lingua, ae,* f.

languette, s. f. Ce qui a la forme d'une petite langue. *Ligula* ou *lingula, ae,* f.

langueur, s. f. Abattement physique prolongé. *Languor, oris,* m. Avoir une maladie de —, *marcescěre morbo.*

languir, v. intr. Être dans un état

prolongé d'abattement physique. *Lan-guère*, intr. (peut être remplacé par l'express. *esse semper infirmā atque etiam aegrā valetudine*). || (Fig.) Etre sans activité, sans énergie. *Languère*, intr. *Marcescère*, intr. ¶ Etre dans un état prolongé d'abattement moral *Tabescère*, intr.

languissamment, adv. D'une manière languissante. *Languidē*, adv.

languissant, ante, adj. Qui languit. *Languidus, a, um*, adj. *Languens* (gén. *-entis*), p. adj. Santé —, *infirmissima valetudo*.

lanière, s. f. Bande de cuir longue et étroite. *Lorum, i, n.*

lanifère. adj. Qui produit de la laine. *Laniger, gera, gerum*, adj.

lanterne, s. f. Sorte de boîte où l'on place une lumière à l'abri du vent. *Lanterna, ae, f.*

lanterner, v. tr. Amuser qqn par des délais. *Aliquem differre per frustrationem.*

lanugineux, euse, adj. Qui est de la nature de la laine. *Lanuginosus, a, um*, adj.

laper, v. tr. Boire en pompant le liquide avec la langue. *Lambère*, tr.

lapereau, s. m. Jeune lapin. *Laurex, icis*, m.

lapidaire, s. m. Ouvrier qui vend taille des pierres précieuses. *Gemmarius, ii*, m. [*Lapidatio, onis, f.*

lapidation, s. f. Action de lapider.

lapider, v. tr. Tuer (qqn) à coups de pierres. *Lapides (in aliquem) conjicère. Lapidibus cooperire (aliquem).*

lapin, ine, s. m. et f. Quadrupède de l'ordre des rongeurs. *Cuniculus, i*, m.

lapis et **lapis-lazuli**, s. m. Lazulite. Voy. LAZULI.

laps, s. m. Laps de temps, *spatium* (ou *intervallum*) *temporis*.

laquais, s. m. Valet. *Servulus, i*, m.

larcin, s. m. Petit vol. *Furtum, i, n.* || (Fig.) *Furtum, i, n.*

lard, s. m. Graisse ferme qui est entre la chair et la peau de certains animaux. *Laridum et lardum, i, n.* Quartier de —, *succidia, ae, f.*

larder, v. tr. Traverser une pièce de viande par des morceaux de lard. *Lardum carni inserère* ou *carnem lardo transfigère.*

lare, s. m. Dieu domestique. *Lar, laris*, m. *et, par oppos.*, les dieux —, *lares* (génit. *larum*), m. pl.

large, adj. adv. et s. m. || *Adj.* Qui a une grande étendue dans le sens opposé à la longueur. *Latus, a, um*, adj. *Patens* (gén. *-entis*), p. adj. || (Fig.) Qui a une grande extension. *Amplus, a, um*, adj. *Latus, a, um*, adj. || (Par anal.) Ample, qui ne serre pas. *Laxus, a, um*, adj. || (Fig.) Qui n'est pas strict. *Latus, a, um*, adj. Avoir la conscience —, *parum religiosum esse.* ¶ (Fig.) Qui n'est pas restreint. *Largus, a, um.*

adj. || Qui n'est pas étriqué. *Latus, a, um*, adj. ¶ Qui mesure telle ou telle étendue dans le sens opposé à la longueur. *Latus, a, um*, adj. || (Par ext.) Qui embrasse une quantité considérable. *Magnus, a, um*, adj. *Amplus, a, um*, adj. ¶ *Adv.* Dans un espace étendu. *Latē*, adv. || De manière à n'être pas serré. *Laxē*, adv. S'habiller —, *laxis uti vestimentis.* || (Fig.) D'une manière qui n'est pas étriquée. *Amplē*, adv. ¶ *S. m.* Espace étendu. Etre logé au —, *laxē habitāre.* Etre au —, *laxum habēre locum.* Prendre le —, *apertum petēre.* Passez au —, *de viā decedite.* || (Spéc.) La haute mer. *Altum, i, n. Apertum mare.* || Etendue dans le sens opposé à la longueur. *Latitudo, dinis, f.* Un fossé de quinze pieds de —, *fossa quindecim pedes lata.* En long et en —, *longē latēque.* Se promener de long en —, *spatiāri*, dép. intr.

largement, adv. D'une manière large, en embrassant une grande quantité. || (Au propre.) Sur un espace large, *Laxē*, adv. Au fig. *Largē*, adv. *Amplē*, adv. Vivre —, *vivēre lautē* (ou *magnificē*). Donner —, *in dando munificum esse.* Trop —, *effusē*, adv. || D'une manière qui n'est pas étriquée. *Latē*, adv. *Fusē*, adv. Sujet traité —, *materia latior.*

largesse, s. f. Acte par lequel on donne d'une manière large, très généreuse. *Largitas, atis, f. Liberalitas, atis, f.* Faire —, *largiri*, dép. intr. ¶ Don fait d'une manière large, très généreuse. *Largitio, onis, f.* Faire des —, *largiri*, dép. intr.

largeur, s. m. Etendue *ou* dimension d'une surface ,d'un corps, dans le sens opposé à la longueur. *Latitudo, dinis, f.*

larguer, v. tr. Lâcher. — les cordages, *lazāre rudentes.*

larme, s. f. Goutte d'humeur limpide qui s'échappe de l'œil sous une influence physique *ou* morale. *Lacrima, ae, f. Fletus, ūs*, m. Verser d'abondantes —, *collacrimāre*, intr. Action de fondre en —, *collacrimatio, onis, f.* Les — aux yeux, *oculis lacrimantibus.* Verser des — sur, *illacrimāre*, intr.; *lacrimas praebēre (alicui rei).* Avoir des — dans la voix, *miserabiliter loqui.* Sécher les — de qqn, *alicujus dolorem abstergēre.* ¶ Suc de certaines plantes. *Stilla, ae, f. Lacrima, ae, f.*

larmoiement et **larmoiment**, s. m. Action de larmoyer. *Lacrimatio, onis, f.*

larmoyant, ante, adj. Qui larmoye. *Lacrimosus, a, um*, adj. Yeux —, *oculi sine fine lacrimantes.* Voix —, *flebilis vox.* D'un ton —, *flebiliter*, adv.

larmoyer, v. intr. Avoir continuellement des larmes dans les yeux. *Lacrimāre sine fine.* En larmoyant, *lacrimans sine fine.*

larron, onnesse, s. m. et f. Voleur, voleuse. Voy. ces mots.

larve, s. f. (Antiq. rom.) Fantôme hideux. *Larva*, *ae*, f. De —, *larvalis*, adj ¶ (P aual.) Insecte vermiforme qui représente le premier état des insectes à métamorphose. *Vermiculus*, *i*, m.

larynx, s. m. Organe essentiel de la voix, la partie supérieure de la trachée-artère. *Arteria aspera*.

las, *lasse*, adj. Qui n'est plus en état de soutenir l'effort, le travail. *Fessus*, *a*, *um*, adj. *Fatigatus* ou *defatigatus*, *a*, *um*, p. adj.   [FATIGANT.

lassant, *ante*, adj Qui lasse. Voy.

lasser, v. tr. Rendre las. *Fatigāre* (ou *defatigāre*), tr. *Lassitudine conficĕre*, Je me lasse de qqch., *me taedet* (*alicujus rei*). Ne pas se — de faire qqch., *non desistĕre* ou *non intermittĕre* (avec l'infin.).

lassitude, s. f. Etat de celui qui est las. *Lassitudo*, *inis*, f. *Fatigatio*, *onis*, f. *Defatigatio*, *onis*, f.

latent, *ente*, adj. Qui ne se manifeste pas à l'extérieur. *Latens* (gén. *-entis*), p. adj. *Occultus*, *a*, *um*, adj.

latéral, *ale*, adj. Qui occupe un des côtés d'une chose. *Lateralis*, *e*, adj. Partie —, *latus*, *eris*, n. Chemin —, *trames*, *itis*, m.

latéralement, adv. Dans une position latérale. *A latere*.

laticlave, s. m. Tunique à large bordure de pourpre que portaient les sénateurs. *Latus clavus*.

latin, *ine*, adj. et s. m. ‖ *Adj.* Qui appartient aux peuples de l'ancien Latium. *Latinus*, *a*, *um*, adj. ¶ (P. ext.) La langue —, *et subst.*, le —, *sermo Latinus*; *lingua Latina* (l'adj. touj. après le subst.). Le bon —, *sermo Latinus*; *Latinitas*, *atis*, f. Du mauvais —, *sermo parum Latinus*. Comprendre le —, savoir le —, *Latinē scire*.

latinisme, s. m. Tournure, expression particulière à la langue latine. *Proprietas Latini sermonis*.

latiniste, s. m. Celui qu' est versé dans la connaissance de la langue latine. *Vir Latinē* (ou *litteris Latinis*) *doctus*. *Vir linguae Latinae peritus*.

latinité, s. f. Caractère de la langue employée par celui qui écrit en latin. *Latinitas*, *atis*, f.

latitude, s. f. Extension. *Latitudo*, *inis*, f. ‖ (Fig.) Liberté d'action. *Licentia*, *ae*, f. *Libertas*, *atis*, f. Avoir toute — pour agir, *liberum habēre aliquid*. Avec —, *laxē*, adv. ‖ (Spéc.) Distance d'un lieu à l'équateur. *Inclinatio caeli*.

Latium, n. pr. Contrée d'Italie. *Latium*, *ii*, n. Habitants du —, *Latini*, *orum*, m. pl.

latte, s. f. Pièce de bois refendue, longue, mince et plate. *Asserculum*, *i*, n. *Asserculus*, *i*, m.

laudatif, *ive*, adj. Qui contient une louange. *Laudativus*, *a*, *um*, adj.

lauré, *ée*, adj. Couronné de laurier. *Laureatus*, *a*, *um*, adj.

laurier, s. m. Arbre aromatique toujours vert, etc. *Laurus*, *i* (et *ūs*), f. *Laurea*, *ae*, f. Laurier-rose, *rhododendros*, *i*, f.; *rhododendron*, *i*, n.; *rhododaphne*, *es*, f. — thym, *tinus*, *i*, f. De —, *laureus*, *a*, *um*, adj. Orné, couronné de —, *laureatus*, *a*, *um*, adj.; *laureā coronatus*. Feuille de —, *laurea*, *ae*, f. Branche, couronne de —, *laurea*, *ae*, f. ‖ (Fig.) Les — (la gloire des victorieux), *laurea*, *ae*, f.   [*tio*, *onis*, f.

lavage, s. m. Action de laver. *Lava-*

lavande, s. f. Plante aromatique. *Stoechas* (gén. *stoechadis* et *stoechados*),

lave, s. f. Matière en fusion qui s'écoule d'un volcan. *Torrens igneus e monte prorumpens*. ¶ Cette matière refroidie et solidifiée. *Massa torrentis Vulcani durata*.

lavement, s. m. Action de laver. Voy. LAVAGE. ¶ (P. ext.) *Clyster*, *eris*, m.

laver, v. tr. Enlever (avec un liquide) ce qui salit. *Abluĕre*, tr. *Eluĕre*, tr. ¶ Nettoyer (ce qui est sale) avec un liquide. *Lavāre*, tr. *Abluĕre*, tr. *Eluĕre*, tr. — à grande eau, *diluĕre*, tr. ¶ (Par ext.) Couler, s'étendre près d'une contrée (en parl. d'un cours d'eau, d'une mer, etc.). Voy. BAIGNER. ¶ (Fig.) Faire disparaître par expiation, réparation, etc., une souillure morale. *Luĕre*, tr. *Eluĕre*, tr. — qqn (d'une accusation), voy. JUSTIFIER.

lavoir, s. m. Emplacement où on lave le linge. *Lavatorium*, *ii*, n.

lavure, s. f. Liquide qui sert à laver qqch. *Lotura*, *ae*, f.   [*Mollis*, *e*, adj.

laxatif, *ive*, adj. Qui relâche le ventre.

layetier, s. m. Celui qui fabrique, qui vend des coffres, des caisses, etc. *Arcularius*, *ii*, m.

layette, s. f. Bonnets, langes, etc. pour un nouveau-né. *Puerilis supellex*.

lazuli, s. m. Pierre précieuse bleue et veinée. *Lapis caeruleus*.

lazulite. Voy. LAZULI.

lazzi, s. m. Jeu de scène bouffon. *Mimicus jocus*. ‖ (P. ext.) Saillie bouffonne. *Ridiculum*, *i*, n.

1. le, art. m. N'existe pas en latin. — maître, *herus*. ‖ Rendu en lat. par *is*, quand le sens de l'art. déf. est développé par une prop. relat. (*caput Summani inventum est in eo loco* [« à l'endroit »] *qui est ab haruspicibus demonstratus*).

2. le, **la**, **les**, pron. de la 3e pers. compl. dir. *Eum*, *eam*, *id*, *eos*, *eas*, *ea*, pron. (mais l'express. de ce pronom est souvent inutile).

lé, s. m. Largeur. Voy. ce mot.

lèche, s. f. Tranche très mince. *Frustum*, *i*, n.

lèchefrite, s. f. Ustensile placé sous une viande qui rôtit à la broche. *Sartago*, *ginis*, f.

lécher, v. tr. Passer la langue (sur qqch.). *Lambĕre*, tr. *Lingĕre*, tr.

leçon, s. f. Lecture. *Lectio, onis*, f. ‖ (Par ext.) Manière dont se lit un texte dans un manuscrit, une édition. *Lectio, onis*, f. ‖ (Fig.) Manière dont un fait se raconte. Voy. VERSION. ¶ Ce qu'on lit *ou* ce qu'on récite à haute voix. *Discenda ou ediscenda* (n. pl.). Fig. Réciter une —, *quasi dictata decantāre*. ¶ Exercice dans lequel un maître enseigne *ou* fait étudier telle ou telle partie d'une science, d'un art, etc. *Schola, ae,* f. Suivre les — d'un professeur, etc., *audire aliquem.* ¶ (Fig.) Règle de conduite donnée par des préceptes, des exemples. *Praeceptum, i,* n. *Documentum, i,* n. *Admonitio, onis,* f. — exemplaire, *exemplum, i,* n. Servir de — à qqn, *alicui documento esse.* Donner des —, *admonēre,* tr. Faire la — à qqn, *edocēre aliquem.* ‖ (Spéc.) Règle de conduite tracée à qqn pour le corriger. *Praeceptum, i,* n. *Admonitio, onis,* f. Faire la — à qqn, *officii sui commonēre aliquem.* ¶ Correction infligée à qqn. Donner une — à qqn. *aliquem castigāre.*

lecteur, trice, s. m. et f. Celui, celle qui lit qqch. à haute voix devant d'autres personnes. *Lector, oris,* m. *Recitator, oris,* m. *Anagnostes, ae,* m. Lectrice, *lectrix, tricis,* f.

lecture, s. f. Action de lire. *Lectio, onis,* f. ¶ Action de prendre connaissance du contenu d'un écrit, d'un livre. *Lectio, librorum ou simpl. lectio, onis,* f. Après la — de (cette lettre, *lectis litteris.* ¶ Action de faire connaître à d'autres le contenu d'un écrit. *Lectio, onis,* f. — publique, *recitatio, onis,* f. Faire une — publique, *aliquid recitāre.*

légal, ale, adj. Conforme à la loi. *Legitimus, a, um,* adj. *Justus, a, um,* adj. Forme —, *lex, legis,* f. Cette forme —, *hoc jus.* Formalités —, *legitima, orum,* n. pl.

légalement ,adv. D'une manière légale. *Lege* ou (sel. le cas) *legibus. Ex lege* (ou *ex legibus*). Legitimé, adv.

légaliser, v. tr. Certifier la légalité, l'authenticité (d'une pièce). *Confirmāre,* tr.

légalité, s. f. Caractère de ce qui est conforme à la loi. *Convenientia cum legibus.* [romains. *Legatus, i,* m.

légat, s. m. Délégué des empereurs

légataire, s. m. et f. Personne au profit de laquelle un legs a été fait. *Heres, edis,* m.

légation, s. f. Mission confiée à un envoyé. *Legatio, onis,* f.

légendaire, adj. Voy. FABULEUX.

légende, s. f. Suite de récits populaires. *Fabula, ae,* f.

léger, ère, adj. Qui a peu de poids. *Levis, e,* adj. ‖ (Par ext.) Qui n'a pas

le poids voulu. *Levis, e,* adj. ‖ (Par anal.) Qui ne pèse pas, qui n'alourdit pas (l'estomac). *Levis, e,* adj. (on dit aussi *facilis ad concoquendum*). ‖ (Fig.) Qui a peu de gravité. *Levis, e,* adj. *Parvus, a, um,* adj. *Tenuis, e,* adj. ¶ Qui a peu d'épaisseur. *Tenuis, e,* adj. ‖ (Fig.) Qui a peu de consistance. *Levis, e,* adj. A la —, *c.-à-d.* sans réflexion, *temerē,* adv. ‖ Léger (dans ses mœurs). *Lascivus, a, um,* adj. ¶ Peu chargé, libre dans ses mouvements. *Levis, e,* adj. *Expeditus, a, um,* p. adj. Bâtiment —, *actuaria navis; celox, ocis,* m. et f.

légèrement, adv. D'une manière légère. *Leviter,* adv. Equipé, armé —, *expeditus, a, um,* p. adj. Marcher —, *molliter īre; suspendĕre gradum.* Tomber —, *leviter cadĕre.* ‖ (Fig.) Atteindre — (en parl. d'une arme), blesser —, *leviter praestringĕre.* Etre blessé —, *leviter vulnerāri.* Blessé —, *leviter saucius.* ¶ Sans réflexion. *Temerē,* adv. Faire qqch. —, *levi bracchio aliquid agĕre.* Croire —, *facile credĕre.*

légèreté, s. f. Caractère de ce qui est léger. *Levitas, atis,* f. — de l'air, *tenuitas aeris.* ‖ (Fig.) Caractère de ce qui a peu de gravité. *Nulla gravitas* (rei). ¶ Caractère de ce qui est peu épais. *Tenuitas, atis,* f. — d'un tissu, *tenuis vestis.* ¶ Caractère de ce qui est massif. — (d'une construction), *fragilitas, atis,* f. ¶ (Fig.) Défaut de consistance dans les opinions, dans les goûts. *Levitas, atis,* f. *Mobilitas, atis,* f. — d'esprit, *animus levis.* La — (de la conduite), *temeritas, atis* f. ¶ Caractère de ce qui est dégagé, libre dans ses mouvements. *Velocitas, atis,* f. *Pernicitas, atis,* f.

légion, s. f. Corps d'armée composé d'infanterie et de cavalerie. *Legio, onis,* f.

légionnaire, s. m. Soldat de l'ancienne légion romaine. *Miles legionarius.*

législateur, s. m. Celui qui fait des lois pour un peuple. *Legis* (ou *legum*) *auctor.*

législatif, ive, adj. Qui a pour mission de faire les lois. Pouvoir —, *jus legum scribendarum.* [*Leges, um,* f. pl.

législation, s. f. Ensemble des lois.

légiste, s. m. Celui qui est versé dans l'étude des lois. *Legum peritus.*

légitime, adj. Fondé en droit. *Legitimus, a, um,* adj. *Justus, a, um,* adj. Etre —, *per leges licēre.* ‖ (Fig.) Juste, permis. *Legitimus, a, um,* adj. *Justus, a, um,* adj.

légitimement, adv. D'une manière légitime. *Legitimē,* adv.

légitimer, v. tr. Rendre légitime. *Fidem facĕre.*

légitimité, s. f. Caractère de ce qui est légitime. *Jus, juris,* n.

legs, s. m. Disposition testamentaire

par laquelle on laisse à qqn une partie ou la totalité de ses biens. *Legatum, i,* n. Faire à qqn un — en argent, *legâre alicui pecuniam.*

léguer, v. tr. Donner (qqch. à qqn) par disposition testamentaire. *Legâre (testamento aliquid alicui). Legatum (alicui) scribĕre* (ou *ascribĕre*).

légume, s. m. Partie d'une plante potagère cueillie pour servir d'aliment. *Olus, eris,* n.

Léman, n. pr. Autre nom du lac de Genève. *Lemannus, i,* m.

Lemnos, n. pr. Ile de l'Archipel; capitale de l'île. *Lemnos, i,* f.

lendemain, s. m. Jour qui suit immédiatement celui dont on parle. *Posterus dies. Crastinum, i,* n. Renvoyer, remettre au —, *procrastinâre,* tr. Le — (adverb.), *postridie; sequenti* (ou *insequenti) die.* Le — matin, *postridie mane; postero mane.* Le — de ce jour, *postridie ejus diei.* Le — des jeux, *postridie ludos.* Le — du jour où..., *postridie quam...* Le — de son arrivée, *postridie quam venerat.*

lénifier, v. tr. Calmer par des remèdes adoucissants. *Lenire,* tr.

lénitif, ive, adj. Adoucissant. *Mitigatorius, a, um,* adj. Subst. Un —, *lenimentum, i,* n.

lent, ente, adj. Qui ne va pas vite. *Tardus, a, um,* adj. *Segnis, e,* adj. Qui est — à agir, *cunctator, oris,* m. Démarche —, *tarditas, atis,* f. Etre — à mouvoir, *tardê movêri.* — effets du poison, *tarditas veneni.* ‖ (Médec.) Fièvre —, *febris lenta.* Pouls —, *languidior venarum pulsus.* ¶ (Poét.) Flexible. *Lentus, a, um,* adj.

lentement, adv. D'une manière lente. *Tardê,* adv. *Leniter,* adv. *Cunctanter,* adv. Eau qui coule —, *languida aqua.* On travailla si — que..., *tanta fuit operis tarditas, ut...*

lenteur, s. f. Caractère de celui qui ne vas pas vite. *Tarditas, atis,* f. *Segnitia, ae,* f. (P. anal.) La — d'esprit, *tarditas, atis,* f. ‖ (Au plur.) Procédés de celui qui ne pas vite. *Tarditates, um,* f. pl. *Cunctatio et mora,* ou simpl. *cunctatio, onis,* f.

lentille, s. f. Graine comestible. *Lens, lentis* (acc. *lentem* et *lentim:* abl. *lente* ou *lenti),* f.   [*Lentiscus, i,* m.

lentisque, s. m. Sorte d'arbrisseau.

Léonidas, n. pr. Roi de Sparte. *Leonidas, ae,* m.

léonin, ine, adj. Qui appartient au lion. *Leoninus, a, um,* adj.

léopard, s. m. Animal carnassier du genre chat. *Leopardus, i,* m.

lèpre, s. f. Affection tuberculeuse qui ronge la peau. *Lepra, ae,* f. ordin. au plur. *leprae, arum,* f.

lépreux, euse, s. m. et f. Celui, celle qui a la lèpre. Un —, *scabiosus homo.* Une —, *scabiosa mulier.* Les —, *scabiosi, orum,* m. pl.

lequel, laquelle: au plur. *lesquels, lesquelles,* pron. relat. et interrog. ‖ Pron. relatif. *Qui, quae, quod,* adj. pron. relat. N'importe —, *quivis, quaevis, quodvis,* pron. et adj. indéf N'importe — des deux, *utervis, utravis, utrumvis,* pron. et adj. indéf. ¶ Pron. interrogatif. *Quis, quae, quid,* pron. interrog. Lequel des deux..., *uter, utra, utrum,* adj. et pron. interrog. Lesquels (en parl. de deux corps *ou* de deux parts), *utri,* pron. interrog.

les. Voy. LE.

lèse, adj. fém. A qui il est porté atteinte. Un crime de — majesté, *laesa majestas* ou simpl. *majestas, atis,* f. Accusation de — majesté, *crimen majestatis.*

léser, v. tr. Porter atteinte. *Laedĕre,* tr.

lésine, s. f. Défaut de la personne qui se livre à une épargne sordide. *Sordes, ium,* f. pl.

lésiner, v. intr. Faire des actes de lésine. *Nimium parcê facĕre sumptum.*

lésion, s. f. Atteinte portée à une partie de l'organisme. *Vulneratio, onis,* f. *Offensa, ae,* f. — du cœur, *laesum cor.*

lesse. Voy. LAISSE.

lessive, s. f. Eau qui sert à laver le linge sale. *Cinis lixivius. Lixivia, ae,* f. *Lixivium, ii,* n. De —, passé à la —, *lixivius, a, um,* adj. ‖ (P. ext.) Action de mettre le linge à la lessive. *Lavatio, onis,* f.   [dans la lessive. *Eluĕre,* tr.

lessiver, v. tr. Nettoyer (le linge)

lest, s. m. Poids dont on charge le fond d'un navire pour lui donner plus d'équilibre. *Saburra, ae,* f.

leste, adj. Qui se meut avec légèreté. *Alacer, cris, cre,* adj. *Agilis, e,* adj. ‖ (P. anal.) Avoir la main —, *manum* (ou *manus) non continêre.* ‖ (P. ext.) Dégagé. *Expeditus, a, um,* p. adj.

lestement, adv. D'une manière leste. *Perniciter,* adv. *Strenuê,* adv. ‖ D'une manière dégagée. *Expeditê,* adv. ‖ (Fig.) En passant facilement par-dessus les convenances. *Liberê,* adv.

lester, v. tr. Garnir de lest (un navire). *Saburrâre,* tr.

léthargie, s. f. Etat morbide caractérisé par un sommeil profond et prolongé. *Veternus, i,* m.

léthargique, adj. Qui appartient à la léthargie. *Veternosus, a, um,* adj.

Léthé, n. pr. Fleuve des Enfers. *Lethe, es,* f.

lettre, s. f. Signe alphabétique figurant un son du langage. *Littera, ae,* f. ‖ (Spéc.) Forme de l'écriture de qqn. *Littera, ae,* f. ‖ (Par ext.) Son représenté par un ces signes. *Littera, ae,* f. ‖ Expression textuelle. *Littera, ae,* f. *Scriptum, i,* n. (s'opp. à *sententia). Scriptio, onis,* f. *Verbum, i,* n. A la —, *c.-à-d.* textuellement, *ad verbum* ou *ex scripto.* Au pied de la —, *ad litteram)*

— morte, *litterae inanes*. || (Par ext..
Sens littéral. *Sensus, qui in litteris est.*
S'attacher à la —, *verbis servire*. ¶
Ecrit qu'on adresse à une personne
absente pour lui communiquer sa
pensée. *Litteras arum*, f. pl. *Epistola*,
(ou *epistula*), *ae*, f. (diffère de *litterae*,
en ce qu'il signifie « lettre missive »,
tandis que *litterae*, c'est le « texte
écrit »). || (Par anal.) Ecrit en forme
de correspondance. *Litterae, arum*, f.
pl. — de crédit, *diploma, matis*, n. ¶ (Au
plur.) Ouvrages, travaux de l'esprit
et spéc, poésie, éloquence, etc. *Litterae,
arum*, f. pl. Les belles —, *optima
studia; bonae* (*optimae, liberales, ingenuae*) *artes* ou (*disciplinae*).

lettré, ée, adj. Versé dans les lettres.
Litteratus, a, um, adj. *Eruditus, a, um*,
p. adj. || Subst. Un —, *homo litteratus*
(ou *litteratum studiosus*).

1. leur, pron. pers. Complément indirect placé avant le verbe et remplaçant « à eux, à elles ». *Iis* ou *his* ou
illis ou *quibus* (p. et *iis, at iis*, etc.).
Sibi (quand le pron. renvoie au sujet
principal).

2. leur, *leurs*, adj. poss. Qui est à eux,
à elles. *Suus, a, um*, adj. poss. (ne
s'emploie que quand il se rapporte au
sujet principal et quand il est indispensable pour la clarté). *Eorum, earum,
eorum*, gén. pl. (ne s'emploie que quand
« leur » ne se rapporte pas au sujet).

leurre, s. m. Artifice qui sert à attirer.
Illecebrae, arum, f. pl.

leurrer, v. tr. Attirer par un artifice.
Inescāre, tr. *Lactāre*, tr. *Pellicēre*, tr.
— qqn d'un vain espoir, *aliquem falsâ
spe producēre.*

levain, s. m. Portion de pâte fermentée
qui fait lever la pâte fraîche. *Fermentum, i*, n. Etre fait avec du —, *fermen-
tāri.*

levant, adj. et s. m. || *Adj. masc.* Qui
se lève (de son lit). Voy. LEVER. ¶ (P.
anal.) Soleil — (qui paraît à l'horizon),
sol oriens, ou simpl. *oriens, entis*, m.
Au soleil —, *ortā luce; sub ortum lucis.*
¶ *S. m.* Côté de l'horizon où le soleil
se lève. *Oriens sol.* ou simpl. *oriens,
entis*, m. *Ortûs, ûs.* m.

levé, s. m. Réception dans la chambre
d'un roi ou d'un grand personnage
au moment où il se lève. *Salutatio ma-
tutina.* Se trouver au — de qqn, *mane
salutāre aliquem.*

levée, s. f. Action de retirer. *Elatio,
onis*, f. On fait la — du corps, *funus
effertur.* La — d'un siège, *dimissa
oppugnatio.* || Action de recueillir, de
ramasser. — d'impôts, *exactio, onis*, f.
|| Action d'enrôler. *Dilectûs, ûs*, m. —
en masse, *evocationes hominum.* ¶ Ce
qui est levé. || Remblai de terre. *Agger,
geris*, m. *Moles, is*, f.

1. lever, v. tr. et intr. || (*V. tr.*) Faire
mouvoir de bas en haut; mettre plus

haut. *Levāre*, tr. *Allevāre* (« lever en
l'air »), tr. *Tollēre*, tr. *Attollēre*, tr.
Extollēre, tr. *Efferre*, tr. — contre,
intentāre, tr. ¶ Retirer ce qui est posé
à une place. *Removēre*, tr. — le masque,
simulationem omittēre. || (Fig.) *Tollēre*,
tr. *Adimēre*, tr. *Demēre*, tr. *Eximēre*,
tr. *Removēre*, tr. — les scrupules de
qqn, *religione aliquem solvēre.* ¶ Dresser (ce qui est couché, penché, etc.).
Erigēre, tr. Se —, *surgēre*, intr.; *assur-
gēre*, intr.; *consurgēre* (« se lever ensemble *ou* simpl. se lever »), intr.;
exsurgēre (« sortir en se levant, se
lever »), intr. Faire —, *excitāre*, tr. ||
(Par anal.) Se —, paraître dans le
ciel, *oriri*, dép. intr. || (Par ext.) Faire
partir le gibier. *Excitāre*, tr. ¶ Ramas-
ser, recueillir, etc. *Decerpēre*, tr. ||
(Par anal.) Faire rentrer. *Exigēre*, tr.
|| Enrôler. *Legēre*, tr. *Scribēre*, tr. ¶
(*V. intr.*) Commencer à sortir de terre.
Enasci, dép. intr *Exīre*, intr. || Se
gonfler par suite de la fermentation.
Voy. FERMENTER.

2. lever, s. m. Action de se lever du
lit. Dès mon —, *ubi primum* (*e lecto*)
surrexi. || (P. anal.) Le — du soleil,
de la lune, d'un astre, etc. *Ortûs, ûs*, m.

levier, s. m. Barre rigide dont on se
sert pour soulever, faire mouvoir un
objet. *Vectis, is*, m. Point d'appui d'un
—, *pressio, onis*, f.

lévite, s. m. Israélite voué au service
du temple. *Levites* et *levita, ae*, m. De
—, *leviticus, a, um*, adj.   [*culus, i*, m.

levraut, s. m. Jeune lièvre. *Lepus-*
lèvre, s. f. Partie charnue qui borde
la bouche. *Labrum, i*, n. *Labium, ii*,
n. (ordin. au plur. *labia*). *Labellum, i*,
n. Qui a de grosses —, *labeo, onis*, m.
|| (Fig.) Se mordre les — (pour s'empê-
cher de rire, de parler *ou* par dépit),
labra mordēre; linguam continēre. ¶ Ce
qui rappelle la forme des lèvres. ||
Bords saillants d'une plaie. *Orae vul-
neris.* || Bords d'une corolle, *labra,
orum*, n. pl.

levrette, s. f. Levrier femelle. *Vertragus* ou *vertraha femina.*

levrier, s. m. Chien employé à courir
le lièvre. *Vertragus, i*, m. *Vertraha, ae*, f.

levure, s. f. Ferment. *Fermentum, i*, n.

lexique, s. m. Dictionnaire des formes
rares et difficiles, etc. *Lexicon, i*, n.

lézard, s. m. Petit reptile saurien.
Lacertus, i, m.

lézarde, s. f. Fente. *Rima, ae*, f.

lézarder, v. tr. Fendre (un ouvrage
de maçonnerie) par une lézarde. Voy.
CREVASSER. Lézardé, *rimosus, a, um*,
adj. Se —, *rimas agēre.*

liaison, s. f. Assemblage des pièces
dont se compose la coque du navire.
Compages, is, f. || Croisement des
pierres, des briques, etc. *Compages
lapidum.* ¶ (P. ext.) Jonction. *Junctio,
onis*, f. *Copulatio, onis*, f. Sans —, *dis-*

solūtē, adv. Sans particules de —, *demptis conjunctionibus*. ¶ Action de se lier avec qqn; relation qui lie une personne à une autre. *Conjunctio, onis*, f. *Familiaritas, atis* (« liaison intime, étroite »), f. *Consuetudo, dinis* (« commerce habituel, liaison »), f. (au plur. *consuetudines*). *Necessitudo, dinis* (« liens d'amitié, de famille, etc.; liaison »), f.

liant, *ante*, adj. Qui se prête volontiers aux liaisons, etc. *Facilis, e*, adj. || Substantiv. Du —, *facilitas, atis*, f.

liard, s. m. Ancienne monnaie de cuivre. *Teruncius, ii*, m.

liasse, s. f. Paquet de lettres, de papiers, etc., liés ensemble. *Fasciculus, i,* m.

Liban, n. pr. Mont de Palestine. *Libanus, i*, m.

libation, s. f. Pratique religieuse consistant à répandre en l'honneur d'une divinité, du miel, de l'huile, etc. *Libatio, onis*, f. *Libamentum, i*, n. Faire une — aux dieux, répandre une — en l'honneur des dieux, *libāre diis* (*aliquid*).

libelle, s. m. Ecrit diffamatoire. *Libellus contumeliosus* (ou *famosus*).

libeller, v. tr Rédiger dans la formule voulue. Voy. RÉDIGER. || (Au part. passé pris substantiv.) Le libellé, voy. RÉDACTION.

libéral, *ale*, adj Qui convient à un homme de condition libre. *Liberalis, e*, adj. *Ingenuus, a, um*, adj. Qui a reçu une éducation, une instruction —, *liberaliter educatus* ou *eruditus*. ¶ Qui aime à donner. *Liberalis, e*, adj. *Largus, a, um*, adj. D'une manière —, *liberaliter*, adv. Trop —, voy. PRODIGUE. ¶ Favorable à la liberté politique. *Liberē sentiens de re publicā*.

libéralement, adv. D'une manière qui convient à un homme de condition libre. *Liberaliter*, adv. *Liberē*, adv. ¶ En homme qui aime à donner. *Liberaliter*, adv. *Munificē*, adv. Donner —, *largīri*, dép. tr. ¶ D'une manière favorable à la liberté politique. *Liberē*, adv.

libéralité, s. f. Disposition de celui qui aime à donner. *Liberalitas, atis*, f. *Largitio, onis*, f. ¶ Ce qu'on donne dans cette disposition *Liberalitas, atis*, f. *Largitio, onis*, f.

libérateur, *trice*, s. m. et f. Celui qui rend qqn libre de ce qui le tient captif. *Liberator, oris*, m. (on dit aussi *is qui liberat* ou *liberavit*: *libertatis auctor*). Libératrice, *vindex, icis*, f.

libération, s. f. Action de rendre qqn libre d'une obligation, d'une dette, d'une servitude. *Liberatio, onis*, f. — d'un impôt, d'une charge, voy. EXEMPTION. La — d'un soldat (par exonération du service militaire), *vacatio militiae* (ou par accomplissement du temps de service), *missio, onis*, f. || La — d'un esclave, *vindicta, ae*, f. La — d'un condamné, *missio, onis*, f.

libérer, v. tr. Rendre (qqn) libre d'une obligation, d'une dette, d'une servitude. — (d'une dette), *liberāre*, tr.; *exsolvere*, tr. Se — de ses engagements envers qqn, *vindicāre se ad suos*. Se — envers un bienfaiteur, *solvere beneficia alicui*. || — un soldat (l'exonérer du service militaire), *militiae vacationem alicui dāre*; (ou le renvoyer quand il a fait son temps de service), *dimittere militem; exauctorāre aliquem*. Un soldat libéré (dans le premier sens), *immunis militiā*; (dans le second sens), *emeritus, a, um*, p. adj. || — un condamné, *emittere aliquem* (*e carcere*). — un esclave, voy. AFFRANCHIR.

liberté, s. f. Condition où l'individu n'appartient pas à un maître. *Libertas, atis*, f. || Condition où le citoyen ne dépend pas d'une autorité arbitraire. *Libertas, atis*, f. || Condition où l'Etat n'est pas asservi à une puissance étrangère. Voy. INDÉPENDANCE. ¶ Etat où l'action de l'homme ne rencontre pas d'obstacles. *Libertas, atis*, f. Mettre en —, *emittere e carcere* ou *de carcere* ou *e custodiā*, ou absol. *emittere* ; cf. encore *liberāre aliquem custodiā* ou *vinculis*. || Aisance dans les mouvements. *Mobilitas, atis*, f. Avec —, *expeditē*, adv. Qui a la — de ses mouvements, *expeditus, a, um*, p. adj. || Absence de préoccupations. *Animus vacuus* (ou *solutus*). Esprit de liberté; liberté de sentiments et de langage. *Libertas, atis*, f. || Absence d'occupations. *Otium, ii*, n. || (Spéc.) Droit que qqn s'arroge ou qui lui est accordé. *Libertas, atis*, f. || (Par ext.) Licence que prend qqn. *Libertas, atis*, f. *Licentia, ae*, f. Prendre la — de..., *licentiam sibi sumere* ou *assumere* ou (absol.) *sibi sumere* (av. l'inf.); *audēre* (av. l'inf.) Prendre bien des —, *multa sibi sumere*. [CHÉ.

libertin, *ine*, s. m. et f. Voy. DÉBAUCHÉ.

libertinage, s. m. Voy. DÉBAUCHE.

libraire, s. m. Celui qui fait le commerce des livres. *Bibliopola, ae*, m.

librairie, s. f. Magasin où l'on vend des livres. *Libraria taberna*, et simpl. *libraria, ae*, f. [mot.

libration, s. f. Balancement. Voy. ce

libre, adj. Qui ne subit aucune contrainte. || (En parl. de la condition d'un individu, d'un citoyen, d'un Etat.) *Liber, bera, berum*, adj. En homme —, *liberē*, adv.; *liberaliter*, adv. Qui convient à un homme —, voy. LIBÉRAL. ¶ (En parl. de l'être moral.) Dont la volonté se détermine sans subir aucune contrainte. *Liber, bera, berum*, adj. — arbitre, voy. ARBITRE. ¶ (En parl. du corps, de l'esprit, du cœur de l'homme.) Dont l'action ne trouve pas d'obstacle. *Liber, bera, berum*, adj. *Solutus, a, um*, p. adj. *Expeditus, a, um* (« libre de ses mouvements »), p. adj. *Vacuus, a, um*

(« exempt, libre de »), adj. || (Par ext.) Qui se donne licence. *Liber, bera, berum*, adj. ¶ (En parl. des choses.) Qui n'offre pas d'obstacle. *Liber, bera, berum*, adj. *Solutus, a, um*, p. adj. *Expeditus, a, um*, p. adj. J'ai — accès auprès de qqn, *patet mihi aditus ad aliquem.*

librement, adv. Sans contrainte. *Liberē*, adv. *Solutē*, adv. Je pense —..., *mihi liberum* (ou *solutum*) *est* (av. l'inf.). || (Par ext.) Avec licence. *Liberius*, adv.

Libye, n. pr. Contrée de l'Afrique. *Libya, ae*, f. De la —, *Libycus, a, um*, adj.

1. lice, s. f. Espace où luttaient ceux qui prenaient part à des joutes. *Curriculum, i*, n. *Stadium, ii*, n. Entrer en — (contre qqn), *descendere in certamen; concurrere cum aliquo.*

2. lice, s. f. Femelle d'un chien de chasse. *Canis venatica* ou simpl. *canis, is*, f.

licence, s. f. Liberté de faire, de dire qqch. en vertu d'une permission donnée. *Licentia, ae*, f. ¶ Liberté trop grande que prend qqn. *Effusa licentia* et simpl. *licentia, ae*, f. || (Par ext.) Liberté déréglée. *Effusa licentia* ou simpl. *licentia, ae*, f. *Immoderata* (ou *nimia* ou *effusa*) *libertas.*

licenciement, s. m. Action de licencier. *Dimissio, onis*, f.

licencier, v. tr. Rendre libre, renvoyer dans ses foyers. *Dimittere*, tr.

licencieusement, adv. D'une manière licencieuse. *Licenter*, adv.

licencieux, *euse*, adj. Qui se laisse aller au dérèglement des mœurs. *Licens* (gén. *-entis*), p. adj. *Lascivus, a, um*, adj. *Dissolutus, a, um*, p. adj. [m.

lichen, s. m. Plante. *Lichen, chenis*,

licitation, s. f. Vente aux enchères d'un bien indivis. *Licitatio, onis*, f.

licite, adj. Qu'aucune loi ne défend. *Licitus, a, um*, p. adj. Il est —, *licet.*

liciter, v. tr. Vendre par licitation. *Auctione constitutâ vendere (aliquid).*

licol et **licou**, s. m. Courroie qu'on met autour du cou d'un cheval. *Capistrum, i*, n.

licorne, s. f. Animal fabuleux. *Unicornis, is*, m.

licou. Voy. LICOL.

licteur, s. m. Garde marchant devant les grands magistrats, portant une hache placée au milieu d'un faisceau. *Lictor, oris*, m.

lie, s. f. Sédiment que certains liquides déposent au fond des tonneaux. *Faex, faecis*, f. Plein de —, *faeculentus, a, um*, adj. ¶ (Fig.) Elément de rebut. *Faex, faecis*, f. *Sentina, ae*, f.

liège, s. m. Espèce de chêne vert. *Suber, eris*, m. ¶ Ecorce de liège. *Cortex, ciis*, m. *Suber, eris*, m. De —, *corticeus, a, um*, adj.; *subereus, a, um*, adj.

lien, s. m. Toute chose flexible servant à lier. *Ligamen, inis*, n — pour attacher qqn (un prisonnier), *vincula, orum*, n. pl. ¶ Liens pour retenir plusieurs pièces de bois. *Catenae, arum*, f. pl. *Retinacula, orum*, n. pl. ¶ (Fig.) Ce qui tient qqn dans la dépendance. *Vinculum, i*, n. *Compedes, um*, f. pl. *Nodus, i*, m. — religieux, *religio, onis*, f. ¶ Ce qui tient plusieurs personnes unies. *Vinculum, i*, n. *Connexio, onis*, f. *Nodus, i*, m. — du sang, *communio sanguinis.*

lier, v. tr. Entourer avec un lien. *Ligāre*, tr. *Alligāre*, tr. *Colligāre* (« attacher ensemble »), tr. *Deligāre* (« attacher, lier solidement »), tr. *Obligāre*, tr *Religāre* (« lier par derrière et en gén. lier, attacher »), tr. *Vincīre*, tr. *Devincīre* (« lier solidement »), tr. *Astringēre* (« serrer solidement contre, d'où lier solidement à... »), tr. *Constringēre* (« lier très serré »), tr. Etre lié (par une obligation morale, etc.), *teneri*, pass. ¶ Joindre (plusieurs choses) ensemble par un rapport de succession, d'enchaînement, etc. *Alligāre*, tr. *Colligāre*, tr. *Coagmentāre*, tr. *Conjungēre*, tr. *Connectēre*, tr. *Copulāre*, tr. Etre lié, *cohaerēre*, intr.; *cohaerescere*, intr. Etre lié, c.-à-d. dépendre, *continēri*, pass. Son salut était lié au mien, *salus ejus salute meâ continebatur.* ¶ Unir (plusieurs personnes) ensemble par des relations de société, d'amitié, etc. *Alligāre*, tr. *Colligāre*, tr. *Copulāre*, tr. *Conjungēre*, tr.

lierre, s. m. Plante grimpante. *Hedera, ae*, f. De —, d'un vert de —, *hederaceus, a, um*, adj. Grappe de —, *corymbus, i*, m. [mots.

liesse, s. f. Joie, allégresse. Voy. ces

lieu, s. m. Portion déterminée de l'espace. *Locus, i* (plur. *loci* et *loca*), m. Se rendre sur les — (examiner de ses yeux), *in rem praesentem venire.* || (Spéc.) Les différentes parties d'une habitation. *Locus, i* (plur. *loci* et *loca*), m. Qui n'a ni feu, ni —, *ejectus homo.* Lieu saint, voy. SANCTUAIRE. || Lieux saints. *Loca sancta.* || (Loc. div.) Parvenir en — sûr, *in tutum pervenire.* Mettre en — sûr, *in tuto collocāre (aliquid* ou *aliquem).* ¶ Place, portion de l'espace assignée à une chose, à une personne déterminée. *Locus, i*, m. En haut —, *apud principes; a principibus.* || (En parl. d'une action, d'un événement.) *Locus, i*, m. Il y a — de, *est quod* (av. le subj.); *est ut* (av. le subj.). Je n'ai pas — de le craindre, *non habeo ubi timeam.* Etre en — (situation) de..., voy. SITUATION. Donner — de faire des reproches, *dare ansas ad reprehendendum.* || Place d'une personne, d'une chose que prend une autre. *Locus, i*, m. Tenir — de fils, *filii loco esse.* Faire venir au — et place de qqn, *in locum* *alicujus vocāre*. Au — de, *pro*, prép. (av. l'abl.). Au — de (av. l'inf.), *cum debeam*, etc. (av. l'inf.), *tantum abest ab* (abl.), *ut...*; *non modo non... sed etiam...* || (Spéc.) Famille dont qqn est issu, considérée comme de haute ou de basse condition. *Locus, i*, m. (voy. CONDITION, NAISSANCE). || (Rhétor.) Sources où l'orateur doit puiser les preuves, les arguments. *Locus, i*, m. (touj. *loci* au plur., en ce sens) Par ext. C'est un — commun, *c.-à-d.* une vérité générale, *in omnibus notum est*. (Dans un sens défav.) — commun, *c.-à-d.* idée rebattue, *res trita et pervulgata*.

lieue, s. f. Ancienne mesure itinéraire. *Tria millia passuum*.

lieutenant, s. m. Celui qui exerce l'autorité d'un chef en son absence. *Vicarius, ii*, m. Etre le — de qqn, *vice* (ou *partibus* ou *officio*) *alicujus fungi*. || (Dans l'armée.) — général, *legatus, i*, m. Prendre qqn pour —, *legāre aliquem sibi*.

lièvre, s. m. Quadrupède rongeur. *Lepus, oris*, m. De —, *leporinus, a, um*, adj. [fibreux. *Vinctura, ae*, f.

ligament, s. m. Faisceau de tissu

ligature, s. f. Action de lier une tumeur. *Ligamentum, i*, n. Faire une —, *alligāre*, tr.

ligne, s. f. Ficelle, corde tendue dans une direction déterminée. *Linea, ae*, f. || Fil garni d'un hameçon pour la pêche. *Linea, ae*, f. Pêche à la —, *hamatilis piscatus*. Pêcher à la —, *piscem hamo capĕre*. Pêcher à la —, *hamiota, ae*, m. ¶ Trait continu qui indique une direction déterminée. *Linea, ae*, f. *Lineamentum, i*, n. Une — de la main, *incisura, ae*, f. La — équinoxiale, *et abs.* la —, *aequinoctialis circulus*. ¶ Limite des contours d'un objet. *Lineamentum, i*, n. ¶ Direction continue dans un sens déterminé. *Linea, ae*, f. *Regio, onis*, f. En — (droite), *rectā regione*; Fig. Suivre la droite —, *ire rectā vid.* — de conduite, *vitae ratio* ou (abs.) *ratio, onis*, f. — de démarcation, *finis, is*, m. — d'opération d'une armée, *omnis belli ratio*. Mettre sur la même —, *in eodem genere ponĕre*. Etre sur la même — (*alicui*) *parem esse.* ¶ Ligne d'écriture. *Versŭs, ūs*, m. *Versiculus, i*, m. || (Par ext.) Il n'a pas écrit une —, *ne litteram quidem scripsit*. || Ligne de compte. *Ratio, onis*, f. Fig. Mettre une chose en — de compte, *rationem habēre alicujus rei*. || (T. milit.) Suite d'ouvrages de fortification. *Praesidia, orum*, n. pl. || Suite de bataillons ou d'escadrons faisant face du même côté, suite de vaisseaux de guerre gouvernant à distance égale. *Acies, ei*, f. Mettre en —, *producĕre*, tr. Troupes de —, *legiones, um*, f. pl.; (abs.) *gravis armatura*. Vaisseau de —, *navis longa*. || Ligne de douane. *Custodiae, arum*, f.

pl. ¶ Série des membres d'une même famille. *Linea, ae*, f.

lignée, s. f. Ensemble de ceux qui descendent de qqn. *Propago, inis*, f. *Suboles, is*, f.

ligneux, *euse*, adj. Fait de tissu fibreux qui forme le bois. *Ligneus, a, um*, adj.

ligoter, v. tr. Voy. LIER.

ligue, s. f. Union offensive, défensive formée entre plusieurs Etats, plusieurs souverains. *Societas, atis*, f. *Foedus, eris*, n. La — achéenne, *concilium Achaeorum*. ¶ (Par anal.) Association politique ou religieuse. *Societas, atis*, f. *Consensio, onis*, f.

liguer, v. tr. Faire entrer dans une ligue. *Conjurationem facĕre*. Se —, *consociāre* (ou *conjungĕre*) *arma*. Ligué, *foederatus, a, um*, p. adj. || (Fig.) Se —, *conjurāre* (*contra aliquem*).

Ligurie, n. pr. Contrée d'Italie. *Liguria, ae*, f. Habitant de la —, *Ligur, uris*, m. et f. De —, *Ligurtinus, a, um*, adj.

lilas, s. m. Arbrisseau. *Syringa, ae*, f.

limace, s. f. Mollusque. *Limax, acis*, f.

limaçon, s. m. Mollusque. *Cochlea, ae*, f. Coquille de —, *cochlea, ae*, f.

limaille, s. f. Réunion de parcelles métalliques détachées par l'action de la lime. *Scobis, is*, f. [m.

limande, s. f. Poisson. *Passer, eris*,

limbe s. m. Bord. *Limbus, i*, m.

lime, s. f. Lame striée de tailles qui sert à user les métaux par le frottement. *Lima, ae*, f. *Scobina, ae*, f.

limer, v. tr. User, égaliser avec la lime. *Limāre*, tr || (Fig.) *Limā polīre*.

limier, s. m. Grand chien de chasse. *Canis sagax*.

limitation, s. f. Action de limiter. *Circumscriptio, onis*, f.

limite, s. f. Partie extrême où s'arrête un territoire, un domaine. *Limes, mitis*, m. *Finis, is*, m *Terminus, i*, m Servir de — voy. BORNER. Avoir pour —, *c.-à-d.* être borné par..., voy BORNER. Sans —, *sine finibus*; *infinitus, a, um*, adj. ¶ (Au fig.) Point où s'arrête l'exercice d'un pouvoir, d'une faculté. *Finis, is*, m.

limiter, v. tr. Marquer où se termine, où s'arrête un territoire, un domaine. *Limitāre*, tr. (se remplace par *limites ponĕre*; *terminus circumscribĕre*). ¶ (Fig.) Fixer le point où s'arrête l'exercice d'un pouvoir, d'une faculté. *Limitāre*, tr. (à remplacer par *definīre*, *determināre*, *finem praescribĕre*).

limitrophe, adj. Qui est situé vers les limites d'un territoire. *Finitimus, a, um*, adj. *Confinis, e*, adj.

1. **limon**, s. m. Terre charriée par les eaux. *Limus, i*, m.

2. **limon**, s. m. Voy. BRANCARD.

3. **limon**, s. m. Fruit analogue au citron. *Citrum limonium*.

limoneux, *euse*, adj. Où il y a du limon. *Limosus, a, um*, adj.

limpide, adj. Dont rien ne trouble la transparence. *Liquidus, a, um,* adj. Perspicuus, *a, um,* adj. Source —, *purus fons.* || (Fig.) Style —, *oratio perlucens.*

limpidité, s. f. Caractère de ce qui est limpide. *Perspicuitas, atis,* f.

lin, s. m. Plante. *Linum, i,* n. De —, *linteus, a, um,* adj.

linceul, s. m. Drap de toile pour ensevelir un mort. *Funebris tunica*

linéament, s. m. Les — du visage, *lineamenta oris* ou absol., *lineamenta, orum,* n. pl.

linge, s. m. Toile de fil ou de coton appropriée à divers usages. *Linteum, i,* n.

linger, *ère,* s. m. et f. Celui, celle qui confectionne et vend du linge. *Lintearius, ii,* m. Lingère, *lintearia, ae,* f.

lingerie, s. f. Commerce, confection du linge fin. *Lintearia negotiatio*

lingot, s. m. Morceau brut de métal précieux. *Later, eris,* m.

liniment, s. m. Médicament onctueux. *Linimentum, i,* n.

linot, *otte,* s. m. et f. Mâle et femelle d'une petite espèce de passereau gris *Linaria, ae,* f. [*cilum, ii,* n.

linteau, s. m. — d'une porte, *superlion,* s. m. Mammifère carnivore. *Leo, onis,* m. De —, *leoninus, a, um,* adj. || (Fig.) Un homme courageux. *Leo, onis,* m. [*nae catulus.*

lionceau, s. m. Le petit du lion. *Leaeli-*

lionne, s. f. Femelle du lion. *Leaena, ae,* f.

lippée, s. f. Bon morceau. *Scitamenta, orum,* n. pl.

lippu, *ue,* adj. Dont la lèvre inférieure avance trop. *Labeosus, a, um,* adj.

liquéfaction, s. f. Passage d'un corps de l'état solide ou gazeux à l'état liquide. *Tabes, is,* f.

liquéfier, v. tr. Faire passer (un corps) de l'état solide *ou* gazeux à l'état liquide. *Liquefacère, tr.* Se —, *liquefieri,* passif.

liqueur, s. f. Substance liquide. Voy. BOISSON.

liquide, adj. Qui coule. *Liquidus, a, um,* adj. Rendre —, voy. LIQUÉFIER.

liquider, v. tr Soumettre à une liquidation. — une banque, *dissolvère argentariam.*

lire, v. tr. Distinguer dans un texte les sons figurés par les lettres. *Legère,* tr. Apprendre à — à qqn, *aliquem litteras docère.* Qui ne sait ni — ni écrire, *nescius litterarum.* || (Par ext.) Comprendre un texte écrit dans une langue étrangère. *Lejère posse.* || (Au fig.) — dans les astres, *astrorum peritum esse.* ¶ Prendre connaissance du contenu d'un écrit, d'un livre. *Legère,* tr. Cognoscère, tr. — souvent, — et relire, *lectitare,* tr. ¶ Faire connaître à d'autres le contenu d'un écrit en prononçant devant eux ce qui est écrit, imprimé.

Legère, tr. *Recitare,* tr. ¶ (Au fig.) Deviner la pensée, les sentiments de qqn, d'après son attitude, sa physionomie, etc. *Intelligère,* tr. *Perspicère,* tr. Il lut dans ses yeux qu'on lui tendait un piège, *ex ejus vultu intellexit sibi insidias fieri.*

lis, s. m. Plante. *Lilium, ii,* n. [m.

liseron, s. m. Plante. *Convolvulus, i,*

liseur, s. m. Celui qui a l'habitude de lire. *Legendi avidus.*

lisible, adj. Qui peut être lu. *Facilis ad legendum* (ou *lectu*).

lisiblement, adv. En caractères lisibles. *Ita ut facile legi possit.*

lisière, s. f. Bord d'une pièce d'étoffe. *Limbus, i,* m. Ora, *ae,* f. || Bandes pour aider les petits enfants à marcher. *Fasciae, arum,* f. pl. ¶ (Par anal.) Bord d'un terrain. *Ora, ae,* f.

lisse, adj. Qui n'offre pas d'aspérité au toucher. *Lēvis, e,* adj. [tr.

lisser, v. tr. Rendre lisse. *Levigare,*

liste, s. f. Série de noms, de personnes, de choses, etc., inscrits les uns à la suite des autres. *Index, icis,* m. *Album, i,* n. — de prisonniers, *ratio carceris.* — de proscription, *libellus, i,* m.; *tabulae, arum,* f. pl. Porter sur les — de proscription, *in proscriptorum numerum referre.*

lit, s. m. Meuble destiné au coucher. *Lectus, i,* m. *Lectulus, i,* m. *Cubile, is,* n. Aller se mettre au —, *ad lectum transgredi* ou *cubitum discedère.* Garder le —, *lecto tenēri.* || Lit de repos. *Lectus, i,* m. *Lectulus, i,* m. || Lit de table (chez les anciens). *Lectus, i,* m. ¶ Toute chose sur laquelle on se couche. *Cubile, is,* n. ¶ (Par anal.) Gîte. Voy. ce mot. || Lit d'un cours d'eau. *Alveus, i,* m.

litanie, s. f. Prière, suite d'invocations. *Litaniae, arum,* f. pl.

litière, s. f. Véhicule porté par des hommes. *Lectica, ae,* f. Porteur de —, *lecticarius, ii,* m. ¶ Lit de paille, *Stramentum, i,* n. (Fig.) Faire — de. *projicère,* tr.

litige, s. m. Point contesté donnant matière à un procès. *Lis, litis* (gén. plur. *litium,* f. || (P. ext.) Contestation donnant matière à procès. *Controversia, ae,* f. Qui est en —, *litigiosus, a, um,* adj.; *controversiosus, a, um,* adj.

litigieux, *euse,* adj. Qui donne matière à un procès. *Litigiosus, a, um,* adj. *Controversus, a, um,* adj.

littéraire, adj. Qui appartient aux belles-lettres. Qui (*quae, quod*) *ad litteras* (ou *ad studium litterarum*) *pertinet* (ou *in artibus versatur*). Etudes —, *studia litterarum; humanitas, atis,* f. Connaissances —, *cognitio litterarum; doctrinae et artes.* Œuvre —, *opus, eris,* n.

littéral, *ale,* adj. Conforme à la lettre, au texte. *Ad verbum factus (a, um).* *Ad verbum* (ou *omnibus verbis*) *expressus (a, um).*

littéralement, adv. D'une manière

littérale. *Ad verbum.* Traduire —, *exprimére e verbo.*

littérateur, s. m. Celui qui s'adonne à la composition, à la critique littéraire. *Philologus, i,* m. *Litterator, oris,* m.

littérature, s. f. Ensemble des productions littéraires d'un siècle, d'une nation. *Litterae, arum,* f. pl.

littoral, s. m. Région qui est sur le bord de la mer. *Litus, oris,* n.

livide, adj. Qui est d'un noir plombé, bleuâtre. *Lividus, a, um,* adj. Etre —, *livére,* intr. Devenir —, *livescére,* intr.

lividité, s. f. Etat de ce qui est livide. *Livor, oris,* m.

livraison, s. f. Action de livrer. *Traditio, onis,* f. Faire — de..., *tradére,* tr.

1. livre, s. m. Assemblage de feuilles manuscrites *ou* imprimées. *Liber, bri,* m. *Volumen, inis,* n. ¶ L'œuvre de l'auteur ainsi reproduite. *Liber, bri,* m. Petit —, *libellus, i,* m. Les livres (qui instruisent, etc.), *litterae, arum,* f. pl. ¶ Chacune des parties de certains ouvrages. *Liber, bri,* m. ¶ (P. ext.) Registre. *Liber, bri,* m. *Libellus, i,* m. Codex, *icis,* m. *Tabulae, arum,* f. pl.

2. livre, s. f. Ancienne unité de poids. *Libra, ae,* f. D'une —, du poids d'une —, *libralis, e,* adj.

livrée, s. f. Costume distinctif que portent certains domestiques. *Vestitus famularis.*

livrer, v. tr. Mettre à la discrétion de qqn || (Une personne.) *Tradére,* tr. *Dedére,* tr. *Prodére,* tr. *Objicére,* tr. Se —, *dedére se; in deditionem venire.* || (Absol.) Se — (se trahir). voy. TRAHIR. || Livrer par trahison. *Prodére,* tr. || (Une chose.) *Tradére,* tr. *Prodére,* tr. *Dedére,* tr. *Objicére,* tr. (Par ext.) — passage, *iter dáre; transitum dáre.* — bataille. — un assaut, voy. BATAILLE, ASSAUT. ¶ (Par ext.) Soumettre à l'action de qqch. || (Une personne.) *Tradére,* tr. *Prodére,* tr. *Dedére,* tr. *Objicére,* tr. *Permittére,* tr. *Committére,* tr. *Praebére,* tr. Se —, *c.-à-d.* s'abandonner à un sentiment, etc. voy. ABANDONNER. Se — (à une occupation), voy. ADONNER. || (Une chose.) *Dáre,* tr. *(aliquid faciendum). Permittére,* tr. *(aliquid faciendum).* [m.

livret, s. m. Petit livre. *Libellus, i,*

lobe, s. m. Partie de certains organes affectant une forme arrondie. — du foie, du poumon, *fibra, ae,* f.

local, *ale,* adj. Qui appartient à un lieu déterminé. Traduire par le génit. *certi loci* ou *certae regionis.* || (Par anal.) Qui a pour siège une partie du corps. Plaie —, *locus, i,* m. ¶ *S. m.* Lieu, partie d'un bâtiment qui a une destination déterminée. *Locus, i,* m.

localité, s. f. Partie circonscrite d'un pays, d'une région. *Locus, i,* m. (plur. *loca*).

locataire, s. m. et f. Qui prend à loyer tout *ou* partie d'un immeuble.

Conductor, oris, m. Spéc — d'une maison, *inquilinus, i,* m., *inquilina, ae,* f.

location, s. f. Action de donner *ou* de prendre à loyer. *Locatio, onis,* f. *Conductio, onis,* f.

loche, s. f. Limace. Voy ce mot.

Locride, n. pr. Contrée de la Grèce. *Locris, idis,* f.

Locriens, n. pr. Ancien peuple d'Achaïe et d'Italie. *Locri, orum,* m. pl.

locution, s. f. Forme de langage particulière. *Locutio, onis,* f.

loge, s. f. Petite maison, cabane. Voy. MAISON, CABANE.

logeable, adj. Où l'on peut se loger. *Habitabilis, e,* adj.

logement, s. m. Endroit où on loge. *Habitatio, onis,* f.

loger, v. intr. et tr || (*V. intr.*) Etre établi sous un toit, soit habituellement, soit temporairement. *Habitáre,* intr. *Deversári,* dép. intr. Donner à —, *hospitium praebére.* ¶ (*V. tr.*) Etablir qqn sous un toit. *Hospitio accipére* (ou *excipére*) *aliquem.* Emmener qqn chez soi, *aliquem domum deducére.*

logeur, s. m. Qui tient des logements garnis. *Stabularius, ii,* m.

logicien, s. m. Personne versée dans la science de la logique. *Dialecticus, i,* m.

1. logique, s. f. Science du vrai; science des lois du raisonnement. *Pars rationalis philosophiae. Dialectica ars.* || (Par ext.) Manière de raisonner rigoureuse. *Disserendi subtilitas* (ou *elegantia*).

2. logique, adj. Qui se rapporte à la science du vrai, *et, spéc.,* conforme aux lois du raisonnement. *Dialecticus, a, um,* adj. Divisions —, *distributiones, um,* f. pl. Dans un ordre —, *distributé,* adv.

logiquement, adv. D'une manière logique. *Dialecticé,* adv.

logis, s m. Endroit où une personne loge. *Habitatio, onis,* f. *Domús, ûs,* f. *Locus, i,* m

loi, s. f. Règle d'action imposée par une autorité supérieure. *Lex, legis,* f. Les lois divines et humaines, *jus ac fas.* Avoir force de —, *pro lege valere* Proposer une —, *rogáre legem.* — constitutionnelle, voy. *lex civitatis.* — politique, *lex ad disciplinam publicam spectans.* — civiles, *civilia jura.* — criminelles, pénales, *leges poenam sancientes.* Homme de —, voy. JURISCONSULTE, JURISTE. Mise hors la —, *proscriptio, onis,* f. || (Par ext.) Domination du vainqueur imposée aux vaincus. *Lex, legis,* f. *Imperium, ii,* n. || (Fig.) Commandement imposé à qqn. *Lex, legis,* f. *Imperium, ii,* n. || (Par anal.) S'imposer comme — de..., *sibi injungére, ut* (av le subj.) ¶ Règle d'action imposée à l'homme par sa raison, sa conscience. *Lex, legis,* f *Norma, ae,* f.

— morale, *lex veri rectique*. ¶ Règle constante universelle à laquelle les phénomènes sont assujettis. *Lex, legis,* f. || (Par ext.) Toute règle établie. *Lex, legis,* f.

loin, adv. A une grande distance dans l'espace. *Longē,* adv. *Procul,* adv. || (Loc. prép.) — de, *longē,* adv. (avec une prép. · *longē a Tiberi · oppidum est non longē a Syracusis*); *procul,* adv. (avec une prép. : *haud procul ab domo ; h. p. a castris*). || (Fig.) En parl. de ce que la pensée écarte. *Procul,* adv. (ex. : *id a me procul aberit*) — de toi les plaintes, *lamentationes amove*. || (Loc. adv.) Au loin, *procul,* adv.; *longē,* adv. (cf. : *vidēre, perspicēre*). De —, *procul,* adv.; *eminus,* adv. Combattre de —, *eminus pugnāre*. ¶ (P. anal.) A une grande distance du moment où l'on est. *Longē,* adv. Qui est —, *longinquus, a, um,* adj. ¶ (Au fig.) A une grande distance, quant au rang, au degré. *Longē,* adv. Laisser qqn — derrière soi, *longē praestāre alicui*. || (Loc. prép.) Loin de, *longē,* adv. Etre — de..., *longē necessisse* ou *abhorrēre* (*ab aliquā re*). — de (av. l'infin.) *tantum abesse, ut..., ut... —* que..., *nedum,* conj. (après une prop. nég. de forme ou de sens). — de m'aimer, il me regarde à peine, *vix aspicit, nedum amet*. Etre — de... (av. l'inf.), *longe abesse, ut...* (av. le subj.). N'être pas — de..., *haud multum abesse, quin...* (av. le subj.).

1. lointain, *aine,* adj. Qui se trouve à une distance considérable (au prop. et au fig.). *Longinquus, a, um,* adj.

2. lointain, s. m. Partie de l'espace qui se trouve à une grande distance. *Longinquitas, atis,* f. Dans le —, *procul,* adv.

loir, s. m. Petit mammifère rongeur. *Glis, gliris,* m. [*eris,* m.

Loire, n. pr. Fleuve de France. *Liger, eris,* m.

loisible, adj. Qui est à la libre disposition de qqn. *Licitus, a, um,* adj.

loisir, s. m. Libre disposition qu'on a de son temps. *Otium, ii,* n. De —, qui a du —, *otiosus, a, um,* adj. De —, consacré au —, *otiosus, a, um,* adj. ¶ (Par ext.) Temps libre dont on dispose pour faire qqch. *Otium, ii,* n. Avoir du — pour, *vacāre,* intr. ¶ Temps libre en dehors des occupations. *Otium, ii,* n. (on dit aussi *tempus otii* ou *otiosum*). Avoir du —, *otiāri,* dép. intr.

long, *gue,* adj. Qui a une grande étendue de l'une à l'autre de ses extrémités. *Longus, a, um,* adj. *Procerus, a, um* (« long, allongé »), adj. *Promissus, a, um* (« qui s'étend en avant, allongé, long »), p. adj. || Qui mesure telle ou telle étendue dans le sens de la longueur. *Longus, a, um,* adj. — de cent pieds, *longus pedes centum*. ¶ (Par ext.) Dans le temps : qui a une durée

très étendue. *Longus, a, um,* adj. *Longinquus, a, um,* adj. *Diuturnus, a, um,* (« long, de longue durée »), adj. Il avait été durant de — années le chef de l'Etat, *principatum multos annos in civitate obtinuerat*. ¶ Subst. au masc. Longueur (en étendue). *Longitudo, dinis,* f. Pont ayant cent pieds de — *pons in longitudinem centum pedes*. || Loc. prép. Le —, tout le —, tout du —, de, *secundum,* prép. (av. l'acc.); *praeter,* prép. (av. l'acc.). Passer le — de, *praetervehi* (en bateau, en voiture ou à cheval), dép. tr. || (Par ext.) Longueur en durée. Loc. prép. Le —, tout le — du jour, *toto die*. || Loc. adv. A la —, *temporis longinquitate; diuturnitate temporis*. || (Fig.) Loc. adv. Tout au —, tout du —, *copiosē,* adv.; *plenē,* adv. [*tia, ae,* f.

longanimité, s. f. Patience. *Patien-*
longe, s. f. Lanière qui sert à attacher un cheval. *Lorum, i,* n.

longer, v. tr. Aller le long de qqch. en suivant le bord. *Legēre,* tr. *Praetervehi* (en bateau, en voiture ou à cheval), dép. tr. — la côte, *iter secundum mare facēre*.

longévité, s. f. Prolongation de la vie jusqu'à un âge avancé. *Vita longa*.

longtemps, s. m. et adv. || *S. m.* Un long espace de temps. *Longum tempus*. Il y a —, *diu,* adv.; *jamdiu,* adv. Pour —, *in multos annos*. Dès —, de —, *diu,* adv.; *pridem* (ou *jam pridem*). ¶ *Adv.* Pendant un long espace de temps. *Diu,* adv. — avant, *multo ante*. — après, *multo post*. Aussi — que..., *tam diu quam* (ou *quam diu*)...; *usque adeo... quoad...*; *quam diu,* adv. relat.

longuement, adv. D'une manière longue (surtout en parl. de la durée). *Tardē,* adv.

longueur, s. f. La plus grande étendue d'un objet de l'une à l'autre de ses extrémités. *Longitudo, dinis,* f. *Proceritas, atis,* f. *Magnitudo, dinis,* f. ¶ Etendue que mesure un objet dans le sens de cette dimension. *Longitudo, dinis,* f. || (Par anal.) Prolixité. Voy. ce mot. ¶ Durée très étendue. *Longitudo, dinis,* f. *Longinquitas, atis,* f. *Diuturnitas, atis,* f. Traîner en —, *trahēre,* tr. Voy. TRAINER. || (Par ext.) Long délai. *Cunctatio, onis,* f.

loquace, adj. Qui parle beaucoup. *Loquax* (gén. *-acis*), adj.

loquacité, s. f. Disposition à parler beaucoup. *Loquacitas, atis,* f.

loque, s. f. Lambeau d'étoffe. *Pannus, i,* m. [*ae,* f.

loquet, s. m. Fermeture de porte. *Sera,*
lorgner, v. tr. Regarder du coin de l'œil. *Limis oculis aspicēre* (ou *intuēri*).

lorsque, conj. Au moment où. *Cum,* conj. *Ubi,* conj. *Ut,* adv. conj.

losange, s. m. Parallélogramme. *Rhombus, i,* m.

lot, s. m. Ce qui échoit à qqn en partage, et quand on tire au sort. *Sors, sortis,* f. Obtenir pour (son) — , *sortiri,* dép. tr.

loterie, s. f. Jeu de hasard. *Sortitio, onis,* f. *Sortes, ium,* f. pl. Billet de —, *sors, sortis,* f. [*dabilis, e,* adj.

louable, adj. Digne de louange. *Laulouablement,* adv. D'une manière louable. *Laudabiliter,* adv.

louage, s. m. Jouissance qu'on acquiert, moyennant un prix convenu, de l'usage d'une chose. *Locatio, onis,* f. De —, *conductus, a, um,* p. adj. Voiture de —, *meritoria reda.* Donner à —, voy. 1. LOUER.

louange, s. f. Action de louer qqn pour ses mérites, ses qualités. *Laudatio, onis,* f. *Praedicatio, onis,* f. *Laus, laudis,* f. Dire (qqch.) à la — de qqn (*hanc*), *alicui laudem tribuĕre...* ¶ Paroles, discours par lesquels on loue qqn. *Laudatio, onis,* f. *Laudes, laudum,* f. pl. || (Fig.) Chanter les — de qqn, *praedicāre de virtutibus alicujus.*

louangeur, euse, s. m. et f. Qui prodigue la louange. *Laudator, oris,* m. Louangeuse, *quae laudat* (ou *praedicat*). Adjectiv. Paroles —, *laudatones, um,* f. pl.

louche, adj. Dont les deux yeux ne regardent pas la même direction. *Strabus, a, um,* adj. || (Fig.) Qui a le regard faux. *Obliquus, a, um,* adj. Regarder d'un œil —, *obliquo oculo aspicĕre.* ¶ Equivoque. Voy. ce mot.

loucher, v. intr. Avoir les yeux qui ne regardent pas dans la même direction. *Perversis oculis esse.* Regarder en louchant, *limis oculis aspicĕre.*

1. louer, v. tr. Donner à loyer. *Locāre,* tr. ¶ Prendre à loyer. *Conducĕre,* tr.

2. louer, v. tr. Faire valoir par l'approbation qu'on donne aux mérites, aux qualités. || (Une personne.) *Laudāre,* tr. *Collaudāre* (« louer, faire un grand éloge de »), tr. *Praedicāre* (« louer, célébrer, exalter »), tr. || (Par ext.) Se — de qqch., voy. [se] FÉLICITER. Se — de qqn, *aliquem probāre.* || (Une chose.) *Laudāre,* tr. *Collaudāre,* tr. *Comprobāre,* tr.

1. loueur, s. m. Qui fait métier de donner à loyer. *Locator, oris,* m.

2. loueur, s. m. Qui a coutume de donner des louanges. *Laudator, oris,* m.

loup, s. m. Quadrupède carnassier. *Lupus, i,* m. De —, *lupinus, a, um,* adj. || (Fig.) Homme malfaisant. *Homo ferus. Pestis, is,* f.

lourd, e, adj. Qui se meut pesamment. *Gravis, e,* adj. *Tardus, a, um,* adj. || (Fig.) Sans vivacité. *Tardus, a, um,* adj. — plaisanterie, *frigidum acumen.* || (Par ext.) Maladroit. D'une main —, *manu minus agili.* — faute, *gravis culpa.* ¶ (Par ext.) Difficile à mouvoir, à soulever à cause de son poids. *Gravis, e,* adj. Les corps —,

pondera, n. pl. || (Par anal.) Qui accable. *Gravis, e,* adj. Indigeste. Voy. ce mot. || (Par ext.) Une — chute, *casus gravis.* || (Fig.) Difficile. *Gravis, e,* adj. || Onéreux. Voy. ce mot.

lourdaud, aude, s. m. et f. Personne lourde de corps. *Homo (mulier) vasti corporis.* ¶ Personne lourde d'esprit. *Homo plumbeus.*

lourdement, adv. D'une manière lourde. *Graviter,* adv. Tomber —, *gravi casu concidĕre.* || (Fig.) Sans grâce, sans esprit. *Ineptè,* adv.

lourdeur, s. f. Manière d'être de ce qui est lourd. *Gravitas, atis,* f. — de tête, *gravedo, dinis,* f. (Fig.) La — du style, *duritas orationis.* — d'esprit, *turditas ingenii.*

loutre, s. f. Quadrupède amphibie. *Lutra, ae,* f.

louve, s. f. Femelle du loup. *Lupa, ae,* f. [*catulus.*

louveteau, s. m. Petit loup. *Lupi ferre vela.* || (Fig.) Prendre des biais

louvoyer, v. tr. Courir des bordées. *Hinc atque hinc ad ventos obliqua transferre vela.* || (Fig.) Prendre des biais pour arriver à son but. *Tergiversari,* dép. intr.

loyal, ale, adj. Scrupuleusement fidèle aux engagements pris. *Probus, a, um,* adj. || (En parl. des ch.) Conduite —, voy. LOYAUTÉ.

loyalement, adv. D'une manière loyale. *Cum fide* ou *bonā fide.*

loyauté, s. f. Caractère loyal. *Fides, ei,* f.

loyer, s. m. Prix moyennant lequel le propriétaire d'une chose en cède l'usage pour un temps déterminé. *Locatio, onis,* f. — d'une maison, *merces habitationis annua.*

lozange. Voy. LOSANGE.

lubie, s. f. Voy. CAPRICE.

lubricité, s. f. Caractère lubrique. *Libido, inis,* f.

lubrique, adj. Qui a un penchant déréglé pour le plaisir charnel. *Salax, acis,* adj.

Lucain, n. pr. Poète latin. *Lucanus, i,* m. [*nia, ae,* f.

Lucanie, n. pr. Contrée d'Italie. *Lucalucarne,* s. f. Ouverture pratiquée au toit d'un bâtiment. *Fenestra obliqua.*

lucide, adj. Qui comprend facilement les choses. *Sagax ad aliquid perspiciendum.* Un esprit —, *acutum ingenium.*

lucidité, s. f. Qualité de ce qui est lucide. Voy. FINESSE, PÉNÉTRATION.

luciole, s. f. Ver luisant. Voy. LUISANT.

Lucien, n. pr. Ecrivain grec. *Lucianus, i,* m.

lucratif, ive, adj. Qui rapporte des profits. *Quaestuosus, a, um,* adj.

lucre, s. m. Profit dont on est avide. *Lucri* (ou *quaestūs*) *studium* (ou *cupiditas*). [*tius, ii,* m.

Lucrèce, n. pr. Poète latin. *Lucrèce,* n. pr. de femme. *Lucretia, ae,* f.

Lucrin, n. pr. Lac de Campanie. *Lucrinus lacus.*

luette, s. f. Appendice charnu au bas du voile du palais. *Uva, ae,* f.

lueur, s. f. Apparition d'une lumière. *Lux, lucis,* f. *Lumen, inis,* n. — des éclairs, *fulguratio, onis,* f. Vive —, *fulgor, oris,* m. A la — des torches, *collucentibus facibus.* | (Fig.) Apparition passagère d'une manière d'être. Une — d'espérance, *specula, ae,* f.

lugubre, adj. Qui a le caractère sombre du deuil. *Lugubris, e,* adj.

lugubrement, adv. D'une manière lugubre. *Luctuosè,* adv.

lui, pron. pers. de la 3ᵉ pers. *M et fém.* Complément indirect d'un verbe. *Ei, huic* ou *illi. Cui* (pour *et ei,* etc.) ¶ *Masc.* Complément direct d'un verbe. *Eum, hunc* ou *illum* (voy. les gramm.) || Complément d'une préposition. Après —, *post eum.* On a parlé de —, *de eo sermo factus est.* Avec —, *cum eo.* ¶ *Masc.* Sujet. Mais —, *at ille.* Je pense comme —, *ei assentior.*¶ Pron. réfléchi de la 3ᵉ pers. masc. '| (En parl. des personnes.) Il parle toujours de —, *de se ipse praedicat.* Pour écarter de — ce soupçon, *ut eam a se suspicionem removeret.* || (En parl. des choses.) Le vent chasse devant — la paille, *ventus ante se paleam agit.*

luire, v. intr. Apparaître lumineux. *Lucère,* intr. *Fulgère,* intr. L'éclair luit, *fulgurat,* imp. | (Spéc.) Avoir des reflets lumineux. *Lucère,* intr. *Elvcère,* intr. | (Fig.) Se manifester avec éclat. *Affulgère,* intr. || (Spéc.) Se manifester à l'intelligence. *Lucère,* intr. *Elucère,* intr. ||(gén. *-entis),* p. adj.

luisant, *ante,* adj. Qui luit. *Lucens,* intr.

lumière, s. f. Rayonnement de certains corps qui rend les objets visibles. *Lumen, minis,* n. Fig. Mettre une chose en—, *aliquid illuminâre* (ou *illustrâre*) || (Spéc.) Clarté que le soleil répand sur la terre. *Lumen, minis,* n. *Lux, lucis,* f. || Clarté que donne la lune. *Lumen, minis,* n. *Lux, lucis,* f. || Clarté des étoiles. *Lumen, minis,* n. Voy. ÉCLAT, CLARTÉ. || Lumière (d'un flambeau). *Lumen, minis,* n. || (Spéc.) Imitation de la lumière dans un tableau. *Lumen, minis,* n. ¶ (Fig.) Caractère brillant qu'une chose offre à l'esprit. *Lumen, minis,* n. || Caractère de la vérité qui rend les choses intelligibles. *Lumen, minis,* n. *Lux, lucis,* f. || (Par ext.) Source de lumière, de vérité, etc. *Lumen, minis,* n. *Lux, lucis,* f. || (P. ext.) Connaissance des choses. *Lumen, minis,* n. *Lux, lucis,* f. — naturelles, *mentis lumen.* Prêter à qqn ses —, *alicui lucem consilii sui porrigère.* || (Spéc.) Publicité donnée aux choses. Voy. PUBLICITÉ.

lumineux, *euse,* adj. Qui répand de la lumière. *Illustris, e,* adj. Corps —,

lumen, *inis,* n. Rendre —, *illuminâre,* tr. ¶ (Fig.) Qui répand la vérité dans l'esprit. *Dilucidus, a, um,* adj.

lunaire, adj. Qui se rapporte à la lune. *Lunaris, e,* adj. ¶ Qui a la forme de la lune, du croissant de la lune. *Lunae similis.*

lunatique, adj. Soumis à l'influence (prétendue) de la lune. *Lunaticus, a, um,* adj. Au fig. Capricieux, fantasque. Voy. ces mots. [maine. *Dies lunae.*

lundi, s. m. Le second jour de la semaine, s. f. Planète, satellite de la terre. *Luna, ae,* f. Au lever de la —, *lunâ oriente.* Les phases de la —, *lunae luminum varietas.* Il faisait pleine —, *pernox luna erat.*

lunette, s. f. (Au plur.) —, paire de verres enchâssés dans une monture. *Perspicilla, orum,* n. pl. [nus, i, m. **lupin,** s. m. Plante légumineuse. *Lupinus, a,* um.

lustral, *ale,* adj. Servant à purifier. *Lustralis, e,* adj. ¶ Relatif au lustre (recensement). *Lustralis, e,* adj.

lustration, s. f. Cérémonie par laquelle on purifie. *Lustratio, onis,* f.

1. lustre, s. m. Sacrifice expiatoire qui avait lieu tous les cinq ans. *Lustrum, i,* n.¶ Recensement suivi de ce sacrifice expiatoire. *Lustrum, i,* n. ¶ Période de cinq ans. *Lustrum, i,* n. *Quinquennium, ii,* n. || (Par plaisanterie, au sens général.) Avoir huit — accomplis (41 ans), *octavum claudère lustrum.*

2. lustre, s. m. Ce qui fait paraître brillant. || Donner le —, voy. LUSTRER. ¶ Luminaire à plusieurs branches et suspendu. *Lychnuchus, i,* m.

lustrer, v. tr. Faire paraître qqch. brillant en le soumettant à une préparation. *Polîre,* tr.

lut, s. m. Enduit don on se sert pour boucher hermétiquement des vases. *Lutum, i,* n. [*Lutetiae, ae,* f. **Lutèce,** n. pr. Ancien nom de Paris. **luter,** v. tr. Enduire de lut. *Oblinère,* tr. *Lutâre,* tr.

luth, s. m. Instrument de musique à plusieurs rangs de corde. *Fides, ium,* f. pl.

lutin, s. m. Petit diable malicieux. *Genius, ii,* m. || (Fig.) Enfant espiègle, voy. ESPIÈGLE.

lutte, s. f. Combat où deux champions essaient de se renverser en se prenant corps à corps. *Luctatio, onis,* f. ¶ (Au fig.) Effort que font pour se vaincre l'un l'autre deux individus, deux partis, deux peuples, etc. *Luctatio, onis,* f. *Certatio, onis,* f. *Contentio, onis,* f. *Certamen, inis,* n. De haute —, *obnixè,* adv. || (P. anal.) Effort de la volonté pour surmonter les obstacles extérieurs. *Dimicatio, onis,* f. *Certatio, onis,* f. || (Par ext.) Action qu'exercent l'une contre l'autre deux forces agissant en sens contraire. *Luctatio, onis,* f.

lutter, v. tr. S'exercer, se livrer à la

lutte. *Luctări*, dép. intr. (*l. cum aliquo*).
¶ (Fig.) En parl. de deux individus,
de deux partis, de deux peuples, faire
effort pour se vaincre l'un l'autre.
Luctări, dép. intr. *Congredi*, dép. intr.
Contendĕre, intr. *Pugnāre*, intr. || (Par
anal.) Faire un effort de volonté pour
triompher des passions, des obstacles.
Luctări, dép. intr. *Colluctāri*, dép. intr.
Conflictāri, pass. moy. *Certāre*, intr.
— de vitesse, *certāre cursu*. || (Par ext.)
En parl. d'une force, exercer contre
une autre force une action en sens
contraire. *Confligĕre*, intr. *Concurrĕre*,
intr. (ex. : *venti inter se concurrunt*).

lutteur, s. m. Celui qui lutte contre
un adversaire. *Luctator*, *oris*, m. A la
manière des —, *palaestricē*, adv.

luxation, s. f. Déboîtement d'un os.
Ejectio, *onis*, f.

luxe, s. m. Richesse, éclat que l'on
déploie dans les choses de la vie.
Luxuria, *ae*, f. *Luxus*, *ūs*, m. Amour
du —, *luxuria*, *ae*, f. Le — de la table,
sumptus epularum. ¶ (Fig.) Chose superflue. *Luxuria*, *ae*, f.

luxer, v. tr. Déboîter un os. *Luxāre*,
tr. *Ejicĕre*, tr. Luxé, *luxus*, *a*, *um*, adj.

luxueux, *euse*, adj. Où il y a du luxe.
Luxuriosus, *a*, *um*, adj. *Lautus*, *a*, *um*,
adj.

luxure, s. f. Péché contre la chasteté. *Impudicitia*, *ae*, f.

luxuriant, *ante*, adj. Qui se développe
d'une manière surabondante. *Luxuriosus*, *u*, *um*, adj.

luzerne, s. f. Plante légumineuse qui
sert à la nourriture des bestiaux. *Medica herba*.   [*Lycaeus*, *i*, m.

Lycée, n. pr. Montagne d'Arcadie.

lycée, s. m. Nom propre d'un quartier
d'Athènes où Aristote tint son école
de philosophie. *Lycium*, *ii*, n. ¶ Etablissement où ont lieu des cours
publics. *Lycium*, *ii*, n. ¶ Etablissement
officiel d'instruction secondaire. *Gymnasium*, *ii*, n.

Lycurgue, n. pr. Législateur de
Sparte. *Lycurgus*, *i*, m.

Lydie, n. pr. Province d'Asie. *Lydia*,
ae, f. De —, *Lydus*, *a*, *um*, adj.

lymphe, s. f. Sorte d'humeur. Voy.
HUMEUR.

lynx, s. m. Sorte de chat sauvage.
Lynx, *cis* (acc. pl. *cas*, gén. pl. *cum*),
m. et f. || Fig. Yeux de — (yeux per-
çants), *lyncei oculi*. Avoir des yeux de
— *habēre aciem Lynceo similem*.

Lyon, n. pr. Ville de France. *Lug-
dunum*, *i*, m. De —, *Lugdunensis*, *e*,
adj.

lyre, s. f. Instrument de musique à
cordes chez les anciens. *Fides*, *ium*,
f. pl. *Lyra*, *ae*, f. Joueur de —, *fidicen*,
cinis, m. Joueuse de —, *fidicina*, *ae*, f.

lyrique, adj. Qui se rapporte à la
lyre. *Lyricus*, *a*, *um*, adj. Poète —,
melicus (s.-e. *poeta*), *i*, m

M

m, s. f. Treizième lettre de l'alphabet
français. *M*, m. f. ou *m littera*.

ma, adj. poss. fém. sing. de la 1er personne. *Mea*, f. Voy. MON.

Macédoine, n. pr. Royaume de l'ancienne Grèce. *Macedonia*, *ae*, f. Roi
de —, *rex Macedonum*.

Macédonien, s. m. Habitant de Macédoine. *Macedo*, *onis*, m.

macération, s. f. Pratique d'austérités pieuses. *Maceratio*, *onis* f.

macérer, v. tr. Faire tremper à froid
(une substance) dans un liquide. *Macerāre*, tr. ¶ Exténuer le corps par des
austérités pieuses. Voy. MORTIFIER.

mâcher, v. tr. Diviser, broyer avec
les dents. *Mandĕre*, tr.

machinal, *ale*, adj. Qui semble produit par l'organisme sans l'intervention
de la volonté. *Qui* (*quae*, *quod*) *sine
consilio ac mente fit*.

machinalement, adv. D'une manière
machinale. *Sine mente ac ratione*.

machinateur, s. m. Qui fait quelque
machination. *Machinator*, *oris*, m.

machination, s. f. Action de machiner,
résultat de cette action. *Machinatio*,
onis, f.

machine, s. f. Assemblage de pièces
combinées de manière à produire certains effets. *Machina*, *ae*, f. *Machi-
natio*, *onis*, f. *Machinamentum*, *i*, n. ||
Machine pour lancer des projectiles,
tormentum, *i*, n.

machiner, v. tr. Combiner artificieusement certains moyens. *Machināri*,
dép. tr. *Moliri*, dép. tr. *Struĕre*, tr.

mâchoire, s. f. Partie de la bouche.
Maxilla, *ae*, f.

maçon, s. m. Celui qui fait les travaux de maçonnerie. *Structor*, *oris*, m.

maçonner, v. tr. Munir d'un travail
de maçonnerie. *Opus latericium facĕre*.

maçonnerie, s. f. Travail de maçon.
Structura, *ae*, f. || Ouvrage fait par le
maçon. *Opus saxeum* (ou *caementicium*).

Macrobe, n. pr. Ecrivain latin. *Ma-
crobius*, *ii*, m.   [TACHER.

maculer, v. tr. Semer de taches. Voy.

madame, s. f. Titre donné à une
femme de condition. *Domina*, *ae*, f.

madrier, s. m. Planche épaisse. *Axis*,
is, m.

magasin, s. m. Local destiné à recevoir des marchandises. *Taberna*, *ae*, f.
|| (Spéc.) Local où l'on met en dépôt
divers approvisionnements. *Recepta-*

culum, i, n. *Apotheca, ae,* f.

mage, s. m. Prêtre des anciens Perses. *Magus, i,* m.

magicien, *ienne,* s. m. et f. Personne qui pratique la magie. *Magus, i,* m. Magicienne, *saga, ae,* f.

magie, s. f. Prétendue science occulte. Voy. SORCELLERIE. || (Fig.) Influence. *Mira quaedam vis.*

magique, adj. Qui appartient à la magie. *Magicus, a, um,* adj. *Veneficus, a, um,* adj. Cérémonies —, *diri ritus.* Formule —, *carmen, inis,* n. Baguette —, *virgula divina.* ¶ (Fig.) Qui produit des effets extraordinaires. *Divinus, a, um,* adj.

magistral, *ale,* adj. Qui est l'œuvre d'un maître. *Summo artificio factus.*

magistrat, s. m. Personnage chargé de quelque fonction publique. *Magistratus, ûs,* m. Les hauts, les premiers —, *qui summis magistratibus praesunt.* Etre —, *magistratum gerere.*

magistrature, s. f. Grande fonction publique. *Magistratus, ûs,* m. ¶ Corps de magistrats. *Judices, cum,* m. pl.

magnanime, adj. Qui montre de la grandeur d'âme. *Magnanimus, a, um,* adj.

magnanimement, adv. D'une manière magnanime. *Magno animo.*

magnanimité, s. f. Grandeur d'âme. *Animi magnitudo. Magnanimitas, atis,* f.

magnétique, adj. Qui a rapport au magnétisme. *Magneticus, a, um,* adj. Pierre —, *magnes* (acc. *magneta* ou *magnetem*), m.

magnificence, s. f. Qualité de ce qui est magnifique. *Magnificentia, ae,* f. *Splendor, oris,* m. Avec —, *lauté,* adv.; *magnificé,* adv.

magnifique, adj. Qui a une somptuosité pleine de grandeur. *Magnificus, a, um,* adj. *Splendidus, a, um,* adj. *Lautus, a, um,* adj. *Sumptuosus, a, um,* adj. ¶ Qui a une libéralité pleine de grandeur. *Magnificus, a, um,* adj.

magnifiquement, adv. D'une manière magnifique. *Magnificé,* adv. *Splendidé,* adv. *Oppare,* adv.   [SINGE.

magot, s. m. Sorte de gros singe. Voy

mai, s. m. Le cinquième mois de l'année. *Mensis Majus* ou absol. *Majus, i,* m. Rose de —, *rosa verna.*

maigre, adj. Dont le corps a peu de graisse. *Macer, cra, crum,* adj. *Strigosus, a um,* adj. *Gracilis, e,* adj. *Macilentus, a, um,* adj. ,| (Fig.) Qui a peu de substance. *Macer, cra, crum,* adj. *Strigosus, a, um* (« dont le style est maigre »), adj. *Gracilis, e,* adj. *Exilis, e,* adj *ex. terra*) — repas, *tenuis cena.* ¶ (En parl. de la viande.) Qui a peu ou point de graisse. *Non pinquior.* Le — (subst.), *caro, carnis,* f. ¶ (Par ext.) En parl. des aliments. Où il n'entre ni viande, ni graisse. Subst. Faire —, *carne abstinère.*

maigrelet, *ette,* adj. Un peu trop maigre. *Marcellus, a, um,* adj.

maigrement, adv. D'une manière maigre, peu abondante. Voy. CHICHEMENT. || (Fig.) *Exiliter,* adv.

maigreur, s. f. Etat de l'homme, des animaux dont le corps a peu de graisse. *Macies, ei,* f. *Gracilitas, atis,* f. Fig. — du style, *jejunitas, atis,* f.

maigrir, v. intr. et tr. || *V. intr.* Devenir maigre. *Macescere,* intr. (on dit plutôt *corpus amittere*). Absol. Faire —, voy. AMAIGRIR. ¶ *V. tr.* Rendre maigre. *Ad maciem perducere.*

1. maille, s. f. Boucle. || Chacune des petites boucles dont l'entrelacement forme un tissu lâche. *Macula, ae,* f. *Scutula, ae,* f. — d'un filet, *macula, ae,* f. || (Par anal.) Chacune des petites boucles de fer dont l'entrelacement forme une armure. *Hamus, i,* m.

2. maille, s. f. Petite pièce de monnaie. *Quadrans, antis,* m. Fig. Avoir — à partir avec qqn, *cum aliquo litigare.*   [*leus, i,* m.

maillet, s. m. Marteau en bois. *Malmaillot,* s. m. Pièce de toile dans laquelle on lace les nouveau-nés. *Fasciae, arum,* f. pl.

main, s. f. Chez l'homme, organe de préhension et de tact. *Manus, ûs,* f. La — droite, voy. DROITE. La — gauche, voy. GAUCHE. || (Spéc.) La main servant à prendre, à saisir, à tenir. *Manus, ûs,* f. *Dextra* (s.-e. *manus*), *ae,* f. (Une chose) bien en —, *habilis, e,* adj. Prendre en —, voy. [se] CHARGER [de]. Sous —, voy. [en] CACHETTE. Glisser sous des armes, *tela clam subministrāre.* Envoyer sous —, *submittere,* tr. Mettre la — sur uen chose, *rem tangēre* ou *attrectāre.* Fig. Mettre la — sur une chose, voy TROUVER. Donner, prêter la — ou les — à qqch., voy. AIDE, AIDER. ¶ La main servant à donner, à recevoir. *Manus, ûs,* f. Mettre à qqun, qqch. aux —, *alicui aliquid utendum dāre.* ¶ La main servant à travailler, à exécuter qqch. *Manus, ûs,* f. Si j'avais les — libres, *si mihi integra omnia ac libera essent.* Sous la —, *praesto,* adv. || En parl. de la manière d'un artiste. *Manus, ûs,* f. || En parl. de l'écriture. *Manus, ûs,* f. ¶ La main servant à frapper. *Manus, ûs,* f. *Pugnus, i* (« main fermée, poing »), m. ¶ La main servant à exprimer certains sentiments par des gestes. *Manus, ûs,* f. *Dextra, as,* f. || (Fig.) Donner, accorder à qqn la — de sa fille, *in matrimonium dāre filiam alicui.*

main-d'œuvre, s. f. Travail de l'ouvrier. *Manûs pretium,* ou *manupretium, ii,* n. (Par ext.) *Opus, peris,* n.

main-forte, s. f. Aide, secours. Voy. ces mots.

maint, *mainte,* adj. Nombreux. *Multus, a, um,* adj. || Au plur. *Nonnulli,* *ae, a*, adj. Multi, *ae, a*, adj. Maintes fois, voy. SOUVENT.

maintenant, adv. Au moment présent. *Nunc*, adv. — encore, encore —, *etiamnunc hodie*.

maintenir, v. tr. Tenir dans une même position. *Tenēre*, tr. Destināre, tr. Se —, *stāre*, intr.; *sustinēre*. absol.; *sustentāre*, absol. ¶ Tenir dans le même état. *Tenēre*, tr. Retinēre, tr. Sustinēre, tr. Etre maintenu, *manēre*, intr. — son avis, *judiciis suis stare.* || (Par ext.) Affirmer avec persistance. *Tenēre*, tr. Voy. AFFIRMER.

maintien, s. m. Action de maintenir. *Conservatio, onis,* f. ¶ Manière de se tenir, manifestant le caractère, les habitudes de qqn. *Habitus corporis*, ou simpl. *habitūs, ūs*, m. Un noble —, *dignitas, atis,* f. — imposant, *gravitas, atis,* f.

mairie, s. f. Maison de ville. *Curia, ae,* f.

mais, adj. et conj. || *Adv.* Plus. Voy. ce mot. Qui n'en peut —, *immeritus, a, um*, adj. || (Par ext.) Pour insister ou pour renchérir sur ce qui vient d'être dit. *Et*, adv. Sed, adv. — encore, *sed etiam.* ¶ *Conj.* Marque opposition entre deux propositions. || (Avec restriction.) *Sed*, conj. Vero, adv. conj. *Autem*, conj. || (En exprimant une idée contraire à celle de la prem. propos.). *Sed*, conj. Verum, adv. conj. At, conj. Mais non —, pas, *nec tamen.* — non pas, *non item.* || (En exprimant une objection.) *Sed*, conj. At, conj. Tamen, conj. || (Pour reprendre la suite de la pensée après une digression, une parenthèse.) *Sed*, conj. || (Pour exprimer de la surprise.) *At*, conj.

mais, s. m. Plante céréale dite improprement blé de Turquie. *Zea, ae,* f.

maison, s. f. Bâtiment destiné à servir d'habitation. *Domūs, ūs,* f. *Aedes, ium* (« ensemble de pièces, maison »), f. pl. *Aedificium, ii* (« bâtiment, construction, édifice, maison »), n. *Domicilium, ii,* n. — de campagne, *villa urbana*, ou absol. *villa, ae,* f. — rustique, *villa rustica.* ¶ Bâtiment destiné à un usage spécial. — de ville. — commune, voy. MAIRIE. — de santé, *valetudinarium, ii,* n. — de commerce, *taberna, ae,* f. — de banque, *taberna argentaria.* — d'éducation, *ludus discendi; schola, ae,* f. ¶ (Par anal.) Intérieur d'une maison. || (Ensemble des choses du ménage.) *Domūs, ūs,* f. De la —, *domesticus, a, um*, adj.; *familiaris, e,* adj. || (Ensemble des personnes chargées du service.) *Domūs, ūs,* f. Familia, ae, f. Les gens de —, voy. DOMESTIQUE. || La — d'un prince, *domestici principis.* ¶ (Par ext.) Ceux qui vivent sous le même toit formant une même famille. *Domūs, ūs,* f. Familia, ae, f. Le fils, la fille de la —, *herilis filius; herilis filia.* Qui est

de la —, *familiaris e,* adj. || (Fig.) La famille, au point de vue généalogique. *Domūs, ūs,* f. Familia, ae, f. Genus, eris, n. De bonne —, *generosus, a, um,* adj. [*muncula, ae,* f.

maisonnette, s. f. Petite maison. *Domaître*, s. m. Celui qui a qqn sous sa domination. *Dominus, i*, m. (au plur. *domini*, « les maîtres », c.-à-d. le maître et la maîtresse de la maison). Etre le —, *dominâri*, dép. intr. Avoir un —, *esse in imperio.* || (Spéc.) Celui qui a des sujets. *Dominus, i*, m. Dominator, oris, m. Etre le — de l'Etat, *rerum potiri.* Etre —, *dominâri*, dép. intr.; *imperâre*, intr. || Celui qui a le domaine de qqch. *Dominus, i*, m. Herus, i (« maître de maison »), m. Etre —, *tenēre*, tr.; *obtinēre* (« tenir solidement, être maître de »), tr. Se rendre —, *potiri*, dép. intr. Se rendre — de (fig.), voy. MAITRISER. Qui s'est rendu —, devenu —, *potens* (gén. *-entis*), p. adj. Etre son —, *sui juris* (ou *suae potestatis, in sua potestate esse*). Etre — de ses passions, *moderari animo.* Qui n'est pas — de, *impotens* (gén. *-entis*), p. adj. Faire le —, agir en —, *dominâri*, dép. intr. Commander en —, *regnâre*, intr. ¶ Celui qui conduit le personnel, dirige les opérations d'un service. *Magister, tri,* m. || (Fig.) Celui qui est expert en quelque art. *Artifex, ficis,* m. — dans l'art de la parole, *artifex dicendi.* Passé — dans l'art de..., *eruditus artificio* (*alicujus rei*). Passé — en fait de fourberie, *ad fraudem acutus.* | (En apposition.) — maçon, *architectus, i*, m. — compagnon, *magister operum.* || Spéc.) Celui qui enseigne un art, une science. *Magister, tri,* m. || Celui dont on est le disciple. *Magister, tri,* m. Avoir qqn pour —, *discĕre apud aliquem.*

maitresse, s. f. Qui a qqn sous sa domination. *Domina, ae,* f. Dominatrix, tricis, f. || Celle qui a des sujets, des peuples sous sa domination. *Dominatrix, tricis,* f. Regina, ae, f. || (P. ext.) Etre la — du monde, *imperâre gentibus.* || (P. ext.) Au fig. Domina, ae, f. La passion est —, *dominatur libido.* ¶ Celle qui a le domaine de qqch.— de la maison, du logis, *domina, ae,* f.

maitriser, v. tr. Ranger sous son obéissance. *Imperâre* (*alicui*). || (P. anal.) Qui ne peut — son cheval, *impotens equi regendi.* || (Fig.) Moderari (*animo*). *Imperâre* (*cupiditatibus; sibi*).

majesté, s. f. Caractère de grandeur qui imprime le respect. *Majestas, atis,* f.

majestueusement, adv. D'une manière majestueuse. *Augustē*, adv.

majestueux, euse, adv. Qui a de la majesté. *Augustus, a, um,* adj. Magnificus, a, um,* adj. (au propre et au fig.). Aspect — d'un portique, *dignitas porticūs.* Air —, *gravitas, atis,* f.

majeur, *eure*, adj. Plus grand. *Major (majus)*, *oris*, adj. La — partie des Belges, de ses partisans, *plerique Belgae*; *plerique ex factione ejus*. ‖ (Droit.) Force —, *vis cui resisti non potest*. ‖ Qui a l'âge fixé par la loi pour jouir de ses droits. *Qui (quae) est suae potestatis. Sui juris*.

majordome, s. m. Maître d'hôtel. *Dispensator, oris*, m.

majorité, s. f. Age fixé par la loi pour user et jouir de ses droits. *Plena pubertas*. ¶ Pluralité des suffrages. *Major pars*. [*subst.* une —, *littera grandis*.

majuscule, adj Une lettre —, *et*

1. mal, s. m. Tort, dommage éprouvé par qqn. *Malum, i, n. Incommodum, i, n*. Faire du —, *malefacĕre (alicui)*; *alicui injuriam facĕre* ou *inferre*. ‖ (Spéc.) Souffrance physique. *Malum, i, n*. Avoir —, *laborāre*, intr. Faire — (être douloureux), *dolēre*, intr. Faire du —, voy. INCOMMODER, LÉSER. ‖ Maladie. Voy. ce mot. — de mer, *nausea, ae*, f. Avoir le — de mer, *nausĕāre in mari*. ‖ Souffrance morale. *Malum, i, n*. ‖ Effort pénible. Voy. PEINE, EFFORT. Avoir du — à faire qqch., *aegrē aliquid facĕre*. ‖ (P. ext.) Dommage causé aux choses. Voy. DOMMAGE. Faire du — à, *nocēre*, intr. ¶ Ce qui est imparfait, défectueux. *Malum, i, n. Vitium, ii, n*. Prendre, tourner les choses en —, *rapĕre in pejorem partem*. Dire du — (de qqn, *male dicĕre* (ou *loqui) alicui*. ¶ Ce qui est contraire à la loi morale. *Malum, i, n*. Faire le —, *nefas facĕre*. Sans songer à —, *nullo consilio malo*.

2. mal, adv. D'une manière fâcheuse, pénible. *Male*, adv. Etre —, très — au plus —, *minus valēre; in statu pessimo positum esse*. Se trouver —, voy. DÉFAILLIR. Cela va — pour qqn, *male est alicui*. ¶ D'une manière imparfaite, défectueuse. *Male*, adv. *Perperam*, adv. *Pravē*, adv. *Parum* (« trop peu, pas assez, mal »), adv. Caractère — fait, *pravus animus*. Parler —, *barbarē loqui*. ¶ D'une manière contraire à la loi morale *Male*, adv. *Perperam*, adv. *Improbē*, adv.

malade, adj. Qui a quelque trouble dans les fonctions organiques. *Aeger, gra, grum*, adj. *Aegrotus, a, um*, adj. *Morbidus, a, um*, adj. *Invalidus, a, um*, adj. Etre —, *aegrotāre*, intr. Tomber —, *in morbum cadĕre*. ‖ (Fig.) En parl. des choses. *Aeger, gra, grum*, adj. *Aegrotus, a, um*, adj. Etre —, *aegrotāre*, intr. ¶ (Au fig.) Qui a quelque trouble des facultés intellectuelles, morales. *Aeger, gra, grum*, adj. *Aegrotus, a, um*, adj.

maladie, s. f. Altération, trouble des fonctions organiques. *Morbus, i*, m. *Aegrotatio, onis*, f. *Valetudo, dinis*, f. Atteint de —, *affectus valetudine*. — épidémique, *pestilentia, ae*, f. Avoir,

---

faire une —, *aegrotāre*, intr. ¶ (Au fig.) Perturbation morale. *Morbus, i*, m. *Valetudo, dinis*, f. *Aegrotatio, onis*, f.

maladif, *ive*, adj. Un homme —, *homo infirmae valetudinis*. Etat —, *infirma valetudo*.

maladresse, s. f. Manière d'être d'une personne maladroite. *Inscitia, ae*, f. *Imperitia, ae*, f.

maladroit, *oite*, adj. Qui s'y prend mal pour faire qqch. *Ineptus, a, um*, adj. [*maladroite. Ineptē*, adv.

maladroitement, adv. D'une manière à son aise. *Incommodum, i, n*.

malaise, s. m. Etat où l'on n'est pas à son aise. *Incommodum, i, n*.

malaisé, *ée* adj. Qui ne se fait pas aisément. *Difficilis, e*, adj. Il est — de..., *arduum est* (av. l'inf.).

malaisément, adv. Voy. DIFFICILEMENT.

malavisé, *ée*, adj. Qui n'a pas de discernement. *Imprudens* (gén. *-entis*), adj. [TENT.

malcontent, *ente*, adj. Voy. MÉCONmâle, s. m. et adj. ‖ *S. m.* Individu du sexe fort. *Mas, maris* (gén. plur. *marium*), m. Le — (des animaux), *masculus, i*, m. ¶ *Adj*. Qui appartient au sexe fort. *Virilis, e*, adj.¶(Fig.) Qui a une énergie virile. *Virilis, e*, adj.

malédiction, s. f. Paroles par lesquelles on souhaite du mal à qqn. *Imprecatio, onis*, f. *Detestatio, onis*, f. Charger de —, *devovēre*, tr.

maléfice, s. m. Sortilège malfaisant. *Maleficium, ii*, n.

malencontreux, *euse*, adj. Qui vient à contretemps. *Importunus, a, um*, adj. *Intempestivus, a, um*, adj.

malentendu, s. m. Méprise qui empêche d'être d'accord. *Error, oris*, m.

malfaisant, *ante*, adj. Qui est porté à faire du mal. *Maleficus, a, um*, adj. Un être —, *pestis, is*, f. Animaux —, *animalia noxia*. ‖ (P. ext.) En parl. des ch. *Malus, a, um*, adj. Substance —, *vis noxia*.

malfaiteur, s. m. Voy. BANDIT.

malfamé, *ée*, adj. Voy. FAMÉ.

malgré, prép. Sans en être empêché par le mauvais gré qu'oppose qqn. Se traduit par *invitus, a, um* (« contraint »), adj. C'est — moi que je pars, *invitus proficiscor*. ¶ Sans en être empêché par l'obstacle qu'oppose qqch. — la nature, *repugnante naturā*.

malhabile, adj. Qui n'est pas habile. Voy. MALADROIT.

malheur, s. m. Evénement funeste. *Malum, i*, n. *Calamitas, atis*, f. *Clades, is*, f. *Incommodum, i*, n. *Casūs, ūs*, m. Il t'arrivera —, *infortunium invenies*. — aux vaincus! *vae victis!* ¶ Suite d'événements funestes. *Mala, orum*, n. pl. *Miseria, ae*, f. *Acerbitates, um*, f. pl. Le — des temps, *temporum iniquitas*. ‖ Chance funeste. *Fortuna adversa*. Porter — à ses amis, *suis esse exitio*

Il a eu le — de..., *ei accidit, ut* (subj.). ‖ (Loc. adv.) Par —, voy, MALHEU-REUSEMENT.

malheureusement, adv. D'une manière malheureuse. *Male*, adv. *Infeliciter*, adv. *Miserè*, adv. Il arriva — que..., *incommodè accidit, ut* (et le subj.). — il tomba, *accidit ei ut cadere*...

malheureux, *euse*, adj. Qui est dans le malheur. *Infelix* (gén -*icis*), adj. *Miser, a, um*, adj. *Calamitosus, a, um* (« accablé de maux ou par le malheur, très malheureux »), adj. ‖ (Spéc.) Pauvre, indigent. Voy. ces mots. ¶ (Par ext.) Qui fait le malheur de qqn; funeste. *Infelix* (gén. -*icis*), adj. *Miser, era, erum*, adj. *Adversus, a, um*, adj. *Malus, a, um*, adj. ‖ (Par hyperb.) *Miser, era, erum*, adj. ‖ Coupable. *Miser, era, erum*, adj. ¶ Qui a du malheur, qui a mauvaise chance. *Infortunatus, a, um*, adj. *Miser, era, erum*, adj. Etre — à la guerre, *rem male gerère*. Etre — au jeu, *aleâ minus prosperâ uti*. ‖ Qui porte malheur. *Infaustus, a, um*, adj. *Sinister, tra, trum*, adj.

malhonnête, adj. Qui manque à l'honnêteté. *Malus, a, um*, adj. *Improbus, a, um*, adj. ¶ Qui manque à la politesse. Voy. IMPOLI.

malhonnêtement, adv. En manquant à l'honnêteté. *Improbè*, adv. ¶ En manquant à la politesse. Voy. IMPOLIMENT.

malhonnêteté, s. f. Défaut d'honnêteté. *Improbitas, atis*, f. ¶ Défaut de politesse. Voy. IMPOLITESSE.

malice, s. f. Plaisir qu'on trouve à faire le mal. *Malitia, ae*, f. *Malignitas, atis*, f. ¶ Amusement qu'on trouve à faire, à dire de petites méchancetés. *Malitia, ae*, f.

malicieusement, adv. D'une manière malicieuse. *Improbè*, adv. ‖ (Spéc.) *Jocosè*, adv

malicieux, *euse*, adj. Qui trouve du plaisir à faire le mal. *Malitiosus, a, um*, adj. *Malus, a, um*, adj. ¶ (Spéc.) Voy. ESPIÈGLE.

malignement, adv. D'une manière maligne. *Malignè*, adv.

malignité, s. f. Disposition à se complaire dans le mal d'autrui. *Malignitas, atis*, f. *Malitia, ae*, f. ‖ (P. ext.) Propriété malfaisante qu'une chose recèle. *Vis nocendi.*

malin, *maligne*, adj. Qui a une disposition à se complaire dans le mal d'autrui. *Malignus, a, um*, adj.

malingre, adj. Voy. CHÉTIF.

malintentionné, *ée*, adj. Qui a de mauvaises intentions. *Malevolus, a, um*, adj.

malle, s. f Coffre destiné à contenir les effets qu'on emporte en voyage. *Cista, ae*, f. *Riscus, i*, m.

malléable, adj. Qui la propriété de s'étendre sous le marteau. *Qui (quae,*

quod) malleo extendi potest.

malôtru, *ue*, adj. Grossier (de tournures, de manières). Subst. Un —, *rusticus homo.*

malpropre, adj. Qui n'est pas propre, net. *Immundus, a, um*, adj.

malproprement, adv. D'une manière malpropre. *Sordidè*, adv.

malpropreté, s. f. Défaut de propreté. *Squalor, oris*, m.

malsain, *aine*, adj. Qui a le germe de quelque altération des organes. *Morbidus, a, um*, adj. ¶ (Fig.) Qui a le germe de quelque altération des facultés intellectuelles, morales. *Vitiosus, a, um*, adj. *Pravus, a, um*, adj. ¶ Qui est nuisible à la santé. *Bonae valetudini contrarius.*

malséant, *ante*, adj. Qui sied mal. *Indecorus, a, um*, adj.

Malte, n. pr. Ile de la Méditerranée. *Melita, ae*, f. De —, *Melitensis, e*, adj.

maltraiter, v. tr. Traiter mal. *Male habère. Male accipère*. — (en paroles), *verbis verberâre*. — (en frappant), *mulcère*, tr. *vim inferre (alicui)*. ‖ (P. ext.) Endommager. *Vexâre*, tr. — l'ennemi (dans un combat), *magnam cladem hosti afferre.*

malveillance, s. f. Mauvais vouloir à l'égard de qqn. *Malevolentia, ae*, f.

malveillant, *ante*, adj. Qui a de la malveillance. *Malevolus, a, um*, adj. *Iniquus, a, um*, adj. ‖ (Par ext.) Qui est un signe de malveillance. *Malevolus, a, um*, adj. Dispositions —, *infestus animus.*

malversation, s. f. Détournement dans la gestion d'une charge, d'un emploi. *Peculatus, ûs*, m.

malverser, v. intr. Commettre des détournements. *Peculatum facère.*

mamelle, s. f. Sein de la femme qui sécrète le lait. *Mamma, ae*, f. Enfant à la —, *lactans, antis*, m.

mamelon, s. m. Voy. ÉMINENCE.

manant, s. m. Voy. PAYSAN.

1. manche, s. f. Partie d'un vêtement qui recouvre le bras jusqu'au poignet. *Manica, ae*, f. Longue —, *manuleus, i*, m. Qui a des —, qui est à —, *manicatus, a, um*, adj. Qui a de longues —, *manuleatus, a, um*, adj.

2. manche, s. m. Partie adaptée à un outil pour le tenir à la main. *Manubrium, ii*, n.

manchot, *ote*, adj. Privé ou estropié d'un bras. *Mancus, a, um*, adj.

mandat, s. m. Acte par lequel une personne donne à une autre le pouvoir d'agir en son nom. *Mandatum, i*, n. *Negotium, ii*, n. ¶ Ordre de payer à vue une certaine somme à qqn. *Perscriptio, onis*, f.

mandataire, s. m. et f. Personne chargée par une autre d'un mandat. *Is (ea) cui mandatur (aliquid).*

mander, v. tr. Faire tenir à qqn (un

ordre, une instruction). *Nuntiāre*, tr. *Praescribĕre*, tr. *Praecipĕre*, tr. *Mandāre* (*alicui*, *ut* ou *ne* av. le subj.). || (En parl. d'un ordre du pouvoir.) *Edicĕre ut* (et le subj.). || (P. ext.) Faire tenir (à qqn) un message, une nouvelle. Voy. INFORMER. || (Spéc.) — à qqn l'ordre qu'il vienne, *et p. ext.* — qqn, *vocāre aliquem ad se.*   [mot.

mandibule, s. f. Mâchoire. Voy. ce mot.

manège, s. m. Art d'exercer un cheval pour le dresser. Apprendre le —, *equo docēri.* || Une salle de —, *et, ellipt.*, un —, *hippodromus, i,* m. || (Fig.) Art de se comporter envers les personnes, des choses. *Ratio, onis,* f. || (P. ext.) *Absol.* Manière artificieuse de se comporter. *Ars, artis,* f. (ordin. au plur. *artes, tium,* f.) *Machina, ae,* f. ¶ (P. ext.) Appareil pour faire tourner une machine. *Machina, ae,* f.

mânes, s. m. pl. Ombre des morts, qui était l'objet d'un culte chez les anciens. *Manes, ium,* m. pl.

mangeable, adj. Qui peut se manger. *Esculentus, a, um,* adj.

mangeoire, s. f. Auge. *Praesaepe, is,* n.

1. manger, v. tr. Mâcher et avaler (un aliment solide). *Edĕre* ou *esse,* tr. *Comedĕre* (« manger complètement, dévorer »), tr. *Vesci* (« se nourrir de, faire sa nourriture de; manger »), dép. intr. (av. l'abl.). — avidement, sans mâcher, *vorāre,* tr.; *devorāre,* tr. || (En parl. des animaux.) *Pasci,* dép. intr. ¶ Prendre des aliments pour se nourrir. *Edĕre* ou *esse,* tr. *Vesci,* dép. intr. Donner à —, *alicui cibaria praebēre.* (En parl. des animaux.) *Edĕre* ou *esse,* tr. *Pasci,* dép. intr. Donner à — (à un animal), *cibum dăre; pabulum praebēre.* ¶ (Absol.) Prendre un repas. *Edĕre* ou *esse,* tr. *Vesci,* dép. intr. *Cenāre,* absol. ¶ (Spéc.) Dépenser (l'argent). Voy. DÉVORER. || (Par ext.) Ruiner la fortune de qqn. *Comedĕre,* tr. *Devorāre,* tr.

2. manger, s. m. Ce qu'on mange pour se nourrir. *Cibus, i,* m.

mangeur, *euse,* s. m. et f. Celui, celle qui mange. *Qui (quae) edit.* Un gros, un grand —, *homo multi cibi.* Un petit —, *homo minimi cibi.* ¶ Celui qui dissipe son bien. *Helluo, onis,* m.

maniable, adj. Qui peut se manier aisément. || Qui est souple à la main. *Habilis, e,* adj. *Tractabilis, e,* adj. Fig. *Tractabilis, e,* adj. || Que la main façonne aisément. *Mollis, e,* adj. *Flexibilis, e,* adj.

maniaque, adj. Voy. FOU, LUNATIQUE.

manie, s. f. Egarement d'esprit. *Furor, oris,* m. *Insania, ae,* f. || (Spéc.) Voy. ALIÉNATION. ¶ Passion exagérée ou bizarre. *Furor, oris,* m. La — d'acheter, *emacitas, atis,* f.

maniement et **maniment**, s. m. Action de tâter avec la main. *Tactus, ūs,* m.

Tractatūs, ūs, m. ¶ Action de faire fonctionner avec la main. *Tractatio, onis,* f. *Administratio, onis,* f. Qui est d'un — facile, *ad usum habilis.* || (Fig.) *Administratio, onis,* f.

manier, v. tr. Tâter avec la main. *Manu* (ou *manibus*) *tractāre. Attrectāre,* tr. Au —, *tactu.* ¶ Façonner avec la main. *Fingĕre,* tr. ¶ Faire fonctionner. *Tractāre,* tr. *Exercēre,* tr. Facile à —, *habilis, e,* adj. Difficile à —, *inhabilis, e,* adj. || (Au fig.) Prendre *ou* avoir en mains, utiliser, diriger. *Tractāre,* tr. *Administrāre,* tr.

manière, s. f. Genre d'action qu'on emploie pour faire qqch. *Modus, i,* m. *Genus, eris,* n. *Ratio, onis,* f. — de défendre, *defensio.* — de voir, *ratio, onis,* f. — de sentir, *animus, i,* m. — d'être, *habitus, ūs,* m. De cette —, *hoc modo; hac ratione; ita,* adv.; *sic,* adv. De toute —, *— de — ou d'autre, quacumque ratione; quocumque modo.* De la bonne —, *bono modo.* || (Loc. conj.) De la — que vous dites, *ita ut dicis.* De telle — que, *sic... ut...; ita... ut...* (et le subj.). || (Loc. prép.) Il agit de — à..., *ita se gerit, ut...* (subj.). || (Spéc.) Genre d'action habituel à qqn. *Modus, i,* m. *Mos, moris,* m. *Ritus* (abl. *ū*), m. A la — des esclaves, *servorum modo.* || La manière d'un artiste. *Genus, eris,* n. *Manūs, ūs,* f. ¶ Forme extérieure d'une action. *Genus, eris,* n. Par — de dire. *ut ita dicam.* ¶ (Au plur.) Forme extérieure qu'une personne montre au milieu du monde. *Mores, um,* m. pl. — élégantes, distinguées, *humanitas, atis,* f. — polies, *comitas, atis,* f. — grossières, *rusticitas, atis,* f.

maniéré, *ée,* adj. Qui est affecté. *Apparatus, a, um,* p. adj.

manieur, *euse,* s. m. et f. Celui, celle qui manie habituellement qqch. *Qui (quae) aliquid tractat* (ou *habet*) *in manibus.*

manifestation, s. f. Action de manifester, de rendre sensible, palpable. *Significatio, onis,* f. *Declaratio, onis,* f. — (de la divinité), *praesentia, ae,* f. Pour la — de la vérité, *ad patefaciendum verum.* || (Spéc.) Démonstration populaire, voy. DÉMONSTRATION.

1. manifeste, adj. Rendu palpable *Manifestus, a, um,* adj. *Apertus, a, um,* p. adj. Il est —, *apparet; patet; liquet.* || (P. ext.) Certain, connu. Voy. ces mots.   [blique *Edictum,* i, n.

2. manifeste, s. m. Déclaration pu-

manifestement, adv. D'une manière palpable, sensible. *Manifesto,* adv. *Apertē,* adv.

manifester, v. tr. Rendre palpable, visible, sensible. *Manifestum facĕre,* tr. *Aperire,* tr. *Patefacĕre,* tr. *Ostendĕre,* tr. *Declarāre,* tr. Se —, *apparēre,* intr; *emergĕre,* intr; *exstāre,* intr.; *patēre,* intr.

maniment. Voy. MANIEMENT.

manipulaire, adj Qui appartient au manipule. *Manipularis, e,* adj.

manipulation, s. f. Action de manipuler. *Tractatŭs, ūs,* m.

manipule, s. m. Compagnie de fantassins. *Manipulus, i,* m.

manipuler, v. tr. Manier, en les mélangeant, certaines substances chimiques. *Tractāre,* tr.

manivelle, s. f Pièce qui sert à faire tourner. *Machina, ae,* f.

1. manne, s. f. Nourriture tombée du ciel pour nourrir les Hébreux dans le désert. *Manna,* n. (Indécl.).

2. manne, s. f. Panier d'osier. *Corbis, is,* f. *Sirpea, ae,* f.

1. mannequin, s. m. Panier en forme de hotte. Voy HOTTE.

2. mannequin, s. m. Figure représentant un corps humain. Des — en paille, *fenei-homines.*

manœuvre, s f. et m. || S. f. Suite de mouvements par lesquels la main fait fonctionner régulièrement un instrument, une machine. *Administratio, onis,* f. || (Absol.) Toute opération qui sert à diriger un navire. *Administratio, onis,* f. *Gubernatio, onis* (« manœuvre du timonnier »), f. Ordonner les —, *iubēre vela et armamenta collocari.* Faire les —, *armamenta componĕre.* || Mouvement, évolution militaire. *Decursio, onis,* f. *Decursŭs, ūs,* m. Terrain, champ de —, *campus, i,* m. ¶ (Au fig.) Suite d'actions, de démarches combinées pour atteindre un but. *Artificium, ii,* n. *Artes, ium,* f. pl. Faire de fausses —, *male consulĕre rebus suis.* || (Absol.) Suite de démarches artificieuses. *Machinae, arum,* f. pl. ¶ *S. m.* Ouvrier qui ne fait que des travaux manuels. Voy. MANOUVRIER. || (Fig) Celui qui ne fait que la partie matérielle d'une œuvre. *Operarius, ii,* m.

manœuvrer, v. tr. et intr. || *V. tr.* Faire fonctionner régulièrement avec la main (un instrument, une machine). *Administrāre,* tr. *Movēre,* tr. ¶ *V. intr.* Faire des mouvements, des évolutions militaires. *Decurrĕre,* intr. || Faire — (faire faire des mouvements, des évolutions à un corps d'armée, à à une escadre), *disponĕre et ordināre milites; naves disponĕre.*

manoir, s. m. Voy. DEMEURE.

manque, s. f. Absence d'une chose nécessaire *ou* jugée telle. *Penuria, ae,* f. *Inopia, ae,* f. — de lait (dans les mamelles), *defectus lactis.* — d'argent, de fortune, *angustiae pecuniae* (ou *rei familiaris*). — de force, *infirmitas, atis,* f. — de piété, impietas, atis, f. — d'énergie, *mollitia, ae,* f. — de foi, *perfidia, ae,* f. — de respect, *irreverentia, ae,* f. Loc. prép. Par — de, *et,* ellipt. — de, *propter alicuius rei inopiam.* ¶ Absence d'une chose qui est en moins dans un tout. *Defectŭs, ūs,*

m. Etre de —, *deficĕre,* intr.

manquement, s. m. Le fait de manquer de qqch. Voy. MANQUE. ¶ (P. ext.) Le fait de manquer en qqch. Voy. ERREUR.

manquer, v intr. et tr. || (*V. intr.*) Ne pas avoir (en parl. de qqn). *Egēre,* intr. *Indigēre,* intr. *Carēre* (« ne pas *ou* ne plus avoir »), intr. *Non habēre.* Ne pas — de, voy. REGORGER, ABONDANCE. Qui manque de, *expers* (gén. -*ertis*), adj. Voy. PRIVÉ [de]). | (Par ext.) Ne pas user d'une chose quand on le doit. — de prudence, *imprudentem esse.* Il a manqué de courage, *animus ei defuit.* — de mémoire, *memoriâ labi.* — de parole, *non facĕre promissum.* — (de faire qqch.), *praetermittĕre* (av. l'inf.); *omittĕre aliquid.* Il a manqué de se casser la jambe (*ou* se casser la jambe), *prope fuit ut crus sibi frangeret; ... non crus sibi fregit.* || Etre en mot dans un tout (en parl d'une personne, d'une chose). *Deesse,* intr. *Deficĕre,* intr || (Par ext.) Etre absent là où l'on est nécessaire. *Deesse,* intr. *Deficĕre,* intr. et tr. || (Par anal.) Ne plus prêter son office. *Deficĕre,* tr. Le pied lui manque, *gradus instabilis eum fallit.* || Ne pas apporter aide, concours. *Deesse,* intr. (av. le dat.). *Deficĕre,* tr. || (En parl. d'une personne) Ne pas se conformer à ce qu'on doit. *Deesse,* intr. *Decedĕre,* intr. *Discedĕre,* intr. *Fallĕre,* tr. Sans — au devoir, à l'honneur, *salvo officio salvâ fide.* || Manquer au respect qu'on doit à qqn *et* (ellipt.) manquer à qqn, voy. OFFENSER. || (absol.) Commettre une faute. *Peccāre,* intr. || Echouer. Voy. ce mot. || Mourir. *Decedĕre,* intr ¶ (*V tr.*) Ne pas réussir à qqch. *Operam perdĕre* (*in aliquid re*). Coup manqué, *ictus irritus.* Affaire manquée, *negotium perditum.* — le but, *destinata non ferire.*

mansarde, s. f. Chambre pratiquée sous le comble. *Cenaculum, i,* n.

mansuétude, s. f. Douceur indulgente. *Mansuetudo, inis,* f. | *Palla, ae,* f.

mante, s. f. Sorte de manteau court.

manteau, s. m. Ample et long vêtement, sans manches, que l'on porte par-dessus les autres vêtements. *Pallium, ii,* n. Petit —, *palliolum, i,* n. (Fig.) Apparence qui sert à dissimuler qqch. *Involucrum, i,* n.

mantelet, s. m. Petit manteau. *Palliolum, i,* n. ¶ Abri que les assaillants poussent devant eux pour avancer à couvert. *Vinea, ae,* f.

Mantoue, n. pr. Ville d'Italie. *Mantua, ae.* f. De —, *Mantuanus, a, um,* adj.

manuel, elle, adj. Qu'on fait en se servant de la main. Travail —, *opera, ae,* f. ¶ *S. m.* Abrégé. Voy. ce mot.

manuellement, adv En se servant de la main. *Manu,* abl. adv.

manufacture, s. f. Grand établissement où l'on fabrique. *Officina, ae,* f.

manuscrit. *its*, adj. Écrit à la main. *Meā* (*tuā, suā, ejus*) *manu scriptus*. ‖ (Subst.) Un —, un ouvrage en —, *liber* (ou *codex*) *manu scriptus*.   [TION.

manutention, s. f. Voy. MANIPULA-

maquereau, s. m. Poisson de mer. *Scomber, bri,* m.

maquignon, s. m. Marchand de chevaux. *Venditor equorum.*

marais, s. m. Terrain détrempé par des eaux qui s'écoulent difficilement *et par ext.* terrain humide. *Palus, udis,* f. *Stagnum, i,* n. Fièvre de —, voy. PALUDÉEN. De —, voy. MARÉCAGEUX. ‖ Spéc. — salant, *stagnum salinarum.*

marasme, s. m. Consomption. Voy. ce mot. ‖ (Par ext.) Voy. LANGUEUR, DÉCOURAGEMENT. (Fig.) Être dans le — (en parl. des affaires), voy. LANGUIR.

marâtre, s. f. Nom donné à une belle-mère par rapport aux enfants que son mari a eus d'un autre lit. *Noverca, ae,* f.

maraud, s. m. Nom donné par mépris à qqn. *Mastigia, ae,* m.

maraude, s. f. Larcin que font des soldats en marche. *Praedatio, onis,* f. Faire la —, voy. MARAUDER.

marauder, v. intr. En parl. des soldats, faire des larcins en marche. *Palāri per agros praedandi causā.*

maraudeur, s. m. Celui qui fait la maraude. *Vagus* (ou *lasciviens*) *per agros miles.*

marbre, s. m. Pierre calcaire très dure. *Marmor, oris,* n. De —, en —, *marmoreus, a, um,* adj. ‖ (Fig.) Dur comme le —, de —, froid comme le —, *saxeus, a, um,* adj.

marbrier, s. m. Ouvrier qui travaille le marbre. *Marmorarius, ii,* m.

marc, s. m. Résidu de fruits qu'on a pressés pour en extraire le suc. *Faex, aecis,* f.   [*cellus,* f.

marcassin, s. m. Petit sanglier. *Porcus*

marchand, *ande,* s. m. et f. et adj. ‖ S. m. *et* f. Celui, celle qui fait du commerce. *Mercator, oris,* m. *Negotiator, oris,* m. Les —, *mercantes, ium,* m. pl. Marchande, *negotiatrix, tricis,* f. ‖ Adj. Qui se livre au commerce. *Vendibilis, e,* adj. *Mercatorius, a, um,* adj. Port —, *maritimum emporium.* Navire —, *navis oneraria.*

marchander, v. tr. Essayer d'obtenir à meilleur marché. *Illiberaliter licēri.* ¶ (Par ext.) Sans —, *abjectā omni cunctatione.*

marchandise, s. f. Ce qui est objet du commerce. *Merx, mercis* (gén. plur. *mercium*),   (Fig) Étaler sa —, *venditāre,* tr.

marche, s. f. Place où se pose le pied; degré d'un escalier. Voy. DEGRÉ. ¶ Action de marcher. *Incessūs, ūs,* m. *Ingressūs, ūs,* m. *Iter, itineris,* n. *Ambulatio, onis,* f. *Gradūs, ūs,* m. ‖ (Par

ext.) Mouvement d'un corps de troupe qui avance. *Iter, itineris,* n. Armée en —, *agmen, minis,* n. ‖ (Spéc.) Étape. *Iter, itineris,* n. A — forcées, *mognis itineribus.* ‖ Mouvement pour aller à l'ennemi Colonne de —, *agmen, minis,* n. ‖ (Par anal.) Marche d'un navire. *Cursūs, ūs,* m. Absol. La — d'un navire, *navis agilitas.* ¶ Mouvement par lequel une troupe défile dans un certain ordre. — triomphale, *triumphus, i,* m. — funèbre, *pompa funebris.* Ouvrir, fermer la —, *agmen ducĕre* (*claudĕre* ou *cogĕre*). ¶ Mouvement d'un mobile suivant la loi qui le régit. *Cursūs, ūs,* m. ‖ (Fig.) Manière de procéder suivant un certain ordre. *Cursūs, ūs,* m. *Ratio, onis,* f. La — de la guerre, *belli ratio.*

marché, s. m. Vente, achat, à un prix débattu entre le vendeur et l'acheteur. *Pactio, onis,* f. *Mercatus, s,* m. Faire son —, *obsonāre,* intr. Faire un —, *emĕre,* tr. Faire un bon —, *bene emĕre.* Qui est à bon —, *vilis, e,* adj. Faire bon —, *parvo p retise vendĕre* (Fig.) Faire bon — d'une chose *aliquid vile habēre.* Faire bon — de la réputation, de sa vie, *non parcĕre famae, vitae.* ‖ (Par ext.) Convention entre un entrepreneur *ou* un ouvrier et un patron, un propriétaire. *Pactio, onis,* f. Faire, conclure un —, *pacisci,* dép. intr. ¶ Lieu public où se font des transactions commerciales. *Mecatūs, ūs,* m Porter au — (*aliquid*) *ar mercatum deferre.* Place du —, *forum, i,* n. — aux bœufs, *forum boarium.* — aux légumes, *forum olitorium.* ‖ Réunion des marchands sur la place du marché. *Mercatūs. ūs.* m ‖ (Par anal.) Ville, pays, siège de transactions commerciales. *Emporium, ii,* n.

marcher, v. intr. Poser le pied (sur qqch.) *Insistĕre,* intr. *Calcāre,* tr. — sur le pied de qqn (fig.), *aliquem offendĕre.* — sur les pas de qqn, *c.-à-d.* le suivre, voy. SUIVRE. — sur les traces de son père, *ingredi patris vestigiis,* ‖ (Fig.) — (sur qqn). *c.-à-d.* le traiter avec mépris, ou dureté. *conculcāre,*tr. — (sur qqch.), *c.-à-d.* piétiner, rabaisser, ravaler, voy. ces mots. ¶ Poser un pied, puis l'autre en avant, pour aller dans une direction. *Ire,* intr *Gradi,* dép. intr. *Ingredi,* dép. intr. *Ambulāre,* intr. — d'un pas ferme, *vadĕre,* intr. — à pas comptés, *incendĕre,* intr. ‖ (Par ext.) En parl. d'un corps de troupe : se porter d'un point vers un autre *et* (spéc.) se porter au-devant de l'ennemi. *Ire,* intr. *Procedĕre,* intr. *Progredi,* dép. intr. — contre l'ennemi, au combat, etc...*proficisci,*dép. intr. Faire —, *ducĕre,* tr. Faire —, rapidement ses hommes, *agmen raptim agĕre.* ‖ Marcher (*c.-à-d.* se réunir sous les drapeaux), *stipendia facĕre.* Faire —, voy. ENRôLER ‖ (P. anal.) En parl. d'un navire, d'un véhicule. *Ire*, intr. *Ferri*, pass. *Movēri*, pass. *Procedēro*, intr. ¶ (Par ext.) En parl. d'un mobile : suivre la loi qui régit son mouvement. *Ire*, intr. *Ferri*, pass. *Movēri*, pass. Le temps marche, *procedit tempus*. Faire —, *movēre*, tr. ¶ (Au fig.) Procéder d'une certaine manière en vue d'un résultat. *Ire*, intr. — droit, *ire rectā viā*. — à sa perte, *in apertam perniciem ire*. || (En parl. des choses.) *Ire*, intr. *Tendēre*, intr. *Procedēre*, intr. Faire — plusieurs choses de front, *plura pariter regěrs*.

marcheur, *euse*, s. m. et f. Celui, celle qui marche. *Qui (quae) ingreditur*. Bon —, *agilis*. Etre bon —, *pedibus valēre*. (P. anal.) Un bon — (un navire dont l'allure est rapide), *navis celerrima*.

marcotte, s. f. Sorte de bouture. *Surculus, i*, m. *Tradux, ducis*, m.

marcotter, v. tr. Multiplier par marcottes. *Surculum serēre*.

mardi, s. m. Nom du jour qui suit le lundi. *Martis dies*.

mare, s. f. Petit amas d'eau dormante. *Lacuna, ae*, f.

marécage, s. m. Terrain où il y a des marais. *Palus, udis*, f. *Solum uliginosum*.

marécageux, *euse*, adj. Qui est de la nature des marécages. *Paluster* (et *palustris*), *is*, e, adj.

marée, s. f. Mouvement alternatif de dépression et d'exhaussement de la mer. *Aestūs, ūs*, m. La — est haute ou basse, *exaestuat aut deficit mare*. — A basse, *in motu reciprocando*.

marge, s. f. Espace formant bordure. *Margo, inis*, m. et f.

margelle, s. f. Rebord en pierre d'un puits. *Puteal, alis*, n.

marguerite, s. f. Nom vulgaire de la pâquerette. *Bellis, idis*, f.

mari, s. m. Celui qui est uni à une femme par le mariage. *Maritus, i*, m. *Vir, viri*, m. Avoir un —, *nuptam esse cum aliquo*. Donner un — à sa fille, *dāre alicui filiam in matrimonium*. De —, voy. CONJUGAL, MARITAL.

mariage, s. m. Union légitime d'un homme et d'une femme. *Conjugium, ii* (« union conjugale »), n. *Connubium, ii*, n. *Matrimonium, ii*, n. *Nuptiae, arum* (« noces, célébration du mariage », *d'où* « mariage »), f. pl. ¶ (Au fig.) Union établie entre deux choses. Voy. UNION.

marier, v. tr. Unir (un homme et une femme) par le mariage. *Maritāre*, tr. (*Alicui virginem*) *in matrimonium dāre*. *Collocāre in matrimonium* (ou *in matrimonio*). Se —, *matrimonio se jungēre* (ou *conjungēre*) *cum aliquo* (ou *cum aliquā*). Etre marié, *uxorem duxisse*. Etre mariée, *nuptam esse viro*. Etre marié à qqn, *aliquam habere in matrimonio*. Etre mariée à qqn, *nuptam esse alicui* (ou *cum aliquo*). N'être pas

marié, *uxorem non habēre*. N'être pas mariée, *virum non habēre*. ¶ (Au fig.) Unir une chose avec une autre. *Maritāre*, tr.

marin, *ine*, adj. et s. m. || *Adj.* Qui appartient à la mer. *Marinus, a, um*, adj. *Maritimus, a, um*, adj ¶ *S. m.* Homme dont la profession est de naviguer sur la mer. *Nauta, ae*, m. Les —, *nautici, orum*, m. pl. ¶ *S. f.* MARINE. Tout ce qui se rapporte à la navigation sur mer. *Res maritimae*. *Res nauticae*.

marinier, *ière*, adj. et s. m. || *Adj.* Qui a rapport à la mer, à la navigation. Voy. MARIN, MARITIME. ¶ *S. m.* Homme employé à la manœuvre d'un navire. *Nauta, ae*, m.

marionnette, s. f. Figurine qu'on fait mouvoir à l'aide de fils. *Simulacrum ligneum quod nervis movetur et agitatur*.

marital, *ale*, adj. Qui a rapport au mari. (Traduire par le génit. *mariti*).

maritime, adj. Qui a rapport à la mer. *Maritimus, a, um*, adj. Avoir l'empire —, *mari imperāre*.

marjolaine, s. f. Plante aromatique. *Amaracus, i*, m. f. et *amaracum, i*, n. De —, *amaracinus, a, um*, adj.

marmelade, s. f. Mets composé de fruits écrasés. *Liquamen, inis*, n.

marmite, s. f. Vase de terre *ou* de métal dans lequel on fait bouillir des aliments. *Olla, ae*, f. Petite —, *ollula, ae*, f.

marmiton, s. m. Aide de cuisine de bas étage. *Magiriscium, ii*, n.

marmotte, s. f. Quadrupède rongeur, animal hibernant. *Mus alpinus*.

marmotter, v. tr. Dire (qqch.) entre ses dents, (absol.) *Secum murmurāre* ou *murmurillāre*.

marne, s. f. Terre grasse. *Marga, ae*, f. **Marne**, n. pr. Affluent de la Seine. *Matrona, ae*, m.

marner, v. tr. Amender à l'aide de la marne. *Margā stercorāre*.

marquant, *ante*, adj. Qui a une marque particulière. *Insignis, e*, adj.

marque, s. f. Trace laissée par une chose et qui sert à la faire reconnaître. *Vestigium, ii*, n. *Nota, ae*, f. — de coups, *vibix, bicis*, f. || Empreinte laissée sur une chose pour la faire reconnaître. *Character, eris*, m. Vin d'excellente —, *optima nota vini*. || (Absol.) La marque (signe infamant appliqué sur l'épaule avec un fer rouge). *Stigma, matis*, n. *Nota, ae*, f. ¶ Tout ce qui sert à faire reconnaître qqch. *Nota, ae*, f. *Indicium, ii*, n. *Signum, i*, n. || (Au fig.) Voy. CARACTÈRE.

marquer, v. tr. et intr. || (*V. tr.*) Faire reconnaître (une chose, une personne par la trace qui est laissée). *Signāre*, tr. || Faire reconnaître (une chose, une personne) par une empreinte qu'on trace. *Notāre*, tr. *Signāre*, tr. *Insignīre*, tr. — (un criminel), *alicui notam turpitudinis inurēre*. Fig. Un ouvrage marqué au bon coin, *opus optimae notae*. ¶ Faire reconnaître qqch. par qq. moyen. *Indicāre*, tr. *Notāre*, tr. *Significāre*, tr. ‖ Désigner, fixer, prescrire. Voy. ces mots. A une place marquée, *certo loco*. ‖ (Spéc.) Des traits marqués, *expressiora oris lineamenta*. ¶ (Fig.) — à qqn son estime, sa reconnaissance, son respect, voy. TÉMOIGNER. ¶ (*V. intr.*) Laisser sa trace. Voy. TRACE. ‖ (Fig.) Laisser une impression durable. Voy. IMPRESSION. ‖ Se mettre en relief par son mérite. Voy. MARQUANT.

marqueter, v. tr. Parsemer de marques. *Maculis variāre* ou simpl. *variāre*. Marqueté, *maculis sparsus*.

marqueterie, s. f. Assemblage de pièces de rapport, de matière *ou* de couleur différente. *Opus vermiculatum*.

marron, s. m. Fruit du marronnier. *Castaneae nux*.

marronnier, s. m. Variété de châtaignier. — d'Inde, *castanea Indica*.

marrube, s. m. Plante. *Marrubium*, *ii*, n. [*Martis*, m.

Mars, n. pr. Dieu de la guerre. *Mars*, **mars**, s. m. Troisième mois de l'année. *Martius mensis*. De —, *Martius*, *a*, *um*, adj. ‖ Blé de —, *martia sementis*, et (ellipt.), les —, *trimestre triticum*.

Marseille, n. pr. Ville de France. *Massilia*, ae, f. De —, *Massiliensis*, e, adj. Habitants de —, *Massilienses*, *ium*, m. pl. [*culus marinus*.

marsouin, s. m. Sorte de cétacé. Por-**marteau**, s. m. Outil formé d'un manche et d'une masse de fer. *Malleus*, *i*, m. Gros — (de forgeron), *marcus*, *i*, m. Petit —, *malleolus*, *i*, m.

marteler, v tr. Battre, travailler à coups de marteau. *Mulleo tundēre* ou simpl. *tundēre*, tr. *Crebro ictu tundēre*.

martial, *ale*, adj. Qui a un caractère guerrier. *Bellicus*, *a*, *um*, adj. *Bellicosus*, *a*, *um*, adj.

martinet, s. m. Espèce d'hirondelle à longues ailes. *Apus*, *podis*, m.

martin-pêcheur, s. m. Oiseau qui vit le long des cours d'eau. *Alcedo*, *inis*, f.

martre, s. f Petit mammifère carnassier dont la fourrure est estimée. *Meles* (et *melis*), *is* (génit. plur. *melium*), f.

martyr, *yre*, s. m. et f. Celui, celle qui a souffert la mort pour sa foi religieuse. *Martyr*, *yris*, m. et f.

martyre, s. m. Action de souffrir les tourments *ou* la mort pour la foi. *Martyrium*, *ii*, n. ‖ (Fig.) Tourment cruel (physique *ou* moral). *Cruciatūs*, *ūs*, m. Souffrir le —, *cruciāri* ou *torquēri*.

martyriser, v. tr. Livrer au martyre. *Martyrio afficēre*. ‖ (Fig.) Accabler de mauvais traitements. *Excruciāre*, tr.

masculin, *ine*, adj. Qui appartient au mâle. *Virilis*, e, adj. *Masculus*, *a*,

um, adj. *Masculinus*, *a*, *um*, adj. Du sexe —, voy. MALE. ¶ (Gramm.) Le genre —, *et*, ellipt., le —, *masculinum genus*.

masque, s. m. Faux visage dont on se couvre la figure, *Persona*, *ae*, f. *Larva*, *ae*, f. — de Gorgone, *os Gorgonis*. ‖ (Fig.) Fausse apparence dont on se revêt. *Persona*, *ae*, f, *Integumentum*, *i*, n. *Involucrum*, *i*, n. ‖ (Par ext.) Personne masquée. *Personatus homo*. ¶ Empreinte qu'on prend des traits de quelqu'un. Voy. EMPREINTE. ‖ Macaron. *Persona*, *ae*, f.

masquer, v. tr. Cacher sous un masque. *Personam (alicui) aptāre*. Masqué, *personatus*, *a*, *um*, adj. Se —, *personam sibi accommodāre* (ou *aptāre*); *personam induēre*. Etre masqué, *personam alienam ferre*. ‖ (Fig.) Déguiser sous une fausse apparence. *Tegēre* tr. *Obtegēre*, tr. *Dissimulāre*, tr. ¶ (P. ext.) Couvrir en mettant devant *ou* dessus qqch. qui intercepte. *Officēre*, intr. — ses mouvements à l'infanterie (ennemie), *peditibus conspectum exercitūs intersaepīre*.

massacre, s. m. Action de tuer une grande quantité de gibier dans une chasse. *Trucidatio*, *onis*, f. *Caedes*, *is*, f. ‖ (P. anal.) Curée. Voy. ce mot. ¶ Action de tuer pêle-mêle, avec acharnement. *Trucidatio*, *onis*, f. *Caedes*, *is*, f. *Occidio*, *onis*, f. *Strages*, *is*, f.

massacrer, v. tr. Tuer en frappant avec acharnement, tuer pêle-mêle, avec acharnement. *Caedēre*, tr. *Occidēre*, tr. *Concidēre*, tr. *Trucidāre*, tr. — une armée, *interficēre exercitum*. — jusqu'au dernier, *occidione (copias) occidēre*. ¶ (Fig.) Voy. DÉCHIQUETER. ‖ (P. ext.) Gâter (un ouvrage) par une exécution maladroite. *Corrumpēre*, tr. *Deformāre*, tr.

massacreur, s. m. Celui qui massacre. *Interfector*, *oris*, m. *Occisor*, *oris*, m.

1. masse, s. f. Réunion considérable de choses ou de parties de choses qui font corps. *Moles*, *is*, f. *Congestus*, *ūs*, m. *Globus*, *i*, m. *Summa*, *ae*, f. *Vis*, f. ‖ (P. anal.) Ensemble. Voy. ce mot. ‖ (Par ext.) La totalité d'une chose. Pris en —, *universus*, *a*, *um*, adj. ¶ (P. anal.) Réunion considérable de personnes, de choses. *Moles*, *is*, f. *Multitudo*, *dinis*, f. *Copia*, *ae*, f. En —, *catervatim*, adv.; *acervatim*, adv.

2. masse, s. f. Gros marteau de fer. *Malleus*, *i*, m. *Marcus*, *i*, m.

masser, v. tr. Disposer par masse. *Cogēre*, tr. *Conglobāre*, tr. *Glomerāre*, tr. Massé, *confertus*, *a*, *um*, adj. Se —, *cogi in unum locum*.

massif, *ive*, adj. et s. m. ‖ *Adj*. Qui présente une masse compacte. *Solidus*, *a*, *um*, adj. Corps —, *moles*, *is*, f. D'or —, *totus aureus*. ¶ *S. m*. Masse compacte. Un — d'arbres, *locus confertis arboribus obsitus*.

massivement, adv. D'une manière massive. *Solidè*, adv.

massue, s. f. Bâton noueux, ancienne arme contondante. *Clava, ae*, f.

mastic, s. m. Substance qui sert à boucher des trous. *Ferrumen, inis*, n.

mastication, s. f. Action de mâcher. *Confectio escarum*.

masure, s. f. Habitation délabrée, misérable. *Ruinosae aedes*.

1. mat, adj invar. et s. m. || *Adj.* (Au jeu d'échecs.) Qui ne peut échapper. *Incitus, a, um*, adj. ¶ *S. m.* Coup par lequel le roi est mat. *Incitae, arum*, f. pl.

2. mat, *mate*, adj. Qui est sans éclat, sans transparence. *Surdus, a, um*, adj. *Languidus, a, um*, adj. || (P. anal.) En parl. du son. Voy. SOURD.

mât, s. m. Pièce de bois fixée debout sur un navire, qui porte les vergues et les voiles. *Malus, i*, m. [*gloriosus*.

matamore, s. m. Faux brave. *Miles*

matelas, s. m. Long coussin capitonné qu'on étend sur un lit. *Culcita, ae*, f.

matelot, s. m. Homme employé à la manœuvre d'un navire. *Nauta, ae*, m. Les —, *homines nautici* ou simpl. *nautici, orum*, m. pl.: *nautae, arum*, m. pl.

mater, v. tr. Mettre hors d'état de résister. *Ad incitas redigère*.

mâter, v. tr. Garnir de ses mâts (un navire). *Navem malis armâre*.

matériaux, m. pl. Les différentes matières qui entrent dans la construction d'un édifice. *Materia, ae*, f. Vieux —, *rediviva, orum*, n. pl. ¶ (Fig.) Documents matériels qui servent à composer un ouvrage intellectuel. *Res, rerum*, f. pl. — oratoires, *supellex oratoria*. || (P. ext.) Tout ce qui sert à réaliser un projet. Voy. FONDS, MOYEN.

matériel, *elle*, adj. et s. m. || *Adj.* Formé de matière. *Corporeus, a, um*, adj. Objet —, *corpus, oris*, n. || Qui tient à la matière. *Sensibilis, e*, adj. *Qui (quae, quod) sensu percipitur.* || (Spéc.) Qui tient au corps. *In corpore situs*. Les besoins —, *corporis munera*. ¶ Où la matière domine. || (Au fig.) Qui donne trop d'importance aux choses du corps. *Corpori inserviens*. ¶ *S. m.* Ce qui compose la substance d'une chose. *Materia, ae*, f. || Ensemble des choses employées dans une entreprise. *Instrumentum, i*, n. *Apparatûs, ûs*, m.

matériellement, adv. D'une manière matérielle. Vivre —, *corpori servîre*. Une chose — impossible *quod re ipsâ fieri non potest*.

maternel, *elle*, adj. Qui appartient à la mère. *Maternus, a, um*, adj. Amour —, *matris amor* (ou *caritas*). || Qui vient de la mère. *Maternus, a, um*, adj.

maternellement, adv. D'une manière maternelle. *Ut matrem decet*.

maternité, s. f. Qualité de la mère. Sentiments de la —, *maternus animus*.

mathématicien, s. m. Personne versée

dans les sciences mathématiques. *Mathematicus, i*, m.

mathématique, adj. Qui a pour objet la mesure et les propriétés des grandeurs. *Mathematicus, a, um*, adj. || La science —, *et, substantivt., au fém.* les — (la science des grandeurs), *mathematica, es*, f. Sciences —, *et* (*subst.*) *mathematica, orum*, n. pl.

mathématiquement, adv. D'une manière mathématique. *Necessariâ mathematicorum ratione*.

matière, s. f. Substance dont une chose est faite. *Materia, ae*, f. ¶ Ce qui sert d'objet à l'activité humaine. *Materia, ae*, f. *Causa, ae*, f. || (Spéc.) Ce dont est tiré le sujet dont on parle. *Materia, ae*, f. || (Par ext.) Sujet traité dans un ouvrage. *Res, rei*, f. Table des —, *index, dicis*, m. Entrer en —, *c.-à-d.* aborder son sujet, voy. ABORDER. Loc. adv. En — de, *in*, prép. (av. l'Abl.); *de*, prép. (av. l'Abl.) ¶ (Philos.) Substance corporelle. *Corpus, oris*, n.

matin, s. m. Commencement de la journée. *Mane*, n. indécl. (on dit aussi *tempus matutinum;* ou *matutina tempora*). Du — au soir, *ab orto usque ad occidentem solem*. Du —, *matutinus, a, um*, adj. Ce —, *hodie mane*. Hier —, *heri mane*. Demain —, *cras mane*. De grand —, de bon —, *multo mane*. || Advert. Si —, *tam mane*. Trop —, *maturius*.

mâtin, s. m. Chien domestique de forte taille. *Canis catenarius*.

matinal, *ale*, adj. Qui est propre au matin. *Matutinus, a, um*, adj. ¶ Qui se lève matin, *et p. ext.* qui a lieu le matin. *Matutinus, a, um*, adj. Etre —, *mane* (ou *cum ipso die*) *surgère*.

matinée, s. f. L'espace de temps compris entre le point du jour et l'heure de midi. *Tempus matutinum* et simpl. *matutinum, i*, n. Dans la —, *ante meridiem*.

matois, *oise*, adj. Artificieux, artificieuse. *Vafer, fra, frum*, adj.

matricule, s. f. Rôle, registre public des citoyens, des contribuables. *Index, icis*. m.

matrimonial, *ale*, adj. Relatif au mariage. *Conjugalis, e*, adj.

matrone, s. f Mère de famille. *Matrona, ae*, f. De —, *matronalis, e*, adj.

mâture, s. f. Ensemble des mâts d'un navire. *Mali, orum*, m. pl.

maturité, s. f. Etat des fruits, des graines qui ont atteint leur développement. *Maturitas, atis*, f. Amener à —, *percoquère*, tr. Arriver à —, *maturescère*, intr. ¶ Etat des personnes, des choses parvenues à leur complet développement. *Maturitas, atis*, f. En pleine —, *maturus et coctus*.

maudire, v. tr. Appeler le malheur sur qqn. *Exsecrâri*, dép. tr. et intr. *Precâri*, dép. intr. *Detestâri*, dép. tr.

Qui maudit, *exsecrabilis, e*, adj. || (P. hyperb.) Maudit sois-tu ! maudit soit-il ! *dit te perdant! illum dii male perdant!* Maudit, *sacer, cra, crum*, adj. || (P. ext.) Exécrer. *Exsecrāri*, dép. tr. *Abomināri*, dép. tr. Maudit, *exsecrandus, a, um*, adj. *detestandus, a, um*, p. adj.; *detestabilis, e*, ad.

maugréer, v. intr. Exhaler sa mauvaise humeur. Voy. PESTER.

Mausole, n. p. Roi de Carie. *Mausolus, i*, m.

mausolée, s. m. Tombeau monumental. *Mausoleum, i*, n.

maussade, adj. Qui produit le mécontentement. *Tristis, e*, adj. ¶ Qui exprime le mécontentement, l'ennui. *Difficilis, e*, adj. *Morosus, a, um*, adj.

maussadement, adv. D'une manière maussade. *Morosē*, adv.

mauvais, *aise*, adj. Contraire au bien de qqn, de qqch.; fâcheux. *Malus, a, um*, adj. *Deterior, us*, adj. (au Compl.). *Iniquus, a, um*, adj. *Infestus, a, um*, adj. *Maleficus, a, um*, adj. *Adversus, a, um*, adj. Faire — visage à qqn, *oculis infestis conspicĕre aliquem.* Trouver — qqch., *offendi aliquā re; aliquid molestē ferre.* Trouver — que..., *offendi* (av. l'Acc. et l'Inf); *indignari* (av. l'Acc. et l'Inf.). Regarder qqn d'un — œil, *oculis malignis spectāre aliquem.* Avoir le — œil, *oculo nocenti esse.* Il fait — temps, *et* (ellipt.) il fait —, *spurcissima est tempestas* ou (simpl.) *hiemat.* — compagnie, *malorum convictus.* || (Subst.) Voy. MÉCHANT. ¶ Imparfait, défectueux. *Malus, a, um*, adj. *Improbus, a, um*, adj. *Pravus, a, um*, adj. Avoir de —yeux, *parum prospicĕre.* — estomac, *infirmus* (ou *imbecillus*) *stomachus.* Subst. Le —, *malum, i*, n. (surt. au plur. *mala*). || (Spéc.) Contraire à la loi morale. Voy. MALHONNÊTE. || (Subst.) Les —, *mali, orum*, m. pl.

mauve, s. f. Plante. *Malva, ae*, f.

maxime, s. f. Vérité morale proposée comme règle de conduite. *Dogma, matis*, n. *Decretum, i*, n. *Praeceptum, i*, n.

me, pron pers. Voy. MOI.

Méandre, n. pr. Fleuve d'Asie-Mineure. *Maeander, dri*, m.

méandre, s. m. Détour sinueux. *Maeander, dri*, m. Qui offre des —, plein de —, *maeandratus, a, um*, adj.

mécanicien, s. m. Celui qui construit, dirige les machines. *Machinator, oris*, m.

1. mécanique, adj. Qui est exécuté par un mécanisme. *Machinalis, e*, adj. || (P. anal.) Machinal. Voy. ce mot.

2. mécanique, s. f. Science du mouvement. *Machinalis scientia.* ¶ Assemblage de ressorts destinés à produire certains mouvements. *Machina, ae*, f. *Machinatio, onis*, f

mécaniquement, adv. D'une manière mécanique. *Machinatione quādam* ||

(Par ext.) Machinalement. *Sine mente ac ratione.*

mécanisme, s. m. Agencement de ressorts qui produit certains mouvements. *Machina, ae*, f. *Machinatio, onis*, f. || (P. ext.) Combinaison. Voy. ce mot. [*Maecenas, atis*, m.

Mécène, n. pr. Ministre d'Auguste.

méchamment, adv. D'une manière méchante. *Male*, adv. *Malignē*, adv. *Improbē*, adv.

méchanceté, s. f. Caractère de celui qui est porté à faire du mal. *Malitia, ae*, f. || Mauvais caractère. *Mala mens.* *Malus animus.* || Action méchante. *Malum facinus.*

méchant, *ante*, adj. et s. m. et f. || *Adj.* Qui n'est pas réussi. *Malus, a, um*, adj. || (Par ext.) Chétif. *Miser, a, um*, adj. Une — récompense, *mercedula, ae*, f. ¶ (Par ext.) Porté à faire du mal. *Malus, a, um*, adj. *Malignus, a, um*, adj. ¶ *S. m.* et *f.* Personne portée à faire du mal. *Homo malus* (ou *improbus*). *Mulier mala* (ou *improba*). Au plur. subst. Les —, *mali, orum*, m. pl.

mèche, s. f. Assemblage de fils pour faire des chandelles, etc. *Ellychnium, ii*, n. || (P. ext.) Matière préparée pour prendre feu aisément. *Fomes, itis*, m.

mécompte, s. m. Le fait d'être trompé dans ses prévisions. *Frustratio, onis*, f.

méconnaissable, adj. Qu'on a peine à reconnaître. *Qui (quae, quod) cognosci* (ou *agnosci*) *non potest.*

méconnaître, v. tr. Ne pas reconnaître. *Non agnoscĕre.* ¶ (Au fig.) Ne pas reconnaître la qualité, le mérite de qqn, de qqch. *Negligĕre*, tr.

mécontent, *ente*, adj. Qui n'est pas content de qqch. *Non contentus aliquā re.* *Morosus, a, um*, adj. Je suis — de, *me paenitet* (ou *taedet*) *alicujus rei.* ¶ Qui n'est pas content de qqn. Etre — de qqn, *aliquem non probāre.*

mécontentement, s. m. Etat de celui qui n'est pas content. *Taedium, ii*, n. *Dolor, oris*, m. *Molestia, ae*, f. Murmures de —, *fremitus, ūs*, m. Exprimer par des murmures son — de qqch., *fremĕre*, intr. et tr.

mécontenter, v. tr. Rendre mécontent. *Offendĕre*, tr.

médaille, s. f. Pièce de métal frappée en souvenir d'un fait *ou* d'un personnage. *Nomisma* (et *numisma*), *atis*, n.

médaillon, s. m. Voy. MÉDAILLE.

médecin, s. m. Celui qui pratique l'art de guérir. *Medicus, i*, m. Etre son propre —, *sibi ipsum medĕri.* Etre —, *medicinam profitēri.* || (Par ext.) Le temps, — des âmes, *medicina temporis.*

médecine, s. f. Art de traiter *ou* de guérir les maladies. *Medicina* (s.-e. *ars*), *ae*, f. Les prescriptions de la —, *medici* (ou *medicorum*) *praecepta.* Etre employé en —, *esse in usu medentium.*

¶ (Fig.) Ce qui soulage de qq. mal. Voy. REMÈDE, SOULAGEMENT. ‖ (Spéc.) Remède pour se purger. *Medicamen, inis,* n.

médiat, ate, adj. Qui agit par intermédiaire. *Qui (quae, quod) per alium agit.*

médiateur, trice, s. m. et f. Celui, celle qui intervient entre personnes en désaccord. *Interpres, pretis,* m. *Sequester, tri* (ou *tris*), m. *Internuntius, ii,* m. Etre —, s'offrir, pour —, *medium se gerère.* Médiatrice, *interpres, pretis,* f.; *conciliatrix, icis,* f. ‖ Adjectivt. *Internuntius, a, um,* adj.

médiation, s. f. Entremise. *Interventūs, ūs,* m.

médical, ale, adj. Qui a rapport à la médecine. *Medicus, a, um,* adj. Art —, *medicina, ae,* f.

médicament, s. m. Substance employée comme remède. *Medicina, ae,* f.

médicinal, ale, adj. Qui sert à guérir. *Medicus, a, um,* adj.

Médie, n pr Contrée de l'Asie. *Media, ae,* f. Peuples de —, *Medi, orum,* m. pl.

médiocre, adj. Qui est de qualité moyenne. *Mediocris, e,* adj. *Modicus, a, um,* adj.

médiocrement, adv. D'une manière médiocre. *Mediocriter,* adv.

médiocrité, s. f. Etat de ce qui est médiocre. *Mediocritas, atis,* f. *Mediocria, ium,* n. pl.

médire. v. intr. Dire de qqn le mal qu'on sait. *Male loqui (de aliquo).*

médisance, s. f. Action de médire. *Cupiditas male dicendi.* ¶ Discours par lequel on médit. *Maledictum, i,* n.

médisant, ante, adj. Qui médit. *Maledicendi cupidus.*

méditatif, ive, adj. Porté à méditer. *Ad meditandum propensus.*

méditation, s. f. Action de méditer, de penser profondément sur un sujet. *Cogitatio, onis,* f. *Meditatio, onis,* f.

méditer, v. intr. et tr. ‖ (*V. intr.*) Penser profondément sur un sujet. *Meditāri,* dép. intr. et tr. *Cogitāre,* intr. *Commentāri,* dép. tr. ¶. (*V. tr.*) Creuser profondément un sujet. *Meditāri,* dép. tr. ‖ (Par ext.) Préparer par une profonde réflexion (une œuvre, une entreprise). *Meditāri,* dép. tr.

méditerrané, ée, adj. La mer —, et (subst.) la —, *Mediterraneum mare.*

méfait, s. m. Mauvaise action. *Maleficium, ii,* n. [Voy. DÉFIANCE.

méfiance, s. f. Action de se méfier.

méfiant, ante, adj. Qui se méfie. Voy. DÉFIANT.

méfier (se), v. pron. Soupçonner qu'on ne doit pas se fier. Voy. DÉFIER (SE). [*imprudentiam.*

mégarde, s. f. Loc. adv. Par —, *per*

Mégare, n. pr. Ville de Grèce. *Megura, ae,* f. De —, *Megarensis, e,* adj.

mégère, s. f. Femme très méchante. *Furia, ae,* f.

meilleur, eure, adj. Comparatif de bon. *Melior, us,* adj (au Comp.) ¶ Le meilleur (superlatif de « bon »). *Optimus, a, um,* adj. (superl. de *bonus*). La — partie, *major pars.* Subst. Le —, *c.-à-d.* ce qu'il y a de meilleur, *quod optimum est.*

mélancolie, s. f. Sombre tristesse. *Bilis atra. Aegritudo animi.* ¶ (Spéc.) Tristesse vague. *Tristitia quaedam.*

mélancolique, adj. Qui a une sombre ou vague tristesse. *Tristitiā quādam perpetuā et maerore affectus.* ‖ (P. ext.) Qui inspire une tristesse sombre ou vague. *Maestus, a, um,* adj.

mélancoliquement, adv. D'une manière mélancolique. *Animo tristi* (ou *maesto*)

mélange, s. m. Action de mélanger, état de ce qui est mélangé. *Mixtio, onis,* f. *Admixtio, onis,* f. *Permixtio, onis,* f. Sans —, *sincerus, a, um,* adj. ¶ Ce qui résulte de l'action de mélanger. *Mixtura, ae,* f. *Permixtio, onis,* f.

mélanger, v. tr. Unir des choses diverses (de manière à produire un ensemble). *Miscère,* tr. *Admiscère,* tr. *Commiscère,* tr. Se —, *miscēri.* Mélangé, *mixtus, a, um,* p. adj.; *permixtus, a, um,* p. adj.

mêlée, s. f. Confusion de combattants qui sont aux mains. *Pugna in arto.* Au plus fort de la —, *per confertissimam hostium turbam.*

mêler, v. tr. Unir ensemble (des choses diverses) de façon que la diversité cesse d'être apparente. *Miscère,* tr. *Admiscère,* tr. *Commiscère* (« mêler ensemble »), tr. *Permiscère* (« mêler entièrement »), tr. Société mêlée, *omnium ordinum homines.* ‖ (Au fig.). *Miscère,* tr. Voy. JOINDRE UNIR. ‖ (Par ext.) Mettre dans un état de confusion. Voy. EMMÊLER. ¶ Introduire dans un milieu (qqn, qqch. d'étranger). *Miscère,* tr. *Permiscère,* tr. *Admiscère,* tr. *Commiscère,* tr. Ne pas se — de qqch., se abstinēre ab aliquā re. [*icis,* f.

mélèze, s. m. Arbre résineux. *Larix,-*

mélilot, s. m. Plante. *Melilotos, i,* m.

mélisse, s. f. Plante aromatique. *Melisphyllum, i,* n.

mélodie, s. f. Suite de sons qui flattent l'oreille. *Modi, orum,* m. pl.

mélodieusement, adv. D'une manière mélodieuse. *Modulatō,* adv. *Suaviter,* adv.

mélodieux, euse, adj. Qui produit une suite de sons agréables à l'oreille. *Canorus, a, um,* adj.

melon, s. m. Plante et fruit de la famille des cucurbitacées. *Melopepo, onis* (Acc. plur. *onas*), m.

membrane, s. f. Tissu animal ou végétal. *Membrana, ae,* f.

membraneux, euse, adj. Qui est de la nature des membranes. *Membranaceus, a, um,* adj.

membre, s. m. Appendice uni au tronc

de l'homme, de l'animal, par des articulations. *Membrum, i,* n. *Artus, uum* (« jointures des membres entre eux, » *d'où* « membres »), m. || (Par ext.) Partie d'un corps mis en pièces. *Membra, orum,* n. pl. ¶ (Fig.) Personne qui fait partie d'un corps constitué, etc. *Membrum, i,* n. (dans des express, fig. comme : *membra sumus corporis magni*). *Pars, partis,* f. — d'une famille, *homo de alicujus stirpe.* — d'un parti, *vir factionis.* — d'une société, d'une compagnie, etc., *socius, ii,* m. — d'une corporation, *sodalis, is,* m.

membrure, s. f. Ensemble des membres d'une personne. *Membra, orum,* n. pl. ¶ Ensemble des pièces qui forment la carcasse d'un navire. *Membra carinae* (ou *ratis*).

même, adj. || *Adj. dém.* Qui n'est pas autre. *Idem, eadem, idem,* adj. Dans le — endroit, *ibidem,* adv. (quest. *ubi*); *eodem,* adv. (quest. *quo*). Par le — chemin, *eâdem* (s.-e. *viâ*). Par le — moyen, *eâdem.* Du — endroit (quest. *unde*), *indidem,* adv. Subst. Cela revient au — *eodem pertinet.* ¶ Qui est précisément ce dont on parle. *Ipse, a, um,* adj. || Après le pron. personn. *Ipse, a, um,* adj. || (Par ext.) Dont on attendait précisément un certain effet. *Ipse, a, um,* adj. || Par opposition à ce qu'on attendait. *Ipse, a, um,* adj. Adv. — la vertu est méprisée, *ipsa virtus contemnitur.* — (adv.), *vel,* adv.; *etiam,* adv. ¶ (*Loc. adv.*) De —, *eodem modo; item,* adv. De — que..., de —, *ut... sic...,* *quemadmodum... ita...* (ou *sic...*) Tout de —, voy. PAREILLEMENT. Tout de —, *c.-à-d.* néanmoins, *nihilo minus.* Prendre à — le tas, *ex ipso acervo tollère.* Etre à — de faire qqch., *posse aliquid facère.*

1. **mémoire,** s. f. Faculté de conserver et de rappeler les idées antérieurement acquises. *Memoria ae,* f. Qui a une bonne —, *memor,* adj. Qui a mauvaise —, *obliviosus, a, um,* adj. Avec une — fidèle, *memoriter,* adv. ¶ (Par ext.) Souvenir résultant de cette faculté. *Memoria, ae,* f. Voy. SOUVENIR. || (Spéc.) Souvenir durable laissé par qqn, par qqch. *Memoria, ae,* f. *Monumentum, i,* n. || Souvenir durable gardé par la postérité. *Memoria, ae,* f. ¶ Déesse de la mémoire. *Memoria, ae,* f. Les filles de —, *c.-à-d.* les Muses, voy. ce mot.

2. **mémoire,** s. m. Exposé écrit de certains faits. *Libellus, i,* m. — justificatif, voy. JUSTIFICATIF. || Relation de faits particuliers pour servir à l'histoire. *Commentarii, orum,* m. pl. Ecrire ses —, *de vitâ suâ scribère.* || Dissertation. *Liber, bri,* m. || Etat des sommes dues. *Ratio, onis,* f.

mémorable, adj. Digne de mémoire. *Memorabilis, e,* adj. Rien de —, *nihil quod memorâri attineat.*

mémorial, s. m. Registre où l'on consigne ce dont on veut se souvenir. *Commentarius, ii,* m. *Liber, bri,* m.

Memphis, n. pr. Ville de l'ancienne Egypte. *Memphis, is,* f.

menaçant, *ante,* adj. Qui menace. *Minax* (gén. *-acis*), adj. *Trux* (gén. *-trucis*), adj. *Imminens* (gén. *-entis*), p. adj. D'une manière —, d'un air —, *minaciter,* adv. || En parl. des ch. extér. à l'homme. *Minax* (gén. *-acis*), adj. *Infestus, a, um,* adj. Présage —, *sinistrum omen; aves sinistrae.*

menace, s. f. Paroles, gestes par lesquels on manifeste à qqn l'intention de lui faire du mal. *Minae, arum,* f. pl. *Minatio, onis* (« action de menacer, menace »),f. ¶ Indice par lequel se manifeste ce qu'on doit craindre prochainement d'une chose. *Minae, arum,* f. pl.

menacer, v. tr. Manifester à (qqn) l'intention de lui faire du mal. *Minâri,* dép. tr. *Minitari,* dép. tr. *Intentâre* (« présenter qqch. de menaçant », d'où « menacer de qqch. »), tr. || (Par ext.) Avertir qqn qu'il doit craindre qqch. d'un autre. *Denuntiâre,* tr. ¶ (En parl. d'une ch.) Manifester par qq. indice qu'elle est à craindre prochainement. *Instâre,* intr. *Imminêre,* intr. *Impendêre,* intr. — ruine, *in ruinam pronum esse.* Qui — ruine, *ruinosus, a, um,* adj.

ménade, s. f. Bacchante. *Menas, adis,* f.

ménage, s. m. Administration des choses domestiques, *et spéc.* ensemble des travaux domestiques. *Res, rei,* f. *Domûs, us,* f. Du —, *domesticus, a, um,* adj. Pain de —, *panis secundarius.* || (P. ext.) Manière de conduire, de régler qqch. *Disciplina, ae,* f. ¶ Ensemble des ustensiles et meubles d'une maison. *Supellex, lectilis,* f. || (P. ext.) La maison. Voy. ce mot. ¶ Association du mari et de la femme. *Conjugium, ii,* n. Se mettre en —, voy. MARIER.

ménagement, s. m. Action de conduire, de régler qqch. avec mesure. *Temperantia, ae,* f. *Modus, i,* m. Avec —, *moderatê,* adv.; *temperatê,* adv. Sans —, *liberê,* adv.; *immodicê,* adv. ¶ (P. ext.) Réserve dont on use envers qqn. *Clementia, ae,* f. *Lenitas, atis,* f. Avec —, avec des —, *clementer,* adv.; *leniter,* adv. Sans aucun —, *inclementer,* adv.

1. **ménager,** v. tr. Epargner le plus possible (au pr. et au fig.). *Parcère,* intr. *Consulère,* intr. *Temperâre,* intr. — ses bienfaits, *parcè beneficia tribuère.* — qqn (en écrivant), *clementer scribère de aliquo.* ¶ (Par ext.) Conduire, régler (qqch.) avec mesure. *Administrâre,* tr. *Dispensâre,* tr. *Ordinâre,* tr. *Componère,* tr. — à qqn un plaisir, voy. PROCURER. Se — qq. désagrément, *sibi contrahère aliquid.*

2. **ménager,** *ère,* adj. et s. m. et f. || *Adj.* Qui administre en dépensant le moins possible. Voy. ÉCONOME. — de

son bien et de sa réputation, *rei et famæ temperans.* Etre — de qqch., *parcère alicui rei.* ¶ *S. m.* et *f.* Personne chargée de l'administration domestique. *Dispensator, oris,* m. Une —, *quae rem familiarem administrat.*

ménagerie, s. f. Assemblage d'animaux rares. *Vivarium, ii,* n.

mendiant, *ante,* s. m. et f. Celui, celle qui mendie. *Mendicus, i,* m. les —, *mendicantes, ium,* m. pl. Une —, *mulier mendicans.*

mendicité, s. f. Etat de celui qui mendie. *Mendicitas, atis,* f. Vivre de la —, *mendicando vivère.* ‖ (P. ext.) Ceux qui mendient. Voy. MENDIANT.

mendier, v. intr. et tr. ‖ (*V. intr.*) Demander l'aumône. *Mendicàre,* intr. et *mendicàri,* dép. intr. ‖ (*V. tr.*) Solliciter à titre d'aumône. *Mendicàre,* tr. *Emendicàre,* tr. (P. ext.) — sa vie, *mendicando victum sibi quaerère.* ‖ (Fig.) Solliciter humblement. *Infimis precibus rogàre (aliquid).*

menée, s. f. Voie pratiquée pour faire réussir qqch. contre qqn, *Artes malae. Machina, ae,* f. Pratiquer des — contre qqn, *circumvenìro (fraudibus) aliquem.*

mener, v. tr. Faire aller (qqn) avec soi. *Ducère,* tr. *Agère,* tr. — qqn par la main, *alicui manus dàre.* — qqn en prison, *aliquem ducère in carcerem.* ‖ (Par ext.) Servir à aller qq. part. (en parl. d'un chemin, etc.). *Ducère,* tr. *Ferre,* tr. ‖ (Spéc.) Faire aller avec soi comme escorte, compagnie. Voy. EMMENER. ‖ Faire aller devant soi, pousser en avant. *Agère,* tr. — qqn loin, voy. ENTRAINER. ‖ Faire aller après soi, marcher en tête de. *Ducère,* tr. ‖ (Par anal.) En parl. des animaux. *Agère,* tr. *Vehère,* tr. (voy. PORTER, TRANSPORTER, CHARRIER). ‖ (Au fig.) Mener une ligne, *lineam ducère.* ¶ (Fig.) Faire agir (qqn) comme on veut. *Regère,* tr. *Moderàri,* dép. intr. et tr. *Ducère,* tr. — qqn par le nez, *labris aliquem ductàre.* ¶ (Par ext.) Faire aller, agir (qqch.) d'une certaine manière. *Administràrs,* tr. *Regère,* tr. *Gubernàre,* tr. — grand bruit, *facère convicium.* ‖ Passer (le temps). *Agère,* tr.

ménétrier, s. m. Musicien de village. *Fidicen, inis,* m.

meneur, *euse.* Celui, celle qui mène. Voy. CONDUCTEUR. ¶ (Fig.) *Dux, ducis,* m. *Auctor, oris,* m.

menotte, s. f. *Au pl.* Lien pour attacher les mains d'un prisonnier. *Manica, ae,* f.

mensonge, s. m. Assertion sciemment contraire à la vérité. *Mendacium, ii,* n. Des —, *ementita, orum,* n. pl. Petit —, *mendaciunculum, i,* n. Inventer, forger des —, *ementiri (in aliquem).* User de — à l'égard de qqn, *mendacem esse in* (ou *adversus*) *aliquem.*

mensonger, *ère,* adj. Fondé sur un mensonge. *Mendax* (gén. *-acis*), adj.

Fallax (gén. *-acis*), adj. *Falsus, a, um,* adj. Récit —, *fabula, ae,* f.

mensongèrement, adv. D'une manière mensongère. *Fallaciter,* adv.

mensuel, *elle,* adj. Qui a lieu chaque mois. *Menstruus, a, um,* adj.

mental, *ale,* adj. Relatif à l'esprit. Traduire par le Gén. *animi* ou *mentis.*

mentalement, adv. D'une manière mentale. *Tacitè,* adv. *Secum,* adv.

menterie, s. f. Discours mensonger. *Fabula, ae,* f.

menteur, *euse,* s. m. et f. et adj. ¶ *S. m.* et *f.* Celui, celle qui ment. *Homo mendax* ou (absolt.) *mendax, acis,* m. Une menteuse, *mulier mendax.* ¶ *Adj.* Qui ment. *Mendax* (gén. *-acis*), adj.

menthe, s. f. Plante. *Menta, ae,* f.

mention, s. f. Action de mentionner. *Mentio, onis,* f. *Commemoratio, onis,* f. Faire —, voy. MENTIONNER.

mentionner, v. tr. Signaler (qqn ou qqch.). *Memoràre,* tr. *Commemoràre,* tr. *Demonstràre,* tr. *Meminisse* (de *aliquo; alicujus rei*).

mentir, v. tr. Faire volontairement une assertion contraire à la vérité. *Mentiri,* dép. intr. *Ementiri,* dép. intr. — à qqn, *mendacem esse in aliquem.* — avec désinvolture, *mero mendacio abuti.* Habitude de —, penchant à —, *mendacii libido.* ‖ (Loc. famil.) Sans —, à ne vous point —, *ne quid mentiar.*

menton, s. m. Saillie de la mâchoire au-dessous de la lèvre inférieure. *Mentum, i,* n.

menu, *ue,* adj. adv. et s. m. ‖ *Adj.* De très mince volume. *Minutus, a, um,* p. adj. *Tenuis, e,* adj. Du — bois, *sarmenta, orum,* n. pl. — monnaie, *nummulus, i,* m. ‖ (Fig.) Qui a peu d'importance. *Minutus, a, um,* p. adj. *Parvulus, a, um,* adj. ‖ *Adv.* Hacher —, *minutius concidère.* [*Lignaria ars.*

menuiserie, s. f. Métier de menuisier.

menuisier, s. m. Celui qui fabrique des ouvrages en bois. *Lignarius faber.*

méphitique, adj. Dont l'exhalaison est malfaisante. Voy. PESTILENTIEL.

méphitisme, s. m. Caractère de ce qui produit des exhalaisons malfaisantes. *Mephitis, is* (Acc. im), f.

méprendre (se), v. pron. Prendre le change sur une personne, une chose. *Erràre,* intr. *Falli,* moyen. réfl. *Labi,* dép. intr.

mépris, s. m. Estimation d'une personne, d'une chose à vil prix. *Vilitas, atis,* f. Tomber dans le —, *in vilitate esse.* ‖ (Loc. prép.), Au — de, *contra,* prép. (av. l'Acc.); *adversus,* prép. (av. l'Acc.), *nullâ (alicujus rei) ratione habità.* ¶ (Par ext.) Sentiment par lequel on considère comme indigne d'estime (une personne, une chose). *Contemptio, onis,* f. *Contemptùs, ûs,* m. *Despicientia, ae,* f. Avec —, *contemptim,* adv. Regarder qqn avec —, *de-*

spicère aliquem S'exprimer avec — sur le compte de, *contemnère*, tr.

méprisable, adj. Qui mérite le mépris. *Contemnendus, a, um,* adj. verb. *Vitis, e,* adj. Caractère —, *vilitas, atis,* f. Etre —, *contemptui esse.*

méprisant, *ante,* adj. Qui montre du mépris. *Fastidiosus, a, um,* adj. D'un air —, *fastidiosē,* adv.

méprise, s. f. Erreur. *Error, oris,* m. *Erratum, i,* n.

mépriser, v. tr. Considérer (qqn, qqch.) comme indigne d'estime. *Contemnère,* tr. *Spernère,* tr.

mer, s. f. Vaste étendue d'eau salée qui entoure la terre. *Mare, is,* n. Sur mer, *mari.* Prendre la —, se mettre en —, *mare ingredi.* Voyager sur —, *mari navigāre.* De mer, de la —, *marinus, a, um,* adj.; *maritimus, a, um,* adj. Le rivage de la —, *litus, oris,* n. Le bord de la —, *ora, ae,* f. L'eau de —, *mare, is,* n. Bains de —, *aquae marinae.* Prendre des bains de —, *uti aquis marinis.* Prendre la — (s'embarquer), *conscendère (navem).* Voyage sur —, *navigatio, onis,* f.; *cursus maritimus.*

mercantile, adj. Relatif aux opérations commerciales. Opérations, spéculations —, *quaestus, ūs,* m. L'esprit —, *mercandi cupiditas.*

mercenaire, adj. et s. m. ‖ *Adj.* Qui n'agit qu'en vue d'un salaire. *Venalis, e,* adj. *Meritorius, a, um,* adj. *Mercenarius, a, um,* adj. *Conducticius, a, um,* adj. Métier —, *opera, ae,* f. Fig. *Mercenarius, a, um,* adj. Voy. VENAL. ¶ *S. m.* Celui qu'on fait travailler pour un salaire. *Mercenarius, ii,* m. *Homo mercede conductus. Operarius homo* et simpl. *operarius, ii,* m. Des —, conducticiae et mercenariae operae.‖ Soldat étranger dont on paie le service. *Miles mercenarius* (ou *conducticius*).

merci, s. f. Faveur. Voy. ce mot. Dieu —, *est Deo gratia* ou *Deo gratia* ! ¶ (Par anal.) Bon vouloir. *Voluntas, atis,* f. Etre à la — de, voy. DISCRÉTION. Qui est à la — de, *expositus, a, um,* p. adj. ‖ (Spéc.). Acte de bon vouloir par lequel on épargne qqn. Voy. MISÉRI-CORDE, PITIÉ. Demander, crier —, voy. IMPLORER, PITIÉ. ¶ (Par ext.) Formule de politesse pour remercier. *Gratia, ae,* f. Grand —, *benignē ac liberaliter* !

mercredi, s. m. Jour de la semaine qui suit le mardi. *Mercurii dies.*

Mercure, n. pr. Dieu du commerce. *Mercurius, ii,* m. ¶ Planète. *Mercurius, ii,* m.

mercure, s. m. Voy. VIF-ARGENT.

mercuriale, s. f. Remontrance. Voy. ce mot.

mère, s. f. Celle par qui un enfant a été mis au monde. *Mater, tris,* f. *Parens, entis,* f. De —, relatif à la —, *maternus, a, um,* adj. Etre — de six enfants,

sex liberos peperisse. Le père et la —, *parentes, um,* m. pl. En parl. des animaux. *Mater, tris,* f. ‖ (P. ext.). Celle qui est la souche d'une suite de descendants. *Mater, tris,* f. Grand —, *avia, ae,* f. ¶ (Fig.) La cause, l'origine de qqch. *Mater, tris,* f. *Parens, entis,* f.

méridien, s. m. Grand cercle de la sphère céleste. *Circulus meridianus.*

méridional, *ale,* adj. Situé dans la région du Midi. *Meridianus, a, um,* adj. La Gaule —, *Gallia quae ad meridiem vergit* (ou *spectat*).

méritant, *ante,* adj. Qui a du mérite à agir comme il fait. *Bene* (ou *optimē*) *meritus.* *Merens* (gén. *-entis*), p. adj. *Omni laude* (ou *praemio*) *dignus,* ou simpl. *dignus, a, um,* adj.

mérite, s. m. Ce qui rend digne d'estime, de récompense. *Meritum, i,* n. *Promeritum, i,* n. *Dignitas, atis,* f. *Laus, laudis* (« ce qui vaut des éloges, d'où mérite »), f. Homme de grand —, *omni laude dignus homo.* C'était un grand — aux yeux des Grecs, *haec in Graeciā magnae laudi erant.* On fait un — à qqn de faire qqch., *laudi ducitur alicui aliquid facère.* Je n'en fais pas un —, *neque ego hoc in tuā laude pono.* ¶ (Par ext.) Qualité remarquable de l'esprit ou du cœur. *Virtus, utis,* f.

mériter, v. tr. Avoir droit à obtenir (qqch.) par sa conduite, son caractère. *Merēri,* dép. tr. et intr. *Merēre,* tr. *Promerēre,* tr. *Dignum esse* (*dignum esse laude*). Celui qui sait obéir mérite de commander un jour, *qui modestē paret videtur qui aliquando imperet dignus esse.* ‖ (Dans un sens défavorable.) *Merēri,* dép. tr. et intr. *Merēre,* tr. *Dignum esse.* Mérité, *meritus, a, um,* p. adj.; *debitus, a, um,* p. adj Sans le —, sans l'avoir mérité, *immerens,* adj.; *immerito,* adv. ¶ Mériter qqch. à qqn, c.-à-d. lui donner droit à qqch. Voy. VALOIR.

méritoire, adj. Qui donne des mérites. *Praemio* (ou *laude*) *dignus.*

merle, s. m. Oiseau. *Merula, ae,* f.

merlin, s. m. Sorte de hache. Voy. COGNÉE.

merluche, s. f. Sorte de poisson de mer. *Merula, ae,* f.

merveille, s. f. Chose qui frappe d'étonnement par sa beauté, etc. *Miraculum, i,* n. *Monstrum, i* (« prodige, chose incroyable, merveille »), n. *Ostentum, i,* (« prodige, fait incroyable *ou* extraordinaire, merveille »), n. *Portentum, i* (« prodige, fait incroyable *ou* extraordinaire »), n. *Prodigium, ii,* (« phénomène extraordinaire »), n. Promettre monts et —, *montes auri pollicēri.*

merveilleusement, adv. D'une manière merveilleuse. *Mirabiliter,* adv.

merveilleux, *euse,* adj. Qui frappe d'étonnement par sa beauté, sa grandeur, etc. *Mirabilis, e,* adj. *Mirandus, a, um,* adj. verb. *Mirus, a, um,* adj.

mes, adjectif possessif. Voy. MON.

mésalliance, s. f. Alliance par mariage avec une personne de naissance inférieure. *Nuptiae impares.*

mésallier, v. tr. Allier (par mariage), avec une personne de naissance inférieure. *Impari* (ou *cum impari*) *jungĕre.*

mésaventure, s. f. Aventure fâcheuse. *Casus adversus.*

mésestimer, v. tr. Ne pas avoir en estime (qqn). *Contemptim (de aliquo) judicāre.*

mésintelligence, s. f. Mauvaise intelligence (entre personnes). *Dissensio, onis,* f. [*Mesopotamia, ae,* f.

Mésopotamie, n. pr. Contrée de l'Asie.

mesquin, *ine,* adj. Qui manque d'ampleur. *Exiguus, a, um,* adj. *Tenuis, e,* adj. Un salaire —, *mercedula, ae,* f. ‖ (Fig.) *Minutus, a, um,* adj. *Mendicus, a, um,* adj. Vie —, *tenuitas victūs.* ‖ Voy. AVARE.

mesquinement, adv. D'une manière mesquine. *Malignē,* adv. *Parcē,* adv. ‖ *Illiberaliter,* adv.

mesquinerie, s. f. Caractère de ce qui est mesquin. *Illiberalitas, atis,* f.

message, s. m. Ce qu'on mande à qqn. *Mandatum, i,* n. *Nuntius, ii,* m.

messager, *ère,* s. m. et f. Celui, celle qui porte un message. *Nuntius, ii,* m. Messagère, *nuntia, ae,* f ‖ (Fig.) Celui, celle qui annonce qqch. *Nuntius, ii,* m. *Praenuntius, ii,* m. Messagère, *praenuntia, ae,* f.

messe, s. f. Le sacrifice du corps et du sang de Jésus-Christ. *Missa, ae,* f.

messie, s. m. Christ, libérateur promis au peuple juif. *Messias, ae,* m.

Messine, n. pr. Ville de Sicile. *Messana, ae,* f.

mesurable, adj. Qui peut être mesuré. *Quem (quam, quod) metiri (ou dimetiri) possumus.*

mesurage, s. f. Action de mesurer. *Mensio. onis,* f. *Dimensio, onis,* f.

mesure, s. f. Evaluation d'une quantité par rapport avec une quantité déterminée de même espèce prise comme terme de comparaison. *Mensura, ae,* f. *Modus, i,* m. *Modulus, i,* m. Prendre — à qqn (pour lui faire un vêtement), *vestem conficiendam ad corporis modulum metiri.* ‖ (Fig.) Appréciation de la valeur d'une chose. Quand il aura donné toute sa —, *cum omnia summē fecerit.* ‖ Proportion. *Modus, i,* m. Dans la — de, *pro,* prép. (av. l'Abl.). A — de, *c.-à-d* en proportion de..., voy. PROPORTION. Au fur et à —, *pro,* prép. (av. l'Abl.). Au fur et à — que, *prout,* conj. ‖ Moyen proportionné au but à atteindre. *Ratio, onis,* f. *Consilium, ii,* n. Prendre de bonnes —, *bonis consiliis uti.* Conseiller des — trop rigoureuses, *asperiora suadēre.* Prendre des — (contre qqch.), *alicui rei occurrĕre.* ¶ Quantité déterminée prise comme terme de comparaison pour éva-

luer les quantités de même espèce. *Mensura, ae,* f. Avoc poids et —, voy. RÉFLEXION. ‖ (Spéc.) Mesure de capacité. *Mensura, ae,* f. ‖ (P. ext.) Quantité contenue dans une mesure. *Modus, i,* m. *Modius, ii,* m. Je donnerai bonne —, *bene mensum dabo.* (Fig.) En faisant bonne —, *cumulatē,* adv. ¶ Dimension déterminée que doit avoir une chose pour l'usage auquel elle est destinée. *Modus, i,* n. ¶ (P. ext.) Manière d'agir modérée. *Modus, i,* m. *Moderatio, onis,* f. Garder la —, *modum servāre* Garder la — en toute occasion, *in omni re moderationem habēre.* Dépasser toute —, *finem et modum transire.* ‖ (Spéc.) Succession régulière, dans une phrase musicale, de divisions d'égale durée en valeur. *Numerus, i,* m. ‖ Succession de syllabes ou de pieds que le nombre *ou* la quantité rend de durée égale *ou* équivalente. *Numerus, i,* m. ‖ Vers de — inégale, *versus impariter juncti.* ‖ Distance convenable pour porter un coup *ou* pour parer. *Status, ūs,* m. (Fig.) Etre en — (c.-à-d. en état) de faire qqch., voy. ÉTAT.

mesurer, v. tr. Evaluer (une quantité) par son rapport avec une autre quantité déterminée de même espèce, prise pour terme de comparaison. *Metiri,* dép. tr. *Dimetiri* (« mesurer dans tous les sens »), dép. tr. (Fig.) — les autres à son aune, *ceteros suā mensurā aestimāre.* — qqn des yeux, *aliquem oculis perlustrāre.* Se — avec qqn, *conferre ferrum et manus cum aliquo,* et (dans un sens plus spéc.), *experiri aliquem* ou *contendĕre cum aliquo.* ‖ (Spéc.) Vendre à la mesure. *Metiri,* dép. tr. ¶ (Au fig.) Apprécier à sa valeur. *Metiri,* dép. tr. *Commetiri,* dép. tr. ‖ Proportionner. Voy. ce mot. ¶ Régler suivant une dimension déterminée. *Componĕre,* tr. *Moderāri,* dép. intr. Mesuré, *temperatus, a, um,* p. adj.: *modestus, a, um,* adj.

mesureur, s. m. Celui qui est chargé de mesurer. *Mensor, oris,* m.

métairie, s. m. Domaine agricole affermé. *Praedium rusticum* ou simpl. *praedium, ii,* n.

métal, s. m. Corps simple plus ou moins ductile et malléable. *Metallum, i,* n.

métallique, adj. Qui a rapport au métal. *Metallicus, a, um,* adj.

métamorphose, s. f. Changement par lequel un être perdrait sa forme pour en prendre une autre. *Formae mutatio* (ou *conversio*).

métamorphoser, v. tr. Faire passer (un être) de sa forme naturelle à une autre forme. *Mutāre,* tr. *Transfigurāre,* tr. (cf. *tr. puerum in muliebrem naturam*). Se —, *transire,* intr. (cf. *tr. in aliquem* ou *in aliquid*).

métaphore, s. f. Figure de rhétorique. *Translatio, onis,* f.

métaphorique, adj. Qui tient à la métaphore. *Translatus, a, um*, p. adj. Expressions —, *verba quae transferuntur.*

métaphoriquement, adv. D'une manière métaphorique. *Translatis verbis.*

métayer, *ère*, s. m. et f. Celui, celle à qui un domaine agricole est affermé à moitié prix. *Villicus, i*, m. Métayère, *villica, ae*, f.

métempsycose. Doctrine qui admet le passage de l'âme d'un corps dans un autre. *Migratio animorum* (ou *animarum*).

météore, s. m. Phénomène qui se passe dans l'atmosphère. *Visum caeleste.*

méthode, s. f. Marche raisonnée qu'on suit pour arriver à un but. *Via, ae*, f. *Ratio, onis*, f. || (Par ext.) Manière de se conduire. *Ratio, onis*, f. *Modus, i*, m. ¶ Marche rationnelle que suit l'esprit pour atteindre ou pour démontrer la vérité. *Ratio, onis*, f. — d'éducation, *institutio, onis*, f.

méthodique, adj. Conforme à la méthode. *Via et ratione habitus* (ou *institutus*, ou *susceptus*). Un enseignement —, *ratio ac doctrina*. ¶ Qui se conforme à la méthode. *Via quâdam et ratione usus.*

méthodiquement, adv. D'une manière méthodique. *Ratione et viâ.*

méticuleusement, adv. D'une manière méticuleuse. *Nimis diligenter.*

méticuleux, *euse*, adj. Qui s'inquète des minuties. *Anxius, a, um*, adj. *Diligens* (gén. *-entis*), p. adj.

métier, s. m. Genre d'occupation manuelle. *Ars, artis*, f. *Artificium, ii*, n. *Opus, eris*, n. *Opera, ae*, f. — lucratif, *quaestus, ūs*, m. Les corps de —, voy. CORPORATION. || (P. ext.) La partie d'un art qui demande de l'habileté de main. *Ars, artis*, f. *Manūs, ūs*, f. Qui a du —, *artificiosus, a, um*, adj. || (P. ext.) Occupation qu'on assimile à une occupation manuelle. *Quaestŭs, ūs*, m. Faire — ou — et marchandise de qqch., voy TRAFIQUER. || (P. ext.) Genre d'occupation particulière à une profession. *Ars, artis*, f. *Artificium, ii, n*. Le — des armes, *ars militaris; disciplina bellica* (ou *militaris*); *res militaris; militia, ae*, f. Exercer publiquement le — de, être (tel *ou* tel) de son —, *profitēri*, dép. tr. Exercer un —, *artem exercēre*. ¶ Machine qui sert à la fabrication de certains tissus. Voy. MACHINE. Un — de tisserand, *jugum, i*, n. || (Fig.) Jouer à qqn un tour de son —, servir à qqn un plat de son —, *dolum alicui nectĕre.*

métis, *isse*, adj. Issu de races, de variétés différentes dans la même espèce. Voy. HYBRIDE. Subst. Les — (en parl. des hommes), *mixti, orum*, m. pl.

mètre, s. m. Nombre, nature, dispo-

sition des pieds d'un vers. *Metrum, i*, n.

métrique, adj. et s. f. || *Adj*. Relatif au mètre (du vers). *Metricus, a, um*, adj. ¶ *S. f.* Ensemble des règles relatives au mètre des vers. *Ars metrica. Versuum lex.*

métropole, s. f. Ville, état considéré relativement à ses colonies. *Mater, tris*, f. ¶ (Antiq.) Ville capitale d'une province. Voy. CAPITALE. ¶ Ville ayant un siège archiépiscopal. *Metropolis, is*, f.

mets, s. m. Aliment destiné à être servi dans un repas. *Cibus, i*, m. *Esca, ae*, f.

mettre, v. tr. Faire passer à une place déterminée. *Ponĕre* (« poser, placer, mettre, établir »), tr. *Deponĕre*, tr. *Exponĕre*, tr. *Imponĕre*, tr. *Reponĕre*, tr. *Locāre*, tr. *Collocāre*, tr. *Dăre*, tr. (*dăre alimentum igni*, m. du bois au feu; *aliquem in custodiam*, qqn en prison). *Condĕre*, tr. (*aliquem*) ou *aliquid* (*in aliquid*). *Facĕre*, tr. (au fig. : *luxuriae modum facĕre; finem facĕre alicujus rei*). *Statuĕre* (« m. debout »), tr. *Constituĕre*, tr. (*praesidia in Tolosatibus circumque Narbonem*; au fig. *modum alicui rei* ou *alicujus rei constituĕre*). — (un vêtement, etc., à qqn), *induĕre*, tr. (ex. : *alicui tunicam; sibi torquem*); *induĕre*, tr. (*soleas ligneas in pedes* ou *in pedibus*). — au jeu, voy. ENJEU et (fig.) RISQUER. — à terre (déposer), *deponĕre*, tr. à terre (débarquer), *exponĕre*, tr. (*exercitum in terram; milites* [*ex*] *navibus*). — à la mer, *deducĕre*, tr. (ex. : *naves in aquam;* et abs. *d. navem* ou *naves*). — autour, *circumdăre*, tr. — avant, *c.-à-d.* au-dessus de, *anteponĕre*, tr. Se — avant qqn, *se anteponĕre alicui*. — qqn avant tous ceux de son âge dans son amitié, *aliquem omnibus aequalibus suis in familiaritate anteponĕre*. — de côté, *c.-à-d.* se débarrasser de, voy. DÉBARRASSER. — de côté, *c.-à-d.* en réserve, voy. RÉSERVE. — dehors, voy. CHASSER. — les voiles dehors, voy. DÉPLOYER.

meuble, adj. et s. m. || *Adj*. Qu'on peut mouvoir. *Mobilis, e*, adj. Biens —, *res quae movēri possunt;* ou *res moventes*. Biens — et immeubles, *possessiones et res*. ¶ (Spéc.) Dont les parties se divisent facilement. *Mollis, e*, adj. *Solutus, a, um*, p. adj. ¶ *S. m.* Objet qui sert à garnir, à orner une maison. *Supellex, lectīlis* (ab. *lectīli*), f. *Instrumentum, i*, n.

meubler, v. tr. Garnir de meubles. *Instruĕre*, tr. || (Fig.) *Instruĕre*, tr. *Ornāre atque instruĕre.*

meule, s f. Disque massif qui sert à moudre. *Mola, ae*, f. De —, *molarius, a, um*, adj.; *molaris, e*, adj. ¶ (Par ext.) Emplacement régulier de foin, de paille, de blé, etc. *Meta, ae*, f. *Strues, is*, f.

meulier, lière, adj. Qui a rapport aux meules à moudre. *Molaris, e,* adj.

meunier, s. m. Celui qui dirige un moulin. *Pistor, oris,* m.

meurtre, s. m. Action de tuer de mort violente. *Caedes, is,* f. *Nex, necis,* f. *Occisio, onis,* f. *Mors, mortis,* f. — d'un père, d'une mère, d'un frère, d'un proche parent, d'une personne considérée comme inviolable, *parricidium, ii,* n.

meurtrier, ère, s. m. et f. et adj. || *S. m. et f.* Celui, celle qui a commis un meurtre. *Homicida, ae,* m. et f. (remplacé souvent par *qui* [*quae*], *hominem interficit, interfecit,* etc.). *Interfector, oris,* m. || *Adj.* Qui cause des meurtres. (En parl. des pers.) *Homicida, ae,* m. et f. *Parricida, ae,* m. et f. || (En parl. des ch.). *Atrox* (gén. *-ocis*), adj. ¶ *S. f.* Trou percé dans un mur de fortification. *Fenestra, ae,* f.

meurtrir, v. tr. Contusionner de manière à laisser une place livide. *Contundère,* tr. *Collidère* tr. Meurtri de coups, *verberibus foedatus.*

meurtrissure, s. f. Contusion qui laisse une tache livide. *Vibix, icis,* f. *Sugillatio, onis,* f.

Meuse, n. pr. Rivière. *Mosa, ae,* m.

meute, s. f. Troupe de chiens de chasse. *Turba canum.*

mi, adj. et adv. Demi. La — été, *media aestas.* || (Spéc.) Précédé de la préposition « à ». Avoir de l'eau à mi-corps, *pectore exstāre.* A — côte, *in medio colle.* ¶ *Adv.* A demi. — clos, *semiapertus, a, um,* adj.

miasme, s. m. Emanation malsaine de matières putrides. *Pestilens aspiratio.*

miaulement, s. m. Action de miauler. *Felina vox.*

miauler, v. intr. En parl. du chat, pousser le cri propre à son espèce. *Felire,* intr.

miche, s. f. Voy. PAIN.

midi, s. m. Le milieu du jour. *Meridies, ei,* f. De —, *meridianus, a, um,* adj. L'heure de —, *meridies, ei,* f. ¶ Un des quatre points cardinaux. *Meridies, ei,* f. Du —, *meridianus, a, um,* adj.

mie, s. m. Partie intérieure du pain, qui reste molle. *Panis mollia* (n. pl.).

miel, s. m. Substance sucrée que les abeilles élaborent. *Mel, mellis,* n. Mouche à —, voy. ABEILLE. Gâteau, rayon de —, *favus, i,* m. Au —, sucré avec du —, *mellitus, a, um,* adj. Mêlé de —, adouci, sucré avec du —, *mulsus, a, vm,* adj. || (Fig.) Personne, chose pleine de douceur. *Mel, mellis,* n.

mielleux, euse, adj. Qui a une douceur analogue à celle du miel. *Mellitus, a, um,* adj.

mien, mienne, adj. Qui est à moi. *Meus, a, um,* adj. *Noster, tra, trum,* adj. || (Spéc.) *Au masc. sing.* Ce qui est à moi. Le —, *meum, i,* n.

miette, s. f. Parcelle qui tombe du pain. *Mica vanis.* || (Par anal.) Parcelle d'aliment. *Mica, ae,* f. *Offula, ae,* f.

mieux, adv. Comparatif de l'adv. « bien »). *Melius,* adv. (au Compar.). *Rectius,* adv. (au Compar.). Il vaut —, *praestat,* impers. (av. l'Inf.). Aimer —, *malle,* tr. || (Subst.) Ce qui est mieux. *Melius,* adj. n. De — en —, *in melius.* A qui mieux mieux, *certatim,* adv. ¶ Le mieux (superl. de l'adv. « bien »). *Optimē,* adv. || (Subst.) Le mieux, *c.-à-d.* ce qu'il y a de mieux. *Optimum, i,* n. Faire pour le —, *summā ope anniti.*

mignard, arde, adj. Qui affecte une gentillesse mignonne. *Delicatus, a, um,* adj. [mignarde. *Delicatē,* adv.

mignardement, adv. D'une manière mignardise, s. f. Gentillesse mignonne. *Venustas, atis,* f. Des —, *blanditiae, arum,* f. pl.

mignon, onne, adj. Qui a du charme dans la petitesse. *Delicatus, a, um,* adj *Pulchellus, a, um,* adj.

migraine, s. f. Douleur de tête partielle. *Dolor capitis.*

migration, s. f. Déplacement d'une population. *Migratio, onis,* f.

1. mil, adj. Adjectif numéral. Voy. MILLIÈME. [*Milium, ii,* n.

2. mil, s. m. Graminée dite aussi *-illet.* *Milan,* n. pr. Ville d'Italie. *Mediolanum, i,* n. De —, *Mediolanensis, e,* adj.

milan, s. m. Oiseau de proie. *Miluus, i,* m.

Milet, n. pr. Ville d'Asie Mineure. *Miletus, i,* f. De —, *Milesius, a, um,* adj.

milice, s. f. Troupes. *Milites, um,* m. pl.

milieu, s. m. Partie qui est à égale distance des extrémités. || (En parl. de l'espace.) *Medius locus.* Du —, qui se trouve au —, *medius, a, um,* adj. || (En parl. du temps.) *Medium tempus.* Qui est au — *medius a, um,* adj. ¶ Place où l'on est entouré en tous sens. *Medius locus.* Qui est au —, *medius, a, um,* adj. Au — de, *inter,* prép (av. l'Acc.). ¶ (Au fig.) Ce qui est également éloigné des extrêmes, des excès opposés. *Medium quiddam.* Qui est au —, qui tient le —, *medius, a, um,* adj.

militaire, adj. Relatif à la guerre. *Militaris, e,* adj. *Bellicus, a, um,* adj. Suivre la carrière —, *militiam experiri.* Service —, *militia, ae,* f. Talents —, *peritia rerum militarium.*

militairement, adv. D'une manière militaire. *More militari.*

militer, v. intr. Prêter appui. *Favēre* (*alicui*).

1. mille, adj. Adjectif numéral. Dix fois cent. *Mille,* adj. numér. indécl. — fois, *millies,* adv. ¶ (P. hyperb.) Un nombre indéterminé. *Mille,* adj. numér. indécl. *Sexcenti, ae, a,* adj. numér. — fois, *millies,* adv.

2. mille, s. m. Mesure itinéraire de

mille pas. *Mille passus.* (Au plur.) *Milia passum,* et (ellipt.) *milia, ium,* n. pl.

mille-feuille, s. f. Plante dont la feuille a de nombreuses découpures. *Millefolium, ii,* n.

millénaire, adj. Qui comprend mille unités. *Milliarius, a, um,* adj.

mille-pertuis, s. m. Plante. *Corion, ii.* n.

millet, s. m. Voy. MIL.

milliaire, adj. Qui marque la distance de mille pas. *Milliarius, a, um,* adj. Pierre, borne —, *milliarium, ii,* n.

milliard, s. m. Nombre de mille millions. *Decies millies centena milia.*

millième, adj. et s. m. || *Adjectif.* Qui a neuf cent quatre-vingt-dix-neuf avant lui. *Millesimus, a, um,* adj. || Qui est une des parties d'une quantité divisée en mille parties égales. *Millesima, a, um,* adj. La — partie, *et, subst.,* le —, *millesima pars et,* simpl. *millesima, ae,* f.

millier, s. m. Nom collectif exprimant le nombre mille. *Mille,* adj. numér. (indécl. au sing.). Un — à la fois, *singula milia.*

million, s. m. Nom de nombre exprimant mille fois mille. *Decies centena milia.* Un — de sesterces, *decies centena milia sestertium* et simpl. *decies sestertium.* Un — de fois, *decies centies millies.*

Miltiade, n. pr. Homme d'état athénien. *Miltiades, is,* m.

mime, s. m. Petite comédie bouffonne. *Mimus, i,* m. — en vers iambiques, *mimiambi, orum,* m. pl. De —, voy. MIMIQUE. || Acteur jouant des sortes de pièces. *Mimus, i,* m.

mimique, adj. Qui appartient aux mimes (comédies). *Mimicus, a, um,* adj. Pièce —, *mimus, i,* m. Poète —, *mimorum scriptor.*

minauder, v. intr. Faire des mines. *Ducère os exquisitis modis.*

minauderie; s. f. Action de minauder, de faire des mines. Voy. AFFECTATION, COQUETTERIE. ¶ (P. ext.) Ces mines elles-mêmes. *Argutiae, arum,* f. pl.

mince, adj. Qui a peu d'épaisseur. *Tenuis, e,* adj. *Exilis, e,* adj. *Gracilis, e,* adj. Tunique —, *rara tunica.* Corps —, *gracilitas corporis.* || (Fig.) Voy. INSIGNIFIANT.   [*cius, ii,* m

Mincio, n. pr. Rivière d'Italie. *Min-*

1. mine, s. f. Mesure ancienne. *Hemina, ae,* f.

2. mine, s. f. Terrain, au sein de la terre, d'où l'on extrait les métaux, etc. *Metallum, i,* n. || Excavation pratiquée dans ce terrain pour en extraire les matières. *Fodina, ae,* f. *Metallum, i,* n. *Specûs, ûs.* m. Puits de —, *putei, orum,* m. pl. Galeries de —, *cuniculi, orum,* m. pl. || (Fig.) *Thesaurus, i,* m. || (Par ext.) Minerai renfermant qq. substance métallique. Voy. MINÉRAL. ||

(Spéc.) Mine de plomb. *Plumbago, ginis,* f. ¶ (Par anal.) Excavation souterraine pratiquée pour faire une opération. *Specûs, ûs,* m. *Cuniculus, i,* m. Faire une —, *fodère cuniculum.*

3. mine, s. f. Apparence du visage. *Vultûs, ûs,* m. *Os, oris,* n. *Facies, ei,* f. Avoir une bonne —, *bonâ corporis habitudine esse.* N'avoir pas bonne —, *minus bonâ esse corporis habitudine.* || (Par anal.) L'air, l'extérieur de qqn. *Habitûs, ûs,* m. *Species, ei,* f. *Os, oris,* n. Avoir de la —, *speciosum esse.* || (Par ext.) Apparence. *Habitûs, ûs,* m. *Species ei,* f. Faire — de, voy. SEMBLANT. Avoir la — de..., voy. SEMBLER. || Expression de visage qu'on affecte. *Vultûs, ûs,* m. *Frons, frontis,* f. Faire des —, voy. MINAUDER.

4. mine, s. f. Poids. *Mina, ae,* f. || Monnaie d'argent. *Mina, ae,* f.

miner, v. tr. Creuser en dessous, de manière à faire écrouler. *Cuniculos agère. Specus fodère.* Subruère cuniculo *murum* ou (simpl.) *subruère,* tr. *Suffodère cuniculis moenia.* || (Par anal.) Creuser lentement. *Subruère,* tr. ¶ (Fig.) Préparer la ruine (d'une personne, d'une chose). *Exedère,* tr. *Conficère,* tr. Etre miné par ..., *tabescère,* intr.

minerai, s. m. Substance minérale renfermant un ou plusieurs métaux. *Metallum, i,* n. — de cuivre, *aerarius lapis.*

minéral, *ale,* adj. Formé de matière brute, non organisée. Substances —, voy. MINÉRAI. Le règne —, *metalla, orum,* n. pl. || Eaux —, *medicatae aquae; medicati fontes.*

minerve, n. pr. Divinité. *Minerva, ae,* f.

1. mineur, s. m. Celui qui travaille dans une mine. *Metallicus, i,* m. *Fossor, oris,* m.

2. mineur, *eure,* adj. Moins grand. *Minor, us,* adj. (au Comp.) || L'Asie Mineure, *Asia Minor.* ¶ (Droit.) Qui est au-dessous de l'âge légal pour disposer de sa personne, de ses biens. *Qui (quae) nondum sui juris est.* Substantivt. Un —, *pupillus, i,* m. Une —, *pupilla, ae,* f.

miniature, s. f. Lettre rouge tracée avec du minium, sur les manuscrits, etc. *Rubrica, ae,* f. ¶ (P. ext.) Peinture fine de petits sujets. *Minuta pictura.* Fig. Une Rome en —, *pusilla Roma.*

minier, *ière,* Qui a rapport aux mines. *Metallicus, a, um,* adj.

minime, adj. Très petit. *Minimus, a, um,* adj.

ministère, s. m. Office de celui qu'on emploie pour l'exécution de qqch. *Munus, eris,* n. *Ministerium, ii,* n. Prêter son — à qqn, dans un sacrifice, *alicui administrâre (ad rem divinam).* Qui prête son —, *administer, tri,* m. || (P. ext.) Action de celui qui sert d'instrument. *Ministerium, ii,* n. *Opera, ae,* f. Prêter son — à qqn, *alicui ministrāre (ad uliquid).*

ministre, s. m. Celui qu'on emploie pour l'exécution de qqch. *Minister, tri,* m. *Administer, tri,* m. — d'un culte, *minister, tri,* m. ¶ Celui qui est chargé d'une des principales fonctions du gouvernement. *Socius et administer rei publicæ regendæ.*

minium, s. m. Substance colorante rouge. *Minium, ii,* n.

minois, s. m. Mine, apparence du visage. *Facies, ei,* f. *Vultūs, ūs,* m.

minorité, s. f. Age inférieur à celui que fixe la loi pour user de certains droits. *Aetas pupillaris.* ¶ Le moindre nombre (des suffrages). *Numeras minor.* || (P. ext.) La — (d'une assemblée), *minor pars.*

minuit, s. m. Le milieu de la nuit *Media nox.* Vers —, *concubiā nocte.*

minuscule, adj. Très petit. Voy. PETIT.

minute, s. f. Soixantième partie de l'heure. *Sexagesima pars horae.* || (P. anal.) Court espace de temps. *Punctum, i,* n. En une —, *momento temporis.*

minutie, s. f. Menu détail qui ne mérite pas qu'on s'y arrête. *Res minuta* (ou *levissima).* Des —, *minuta quaedam.* ¶ Caractère de celui qui s'arrête à ces menus détails. *Cura minutior.*

minutieusement, adv. D'une manière minutieuse. *Minutē,* adv.

minutieux, *euse,* adj. Qui s'arrête à des minuties. (En parl. des pers.) *In rebus minimis occupatus.* (En parl. des choses.) *Minutus, a, um,* p. adj.

mi-parti. Voy. MIPARTIR.

mipartir, v. tr. Partager en deux moitiés. *Bipartire,* tr. Miparti, *dimidius, a, um* adj.

miracle, s. m. Fait surnaturel. *Miraculum, i,* n. *Prodigium, ii,* n.

miraculeusement, adv. D'une manière miraculeuse. *Mirabiliter,* adv. *Mirificē,* adv.

miraculeux, *euse,* adj. Produit par une action surnaturelle. *Portentosus, a, um,* adj. Signe —, *portentum, i,* n. (P. ext.) Des hommes — (qui font des miracles), *viri miracula edentes.* ¶ (P. hyperb.) Très extraordinaire. *Mirificus, a, um,* adj. *Mirabilis, e,* adj. Une cure —, *curationis miraculum.*

mirage, s. m. Illusion d'optique. *Oculorum mendacia.*

mirer, v. tr. Regarder attentivement. *Intentis oculis intuēri.* || (Spéc.) Regarder à contre-jour. *Inspicĕre,* tr. ¶ Viser. Voy. ce mot. ¶ Se —, *intuēri in speculo.*

miroir, s. m. Verre poli où l'on peut voir son image réfléchie. *Speculum, i,* n. Se regarder dans son —, voy. MIRER. De —, *specularis, e,* adj. || (Fig.) Ce qui donne l'image de qqch. *Speculum, i,* n. *Imago, ginis,* f.

misaine, s. f. Voile du mât placé à l'avant d'un grand navire. *Dolo* (ou *dolon), onis,* m.

misanthrope, s. m. Individu qui hait le genre humain. *Qui genus humanum odit.* [humain. *Odium hominum.*

misanthropie, s. f. Haine du genre mise, s. f. Action de faire passer à une place déterminée. La — à l'eau d'un bâtiment, *navis (e navalibus) deducta.* — en ordre, *distributio, onis,* f. ¶ (Absolt.) Action de mettre de l'argent dans une affaire, au jeu, etc. *Erogatio, onis,* f. || (En parl. du jeu.) *Pignus, oris,* n. Qui est de —, voy. CONVENABLE. Libéralité qui n'est pas de —, *liberalitas cui ratio non constat.* ¶ Action de passer à un état déterminé. La — en vente, *auctio, onis,* f. La — à prix, *licitatio, onis,* f. La — en œuvre, *tractatio, onis,* f. || (Absol.) La — de qqn (la manière dont il est vêtu). Voy. TENUE.

misérable, adj. Qui mérite la pitié. *Miserabilis, e,* adj. *Miserandus, a, um,* adj. verb. *Miser, a, um,* adj. || (Subst.) Malheureux. Voy. ce mot. ¶ Qui mérite le mépris. *Miser, a, um,* adj. *Improbus, a, um,* adj. Voy. MÉPRISABLE. ¶ Qui mérite l'indignation. Voy. INDIGNE.

misérablement, adv. D'une manière misérable. *Miserē,* adv. *Miserabiliter,* adv. Vivre —, *male vivĕre.* Mourir —, *foedē perīre.* — vêtu, *sordidatus, a, um,* adj.

misère, s. f. Sort digne de pitié. *Miseria, ae,* f. Lit de —, *doloris lectus.* || Au plur. Ce qui rend notre sort digne de pitié. *Mala, orum,* n. pl. Les — du temps, *angustiae temporum.* || (Spéc.) Pauvreté digne de pitié. *Egestas, atis,* f. ¶ (Par ext.) Chose de mince valeur, méprisable. Ce sont de —, *haec minora sunt.*

miséricorde, s. f. Pitié qui pardonne au coupable. *Misericordio, ae,* f.

miséricordieux, *euse,* adj. Voy. COMPATISSANT.

mission, s. f. Œuvre qu'on charge qqn d'aller accomplir. *Mandatum, i,* n, *Negotium, ii,* n. Donner à qqn — de... *dāre alicui negotium, ut...* (av. le Subj.); *alicui mandāre* (ou *demandĕre), ut...*

missive, adj. f. Lettre — *et, substantivt.* —, *epistola, ae,* f.

mistral, s. m. Vent violent du nord-ouest. *Caurus, i,* m.

mite, s. f. Nom donné à plusieurs espèces de vers très petits. *Vermiculus, i,* m.

Mithridate, n. pr. Roi de Pont. *Mithridates, is,* m.

mitiger, v. tr. Rendre moins vif. *Mitigāre,* tr. Se —, voy. ADOUCIR.

mitoyen, *enne,* adj. Qui est entre deux choses, commun à l'une et à l'autre. *Medius, a, um,* adj.

mitre, s. f. Coiffure asiatique. *Mitra, ae,* f. Coiffé d'une —, *mitratus, a, um,* adj.

mixte, adj. Participant de la nature d'éléments divers qui la composent. *Mixtus, a, um, p. adj. Permixtus, a, um, p. adj. Promiscuus, a, um,* adj.

mixtion, s. f. Action de mélanger plusieurs substances. *Mixtio, onis,* f.

mixture, s. f. Mélange de certaines substances pharmaceutiques. *Mixtura, ae,* f.

mnémonique, adj. Qui aide la mémoire (Traduire par le génit. *memoriae*). || (Substantivt.) La — (l'art mnémonique), *memoriae ars ou confectio.*

mobile, adj. et s. m. || *Adj.* Qui peut se mouvoir, être mû (dans l'espace). *Mobilis, e,* adj. *Agilis, e,* adj. *Volubilis, e,* adj. ¶ (Au fig.) Qui change aisément. *Mobilis, e,* adj. Voy. CHANGEANT. ¶ *S. m.* Corps qui se meut, qui est mû. *Id quod movetur.* || Ce qui pousse à agir. *Impulsus, ûs,* m.

mobilier, *ière,* adj. et s. m. || *Adj.* Qui a rapport aux meubles. Biens —, effets —, *res moventes; res quae moveri possunt.* ¶ *S. m,* Ensemble des meubles d'une maison. *Supellex, lectilis,* f. *Vasa, orum,* n. pl.

mobiliser, v. tr. Mettre sur pied de guerre (des troupes). *Milites ad arma convocāre.*

mobilité, s. f. Caractère de ce qui peut se mouvoir, être mû. *Mobilitas, atis,* f. *Agilitas, atis,* f.

1. mode, s. f. Manière de voir, d'agir, particulière à qqn. *Modus, i,* m. *Mos, moris,* m. || (Par ext.) Manière de voir, d'agir, propre à un pays. *Mos, moris,* m. ¶ Usage passager qui règle, selon le moment, la manière de vivre, de s'habiller. *Mos, moris* m. *Consuetudo, dinis,* f. *Habitûs, ûs,* m. *Ornatûs, ûs.* m. *Exemplum, i,* n. La — du jour, *saeculum, i,* n. Passer de —, *obsolescĕre,* intr. Vêtement passé de —, *vestitus obsoletior.* Etre à la —, *vigēre,* intr. || (Par ext.) *Au plur.* Ajustements, parures pour les dames. *Mundus muliebris.*

2. mode, s. m. Forme du verbe. *Modus, m.* ¶ Manière d'agir. *Modus, i,* m. *Ratio, onis,* f.

modèle, s. m. Ce qui doit servir d'objet d'imitation. *Exemplum, i,* n. *Exemplar, aris,* n. *Forma, ae,* f. — d'écriture, *praescriptum, i,* n. ¶ (Spéc.) Représentation d'un objet destiné à être reproduit en marbre, en bronze, etc. — en plâtre, *exemplar e gypso factum.* ¶ Ce qui doit servir d'objet d'imitation, d'après lequel on fait qqch. ¶ (En parl. de la manière de composer.) *Exemplum, i,* n. *Exemplar, aris,* n. || (En parl. de la manière de vivre.) *Exemplum, i,* n. *Exemplar, aris,* n. *Specimen, minis,* n. (touj. au singulier). Prendre pour —, *imitāri,* dép. tr.

modeler, v. tr. Façonner un modèle avec de l'argile, de la cire, etc. *Fingĕre,* tr.¶ (Fig.) Conformer à un modèle. *Formāre (aliquid ad aliquid).* Se — sur

qqn, *proponĕre sibi aliquem ad imitandum.*

modeleur, s. m. Celui qui modèle (avec de l'argile, etc.). *Fictor, oris,* m.

modérateur, s. m. Celui ,celle qui cherche à régler les choses, en évitant tout excès. *Moderator, oris,* m. || (Adjectivt.) *Qui (quae) moderatur* (ou *temperat.*) *Moderatrix, tricis,* f.

modération, s. f. Caractère de celui qui est modéré. *Moderatio, onis,* f. *Modus, i,* m. Montrer de la —, *moderatum se praebēre.* Avec —, *moderatē,* adv.; *modicē,* adv.

modéré, *ée,* adj. Qui s'abstient de tout excès. *Moderatus, a, um,* p. adj. *Modestus, a, um,* adj. Etre —, *mediocritatem tenēre.* ¶ Qui est éloigné de l'excès. *Moderatus, a, um,* p. adj. *Modicus, a, um,* adj.

modérément, adv. D'une manière modérée. *Moderatē,* adv. *Modestē,* adv. User — de qqch., *moderāri alicui rei* (on dit aussi *modum tenēre alicujus rei; modum adhibēre alicui rei; moderationem adhibēre in aliquā re).*

modérer, v. tr. Eloigner de l'excès. *Moderāri,* dép. intr. *Temperāre,* intr. *Continēre,* tr. Se —, *temperāre sibi* ou *se continēre.* — sa colère, *irae temperāre.*

moderne, adj. De notre temps, d'un temps relativement récent. *Recens* (gén. *-entis*), adj. *Novus, a, um,* adj. L'histoire —, *nostrarum rerum historia.* Les auteurs —, *et subst.* les —, *recentiores, um,* m. pl.

modeste, adj. Eloigné du faste et de l'éclat. *Modestus, a, um,* adj. *Modicus, a, um,* adj. Fortune —, *mediocritas, atis,* f. ¶ Qui a une opinion médiocre de son mérite. *Modestus, a, um,* adj. D'un air —, *modestē,* adv. || Qui fuit tout excès, toute liberté contraire aux bonnes mœurs. *Modestus, a, um,* adj.

modestement, adv. D'une manière éloignée du faste, de l'éclat. *Modestē,* adv. *Modicē,* adv. ¶ Avec une opinion médiocre de son mérite. *Modestē,* adv. S'exprimer —, *moderatione dicendi uti.* ¶ En évitant toute liberté contraire aux mœurs. *Verecundē,* adv.

modestie, s. f. Caractère de ce qui est éloigné du faste, de l'éclat. *Modestia, ae,* f. *Moderatio, onis,* f. ¶ Qualité de celui qui a une opinion modérée de sa valeur. *Modestia, ae,* f. ¶ Qualité de celui qui évite toute liberté contraire aux bonnes mœurs. *Verecundia, ae,* f.

modicité, s. f. Caractère de ce qui est modique. *Mediocritas, atis,* f.

modification, s. f. Voy. CHANGEMENT. Apporter des —, voy. MODIFIER.

modifier, v. tr. Changer (une chose) sans en altérer la nature essentielle. *Immutāre (aliquid de aliquā re).* — une loi, *derogāre aliquid de lege.* Se —, *mutāri,* pass.

modique, adj. Peu considérable (pécuniairement). *Modicus, a, um*, adj Prix —, *parvum pretium*. Estimer à un prix très —, *tenuissimē aestimāre*.

modiquement, adv. D'une manière modique. Voy. PEU.

modulation, s. f. Inflexion variée de la voix. *Modulatio vocis*.

moduler, v. tr. Rendre par des inflexions variées de la voix. *Modulari*, dép. tr.

moelle, s. f. Substance qui remplit la cavité des os. *Medulla, ae*, f. La — épinière, *medulla dorsalis*. || (Fig.) La partie la plus substantielle. *Medulla, ae*, f. *Flos ac robur*.

moelleusement, adv. D'une manière moelleuse. *Molliter*, adv.

moelleux, *euse*, adj. Qui contient de la moelle. *Medullosus, a, um*, adj. ¶ (P. ext.) Qui présente au toucher le caractère doux et onctueux de la moelle. *Mollis, e*, adj. || (Fig.) Doux et souple. *Mollis, e*, adj.

moellon, s. m. Pierre employée pour construire. *Caementum, i*, n.

mœurs, s. f. pl. Habitudes d'un individu, d'un peuple, relatives à la pratique du bien et du mal. *Mores, um*, m. pl. Qui a de bonnes —, *bene moratus*. ¶ Habitudes d'un individu, d'un peuple. *Mores, um*, m. pl.

moi, pron. pers. Pronom sing. de la 1ʳᵉ personne. *Ego* (génitif *mei*, dat. *mihi*. acc. *me*, abl. *me*), pron. pers.

moindre, adj. Comparatif de l'adjectif « petit ». *Minor, us*, adj. (au Comp.) Un nombre — de navires, *pauciora navigia*. Péril —, *levius periculum*. ¶ Le moindre: Superlatif absolu de l'adj. « petit ». *Minimus, a, um*, adj. Ne pas faire le — cas des dieux, *deos facēre minimi*.

moine, s. m. Religieux cloîtré. *Monachus, i*, m. De —, voy. MONACAL, MONASTIQUE.

moineau, s. m. Passereau à plumage gris. *Passer, eris*, m. Petit —, *passerculus, i*, m.

moins, adv. Comparatif de l'adverbe « peu ». *Minus*, adv. En — de dix jours, *intra decimum diem*. En — de rien, *puncto temporis*. A — de, à — que, à — que de..., *nisi*, conj. || Le moins, superl. de l'adv. « peu ». *Minimē*, adv. Au —, tout au —, pour le —, à tout le —, *utique*, adv. Du —, *saltem*, adv.

moirer, v. tr. Apprêter une étoffe de manière à produire des reflets chatoyants. Moiré, *undatus, a, um*, adj.; *undulatus, a, um*, adj.

mois, s. m. Une des douze divisions de l'année. *Mensis, is*, m. Qui dure un —, d'un —, *menstruus, a, um*, adj.

Moïse, n. pr. Législateur des Hébreux. *Moses, is*, m.

moisir, v. intr. et tr. || (*V. intr.*) Se couvrir de végétaux cryptogamiques. *Situ et mucore corrumpi*. ¶ (*V. tr.*) Cou-

vrir de végétations cryptogamiques qui altèrent la substance. *Situ operire*. Se —, voy. plus haut. Moisi, *situ obsitus*. Le moisi, voy. MOISISSURE.

moisissure, s. f. Altération produite par les végétations cryptogamiques. *Mucor, oris*, m. *Situs, ūs*, m.

moisson, s. f. Récolte du blé et des autres céréales. *Messis, is*, f. Temps de la —, *metendi tempus* ; *messis, is*, f. Quand la — est faite, *demessis segetibus*. || (P. ext.) Ce qui est récolté ou à récolter. *Messis, is*, f. ¶ (Fig.) Action de recueillir une quantié de choses; ensemble de choses ainsi recueillies. *Messis, is*, f. Riche —, *proventus, ūs*, m.

moissonner, v. tr. Couper et récolter les céréales. *Metēre*, tr. *Demetēre*, tr. || (Absol.) *Metēre*, abs. (on dit aussi : *messem facēre*). ´ || (Fig.) *Metēre*, tr. *Capēre fructum* (*alicujus rei* ou *ex aliquā re*). || Retrancher par un coup soudain. *Metēre*, tr.

moissonneur, s. m. Celui qui travaille à la moisson. *Messor, oris*, m. De —, *messorius, a, um*, adj.

moite, adj. Légèrement humide. *Humidus, a, um*, adj. Devenir —, *uvescēre*, intr.

moiteur, s. f. Caractère de ce qui est moite. *Uvor, oris*, m.

moitié, s. f. Chaque partie d'un tout divisé en deux parties égales. A —, *dimidius, a, um*, adj. Réduit à la —, qui n'est que la —, *dimidiatus, a, um*, p. adj. La — d'un as, *semis, semissis*, m.

mol. Voy. MOU.

molaire, adj. Dent —, *et substantivt*, — (dent qui sert à broyer), *dens maxillaris*.

mole, s. f. Voy. JETÉE.

molécule, s. f. Partie très petite de la matière. *Particula, ae*, f.

molester, v. tr. Tourmenter en suscitant des désagréments. *Vexāre*, tr.

mollasse, adj. Voy. FLASQUE.

mollement, adv. D'une manière molle. *Molliter*, adv. *Delicatē*, adv. ¶ (Fig.) Sans énergie. *Molliter*, adv. *Dissolutē*, adv. *Segniter*, adv.

mollesse, s. f. État de ce qui est mou. *Mollitia, ae*, f. ¶ (Au fig.) Laisser aller. *Mollitia, ae*, f. || Manque de fermeté. *Mollitia, ae*, f. et *mollities, ei*, f. *Luxuria, ae*, f. *Deliciae, arum*, f. pl.

mollir, v. intr. Devenir mou. *Mollescēre*, intr.

moment, s. m. Court espace de temps. *Momentum, i*, n. (on emploie plutôt *temporis punctum*). Un — (expr. adv.), *paulisper*, adv.; *parumper*, adv. Pour le —, *ad tempus* : *in praesentiā*. Au bon —, *tempore* ou *in tempore*. Dans un —, voy. BIENTOT. En ce —, *hoc tempore*. Dans le —, sur le —, *ad tempus*. Depuis le —, (du —) que..., *ex quo*... Du — que, *c.-à-d.* puisque, voy. PUISQUE.

momentané. *ée*, adj. Qui ne dure qu'un

moment. *Brevissimus, a, um,* adj. *Qui brevis et ad tempus est.*

momie, s. f. Cadavre embaumé. *Corpus mortui medicatum. Medicatum cadaver.*

mon, adj. possessif masc. de la prem. pers. *Meus, a, um,* adj.

monarchie, s. f. Gouvernement d'un Etat par un seul chef. *Imperium singulare.* ¶ (Par ext.) Etat gouverné par un seul chef. *Civitas regia.*

monarchique, adj. Qui appartient à la monarchie. Le gouvernement —, *regnum, i, n.* Avoir un gouvernement —, *regi* (ou *regibus*) *parêre.*

monarchiquement, adv. D'une manière monarchique. *Regiē,* adv.

monarque, s. m. Souverain d'une monarchie. *Rex, regis,* m. *Qui solus regnat.* [*Monachium, ii, n.*

monastère, s. m. Maison de religieux.

monceau, s. m. Elévation que forme une grande quantité d'objets entassés. *Acervus, i,* m. *Strues, is,* f. Mettre en —, voy. AMONCELER. Par —, *acervatim,* adv. || (Fig.) *Acervus, i,* m.

mondain, aine, adj. Qui appartient au monde, au siècle. La vie —, *saeculum, i,* n.

monde, s. m. Ensemble des choses créées. *Mundus, is,* m. Le — sensible, extérieur, physique, *res sensibus* (ou *oculis*) *subjectae.* ¶ L'ensemble que forment le soleil et les autres planètes. *Mundus, i,* m. Fig. C'est le — renversé, *inversa sunt omnia.* ¶ Le globe terrestre. *Orbis, is,* m. (avec ou sans *terrarum*). *Terrae, arum,* f. pl. Par hyp. Le meilleur homme du —, *homo omnium quos terra sustinet optimus.* ¶ Une partie du globe terrestre *Orbis, is,* m. ¶ Le globe terrestre, théâtre de la vie humaine. *Terrae, arum,* f. pl. Venir au —, *in vitam edi.* Mettre au —, *in lucem edere.* Etre au —, *esse,* intr.; *natum esse.* N'être plus au —, *esse desisse.* || (Par anal.) Dans l'autre —, *illic,* adv. ¶ Le siècle (par opposition aux choses de Dieu). *Res humanae.* Le mépris du —, *despicientia rerum.* ¶ La société. *Homines, um,* m. pl. Eviter le —, *lucem vitâre.* Je connais le —, *novi hoc saeculum.* Homme du —, *homo non imperitus morum; homo urbanus.* Aller dans le —, *in celebritate versâri.* ¶ Un certain nombre de gens. *Frequentia, ae,* f. Beaucoup de —, *multi.* Plus de —, *plures.* Son —, *sui.*

monder, v. tr. Nettoyer (une substance). *Mundâre,* tr. Orge mondée, *ptisana, ae,* f.

monétaire, adj. Relatif à la monnaie. *Monetalis, e,* adj. Système —, *ratio aeraria.*

monnaie, s. f. Pièce de métal qui sert aux échanges. *Nummi, orum,* m. pl. Une pièce de —, *nummus, i,* m. Menue —, *nummuli, orum,* m. pl. — de cuivre,

aes signatum. — d'argent, *argentum signatum* ou abs. *argentum, i,* n. L'hôtel de la — *et ellipt,* la —, *moneta, ae,* f.

monnayer, v. tr. Convertir en pièces de monnaie (un métal). *Signâre aes* ou *argentum.* Argent monnayé, voy. MONNAIE.

monnayeur, s. m. Celui qui travaille à la fabrication de la monnaie. *Monetarius, ii,* m.

monologue, s. m. Scène dramatique dans laquelle un personnage se parle à lui-même. *Canticum, i,* n.

monopole, s. m. Privilège exclusif de vendre qqch. *Arbitrium vendendi* (ou *emendi*) *aliquid.*

monosyllabe, adj. Qui n'a qu'une syllabe. *Unius syllabae.* Substantivt. Un —, *monosyllabum, i,* n.

monotone, adj. Qui est toujours sur le même ton. *Unum* (modo) *sonum habens.* || (Par ext.) Qui lasse par l'emploi constant du même son. Un discours —, *oratio omni varietate carens.*

monotonie, s. f. Caractère de ce qui est monotone. *Una quaedam spiritūs ac soni intentio.*

monstre, s. m. Etre qui présente une conformation contre nature. *Monstrum, i,* n. *Portentum, i,* n.

monstrueusement, adv. D'une manière monstrueuse. *Monstruosē,* adv. *Prodigiosē,* adv.

monstrueux, euse, adj. Qui présente une conformation contre nature. *Monstruosus* (ou *monstrosus*), *a, um,* adj. *Portentosus, a, um,* adj.

monstruosité, s. f. Caractère de ce qui est monstrueux. *Immanitas, atis,* f. *Deformitas, atis,* f. ¶ (Par ext.) Chose monstrueuse. *Monstrum, i,* n. *Portentum, i,* n. *Prodigium, ii,* n.

mont, s. m. Voy. MONTAGNE.

montagnard, arde, adj. Qui a rapport aux montagnes. *Montanus, a, um,* adj. Substant. Les —, *montani, orum,* m. pl.

montagne, s. f. Grande élévation de terrain. *Mons, montis,* m. Chaîne de —, *montes continui* (ou *perpetui*). ¶ (Par anal.) Amoncellement. Voy. ce mot. Une — de glace, *montis instar conglaciata moles.*

montagneux, euse, adj. Où il y a des montagnes. *Montuosus, a, um,* adj. Contrées —, *montuosa, orum,* n. pl.

montant, ante, adj. et s. m. || Adj. Qui va en haut. *Assurgens* (gén. -*entis*), p. adj. ¶ Qui s'étend en haut. *Acclivis, e,* adj. Chemin —, *clivus, i,* m. ¶ S. m. Pièce de bois posée verticalement. *Scapus, i,* m. — d'une porte, *postis, is,* m. ¶ (Fig.) Total auquel s'élève un compte. *Summa, ae,* f. || Saveur relevée de certaines substances. *Acutus sapor.* Qui a du —, *acer, cris, cre,* adj.

montée, s. f. Action de monter. *Ascensūs, ūs,* m. ¶ Endroit par où l'on monte;

pente à gravir dans une route. *Clivus,* i. m.

monter, v. intr. et tr. || (*V. intr.*) Aller en haut (en parl. des pers.). *Scandĕre,* intr. (*in aliquem locum*). *Ascendĕre,* intr. et tr. (ex. : *in murum; in equum; caelum*). *Conscendĕre,* intr. et tr. (ex. : *in montem; vallum: c. in navem, in naves*) *Inscendĕre,* intr. (*in lectum*). Faire effort pour —, — péniblement, *eniti,* intr. (*in aliquem locum*). Faire —, *erigĕre,* tr. (*in aliquem locum*). ¶ Etre porté en hàut (en parl. des choses). *Sublime ferri.* || (Par ext.) S'étendre en haut. Un chemin qui —, *clivus,* i, m. — jusqu'au ciel, *in caelum attolli* (ou *erigi*).||(P. anal.) Hausser de niveau. *Crescĕre,* intr. *Accrescĕre,* intr. *Augĕri,* pass. La marée, la mer monte, voy: MER, MARÉE. || (Par anal.) Arriver à un taux supérieur. *Augĕri,* passif. Le prix des terres a —, *pretium agris accessit.* || (Spéc.) Arriver à un certain total. *Explĕre, Implĕre,* tr. ¶ (*V. tr.*) Parcourir de bas en haut. *Subire,* tr. (on dit aussi *in adversum subire*). Spéc. — la garde, *excubias agĕre.* || (Par ext.) Monter un navire, *in navi vehi.* — un cheval, *in equo vehi.* ¶ Porter en haut. *Tollĕre,* tr. *Subducĕre,* tr. ¶ Dresser en ajustant les parties. *Astruĕre,* tr. || (P. ext.) Pourvoir de tous les objets nécessaires. *Instruĕre,* tr. *Ornĕre,* tr.

monticule, s. m. Petite montagne. *Tumulus,* i, m.

montre, s. f. Action de mettre en vue. *Ostentatio, onis,* f. Faire — de, *ostendĕre,* tr., *venditĕre,* tr.

montrer, v. tr. Faire voir. *Ostendĕre,* tr. — avec insistance, avec affectation, *ostentĕre,* tr. Se — (en parl. des pers.), *se ostendĕre: in conspectum se dare.* Se — en public, *in publicum prodire.* Ne pas se — en public, *publico abstinĕre* (ou *carĕre*). Se — (en parl. des ch.), *apparĕre,* intr. || (Spéc.) Faire voir par un geste, un signe. *Monstrĕre,* tr. *Commonstrĕre* (« indiquer, montrer d'une manière précise »), tr. *Demonstrĕre,* tr. ¶ (Au fig.) Faire paraître. *Ostendĕre,* tr. *Patefacĕre,* tr. *Praebĕre,* tr. *Praestĕre,* tr. Se — (en parl. de ch.), *exstĕre,* intr. || ¶ Faire connaître. *Ostendĕre,* tr. *Demonstrĕre,* tr. *Declarĕre* (« mettre en pleine lumière »). tr. || (Spéc.) Enseigner, *Docĕre,* tr.

montueux, *euse,* adj. Coupé par des hauteurs. *Montuosus, a, um,* adj.

monture, s. f. Bête sur laquelle on monte. *Jumentum,* i, n.

monument, s. m. Ouvrage édifié pour perpétuer le souvenir d'une personne ou d'une chose. *Monumentum,* i, n. ¶ Edifice remarquable. *Monumentum,* i, n. Spéc. — funéraire, *monumentum sepulcri* ou (simpl.) *monumentum,* i, n.

moquer (se), v. pron. Faire de qqn, de qqch. un objet de risée. *Deridĕre,* tr. (*aliquem*). *Irridĕre,* intr. et tr. *Ludi-*

ficari (« se jouer de, se moquer de »), dép tr.

moquerie, s. f. Action de se moquer. *Cavillatio, onis,* f. *Irrisio, onis,* f. *Irrisŭs, ŭs,* m.

moqueur, s. m. Qui se moque. *Irrisor, oris,* m. *Derisor, oris,* m.

morale, *ale,* adj. Relatif aux mœurs, *et par ext.,* à la règle des mœurs. *Moralis, e,* adj. Enseignement —, préceptes —, *praecepta morum* (ou *virtutis* ou de *moribus, de virtute*). La loi —, *virtus, utis,* f.; *officium, ii,* n.; *lex veri rectique.* Science —, *doctrina de moribus.* Obligation —, *religio officii.* Le sens —, *honestas, atis,* f. Le bien —, *honestum,* i, n. La conscience —, *conscientia, ae,* f. ¶ Relatif à l'âme. Force —, *vires animi.* Dignité, grandeur —, *dignitas, atis,* f. Beauté —, *decus, oris,* n. || Substant. Le — de qqn, *habitus mentis; mens, mentis,* f. Energie —, *animus, i,* m.; *vires animi.*

morale, s. f. Doctrine qui détermine les règles de nos actions. *Doctrina de moribus.* || (Spéc.) Partie de la philosophie. *Philosophia quae est de vita et moribus.*

moralement, adv. Conformément à la règle des mœurs. *Probè,* adv.

moraliser, v. intr. et tr. || (*V. intr.*) Faire des leçons de morale. *De moribus hominum dicĕre.* ¶ (*V. tr.*). Instruire (qqn) en lui faisant une leçon de morale. *Conformĕre mores (alicujus).*

moraliste, s. m. Auteur de réflexions sur les mœurs des hommes. *Magister virtutis* (ou *morum*).

moralité, s. f. Caractère moral d'une personne, de ses actes. *Mores, um,* m. pl.

morbide, adj. Relatif à la maladie. *Morbidus, a, um,* adj. Etat —, *valetudo, dinis,* f.

morceau, s. m. Partie d'un aliment solide qu'on saisit en mordant. *Frustum,* i, n. *Offa, ae,* f. Emporter le — (fig.), *violentius se gerĕre.* ¶ (Par ext.) Portion d'un aliment solide qu'on a découpé. *Fragmentum,* i, n. *Frustum,* i, n. *Offa, ae,* f. — de viande, *caro, carnis,* f. ¶ Partie d'un corps solide rompu, coupé, cassé. *Pars, partis,* f. *Fragmentum,* i, n. — de fer, *ferrum,* i, n. — de bois, *lignum,* i, n. — de drap, *pannus,* i, m. En —, *minutatim,* adv. D'un seul —, *solidus, a, um,* adj. Mettre en —, *concidĕre,* tr.; *comminuĕre,* tr. Un — de terrain, *aliquantum agri.*

morceler, v. tr. Partager en morceaux. *In partes dividĕre.* Dividĕre in frusta. *Comminuĕre,* tr. *Concidĕre,* tr.

morcellement, s. m. Action de morceler. *Divisio, onis,* f.

mordant, *ante,* adj. et s. m. Qui mord. *Mordax* (gén. *-acis*), adj. ¶ (P. anal.) Qui entame en usant, en rongeant. *Mordax* (gén. *-acis*), adj. || (Fig.) Une voix —, *et substantivt.,* une voix qui a du —, *vox acris*. || (Fig.) Qui attaque les gens d'une manière acerbe. *Mordax* (gén. *-acis*), adj. Esprit —, *dicacitas, atis*, f.

mordre, v. tr. Entamer avec les dents. *Mordère*, tr. (on dit aussi : *morsu petère* ou *appetère [aliquid]*). — la poussière (être terrassé), *humum mandère*. Faire — la poussière (à qqn), voy. TERRAS-SER. — à l'hameçon (en parl. du poisson), *vorāre hamum*.   [*num, i*, n.

morelle, s. f. Genre de plantes. *Sola-*

morfondre, v. tr. Pénétrer de froid, d'humidité. Voy. GLACER. Etre mor-fondu, *algēre*, intr. Il est tout mor-fondu, *totus friget*. || (Fig.) Se —, *fri-gēre*, intr.

morgue, s. f. Air hautain. *Fastŭs, ūs*, m. *Fastidium, ii*, n. Plein de —, *fas-tidiosus, a, um*, adj. Avoir de la —, *fastidīre*, intr.

moribond, *onde*, adj. Qui est près de mourir. *Moribundus, a, um*, adj.

morigéner, v. tr. Reprendre qqn. *Castigāre aliquem verbis*.

morne, adj. Abattu par la tristesse. *Tristis, e*, adj. *Maestus, a, um*, adj.

morose, adj. Qui est d'humeur cha-grine. *Morosus, a, um*, adj. *Difficilis, e*, adj. Humeur —, *morositas, atis*, f.

mors, s. m. Levier, qui, placé dans la bouche du cheval, sert à le diriger. *Frenum, i*. n.

morsure, s. f. Action de mordre. *Morsŭs, ūs*, m. Faire une —, voy. MORDRE. ¶ Lésion faite en mordant. *Morsŭs, ūs*, m.

1. mort, s. f. Cessation de la vie. *Mors, mortis, f. Nex, necis* (« m. violente, meurtre »), f. Etre à l'article de la —, *animam agĕre*. Etre blessé, frappé à —, voy. MORTELLEMENT. Combat à —, *capitis dimicatio*.

2. mort, *e*, part. et s. m. et f. || Part. Voy. MOURIR. || S. m. et f. Celui, celle qui a cessé de vivre. *Mortuus, a, um*, p. adj. (subst. *mortuus, i*, m.). En fai-sant le —, *simulatione mortis*.

mortalité, s. f. Condition d'un être sujet à la mort. *Mortalĭtas, atis*, f.

mortel, *elle*, adj. Sujet à la mort. *Mortalis, e*, adj. Condition —, *morta-litas, atis*, f. La dépouille — de qqn, *reliquiae, arum*. f. pl. Les —, *mortales, ium*, m. pl. ¶ Qui cause la mort. *Mor-tiferus, a, um*, adj. Qui est atteint d'une maladie —, *morbo gravi et mor-tifero affectus*. Coup —, *plaga extrema* (ou *mortifera*). || (P. ext.) Qui va jusqu'à désirer la mort de qqn Ennemi —, *inimicus* (ou *hostis*) *capitalis*. | (Fla.) Qui cause la mort de l'âme. *Capitalis, e*, adj. || (P. anal.) Qui cause la destruc-tion, la ruine de qqch. *Exitialis, e*. adj. *Exitiosus, a, um*, adj. Etre — à qqn, *exitium afferre alicui*.

mortellement, adv. De manière à causer la mort. *Mortiferē*, adv. Blesser — qqn, *mortifero vulnere afficĕre ali-*

quem. || (P. ext.) Jusqu'à vouloir la mort de qqn. Haïr — qqn, *capitali odio prosequi aliquem*.

mortier, s. m. Vase à piler. *Morta-rium, ii*. n. ¶ (P. ext.) Sable mélangé avec de la chaux. *Arenatum, i*. n.

mortifiant, *ante*, adj. Qui mortifie. *Acerbus, a, um*, adj.

mortification, s. f. Froissement que qqn éprouve dans son amour-propre. *Contumelia, ae*, f.

mortifier, v. tr. Froisser qqn dans son amour-propre. Voy. FROISSER. Etre mortifié, *contumeliā affici*.

mortuaire, adj. et s. m. Qui concerne une personne décédée. *Funebris, e*, adj. Drap —, *vestis funebris*. La maison —, *funesta domus*.

morve, s. f. Maladie contagieuse des chevaux. *Malleus, i*, m. ¶ (Par anal.) Humeur visqueuse des narines. *Mucus, i*, m.

morveux, *euse*, adj. Qui a la maladie de la morve. Cheval —, *equus malleo affectus*. ¶ Qui a la morve au nez. *Muco-sus, a, um*, adj.

mosaïque, s. f. Ouvrage fait de pièces rapportées formant des dessins. *Opus tessellatum* (ou *vermiculatum*). Un pavé en —, *lithostrotum, i*, n.

mot, s. m. Son articulé servant à dési-gner un être ou une manière d'être. *Verbum, i*, n. *Nomen, minis*, n. *Vox, vocis*, f. *Vocabulum, i*, n. Traîner ses —, *tractim dicĕre*. || (Par ext.) Représen-tation de ces sons par l'écriture. *Ver-bum, i*, n. *Vocabulum, i*, n. ¶ Le mot (par opposition à l'idée qu'il exprime). *Verbum, i*, n. *Vox, vocis*, f. *Vocabulum, i*, n. ¶ (Par ext.) Suite de sons formant une ou deux phrases courtes. *Verbum, i*, n. *Vox, vocis*, f. A ces —, *haec ubi dixit*. Comprendre à demi —, *ex paucis multa intelligĕre*. A — couverts, *obscurē*, adv.; *perplexē*, adv. || (Spéc.) Parole expressive. *Verbum, i*, n. *Dictum, i*, n. On connaît le — de Caton, *scitum est illud Catonis*. || Bon mot. *Facetē dic-tum*. Bons —. *facetiae, arum*, f. pl. — pour rire, *jocus. i*, m. Avoir le — pour rire, *aliquid facetē et commodē dicĕre*. || Le mot d'une énigme. Voy. SOLUTION. || Mot d'ordre. *Tessera, ae* ,f. *Signum, i*, n. Fig. Ils se sont donné le —, *omnes consentiunt*.

moteur, *trice*, s. m. et f. Ce qui met qqch. en mouvement. *Qui* (*quae*) *movet*. Le —, *et (adjectiv.)* force —, *momentum, i*, n.

motif, s. m. Raison d'agir. *Causa, ae*, f. *Ratio, onis*, f. *Res, rei*, f. (dans les express. *ob eam* [*hanc*] *rem*; *hāc re*; *eā re*). Pour ce —, *ideo*; *idcirco*. Pour quel —? Voy. POURQUOI. Pour un bon —, *bono consilio*. Sans —, *nequiquam*; *frustra*.

motion, s. f. Initiative d'une mesure, d'une résolution dans une assemblée.

Rogatio, onis, f. *Relatio, onis,* f. Faire une — (dans l'assemblée du peuple), *rogāre ad* (*populum*).

motiver, v. intr. Justifier par des motifs. *Rationibus* (ou *argumentis*) *firmāre.*

motte, s. f. Petite masse de terre compacte. *Gleba, ae,* f. — de gazon, *caespes, itis,* m.

mou, *molle,* adj. Qui cède aisément à la pression. *Mollis, e,* adj. *Tener, era, erum,* adj. ¶ (Fig.) Qui cède aisément. *Mollis, e,* adj. *Solutus, a, um,* p. adj. ‖ Qui énerve. *Mollis, e,* adj. *Delicatus, a, um,* adj.

mouche, s. f. Insecte diptère. *Musca, ae,* f. Chasse —, *muscarium, ii,* n.

moucher, v. tr. Débarrasser des mucosités que secrète la muqueuse nasale. *Emungĕre,* tr. [*icis,* m.

moucheron, s. m. Insecte. *Culex,*

moucheter, v. tr. Semer de mouches, de points d'une autre couleur que le fond. *Maculis variāre.* Moucheté, *variatus, a, um,* p. adj.

moudre, v. tr. Broyer (des grains) avec la meule. *Molĕre,* tr. *Commolĕre,* tr.

moue, s. f. Grimace faite en signe de mécontentement *ou* de dérision. Voy. GRIMACE. Faire la —, *labra porrigĕre.*

mouillage, s. m. Fond où l'on jette l'ancre. *Statio, onis,* f. Etre au —, *in ancoris stāre* (ou *consistĕre*).

mouiller, v. tr. Imbiber d'un liquide. *Madefacĕre,* tr. Se —, *madefieri,* pass. Mouillé, *madidus, a, um,* adj. ¶ (Marine). Mouiller l'ancre *et absol.* —, *c.-à-d.* jeter l'ancre, voy. ANCRE. ¶ (Par ext.) Etre mouillé, *c.-à-d.* être à l'ancre, voy. ANCRE.

1. moule, s. m. Modèle creux pour donner une forme à la matière en fusion. *Forma, ae,* f.

2. moule, s. f. Mollusque bivalve, comestible. *Mitulus, i,* m.

mouler, v. tr. Jeter en moule. *Fundĕre* ou *fingĕre* (*simulacrum alicujus ex aere*). [*oris,* m.

mouleur, s. m. Celui qui moule. *Fictor,*

moulin, s. m. Machine à moudre le grain : édifice où se trouve cette machine. *Mola, ae,* f. (ordin. au plur. *molae, arum,* f.). *Pistrinum, i,* n. ‖ (P. anal.) Machine à broyer une matière quelconque. *Mola, ae,* f. (ordin. au pl. *molae, arum,* f.).

moulure, s. f. Ornement faisant saillie. *Torus, i,* m.

mourant, *ante,* adj. et s. m. *Adj.* Qui va mourir. *Moriens* (gén. *-entis*), p. adj. *Moribundus, a, um,* adj. Etre —, *abesse propius a morte.* ‖ (Par hyperb.) Languissant. Voy. ce mot. Une voix —, *vox intermortua.*

mourir, v. intr. et pron. ‖ (*V. intr.*) Cesser de vivre. *Mori,* dép. intr. *Demori* (« mourir » en parl. d'un membre

d'une assemblée qui disparaît et laisse une place libre), dép. intr. *Emori,* dép. intr. Faire —, *vitam auferre (alicui); necāre* ou *occidĕre* (*aliquem*). ‖ (Par hyperb.) Pour exprimer l'extrême degré d'une sensation, d'un sentiment. *Mori,* dép. intr. *Emori,* dép. intr. *Enecari,* pass. *Confici,* pass. *Perire,* intr. *Deperire,* intr. — de rire, *risu emori.* — de faim, *fame enecari.* ‖ (Par anal.) En parl. d'un animal, d'une plante. *Mori,* dép. intr. *Demori,* dép. intr. *Emori,* dép. intr. *Intermori,* dép. intr. *Exstingui,* pass. Bois mort, *aridum lignum.* Feuilles mortes, *arida folia.* ¶ (Par anal.) En parl. des choses, cesser d'être, de fonctionner. *Mori,* dép. intr. *Emori,* dép. intr *Intermori,* dép. intr. *Interire,* intr. *Exstingui,* pass. ¶ (*V. pron.*) Se —, *c.-à-d.* être sur le point de mourir, *morti esse proximum.* Qui se meurt, *moriens* ou *moribundus.*

mousse, s. f. Plante cryptogame. *Muscus, i,* m. Couvert de —, voy. MOUSSU. ¶ (P. anal.) Ecume qui foisonne sur certains liquides. *Spuma, ae,* f. — de savon, *spuma, ae,* f.

mousser, v intr. Produire de la mousse. *Spumāre,* intr.

mousseux, *euse,* adj. Qui ressemble à de la mousse. *Musco similis.* ‖ (P. ext.) Couvert de mousse. Voy. MOUSSU. ¶ Qui produit de l'écume. *Spumeus, a, um,* adj.

moussu, *ue,* adj. Couvert de mousse. *Muscosus, a, um,* adj.

moustache, s f. Partie de la barbe qui garnit la lèvre supérieure. *Barba labri superioris.*

moustique, s. m. Insecte. *Culex icis,* m. *Alucita, ae,* f.

moût, s. m. Jus de raisin prêt à subir la fermentation alcoolique. *Mustum, i,* n.

moutarde, s. f. Condiment fait de graine de sénevé broyé. *Sinapi, n.* et *sinapis, is,* f.

mouton, s. m. Mammifère. *Vervex ecis,* m. De —, *vervecinus, a, um,* adj.

mouvant, *ante,* adj. Qui se meut. *Mobilis, e,* adj.

mouvement, s. m. Action par laquelle un corps *ou* une de ses parties se déplace. *Motŭs, ūs,* m. *Motio, onis,* f. *Jactatio, onis* (« état de ce qui se remue beaucoup; mouvement »), f. Mettre en —, *movēre,* tr.; *commovēre,* tr.; *agitāre,* tr.; *concitāre,* tr. ‖ Evolution de troupes, de navires. *Motŭs, ūs,* m. Faire un —, faire faire un — (à ses troupes), *aciem movēre.* ‖ Cir·ulation des choses, des personnes. *Celebritas, atis,* f. ‖ (Par anal.) Ce qui donne de l'animation au style, à un drame, etc. *Incitatio, onis,* f. *Impetŭs, ūs,* m. Qui a du —, *incitatus, a, um,* p adj. ¶ Action qui modifie la manière d'être. Léger — de fièvre, *commotiuncula, ae,* f. Mettre à qqn la bile en —, *alicui* bilem *movēre*. ‖ (Par anal.) En parl. de l'âme. *Motûs, ûs,* m. Mouvements de colère, *irae* (ou *iracundiae*), f. pl. ‖ Impulsion. Voy. ce mot. Suivre son premier —, *primum impetum sequi.* De mon propre —, *mea sponte.* ‖ Mouvement populaire. *Motûs, ûs,* m. *Concitatio, onis,* f.

mouvoir, v. tr. et intr. ī (*V. tr.*) Mettre en mouvement. *Movēre,* tr. *Commovēre,* tr. *Agitāre,* tr. *Impellēre,* tr. Faire —, *motum dāre (alicui rei).* ‖ (Au fig.) Mettre en action. *Movēre,* tr.

1. moyen, *enne,* adj. Qui tient le milieu. *Medius, a, um,* adj. *Mediocris, e,* adj. ‖ En parl. de l'âge. *Medius, a, um,* adj. ‖ (Fig.) *Medius, a, um,* adj. *Mediocris, e,* adj. Intelligence —, *mediocritas ingenii.*

2. moyen, s. m. Ce qui sert pour arriver à une fin. *Via, ae,* f. *Ratio, onis,* f. *Consilium, ii,* n. Employer tous les —, *omnia experiri.* Au — de, *per,* prép. (av. l'Acc.). ¶ Faculté, pouvoir de faire qqch. *Facultas, atis,* f. *Potestas, atis,* f. ‖ (Spéc.) Ressources pécuniaires. *Facultates, um,* f. pl.

moyennant, prép. A la condition de ... Voy. CONDITION, GRACE, CAUSE, PAR.

moyenne, s. f. Quantité moyenne. *Quod medium est.* Prendre la —, *peraeque ducēre.*

moyeu, s. m Milieu d'une roue que traverse l'essieu. *Modiolus, i,* m.

mue, s. f. Chute et renouvellement périodiques de l'épiderme, des poils, des plumes, etc. chez certains animaux. *Annua mutatio pellis* ou *plumarum.* — des serpents, *vernatio, onis,* f.

muer, v. tr. et intr. ‖ (*V. tr.*) Changer. Voy. ce mot. ¶ (*V. intr.*) Subir périodiquement la mue. *Pellem exuēre* (ou *ponēre*). *Pilum mutāre.* (En parl. des serpents), *senectam exuēre.*

muet, *ette,* adj. Qui n'a pas l'usage de la parole. *Mutus, a, um,* adj. ¶ Qui ne profère aucune parole. *Mutus, a, um,* adj. *Elinguis, e,* adj. *Infans* (gén. *-antis*). Devenir —, *obmutescēre,* intr.

mufle, s. m. Extrémité du museau. *Rostrum, i,* m.

mugir, v. intr. Pousser un cri sourd et prolongé. *Mugīre,* intr. *Mugitum* (ou *mugitus*) *dāre* (ou *edēre*). Fig. *Mugīre,* intr.

mugissement, s. m. Cri de l'animal qui mugit. *Mugitûs, ûs,* m.

muguet, s. m. Plante. *Aster Atticus.*

muid, s. m. Ancienne mesure de capacité. *Modius, ii,* m.

mule, s. f. Femelle du mulet. *Mula, ae* (Dat. et Abl. plur. *mulabus*). f.

1. mulet, s. m. Bête de somme. *Mulus, i,* m. [i, m.

2. mulet, s. m. Poisson de mer. *Mullus,*

muletier, s. m. Conducteur de mulets. *Mulio, onis,* m. [*rusticus.*

mulot, s. m. Souris des champs. *Mus*

multiple, adj. Qui manifeste plusieurs

manières d'être *ou* d'agir. *Multiplex* (gén. *-plicis*), adj. *Varius, a, um,* adj. ‖ (P. ext.) En parl. de plusieurs choses dérivées d'une seule. *Multiplex* (gén. *-plicis*), adj.

multiplication, s. f. Action de multiplier. *Multiplicatio, onis,* f. ¶ Opération par laquelle on multiplie deux nombres. *Multiplicatio, onis,* f.

multiplicité, s. f. Existence d'un grand nombre de choses de même espèce. *Varietas, atis,* f. *Crebritas, atis,* f.

multiplier, v. tr. et intr. ‖ (*V. tr.*) Porter à un nombre de plus en plus grand, en les faisant naître les uns des autres (des êtres de même espèce). *Propagāre,* tr. ‖ (Par ext.) Porter à un nombre de plus en plus grand (des choses de même espèce). *Multiplicāre,* tr. ‖ (Fig.) Se —, *c.-à-d.* être partout à la fois, *nusquam deesse.* ¶ (*V. intr.*) Etre porté à un nombre de plus en plus grand, *Multiplicari,* pass.

multitude, s. f. Nombre considérable de personnes, de choses. *Multitudo, dinis,* f. *Vis,* (Acc. *vim,* Abl. *vi*), f. *Frequentia, ae,* f. ¶ (Absol.) Ceux qui forment le plus grand nombre, la masse du peuple. *Multitudo, inis, Turba, ae,* f.

municipal, *ale,* adj. Qui appartient à un municipe. *Municipalis, e,* adj. ¶ (P. ext.) Qui appartient à l'administration d'une commune, d'une cité. *Oppidanus, a, um,* adj. *Municipalis, e,* adj. Le conseil —, *curia, ae,* f. *senatûs, ûs,* m.

municipe, s. m. Ville autonome dont les habitants jouissent du droit de cité. *Municipium, ii,* n. De —, *municipalis, e,* adj.

munificence, s. f. Grandeur dans la libéralité. *Munificentia, ae,* f.

munir, v. tr. Approvisionner (une ville, une armée), de moyens de défense, de subsistances. *Munīre,* tr. *Instruēre,* tr. (cf. *instruēre classem omnibus rebus*). ¶ (P. ext.) Approvisionner (qqn) des choses dont on prévoit qu'il aura besoin. *Instruēre (aliquem aliquā re).* Se — de vivres, *parāre commeatus.* Se — contre le froid, voy. GARANTIR, PRESERVER. Muni de, *apparatus, a, um,* p. adj.; *praeditus, a, um,* adj. Fig. Se — de patience, voy. ARMER.

munition, s. f. Ensemble des moyens de défense dont on approvisionne une place, un corps de troupes. *Res ad bellum gerendum necessariae.*

mur, s. m. Pan de maçonnerie servant à enclore, à soutenir, *Murus, i,* m. *Paries, etis* (« mur, cloison »), m. ‖ Mur de clôture (dans la campagne), *maceria, ae,* f. — d'enceinte, d'une ville, *murus, i,* m.; *moenia, um,* n. pl. ‖ (Au fig.) Ce qui fait obstacle. *Murus, i,* m. *Propugnaculum, i,* n.

mûr, *e,* adj. Qui a atteint tout son développement (en parl. d'un fruit, d'un grain). *Maturus, a, um,* adj. Devenir —, voy. MURIR. Qui n'est pas —, *immaturus, a, um,* adj.; *crudus, a, um,* adj. || (Fig.) Qui est à point. *Maturus, a, um,* adj. L'âge —, *aetas firmata; aetas quae jam confirmata est,* ou (abs.) *aetas.* Après — délibération, *omnibus cogitatis.*

muraille, s. f. Etendue de murs formant une enceinte une barrière. *Moenia, ium,* n. pl. *Murus, i,* m. [i, n.

mûre, s. f. Fruit du mûrier. *Morum,*

mûrement, adv. Avec maturité. *Accuraté,* adv. *Diligenter,* adv.

murène, s. f. Espèce de congre, poisson. *Muraena, ae,* f.

murer, v. tr. Fermer par un mur. *Muro saepire. Maenibus cingère.* || P. ext. — (une chambre), *obstruère (aedis valvas).* || P. ext. — qqn vivant, *aliquem vivum parietibus includère et struère.*

mûrier, s. m. Sorte d'arbre. *Morus, i,* f.

mûrir, v. tr. et intr. || (V. tr.) Rendre mûr. *Maturâre,* tr. *Percoquère,* tr. || (P. ext.) En parl. des pers. ou des ch. *Diu et multum cogitâre (aliquid).* (Mûri par le malheur, *edoctus malis.* ¶ (V. intr.) Devenir mûr. *Maturari,* pass. *Maturescère,* intr. (Au fig.) *Maturescère,* intr. (on dit aussi: *ad maturitatem venire* ou *pervenire* ou *perduci*), intr.

murmurant, ante, adj. Qui murmure. *Murmurans,* p. adj.

murmure, s. m. Plainte sourde. *Murmur, uris,* n. (signifie la plainte même). *Murmuratio, onis* (« le fait de murmurer »), f. *Gemitûs, ûs,* m. Supporter sans — l'adversité, *adversa silentio egère.* ¶ Bruit sourd produit par l'expression contenue des sentiments d'une foule. *Fremitûs, ûs,* m. *Admurmuratio, onis,* f. ¶ Bruissement confus. *Murmur, muris,* n. *Susurrus, i,* m. *Strepitûs, ûs,* m.

murmurer, v. intr. et tr. || (V. intr.) Faire entendre une plainte sourde. *Murmurâre,* intr. || Faire entendre un bruit sourd (en parl. d'une assemblée). *Admurmurâre,* intr. *Commurmurâri,* dép. intr. (en parl. d'une foule, ou d'un seul). *Fremère,* intr. || Faire entendre un bruissement sourd. *Murmurâre,* intr. ¶ (V. tr.) Dire (qqch.) à voix basse. *Mussâre,* tr.

musaraigne, s. f. Petit mammifère carnassier. *Mus araneus.*

musc, s. m. Substance odorante que porte dans une poche une espèce de chevrotin. *Muscus, i,* m.

muscat, adj. m. Dont l'arome rappelle l'odeur du musc. *Apianus, a, um,* adj.

muscle, s. m. Organe charnu, composé de fibres contractiles. *Musculus, i,* m. *Lacertus, i,* m. — saillant, *torus, i,* m. Les —, *nervi, orum,* m. pl.

musculaire, adj. Qui a rapport aux muscles. Contractions —, *nervorum*

distensiones. Force —, *lacerti, orum,* m. pl.

musculeux, euse, adj. Où il y a beaucoup de muscles. *Musculosus, a, um,* adj. *Torosus, a, um,* adj. *Lacertosus, a, um,* adj.

muse, s. f. Chacune des neuf déesses sœurs qui présidaient aux neuf arts libéraux. *Musa, ae,* f. Relatif aux —, *Musaeus, a, um,* adj.

museau, s. m. Partie saillante, allongée, de la face de certains mammifères, de certains poissons. *Rostrum, i,* n.

musée, s. m. Etablissement destiné à la culture des lettres, des sciences. *Museum, i,* n. ¶ Lieu où l'on a rassemblé des collections d'objets d'art, etc. — de peinture, *pinacotheca, ae,* f.

museler, v. tr. Empêcher (un animal) de mordre, à l'aide d'une muselière. *Capistrâre,* tr.

muselière, s. f. Appareil à l'aide duquel on emprisonne le museau de certains animaux. *Capistrum, i,* n.

musette, s. f. Voy. CORNEMUSE.

musical, ale, adj. Qui a rapport à la musique. *Musicus, a, um,* adj. *Modulatus, a, um,* p. adj. Harmonie —, *symphonia, ae,* f. L'échelle —, voy. GAMME. || (P. ext.) Oreille —, *homo ad musicam pronus.*

musicien, s. m. Qui s'adonne à la musique. *Homo symphoniacus. Musicis eruditus. Musicus, i,* m.

musique, s. f. Ensemble des actes auxquels président les Muses. *Musica, ae,* f. ¶ Art de combiner harmonieusement les sons. *Ars musica, Musica, orum,* n. pl. *Musice, es,* f. Mettre en —, *vocum sonis cantum rescribère.*

mutation, s. f. Changement par lequel une personne, une chose prend la place d'une autre. *Mutatio, onis,* f. *Commutatio, onis,* f.

mutilation, s. f. Action de mutiler. *Imminutio corporis.*

mutiler, v. tr. Altérer (le corps) dans son intégrité en en retranchant un membre. *Lacerâre,* tr. *Mutilâre,* tr. *Detruncâre,* tr. *Decurtâre,* tr. Mutilé, *mutilus, a, um,* adj.; *mutilatus, a, um,* p. adj.; *truncus, a, um,* adj.; *curtus, a, um,* adj.

mutin, ine, adj. Qui montre un caractère insoumis. *Seditiosus, a, um,* adj. Substantivt. Les —, *rebelles, ium,* m. pl. *Seditio, onis,* f. *Motûs, ûs,* m.

mutiner (se), v. tr. Rendre mutin. Voy. SOULEVER. Se —, *rebellâre,* intr.

mutinerie, s. f. Action de se mutiner. *Seditio, onis,* f. *Motûs, ûs,* m.

mutisme, s. m. Etat de celui qui est muet, qui ne veut pas parler. *Os mutum.* || (P. ext.) Action de garder le silence. *Taciturnitas, atis,* f.

mutuel, elle, adj. Fondé sur un échange d'idées, de sentiments qui se répondent. *Mutuus, a, um,* adj.

mutuellement, adv. D'une manière

mutuelle. *Mutuo*, adv. Ils se sont aidés —, *alter alterum adjuvit*.

Mycènes, n. pr. Ancienne ville de la Grèce. *Mycenae, arum*, f. pl.

myrrhe, s. m. Gomme-résine aromatique. *Murra* (et *myrrha*), *ae*, f. De —, *murrinus, a, um*, adj.

myrte, s. m. Arbrisseau à fleur blanche. *Murtus* (et *myrtus*), *i* et *ûs*, f. De —, *murteus, a, um*, adj. Lieu planté de —, *murtetum, i*, n. (ordin. au plur. *murteta, orum*, n.).

mystère, s. m. Rite secret du polythéisme antique. *Mysteria, orum*, n. pl. *Sacra, orum*, n. pl. Initier qqn aux — de Bacchus, *Bacchis initiâre aliquem*. Initiés aux —, *mystae, arum*, m. pl. ‖ (Fig.) Ce qu'on tient secret. *Mysterium, ii*, n. (on dit aussi *arcanum, i*, n. ; *secretum, i*, n.). Faire — de qqch., *occultum* (ou *tacitum*) *habêre aliquid*. Sans —, *apertê*, adv. Les — de la nature, *res ab ipsâ naturâ involutae*.

mystérieusement, adv. Voy. SECRÈTEMENT.

mystérieux, *euse*, adj. Qui a le caractère du mystère, qui est tenu secret. *Arcanus, a, um*, adj. *Occultus, a, um*, p. adj. *Secretus, a, um*, p. adj. Avec un sens —, *per ambages*.

mystificateur, s. m. Qui mystifie qqn. *Ludificator, oris*, m.

mystification, s. f. Action de mystifier. *Ludificatio, onis*, f.

mystifier, v. tr. Abuser (qqn) en s'amusant de sa crédulité. *Callidê* (ou *jocosê*) *fallêre* (*aliquem*).

mystique, adj. Qui a un sens caché, relatif aux mystères de foi. *Mysticus, a, um*, adj.

mythe, s. m. Récit traditionnel revêtant un caractère surnaturel. *Fabula, ae*, f.

mythologie, s. f. Histoire fabuleuse des dieux, des êtres surnaturels. *Historia fabularis*.

mythologique, adj. Qui appartient à la mythologie. *Fabularis, e*, adj. Récit —, *fabula, ae*, f.

N

n, s. f. et m. Quatorzième lettre de l'alphabet français. *N*, f. n. ou *n littera*. [*ae*, f.

nacelle, s. f. Petit bateau. *Cymbula,*

nage, s. f. Action de nager. A la —, *nando* ou *natando*. Gagner à la —, se diriger à la — vers …, *annâre*, intr. et tr.; *enâre*, intr. (*in terram*). Passer, traverser à la —, *tranâre*, tr.; *tranatâre*, tr. S'enfuir, se sauver, s'échapper à la —, *enâre*, intr.; *enatâre*, intr. (on dit aussi : *nando capessêre fugam*). ‖ (Fig.) Se mettre en —, *sudâre coepisse*. Etre en —, *multo sudore manâre*.

nageoire, s. f. Appendice à l'aide duquel nagent les poissons. *Penna, ae*, f.

nager, v. intr. Se soutenir et s'avancer dans l'eau au moyen de certains mouvements. *Nâre*. intr. *Natâre*, intr. ¶ Flotter. Voy. ce mot. (Fig.) — dans le sang, *perfusum esse cruore*. ‖ Etre dans la plénitude de qqch. *Diffluêre*, intr. *Circumfluêre*, intr. — dans l'abondance, *circumfluêre omnibus copiis*. — dans la joie, *perfundi laetitiâ*.

nageur, s. m. Celui qui nage. *Natator, oris*, m. Un bon —, *nandi peritus*.

naguère, adv. Récemment. *Nuper*, adv.

naïade, s. f. Nymphe des fontaines, des rivières. *Nais, idis* et *idos* (Acc. pl. *idas*), f.

naïf, *ive*, adj. Apporté en naissant. *Nativus, a, um*, adj. ¶ (P. ext.) Qui a la simplicité de la nature. *Simplex* (gén. *-icis*), adj. *Ingenuus, a, um*, adj.

nain, s. m. Celui qui est d'une petitesse extraordinaire. *Pumilus, i*, m.

naissance, s. f. Action de naître,

de venir au monde. *Ortûs, ûs*, m. Relatif à la —, *natalis, e*, adj. Donner — à qqn, *partu edêre* ou (abs.) *edêre aliquem*. Aveugle de —, *caecus genitus*. Avant la — de qqn, *ante aliquem natum*. A (sa) —, *in nascendi initio* (ou *nascens*). ‖ Le fait d'être né dans telle ou telle condition. *Nascendi condicio*. ‖ Extraction, origine. *Genus, eris*, n. *Natura, ae*, f. *Locus, i*, m. L'éclat de la —, *claritas nascendi*. ¶ (Par ext.). Moment où quelque chose commence. *Ortûs, ûs*, m. Prendre —, *nasci*, dép. intr.; *oriri*, dép. intr. Donner —, *gignêre*, tr.; *parêre*, tr. ‖ Endroit où qqch. commence. *Initium, ii*, n.

naissant, *ante*, adj. Qui commence à se former, à se développer. *Nascens* (gén. *-entis*), p. adj. *Oriens* (gén. *-entis*), p. adj. *(dies / seditio)*. Le jour —, *prima lux*.

naître, v. intr. Venir au monde. *Nasci*, dép. intr. Sachez qu'il m'est né un fils, *filiolo me auctum scito*. Faire —, voy. ENGENDRER, [mettre au] MONDE. ‖ (Par anal.) (En parl. des animaux.) *Nasci*, dép. intr. Chiens nouveau-nés, *catuli recentes a partu*. ‖ (En parl. des plantes.) *Nasci*, dép. intr. *Enasci*, dép. intr. ‖ (Par ext.) Etre d'une certaine extraction. *Nasci*, dép. intr. *Oriri* (« tirer son origine de, être issu de »), dép. intr. Bien né, *ingenuus*. ‖ Venir au monde dans certaines conditions. *Nasci*, dép. intr. Né muet, *naturâ mutus*. Bien —, *ingenuus*. ‖ (Spéc.) *Au part. passé pris adj.* Qui est investi par droit de naissance. *Genitus* ou *natus ut* (et le Subj.)... ¶ (Par ext.) Commencer d'être. *Nasci*, dép. intr. *Oriri*, dép. intr. Faire , *purêre*, tr.; *gignêre*, tr. Faire — le soupçon, *suspicionem praebêre*.

naïvement, adv. D'une manière naïve. *Simpliciter*, adv. *Candidê*, adv. *Ingenuê*, adv.

naïveté, s. f. Caractère naïf. *Simplicitas, atis*, f. || (P. ext.) Trait de naïveté. *Simpliciter dictum* (ou *factum*).

nantir, v. tr. Mettre (qqn) en possession d'une chose qui sert de gage. *Arrhaboni* (*aliquid*) *dâre*. *Oppignerâre*, tr. Se — de qqch., *pignus capêre alicujus rei*. || (P. anal.) Mettre en possession de qqch. par précaution. Voy. POURVOIR. Se — de, *cavêre pro aliquâ re; comparâre sibi aliquid*.

nantissement, s. m. Action de nantir. *Cautio, onis*, f. *Satisdatio, onis*, f.

naphte, s. m. Sorte de bitume liquide, volatil, inflammable. *Naphta, ae*, f.

Naples, n. pr. Ville de l'Italie Méridionale. *Neapolis, is*, f. De —, *Neapolitanus, a, um*, adj.

nappe, s. f. Linge qu'on étend sur une table à manger. *Mantele, is*, n. Mettre la —, *linteum in mensâ ponêre*, et (fig.) *cenam apponêre*. ¶ (Fig.) Ce qui s'étend en couche. Une — d'eau, *aquae, arum*, f. pl. Une — de feu, *rivus ignium*.

Narbonne, n. pr. Ville de France. *Narbo Martius*, m. De —, *Narbonensis, e*, adj. [*i*, m. et f.

narcisse, s. m. Plante. *Narcissus,*

nard, s. m. Plante aromatique; huile parfumée tirée de cette plante. *Nardum, i*, n. et *nardus, i*, f.

narguer, v. tr. Voy. MOQUER.

narine, s. f. Fosse nasale. *Naris, is*, f.

narquois, oise, adj. Qui exprime une malice railleuse. *Dicax* (gén. *acis*), adj. *Nasutus, a, um*, adj.

narrateur, s. m. Celui qui fait une narration. *Narrator, oris*, m.

narration, s. f. Récit développé. *Narratio, onis*, f. *Expositio, onis*, f.

narrer, v. tr. Exposer sous forme de récit. *Narrâre*, tr.

nasal, ale, adj. Qui a rapport au nez. Hémorrhagie —, *profluvium sanguinis e naribus*. || Son —, *vox quae per nares egeritur*.

naseau, s. m. Ouverture des narines de certains animaux. *Naris, is*, f.

nasiller, v. intr. Parler du nez. *De nare loqui*.

nasse, s. f. Panier d'osier pour prendre le poisson. *Nassa, ae*, f. || (Fig.) Piège où qqn vient tomber de lui-même. *Nassa, ae*, f.

natal, ale, adj. Qui a rapport à la naissance (de qqn). *Natalis, e*, adj. Jour —, *natalis dies* ou (subs.), *natalis, is*, m. Le sol, le pays —, *patria, ae*, f.

natation, s. f. Art de nager. *Natatio, onis*, f. Prendre des leçons de —, *nars discêre*.

natif, ive, adj. Né dans tel ou tel lieu. *Natus, a, um*, p. adj. (*in terrâ aliquâ Romae natus*). ¶ Apporté en naissant. *Nativus, a, um*, adj.

nation, s. f. Réunion d'hommes formant une société politique, régie par des institutions communes. *Gens, gentis*, f. *Natio, onis*, f. *Populus, i*, m. || (Fig.) Classe d'individus. *Natio, onis*, f.

national, ale, adj. Qui a rapport à une nation. *Gentis alicujus proprius*. *Genti naturâ insitus*. *Patrius, a, um*, adj. Caractère, esprit —, *ingenium et mores gentis*. Sentiment —, *ingenium gentis alicujus*. Défaut —, *vitium nationis*.

nationalité, s. f. Caractère national. || (Chez un peuple.) *Ingenium gentis alicujus proprium*.

natte, s. f. Tissu de paille, de jonc tressé. *Storea* (ou *storia*), *ae*, f. *Teges, getis*, f. — de paille, *segestre, is*, n.

natter, v. tr. Tresser en nattes. *Intertexêre capillos*.

naturalisation, s. f. Action de naturaliser. *Civitatis donatio*. Lettre de —, *diploma civitatis*.

naturaliser, v. tr. Rendre (qqn) citoyen d'une nation autre que la sienne. *In civium numerum asciscêre aliquem*. *Aliquem civitate donâre*.

naturaliste, s. m. Celui qui s'adonne spécialement à l'étude de l'histoire naturelle. *Physicus, i*, m.

nature, s. f. Ensemble des choses créées. *Natura, ae*, f. La — animale et végétale, *animalia sataque*. || (Spéc.) Par opp. à l'homme. Ensemble des autres êtres créées. *Natura, ae*, f. *Res, rerum*, f. pl. || Le monde physique. *Rerum natura*. || La nature, c.-à-d. les champs, la campagne. *Agri, orum*, m. pl. *Rus, ruris*, n. La — cultivée, *terra culta*. La — sauvage, *rudis terra*. ¶ Ensemble des forces de la création. *Natura, ae*, f. || (Spéc.) Force vitale qui agit dans l'homme. *Natura, ae*, f. ¶ L'essence, les attributs propres à un être. *Natura, ae*, f. || (Ellipt.) Ensemble des conditions physiques et morales de l'être humain. *Natura, ae*, f. || (Spéc.) Les penchants innés. *Natura, ae*, f. || Les sentiments qui naissent des liens du sang. *Natura, ae*, f. *Pietas, atis*, f. ¶ L'état primitif. *Natura, ae*, f. L'homme de la — *homo rudis*; spéc. *homo simplex* (qui ne se contrefait pas). || Les œuvres de la création (opp. à l'art.). *Veritas, atis*, f. Figure plus grande que —, *effigies major humanâ specie*. || Certains produits (par opp. avec l'argent). *Res, rei*, f.

naturel, elle, adj. et s. m. || *Adj.* Qui appartient à la nature. *Naturalis, e*, adj. Sciences —, *doctrina de rerum natura*. Mort —, *necessaria mors*. Mourir de mort —, *suâ morte mori*. ||Conforme à l'ordre de la nature. *Naturae conveniens* ou *congruens*. *Naturae* (ou *ad naturam*) *accommodatus.* ‖ Enfant naturel. *Filius non legitimus.* ¶ Qui appartient à la nature propre d'un être. *Naturalis, e,* adj. *Proprius, a, um,* adj. Il est — que nous..., *naturā nobis hoc datum est, ut* (et le Subj.). Etre la suite — de qqch., *ex ipsā rei naturā sequi.* ‖ (Spéc.) Inné. *Naturalis, e,* adj. *Innatus, a, um,* p. adj. *Insitus, a, um,* p. adj. *Ingenitus, a, um,* p. adj. ‖ (Par ext.) Formé par la nature. *Naturalis, e,* adj. *Nativus, a, um,* adj. ‖ Qui n'a rien d'artificiel. *Naturalis, e,* adj. *Nativus, a, um,* adj. *Verus, a, um,* adj. ¶ *S. m.* Habitant originaire d'un pays. *Indigena, ae,* m. ‖ Nature propre à une personne. *Natura, ae,* f. *Ingenium, ii,* n. *Indoles, is,* f. ‖ Manière d'être conforme à la nature. *Veritas, atis,* f. *Verum, i,* n. Personne qui a du — , *vir apertus et simplex.* Représenter qqch. au — , *aliquid ad verum exprimere.*

naturellement, adv. D'une manière naturelle. ‖ (En vertu de la nature propre à un être.) *Naturā, ab.,* adv. *Naturaliter,* adv (on dit aussi : *suopte ingenio; sponte suā*). Nous sommes — portés à..., *naturā nobis hoc datum est, ut* (et le Subj.). Faire qqch. — , *aliquid suā sponte efficere.* ¶ (P. ext.) (Selon la nature des choses.) *Naturae convenienter. Naturā.* Cela se produit — , *id sponte et ultro fit.* ‖ (Absolt.) Dans les réponses et dans la suite du discours, souv. avec une nuance d'ironie. *Nimirum,* adv. *Scilicet,* adv. *Nempe,* adv. ‖ D'une manière conforme à la nature; sans artifice, sans affectation. *Simpliciter,* adv.

naufrage, s. m. Perte d'un vaisseau. *Naufragium, ii,* n. Faire — , *frangere navem; ejici,* passif. ¶ (Fig.) Ruine complète. *Naufragium, ii,* n.

naufragé, ée, adj. Qui a fait naufrage. *Naufragus, a, um,* adj. ‖ (Substantivt.) Celui qui a fait naufrage. *Naufragus, i,* m. *Ejectus, i,* m. [*lum, i,* n.

naulage. s. m. Fret d'un navire. *Nau-*

naumachie, s. f. Représentation d'un combat naval. *Naumachia, ae,* f.

nauséabonde, onde, adj. Qui donne des nausées. *Nauseabundus, a, um,* adj.

nausée, s. f. Envie de vomir. *Nausea, ae,* f. Avoir des — , *nauseāre,* intr.

nautonier, s. m. Celui qui conduit un navire. *Nauta, ae,* m.

naval, ale, adj. Qui a rapport aux navires. *Navalis, e,* adj. *Nauticus, a, um,* adj. Forces — , *naves, ium,* f. pl. Livrer un combat — , *classe pugnāre.* Remporter une victoire — sur qqn, *(aliquem) classe devincere.*

navet, s. f. Plante à racine charnue alimentaire. *Napus, i,* m.

navette, s. f. Instrument de tisserand. *Radius, ii,* m

navigable, adj. Où l'on peut navi-

guer. *Navigabilis, e,* adj. Etre — , *navigia pati.*

navigateur, s. m. Celui qui navigue, celui qui fait sur mer des voyages de long cours. *Nauta, ae,* m. Adjectivt. Peuple — , *gens navigationi dedita.*

navigation, s. f. Action de naviguer. *Navigatio, onis,* f. Mer fermée à la — , *mare clausum.* Interdire la — , *mari interdicere.*

naviguer, v. intr. Voyager par eau. *Navigāre,* intr. — le long des côtes, *oram legēre.* ‖ En parl. du navire. Voy. VOGUER.

navire, s. m. Bâtiment destiné à la navigation sur mer. *Navis, is,* f. *Navigium, ii,* n. Patron de — , *nauta, ae,* m., *nauclerus, i,* m. Capitaine de — , *nauarchus, i,* m. [*rabilis, e,* adj.

navrant, ante, adj. Qui navre. *Mise-*

navrer, v. tr. Affliger cruellement. *Acerbissimo dolore cruciāre* ou *angēre (animum alicujus).* Je suis navré, *dirumpor dolore.*

Naxos, n. pr. Ile de l'archipel. *Naxos, i,* f. De — , *Naxius, a, um,* adj.

Nazareth, n. pr. Ville de Judée. *Nazareth,* f. indécl. De — , *Nazarenus, a, um,* adj.

ne, adv. Expression de la négation. Ne... pas (point), *non,* adv.; *haud,* adv. (seul. devant les adjectifs et dev. le verbe *scio*). Devant le subj. pour exprimer une défense : *ne,* adv. Et ne... pas..., *nec* (ou *neque*), adv. Quelle n'est pas sa folie ! *Quanta est ejus stultitia !*

né, ée. Voy. NAITRE.

néanmoins, adv. Adverbe marquant que l'action a lieu malgré quelque obstacle. *Nihilominus* ou *nihilo minus.*

néant, adv. et s. m. ‖ *Adv.* Rien. Voy. ce mot. Réduire à — , voy. ANNULER. ¶ *S. m.* Négation absolue de l'être. ‖ Absence de l'être (avant la création). *Nihilum, i,* n. ‖ Destruction absolue de l'être créé. *Nihilum, i,* n. Par ext. Tomber dans le — , *funditus interire; fieri nullum.*

nébuleux, euse, adj. Voilé par des nuages. *Nebulosus, a, um,* adj. *Nubilus, a, um,* adj.

nécessaire, adj. Dont on ne peut pas se passer. ‖ (En parl. des choses.) *Necessarius, a, um,* adj. ‖ (Subst.) Le nécessaire, *omnia quae sunt ad vitam necessaria.* ‖ (En parl. des personnes.) Vous m'êtes — , *tuā ope indigeo.* ¶ Dont on ne peut se dispenser. *Necessarius, a, um,* adj. Subst. Faire le — , *ea quaecumque opus sunt comparāre.* Etre — , *necesse esse.* ¶ Qui ne peut pas ne pas être. *Necessarius, a, um,* adj.

nécessairement, adv. D'une manière nécessaire. *Necessario,* adv (on dit aussi *ex necessitate* ou *per necessitatem*). Il faut — que..., *necesse est* (et l'Acc. av. l'Infin.); *fieri non potest quin* (et le Subj.).

nécessité, s. f. Impossibilité de se

passer de qqch. *Necessitas, atis,* f.
Sans —, *nulla cogente necessitate* ||
(Par ext.) Besoin impérieux de ressources. *Necessitas, atis,* f. *Inopia, ae,*
f. || (Par ext.) Tout besoin impérieux.
Necessitas, atis, f. ¶ Impossibilité de
se dispenser de qqch. *Necessitas, atis,*
f. || (Spéc.) Contrainte absolue. *Necessitas, atis,* f. || De toute nécessité,
necessario, adv. *necesse est* (avec le
Subj. seul).

nécessiter, v. tr. Rendre (qqch.)
nécessaire. *Necessitatem* (*rei alicujus*)
afferre ou *imponère.*

nécessiteux, *euse,* adj. Qui est dans
la nécessité (dans le besoin). *Inops*
(gén. *-opis*), adj.

nectar, s. m. Breuvage exquis des
dieux. *Nectar, aris,* n. De —, *nectareus,
a, um,* adj.

nef, s. f. Voy. NAVIRE.

néfaste, adj. Où il n'est pas permis
de rendre la justice. *Nefastus, a, um,*
adj. *Religiosus, a, um,* adj. Une personne, une chose —, voy. FUNESTE.

nèfle, s. f. Fruit à plusieurs noyaux.
Mespilum, i, n.   [*Mespilus, i,* f.

néflier, s. m. Arbre qui porte les nèfles.

négatif, *ive,* adj. Qui exprime une
négation. *Negans* (gén. *-antis*), p. adj.
Infitialis, e, adj. Faire une réponse —,
negâre, intr.

négation, s. f. Action de nier (un fait).
Negatio, onis, f. *Infitiatio, onis,* f.

négativement, adv. D'une manière
négative. *Negando.*

négligé, s. m. Vêtement qu'on porte
quand on n'est pas en toilette. *Amictus
negligentior.* || (Fig.) En —, *incomptus,
a, um,* adj.

négligeable, adj. Qu'on peut négliger,
dont on ne peut pas tenir compte.
Negligendus, a, um, p. adj.

négligemment, adv. Avec négligence.
Negligenter, adv. *Solutê,* adv. *Dissolutê,* adv. Traiter — une affaire, *molli
bracchio agère rem.* || Sans art (en parl.
de la parure). *Squalidê,* adv. || D'un air
distrait. Voy. NONCHALAMMENT.

négligence, s. f. Action de ne pas
prendre soin de qqch. *Negligentia, ae,*
f. *Indiligentia, ae,* f. *Incuria, ae,* f.
Avec —, voy. NÉGLIGEMMENT. Mettre
de la — à faire qqch., *indiligenter
facère aliquid.* || (Spéc.) Défaut de soin
dans l'exécution d'une œuvre littéraire ou d'une œuvre d'art. *Negligentia,
ae,* f. *Incuria, ae,* f. || (P. ext.) Des —
(fautes résultant du défaut de soin),
voy. TACHE, INCORRECTION. ¶ Défaut
de soin dans l'ajustement. *Squalor,
oris,* m. *Sordes, ium,* f. pl. ¶ Action de
ne pas tenir compte de qqch. *Negligentia, ae,* f. *Incuria, ae,* f. Apporter
de la — dans les petites choses, *minuta
negligenter tractâre.*

négligent, *ente,* adj. Qui montre de la
négligence. *Negligens* (gén. *-entis*), p.

adj. *Indiligens* (gén. *-entis*), adj *Solutus, a, um,* p. adj.

négliger, v. tr. Laisser (une chose,
une personne) sans en prendre soin.
Negligère, tr. (on dit aussi : *parum
curâre aliquid* ou *alicui rei minus studêre: negligenter habêre aliquid* ou *aliquem*). *Omittère,* tr. Être négligé,
jacêre, intr. || (Spéc.). Ne pas avoir
soin de l'exécution (d'une œuvre
d'art, etc.). *Negligère,* tr. Style négligé,
inculta oratio. || Ne pas avoir soin de
sa personne. Se —, *negligère se.* Mise
négligée, *negligentior amictus.* ¶ Laisser
sans en tenir compte. *Negligère,* tr.
Omittère, tr. Deesse, intr. (*alicui rei*).

négoce, s. m. Affaire de commerce.
Mercatura, ae, f. *Mercatûs, ûs,* m.
Gros —, *negotiatio, onis,* f. Faire le —,
negotiâri, dép. intr.

négociable, adj. Qui peut être négocié.
Vendibilis, e, adj.

négociant, s. m. Celui, celle qui fait
de grandes affaires de commerce. *Negotiator, oris,* m. Les —, *negotiantes, ium,*
m. pl.

négociateur, *trice,* s. m. et f. Celui
celle qui s'entremet pour conclure
une affaire. *Pactor, oris,* m. *Internuntius, ii,* m. *Interpres, pretis,* m. Une
—, *internuntia, ae,* f.

négociation, s. f. Action de s'entremettre pour la conclusion d'une affaire.
Actio, onis, f. Entrer en —, *entamer
des —, de aliquâ re agère* ou *condiciones
ferre et audîre.*

négocier, v. tr. S'entremettre pour
conclure (une affaire). *Agère de aliquâ
re. Tractâre aliquid.*

nègre, *négresse,* s. m. et f. Homme,
femme de la race noire. *Aethiops, opis,*
m. Négresse, *Aethiopissa, ae,* f.

neige, s. f. Eau congelée qui tombe
en flocons blancs. *Nix, nivis* (gén. plur.
nivium), f. Masse de —, monceau de —,
nives, ium, s. f. De —, *niveus, a, um,*
adj.: *nivalis, e,* adj. Rafraîchi avec
de la —, *nivatus, a, um,* adj. Couvert
de —, *nivosus, a, um,* adj.: *nivalis, e,*
adj. Flocons de —, *nives, ium,* f. pl.
Blanc comme — *niveus, a, um,* adj.

neiger, v. intr. En parl. de la neige,
tomber à terre. *Ningère,* intr. impers.
(on dit aussi *nives cadunt,* il neige).

neigeux, *euse,* adj. Où il y a de la
neige. *Nivosus, a, um,* adj.

nénufar, s. m. Plante aquatique.
Nymphaea, ae, f.

néologisme, s. m. Emploi de mots
de création nouvelle. Un —, *insolens
verbum.*

néophyte, s. m. et f. Celui, celle qui a
embrassé récemment une religion. *Qui
(quae) modo ad religionem novam
transiit.*   [*Nephriticus, i,* m.

néphrétique, adj. Qui affecte les reins.

Neptune, n. pr. Dieu des mers. *Neptunus, i,* m.

Nérée, n. pr. Dieu de la mer. *Nereus, ei* (Acc. *ea*), m.

néréide, s. f. Nymphe de la mer, *Nereis, ĭdos* (Acc. *ida*, acc. pl. *idas*), f.

nerf, s. m. Chacun des filaments qui mettent en communication les diverses parties du corps avec le cerveau. *Nervus, i, m.* (ordin. au plur.). Spéc. — de bœuf (instrument de correction), *nervus, i, m.* || (P. ext.) Ce qui fait la vigueur de qqn, de qqch. (au pr. et au fig.). *Nervi, orum,* m. pl. *Lacerti, orum,* m. pl. *Robur, oris,* n. Qui a du —, *nervosus, a, um,* adj.; *lacertosus, a, um,* adj. Qui manque de —, *enervatus, a, um,* p. adj. [*onis,* m.

Néron, n. pr. Empereur romain. *Nero,*

nerprun, s. m. Arbrisseau. *Rhamnus, i, f.* [du système nerveux. *Nervus.*

nerveusement, adv. Par l'action

nerveux, *euse,* adj. Relatif aux ligaments des muscles. *Nervosus, a, um,* adj. || (Par ext.) Vigoureux. *Nervosus, a, um,* adj. *Lacertosus, a, um,* adj. || (P. anal.) Résistant, tenace. *Nervosus, a, um,* adj. || (Fig. en parl. du style). *Nervosus, a, um,* adj. ¶ Relatifs aux nerfs. *Nervalis, e,* adj. Le système —, *nervi, orum,* m. pl. Maladie, affection —, *dolores nervorum.* [*oris,* m.

Nestor, n. pr. Héros grec. *Nestor,*

net, *nette,* adj. Qu'aucune souillure ne ternit. *Nitidus, a, um,* adj. Faire maison —, *domum vacuam facère.* || (Au fig.) Que rien n'entache. Voy. PUR. Conscience —, *conscientia rectae voluntatis.* Pur et net, *purus et integer.* | Qu'aucun élément étranger n'altère. *Sincerus, a, um,* adj. || (Par ext.) Prix net, *pretium solidum.* ¶ Dont aucune inégalité ne rend le contour indécis *et par anal.* qui ne laisse rien de douteux. *Explanatus, a, um,* p. adj. *Explicatus, a, um* p. adj. *Expressus, a, um,* p. adj. *Distinctus, a, um,* p. adj. Subst. Mettre au —, *aliquid pure describère.* Adv. Couper —, *praecidère,* tr. Parler —, *plane et aperte dicère.*

nettement, adv. D'une manière nette. || Proprement. *Munde,* adv. || Avec des contours nets. Casser — (un objet), *perfringère,* tr. Couper —, *praecidère,* tr. ¶ Clairement, distinctement. *Distincte,* adv. *Presse,* adv. *Expresse,* adv. || Positivement, franchement, absolument. *Liquide,* adv. *Praecise,* adv. S'expliquer —, parler —, *aperte dicère.*

netteté, s. f. Qualité de ce qui est net. || Propreté. Voy. ce mot. ¶ (Fig.) Clarté. *Claritas, atis,* f. La — du style, *claritas, atis,* f.

nettoiement, s. m. Voy. NETTOYAGE.

nettoyage, s. m. Opération par laquelle on nettoie. *Purgatio, onis,* f.

nettoyer, v. tr. Rendre net, *Purgare,* tr. *Expurgare,* tr. *Repurgare,* tr. — en lavant, voy. LAVER. — en essuyant, voy. ESSUYER. — en balayant, voy. BALAYER. Bien nettoyé, *tersus, a, um,*

adj. Se —, *purgare faciem.* (Par anal.) — la maison de souris, *muribus domum purgare.*

1. neuf, adj. et s. m. || *Adjectif num. card.* Huit plus un. *Novem,* indécl. — chaque fois, — par —, *noveni, ae, a,* adj. Tous les — ans, *nono quoque anno.* Agé de — ans, *novem annos natus.* — fois, *novies,* adv. Dix —, *undeviginti.* Trente-neuf, *undetriginta.* — cents, *nongenti, ae, a,* adj. Tous les — cents ans, *nongentesimo quoque anno.* — cents fois, *nongenties,* adv. — centième, *nongentesimus, a, um,* adj. || Au sens ordinal. Neuvième. Voy. ce mot. Ellipt. Le — du mois, *nona dies mensis.*

2. neuf, *neuve,* adj. Qui n'a pas encore servi *ou* qui a très peu servi. *Novus, a, um,* adj. *Recens* (gén. -*entis*), adj. Rasoir —, *rudis novacula.* Pièce (de monnaie) —, *asper nummus.* (Fig.) Faire peau — (en parl. du serpent qui mue), *ponère exuvias,* et (fig.) dépouiller le vieil homme, se transformer, *mores suos mutare.* || Une maison — une rue —, *novae aedes ; nova via.* Un bâtiment —, *recens aedificium.* || (P. anal.) Une expression —. *novum* (ou *insolens) verbum.* Une idée —, voy. ORIGINAL. — (Subst.) Le neuf (ce qui n'a pas encore servi). Remettre à — (un vêtement), *interpolare,* tr.; (un édifice), *resarcire,* tr. ¶ Qui n'a pas encore l'expérience des choses. *Novus, a, um,* adj. *Rudis, e,* adj.

neutraliser, v. tr. Rendre neutre. *Irritum facère.*

neutralité, s. f. Etat de celui qui ne prend point parti dans un débat. *Neutrius partis* (ou *neutrarum partium) studium.* Garder, observer la —, *esse in neutris partibus.*

neutre, adj. (Gramm.) Qui n'est ni masculin, ni féminin. *Neuter, tra, trum,* adj. ¶ Qui n'est ni actif ni passif. *Neutralis, e,* adj. ¶ Qui ne prend point parti dans un débat. *Medius, a, um,* adj. Etre —, rester —, *neutram partem sequi.* Spéc. (En parl. de belligérants), *armis non interesse; quiescère,* intr.

neuvaine, s. f. Exercice de piété durant neuf jours consécutifs. *Novemdiale sacrum.*

neuvième. adj. et s. m. || *Adjectif numéral ordinal.* Qui vient immédiatement après le huitième. *Nonus, a, um,* adj. ¶ *S. m.* Une des parties d'un tout divisé en neuf parties. *Nona pars.*

neuvièmement, adv. En neuvième lieu. *Nono,* adv.

neveu, s. m. Petit-fils. *Nepos, otis,* m. | (Fig.) Les —, les arrière—, *nepotes, um,* m. pl. ¶ Fils du frère *ou* de la sœur. *Fratris* (ou *sororis) filius.*

nez, s. m. Organe de l'odorat. *Nasus, i, m. Naris, is,* (« narine »), f. (ord. au pl. *nares, ium,* f.). Qui a un grand —, *nasutus, a, um,* adj. Fig. — fin, *acutae* *nares.* (Un homme) qui a le — fin, *nasutus, a, um,* adj. Etre sous le —, *esse ante oculos.* ¶ (Par ext.) La face. *Os, oris,* n. Se trouver — à — avec qqn, *c.-à-d.* face à face, voy. FACE. Au — de qqn, *ante oculos.*

ni, c onj. Sépare des propositions négatives *ou* différents termes d'une propositi on négative. *Nec* (ou *neque*), adv. *Neve* ou *neu,* conj. (dans une prop. subj.). — plus — moins, *nihilo minus.* — plus — moins que si, *perinde ac si...*

niable, adj. Qu'on peut nier. *Infitiandus, a, um,* p. adj.

niais, *aise,* adj. Bête par excès de simplicité. *Ineptus, a, um,* adj.

niaisement, adv. D'une manière niaise. Voy. SOTTEMENT.

niaiser, v. intr. Perdre le temps à des choses niaises. *Ineptire,* intr.

niaiserie, s. f. Caractère d'une personne niaise. *Fatuitas, atis,* f. ¶ Chose bonne pour o ccuper des niais. *Ineptiae, arum.* f. pl.

niche, s. f. Enfoncement pratiqué dans un mur pour y placer une statue, etc. *Aedicula, ae,* f.

nichée, s. f. Couvée qui peuple un nid. *Nidus, i,* m. *Pullities, ei,* f. ‖ P. anal. Une — (de souris), *nidus, i,* m.

nicher, v. tr. Etablir dans un nid. *Nido ponère.* Fig. Loger. Voy. ce mot. Se —, *considère,* intr. ¶ *Intransitivt.* Faire son nid. *Nidum facère.*

nid, s. m. Petite corbeille que les oiseaux construisent pour y pondre, etc. *Nidus, i,* m.

nièce, s. f. Fille du frère *ou* de la sœur. *Fratris* (ou *sororis*) *filia.*

nielle, s. f. Maladie de l'épi. *Robigo, ginis,* f.

nier, v. tr. Déclarer que qqch. n'est pas. *Negàre,* tr. *Infitiàri,* dép. tr. — absolument, *pernegàre,* tr. — formellement, *denegàre,* tr.

nigaud, *aude,* s. m. et f. Voy. NIAIS.

Nil, n. p. Fleuve d'Egypte. *Nilus, i,* m.

nimbe, s. m. Auréole. *Nimbus, i,* m.

Ninive, n. pr. Ancienne ville d'Assyrie. *Ninivus, i,* f.

nique, s. f. Geste de bravade. *Sanna, ae,* f. Faire la — (à qqn), *subsannàre (aliquem).*

nitre, s. m. Salpêtre. *Nitrum, i,* n. De —, *nitreus, a, um,* adj.

nitreux, *euse,* adj. Qui tient du nitre. *Nitratus, a, um,* adj.

niveau, s. m. Instrument servant au géomètre. *Libella, ae,* f. *Libra, ae,* f. ¶ Degré d'élévation. *Libella, ae,* f. *Libra, ae,* f. De —, *aequus, a, um,* adj.; Mettre de —, *aequàre,* tr. Mettre au de..., *adaequàre,* tr. ‖ (Fig.) Elévation comparative du caractère, de l'intelligence, de la condition entre deux ou plusieurs personnes. *Aequalitas, atis,* f. *Similitudo, dinis,* f. Etre au — de qqn, *in aequo esse alicui.* Atteindre au — de, *aequàre,* tr.

niveler, v. tr. Mettre de niveau. *Libràre,* tr. *Aequàre,* tr. ‖ (Fig.) Egaliser. Voy. ÉGALISER. [*Librator, oris,* m.

niveleur, s. m. Celui qui nivelle.

nobiliaire, adj. Qui appartient à la classe noble. *Nobilis, e,* adj. La classe —, *nobilitas, atis,* f.

noble, adj. Appartenant à une classe considérée comme supérieure. *Nobilis, e,* adj. *Generosus, a, um,* adj. Faire —, voy. ANOBLIR. — origine, *genus, eris,* n. ¶ (P. anal.) Elevé parmi les autres, en dignité, en mérite. *Generosus, a, um,* adj. Les plus — des occupations, *divina studia.* ¶ Elevé au-dessus de ce qui est ordinaire. *Generosus, a, um,* adj. *Liberalis, e,* adj. *Ingenuus, a, um,* adj.

noblement, adv. D'une manière noble. *Ut decet nobilem virum.* (Fig.) *Ingenuè,* adv.

noblesse, s. f. Qualité de celui qui est noble. *Nobilitas, atis,* f. *Genus, neris,* n. Appartenir à la —, *nobili loco natum esse.* ‖ (P. ext.) L'ensemble de ceux qui ont le titre de noble. *Nobilitas, atis,* f. *Nobiles, ium,* m. pl. *Optimates, ium,* m. pl. ¶ (Fig.) Elévation au-dessus de ce qui est ordinaire. *Nobilitas, atis,* f. *Dignitas, atis,* f. — de sentiments, — d'âme, *animi magnitudo.* — du style, du langage, *elatio orationis.*

noce, s. f. Célébration d'un mariage (surtout au plur.). *Nuptiae, arum,* f. pl. De —, relatif à la —, *nuptialis, e,* adj. Cadeaux de —, *sponsalia* (gén. *sponsalium* et *sponsaliorum*), n. pl. Repas de —, *sponsalia, ium et orum,* n. pl. ¶ Réjouissances qui accompagnent un mariage. *Sollemnia nuptiarum.*

nocher, s. m. Patron d'un petit bâtiment. *Nauclerus, i,* m. Le — du Styx, *portitor, oris,* m.

nocif, *ive,* adj. Nuisible. *Nocivus, a, um,* adj.

nocturne, adj. Qui a lieu la nuit. *Nocturnus, a, um,* adj. ¶ (Par ext.) Qui se montre la nuit. *Nocturnus, a, um,* adj.

Noé, n. pr. Patriarche hébreu. *Noe,* m. ind.

noël, s. m. Fête commémorative de la naissance du Christ. *Dies natalis Jesu Christi.*

nœud, s. m. Entre-croisement serré qui fait arrêt dans la continuité d'un fil, etc. *Nodus, i,* m. Plein de —, voy. NOUEUX. Sans —, *enodis, e,* adj. Corde à —, — coulant, *nodus, i.* m. ¶ Difficulté, énigme. Le — gordien, *nodus Gordius.* ‖ (Au fig.) Difficulté inextricable. *Nodus, i,* m. ¶ (Fig.) Lien étroit qui unit les personnes. *Nodus, i,* m. *Vinculum, i,* n. ¶ Protubérance produite sur une tige, un tronc, etc. *Nodus, i,* m.

noir, adj. et s. m. et f. ‖ *Adj.* Dont la couleur produit sur l'organe de la vue l'impression d'une obscurité complète. *Niger, gra, grum,* adj. *Ater, tra, trum,* adj. Etre —, *nigrâre*, intr.; *nigricâre*, intr. Devenir —, *nigrescêre*, intr. ¶ (Spéc.) En parl. des vêtements. *Pullus, a, um*, adj. || (Spéc.) Qui n'est pas éclairé. *Niger, gra, grum*, adj. *Ater, tra, trum*, adj. Chambre —, *obscurum cubiculum.* || (P. anal.) Qui est presque noir. Du pain —, *panis cibarius.* || Qui a la peau noire (très brune). *Fuscus, a, um*, adj. *Ater, tra, trum*, adj. ¶ Obscurci par le mal, la méchanceté. *Atrox* (gén. *-ocis*), adj. *Niger, gra, grum*, adj. Une action si —, *immanitas tanti facinoris.* || (Fig.) Dont la sérénité est troublée, assombrie. *Ater, tra, trum*, adj. *Tristis, e*, adj. Idées —, voy. MÉLANCOLIE. ¶ *S. m.* Couleur noire. *Nigrum, i, n. Niger* (ou *ater*) *color.* Spéc. Vêtu de —, *atratus, a, um*, adj; *pullatus, a, um*, adj.

noirâtre, adj. Qui tire sur le noir. *Subniger, gra, grum*, adj. *Fuscus, a, um*, adj.   [*Fuscus, a, um*, adj.
noiraud, *aude*, adj Noir (de teint).
noirceur, s. f. Couleur de ce qui est noir. *Nigror, oris, m.* || (Spéc.) (Fig.) Etat de ce qui est obscurci, entaché par le mal, par la méchanceté. *Atrocitas, atis, f. Immanitas, atis, f.* — du caractère, de l'âme, *atrox animus.* || (P. ext.) Acte de méchanceté. *Nequitia, ae, f.*

noircir, v. intr. et tr || (V. intr.) Devenir noir. *Nigrum fieri.* ¶ (V. tr.) Rendre noir. *Nigro colore inficêre.* Noirci, *atratus, a, um*, adj. || (Fig.) Entacher (qqn) dans sa réputation. *Inquinâre (famam alterius).*

noircissure, s. f. Etat de ce qui devient noir. *Nigritia, ae, f.*

noise, s. f. Dispute bruyante. *Convicium, ii, n.* ¶ Querelle sur un sujet de peu d'importance. *Jurgium, ii, n.* Chercher — à qqn, voy. DISPUTER, CHICANER.   [noisettes. *Abellana, ae, f.*
noisetier, s. m. L'arbre qui produit les noisette, s. f. Fruit du noisetier. *Abellana, ae, f.*

noix, s. f. Fruit du noyer. *Nux, nucis, f.* (on dit aussi *juglans nux*, et, simpl. *juglans, glandis, f.*). Coquille de —, *putamen, inis, n.* Amande de la —, *nucleus, i, m.*

noliser, v. tr. Voy. AFFRÉTER

nom, s. m. Mot par lequel on désigne individuellement une personne. *Nomen, minis, n.* Au — de, c.-à-d. en invoquant le nom de qqn, *alicujus verbis* ou *alicujus nomine.* Au — des dieux, *per deos.* || (Par anal.) Mot par lequel on désigne individuellement un animal ou qui sert à distinguer un pays, une ville, etc. *Nomen, minis, n. Vocabulum, i, n.* || Mot par lequel on distingue un être d'un autre d'une espèce différente. *Nomen, minis, n. Vocabulum, i, n.* Par hyperb. Une chose qui n'a pas de —, *infandum aliquid.* | (Spéc.) Le mot opposé à la chose. *Nomen, minis, n. Verbum, i, n.* ¶ Dénomination, qualification qui sert à désigner une per-

sonne, une chose. *Nomen, minis, n.* ¶ Partie du discours qui désigne les personnes ou les choses. *Vocabulum, i, n.* — propre, *proprium nomen* ou abs. *nomen, inis, n.*

nomade, adj. Qui n'a pas d'établissement fixe sur un territoire déterminé. *Nomas* (gén. *-adis*), adj. Etre —, mener une vie —, *sedibus incertis vagâri.*

nombre, s. m. Rapport d'une quantité à une autre quantité de même nature prise pour terme de comparaison. *Numerus, i, m.* || (Absol.) Le nombre, c.-à-d. la proportion des choses. *Numerus, i, m.* ¶ Quantité indéterminée. *Numerus, i, m.* Un grand —, *multitudo, dinis, f.; frequentia, ae, f.* En grand —, *multi, ae, a*, adj. Petit —, *paucitas, atis, f.* En petit —, *pauci, ae, a*, adj pl. || (Ellipt.) Nombre, c.-à-d. grand. nombre. *Numerus, i, m.* Un assez grand — de..., *complures*, adj. — de gens, *complures*, m. pl. Loc. adv. En —, c.-à-d. en grand nombre, *frequentes.* Sans —, voy. INNOMBRABLE. || Nombre déterminé, requis. *Numerus, i, m.* Le sénat est en —, *frequens est senatus.* Sénat qui n'est pas en —, *senatus infrequens.*

nombreux, *euse*, adj. Qui est en grand nombre. *Creber, bra, brum*, adj. *Frequens* (gén. *-entis*) adj. *Magnus, a, um*, adj. *Multus, a, um*, adj. ¶ Qui a du nombre, c'.-à-d. une certaine harmonie. *Numerosus, a, um*, adj.

nombril, s. m. Cicatrice du cordon ombilical au milieu du ventre. *Umbilicus, i, m.*

nomenclateur, s. m. Esclave chargé de nommer les citoyens à son maître candidat. *Nomenclator, oris, m.*

nomenclature, s. f. Ensemble des termes ou des noms spéciaux employés dans une science, etc. *Nomenclatio, onis, f.*

nominal, *ale*, adj. Relatif au nom (d'une personne, d'une chose). *Nominalis, e*, adj. Désignation —, *nominis* (ou *nominum*) *indicium.* Faire l'appel —, *nomine appellâre* (ou *indicâre*). Faire l'appel — des sénateurs, des témoins, *recitare senatum, testes.* ¶ Qui n'existe que de nom. *Qui (quae, quod) verbo, non re est.*

nominalement, adv. D'une manière nominale. *Nominatim*, adv. *Nomine*, abl. adv.   [*nativus, i, m.*
nominatif, s. m. Cas du sujet. *Nominination, s. f. Action de nommer, d'être nommé. *Nominatio, onis, f.*

nommément, adv. En désignant par le nom. *Nominatim*, adv.

nommer, v. tr. Distinguer (une personne) par un mot qui la désigne individuellement. *Nominâre*, tr. (*aliquem ex aliquâ re nominâre*). *Appellâre*, tr. || (Par anal.) En parl. d'un animal, d'une chose. *Nominâre*, tr. *Appellâre*, tr. Je me nomme lion, *nominor leo.* ¶ Désigner (une personne) par son nom. *Nominăre,* tr. So —, *c.-à-d.* ne pas se cacher, *nomen suum celăre.* Ne pas se —, *nomen suum dissimulăre.* ‖ (Par ext.) En parl. des choses. *Nomināre,* tr. A point nommé, *opportunē,* adv.; *in tempore.* ¶ (Par anal.) Désigner (une personne) par un surnom, une qualification.*Nomināre,* tr. *Dicĕre,* tr. *Appellāre,* tr. *Vocare,* tr. (En parl. de choses.) *Dicĕre,* tr. *Vocāre,* tr. ¶ (Par ext.) Désigner une personne pour un titre, une fonction. *Nominĕre,* tr. *Dicĕre,* tr. *Creāre,* tr. *Facĕre,* tr. *(aliquem consulem).*

non, interj. et adv. ‖ *Interj.* Sert à déclarer qu'une chose n'est pas. L'un dit oui, l'autre dit —, *hic ait, ille negat.* Répondre oui ou —, *aut etiam aut non respondēre.* Ton frère est-il là? Non, *estne frater intus? non est.* ¶ *Adv.* Marque qu'on n'admet pas ce qui est affirmé dans une proposition. *Non,* adv. Non seulement, mais encore, *non modo* (ou *solum*)... *sed etiam*...

nonagénaire, adj. Agé de quatre-vingt-dix ans. *Nonaginta annos natus.*

nonante, adj. Quatre-vingt-dix. Voy. ce mot.

nonce, s. m. Voy. LÉGAT.

nonchalamment, adv. D'une manière nonchalante. *Segniter,* adv. *Lentē,* adv. *Languidē,* adv.

nonchalance, s. f. Caractère nonchalant. *Segnitia, ae,* f. et *segnities, ei,* f. *Socordia, ae,* f. *Desidia, ae,* f. Avec —, voy. NONCHALAMMENT. ‖ (P. ext.) Acte de nonchalant. *Dissolutē factum.*

nonchalant, ante, adj. Qui manque d'activité par insouciance. *Segnis, e,* adj. *Languidus, a, um,* p. adj. Etre —, *languēre,* intr.

nones, s. f. pl. Neuvième jour avant les ides. *Nonae, arum,* f. pl. Relatif aux —, des —, *nonalis, e,* adj.

nonne, s. f. Religieuse. *Nonna, ae,* f.

nonobstant, prép. et adv. ¶ *Prép.* Sans être empêché (par qqch.). *Adversus,* prép. Voy. MALGRÉ. ¶ *Adv.* Sans être empêché. Voy. TOUTEFOIS.

nonpareil, *eille,* adj. Qui n'a pas son pareil. Voy. INCOMPARABLE.

non-valeur, s. m. Le fait de ne rien produire. *Nullus fructus.* Des —, *res steriles.*

nord, s. m. Un des quatre points cardinaux. *Septemtrio, onis,* m. et ordin. *septemtriones, um,* m. pl. Du —, voy. SEPTENTRIONAL. L'étoile du —, *polus,* i, m. Le vent du —, *aquilo, onis,* m. Le pôle —, *septemtrionis axis.* ¶ Partie du globe, région située vers le nord. *Septemtrio, onis,* m. et *septemtriones, um,* m. pl. La mer du —, *mare Germanicum.*

Norique, n. pr. Province de l'Empire romain. *Noricum, i,* n.

normal, *ale,* adj. Qui sert de règle. *Justus, a, um,* adj. *Rectus, a, um,* p. adj.

nos, adj. poss. plur. Voy. NOTRE.

nostalgie, s. f. Mal du pays, regret du pays natal. *Desiderium patriae.*

notabilité, s. f. Caractère d'une personne notable. *Celebritas, atis,* f. ‖ (P. ext.) Personnage notable. *Homo illustris.*

notable, adj. Qui mérite une mention particulière. *Insignis, e,* adj. *Nobilis, e,* adj. Préjudice —, *grave damnum.* ¶ Les habitants, les gens —, *et, subst.* les —, *principes civitatis* ou *principes in civitate* et simpl. *principes, um,* m. pl.

notablement, adv. D'une manière notable. *Insigniter,* adv. Contribuer — à qqch., *multum* (ou *plurimum*) *conferre ad aliquid.*

notaire s. m. Officier public qui rédige et reçoit les contrats. *Scriba publicus.*

notamment, adv. D'une manière qui mérite d'être particulièrement notée. *Praecipuē,* adv. *Maximē,* adv. *Praesertim,* adv.

note, s. f. Marque faite pour garder mention, indication de qqch. *Nota, ae,* f. ‖ Désignation favorable *ou* défavorable d'une personne à l'opinion. *Nota, ae,* f. Bonne —, *commendatio, onis,* f. Mauvaise —, *nota, ae,* f. ¶ (Par ext.) Signe d'un son musical. *Nota, ae,* f. ‖ (Par ext.) Son musical figuré par ce signe. *Sonus, i,* m. ¶ Indication mise à la marge, au bas d'une page, etc. pour servir d'éclaircissement. *Nota, ae,* f. ‖ Indication recueillie. Prendre des —, *verba excipĕre.* Prendre — de, *notăre,* tr. Prendre en —, *enotăre,* tr. ¶ Relevé d'un compte. *Ratiuncula, ae,* f.

noter, v. tr. Marquer (ce dont on veut garder la mention, l'indication). *Notăre,* tr. *Consignăre,* tr. *Mandăre memoriae.* — par écrit, *notăre,* tr.; *litteris consignăre* (ou *mandăre*) ‖ Remarquer. Voy. REMARQUER. ‖ (Fig.) Désigner (qqn) à l'opinion en bien *ou* en mal. Etre bien noté, *bene audīre.* Mal —, *notăre,* tr. Etre noté comme lâche, *ignaviae notā designări.* — d'infamie, *notăre ignominiā* ou *inurĕre alicui notam.* Noté d'infamie, *infamis, e,* adj.; *famosus, a, um,* adj. ¶ (Spéc.) Indiquer les sons musicaux à l'aide de signes. *Excipĕre notis musicis (cantica).*

notice, s. f. Ecrit destiné à donner la connaissance d'un point particulier. *Res noscendae,* f. pl. ou *noscenda, orum,* n. pl.

notification, s. f. Action de notifier. *Indicium, i,* n. *Significatio, onis,* f. — officielle, *edictum, i,* n.

notifier, v. tr. Porter (qqch.) à la connaissance de qqn dans la forme officielle. *Indicĕre,* tr. *Edicĕre,* tr. *Denuntiăre (alicui aliquid).*

notion, s. f. Connaissance élémentaire. *Notio, onis,* f. *Informatio, onis,* f. Les premières — d'une science, *prima elementa.*

notoire, adj. Qui est à la connaissance du plus grand nombre. *Omnibus notus. In vulgus apud omnes pervulgatus.* En parl. d'un délit, d'un crime). *Manifestus a, um,* adj. Il est —, c'est un fait — que..., *omnes sciunt* (av. l'Acc. et l'Inf.); *patet* ou *constat* (av. l'Acc. et l'Inf.).

notoirement, adv. D'une manière notoire. *Apertē,* adv. *Manifesto,* adv.

notoriété, s. f. Caractère de ce qui est notoire. *Notitia, ae,* f.

notre, adj. Qui est à nous, qui se rapporte à nous. *Noster, tra, trum,* adj.

nôtre, adj. poss. qualificatif. Qui est à nous, qui sont à nous. *Noster, tra, trum,* adj. || (En sous-entendant le substantif.) Les —, *nostri.* || Au masc. sing. Le —, c.-à-d. (notre bien), *nostra,* n. pl.

nouer, v. tr. Arrêter (une corde, etc.) en faisant un nœud. *Nodo vincīre.* || P. ext. — qqch. (dans un linge, dans un mouchoir). *Involvĕre,* tr. ¶ Organiser une chose qui offre des complications. *Nĕctĕre,* tr. ¶ Etablir un lien moral (avec qqn). *Jungĕre,* tr. — des relations amicales avec qqn, *jungĕre amicitiam cum aliquo.*

noueux, euse, adj. Qui présente des nœuds. *Nodosus, a, um,* adj.

nourrice, s. f. Celle qui nourrit un enfant. *Nutrix, tricis* (gén. pl. *tricum*), f. Métier de —, *nutricium, ii,* n. Salaire, prix de la —, *mois de —, nutricia, orum,* n. pl.

nourricier, ière, adj. Qui procure la nourriture. *Nutricius, a, um,* adj. || (Fig.) L'Afrique, terre — des avocats, *nutricula causidicorum Africa.* || Spéc. Père —, *et subst.* —, *nutricius, ii,* m. ¶ Qui opère la nutrition. Les sucs —, *terrae matris alimenta.* Fig. Nourricière, *nutrix, tricis.* f.; *altrix, tricis,* f.

nourrir, v. tr. Elever (un nouveau-né) en l'allaitant. *Nutrīre,* tr. *Alĕre,* tr. || (Par ext.) Elever. *Alĕre,* tr. ¶ Entretenir l'être vivant au moyen de l'aliment nécessaire à sa subsistance. *Alĕre,* tr. *Sustentāre,* tr. Se —, *vesci,* dép. intr. Bien nourri, *bens pastus.* Par anal. Un son nourri, *pinguis sonus.* Style nourri, *plena oratio.* ¶ (Fig.) Entretenir qqch. en lui fournissant les moyens de durer. *Alĕre,* tr. — des projets, *consilia coquĕre.* ¶ Pourvoir qqn de moyens de subsistance. *Alĕre,* tr.

nourrissage, s. m. Elevage des bestiaux. *Pecuaria, ae,* f.

nourrissant, ante, adj. Qui a pour effet de nourrir. *Aptus ad alendum.* Aliments plus —, *cibus robustior.* Etre moins —, *minus alimenti praestāre.*

nourrisson, s. m. Enfant qu'une femme nourrit de son lait. *Alumnus, i,* m. En parl. d'une fille), *alumna, ae,* f. || (Fig.) *Alumnus, i,* m.

nourriture, s. f. Action de nourrir, d'allaiter un enfant. Voy. ALLAITE-

MENT. ¶ Ce qui fournit l'aliment à la substance de l'être. *Alimentum, i,* n. *Cibus, i,* m. *Victus, ūs,* m. — des esclaves, *cibaria, orum,* n. pl. Privation de —, *inedia, ae,* f. || (Par anal.) En parlant des animaux. *Pastus, ūs,* m. *Pabulum, i,* n. || (En parl. des plantes). *Alimentum, i,* n. *Cibus, i,* m. ¶ (Au fig.) Ce qui fournit à qqch. le moyen de durer. Voy. ALIMENT. ¶ Ce qui constitue les moyens de subsistance. *Alimentum, i,* n. *Victus, ūs,* m. Fig. *Pabulum, i,* n. *Pastus, ūs,* m. *Cibus, i,* m. — de l'âme, *pastus animi.*

nous, pronom personnel de la 1re pers. plur. (des deux genres). *Nos* (gén. *nostrum* ou *nostri*), pl.

nouveau, elle, adj. Qui apparaît pour la première fois ou est apparu depuis peu de temps. *Novus, a, um,* adj. *Recens* (gén. -*entis*), adj. Tout —, *recens ac novus* ou *novus ac recens.* — -né, *recens a partu.* || (Par ext.) Dont on n'a pas l'habitude. *Novus, a, um,* adj. || Qui n'a pas l'habitude de qqch. Voy. NOVICE. ¶ Qui apparaît après un autre pour le remplacer. *Novus, a, um,* adj. || (Loc. adv.) A —, *de* (ou *ab*) *integro.* De —, *iterum,* adv.; *denuo,* adv.

nouveauté, s. f. Caractère de ce qui est nouveau. *Novitas, atis,* f. (on dit aussi *novum genus*). || En mauv. part. *Novitas, atis,* f. *Insolentia, ae,* f. ¶ Chose nouvelle. *Res nova. Novum, i,* n. — (dans la politique, dans la religion), *res novae.* || Œuvre nouvellement parue. *Novum* (ou *recens*) *opus.* Etoffe, parure de mode —, *nova vestis.*

nouvelle, s. f. Annonce d'une chose qui vient d'arriver. *Nuntius, ii,* m. *Fama, ae,* f. Apporter une —, *afferre,* tr. (*vera afferuntur*); *perferre,* tr.; *nuntiāre,* tr. Apporter la — que le consul est bloqué, *perferre consulem obsideri.* Recevoir la — de..., *audire* (av. l'Acc. et l'Inf.). ¶ Renseignement sur l'état, la situation de qqn qu'on n'a pas vu depuis quelque temps. — (par lettres), *litterae, arum,* f. pl. Demander des — de qqn, *percontāri quemadmodum aliquis se habeat;* *quaerĕre* (ou *requirĕre*) *quae aliquis agat.* Etre sans — de qqn... *nescire de aliquo.* || (Dans un sens défav.) Vous aurez de mes —, *senties qui vir sim.*

nouvellement, adv. Depuis peu de temps. *Nuper,* adv. Mur — construit, *novus murus.*

nouvelliste, s. m. Celui qui quête et débite des nouvelles *Homo novissima quaeque captans.*

novateur, s. m. Qui veut changer les choses reçues. *Cupidus omnia novandi.*

novembre, s. m. Onzième mois de l'année. *Mensis november,* ou simpl. *november, bris,* m. De —, du mois de —, *november, bris, bre* (abl. *bri*), adj.

novice, s. m. et f. Celui, celle qui subit un temps d'épreuve dans l'état reli-

gieux. *Novicius, ii,* m. Une —, *novicia virgo.* ¶ (P. ext.) Personne qui aborde une chose où elle est inexpérimentée. *Tiro, onis,* m. Une —, *tiruncula, ae,* f. || *Adjectivt.* Inexpérimenté. *Novus, a, um,* adj. *Rudis, e,* adj. *Insolens* (gén. *-entis*), adj.

noyau, s. m. Partie dure, ligneuse qui est à l'intérieur de certains fruits. *Nucleus, i,* m. *Os, ossis,* n. Oter le — de, enlever le — à, *enucleâre,* tr.

1. noyer, s. m. Arbre qui produit la noix. *Nux, nucis* (gén. pl. *nucum*), f. *Juglans, glandis,* f. De —, *nuceus, a, um,* adj.

2. noyer, v. tr. Asphyxier par immersion dans l'eau. *(Aliquem) aquâ mergĕre* (ou *in aquâ demergĕre* ou *in aquam immergĕre*).

nu, e, adj. Qui n'est pas vêtu. *Nudus, a, um,* adj. Mettre qqn —, *aliquem nudâre.* (Par anal.) Epée —, *gladius vaginâ vacuus,* ou *gladius vaginâ nudatus.* || (Fig.) *Nudus, a, um,* adj. ex. : *nuda veritas.* Simplex (gén. *-plicis*), adj. || (Loc. adv.) A nu, *nudatus, a, um,* p. adj. Mettre à nu, *nudâre,* tr. ¶ (P. anal.) Qui n'est pas garni. *Nudus, a, um,* adj. *Purus, a, um,* adj. Sur la terre —, *super nudam humum.*

nuage, s. m. Amas de vapeurs qui trouble la transparence de l'air. *Nubes, is* (gén. pl. *nubium*), f. — qui apporte la pluie, *nimbus, i,* m. Sans —, *serenus, a, um,* adj. || (P. anal.) Petite tache (d'un métal, d'un liquide). *Nubes, is,* f. *Nubecula, ae,* f. || (P. ext.) Ce qui obscurcit l'air. *Nubes, is,* f. Un — de traits, *lapidum saxorumque nimbus.* ¶ (Fig.) Ce qui obscurcit la vue. *Nubes, is,* f. *Caligo, inis,* f. || (Fig.) Ce qui offusque l'intelligence. *Caligo, inis,* f. ¶ Ce qui altère la sérénité. *Nubes, is,* f. *Nubilum, i,* n. Un — de tristesse, *nubecula, ae,* f. Bonheur sans —, *sincera voluptas.*

nuageux, euse, adj. Voilé par des nuages. *Nubibus obductus. Nebulosus, a, um,* adj. Par un temps —, *nubilo.* Etre —, *nubilâre,* intr.

nuance, s. f. Chacun des tons d'une même couleur allant par degrés du plus clair au plus foncé. *Transitus colorum.*

nuancer, v. tr. Colorer en assortissant les tons d'une même couleur ou de couleurs différentes. *Variâre,* tr. Nuancé, *varius, a, um,* adj. [*bilis, e,* adj.

nubile, adj. En âge d'être marié. *Nu-nudité,* s. f. Etat de celui qui n'est pas vêtu. Dans un état de —, *nudus, a, um,* adj.

nue, s. f. Amas de vapeurs suspendues dans les hautes régions de l'air. *Nubes, is,* f. || (P. ext.) Le haut des airs. *Nubes, is,* f. *Caelum, i,* n. Fig. Se perdre dans les —, *captâre nubes et inania.* Aller aux —, *summis laudibus efferri ad caelum.* Porter (qqn, qqch.) aux —

(*summis laudibus*) *efferre in caelum* (ou *ad caelum*); *extollere in caelum laudibus.* Tomber des —, *ex astris decidĕre.* || Etre tout étonné de qqch. d'imprévu. Tomber des —, *paene concidĕre,* intr.

nuée, s. f. Amas considérable de vapeurs, nuage épais, menaçant. *Nubes, is,* f. || (Fig.) En parl. d'une armée menaçante. *Nubes, is,* f. *Nimbus, i,* m. || (P. ext.) Multitude qui vient s'abattre sur un lieu. *Nubes, is,* f. *Nimbus, i,* m.

nuire, v. intr. Causer du dommage. (En parl. des pers. et des ch.). *Nocêre,* intr. *(alicui nocêre;* on dit aussi *damno* ou *detrimento esse [alicui]; damnum* [ou *detrimentum] afferre* [ou *inferre] alicui; damno* [ou *detrimento] afficĕre [aliquem]*). *Obesse,* intr. (avec le Dat.). *Officĕre,* intr. (av. le Dat.). *Laedĕre,* tr. || (En parl. des choses.) *Nocêre,* intr. (av. le Dat.)

nuisible, adj. Qui est de nature à nuire. Qui *(quae, quod) nocet. Nocens* (gén. *-entis*), p. adj. *Noxius, a, um,* adj. *Damnosus, a, um,* adj. Exercer une influence —, être —, *nocêre,* intr.

nuit, s. f. Partie de la journée de vingt-quatre heures pendant laquelle le soleil ne nous éclaire pas. *Nox, noctis,* f. De —, *nocturnus, a, um,* adj. De —, *noctu,* adv. ¶ Obscurité qui règne pendant le temps où le soleil cesse d'éclairer la terre. *Nox, noctis,* f. *Tenebrae, erum,* f. pl. || (Par ext.) Obscurité. *Nox, noctis,* f. *Tenebrae, arum,* f. pl. || (Fig. poét.) Obscurité qui règne dans l'esprit. Voy. OBSCURITÉ. || Condition obscure où l'on vit. Voy. OBSCURITÉ, TÉNÈBRES.

nuitamment, adv. A la faveur de la nuit. *Nocte,* ou *noctu,* adv.

nul, nulle, adj. déterminatif. Non pas un. *Nullus, a, um,* adj. Nul homme, voy. PERSONNE. N'avoir — envie, *nolle,* intr. N'avoir — crainte, *non timêre.* ¶ (Adjectif qualificatif.) Qui se réduit à rien. *Nullus, a, um,* adj. *Vanus, a, um,* adj. *Inanis, e,* adj. Argument —, *argumentum nihili.* || En parl. d'une élection ou d'un acte de la vie politique. *Irritus, a, um,* adj. *Vitiosus, a, um,* adj. Un homme — (de nulle valeur), *homo nullo numero.*

nullement, adv. De nulle manière. *Nullo modo. Nullo pacto. Nequaquam,* adv.

nullité, s. f. Etat de ce qui est nul. *Vanitas, atis,* f. — d'une personne, voy. INCAPACITÉ. || (Droit.) Caractère d'un acte qui est nul. *Nulla auctoritas.*

Numa, n. pr. Roi de Rome, *Numa, ae,* m.

Numance, n. pr. Ancienne ville d'Espagne. *Numantia, ae,* f. Habitants de —, *Numantini, orum,* m. pl.

numéraire, s. m. Argent monnayé. *Signatum argentum.*

numéral, ale, adj. Qui désigne un nombre. Qui *(quae, quod) numerum notat.*

numération, s. f. Art de former, d'énoncer et d'écrire tous les nombres. *Numeratio, onis*, f.

numérique, adj. Relatif au nombre. La supériorité —, *magnitudo*.

numéro, s. m. Nombre qui indique le rang des objets d'une série. *Numerus, i*, m.

numéroter, v. tr. Marquer d'un numéro. *Numero* (ou *numeris*) *notāre* (*aliquid*). [die. *Numidae, arum*, m. pl.

Numides, n. pr. Habitants de Numi-**Numidie**, n. pr. Pays de l'Afrique. *Numidia, ae*, f.

nuptial, *ale*, adj. Relatif aux noces, à la célébration du mariage. *Nuptialis, e*, adj.

nuque, s. f. Partie postérieure du cou à l'endroit de sa jonction avec la tête. *Cervix, icis*, f. (s'empl. ordin. au pl. *cervices*).

nutritif, *ive*, adj. Qui a la propriété de nourrir. Voy. NOURRISSANT.

nutrition, s. f. Assimilation de certaines substances par les animaux ou végétaux. *Nutricatio, onis*, f.

nymphe, s. f. Divinité des fleuves, des bois, etc. *Nympha, ae*, f.

O

o, s. m. Quinzième lettre de l'alphabet, *O*, f. n.

ô, interj. Interjection servant à invoquer, à interpeller. *O*, interj. ¶ Interjection traduisant un élan d'admiration, de joie ou de douleur, de crainte, etc. *O! Pro*, interj. — non! *minime vero*. — oui, *sane quidem*!

obéir, v. intr. Se conformer à un ordre *ou* à une défense. *Oboedire* (« prêter l'oreille à, *d'où* obéir, être docile »), intr. *Parēre* (« dépendre de qqn *et par cons.* lui obéir »), intr. (s'opp. à *imperāre*). *Obtemperāre* (« se conformer à la volonté de, obéir »), intr. *Obsequi* (« condescendre aux désirs de, obéir »), dép. intr. ¶ Être soumis (à un prince, à un peuple). *Parēre*, intr. ¶ (En parl. des choses.) Subir une action. *Oboedire*, intr. *Obtemperāre*, intr.

obéissance, s. f. Action d'obéir (avec l'idée de soumission). *Oboedientia, ae*, f. *Obtemperatio, onis*, f. *Obsequium, ii*, n. || (Par ext.) Soumission à un prince, à une nation. *Officium, ii*, n. *Dicio* (nomin. inus.), *onis*, f.

obéissant, *ante*, adj. Qui obéit. *Dicto audiens* (av. le Dat.). *Oboediens* (gén. -*entis*), p. adj. (av. le Dat.). *Obtemperans* (gén. -*antis*), p. adj. (av. le Dat.). Être —, voy. OBÉIR.

obélisque, s. m. Monument taillé en forme d'aiguille quadrangulaire. *Obeliscus, i*, m.

obérer, v. tr. Charger de dettes. *Aere alieno obruĕre*. S'—, être obéré, *aere alieno opprimi*. Obéré, *obaeratus, a, um*, p. adj. [point. *Obesus, a, um*, adj.

obèse, adj. Qui a un excès d'embon-**obésité**, s. f. Excès d'embonpoint. *Obesitas, atis*, f.

objecter, v. tr. Opposer (qqch.) à une affirmation *ou* à celui qui affirme une chose. *Contra dicĕre* (*aliquid*). *Opponĕre*, tr. || (P. ext.) Reprocher. *Objicĕre*, tr.

objection, s. f. Ce qu'on oppose à une affirmation (pour la combattre), *ou* ce qu'on oppose à une proposition, à un projet (pour le repousser). *Contradictio, onis*, f. (mais on dit plutôt : *id quod contra dicitur* ou *quod opponitur*). Faire beaucoup d'—, *multa contra dicĕre*.

objet, s. m. Ce qui se présente devant les yeux, s'offre aux regards. *Res, rei*, f. — qui frappe la vue, *visum objectum*. || (Par ext.) Tout ce qui tombe sous les sens. *Res, rei*, f. ¶ Ce qui se présente à l'esprit, s'offre à la pensée. *Res, rei*, f. || (Spéc.) Ce qui est pensé (par opp. au sujet pensant). *Quod in sensu cadit*. ¶ (Par ext.) Ce sur quoi se portent les sentiments de l'âme humaine. *Res, rei*, f. Être l'— d'un débat, *esse in contentione*. — de risée, *ludibrium, ii*, n. || ¶ Ce sur quoi se porte la volonté, où elle tend. *Res, rei*, f. *Propositum, i*, n. *Consilium, ii*, n. Quel est l'— de ce discours? *quo tendit* (ou *spectat*) *haec oratio*? Qui n'a plus d'—, *irritus, a, um*, adj. [Voy. REMONTRANCE.

objurgation, s. f. Vive remontrance.

oblation, s. f. Voy. OFFRANDE.

obligation, s. f. Lien moral qui assujettit à une loi, à une convention. *Obligatio, onis*, f. *Religio, onis*, f. *Vinculum, i*, n. Contracter une —, *aliquid se recipĕre*. S'imposer une —, *legem sibi statuĕre*. Je suis dans l'— de faire cela, *hoc debeo facĕre*. || (Spéc.) Engagement à payer une somme déterminée. *Chirographum, i*, n. *Syngrapha, ae*, f. *Nomen, inis*, n. ¶ Lien moral qui attache à celui de qui on a reçu un bon office. *Officium, ii*, n. *Gratia, ae*, f. Qui a des —, de très grandes — envers qqn, *beneficio devinctus* (ou *obstrictus*) *alicui*.

obligatoire, adj. Qui oblige moralement, juridiquement. Caractère —, *auctoritas, atis*, f.

obligeamment, adv. Avec obligeance. *Officiosē*, adv. *Humaniter*, adv.

obligeance, s. f. Disposition à être agréable aux autres en rendant de bons offices. *Humanitas, atis*, f. *Benignitas, atis*, f. D'une grande —, *summo officio praeditus*. Montrer de l'—, *commodē facĕre*. Avec —, voy. OBLIGEAMMENT.

obligeant, ante, adj. Disposé à être agréable aux autres en leur rendant de bons offices. *Officiosus, a, um,* adj. *Humanus, a, um,* adj. Se montrer — pour qqn, *officia in aliquem conferre.* || (P. ext.) En parl. des ch. *Humanus, a, um,* adj. *Comis, e,* adj. *Liberalis, e,* adj. Humeur —, voy. OBLIGEANCE. D'une manière —, voy. OBLIGEAMMENT.

obliger, v. tr. Lier (qqn) par une loi, une convention qu'il est tenu d'observer. *Obligāre,* tr. *Obstringĕre,* tr. *Adigĕre,* tr. || Lier juridiquement par un engagement envers qqn. *Obligāre,* tr. || (Spéc.) Lier par un engagement à payer une somme. *Obligāre,* tr. Le principal obligé, voy. DÉBITEUR. || (Par ext.) Faire que qqn se sente tenu à qqch. *Adducĕre,* tr. *Cogĕre,* tr. (voy. FORCER). ¶ Attacher qqn par un bon office. *Obstringĕre,* tr. Être l'obligé de qqn, *alicui multa debēre.*

oblique, adj. Qui s'écarte de la verticale. *Obliquus, a, um,* adj. *Transversus, a, um,* adj. Une ligne —, et subst. une —, *obliqua linea.* || (T. milit.) Marche —, *agmen obliquum.* ¶ (Fig.) Qui agit par des voies détournées. *Obliquus, a, um,* adj. *Perversus, a, um,* p. adj. Par des voies —, *occultē,* adv. || Dont l'action s'exerce indirectement Cas — (gramm.), *casus obliqui.*

obliquement, adv. D'une manière oblique. *Obliquē,* adv.

obliquer, v. tr. et intr. || (V. tr.). Rendre oblique. *Obliquum facĕre.* ¶ (V. intr.). Prendre une direction oblique. En obliquant, *transverso itinere.*

obliquité, s. f. Caractère de ce qui est oblique. *Obliquitas, atis,* f. || (Fig.) Manière d'agir suivant des voies détournées. Voy. DÉTOUR. [rer. *Litura, ae,* f.

oblitération, s. f. Action d'oblité-

oblitérer, v. tr. Rendre illisible, en effaçant, en maculant. *Obliterāre,* tr.

oblong, gue, adj. Plus long que large. *Oblongus, a, um,* adj.

obole, s. f. Monnaie, poids, valant le sixième de la drachme. *Obolus, i,* m. || (Fig.) Très petite quantité. *Paululum, i,* n. *Uncia, ae,* f.

obreptice, adj. Obtenu en cachant la vérité. *Obreptivus, a, um,* adj.

obrepticement, adv. D'une manière obreptice. *Per obreptionem.*

obscène, adj. Qui révolte la pudeur. *Obscœnus, a, um,* adj. *Lascivus, a, um,* adj.

obscénité, s. f. Caractère de ce qui révolte la pudeur. *Obscœnitas, atis,* f. || (P. ext.) Parole, acte qui révolte la pudeur. *Impudicè dictum* (ou *factum*).

obscur, ure, adj. Qui est sans lumière. *Obscurus, a, um,* adj. *Caliginosus, a, um,* adj. *Caecus, a, um,* adj. Ce qui est —, *obscurum, i,* n. Rendre —, voy. OBSCURCIR. || (Par ext.) En parl. des couleurs. Voy. SOMBRE. || (En parl. des vêtements.) *Pullus, a, um,* adj. ¶

(Fig.) Qui n'a pas de clarté pour l'esprit, *Obscurus, a, um,* adj. *Caecus, a, um,* adj. *Tenebricosus, a, um,* adj. Sentiment, sens —, *sensus non satis dilucidus neque expressus.* Un peu — (en parl. du style), *subobscurus, a, um,* adj. En termes —, *obscurē,* adv. || Qui n'a pas d'illustration. *Obscurus, a, um,* adj. *Ignobilis, e,* adj. *Inglorius, a, um,* adj. Qui est d'une naissance —, *ignobilis, e,* adj. Etat —, voy. OBSCURITÉ.

obscurcir, v. tr. Rendre obscur (en privant plus ou moins de lumière). *Obscurāre,* tr. (on dit aussi *obscurum aliquid facĕre*). *Occaecāre,* tr. S'—, *obscurāri; tenebris occaecāri* || En parl. du temps, du ciel. Voy. ASSOMBRIR. || (P. ext.). Et parl. de la vue. *Obscurāre,* tr. *Officĕre. Offundĕre (caliginem oculis).* — la vue, *hebetāre (alicui) visus.* S'—, *hebetāri,* pass. Ma vue s'obscurcit, *caligo offunditur oculis.* || (Fig.) Ternir. *Obscurāre,* tr. *Obruĕre,* tr. — sa gloire, *decori suo officĕre.* S'—, *splendorem amittĕre.* ¶ (Fig.) En privant plus ou moins de clarté, d'évidence. *Obscurāre,* tr. *Occaecāre,* tr. — les choses les plus claires, *obducĕre tenebras rebus clarissimis.*

obscurcissement, s. m. Etat de ce qui devient obscur. *Obscuritas, atis,* f. *Obscuratio, onis,* f. — de la vue, *caligo, inis,* f. || L'— de la raison, voy. AVEUGLEMENT. [obscure. *Obscurē,* adv.

obscurément, adv. D'une manière

obscurité, s. f. Manque de lumière. *Obscuritas, atis,* f. *Tenebrae, arum,* f. pl. *Caligo, inis,* f. *Nox, noctis,* f. Dans l'—, *obscurā luce.* — du ciel, *nox, noctis,* f. Plonger des contrées dans l'—, *obscurāre (regiones).* ¶ Manque de clarté pour l'esprit. *Obscuritas, atis,* f. *Tenebrae, arum,* f. pl. *Caligo, inis,* f. Enveloppé d'—, *caecus, a, um,* adj. Des —, *res obscurae* (ou *abstrusae*). ¶ Condition obscure. *Obscuritas, atis,* f. *Ignobilitas, atis,* f.

obsécration, s. f. Prières publiques ordonnées pour apaiser la colère des dieux. *Obsecratio, onis,* f. || Mouvement oratoire par lequel on conjure. *Obsecratio, onis,* f.

obséder, tr. Fatiguer par des demandes incessantes. *Obsidēre aures (alicujus).* || Spéc. (En parl. du démon), tourmenter par d'incessantes tentations. Voy. TENTER. || (P. ext.) Fig. (en parl. des ch.) *Sollicitāre,* tr.

obsèques, s. f. pl. Ensemble des cérémonies funéraires. *Funus, eris,* n. *Exsequiae funeris,* ou (simpl.) *exsequiae, arum,* f. pl. *Pompa funeris* ou simpl. *pompa, ae,* f.

obséquieusement, adv. D'une manière obséquieuse. *Obsequentius,* adv. (au Compar.).

obséquieux, euse, adj. Qui porte à l'excès les démonstrations de déférence. *Obsequentior,* adj.

obséquiosité, s. f. Caractère d'une personne, d'une chose obséquieuse. *Deforme obsequium.*

observable, adj. Qui peu' doit être observé. *Qui (quae, qu) observari potest.*

observance, s. f. Obligation d'observer une loi, une règle religieuse. *Religio, onis,* f. — des sacrifices, *diligentia sacrorum.*

observateur, *trice*, s. m. et f. Celui, celle qui observe une loi, une règle. *Observans* (gén. *-antis*), p. adj. Fidèle — des traités, *sanctus in publicis religionibus.* ¶ Celui, celle qui regarde qqch. avec une attention suivie, pour l'étudier. *Speculator, oris,* m. *Contemplator, oris,* m. Observatrice, *contemplatrix, tricis,* f. || (Adjectivt.) Voy. PERSPICACE, SAGACE.

observation, s. f. Action de suivre ce que prescrit une loi, une règle. *Observatio, onis,* f. *Obtemperatio, onis,* f. — scrupuleuse, *observantia, ae,* f. Veiller à l'— des lois, *prospicère legibus observandis.* ¶ Action de regarder avec attention. *Observatio, onis,* f. Se mettre en —, *speculāri,* dép. tr. Etre, se tenir en —, *in speculis esse.* || (Par ext.) *Observatio, onis,* f. *Animadversio, onis,* f. — attentive, approfondie, *contemplatio, onis,* f.; *consideratio, onis,* f. Faire une —, des —, *observāre,* tr.; *animadvertēre,* tr. || Note, remarque. Voy. ces mots. || (Par anal.) Ce qu'on a noté chez qqn donnant lieu à un avertissement. *Animadversio, onis,* f. Faire des — à qqn, *admonēre aliquem.*

observatoire, s. m. Etablissement disposé pour les observations. *Specula, ae,* f.

observer, v. tr. Suivre exactement (ce que prescrit une loi, une règle). *Observāre,* tr. *Custodīre,* tr. (*ordinem, morem*). || Regarder qqch. avec une attention suivie. *Observāre,* tr. *Servāre,* tr. *Spectāre,* tr. *Considerāre,* tr. *Contemplāri,* dép. tr. *Speculāri,* dép. tr. — avec attention, *observitāre,* tr. S'— avec soin, *dicta factaque sua circumspicēre.* || (Par ext.) Faire — qqch. à qqn, *monēre aliquem de aliquâ re* ou *aliquem alicujus rei admonēre.*

obsession, s. f. Action d'obséder. (En parl. des pers.) *Importunitas, atis,* f. (En parl. des choses.) *Molestia, ae,* f. C'est pour moi une —, *ea cura me sollicitat.*

obsidiane et **obsidienne**, s. f. Substance vitreuse capable de recevoir un beau poli. *Obsianum, i, n.*

obsidional, *ale,* adj. Qui a rapport au siège d'une ville. *Obsidialis, is,* adj. *Obsidionalis, e,* adj.

obstacle, s. m. Ce qui s'oppose au passage, *et (fig.)* ce qui s'oppose à l'accomplissement d'un dessein. *Impedimentum, i, n. Difficultas, atis,* f.

Mora, ae, f. Semé d'—, *impeditus, a, um,* p. adj.

obstination, s. f. Ténacité avec laquelle on demeure attaché à une résolution. *Pertinacia, ae,* f. *Obstinatio, onis,* f. *Pervicacia, ae,* f. *Animus obstinatus. Obstinatior voluntas.*

obstiné, *ée,* adj. Attaché avec ténacité à une résolution. *Obstinatus, a, um,* p. adj. *Pervicax* (gén. *-acis*), adj. *Pertinax* (gén. *-acis*), adj. Etre — dans sa façon de voir les choses, *retinère sententiam.* Absol. Un enfant, — *et, substantivt,* un petit —, *puer pertinax.* || (En parl. des ch.) Qui dure trop longtemps, acharné. *Pervicax* (gén. *-acis*), adj. *Pertinax* (gén. *-acis*), adj. Silence —, *obstinatio taciturna.*

obstinément, adv. D'une manière obstinée. *Pertinaciter,* adv.

obstiner, v. tr. et pron. || (*V. intr.*) Attacher avec ténacité à une résolution. *Offirmāre,* tr. ¶ (*V. pron.*) S'—s'attacher avec ténacité à une résolution), *obtināre,* intr.; *perseverāre,* intr. (*ad urbem ut non accederem perseveravi*); *offirmāre,* intr. (on dit aussi in *pertinaciâ perstāre,* ou simpl. *perstāre*). Pourquoi s'— ainsi? *quae est haec pertinacia?*

obstruction, s. f. Embarras dans un conduit. *Obturatio, onis,* f. Voy. ENGORGEMENT. || (Spéc.) Embarras dans les conduite d'un organe. *Oppilatio, onis,* f. — intestinale, *praeoccupatio, onis,* f. ¶ (Fig.) Obstacle apporté à la discussion dans une assemblée. *Obnuntiatio, onis,* f. *Intercessio, onis,* f.

obstruer, v. tr. Embarrasser par quelque obstacle. *Obstruēre,* tr. Rue obstruée, *praeclusa via.*

obtempérer, v. intr. Se soumettre (à une injonction). *Obtemperāre,* intr.

obtenir, v. tr. Réussir à se faire accorder qqch. *Impetrāre,* tr. *Assequi,* dép. tr. Chercher à — de qqn que..., *contendère ab aliquo ut* (et le Subj.). Finir par —, — avec peine, *expugnāre,* tr.; *pervincère,* tr. ¶ Réussir à atteindre un résultat. *Assequi,* dép. tr. *Consequi,* dép. tr. *Adipisci,* dép. tr. — une réponse de qqn, *responsum ab aliquo ferre* [*tio, onis,* f. *Impetratio, onis,* f.

obtention, s. f. Action d'obtenir. *Adep-*

obturation, s. f. Action d'obturer, de boucher. *Interclusio, onis,* f.

obtus, *use,* adj. Dont l'angle est arrondi, émoussé. *Hebes* (gén. *-etis*) adj. *Obtusus, a, um,* p. adj. || P. anal. (Géom.) Angle —, *obtusus angulus.* || (Fig.) Qui n'est pas pénétrant. *Hebes* (gén. *-etis*) adj. *Obtusus, a, um,* p. adj. *Retusus, a, um,* p. adj.

obvier, v. intr. Mettre obstacle (à un effet fâcheux qu'on prévoit). *Praecavēre,* tr. *Obviam ire (alicui rei)*. *Occurrère,* intr.

occasion, s. f. Circonstance qui vient

à propos. *Occasio, onis,* f. *Tempus, oris* (« moment favorable, occasion »), n. — avantageuse, *opportunitas, atis,* f. ‖ (Par ext.) Circonstance qui se présente. *Casūs, ūs,* m. Marchandises d'—, *antiquae et obsoletae merces.* Courage d'—, *fortitudo in casu posita.* ¶ Circonstance qui détermine à faire qqch. *Occasio, onis,* f. *Locus, i,* m. *Materia, ae,* f. *Ansa, ae,* f. *Causa, ae,* f.

occasionnel, *elle,* adj. Qui est l'occasion d'un acte qui détermine à agir. *Quae causa alicujus rei est. Qui (quae, quod) per occasionem fit.*

occasionnellement, adv. Par occasion. *Occasione datā.*

occasionner, v. tr. Etre l'occasion de (qqch.). *Causam (alicujus rei) esse.*

occident, s. m. Côté de l'horizon où le soleil se couche. *Occidens, entis,* m. *Occasus solis,* et simpl. *occasūs, ūs,* m. ‖ (Spéc.) Celui des quatre points cardinaux où le soleil se couche. *Occidentis solis partes.* ¶ Partie du globe, région située vers l'Occident. *Terrae occidentem versus sitae.*

occidental, *ale,* adj. Situé à l'Occident. *Ad occidentem spectans.*

occiput, s. m. Partie inférieure du derrière de la tête. *Occipitium, ii,* n.

occire, v. tr. Tuer. Voy. ce mot.

occultation, s. f. Etat d'un astre dérobé à la vue par l'interception d'une planète. *Defectūs, ūs,* m.

occulte, adj. Dont la cause reste cachée. Voy. CACHÉ, SECRET. ‖ (P. ext.) Sciences —, *secretae artes.*

occupant, *ante,* adj. Qui occupe un lieu, s'y est établi. *Qui (quae), possidet locum.* Subst. L'—, *possessor, oris,* m.

occupation, s. f. Action d'occuper. *Occupatio, onis,* f. ¶ Etat de celui qui est occupé. *Occupatio, onis,* f. ‖ Travail dont on s'occupe. *Opus. eris,* n.

occuper, v. tr. Prendre possession d'un lieu, s'y établir. *Capēre,* tr. *Tenēre,* tr. *Obtinēre,* tr. ‖ (Par ext.) Etre établi dans un lieu. *Tenēre,* tr. *Obtinēre,* tr. ¶ Prendre possession de qqn, en absorbant son esprit, son cœur. *Occupāre,* tr. (part. adj. *occupatus,* s'opp. à *otiosus*). *Detinēre,* tr. *Distinēre,* tr. *Distringēre,* tr. S'—, *versāri,* dép. intr.; *inservire,* intr.; *agēre,* tr.; *dāre se (alicui rei).* ¶ Prendre le temps de qqn. *Occupāre,* tr. S'— à, *tempus consumēre in (aliquā re); operam dāre alicui rei.*

occurrence, s. f. Circonstance qui vient se présenter soudain. *Casūs, ūs,* m. *Res, rei,* f. En cette —, *in tali tempore.*

océan, s. m. Vaste étendue d'eau salée qui occupe une grande partie du globe. *Oceanus, i,* m. L'— Atlantique, *mare Atlanticum.* Le grand —, *mare magnum.* De l'—, *oceanicus, a, um,* adj.

océanide, s. f. Nymphe de la mer

(fille de l'Océan). *Oceanitis, tidis,* f.

Océanie, s. f. Dixième mois de l'année. *October mensis* et simpl. *October, bris,* m. Les calendes d'—, *kalendae octobres.*

octogénaire, adj. Qui a quatre-vingts ans. *Octoginta annos natus.* Un homme —, et *subst.* un —, *homo octoginta annos natus* (ou *homo octogenarius*). Etre —, *octogesimum annum agēre.*

octogone, adj. et s. m. Qui a huit angles et huit côtés. *Octogonos, on,* adj. ¶ *S. m.* Figure qui a huit angles et huit côtés. *Octagonon* et *octagonum, i,* n.

octosyllabe, adj. Qui a huit syllabes. *Octo syllabarum.*

octroi, s. m. Action d'octroyer. *Concessio, onis,* f. *Concessūs* (Abl. u), m. ‖ (P. ext.) Ce qui est octroyé. *Quod conceditur.* ¶ (P. ext.) Taxe perçue sur les denrées. *Portorium, ii,* n. Employé d'—, *portitor, oris,* m.

octroyer, v. tr. Voy. ACCORDER.

oculaire, adj. et s. m. ‖ *Adj.* Qui a rapport à l'œil. Le globe —, *pupilla, ae,* f. Témoin —, *oculatus testis; testis et spectator; spectator ac testis.* ¶ *S. m.* Verre d'un microscope, d'un télescope, etc. *Orbiculus vitri convexus.*

oculairement, adv. Par le moyen des yeux. *Oculis.* [*Medicus ocularius.*

oculiste, s. m. Médecin pour les yeux.

ode, s. f. Poème lyrique. *Carmen, inis,* n.

odéon, s. m. Edifice où l'on répétait la musique. *Odeum, i,* et *odium, ii,* n.

odeur, s. f. Sensation produite sur l'odorat par les émanations de certains corps. *Odor, oris,* m. Avoir une —, *olēre,* intr.; *redolēre,* intr. Exhaler une — forte et suave, *fragrāre,* intr. Bonne —, *fragrantia, ae,* f. Qui a une bonne —, voy. PARFUMÉ. — forte, — de brûlé, *nidor, oris,* m. ‖ (P. ext.) Parfum, substance odorante. *Odor, oris,* m. *Ungnentum. i.* n.

odieusement, adv. D'une façon odieuse. *Odiosē,* adv. *Indignē,* adv.

odieux, *euse,* adj. Qui excite une grande haine. *Odiosus, a, um,* adj. *Invisus, a, um,* adj. *Invidiosus, a, um,* adj. Traitement —, *indignitas, atis,* f. Devenir, se rendre —, *in odium venire.* Rendre (qqn) —, *odium concitāre in aliquem.* Qui rend —, *invidiosus, a, um,* adj. ‖ (Subst.) L'— (d'une chose, d'une affaire), *invidia, ae,* f.; *odium, ii,* n.

odorant, *ante,* adj. Qui répand une odeur. *Odorus, a, um,* adj. Substance —, *odor, oris,* m.

odorat, s. m. Sens par lequel on perçoit les odeurs. *Odoratūs, ūs,* m. *Olfactūs, ūs,* m. Percevoir par l'—, *olfacēre,* tr.

odoriférant, *ante,* adj. Qui répand au loin une odeur agréable. *Bene olens.*

Odyssée, n. pr. Poème d'Homère. *Odyssea, ae,* f.

œcuménique, adj. Universel. *Oecumenicus, a, um*, adj. ‖ (Fig.) Voy. UNIVERSEL.

œdème, s. m. Gonflement dû à des infiltrations séreuses. Voy. TUMEUR.

œil, s. m. Organe de la vue. *Oculus, i*, m. Grandir à vue d'—, *sub manu, ut ajunt, nasci*. ¶ (P. ext.) Regard. *Oculus, i*, m. Fig. Entre quatre yeux, *secreto*, adv.; *sine arbitris*. A vue d'—, *oculorum judicio* et (spéc.), *specie, ut videtur* (opp. à *re vera*). Coup d'—, *conjectus oculorum*. Sous les —, de..., *ante oculos (alicujus)*. Avoir le compas dans l'—, *oculis rectis metiri aliquid posse*. ¶ (Au fig.) Regard observateur, attention. *Oculos alicujus praestringère*. Cela saute aux —, crève les —, *id est luce clarius*. Jeter de la poudre aux —, *fucum facère alicui*. Aux — de qqn, *alicujus judicio*. ‖ Regard vigilant, surveillance. *Oculus, i*, m. Avoir l'— sur, voy. SURVEILLER. ¶ Organe de la vue considéré comme trait du visage, de la physionomie. *Oculus, i*, m. Ouvrir de grands —, *magnopere mirāri*. ‖ (Fig.) Apparence, semblant. *Species, ei*, f. Qui a de l'—, *speciosus, a, um*, adj. ¶ Cet organe considéré comme interprète des mouvements de l'âme. *Oculus, i*, m. *Animus, i*, m. ¶ (Au fig.) Ce qui éclaire. *Oculus, i*, m. *Lumen, minis*, n. ‖ Ce qui rappelle la forme de l'œil. *Oculus, i*, m. *Gemma, ae*, f. — de la queue du paon, *oculus, i*, m.

œillade, s. f. Coup d'œil significatif. *Nictus, ūs*, m. Lancer des —, *nictāri*, dép. intr.

œillère, adj. et s. f. ‖ *Adj. f.* Voisine de l'œil. Les dents —, *et subst.* les —, *canini dentes*. ¶ *S. f.* Pièce de cuir placée près de chacun des deux yeux du cheval. *Operimentum oculorum*.

œillet, s. m. Fleur et plante. *Dianthus, i*, m.

œilleton, s. m. Rejeton d'une plante naissante, bourgeon naissant. *Oculus, i*, m. [vée. *Olearium papaver*.

œillette, s. f. Variété de pavot cultienanthe, s. f. Genre de plantes ombellifères. *Oenanthe, es*, f.

œsophage, s. m. Conduit qui porte les aliments de l'arrière-bouche à l'estomac. *Gula, ae*, f.

œuf, s. m. Masse arrondie que pond la femelle de l'oiseau. *Ovum, i*, n. ‖ (Absol.) L'œuf employé comme aliment. *Ovum, i*, n. Un blanc d'—, *albumen ovi*; *album ovi*. Un jaune d'—, *vitellus, i*, m. Le contenu d'un —, *ovum, i*, n. ‖ (Fig.) Écraser dans l'œuf, *comprimère initia (alicujus rei)*. ¶ (P. anal.) Ce qui a la forme d'un œuf. *Ovum, i*, n. Qui a la forme d'un —, *ovatus, a, um*, adj.

œuvre, s. f. et m. Application du travail, de l'industrie. *Opus, peris*, n. Mettre en — (des matériaux), *uti*, dép. intr.; *tractāre*, tr. Mise en —,

tractatio, onis, f. Mettre qqn à l'—, *adhibère aliquem in* (ou *ad*) *aliquid*. La main d'—, *opera, ae*, f. ‖ (Par anal.) En parl. d'une action morale, intellectuelle. *Opus, peris*, n. *Opera, ae*, f. Mettre en —, *adhibère*, tr.; *admovēre*, tr.; *uti*, dép. intr. Mettre tout en —, *omnia experiri*. Faire — d'ami, *munus* (ou *officium*) *amici praestāre*. Il est le fils de ses —, *ex se natus est*. ‖ (Théol.) Action humaine, conforme ou contraire à la religion. *Opus, eris*, n. ¶ (Par ext.) Résultat du travail, de l'industrie. *Opus, peris*, n. Les — de Cicéron, *Ciceronis libri*. ¶ *S. m.* Même trad. qu'au féminin. ‖ (Spéc.) L'ensemble de l'œuvre. ‖ Ensemble d'une bâtisse. *Opus, peris*, n. Le gros —, *aedificii moles*. A pied d'—, *sub ipsum aedificium*.

offensant, *ante*, adj. Qui offense. *Injuriosus, a, um*, adj. *Contumeliosus, a, um*, adj. Paroles —, *verborum contumeliae*.

offense, s. f. Parole, action qui blesse qqn dans sa dignité. *Contumelia, ae*, f. *Offensa, ae*, f. *Offensio, onis*, f. Graves —, *contumeliarum aculei*.

offenser, v. tr. blesser. *Offendère*, tr. Fig. — les yeux, les oreilles de qqn, *violāre oculos, aures alicujus*. ¶ (P. ext.) Fig. Blesser (qqn) dans sa dignité. *Offendère*, tr. *Laedère*, tr. *Violāre*, tr. (on dit aussi *injuriam [alicui] inferre* ou *facère*; *injuria afficère [aliquem]*). — (en paroles), *contumeliā afficère aliquem*. Se sentir, se regarder comme offensé, *injuriam sibi factam putāre*. S'— de qqch., (*aliquid*) *accipère in contumeliam*. ‖ Au part. passé pris substantivt. L'offensé, *qui injuriam accepit*.

offenseur, s. m. Celui qui offense, qui a offensé qqn. *Qui injuriam fecit*.

offensif, *ive*, adj. Qui attaque. *Infestus, a, um*, adj. *Infensus, a, um*, adj. Armes —, *arma, quae sunt ad nocendum; tela, orum*, n. pl. Guerre —, *bellum quod ultro infertur*. ‖ (Substantivt.) *Au fém.* Prendre l'—, *bellum* (ou *arma*) *ultro inferre*. Prendre l'— (dans un combat), *signa inferre*.

offertoire, s. m. Oblation du pain et du vin dans le sacrifice de la messe. *Offertorium, ii*, n.

office, s. m. Devoir. Voy. ce mot. ¶ Fonction dont on doit s'acquitter. *Officium, ii*, n. *Munus, eris*, n. Remplir l'— de qqn, *vice alicujus fungi; vicem alicujus praestāre* (ou *explēre*). ‖ (Spéc.) Nom donné à certaines charges civiles. *Munus, eris*, n. Nommer d'— qqn juge, *addicère aliquem judicem*. ‖ (P. ext.) Lieu où les domestiques préparent le service. *Cella penarta*. Chef d'—, *promus, i*, m. ¶ Ce dont on s'acquitte envers qqn. *Officium, ii*, n. ‖ (Spéc.) Service divin. *Sacra, orum*, n. pl.

officiel, *elle*, adj. Qui a la sanction

de l'autorité constituée. *Publicus, a, um*, adj. Pièce —, *diploma, matis*, n. Donner la nouvelle — de qqch., *publicē nuntiāre aliquid*.

officiellement, adv. D'une manière officielle. *Publicē*, adv.

1. officier, v. intr. Célébrer l'office divin. *Sacra facēre*.

2. officier, s. m. Celui qui a un office, une charge. || Celui qui a une charge civile. *Minister, tri*, m. *Magistratŭs, ūs*, m. ¶ Celui qui a une charge militaire. *Ductor ordinum; ordo, dinis*, m.

officieusement, adv. D'une manière officieuse. *Officiosē*, adv.

officieux, *euse*, adj. Qui cherche à rendre un bon office. || (En parl. des personnes) *Officiosus, a, um*, adj. Subst. Etre —, faire l'—, *come officium jactitāre*. || Obséquieux, importun. Voy. ces mots. ¶ (En parl. des choses.) *Officiosus, a, um*, adj. *Plenus officii*. Zèle —, *sedulitas, atis*, f.

officine, s. f. Lieu où se font les préparations pharmaceutiques. *Officina, ae*, f. || (Fig.) *Officina, ae*, f.

offrande, s. f. Hommage à Dieu sous forme de don. *Sacrum, i*, n. *Supplicium, ii*, n. ¶ (P. ext.) Ce qu'on offre à qqn. Voy. CADEAU, PRÉSENT.

offre, s. f. Action d'offrir. *Res oblata. Oblatum, i*, n. Faire — de service, faire des — de service, *operam suam (ad aliquid, in aliquā re)* offerre. || (Dans un marché, dans une vente.) L'— d'un prix, *pretium, ii*, n.

offrir, v. tr. Mettre (qqch.) à la disposition de qqn, sans qu'il la demande. *Offerre*, tr. *Deferre*, tr. *Parrigēre*, tr. *Dare*, tr. *Tradēre*, tr. — un sacrifice, *rem divinam facēre*. — le combat, *pugnandi potestatem facēre*. ¶ Mettre (qqch.) devant les yeux de qqn, sans qu'il le cherche. *Offerre*, tr. *Proferre*, tr. *Afferre*, tr. *Praebēre*, tr. S'— (à la vue, à l'esprit), *occurrēre*, intr.; *obversāri*, dép. intr.

offuscation, s. f. Action d'offusquer. Voy. OBSCURCISSEMENT. || (Spéc.) Affaiblissement passager de l'éclat du soleil. *Obscuratio solis*.

offusquer, v. tr. Couvrir d'obscurité en interceptant la lumière. *Officēre*, intr. *Obumbrāre*, tr. || (P. ext.) Embarrasser, charger. Voy. ces mots. || (Fig.) *Obscurāre*, tr. || (P. anal.) — qqn (troubler sa sérénité), *offendēre aliquem*. Je suis offusqué de, je m'— de ..., *me taedet* ou *piget (alicujus rei)*.

ognon. Voy. OIGNON.

ogre, s. m. Géant représenté comme se nourrissant de chair humaine. *Manducus, i*, m.

oh, interj. Interjection marquant surprise. *Oh! Papae! Heu!* || Interpellation soudaine. Voy. O. ! ¶ Elan de l'âme vivement émue. Voy. O.! || Exclamation de douleur. *Oi!*

oie, s. f. Oiseau palmipède. *Anser, seris*, m. Petite —, *anserculus, i*, m. D'—, *anserinus, a, um*, adj.

oignon, s. m. Plante potagère. *Cepa, ae*, f. *Cepe, is*, n. Plant d'—, *cepina, ae*, f. Marchand d'—, *ceparius, ii*, m.

oindre, v. tr. Frotter de quelque matière grasse. *Ungēre*, tr. *Linēre*, tr. *Oblinēre*, tr. ¶ (Spéc.) Consacrer en frottant d'huile sainte. *Ungēre*, v. tr.

Oise, n. pr. Affluent de la Seine. *Isara, ae*, m.

oiseau, s. m. Animal à deux pieds et à membres en forme d'ailes. *Avis, is*, f. *Volucris, is*, f. *Ales, litis*, f. D'—, à —, relatif aux —, *aviarius, a, um*, adj. — dont le vol servait de présage, *ales, litis*, m. — dont la voix servait de présage, *oscen, cinis*, m. Fig. A vue d'—, *ex sublimi*. A vol d'—, *rectā regione*.

oiseler, v. tr. et intr. || (V. tr.) Dresser (l'oiseau de proie) pour la chasse. Voy. DRESSER. ¶ (V. intr.) Tendre aux oiseaux des lacets, des gluaux. *Aucupāri*, dép. tr. [*seaux. Auceps, cupis*, m.

oiseleur, s. m. Celui qui prend des oiselier, s. m. Celui qui élève, qui vend des oiseaux. *Aviarius, ii*, m.

oisellerie, s. f. Métier d'oiselier. *Aucupium, ii*, n. [*Otiosus, a, um*, adj.

oiseux, *euse*, adj. Qui ne sert à rien. oisif, *ive*, adj. Qui est à ne rien faire. *Otiosus, a, um*, adj. *Deses* (gén. -*sidis*), adj. Qui rend —, *desidiosus, a, um*, adj. Etre —, *otiari*, dép. intr.: *cessāre*, intr.; *sedēre*, intr.; *desidēre*, intr. || Subst. masc. Un —, *homo desidiosus*; Les —, *otiosi*. m. pl. *deses* ou *otiosus*. Les —, *otiosi*. m. pl.

oisivement, adv. D'une manière oisive. *Otiosē*, adv.

oisiveté, s. f. Etat d'une personne oisive. *Otium, ii*, n. *Desidia, ae*, f. Etre dans l'—, *cessāre*, intr. Vivre dans l'—, *otiosē vivēre*.

oison, s. m. Petit de l'oie. *Anseris pullus*.

oléagineux, *euse*, adj. Qui est de la nature de l'huile. *Oleo similis*.

oligarchie, s. f. Forme de gouvernement où l'autorité est aux mains d'un petit nombre. *Paucorum potentia* (ou *dominatio*). Etablir une —, *rem ad paucos transferre*.

oligarchique, adj. Qui appartient à l'oligarchie. Un gouvernement —, *res publica quae paucorum potestate regitur*. [*vitas, atis*, f.

olivaison, s. f. Récolte des olives. olive, s. f. Fruit de l'olivier. *Oliva, ae*, f. *Olea, ae*, f. Huile d'—, *oleum, i*, n.

olivier, s. m. Arbre à feuillage toujours vert, qui produit l'olive. *Olea, ae*, f. *Oliva, ae*, f. D'—, *oleagineus* (et *oleaginus*), *a, um*, adj. Plantation d'—, *olivetum, i*, n. — sauvage, *oleaster, tri*, m.

olographe, adj. Ecrit tout entier de la main de l'auteur. *Meā (tuā, suā) manu scriptus*. [*pus, i*, m.

Olympe, s. m. Séjour des dieux. *Olym-*

olympiade, s. f. Période de quatre ans. *Olympias, adis,* f. [*pia, ae,* f.

Olympie, n. pr. Ville d'Elide. *Olympia.*

olympien, ienne, adj. Relatif à l'Olympe. *Olympius, a, um,* adj.

ombilic, s. m. Nombril. Voy. ce mot.

ombilical, adj. Qui tient au nombril. (Traduire par le génit. *umbilici.*)

ombrage, s. m. Feuillage qui donne de l'ombre. *Umbraculum, i,* n. *Umbra, ae,* f. ‖ (P. ext.) Ombre. Voy. ce mot. Faire —, *umbram facĕre.* ‖ (Fig.) Ce qui offusque, inquiète. *Suspicio, onis,* f. Faire — (à qqn), *officĕre (alicui).*

ombrager, v. tr. Protéger contre le soleil en donnant de l'ombre, *et, p. ext.,* mettre, laisser dans l'ombre. *Opacāre,* tr. (on dit aussi *umbram facĕre,* ou *umbrā operire*). Ombragé, *opacus, a, um,* adj. Lieu ombragé, *umbraculum, i,* n.

ombrageux, euse, adj. Qui s'inquiète, qui s'offraie. *Formidolosus, a, um,* adj. ¶ (Fig.) Qui s'offusque, qui s'entête d'un rien. *Sollicitus, a, um,* adj. *Suspiciosus, a, um,* adj.

ombre, s. f. Partie d'un espace éclairé où la lumière est interceptée par la présence d'un corps opaque. *Umbra, ae,* f. Fig. Jeter de l'— sur, *obscurāre,* tr. Faire — à qqn., voy. OFFUSQUER. ‖ (Peint.) Partie d'un tableau que le peintre laisse obscure, pour représenter une place où la lumière serait interceptée. *Umbra, ae,* f. ¶ Partie non éclairée représentant la forme du corps opaque qui intercepte la lumière. *Umbra, ae,* f. ‖ (Fig.) Apparence vaine. *Umbra, ae,* f. *Effugies, ei,* f. ‖ Faible apparence d'une chose. *Umbra, ae,* f. *Imago, ginis,* f. ‖ (P. ext.) Simulacre du corps vivant. *Umbra, ae,* f. ‖ Image d'un mort apparaissant à qqn. Voy. FANTOME. ¶ Absence de clarté. *Umbra, ae,* f. *Tenebrae, arum,* f. pl. ‖ (Fig.) Obscurité de ce qui est caché. Voy. TÉNÈBRES, OBSCURITÉ. ¶ Protection que donne un ombrage contre les rayons du soleil. *Umbra, ae,* f. ‖ (Fig.) Abri protecteur. *Umbra, ae,* f. ¶ Ombre-chevalier (poisson). *Umbra, ae,* f. [*Umbraculum, i,* n.

ombrelle, s. f. Petit parasol de dame.

ombrer, v. tr. Marquer de traits, de teintes qui mettent certaines parties dans l'ombre. *Umbrā distinguĕre.*

ombreux, euse, adj. Qui donne de l'ombre. *Opacus, a, um,* adj.

Ombrie, n. pr. Province d'Italie. *Umbria, ae,* f. Habitants de l'—, *Umbri, orum,* m. pl.

omettre, v. tr. Laisser de côté (qqch. qu'on doit dire ou faire). *Mittĕre,* tr. *Omittĕre,* tr. *Praetermittĕre,* tr. *Negligĕre,* tr. — en lisant, en écrivant, — à dessein, *praeterire,* tr. — de faire qqch., — de dire, de rappeler, etc., *relinquĕre,* tr.; *tacēre,* tr.

omission, s. f. Action d'omettre.

Praetermissio, onis, f. ‖ (P. ext.) Chose omise. *Res omissa.* Des —, *praeterita, orum,* n. pl.

omnipotence, s. f. Pouvoir de faire ce qu'on veut. *Infinita* (ou *omnium rerum*) *potentia.*

omnipotent, adj. Qui a le pouvoir de faire tout ce qu'il veut. *Omnium rerum potens.*

omniscience, s. f. Science de toutes choses. *Omnium rerum scientia.*

omnivore, adj. Qui se nourrit d'aliments de toute espèce. Etre —, *vesci omnibus.*

omoplate, s. f. Os triangulaire et plat de l'épaule. *Latum os scapularum.* Les —, *scapulae, arum,* f. pl. ¶ (P. ext.) Le plat de l'épaule. Voy. ÉPAULE.

on, s. indéf. Désigne une ou plusieurs personnes : quelqu'un, des gens. *Quis,* pron. indéf. *Aliquis,* pron. indéf. *Quispiam,* pron. indéf. *Homo* ou *homines.* On me loue, *laudor.* On court, *curritur.* ‖ (Subst.) Un on-dit, des on-dit. *Sermo, onis,* m. *Rumor, oris,* m. [*gri,* m.

onagre, s. m. Ane sauvage. *Onager,*

1. once, s. f. Ancien poids, douzième partie de la livre romaine, etc. *Uncia, ae,* f. D'une —, du poids d'une —, *uncialis, e,* adj. Once par —, *unciatim,* adv. Demi —, *semuncia, ae,* f. D'une demi —, *semunciarius, a, um,* adj. Une — et demie, *sescuncia, ae,* f.

2. once, s. f. Lynx. Voy. ce mot.

onciaire, adj. Qui se rapporte à l'once. *Unciarius, a, um,* adj.

oncial, adj. Caractères —, lettres — (grands caractères employés dans les inscriptions, etc.), *litterae grandes* ou *maximae.*

oncle, s. m. Frère du père *ou* de la mère, — paternel, *patruus, i,* m. De l'— paternel, *patruus, a, um,* adj. — maternel, *avunculus, i,* m. Grand — (paternel), *patruus magnus.* Grand — (maternel), *magnus avunculus.*

onction, s. f. Action d'oindre. *Unctio, onis,* f. *Unctŭs, ŭs,* m.

onctueusement, adv. D'une manière onctueuse. *Suaviter,* adv.

onctueux, euse, adj. Qui est propre à oindre; gras, huileux. *Unguinosus, a, um,* adj. *Pinguis, e,* adj.

onde, s. f. Eau (de la mer, d'un fleuve, etc.) qui se déplace. *Unda, ae,* f. Les — de la mer, voy. VAGUE. Agitation de l'—, *aestŭs, ŭs,* m. ¶ (Par anal.) Ce qui s'élève et s'abaisse comme l'onde. *Unda, ae,* f. *Fluctŭs, ŭs,* m.

ondée, s. f. Averse subite de peu de durée. *Imber* (ou *nimbus*) *repente effusus.*

ondoiement, s. m. Mouvement de ce qui ondoie. *Fluctuatio, onis,* f.

ondoyant, ante, adj. Qui s'élève et s'abaisse alternativement. *Undans* (gén. *-antis*), p. adj. *Fluctuosus, a, um,* adj. Mouvement —, *fluctuatio, onis,* f. Etre —, voy. ONDOYER. ‖ (Par anal.)

En parl. d'un vêtement, d'une draperie. *Fluctuans* (gén. -*antis*), p. adj ‖ (Fig.) Caractère —, *fluctuatio animi.*

ondoyer, v. intr. S'élever et s'abaisser alternativement. *Undare*, intr.

ondulant, ante, adj. Qui ondoie. *Fluctuans* (gén. -*antis*), p. adj.

ondulation, s. f. Mouvement sinueux. *Fluctûs, ûs*, m. Les — des vagues, *undae, arum*, f. pl.

ondulé, *ée*, adj. Qui a des contours sinueux, *Undulatus, a, um*, adj.

onduler, v. intr. et tr. ¶ (*V. intr.*) Avoir des mouvements sinueux. *Undâre* intr. *Sinuâri*, pass. moy. ¶ (*V. tr.*) Rendre ondulé. *Sinuâre*, tr.

onduleux, *euse*, adj. Qui a des mouvements sinueux. *Sinuosus, a, um*, adj.

onéreusement, adv. D'une manière onéreuse. *Sumptuosê*, adv.

onéreux, *euse*, adj. Qui impose des charges, des frais. *Onerosus, a, um*, adj. *Gravis, e*, adj. *Sumptuosus, a, um*, adj. Charge —, *onus, eris*, n. Guerres —, *gravitas belli.* ‖ (Fig.) *Onerosus, a, um*, adj. *Gravis, e*, adj. *Molestus, a, um*, adj. Etre —, *esse oneri (alicui),*

ongle, s. m. Lame cornée implantée à l'extrémité des doigts. *Unguis, is* (abl. ord. *ungue*), m. *Unguiculus, i*, m. ¶ (Spéc.) Griffe, serre. *Unguis, is*, m.

onglée, s. f. Engourdissement au bout des doigts. *Extremorum digitorum torpor.* [i, m.

onglet, s. m. Petit ongle. *Unguiculus,*

onguent, s. m. Médicament de substance molle. *Medicamentum, i*, n. Frotter d'un —, *ungêre*, tr.

onyx, s. m. Agate fine. *Onyx, nychis* (Acc. *nycha*, Acc. pl. *nychas*), m. et f.

onze, adj. et s. m. ‖ *Adj.* (numéral indéclinable). Dix plus un. *Undecim*, adj. indécl. — par —, — à la fois, *undeni, ae, a*, adj. — fois, *undecies*, adv. ‖ (Par ext.) Au sens ordinal. *Undecimus, a, um*, adj. Ellipt. Le — du mois, *undecimus dies.*

onzième, adj. et s. m. ‖ *Adj.* (Numéral ordinal.) Qui vient après le dixième. *Undecimus, a, um*, adj. Pour la — fois, *undecimum.*

onzièmement, adv. En onzième lieu (dans une énumération). *Undecimo*, adv.

opacité, s. f. Propriété qu'a un corps d'être opaque. *Natura non pellucida.*

opale, s. f. Pierre volcanique à reflets chatoyants. *Opalus, i*, m.

opaque, adj. Qui ne laisse pas passer la lumière. *Non pellucidus.*

opérateur, s. m. Voy. CHIRURGIEN.

opération, s. f. Action d'opérer, travail. *Res agenda* ou *gerenda*. *Res acta* ou *gesta* ou simpl. *res, rei*, f. Faire une —, voy. OPÉRER. Plan d'—, *rei agendae ratio.* — militaire, *res (bello) gerenda* ou *gesta*, ou simpl. *res, rei*, f. Le plan des —, *omnis* (ou *totius*) *belli* (ou *gerendi belli*) *ratio.* Confier à qqn la direction

des —, *bellum alicui deferre.* — chirurgicale, *curatio, quae manu editur.* Faire une —, voy. OPÉRER. ‖ (Mathém.) Calculs. Voy. CALCUL.

opératoire, adj. Relatif aux opérations chirurgicales. Voy. CHIRURGICAL.

opercule, s. m. Appareil destiné à fermer certains orifices. *Operculum, i*, n.

opérer, v. tr. En parl. d'un principe, d'action : accomplir l'œuvre qui lui est propre. *Facêre*, tr. *Efficêre*, tr. — des miracles, *miracula edêre.* S'—, *fieri*, intr. ‖ En parl. d'un général, d'une armée. *Rem agêre* (ou *gerêre*). ‖ Absolt. *Vim habêre.* *Efficacem* (ou *efficax*) *esse.* (En parl. d'un remède.) Voy. AGIR. Qui opère, voy. EFFICACE. ‖ (Par ext.) Soumettre à une opération chirurgicale. *Manu curâre.* *Secâre (aliquem* ou *aliquid).* Se faire —, être opéré, se laisser —, *secâri se pati.* [*ae*, m.

ophite, s. m. Marbre vert. *Ophites,*

ophtalmie, s. f. Maladie inflammatoire de l'œil. *Lippitudo, inis*, f. (on dit aussi : *inflammatio oculorum; valetudo* ou *morbi oculorum*). Avoir une —, souffrir d'une —, *morbo oculorum affici.*

opiacé, *ée*, adj. Qui contient de l'opium. Voy. OPIUM. [*spolia.*

opime, adj. Dépouilles —, *opina*

opinant, ante, s. m. et f. Celui, celle qui opine. Qui (*quae*) *sententiam dicit.*

opiner, v. intr. Énoncer une opinion. *Sententiam dicêre* (ou *pronuntiâre* ou *ferre* ou *aperîre*). — pour qqch., *suffragari alicui rei.*

opiniâtre, adj. Tenace dans son opinion, dans sa résolution. *Pertinax* (gén. -*acis*), adj. *Pervicax* (gén. -*acis*), adj. Etre —, voy. OBSTINER. ‖ (Par ext.) En parl. des choses. *Pertinax* (gén. -*acis*), adj. *Obstinatus, a, um*, p. adj. *Tenax* (gén. -*acis*), adj. Combat —, *acerrimum proelium.*

opiniâtrément, adv. D'une manière opiniâtre. *Pertinaciter*, adv.

opiniâtrer, v. tr. Voy. OBSTINER.

opiniâtreté, s. f. Caractère opiniâtre. *Pertinacia, ae*, f. *Pervicacia, ae*, f.

opinion, s. f. Manière de juger sur une question. *Opinio, onis* (« conjecture, opinion, croyance »), f. *Sententia, ae*, f. *Judicium, ii*, n. Divergence d'—, *dissensio, onis*, f. ‖ (Spéc.) Manière de juger en philosophie, *Sententia, ae*, f. Cette — d'Aristippe, *illud Aristippeum.* ‖ Manière de penser d'un parti politique. *Sensûs, ûs*, m. Avoir les mêmes — politiques, *idem de re publica sentire.* ‖ (Absol.) Manière de penser qui, vraie ou fausse, ne repose pas sur un fondement certain. *Opinio, onis*, f. *Opinatio, onis*, f. ¶ Manière dont on juge une personne. *Opinio, onis*, f. *Judicium, ii*, n. *Existimatio, onis*, f. Avoir (telle ou telle) — (de qqn), *existimâre*, tr. Avoir une haute — de soi-même, *multum sibi tribuêre.* Avoir l'— contre soi, *adverso rumore esse.*

opium, s. m. Substance narcotique. *Opium, ii,* n.

opportun, *une,* adj. Qui est à propos. *Opportunus, a, um,* adj. *Commodus, a, um.* Au moment —, *in tempore; opportunè,* adv.

opportunément, adv. D'une manière opportune. *Opportunè,* adv.

opportunité, s. f. Caractère de ce qui est opportun. *Opportunitas, atis,* f. *Commoditas, atis,* f.

opposable, adj. Qui peut être opposé. *Qui (quae, quod) opponi (alicui rei) potest* ou *contra (aliquid) poni potest.* || Fig. *Qui (quae, quod) interponi potest.*

opposant, *ante,* adj. Qui s'oppose à (qqn ou qqch.) *Qui (quae, quod) obsistit (alicui rei). Contrarius, a, um,* adj. *Adversus, a, um,* p. adj. Partie —, *et subst.* un —, *intercessor, oris,* m.

opposer, v. tr. Placer (une chose) vis-à-vis d'une autre en sens contraire. *Opponère,* tr. Opposé, *oppositus, a, um,* p. adj.; *contrarius, a, um,* adj.; *adversus, a, um,* p. adj. (on dit aussi *contra* ou *ex adverso positus* ou *situs*); *diversus, a, um,* p. adj. Etre —, *dissidère,* intr. Etre d'un avis —, *dissidère,* intr. ¶ Placer (une personne, une chose) en face d'une autre, pour lui faire obstacle. *Opponère,* tr. *Objicère,* tr. S'—, être opposé, *obstàre,* intr.; *obsistère,* intr. || (Fig.) Faire résister à (qqn, qqch.). *Opponère.* S'—, *obsistère,* intr.; *resistère,* intr.; *occurrère,* intr.; *repugnàre,* intr. || Alléguer (qqch.) contrairement à ce qu'un autre dit ou pense. *Opponère,* tr. S'— au rachat des captifs, *de captivis redimendis dissuadère.*

opposite, s. m. Situation opposée. *Contrarium, ii,* n. A l'—, *contra,* adv.

opposition, s. f. Position d'une chose vis-à-vis d'une autre, en sens contraire. La lune en — avec le soleil, *luna soli opposita.* || (Fig.) Rapport de deux choses directement contraires. *Discrepantia, ae,* f. *Repugnantia, ae,* f. Etre en — avec, *repugnàre,* intr.; *discrepàre,* intr; *adversari,* dép. intr. Mettre en — avec, *opponère,* tr. — de sentiments, *dissensio, onis,* f. ¶ (Fig.) Tentative pour résister à qqn, faire obstacle à qqch. *Pugna, ae,* f. *Certamen, minis,* n. Sans —, *nullo repugnante,* Faire de l'—, *obnuntiàre* (« s'opposer à la tenue des comices »), intr.; *intercedère* (« intervenir de façon à empêcher »), intr. — (légale), *intercessio, onis,* f. Celui qui fait —, *intercessor, oris,* m. Je mets —, *veto.* — d'un père (à un mariage), *adversa patris voluntas.*

oppresser, v. tr. Contraindre par une autorité tyrannique. Voy. OPPRIMER. ¶ (Spéc.) Gêner (la poitrine) comme par une pression, respirer péniblement. *Opprimère,* tr. *Angère,* tr. Respiration oppressée, *spiritus angustior.* Etre oppressé, *spiritum trahère.*

oppresseur, e. m. Celui qui opprime.

Oppressor, oris, m. [Voy. VEXATOIRE.]

oppressif, *ive,* adj. Qui opprime.

oppression, s. f. Contrainte d'une autorité tyrannique. *Oppressio, onis,* f. Tenir un état dans l'—, *civitatem oppressam tenère.* ¶ (Spéc.) Etat de gêne où l'on respire difficilement. *Spiritus angustior.*

opprimer, v. tr. Contraindre par une autorité tyrannique. *Opprimère,* tr. Etre opprimé, *jugum ferre.* Subst. Les opprimés, *qui oppressi tenentur.*

opprobre, s. m. Déshonneur public. *Opprobrium, ii,* n. *Dedecus, oris,* n. || (P. ext.) Celui, celle qui cause ce déshonneur. *Dedecus, oris,* n. *Opprobrium, ii,* n.

optatif, s. m. Mode exprimant le souhait. *Modus optativus* ou simpl. *optativus i,* m. [sieurs. partis. Voy. CHOISIR.

opter, v. intr. Se déterminer entre plusieurs partis. Voy. CHOISIR.

option, s. f. Action d'opter. *Optio, onis.* f.

optique, adj. et s. f. || *Adj.* Relatif aux phénomènes de la lumière et de la vision. *Ad visum pertinens.* ¶ *S. f.* Science des phénomènes de la lumière et de la vision. *Optice, es,* f. Illusion d'—, *oculorum mendacium.*

opulemment, adv. D'une manière opulente. Voy. RICHEMENT.

opulence, s. f. Déploiement d'une grande richesse. *Opulentia, ae,* f.

opulent, *ente,* adj. Qui déploie une grande richesse. *Opulentus, a, um,* adj.

opuscule, s. m. Petit ouvrage (littéraire, scientifique, etc.). *Opusculum, i,* n. *Libellus, i,* m.

1. or, s. m. Métal précieux. *Aurum, i,* n. Qui a l'éclat de l'—, *aureus, a, um,* adj. Garni d'—, *auratus, a, um,* adj. D'—, en —, *aureus, a, um,* adj. Vaisselle d'—, objet en —, *aurum, i,* n. La toison d'—, *aurata pellis.* ¶ Objet précieux, ornement en or. *Aurum, i,* n. || (Spéc.) Monnaie d'or. *Aurum, i,* n. A prix d'—, *magno pretio.* Fig. Richesse. Voy. ce mot. ¶ Chose précieuse, excellente. *Aurum, i,* n. L'âge d'—, *aurea aetas.*

2. or, adv. Maintenant. Voy. ce mot. || Tantôt. Voy. ce mot. ¶ (P. ext.) Au point où nous en sommes. — — sus, — ça, *age! agedum! eia!* ¶ Au point où en est le raisonnement. *Autem,* conj. (se place le second mot). || (Spéc.) Pour amener la mineure d'un syllogisme. *Atqui,* conj.

oracle, s. m. Réponse faite au nom de la divinité. *Oraculum, i,* n. *Responsum, i,* n. || (P. ext.) La divinité rendant les oracles. *Oraculum, i,* n. Envoyer consulter l'— de Delphes, *mittère Delphos consultum.* ¶ (Fig.) Réponse, décision considérée comme infaillible. *Oraculum, i,* n. ¶ (P. ext.) Celui qui rend cette réponse, cette décision. *Oraculum, i,* n. *Vates, is,* m.

orage, s. m. Trouble de l'atmosphère.

Procella, ae, f. Qui amène des —, fécond en —, *procellosus, a, um,* adj. ¶ (Fig.) Ce qui vient troubler la sécurité d'une personne, d'un peuple. *Procella, ae,* f. *Tempestas, atis,* f. Cette année vit de nombreux —, *hic annus multa turbulenta habuit.* || Ce qui vient troubler la tranquillité de l'âme. *Procella, ae,* f. Les — du cœur, des passions. *turbidi animorum motus.*

orageusement, adv. D'une manière orageuse. *Turbidē,* adv.

orageux, *euse,* adj. Troublé par l'orage. *Procellosus, a, um,* adj. *Turbulentus, a, um,* adj. *Nimbosus, a, um,* adj. Mer —, *mare vi ventorum agitatum atque turbatum.* Ciel —, *turbidum caelum.* || (Fig.) *Turbulentus, a, um,* adj. *Tumultuosus, a, um,* adj. Réunions, séances —, *fluctus contionum.*

oraison, f. Œuvre destinée à être récitée. *Oratio, onis,* f. Spéc. — funèbre voy. FUNÈBRE. ¶ Prière à Dieu. *Oratio, onis,* f.

oral, *ale,* adj. Qui est dit, transmis par la bouche. *Praesens* (gén. *-entis*), adj. Tradition —, *memoria, ae,* f.

orange, s. f. Fruit de l'oranger. *Malum Medicum.* [*sio, onis,* f.

Orange, n. pr. Ville de France. *Aurao-*

orangé, *ée,* adj. Qui est de couleur orange. Voy. DORÉ.

oranger, s. m. Arbuste toujours vert. *Arbor Medica.*

orateur, s. m. Celui qui fait, qui prononce un discours. *Orator, oris,* m. Etre un grand —, *multum valēre dicendo.* D'—, *oratorius, a, um,* adj || (Spéc.) Celui qui prend la parole au nom des autres. *Interpres, pretis,* m. || (P. ext.) Homme éloquent. *Disertus homo.* Qui n'est pas —, *infans* (gén. *-antis*), adj.

1. oratoire, adj. Qui appartient à l'orateur. *Oratorius, a, um,* adj. Talent —, *facultas dicendi.* Le geste —, action —, *motus, us,* m.

2. oratoire, s. m. Petite pièce destinée à prier. *Sacrarium, ii,* n.

orbe, s. m. Surface circulaire. *Orbis, is,* m. ¶ (Spéc.) Cercle parcouru par les astres. *Orbis, is,* m.

orbite, s. f. Cavité osseuse de l'œil. *Orbis, is,* m. ¶ (Astron.) Courbe que décrivent certains corps célestes. *Orbis, is,* m. *Ambitūs, ūs,* m.

orchestre, s. m. Partie du théâtre grec destinée aux évolutions du chœur. *Orchestra, ae,* f. || Partie du théâtre où se plaçaient les sénateurs et les vestales. *Orchestra, ae,* f. ¶ Partie du théâtre moderne où se placent les musiciens. *Orchestra, ae,* f. || (P. ext.) L'ensemble de ces musiciens. *Symphonia, ae,* f. *Symphoniaci homines.* || P. anal.) Tout ensemble de musiciens jouant des morceaux concertants. *Symphonia, ae,* f.

ordinaire, adj. Qui est selon l'ordre habituel. *Ordinarius, a, um,* adj. *Solitus, a, um,* p. adj. *Usitātus, a, um,* p. adj. *Quotidianus, a, um,* adj. || (P. ext.) Qui arrive habituellement à qqn. *Consuetus, a, um,* p. adj. ¶ *Subst. au masc.* Ce qui compose les repas habituels. *Quotidianus victus.* || (Loc. adv.) A l'—, *ut solet*; *ut fit.* Contre l'—, *extra ordinem*; *praeter consuetudinem.* || (Par anal.) *Subst. au masc.* Ce qui arrive habituellement à qqn. *Mos, moris,* m. *Consuetudo, dinis,* f. || (Loc. adv.) D'—, *plerumque,* adv.; *ferē,* adv. ¶ Qui est au degré habituel. *Communis, e,* adj. *Vulgaris, e,* adj. *Vilis, e,* adj. D'une façon —, *vulgari hominum consuetudine.* || *Subst. au masc.* Ce qui constitue le degré habituel. *Ordo, dinis,* m.

ordinairement, adv. D'une manière ordinaire, comme il arrive habituellement. *Plerumque,* adv. *Vulgo,* adv. Comme il arrive —, *ut ferē fit* : *ut solet fieri,* ou simpl. *ut solet* (s.-e. *fieri*); *ita ut fit.* Il est — vainqueur, *vincēre consuevit.*

ordinal *ale,* adj. Qui marque le rang, l'ordre dans une série. *Ordinalis, e,* adj. Le nombre —, *ordinarius numerus.*

ordinateur, s. m. Voy. ORDONNATEUR.

ordination, s. f. Action de conférer, de recevoir les ordres sacrés. *Ordinatio, onis,* f.

ordonnance, s. f. Disposition des choses dans un certain ordre. *Ordo, dinis,* m. *Dispositio, onis,* f. *Compositio, onis,* f. L'— de l'univers, *descriptio omnium rerum.* L'— d'une ville, *urbis descriptio.* L'— d'un festin, *apparatus convivii.* — artistique, élégante, *concinnitas, atis,* f. L'— architecturale, *ordinatio, onis,* f. Belle — des constructions, *dispositio, onis,* f. ¶ Prescription (du pouvoir exécutif ou de ses délégués). *Decretum, i,* n. *Edictum, i,* n. — de l'empereur, *praeceptio, onis,* f. — religieuses, *religiones, um,* f. pl. Chose d'— (conforme à ce qui est prescrit, *res legitima* (ou *justa*). || (P. ext.) Ellipt. Une — (cavalier qui porte des ordres), *explorator, oris,* m. || Domestique militaire d'un officier, *militaris famulus.* — du proconsul, *stator, oris,* m. ¶ Prescription de médecin. *Imperium, ii,* n. Faire une —, *imperāre,* tr. ¶ Mandat de payement. *Perscriptio, onis,* f.

ordonnancement, s. m. Action d'ordonnancer. *Attributio, onis,* f.

ordonnancer, v. tr. Déclarer bon à payer (un mémoire). *Attribuĕre,* tr. *Perscribĕre,* tr.

ordonnateur, *trice,* s. m. et f. Celui, celle qui ordonne, qui dispose dans un certain ordre. *Instructor, oris,* m. *Dispositor, oris,* m. — des jeux, d'une fête, *procurator, oris,* m. Ordonnatrice, *ordinatrix, tricis,* f. ¶ Ordonnateur des pompes funèbres. *Designator, oris,* m.

ordonner, v. tr. Disposer dans un certain ordre. *Ordināre*, tr. — (sur le terrain), *discrībĕre*, tr. ‖ Ordonner (un prêtre). *Ordināre*, tr. ¶ (Par ext.) Prescrire les dispositions à prendre au sujet de qqn, de qqch. *Praescribĕre*, tr. *Praecipĕre*, tr. *Edicĕre*, tr. *Statuĕre*, tr. *Constituĕre*, tr. *Decernĕre*, tr. ¶ Imposer à qqn de faire qqch. *Imperāre*, tr. *Jubēre*, tr. ¶ (Spéc.) Prescrire tel ou tel traitement (en parl. d'un médecin). *Jubēre*, tr. *Imperāre*, tr.

ordre, s. m. Disposition régulière des choses, les unes par rapport aux autres. ‖ (Dans l'espace.) *Ordo, dinis*, m. Mettre en —, *ordināre*, tr.; *disponĕre*, tr.; *digerĕre*, tr.; *componĕre*, tr. Tout est en —, *omnia explicata sunt*. — de bataille, *acies, ei*, f. Mettre des troupes en — de bataille, *copias* (ou *aciem*) *instruĕre*. ‖ (Dans le temps.) *Ordo, dinis*, m. — de succession, *vices* (dat. abl. *vicibus*), f. pl.; *vicissitudo, dinis*, f. Par — de succession, *ordine; deinceps*, adv. ‖ (Dans une hiérarchie.) *Ordo dinis*, f. *Nota, ae*, f. (voy. SORTE). ‖ (Par ext.) Chacun des groupes importants que comporte une classification. *Ordo, dinis*, m. — d'architecture, *genus* (ou *ratio*) *columnarum*. — dorique, *columnae Doricae*. ‖ (Dans les affaires humaines, dans les pensées, les sentiments). *Ordo, dinis*, m. *Ratio, onis*, f. *Disciplina, ae*, f. L'— public, *pax civilis*. L'— établi, *res, rerum*, f. pl. En —, qui est en —, où il y a de l'—, *compositus, a, um*, p. adj. Avec —, *compositē*, adv. Mettre de l'— dans qqch., *aliquid in ordinem adducĕre*. Mettre à, *aliquid in ordinem adducĕre*. Mettre bon — (*aliquid*) *comprimĕre* (ou *reprimĕre*). ¶ Disposition qu'on prescrit à qqn de prendre. *Jussum, i*, n. *Imperatum, i*, n. *Imperium, ii*, n. *Mandatum, i*, n. Je reçois l'— de (av. l'inf.), *jubeor* (av. l'inf.) Ayant reçu l'— de faire..., *jussus facĕre*... — écrit, *litterae, arum*, f. pl.; *tabellae, arum*, f. pl. Donner l'—, un —, voy. ORDONNER. ¶ Action d'imposer à qqn de faire qqch. *Jussŭs, Abl. ŭ*. m. (usité seul. à l'Abl. sing.) *Imperium, ii*, n. Sur l'— de qqn, *jubente aliquo ; jussus ab aliquo*. Sans —, *alicujus injussu*. [*Sordes, ium*, f. pl.]

ordure, s. f. Partie sale ou de rebut.

ordurier, *ière*, adj. Qui souille par des grossièretés. *Immundus, u, um*, adj.

oréade, s. f. Nymphe des montagnes, des bois. *Oreas, adis* (Acc. sing. *ada*, Acc. pl. *adas*), f.

oreille, s. f. Organe de l'ouïe. *Auris, is*, f. Qui ferme l'— à (qqch.), voy. SOURD. Ventre affamé n'a point d'—, *venter jejunus praecepta non audit*. ¶ (P. ext.) Ouïe. *Auris, is*, f. (ordin. au plur. *aures*). Etre dur d'—, *tardē audire*. Aux — de qqn, *aliquo audiente*. Faire la sourde —, *surdum esse (alicui suadenti*). ‖ (Spéc.) Délicatesse de l'ouïe

pour apprécier les sons. *Auris, is*, f. (ordin. pl. *aures*). ‖ (P. ext.) Il a les — délicates, *aures ejus respuunt aliquid*. ¶ (Fig.) Action d'écouter, attention favorable qu'on prête à qqn. *Aures, ium* f. pl. ¶ Partie externe de l'organe de l'ouïe. *Auris, is*, f. Lobe de l'—, *auricula, ae*, f. Trou percé au lobe de l'—, *fenestra, ae*, f. Des pendants, des boucles d'—, *inaures, ium*, f. pl. ¶ (P. anal.) Partie latérale saillante. *Ansa, ae*, f. — (d'un soulier), *ligula, ae*, f. — (d'une charrue), *auris, is*, f. Les — d'une ancre, *unci, orum*, m. pl.

oreiller, s. m. Coussin destiné à soutenir la tête. *Pulvinus, i*, m. D'—, *pulvinaris, e*, adj. [*Orestes, is*, m.]

Oreste, n. pr. Fils d'Agamemnon.

orfèvre, s. m. Celui qui vend ou fabrique des objets en or ou en argent. *Aurifex, ficis*, m.

orfèvrerie, s. f. Profession de l'orfèvre. *Ars aurificis*. ‖ Ouvrage de l'orfèvre. *Factum aurum* (ou *argentum*).

orfraie, s. f. Oiseau de proie. *Ossifragus, i*, m. et *ossifraga, ae*, f.

organe, s. m. Dans un corps vivant, groupe d'éléments coordonnés pour accomplir une fonction. *Pars corporis*. Instrumentum, i, n. Les — digestifs, *instrumenta ciborum*. Les — essentiels à la vie, *vitalia, ium*, n. pl. — des sens, *sensŭs, ŭs*, m. ‖ (Spéc.) La voix considérée comme servant à exprimer les pensées, etc. *Vox, vocis*, f. *Os, oris*, n. Un orateur qui a un bel —, *orator canorus*. ‖ (Fig.) Qui exprime la pensée, les sentiments d'un autre. *Interpres, pretis*, m.

organique, adj. Qui a rapport aux organes d'un corps vivant. *Animalis, e*, adj. Un vice —, *vitium naturae*. ‖ (Fig.) Qui a rapport aux parties essentielles de la constitution d'un Etat. Voy. FONDAMENTAL. ¶ Qui a rapport aux êtres organisés. Substance —, *animalis natura ; animal, alis*, n.

organisateur, s. m. Celui qui organise qqch. *Compositor, oris*, m.

organisation, s. f. Etat d'un corps organisé, *et p. ext.*, manière d'être physique d'un individu. *Temperatura, ae*, f. *Temperatio, onis*, f. Bonne —, physique, saine —, *temperatio, onis*, f. ¶ (Fig.) Etat d'un ensemble constitué en vue d'une action à accomplir. *Temperatio, onis*, f. *Compositio, onis*, f.

organiser, v. tr. Pourvoir d'organes. *Animali corpore* (ou simpl. *corpore*) *instruĕre*. *Informare* (ou *conformare*), tr. Organisé, *animalis, e*, adj. Etres organisés, *animantia, ium*, n. pl. ‖ (P. ext.) Une tête, un cerveau bien organisé, *animus bene a naturā informatus*. ¶ Constituer en coordonnant les parties. *Ordināre*, tr. *Componĕre*, tr. *Constituĕre*, tr. *Describĕre*, tr. — sa vie, *ad vitam degendam praeparāre res necessarias*. — des fêtes, *ludos facĕre* ou *apparêre.* || (P. ex.) — la fuite, un complot, *instruêre fugam, insidias.*

organisme, s. m Ensemble des organes qui constituent un corps vivant. *Compositio, onis,* f. L'— humain, *fabricatio* (ou *constructio*) *hominis.*

organiste, s. m. Musicien qui joue de l'orgue. *Organarius, ii,* m.

orge, s. f. Plante céréale. *Hordeum, i,* n. Relatif à l'—, d'—, *hordearius, a, um,* adj. ¶ Grain que produit cette plante. *Hordeum, i,* n. D'—, *hordeaceus, a, um,* adj. || (Spéc. au masc.) De l'— mondé. *Ptisana, ae,* f.

orgelet, s. m. Petite tumeur qui se forme sur la paupière. *Hordeolus, i,* m.

orgiaque, adj. Qui a rapport aux orgies. *Ad orgia pertinens.*

orgie, s. f. *Au plur.* Fêtes de Bacchus. *Orgia, orum,* n. pl. ¶ (P. anal.) Débauche de table. *Perpotatio, onis,* f. *Commissatio, onis,* f. Faire une —, *potâre,* intr.

orgue, s. m. (au sing.) et f. (au plur.). Instrument de musique. *Organum, i,* n. Joueur d'—, voy. ORGANISTE. || — hydraulique, *hydraulicus, i,* m.

orgueil, s. m. Excès d'estime de soi qui fait qu'on se met au-dessus des autres. *Superbia, ae,* f. *Spirîtûs, ûs,* m. — insolent, *animi elatio* ou (simpl.) *elatio, onis,* f. — méprisant, hautain, *fastidium, ii,* n. Avoir, montrer de l'—, *superbîre,* intr.; *glôriâri,* dép. intr. Plein, gonflé d'—, *inflatus, a, um,* p. adj.; *tumidus, a, um,* adj. || (P. ext.) Sentiment légitime d'estime de soi. Voy. FIERTÉ. Noble —, voy. NOBLESSE. || Ce dont on est orgueilleux. *Gloria, ae,* f.

orgueilleusement, adv. Avec orgueil. *Superbê,* adv. *Elatê,* adv. Se conduire, agir —, *superbîre,* intr. Repousser —, *fastidîre,* tr.

orgueilleux, *euse,* adj. Qui a de l'orgueil. *Superbus, a, um,* adj. *Inflatus, a, um,* p. adj. *Elatus, a, um,* p. adj. *Ferox* (gén. *-ocis*), adj. Etre —, *magnos gerêre spiritus.* Etre — de qqch., *superbîre aliquâ re.* Devenir —, *superbîre,* intr.; *inflâri,* pass., *efferri,* pass. Rendre — (en parl. des choses), *spiritus afferre;* *inflâre* (*aliquem*). Subst. Les —, *superbi, orum,* m. pl. || (Par anal.) Un coursier —, *generosus equus.*

orient, s. m. Côté de l'horizon où le soleil semble se lever. *Oriens sol* ou (simpl.) *oriens, entis,* m. *Ortus solis* et (simpl.) *ortûs, ûs,* m. Tourné vers l'—, *ad orientem* (*solem*) *spectans* (ou *vergens*). || (Spéc.) Point cardinal. *Solis ortus.* ¶ Région du globe située vers l'Orient. *Orientis solis partes. Oriens, entis,* m. || (P. ext.) Partie, région la plus rapprochée de l'orient. Du côté de l'—, *ad orientem versus.* ¶ L'orient (des perles). Voy. EAU.

oriental, *ale,* adj. Situé à l'orient. *Ad*

orientem vergens (ou *spectans*) In *orientem versus.* || (P. ex.) qui appartient aux peuples de l'Orient, qui vient d'Orient. Les —, *Orientis populi.*

orientation, s. f. Position d'un édifice orienté. *Sitûs, ûs,* m.

orienter, v. tr. Poser (un édifice) en tournant la face principale vers l'orient. *Constituêre* (*aedes sacras*) *ad regiones quas spectâre debent.* ¶ Déterminer la position par rapport aux points cardinaux. *Situm* (ou *locorum status*) *descrîbêre* (ou *constituêre*). S'—, *situm loci circumspicêre.* Fig. S'— (savoir se diriger), *cognoscêre* ou *perspicêre* (*aliquid*); *viam invenîre.*

orifice, s. m. Ouverture qui forme l'entrée d'une cavité. *Os, oris,* n.

oriflamme, s. f. Petit étendard (des rois de France). *Vexillum, i,* n.

origan, s. m. Plante aromatique. *Origanum, i,* n.

originaire, adj. Qui tire son origine (d'un lieu). *Ortus, a, um,* p. adj. *Oriundus, a, um,* p. adj. Etre — de..., *originem trahêre* (ou *ducêre*) *ab* (*aliquo loco*). ¶ Qui est à l'origine (d'une chose). *Primus, a, um,* adj.

originairement, adv. A l'origine (d'une chose). *Principio* ou *in principio. A principio. Initio.*

original, *ale,* adj. Qui est l'origine, la source première (d'une chose). *Archetypus, a, um,* adj. || ‡(Subst.) *Au masc.* L'œuvre primitive. *Archetypum, i,* n. *Exemplar, aris,* n. L'— d'un tableau, *exemplum, i,* n.; *exemplar, aris,* n. || Chose *ou* personne qui a servi de modèle à un peintre, à un statuaire. *Exemplar, i,* n. *Exemplar, aris,* n. || (Loc. adv.) D'—, *certo auctore.* || En —, *verus, a, um,* adj. ¶ Qui tire son origine de soi; non imité. *Priprius ac suus.* Il peut être —, *potest esse suus.* Etre — en qqch., *per se invenisse aliquid.* || (P. ext.) Qui ne ressemble point aux autres, qui a qqch. d'étrange. *Novus, a, um,* adj. *Mirus, a, um,* adj. Un —, *mirum caput.* Se conduire en —, *omnia alio modo facêre.*

originalement, adv. D'une manière originale. *Propriê,* adv. *Novê,* adv. *Meo* (*tuo, suo*) *more.*

originalité, s. f. Caractère de ce qui est original. *Proprietas, atis,* f. *Propria et singularis natura.* ¶ Bizarrerie, étrangeté. Voy. ces mots.

origine, s. f. Point de départ de la naissance d'un individu, d'une famille, d'un peuple. *Origo, ginis,* f. *Ortûs, ûs,* m. (en parl. d'abstr.). *Principium, ii,* n. *Initium, ii,* n. *Fons, fontis,* m. Tirer son — (en parl. d'une pers.), *originem ducêre* (ou *deducêre*) *ab* (ou *ex*) *aliquo; genus ducêre ab aliquo; ortum* (ou *oriundum*) *esse ab aliquo.* Tirer son — (en parl. d'une chose), *ortum* (ou *natum*) *esse ab aliquâ re.*

originel, elle, adj. Qui remonte à l'origine (d'une personne, d'une chose). *Ingenitus, a, um, p.* adj.

originellement, adv. En remontant à l'origine. *A principio.*   [onis, m.

Orion, n. pr. Constellation. *Orion,*

oripeau, s. m. Fil *ou* feuille de laiton polie. *Bractea, ae,* f. *Bracteola, ae,* f. *Lamella, ae,* f.

ormaie et ormoie, s. f. Lieu planté d'ormes. *Ulmarium, ii,* n.   [*Ulmus, i,* f.

orme, s. m. Arbre d'une grande taille.

ormeau, s. m. Voy. ORME.

orne, s. m. Variété de frêne. *Ornus, i,* f. D'—, *orneus, a, um,* adj.

ornemaniste, s. m. Voy. DÉCORATEUR.

ornement, s. m. Détail adapté à un ensemble pour l'embellir. *Ornatŭs, ūs,* m. *Ornamentum, i,* n. *Decus, oris,* n. *Insigne, is,* n. ‖ (En parl. des vêtements.) *Cultŭs, ūs,* m. Sans —, *inornatus, a, um,* adj.; *nudus, a, um,* adj. ‖ (P. anal.) Forme du discours destinée à embellir le style. *Ornatŭs, ūs,* m. *Cultŭs, ūs,* m. *Ornamentum, i,* n. Faux — (du style), *fucus orationis.* User d'— dans son langage, dans son style, *ornatē dicĕre.* Qui est sans —, *inornatus, a, um,* adj.; *nudus, a, um,* adj. ‖ (Fig.) Honneur, gloire. *Decus, oris,* n. *Ornamentum, i,* n. Etre l'— de, *ornāre,* tr.   [Voy. DÉCORATIF.

ornemental, adj. Relatif à l'ornement.

ornementation, s. f. Disposition des ornements. *Ornatio, onis,* f. *Exornatio, onis,* f. ¶ Art de l'ornemaniste. *Ornatio, onis,* f.

orner, v. tr. Garnir d'ornements. *Ornāre,* tr. *Adornāre,* tr. *Exornāre,* tr. *Decorāre,* tr. ‖ (P. ext.) En parl. du langage et du style. *Ornāre,* tr. *Exornāre,* tr. *Illustrāre,* tr. D'une manière ornée, *ornatē,* adv. ‖ (Fig.) *Ornāre,* tr. *Excolĕre,* tr. — son esprit, *concinnāre ingenium.* En parl. des qualités, des vertus : *decus afferre (alicui* ou *alicui rei)* *decori* (ou *ornamento) esse (alicui* ou *alicui rei).*

ornière, s. f. Trace creusée sur le sol par le passage des roues. *Orbita, ae,* f. ‖ (Fig.) Routine. Voy. ce mot.

ornithogale, s. f. Plante bulbeuse. *Ornithogale, es,* f.   [tible. *Boletus, i,* m.

oronge, s. f. Champignon comestorpailleur, s. m. Celui qui recueille et lave les sables aurifères. *Aurilegulus, i,* m.   [ei, m.

Orphée, n. pr. Chantre inspiré. *Orpheus, i,* m.

orphelin, ine, s. m. et f. Enfant qui a perdu son père et sa mère. *Orbus filius* et (simpl.) *orbus, i,* m. Les —, *orbi, orum,* m. pl. Rendre —, *orbum facĕre (aliquem).* Devenir —, *parentibus orbāri.* Etat, situation d'—, *orbitas, atis,* f. Orpheline, *orba,* f. ‖ (P. ext.) Orphelin de père, *orbus (orba) patre.* — de mère, *orbus (orba) matre.* ‖ (Adjectivt.) *Orbus, a, um,* adj.

orpiment, s. m. Sulfure jaune d'arsenic. *Auripigmentum, i,* n.   [ae, f.

orque, s. f. Espèce de marsouin. *Orca,*

orteil, s. m. Doigt de pied. *Digitus pedis.* et absol. *digitus, i,* m. Le gros —, et, absol. l'—, *pollex pedis* et, absol. *pollex, icis,* m.

orthodoxe, adj. Conforme à la saine doctrine. *Orthodoxus, a, um,* adj.

orthodoxie, s. f. Caractère de ce qui est orthodoxe. Voy. LÉGITIMITÉ. ‖ (P. ext.) Conformité à la saine doctrine. *Sana fides.*

orthogonal ale, adj. Qui tombe à angles droits. *Orthogonius* (et *orthogonus), a, um,* adj.

orthographe, s. f. Manière d'écrire correctement une langue. *Orthographia, ae,* f. *Rectè scribendi scientia.* ‖ (P. ext.) Manière d'écrire les mots. *Scriptura vocabuli.*

orthographier, v. tr. Ecrire selon les lois de l'orthographe. *Rectè scribĕre.*

orthographique, adj. Relatif à l'orthographe. Règles —, *formula ratioque scribendi.* Signe —, *nota, ae,* f.

ortie, s. f. Plante sauvage. *Urtica, ae,* f. ¶ (P. anal.) Ortie de mer. *Urtica, ae,* f.

ortolan, s. m. Petit oiseau d'un goût délicat. *Miliaria* (s.-e. *avis), ae,* f.

orvet, s. m. Petit reptile inoffensif. *Caecilia, ae,* f.

orviétan, s. m. Electuaire auquel on attachait autrefois de grandes vertus. *Panchrestum medicamentum.* ‖ (P. ext.) Marchand d'—, voy. CHARLATAN.

os, s. m. Partie dure et solide qui forme la charpente du corps des animaux. *Os, ossis* (gén. pl. *ossium*). n. D'—, *osseus, a, um,* adj. ‖ (Fig.) La partie la plus intime de l'être. *Intima pars. Sanguis, inis,* m. ‖ (Spéc.) Les — de qqn (la dépouille mortelle), voy. OSSEMENT. ‖ (Boucherie.) *Os, ossis,* n. Enlever les — de… voy. DÉSOSSER. ‖ (Industrie.) *Os, ossis,* n. D'—, en —, *osseus, a, um,* adj.

oscillation, s. f. Mouvement d'un corps qui oscille. *Nutatio, onis,* f. *Oscillatio, onis,* f. ‖ (Fig.) Alternative. Voy. ce mot.

oscillatoire, adj. Qui produit des oscillations. Mouvement —, voy. OSCILLATION.

osciller, v. intr. S'écarter de son centre de gravité. *Nutāre,* intr. *Jactāri,* moyen réfl. ‖ (Fig.) Présenter des alternatives. *Vacillāre,* intr.

osé, ée, adj. Qui tente hardiment qqch. *Ausus, a, um,* p. adj. *Audax* (gén. *-acis),* adj. ‖ (P. ext.) En parl. des choses. *Audax,* adj.

oseille, s. f. Plante potagère. *Oxalis, lidis* (Acc. *lida),* f.

oser, v. tr. Avoir la hardiesse de (faire qqch.). *Audēre,* tr. — affronter un danger, *periculum sumĕre* ou *suscipĕre; se inferre in periculum.* Je n'ose dire, *vereor dicĕre.* Ne pas —, *timēre* (avec l'Inf.). ¶ Tenter hardiment (qqch.). *Audére*, tr.

oseraie, s. f. Lieu planté d'osiers. *Virgetum, i*, n. *Viminetum, i*, n.

osier, s. m. Petite espèce de saule. *Salix viminalis. Viminea salix*, et simpl. *salix, licis*, f. D'—, fait en —, *saligneus, a, um*, adj.; *salignus, a, um*, adj. Baguette d'—, *vimen, inis*, n. Paniers d'—, *vitilia, ium*, n. pl.   [*is*, m.

Osiris, n. pr. Dieu égyptien. *Osiris,*

ossature, s. f. Ensemble de la charpente osseuse d'un homme. *Compages ossium.*

osselet, s. m. Petit os. *Ossiculum, i*, n. ‖ (Spéc.) Pour jouer. *Talus, i*, m.

ossements, s. m. pl. Os décharnés des morts. *Ossa, ium*, n. p.

osseux, *euse*, adj. Constitué par les os. *Ossuosus, a, um*, adj.

ossification, s. f. Formation des os. *Formatio ossium.*

ossifier, v. tr. Convertir en substance osseuse. *In ossa vertére* (ou *induráre*), ou simpl. *induráre*, tr. S'—, *induréscére*, intr. [humains. *Ossarium, ii*, n.

ossuaire, s. m. Dépôt d'ossements

ostensible, adj. Fait, préparé avec l'intention d'être montré. *Apertus, a, um*, p. adj.

ostensiblement, adv. D'une manière ostensible. *Vulgo*, adv.

ostentation, s. f. Montre que qqn fait de ce qui peut flatter sa vanité. *Ostentatio, onis*, f. *Venditatio, onis*, f. *Ambitio, onis*, f. Montrer avec —, *ostentáre*, tr. Avec —, *jactanter*, adv., *ambitiosé*, adv.   [*Ostia, ae*, f.

Ostie, n. pr. Ancienne ville d'Italie.

ostracisme, s. m. Bannissement de dix ans contre un citoyen devenu suspect. *Ostracismus, i*, n. *Testarum* (ou *testularum*) *suffragia.*

ostracite, s. f. Coquille pétrifiée. *Ostracitis, tidis*, f.

otage, s. m. Personne livrée à des ennemis comme garantie des conditions convenues. *Obses, idis*, m. et f. ‖ (P. ext.) En parl. des choses. *Obses, idis*, m. et f.

ôter, v. tr. Mettre hors d'une place. *Auferre*, tr. *Adimére*, tr. *Demére*, tr. *Detrahére*, tr. *Tollére*, tr. S'— de l'esprit qqch., *animum abducére ab aliquá re.* ‖ (Absol.) Mettre hors de telle *ou* telle partie du corps (ce qui le couvre). *Ponére*, tr. *Deponére*, tr. — la bride à un cheval, *solvére frenum.* ¶ Mettre hors de la possession de qqn. *Auferre*, tr. *Addimére*, tr. *Demére*, tr.   [*onis*, m.

Othon, n. pr. Empereur romain. *Otho, ou*, conj. Exprime l'alternative. *Aut* (« ou bien »), conj. (sert à distinguer deux objets ou deux idées) *Vel* (« ou [si vous aimez mieux], ou [ce qui revient au même] », conj. *Sive* ou *seu*, conj. (syn. de *vel*). Ou ne ... pas (après une prop. subord.), *neve* ou *neu*, conj. Ou, ou si (dans le sec. membre d'une interr.

directe double); *an*, conj. Ou non (dans le second membre d'une interr. dir. double), *annon*, adv. Ou, ou si (dans le second membre d'une interr. ind. double), *an*, conj. Ou non (dans le second membre d'une interr. ind. double), *necne*, adv.

où, adv. Dans lequel. ‖ En parlant du lieu où l'on est. *Ubi*, adv. ‖ (Par anal.) Chez qui (en parl. de qqn). *Ubi*, adv. ‖ (En parl. d'une chose). *Ubi*, adv. ‖ Ellipt. Où que, *ubi ubi*, adv.; *ubicumque*, adv. ‖ En parl. du lieu dans lequel on va. *Quo*, adv. ‖ (Par anal.) Chez qui. *Quo*, adv. ‖ (En parl. d'une chose). *Quo*, adv. ‖ Ellipt. Où que, *quocumque*, adv. ¶ (Par anal.) En parl. du temps. *Cum*, conj. ¶ (Par ext.) Auquel, à laquelle, etc. (se rapportant à un subst.). *Ubi*, adv. *Quo*, adv. ¶ D'où En parl. du lieu d'où l'on vient. *Unde*, adv. ‖ (Ellipt.) D'où que, *undecumque*, adv. ‖ (Fig.) *Unde*, adv. ‖ PAR OÙ. En parl. du lieu par lequel on passe. *Quâ*, adv. *Unde*, adv. (au fig., av. les verbes impliq. l'idée d'un point de départ).

oubli, s. m. Action d'oublier. *Oblivio, onis*, f. *Silentium, ii*, n. Faire tomber qqch. dans l'—, *oblitteráre memoriam alicujus rei* ou simpl. *oblitteráre aliquid.* Tomber dans l'—, *oblitterári* (*in animo alicujus*); *ex animo effuére* ou (simpl.) *effluére*, intr. Etre ou demeurer dans l'—, *jacére*, intr. Leur nom est plongé dans l'—, *eorum memoria obscurata est.* ‖ Action de négliger. *Negligentia, ae*, f. L'— de ses devoirs, *neglectum* (ou *desertum*) *officium.*

oublier, v. tr. Ne pas garder dans sa mémoire. *Oblivisci*, dép. tr. et intr. (*oblivisci aliquid*; *Epicuri oblivisci*). *Immemorem esse* (voy. OUBLIEUX). Ne pas—, *meminisse*, tr. et intr. (voy. [SE] SOUVENIR): *memorem esse* (« avoir bonne mémoire, garder le souvenir ») Faire —, *oblitteráre* (« effacer [le souvenir] »), tr. ¶ (Par ext.) Ne plus avoir présent à l'esprit. *Immemorem esse. Oblivisci*, dép. tr. J'ai — qqch., *aliquid ex animo effluxit* ou *de memoriá excessit* ou *de meá memoriá dilapsum est.* S'—, *sui oblivisci;* ou (spéc.) *dignitatis suae immemorem esse.* ¶ Ne pas penser à (qqn ou qqch.) par négligence. *Negligére*, tr. *Omittére*, tr. Voy. NÉGLIGER.

oubliettes, s. f. pl. Cachot où l'on mettait ceux qui étaient condamnés à une prison perpétuelle. *Carcer subterraneus.*

oublieux, *euse*, adj. Sujet à oublier. *Oblitus, a, um*, p. adj. *Immemor*, adj. (*alicujus rei*). *Negligens* (gén. *entis*), p. adj. (av. le Gén.). ‖ (Adjectivt.) Qui oublie. *Obliviosus, a, um*, adj. *Immemor* (gén. *oris*), adj.

ouest. Voy. OCCIDENT.

ouf, interj. Exclamation exprimant une sorte d'oppression. *Au !*

oui, adv. et s. m. ‖ *Adv.* Mot invariable équivalant à une proposition par laquelle on répond à une interrogation réelle *ou* sous-entendue. *Etiam,* adv. (mais on dit aussi en repren. le mot sur lequel porte l'interr. : *paterne venit? pater; venitne pater? venit). Ita,* adv. *Sic.* adv. *Vero,* adv. *Sanē,* adv. ‖ Répétition elliptique d'une proposition déjà exprimée *ou* sous-entendue. *Ne,* adv. Je dis —, *aio; annuo.* ‖ *S. m.* Répondre par un — ou par un non, *aut etiam aut non respondēre.*

oui-dire, s. m. Le fait d'avoir entendu dire, raconter une chose. *Auditio, onis,* f. *Auditūs, ūs,* m. *Fama, ae,* f. Des —, *rumores, um,* m. pl.

ouïe, s. f. Action de ouïr. *Auditio, onis,* f. *Auditūs, ūs,* m. L'organe, le sens de l'—, *auditūs, ūs,* m.; *audiendi sensus.* Avoir l'— fine, *acutissimē* (ou *clarissimē) audīre.* ¶ (P. ext.) *Au plur.* Organes respiratoires des poissons. *Branchiae, arum,* f. pl.

ouïr, v. tr. Voy. ENTENDRE.

ouragan, s. m. Tempête causée par des vents opposés qui forment des tourbillons. *Tempestas foeda. Procella, ae,* f.

ourdir, v. tr. Préparer (le tissage) en tendant les fils destinés à la chaîne. *Ordīri,* tr. *Exordīri,* tr. ‖ (Par anal.) *Fig.* Commencer à nouer (une intrigue, un complot). *Texĕre,* tr. *Exordīri,* dép. tr. *Machināri,* dép. tr. *Struĕre,* tr.

ourdissage, s. m. Action d'ourdir. Voy. TISSAGE.

ourdisseur, euse, s. m. et f. Celui, celle qui ourdit. *Textor, oris,* m. *Textrix, icis,* f.

ourler, v. tr. Garnir d'un ourlet. *Limbo ornāre* (ou *instruĕre).*

ourlet, s. m. Bord d'un tissu replié et cousu. *Limbus, i,* m.

ours, s. m. et **ourse,** s. f. Mammifère carnassier. *Ursus, i,* m. D'—, *ursinus, a, um,* adj. Gardien d'—, *ursarius, ii,* m. Chair d'—, *ursina* (s.-e. *caro), ae,* f. ¶ (P. ext.) — marin. Voy. PHOQUE. ¶ *S. f.* Ourse. *Ursa, ae,* f. ‖ (Astron.) La grande —, la petite — (constellations boréales), *ursa major, ursa minor* ou simpl. *ursa, ae,* f.; *arctos, i* (Acc. *on,* Nom. pl. *oe),* f.

oursin, s. m. Echinoderme globuleux hérissé de piquants. *Echinus, i,* m.

ourson, s. m. Petit de l'ours. *Ursae catulus.* [*Otis, tidis,* f.

outarde, s. f. Grand oiseau échassier.

outardeau, s. m. Petit de l'outarde. *Otidis pullus.*

outil, s. m. Instrument de travail de l'artisan. *Instrumentum, i,* n. (ordin. au plur. *instrumenta). Arma, orum,* n. pl. — en fer, *ferramenta, orum,* n. pl.

outillage, s. m. Ensemble des outils. *Instrumenta, orum,* n. pl.

outiller, v. tr. Fournir d'outils. *In-*

strumentis (ou *armis) instruĕre* (ou *ornāre),* ou simpl. *instruĕre,* tr. Bien outillé (au prop. et au fig.), *instructus, a, um,* p. adj.

outrage s. m. Injure extrême. *Contumelia, ae,* f. *Injuria, ae,* f. — (en parole), *opprobrium, ii,* n.; *maledictum, i,* n. ¶ Tort fait à la morale, etc. *Violatio, onis,* f.

outrageant, ante, adj. Qui constitue un outrage. *Contumeliosus, a, um,* adj. *Probrosus, a, um,* adj. Reproche —, *probrum, i,* n. Propos —, paroles —, *verborum contumeliae.*

outrager, v. tr. Faire outrage (à qqn). *Violāre,* tr. *Laedĕre,* tr. — (en paroles), voy. INJURIER, INSULTER. Celui qui outrage, *violator, oris,* m. Se laisser —, *praebēre os ad contumeliam.* ‖ (P. ext.) En parl. des ch. *Offendĕre,* tr. Qui outrage, voy. OUTRAGEANT. ‖ P. anal. — la morale, *violāre omne fas.* — la nature, *contra* (ou *praeter) naturam agĕre.*

outrageusement, adv. D'une manière outrageuse. *Contumeliosē,* adv.

outrageux, adj. Qui fait outrage à qqn. *Contumeliosus, a, um,* adj.

outrance, s. f. Degré qui est au delà des bornes. Voy. EXCÈS. ‖ (Spéc.) Combat à —, combattre à —, voy. ACHARNÉ. Guerre à —, *bellum internecivum.* ¶ Action de dépasser les bornes. Voy. EXAGÉRATION.

1. **outre,** prép. Au delà de. *Ultra,* prép. (av. l'Acc.). *Trans,* prép. (av. l'Acc.). Aller — mer, *transmittĕre maria.* D'— mer, *transmarinus, a, um,* adj. Du bleu d'— mer, *et ellipt.* de l'outre-mer, *caeruleus color* ou *caeruleum, i,* n. (Fig.) — mesure, *supra modum.* ‖ (Adverb.) Au delà. *Ultra,* adv. *Porro,* adv. Passer — (aller plus loin), *ultra progredi* ou simpl. *progredi,* dép. intr. Passer — (passer sous silence, omettre), *praeterīre,* tr. Loc. adv. D'— en outre (de part ec part, voy. PART. Percer d'— en —, *transfigĕre,* tr.; *transfodĕre,* tr.; *transforāre,* tr. ¶ En plus de. *Praeter,* prép. (av. l'Acc.) *Super,* prép. (av. l'Acc.). *Ad,* prép. (av. l'Acc.). — que, *praeterquam quod...; super quam quod...* ‖ Loc. adv. En — (en plus), *praetereā,* adv.; *ad hoc; ad haec.* Puis en —, *porro.* En —, il arrive que, *accedit ut* ou *eo accedit ut* (avec le Subj.).

2. **outre,** s. f. Sac en peau de bouc destiné à contenir des liquides. *Uter, utris,* m. *Culleus, i,* m. Petite —, *utriculus, i,* m.

outrecuidance, s. f. Confiance excessive en soi. *Confidentia, ae,* f.

outrecuidant, ante, adj. Qui a en soi une confiance excessive. Voy. PRÉSOMPTUEUX. ‖ (P. ext.) En parl. des choses. Un langage —, *sermo plenus arrogantiae.*

outrepasser, v. tr. Aller au delà de

(la limite). *Transīre*, tr. (voy. DÉPAS-
SER). || (Fig.) Aller au delà de (la chose
permise). *Transīre*, tr. *Praeterīre*, tr.
Progredi, dép. intr. (*ultra modum alicujus rei*). — la loi, *legem violāre*.

outrer, v. tr. Pousser (qqch. au delà
des bornes). *Proferre longius (quam
natura vult)*. — l'éloge (de qqn ou de
qqch.), *in majus celebrāre (aliquem ou
aliquid)*. Etre outré, *nimium esse in
aliquā re*. Outré, voy. EXCESSIF. ¶
Pousser (qqch.) à un excès. || (A un
excès de déplaisir.) Voy. EXASPÉRER.
|| (Spéc.) *Au part. passé pris adjectivt.*
Outré (de dépit, de colère), voy. EXAS-
PÉRER.

ouvertement, adv. D'une manière ouverte, sans se cacher. *Apertē*, adv.
Palam, adv. Déclarer —, *profitēri*, dép.
tr.; *praedicāre*, tr.

ouverture, s. f. Action d'ouvrir. *Apertio, onis*, f. *Apertura, ae*, f. A l'— des
portes, *apertis foribus*. — d'un puits,
fossio putei. || L'— (d'une route), *muni-
tio viae*. L'— d'une tranchée, d'un
canal, voy. PERCEMENT. || (T. d'archit.)
Perforatio, onis, f. || L'— d'un testa-
ment, *tabulae apertae*. L'— d'une
lettre, *soluta epistola*. ¶ (Fig.) Action de
faire sortir (qqch.) des délais préliminaires *Initium, ii*, n. L'— de la succession d'un trône, *vacua possessio
regni*. || (P. ext.) Premier pas pour faire
réussir qqch. *Mentio, onis*, f. Faire des
— de paix, *mentionem pacishabēre;
condicionem praeponēre; leges pacis
inchoāre*. Faire des — à qqn, *agēre cum
aliquo*.¶ Solution de continuité qui permet l'entrée. *Apertura, ae*, f. *Foramen,
inis*, n. — de la bouche, *rictūs, ūs*, m.
Large — de la bouche, de la gueule,
hiatūs, ūs, m. Pratiquer une —, *aperīre*, tr.; *perforāre*, tr. Présenter une
—, *hiscēre*, intr. Avoir une —, *patēre*,
intr.; *hiāre*, intr. || (Fig.) Accès. *Aditūs,
ūs*, m. *Via, ae*, f. — d'esprit, *acies
ingenii*. Manquer d'— (d'esprit), *tar-
dissimum esse ingenio*.

ouvrable, adj. Où l'on travaille. *Pro-
festus, a, um*, adj.

ouvrage, s. m. Travail par lequel on
met qqch. en œuvre. *Opus, eris*, n.
Labor, oris, m. Bois d'—, *materia, ae* f.
¶ Ce qu'on produit en mettant qqch.
en œuvre. *Opus, eris*, n. || (Par anal.)
Résultat obtenu par les efforts de qqn.
Opus, eris, n. *Factum, i*, n. Ceci n'est
pas mon —, *hoc non a me profectum
est*; ou (en mauv. part.), *hoc non meā
culpā (ou meo vitio) factum est*.

ouvragé, ée. Voy. OUVRAGER.

ouvrager, v. tr. Façonner d'une manière compliquée. *Exsculpēre*, tr. *Multā
arte elaborāre*, ou simpl. *elaborāre*, tr.

ouvrer, v. intr. et tr. || (*V. intr.*)
Travailler. Voy. ce mot. ¶ (*V. tr.*)
Mettre en œuvre, façonner. Voy.
FAÇONNER.

ouvreur, euse, s. m. et f. Celui, celle
qui ouvre. *Qui (quae) aperit (ou pate-
facit)*.

ouvrier, ière, s. m. et f. et adj. || *S. m.
et f.* Celui, celle qui travaille à un métier. *Qui opus facit. Opifex, ficis*, m.
Operarius ii, m. *Opera, ae*, f. (ordin. au
plur. *operae*). *Faber, bri*, m. Un bon —,
qui sedulo (ou strenuē) opus facit. (Dans
u⁵ sens plus large), *homo industrius (ou
laboriosus)*. Une chose faite de main
d'—, *res fabrefacta*. || Ouvrière. *Quae
opus facit*. || En parl. des œuvres de
l'esprit. *Opifex, ficis*, m. *Artifex, ficis*,
m. Loc. prov. A l'œuvre, on connaît
l'—, *opus artificem probat*. || (P. ext.)
L'— de qqch., voy. ARTISAN. || Mobile,
cause. Voy. ces mots. || *Adj.* Qui se
rapporte aux ouvriers. *Operarius, a,
um*, adj. La classe —, *opifices, um*, m.
pl. La cheville —, *clavus temonis*, m.
(fig.); *caput, itis*, n. || Jour — (où l'on
travaille), voy. OUVRABLE.

ouvrir, v. tr. Rendre accessible en enlevant ce qui ferme. *Aperīre*, tr. *Rete-
gēre*, tr. Etre ouvert, *patēre*, intr. || (Par
ext.) Enlever ce qui intercepte l'entrée, la sortie. *Aperīre*, tr. *Patefacēre*,
tr. *Reserāre*, tr. *Recludēre*, tr. Etre ou-
vert, *patēre*, intr. || (Par anal.) Rendre
accessible. *Aperīre*, tr. *Patefacēre*, tr.
Reserāre, tr. Etre ouvert, *patēre*, intr.
Un esprit ouvert, *ingenium aptius ad
intelligendum*. Qui a l'esprit —, *promp-
tus ingenio*. || (Par ext.) *Au fig.* Mettre
en train. *Aperīre*, tr. *Exordiri*, dép. tr.
— un avis, *sententiam dicēre (ou ferre)*.
|| Rendre accessible en écartant deux
parties jointes. *Aperīre*, tr. *Patefacēre*,
tr. *Reserare*, tr. *Pandēre*, tr. *Evolvēre*,
tr. *Revolvēre*, tr. || S'ouvrir, *discedēre*,
intr.; *dehiscēre*, intr. S'—, être ouvert,
hiāre, intr. ¶ Faire une solution de continuité (dans qqch.) *Aperīre*, tr. *Insecāre* tr. *Incidēre*, tr.

ouvroir, s. m. Lieu de travail. Voy.
ATELIER.

ovale, adj. Qui a une forme analogue
à celle d'un œuf. *Ovo similis. Ovatus,
a, um*, adj. Forme —, *ovum, i*, n. Subst.
Un — (une figure ovale), *ovum, i*, n.

ovation, s. f. (Antiq. rom.) Cérémonie
moins solennelle que le triomphe. *Ova-
tio, onis*, f. Obtenir l'—, avoir les honneurs de l'—, *ovāre*, intr. ¶ (P. anal.)
Honneur rendu à un personnage à qui
on fait cortège. *Favor, oris*, m. Les Romains font une — à Horace, *Romani
ovantes ac gratulantes Horatium acci-
piunt*.

Ovide, n. pr. Poète latin. *Ovidius,
ii*, m.

ovipare, adj. Qui produit *ou* féconde
des œufs d'où sortent les petits. Etre —,
ova parēre.

oyant, ante. Voy. OUÏR.

ozène, s. m. Ulcère de la membrane
pituitaire du nez. *Ozaena, ae*, f.

P

p, s. m. Consonne labiale. P, f. n. *P littera.*

pacage, s. m. Action de faire paître. *Pastio, onis,* f. ¶ (Par ext.) Lieu de pâture. *Pascuum, i,* n.

pacager, v. tr. Paître dans un pacage. Voy. PAÎTRE.

pacificateur, s. m. Celui qui pacifie. *Pacis auctor* ou *arbiter* ou *interpres* ou *reconciliator.* Adjectivt. *Pacificatorius, a, um,* adj.

pacification, s. f. Action de pacifier. *Pacificatio, onis,* f. La — de la Gaule, *pacata Gallia.*

pacifier, v. tr. Ramener à la paix. *Pacāre,* tr. Tout —, *pacem reconciliāre.* || (Par ext.) Calmer. Voy. ce mot.

pacifique, adj. Qui aime la paix. *Pacificus, a, um,* adj. *Pacis studiosus* (ou *cupidus* ou *amans*). Humeur —, *pacis studium.* Citoyens —, *quieti animi cives.* ¶ Qui est en paix. *Pacatus, a, um,* p. adj.

pacifiquement, adv. D'une manière pacifique. *Placidē* adv. L'affaire se dénoue —, *res ad otium adducitur.*

pacotille, s. f. Menues marchandises d'une cargaison. Marchandises de —, *viles merces* ou *quisquiliae, arum,* f. pl.

pacte, s. m. Convention. *Pactum, i,* n. *Pactio, onis,* f. *Conventum, i,* n. — (entre Etats) *foedus, eris,* n. D'après le —, conformément au — voy. CONVENTION. Faire un —, *pacisci,* dép. tr.

pactiser, v. intr. Faire un pacte. Voy. PACTE. || (Fig.) Transiger. Voy. ce mot.

Pactole, n. p. Fleuve de Lydie. *Pactolus, i,* m.

Padoue, n. pr. Ville d'Italie. *Patavium, ii,* n. De —, *Patavinus, a, um,* adj.

paganisme, s. m. Religion des païens. *Gentilitas, atis,* f. *Gentilium* (ou *paganorum*) *doctrina.*

1. page, s. f. Chacun des côtés d'une feuille sur laquelle on écrit *ou* on imprime. *Pagina, ae,* f. (Quand il s'agit de tablettes.) *Cera, ae,* f. Petite —, *paginula, ae,* f. ¶ Ce qui est écrit ou imprimé dans une page; le contenu d'une page. *Pagina, ae,* f. C'est la plus belle — de son histoire, *nunquam rem magis memorabile gessit.*

2. page, s. m. Jeune garçon attaché au service d'un prince, etc. *Puer nobilis.* Les — (du roi), *pueri regii.* Etre sorti, être hors de —, *tirocinium ponēre.*

paginer, v. tr. Numéroter page par page. *Librum paginarum notis inscribēre.*

pagode, s. f. Voy. TEMPLE.

paie. Voy. PAYE.

paiement ou **paiment**, s. m. Action de payer. *Solutio, onis,* f. *Numeratio, onis,* f. *Pensio, onis,* f. Epoque, terme du —,

dies solvendi; dies pecuniae. Livrer qqch. contre —, *aliquid emptum dare.* ¶ Ce qu'on paye. *Pecunia solvenda* (ou *soluta*), *numeranda* (ou *numerata*). ¶ (Fig.) Voy. RÉCOMPENSE, SALAIRE.

païen, *enne,* adj. Qui adore les faux dieux. *Paganus, a, um,* adj. *Gentilis, e,* adj. Le monde —, *gentilitas, atis,* f. Subst. Les —, *pagani, orum,* m. pl.; *gentiles, ium,* m. pl.; *gentes, ium* (par oppos. aux chrétiens), f. pl. || (Par anal.) Qui parle, agit comme les païens. *Impius, a, um,* adj. Subst. Vivre en —, voy. IMPIE.

paillasse, s. f. et m. Sac garni de paille. *Saccus stramento refertus.* ¶ S. m. Bateleur. Voy. ce mot.

paillasson, s. m. Abri fait avec de la paille. *Stramentum, i,* n. ¶ Natte de paille *ou* de roseau. Voy. NATTE.

paille, s. f. Tige de plantes céréales dont on a enlevé le grain *Palea, ae,* f. *Stramentum, i,* n. *Stipula, ae,* f. (Raisin) conservé dans la —, *stramentarius, a, um,* adj. Fait de —, *stramineus, a, um,* adj.; *stramenticius, a, um,* adj. Mêlé de —, *paleatus, a, um,* adj. ¶ Blé en herbe avec lequel on fait la paille. *Stramentum, i,* n. Grenier à —, *palearium, ii,* n. Lit de —, *stramentum, i,* n. Couverture de — tressée, *storea, ae,* f. Ouvrages de —, voy. SPARTERIE. Brin de —, voy. FÉTU. ¶ (Par ext.) Défaut dans une pièce de métal. *Nubes, is,* f. *Nodus, i,* m. || Tache dans un diamant, une pierre précieuse. *Nubes, is,* f. *Punctum, i,* n.

pailler, s. m. Meule de paille. Voy. MEULE. ¶ Tas de paille. *Palearum acervus.*

paillette, s. f. Lamelle de métal brillante. *Palea, ae,* f. *Lamina, ae,* f. || (Spéc.) Lamelle de métal découpée pour servir d'ornement. *Bractea, ae,* f. || Parcelle d'or qu'on trouve dans le sable de quelques rivières. *Mica auri.* || (Fig.) Défaut dans une pierre précieuse. Voy. PAILLE.

paillon, s. m. Poignée de paille attachée. *Stramentum, i,* n. ¶ Petite lamelle de métal. Voy. LAMELLE, PAILLETTE.

pain, s. m. Aliment fait de farine délayée dans l'eau, pétrie et cuite au four. *Panis, is,* m. — mollet, *pastillus, i,* m. Petit —, *pastillum, i,* n. — de munition, *buccellatum, i,* n. ¶ (Par ext.) Ce qui sert à la subsistance. *Panis, is,* m. *Victus, ūs,* m. || (Fig.) *Sucus, i,* m. Le — de la science, *quasi quidam humanitatis cibus.* ¶ (Par anal.) Masse de certaines substances. *Panis, is,* m. *Massa, ae,* f. *Gleba, ae,* f. — de fromage en cône, *meta lactis* (ou *lactans*).

pair, *paire,* adj. et s. m. || *Adj.* Egal.

Par (gén. *paris*), adj. Sans —, voy. INCOMPARABLE. ‖ (Loc. adv.) De —, *ex aequo ; in aequo*. Faire aller de —, mettre de — avec qqn *ou* qqch., voy. ÉGALER. Hors de —, *eximius, a, um*, adj. ‖ (Arith.) Qui se divise en deux moitiés égales. *Par*, adj. ¶ *S. m.* (En parl. des personnes.) Personne de condition égale à une autre. Voy. ÉGAL. Vivre avec qqn de — à compagnon, *ex pari vivĕre cum aliquo*.

paire, s. f. Réunion de deux choses de même espèce destinées à aller ensemble. *Par, paris,* n. *Bini, ae, a,* adj. pl. ‖ (P. ext.) Réunion de deux pièces symétriques. Une — de ciseaux, *forfex, ficis,* m. et f. ¶ Réunion de deux animaux de même espèce. *Par, paris,* n. *Bini, ae, a,* adj. Une — de bœufs, *jugum boum* ; (au plur.), de nombreuses paires de bœufs, *multa juga.* ‖ En parl. des personnes. *Par, paris,* n. ¶ (Spéc.) Le mâle et la femelle d'animaux de même espèce. Voy. COUPLE.

paisible, adj. Qui vit en paix. *Pacatus, a, um,* adj. *Placidus, a, um,* adj. *Quietus, a, um,* adj. ¶ (En parl. des choses.) *Pacatus, a, um,* adj. *Quietus, a, um,* adj. *Placidus, a, um,* adj. Fleuve au cours —, *lentus amnis.* ‖ Qui procure la paix. Voy. CALME, SEREIN, SILENCIEUX.

paisiblement, adv. D'une manière paisible. *Placidē,* adv. *Quietē,* adv.

paître, v. tr. et intr. ¶ (*V. tr.*) Nourrir. *Pascĕre,* tr. Voy. NOURRIR. Se — de..., voy. REPAITRE. ‖ (P. ext.) Mener (les bêtes) aux champs pour les faire paître. *Pascĕre,* tr. ¶ (Par ext.) (*V. intr.*) En parl. des animaux herbivores : manger, brouter (les végétaux). *Pasci,* dép. intr. *Depascĕre,* tr. Faire — , mener —, *pascĕre,* tr. ‖ (Transitivt.) Voy. BROUTER.

paix, s. f. Etat de celui dont le repos n'est pas troublé. *Pax, pacis,* f. *Otium, ii,* n. *Tranquillitas, atis,* f. *Quies, etis,* f. Laisser qqn en —, *aliquem non turbāre, non vexāre.* En —, voy. PAISIBLEMENT. ¶ (Par anal.) Etat d'un pays où il n'y a pas de troubles intérieurs; d'une famille, d'une réunion d'hommes entre lesquels il n'y a pas de désaccord. *Pax, pacis,* f. Qui est en —, voy. TRANQUILLE. Homme de —, *homo pacis cupidus.* Faire la — avec qqn, voy. [se] RECONCILIER. ¶ Etat d'une nation qui n'est pas en guerre avec une autre. *Pax, pacis,* f.

pal, s. m. Pieu aiguisé par un bout. *Palus, i,* m. ‖ (Spéc.) Pieu employé comme instrument de supplice. *Stipes, pitis,* m.

1. **palais**, s. m. Riche habitation d'un roi, d'un prince, etc. *Domus regia* ou simpl. *regia, ae,* f. ‖ (Par anal.) Maison magnifique d'un riche particulier. *Aedes (magnificae).* ¶ (Spéc.) Palais de justice. *Judicium, ii,* n. *Forum, i,* n.

2. **palais**, s. m. Partie supérieure de la cavité de la bouche. *Palatum, i,* n. La voûte du —, *palatum, i,* n. ‖ (Fig.) Sens du goût. *Palatum, i,* n. — fin, délicat, *ingenua gula.*

palan, s. m. Voy. MOUFLE.

palanque, s. f. Voy. RETRANCHEMENT.

palanquin, s. m. Voy. LITIÈRE.

Palatin, n. pr. Une des collines de Rome. *Palatinus, i,* m.

1. **palatin**, *ine,* adj. Revêtu d'un office dans le palais du souverain. *Palatinus, a, um,* adj.

2. **palatin**, *ine* adj. Qui a rapport au palais (bouche). La voûte —, *palatum, i,* n.

1. **pale**, s. f. Sorte de pelle. Voy. PELLE. ¶ (Par anal.) Partie plate de la rame. *Palma, ae,* f. ‖ Vanne d'une écluse. Voy. VANNE.   [*Palla, ae,* f.

2. **pale et palle**, s. f. Manteau de femme.

pâle, adj. En parl. du visage : décoloré, d'un blanc terne. *Pallidus, a, um,* adj. *Exsanguis, e* (« pâle, livide »), adj. *Albus, a, um,* (« blême ») adj. Très — *expallidus, a, um,* adj. Teint —, voy. PALEUR. Etre —, avoir le visage —, *pallēre,* intr. Devenir —, *pallescĕre,* intr. Devenir très —, *expallescĕre,* intr. Comme il était — et tremblant en parlant ! *quo pallore et tremore dixit !* ¶ Qui est peu lumineux. *Pallidus, a, um,* adj. Couleur —, *languidus color.* Jour —, *languidus dies.* Par ext. D'un vert —, *e viridi pallens.* D'un jaune —, *luridus, a, um,* adj.

palefrenier, s. m. Valet qui panse les chevaux. *Agaso, onis,* m.

Palerme, n. pr. Ville de Sicile. *Panormum, i,* n. *Panormus, i,* m. De —, *Panormitanus, a, um,* adj.

paleron, s. m. Voy. OMOPLATE.

Pales, n. pr. Déesse des bergers. *Pales, is,* f.

Palestine, n. pr. Contrée d'Asie. *Palaestina, ae,* f. De —, *Palaestinus, a, um,* adj.

palestre, s. f. Lieu public pour les exercices du corps. *Palaestra, ae,* f. ‖ (Par ext.) Exercices du corps (lutte, etc.). *Palaestra, ae,* f. Maître de —, *palaestrita, ae,* m.

palet, s. m. Petit disque de métal, de pierre, pour jouer. *Discus, i,* m.

1. **palette**, s. f. Sorte de raquette pleine. Voy. RAQUETTE. — de maître d'école, voy. FÉRULE. ‖ (Par ext.) Planchette plate (d'une roue hydraulique). *Pinnae, arum,* f. pl. ¶ (Spéc.) Planchette sur laquelle les peintres étendent leurs couleurs. *Spongia omnibus coloribus imbuta.*

2. **palette**, s. f. Petite écuelle pour recevoir le sang. Voy. ÉCUELLE.

pâleur, s. f. Teinte pâle. *Pallor, oris,* m. *Color exsanguis.*

palier, s. m. Plate-forme dans un escalier. Voy. PLATE-FORME. ‖ (Par ext.) Etage. Voy. ce mot.

palinodie, s. f. Poème dans lequel on se rétracte. *Retractatio, onis,* f.

palir, v. intr. et tr. || (*V. intr.*) Devenir pâle, *Pallēre*, intr. — fortement, *expallescēre*, intr. — de crainte, d'effroi, *pallēre*, intr. || Absol. Faire — qqn, *pallorem suffundēre ori alicujus.* || En parl. de la lumière *ou* de la couleur : devenir plus faible. *Pallescēre*, intr. *Hebescēre*, intr. Faire — les astres, *sidera hebetāre.* Fig. Son étoile pâlit, *gloria obsolescit.* Fig. — devant qqch., *c.-à-d.* être éclipsé par qqch., voy. ÉCLIPSER. ¶ (*V. tr.*) Rendre pâle. *Pallidum* (ou *decolorem* ou *exsanguem*) *facĕre* (*aliquem*). Etre pâli, *colorem perdidisse.* || Faire paraître pâle. Voy. TERNIR.

palis, s. m. Suite de pieux formant clôture. *Vallus,* i, m.

palissade, s. f. Clôture en planches, perches, etc. *Vallus,* i, m.

palissader, v. tr. Garnir d'une palissade (retranchement militaire). *Vallāre*, tr. [*latio, onis,* f.

palissage, s. m. Action de palisser. *Papalissant, ante,* adj. Qui devient pâle. *Pallens* (gén. *-entis*), p. adj. || Dont la lumière, la couleur devient plus faible. *Pallens*, p. adj. *Languescens* (gén. *-entis*), p. adj.

palisser, v. tr. Disposer en palissade. *Palāre*, tr. *Adminiculāre*, tr.

palladium, s. m. Statue de Pallas protégeant la ville de Troie. *Palladium, ii,* n. ¶ (Par anal.) Ce qu'un peuple considère comme assurant son salut, sauvegarde. *Tanquam* (ou *quasi*) *Palladium. Praesidium, ii,* n.

Pallas, n. pr. Autre nom de Minerve. *Pallas, adis,* f. De —, *Palladius, a, um,* adj. [*Pallas, antis,* m.

2. **Pallas**, n. pr. Fils du roi Evandre.

palliatif, ive, adj. Qui pallie. *Qui* (*quae, quod*) *levat.* Un remède —, *et, subst.* un —, *levamentum, i,* n. || (Fig.) *Levamentum, i,* n.

pallier, v. tr. Atténuer (une maladie) sans la guérir. Voy. ATTÉNUER. || (Fig.) Atténuer en présentant sous une apparence spécieuse. Voy. DÉGUISER.

pallium, s. m. Nom que les Romains donnaient au manteau des Grecs. *Pallium, ii,* n. Petit —, *palliolum, i,* n. Vêtu d'un —, en —, *palliatus, a, um,* adj.

1. **palme**, s. f. Branche de palmier. *Palma, ae,* f. || (Fig.) Signe de victoire. *Palma, ae,* f. Remporter la —, *palmam ferre.* Décerner la — à qqn, *primas peferre* ou *tribuĕre* (*alicui*). Qui mérite la —, *palmaris, e,* adj. || Ornement en forme de palme. *Palma, ae,* f.

2. **palme**, s. m. Mesure d'environ un travers de main. *Palmus, i,* m. Long d'un —, *palmaris, e.* adj.

palmé, ée, adj. Qui ressemble à une main ouverte. *Palmatus, a, um,* p. adj. ¶ Qui a les doigts réunis par une membrane. *Palmipes, edis,* adj. Qui a le

pied —, *même trad.* Pieds —, *palmae pedum.* [*Palmetum, i,* n.

palmeraie, s. f. Lieu planté de palmiers.

palmette, s. f. Petite palme, ornement sculpté. *Palma, ae,* f.

palmier, s. m. Arbre qui porte les dattes. *Arbor palmae. Palma, ae,* f. De —, de bois de —, *palmeus, a, um,* adj. Branche de —, *palma, ae,* f. Fruit du — *palma, ae,* f.

palmipède, adj. Qui a les pieds palmés. *Palmipes*, adj. Oiseaux —, *et, subst.* les —, *palmipedes aves.*

palmite, s. m. Moëlle de palmier. *Palmae medulla* ou *cerebrum.*

palombe, s. f. Pigeon ramier. *Palumbes, is* (gén. pl. *ium*), f. *Palumbus, i,* m. De —, *palumbinus, a, um,* adj.

palot, otte, adj. Un peu pâle. *Pallidulus, a, um,* adj. *Suppallidus, a, um,* adj.

palourde, s. f. Sorte de coquillage bivalve. *Peloris, ridis* (Acc. *ridem* et *rida,* Acc. pl. *ridas*), f.

palpable, adj. Qui peut être palpé. *Qui* (*quae, quod*) *palpāri potest.* N'être pas —, *non posse attrectāri.* || (Fig.) D'une évidence sensible. *Manifestus, a, um,* adj. Etre —, *sub tactum cadēre.*

palper, v. tr. Explorer avec la main. *Palpāre*, tr. *Contrectāre*, tr.

palpitant, ante, adj. Qui palpite. *Palpitans* (gén. *antis*), p. adj. || — de crainte, voy. TREMBLANT.

palpitation, s. f. Battement convulsif dans une partie du corps. *Palpitatio, onis,* f. || (Spéc.) Battement violent et déréglé du cœur. *Palpitatio cordis.*

palpiter, v. intr. Avoir des palpitations. *Palpitāre*, intr. *Micāre*, intr. *Salire*, intr. || (Spéc.) En parl. du cœur. Mon cœur palpite, *cor salit* ou *palpitat.*

paludéen, enne, adj. De marais. *Paluster, tris, tre,* adj. *Paludosus, a, um,* adj.

pâmer, v. intr. et (se) **pâmer,** v. pron. Tomber en défaillance. Voy. ÉVANOUIR. || (Par exager.) Pâmer, se — de rire, *et, simpl.* —, se —, *risu rumpi.* Se — d'admiration, *inhīāre* (*alicui rei*). ||

Pâmé, c.-à-d. à demi mort, *exanimis, e,* adj. [Voy. DÉFAILLANCE.

pâmoison, s. f. Action de se pâmer.

pamphlet, s. m. Ecrit violent où l'on attaque qqn, qqch *Libellus contumeliosus* (ou *famosus*), ou (simpl.) *libellus, i,* m.

pamphlétaire, s. m. et f. Auteur de pamphlets. *Libelli famosi auctor.*

pampre, s. m. Feuillage de la vigne. *Pampinus, i,* m. De —, couvert de —, *pampineus, a, um,* adj. Qui a beaucoup de —, *pampinosus, a, um,* adj.

Pan, n. pr. Dieu des bergers. *Pan, Panis,* m.

pan, s. m. Morceau d'un vêtement. *Lacinia vestimenti,* ou simpl. *lacinia, ae,* f. || (Par anal.) — de mur (partie d'un mur), *pars muri ; aliquantum* *muri.* ¶ (Par ext.) Côté d'un ouvrage à plusieurs angles. *Latus, eris,* n.

panacée, s. f. Remède universel. *Panchrestum remedium.*

panache, s. m. Faisceau de plumes. *Crista, ae,* f. Orné, surmonté d'un —, *cristatus, a, um,* adj.

panacher, v. tr. Orner d'un panache. *Cristā ornāre.* Panaché, *cristatus, a, um,* adj. ¶ Orner de couleurs variées. Voy. NUANCER. || (Par anal.) Panaché (formé d'ingrédients de toutes sortes). Voy. MÉLANGER. [de pain. *Intrita, ae,* f.

panade, s. f. Soupe d'eau, de beurre et

panais, s. m. Plante potagère. *Pastinaca, ae,* f.

panaris, s. m. Inflammation à l'extrémité des doigts. *Paronychium, ii,* n. et *paronychia, ae,* f.

pancarte, s. f. Voy. AFFICHE, PLACARD.

pancrace, s. m. Exercice de la lutte et du pugilat. *Pancration et pancratium, ii,* n. Athlète qui combat au —, *pancratiastes, ae,* m.

panégyrique, s. m. Discours public à l'éloge d'une personne. *Sollemnis laudatio,* et simpl. *laudatio, onis,* f. *Laudes, laudum,* f. pl. Le — (d'Isocrate), *panegyricus, i,* m. ¶ (P. ext.) Éloge. *Praeconium, ii,* n.

panégyriste, s. m. et f. Celui, celle qui fait un panégyrique. *Laudator, oris,* m. *Praedicator, oris,* m. Une —, *laudatrix, tricis,* f. || (Par ext.) Celui qui fait l'éloge de qqn, de qqch. *Laudator, oris,* m. *Praeco, onis,* m.

paner, v. tr. Envelopper la viande de mie de pain. *Pane (carnem) involvēre* ¶. En parl. d'un liquide, y faire bouillir du pain. *Pane (liquorem) temperāre.*

panerée, s. f. Voy. CORBEILLE.

paneterie, s. f. Lieu où se fait la distribution du pain. *Locus ubi panis distribuitur.*

panetier, s. m. Celui qui est préposé à la paneterie. *Triticarius, ii,* m.

panetière, s. f. Petit sac pour porter le pain. *Panarium, ii,* n.

panicaut, s. m. Plante. *Erynge, es,* f. et *eryngion, ii,* n.

panier, s. m. Réceptacle en osier, en jonc, etc., qui sert à contenir des provisions, etc. *Corbis, is* (Abl. e), f. *Fiscina. ae,* f. — tressé, *sporta, ae,* f. — à couvercle, *cista, ae,* f. — au pain, *panarium, ii,* n. — à fruits, *canistrum, i,* n. — à fleurs, *canistrum, i,* n.; *calathus, i,* m. — pour la vendange, *fiscella, ae,* f. || — à ouvrage, *calathus, i,* m. || (Par ext.) Contenu du —, voy. CORBEILLE. ¶ Panier à linge, etc. *Cista, ae,* f.

panification, s. f Transformation du pain. *Panificium, ii,* n. [*Panem facēre.*

panifier, v. tr. Transformer en pain.

panique, adj. fém. Terreur —, *et subst.* — (effroi subit et sans raison), *caecus quidam terror ;* (*velut*) *lymphaticus pavor.*

1. **panne,** s. f. Sorte d'étoffe. Voy. PELUCHE. ¶ Voilure d'un navire. Voy.

VOILURE. Spéc. Etre en —, *stāre,* intr. Mettre le navire en —, *et ellipt.,* mettre en —, *armamenta componēre.*

2. **panne,** s. f. Graisse qui garnit la peau du cochon. Voy. COUENNE.

3. **panne,** s. f Pièce de bois posée horizontalement sur la charpente d'un comble. *Templum, i,* n.

panneau, s. m. Nappe *ou* filet tendu pour prendre, du gibier. *Laquei, orum,* m. pl. || (Fig.) Piège. Voy. ce mot. || Pan de pierre de bois, etc., encadré. *Replum, i,* n. — de plafond, de lambris, *lacunar, aris* (abl. *lacunari,* gén. pl. *lacunariorum,* dat. pl. *lacunariis),* n. || (Spéc.) Planche pour peindre un tableau sur bois. *Tabula, ae,* f. || Cadre. Voy. ce mot.

panse, s. f. Ventre. *Pantices, icum,* m. pl. ¶ (Fig.) Partie renflée d'une chose. *Venter, tris,* m.

pansement, s. m. Action de panser (un blessé). *Curatio, onis,* f. Faire un — à qqn. Voy. PANSER.

panser, v. tr. Traiter un malade. *Curāre,* tr. Spéc. — un blessé, *obligāre aliquem.* P. ext. — une blessure, *alligāre* (ou *obligāre) vulnus.*

pansu, *ue,* adj. Qui a une grosse panse. *Ventriosus, a, um,* adj.

pantelant, *ante,* adj. Qui pantelle. Voy. HALETANT. Chair —, voy. PALPITANT. || (Fig.) Voy. PALPITANT.

panteler, v. intr. Haleter convulsivement. Voy. HALETER. || (Fig.) En parl. du cœur. Voy. PALPITER.

panthéisme, s. m. Système philosophique qui n'admet qu'une substance diversifiée en modes. *Ratio eorum qui vim divinam in universā rerum naturā sitam esse censent.*

panthéiste, adj. Qui appartient au panthéisme. *Ad rationem eorum pertinens, qui vim divinam in universā rerum naturā sitam esse censent.* Doctrine —, voy. PANTHÉISME. ¶ Qui admet le panthéisme. Philosophe —, et, *subst.* un —, *qui vim divinam in universā rerum naturā sitam esse censet.*

panthéon, s. m. Temple consacré à tous les dieux. *Pantheum, i,* n.

panthère, s. f. Carnassier à peau mouchetée. *Panthera, ae,* f.

pantière, s. f. Filet pour prendre les petits oiseaux. Voy. LACS, FILET. ¶ Gibecière. Voy. ce mot.

pantin, s. m. Marionnette (au pr. et au fig.) Voy. ce mot.

pantomime, s. m. et f. Acteur qui ne représente que par les gestes, les sentiments des personnages. *Pantomimus, i,* m. *Saltator, oris,* m. *Gesticulator, oris,* m. Mouvement, geste du —, *gesticulatio, onis.* f. || Adjectivt. *Pantomimicus, a, um,* adj. ¶ (P. ext.) S. f. Art du pantomime. *Chironomia. ae,* f. Exprimer par la —, *gesticulāri,* dép. tr || (P. ext.) Pièce où les personnages ne s'expriment que par gestes *Pantomimus, i,* m.

Saltatio, onis, f. || (P. appos.) Danse, ballet —, voy. plus haut. || (Fig.) Expression des sentiments par les gestes. Voy. MIMIQUE.

pantoufle, s. f. Chaussure de chambre. *Solea, ae,* f. *Crepida, ae,* f. Chaussé de —, en —, *soleatus, a, um,* adj.

paon, *paonne,* s. m. et f. Oiseau à plumage éclatant. *Pavo, onis,* m. De —, *pavoninus, a, um,* adj. Paonne, *femina pavo.* [*pavoninus.*

paonneau, s. m. Jeune paon. *Pullus*

papa, s. m. Terme enfantin. Père. *Papa, ae,* m.

papal, *ale,* adj. Qui appartient au pape. *Pontificius, a, um,* adj.

papauté, s. f. Dignité, autorité du pape. *Pontificatus maximus.* ¶ Gouvernement du pape. *Pontificatûs, ûs,* m.

pape, s. m. Chef de l'église catholique. *Papa, ae,* m. *Pontifex Romanus* (ou *summus* ou *maximus*).

paperasse, s. f. Papiers inutiles, bons à mettre au rebut. *Inanes* (ou *viles*) *chartae.*

paperassier, *ière,* s. m. et f. Celui, celle qui aime les paperasses. Voy. ÉCRIVASSIER. || (Adjectivt.) Une ville —, *urbs litterarum conficientissima.*

papeterie, s. f. Fabrication du papier. *Chartarum conjectura.* || Lieu où il se fabrique. *Officina chartaria.* ¶ Commerce de papiers. *Chartarium commercum.* || (P. ext.) Magasin où l'on vend du papier. *Chartaria taberna.*

papetier, s. m. Qui fabrique du papier. *Chartarius, ii,* m.

Paphos, n. pr. Ville de Chypre. *Paphos, i,* f. De —, *Paphius, a, um,* adj.

papier, s. f. Feuille pour écrire *ou* imprimer, pour envelopper, etc. *Charta, ae,* f. — (fait avec du papyrus), *papyrus, i,* f. Feuille de —, voy. FEUILLE. Relatif au —, de —, *chartarius, a, um,* adj. ¶ (Spéc.) Notes, titres, documents. *Litterae, arum,* f. pl. *Tabulae, arum,* f. pl. — officiels, *tabulae publicae.* ¶ Effet représentant une valeur d'argent. *Syngrapha, ae,* f. ¶ Papier servant à divers usages. *Charta, ae,* f.

papille, s. f. Petite éminence formée sous l'épiderme par des ramifications nerveuses. *Papilla, ae,* f.

papillon, s. m. Insecte aux ailes colorées. *Papilio, onis,* m.

papyrus, s. m. Sorte de roseau qui croit en Egypte. *Papyrus, i,* f. De —, *papyraceus, a, um,* adj.; *papyrinus, a, um,* adj. ¶ Feuillet de la plante préparé pour l'écriture. *Papyrus, i,* f.

pâque, s. f. Fête en souvenir de la sortie d'Egypte. *Pascha, ae,* f. De la —, *paschalis, e,* adj.

pâques, s. f. pl. Fête en souvenir de la résurrection du Christ. *Dies festi Paschae* ou *dies festi paschales.*

paquerette, s. f. Petite marguerite des prés. Voy. MARGUERITE.

paquet, s. m. Assemblage de plusieurs choses liées, enveloppées ensemble. *Fascis, is,* m. *Fasciculus, i,* m. Un petit —, *fasciculus, i,* m. — de verges, *fascina, ae,* f. || Bagage. *Sarcina, ae,* f.

par, prép. Indiquant ce qui sert de passage et ce qui sert à produire un effet. || (Ce qui sert de passage.) *Per,* prép. (av. l'Acc.). Mais on emploie aussi l'Abl. sans prép. Par ici, *hâc.* Par là, *illac.* Par où, *quâ.* Par delà, par dessus, *trans,* prép. (av. l'Acc.), *ultra,* prép. (av. l'Acc.) || (Par ext.) *Per,* prép. (av. l'Acc.). Passer — les dignités, *honores percurrère.* Passer — toutes sortes d'épreuves, *multa exhaurire pericula.* Ce qui passe — la tête, *quicquid occurrit.* || (Par anal.) — un beau temps, *sereno caelo.* — un temps sombre, *nubilo caelo.* Jeter qqn — terre, *ad terram affligère aliquem.* ¶ (Ce qui sert à produire un effet.) || En parlant de la cause. *A* ou *ab,* prép. (av. l'Abl.). On emploie l'Abl. sans prép. quand la cause de l'action est une chose. || (Loc. adv.) Par trop, *c.-à-d.* avec excès, voy. EXCÈS. || (Fig.) — intérêt, *utilitatis causâ.* Savoir — cœur, voy. CŒUR. || (En parl. du motif.) *Per,* prép. (av. l'Acc.). *Propter,* prép. (av. l'Acc.). On empl. aussi l'Abl. — passion, *studio.* || (Loc. adv.) Par là, *c.-à-d.* pour ce motif, voy. MOTIF. || (Loc. conj.) Passe que. Voy. PARCE QUE. || (En parl. de l'instrument, du moyen.) *Per,* prép. (av. l'Acc.). *E* ou *ex,* prép. (av. l'Abl.). On empl. ordin. l'Abl. sans prép. — la prière, *precibus.* || Sur l'ordre de. De — le roi, *jussu regis.* || (En parl. de la manière. (Se traduit par l'Abl. || (Pour exprimer la distribution.) *In,* prép. (av. l'Acc.). *Per,* prép. (av. l'Acc.).

parabole, s. f. Allégorie sous laquelle se cache un enseignement moral. *Parabole, es,* f.

1. parade, s. f. Evolution des cavaliers. Voy. ÉVOLUTION. || Revue des troupes allant monter la garde. *Decursio, onis,* f. *Decursûs, ûs,* m. ¶ (P. ext.) Exhibition. *Ostentatio, onis,* f. Faire — de qqch., *ostentāre,* tr. Cheval de —, *equus magnificè instructus.* Lit de — (pour un mort), *lectus funebris* ou simpl. *lectus, i,* m. || (Fig.) Ostentatio, *onis,* f. *Jactatio, onis,* f. *Venditatio atque ostentatio.* Faire — de qqch., voy. ÉTALER. || Faux semblant *Simulatio, onis,* f. Faire — de, *simulāre,* tr.

2. parade, s. f. Action de parer, d'esquiver. *Ictûs declinatio* (ou *vitatio*).

parader, v. intr. (En parl. du cheval.) Caracoler. Voy. ce mot. ¶ (En parl. de troupes.) Défiler dans une revue. *Decurrère,* intr. ¶ (Fig.) Faire le beau. *Magnificè incedère* (ou *se inferre*). Se *ostentāre* ou *jactāre.*

paradigme, s. m. Type de déclinaison, de conjugaison, etc. *Paradigma, matos,* n.

paradis, s. m. Lieu de délices, jardin

où Dieu avait mis le premier homme.
Paradisus, i, m. ‖ (Fig.) *Locus amoenissimus.* ‖ (P. ex.) Oiseau de —, *apus, podis*, m. ¶ (P. ext.) Séjour de la béatitude céleste. *Sedes beatorum.* ‖ (Fig.) Etre dans un vrai —, *esse in caelo.*

paradoxal, *ale*, adj. Qui tient du paradoxe. *Admirabilis, e*, adj. Chose —, voy. PARADOXE.

paradoxe, s. m. Opinion contraire à l'opinion commune. *Quod est admirabile contraque opinionem omnium.* Des —, *admirabilia quaedam.* ¶ (P. ext.) Fait incroyable. Voy. INCROYABLE. C'est un —, *admirabile est.*

parafe, etc. Voy. PARAPHE, etc.

1. parage, s. m. Extraction (plus ou moins haute). Voy. EXTRACTION, NAISSANCE.

2. parage, s. m. Régions maritimes, étendue de côtes, espace de mer. *Ora maritima* ou simpl. *ora, ae*, f. Voy. CÔTE. Quand il est venu dans vos —, *cum istuc appliculsset.* ‖ (P. ext.) Région *Locus, i*, m.

paragraphe, s. m. Signe marquant la séparation des différents alinéas. *Paragraphus, i*, f. ¶ (P. ext.) Section d'un discours, d'un chapitre. *Caput, pitis*, n. ‖ (Spéc.) Dans un code : section d'une loi. *Caput, pitis*, n.

paraître, v. intr. Se montrer. ‖ Se faire voir soudain. *Apparēre*, intr. Comparēre (on dit aussi *in conspectum venire; ddre se in conspectum alicui; offerre se alicui*). Occurrēre, intr. *Erumpēre*, intr. *Exsistēre*, intr. Prodire (« s'avancer, paraître »), intr. *Advenire*, intr. Faire —, *producēre* ou *proferre (aliquem).* ‖ Etre publié. Voy. PUBLIER. ‖ Se laisser voir. *Videri*, pass. *Apparēre*, intr. Comparēre, intr. Faire —, *ostendēre*, tr.; *aperire*, tr.; *patefacēre*, tr.; *declarāre*, tr.; *significāre*, tr. ‖ (Par ext.) Etre mis en vue. *Conspici*, pass. *Cerni*, pass. Ne pas laisser —, voy. DISSIMULER. Qui paraît, *conspicuus, a, um*, adj. ¶ Se montrer sous un certain aspect. ‖ Offrir aux yeux le signe extérieur d'une manière d'être. *Videri*, pass. ‖ (Impers.) Il paraît, *videtur.* (Mais en latin la constr. est régul. personnelle). Comme il paraît, à ce qu'il paraît, *ut apparet; ut res declarat.* ‖ (Absol.) Se donner l'air d'être ce qu'on n'est pas. *Speciem praebēre.*

parallèle, adj. (En parl. de droites et de surfaces.) Dont la distance est toujours égale. *Parallelos, on*, et *parallelus, a, um*, adj. Subst. Une — (une ligne —), *parallelos linea.* Par ext. Deux poutres —, *duo tigna paribus inter se intervallis distantia.* ¶ (Fig.) Qui présente une comparaison suivie. *Comparativus, a, um*, adj. ‖ Subst. au masc. Comparaison suivie entre deux personnes, deux choses. *Comparatio, onis*, f. Mettre en —, *comparāre aliquem alicui* ou *aliquid cum aliquā re;*

opponēre aliquid alicui rei.

parallèlement, adv. Dans une direction parallèle. *Paribus inter se intervallis.* — au Danube, *rectā fluvii Danuvii regione.*

parallélisme, s. m. Disposition parallèle (de lignes. de surfaces). *Aequilatatio, onis*, f. ‖ (Fig.) Voy. COMPARAISON, SIMILITUDE.

parallélogramme, s. m. Quadrilatère dont les côtés opposés sont parallèles. *Parallelogrammum, i*, n.

paralogisme, s. m. Raisonnement vicieux. *Falsa ratio.* Faire un —, *vitiosē concludēre.*

paralyser, v. tr. Frapper de paralysie. *Debilitāre*, tr. *Obstupefacēre*, tr. Paralysé, *debilis, e*, adj. Etre paralysé, *torpēre*, intr. ‖ (Fig.) Frapper d'impuissance. *Debilitāre*, tr. — les efforts, *conatus comprimēre* et *reprimēre.* Paralysé, *debilis, e*, adj.; *torpens*, p. adj. Etre paralysé, *torpēre*, intr.

paralysie, s. f. Perte totale ou partielle du mouvement et de la sensibilité. *Debilitas membrvrum* ou simpl. *debilitas, atis*, f. *Resolutio* (ou *remissio*) *nervorum.* Etre atteint, frappé de —, *resolvi*, pass. moyen.

paralytique, adj. Qui est atteint de paralysie. *Debilis, e*, adj. *Omnibus membris captus ac debilis.* Un —, *paralyticus, i*, m.

parapet, s. m. Massif qui surmonte un rempart. *Lorica, ae*, f. *Pluteus, i*, m. *Porticus, uum*, f. pl. ¶ Garde-fou. *Lorica, ae*, f.

paraphe, s. m. Traits de forme variée qu'on ajoute à sa signature. *Nota, ae*, f. ¶ Signature abrégée. Voy. SIGNATURE.

parapher, v. tr. Signer d'un paraphe. Voy. SIGNER.

paraphrase, s. f. Développement explicatif d'un texte. *Paraphrasis, is* (Acc. *im*, Abl. *i*), f. *Circuitio verborum.* ‖ (P. ext.) Traduction dont le texte est amplifié. Voy. AMPLIFICATION. ‖ (P. anal.) Développement verbeux. Voy. PROLIXITÉ.

paraphraser, v. tr. Développer par paraphrase. *Pturibus verbis exponēre* ou *explicāre (aliquid).* Absolt —, *longiore ambitu circumducēre unum sensum.*

parasite, s. m. Commensal attaché à la table d'un riche. *Parasitus, i*, m. *Assecla, ae*, m. Femme —, *parasita, ae*, f. De —, *parasiticus, a, um*, adj. Faire le métier de —, *parasitāri*, dép. intr. ¶ Celui qui fait le métier de manger à la table d'autrui. *Comme plus haut.* Oiseau —, *avis parasita.* Fig. Mots, expressions —, voy. SUPERFLU.

parasitisme, s. m. Etat, profession de parasite. *Parasitatio, onis*, f.

parasol, s. m. Petit pavillon portatif pour se garantir du soleil. *Umbella, ae*, f.

parc, s. m. Etendue de terrain boisé,

enclos de murs, etc. *Consaeptum, i*, n. *Consaeptus ager. Nemus manu consitum* ou simpl. *nemus, oris*, n. *Horti, orum*, m. pl. ‖ (P. anal.) — pour la chasse, *saeptum venationis; vivarium, ii*, n. ¶ (P. ext.) Pâtis entouré de fossés (pour les troupeaux). *Saeptum, i*, n. *Pecuaria* (s.-e. *statio*), *ae*, f. — (pour les moutons), *saeptum, i*, n. ‖ — aux huîtres, *ostrearium, ii*, n. ¶ (T. milit.) Partie d'un camp où l'on place l'artillerie, les munitions, etc. *Armamentarium, ii*, n. ‖ (P. ext.) Le matériel contenu dans le parc. *Instrumentum militare.*

parcelle, s. f. Petite partie d'un tout. *Parva pars* (*agri*). *Particula, ae*, f. ‖ (P. ext.) Petite quantité d'une substance. *Uncia, ae*, f. Au fig. *Particula, ae*, f.

parce que, conj. Par le motif que, par la raison que. *Propterea quod* ou simpl. *quod*, conj. *Quia*, conj. *Quoniam*, conj.

parchemin, s. m. Peau préparée pour écrire, etc. *Membrana, ae*, f. De —, en —, *membranaceus, a, um*, adj.

parcheminerie, s. f. Fabrication, commerce du parchemin; usine où on le fabrique. *Membranarum confectio, commercium, officina.*

parcheminier, s. m. Fabricant, marchand de parchemin. *Membranarius, ii*, m.

parcimonie, s. f. Epargne mesquine. *Malignitas, atis*, f. *Tenacitas, atis*, f. Avec —, *parcĕ*, adv.; *exiguĕ*, adv.

parcimonieusement, adv. D'une manière parcimonieuse. *Parcĕ*, adv. *Exiguĕ*, adv. Très —, *sordidĕ*, adv.

parcimonieux, *euse*, adj. Qui a de la parcimonie. *Malignus, a, um*, adj. Se montrer —, voy. CHICHE.

parcourir, v. tr. Traverser en divers sens, et, p. ext., accomplir. *Percurrĕre*, tr. *Peragrāre*, tr. — rapidement, *pervolāre*, tr. — entièrement, *pervagāri*, dép. tr. — un pays, *iter facĕre per regionem.* — à cheval, *perequitāre*, tr. ‖ (Fig.) *Percurrĕre*, tr. *Decurrĕre*, tr. — (en parl. *ou* en écrivant), *persequi*, dép. tr. — par la pensée, *percurrĕre*, tr.; *lustrāre*, tr. — (un livre), *cursim legĕre* (*librum*). ‖ En parl. des choses. *Pervagāri*, dép. tr. Voy. [se] RÉPANDRE.

parcours, s. m. Action de parcourir. *Percursatio, onis*, f. Droit de —, *et*, *absol.* —, droit de faire paître son bétail dans les terres non closes, *potestas educendi* (ou *excursus liber*) ¶ Espace parcouru. *Emensum spatium. Iter emensum* et simpl. *iter, itineris*, n.

pardessus, s. m. Vêtement de dessus. *Paenula, ae*, f.

pardon, s. m. Action de pardonner. *Venia, ae*, f. Demander —, *postulāre ut sibi ignoscatur.* Accorder à qqn le — (de sa faute), *condonāre alicui* (*scelus*); *gratiam facĕre alicui* (*rei alicujus*).

Pardon ! *ignoscas quaeso*. ‖ (P. ext.) Formule de politesse. Je vous demande —, *et, ellipt*, — mille —, *quaeso* ! *obsecro te* ! ¶ Grâce. Voy. ce mot.

pardonnable, adj. Qui peut être pardonné. *Veniā dignus. Cui ignosci potest.* En parl. des personnes. *Dignus veniā. Cui ignosci potest.*

pardonner, v. tr. Remettre une faute à qqn. *Ignoscĕre*, intr. *Concedĕre*, tr. *Condonāre*, tr. *Indulgēre* (« pardonner par bonté, se montrer indulgent pour »), intr. ¶ (Par affaiblissement de sens.) Excuser. Voy. ce mot. ‖ (P. ext.) Formule de politesse. Pardonnez-moi, *absit verbo invidia.*

pareil, *eille*, adj. Semblable (en parl. de deux). *Par* (gén. *paris*), adj. *Compar*, adj. A nul autre —, voy. INCOMPARABLE. ‖ *Substantivt.* Qu'il n'eut pas son — pour l'éloquence, *eloquentiā parem habuisse neminem.* Qui n'a pas son —, voy. INCOMPARABLE. Cruauté sans —, *novitas crudelitatis.* Spéc. Rendre à qqn la —, *alicui par pari referre* (ou *respondĕre*). Tes —, *homines tui similes.* ‖ (P. ext.) Tel, de telle espèce. *Talis, e*, adj. *Ejus modi. Hujus modi. Ejus* (*hujus*, etc.) *generis.*

pareillement, adv. D'une manière pareille. *Pariter*, adv. *Similiter*, adv. *Item*, adv.

parélie, s. m. Image du soleil réflétée dans un nuage. *Parelion, ii*, n.

parement, s. m. Action de parer, d'apprêter. Voy. APRÊT. ¶ Ce qui est paré, apprêté. — d'un mur, *frons, frontis*, f. ¶ Ce qui est paré, orné. Voy. GARNITURE, PARURE.

parent, *ente*, s. m. et f. (Au masc. plur.) Ceux à qui on doit le jour; le père et la mère. *Parentes, um* (et *ium*), m. pl. ‖ Les grands —, *ivi, orum*, m. pl.; *avus et avia.* ¶ (P. ext.) Ceux de qui on descend. *Patres, um*, m. pl. Né de — illustres, *nobili* (ou *illustri*) *genere natus.* ¶ Celui, celle qui est de la même famille que qqn. *Propinquus, i*, m. — par le sang, *consanguineus, i*, m. Les proches —, *propinqui, orum*, m. pl. Etre le — de qqn, *alicui propinquum esse; cum aliquo propinquitate conjunctum esse.* Une parente, *propinqua, ae*, f. ‖ (Fig.) *Propinquus, a, um*, adj. *Cognatus, a, um*, adj.

parenté, s. f. Union par le sang *ou* par alliance entre diverses personnes. *Propinquitas, atis*, f. *Cognatio, onis*, f. — du côté paternel, *agnatio, onis*, f. — par alliance, *affinitas, atis*, f. Liens de —, rapports de —, *vincula propinquitatis; sanguinis conjunctiones.* ‖ (Fig.) *Cognatio, onis*, f. *Conjunctio, onis*, f. ‖ (P. ext.) L'ensemble de ceux qu'unit le lien de parenté. *Cognatio, onis*, f. Qui est de la —, *gentilis, e*, adj.

parenthèse, s. f. Phrase accessoire détachée de la phrase principale. *Inter-*

jectio, onis, f. Interpositio, onis, f. Inter-clusio, onis, f. Par —, obiter, adv.

1. **parer**, v. tr. Préparer Parâre, tr. Ornâre, tr. ¶ (P. ext.) Arranger d'une manière élégante. Ornâre, tr. Exornâre, tr. Comĕre, tr. — (sa marchandise), mangonizâre, tr. || (Spéc.) Revêtir de vêtements élégants. Ornâre, tr. Exornâre, tr. Comĕre, tr. Se —, ornâri. Paré, decoratus, a, um, p. adj.; ornatus, a, um, p. adj.; cultus, a, um, p. adj. P. anal. — le vice, voy. DÉGUISER. — ses discours, son style, comĕre orationem. || (P. ext.) Faire parade. Voy. PARADE, OSTENTATION.

2. **parer**, v. tr. Prendre des mesures pour éviter. Voy. ÉVITER. || (P. ext.) Parer (des coups), (ictus) declinâre. || (Spéc.) — un coup, une botte, eludĕre, tr.; cavĕre, tr. Absolt. —, cavĕre, intr. || Absolt. — à qqch., occurrĕre, intr.; cavĕre (ab aliquâ re); praecavĕre (ab aliquâ re). — au plus pressé, qui est de... non ullam aliam agĕre curam quam ut (et le Subj.).

paresse, s. f. Répugnance au travail, à l'action. Pigritia, ae, f. (et pigrities, ei, f.). Inertia luboris, et (simpl.) inertia, ae, f. Desidia, ae, f. Ignavia, ae, f. Avec —, pigrē, adv. Hésiter par —, cessâre, intr. Se laisser aller à la —, montrer de la —, desidem esse. || (P. ext.) Lenteur à agir. Voy. INDOLENCE. Heures de —, inertes horae. — d'esprit, remissio animi. || — de l'estomac, pigritia stomachi.

paresser, v. intr. Se laisser aller à la paresse. Ignaviae et socordiae se dare.

paressensement, adv. Avec paresse. Pigrē, adv. Segniter, adv.

paresseux, euse, adj. Qui montre de la paresse. Piger, gra, grum, adj. Segnis, e, adj. Etre —, cessâre, intr.; nihil agĕre. || (P. ext.) Un estomac —, pigri-tia stomachi. ¶ Substantivt. Un —, homo (ou puer) languori et desidiae deditus; cessator, oris, m. Une —, mulier (ou puella) languori ac desidiae dedita.

parfaire, v. tr. Achever, compléter en ajoutant tout ce qui manque. Perficĕre, tr.

parfait, cite, adj. Dont l'excellence est absolue. Perfectus, a, um, p. adj. Absolutus, a, um, p. adj. (on dit aussi perfectus et absolutus, ou absolutus et perfectus). ¶ Dont l'excellence est absolue dans son genre. Perfectus, a, um, p. adj. Absolutus, a, um, p. adj. Un — honnête homme, vir probissimus. D'une élégance —, elegans omni numero. Etre —, omnes numeros habēre. Rendre —, perficĕre, tr.; absolvĕre (aliquid). Deve-nir —, ad perfectum venire. (P. ext.) En mauvaise part. Un — imbécile, stultior stultissimo. || (En parl. des choses.) Excellent. Summus, a, um, adj. Opti-mus, a, um, adj. Eximius, a, um, adj.

Praestantissimus, a, um, adj. (superl.) || Complet, achevé. Absolutus, a, um, p. adj. Perfectus, a, um, p. adj. (on dit aussi perfectus atque absolutus). Rendre qqch. —, aliquid explēre. || (Gramm.) Le —, perfectum tempus, ou simpl. per-fectum, i, n.

parfaitement, adv. D'une manière par-faite. Perfectē, adv. Absolutē, adv. Planē, adv. — bien, — juste, rectis-simē, adv. Comprendre —, pulchrē intelligĕre. || (Spéc.) Employé à la place de « oui » pour affirmer fortement. Bene est, bene habet! Bene facis, et simpl. Bene! Optimē!

parfois, adv. Dans quelques occasions. Voy. QUELQUEFOIS.

parfum, s. m. Odeur agréable. Odor suavis ou (simpl.) odor, oris, m. Halitus suavis. Suavitas, atis, f. Avoir un —, bene olēre. Exhaler un —, fragrâre, intr. et tr. || (Fig.) Odor, oris, m. Ses discours ont un — d'atticisme, ex illius orationibus Athenae redolēre videntur. ¶ Substance qui donne cette odeur. Odor, oris, m. — liquide, unguentum, i, n. De —, relatif aux —, unguentarius, a, um, adj. Vase, boîte à —, olfactorium, ii, n.

parfumer, v. tr. Imprégner d'un par-fum. Imbuĕre (ou perfundĕre) odoribus. Unguento perfricare. Parfumé, odoratus, a, um, adj.; fragrans unguento (ou unguentis). Cheveux —, delibutus ca-pillus. Tout parfumé, unguentis oblitus. Etre parfumé, unguenta olēre. Parfumé, fragrans (gén. -antis), p. adj. — (une substance), odorâre, tr.; condîre, tr. Huile parfumée, unguentum, i, n.

parfumerie, s. f. Magasin du parfu-meur. Taberna unguentaria. || Indus-trie du parfumeur. Unguentaria (s.-e. ars), ae, f.

parfumeur, euse, s. m. et f. Celui, celle qui fabrique, qui vend des par-fums. Unguentorum institor. Unguen-tarius, ii, m. Parfumeuse, unguentaria, ae, f.

parhélie. Voy. PARÉLIE.

pari, s. m. Action de parier, résultat de cette action. Sponsio, onis, f. || (Spéc.) Somme risquée pour ou contre un joueur, et, p. ext., enjeu du pari. Voy. ENJEU.

paria, s. m. Homme de la dernière caste (dans l'Inde), qui est méprisé. Infimus homo.

parier, v. tr. Convenir d'un enjeu. Sponsionem facĕre. Pignore contendĕre (ou certâre) cum aliquo. — qqch., ali-quid in pignus dâre. || (P. ext.) Risquer une somme au jeu. Voy. RISQUER. P. ext. — une chose, voy. GAGER, SOU-TENIR. [murailles. Perdicium, ii, n.

pariétaire, s. f. Plante qui croît sur les

parieur, euse, s. m. et f. Celui, celle qui parie. Qui (quae) sponsionem facit.

Paris, n. pr. Capitale de la France. Lutetia Parisiorum, f. De —, Parisinus, a, um, adj.

parisyllabique, adj. Dont les cas indirects n'ont pas plus de syllabes que le nominatif. *Paribus syllabis.*

parité, s. f. Egalité entre deux termes. *Aequalitas, atis, f.*

1. parjure, s. m. et f. Celui, celle qui se parjure. *Perjurus homo.* Une —, *perjura mulier.* || Adjectivt. *Perjurus, a, um,* adj.

2. parjure, s. m. Faux serment. *Perjurium, ii, n.* ¶ Violation de serment. *Violatum jusjurandum. Violata fides.*

parjurer, v. tr. et pron. || *V. tr.* Renier par un parjure. *Violāre, tr.* ¶ *V. pron.* Se — (faire un parjure), *fidem prodĕre ou violāre. Perjurium facĕre. Perjurāre et pejerāre,* intr.

parlant, *ante*, adj. Fig. Portrait —, *expressa imago.* Le tableau est —, *spirat tabella.* ¶ (P. ext.) Expressif. Voy. ce mot. Des yeux —, *arguti oculi.*

parlement, s. m. Assemblée délibérante, cour de justice (dans l'ancienne monarchie). *Senatŭs, ūs, m.* ¶ (P. anal.) Assemblée, chambre qui exerce le pouvoir législatif. *Senatŭs, ūs, m.*

1. parlementaire, adj. Relatif au parlement, aux assemblées législatives. Respecter les usages —, *disciplinam curiae servāre.*

2. parlementaire, adj. Relatif à l'action de parlementer. *Ad condiciones pacis agendas pertinens.* Un drapeau —, *caduceus, i, m.* Subst. Un — (personne chargée de parlementer avec l'ennemi), *legatus de condicionibus urbis tradendae missus; orator, oris, m.; caduceator, oris, m.* Envoyer des —, *mittĕre legatos de pace.*

parlementer, v. intr. Entrer en pourparlers pour un accommodement. *In colloquium venīre.*

parler, v. intr. et tr. || (*V. intr.*) Se servir du langage articulé. *Loqui,* dép. intr. Qui ne parle pas, *infans,* p. adj. Apprendre à qqn à —, *aliquem verba edocēre.* ¶ Exprimer sa pensée par le langage articulé. *Loqui,* dép. intr. *Alloqui* (« adresser la parole à »), dép. tr. *Colloqui* (« parler avec, converser »), dép. intr. *Eloqui* (« s'exprimer, parler »), dép. intr. *Dicĕre* (« parler; prononcer un discours »), intr. — en l'air, *temerē effutīre.* Généralement parlant, *universē,* adv.; *in universum.* — en maitre, *imperdīre.* — au cœur, *animum movēre* (ou *commovēre*). — en public, *verbum in publico facĕre.* — Désirer — à qqn, *aliquem velle.* || (Absol.) Faire connaître sa volonté. *Loqui,* dép. intr. *Jubēre,* abs. || Faire connaître ce qu'on devait taire. *Loqui,* dép. intr. *Eloqui,* dép. intr. || Donner son opinion. *Loqui,* dép. intr. et tr. *Dicĕre,* tr. *Disserĕre,* intr. *Disputāre,* intr. — en faveur d'une loi, *suadēre legem* (opp. à *dissuadēre*). — avec qqn de qqch., *sermonem habēre de aliqua re.* — toujours de la même chose, *semper idem in ore habēre.* — souvent

de qqch., *aliquid in ore habēre.* On parle de la conjuration, *agitur de conjurationa.* Ne pas — de..., *tacēre,* tr. (voy. TAIRE); *omittĕre,* tr. (voy. OMETTRE). Ne pas vouloir entendre — de..., *non pati* (*aliquid*). ¶ (Par anal.) En personnifiant les choses. *Loqui,* dép. intr. *Declarāre,* tr. ¶ Exprimer ses pensées autrement que par le langage articulé. *Loqui,* dép. intr. *Significāre,* tr. — par signes, *signis loqui.* || Exprimer sa pensée par un intermédiaire. *Loqui,* dép. intr. *Alloqui,* dép. tr. — à qqn à l'aide d'un interprète, *alloqui aliquem per interpretem.* || (Par ext.) Exprimer par écrit. Pour — avec Platon, *ut ait Plato.* || (P. anal.) En parl. d'un instrument de musique. Faire — la lyre, *nervorum sonos elicĕre.* ¶ (*V. tr.*) Employer, pour s'exprimer (tel *ou* tel langage). *Loqui,* dép. intr. (ex. : *loqui Graecā linguā; loqui Graecē, Latinē; Latinē nescire loqui*). La langue parlée, *sermo, onis, m.* — ce langage, *sermone eo uti.* || Traiter (tel *ou* tel sujet). *Dicĕre,* tr. (ex. : *de aliquā re*). *Disputāre,* tr. et intr. (ex. : *d. rem* ou *de re*). *Loqui,* dép. tr. (ex. : *loqui classes*). — raison, *sapienter dicĕre.*

2. parler, s. m. Action de parler. Voy. LANGAGE, PAROLE. ¶ Manière de parler. || Manière de prononcer. *Os, oris, n.* Voy. PRONONCIATION. || Manière de s'exprimer. *Sermo, onis, m.* Le franc —, *lingua libera.* Avoir son franc —, *liberē loqui.* || Idiome. *Sermo, onis, m.*

parleur, *euse*, s. m. et f. Celui, celle qui parle. Qui (*quae*) *loquitur* (ou *dicit*). *Orator oris, m.* Un beau —, voy. DISERT. Grand —, *homo garrulus.* ¶ Orateur. Voy. ce mot. ¶ (Adjectivt.) *Loquax* (gén. *-acis*), adj.

parloir, s. m. Lieu où l'on se réunit pour parler. *Locus ad colloquium* (ou *sermonem*) *aptus.* || (Spéc.) Dans une communauté, un collège : lieu où sont admis les visiteurs. *Atrium, ii, n.*

Parme, n. pr. Ville d'Italie. *Parma, ae, f.* Habitants de —, *Parmenses, ium, m.* pl.

parmi, prép. Au milieu de. *Inter,* prép. (av. l'Acc.). *In,* prép. (av. l'Abl.). Compter, ranger qqn — ses ennemis, *aliquem in hostium numero habēre.* Ranger — les dieux, *in numerum deorum referre.*

Parnasse, n. pr. Mont de la Phocide. *Parnassus, i, m.* De —, *Parnassius, a, um,* adj.

parodie, s. f. Travestissement burlesque d'une œuvre sérieuse. *Opus* (ou *scriptum*) *per ridiculum* (ou *ludibrium*) *detortum* (ou *in risus deflexum*).

parodier, v. tr. Imiter par une parodie. *Verba scriptoris* (ou *poetae*) *per ridiculum ludibrium detorquēre.*

paroi, s. f. Muraille. *Paries, etis, m.* || P. anal. Une — de rocher, *latus saxi.* || P. ext. Les — d'un vase, voy. BORD.

paroisse, s. f. Circonscription ecclésiastique où s'exerce le ministère d'un curé. *Paroecia, ae*, f.

paroissien, *enne*, s. m. et f. Celui, celle qui appartient à une paroisse. *Civis paroeciae*.

parole, s. f. Suite de mots qui exprime une pensée. *Verbum, i*, n. *Vox, vocis*, f. *Sententia, ae* (« avis exprimé, parole »), f. Selon la — de Platon, *ut ait Plato*. Croire qqn sur —, *affirmanti alicui credere*. Sur la — d'Aristide, *Aristide auctore*. || (Spéc.) Promesse verbale. *Fides, ei*, f. *Dictum, i*, n. Donner sa —, *despondère*. Tenir sa —, *fidem servare*. Etre un homme de —, *bonae fidei esse*. Ma — ! *mehercule* ! *me dius fidius* ! || Mot qui sert à exprimer la pensée. *Verbum, i*, n. *Vox, vocis*, f. *Dictum, i*, n. *Sermo, onis* (« entretien, paroles »), m. *Oratio, onis* (« discourt, paroles »), f. Grosses —, voy. INVECTIVE. || (Spéc.) Le mot, *par opposit. à la pensée. Verbum, i*, n. || Ce qu'on dit *par oppos. à ce que* l'on fait. *Dictum, i*, n. *Verbum, i*, n. || Mot d'une phrase sur laquelle est un chant. *Verbum, i*, n. ¶ Faculté d'exprimer la pensée par le langage articulé. || Cette faculté considérée comme propre à l'homme. *Oratio, onis*, f. *Sermo, onis*, f. *Vox, vocis*, f. La — lui manqua, *vox eum defecit*.|| Cette faculté considérée comme exprimant la pensée. *Sermo, onis*, m. *Oratio, onis*, f. L'art de la —, *ars dicendi : ars oratoria*. Enseigner l'art de la —, *dicendi praecepta tradère*. Le talent, le don de la —, *facultas dicendi* (ou *oratoria*) ou (simpl.) *facultas, atis*, f. Facilité de —, *facundia, ae*, f. Qui a la — facile, *facundus, a, um*, adj. || (Spéc.) Action de parler. *Locutio, onis*, f. || Cette faculté considérée comme articulant le son. *Locutio, onis*, f. *Oratio, onis*, f. *Vox, vocis*, f. *Lingua, ae*, f. || Exercice de cette faculté. *Vox, vocis*, f. *Oratio, onis*, f. *Sermo, onis*, m. *Verba, orum*, n. pl. Couper la — à qqn, *vocem alicui praecludère*. Prendre la —, *orationem habère*. Donner la — à qqn, *alicui dicendi gratiam facère*. Adresser la — à qqn, *alloqui*, dép. tr.; *affari*, dép. tr.; *appellare*, tr.; *compellare*, tr.

Paros, n. pr. Ile de la mer Egée. *Paros, i*, f. De —, *Parius, a, um*, adj. Marbre de —, *Parius lapis*.

paroxysme, s. m. Maximum d'intensité d'un accès. *Febris* (ou *morbi*) *accessio* (ou *accessus*) ou (simpl.) *accessio, onis*, f. Le — de la douleur, *summi doloris intentio*. P. anal. Le — de la colère, *irarum ardor*.

parque, s. f. La mort personnifiée. *Parca, ae*, f.

parquer, v. tr. Mettre dans un parc. — un troupeau, *claudère textis cratibus pecus*. — des huîtres, *compascère ostrea*. || (Fig.) Tenir enfermé dans un espace restreint. *In angusto claudère*.

parquet, s. m. Assemblage de lames

de bois dont on fait les planchers. *Coaxatio, onis*, f. [*Coaxare*, tr.

parqueter, v. tr. Garnir de parquet.

parrain, s. m. Celui qui présente un enfant au baptême. *Patrinus, i*, m. ¶ (P. anal.) Celui qui présente, introduit un nouveau venu dans une compagnie. *Sponsor, oris*, m.

1. **parricide**, s. m. et f. Celui, celle qui tue son père *ou* sa mère. *Parricida* (ou *interfector*) *parentis sui*, ou simpl. *parricida, ae*. m. Etre — *parentem necare*. Etre condamné comme —, *parricidii damnari*. (Celui qui tue sa mère), *matricida, ae*, m.; *interfector matris*, *parricida matris* ou simpl. *parricida, ae*, m. Une — *parricida, ae*, f.; *matricida, ae*, f. || (P. ext.) Auteur d'un crime dénaturé. *Parricida, ae*, m. || (Adjectiv.) Parricidalis*, et *parricidialis, e*, adj. *Impius, a, um*, adj.

2. **parricide**, s. m. Crime de celui qui est parricide. (Meurtre du père), *parricidium patris*, ou simpl. *parricidium, ii*, n Commettre un —, *patrem occidère* (ou *necare*). (Meurtre de la mère), *matricidium, ii*, n.; *parricidium matris* ou (simpl.), *parricidium, ii*, n. || (P. ext. Fratricide. *Parricidium fratris* ou *fraternum*.

parsemer, v. tr. Couvrir par places (en répandant *ou* en étant répandu çà et là). *Conspergère*, tr. Distinguère*, tr.

part, s. f. Partie d'une chose. || Partie, en général. *Pars, partis*, f. (voy. PARTIE). || Portion d'une chose qui revient à chacun, quand on la divise entre plusieurs. *Pars, partis*, f. Donner aux pauvres une — de sa fortune, *imperfire indigentibus de re familiari*. Faire à qqn sa —, voy. PARTAGER. Par anal. Faire la — de qqch., *alicujus rei rationem habère*. Fig. Pour ma —, *ego quidem; equidem; quod ad me attinet*. ¶ (Fig.) Ce qui revient de bon ou de mauvais à qqn dans une chose où il est intéressé. *Pars, partis*, f. *Societas, atis*, f. Prendre — à, sa — de, *partiri*, dép. tr. Qui a — à, *particeps*, adj. (*alicujus rei*). Donner une —, de, *imperfire*, tr. (*aliquid alicui*); *participare*, tr. (*aliquid cum aliquo*). Qui n'a point — à, *expers*, adj. (*alicujus rei*). || (Par extent.) Faire — à qqn de qqch., voy. COMMUNIQUER. Prendre une chose en bonne, en mauvaise —, *accipère* (*aliquid*) *in partem optimam*; *in partem mitiorem* (*aliquid*) *interpretari*; *rapère* (*aliquid*) *in pejorem partem*. || Concours apporté à l'exécution de qqch. *Pars, partis*, f. *Societas, atis*, f. Avoir — à qqch., *partem in aliquâ re habère*. || (Par ext.) Prendre, avoir — à ce qui arrive à qqn, *c.-à-d.* s'y associer de cœur, *movèri* (ou *commovèri*) *alicujus dolore*, etc. ¶ Partie d'un lieu. *Pars, partis*, f. Quelque —, *alicubi*, adv. (à la quest. *ubi*) ; *aliquo*, adv. (à la question *quo*). De quelque —, *alicunde*, adv. De quelque — que, *quâcumque*, adv. Quelque — que, *ubi ubi*, *quoquo* (quest. *quo*), Autre —, voy. AILLEURS. Nulle —, *nusquam*, adv. De toutes —, *undique*, adv. D'une —, d'autre —, *hinc... illinc...* De — et d'autre —, *per omnes partes*. Percer de en —, *(aliquem) transigére (gladio)*, *trajicére*, tr.; *transfodére* tr.; *transfigére*, tr. || (Par ext.) D'une et d'autre —, de — et d'autre, *utrinque*, adv. De bonne —, *certis auctoribus (comperisse)*. De la — de, *ab*, prép. (av. l'Abl.). Venir de la — de de qqn. *ab aliquo mitti*. A —, *seorsum*, adv.; *secreto*, adv. Aller à —, *secedére*, intr. Conduire à —, *seducére*, tr. Mettre à —, *secernére*, tr.; *seducére*, tr.; *segregáre*, tr.; *separáre*, tr.; *seponére*, tr. Une chose, une personne à —, voy. EXCEPTIONNEL. Mettre à — la feinte, *simulationem omittére*. Ellipt. A —, c.-à-d. excepté, voy. ce mot. Plaisanterie à —, *remoto joco*. A — soi, *tacité*, adv.; *secum*.

partage, s. m. Division en parts. *Partitio, onis*, f. *Divisio, onis*, f. *Distributio, onis*, f. Faire un —, voy. PARTAGER. Entrer en — (avec qqn), *in partem venire*. || (Par anal.) Action d'avoir part à qqch. avec qqn. *Societas, atis*, f. *Consortium, ii*, n. Qui n'admet pas de —, *insociabilis, e*, adj. || (Par ext.) Ce qui est attribué à qqn pour sa part. *Sors, sortis*, f. (voy. LOT). *Pars, partis*, f. (voy. PART). Recevoir en —, *sortiri*, dép. tr. Avoir en —, *participem esse*. Tomber en —, voy. ÉCHOIR. ¶ Division en parties. *Partitio, onis*, f. || Ligne de — des eaux, *divortium, ii*, n. || (Fig.) Division. *Dissensio, onis*, f. *Varietas sententiarum*. *Varietas ac dissensio*. Il y a — entre les hommes, *dissentiunt* (ou *discrepant*) *inter se homines*. Le — des voix, des votes, *varietas, atis*, f.; *variatio, onis*, f. Quand il y avait — *ibi si variaret*. [tagé. Voy. DIVISIBLE.

partageable, adj. Qui peut être partagé, s. m. Celui qui partage. *Particeps, cipis*, m. || (En parl. d'une succession.) Voy. COHÉRITIER.

partager, v. tr. Diviser en parts || (En faisant la part de chacun.) *Partiri*, dép. tr. *Dispertire*, tr. et *dispertiri*, dép. tr. *Impertire*, tr. *Dividére*, tr. *Communicáre*, tr. *Sociáre*, tr. *(aliquid cum aliquo)*. *Consociáre*, tr. || (En prenant chacun sa part.) *Partiri*, dép. tr. *Dispertire*, tr. et *dispertiri*, dép. tr. *Dividére*, tr. *Sociáre*, tr. (ex. : *aliquid cum aliquo*; on dit aussi *aliquis est socius periculorum, regni, sollicitudinum*, etc.). Faire — qqch. à qqn, *vocáre aliquem in partem alicujus rei.* || (Par ext.) Il partage mon sort, *ille omnem fortunam mecum subit.* Fig. — l'avis de qqn, *alicujus sententiae favére*. Joie partagée, *mutuum gaudium*. || (En gratifiant qqn d'une certaine part.) *Participáre*, tr. *(aliquid cum aliquo)*. *Impertire*, tr. *(aliquid alicui)* Il n'est pas bien

partagé, *ad eum sua portio non vénit.* ¶ Diviser en parties. *Partiri*, dép. tr. *Dividére*, tr. *Describére*, tr. *Distribuére*, tr. Se —, *in partes discedére*. || (Fig.) Agiter de sentiments contraires. *Distrahére*, tr. *Distinére*, tr. Les avis sont partagés, *sententiae variantur*. Etre — *dissidére*, intr. Absol. Partagé, c.-à-d. flottant, irrésolu. Voy. ces mots. || Diviser en partis opposés. Voy. DIVISER.

partance, s. f. Départ imminent d'un navire. Voy. DÉPART. Etre en — (sur le point de partir), voy. PARTIR.

partant, adv. Par suite. Voy. AUSSI, [par] CONSÉQUENT.

parterre, s. m. Partie de jardin divisé par plates-bandes. *Xystus, i*, m. *Porca, ae*, f. Petit —, *areola, ae*, f. ¶ Partie d'une salle de spectacle entre l'orchestre et le fond du théâtre. *Cavea media*.

Parthes, n. pr. Peuple de l'Asie ancienne. *Parthi, orum*, m. pl.

parti, s. m. Ce qui est attribué à qqn pour sa part. || (Fig.) Traitement, situation qu'on fait à qqn. *Condicio, onis*, f. Faire à qqn un mauvais —, voy. MALTRAITER. || (Spéc.) En ce qui concerne le mariage. *Condicio, onis*, f. Un bon —, *bona condicio*. || Part attribuée à certains fermiers de l'Etat. *Merces, edis*, f. (Fig.) Tirer — de qqch., *utilitatem* (ou *fructum*) *ex aliquá re capére* ou *percipére; lucrum* ou *quaestum ex aliquá re facére*, || (T. de jeu.) Partage, balance des chances de gain et de perte. Voy. BALANCE. ¶ Groupe à part. || Détachement de soldats employés pour battre la campagne, etc. *Manus praedatoria*, ou simpl. *manûs, ûs*, f. || Groupe de personnes suivant une même ligne de conduite. *Pars, partis*, f. (surt. au plur. *partes*). *Globus, i*, m. *Factio, onis*, f. Etre du — de qqn, *alicujus esse; cum aliquo facére; ab* (ou *cum*) *aliquo stáre*. Un chef de — *dux* (ou *princeps*) *partium*. Esprit de —, *partium studium*. La lutte des —, *certamen partium* (ou *factionum*); *contentio partium*. Un homme de —, *factiosus homo*.¶ Résolution que qqn adopte pour sa part. *Consilium, ii*, n. — pris, *propositum susceptumque consilium*, ou (simpl.) *propositum, i*, n. De — pris, *consilio*, abl. adv.; *consulto*, abl. adv.; *cogitaté*, adv. Prendre des — extrêmes, *extrema sequi* Prendre — pour qqn, *favére alicui; stáre ab aliquo* ou *facére cum aliquo; causam alicujus suscipére.* Prendre — contre qqn, *stáre (cum aliquo) adversus aliquem.* (Par ext.) Prendre son — d'une chose, *aliquid aequo ferre animo*.

partiaire, adj. Qui a droit à une partie des produits. *Partiarius, a, um*, adj.

partial, *ale*, adj. Que la prévention en faveur de qqn rend injuste. *Cupidus, a, um*, adj. *Ambitiosus, a, um*, adj. Se plaignant qu'on se fût montré — à son égard, *querens quod jus sibi per ambitionem dictum non esset.* Juge —, *iniquus judex.* En parl. des ch. *Non sine partium studio factus. Iniquus, a, um,* adj. Jugement —, *judicium cupidius factum.*

partialement, adv. D'une manière partiale. *Partium studio. Per ambitionem.*

partialité, s. f. Caractère de celui que la prévention en faveur de qqn rend injuste. *Studium, ii,* n. *Ambitio, onis,* f. *Pronus favor.* Arrêts dictés par la —, *ambitiosae sententiae.* Sans —, voy. IMPARTIALITÉ.

participant, *ante,* adj. Qui participe. *Particeps* (gén. *-cipis*), adj.

participation, s. f. Action de participer. — de ou à qqch. *Societas, atis,* f. *Communio, onis,* f. *Communicatio, onis,* f. — à un complot, voy. COMPLICITÉ. Sans sa —, *illo non participe (ejus rei)* ; *sine ejus operā.*

participe, s. m. Partie du discours, forme impersonnelle du verbe. *Participium, ii,* n. Relatif au —, de —, *participialis, e,* adj.

participer, v. intr. et tr. || (*V. intr.*) — à, avoir part à qqch. *Partem (alicujus rei) capĕre. In partem (alicujus rei) venīre.* (*Alicujus rei) participem (ou socium) esse* (ou *fieri*). *Interesse alicui rei.* — aux dangers, *accedĕre ad pericula.* — à la douleur de qqn, *movēri* (ou *commovēri) alicujus dolore.* Faire — qqn à qqch., *aliquem participem alicujus rei facĕre; communicāre aliquid cum aliquo.* ¶ Participer de, tenir de la nature de qqch., *ex eodem fonte fluĕre.* Qui — à qqch., *cognatus* (ou *affinis*) *alicujus rei.*

particulariser, v. tr. Rendre particulier. *Aliquid propium (ou suum) facĕre.* ¶ Faire connaître jusque dans les circonstances particulières. *Singula persequi.*

particularité, s. f. Caractère de ce qui est particulier. *Proprium, ii,* n. *Quod est cujusque maximē suum.* Tous deux avaient cette — de..., *fuit hoc in utroque, ut,* (et le Subj.). Les — d'une langue, *quae propria sunt linguae alicujus.* ¶ Circonstance particulière. *Singularis res* ou simpl. *res, rei,* f. J'omets beaucoup de —, *multa praetereo.*

particule, s. f. Petite partie d'un corps. *Particula, ae,* f. ¶ (Gramm.) Petit mot usité dans la composition d'autres mots. *Particula, ae,* f. — inséparable, *praeverbium, ii,* n.

particulier, *ière,* adj. et s. m. et f. || *Adj.* Qui est propre exclusivement à une personne, à une chose. *Proprius, a, um,* adj. *Praecipuus, a, um,* adj. Subst. En mon —, *quod ad me attinet.* || (Par ext.) Se distingue des autres personnes, des autres choses. *Singularis, e,* adj. *Praecipuus, a, um,* adj. *Peculiaris, e,* adj. Faire de qqn un cas —, *eximiē diligĕre aliquem.* Voilà qui

est —, voy. SINGULIER. || (Par ext.) Qui ne se communique pas aux autres. *Occultus et tectus.* ¶ Qui s'applique à l'individu. *Privatus, a, um,* p. adj. ¶ Qui a un caractère privé. Secrétaire —, *scriba cubicularius.* Prendre qqn en —, *in secretum aliquem abducĕre.* S'entretenir en — avec qqn, *secreto colloqui cum aliquo.* ¶ Qui concerne le détail. *Singuli, ae a,* adj. *Separatus, a, um,* p. adj. Cas —, *species, ei,* f. En —, *singillatim,* adv.; *separatim,* adv. ¶ *S. m.* et *f.* Personne privée. *Vir privatus,* et (subst.) *privatus, i,* m.

particulièrement, adv. D'une manière particulière; isolément, individuellement. *Singillatim* (ou *singulatim*), adv. || Spécialement. *Privatim,* adv. || Plus que les autres, surtout. *Singulariter,* adv. *In primis. Praecipuē,* adv.

partie, s. f. Élément composant d'un tout. *Pars, partis,* f. *Portio, onis,* f. Petite —, *particula, ae,* f. — séparée, détachée, voy. FRAGMENT, MORCEAU. — boisée, *silvae, arum,* f. Par parties, *per partes; particulatim,* adv. En —, *ex parte* ou *ex aliquā parte.* En grande —, *magnam partem.* En très grande —, *maximam partem.* Pour une —, en — *partim,* acc. adv. ¶ Élément qui concourt à un ensemble. *Pars, partis,* f. || (Spéc.) Ce que chaque voix à a chanter, chaque instrument à jouer dans un ensemble. *Voces, um,* f. pl. *Cantūs, ūs,* m. La — de flûte, *tibiarum cantus.* Faire sa —, *partes suas sustinēre.* (Fig.) Voy. RÔLE. || (Gramm.) Parties du discours, *orationis partes.* || Chacune des quantités dont la réunion rend qqn accompli en son genre. *Res, quae est alicujus propria,* ou abs. *res, rei,* f. *Virtus, utis,* i. *Ars, artis,* f. Voy. QUALITÉ, MÉRITE. ¶ Partie de plaisir. — de campagne, *excursio, onis,* f. — de bateau, *navigatio, onis,* f. — de table, *comissatio, onis,* f. Etre de la —, *unā esse cum aliis.* Qui est de la —, *comes, itis,* m.; *socius, ii,* m. || (Par ext.) Une partie de jeu. *Lusūs, ūs,* m. Faire une — d'échecs, *latrunculis ludĕre.* Faire la — de qqn, *ludĕre cum aliquo.* Entre nous la — n'est pas égale, *mihi tecum par certatio non est.* Quitter la —, *abjicĕre hastas.* || Chacun de ceux dont l'antagonisme donne lieu à une guerre, à un procès. *Pars, partis,* f. Les —, *litigantes, ium,* m. pl. Les deux —, *utrique.* || (Par ext.) En parlant de ceux qui ont des intérêts différents dans affaire commune. Le contrat oblige une des parties, *ex uno latere constat contractus.*

partiel, *elle,* adj. Qui n'existe ou n'a lieu qu'en partie. *Singularis, e,* adj. Atteint d'une paralysie —, *membrorum parte captus.*

partiellement, adv. D'une manière partielle. *Per partes. Ex parte. Aliquā ex parte.*

partir, v. tr. et intr. || (*V. tr.*) (Arch.) Partager. Voy. ce mot. || (*Fig.*) Avoir maille à — avec qqn, *habēre cum aliquo controversiam.* || (Par ext.) Séparer. Voy. ce mot. Se —, voy. S'ÉLOIGNER. ¶ (*V. intr.*) S'éloigner d'un lieu. *Proficisci,* dép. intr. *Abire,* intr. *Discedēre,* intr. — en voyage, voy. VOYAGE. — en voiture, à cheval, *avehi,* pass. (avec ou sans *equo, plaustro, curru ;* on dit aussi *curru abire ou proficisci*). Subst. Au —, *dum proficiscor ou in ipsā profectione.* || Commencer soudain son mouvement. *Exire,* intr. Faire —, *mittere,* tr.; *emittere,* tr.; *excitāre,* tr. Le trait part, *telum emicat.* (Fig.) — d'un éclat de rire, *risum effundēre.* ¶ Emaner. *Proficisci,* dép. intr. *Manāre,* intr. || (Loc. prép.) A partir de. *A* ou *ab,* prép. (av. l'Abl.). Voy. DEPUIS.

partisan, s. m. Celui qui s'attache à un parti. — politique, *qui partibus alicujus favet* (ou *studet*); *sectator, oris,* m.; *assecla, ae,* m. Etre — de..., *favēre,* intr.; *studiosum esse (nobilitatis, etc.); partes alicujus sequi; stāre ab aliquo.* Mes, tes, ses —, *mei, tui, sui.* || D'une façon générale. *Sector, oris,* m. *Fautor,* o.*is,* n. *Studiosus, a, um,* adj. J'ai mes —, *mei studiosos habeo.* ¶ (P. ext.). Soldat, officier de troupes irrégulières. *Excursor, oris,* m.

partitif, ive, adj. (Gramm.) Qui désigne une partie d'un tout. *Dividuus, a, um,* adj.

partout, adv. En tout lieu. (Sans mouvement.) *Ubique,* adv. (Avec une idée d'indétermination) : *ubivis* (« où l'on veut »), adv. (on dit aussi : *ubicumque gentium,* ou *terrarum*). — c.-d.-d. généralement, *vulgo,* adv. — où, *ubicumque,* adv. (Avec mouvement.) — où, *quocumque,* adv. De —, *undique,* adv.

parure, s. f. Action de parer, d'arranger d'une manière élégante. *Cultus, ūs,* m. *Ornatūs, ūs,* m. Elégance dans la —, *munditia, ae,* f. Tout ce qui contribue à la — du corps, *mundus, i,* m. ¶ (Par ext.) Ce qui sert à parer. *Cultus, ūs,* m. *Mundus, i,* m. — de cou, *monile, is,* n. — des cheveux, *comptūs, ūs,* m. Une — de diamants, de perles, *ornamentum gemmarum; ornatus margaritarum.* || (Fig.) *Ornatūs, ūs,* m. *Decus, oris,* n. La verte — des rives, *vestitus viridis riparum.* — du style, *nitor, oris,* m.

parvenir, v. intr. Arriver enfin au lieu où l'on veut aller. *Pervenire,* intr. — avec effort, *evadēre,* intr. (voy. GRAVIR, ESCALADER). Faire — une lettre à qqn, *perferre litteras ad aliquem.* ¶ (Au fig.) Arriver enfin au but qu'on veut atteindre. *Pervenire,* intr. *Ascendēre,* intr. (ex. : *ad honores.*) *Adipisci,* dép. tr. (voy. ATTEINDRE). *Consequi,* dép. tr. (voy. OBTENIR). — à (faire qqch.) *obtinēre, ut...; assequi, ut...* || (Absol.) Arriver à une haute fortune *Procedēre*

longius honoribus. Au part. passé pris subst. Un parvenu, *homo novus* ou (spéc.) *is quem fortuna extulit.* Un riche —, *novicius dives.*

parvis, s. m. Place devant la porte principale d'une église. *Area, ae,* f. || Vestibule d'un temple, voy. VESTIBULE. || Enceinte d'un temple, voy. ENCEINTE. || Partie intérieure du temple, *intimum sacrarium.*

1. pas, s. m. Mouvement pour avancer. || Mouvement pour marcher. *Gradūs, ūs,* m. Au —, *gradu.* Doubler le —, *addēre gradum.* Se promener à grands —, *contentius ambulare.* Pas à —, *pedetentim,* adv. Faire ses premiers —, *ingredi incipēre;* (fig.) *ingredi in rem.* Faire les premiers —, c.-d.-d. aller à la rencontre de qqn, voy. RENCONTRE et (fig.) faire des avances, voy. AVANCE. Faire le premier —, *viam ingredi.* || (Fig.) Avoir, prendre le — sur qqn, *antecedēre alicui* (ou *aliquem*). Céder le —, *semitā cedēre,* et (fig.) *concedēre alicui.* Suivre les — de qqn, *vestigia alicujus sequi.* Faire un grand —, *procedēre et progredi.* Faire un — en arrière, voy. RECULER. Faux —, *lapsus, ūs,* m. Faire un faux —, *vestigio falli.* Faire un faux — (fig.), *labi,* dép. intr. Faire faire un faux — à qqn, *aliquem in fraudem impellēre* (ou *illicēre*). || (Par ext. fig.) Acte. *Factum, i,* n. Faire un —, *pedem movēre; movēre se* ou *moveri.* Ils ne peuvent faire un —, *digitum progredi non possunt.* A chaque —, *quicquid progredior.* || Démarche active. Voy. DÉMARCHE. Faire un — de clerc, *agēre imperitē.* ¶ Mouvement plus ou moins rythmé de la marche.|| (T. milit.) *Gradūs, ūs,* m. Au — de charge, *pleno gradu.* Marcher au —, *aequaliter ambulāre* (au pr. et au fig.); *incedendi ordinem servāre.* — de route, *gradus militaris.* || Danse. *Motus, ūs,* m. || Allure du cheval qui marche. *Gradūs, ūs,* m. ¶ Traces laissées par le pied en marchant. *Vestigium, ii,* n. Revenir sur ses —, *eādem viā regredi.* ¶ Court espace parcouru *ou* à parcourir. || Intervalle d'un pas à un autre pas. *Passus, ūs,* m. Il affirme qu'il ne vous a jamais quitté d'un —, *negat unquam se a te pedem discessisse.* || Passage. *Locus, i,* m. Mauvais —, *angustiae, arum,* f. pl.; *salebra, ae,* f. || (Spéc.) Passage étroit dans les montagnes. *Fauces, ium,* f. pl. *Angustiae, arum,* f. *Saltūs, ūs,* m. || (P. anal.) Détroit. Voy. ce mot. || Seuil d'une porte. Voy. SEUIL.

2. pas, adv. Particule servant à renforcer les négociations NE et NON. Ne, non —, *non,* adv.; *ne,* adv (devant un subj.); *haud,* adv. (devant les adj. et certains verbes, comme *scio, ignoro,* etc.). En ne pas, *nec* ou *neque,* adv. Ne — même, *ne... quidem* (en plaçant entre les deux particules un mot intermé-

diaire). Non — seulement, *non modo.*
Avec la négation sous-entendue dans
les phrases interrogatives. Est-il —
vrai? *Nonne?* (Dans les réponses négatives), — du tout, *minimē.* — le moins
du monde, *minime gentium.* Ellipt. —
d'argent, *nihil pecuniae.* — d'insolence ! *aufer insolentiam* ! Absolument
—, *non minime.* — beaucoup, *non ita.*
— même, — davantage, *ne... quidem*
(avec intercalation d'un autre mot). —
plus de, *non amplius.* — même si, *non
si...* — un seul, *nullus.*

passable, adj. Qui peut passer, être
accepté. *Tolerabilis, e,* adj.

passablement, adv. D'une manière
passable. *Tolerabiliter,* adv.

passage, s. m. Action de traverser
un lieu : en parl. du lieu traversé.
Transitio, onis, f. *Transitūs, ūs,* m.
Trajectūs, ūs, m. ‖ En parl. de ceux qui
traversent. *Transitūs, ūs,* m. *Trans-
gressio, onis,* f. *Transgressūs, ūs,* m.
Trajectūs, ūs, m. Payer son —, *pro
vecturā solvĕre.* Qui est, qui se trouve
sur le —, *obvius, a, um,* adj. A mon
—, *in transitu* ou *ex itinere.* ‖ (Par
anal.) Droit de passage. *Iter, itineris,* n.
Aditūs, ūs, m. Un voyageur qui est de
—, *viator praeteriens.* ‖ (Par ext.)
Action de passer par troupes en certaines saisons (en parl. des animaux).
Oiseaux de —, *advenae volucres.* ‖ En
parl. d'un astre. *Transitio, onis,* f. ‖
(En parl. d'un liquide, d'un gaz.)
Action de s'échapper. *Exitūs, ūs,* m.
Meatūs, ūs, m. ‖ (Fig.) Action de passer
d'un état à un autre. *Transitūs, ūs,* m. ‖
(Par ext.) Le — d'un ton à un autre,
transitūs, ūs, m. ‖ (Par ext.) Opération
qui fait passer certains corps dans une
préparation. *Apparatio, onis,* f. ¶ Endroit par où l'on passe. ‖ Endroit que
l'on traverse pour passer. *Transitūs, ūs,*
m. *Aditūs, ūs,* m. *Iter, itineris,* n. *Via,
ae,* f. Donner à qqn le droit de —,
dāre alicui viam (per fundum). ‖ (Spéc.)
Galerie entre deux rues. *Transitio, onis,*
f. *Angiportus pervius.* Qui sert de —,
transitorius, a, um, adj. ‖ (P. ext.) Trait
de chant. *Modulatio, onis,* f. ‖ (Par
ext.) Endroit d'un livre, d'un discours etc., dont l'esprit est frappé
en passant. *Locus, i,* m. (au plur. *loci*).
Voici le —, *id tale est.*

passager, *ère,* adj. et s. m. et f. ‖ *Adj.*
Qui ne fait que passer (dans un lieu).
Voy. NOMADE. Les oiseaux —, *seme-
stres aves.* ¶ (Par ext.) Par où l'on passe.
Voy. PASSANT. ¶ (Fig.) Qui passe. *Qui
(quae, quod) modo ad tempus est* (ou
fit). *Brevis, e,* adj. *Temporarius, a, um,*
adj. Fortifications —, voy. PROVISOIRE.
Plaisir —, *delectatio ad breve et exiguum
tempus.* ¶ S. m. et f. Celui, celle qui ne
fait que passer dans un lieu. Voy. VOYA-
GEUR. Passagère, *quae in itinere est.* ¶
(Spéc.) Celui, celle qui prend passage
à bord d'un navire. *Vector, oris,* m.

Passagère, *quae nave* (ou *in nave*)
vehitur.

passagèrement, adv. D'une manière
passagère. *Ad* (ou *in*) *breve tempus.*

passant, *ante,* adj. et s. m. et f. ‖ *Adj.*
Où l'on passe beaucoup. *Celeber, bris,
bre,* adj. ¶ *S. m. et f.* Celui, celle qui
passe en un lieu. *Qui (quae) transit* (ou
itor facit ou *proficiscitur) per aliquem
locum.* Les —, *praetereuntes, ium,* n. pl.

passation, s. f. Action de passer un
acte. *Perscriptio, onis,* f.

passe, s. f. Action de passer. *Transitio, onis,* f. Voy. PASSAGE. Mot de —,
tessera, ae, f. Carte de —, *et,* ellipt. une
—, voy. PASSEPORT. ‖ (Spéc.) Action
de marcher sur l'adversaire. *Petitio,
onis,* f. Faire une —, *petĕre,* tr. (P. ext.)
Une — d'armes, *armorum certamen* (ou
lusus). ¶ Endroit par où l'on passe. ‖
Passage étroit entre deux terres, deux
écueils. *Angustiae, arum,* f. pl. *Fauces,
faucium,* f. pl. ‖ (Spéc.) Passage étroit
qui donne passage dans un port. *Fauces
portūs.* ¶ (Dans l'ancien jeu de billard.)
Arcade par laquelle devait passer la
bille. *Exitūs, ūs,* m. Prendre la —, voy.
TRAVERSER. (Fig.) Mettre un homme
en —, voy. RENOM. Etre en — de
qqch.. voy. CAPABLE. Etre en — d'être..
prope esse, ut (et le Subj.). Etre dans une
bonne —, *in cursu esse.* Etre dans une
mauvaise —, *in angusto esse.*

passé, s. m. Ce qui a eu lieu autrefois.
*Tempus praeteritum. Tempus pristi-
num.* Laisser de côté le —, *vetera
omittĕre.* En remontant dans le —,
retro, adv. Les hommes du —, *prisci
viri* ou *antiqui homines.* Le — (en parl.
de qqn; sa vie, sa conduite passée), *vita
alicujus ante acta.* ¶ Le temps qui n'est
plus. *Praeteritum tempus.* ‖ (P. ext.)
Temps du verbe marquant le passé. Le
—, *tempus praeteritum.*

passeport, s. m. Pièce de libre circulation à l'étranger. *Syngraphus,* f.

passer, v. intr. et tr. ‖ (*V. intr.*) Traverser le chemin qui mène en un lieu;
se rendre dans un lieu. *Ire,* intr. *Iter
facĕre* et *iter habēre. Abire,* intr. (dans
des express. c. *sub jugo abīre,* p. sous
le joug; *abire ad deos,* p. de vie à trépas). *Praeterire,* intr. *Transīre,* intr. (t.
per hortum). *Meāre,* intr. *Commeāre,*
intr. *Transgredi,* dép. intr. — dans un
autre endroit, *transmigrāre,* intr. Laisser
— qqn, *aliquem exeuntem non animadvertĕre.* — rapidement, *transcurrĕre,* intr.
— par, *pervadĕre,* intr. En passant par,
per, prép. (av. l'Acc.) — dans le camp
de, dans le parti de (au pr. et au fig.),
transire, intr. (*ad aliquem*); *transfugĕre,* intr. (ex. : *ad hostes*). Faire —
d'un autre côté, *traducĕre,* tr.; *trajicĕre,* tr.; *transmittĕre,* tr.; *transportāre,*
tr. Laisser —, *praetermittĕre,* tr. ‖
(Par anal.) En parl. d'un cours d'eau
(voy. COULER, ARROSER, BAIGNER).

Fluĕre, intr. || (Fig.) Passer par dessus (qqch.), *transire*, tr.; *praeterire*, tr. — en jugement, *in judicium adduci* ou *in jus rapi*, — (en parl. d'une loi), *perferri*. Faire — un projet de loi, une loi, *legem perferre*. Une chose qui peut —, voy. PASSABLE. — pour, *habēri*, pass.; *numerari*, pass. Thucydide n'a jamais — pour orateur, *Thucydides nunquam est numeratus orator*. Faire — (d'un grade à un autre), *traducĕre*, tr. — par tous les honneurs, *percurrĕre omnes honores*. Faire — (d'un état à un autre), *traducĕre*, tr. — en (proverbe, habitude), *venire in proverbium, in consuetudinem*. — (par des épreuves), *perfungi laboribus*. || (Spéc.) S'écouler *Ire*, intr. *Abire*, intr. *Praeterire*, intr. *Transire*, intr. Laisser — *praetermittĕre*, tr. || Se dissiper. *Abire*, intr. || S'effacer, s'altérer. *Evanescĕre*, intr. — (de la mémoire, etc.), *cedĕre*, intr.; *excĭdĕre*, intr. ¶ (*V. intr.*) Traverser, parcourir (un espace). *Transire*, tr. *Transgredi*, dép. tr. *Transcendĕre*, tr. — la porte, *domūs limen transire*; *pedem portā efferre*. || (Par ext. et par anal.) Parcourir un certain espace de temps. *Agĕre*, tr. *Transigĕre*, tr. *Transire*, tr. *Traducĕre*, tr. Se — *intercedĕre*, intr. || (Fig.) Passer le pas, *abire e vitā*.|| Passer en revue (des papiers). *Singula inspicĕre* (des troupes), voy. REVUE. || Passer un examen. Voy. EXAMEN. | (P. ext.) Aller au delà de. *Transire*, tr. || (Fig.) Dépasser. *Transire*, tr. || Surpasser. Voy. ce mot. ¶ Faire traverser. *Trajicĕre*, tr. ¶ (Fig.) Se —, c.-à-d. avoir lieu, *fieri*, pass. Que se passe-t-il ! *Quid rei geritur* ! || En parl. de qqn. Se — de qqch., c.-à-d. savoir se priver de qqch., *carēre*, intr. Je me passe de remèdes, *non egeo medicinā*. ¶ (Par anal.) Introduire. *Inserĕre*, tr. *Indŭĕre*, tr. — une bague à son doigt, *indŭĕre anulum*. || — la corde au cou, *laqueum injicĕre*. — qqn par les verges, *virgis* (ou *verberibus*) *aliquem caedĕre*. ¶ Laisser aller, omettre. *Transire*, tr. *Praetermittĕre*, tr. *Transilīre*, tr. — un marché, un traité avec qqn, voy. CONCLURE. || Concéder. *Concedĕre*, tr. *Condonāre*, tr. *Permittĕre*, tr. Je — cela à la colère, *id permitto iracundiae tuae*.

passerage, s. m. Variété de lépidier. *Lepidium, ii*, n. [*eris*, m. **passereau**, s. m. Moineau franc. *Passer*, **passerelle**, s. f. Petit pont étroit. *Ponticulus, i*, m.

passe-temps, s. m. Ce qui passait agréablement le temps. *Ludus, i*, m. *Oblectatio, onis*, f. *Oblectamentum, i*, n. Faire qqch. par —, *otium temporis oblectare aliquā re*.

passeur. Voy. BATELIER, NOCHER.

passible, adj. Qui peut souffrir. *Qui (quae, quod) pati potest*. ¶ Qui peut être condamné à subir une peine. *Paenā*

obligatus. Etre — d'une peine, *poenā tenēri* (ou *obligāri*).

passif, ive, adj. Qui subit l'action de qqn, de qqch. Qui (*quae, quod*) *patitur*. Etre —, *patiendi vim habēre*. || (Par ext.) Obéissance —, *servilis patientia*. Etre, demeurer —, *nihil agĕre*. (Avec une nuance de mépris), *aliquid turpiter perpeti*. || (Gramm.) Verbe —, *verbum patiendi*, et, simpl. *passivum, i*, n. Voix —, *conjugaison* —, *passivum genus*; *passiva forma*. Au —, *passivē*, adv. ¶ S. m. Passif; ce qu'on doit. *Debitum, i*, n. || (Gramm.) Le — (voix passive, verbe passif). Voy. plus haut.

passion, s. f. Le supplice de Jésus-Christ. *Christi perpessiones*. || (Fig.) Il a souffert mort et —, *in summum cruciatum venit*. ¶ Vive inclination à rechercher ou à fuir qqch. *Cupiditas, atis*, f. *Affectio, onis*, f. *Motūs, ūs*, m. *Perturbatio, onis*, f. || (Par ext.) Mouvement violent, impétueux de l'âme vers ce qu'elle désire. *Concitatio, onis*, f. *Impetus, ūs*, m. *Perturbatio, onis*, f. *Libido, dinis*, f. *Cupiditas, atis*, f. *Studium, ii*, n. Par ext. C'est ma grande —, *eā re maximē delector*. ¶ (Spéc.) Amour violent. *Cupiditas, atis*, f. || Partialité. Voy. ce mot.

passionné, ée, adj. Qui est animé de passions. *Cupidus, a, um*, adj. *Concitatus, a, um*, p. adj. *Incensus, a, um*, p. adj. *Acer, acris, acre*, adj. *Impotens* (gén. *-entis*), adj. *Vehemens* (gén. *-entis*), adj. || Qui a de la passion pour qqn ou pour qqch. *Cupidus, a, um*, adj. *Studiosus, a, um*, adj. *Avidus, a, um*, adj. - pour qqn, *cupidus alicujus*. || Qui a une forte prévention contre qqn. Voy. PARTIAL. ¶ Qui marque de la passion. *Acer, acris, acre*, adj. *Impotens* (gén. *-entis*), adj. || Désirs, efforts —, *cupiditas, atis*, f. Aimer la vertu d'un amour —, *virtutem adamāre*. Avoir une tendresse — pour la liberté, *exardescĕre studio libertatis*. Lutte —, *contentio, onis*, f.

passionnément, adv. D'une manière passionnée. *Cupidē*, adv. *Studiosē*, adv. *Vehementer*, adv. Aimer — qqch., *alicujus rei esse studiosissimum* (ou *cupidissimum* ou *avidissimum*); *aliquā re maximē* (ou *vehementer*) *delectāri*.

passionner, v. tr. Animer d'une passion. *Movēre* (ou *commovēre*) *animum*. *Impellĕre* (ou *accendĕre*) *animum alicujus*. Se — pour qqch., *incendi cupiditate (alicujus) rei*. [*Colum, i*, n.

passoire, s. f. Ustensile percé de trous. **pasteur**, s. m. Celui qui élève, qui garde des troupeaux. *Pastor, oris*, m. De —, *pastoricius, a, um*, adj.

pastiche, s. m. Voy. IMITATION.

pastille, s. f. Bonbon en forme de petit disque. *Globulus, i*, m. *Pastillus, i*, m. ¶ Pâte odorante. *Pastillus, i*, m. Fabricant de —, *pastillarius, ii*, m.

pastoral, *ale*, adj. Qui appartient aux pasteurs de troupeaux. *Pastoralis, e*, adj. *Pastoricius, a, um*, adj. Poésies — bucolica, *orum*, n. pl.

pataud, *aude*, s. m. et f. ‖ *S. m.* Jeune chien à grosses pattes. *Canis gravis.* ¶ *S. m. et f.* Lourdaud, lourdaude. Voy. LOURDAUD.

patauger, v. intr. Traverser péniblement un passage boueux. *Haesitāre in vadis. In medio luto esse.* ‖ (Fig.) Avoir de la peine à se tirer d'une explication, d'une affaire. *In luto esse* ou *haerēre* ou *haesitāre*, ou (simpl.) *haesitāre*, intr.

pate. Voy. PATTE.

pâte, s. f. Farine délayée et pétrie. *Massa farinae subacta. Farina ex aquā subacta.* ¶ (Par anal.) Nom donné à diverses préparations. *Massa, ae*, f. — de chaux, de glaise, *intrita, ae*, f.

pâté, s. m. Pâtisserie renfermant de la chair, du poisson, etc. — de viande, *artocreas, atis*, n. ¶ (Par anal.) Un — de maisons, *insula, ae*, f.

pâtée, s. f. Mélange de farine délayée dans l'eau pour engraisser la volaille. *Pulticula, ae*, f. *Pulmentarium, ii*, n.

patelin, *ine*, adj. Qui cajole pour duper. Voy. ENJOLEUR. ‖ Subst. Un —, *palpator, oris*, m.

patelinage, s. m. Matière d'être pateline. *Blanditiae, arum*, f. pl.

pateliner, v. intr. et tr. ‖ (*V. intr.*) Agir en patelin. *Palpari*, dép. intr. ¶ (*V. tr.*) Traiter d'une manière pateline. *Palpāri* (*alicui*). [*Patella, ae*, f.

patelle, s. f. Lépas, sorte de mollusque.

patent, *ente*, adj. Ouvert. Voy. ce mot. Spéc. Lettres —, voy. PATENTE. ¶ (Fig.) Dont l'évidence est manifeste. *Patens* (gén. *-entis*), p. adj. *Manifestus, a, um*, adj. *Apertus, a, um*, p. adj. Il est — que, *patet* ou *liquet* (av. l'Acc. et l'Infin.).

patente, s. f. Commission, diplôme, brevet, accordé sous forme de lettres patentes. *Diploma, atis* (Abl. plur. *diplomatibus*), n. ¶ Contribution annuelle imposée aux commerçants. *Annuum vectigal mercatoribus impositum.* [*Vectigalis, e*, adj.

patenté, *ée*, adj. Qui a une patente.

patère, s. f. Coupe employée surtout dans les sacrifices. *Patera, ae*, f. *Patella, ae*, f. ¶ (Par ext.) Sorte de crochet. Voy. CROCHET.

paterne, adj. Voy. DOUCEREUX.

paternel, *elle*, adj. Relatif au père. *Paternus, a, um*, adj. *Patrius, a, um*, adj. Héritage —, *patrimonium, ii*, n. Oncle —, *patruus, i*, m. ‖ (P. anal.) Qui a des sentiments de père. *Paternus, a, um*, adj. *Patrius, a, um*, adj. Sentiments —, *parentis animus.*

paternellement, adv. D'une manière paternelle. *Paterno more.*

paternité, s. f. Qualité de père. *Patris* (ou *parentis*) *locus.*

pâteux, *euse*, adj. Qui a le caractère de la pâte. *Glutinosus, a, um*, adj. ‖ (Par ext.) Langue —, *gravis lingua* (ou *gravitas linguae*). ‖ (Fig.) Un style —, *impedita oratio.*

pathétique, adj. Qui remue les passions. *Miserabilis, e*, adj. *Aptus ad permovendum. Aptus ad animos (hominum) permovendos* ou *commovendos. Plenus doloris.* Ton —, expression —, *dolor, oris*, m. Un discours —, *oratio ad commovendam misericordiam composita.* Faire un éloge —, *miserabiliter laudāre.* ‖ (Subst.) Le —, *miseratio onis*, f.; *commiserhtio, onis*, f.

pathétiquement, adv. D'une manière pathétique. *Miserabiliter*, adv.

patibulaire, adj. et s. m. ‖ *Adj.* Relatif au gibet. Fourches, bois —, *patibulum, i*, n. ‖ (Fig.) Une mine, une physionomie —, voy. SINISTRE.

patiemment, adv. D'une manière patiente. *Patienter. Patienter. Toleranter*, adv. *Tolerabiliter*, adv. Qui supporte — l'injustice, *patiens injuriae.*

1. patience, s. f. Qualité de celui qui sait supporter les maux. *Patientia, ae*, f. *Tolerantia, ae*, f. *Aequus animus.* Avec —, voy. PATIEMMENT. ¶ Qualité de celui qui supporte l'attente de ce qui tarde, la durée de ce qui se prolonge. *Patientia, ae*, f. *Perseverantia, ae*, f. Avoir de la —, voy. PATIENT.

2. patience, s. f. Plante voisine de l'oseille. *Lapathium, ii*, n.

patient, *ente*, adj. et s. m. et f. ‖ *Adj.* Qui supporte les maux. *Patiens* (gén. *-entis*), p. adj. *Perferens* (gén. *-entis*), p. adj. — pour paraître fort, *in patienti firmissimus.* ¶ Qui supporte l'attente de ce qui tarde. *Patiens* (gén. *-entis*), adj. *Aequus, a, um*, adj. ¶ *S. m. et f.* Celui, celle qui a de la patience. *Homo patiens. Mulier patiens.* ‖ Celui, celle qui a à subir une opération. *Is qui sanandus est. Ea quae sananda est.* (Par rapport au médecin.) *Is* (ou *ea*) *cui mederi vult* (*medicus*). ‖ Celui, celle qui subit un supplice. Voy. SUPPLICIER.

patienter, v. intr. Prendre patience. *Durāre*, intr. *Perdurāre*, intr. Faire — qqn, *differre aliquem.*

patin, s. m. Soulier à semelle de bois. *Cothurnus, i*, m.

pâtir, v. intr. Souffrir qqch. Voy. SOUFFRIR. ¶ Eprouver du dommage. *Laborāre*, intr.

pâtis, s. m. Terre où on laisse paître les troupeaux. Voy. PATURAGE.

pâtisserie, s. f. Profession de pâtissier. *Opus pistorium.* ¶ Boutique de pâtissier. *Pistoria officina* (ou *taberna*). ¶ (Par ext.) Gâteau. *Pemma, atis*, n.

pâtissier, *ière*, s. m. et f. Celui, celle qui fait, qui vend des gâteaux. *Pistor dulciarius*, et simpl. *pistor, oris*, m. Pâtissière, *dulciaria pistrix.*

Patras, n. pr. Ville de l'ancienne Grèce. *Patrae, arum,* f. pl.

pâtre, s. m. Celui qui fait paître les troupeaux. *Pastor, oris,* m. De —, voy. PASTORAL.

patriarcal, *ale,* adj. Qui a rapport aux patriarches de la Bible. Mœurs —, *antiqui mores.* ¶ Qui a rapport à la dignité de patriarche. *Patriarchalis, e,* adj.

patriarcat, s. m. Dignité, fonction d'un patriarche. *Patriarchae dignitas* ou *munus.*

patriarche, s. m. *Patriarcha* et *patriarches, ae,* m. (dans tous les sens du mot fr.).

patrice, s. m. Dignitaire des derniers temps de l'empire romain. *Patricius, ii,* m.

patriciat, s. m. Dignité de patricien. *Patriciatus, ûs,* m. ‖ (Par ext.) Ordre des patriciens. *Patriciorum* (ou *patricius*) *ordo.* ¶ Dignité de patrice. *Patriciatus, ûs,* m.

patricien, *enne,* s. m. et f. Celui celle qui appartient à la classe noble. *Patricius, ii,* m. Les —, *patricii, orum,* m. pl. De —, *patricius, a, um,* adj. Une —, *patricia, ae,* f. ‖ Adjectiv. *Patricius, a, um,* adj.

patrie, s. f. Pays où l'on est né et auquel on appartient comme citoyen. *Terra patria* et (absol.) *patria, ae,* f. De la —, *patrius, a, um,* adj. Mère —, voy. MÉTROPOLE. ‖ (Fig.) *Patria, ae,* f. Par anal. Athènes est la patrie des arts, *omnium doctrinarum inventrices Athenae.*

patrimoine, s. m. Bien que l'on tient par l'héritage des ascendants paternels ou maternels. *Patrimonium, ii,* n. (on dit aussi : *bona paterna* ou *patria*). ‖ (Fig.) *Patrimonium, ii,* n.

patrimonial, *ale,* adj. Relatif au patrimoine. *Patrius, a, um,* adj. Bien —, *avitus ager.* [patrie. *Pius erga patriam.*

patriote, s. m. Personne dévouée à sa patrie.

patriotique, adj. Relatif au patriotisme. *Pius, a, um,* adj. *Civilis, e,* adj. Sentiments —, voy. PATRIOTISME.

patriotiquement, adv. D'une manière patriotique. *Ut civem decet patriae amantem.*

patriotisme, s. m. Dévouement à la patrie. *Amor* (ou *caritas*) *patriae. Studium patriae. Caritas rei publicae. Pietas erga patriam,* ou (simpl.) *pietas, atis,* f. Avoir du —, *patriam amare.*

patron, *onne,* s. m. et f. Personne puissante autour de laquelle se groupaient les clients. *Patronus, i,* m. ‖ (Fig.) De nos jours. Protecteur. Voy. ce mot. ¶ Maître, maîtresse. Voy. ces mots. Le — d'une barque, d'un navire, *navis magister.* ‖ (Spéc.) Maître, maîtresse d'un établissement commercial, etc. *Magister, tri,* m. Patronne. *magistra, ae,* f. ¶ Modèle. Voy. MODÈLE.

patronage, s. m. Protection du patron

pour le client. *Patrocinium, ii,* n. Se mettre sous le — de qqn, *in alicujus clientelam se conferre.* ‖ (Par anal.) Protection. *Patrocinium, ii,* n.

patronal, *ale,* adj. Relatif au saint qui est le patron du lieu. *Tutelaris, e,* adj.

patronat, s. m. Titre, droit de patron (vis-à-vis du client, de l'affranchi). *Patronatûs, ûs,* m.

patronner, v. tr. Faire office de patron (pour qqn, qqch.). — qqn (agir en sa faveur), *patrocinari alicui.* — une affaire, *secundare aliquid.*

patronnesse, s. f. Celle qui patronne. *Patrona, ae,* f.

patronymique, adj. Qui rappelle un ancêtre. *Patronymicus, a, um,* adj. Nom —, *patrium* (s.-e. *nomen*), *ii,* n. (Par ext.) Le nom —, *gentilicium nomen.*

patrouille, s. f. Ronde de nuit pour la sûreté d'une ville. *Circuitio vigiliarum* ou simpl. *circuitio, onis,* f. Faire des — dans la ville, *circumire vicos.* ‖ (Par ext.) Détachement qui fait cette ronde. *Vigiles nocturni* ou (simpl.) *vigiles, um,* m. pl.

patte, s. f. Membre de l'animal servant à marcher, à saisir. *Pes, pedis,* m. Les — de devant de l'ours, du singe, *manus, uum,* f. pl. Faire — de velours, *ungues retrahère* (ou *contrahère*). Donner un coup de —, voy. GRIFFER, et (*fig.*) *mordère* (*aliquem*). Fig. Tomber sous la — de qqn, *venire* (ou *incidère*) *in manum alicujus.* [*Crassis pedibus.*

pattu, *ue,* adj. Qui a de grosses pattes.

pâturage, s. m. Action de pâturer. *Pastio, onis,* f. *Pastûs, ûs,* m. ¶ Lieu où les animaux trouvent de quoi pâturer. *Locus pascuus. Pascuum, i,* n. *Pascuus ager.* Aller au —, *pastum ire.*

pâture, s. f. Nourriture des animaux. *Pastûs, ûs,* m. *Pabulum, i,* n. *Cibus, i,* m. — des bestiaux, *pabulum, i,* n.; *pastûs, ûs,* m. ‖ (Par ext.) En parl. de l'animal : action de prendre sa nourriture. *Pastûs, ûs,* m. Prendre sa —, être en —, *pasci.* dép. intr.; *pabulâri,* dép. intr. ‖ (Fig.) *Pabulum, i,* n. *Pastûs, ûs,* m. [*Pasci,* dép. intr.

pâturer, v. intr. Prendre sa pâture.

paturon, s. m. Partie du bas de la jambe du cheval. *Suffrago, ginis,* f.

paume, s. f. Le dedans de la main. *Palma, ae,* f. ¶ Balle à jouer. *Pila, ae,* f. Jeu de —, *lusus pilae* ou simpl. *pila, ae,* f.

paupière, s. f. Chacune des deux membranes mobiles qui recouvrent l'œil. *Palpebra, ae,* f

pause, s. f. Interruption d'un acte. *Intervallum, i,* n. *Intermissio, onis,* f. — pour respirer, *interspiratio, onis,* f. — (en marchant), *sessio, onis,* f. — que fait l'orateur, *mora, ae,* f. Couper, séparer des mots par une —, *distinguère,* tr. ‖ (Spéc.) Intervalle pendant lequel on cesse de chanter, de jouer. *Diapsalma, matis,* n.

pauvre, adj. et s. m. et f. ‖ *Adj.* Qui n'a pas de quoi se suffire. *Pauper,* adj. *Tenuis, e,* adj. *Egens* (gén. *-entis*), adj. *Inops* (gén. *-opis*), adj. *Mendicus, a, um,* adj. Etre —, *egère,* intr. ‖ (Par ext.) Qui est insuffisant. *Tenuis, e,* adj. *Inops, e,* adj. *Egens,* adj. ‖ (Famil.) Qui inspire de la commisération. *Miser, era, erum,* adj. ¶ *S. m.* et *f.* Celui, celle qui n'a pas de quoi se suffire. *Pauper, eris,* m. (surt. au plur.). *Inops, opis,* m. (s'emploie surtout au plur.).

pauvrement, adv. D'une manière pauvre. *Angustê,* adv. *Male,* adv. *Tenuiter,* adv. *Mendicê,* adv. Vivre —, *parcè vitam agère.* ‖ (Fig.) Jejunê, adv. *Exiliter,* adv. *Tenuiter,* adv.

pauvresse, s. f. Femme pauvre. *Pauper* (ou *inops*) *mulier.*

pauvret, ette, s. m. Pauvre petit, pauvre petite. *Misellus. Misella.*

pauvreté, f. Etat de celui qui n'a pas de quoi se suffire. *Paupertas, atis,* f. *Inopia, ae,* f. *Egestas, atis,* f. *Tenuitas, atis,* f. Extrême —, *mendicitas, atis,* f. Etre, vivre dans une extrême —, *inopem esse omnium rerum.* — de l'extérieur, de la mise, *squalor, oris,* m. ¶ (P. ext.) La pauvreté du sol, d'un pays. *Exilitas, atis,* f. La — du trésor, *tenuitas aerarii.* La — (d'une ville), *penuria, ae.* f. ¶ Etat de ce qui est insuffisant. *Paupertas, atis.* f. *Inopia, ae,* f. *Egestas, atis.* f. — du style, *exilitas, atis,* f.; *jejunitas, atis,* f. ‖ (P. ext.) Chose misérable. *Ineptiae, arum,* f. pl.

pavage, s. m. Action de paver. *Stratura, ae,* f. *Stratum, i,* n. ‖ Résultat de ce travail. Voy. PAVÉ.

pavaner [se]. v. pron. Marcher en faisant des embarras. *Se insolentius jactāre. Insolentius se efferre.*

pavé, s. m. Morceau de pierre dure destiné à rendre résistant le sol d'une chaussée. *Silex viae* ou simpl. *silex, licis* (Abl. *silici*), m. ¶ (Par ext.) Assemblage de pavés. *Stratura, ae,* f. — (d'un temple), *pavimentum, i,* n. — de marbre, *solum marmoreum.*

paver, v. tr. Parnir de pavés. *Lapide* (*silice* ou *saxo*) *sternère.* Pavé, *pavimentatus, a, um,* p. adj.

paveur, s. m. Celui qui fait des travaux de pavage. *Silicarius, ii,* m.

Pavie, n. pr. Ville d'Italie. *Ticinum, i,* n.

pavillon, s. m. Sorte de tente terminée en pointe. *Papilio, onis,* m. ‖ (P. anal.) Bâtiment s'élevant au-dessus d'autres constructions. *Pergula, ae,* f. ‖ Bâtiment isolé. *Papilio, onis,* m. ¶ Sorte d'étendard. *Vexillum, i,* n. ‖ (Spéc.) Etendard arboré au mât d'un navire. *Vexillum navale.* Amener son —, c.-à-d. se rendre, voy. RENDRE.

pavois, s. m. Bouclier. *Scutum, i,* n. ¶ Décoration d'un navire au moyen de pavillons. *Navis vexillis ornata* (ou *decorata*).

pavoiser, v. tr. Décorer (un navire) de pavillons. *Vittis et vexillis ornāre* ou *instruère* (*navem*). Navire pavoisé, *vittata navis,* ‖ P. anal. — les maisons, les édifices publics, *vexillis* (ou *vittis* ou *sertis*) *ornāre, decorāre* (*aedes*).

pavot, s. m. Plante narcotique. *Papaver, eris,* n. De —, *papavereus, a, um,* adj.

payable, adj. Qui doit être payé. *Solvendus, a. um,* p. adj. *Dissolvendus, a, um,* p. adj. *Praestandus, a, um,* p. adj.

payant, ante, adj. Qui paye. Qui (*quae, quod*) *solvit* (*pretium*) (En parl. des choses), *pro quo pecunia reposcenda* (ou *solvenda*) *est.*

paye et paie, s. f. Action de payer. *Solutio, onis,* f. *Numeratio, onis,* f. ¶ Ce qu'on paye; salaire de l'ouvrier. *Merces, edis,* f. ‖ Salaire du soldat. *Stipendium, ii,* n.

payement. Voy. PAIEMENT.

payen, enne. Voy. PAIEN, IENNE.

payer, v. tr. S'acquitter de ce qu'on doit à qqn. *Solvère,* tr. *Absolvère,* tr. *Satisfacère,* intr. Se faire — par ses élèves, *mercedes acceptāre a discipulis.* ‖ Soudoyer. Voy. ce mot. ‖ (Fig.) Récompenser. *Mercedem dāre.* Etre payé, *mercedem accepisse.* ‖ — qqn en or, *aureis solvère alicui.* — qqn de retour, *vicem exsolvère.* — qqn d'ingratitude, *gratiam non referre.* — d'audace, *abundāre audaciā.* — de sa personne, *strenuè rem agère.* ¶ Acquitter ce qu'on doit. Remettre ce qui est dû. *Solvère,* tr. *Dissolvère,* tr. *Exsolvère,* tr. *Persolvère,* tr. *Pendère,* tr. Avoir à —, *debère,* tr. Fig. — sa dette à la nature, *naturae debitum reddère.* ‖ Libérer ce qu'on a acheté. *Solvère,* tr. *Emère,* tr. *Mercāri,* dép. tr. Faire — cher qqn, *avarè statuère pretium alicujus rei.* ‖ (P. anal.) Se faire — ses leçons, *mercedes a discipulis exposcère.* ‖ (Fig.) *Luère,* tr. J'ai payé cher mon erreur, *data merces est erroris mei magna.*

payeur, euse, s. m. et f. Celui, celle qui paye. Qui (*quae*) *pecuniam* (ou *pretium*) *solvit.* Un bon, un mauvais -, *bonum, malum nomen.* ‖ (Spéc.) Celui qui est chargé de payer pour une administration. *Tribunus aerarii. Quaestor, oris,* m.

1. **pays,** s. m. Territoire d'une nation, d'un peuple. *Terra, ae,* f. *Ager, gri,* m. *Fines, ium,* m. pl. ¶ (Par ext.) Patrie. Voy. ce mot De quel — êtes-vous? *unde domo?* ‖ (Spéc.) Localité où qqn est né. *Domus, ūs,* f. De quel pays? *Cujas* (gén. *-atis*), adj. Le mal du —, *desiderium patriae.* Marchandises du —, *domesticae merces.* ¶ (Par ext.) Contrée. *Locus, i,* m. *Regio, onis,* f. *Terra, ae,* f.

2. **pays, e,** adj. Celui, celle qui est du

même pays. Voy. COMPATRIOTE.

paysage, s. m. Site plus ou moins pittoresque. *Regio* (ou *loca*) *naturâ* (ou *situ*) *amoenissima.*

paysan, *anne*, s. m. et f. Homme, femme de la campagne. *Homo rusticus. Homo rusticanus* (qui est né à la campagne). *Rusticus, i,* m. *Homo agrestis* (considéré comme étant sans culture). En — (en mauvaise part), *rusticè*, adv. Vêtu à la paysanne, *agresti vestitu.* Paysanne, *rustica, ae,* f.

paysannerie, s. f. Milieu composé de paysans. *Rusticitas, atis,* f. *Vita rustica et agrestis.* ¶ Petite pièce où l'on représente les paysans. Voy. PASTORAL.

péage, s. m. Droit de passage sur un chemin, un pont, etc. *Portorium, ii,* n. **péager**, *ère*, s. m. et adj. || *S. m.* Celui qui perçoit les droits de péage. *Portitor, oris,* m. ¶ *Adj.* Relatif au péage. *Vectigalis, e,* adj. Taxe —, *portorium, ii,* n.

peau, s. f. Membrane qui recouvre toutes les parties du corps de l'homme et des animaux. *Cutis, is,* f. *Pellis, is,* f. — épaisse, *corium, ii,* n. Faire — neuve (en parl. du serpent), *vernationem* (ou *senectam*) *exuěre.* || (Par ext.) Membrane. Voy. ce mot. ¶ Dépouille de l'animal. *Pellis, is,* f. || (Spéc.) La dépouille de l'animal préparée pour divers usages. *Pellis, is,* f. *Membrana, ae,* f. || (Par anal.) Enveloppe des fruits, des amandes. *Membrana, ae,* f. *Tunica, ae,* f. *Folliculus, i,* m.] Pellicule. Voy. ce mot.

peccadille, s. f. Faute légère. *Levius peccatum.*

1. pêche, s. f. Fruit du pêcher, à noyau très dur. *Malum persicum,* ou simpl. *persicus, i,* f.

2. pêche, s. f. Action de pêcher. *Piscatůs, ůs,* m. || Profession. *Piscatorium artificium.* De —, *piscatorius, a, um,* adj. || P. ext. La — des perles, *margaritarum conquisitio.* || (P. ext.) Le poisson pêché. *Piscatůs, ůs,* m.

péché, s. m. Faute contre la loi divine ou religieuse. *Peccatum, i,* n.

pécher, v. intr. Commettre une faute contre la loi divine ou religieuse. *In deum impiè aliquid committěre. Contra religionem agěre* (ou *facěre*). ¶ (P. ext.) Commettre une faute. *Peccáre, intr.* || (P. ext.) Etre défectueux. *Peccáre, intr.*

1. pêcher, v. tr. Prendre du poisson. *Piscári,* dép. intr. — du poisson à la ligne. *pisces hamo capěre.* ¶ Par anal. — des coquillages, des perles, du corail, *conchylia e mari eruěre; margaritas petěre ex profundo maris; corallium retibus evellěre.* || (Fig.) *Piscári,* dép. intr. et tr. *Aucupári,* dép. tr. — en eau trouble, *ex alterius incommodis sua commoda comparáre.*

2. pêcher, s. m. Arbre qui produit la pêche. *Arbor persica. Persica malus.*

pécheresse. Voy. PÉCHEUR.

pêcherie, s. f. Lieu destiné à la pêche. *Piscina, ae,* f. *Locus piscosus.*

pêcheur, *eresse*, s. m. et f. Celui, celle qui pêche. *Qui* (*quae*) *peccavit* ou *deliquit.* || (Adjectiv.) *Improbus, a, um,* adj. *Impius, a, um,* adj. *Flagitiosus, a, um* adj.

pêcheur, s. m. Celui qui pêche du poisson. *Piscator, oris,* m. *Piscarius, ii,* m. — à la ligne, *hamiota, ae,* m.

pécore, s. f. Bête. Voy. ce mot. || (Fig.) *Pecus, udis,* f.

pectoral, *ale*, adj. Qui a rapport à la poitrine. (Traduire par le gén. *pectoris.*)

péculat, s. m. Infidélité dans le maniement des deniers publics. *Peculatůs, ůs,* m. Se rendre coupable de —, *peculári,* dép. intr.

pécule, s. m. Argent gagné et économisé par un esclave. *Peculium, ii,* n. ¶ (P. ext.) Ce que qqn a économisé. *Peculium, ii,* n.

pécuniaire, adj. Qui a rapport à l'argent. *Pecuniarius, a, um,* adj.

pédagogie, s. f. Méthode d'éducation des enfants. *Disciplina puerilis.*

pédagogique, adj. Qui a rapport à la pédagogie. *Ad artem educandi pertinens.* Système —, *disciplina, ae,* f.

pédagogue, s. m. Celui qui enseigne les enfants. *Paedagogus, i,* m.

pédale, s. f. Pièce d'un mécanisme qu'on manœuvre avec le pied. *Pedale instrumentum.*

pédant, *ante*, s. m. et f. Celui, celle qui fait parade de savoir. *Qui* (*quae*) *studium abjicit in res minutas. Scholasticus, i,* m. || Une —, *mulier inepta* (ou *putida*). || (Adj.) Voy. PEDANTESQUE.

pédanterie, s. f. Ce qui caractérise les pédants. *Molestia, ae,* f.

pédantesque, adj. Qui tient du pédant ou qui sent le pédant (étalant sa science). *Rerum minutarum diligens. Nimium diligens. Putidus, a, um,* adj. *Molestus, a, um,* adj.

pédantesquement, adv. D'une manière pédantesque. *Putidè,* adv.

pédantisme, s. m. Manière d'être de celui qui est pédant. *Inepta rerum minutarum diligentia.*

pédestre, adj. Relatif à l'homme à pied. *Pedester, tris, tre,* adj.

pédestrement, adv. D'une manière pédestre. *Pedibus,* abl. adv.

pédicule, s. m. Support allongé et grêle de certaines plantes. *Pediculus, i,* m.

Pégase, s. m. Cheval ailé qui fit jaillir la fontaine d'Hippocrène. *Pegasus* (ou *Pegasos*), *i,* m.

peigne, s. m. Instrument pour démêler les cheveux, etc. *Pecten, tinis,* m. En forme de —, *pectinatim,* adv. || Instrument dont les femmes ornent leur chevelure. *Crinale, is,* n.

peigner, v. tr. Démêler, nettoyer avec

le peigne. *Pectĕre*, tr. Se —, *pectĕre capillos*. Peigné, bien peigné, *comptus, a, um*, p. adj. Non (*ou* mal) peigné, *impexus, a, um*, adj. (Fig.) En parl. d'un jardin. *Nitidus, a, um*, adj. ‖ (En parl. du style.) Peigné. *Comptus, a, um*, p. adj. ¶ Démêler (de la laine, du chanvre). *Pectĕre*, tr. *Depectĕre*, tr.

peigneur, s. m. Celui qui peigne la laine, etc. *Pectinator, oris*, m.

peignoir, s. m. Sorte de mantelet en toile. *Involucre, is*, n. — de bain. *sabanum, i*, n. ¶ Robe de déshabillé des femmes. *Laxa tunica*.

peindre, v. tr. Revêtir d'une couche de couleur. *Pingĕre*, tr. *Colorāre*, tr. — son visage, se —, *pingi*, pass. ¶ Représenter au moyen de couleurs. *Pingĕre*, tr. *Depingĕre*, tr. (on dit aussi *penicillo aliquam* [ou *aliquid*] *imitari*). ‖ (Fig.) Représenter au moyen du discours. *Pingĕre*, tr. *Depingĕre*, tr. ‖ (Par ext.) Traduire par des signes sensibles. *Exprimĕre*, tr. La cruauté est peinte sur son visage, *crudelitas toto ex ore eminet*.

peine, s. f. Souffrance infligée pour une faute commise. *Paena, ae*, f. Sous —de mort, *propositā morte*. ¶ Douleur morale. *Dolor, oris*, m. *Aerumna, ae*, f. *Molestia, ae*, f. Avec —, *graviter*, adv.; *aegrē*, adv. ‖ (Spéc.) Souci, inquiétude. Voy. ces mots. Etre en — de qqn, voy. INQUIET. ¶ Effort qui coûte. *Labor, oris*, m. *Opera, ae*, f. Avec beaucoup de —, *operosē*, adv. Un homme de —, *operarius, ii*, m. Se donner de la —, *laborāre*, intr.; *sudāre*, intr.; *desudāre*, intr. ¶ Difficulté qui entrave. *Difficultas, atis*, f. J'ai — à ne pas..., *vix teneor, quin* (et le Subj.). On a de la —à..., *difficile* (ou *non facile*) *est, arduum est, magnum est* (*aliquid facĕre*). Sans —, voy. FACILEMENT. A —, à grand —, voy. DIFFICILEMENT. ‖ (P. ext.) A peine, *c.-à-d.* presque pas. *Vix*, adv. *Aegrē*, adv. ‖ A peine, *c.-à-d.* depuis un moment tout au plus. *Vix*, adv.

peiner, v. tr. et intr. ‖ (*V. tr.*) Affliger. *Sollicitāre*, tr. *Sollicitum habēre* ou *reddĕre* (*aliquem*). Etre peiné, *dolēre*, intr.; *in sollicitudine esse*. Peiné, *sollicitus, a, um*, adj.; *maestus, a, um*, adj. ¶ Fatiguer. Voy. ce mot. ¶ (*V. intr.*) Se fatiguer, se donner de la peine. *Laborāre*, intr. *Sudāre*, intr.

peintre, s. m. Celui qui met en couleurs des murailles, etc. *Pictor, oris*, m. — en bâtiments, *pictor parietarius* — décorateur, *pictor imaginarius*. ¶ Celui qui exerce l'art de peindre. *Artifex pingendi*. *Pictor, oris*, m. ‖ (Fig.) En parl. d'un écrivain. Etre — de la nature, de mœurs, *naturam, mores depingĕre* (ou *exprimĕre*).

peinture, s. f. Action de peindre, résultat de cette action. ‖ (En parl. de peintre en bâtiments.) *Pictura, ae*, f.

‖ (Par anal.) Voy. FARD. ‖ (En parl. de l'artiste-peintre.) *Pictura, ae*, f. ‖ Portrait. Voy. ce mot. Fig. N'être roi qu'en —, *specie tantum regem esse*. ‖ (Par anal.) Image de l'objet. Voy. IMAGE. ‖ (Par ext.) Les couleurs d'un objet. Voy. COULEUR. ‖ (Fig.) En parl. du style *Pictura, ae*, f.

peinturer, v. tr. Couvrir d'une couche de couleurs. *Colorem inducĕre* (*alicui rei*). [*oris*, m.

pelage, s. m. Couleur du poil. *Color, oris*, m.

pêle-mêle, adv. Dans une confusion complète. *Confusē*, adv. *Permixtē*, adv. *Promiscuē*, adv. ‖ *Subst.* Confusion complète. *Turbae, arum*, f. pl.

1. peler, v. tr. Dégarnir de poil. *Depilāre*, tr. *Glabrum facĕre*. Pelé, *glaber, bra, brum*, adj. Un pelé, voy. GALEUX. Roche pelée, *nuda silex*.

2. peler, v. tr. et intr. ‖ (*V. tr.*) Dépouiller de sa peau. *Detrahĕre pellem* (*bestiae*). ‖ (P. anal.) En parl. des fruits. *Detrahĕre putamen* (ou *cutem*). — un arbre, *corticem arbori detrahĕre*. ¶ (*V. intr.*) Se dépouiller de l'épiderme. *Cutem exuĕre*.

pèlerin, *ine*, s. m. Celui, celle qui fait par dévotion un voyage à quelque lieu sacré. *Qui* (*quae*) *loca sanctorum visitat*. ‖ (P. ext.) Voyageur. Voy. ce mot.

pèlerinage, s. m. Voyage en un lieu consacré. *Peregrinatio sacra*. ¶ Lieu où viennent les pèlerins. *Locus ad quem peregrinationes religiosā causā suscipiuntur*. [*Paenula, ae*, f.

pèlerine, s. f. Grand collet rabattu.

pélican, s. m. Oiseau aquatique à large bec. *Onocrotalus, i*, m.

pelisse, s. f. Robe fourrée; manteau fourré. *Pellita vestis*.

pelle, s. f. Outil à long manche pour enlever la terre, etc. *Pala, ae*, f. *Rutrum, i*, n. — à feu, *rutabulum, i*, n. ¶ (P. anal.) Palette de l'aviron. *Palma, ae*, f.

pellée, pellerée et **pelletée**, s. f. Ce que tient une pelle pleine. *Gleba, ae*, f.

pelleterie, s. f. Industrie, commerce du pelletier. *Ars pellionis*. *Mercatura pellium*. ‖ (P. ext.) Peaux préparées par le pelletier. *Pelles, ium*, f. pl.

pelletier, s. m. Celui qui prépare, qui vend des fourrures. *Pellio, onis*, m.

pellicule, s. f. Petite peau. *Pellicula, ae*, f. *Membranula, ae*, f. — de l'œuf, *membrana, ae*, f.

Péloponnèse, n. pr. Presqu'île de la Grèce. *Peloponnesus, i*, f. Du —, *Peloponnesius, a, um*, adj. Guerre du —, *bellum Peloponnesiacum*.

pelote, s. f. Balle à jouer. Voy. BALLE. ¶ Petite masse en forme de balle. *Pila, ae*, f. Une — de neige, *globus nivium*. — de laine, *glomus, eris*, n.

peloter, v. tr. et absolt. Manier (la balle). *Ludĕre pilā*. ¶ Rouler en pelote.

In orbes glomerāre (*lanam*), ou simpl. glomerāre, tr.

peloton, s. m. Petite pelote. Voy. PELOTE. — de laine *ou* de fil, *globus, i,* m. — de laine, *glomus, eris,* n. Former, rouler en —, *glomerāre,* tr. Fig. Etre tout en un —, *contrahi,* pass. || Grande quantité d'abeilles *ou* de chenilles entassées les unes sur les autres. *Uva, ae,* f. En —, *glomeratus, a, um,* p. adj. Se mettre en —, *glomerāri,* moy. réfl. ¶ (Fig.) Groupe de personnes. *Globus, i,* m. || (Spéc.) Petite bande de soldats. *Globus, i,* m, *Orbis, is,* m. Qui est par —, formé en —, *conglobatus, a, um,* p. adj.

pelotonner, v. tr. Mettre en peloton (du fil, de la soie). *Glomerāre in orbes* (*lanam*), ou simpl. glomerāre, tr. Se —, *globāri,* pass. réfl.; *conglobāri,* pass.; *conglomerāri,* pass. || (Fig.) Se — (se ramasser sur soi), *contrahi,* moy. réfl.

pelouse, s. f. Etendue de terre couverte de gazon. *Herbae, arum,* f. pl. *Locus gramineus.*

peltaste, s. m. Soldat armé de la pelte. Voy. le suivant.

pelte, s. f. Petit bouclier en forme de croissant. *Pelta, ae,* f. Armé d'une —, *peltatus, a, um,* adj. Soldats armés de la —, *peltastae, arum,* m. pl.

pelu, *ue.* Voy. POILU.

peluche et pluche, s. f. Tissu analogue au velours. *Gausapa, ae,* f. *Gausapum, i,* n.

peluché et pluché, *ée,* adj. Qui imite la peluche. *Gausapatus, a, um,* adj. *Gausapinus, a, um,* adj. || (P. anal.) Duveté. *Lanuginosus, a, um,* adj.

pelure, s. f. Enveloppe qu'on détache des fruits, des légumes, etc. *Corium, ii,* n. *Putamen, inis,* n. [*sium, ii,* n.

Péluse, n. p. Ville d'Egypte. *Pelusium, ale,* adj. Relatif aux peines (châtiments). *Poenalis, e,* adj. *Poenarius, a, um,* adj. Lois —, *legum et judiciorum poenae.* Clause —, *sanctio, onis,* f.

pénalité, s. f. Système de peines établi par la loi. *Poenae, arum,* f. pl.

pénates, s. m. pl. Dieux protecteurs du foyer. Les —, *et, p. appos.* les dieux —, *penates, ium,* m. pl. || (Fig.) Foyer domestique. *Penates, ium,* m. pl. ¶ Dieux protecteurs de la cité. *Penates, ium,* m. pl.

penaud, *aude,* adj. Tout honteux d'une déconvenue. Voy. CONFUS, HONTEUX.

1. penchant, *ante,* adj. Qui penche. *Pronus, a, um,* adj. || (Fig.) Qui décline. Voy. DÉCLIN, DÉCLINER. Etat —, *labans fortuna populi.*

2. penchant, s. m. Partie en pente d'un terrain. Voy. PENTE. — d'une colline, *clivus, i,* m. || (Fig.) Le — de l'âge, *flexus aetatis.* Etre sur le — de sa ruine, *praecipitāre,* intr. ¶ (Fig.) Incli-

nation forte vers qqn *ou* qqch. *Proclivitas, atis,* f. *Facilitas, atis,* f. *Propensio, onis,* f. *Studium, ii,* n.

penchement, s. m. Action de pencher. *Inclinatio, onis,* f. *Pronus motus* (*corporis*). — de tête, *nutatio capitis.*

pencher, v. tr. et intr. || (*V. intr.*) Mettre hors de son aplomb. *Inclināre,* tr. *Demittēre,* tr. Penché, *pronus, a, um,* adj. Se — en avant, *incumbēre,* intr. ¶ (*V. intr.*) Etre hors de son aplomb. *Impendēre,* intr. *Propendēre* (en parl. du plateau de la balance), intr. *Inclināre se* ou *inclinari,* passif. Faire —, *inclināre,* tr. Qui penche, *pronus, a, um,* adj. || (Fig.) *Inclināre,* intr. *Propendēre,* intr. Faire —, *inclināre,* tr.

pendable, adj. Qui mérite d'être pendu. *Cruce dignus.* || (P. ext.) Qui mérite qu'on soit pendu. *Dignus morte. Capitalis, e,* adj.

pendaison, s. f. Action de pendre. *Suspendium, ii,* n. ¶ Action de se pendre. *Suspendium, ii,* n.

pendant, *ante,* adj. prép. et s. m. || *Adj.* Qui pend. *Pendens* (gén. *-entis*), p. adj. *Dependens,* p. adj. *Propendens,* p. adj. *Demissus, a, um,* p. adj. *Promissus, a, um,* adj. || (Fig.) Suspendu, menaçant. *Qui* (*quae, quod*) impendet. || Qui est en suspens. *Pendens,* p. adj. Le procès qui est —, *judicium quod impendet.* Le procès est toujours —, *adhuc sub judice lis est.* ¶ *Prép.* Dans l'espace de temps où une chose a lieu. *Per,* prép. (av. l'Acc.; l'idée de durée peut être rendue par l'acc. seul. cf. *duodequadraginta annos tyrannus Syracusanorum fuit Dionysius*). *In,* prép. (av. l'Abl., ex. : *in bello; in itinere*). *Inter,* prép. (av. l'Acc.: *inter tot annos*). — mon absence, *me absente.* — ma lecture j'ai pensé..., *mihi legenti in mentem venit...* — la guerre, *dum bellum geritur.* || (Loc. conj.) Pendant que. *Dum,* conj.) *Cum,* conj. (voy. QUAND.) ¶ *S. m.* Ce qui pend. — d'oreille, *inaures, ium,* f. pl. — en perles, *dependentes margaritae.* (P. ext.) Ce qui correspond symétriquement à un autre objet. *Imago alicujus rei.* Etre le — de qqch., *alicui rei ex alterā parte respondēre.*

pendard, *arde,* s. m. et f. Celui, celle qui mérite d'être pendu. *Furcifer, eri,* m. *Furcifera, ae,* f.

pendeloque, s. f. Pendant d'oreilles. *Crotalia, orum,* n. pl.

pendeur, s. m. Celui qui pend. *Qui suspendit* ou *suspendio interimit* (*aliquem*).

pendiller, v. intr. Pendre avec des oscillations légères. *Pendulum esse.*

pendre, v. tr. et intr. || (*V. intr.*) Attacher par le haut à distance du sol. Voy. SUSPENDRE. Se —, *pendēre,* intr.; *demittēre se.* Pendu, *pendens.* Etre pendu à, *pendēre ab...* ¶ (Spéc.) Attacher à une potence. *Suspendēre,* tr.

Détacher un pendu, *aliquem ex suspendio detrahĕre*. ¶ (*V. intr.*) Etre attaché par le haut à distance du sol. *Pendēre*, intr. *Dependēre*, intr. — sur, *impendēre*, intr.; *imminēre*, intr. Laisser —, *demittĕre*, tr.

pendule, s. f. Voy. HORLOGE.

pêne, s. f. Pièce d'une serrure. *Pessŭlus, i*, m.

pénétrable, adj. Qui se laisse pénétrer. *Penetrabilis, e*, adj. ¶ Où l'on peut pénétrer. *Pervius, a, um*, adj.

pénétrant, *ante*, adj. Qui pénètre. *Acer, acris, acre*, adj. *Acutus, a, um*, adj. Voix —, *vox auribus sedens*. Avoir le regard —, *acutē vidēre*. || (Fig.) *Acer, acris, acre*, adj. *Acutus, a, um*, adj. *Perspicax* (gén. *-acis*), adj. *Subtilis, e*, adj. *Sagax* (gén. *-acis*), adj. Paroles —, éloquence —, *oratio animos audientium graviter commovens ;* ou *oratio gravissima*. Esprit — (lorsqu'il est naturel), *acies ingenii* ; (acquis ou accru par l'exercice), *acumen ingenii ; subtilitas, atis*, f. Rendre l'esprit —, *acuĕre mentem*.

pénétration, s. f. Action de pénétrer. *Irruptio, onis*, f. || (Fig.) Pénétration d'esprit. *Acies, ei*, f. *Acumen, minis*, n. Posséder une — naturelle, *naturā acutum esse*. Avec —, *acriter*, adv.

pénétrer, v. intr. et tr. || (*V. intr.*) Entrer avant en traversant ce qui fait obstacle. *Penetrāre*, intr. *Pervadĕre*, intr. *Inire*, tr. *Intrāre*, tr. et intr. *Invadĕre*, tr. *Perrumpĕre* (« pénétrer de force »), tr. *Descendĕre* (« s'enfoncer, pénétrer dans »), intr. Laisser —, *accipĕre*, tr.; *percipĕre*, tr. Empêcher de —, *excludĕre*, tr. ¶ (*V. tr.*) Entrer avant (dans qqch.). *Penetrāre*, intr. *Descendĕre*, intr. *Pervadĕre*, intr. et tr. Se — de, *combibĕre*, tr.; *percipĕre*, tr. Se — de la science des mages, *disciplinam Magorum percipĕre*. ¶ (Fig.) Parvenir à connaître. *Perspicĕre*, tr *Introspicĕre*, tr. || (Absol.) Emouvoir profondément. *Commovēre*, tr. *Permovēre*, tr. *Perfundĕre*, tr.

pénible, adj. Qui se fait avec peine. *Difficilis, e*, adj. *Arduus, a, um*, adj. *Operosus, a, um*, adj. (on dit aussi *res multi operis*). *Laboriosus, a, um*, adj. (on dit aussi *res multi laboris*). Style —, *anxia sermonis elegantia*. ¶ Qui cause de la peine. *Molestus, a, um*, adj. *Acerbus, a, um*, adj. *Asper, a, um*, adj. *Gravis, e*, adj. D'une façon —, voy. PÉNIBLEMENT.

péniblement, adv. D'une manière pénible. *Operosē*, adv. *Laboriosē*, adv. *Aegrē*, adv. *Molestē*, adv.

péniche, s. f. Canot léger. Voy. CHALOUPE. ¶ Bateau plat (servant au transport des marchandises). Voy. BATEAU.

péninsule, s. f. Grande presqu'île. *Paeninsula, ae*, f.

pénitence, s. f. Repentir du péché. *Paenitentia, ae*, f. || (Spéc.) Aveu du péché fait au prêtre. Voy. CONFESSION. ¶ Expiation du péché. *Paenitentia, ae*, Faire —, voy. EXPIER. ¶ (P. ext.) Châtiment d'une faute. Voy. CORRECTION. Mettre en —, voy. CORRIGER.

1. **pénitencier**, s. m. Prêtre commis par l'évêque pour des cas de conscience. *Paenitentialis presbyter*.

2. **pénitencier**, s. m. Prison, sorte de maison de correction. *Ergastulum, i*, n.

pénitent, *ente*, adj. et s. m. et f. || *Adj.* Qui se repent d'avoir péché. *Quem (quam) paenitet (peccavisse)*. || (P. ext.) Voy. REPENTANT. ¶ *S. m. et f.* Celui, celle qui se repent d'avoir péché. *Homo, mulier paenitens*. || (Par ext.) Celui, celle qui confesse son péché. *Qui (quae) peccatum confitetur*. || Celui, celle qui expie son péché. *Paenitens, entis*, m. f.

pensant, *ante*, adj. Qui pense. *Intelligens* (gén. *-entis*), p. adj. *Cogitationis* (ou *rationis*) *particeps. Rationis et consilii compos*. Les hommes bien — (en politique), *cives boni* ou (simpl.) *boni, orum*, m. pl. Les hommes mal — (en politique), *mali cives* ou simpl. *mali, orum*, m. pl.

1. **pensée**, s. f. Ce qu'on pense. || Conception de l'esprit. *Cogitatio, onis*, f. *Cogitatum, i*, n. (surt. au plur.) *Sensa, orum*, n. pl. (on dit plutôt *quae mente concipimus* ou *quae animo cogitamus, sentimus, versamus*, ou simpl. *quae sentio, sentimus*, etc.) || (Spéc.) Conception de l'esprit plus ou moins frappante. *Sententia, ae*, f. *Dictum, i*, n. Cette — de Solon, *illud Solonis*. Cette belle — de Platon, *praeclarum illud Platonis*. Vos pensées, *ista tua*. || Jugement, opinion. *Sententia, ae*, f. *Mens, mentis*, f. *Animus, i*, m. (dans l'express. *meo* ou *meo quidem*) *animo*). *Opinio, onis*, f. || Dessein. *Cogitatio, onis*, f. *Consilium, ii*, n. *Mens, mentis*, f. *Animus, i*, m. ¶ Action de penser. *Cogitatio, onis*, f. || Action de penser à qqn, à qqch. *Cogitatio, onis*, f. *Memoria, ae*, f. || Manière de penser. *Animus, i*, m. *Sensus, ūs*, m. (voy. SENTIMENT). ¶ (Par ext.) La faculté de penser. *Cogitatio, onis*, f.

2. **pensée**, s. f. Plante du genre violette. *Melinum genus violae*.

1. **penser**, v. tr. et intr. || Appliquer son esprit à concevoir, à juger qqch. || Concevoir. *Cogitāre*, tr. et intr. (on dit aussi *in animo* ou *cum animo* ou *secum cogitāre ; mente concipĕre*). ¶ Juger. *Existimāre*, tr. *Putāre*, tr. *Arbitrāri*, dép. tr. *Judicāre*, tr. *Censēre*, tr. *Rēri*, dép. tr. *Sentire*, tr. et intr. || (Par ext.) Croire, s'imaginer. *Credĕre*, tr. et intr. *Opināri*, dép. tr. — mal de qqn, *male existimāre de aliquo*. || (Par ext.) Se voir sur le point de. Il pensa être tué, *paene interiit*. || Penser à qqn, à qqch., *c.-à-d.* avoir la personne *ou* la

chose présente à l'esprit. *Recordāri*, dép. tr. et intr. *Reminisci*, dép. intr. *Meminisse*, intr. et tr. Sans — à soi, *oblīvus sui*. Ne plus — à..., *(alicujus rei) memoriam deponēre; (alicujus rei) esse immemorem*. Faire — qqn à, *admonēre*, tr. *(aliquem alicujus rei ou de aliquā re)*; *commonefacēre*, tr. *(aliquem alicujus rei)*. ‖ Penser à une chose, c.-à-d. y réfléchir. *Cogitāre*, tr. et intr. *(aliquid; de aliquā re)*. *Meditāri*, dép. tr. et intr. *Prospicēre*, intr. *(p. patriae)*. *Respicēre*, tr. *(aliquid)*; on dit aussi *alicujus rei rationem habēre ou ducēre*. Ne pas — à, *nullam (alicujus rei) cogitationem habēre; (alicujus rei) oblivisci ou immemorem esse; omittēre aliquid*. Sans — au danger, *sine respectu periculorum*. ¶ (Absol.) Exercer la faculté de concevoir, de juger. *Cogitāre*, intr. *(vivĕre est cogitāre)*. ‖ (Par ext.) Posséder cette faculté. *Cogitāre*, intr. (on dit aussi *cogitationis participem esse*). *Intelligĕre*, intr.

2. penser, s. m. Faculté de penser. Voy. PENSÉE. ¶ Pensée. Voy. ce mot.

penseur, *euse*, s. m. et f. Celui, celle qui pense. *Qui (quae) cogitat*. ¶ Celui qui pense profondément. *Homo acutus ad cogitandum*. Un — profond, *gravissimus intelligendi magister*.

pensif, *ive*, adj. Absorbé par sa pensée. *In cogitatione defixus*.

pension, s. f. Ce qu'on paie régulièrement à qqn. *Beneficium annuum*. *Annua pecunia*. *Annuum, i*, n. et ordin. *annua, orum*, n. pl. ¶ Ce qu'on paye pour être logé et nourri. *Pecunia quae pro victu solvitur*. ‖ (P. ext.) Maison d'éducation libre. Voy. ÉCOLE.

pensionnaire, s. m. et f. Celui qui reçoit une pension. *Beneficiarius, ii*, m. ¶ Celui qui est logé et nourri dans une pension bourgeoise. *Cui apud aliquem pactā mercede victus praebetur*. ¶ Élève qui est en pension. Voy. ÉLÈVE.

pensionnat, s. m. Voy. ÉCOLE.

pensionner, v. tr. Gratifier d'une pension. *Beneficium annuum tribuĕre (alicui)*.

pensum, s. m. Travail imposé par punition à un élève. *Pensum, i*, n.

pentamètre, s. m. Vers de cinq pieds. *Pentameter, tri*, m.

pente, s. f. Plan incliné. *Fastigium, ii*, n. *Declivitas, atis*, f. *Proclivitas, atis*, f. *Clivus, i*, m. Qui est en —, *acclivis, e* (« qui va en montant »), adj.; *declivis, e* (« qui s'abaisse en pente »), adj.; *proclivis, e* (« incliné en avant; en pente »), adj.; *devexus, a, um*, (« qui va en pente, qui descend ») adj.; *pronus, a, um* (« qui descend; incliné, en pente »), adj.; *praeceps* (« qui est en penteraide »), adj. ¶ (Fig.) Ce par quoi on est entraîné. *Proclivitas, atis*, f. Qui glisse sur une —, *proclivis, e*, adj.; *praeceps* (gén. *-cipitis*), adj.; *(pr. in aliquid)*; *pronus, a, um*, adj.

pentecôte, s. f. Fête des juifs et des chrétiens. *Pentecoste, es*, f.

pénultième, adj. Avant-dernier. *Paenultimus, a, um*, adj.

pénurie, s. f. Extrême indigence. *Penuria, ae*, f.

pépin, s. m. Graine qui se trouve au centre de certains fruits. *Granum, i*, n. — de raisin, *vinaceum, i*, n.

pépinière, s. f. Terrain où l'on fait des semis d'arbres. *Seminarium, ii*, n. ‖ (Fig.) Ce qui fournit des sujets pour remplacer ceux qui manquent. *Seminarium, ii*, n.

péplum et **péplon**, s. m. Tissu léger que les femmes grecques portaient par-dessus la tunique. *Peplum, i*, n.

perçant, *ante*, adj. Qui perce (au propre). Voy. PERCER. ¶ (Fig.) En parl. du son. *Acutus, a, um*, adj. *Acer, acris, acre*, adj. D'une manière —, *acutē*, adv. ‖ En parl. des yeux, de la vue. *Acer, acris, acre*, adj. Vue —, *acies, ei*, f. Avoir la vue —, *acutē cernĕre*. ‖ (P. ext.) En parl. du froid. *Acutus, a, um* adj. ‖ (En parl. de l'esprit.) Qui discerne à première vue. *Acutus, a, um*, adj. *Acer, acris, acre*, adj.

perce, s. f. Outil pour percer. Voy. FORET, TARIÈRE. ¶ Action de percer. Mettre un tonneau en —, *aperire dolium*.

percé, s. m. et **percée**, s. f. Ouverture ménagée pour livrer passage. *Locus patefactus*. *Via perforata*.

percement, s. m. Action de percer. *Terebratio, onis*, f.

percepteur, s. m. Employé chargé de la perception des impôts. *Exactor vectigalium* ou simpl. *exactor, oris*, m. *Coactor, oris*, m.

perceptible, adj. Qui peut être perçu par les sens. *Qui (quae, quod) sensibus percipi potest*.

perception, s. f. Action de percevoir (les données des sens). *Sensus, ūs*, m. *Intellectus, ūs*, m. ¶ Faculté de percevoir. *Perceptio, onis*, f. *Comprehensio, onis*, f. *Intelligentia, ae*, f. ‖ (P. ext.) Ce que l'esprit perçoit. Les — sensibles, *res sensibus subjectae*. ¶ Action de percevoir l'impôt. *Exactio vectigalium* ou simpl. *exactio, onis*, f. *Coactio, onis*, f. ‖ (P. ext.) Charge de celui qui perçoit les impôts. *Argentaria coactio*. Bureau de —, *teloneum, ei*, n. ou *telonium, ii*, n.

percer, v. tr. et intr. ‖ (*V. tr.*) Traverser en pratiquant un trou, une ouverture. *Forāre*, tr. *Perforāre*, tr. *Pertundēre*, tr. *Perfodēre*, tr. ‖ (Par ext.) Trouer. Voy. ce mot. ‖ (Spéc.) Traverser une partie du corps de façon à blesser ou à tuer. *Fodēre*, tr. *Confodēre*, tr. *Transfodēre*, tr. *Configēre*, tr. *Transfigēre*, tr. ‖ (Par anal.) Percer les bataillons ennemis, *per medios hostes perrumpēre*. — la nue, *nubem scindēre*. (En parl. de l'humidité), *permadefacēre*, tr. Etre percé

(par la pluie), *madefieri*, pass. || (Fig.)
Voy. PÉNÉTRER. ¶ Pratiquer, ménager.
Voy. FRAYER. — une porte, une fenêtre,
voy. OUVERTURE. ¶ (*V. intr.*) Donner
passage. *Rumpi*, pass. L'abcès perce,
vomica rumpitur. || Se faire passage.
Erumpĕre, intr. *Emergĕre*, intr. (absol.
haud facile emergunt, « on a de la
peine à percer »).

percevoir, v. tr. Recueillir (l'impôt).
Exigĕre, tr. *Cogĕre*, tr. Se charger de
— la dîme, *accipĕre decumas*. ¶ Saisir
(les données des sens). *Sentīre*, tr. *Sensibus percipĕre* ou (simpl.) *percipĕre*, tr.
Intelligĕre, tr. *Accipĕre*, tr. — (une
couleur), *oculis cernĕre* ou *vidēre* (*aliquid*). — un son, *audīre aliquid*. — par
la raison le raisonnement, *cognoscĕre*, tr.

1. **perche**, s. f. Poisson d'eau douce.
Perca, ae, f.

2. **perche**, s. f. Longue pièce de bois.
Pertica, ae, f. — (sorte de gaffe),
contus, i, m. ¶ Ancienne mesure de
superficie. *Pertica, ae*, f.

percher, v. intr. et pron. || (*V. intr.*)
En parl. des oiseaux : se tenir sur une
perche, une branche d'arbre. *Sedēre*,
intr. || (*V. pron.*) Se —, *insidēre*, intr.
Rester perché, *residēre*, intr.

perchoir, s. m. Bâton sur lequel on
fait percher les oiseaux ou les volailles.
Sedile, is, n.

perclus, *use*, adj. Qui ne peut plus se
mouvoir, qui ne peut plus mouvoir un
membre, etc. *Omnibus membris captus
ac debilis*.

perdant, *ante*, s. m. et f. Celui, celle
qui perd, particulièrement au jeu. *Is
qui victus est, ea quae victa est*.

perdition, s. f. État de celui, de celle
qui perd son âme. *Perditio animae* ou
simpl. *perditio, onis*, f.

perdre, v. tr. Amener à une ruine
complète. || Une personne. *Perdĕre*, tr.
(on dit aussi *ad interitum vocāre aliquem*). *Evertĕre*, tr. *Pervertĕre*, tr. Se
—, *se perditum ire; sibi exitio esse*.
Spéc. — qqn. voy. ÉGARER. Se —,
voy. S'ÉGARER. Un endroit perdu,
*locus remotus; longinquus et reconditus
locus*. Un village perdu, *devius vicus*.
Une sentinelle perdue, *speculator, oris*,
m. || Perdre qqn moralement. *Perdĕre*,
tr. *Corrumpĕre*, tr. *Pervertĕre*, tr. Se —,
voy. [se] DÉSHONORER. || — qqn de
réputation, *alicui infamiam movēre*.
Perdu de réputation, *infamiā flagrans*.
|| (Fig.) Se — (dans des développe-
ments), *evagāri*, dép. intr. Les médecins s'y perdent, *nec medici se inveniunt*.
|| Une chose. *Perdĕre*, tr. *Corrumpĕre*,
tr. Se —, voy. PÉRIR. Le navire s'est
—, *navis naufragio interiit*. ¶ (Fig.)
Faire disparaître. *Tollĕre*, tr. Se —,
perīre, intr.; *mori*, dép. intr.; *occidĕre*,
intr. || Dépenser inutilement. *Perdĕre*,
tr. N'avoir pas de temps à —, *morandi
tempus non habēre*. Sans — de temps,
sine morā. Se —, être perdu, *perīre*,

intr. Prières perdues, *irritae preces*. A
corps perdu, *temerē*, adv. ¶ Voir dispa-
raître. || Une personne. *Amittĕre*, tr.
Desiderāre, tr. (in eo proelio ducentos
milites desideravit). Fig. — qqn de vue,
aliquem e conspectu amittĕre. || Une
chose. *Perdĕre*, tr. *Deperdĕre*, tr. *Amittĕre*, tr. — un œil, *oculo altero capi*. —
l'ouïe, *capi auribus*.

perdreau, s. m. Jeune perdrix. *Per-
dicis pullus*.

perdrix, s. f. Oiseau. *Perdix, dicis*, f.

père, s. m. Celui qui a engendré un
enfant. *Pater, tris*, m. *Parens, entis*, m.
Le père et la mère, *parentes*. De — en
fils, *ab stirpe*. De —, voy. PATERNEL. ||
(Par ext.) Père de famille. *Pater fami-
lias* (au plur. *patres familias*). || Nos
pères, *c.-à-d.* nos aïeux. *Patres, um*,
m. pl. ¶ Titre de vénération, de respect.
Pater, tris, m. ¶ Créateur de qqch.
Parens, entis, m.

pérégrination, s. f. Voyage en pays
étrangers. *Peregrinatio, onis*, f.

péremptoire, adj. Qui détruit d'avance
ce qu'on pourrait lui opposer. *Firmissimus, a, um*, adj.

péremptoirement, adv. D'une manière péremptoire. *Necessario* (*demonstrāre*).

perfection, s. f. Caractère de ce qui
est parfait. || État de ce qui est achevé,
accompli dans son genre. *Perfectio, onis*,
f. *Absolutio, onis*, f. Tous les arts ont
leur point de —, *artes habent quemdam
absoluti operis effectum*. Atteindre la —,
ad summum pervehi. Faire une chose
dans la —, voy. PARFAITEMENT.
|| (Au plur.) Qualités excellentes. *Vir-
tutes, um*, f. pl. *Summae laudes*. ¶
(Philos.) Dont l'excellence est absolue.
Perfectio, onis, f.

perfectionnement, s. m. Action de
perfectionner, résultat de cette action.
Perfectio, onis, f. Travailler au — de
qqch., voy. PERFECTIONNER. || —
moral, *emendatio, onis*, f.

perfectionner, v. tr. Rapprocher de
la perfection. *Perfectum reddĕre aliquid*.
— qqn, *excolĕre*, tr. Perfectionné, *expo-
lītus, a, um*, p. adj. Se — dans un art,
dans une langue, *artem accuratius discĕre ou penitus discĕre; linguae scientiam subtilius excolĕre*. Se — (en parl.
des ch.), *ad perfectum venīre*. Absolt.
Se — (travailler à devenir meilleur),
consummāre vitam.

perfide, adj. Qui agit en traître envers
qqn qui se fie à lui. *Perfidus, a, um*, adj.
(En tant que défaut durable), *perfi-
diosus, a, um*, adj. (Avec un sens atté-
nué), *infidelis, e*, adj. (Avec l'idée d'être
dangereux), *insidiosus, a, um*, adj.
(Avec l'idée de méchanceté), *malitiosus,
a, um*, adj. (Avec l'idée de séduction),
malus, a, um, adj. Les Carthaginois —,
fraudulenti Carthaginienses. Devenir,
être — envers qqn, *fidem alicui datam
fallĕre* (ou *prodĕre*). || (Par ext.) En

parl. des ch. *Perfidus, a, um,* adj. *Infidus, a, um,* adj. || Subst. Un —, *homo sine fide.* [*fidē*], adv. *Perfidiosē,* adv.

perfidement, adv. Avec perfidie. *Perfidē.*

perfidie, s. f. Caractère perfide. *Perfidia, ae,* f. ¶ Action perfide. *Infidum facinus.* Commettre une —, *perfidē* (ou *fraudulenter*) *agěre.*

perforer, v. tr. Traverser en faisant un trou. *Perforāre,* tr.

Pergame, n. pr. Ville d'Asie. *Pergamus, i,* f. De —, *Pergamenus, a, um,* adj.

Périclès, n. pr. Homme d'Etat athénien. *Pericles, is,* m.

péricliter, v. intr. Etre en péril. *Periclitāri,* dép. intr.

péril, s. m. Etat, situation où l'on est menacé dans sa sûreté, dans ses intérêts. *Periculum, i,* n. Au — de ma vie, *mei capitis periculo; vitae discrimine.* A ses risques et —, *suo* (ou *ejus*) *periculo.*

périlleusement, adv. D'une manière périlleuse. *Periculosē,* adv.

périlleux, *euse,* adj. Où l'on est en péril. *Periculosus, a, um,* adj.

période, s. f. et m. || *S. f.* Temps qu'une chose met à accomplir les phases de sa durée. *Spatium, ii,* n. || En parl. de la formation des terrains. *Aetas, atis,* f. || (En parl. de la révolution d'un astre.) *Circuitūs, ūs,* m. *Cŭrsūs, ūs,* m. || (En parl. des événements historiques.) *Tempus, oris,* n. *Tempestas, atis,* f. *Aetas, atis,* f. || (Par ext.) Chacune des phases parcourues. *Certus circuitus.* ¶ Enchaînement de phrases où la pensée suit un développement régulier. *Verborum ambitus.* || (Par anal.) Enchaînement de phrases musicales. *Modorum continuatio.* ¶ *S. m.* Chacun des divers degrés par lesquels une chose passe pendant sa durée. Voy. POINT, DEGRÉ. || (Ellipt.) Le —, c.-à-d. le plus haut degré, *summus gradus; culmen, minis,* n.

périodicité, s. f. Caractère de ce qui est périodique. *Reversio, onis,* f.

périodique, adj. Qui se produit par périodes, dont la succession est régulière. *Certo tempore recurrens. Status, a, um,* p. adj. Retour — des mois, *conversio mensium.* ¶ Qui présente le caractère de la période (en littérature, en musique). *Circumscriptus, a, um,* p. adj. Style —, *oratio structa* (ou *vincta*).

périodiquement, adv. D'une manière périodique. *Certis temporibus. Statis diebus* ou *temporibus.*

péripatéticien, *ienne,* adj. Qui suit la philosophie d'Aristote. *Peripateticus, a, um,* adj. Les —, *Peripatetici, orum,* m. pl.

péripétie, s. f. Brusque revirement de l'action vers un autre dénouement. *Subita commutatio* (ou *conversio*). || (Par ext.) Evénement imprévu. *Fortunae commutatio.*

périphrase, s. f. Tour de phrase em-

ployé comme équivalent du mot propre. *Circuitio, onis,* f. *Circuitūs, ūs,* m.

périr, v. intr. Etre enlevé par une mort violente. *Perire,* intr. *Interire,* intr. *Obire,* intr. *Occidĕre* (« tomber mort, périr »), intr. *Occumbĕre* (« tomber mort, périr »), intr. Faire —, voy. TUER. || (P. anal.) Etre détruit. *Interire,* intr. || (Par ext.) Etre anéanti. *Perire,* intr. *Mori,* dép. intr. *Emori,* dép. intr. Faire —, *perdĕre,* tr.; *enecāre,* tr.

périssable, adj. Destiné à périr. *Fluxus, a, um,* p. adj.

péristyle, adj. Dont le pourtour intérieur présente une colonnade. *Peristylo munitus* (ou *ornatus*). || Subst. au masc. Edifice —, *peristylum, i,* n. et *peristylium, ii,* n. || (Par ext.) Vestibule monumental. *Porticŭs, ūs,* f.

perle, s. f. Globule d'un blanc argenté qui se forme dans certaines coquilles. *Margarita, ae,* f.

perler, v. tr. et intr. || (*V. tr.*) Façonner en forme de perles. *Bacis ornāre* (ou *instruĕre*). Perlé, *bacatus, a, um,* adj. ¶ (*V. intr.*) Se détacher en forme de perles (en parl. de la sueur). *Stillāre,* intr.

permanence, s. f. Caractère de ce qui est permanent. *Continuatio, onis,* f. *Constantia, ae,* f. Etre en —, *assiduum esse; permanēre,* intr.

permanent, *ente,* adj. Qui dure, se maintient sans interruption. *Stabilis, e,* adj. *Perpetuus, a, um,* adj. Etre —, *manēre,* intr.; *permanēre,* intr. Camp —, *stativa* (s.-e. *castra*), *orum,* n. pl.

perméable, adj. Qui laisse passer un liquide, un gaz à travers ses pores. *Penetrabilis, e,* adj.

permettre, v. tr. Donner liberté (de faire qqch.). *Permittĕre,* tr. *Dare,* tr. dans les express. c. *dāre ut* [et le Subj.]; *facultatem dāre aliquid faciendi. Concedĕre,* tr. *Pati,* dép. tr. (voy. SOUFFRIR). *Sinĕre* (« laisser faire, permettre »), tr. Ne pas —, voy. DÉFENDRE. Permis, *permissus, a, um,* p. adj.; *concessus, a, um,* p. adj. Se — , *sibi sumĕre; audēre* (av. l'Inf.). Permettez-moi de vous dire que…, *pace tuā dixerim* (av. l'Acc. et l'Inf.). || Avec le nom de la chose permise comme complément. — le passage, *dāre iter.* ¶ Donner la possibilité (de faire qqch.). *Potestatem facĕre* (*dicendi,* etc.). *Sinĕre,* tr. Il est permis, *licet* ou *licitum est;* (*mihi*) *locus est* (av. le Gén. du Gér.).

permis, s. m. Permission écrite. *Permissio, onis,* f.

permission, s. f. Liberté donnée de faire qqch. *Permissio, onis,* f. *Permissŭs* (Abl. *ŭ*), m. *Venia, ae,* f. *Potestas, atis,* f. *Licentia, ae,* f. Donner la — de…, *jus dāre* (*faciendi*). La — est, fut accordée, *permittitur; permissum est.* Demander une — de, *petĕre ut sibi permittatur* ou *liceat* (et l'Inf.). J'ai la — de…, *mihi licet* ou *permissum est* (av.

l'Inf.). Je n'ai pas la — de parler, *mihi loqui non conceditur*. — militaire (de s'absenter), *commeatŭs, ūs*, m. Avec votre —, *si per vos licet*. Sans ma —, *me invito*. [ter. *Permutatio, onis*, f.

permutation, s. f. Action de permuter, v. tr. et intr. ‖ (*V. tr.*). Mettre une chose à la place d'une autre. et réciproquement. *Permutāre*, tr. *Commutāre*, tr. ¶ (*V. intr.*) — avec qqn, *et simpl*. — (échanger un emploi), voy. ÉCHANGER.

pernicieusement, adv. D'une manière pernicieuse. *Perniciosē*, adv.

pernicieux, *euse*, adj. Qui contient un principe malfaisant *et, par ext.* (en parl. des personnes), funeste, dangereux. *Perniciosus, a, um*, adj. *Exitiosus, a, um*, adj.

péroraison, s. f. La dernière des parties qui composent un discours. *Peroratio, onis*, f. *Conclusio, onis*, f.

pérorer, v. intr. Discourir d'une manière prolixe et prétentieuse. *Magnificē et verbosē loqui*.

perpendiculaire, adj. Qui fait avec une droite, avec un plan, deux angles égaux. *Ad perpendiculum directus* ou simpl. *directus, a, um*, p. adj. Etre —, *ad perpendiculum esse*.

perpendiculairement, adv. D'une manière perpendiculaire (*Directē*) *ad perpendiculum*.

perpétration, s. f. Action de perpétrer. La — d'un crime, *patratrum facinus*.

perpétrer, v. tr. Faire un acte criminel. *Perpetrāre*, tr.

perpétuel, *elle*, adj. Qui dure constamment. *Perpetuus, a, um*, adj. *Perennis, e*, adj. ‖ (Par anal.) Qui dure constamment pendant un temps déterminé. *Perpetuus, a, um*, adj. ¶ (Par ext.) Qui a lieu fréquemment. *Assiduus, a, um*, adj. *Perennis, e*, adj.

perpétuellement, adv. D'une manière perpétuelle. Voy. ÉTERNELLEMENT, TOUJOURS. ‖ Continuellement. Voy. ce mot.

perpétuer, v. tr. Faire durer constamment *Perpetuāre*, tr. Se —, *permanēre*, intr.

perpétuité, s. f. Durée constante. *Perpetuitas, atis*, f. *Perennitas, atis*, f. ‖ (Par anal.) Durée constante pendant la vie de qqn. *Perpetuitas, atis*, f. A —, *in perpetuum*.

perplexe, adj. Embarrassé entre plusieurs partis contraires. *Inops consilii*. *Expers consilii*. Etre —, *haerēre*, intr.

perplexité, s. f. Etat de celui qui est perplexe. *Inopia consilii* ou simpl. *inopia, ae*, f.

perquisition, s. f. Recherche, action de rechercher. *Inquisitio, onis*, f. ¶ (Spéc.) Recherche judiciaire. *Inquisitio, onis*, f. Faire une — au domicile de qqn, *inquirere apud aliquem*.

perron, s. m. Escalier de qqs marches,

construit devant la façade d'une maison. *Gradus, uum*, m. pl.

perroquet, s. m. Oiseau de l'ordre des grimpeurs. *Psittacus, i*, m.

perruche, Voy. PERROQUET.

perruque, s. f. Chevelure postiche. *Capillamentum, i*, n.

perruquier, *ière*, s. m. et f. Celui, celle qui fait des perruques, *et par ext.* qui coiffe, rase, etc. *Tonsor, oris*, m.

pers, *perse*, adj. Qui est d'un bleu tirant sur le violet. *Caesius, a, um*, adj.

1. Perse, n. pr. Contrée d'Asie. *Persis, idis*, f. Royaume de —, *Persarum regnum*. [*Persa, ae*, m.

2. Perse, n. pr. Habitant de la Perse.

3. Perse, n. pr Satirique romain. *Persius, ii*, m.

persécuter, v. tr. Poursuivre sans relâche par des traitements cruels. *Insectāri*, dép. tr. *Vexāre*, tr.

persécuteur, *trice*, s. m. et f. Celui, celle qui persécute. *Vexator, oris*, m. *Insectator, oris*, m. — des siens, *infestus in suos*. — des chrétiens, *christianae religionis insectator*. ‖ (Par ext.) Acharné contre (qqch.), ennemi. Voy. ACHARNÉ.

persécution, s. f. Action de persécuter. *Vexatio, onis*, f. *Insectatio, onis*, f. ‖ (Spéc.) Tourments auxquels étaient condamnés les chrétiens. *Vexatio christianorum*.

persévéramment, adv. Avec persévérance. Voy. PERSÉVÉRANCE.

persévérance, s. f. Action de persévérer. *Perseverantia, ae*, f. *Pertinacia, ae*, f. Avec —, *perseveranter*, adv.; *obstinatē*, adv ; *pertinaciter*, adv. ‖ (Ironiqt.) Acharnement. Voy. ce mot. ¶ Faculté de persévérer. *Constantia, ae*, f.

persévérant, *ante*, adj. Qui persévère. *Perseverans* (-*antis*), p. adj. *Constans* (gén. -*antis*), p. adj.

persévérer, v. intr. Demeurer ferme et constant dans une manière d'être, d'agir. *Perseverāre*, intr. *Manēre*, intr. *Permanēre*, intr. *Perstāre*, intr. Il faut —, *durandum est*. [*Cavillatio, onis*, f.

persiflage, s. m. Action de persifler.

persifler, v. tr. Railler légèrement. *Cavillāri*, dép. tr.

persifleur, s. m. Celui qui a l'habitude de persifler. *Cavillator, oris*, m.

persil, s. m. Plante potagère. *Petroselinon, i*, n.

persistance, s. f. Action de persister. *Perseverantia, ae*, f. — des pluies, *continuatio imbrium*.

persistant, *ante*, adj. Qui persiste. *Pertinax* (gén. -*acis*), adj. Pluies —, *assidui imbres*.

persister, v. intr. Demeurer ferme dans une résolution malgré les résistances. *Persistere*, intr. *Perstāre*, intr.

personnage, s. m. Personne qui occupe une certaine situation. *Homo, inis*, m. *Vir, viri*, m. — de distinction, *digni-*

tates, f. pl. Tous les — notables de l'État, *omnes honestates civitatis*. ‖ (Par ext.) Figure d'un tableau, d'une tapisserie, etc. Voy. FIGURE. ¶ Rôle que joue un acteur, une actrice. *Persona, ae*, f. ‖ (P. ext.) Personne représentée d'une manière fictive au théâtre, dans un roman, etc. *Persona, ae*, f. Ce — de Térence, qui...., *ille apud Terentium, qui*... Le — principal, *qui primas agit*.

personne, s. f. et m. ‖ *S. f.* Individu de l'espèce humaine. *Homo, minis*, m. Une — qui, *is... qui...* Une — quelconque, *aliquis; aliquis de populo*. Une belle —, *mulier formosa*. Une — de qualité, *honestus homo*. — bien née, *ingenuus homo*. ‖ (Spéc.) Ce qui constitue la personne même. *Corpus, oris*, n. (*inviolatum corpus civis; nimia corporis sollicitudo*, soin excessif de sa p.) *Caput, pitis*, n. Il ne s'éloigne pas de sa —, *ab ejus capite non discessit*. En propre —, *en* —, *ipse; praesens*. Etre bien fait de sa —, *liberali formâ esse*. ‖ (Gramm.) Forme de la conjugaison. *Persona, ae*, f. ¶ *S. m. sing.* Quelqu'un. *Quisquam*, pron. indéf. (dans une prop. négative de forme *ou* de sens). *Ullus, a, um*, adj. (*ullus*, bien qu'adj. s'emploie subst. au génit., au dat. et à l'abl., dans les mêmes condit. que *quisquam*). —ne..., *nemo*, pron.; *nullus, a, um*, adj. (l'adj. *nullus* s'empl. subst. au génit. et à l'abl., pour remplacer les correspondants de *nemo*, inusités).

personnel, *elle*, adj. et s. m. ‖ *Adj.* Relatif à la personne; qui concerne une personne. *Ipse, a, um*, adj. *Proprius, a, um*, adj. *Domesticus, a, um*, adj. Mérite —, *virtus, utis*, f. ‖ (Gramm.) *Personalis, e*, adj. ‖ Qui concerne la personne en général (par oppos. à la chose). *Personalis, e*, adj. ‖ Qui ne songe qu'à sa personne. Voy. ÉGOÏSTE. ¶ *S. m.* L'ensemble des personnes qui constituent un service public *ou* privé. *Ministri, orum*, m. pl. *Ministerium, ii*, n.

personnellement, adv. D'une manière personnelle. *Per se. Suo nomine*. Proprié, adv. Pour moi —, *equidem ou ego quidem*. Etre — irrité contre qqn, en vouloir — à qqn, *propriâ irâ offensum esse alicui*. ¶ (T. de gramm.) En indiquant la personne. *Personaliter*, adv.

personnifier, v. tr. Faire parler, agir, comme une personne, un être abstrait *ou* inanimé. *Aliquam rem loquentem inducère*. ‖ (Par anal.) Représenter sous les traits d'une personne (un être abstrait *ou* inanimé). *Aliquam rem humanâ specie inducère* (ou *induère*). ¶ Réaliser dans sa personne (une qualité, un défaut, etc.). *Induère*, tr.

perspective, s. f. Représentation des objets selon les différences d'aspect qu'y apportent l'éloignement et la disposition. *Scenographia, ae*, f. ¶ (Fig.) Aspect sous lequel on se représente

un événement plus ou moins éloigné. *Propositio, onis*, f. *Expectatio, onis*, f. Absol. Avoir en —, *proponère sibi* (ou *oculis suis*).

perspicace, adj. Qui a de la perspicacité. *Perspicax* (gén. *-acis*), adj.

perspicacité, s. f. Faculté de pénétrer la vérité. *Acies* (ou *acumen*) *ingenii*.

persuader, v. tr. Amener (qqn) à croire qqch. *Persuadère*, intr. (on dit aussi *facile adducère aliquem ad* [*credendum*]). Se —, *sibi persuadère* (*aliquid* ou *aliquid facère*). ¶ Faire croire (qqch.). *Persuadère*, intr. (l'acc. ne se rencontre qu'avec le neutre d'un pron., *quod, id, nihil, multa*; on dira *fidem facère alicujus rei*). ‖ (P. ext.) Faire croire à qqn qu'il doit faire qqch. *Persuadère*, intr. *Pervincère*, tr.

persuasif, *ive*, adj. Qui a la vertu de persuader. *Ad persuadendum aptus* (ou *accommodatus*). *Ad fidem faciendam aptus*.

persuasion, s. f. Action de persuader. *Persuasio, onis*, f. Par la —, *persuadendo*. ‖ Etat de celui qui est persuadé. *Persuasio, onis*, f.

perte, s. f. Action de perdre : résultat de cette action. ‖ Ruine qui frappe (une personne, une chose). *Clades, is*, f. *Exitium, ii*, n. *Interitûs, ûs*, m. *Pernicies, ei*, f. *Ruina, ae*, f. *Eversio, onis*, f. ‖ (Spéc.) Perdition de l'âme. Voy. PERDITION. ‖ (Par ext.) Dépense inutile de qqch. *Jactura, ae*, f. *Detrimentum, i*, n. En pure —, voy. INUTILEMENT. ¶ Disparition d'une personne, d'une chose qui nous échappe. *Amissio, onis*, f. *Jactura, ae*, f. *Damnum, i*, n. *Detrimentum, i*, n. La — des enfants, *orbitas, atis*, f. — du sommeil, voy. INSOMNIE. — de la raison, voy. FOLIE. — de sang, voy. HÉMORRHAGIE. (Par ext.) Courir à — d'haleine, *cursu exanimâri*. Plaines qui s'étendent à — de vue, *patentes magis campi, quam ut perspici possint*. ‖ (Par anal.) La — d'un fleuve, *fluvius terrae hiatu haustus*. ‖ (Spéc.) Action de perdre de l'argent au jeu, dans les affaires. *Damnum, i*, n. *Detrimentum, i*, n. Etre en —, voy. PERDRE. Vendre à —, *male vendère*. ¶ Action de perdre l'avantage dans une lutte. — d'une bataille, voy. DÉFAITE.

pertinemment, adv. D'une manière pertinente. *Aptê*, adv. *Appositê*, adv. *Accommodatê*, adv.

pertinence, s. f. Caractère de ce qui est pertinent. *Congruentia, ae*, f.

pertinent, *ente*, adj. Qui se rapporte à la question. *Aptus, a, um*, adj. *Appositus, a, um*, p. adj.

perturbateur, *trice*, s. m. et f. Celui, celle qui cause du trouble dans un État, dans une réunion. *Turbator, oris*, m. Perturbatrice, *perturbatrix, tricis*, f.

perturbation, s. f. Trouble produit dans le fonctionnement d'un système, etc.

Perturbatio, onis, f. *Turbatio, onis,* f.

pervenche, s. f. Plante à fleurs bleues. *Vincapervinca* et *vicapervica, ae,* f.

pervers, *erse,* adj. Tourné au mal. *Perversus, a, um,* p. adj. *Pravus, a, um,* adj.

perversité, s. f. Caractère pervers. *Pravitas, atis,* f.

pervertir, v. tr. Tourner au mal. *Pervertĕre,* tr. *Depravāre,* tr. (on dit aussi : *transversum agĕre aliquem*). Se —, *ad pravitatem venire.*

pesamment, adv. D'une manière pesante. *Gravitĕr,* adv. ‖ (Fig.) *Durĕ,* adv. *Rusticĕ,* adv.

pesant, *ante,* adj. Qui a beaucoup de poids. *Gravis, e,* adj. Un — fardeau, *onus, eris,* n. Par anal. Un sommeil —, *gravis sopor.* Qui dort d'un sommeil —, *torpidus somno.* ‖ (Par ext.) Qui a de la peine à se mouvoir. *Gravis, e,* adj. *Tardus, a, um,* adj. Avoir une démarche —, *tardius movēri.* ‖ (Fig.) Qui est à charge. *Gravis, e,* adj. Charge —, *pondus, eris,* n.; *onus, eris,* n. ‖ Qui a une allure pénible. *Tardus, a, um,* adj. ¶ Qui a du poids. *Gravis, e,* adj. Tous les corps —, *omnia pondera.* ‖ (Subst.) Ce que qqch. pèse. *Pondus, eris,* n. Valoir son — d'or, *magni pretii esse.* ‖ Adverbialt. *Pondo,* indécl. ¶ Qui a le poids requis. *Justi ponderis,* ou simpl. *justus, a, um,* adj.

pesanteur, s. f. Caractère de ce qui a un grand poids. *Gravitas, atis,* f. *Pondus, eris,* n. *Onus, eris,* n. ‖ (Par anal.) En parl. du corps. *Gravitas, atis,* f. — de tête, *graveda, dinis,* f. La — des jambes, *tarditas pedum.* Sentir de la —, *gravāri,* dép. intr. — d'estomac, *cruditas, atis,* f. ‖ (Fig.) La — de l'âge se faisant sentir, *ingravantibus annis.* ‖ (Fig.) *Tarditas, atis,* f. La — du débit, *latitudo verborum.* ¶ Caractère de ce qui a du poids. *Pondus et gravitas. Vis et gravitas. Pondus, eris,* n. Mouvement dû à la —, *nutus, ūs,* m.

pesée, s. f. Action de peser un corps. *Pensio, onis,* f. ¶ Action de peser sur un levier. Voy. PRESSION.

peser, v. tr. et intr. ‖ (*V. tr.*) Mesurer le poids d'un corps en le comparant à un poids pris comme unité. *Pensāre,* tr. *Pendĕre,* tr. *Expendĕre,* tr. *Pensitāre* (« peser avec soin »), tr. *Examināre,* tr. *Ponderāre,* tr. (on dit aussi *pondus alicujus rei exigĕre*). ‖ (Par anal.) Apprécier en comparant. *Pensāre,* tr. *Pendĕre,* tr. *Pensitāre,* tr. *Ponderāre,* tr. *Exigĕre,* tr. *Examināre,* tr. ‖ (Fig.) Se rendre compte de la valeur d'une chose en examinant le pour et le contre. *Pendĕre,* tr. *Perpendĕre,* tr. *Exigĕre,* tr. ¶ (*V. intr.*) Avoir un poids déterminé. *Pendĕre,* intr. — trois livres, *pondo valēre tres libras.* — davantage, *praeponderāre,* intr. ‖ Faire sentir son poids. — sur les épaules, voy. CHARGER. — sur, *incumbĕre,* intr. Faire — sur,

inclināre, tr. (ex. : *omnem culpam in aliquem*). Qui pèse, voy. LOURD. ‖ Etre à charge. Voy. PÉNIBLE.

peson, s. m. Petit poids placé au bout d'un fuseau. *Verticillus, i,* m. ¶ Levier coudé, sorte de balance. *Statera, ae,* f.

peste, s. f. Maladie épidémique, contagieuse, qui décime. *Pestilentia, ae,* f. Année où sévit la —, *annus pestilens.* ¶ (Fig.) Personne, chose pernicieuse. *Pestis, is,* f. *Pernicies, ei,* f.

pester, v. intr. Se répandre en malédictions (contre qqn ou qqch.). *Stomachāri (cum aliquo). Invehi (in aliquem).*

pestiféré, *ée,* adj. Atteint de la peste. *Pestilentia conflictatus* (ou *laborans*). ‖ Subst. Les —, *qui pestilentia conflictantur* (ou *laborant*).

pestilence, s. f. Peste répandue dans un pays. *Pestilentia, ae,* f.

pestilentiel, *elle,* adj. Qui a les caractères de la peste. *Pestilens* (gén. *-entis*), adj. *Pestifer, fera, ferum,* adj. ‖ Qui donne la peste. *Pestilens* (gén. *-entis*), adj.

pétale, s. m. Partie de la corolle d'une fleur. *Folium, ii,* n.

pétillant, *ante,* adj. Qui pétille. Voy. PÉTILLER. ‖ Fig. Esprit —, voy. ÉTINCELANT. — d'esprit, *dicax* (gén. *-acis*), adj.

pétillement, s. m. Action de pétiller. *Crepitus, ūs,* m. — de la flamme, *sonitus flammae.*

pétiller, v. intr. Laisser échapper de petits bruits secs qui se succèdent rapidement. *Crepitāre,* intr. ‖ (Fig.) Jeter un vif éclat. En parl. des yeux, *micāre,* intr. En parl. de l'esprit, voy. BRILLER, ÉTINCELER.

petit, *ite,* adj. et s. m. et f. ‖ *Adj.* Qui n'atteint pas les dimensions ordinaires (en longueur et en hauteur). *Parvus, a, um,* adj. *Pusillus, a, um,* adj. *Exiguus, a, um,* adj. *Brevis, e,* adj. Si —, *tantulus, a, um,* adj. Combien —, *quantulus, a, um,* adj. Tout —, *parvulus, a, um,* adj. — arbre, *arbuscula, ae,* f. — homme, *homuncio, onis,* m. — ville, *oppidulum, i,* n. — village, *viculus, i,* m. — rue, voy. RUELLE. Fig. Au — pied (loc. adv.), *pusillus, a, um,* adj. (cf. *domus pusilla res publica est; parvula Thucydides*). ‖ (Par ext.) — bois, voy. MENU. — souliers, *calceoli, orum,* m. pl. ¶ (Par anal.) Qui n'a pas atteint toute sa dimension. *Parvus, a, um,* adj. *Parvulus, a, um,* adj. — enfant, *puer.* — fille, *puella.* Tout — garçon, *puer infans.* Toute — fille, *infans puella.* Un — garçon, *puerulus, i,* m.; *pusio, onis,* m. Le — monde, *parvi, orum,* m. pl.; *pueruli, orum,* m. pl. ‖ (Par ext.) Pour marquer deux degrés de génération. — fils, *nepos, otis,* m. — fille, *neptis, is,* f. Les — enfants, *nepotes, um,* m. pl. ‖ (P. anal.) Terme de protection ou d'affection. — ami, *amiculus, i,* m. ¶ Qui n'atteint pas la mesure ordinaire, en quantité, en qualité. *Parvus, a, um*, adj. *Tenuis, e*, adj. *Exiguus, a, um*, adj. *Exilis, e*, adj. Si —, *tantulus, a, um*, adj. — nombre, *paucitas, atis*, f. — vin, *leve vinum.* — combat, *leve proelium.* Au — bonheur, *aleam subibo.* Etre aux — soins, *diligentissimē colĕre (aliquem).* La — guerre, *belli imago.* ¶ Qui n'atteint pas le niveau ordinaire, quant au rang, à la condition. *Humilis, e*, adj. *Tenuis, e*, adj. Le — peuple, *plebecula, ae*, f. Les — gens, *infimi, orum*, m. pl. Les — filles, *mulierculae.* Le — commerce, *tabernarii, orum*, m. pl. ¶ Qui n'atteint pas le niveau ordinaire, quant au mérite, aux qualités de cœur. *Parvus, a, um*, adj. *Pusillus, a, um*, adj. *Tenuis, e*, adj. ¶ *S. m.* et *f.* Enfant encore petit. *Puer, eri*, m. *Infans, antis*, m. Mon —, *filiolus, i*, m. Ma petite, *filiola, ae*, f. || (Par ext.) Progéniture des animaux. *Partŭs, ūs*, m. — (d'un oiseau), *pullus, i*, m. — (du chat, du chien, etc.), *catulus, i*, m. Faire des —, *partus edĕre.* || Personne d'une humble condition. *Tenuis homo.* || Ce qui est petit. *Parva res.* || (Absol.) Le petit, *c.-à-d.* les petitesses, voy. PETITESSE. En —, voy. RACCOURCI, MINIATURE. Une Rome en —, *pusilla Roma.* || Petite quantité. *Paucitas, atis*, f.

petite-fille. Voy. PETIT.

petitement, adv. D'une manière petite. *Exiguē*, adv. *Tenuiter*, adv. Etre logé — *angustē habitāre.* ¶ Mesquinement. *Illiberaliter*, adv.

petitesse, s. f. Caractère de ce qui est petit. *Parvitas, atis*, f. *Exiguitas, atis*, f. *Brevitas, atis*, f. *Humilitas, atis*, f. || Petitesse du cœur, d'esprit. *Animus pusillus.* Avoir de la — d'esprit, *humiliter sentire.* || (Par ext.) Action qui dénote la petitesse du cœur, de l'esprit. *Sordes, ium*, f. pl.

petit-fils. Voy. PETIT.

pétition, s. f. Requête écrite aux représentants de l'autorité. *Postulatio, onis*, f. *Libellus, i*, m.

pétrifier, v. tr. Convertir en pierre. *In lapidem mutāre* (ou *vertĕre*). Pétrifié, *lapidosus, a, um*, adj.; *lapidosus, a, um*, adj. Se —, *in lapidem mutāri*; *in lapidem concrescĕre.* || (Fig.) Immobiliser. *Obstupefacĕre*, tr. Etre pétrifié, *stupēre*, intr.; *obstupescĕre*, intr.; *obtorpescĕre*, intr. Pétrifié, *attonitus, a, um*, adj.

pétrin, s. m. Caisse dans laquelle on pétrit le pain. *Alveus pistorius.*

pétrir, v. tr. Presser, manier (une substance pâteuse). *Depsĕre*, tr. *Subigĕre*, tr. — (de la farine), *perdomāre*, tr. || (Par anal.) Manier, presser. Voy. MANIER, PRESSER. || Façonner. *Fingĕre*, tr. Etre pétri de qqch., *constāre ex aliquā re.*

pétulamment, adv. Avec pétulance. *Petulantius*, adv. (au Compar.).

pétulance, s. f. Vivacité turbulente. *Petulantia, ae*, f.

pétulant, *ante*, adj. Qui a de la vivacité. *Petulans* (gén. *-antis*), adj.

peu, s. m. et adv. || *S. m.* Petite quantité. *Parvum, i*, n. *Paulum* (au Nom. et à l'Acc.). — de (av. un subst. sing.), *parvus, a, um*, adj. — de (av. des subst. plur.), *pauci, ae, a*, adj. pl. Un —, *paulum* (au Nom. et à l'Acc.). Si — de, *tantulum, i*, n. Combien — de, *quantulum, i*, n. Un homme de —, *homo tenuis.* — de temps, *tempus exiguum* (ou *breve*). Un —, *c.-à-d.* peu de temps, *paulispĕr* ou *parumpĕr* (*exspectāre, opperiri*). Dans —, sous —, voy. BIENTÔT. Pour — que ..., *si paulum modo* (av. le Subj.). — à —, *paulatim*, adv.; *sensim*, adv. ¶ *Adv.* En petite quantité. *Paulum*, adv. *Modicē*, adv. *Leviter*, adv. Trop —, *parum*, adv.

peuplade, s. f. Groupe de familles formant une société imparfaitement organisée. *Silvestris gens* ou simpl. *gens, gentis*, f.

1. peuple, s. m. Réunion d'hommes de même race et de même langue habitant un même pays. *Populus, i*, m. *Gens, gentis*, f. *Natio, onis*, f. || (Par ext.) Les habitants d'une même ville. *Populus, i*, m. || Ceux qui ont une même religion. *Populus, i*, m. Le — de Dieu, *plebs Dei.* ¶ Le corps de la nation, *par opp.* au souverain, aux grands. *Populus, i*, m. *Plebs, bis* (la masse du peuple [à Rome], la plèbe [*opp. aux patriciens*]). *Cives, ium*, m. pl. (par opp. à *rex*). || (Par ext.) La multitude (*par opp.* aux gens éclairés). *Populus, i*, m. *Multitudo, dinis*, f. *Vulgus, i*, n. Le petit —, *plebecula, ae*, f. Un homme du —, *homo de plebe*; *plebejus homo.* ¶ (Au fig.) Rassemblement de personnes. *Populus, i*, m. *Natio, onis*, f.

2. peuple, s. m. Peuplier. Voy. ce mot.

peupler, v. tr. Pourvoir d'habitants. *Frequentāre incolis* (ou simpl. *frequentāre*), tr. (*Locum*) *hominibus* (ou *multitudine*) *implēre* (ou *complēre*). Peuplé, *frequens incolis* ou simpl. *frequens* (gén. *-entis*), adj.; *celeber, bris, bre*, adj. Etre très peuplé, *frequentissimē habitari.* Peu peuplé, *parum frequens.* || En parl. des habitants qui forment la population. *Frequentes incolĕre. Frequentāre*, tr. Peu peuplé, *infrequens* (gén. *-entis*), adj. ¶ Reproduire par voie de génération. *Frequentāre*, tr. (Absol.) —, *propagāre*, tr. || (Par anal.) — un étang de poisson, *frequentāre piscinam.* || (Par ext.) Peuplé (rempli de). *Frequens* (gén. *-entis*), adj. *Celeber, bris, bre*, adj. || (Fig.) *Implēre*, tr.

peuplier, s. m. Arbre de la famille du saule. *Populus, i*, f. De —, *populeus, a, um*, adj.

peur, s. f. Faiblesse de cœur en présence du danger. *Pavor, oris*, m. *Metŭs,* *ūs*, m. *Timor, oris*, m. *Formido, dinis*, f. Avoir —, *pavēre*, intr.; *metuēre*, intr. et tr.; *pertimescēre*, intr. et tr.; *formidāre*, intr. et tr. De — de, de — que, *ne*, conj. (av. le Subj.).

peureusement, adv. D'une manière peureuse. *Timidē*, adv.

peureux, *euse*, adj. Sujet à la peur. *Timidus, a, um*, adj. *Pavidus, a, um*, adj. *Formidinis plenus*. ‖ Subst. Un —, une —, *timidus (homo, puer); timida (mulier, puella)*.

peut-être, loc. adv. Adverbe qui signifie par ellipse « cela peut être ». *Fortasse*, adv. *Forsitan*, adv. (av. le Subj.). *Forsan*, adv. (av. l'Indic.). *Haud scio an…* ou *nescio an…* ou *dubito an…* ‖ Famil. et ironiquement. *Videlicet*, adv. Mais —…, *at puto…*   [*ion, ontis*, m.

Phaéton, n. pr. Fils du Soleil. *Phaephalange*, s. f. Un des os qui forment les doigts de la main et des pieds. Les —, *digitorum articuli*. ¶ (Antiq. grecque.) Corps de fantassins. *Phalanx, angis*, f. Soldats de la —, *phalangitae, arum*, m. pl.

phare, s. m. Tour élevée sur le littoral et éclairée pour guider les navires *Pharos* (et *pharus*), *i*, f.

pharisaïque, adj. Qui a le caractère du pharisien. *Pharisaïcus, a, um*, adj.

pharisien, *ienne*, adj. Celui dont la fausse piété consiste en pratiques extérieures. *Pharisaeus homo*. *Pharisaea mulier*. ‖ Adjectivt. *Pharisaeus, a, um*, adj.

pharmacie, s. f. Art de préparer les médicaments. *Medicamentaria ars*. ‖ (Par ext.) Officine où l'on prepare, où l'on débite les médicaments. *Medicamentaria, ae*, f. *Medicina* (s.-e. *taberna*), *ae*, f.

pharmacien, s. m. Celui qui exerce la pharmacie. *Pharmacopola, ae*, m.

Pharos, n. pr. Ile d'Egypte. *Pharos, i*, f.

Pharsale, n. pr. Ville de Thessalie. *Pharsalus, i*, f. De —, *Pharsalicus, a, um*, adj.

phase, s. f. Chacun des aspects sous lesquels se montrent à nous les planètes. *Planetarum luminum varietas*. Les — de la lune, *lunae luminum varietas; articuli lunae*. ‖ (Fig.) Chacun des états successifs par lesquels passe une chose. *Momentum, i*, n.

Phase, n. pr. Fleuve d'Arménie. *Phasis, idis*, m. Du —, *Phasianus, a, um*, adj.   [*Phoebus, i*, m.

Phébus, n. pr. Autre nom d'Apollon.

Phèdre, n. pr. Fabuliste latin. *Phoeder, dri*, m.   [*nice, ēs*, f.

Phénicie, n. pr. Contrée d'Asie. *Phoe-*

Phéniciens, n. pr. Habitants de la Phénicie. *Phoenices, um*, m. pl. Les Phéniciennes, *Phoenissae, arum*, f. pl.

phénix, s. m. Oiseau fabuleux. *Phoenix, icis*, m. ‖ (Fig.) Personne, chose

unique en son genre. *Rara avis*.

phénomène, s. m. Modification d'un corps qui affecte un sens. *Res, rei*, f. — naturel, *quod in rerum naturā fit*. — célestes, *caelestia, ium*, n. pl. ¶ Fait qui frappe comme n'étant pas ordinaire. *Monstrum, i*, n. *Ostentum, i*, n. *Portentum, i*, n. ‖ (P. ext.) Une personne extraordinaire. *Rara avis*.

philanthrope, s. m. Celui qui aime le genre humain. *Hominibus* (ou *generi humano*) *amicus*.   [*Humanitas, atis*, f.

philanthropie, s. f. Amour des hommes. **philanthropique**, adj. Relatif à la philanthropie. *Hominibus amicus*. *Humanus, a, um*, adj.   [*Philippus, i*, m.

Philippe, n. pr. Roi de Macédoine.

Philippes, n. pr. Ville de la Macédoine ancienne. *Philippi, orum*, m. pl. Les habitants de —, *Philippenses, ium*, m. pl.   [*loctetes, ae*, m.

Philoctète, n. pr. Héros grec. *Phi-*

philologie, s. f. Science qui étudie les langues. *Grammatica, ae*, f.

philologue, s. m. Celui qui s'occupe de philologie. *Grammaticus, i*, m. (Au sens moderne.) *Philologus, i*, m.

philosophe, s. m. Celui qui se consacre à la science des principes et des causes. *Philosophus, i*, m. ¶ Celui qui pratique la sagesse. *Sapiens, entis*, m.

philosopher, v. intr. Raisonner sur la philosophie. *Philosophāri*, dép. intr.

philosophie, s. f. Science des principes et des causes. *Philosophia, ae*, f. *Sapientia, ae*, f. ‖ (Par ext.) Disposition philosophique. *Disciplina philosophiae* ou simpl. *disciplina, ae*, f. ¶ Pratique de la sagesse. *Sapientia, ae*, f. *Disciplina vivendi* et simpl. *disciplina, ae*, f. ‖ (Spéc.) Sagesse de celui qui sait supporter les coups du sort. *Patientia, ae*, f. *Constantia, ae*, f.

philosophique, adj. Qui a rapport à la philosophie. *Ad philosophiam pertinens* ou *qui (quae, quod)* ad *philosophiam pertinet* ou *qui (quae, quod)* in *philosophiā versatur, tractatur*.

philosophiquement, adv. D'une manière philosophique. *More et ratione philosophorum*. ‖ Froidement, sans s'émouvoir. *Patienter*, adv.

philtre, s. m. Breuvage magique. *Philtrum, i*, n.   [*Phocea, ae*, f.

Phocée, n. pr. Ville d'Asie Mineure.

Phocide, n. pr. Contrée de l'ancienne Grèce. *Phocis, idis*, f.

phoque, s. m. Mammifère amphibie des mers polaires. *Phoca, ae*, f. et *phoce, es*, f.

phrase, s. f. Proposition simple ou réunion de propositions formant un sens complet. *Enuntiatio, onis*, f. *Enuntiatum, i*, n. *Comprehensio, onis*, f. *Sententia, ae*, f. Faire de grandes —, *et (ellipt.)* faire des —, *putidē loqui*.

Phrygie, n. pr. Province d'Asie. *Phrygia, ae*, f.

phtisie et phthisie, s. f. Consomption. *Tabes, is,* f.

phtisique et phthisique, adj. Atteint de phtisie pulmonaire. *Phthisicus, a,* adj. Subst. Un —, *phtisicus, i,* m.

physicien, ienne, s. m. et f. Celui, celle qui s'occupe de physique. *Physicus, i,* m. Une —, *naturae indagatrix.*

physionomie, s. f. Expression du visage. *Vultûs, ûs,* m. *Os, oris,* n. (dans l'express. *oris habitus* ou *habitus oris lineamentaque*). || (Par ext.) Aspect particulier d'une chose. *Facies, ei,* f.

physique, adj. et s. m. et f. || *Adj.* Qui a rapport au corps de l'homme. Force —, *vis corporis* ou *corporis vires,* ou abs. *vires, ium,* f. pl. || *S. m.* Ce qui concerne le corps. *Corporis natura* (ou *constitutio*). || (Par anal.) Les avantages corporels. Un beau —, *formosa* (ou *decora*) *species.* ¶ *Adj.* Qui se rapporte aux corps en général. Mal —, *naturae mala.* Les phénomènes —, *res naturales.* Le monde —, *rerum natura.* Sciences —, *physica, orum,* n. pl. || (Par ext.) Certitude physique. *Res certa. Rerum veritas.* || *S. f.* Science qui étudie les propriétés générales des corps. *Physica, orum,* n. pl. *Physica ratio.*

physiquement, adv. D'une manière physique. *Physicē,* adj. ¶ Relativement au corps. *Corporis,* abl. adv. Se bien porter —, *bonâ corporis valetudine uti.*

piaffer, v. intr. (En parl. du cheval.) Frapper bruyamment du pied en relevant les jambes de devant. *Supplodĕre pedem.*

1. pic, s. m. Instrument de fer pointu dont se servent les mineurs, etc. *Dolabra, ae,* f. || (Par anal.) Tisonnier. Voy. ce mot. || Pointe de montagne. *Vertex, culmen* ou *cacumen montis.* Loc. adv. A —, *in praeceps.* Qui est à —, coupé à —, *praeruptus, a, um,* p. adj.; *praeceps* (gén. *-cipitis*), adj.

2. pic, s. m. Oiseau. *Picus, i,* m.

picotement, s. m. Sensation de piqûre légère. *Punctiuncula, ae,* f. || (Par anal.) Démangeaison. *Prurigo, inis,* f.

picoter, v. tr. Piquer légèrement et à plusieurs reprises. *Vellicāre,* tr.

picoterie, s. f. Action d'attaquer par des traits piquants. *Vellicatio, onis,* f.

1. pie, s. f. Oiseau babillard. *Pica, ae,* f.

2. pie, adj. f. Pieux. Œuvres —, *pia opera,* n. pl.

pièce, s. f. Partie formant elle-même un tout dans qqch. de collectif. *Pars, partis,* f. *Particula, ae,* f. *Caput, pitis,* n. Un troupeau de 25 pièces, *grex quinque et viginti capitum.* Une — de bétail, *pecus, udis,* f. Une grosse — de viande, *immensa caro.* — de toile, *tela, ae,* f. Une — de bois, *trabs, bis,* f. Une — de terre, *ager, agri,* m.; *agellus, i,* m. — d'eau, *lacûs, ûs,* m. Une — de vin, voy. TONNEAU. Une — de monnaie, *nummus, i,* m. — d'or, d'argent, *nummus aureus, argenteus.* — d'orfèvrerie, d'ar-

genterie, *aurum, i,* n.; *argentum, i,* n. — de théâtre, *fabula, ae,* f. Jouer une — à qqn, lui faire —, *aliquem ludificāri.* — de vers, *carmen, minis,* n. Ils se vendent un denier la —, *singuli denariis veneunt.* ¶ Chacune des parties dont l'agencement *ou* l'assemblage forme un tout complet. *Pars, partis,* f. — de rapport (d'une mosaïque), *crusta, ae,* f. Faire qqch. de — et de morceaux, *ex diversis congerĕre aliquid.* S'armer de toutes —, *se armis aptāre.* Habiller qqn de toutes — (fig.), *aliquem depexum dāre.* Mettre des — (à un vêtement), *sarcire,* tr. — (d'un appartement), *membrum, i,* n. — (d'un jeu d'échecs), *latrunculus, i,* m. Pièces (d'une collection), *opera, um,* n. pl. — rare, *rarum opus.* Les — d'un procès, *instrumentum litis,* ou simpl. *instrumentum, i,* n.; *tabulas, arum,* f. pl. — à —, *membratim,* adv. Qui est tout d'une —, d'une seule —, *solidus, a, um,* adj. Fig. Un homme tout d'une —, *homo rigidissimus.* ¶ Partie d'une chose déchirée, cassée. *Fragmentum, i,* n. *Frustum, i,* n. Mettre en —, *discerpĕre,* tr.; *dilaniāre,* tr.

pied, s. m. || Partie articulée de la jambe de l'homme *ou* de certains animaux. || (En parl. de l'homme.) *Pes, pedis,* m. *Calx, calcis,* f. Avoir — et poings liés (fig.), *alligatum pedibus manibusque esse.* Une statue en —, *pedestris statua.* Remettre qqn sur ses —, *attollĕre* (ou *sublevāre*) *aliquem.* Être sur —, *stāre,* intr. Remettre qqn sur —, *aliquem reducĕre ad salutem.* Fig. Remettre qqn sur ses —, sur —, *aliquem reficĕre* (ou *excitāre*). Mettre des troupes sur —, *exercitum parāre* (ou *comparāre*). Mettre des troupes sur le — de guerre, *copias omnibus rebus ornāre atque instruĕre.* Avoir —, *esse in vado.* Il perd —, *vadum eum destituit.* De — ferme, *stabili gradu.* Soutenir de — ferme le choc de l'ennemi, *stabili gradu impetum hostium excipĕre.* Lâcher —, *referre pedem.* Mettre — à terre, *desilire ad pedes.* Voyage à —, *iter pedestre.* — à —, *pedetentim,* adv. On pouvait passer (le torrent) à — sec, *sicco alveo transiri poterat.* (En parl. de l'animal, en gén.) *Pes, pedis,* m. (En parl. du cheval.) *Calx, calcis,* f. Les — de devant, *pedes priores.* Les — de derrière, *pedes posteriores.* || (P. ext.) Marque de pas laissée sur le sol par la bête. *Vestigium, ii,* n. ¶ (Au fig.) Base par laquelle un objet pose sur le sol. *Pes, pedis,* m. (en parl. d'un pied de table, de banc, etc.). *Calx, calcis* f. — d'un mât, *calx mali.* — d'une colonne, voy. BASE. — d'une montagne, *radices montis* ou *infimus mons.* De plain —, voy. PLAIN. Au — du mur, *sub murum.* || (Par ext.) La partie de la tige qui sort du sol. *Stirps, is,* f. Arbres sur —, *stantes arbores.* Vendange sur —, *pendens vindemia.* Fig.

Sécher sur —, *tabescĕre*, intr. ‖ La plante tout entière (en parl. des arbustes). *Stirps, is,* f. ‖ Chacun des supports d'un ustensile. *Pes, pedis,* m. ¶ (P. ext.) Nom d'une mesure de longueur. *Pes, pedis,* m. ‖ (Par ext.) Quantité, longueur indéterminée. *Pes, pedis,* m. ‖ Mesure indéterminée. Une Rome au petit —, *pusilla Roma.* ‖ Mesure périodique. *Pes, pedis,* m. Vers de six —, voy. HEXAMÈTRE.

pied-à-terre, s. m. Logement où l'on ne vient qu'en passant. *Deversorium, ii,* n.

piédestal, s. m. Support d'une colonne, d'un vase, d'une statue. *Basis, is,* f.

piège, s. m. Engin pour prendre certains animaux. *Pedica, ae,* f. *Tendicula, ae,* f. *Plaga, ae,* f. (au pr. et au fig.).

pie-grièche et **pigrièche**, s. f. Oiseau. *Pica graeca.*

pierraille, s. f. Réunion de petites pierres. *Rudus, deris,* n. Couvert de —, *ruderatus, a, um,* adj.

pierre, s. f. Matière inorganique, dure et solide, formée d'éléments divers et que l'on extrait de la terre pour bâtir, etc. ‖ Pierre (en général). *Lapis, idis,* m. *Saxum, i,* n. — dure, — à feu, *silex, licis,* m. — *lapideus, a, um,* adj.; *saxeus, a, um,* adj. ‖ Fragments détachés de cette matière. *Lapis, idis,* m. Grosse —, *saxum, i,* n. Petite —, *lapillus, i,* m. De —, *lapideus, a, um,* adj. Plein de —, voy. PIERREUX. Frapper à coups de —, voy. LAPIDER. Il pleut des —, *lapidat,* impers. Jeter la — à qqn, *aliquem incessĕre.* Les — pleuvent de toutes parts, *fit magna lapidatio.* ‖ Concrétion qui se forme chez certaines plantes, certains animaux. *Calculus, i,* m. Malade de la —, *calculosus.* ¶ Pierre propre à divers usages dans ses différents états. ‖ (Construction.) *Lapis, idis,* m. *Saxum, i,* n. — de taille, *lapis quadratus ; saxum quadratum.* Un tailleur de —, *opifex lapidarius* ou simpl. *lapidarius, ii,* m. Carrière de —, *lapicidinae, arum,* f. pl. La première — d'un édifice, *auspicalis lapis.* Poser la première — (pr. et fig.), *fundamenta jacĕre.* Mur en — sèches, *maceria, ae,* f. Ne pas laisser — sur — (*domum* ou *urbem*) *diruĕre atque evertĕre.* Ne pas laisser — sur — en Italie, *tegulam in Italiâ nullam relinquĕre.* — sépulcrale, tombale, *lapis, idis,* m. — d'autel, *ara, ae,* f. — militaire, *lapis, pidis,* m. ‖ (Chaussée). *Lapis, idis,* m. *Silex, licis,* m. ‖ (Arts et industrie.) — à aiguiser, à repasser, *cos, cotis,* f. — à feu, *lapis silex* ou simpl. *silex, licis,* m. —. ponce, *pumex, icis,* m. — de touche, *coticula, ae,* f. — de meule, *molaris lapis.* — d'aimant, *magnes lapis.* ‖ (Spéc.) Pierr précieuse. *Lapis, idis,* m. *Lapillus, i,* m. Gemma, *ae,* f.

pierreries, s. f. pl. Joyau de pierres précieuses. *Gemmae, arum,* f. pl. De —, *gemmeus, a, um,* adj.

pierreux, euse, adj. Qui contient des pierres. *Lapidibus abundans. Lapidosus, a, um,* adj.

piété, s. f. Affection respectueuse. *Pietas, atis,* f. *Caritas, atis,* f. — filiale, *pietas in* (ou *erga*) *parentes* ou simpl. *pietas, atis.* f. ‖ (Spéc.) Dévotion religieuse (vive et sincère). *Pietas erga Deum* ou simpl. *pietas, atis,* f. Avec —, *piĕ,* adv.

piétinement, s. m. Action de piétiner. *Supplosio pedis,* et simpl. *supplosio, onis,* f.

piétiner, v. tr. et intr. ‖ V. *tr.* Fouler aux pieds. *Proculcāre,* tr. ¶ (V. intr.) Remuer, agiter les pieds sur place. *Supplodĕre pedem.*

piéton, s. m. Celui, celle qui va à pied. *Pedes, itis,* m.

pieu, s. m. Brin de bois aiguisé par un bout. *Palus, i,* m.

pieusement, adv. D'une manière pieuse. *Piĕ,* adv.

pieux, pieuse, adj. Qui a de la piété (filiale). *Pius erga parentes* ou simpl. *pius, a, um,* adj. ‖ (Spéc.) Pieux envers les dieux. *Pius, a, um,* adj. *Religiosus, a, um,* adj.

pigeon, s. m. Oiseau domestique. *Columba, ae,* f. — mâle, *columbus, i,* m.

pigeonnier, s. m. Construction où on loge les pigeons. *Columbarium, ii,* n.

pignon, s. m. Partie supérieure d'un mur terminé en pointe. *Fastigium muri* et simpl. *fastigium, ii,* n.

pilastre, s. m. Colonne carrée. *Parastas, stados,* f.

1. pile, s. f. Réunion d'objets de même nature posés les uns sur les autres. *Strues, is,* f. — de bois, *congeries, ei,* f. ‖ (Spéc.) Pile d'un pont. *Pila, ae,* f.

2. pile, s. f. Côté d'une pièce de monnaie opposé à la face. *Navis, is,* f.

piler, v. tr. Réduire en petits fragments par un choc répété. *Pilo tundĕre,* et (simp.) *tundĕre,* tr.

pileur, s. m. Celui qui pile. *Pistor, oris,* m.

pileux, euse, adj. Relatif aux poils. *Pilosus, a, um,* adj.

pilier, s. m. Pile de pierres servant de support. *Pila, ae,* f. ‖ (Fig.) Soutien. *Columen, inis,* n. ‖ Habitué d'un lieu. *Inquilinus, i,* m.

pillage, s. m. Action de piller. *Direptio, onis,* f. *Populatio, onis,* f. *Expilatio, onis,* f. Livrer une ville au —, *urbem diripiendam dăre.*

pillard, m. Qui pille. *Direptor, oris,* m. *Praedator, oris,* m. ‖ (Adjectivt.) *Praedatorius, a, um.* adj.

piller, v. tr. Dépouiller violemment de ce qu'on trouve à son gré. *Diripĕre,* tr. *Compilāre,* tr. *Populāri.* dép. tr. ‖ (P. ext.) S'emparer violemment de

(qqch.) *Injicĕre manum in (aliquid).*
Invadĕre in bona alicujus. || (P. anal.)
Assaillir violemment. *Impetum facĕre
in (aliquem).* || Faire violence. Voy.
VIOLENCE. || (Fig.) Piller un auteur.
Compilāre, tr.

pilon, s. m. Petite masse pour piler.
Pilum, i, n.

pilote, s. m. Celui qui dirige les navires
à l'entrée, à la sortie d'un port. *Gubernator, oris,* m.

piloter, v. tr. — un navire, *navem
regĕre.*

pilotis, s. m. Ensemble de pieux
enfoncés en terre pour affermir un
ouvrage construit dans l'eau. *Sublica,
ae,* f. Construit en —, de —, *sublicius,
a, um,* adj.

pilule, s. f. Médicament façonné en
petite boule. *Pilula, ae,* f. *Pastillus, i,*
m. *Globulus, i,* m.

piment, s. m. Poivre long. *Piperitis,
itidis,* f.

pimprenelle, s. f. Plante. *Poterium* ou
poterion, ii, n.

pin, s. m. Grand arbre résineux, toujours vert. *Pinus, ūs,* et i, f. De —,
pineus, a, um, adj. Pomme de —,
conus, i, m.

pinacle, s. m. Comble décoré et ter-
miné en pointe. *Fastigium, ii,* n. || (Fig.)
Mettre qqn sur le —, *ad caelum aliquem
tollĕre* ou *extollĕre.*

pince, s. f. Petite tenaille. *Forceps,
ipis,* m. et f. || (P. ext.) Levier coudé.
Vectis, is, m.

pinceau, s. m. Touffe de poils liée à
un manche pour étaler des couleurs.
Penicillus, i, m.

pincée, s. f. Ce qu'on peut prendre
entre deux doigts. *Quantum tribus
digitis comprehendi potest.*

pincer, v. tr. Serrer entre les doigts.
Vellicāre, tr. — jusqu'au sang, *per-
vellēre,* tr. ¶ Serrer entre les branches
d'un instrument. Voy. SERRER. ¶ Serrer
fortement. — les lèvres, *comprimĕre*
(ou *astringĕre*) *labra.*

pincette, s. f. Petite pince à épiler. *Vol-
sella, ae,* f. ¶ Sorte de pince pour arranger le feu. *Forceps, cipis,* m. et f.

Pindare, n. pr. Poète lyrique grec.
Pindarus, i, m. De —, *Pindaricus, a,
um,* adj.

Pinde, n. pr. Montagne de Thessalie.
Pindus, i, m.

pinson, s. m. Oiseau chanteur. *Frin-
gillus, i,* m.

pintade, s. f. Gallinacé. *Meleagris* (s.-e.
AVIS), *idis,* f. *Africana gallina.*

pioche, s. f. Outil de terrassier. *Rastrum, i,* n. *Ligo, onis,* m.

piocher, v. tr. Creuser la terre avec
une pioche. *Rastro fodĕre,* ou simpl.
fodĕre, tr.

pion, s. m. Pièce du jeu d'échecs.
Latrunculus, i, m. — au jeu de dames,
calculus, i, m. — au jeu de tric-trac,
calculus, i, m.

pionnier, s. m. Dans une armée :
travailleur qui fraye les chemins, creuse
des tranchées, etc. *Fossor, oris,* m.
¶ (P. ext.) Défricheur de terres incultes.
Colonus, i, m.

pipeau, s. m. Flûte champêtre. *Arundo,
dinis,* f. *Fistula, ae,* f.

pipée, s. f. Chasse où l'on attire les
oiseaux vers les gluaux. *Aucupium, ii,*
n. Prendre les oiseaux à la —, *aves
visco fallēre.*

piquant, ante, adj. Qui pique. *Acer,
cris, cre,* adj. *Acutus, a, um,* adj. Etre
—, *pungĕre,* absol. || (Subst.) Pointe qui
se trouve sur la tige, sur les rameaux
de certaines plantes et sur le corps de
certains animaux. *Spina, ae,* f. *Acu-
leus, i,* m. || (Fig.) Qui blesse. *Aculeatus,
a, um,* p. adj. ¶ Qui donne une sensation vive, pénétrante. *Acer, cris, cre,*
adj. || (Fig.) Qui frappe vivement.
Salsus, a, um, adj. *Argutus, a, um,* adj.
D'une manière —, *salsē,* adv.; *acutē,*
adv. Traits —, *sales,* m. pl.

pique, s. f. Arme d'hast, hampe
garnie d'un fer plat et pointu. *Hasta,
ae,* f.

pique-assiette, s. m. et f. Celui, celle
qui fait le métier de manger à la table
d'autrui. *Parasitus, i,* m.

pique-nique, s. m. Repas dans lequel
chacun paie son écot. *Convivium de
symbolis* et simpl. *symbola, ae,* f.

piquer, v. tr. Entamer légèrement
avec une pointe. *Pungĕre,* tr. *Compun-
gĕre,* tr. *Stimulāre,* tr. — des deux,
concitāre calcaribus equum. Le vin se
—, *vinum acescit.*¶ Faire pénétrer qqch.
par la pointe. *Figĕre* ou *infigĕre,* tr.
|| (Fig.) Blesser. *Pungĕre,* tr. *Mordĕre,*
tr. — au vif, *urĕre,* tr. Se —, *indignāri.*
¶ Stimuler vivement. Voy. STIMULER.
— d'honneur, *verecundiā movēre aliquem.* ¶ Frapper d'une sensation vive,
pénétrante. *Pungĕre,* tr. *Mordĕre,* tr.

piquet, s. m. Bâton pointu qu'on
enfonce en terre, *Paxillus, i,* m. *Stipes,
pitis,* m. ¶ (T. milit.) Un — de cava-
lerie, *equitum statio.* || (Par ext.) Tout
détachement placé dans un poste.
Statio, onis, f. [n. *Vappa, ae,* f.

piquette, s. f. Vin aigrelet. *Villum, i,*

piqueur, s. m. Valet de chasse à cheval. *Explorator viae. Praecursor, oris,*
m. *Subsessor, oris,* m.

piqûre, s. f. Blessure étroite faite par
qqch. de pointu. *Punctūs, ūs,* m.
Punctum, i, n. Une — d'aiguille, *vulnus
quod acu punctum videtur.* || (Fig.) *Vel-
licatio, onis,* f. *Morsūs, ūs,* m. ¶ Point,
petite tache semblable à une piqûre.
Punctum, i, n.

pirate, s. m. Celui qui court les mers
pour faire des prises. *Pirata, ae,* m.
Praedo maritimus, ou (simpl.) *praedo,
onis,* m. De —, *piraticus, a, um,* adj.

pirater, v. intr. Faire le métier de
pirate. Voy. PIRATERIE.

piraterie, s. f. Métier de pirate, *Piratica, ae*, f. *Latrocinium (maris* ou *maritimum)* ou simpl. *latrocinium, ii*, n. *Praedatio, onis*, f. Exercer la —, *latrocindri navibus*.

pire, adj. Plus mauvais. *Pejor, us*, adj. *Deterior, us*, adj. Rendre —. Voy. AGGRAVER. Devenir —, voy. EMPIRER. || Le —, le plus mauvais. *Pessimus, a, um*, adj. *Deterrimus, a,um*, adj. || (Subst.) Ce qui est le plus mauvais. *Pessimum, i*, n.

Pirée, n. pr. Port d'Athènes. *Piraeus, ei* (Acc. *eum* et *ea*), m.

pirogue, s. f. Barque faite d'un tronc d'arbre creusé. *Alveus, i*, m.

pirouette, s. f. Jouet d'enfant, sorte de sabot. Voy. SABOT. ¶ (P. anal.) Tour que qqn fait sur lui-même. *Versatio, onis*, f. Faire une —, voy. PIROUETTER. || (P. anal.) Volte sur place. *Gyrus, i*, m.

pirouetter, v. intr. Faire une pirouette. *Circumagi*, moyen réfl. ou *se circumagère (in orbem).* || (P. ext.) Tourner sur soi-même. Voy. TOURNER.

1. pis, s. m. Mamelle d'une vache. *Uber, eris*, n.

2. pis, adv. Comparatif, de l'adv. MAL. *Pejus*, adv. *Deterius*, adj. n. || Adjectivt. Voy. MAL, PIRE. || Subst. *Quod extremum est.* ¶ (Avec l'article.) Superlatif absolu de l'adverbe MAL. *Pessimē, Au* — aller, *pessimē ut agatur.* Subst. Le — aller, un — aller (ce qu'on accepte faute de mieux), *quod extremum est.*

piscine, s. f. Voy. VIVIER.

Pise, n. pr. Ville d'Italie. *Pisae, arum*, f. pl.

pisé, s. m. Maçonnerie en terre battue et comprimée. *Lutum, i*, n. En —, *luteus, a, um*, adj.

pissenlit, s. m. Plante diurétique. *Taraxacum, i*, n.

pistache, s. f. Amande du pistachier. *Pistacium, ii*, n.

pistachier, s. m. Sorte d'arbre. *Pistacia, ae*, f.

piste, s. f. Ligne tracée par le cheval sur le chemin qu'il a parcouru. *Vestigium, ii*, n. || Partie du manège où marchent les chevaux et voie que les chevaux suivent dans une course. *Curriculum, i*, n. ¶ (Chasse.) Suite de traces que laisse le pied de l'animal. *Vestigium, ii*, n. Suivre à la —, *restigāre*, tr.: *investigāre*, tr.; *indagāre*, tr. || (P. ext.) Suivre qqn à la —, *persequi vestigia alicujus.*

piston, s. m. Cylindre qui se ment dans un corps de pompe. *Ambulatilis fundulus* ou simpl. *fundulus, i*, m.

pitance, s. f. Portion journalière. *Diarium, ii*, n.

piteusement, adv. D'une manière piteuse. *Miserē*, adv. *Male*, adv.

piteux, *euse*, adj. Qui a l'air à la fois malheureux et gauche. *Miser, a, um*, adj. D'un ton —, *flebili voce.* || (P. anal.)

Mauvais, pitoyable. Voy. ces mots.

pitié, s. f. Vif intérêt pour le malheur d'un autre et désir de le soulager. *Misericordia, ae*, f. *Miseratio, onis*, f. Ressentir de la —, *misericordem esse.* Avoir —, *misereri*, dép. intr.; *miseret me.* Exprimer sa —, *miserēri* (ou *commiserāri*), dép. tr. Digne de —, *miserabilis, e*, adj. ¶ Intérêt méprisant qu'on témoigne pour l'infériorité d'autrui. *Contemptio, onis*, f. Tu me fais —, *pudet me tui.*

piton, s. m. Pointe, vis dont la tête forme un anneau. *Fibula, ae*, f. ¶ (P. anal.) Petit sommet en pointe. Voy. PIC.

pitoyable, adj. Accessible à la pitié. *Misericors* (gén. *-cordis*), adj. ¶ Digne de pitié. *Miserabilis, e*, adj. *Miserandus, a, um*, p. adj. *Miser, era, erum*, adj. ¶ Qui inspire une pitié méprisante. *Miser, era, erum*, adj. D'une manière —, *miserē*, adv.

pitoyablement, adv. D'une manière pitoyable. (En excitant la pitié.) *Miserabiliter*, adv. (En excitant une pitié méprisante.) *Miserē*, adv.

pitre, s. m. Celui qui fait la parade à la porte d'un théâtre forain. *Balatro, onis*, m. ¶ (P. ext.) Bouffon grossier. *Sannio, onis*, m.

pittoresque, adj. Qui par sa disposition semble propre à fournir un sujet de peinture. *Amoenus, a, um*, adj. (on dit aussi *ad aspectum venustus*). || Subst. Le —, *amoenitas, atis*, f.

pituite, s. f. Humeur. *Pituita, ae*, f.

pivert, s. m. Oiseau du genre des pics. *Picus, i*, m.

pivoine, s. f. Plante à fleurs d'un rouge vif. *Paeonia, ae*, f.

pivot, s. m. Support de l'axe autour duquel un corps tourne. *Cardo, dinis*, m.

pivoter, v. intr. Tourner sur un pivot. *In cardine verti* ou *versāri.*

placard, s. m. Voy. AFFICHE.

placarder, v. tr. Voy. AFFICHER.

place, s. f. Lieu qu'occupe une personne. *Locus, i*, m. *Sedes, is*, f. — occupée, *vestigium, ii*, n. Places au théâtre, *spectacula, orum*. n. pl. Prendre —, *considère*, intr.; *assīdère*, intr. Prendre — à table, *accumbēre*, intr. Faire —, *viam dāre.* Faire faire —, *submovēre*, tr. Se mettre à la — de qqn, *pro aliquo se supponēre.* Remettre qqn à sa —, *aliquem in ordinem cogēre.* || (Fig.) Spéc. Situation, emploi. *Locus, i*, m. *Munus, eris*, n. ¶ Lieu qu'occupe une chose. *Locus, i*, m. *Sedes, is*, f. *Spatium, ii*, n. ¶ Lieu qui sert à un usage. *Platea, ae*, f. *Area, ae*, f. *Campus, i*, m. *Locus, i*, m. — du marché, *forum, i*, n. — pour bâtir, *area, ae*, f. — (où les banquiers, les négociants font leurs affaires), *forum, i*, n. — de guerre, — forte, *locus munitus; oppidum, i*, n. || (Par anal.) Lieu où qqch. s'est accompli. Voy. LIEU.

placement, s. m. Action de placer. *Collocatio, onis,* f. Faire un —, un bon —, un mauvais —, voy. PLACER.

placer, v. tr. Mettre en un lieu déterminé. || (Une personne.) *Locăre,* tr. *Collocăre,* tr. *Ponĕre,* tr. — les spectateurs au théâtre, *spectatores sessum ducĕre.* Se — (à table), *accumbĕre,* intr. Etre bien, mal placé, *bene, male collocatum esse.* — qqn en sentinelle, *aliquem in statione ponĕre.* — les prisonniers au milieu, *captivos in medio statuĕre.* Se — à l'entrée, *consistĕre in aditu.* Par anal. — qqn à cheval, *aliquem in equum, ut decet, imponĕre.* || (Par ext.) Mettre qqn dans une position déterminée. — qqn sur le trône, *aliquem in solio locăre.* Se —, *munus nancisci.* — sa fille, *filiam collocăre.* (Fig.) — qqn au nombre de ses amis, *aliquem amicis suis ascribĕre.* ¶ (Une chose.) *Locăre,* tr. *Collocăre,* tr. *Ponĕre,* tr. *Statuĕre,* tr. etc. — un vase au frais, *statuĕre vas in frigido.* — des machines sur les remparts, *tormenta in muris disponĕre.* — qqch. devant qqch., auprès de qqch., *aliquid apponĕre ad aliquid.* — qqch. devant le feu, *proponĕre aliquid igni.* — de l'argent, *pecuniam collocăre (apud aliquem).* Avoir de l'argent placé, *habēre pecuniam in nominibus.* (Fig.) Il place si bien l'honnêteté que..., *honestatem eo loco habet, ut...*

placet, s. m. Requête adressée à un souverain, etc. *Libellus, i,* m. || (Fig.) Prière. Voy. ce mot.

plafond, s. m. Surface qui forme la partie supérieure d'une salle, etc. *Tectum, i,* n. *Contignatio, onis,* f. — voûté, *camera, ae,* f. — lambrissé, *laquear* (ou *laqueare), is,* ordin. au plur. *laquearia, ium,* n.

plage, s. f. Etendue de rivage (de la mer). *Ora, ae,* f.

plagiaire, s. m. Celui, celle qui pille les ouvrages d'autrui. *Qui (quae) aliorum scrinia (ou sapientiam) compilat.*

plagiat, s. m. Vol littéraire. *Furtum, i,* n.

plaider, v. intr. et tr. || (*V. intr.*) Soutenir un procès. *Lege agĕre. Lite (ou causā) agĕre,* ou simpl. *agĕre,* intr. *Litigăre,* intr. *Litem habēre (cum aliquo).* — l'un contre l'autre, *litem agĕre inter se.* ¶ (*V. tr.*) Défendre (une cause) devant les juges. *Causam agĕre. Causam (ou rem) dicĕre* ou simpl. *dicĕre,* intr. *Agĕre,* intr. — jusqu'au bout, *perorăre causam.* — pour qqn, *causam alicujus agĕre (ou defendĕre).* — la cause d'un ami, *pro amici periculo dicĕre.* (Absolt.) —, *dicĕre causas in foro.* — souvent, *dictităre causas.* || (Spéc.) En parl. de ce que l'avocat cherche à prouver. *Excusăre (aliquid ou l'Acc. et l'Inf.). Defendĕre (aliquid ou l'Acc. et l'Inf.).* || (Fig.) Parler en faveur de. *Litigăre (pro aliquo contra aliquem).* — pour la poésie, *patrocinium defen-*

dendae poeticae exercēre. || (Absolt.) En parl. des choses. Voy. MILITER.

plaideur, *euse,* s. m. et f. Celui, celle qui est en procès. *Litigator, oris,* m. *Qui (quae) litigat.* Les —, *litigantes, ium,* m. pl.

plaidoirie, s. f. Action de plaider une cause. *Forensis causa.* Prononcer une —, *causam dicĕre (apud aliquos).*

plaidoyer, s. m. Discours d'un avocat. *Defensio, onis,* f. *Oratio pro se* (ou *pro aliquo) habita.*

plaie, s. f. Blessure. Voy. ce mot. || (P. ext.) Fléau. Voy. ce mot. || (Fig.) — d'argent, *pecuniae jactura.* ¶ (P. ext.) Déchirure avec désorganisation des tissus dans une partie du corps. *Vulnus, eris,* n. *Ulcus, eris,* n. Faire une —, *ulcerăre,* tr. Fermer une —, voy. CICATRISER. || (Fig.) *Vulnus, eris,* n. *Ulcus, eris,* n. Mettre le doigt sur la —, *ulcus tangĕre.*

plaignant, adj. Qui porte plainte. (Dans un procès criminel.) *Accusator, oris,* m. Plaignante, *accusatrix, tricis,* f. ||. (Dans les affaires civiles, correctionnelles.) *Petitor, oris,* m. Plaignante, *petitrix, icis,* f.

plain, *plaine,* adj. Qui présente une surface plane. *Planus, a, um,* adj. (Loc. adv.) De plain-pied, *in plano; per planum.*

plaindre, v. intr. pron. et tr. || (*V. intr.*) Exprimer par des paroles ou des gémissements l'excès de sa peine. Voy. GÉMIR. ¶ (*V. pron.*) Se plaindre. || (Absolt.) Exprimer l'excès de sa peine. *Gemĕre,* intr. *Queri,* dép. intr. Se — longuement, continuellement, *queritāri,* dép. intr. Se — vivement, *conqueri,* dép. intr. Sans se —, *aequo animo.* || (Par ext.) Se — de ses yeux, *dolēre ab oculis.* ¶ Se plaindre (de qqn, de qqch.), *c.-à-d.* exprimer qu'on en est mécontent. *Queri,* dép. intr. et tr. *Conqueri,* dép. intr. et tr. Avoir à se — de qqn, *offendĕre in aliquo.* || (Spéc.) Déposer une plainte en justice. *Accusăre (aliquem ad aliquem).* ¶ (*V. tr.*) Prendre (qqn) en pitié. *Miserări,* dép. tr.

plaine, s. f. Grande étendue de pays uni. *Aequor, oris,* n. || Surface plane, unie. *Planities, ei,* f. || Terrain plat (opposé aux montagnes). *Campus, i,* m. De —, en —, *campester* (ou *campestris), stris, stre,* adj. Grandes —, *magna camporum spatia.*

plainte, s. f. Paroles, gémissements par lesquels on exprime l'excès de sa peine. (D'une façon générale.) *Querela, ae,* f. (Plaintes consistant en cris.) *Genitus, ūs,* m. *Questūs, ūs,* m. *Convicium, ii,* n. — vive, amère, *conquestūs, ūs,* m. ¶ Paroles par lesquelles on exprime son mécontentement. *Querela, ae,* f. *Querimonia, ae,* f. — amère, *conquestio, onis,* f. Porter — à qqn, présenter ses — à, devant (qqn), *expostu-*

lāre (de re). — en justice, *actio, onis,* f.
Porter une — en diffamation, *agère
injuriarum.* Porter — contre qqn,
nomen alicujus ad judicem (ou *ad judices*) *déferre.*

plaintif, *ive,* adj. Qui a l'accent de la
plainte. *Flebilis, e,* adj. *Querulus, a, um*
adj. Cris —, *lamentatio. onis,* f.

plaintivement, adv. D'une manière,
plaintive. *Flebiliter,* adv.

plaire, v. intr. et pron. || (*V. intr.*)
Offrir de l'attrait à qqn. (En parl. des
choses.) *Placère,* intr. *Delectāre,* tr. Ce
discours me plaît pas, *oratio friget.* S'il
vous plaît, *si vis.* Comme il vous plaira,
ut tibi commodum erit. Plaise, plût à
Dieu que..., *utinam,* adv. (av. le Subj.)
Plaît-il ! *hem.!* || (En part. des personnes.
Placère, intr. *Satisfacère.* intr. Chercher à — au peuple, *plausum popularem quaerère.* Empressé à —, *ambitiosus.* ¶ (*V. pron.*) Se — à qqch., *c.-à-d.*
y trouver de l'attrait, *delectāri,* pass.
(*aliquā re*); *laetari,* dép. intr. (*aliquā
re*). Se — à faire qqch., *c.-à-d.* faire
qqch. volontiers, voy. VOLONTIERS.

plaisamment, adv. D'une manière
plaisante. *Facetē,* adv. *Jocosē,* adv.
Ridiculē, adv.

plaisance, s. f. Lieu de —, *locus amoenus.* Maison de —, *voluptariae possessiones.*

plaisance, n. pr. Ville d'Italie. *Pla-
centia, ae,* f. De —, *Placentinus, a, um,*
adj.

plaisant, *ante,* adj. Qui plaît, Voy.
AGRÉABLE. ¶ Qui divertit en faisant
rire. *Lepidus, a, um,* adj. *Facetus, a,
um,* adj. *Jocosus, a, um,* adj. || Subst.
Un — (celui qui cherche à faire rire),
ridiculus, i, m.

plaisanter, v. intr. et tr. || (*V. intr.*)
Faire, dire qqch. qui divertisse en faisant rire. *Jocāri,* dép. intr. Dire en
plaisantant, *jocari,* dép. tr. — avec
enjouement, *jocari,* dép. intr. En plai-
santant, *jocosē,* adv. || (P. ext.) Faire,
dire qqch. qu'on ne prend pas au
sérieux. *Jocāri,* dép. intr. Pour —, *per
jocum,* ¶ (*V. intr.*) Se moquer pour faire
rire. *Ridēre,* tr. *Illudēre,* intr. (*alicui;
in aliquem*).

plaisanterie, s. f. Ce qu'on dit, ce
qu'on fait pour être plaisant. *Jocus, i,*
m. (au plur. *joca*). *Ludus, i,* m. *Face-
tiae, arum.* f. pl. *Ridiculum, i,* n || (Par
ext.) Raillerie légère pour divertir, en
faisant rire de qqn, de qqch. *Sales,*
m. pl.

plaisir, s. m. Sentiment de bien-être,
né de la satisfaction d'un désir, d'une
inclination. *Delectatio, onis,* f. *Oblectatio, onis,* f. *Voluptas, atis,* f. Prendre
— à qqch., *aliquā re delectāri.* Je
prends, j'ai — à..., *juvat me* (av. l'Inf.)
Rien ne me cause plus de —, *nullā re
delector magis.* Avec —, voy. VOLON-

TIERS. Se rappeler qqch. avec —, *alicujus rei recordatione frui.* Par —, *animi
voluptatisque causā.* A —, *per jocum,*
et (spéc.) *sine causā.* ¶ (Par ext.) Ce
qui cause ce sentiment. *Voluptas, atis,*
f. Un lieu de —, *locus amoenus.* Un
homme de —, *voluptarius homo.* || Ce
qui plaît à qqn. *Libido, dinis,* f. *Arbi-
trium, ii,* n. || Ce qui rend service à
qqn. Faire — à qqn, *gratum alicui
facere.*

1. plan, *ane,* adj. Qui ne présente ni
courbure ni ondulation. *Planus, a, um,*
adj. *Aequus, a, um,* adj. Surface —,
planities, ei, f. ¶ *S. m.* Surface plane.
Planum, i, n. || (P. anal.) Eloignement
où sont placées les personnes et les
choses représentées. *Abscessūs, ūs,* m.
Mettre qqch. au premier —, *aliquid
primo loco ponère.* Etre au premier —,
in luce versāri. Arrière —, *recessūs, ūs,*
m. Etre à l'arrière —, *recedère,* intr.

2. plan, s. m. Assiette de ce qui est
édifié sur le sol. *Situs. ūs,* m. *Positūs,
ūs,* m. ¶ (Par ext.) Dessin représentant
la disposition d'une ville, d'une contrée, d'un édifice avec les proportions, etc. *Forma, ae,* f. — d'un édifice,
aedificandi descriptio (ou *ratio*). || (Fig.)
Dessin d'un ouvrage. *Ratio, onis,* f.
Ordo, dinis, m. *Consilium, ii,* n.

planche, s. f. Pièce de bois refendue
et peu épaisse. *Tabula, ae,* f. — forte
et épaisse. *axis. is,* m. De —, *tabularis,
e,* adj. ¶ (Par ext.) Espace de terrain
dans un champ, un potager. *Area, ae,* f.
Pulvinus. i, m. Petite —, *areola, ae,* f.

planchéier, v. tr. Garnir un fond de
planches assemblées. *Contabulāre,* tr.

plancher, s. m. Assemblage de solives
recouvertes de planches. *Contabulatio,
onis,* f.   [*bella, ae,* f.

planchette, s. f. Petite planche. Ta-
planer, v. intr. Se soutenir en 'air les
ailes étendues. *Pendēre sublimem,* ou
simpl. *pendēre,* intr. || (P. anal.) Etre
au-dessus, dominer. *Imminēre,* ntr. ||
(Fig.) Dominer du regard, idé la
pensée. *Despicēre,* tr.   [ou *vaga*).

planète, s. f. Astre errant. *Stella errans*

plant, s. m. Réunion d'arbres plantés
dans un même terrain. *Arbustum, i,* n.
Un — de pommiers, *locus malis con-
situs.* — de vignes, *vinetum, i,* n. ¶
Jeune sujet destiné à être repiqué.
Planta, ae, f. Jeune —, *semen, inis,* n.
Jeunes —, *plantaria, ium,* n. pl.

plantain, s. m. Plante herbacée. *Plan-
tago, inis,* f.

plantation, s. f. Action de planter.
Satio, onis, f. ¶ Ce qui est planté. *Sata,
orum,* n. pl. — d'arbres, *arbustum, i,* n.

plante, s. f. Partie du pied qui pose
sur le sol. *Planta, ae,* f. *Vestigium, ii,* n
— du pied des animaux. *solea, ae,* f.
¶ Tout ce qui est fixé dans le sol par les
racines. Les —, *eae res quae gignuntur e
terrā; stirpes, ium,* f. pl. ¶ Végétal non

ligneux. Les —, *herbae, arum,* f. pl.
Les — et les arbres, *arbores et stirpes.*

planter, v. tr. Fixer dans le sol par
des racines un végétal. *Serĕre,* tr. *Ponĕre,* tr. *Deponĕre,* tr. Par ext. — un
bois, *silvam serĕre.* — d'arbres une
terre, *agrum conserĕre.* ¶ (Par anal.)
Fixer en enfonçant dans le sol. *Defi-
gĕre,* tr. *Demittĕre,* tr. — une tente,
tabernaculum statuĕre. || Fonder sur le
sol. Voy. BATIR.

planteur, s. m. Celui qui plante des
végétaux. *Consitor, oris,* m.

planton, s. m. Soldat de service auprès
d'un officier. *Stator, oris,* m.

plantureux, *euse,* adj. Largement
abondant. Voy. ABONDANT.

plaque, s. f. Lame de métal. *Lamina,
ae,* f. || Ornements portés sur la poitrine.
Phalerae, arum, f. pl.

plaquer, v. tr. Revêtir d'une plaque.
Inducĕre laminis. — d'argent, *operire
argento.* Plaqué d'or, *bracteatus, a, um,*
adj.

plastique, adj. Relatif aux formes
corporelles. *Plasticus, a, um,* adj. Œuvres —, *sculptura, ae,* f.

plastron, s. m. Pièce de l'ancienne
armure protégeant la poitrine. *Pecto-
rale, is,* n. || (Fig.) Servir de — (aux
autres), *jocis obnoxium esse.* Faire de
qqn son —, *aliquem ludibrio habēre.*

plat, *ate,* adj. et s. m. || *Adj.* Qui pré-
sente une surface sans saillies, sans
courbure. *Planus, a, um,* adj. *Aequus,
a, um,* adj. Soulier —, *soccus,* i, m.
Vaisselle —, *argentum factum* (ou simpl.
argentum). Calme —, *malacia ac tranquillitas.* Pays — et ouvert, *camporum
patentia aequora.* Vin —, *vinum infirmi
saporis.* Un style —, *humilis oratio.* ||
(Loc. adv.) Tomber à —, *procumbĕre,*
intr. (Fig.) A —, tout —, c.-d-d. tout
uniment, *planē,* adv.; *omnino,* adv.
A —, c.-à-d. aussi bas que possible,
voy. BAS. ¶ Vil. Voy. ce mot. ¶ *S. m,*
La partie, le côté d'une chose qui est
sans saillie. Le — de la main, *palma,
ae,* f. Le — de l'épée, *ferrum,* i, n. ||
(Fig.) Ce qui est sans élévation. Voy.
BAS. || Objet plat *et spéc.* vaisselle à
fond plat. *Patina, ae,* f. *Lanx, lancis,*
f. || (Par ext.) Mets qu'on sert dans le
plat. *Cibus, i,* m. Les plats, *cibi, orum,*
m. pl.

platane, s. m. Arbre à larges feuilles
palmées. *Platanus, i,* f. De —, *platani-
nus, a, um,* adj.

plateau, s. m. Plat de métal, etc.,
pour servir des rafraichissements. *Discus,* i, m. ¶ Bassin d'une balance. *Lanx,
lancis,* f. ¶ Pièce de bois pour fouler la
terre. Voy. ROULEAU. ¶ (Géog.) Etendue
de terre plane au-dessus d'une plaine.
Regio in dorso montis porrecta.

plate-bande, s. f. Bande de terre qu'on
garnit de fleurs, etc. *Area, ae,* f. *Porca,
ae,* f.

Platées, n. pr. Ville de la Grèce ancienne. *Plataeae, arum,* f. pl. Habitants de —, *Plataeenses, ium,* m. pl.

plate-forme, s. f. Disposition en surface plane. *Stratūs, ūs,* m. Un toit en
—, voy. TERRASSE. || (P. ext.) Ce qui
est ainsi disposé. *Stratum, i,* n. || Es-
trade. Voy. ce mot.

platement, adv. D'une manière plate.
Insulsē, adv. *Demissē,* adv.

platitude, s. f. Caractère de ce qui est
plat. Fig. La — d'un vin, *imbecillum
vinum.* La — du caractère, voy. BAS-
SESSE. ¶ Acte, parole qui marque un
esprit, un caractère plat. *Humiliter*
(ou *abjectē) factum.* En parl. du style :
une —, *demissē dictum.* [*onis,* m.

Platon, n. pr. Philosophe grec. *Plato,
Platonicien,* *enne,* adj. Relatif à Platon, à sa doctrine. *Platonicus, a, um,*
adj. ¶ (Subst.) Philosophe de l'école
de Platon. *Platonicus, i,* m.

platonisme, s. m. Philosophie de
Platon. *Platonicorum disciplina.*

plâtras, s. m. Débris d'ouvrages de
plâtre. *Rudus vetus,* et *absol., rudus,
deris,* n. [tée. *Gypsum,* i, n.

plâtre, s. m. Sulfate de chaux hydra-

plâtrer, v. tr. Enduire d'une couche
de plâtre. *Gypsāre,* tr. Plâtré, *gypseus,
a, um,* adj. || (Fig.) Farder. Voy. ce
mot. Plâtré, *gypsatus, a, um,* p. adj.

plâtrière, s. f. Carrière de plâtre.
Gypsi fodina. [*Probabilis, e,* adj.

plausible, adj. Qui peut être approuvé.

plausiblement, adv. D'une façon plausible. *Probabiliter,* adv.

plèbe, s. f. Le bas peuple. *Plebs, plebis,*
f. ou *plebes, bei,* et *bi,* f.

plébéien, *ienne,* s. m. et f. Celui, celle
qui appartient à la plèbe. *Homo plebejus* ou *de plebe.* Subst. *plebejus, i,* m.
Les —, *plebeji, orum,* m. pl.

plébiscite, s. m. Résolution votée dans
l'assemblée du peuple. *Plebis* (ou
populi) scitum.

plectre, s. m. Petite verge d'ivoire
pour faire vibrer la lyre. *Plectrum, i,* n.

pléiade, s. f. Chacune des étoiles de la
constellation du Taureau. *Pleias* et
Plias, adis (Acc. *ada*), f. Les —, *Ver-
giliae, arum,* f. pl. *Pleiades, um,* f. pl.

pleine, *eine,* adj. Qui contient toute la
quantité qu'il peut contenir. *Plenus, a,
um,* adj. (av. le Gén.). *Repletus, a, um,*
p. adj. (av. l'Abl.). *Refertus, a, um,* p.
adj. (av. l'Abl.). — jusqu'aux bords,
repletus, a, um, p. adj. Couler à —
bords (en parlant d'une rivière), *pleno
alveo fluĕre.* P. anal. A pleines voiles,
plenis velis. Etre — de, voy. REGOR-
GER. || Massif. *Solidus, a, um,* adj. ||
(Fig.) Complet. *Plenus, a, um,* adj.
Totus, a, um, adj. *Solidus, a, um,* adj.
A la nouvelle et à la — lune, *cum aut
inchoatur luna aut impletur.* — pouvoirs, *summa auctoritas* (ou *potestas*).
Envoyer avec de — pouvoirs, *mittĕre*

cum *auctoritate*. De — droit, *justo* (ou *optimo*) *jure*. — liberté, *summa libertas*. De son — gré, *sponte*. || Qui est dans toute son intensité. En — paix, *mediâ pace*. Voix —, *plena vox*. A — voix, *voce clarâ* (ou *contentâ*). A' — poumons, *vi summâ vocis*. P. ext. Qui est en — soleil, *apricus, a, um*, adj. En — vent, *ventis expositus*. En — air, *sub divo*. — mer, *altum, i,* n. En — jour, *clarâ luce*. En — sénat, *frequenti senatu*. En — théâtre, *frequentissimo theatro*. En — rue, *in publico; in propatulo*. || (P. ext.) Qui présente sa partie essentielle. En — visage, *in os adversum*. Blessures reçues en — poitrine, *cicatrices adverso pectore*. P. anal. Sculpter en — bois (de chêne), *exsculpère e quercu*. || Loc. adv. En —, voy. COMPLÈTEMENT. ¶ Qui contient une grande quantité. *Plenus, a, um*, adj. *Refertus, a, um*, p. adj. *Abundans* (gén. -*antis*), p. adj. *Creber, bra, brum,* adj. Tout — de..., *repletus, a, um*, p. adj. Estomac —, *venter expletus*. || (Spéc.) En parl. des femelles : pleine (qui porte des petits). *Plena. Gravida*. || (Fig.) *Plenus, a, um*, adj. Etre — d'espérance, *bonam spem habère*. — d'ardeur, de courage, *animosus, a, um,* adj. — d'une ardeur farouche, *ferox* (gén. -*ocis*), adj. — de fureur, *furore incensus* ou *inflammatus*. — de santé, *integer, gra, grum,* adj. Homme — de lui-même, voy. PRÉSOMPTUEUX. ¶ (Physique). Rempli tout entier de matière. *Plenus, a, um,* adj. *Solidus, a, um,* adj. ¶ *S. m.* Etat de ce qui est plein. || Lune dans son —, *luna plena*. Le trop —, *redundantia, ae,* f. || Partie pleine. *Plenum, i,* n. || (Physique). Ce qui est plein. *Plenum, i,* n. ¶ *Adv.* Famil. Tout —, *et* absolt. — (beaucoup), *plenê*, adv.

pleinement, adv. D'une manière pleine. *Plenê*, adv. *Omnino*, adv. Etre — satisfait, *satis superque habère*.

plénipotentiaire, s. m. Celui qui est chargé des pleins pouvoirs auprès d'un Etat. — et, adject., ministre —, *legatus, i,* m. Envoyer des —, *legatos mittère cum auctoritate*.

plénitude, s. f. Etat de ce qui est plein. *Plenitudo, dinis,* f. Dans toute sa —, *plenus, a, um,* adj. || (Fig.) *Absolutio, onis,* f. Dans toute sa —, *integer et plenus*.

pléonasme, s. m. Emploi de mots superflus. *Abundans super necessitatem oratio*.

pleur, s. m. Lamentation. Voy. ce mot. ¶ Larme (surtout de tristesse). *Fletûs, ûs,* m. *Ploratûs, ûs,* m.

pleurer, v. intr. Témoigner de l'affliction. *Plorâre* (« pleurer en criant; exhaler bruyamment sa douleur »), intr. *Deplorâre*, intr. *Flêre*, intr. *Lugêre*, intr. — sur, *et* (transitiv.) — qqn, qqch., *deflêre*, tr.; *complorâre*, tr.; *deplorâre*,

tr.; *illacrimari*, dép. intr.; *illacrimâre*, intr. (av. le Dat.); *lugêre*, tr. (*aliquem*). ¶ Répandre des larmes. *Lacrimâre*, intr. *Illacrimâre*, intr. *Flêre*, intr. Faire —, *lacrimas alicui movêre* (ou *excutère*). En pleurant, *flebiliter*, adv. (on dit aussi *cum lacrimis* ou *collacrimatione*).

pleurésie, s. f. Inflammation de la plèvre. *Lateris* (ou *laterum*) *dolor*.

pleureur, s. m. Celui qui a l'habitude de pleurer. *Plorator, oris,* m.

pleuvoir, v. impers. et intr. || (V. impers.) Se condenser, tomber par gouttes (en parl. de la vapeur d'eau des nuages). *Pluère*, impers. Il — fort, *magnus imber effunditur*. || (Fig.) Tomber d'en haut. *Cadère*, intr. *Decidère*, intr. Faire —, *effundère*, tr. ¶ (V. intr.) Faire pleuvoir. *Pluère*, intr.

plèvre, s. f. Membrane qui enveloppe les poumons. *Pulmonum membrana*.

pli, s. m. Double fait à une étoffe, un papier, etc. *Ruga, ae,* f. || (Par anal.) Sinuosité que présente une étoffe flottante. *Sinûs, ûs,* m. Vêtement à —, *sinuosa vestis*. Draper les — de la toge, *togam componère*. || Sinuosité que présente l'étoffe dans un vêtement trop large. *Ruga, ae,* f. || (Par anal.) Ride. Voy. ce mot. Le — du jarret, *suffraginum flexus*. ¶ (Spéc.) Manière de plier une lettre. *Plicatura, ae,* f. || (Par ext.) L'enveloppe de la lettre. Voy. ENVELOPPE. Sous ce pli, *in hoc litterarum fasciculo*. || La lettre dans une enveloppe. — cacheté, *obsignatae litterae*. || (Par ext.) Un pli de terrain. *Sinûs, ûs,* m. *Anfractûs, ûs,* m. || Marque qui reste à une étoffe qui a été pliée. *Ruga, ae,* f. Faire des —, *rugâre*, intr. Enlever les — de..., *erugâre*, tr.

pliable, adj. Qui peut être plié. *Qui* (*quae, quod*) *plicâri potest*.

pliage, s. m. Action, manière de plier. *Plicatura, ae,* f.

pliant, ante, adj. Qui plie aisément. *Lentus, a, um,* adj. || (Fig.) Voy. FLEXIBLE.

plie, s. f. Poisson plat. *Platessa, ae,* f.

plier, v. tr. et intr. || (V. tr.) Mettre en double une *ou* plusieurs fois. *Complicâre*, tr. Feuilles (de rose) pliées, *folia duplicata*. — un vêtement. *vestem artâre in rugas*. || Par ext — ses effets, son bagage, *et* (fig.) — bagage, *sarcinas colligère*. || Resserrer un objet. *Contrahère*, tr. || Courber fortement en deux ce qui est flexible. *Flectère*, tr. *Inflectère*, tr. P. anal. — les épaules, *demittère humeros*. || (Fig.) Faire céder. *Flectère*, tr. Se — à l'humeur d'autrui, *se ad arbitrium alicujus fingère*. Se — aux circonstances, *tempori servire*. ¶ (V. intr.) Se courber en deux sous une pression. *Flecti*, pass. *Inflecti*, pass. ||(Par anal.) En parl. de soldats. *Labâre*, intr. Faire — l'ennemi, *copias* (ou *aciem*) *hostium inclinâre*. || (Fig.) — sous le faix, *oneri succumbĕre*.

plisser, v. tr. Arranger à plusieurs plis. *Corrugăre*, tr. *In rugam contrahĕre*.

plomb, s. m. Métal d'un blanc bleuâtre. *Plumbum, i*, n. De —, qui est en —, *plumbeus, a, um*, adj. Garni de —, fait en —, de —, *plumbatus, a, um*, adj. (Fig.) Un sommeil de —, *gravissimus somnus*. || Fil à —, *perpendiculum, i*, n.

plombagine, s. f. Graphite, carbure de fer dont on fait des crayons. *Plumbago, ginis*, f.

plomber, v. tr. Garnir de plomb. *Plumbăre*, tr. Plombé, *plumbatus, a, um*, adj. ¶ Rendre de la couleur du plomb. Plombé, *lividus, a, um*, adj. Teint —, *livor, oris*, m.

plombier, s. m. Ouvrier qui travaille le plomb. *Plumbarius, ii*, m.

plongeant, ante, adj. Qui plonge. Voy. PLONGER. || (Fig.) Dirigé de haut en bas. *Demissus, a, um*, p .adj. *Dejectus, a, um*, p. adj. Vue —, *despectŭs, ûs*, m.

plongée, s. f. Action de plonger. *Immersio, onis*, f.

plongeon, s. m. Oiseau aquatique. *Mergus, i*, m. ¶ Action de plonger. *Immersio, onis*, f. Faire le —, *mergi*, passif réfl.

plonger, v. intr. et tr. || (*V. intr.*) S'enfoncer sous l'eau. *Urinari*, dép. intr. || (*V. tr.*) Enfoncer sous l'eau, dans un liquide. *Mergĕre*, tr. *Demergĕre*, tr. *Immergĕre*, tr. || (Au fig.) Enfoncer. *Mergĕre*, tr. *Demittĕre*, tr. *Defigĕre*, tr. *Obruĕre*, tr.

plongeur, s. m. Celui qui plonge. *Urinans (homo)*. ¶ Celui dont la profession est de plonger. *Urinator, oris*, m Les —, *qui urinantur*.

ployer, v. tr. et intr. (*V. tr.*) Courber malgré la résistance. *Plicăre*, tr. *Incurvăre*, tr. || (Fig.) Voy. PLIER, SOUMETTRE. ¶ (*V. intr.*) Se courber sous une force à laquelle on ne peut résister. Voy. COURBER, PLIER. || Fig. — sous un faix, *oneri succumbĕre*. || (Fig.) Se courber. Voy. COURBER.

pluie, s. f. Eau que la condensation des vapeurs dans les nuages fait tomber en gouttes sur la terre. *Pluvia, ae*, f. *Imber, bris*, m. — violente, *maximus imber*. De —, *pluvius, a, um*, adj.; *pluvialis, e*, adj. || (Par anal.) En parlant de ce qui tombe en abondance. *Imber, bris*, m. — de traits, voy. GRÊLE. — — d'or, *imber aureus*; (fig.) *largitio auri*.

plumage, s. m. L'ensemble des plumes qui couvrent le corps d'un oiseau. *Pennae, arum*, f. pl. *Plumae, arum*, f. pl.

plume, s. f. Tuyau garni de barbes qui couvre le corps des oiseaux. *Penna, ae*, f. Petite — — molle, *pluma, ae*, f. Grosse — de l'aile *ou* de la queue, *penna, ae*, f. Tuyau des —, *caulis, is*,

f. Qui a des —, *pennatus, a, um*, adj. Couvert de —, *plumatus, a, um*, p. adj. Sans —, *implumis, e*, adj.; *deplumis, e*, adj. ¶ Duvet de la plume pour coussins, oreillers. *Pluma, ae*, f. De —, *plumeus, a, um*, adj. Lit de —, coussin de —, et ellipt. la —, *pluma, ae*, f. ¶ Tuyau de plume taillé pour écrire. *Calamus scriptorius* ou simpl. *calamus, i*, m. Une —, *stilus, i*, m. Mettre la main à la —, *se ad scribendum conferre*.

plumer, v. tr. Dégarnir de ses plumes (un oiseau). *Pennas eripĕre*.

plumet, s. m. Plume, bouquet de plumes qui sert d'ornement à une coiffure. *Crista, ae*, f.

plupart, s. f. La plus grande quantité. *Plerique, aeque, aque* adj. et subst. *Plurimi, ae, a*, adj. et subst. La — des hommes, *prope omnes; major* (ou *maxima) pars; plurima pars*. || P. ext. La — du monde, *plerique homines* ou simpl. *plerique, aeque, aque*, adj. La — du temps, *plerumque*, adv.

pluralité, s. f. Le grand nombre. *Multitudo, dinis*, f. ¶ Le plus grand nombre. Voy. PLUPART.

pluriel, *elle*, adj. Qui marque qu'il s'agit de plusieurs. *Pluralis, e*, adj. Le nombre —, *et subst.* ∼ —, *pluralis, is*, m. Au —, *pluraliter*, adv.

plus, adv. et s. m. || *Adv.* D'une manière supérieure en qualité, en quantité. || (En qualité.) *Magis*, adv. (avec les adj. et les adv. qui n'ont pas de comparatif). *Plus*, adv. — ou moins coupable, *magis aut minus noxius*. On ne peut — heureux, *maximē omnium* (ou *praeter ceteros) beatus*. — que jamais, *magis quam unquam alias*. Cette maison est — fréquentée que jamais, *haec domus celebratur ita ut cum maximē*. Vous non —, vous n'êtes pas juste, *ne tu quidem justus es*. Plus ... plus..., *quo... eo...*, (ou *hoc); ut quisque... ita...* D'autant — que..., *eo (magis)... quo* (ou *quod)*. Plus... moins..., *quo magis... eo minus*. || (En quantité.) *Plus*, adv. *Amplius*, adv. Avec un verbe de prix *ou* d'estime, *pluris*. || (Par ext.) Pour marquer le superlatif. *Maximē*, adv. (ordin. avec les adj. *ou* les adv. qui n'ont pas de superl.). *Plurimum*, adv. || (Absol.) Davantage. *Amplius*, adv. Ne... plus, *non jam*. Je n'espère — rien, *nihil jam spero*. Voilà une chose qu'on ne dira —, *hoc jam nemo dicet*. Je ne fais — (telle ou telle chose), *desino (desii)* ou *desisto (destiti)* ou *omitto (aliquid) facĕre*. Je ne m'afflige —, *omitto luctum*. N'être —, *esse desisse; nusquam esse*. ¶ S. m. Supériorité de quantité ou de qualité. || (De quantité.) *Plus*, n. (au Nom. et à l'Acc.). *Plures, a*, adj. pl. (avec un subst. plur.) *Amplius*, n. (au Nom. et à l'Acc.). De —, *quin etiam*. Il y a —, *immo* ou *immo enim vero*. — que de raison, *plus aequo*. De — en —, *magis* *magisque*. Au —, tout au —, *maximē*. Au — tard, *tardissimē* (ou *cum tardissimē*). Les enfants qui avaient — de quinze ans, *liberi majores jam quindecim annos nati*. Ayant peut-être deux ans de — que moi, *biennio quam nos fortasse major*. — d'une fois, *saepius*, adv. — souvent qu'une fois, *plus quam semel* ou *plus semel*. Sans —, *non* (ou *nec*) *amplius*. Tant et —, *plus quam satis est* ou *satis superque*. Il n'en sera ni —, ni moins, *nihilo secius res se habebit*.

plusieurs, adj. plur. Certain nombre de (choses ou personnes). (Avec l'idée de comparaison.) *Plures, a*, adj. (Sans idée de comparaison.) *Complures, plura*, adj. *Aliquot*, indécl. — fois, *saepius*. A — reprises, *identidem*. ǁ (Absolt.) Certain nombre de personnes. *Complures, ium*, pron. *Nonnulli*, m. pl.

Plutarque, n. pr. Biographe et moraliste grec. *Plutarchus, i*, m.

Pluton, n. pr. Dieu des Enfers. *Pluto, onis*, m.

plutôt, adv. Plus encore, *Potius*, adv. *Multo magis*. Non tam… quam… Non modo (cu *solum*)… *sed potius* ou *sed etiam*… Ou — *aut potius*. Bien —, *quin immo*. ¶ De préférence. *Potius*, adv.

pluvial, ale, adj. Relatif à la pluie. *Pluvialis, e*, adj. *Pluviatilis, e*, adj. Eau —, *aqua pluvia*.

pluvieux, euse, adj. Qui amène la pluie. *Pluvius, a, um*, adj.

Pô, n. pr. Grand fleuve de l'Italie septentrionale. *Padus, i*, m. Situé au delà du Pô, *Transpadanus, a, um*, adj.

poche, s. f. Petit sac cousu dans l'épaisseur d'un vêtement. *Sinus, ūs*, m. — pour serrer l'argent, voy. BOURSE. Argent de —, *pecunia in sumptum peculiarem data*. Payer de sa —, *de suo numerāre*; sa — voy (ou *ex suā pecuniā*) *pretium solverē* (*pro re aliquā*). ¶ (P. anal.) Sac. Voy. ce mot. — de voyage, voy. BESACE. ¶ Filet pour prendre les lapins, les blaireaux. *Sinus, ūs*, m. — des oiseaux, voy. JABOT. ǁ Boursouflure, pli. Voy. ces mots.

1. **podagre**, s. f. Goutte aux pieds. *Podagra, ae*, f.

2. **podagre**, adj. Qui a la goutte aux pieds. *Pedibus aeger*.

1. **poêle**, s. f. Ustensile pour frire. *Sartago, ginis*, f.

2. **poêle**, s. m. Voile tenu au-dessus de la tête des mariés. Voy. VOILE; NUPTIAL. ¶ Dais (du saint sacrement). *Aulaeum, i*, n. ¶ Etoffe noire dont on couvre le cercueil. *Vestis lugubris*.

3. **poêle**. Voy. POILE.

poêlon, s. m. Petite poêle. *Patina, ae*, f.

poème, s. m. Ouvrage en vers d'une certaine étendue. *Carmen, inis*, n. ǁ (Spéc.) En parl. d'une œuvre de longue haleine et très soignée. *Poema*

(Gén. sing. *poematos*, Gén. pl. *poematorum*. Dat. et Abl. *poematis*), n.

poésie, s. f. Art de faire des ouvrages en vers. *Poesis, is* (Acc. *in*), f. (on empl. plutôt en ce sens *facultas poetica* ou [simpl.] *poetica*, ou *poeticē, es*, f.). ǁ (Par ext.) Beauté du fond et de l'expression essentielle à la poésie, indépendamment de la versification. *Poeticus decor*. ¶ Ouvrage en vers. *Poesis. is* (Acc. *in*), f. *Poema, matis*, n. (au plur. *poemata*, « la poésie », opp. à *oratio*, « la prose »). *Carmen, inis*, n. ǁ (Par ext.) Genre d'ouvrages en vers. *Poesis, is* (Acc. *in*), f. La — lyrique et la — épique, *carmina et versus*. ǁ Ensemble des ouvrages en vers composés dans une langue. *Poemata*, n. pl.

poète, s. m. Celui qui s'adonne à la poésie. *Poeta, ae*, m. (on dit aussi *carminum auctor, scriptor, conditor*). *Vates, is*, m. De —, des —, *poeticus, a, um*, adj. Etre —, *carmina scribēre* (ou *condēre*). ¶ Celui qui est doué pour la poésie. *Vates, is*, m.

poétesse, s. f. Femme poète. *Poetria, ae*, f.

poétique, adj. Relatif à la composition en vers. *Poeticus, a, um*, adj. Art —, et subst. la — (traité de poésie), *ars poetica*; *poetica, ae*, f. et *poeticē, es*, f. ¶ Relatif aux beautés essentielles de la poésie (indépendamment de la versification). *Poetarum similis*. Prose —, *carmen solutum*. Expression —, *verbum a poetis usurpatum*.

poétiquement, adv. D'une manière poétique. *Poeticē*, adv.

poids, s. m. Force de pression d'un corps en rapport avec sa masse. *Pondus, eris*, n. *Gravitas, atis*, f. ǁ (Fig.) Fardeau. *Onus, eris*, n. *Moles, is*, f. ¶ Mesure de cette force évaluée par rapport à une masse déterminée. *Pondus, eris*, n. En —, *pondo*, ind. Vendre, acheter au — de l'or, *auro vendēre, emēre* (*aliquid*), et (fig.) *vendēre, emēre quam plurimo*. ǁ (Fig.) Importance plus *ou* moins grande donnée à une chose, à une personne. *Pondus, eris*, n. *Momentum, i*, n. *Gravitas, atis*, f. Personne d'un grand —, *gravissimus homo*. Avoir du —, *gravem* (ou *grave*) *esse*. ¶ Masse de métal qui sert d'unité de poids. *Pondus, eris*, n. Faire tout avec — et mesure, *omnia facēre accuratissimā diligentiā*. ǁ (Fig.) Terme de comparaison. *Pondus, eris*, n. ǁ ¶ Ce qui oppresse l'âme. *Molestia, ae*, f.

poignant, ante, adj. Qui perce le cœur. *Anxius, a, um*, adj. Une douleur —, *quasi morsus doloris*.

poignard, s. m. Arme offensive à lame courte. (Arme de guerre.) *Pugio, onis*, m. (Arme d'assassin.) *Sica, ae*, f.

poignarder, v. tr. Frapper, tuer avec un poignard. (*Aliquem*) *pugione* (ou *sicā*) *percutēre* (ou *confodēre* ou *perfodēre*).

poignée, s. f. Action de serrer à plein poing. *Complexŭs, ŭs,* m. Voy. ÉTREINTE. Donner à qqn une — de main, *dextram alicujus amplecti.* ¶ Ce que peut tenir la main fermée. *Manipulus, i,* m. *Pugnus, i,* m. Par —, *manipulatim,* adv. Loc. adv. A —, *plenâ manu.* || (P. ext.) Une — de verges, *fascis virgarum.* Une — (de blé, de foin), *manipulus, i,* m. Une — (d'hommes, de soldats), *parvus* (ou *exiguus*) *numerus ; manus exigua* (ou *parva*); ou simpl *manŭs, ŭs,* f. || Ce qui sert à tenir un objet avec la main fermée. *Manubrium, ii,* n. *Ansa, ae,* f. — d'épée, de poignard, *capulus, i,* m.

poignet, s. m. Partie du bras qui joint la main à l'avant-bras. *Prima manûs pars.*|| (P. ext.) Voy. MANCHETTE.

poil, s. m. Filets déliés que produit la peau et qui recouvrent le corps de la plupart des mammifères. *Pilus, i,* m. (en parl. des animaux et de l'homme). — rude, *saeta, ae,* f. || (Par ext.) Ensemble des poils qui couvrent le corps. *Pilus, i,* m. (au sing. coll.). *Villi, orum,* m. pl. (en parl. des animaux). Qui a du —, voy. POILU. Sans —, voy. GLABRE. || Pelage. Voy. ce mot. || (Par anal.) Partie velue du drap, du velours, etc. *Villi, orum,* m. pl. Les poils d'un pinceau, *saeta, ae,* f. (surt. au plur.). ¶ (Chez l'homme.) Poils du nez, *vibrissae, arum,* f. pl. — de la barbe, *barba, ae,* f.; *capilli ex barbâ detonsi.* — au menton, *pubes, is,* f. ¶ (Par anal.) Filets déliés et flexibles de certaines parties des plantes. *Lana, ae,* f. *Lanugo, ginis,* f.

poile, s. m. Chambre chauffée. *Hypocaustum, i,* n. ¶ (P. ext.) Voy. FOURNEAU.

poilu, ue, adj. Couvert de poils. *Pilosus, a, um,* adj. *Villosus, a, um,* adj.

poinçon, s. m. Instrument pointu pour percer, graver. *Stilus, i,* m.

poinçonner, v. tr. Marquer avec un poinçon. *Signăre,* tr. *Formâ publicâ percutĕre.*

poindre, v. tr. et intr. || (V. tr.) Piquer. Voy. ce mot. ¶ (V. intr.) Pointer. Voy. ce mot. || (P. ext.) En parl. du jour : se lever, paraître. *Albicascĕre,* intr.

poing, s. m. La main fermée. *Pugnus, i,* m. Serrer le —, *pugnum facĕre.* Ouvrir le —, *diducĕre digitos.* Fermer le —, *digitos comprimĕre pugnumque facĕre.* L'épée au —, *stricto gladio.* Faire le coup de —, *pugnis certâre.*

1. point, s. m. Piqûre faite dans un tissu avec une aiguille. *Punctum. i,* n. — de suture, voy. SUTURE. || (Absol.) Dentelle (faite à l'aiguille). Voy. DENTELLE. || Trou fait dans une courroie. *Punctum, i,* n. || Orifice. Voy. ce mot. || (Fig.) Douleur aiguë. *Punctum, i,* n. — de côté, *lateris dolor ; laterum punctiones* (ou *compunctiones*). ¶ Action de pointer. — du jour, *prima lux.* || (Par

ext.) Instant où qqch. va commencer. Etre sur le —, de, voy. ALLER. ¶ Marque faite par une pointe. || Signe orthographique, signe de ponctuation. *Punctum, i,* n. Séparer par des —, *interpungĕre,* tr. Fig En mettant les — sur les i, *expressé,* adv. || (Sculpture). Mettre aux —, *scalpro exsecâre* (ou *excidĕre*). || (Jeu) Marque faite après chaque coup gagné. *Punctum, i,* n. || (Par ext.) Degré. Voy. ce mot. Fig. Au dernier —, *maximé omnium.* On peut, jusqu'à un certain —, être indulgent à l'amitié, *est quatenus amicitiae venia dari possit.* Au —, que, *adeo ut.* (Subj.). || (Par anal.) Tache très petite sur une surface. *Punctum, i,* n. — noir, *nubes, is,* f. Fig. Il y a un — noir à l'horizon, *tument negotia.* ¶ Partie de l'étendue infiniment petite. *Punctum, i,* n. || (Par ext.) Endroit précis où qqch. a lieu. *Pars, partis,* f. *Locus, i,* m. — de départ, *initium, ii,* n. — de vue, *locus, unde prospectus* (ou *despectus*). *est...*; et (fig.) *ratio, onis,* f. Les quatre — cardinaux, *quattuor regiones caeli.* — de repère, *nota, ae,* f. — de partage des eaux, *divortium aquarum.* De tous les — de la ville, *ex urbe totâ.* || (Fig.) Etat déterminé dans lequel se trouve qqn, qqch. Etre en bon, en mauvais —, *bene, male se habĕre.* Mal en —, *male mulcatus.* A ce —, voy. SI, TANT, TELLEMENT. L'affaire en est toujours au même —, *haeret haec res.* Les choses en étaient à ce —, *res erat eo loci.* A —, *c.-à-d.* dans l'état voulu, *bene,* adv.; *recté,* adv. A —, *c.-à-d.* au moment voulu, *ad tempus.* Sur ce —, *in hoc.* || (Par ext.) Sujet spécial dont on s'occupe. *Res, rei,* f. *Locus, i,* m. Ce —, *illud.* Ces deux — *illa duo.* — par —, *singillatim,* adv. Répondre — par —, *respondĕre singulis.* Le grand —, le — capital, *caput* ou *summa* (*alicujus rei*). De — en —, *accuratissimé* (ou *diligentissimé*), adv.; *ordine* (*narrâre, exponĕre,* etc.). En tout —, voy. COMPLÈTEMENT. De tout —, *ex omni parte.*

2. point, adv. Particule servant à renforcer fortement la négation. Voy. PAS. | Avec ellipse de la négation. — (dans les réponses), *minimé vero ; nullo modo.*

pointe, s. f. L'extrémité amincie d'un instrument de métal. *Acumen, inis,* n. *Acies, ei,* f. *Aculeus, i,* m. La — d'une aiguille, *acŭs, ŭs,* f. et, (fig.) des — d'aiguilles (des subtilités), *acumina,* n. pl. La — d'une épée, *mucro, onis,* m. La — d'une lance, d'un javelot, *spiculum, i,* n. En — *cuspidatum,* adv. Qui a une —, pourvu d'une —, qui se termine en —, *acutus, a, um,* adj. Coup de —, voy. ESTOC. De la — avec la —, *punctim* (*ferîre*). Se frayer un chemin à la — de l'épée, *mucrone sibi viam facĕre.* ¶ (P. anal.) La partie la plus haute d'un édifice. *Cacumen, inis, n. Fastigium, ii,* n. || Elever en —, *fasti-*

gâre, tr. Se terminer en —, *se fastigâre* (ou *fastigâri*), dép. intr. La — du pied, *summus digitus* (*pedis*)*; vestigiûm, ii,* n. Sur la — du pied, *suspenso gradu* (ou *pede*). Marcher sur la — du pied, *summis digitis insistĕre* (ou *ambulâre*). Une — de rocher, *acuta silex.* ‖ (Fig.) Vivacité piquante dans une chose. *Acumen, inis,* n. — d'épigramme *aculeus, i,* m. ¶ L'objet dont l'extrémité est ainsi amincie. *Dens, dentis,* m. Des — (clous longs et minces), *aculei, orum,* m. pl. ‖ (Par anal.) Une — de terre, *promuntorium, ii,* n. La — d'une île, *rostrum insulae.* ‖ (Fig.) Ce qui perce l'âme. *Acumen, inis,* n. *Stimulus, i,* m. La — de la conscience, *morsus animi.* ‖ Ce qui a une finesse extrême. *Acies, ei,* f. *Acumen, inis,* n. Une — de vin, *paululum vini.* Absolt. Des — (traits d'esprit piquants), *acumina, um,* n. pl.; *acutĕ* (ou *facetĕ* ou *salsĕ*) *dicta;* ou (simpl.) *sales,* m. pl.¶ Action de pointer, de se pousser en avant. *Impetûs, ûs,* m. Pousser, suivre sa —, *pergĕre,* intr.; *propositum peragĕre.*

pointer, v. tr. Marquer d'un point. *Puncto* (ou. *punctis*) *notâre* (ou *distinguĕre*) ou (simpl.) *notâre,* tr.; *distinguĕre,* tr. ¶ Diriger vers un point *Dirigĕre* (*tela*).

1. pointiller, v. tr. Parsemer de petits points. *Punctis distinguĕre.*

2. pointiller, v. intr. et tr. ‖ (*V. intr.*) Discuter sur des pointilles. *Cavillâri,* dép. intr. ¶ (*V. tr.*) Chicaner sur des pointilles. *Calumniâri,* dép. intr.

pointillerie, s. f. Discussion sur des riens. *Cavillatio, onis,* f.

pointilleux, *euse,* adj. Qui pointille. *Spinosus, a, um,* adj.

pointu, *ue,* adj. Terminé en pointe. *Acer, cris, cre,* adj. *Acutus, a, um,* p. adj. Objet — *stilus, i,* m. Rendre —, *acuĕre,* tr. Fig. Esprit —, voy. CHICANEUR. [*i,* n.

poire, s. f. Fruit du poirier. *Pirum,* poiré, s. m. Boisson fermentée avec du jus de poire. *Vinum ex piris.*

poireau et porreau, s. m. Plante potagère. *Porrum, i,* n. et *porrus, i,* m. ‖ (Fig.) Excroissance en forme de verrue. *Verruca, ae,* f. [BETTE.

poirée, s. f. Espèce de bette. Voy.

poirier, s. m. Arbre fruitier. *Pirus, i,* f.

pois, s. m. Plante légumineuse. *Pisum, i,* n.

poison, s. m. Breuvage malfaisant. *Potio, onis,* f. ‖ (P. ext.) Substance délétère qui donne la mort. *Venenum, i,* n.

poisser, v. tr. et intr. ‖' (*V. tr.*) Enduire de poix. *Pice obducĕre* (ou *oblinĕre*). ‖ (Par ext.) Barbouiller avec qqch. de gluant. Voy. ENGLUER. ¶ (*V. intr.*) Etre gluant. Voy. GLUANT.

poisseux, *euse,* adj. Qui poisse. Voy. GLUANT, VISQUEUX.

poisson, s. m. Animal vertébré qui vit dans l'eau. *Piscis, is,* m. Petit —,

pisciculus, i, m. Du —, *piscis, is* (sing. coll.), m.

poissonnerie, s. f. Lieu où l'on vend du poisson. *Forum piscarium* ou *piscatorium.*

poissonneux, *euse,* adj. Qui abonde en poissons. *Plenus piscium. Piscibus abundans.*

poissonnier, *ière,* s. m. et f. Marchand, marchande de poissons. *Qui (quae) pisces vendit.*

poissonnière, s. f. Ustensile pour faire cuire les poissons. *Patina, ae,* f.

poitrail, s. m. Région antérieure de la poitrine du cheval. *Pectus, oris,* n.

poitrinaire, adj. Voy. PHTISIQUE.

poitrine, s. f. Partie du corps qui contient les poumons et le cœur. *Pectus, oris,* n. ¶ Les organes de la respiration contenus dans cette partie du corps. *Pectus, oris,* n. *Latus, eris,* n. Une bonne —, *latera bona.* [n.

poivre, s. m. Sorte d'épice. *Piper, eris,*

poivrer, v. tr. Assaisonner de poivre. *Piper aspergĕre.* Poivré, *piperatus, a, um,* adj.

poix, s. f. Substance résineuse, bitumineuse. *Pix, picis,* f. De —, *piceus, a, um,* adj.

polaire, adj. Relatif aux pôles du globe terrestre. *Ad polum* (ou *caeli verticem*) *pertinens.* Etoile —, *polus, i,* m.

pôle, s. m. Chacune des extrémités de l'axe du monde. *Polus, i,* m.

polémique, adj. Relatif à un débat par écrit. *Bellatorius, a, um,* adj. *Concertatorius, a, um,* adj. ‖ Subst. La —, *contentiones dissensionesque.*

poli. Voy. POLIR.

police, s. f. Forme de gouvernement établie. *Rei publicae administratio. Civitatis gubernatio.* ¶ Action de gouverner. *Gubernatio, onis,* f. ¶ Règlements établis en vue de l'ordre et de la sécurité publique. *Disciplina publica.* Voy. RÈGLEMENT, DISCIPLINE. ‖ (P. ext.) Surveillance exercée pour l'exécution de ces règlements. *Publicae securitatis cura.* Préfet de —, *praetor urbanus.* ‖ (Par ext.) Administration chargée de ce service. *Ministri publici.*

policer, v. tr. Rendre poli, adoucir par la culture. *Excolĕre ad humanitatem et mitigâre.*

poliment, adv. D'une manière polie. *Humanĕ* (ou *humaniter*), adv. *Urbanĕ,* adv. *Comiter,* adv.

polir, v. tr. Rendre lisse ou brillant par le frottement. *Polire,* tr. *Levâre,* tr. — parfaitement, *expolire,* tr. — entièrement, *perpolire,* tr. Au part. subst. Le poli, *nitor, oris,* m. Donner le —, *perpolire,* tr. ‖ Rendre luisant, brillant. *Splendorem dâre.* Poli, voy. LUISANT, BRILLANT. ¶ (Au fig.) Limer, soigner. Voy. ces mots. ‖ Policer. (*Hominem*) *excolĕre atque expolire.* Poli, *humanus.* Mœurs polies, *humanitas, atis,* f. [de polir. *Politor, oris,* m.

polisseur, s. m. Celui qui fait le métier

polissoir et **polissoire**, s. m. et f. Outil pour polir. *Dens, dentis,* m.

polissure, s. f. Eclat d'une chose polie. *Levitas, atis,* f.

politesse, s. f. Ensemble des égards que l'on a les uns pour les autres en société. *Urbanitas, atis,* f. — des manières, *morum elegantia.* — du cœur, *comitas, atis,* f. || (Par ext.) Acte de politesse. *Officium, ii,* n.

politique, adj. et s. m. et f. || *Adj.* Relatif au gouvernement d'un Etat. *Civilis, e,* adj. *Publicus, a, um,* adj. Homme —, voy. ci-après POLITIQUE, s. m. || (Par ext.) Prudent, avisé (dans la direction d'une affaire). *Callidus, a, um,* adj. || *S. m. et f.* || *S. m.* Celui qui s'occupe des affaires publiques. *Homo in re publicā exercitatus.* Les grands —, *peritissimi rerum civilium ; viri regendae rei publicae scientissimi.* || (Par ext.) Celui qui est prudent, avisé. *Vir* (ou *homo) callidus.* || *S. f.* Art de gouverner un Etat. *Res publicas administrandi scientia. Disciplina rei publicae.* || Manière de gouverner. *Ratio rei publicae administrandae. Civilis prudentia.* || Manière d'entendre la direction des affaires publiques. *Rei publicae capessendae consilia.* — intérieure, *domestica ratio.* — extérieure, *belli pacisque consilia.* || Ce qui concerne les affaires publiques. *Res publica.* || (P. ext.) Manière prudente, avisée de conduire une affaire. *Calliditas, atis,* f. *Consilia callida.*

politiquement, adv. D'une manière politique. *Rerum publicarum ratione habitā.* || (Spéc.) Prudemment, avisé. *Callidē,* adv.

poltron, *onne,* adj. Qui a peur du danger. *Timidus, a, um,* adj.

poltronnerie, s. f. Peur du danger. *Animus timidus.* [*bius, ii,* m.

Polybe, n. pr. Historien grec. *Poly-*

polygame, s. m. Homme marié avec plusieurs femmes. Les Indiens sont —, *singulis* (*Indis) plures solent esse nuptae.* [*pus, i,* m.

polype, s. m. Sorte de mollusque. *Poly-*

polysyllabe, adj. Qui a plusieurs syllabes. *Multarum syllabarum.*

pommade, s. f. Cosmétique fait d'une matière grasse. *Capillare* (s.-e. *unguentum), is,* n.

pommader, v. tr. Enduire de pommade. *Ungĕre,* tr. *Unguentis oblinĕre.* Se —, *ungi,* pass. moy.

pomme, s. f. Fruit du pommier. *Mālum, i,* n. ¶ (P. anal.) Nom donné à diverses productions végétales. — de pin, voy. PIN. — de terre, *solanum tuberosum.* ¶ (P. ext.) Nom donné à divers ornements arrondis en forme de pomme. Voy. BOULE.

pommeler, v. tr. Marquer de taches rondes. *Rotundis maculis variāre* (ou *distinguĕre).*

pommeraie, s. f. Lieu planté de pommiers. *Locus malis consitus.*

pommette, s. f. Partie saillante de la joue. *Genae, arum,* f. pl.

pommier, s. m. Arbre qui produit les pommes. *Mālus, i,* f. De —, *mālinus, a, um,* adj.

1. pompe, s. f. Cortège solennel. *Pompa, ae,* f. — funèbre, voy. FUNÈBRE. ¶ Appareil magnifique. *Pompa, ae,* f. *Apparatūs, ūs,* m. Avec —, voy. POMPEUSEMENT.

2. pompe, s. f. Machine à élever, à refouler un liquide. *Antlia, ae,* f.

Pompée, n pr. Rival de César. *Pompejus, i,* m.

Pompéies, n. pr. Ville au pied du Vésuve. *Pompeji, orum,* m. pl. De —, *Pompejanus, a, um,* adj.

pomper, v. tr. Aspirer *ou* refouler (un liquide, un gaz) avec une pompe. Exprimère (aquam). *Tollĕre* (aquas) *antliā.* || P. anal. (En parl. du soleil.) *Exhaurīre (amnes).*

pompeusement, adv. D'une manière pompeuse. *Apparatē,* adv. *Magnificē,* adv.

pompeux, *euse,* adj. Qui a de la pompe. *Magnificus, a, um,* adj. || (Au fig.) En parl. du style. *Grandis, e,* adj. *Magnificus, a, um,* adj. En termes —, *magnificē,* adv.

ponce, s. f. Pierre volcanique et poreuse. — *et, p. appos.* pierre —, *pumex, micis,* m. De pierre —, *pumiceus, a, um,* adj. [*cāre,* tr.

poncer, v. tr. Polir avec la ponce. *Pumi-*

ponction, s. f. Piqûre chirurgicale. *Paracentesis, is,* f.

ponctualité, s. f. Qualité de celui qui est ponctuel. *Diligentia, ae,* f. *Religio, onis,* f.

ponctuation, s. f. Action, manière de ponctuer. *Ratio distinguendi.*

ponctuel, *elle,* adj. Qui fait qqch. à point nommé, *ou* de point en point. *Diligens* (gén. -*entis),* p. adj.

ponctuellement, adv. D'une manière ponctuelle. *Diligenter,* adv.

ponctuer, v. tr. Marquer de points. *Punctis distinguĕre ou* simpl. *distinguĕre,* tr. || (Spéc.) Distinguer par des points *ou* autres signes les phrases et les membres de phrases. *Interpungĕre,* tr.

pondre, v. tr. Déposer (ses œufs) en parlant de la femelle des ovipares. *Parĕre ova. Gignĕre ova.*

pont, s. m. Construction servant à passer d'un bord à l'autre d'un cours d'eau. *Pons, tis,* m. Petit —, *ponticulus, i,* m. Un — de bateaux, *pons ex navibus junctis factus.* Construire un — de bateaux, *pontem navibus junctis facĕre* ou *efficĕre*. ¶ Plancher de navire. *Tabulatum, i,* n.

Pont, n. pr. Ancien royaume d'Asie Mineure. *Pontus, i,* m.

ponte, s. f. Action de pondre. *Partio, onis,* f.

Pont-Euxin, n. pr. Ancien nom de la Mer Noire. *Mare Ponticum, Maris Pontici,* n.

ponté, ée, adj. Garni d'un pont. *Constratus, a, um,* p. adj.

pontife, s. m. Ministre d'une religion. *Pontifex, ficis,* m.

pontifical, ale, adj. Qui a rapport aux pontifes. *Pontificalis, e,* adj. *Pontificius, a, um,* adj.

pontificat, s. m. Dignité du souverain pontife. *Pontificatûs, ûs,* m.

pont-levis, s. m. Petit pont qui se lève et s'abaisse à volonté. *Pons, pontis,* m. *Ponticulus, i,* m.

ponton, s. m. Pont flottant. *Ponto, onis,* m.

populace, s. f. Le bas peuple. *Infima plebs* ou simpl. *plebs, ebis,* f. *Plebecula, ae,* f.

populaire, adj. Qui appartient au peuple; que donne le peuple. *Popularis, e,* adj. Soulèvement —, *tumultûs, ûs,* m.; *seditio, onis,* f. ¶ Qui est accessible au peuple. *Ad sensum popularem vulgaremque accommodatus.* Eloquence —, *popularis oratio.* ¶ Qui a la faveur du peuple. *Popularis, e,* adj. Etre —, *gratiosum esse apud populum.*

populariser, v. tr. Rendre populaire. *Ad vulgarem popularemque sensum accommodāre (aliquid).* ‖ Se — (en parl. des personnes), *apud populum gratiosum fieri.* (En parl. des ch.), *pervulgāri.*

popularité, s. f. Manière d'être propre à se concilier la faveur du peuple. *Civilitas, atis,* f. *Facilitas, atis,* f. ¶ Faveur dont on jouit parmi le peuple. *Favor populi.* Qui recherche la —, *popularis, e,* adj.

population, s. f. Action de peupler un pays. Pour la —, *stirpis augendae causâ.* ¶ Ensemble des habitants qui peuplent un pays. *Civium* (ou *incolarum) numerus. Multitudo hominum* ou (absol.) *multitudo, dinis,* f. *Frequentia, ae,* f. Avoir une — très nombreuse, *habitāri frequentissimê.*

populeux, euse, adj. Très peuplé. *Frequens hominibus* ou (simpl.) *frequens* gén. *-entis),* adj.

porc, s. m. Mammifère domestique. *Sus, suis,* m. Un jeune porc, *porcus, i,* m. Petit —, *porcellus, i,* m. De —, *suillus, a, um,* adj.; *porcinus, a, um,* adj.

porcelaine, s. f. Coquille univalve. *Cypraea, ae,* f. ¶ (P. anal.) Poterie blanche très fine. *Porcellana, ae,* f.

porc-épic, s. m. Mammifère rongeur, couvert de piquants. *Hystrix, icis,* f.

porche, s. m. Sorte de vestibule d'un temple, etc. *Vestibulum, i,* n.

porcher, s. m. Gardien de pourceaux. *Subulcus, i,* m.

porcherie, s. f. Etable à porcs. *Suile, is,* n.

porcine, adj. f. Relatif au porc. *Suillus, a, um,* adj.

pore, s. m. Chacun des orifices de la peau, par lesquels se fait la transpiration. *Spiramentum, i,* n.

poreux, euse, adj. Qui a des pores. *Rarus, a, um,* adj. *Pumicosus, a, um,* adj.

porphyre, s. m. Roche dure d'un rouge foncé. *Porphyrites, ae,* m.

porreau. Voy. POIREAU.

1. port, s. m. Enfoncement de la mer dans les terres, naturel *ou* artificiel, qui offre un abri aux navires. *Portûs, ûs,* m. Qui a des ports, de bons —, *portuosus, a, um,* adj. Qui n'a pas de —, *importuosus, a, um,* adj. Droit de —, *portorium, ii,* n. ‖ (Fig.) Refuge. *Portûs, ûs,* m. ‖ (P. anal.) Endroit où l'on embarque et débarque les marchandises sur un cours d'eau. *Portûs, ûs,* m. *Emporium, ii,* n. ‖ (Par ext.) Ville qui a un port de mer. *Urbs portu nobilis. Oppidum portu nobile.*

2. port, s. m. Action de porter. *Vectura, ae,* f. *Gestio, ônis,* f. ‖ Transport. *Vectura, ae,* f. ¶ Manière de porter le corps *ou* une partie du corps. *Habitûs, ûs,* m.

portail, s. m. Façade d'une église où est la porte principale. *Janua maxima.*

portant, ante, adj. et s. m. ‖ *Adj.* Qui porte. Voy. PORTER. ¶ Qui se porte (de telle *ou* telle façon). *Affectus, a, um,* p. adj. Bien —, *valens* (gén. *-entis),* p. adj.: *validus, a, um,* adj.; *sanus, a, um,* adj. Etre bien —, *valêre,* intr. Mal —, *invalidus, a, um,* adj. ¶ Montant de bois. Voy. MONTANT.

portatif, ive, adj. Qu'on peut porter sur soi. *Qui (quae, quod) praesto est* (ou *prae manu) est. Manualis, e,* adj. ¶ Qu'on peut aisément transporter. *Portatu facilis.* Bagage —, *expeditae sarcinae.*

porte, s. f. Baie pratiquée dans le mur d'une ville. *Porta, ae,* f. Ouvrir ses —, voy. CAPITULER. ‖ Baie pratiquée dans un retranchement. *Porta, ae,* f. ‖ (Par anal.) Passage étroit donnant accès dans une vallée. *Porta, ae,* f. ‖ Baie pratiquée dans un enclos. *Porta, ae,* f. ¶ Baie pratiquée dans le mur d'un édifice. *Ostium, ii,* n. *Janua, ae,* f. *Foris, is,* f. — dérobée, *pseudothyrum, i,* n. De — en —, *ostiatim,* adv. — à —, voy. CONTIGU. Mettre qqn à la —, *aliquem excludĕre.* Etre à la —, *excludi.* ‖ (Spéc.) L'entrée de la cour et, par ext., la cour du Sultan. *Aula imperatoris Turcici.* Absol. La Porte, c.-à-d. l'empire Turc, *imperium Tur-*

cicum. ¶ (Par anal.) Veine —, *portae jecoris.* ¶ Battant, vantail qui ferme cette baie. *Valvae, arum,* f. pl. *Porta, ae,* f. *Ostium, ii,* n. *Janua, ae,* f. *Foris, is,* f. (au plur. *jores,* porte à deux battants). || Porte d'appartement. *Foris, is,* f. || (P. anal.) Portes d'une armoire, d'un buffet. *Fores,* f. pl. Une — d'écluse, *fores,* f. pl. || (Fig.) *Fores,* f. pl.

porte-clefs et **porte-clés**, s. m. Celui qui est chargé des clefs d'une prison. *Clavicularius, ii.* m.

porte-drapeau. s. m. Officier qui porte .e drapeau d'un régiment. *Signifer, feri,* n.

portée, s. f. Totalité des petits qu'une femelle met bas. *Partûs, ûs,* m. ¶ Charge que porte dans sa partie libre une poutre, une pierre appuyée à chaque bout. *Vis sustinendi.* ¶ Distance jusqu'à laquelle qqch. peut porter. *Jactûs, ûs,* m. *Conjectûs, ûs,* m. *Ictûs, ûs,* m. Être à — de la main, *ad manum esse.* A — de la vue, *in conspectu positus.* Hors de la — de la vue, *extra visum (hominis).* || (Fig.) Capacité d'un être pensant; valeur, importance d'un objet. *Captûs, ûs,* m. *Intelligentia, ae,* f. *Vis,* f. Qui est à notre —, *facilis, e,* adj.; *paratus, a, um,* p. adj.

porte-enseigne, s. m. Porte-drapeau. Voy. ce mot.

porte-étendard, s. m. Voy. PORTE-DRAPEAU.

portefaix, s. m. Celui qui fait le métier de porter des fardeaux. *Bajulus, i,* m.

portefeuille, s. m. Carton à poche. *Capsa, ae,* f. *Scrinium, ii,* n.

portemanteau, s. m. Partie de l'équipement d'un cavalier. *Hippoperae, arum,* f. pl. || Valise de voyage. *Mantica, ae,* f.

portemonnaie. Voy. BOURSE.

porter, v. tr. et intr. || (*V. tr.*) Tenir (dans les mains, entre les bras, sur les épaules) qqch. qui pèse. *Portâre,* tr. *Ferre,* tr. *Bajulâre* (« porter un fardeau, p. sur son dos »), tr. *Gerêre,* tr. *Gestâre,* tr. Se faire —, *gestatione uti.* || (Avec un suj. de chose.) *Portâre,* tr. *Vehêre,* tr. || Soutenir, supporter. *Sustinêre,* tr. — la peine de qqch., *poenas ferre (alicujus rei).* — les fers, *esse in vinculis.* || Comporter. Voy. ce mot. ¶ Avoir habituellement sur soi. *Ferre,* tr. *Gerêre,* tr. *Gestâre,* tr. *Habêre,* tr. *Indui* et *indutum esse. Ornatum esse. Amictum esse. Uti,* dép. intr. — toute sa barbe, *barbam alêre* (ou *promittêre*). || (Par ext.) Avoir sur soi. *Portâre,* tr. *Habêre,* tr. — une arme, *esse cum telo.* Le traité porte que..., *pacto convenit, ut* (et le Subj.). ¶ Prendre avec soi et déposer dans un lieu. *Portâre,* tr. *Comportâre,* tr. *Deportâre,* tr. *Ferre,* tr. — qqn en terre. *aliquem efferre.* — des lettres à leur adresse, *litteras ad aliquem*

perferre. || (Par ext.) Faire arriver en un lieu. *Ferre,* tr. *Deferre,* tr. *Inferre,* tr. *Proferre,* tr. Se — candidat, *fungi candidatorio munere.* Se — bien, *bonâ* (*firmâ* ou *prosperâ*) *valetudine esse* (ou *uti*). Se — mal, *minus valêre.* || Approcher. *Ferre,* tr. *Admovêre,* tr. — les yeux, la vue sur qqch., *conjicêre oculos in aliquid.* — ses regards de tous côtés, *oculos circumferre.* — la tête haute, *caput attollêre.* || (Par anal.) Porter un coup, voy. COUP. — à qqn le coup mortel, *mortiferam plagam alicui infligêre.* — témoignage contre qqn, *testimonium dicêre in aliquem.* Se — accusateur, *sustinêre nomen accusatoris.* || Pousser, conduire, exciter à. Voy. ces mots. Porté, voy. ENCLIN. Se — à, *se proripêre ad...* || (Fig.) — envie, voy. ENVIE. ¶ (*V. intr.*) Peser sur qqch. *Incumbêre,* intr. *Inniti.* dép. intr. Fig. L'accusation portait à faux, *falsum erat crimen.* || Atteindre le but. *Ictum perferre.* Le trait ne — pas, *vanum intercidit telum.* La vue ne peut — plus loin, *intendi longius acies non potest.* La tête a porté contre une pierre, *caput in lapidem illisum est.* Fig. — à la tête (en parl. du vin), *tentare caput.* — sur les nerfs, *nervos laedêre.*

porteur, euse, s. m. et f. Celui, celle qui porte. *Qui* (*quae*) *portat* (ou *gestat*) *aliquid.* — à la halle, *bajulus, i,* m. — d'eau, *aquarius, ii,* m. — de litière, *lecticarius, ii,* m. Chaise à —, *gestatoria sella* et simpl. *Sella, ae,* f. — de nouvelles, *tabellarius, ii,* m.; — *nuntius, ii,* m. Il était porteur de cette lettre. *missus est cum his litteris.* Le — d'un billet, *nuntius, ii,* m. Le — d'un billet (d'un effet de commerce). *possessor, oris,* m. Billet payable au —, *perscriptio, onis,* f. Porteuse, *quae portat* (ou *gestat*) *aliquid.*

portier, ière s. m. et f. Celui, celle qui garde une porte. *Janitor, oris,* m. *Ostiarius, ii,* m. Portière, *janitrix, tricis,* f.

portière, s. f. Ouverture d'une voiture. *Ostium vehiculi.* ¶ Tenture d'une porte. *Velum, i,* n.

portion. s. f. Part qui revient à qqn (dans une distribution). *Pars, partis,* f. *Portio, onis,* . Petite —, *portiuncula, ae,* f.

portique, s. m. Galerie couverte soutenue par des colonnes. *Porticûs, ûs,* f.

portrait, s. m. Représentation d'une personne par la peinture, le dessin. *Imago, ginis,* f. *Simulacrum, i,* n. ¶ (Par ext.) Ressemblance. *Exemplum, i,* n. *Imago, ginis,* f. *Similitudo, dinis,* f. || Description exacte. *Effigies, ei,* f. *Forma, ae,* f. Faire un —, *depingêre,* tr.; *describêre,* tr.

pose. s. f. Action de poser. *Positio, onis,* f. *Locatio, onis,* f. *Collocatio, onis,* f. ¶ Action de se poser. *Status, ûs,* m.

posément, adv. D'une manière posée. *Sedatê,* adv.

poser, v. intr. et tr. ‖ (*V. intr.*) Etre appuyé sur qqch. Voy. REPOSER. ‖ Prendre une certaine attitude. — devant un peintre, *pictori sui ponĕre statem dāre.* ‖ (Par ext.) Avoir une manière d'être, une attitude affectée. *Se ostentāre.* — pour, voy. AFFECTER. ‖ (*V. tr.*) Mettre à une place. *Ponĕre,* tr. *Apponĕre,* tr. *Deponĕre,* tr. *Imponĕre* tr. *Locāre,* tr. *Collocāre,* tr. — un pion, une pièce, *calculum ponĕre.* Ecrire à main posée, *lentā manu facĕre litteras.* Il avait posé des cavaliers en sentinelle à des endroits convenables, *equites in stationibus locis idoneis posuerat.* Se — (qq. part.) *considĕre,* intr.; *residĕre,* intr. Se — (en parl. d'un oiseau), *insidĕre,* intr. ‖ (Par ext.) — qqn (pour faire son portrait), *jubēre aliquem certo statu uti.* ‖ (Fig.) — une question, voy. QUESTION. Une personne bien posée, *vir spectatus et honestus.* Se — en conseiller, *se ferre suasorem.* ¶ Mettre en place à demeure. *Ponĕre,* tr. *Locāre,* tr. — des rideaux, des tentures, *vela intendĕre.* — des tableaux, voy. ACCROCHER. — des dents, *inserĕre dentes.* ‖ (Par ext.) Une personne posée, *vir compositus (remissus* ou *gravis).* Une voix posée, *vox sedata.* ‖ — qqch. en principe, *aliquid proponĕre* (ou *constituĕre).* ¶ Mettre ailleurs ce qu'on avait sur soi. *Ponĕre,* tr. *Deponĕre,* tr.

positif, *ive,* adj. Qui repose sur qqch. d'assuré. *Certus, a, um,* adj. ‖ P. ext. Un homme —, voy. PRATIQUE. Subst. Le — (ce qui est pratique, utile), voy. PRATIQUE. ¶ (Gramm.) Qui est au premier degré. *Positivus, a, um,* adj. Le —, *absolutus gradus.* Au —, *positivē,* adv.

position, s. f. Place où une chose est posée. *Situs, ūs,* m. *Locus, i,* m. Prendre —, *considĕre,* intr.; *consistĕre,* intr. Où la 7ᵉ légion avait pris —, *ubi septima legio constiterat.* ¶ Manière dont une chose, une personne est posée. *Positio, onis,* f. *Positus, ūs,* m. *Situs, ūs,* m. *Sedes, is,* f. *Status ūs,* m. Changer de —, *se versāre,* Fig. Etre en — de (faire qqch.), voy. ÉTAT, SITUATION. Etre dans une belle —, *statu bono esse.* Faire à qqn une — avantageuse, *alicujus statum fundāre.* La — de la question, *interrogandi ratio.* Les — (d'une thèse), *proposita,* n. pl. ‖ (Spéc.) T. de prosodie ancienne. *Positio syllabae.*

positivement, adv. D'une manière positive. *Certo,* adv. ¶ D'une manière expresse. Voy. EXPRESSÉMENT.

posséder, v. tr. Avoir en sa possession. *Habēre,* tr. *Tenēre,* tr. — juridiquement, *possidēre,* tr. ¶ Avoir en son pouvoir. *Possidēre,* tr. *Habēre,* tr. *Tenēre,* tr. *Potiri,* dép. intr. Se —, *sui* (ou *animi*) *compotem esse; animum in potestate habēre.* Qui se —, *mentis compos.* — (une qualité), *aliquā re praeditum* (ou *instructum*) *esse.* ‖ (Fig.)

Connaître à fond. *Aliquid penitus percepisse.*

possesseur, s. m. Celui qui possède. *Possessor, oris,* m. *Dominus, i,* m. Etre — de..., voy. POSSÉDER.

possessif, *ive,* adj. Qui marque la possession. *Possessivus, a, um,* adj.

possession, s. f. Faculté actuelle de jouir d'un bien. *Possessio, onis,* f. Avoir en sa —, *possidēre,* tr. Prendre —, *in possessionem (alicujus rei) venire.* Prendre —, s'emparer, voy. EMPARER. Rentrer en —, voy. RECOUVRER. ‖ (Par ext.) Terre qu'on possède. *Possessio, onis,* f. ‖ (Fig.) Etre en — d'un droit, *jus habēre.* Etre en — de la faveur, *gratiam praeoccupavisse.* Etre en — de (faire qqch.), *in eam se consuetudinem adduxisse. ut* (et le Subj.).

possibilité, s. f. Caractère de ce qui est possible. *Condicio, onis,* f. Enlever à qqn toute — de refus, *alicui omnem recusationem adimĕre.* ¶ Occasion possible. *Facultas, atis,* f. *Copia, ae,* f. *Potestas, atis,* f. (En parl. d'une occasion fournie par les circonstances) : *aditŭs, ūs,* m.; *locus, i,* m. ‖ Chose possible. *Res quae fieri potest.*

possible, adj. Qui peut se faire. *Facilis factu.* Si —, *si possum (potes, potero,* etc.). Autant que —, *ut potest; quantum possum,* etc. Le plus souvent —, *quam saepissimē.* Par tous les moyens —, *omni ratione.* Aussitôt que —, *quam primum fieri potest; quam primum.* ‖ (Subst.) *Quod fieri potest.* Faire son —, *omnia facĕre.* En faisant tout son —, *enixē,* adv. ¶ Qui peut arriver. *Qui (quae, quod) fieri potest.* Est-il —? *itane vero!* ‖ (Ellipt.) Peut-être. Voy. ce mot. ‖ (Subst.) *Quod fieri potest.*

1. poste, s. f. Relai de chevaux, de distance en distance, sur une route. *Statio, onis,* f. Chaise de —, *vehiculum publicum.* Cheval de —, *veredus, i,* m. Maître de —, *procurator a veredis.* ‖ (Par ext.) Action de voyager en profitant des relais. Voyager en —, prendre la —, *vehiculo publico uti.* ‖ Espace d'un relai à un autre. *Mansio, onis* f. ‖ (Par ext.) Transport public des correspondances privées. *Cursus publicus.* Malle —, *vehiculum publicum.* ‖ (Absol.) Confier qqch. à la —, *aliquid per cursorem publicum mittĕre.*

2. poste, s. m. Emplacement occupé par un corps de troupes pour une opération militaire. *Locus, i,* m. — avancé, voy. AVANT-POSTE. ‖ (Par ext.) Place assignée aux combattants. *Locus, i,* m. ‖ (Fig.) Position assignée à un fonctionnaire. *Locus, i,* m. *Munus, ĕris,* n. Occuper un — éminent, *magnis rebus praeesse.* ¶ Corps de garde. *Custodiae, arum,* f. pl. *Statio, onis,* f. *Praesidium, ii,* n. ‖ (Par ext.) Les hommes placés dans ces postes. *Praesidium, ii,* n. (au sing. coll. et au plur.). *Custodia, ae,* f.

(au sing. coll. et au plur.). *Statio, onis*, f.

poster, v. tr. Mettre dans un poste. *Statuĕre (milites)*. Constituĕre, tr. Po*nĕre*, tr. *Disponĕre*, tr. Se —, *consistĕre*, intr.; *insidĕre*, intr. Etre posté, *stāre*, intr. || Mettre à la place qui convient. Voy. METTRE. Etre posté, *stāre*, intr.

postérieur, *eure*, adj. Qui vient après (dans le temps). *Posterior, us*, adj. — à..., *aetate inferior, quam...* Etre — à..., *insequi*, dép. tr.; *consequi*, dép. tr. ¶ Qui est en arrière (dans l'espace). *Posterior, us*, adj.

postérieurement, adv. D'une manière postérieure (dans le temps). *Posterius*, adv. — à, *infra* (et l'Acc.).

postérité, s. f. Suite de ceux qui descendent d'une tige commune. *Stirps, stirpis*, f. *Progenies, ei*, f. *Posteri, orum*, m. pl. *Posteritas, atis*, f. Ne pas laisser de — mâle, *virilem sexrum non relinquĕre*. ¶ Suite des générations à venir. *Posteri, orum*, m. pl. *Posteritas, atis*, f.] Faire passer à la —, *memoriae prodĕre* (ou *tradĕre*).

posthume et (mieux) **postume**, adj. Né après la mort du père. *Postumus, a, um*, adj.

postiche, adj. Qui remplit un rôle accessoire. Voy. ACCESSOIRE. ¶ Qui remplace artificiellement la nature. Cheveux —, *alieni capilli*.

postillon, s. m. Conducteur d'une chaise de poste. *Cursor publicus*.

postulant, *ante*, s. m. Qui postule. Qui *(quae)* petit (ou *postulat*).

postuler, v. tr. Demander à diverses reprises. *Petĕre*, tr. *Ambire*, tr.

posture, s. f. Attitude du corps. *Statūs, ūs*, m. *Habitūs, ūs*, m. ¶ (Au fig.) Situation de qqn par rapport à l'opinion. *Status, ūs*, m. Etre en bonne — dans le monde, *gratiā et auctoritāte florēre*.

pot, s. m. Vase de ménage. *Olla, ae*, f. ou *aula, ae*, f. De —, relatif aux —, *ollarius, a, um*, adj. Qui se garde dans les —, *ollaris, e*, adj. — de terre, *fictile, is*, n. — à eau, *vas aquarium*, ou simpl. *aquarium, ii*, n. Un — au lait, *sinum, i*, n.: *sinus, i*, m. Ellipt. Un — (où l'on met le vin), *vas vinarium*.

potable, adj. Bon à boire. *Poculentus, a, um*, adj. *Utilis ad potum*.

potage, s. m. Bouillon avec des tranches de pain. *Sorbitiuncula, ae*, f.

potager, *ère*, adj. Herbe, plante —, *olus, eris*, n. Jardin —, *et subst.*, —, *oltorius hortus*.

poteau, s. m. Pièce de charpente posée debout. *Palus, i*, m. *Stipes, pitis*, m. — d'exécution, *palus, i*, n.

potelé, *ée*, adj. Gras et rebondi. *Teres, etis*, adj.

potence, s. f. Pièce d'appui. Voy. ÉTAI, SUPPORT, ARC-BOUTANT. ¶ Instrument pour pendre. *Patibulum, i*, n.

Furca, ae, f. *Crux, crucis*, f. Gibier de —, *furcifer*. [—, *qui rerum potiuntur*.

potentat, s. m. Prince souverain. Les

poterie, s. f. Atelier, art du potier. *Figlina* (s.-e. *officina* ou *ars*), ae, f. ¶ (P. ext.) Vaisselle de terre, d'étain, de fonte. *Opus figlinum. Vasa fictilia, ou simpl. *fictilia, ium*, n. pl.

poterne, s. f. Galerie voûtée souterraine dans une fortification. *Crypta, ae*, f. ¶ Porte qui ferme cette galerie. *Portula, ae*, f. [*Potidaea, ae*, f.

Potidée, n. pr. Ville de Macédoine.

potier, s. f Celui qui fabrique, vend de la vaisselle. *Figulus, i*, m.

potion, s. f. Médicament que l'on prend en boisson. *Potio, onis*, f.

potiron, s. m. Grosse courge comestible. *Cucurbita, ae*, f.

pou, s. m. Insecte qui s'attache aux cheveux. *Pediculus, i*, m.

pouce, s. m. Le plus gros doigt de pied. *Pollex, icis*, m. || (Spéc.) Le pouce de la main. *Pollex, icis*, m. ¶ Ancienne mesure de longueur (le douzième du pied). *Digitus, i*, m. *Pollex, icis*, m. D'un —, *digitalis, e*, adj.: *uncialis, e*, adj. Ne pas avancer d'un —, *digitum progredi non posse*.

poudre, s. f. Poussière. Voy. ce mot. || (Fig.) Jeter à qqn de la — aux yeux, *fucum facĕre alicui*. ¶ Substance solide réduite en particules très fines. *Pulvis, eris*, m. || Substance médicamenteuse. *Pulvis, eris*, m.

poudrer, v. tr. Couvrir de poudre. *Pulvere conspergĕre*. Poudré, *pulvere aspersus*.

poudreux, *euse*, adj. Couvert de poussière. *Pulverulentus, a, um*, adj.

Pouille, n. pr. Province d'Italie. *Apulia, ae*, f.

poulailler, s. m. Endroit où on élève des poules, de la volaille. *Gallinarium, ii*, n. *Aviarium, ii*, n.

poulain, s. m. Jeune cheval. *Pullus equinus. Equulus, i*, m.

poule, s. f. Femelle du coq, oiseau de basse-cour. *Gallina, ae*, f. De —, relatif aux —, *gallinaceus, a, um*, adj.; *gallinarius, a, um*, adj.

poulet, s. m. Petit de la poule. *Pullus gallinaceus*, ou simpl. *pullus, i*, m.

poulette, s. f. Jeune poule. *Pullastra, ae*, f. [*ae*, f.

pouliche, s. f. Jeune jument. *Equula,

poulie, s. f. Petit engin pour lever des fardeaux. *Trochlea, ae*, f.

poulpe, s. m. Mollusque à grosse tête garnie de tentacules. *Polypus, i*, m.

pouls, s. m. Battement des artères *et, spéc.*, battement de l'artère radiale au-dessus du poignet. *Pulsus venarum* ou *arterarium*, ou simpl. *pulsûs, ūs*, m.

poumon, m. Chacun des deux viscères spongieux par lesquels s'effectue la respiration. *Pulmo, onis*, m. || Poumons considérés spécial. comme organes de la voix. *Latus, eris,* n.

poupe, s. f. Arrière d'un vaisseau. *Puppis, is,* f.

poupée, s. f. Petite figure humaine servant de jouet. *Pupa, ae,* f.

poupon, onne, s. m. et f. Petit garçon, petite fille. *Pupus, i,* m. Pouponne, *pupa, ae,* f.

pour, prép. Au lieu de. *Pro,* prép. (avec l'Abl.). Prendre qqn — un honnête homme, *aliquem virum bonum habēre.* On le prend — un honnête homme, *vir bonus habetur.* Il se prenait pour un roi, *se regem esse ducebat.* ‖ En échange de. *Pro,* prép. (av. l'Abl.). Rendre service — service, *merita meritis repensāre.* Traduire mot — mot, *(aliquid) ad verbum reddēre* (ou *referre*). — de l'argent, *argento ; pretio ; mercede.* ‖ (Par ext.) Au prix de. (Se traduit par l'Abl.) Prends-le — cent sesterces, *habe centum nummis.* ‖ En guise de. *Pro,* prép. (av. l'Abl.). *Vice,* abl. adv. *Loco,* abl. adv. Demander — récompense, *sibi praemii loco deposcēre...* ‖ En qualité de. *Pro,* prép. (av. l'Abl.). Prendre qqn — mari, — femme, voy. [se] MARIER. En prenant — guide la nature, *duce naturā.* ‖ Au nom de. Voy. NOM. ‖ Dans la direction de. *Ad,* prép. (av. l'Acc.). *In,* prép. (av. l'Acc.). Partir — le pays des Senons, *in Senones proficisci.* ‖ (P. anal.) En parl. d'une époque. *In,* prép. (av. l'Acc.). — le lendemain, *in posterum diem.* Du blé — trente jours, *dierum triginta frumentum.* ‖ En vue de. *In,* prép. *Ad,* prép. (av. l'Acc.). *Pro,* prép. (av. l'Abl.). *Causā* (« en vue de »). Demander à qqn qqch. — qqn, *ab aliquo petēre aliquid alicui.* Je demanderai sa fille — mon fils, *orabo nato filiam.* — (suivi de l'Inf.), *ad* (et le Gér. en *ndum*) ; *ut* (et le Subj.). Assez ... pour..., *adeo, tantum* (ou *tam*), *ut...* Trop grand — (et l'Inf.), *major quam ut* (et le Subj.). ‖ En faveur de. *Pro,* prép. (av. l'Abl.). *Secundum,* prép. (av. l'Acc.). Etre — qqn, — qqch., *alicui* (ou *alicui rei*) *favēre ; facĕre cum aliquo ; stāre cum aliquo.* ‖ (Adv.) Examiner les raisons — et contre, *in utramque partem* (ou *in contrarias partes*) *disputāre.* Subst. Examiner le — et le contre, *in utramque partem disputāre.* ‖ A l'égard de. *In,* prép. (av. l'Acc.). *(amor in patriam).* *Erga,* prép. (av. l'Acc.; voy. [à l'] ÉGARD, ENVERS). *De,* prép. (av. l'Abl.; voy. [au] SUJET [de], TOUCHANT). ‖ (Par anal.) Quant à, — moi, *ego vero.* — ce qui me regarde, *quod ad me attinet.* ‖ (Par ext.) Relativement à un terme de comparaison. *Pro,* prép. (av. l'Abl.). Fabius avait beaucoup de littérature — un Romain, *multae erant in Fabio, ut in homine Romano, litterae.* — l'époque, *ut illis temporibus.* ‖ A cause de. *Pro,* prép. (av. l'Abl.). *De,* prép. (av. l'Abl.: *gravi de causā ; quā de causā, quā de*

re). *Ob,* prép. (av. l'Acc. : *ob eam causam ; ob eam rem*). Il n'y a pas de raison — que ..., *non est causa, cur...* ‖ Suivi d'une proposition. — sage que, *c.-à-d.* quelque sage que..., voy. QUELQUE.

pourboire, s. m. Petite gratification.

pourceau, s. m. *Porcus, i,* m.

pourchasser, v. tr. Poursuivre avec ardeur. Voy. POURSUIVRE.

pourfendre, v. tr. Fendre complètement. *Medium dividĕre.*

pourparler, s. m. Conférence en vue de se mettre d'accord. *Collocutio, onis,* f. *Colloquium, ii,* n.

pourpier, s. m. Plante potagère. *Porcastrum, i,* n.

pourpre, s. f. Matière d'un beau rouge que l'on tirait du coquillage dit murex. *Purpura, ae,* f. Qui a la couleur de la —, *purpureus, a, um,* adj. Eclat de la —, *splendor purpurae.* ¶ Vêtement de cette couleur. *Purpura, ae,* f. Vêtu de —, *purpuratus, a, um,* adj. Teinture de —, *purpurissum, i,* n. ‖ (Spéc.) Vêtement impérial, royal, etc. *Purpura, ae,* f. ‖ (Adjectivt.) Devenir —, *purpurascĕre,* intr.

pourpré, ée, adj. Qui a la couleur de la pourpre. *Purpureus, a, um,* adj.

pourquoi, conj. et adv. Pour cela. C'est —, *quamobrem ; quapropter ; quare ; propterea.* ¶ Pour quel motif. *Quam ab rem* ou *quamobrem,* relat. et interr. *Cur,* adv. relat. et interr. *Quid,* interr.

pourrir, v. intr. et tr. ‖ (V. intr.) Se décomposer. *Putrefĭeri,* pass. *Putēre,* intr. *Putescĕre,* intr. — (en parl. du bois), *carie deficĕre* (ou *consenescĕre*). Pourri, *putridus, a, um,* adj. ¶ (V. tr.) Décomposer. *Putrefacĕre,* tr. Voy. DÉCOMPOSER.

pourriture, s. f. Etat de ce qui est pourri. *Putredo, dinis,* f. La — du bois, *caries* (acc. *em,* abl. *e*), f. Tomber en —, voy. POURRIR. ¶ Ce qui est pourri. *Pars cariosa* ou *vieta.* ‖ (Fig.) Voy. CORRUPTION.

poursuite, s. f. Action de poursuivre, de suivre de près. ‖ Pour atteindre qqn. *Insectatio, onis,* f. Se mettre, se lancer à la — de..., voy. POURSUIVRE. Envoyer des soldats à la — de qqn, *emittĕre milites ad aliquem sequendum.* Cesser la —, *finem sequendi facĕre.* ‖ (Spéc.) Acte juridique dirigé contre qqn. *Persecutio, onis,* f. *Postulatio, onis,* f. Exercer des — contre qqn, voy. POURSUIVRE. Milon exerçait des — contre Clodius, *reus Milonis fuit Clodius.* ¶ Pour obtenir qqch. *Consectatio, onis,* f. *Affectatio, onis,* f. — des honneurs, des charges, *petitio, onis,* f.

poursuivant, ante, s. m. et f. Celui, celle qui exerce des poursuites judiciaires. *Persecutor, oris,* m. Poursuivante, *ea quae accusat.*

poursuivre, v. tr. Suivre de près (pour

atteindre qqn). *Sequi*, dép. tr. *Consequi*, dép. tr. *Insequi*, dép. *Persequi*, dép. tr. *Exagitāre*, tr. || (Spéc.) Attaquer en justice. *Persequi aliquem judicio*. Par ext. — des crimes, *scelerum poenas expetēre*. ¶ Suivre de près (pour obtenir qqch.). *Sequi*, dép. tr. *Exsequi*, dép. tr. *Persequi*, dép. tr. ¶ Continuer sans relâche. *Sequi*, dép. tr. — *Exsequi*, dép. tr. *Persequi*, dép. tr. — son chemin, *iter pergēre*. Absol. Poursuivons, *pergamus ad ea quae restant*. Poursuis, *perge.* | *Attamen*, conj.

pourtant, adv. Avec, malgré tout cela.

pourtour, s. m. Partie qui fait le tour d'un lieu. *Ambĭtus*, *ūs*, m. *Circuĭtus*, *ūs*, n.

pourvoi, s. f. Action de se pourvoir, et spéc. recours à une juridiction supérieure. *Appellatio*, *onis*, f.

pourvoir, v. intr. et tr. || (*V. intr.*) Aviser aux mesures nécessaires. *Providēre aliquid* (ou *alicui rei*, ou *de aliquā re*). *Prospicēre* (abs.) ou *prospicēre alicui rei*. || (Spéc.) Loc. conj. Pourvu que (étant donné que), *dummodo*, conj. (av. le Subj.); *modo*, conj. (avec le Subj.); *dum*, conj. (et le Subj.). || (Ellipt.) Plaise à Dieu, fasse le ciel que! *Utinam. Si modo* ou (simpl.) *si* (et le Subj.). — que ne pas..., *utinam ne* (et le Subj.) ¶ (*V. tr.*) Mettre en possession de ce qui est nécessaire. Instruĕre, tr. *Ornāre*, tr. *Providēre*, tr. — abondamment une armée de blé, *providēre frumentum exercitui*. Se — de qqch., *prospicēre aliquid*. Se — d'un domicile, *comparāre sibi domicilium*. Pourvu de qqch., *instructus aliquā re*; *ornatus*, *a*, *um*, p. adj.; *praeditus*, *a*, *um*, adj. (av. l'Abl.). Etre abondamment, richement — de qqch., *abundāre aliquā re*. || (Spéc.) Se — (recourir à une juridiction supérieure), *appellāre*, tr.; *provocāre*, intr. Voy. APPELER. || (Absol.) Etablir. Voy. ce mot. — une fille (en parl. du père), *alicui prospicēre maritum*. || (Fig.) Voy. DOUER.

pourvoyeur, s. m. Celui qui a la charge d'approvisionner. *Procurator peni. Obsonator*, *oris*, m.

pourvu. Voy. POURVOIR.

pousse, s. f. Action de pousser. *Germinatio*, *onis*, f. || (Par anal.) La — des dents, voy. DENTITION. ¶ Ce qui pousse. Voy. BOURGEON. || (Spéc.) Premier développement du bourgeon. *Germen*, *inis*, n. — de la vigne, *palma*, *ae*, f. Jeune —, *frutex*, *ticis* (gén. plur. *fruticum*), m.

poussée, s. f. Action de pousser. *Pulsatio*, *onis*, f. *Pulsus*, *ūs*, m. *Impulsus*, *ūs*, m. Donner une — à qqn, voy. POUSSER.

pousser, v. tr. et intr. || (*V. tr.*) Déplacer par une pression au coup, un choc. *Pellēre*, tr. *Impellēre*, tr. *Agēre*, tr. — en avant, *propellēre*, tr. — qqn du coude, *aliquem cubito tangēre*. — la

porte au nez de qqn, *fores alicui objicēre*. — qqn, *aliquem premēre* (ou *urgēre*); *alicui instāre*. ¶ Porter vivement en avant (qqn); faire avancer. Voy. AVANCER. — c.-à-d. faire reculer, *agēre*, tr.; *pellēre*, tr.; *propellēre*, tr.; *propulsāre*, tr. || (Fig.) Porter vers qqch. *Impellēre*, tr. *Compellēre*, tr. *Incitāre*, tr. *Movēre*, tr. *Commovēre*, tr. || Aider à s'élever. *Promovēre*, tr. *Provehēre*, tr. Se — dans le monde, *se proferre*. ¶ Réduire à qq. extrémité. *Compellēre*, tr. *Adducēre*, tr. ¶ Porter vivement en avant (qqch.). *Pellēre*, tr. *Impellēre*, tr. *Trudēre*, tr. — la charrue, *incumbēre aratro*. || (Fig.) Porter à un certain point. Ils poussèrent l'enchère jusquelà, *licĭti sunt usque eo*. — sa chance, *fortunae suae instāre*; *successus suos urgēre*. — la folie au point de..., *eo vecordiae procedēre*, *ut...* — les choses jusqu'à..., *deducēre rem huc*, *ut...* — l'entreprise, *impĭgrē rem agēre*. ¶ Faire croître. *Agēre*, tr. *Emittēre*, tr. Laisser — ses cheveux, *promittēre capillum*. ¶ Exhaler, émettre. *Dāre*, tr. *Edēre*, tr. — un gémissement, *gemitum dāre*. — un cri, *clamorem edēre*. — des soupirs, *suspiria ducēre* (ou *trahēre*). — de grands cris, *magnā voce clamāre*. ¶ (*V. intr.*) Exercer une pression. *Incumbēre*, intr. ¶ Croître. Voy. ce mot.

poussière, s. f. Terre réduite en particules fines. *Pulvis*, *eris*, m. Plein, couvert de —, *pulverulentus*, *a*, *um*, adj. (on dit aussi *pulveris plenus*). Etre étendu dans la —, couché dans la —, *humi jacēre*. || (Fig.) Tirer qqch. de la poussière, *aliquid ab oblivione vindicāre*. ¶ (Par anal.) Particules fines. Pluie qui tombe en fine —, *pluvia tenuissima*.

poussif, ive, adj. Qui pousse péniblement sa respiration. *Angustioris spiritūs*. Etre —, *ilia ducēre*.

poussin, s. m. Poulet nouvellement éclos. *Pullus*, *i*, m.

poutre, s. f. Pièce de bois équarrie. *Trabs*, *trabis*, f. *Tignum*, *i*, n. De —, *trabalis*, *e*, adj.

1. pouvoir, v. intr. Etre en état de faire qqch. (En parl. de personnes.) *Posse*, intr. *Quire*; intr. Je —, c.-à-d. il m'est permis, *licet* ou *mihi licet* (av. l'Inf.). || (Spéc.) Pour exprimer une idée incertaine. L'idée de « pouvoir » se rend alors par le subj. (cf. *quis dubitet?* [« qui peut douter? »], *hic quaerat quispiam* [« on peut se demander ici »]). || Pour exprimer un souhait. Se rend par le subj. seul ou précédé d'*utinam* (cf. *vivas* ou *utinam vivas!* [« puisses-tu vivre! »]). || En parlant des choses. *Posse*, intr. ¶ Avec un complément indéterminé. *Posse*, intr. N'en — plus, *lassitudine esse confectum*.

2. pouvoir, s. m. Faculté qui met qqn en état de faire qqch. *Potestas*, *atis*, f. *Facultas*, *atis*, f. *Copia*, *ae*, f. Avoir

le — de, *posse* (av. l'Inf.). Il n'est plus en mon — de, *non est integrum mihi* (av. l'Inf.). De tout son —, *pro virili parte* ou *enixē*, adv. Que cela excédait son —, *id non sui juris esse.* || (Par ext.) Propriété que possède une chose. *Vis,* f. || (Spéc.) Droit d'agir pour un autre *et par ext.* acte qui donne ce droit. *Potestas, atis,* f. *Facultas, atis,* f. ¶ Empire qu'on a sur qqn, qqch. *Potestas, atis,* f. *Imperium, ii,* n. Avoir du —, *valēre,* intr. Au — de, *penes,* prép. (av. l'Acc.) Excès de —, *vis,* f. Abuser de son —, *licenter agĕre.* ¶ Autorité de celui qui gouverne l'Etat. *Potestas, atis,* f. *Imperium, ii,* n. S'emparer du —, *rerum potiri.*

prairie, s. f. Terrain semé de plantes fourragères. *Pratum, i,* n.

praticable, adj. Qu'on peut pratiquer. *Qui (quae, quod) effici potest.* Etre —, *fieri posse.* || (Spéc.) Où l'on peut passer. *Pervius, a, um,* adj. Les sentiers n'avaient jamais été —, *semitae nunquam patuerant.*

praticien, s. m. Homme de loi qui pratique les affaires. *Pragmaticus, i,* m. ¶ Médecin pratiquant. *Medicus arte insignis.*

pratique, adj. et s. f. || *Adj.* Qui a rapport à l'application, à l'action. *In usu positus. Activus, a, um,* adj. Connaissance —, *usūs, ūs,* m. Recherche —, *experimentum, i,* n. Exercice —, *exercitatio, onis,* f. Utilité —, *utilitas, atis,* f. Intelligence —, *prudentia, ae,* f. ¶ *S. f.* Application de certains principes. *Usūs, ūs,* m. *Res, rei,* f. La — et la théorie, *res et cogitatio.* — d'un art, *administratio artis.* La — de la médecine, *medicinae usus et tractatio.* Qui a la — de, *exercitatus, a, um,* p. adj. || (Par ext.) Pratiques religieuses. *Religiones, um,* f. pl. ¶ Emploi de certains moyens. *Usūs, ūs,* m. *Tractatio, onis,* . *Consuetudo, dinis,* f. — secrètes, *artes, ium,* f. pl. || (Spéc.) Manière d'agir en justice selon les règles de la procédure. *Exemplum, i,* n. Ce qui se fait dans la —, *quod exemplo fit.* ¶ Fréquentation de certaines personnes. *Usūs, ūs,* m. *Consuetudo, dinis,* f. Voy. COMMERCE.

pratiquement, adv. D'une manière pratique. *Usū,* abl. adv.

pratiquer, v. tr. Appliquer (certains préceptes). *Ad usum transferre (aliquid).* Par ext. — la médecine, *medicinam exercēre.* — les arts, *celebrāre artes.* — la justice, *justitiam colĕre.* — sa religion, *religionibus parēre.* ¶ Employer (certains moyens). *Uti,* dép. intr. (av. l'Abl.). Comme il se —, *ut fieri solet.* || (Spéc.) Employer des moyens condamnables. — des intelligences avec l'ennemi, *clandestina cum hostibus colloquia habēre.* || (Par anal.) Exécuter. — un chemin, *viam munire.* — une saignée, *sanguinem mittĕre.* — une

ouverture, *foramen facĕre.* ¶ Fréquenter certaines personnes. *Uti,* dép. intr.

pré, s. m. Terrain où poussent des herbes. *Pratum, i,* n.

préalable, adj. Qui doit précéder (qqch.) *Prior, us,* adj. || Loc. adv. Au —, *prius,* adv.

préalablement, adv. Avant de procéder à autre chose. *Prius,* adv.

préambule, s. m. Ce qui sert d'entrée en matière. *Praefatio, onis,* f. Faire un —, *proloqui,* dép. intr.

préau, s. m. Voy. COUR.

précaire, adj. Accordé sur requête. *Precarius, a, um,* adj. ¶ (P. ext.) Qui n'offre pas de garanties de durée. *Precarius, a, um,* adj.

précairement, adv. D'une manière précaire. *Precario,* adv.

précaution, s. f. Disposition prise pour se garantir de qqch. *Cautio, onis,* f. *Provisio, onis,* f. Prendre ses —, *cavēre,* intr.; *praecavēre,* intr.; *praevidēre,* tr. et intr. || (Par ext.) Action de prendre garde. *Circumspectio, onis,* f. Avec —, *cautē,* adv.; *consultē,* adv. Sans —, *incautē,* adv. ¶ Prévoyance qui fait prendre ces dispositions. Voy. CIRCONSPECTION. Avec —, *providenter,* adv.

précautionner, v. tr. Prévenir à l'aide de précautions. Voy. PRÉMUNIR. Se — de qqch., *providēre aliquid* (ou *alicui*).

précédemment, adv. Dans un temps qui a précédé. *Antea,* adv.

précédent, ente, adj. Qui précède. *Ante actus (a, um),* p. adj. *Prior, us,* adj. *Superior, us,* adj. *Proximus, a, um,* adj. || *Subst.* Un — (ce qui a eu lieu précédemment), *exemplum, i,* n.; *quod ante* (ou *supra*) *factum est.* Sans —, *sine exemplo.* || (Spéc.) Fait passé dont on s'autorise pour justifier un fait analogue. *Auctoritas, atis,* f. Un — judiciaire, *praejudicium, ii,* n.

précéder, v. tr. Aller devant (qqn, qqch.). *Praecedĕre,* tr. *Antecedĕre,* tr. *Praecurrĕre,* tr. || (Spéc.) Aller devant par droit de préséance. *Antecedĕre,* tr. ¶ Etre placé avant (qqn, qqch.). *Esse ante (aliquem, aliquid).* || (Fig.) Primer. *Antecedĕre,* tr. || Etre logiquement antérieur. *Antecedĕre,* intr. ¶ Venir avant (qqn, qqch.). *Antecedĕre,* tr. et intr. ¶ Précéder qqn, *c.-à-d.* arriver avant lui. *Antecedĕre,* tr.

précepte, s. m. Formule qui enseigne ce qu'on doit faire. *Praeceptum, i,* n. *Praescriptum, i,* n. *Praescriptio, onis,* f. *Lex, legis,* f. Donner des — sur l'éloquence, *praecipĕre de eloquentiā.*

précepteur, s. m. Celui qui enseigne. *Praeceptor, oris,* m.

prêche, s. m. Voy. PRÉDICATION.

prêcher, v. tr. Annoncer (la parole de Dieu). *Praedicāre,* tr. || Absolt. De rebus divinis dicĕre. — que..., *praedicāre* (avec l'Acc. et l'Inf.). [mot.

prêcheur, s. m. Prédicateur. Voy. ce

précieusement, adv. Comme il convient pour qqch. qui a du prix. *Dili-genter*, adv. *Magnâ curâ.* ¶ Avec préciosité. *Putidē*, adv.

précieux, euse, adj. Qui est d'un grand prix. *Pretiosus, a, um*, adj. *Carus, a, um*, adj. ¶ (Au fig.) *Carus, a, um*, adj. La gloire lui parut plus — que son royaume et ses biens, *antiquior ei fuit laus et gloria quam regnum et possessiones*. Pierre —, voy. PIERRERIE. ¶ Qui a une délicatesse raffinée. *Fastidiosus, a, um*, adj.

préciosité, s. f. Caractère précieux (qui a une délicatesse raffinée). Voy. AFFECTATION.

précipice, s. m. Pente, versant très escarpé. *Locus praeruptus* (ou *praeceps*). *Praeceps, cipitis*, n. ‖ (Fig.). Cause de ruine. *Praeceps, cipitis*, n. Etre au bord du —, *in lubrico versāri*. Qui court au —, *ad exitium praeceps*.

précipitamment, adv. D'une manière précipitée. *Nimis festinanter. Praepropere̅*, adv. *Trepide̅*, adv.

précipitation, s. f. Hâte excessive. *Nimia* (ou *praepropera*) *festinatio*, ou simpl. *festinatio, onis*, f.

précipiter, v. tr. Faire tomber brusquement d'un lieu élevé dans un fond. *Praecipitāre*, tr. et intr. *Dejicēre*, tr. *Detrudēre*, tr. *Deturbāre*, tr. ‖ (Fig.) Faire tomber tout à coup d'une situation élevée. *Praecipitāre*, tr. *Detrudēre*, tr. ‖ Faire tomber tout à coup dans une situation funeste. *Praecipitāre*, tr. et intr. ‖ (Spéc.) Faire retomber au fond du vase qui contient un liquide le corps solide qui s'y trouve en dissolution. *Deprimēre*, tr. Se — ou être précipité, *subsidēre*, intr. Un précipité, *quod desedit.* ¶ Faire aller impétueusement. *Impellēre*, tr. *Agēre*, tr. Se —, *praecipitāre*, intr.; *incurrēre*, intr.; *inferre se*, ou *inferri*. En parl. de cours d'eau. Se —, *ferri*, pass. moy. ‖ (P. ext. Hâter vivement. *Praecipitāre*, tr. *Praefestināre*, tr. Se —, *praecipitāre*, intr. Précipité, *praeceps* (Gén. -*cipitis*), adj.

préciput, s. m. Avantage stipulé par testament à l'un des héritiers. *Praecipuum, i*, n. *Praeceptio, onis*, f.

précis, ise, adj. Strictement circonscrit, déterminé. *Absolutus, a, um*, p. adj. *Definitus, a, um*, p. adj. *Circumscriptus, a, um*, p. adj. D'une manière —, *circumscriptē*, adv. Au jour —, *ipsâ die.* ‖ (En parl. du style.) *Pressus, a, um*, p. adj. *Aptus, a, um*, p. adj. ‖ (Subst.) Voy. ABRÉGÉ.

précisément, adv. D'une manière précise. *Pressē*, adv. *Disertē*, adv. *Maximē*, adv.

préciser, v. tr. Déterminer strictement. *Distinctē designāre.*

précision, s. f. Détermination stricte. *Subtilitas, atis*, f. — du style, *pressa oratio*, f. Avec —, *pressē*, adv.

précité, ée, adj. Précédemment cité. *Praedictus, a, um*, p. adj.

précoce, adj. Dont la maturité est hâtive. *Praecox* (gén. -*cocis*), adj.

précocité, s. f. Caractère de ce qui est précoce. *Maturitas praecox.*

préconçu, ue, adj. Conçu, admis d'avance, sans examen. *Praejudicatus, a, um*, p. adj. Avoir une opinion —, *opinionem mente jam concepisse.*

préconiser, v. tr. Louer publiquement. *Laudibus efferre* (ou *ornāre*) *aliquem.*

précurseur, s. m. Celui qui prépare la venue d'un autre. *Praecursor, oris*, m.

prédécéder, v. intr. Décéder avant un autre. *Mori ante aliquem.*

prédécesseur, s. m. Celui qui a précédé qqn dans un emploi, dans une fonction. *Decessor, oris*, m. (Dans un sens plus large.) *Qui ante vixerunt. Priores, um*, m. pl.

prédestination, s. f. Dessein de Dieu sur la destinée des hommes. *Praedestinatio, onis*, f.

prédestiner, v. tr. Destiner d'avance à qqch. *Praedestināre*, tr.

prédicateur, s. m. Celui qui prêche. *Praedicator, oris*, m.

prédication, s. f. Action de prêcher. *Praedicatio, onis*, f.

prédiction, s. f. Action de prédire. *Praedictio, onis*, f. *Vaticinatio, onis*, f. ¶ Chose prédite. *Praedictum, i*, n.

prédilection, s. f. Affection de préférence. *Praecipuus amor. Studium et amor.* Avoir, montrer de la — pour qqn, pour qqch., avoir une chose de —, *aliquem praeter ceteros amāre praecipuē studēre alicui rei.*

prédire, v. tr. Annoncer d'avance (l'avenir). ‖ Par un don prophétique. *Praedicēre*, tr. *Vaticināri*, dép. tr. *Canēre.* tr.

prédisposer, v. tr. Disposer d'avance qqn à qqch. *Praeparāre*, tr. Prédisposé à une maladie, *proclivis ad morbum.*

prédisposition, s. f. Etat de l'âme, du corps, qui prédispose à qqch. *Proclivitas, atis*, f.

prédominance, s. f. Action de ce qui prédomine. Voy. SUPÉRIORITÉ.

prédominant, ante, adj. Qui prédomine. Voy. SUPÉRIEUR.

prédominer, v. intr. Exercer l'action, l'influence principale. *Praevalēre*, intr.

prééminence, s. f. Supériorité de rang. *Praestantia, ae*, f.

préemption, s. f. Action d'acheter avant un autre. *Prior emptio.*

préétablir, v. tr. Etablir d'avance. *Ante constituēre.*

préexistant, ante, adj. Qui existe antérieurement (à qqch.). *Antecedens* (gén. -*entis*), p. adj.

préexistence, s. f. Caractère de ce qui préexiste. Voy. ANTÉRIORITÉ.

préexister, v. intr. Exister antérieurement (à qqch.). *Esse ante* (*aliquid*).

préface, s. f. Exposé préliminaire placé en tête d'un livre. *Praefatio, onis*, f. *Prooemium, ii*, n.

préfecture, s. f. Charge de préfet. *Praefectura, ae,* f.

préférable, adj. Qui doit être préféré. *Potior, us,* adj.

préférablement, adv. D'une manière préférable, de préférence. *Potissimum,* adv. *Potius,* adv. — à tous, *praeter ceteros.*

préférence, s. f. Action de préférer. *Praelatio, onis,* f. Donner la — à qqn, *primas* (ou *priores*) *partes alicui deferre* (ou *tribuère*); *aliquem anteponère* (ou *anteferre*). Donner la — à qqch., *aliquid potissimum probâre.* De —, *potius,* adv.; *potissimum,* adv.; *praecipuē,* adv.

préférer, v. tr. Aimer mieux. *Praeferre* tr. *Anteferre,* tr. *Praeponère,* tr. *Ante ponère,* tr. *Malle,* tr.

préfet, s. m. Celui qui est à la tête d'une circonscription déterminée. *Praefectus, i,* m.

préfixe, adj. Qui est placé avant. *Praepositus, a, um,* p. adj. Subst. Un —, *praeverbium, ii,* n.

préjudice, s. m. Tort causé à qqn par une personne, une chose. *Damnum, i,* n. *Detrimentum, i,* n. *Incommodum, i,* n. **préjudiciable**, adj. Qui peut faire tort à qqn, à qqch. *Damnosus, a, um,* adj. *Noxius, a, um,* adj. Etre — à qqn, *detrimento esse alicui.*

préjudiciel, *elle,* adj. Qui précède le jugement. *Qui* (*quae, quod*) *judicium antecedit.* Question —, *praejudicium, ii,* n. (Voy. NUIRE.

préjudicier, v. tr. Porter préjudice.

préjugé, s. m. Opinion qu'on se fait par avance. *Praejudicata opinio* ou (simpl.) *opinio, onis,* f. ¶ Opinion qu'on se fait sans examen. *Opinio praejudicata* (ou *temerē concepta*). Avoir des — contre qqn, contre qqch., *existimâre* (ou *opinâri male*) *de aliquo, de aliquâ re.* Sans —, *incorruptē,* adv.

préjuger, v. tr. Décider d'avance. *Praejudicâre,* tr. ¶ Juger par conjecture. Voy. CONJECTURER.

prélasser (se), v. pron. Se laisser aller nonchalamment. Voy. NONCHALANT.

prélat, s. m. Haut dignitaire ecclésiastique. *Praelatus, i,* m.

prélèvement, s. m. Action de prélever, *et, p. ext.,* ce qui est prélevé. *Praeceptio, onis,* f.

prélever, v. tr. Prendre une part sur le total avant tout partage. *Praecipère,* tr.

préliminaire, adj. et s. m. ‖ *Adj.* Qui précède, prépare l'objet principal. *Qui* (*quae, quod*) *praeit* (ou *antecedit*). Étude —, *meditatio, onis,* f. Discours —, voy. AVANT-PROPOS. ¶ *S. m.* Ce qui précède, prépare l'objet principal. Les — de la paix, *initia pacis.*

prélude, s. m. Ce qui annonce et prépare qqch. *Praelusio, onis,* f. *Prolusio, onis,* f. *Prooemium, ii,* n. ‖ (P. ext.) Courte introduction. *Prooemium, ii,* n. *Praelusio, onis,* f.

préluder, v. intr. Se préparer par quelque essai à ce qu'on veut faire. *Praeludère,* tr. et intr. (Fig.) *Proludère,* intr. ¶ Essayer sa voix, son instrument. *Praecinère,* intr.

prématuré, *ée,* adj. Développé trop tôt. *Praematurus, a, um,* adj. *Immaturus, a, um,* adj.

prématurément, adv. D'une manière prématurée. *Ante tempus. Immaturē,* adv.

préméditation, s. f. Action de préméditer. *Considerata excogitatio* (*aliquid faciendi*). Avec —, *consulto; de industriâ.* Fait avec —, *meditatus* (ou *cogitatus*), *a, um,* p. adj.

préméditer, v. tr. Décider d'avance (ce qu'on fera). *Praemeditâri,* dép. tr. Crime —, *meditatum et cogitatum scelus.*

prémices, s. f. pl. Premiers fruits de la terre que l'on offrait à la Divinité. *Primitiae frugum* ou simpl. *primitiae, arum,* f. pl.

premier, *ière,* adj. Qui vient en tête d'une série. (Dans le temps.) *Primus, a, um,* adj. — (de deux), *prior, us,* adj. Le — (du mois), *Kalendae, arum,* f. pl. Le — venu, *primus quisque; quivis* ou *quilibet.* Le — né, *maximus* (ou *major*) *natu.* A la — occasion, *ubi primum occasio* (ou *potestas*) *data est* (*erit,* etc.). A la — occasion favorable, *ubi primum opportunum fuit* (*erit,* etc.). Dès ses — pas, *ubi primum ingreditur* (*ingressus est,* etc.). ¶ (Dans l'espace.) *Primus, a, um,* adj. Qui tombe la tête la —, *praeceps* (gén. *-cipitis*), adj. ¶ (Quant au rang.) *Primus, a, um,* adj. *Prior, us,* adj. *Princeps* (gén. *-cipis*), ad. Causes —, *causae principales.* Le — rang, *principatûs, ûs,* m. Une chose de — nécessité, *res praeter ceteras necessaria.* Le — (après qqn), *secundus* (*ab aliquo*). Adv. En —, *priore* (ou *primo*) *loco.*

premièrement, adv. En premier lieu. *Primo,* adv.

prémisse, s. f. Chacune des deux premières propositions d'un syllogisme. *Sumptio, onis,* f. Les —, *quae sumpta sunt.*

prémunir, v. tr. Munir par précaution. *Praemunîre,* tr. Se —, *cavère aliquid* (ou *ab aliquâ re* ou *aliquâ re*). Se — contre le froid, *se a frigore defendère.* [*Expugnabilis, e,* adj.

prenable, adj. Qui peut être pris.

prendre, v. tr. et intr. ‖ (*V. tr.*) Mettre dans sa main, de manière à tenir; *et par anal.,* mettre sur son dos, tirer à soi. *Prehendère,* tr. *Apprehendère,* tr. *Comprehendère,* tr. *Accipère,* tr. *Sumère,* tr. *Tollère,* tr. Il prend une lumière et le suit, *tollit lumen et sequitur.* — qqn à la gorge, *alicui in fauces invadère.* — qqn en croupe, *accipère aliquem in equum suum.* — brusquement, voy. SAISIR, tr. ‖ (Par ext.) En se servant

d'un instrument. *Apprehendĕre*, tr.
Comprehendĕre, tr. ‖ (Au fig.) — son
courage à deux mains, *animum suum
confirmāre*. — (une chose) sur soi, *aliquid in se recipĕre; aliquid suscipĕre*. —
sur soi de…, voy. [se] CHARGER; [se]
RÉSOUDRE. — bien, mal qqch., *in
bonam* (*in malam*) *partem accipĕre aliquid*. — qqn par la douceur, *aliquem
tractāre clementer*. S'en — à qqn, *aliquem incusāre*. Ne savoir comment s'y
—, *haerēre*, intr. Comment m'y —?
quae ratio instituenda est! S'y — adroitement, *rem scitē aggredi*. — qqch. au
sérieux, *rem in serium vertĕre*. ¶ S'emparer de. *Capĕre*, tr. — à la chasse,
vendri, dép. tr. — d'assaut, voy.
ASSAUT. ‖ (Par anal.) — qqn au piège,
decipĕre, tr. ‖ (Par ext.) Se saisir de,
surprendre. *Prehendĕre*, tr. *Apprehendĕre*, tr. *Comprehendĕre*, tr. *Deprehendĕre*, tr. ‖ Oter, enlever. *Demĕre*, tr.
Eximĕre, tr. Voy. OTER. ‖ Dérober,
Capĕre, tr. ‖ Usurper. *Capĕre*, tr. *Occupāre*, tr. *Arripĕre*, tr. ¶ Se pourvoir de.
Emĕre, tr. *Sumĕre*, tr. *Capĕre*, tr. —
des leçons, *aliquem audire* (*magistrum*).
‖ (Par ext.) — jour sur une cour, *ab
aulā lumen accipĕre*. — pied, *consistĕre*, intr. — terre, voy DÉBARQUER. —
racine, *radices agĕre*. ‖ S'adjoindre qqn.
Capĕre, tr. *Accipĕre*, tr. *Recipĕre*, tr.
Sumĕre, tr. *Assumĕre*, tr. *Adjungĕre*
(*sibi*), tr. — femme, un mari, voy. [SE]
MARIER. — qqn à partie, voy. PARTIE.
— les dieux à témoin, *testāri deos*. —
qqn pour (c.-à-d. à la place de), *aliquem
ducĕre pro* (Abl.). Pour qui me prends-tu? *qualem esse me ducis?* ‖ (Par ext.)
Recevoir, accepter. *Capĕre*, tr. *Accipĕre*, tr. ‖ Absorber. *Capĕre*, tr. *Sumĕre*, tr. *Sorbĕre*, tr. — de la nourriture, *cibum capĕre*. Faire — qqch. à
qqn, *alicui aliquid potandum praebĕre*. —
Contracter. *Contrahĕre*, tr. — mal,
contrahĕre morbum. — habitude de
qqch., *consuetudinem asciscĕre alicujus
rei*. ‖ (P. anal. *Concipĕre*, tr. — feu,
concipĕre ignem. — un goût amer,
amaritudinem concipĕre. — des forces,
vires colligĕre. ¶ Mettre en œuvre, en
usage, *Sumĕre*, tr. — ses chaussures,
calceos sumĕre. — un siège, *in sellā
sedēre*. ¶ (*V. intr.*) Se figer. *Coagulāri*,
pass. Faire —, *coagulāre*, tr. Le fleuve
est —, voy. GELER. ¶ Produire son
effet. Le feu a pris, voy. S'ALLUMER. ‖
(Par ext.) Réussir. La mode a —,
mos percrebruit. Bien nous en prend
de…, *agitur praeclarē, si*…

preneur, *euse*, s. m. et f. Celui, celle
qui prend. *Qui* (*quae*) *capit* (*captat* ou
expugnat).

prénom, s. m. Nom qui précède le
nom de famille. *Praenomen, inis*, n.

préoccupation, s. f. Souci qui absorbe
qqn. *Sollicitudo, dinis*, f. *Cura, ae*, f.

préoccuper, v. tr. Occuper (l'esprit)
d'une idée (le cœur) d'un sentiment

préconçu. *Praeoccupāre*, tr. ¶ Absorber
par un souci. *Occupāre animum* ou
simpl. *occupāre*, tr. Ce souci me préoccupe, *ea cura me sollicitat*. Se — de,
curāre (*aliquid*). Etre préoccupé, *in
cogitatione defixum esse*. Préoccupé,
defixus in cogitationibus.

préopinant, s. m. Celui qui préopine.
Qui primus, quae prima (ou *ante aliquem*) *sententiam dicit*.

préopiner, v. intr. Exprimer son opinion avant un autre. *Sententiam ante
aliquem dicĕre*.

préparatif, s. m. Ce qu'on fait pour
préparer qqch. *Paratŭs, ūs*, m. *Apparatŭs, ūs*, m. (au sing. coll. et au plur.).
Faire des —, *apparāre*, tr.

préparation, s. f. Action de préparer
(qqch.). *Praeparatio, onis*, f. *Apparatio,
onis*, f. — de la guerre, *belli apparatus*
(au sing. coll.). ‖ (Par ext.) Chose préparée. — culinaire, *conditura, ae*, f. —
pharmaceutique, *medicamentum, i*, n.
¶ Action de préparer (qqn). *Praeparatio,
onis*, f. Avec —, *paratē*, adv. Sans —,
ex tempore. [(*quae, quod*) *praeparat*.

préparatoire, adj. Qui prépare. *Qui
préparer*, v. tr. Mettre en état de
remplir sa destination. *Parāre*, tr.
Apparāre, tr. *Comparāre*, tr. — (par
l'étude), *meditāri*, dép. tr. Qui n'est
pas préparé, *imparatus, a, um*, adj. ‖
(Fig.) — à qqn bien des tracas, *multum
negotii alicui concinnāre*. — des embûches, *alicui insidias comparāre*. Se —
(des désagréments), *sibi concitāre* (*conflāre* ou *contrahĕre*) *aliquid*. ¶ Acheminer à une réalisation prochaine. *Parāre*,
tr. *Apparāre*, tr. *Comparāre*, tr. ¶
Amener progressivement. — les événements, *res praemolīri*. ‖ (Spéc.) Disposer qqn avec ménagement. *Comparāre*, tr.

prépondérance, s. f. Supériorité d'autorité, d'influence. *Major auctoritas*
ou simpl. *auctoritas, atis*, f. Avoir la —,
plus valēre.

prépondérant, *ante*, adj. Qui l'emporte en autorité, en influence. *Major,
us*, adj. *Gravior, us*, adj. Etre —, *pollēre*, intr.; *plus valēre* (*quam*)… Motif
—, *momentum, i*, n.

préposer, v. tr. Mettre devant. *Praeponĕre*, tr. ¶ (Fig.) Placer à la direction de qqch. *Praeponĕre*, tr. *Praeficĕre*, tr. — qqn à la garde de…, *custodiam* (*alicujus rei*) *alicui credĕre*. Etre
— à, *praeesse* (*alicui rei*). Préposé, *praefectus, i*, m.

préposition, s. f. Partie du discours
invariable qui se place devant un
nom, etc. *Praepositio, onis*, f.

prérogative, s. f. Droit attaché à certaines conditions privilégiées. *Jus
praecipuum* ou simpl. *praecipuum, i*, n.

près, adv. A très petite distance.
Prope, adv. Plus —, *propius*, adv.
Tout —, *juxta*, adv. A peu —, *prope*,
adv. A peu de chose —, *haud multo*

secus. A beaucoup —, *longe abest.* A cela —, *hoc detracto.* A cela — que, *praeterquam quod...* || (Loc. adv.) DE PRÈS. *Prope,* adv. (on dit aussi *ex propinquo, ex propinquitate*). *Comminus.* adv. De plus —, *propius,* adv. De très —, *proximē,* adv. Suivre de —, *subsequi,* dép. tr. Serrer de — l'ennemi, *urgēre hostem.* Fig. Regarder de —, *diligenter inspicēre.* Surveiller qqn de très —. *aliquem acerrimē asservāre.* || (Loc. prép.) PRÈS DE. (Dans l'espace.) *Prope,* prep. (avec l'Acc.). — de là *propter,* adv. Plus — de, *propius* (prép. |av. l'Acc.!). Très —, le plus —, *proximē,* adv. et prép. Tout —, *propter,* prép. (av. l'Acc.); *juxta,* prép. (av. l'Acc.). || (Dans le temps.) *Prope,* prép. (av. l'Acc.). Il y a — de dix ans, voy. ENVIRON. Etre — de (av. l'Inf.), *prope esse.* Il était — d'être repoussé, *jam prope erat, ut pelleretur.* || (Pour désigner le nombre.) Voy. ENVIRON. || (Le degré.) *Prope,* adv. et prép. || En comparaison de. Voy. COMPARAISON.

présage, s. m. Signe où l'on voit l'annonce d'un événement futur. *Signum, i, n. Portentum, i, n. Ostentum, i, n.* — (fourni par les oiseaux), *augurium, ii, n.; auspicium, ii, n.* — (bon ou mauvais), *omen, inis, n.* — de malheur, *prodigium, ii, n.* ¶ Annonce tirée d'un présage. *Omen, inis, n.* || (P. ext.) Conjecture tirée d'un fait. *Omen, inis, n.*

présager, v. tr. Annoncer par qq. signe (un événement futur). *Portendēre,* tr. *Omināri,* dép. tr. *Praemonēre,* tr. *Significāre,* tr. || (Par ext.) Faire conjecturer. *Portendēre,* tr. Voy. ANNONCER. ¶ Conjecturer. *Praesagīre,* tr. *Augurāri,* dép. tr.

presbytère, s. m. Maison du prêtre, du curé. *Praesbyteri domus.*

prescience, s. f. Connaissance (par Dieu) des choses futures. *Provisio, onis, f. Providentia, ae, f.* Avoir la —, *praecognoscēre,* tr.

prescription, s. f. Ordre formulé. *Praescriptio, onis, f. Praeceptum, i, n.* — religieuses, *religiones, um, f.* pl. ¶ Libération d'une dette, etc. par un certain laps de temps écoulé. *Praescriptio, onis, f.*

prescrire, v. tr. Ordonner par une formule expresse. *Praescribēre,* tr. *Praecipēre,* tr. ¶ Abroger par prescription. *Vetustate infirmāre.*

préséance, s. f. Droit de prendre place au-dessus de qqn, de passer avant lui dans une cérémonie. *Primus* (ou *prior locus*). Avoir la —, *praesidēre,* intr.; *praeesse,* intr.

présence, s. f. Le fait d'être dans un lieu avec qqn qui y vient ou s'y trouve. *Praesentia, ae, f. Conspectūs, ūs,* m. En ma —, *me praesente.* Mettre qqn en — de qqn, *adducēre aliquem in conspectum alicujus.* — assidue, *assiduitas, atis,* f. — (de nombreuses per-

sonnes), *frequentia, ae,* f. En — de, *coram,* adv. et prép. (prép. av. l'Abl.); *apud,* prép. (av. l'Acc.). ¶ (Spéc.) Résidence. Voy. ce mot. || (Par ext.) En parl. des choses. *Conspectūs, ūs,* m. En — du danger, etc. voy. FACE. || (Fig.) Présence d'esprit. *Praesens animus.*

1. présent, *ente,* adj. et s. m. || *Adj.* Qui est dans un lieu, quand qqn y vient ou s'y trouve. *Praesens* (gén. *-entis*), adj. Etre —, *adesse,* intr. Etre — à, voy. ASSISTER. Fig. Etre — (aux yeux), *ante* (ou *ob*) *oculos versāri; obversāri,* dép. intr. Avoir l'esprit —, *animo esse praesenti; animo adesse.* Mémoire —, *memoria praesens.* ¶ Qui a lieu, qui existe dans la partie de la durée où l'on est. *Praesens* (gén. *-entis*), adj. *Hic, haec, hoc,* pron. dém. || (Loc. adv.) A —, *in praesentiā; hoc tempore.* Les hommes d'à —, *homines hujus temporis.* Jusqu'à —, *ad hoc tempus.* ¶ S. m. La partie de la durée où l'on est. *Praesens tempus. Nostra tempora.* || (Spéc.) Gramm. Temps du verbe qui exprime le moment de la durée où l'on est. *Tempus praesens* (ou *instans*).

2. présent, s. m. Ce qu'on offre en don à qqn. *Donum, i, n. Munus, neris, n.* Faire —, *donāre,* tr.

présentable, adj. Voy. CONVENABLE.

présentation, s. f. Action de présenter (une chose, une personne). || Une chose. *Traditio, onis,* f. || Une personne. *Admissio, onis,* f. La — d'un candidat à un poste vacant, *designatio, onis,* f.

présentement, adv. A l'heure présente. Voy. MAINTENANT.

présenter, v. tr. Mettre une chose devant qqn pour qu'il la prenne. *Porrigēre,* tr. *Offerre,* tr. *Dāre,* tr. *Praebēre,* tr. || (Par anal.). — ses compliments, *affāri aliquem.* || Opposer, tendre. Voy. ces mots. ¶ (Fig.) Offrir. *Offerre,* tr. *Afferre,* tr. *Habēre,* tr. *Exhibēre,* tr. *Praebēre,* tr. — la bataille à l'ennemi, *copiam* (ou *potestatem*) *pugnandi hostibus facēre.* — le flanc à l'ennemi, *hostibus dāre latus.* Se —, *offerri,* pass.; *obversāri,* dép. intr.; *occurrēre,* intr. Ce qui se — bien, *quae bona videntur.* ¶ Mettre (une personne) devant qqn pour qu'il la voie, l'accueille, etc. *Producēre,* tr. Se — (en justice), *respondēre,* abs.; *sistēre se* (ou *vadimonium sistēre*). Ne pas se — à l'appel, *ad nomina non respondēre* (en parl. des soldats).

préservateur, *trice,* adj. Qui préserve. Qui (*quae, quod*) *servat.*

préservatif, *ive,* adj. Qui a la vertu de préserver. *Ad servandum aptus.* || (Fig.) Voy. REMÈDE.

préservation, s. f. Action de préserver. *Defensio, onis,* f.

préserver, v. tr. Garantir de l'atteinte d'un mal. *Servāre,* tr. *Defendēre,* tr.

(souvent avec un autre verbe, ex. : *tuēri et defendĕre, defendĕre et protegĕre*). Prohibĕre, tr. Les dieux nous en préservent! *dii averruncent!* Préservé de, *tutus, a, um*, adj.; *intactus, a, um*, adj. Se — de qqch., *cavēre ab aliquā re*.

présidence, s. f. Action de présider. Avoir la — de…, *praesidĕre*, intr.; *praeesse*, intr. (av. le Dat.).

président, s. m. Celui qui préside. *Praeses, sidis*, m. — des jeux publics, *dominus, i*, m. — du sénat, *princeps senatūs*. Le — d'un tribunal, *qui judicio praeest*.

présider, v. intr. et tr. || (*V. intr.*) Diriger les travaux, les délibérations d'une assemblée. *Praeesse*, intr. (av. le Dat.). ¶ Avoir la haute direction. *Praesidĕre*, intr. *Praeesse*, intr. ¶ (*V. tr.*) Diriger les travaux, les délibérations d'une assemblée. — un tribunal, *judicio praeesse*.

présomptif, *ive*, adj. Indiqué d'avance. Héritier — du trône, *proximus successioni regni*.

présomption, s. f. Action de présumer qqch. *Suspicio, onis*, f. *Opinio, onis*, f. *Opinatio, onis*, f. ¶ Action de trop présumer de soi. *Confidentia, ae*, f.

présomptueusement, adv. D'une manière présomptueuse. *Arroganter*, adv.

présomptueux, *euse*, adj. Qui présume trop de soi. *Nimium sibi placens*. Un langage —, *sermo arrogantiae plenus*. || Subst. Un —, *arrogans homo*. Une —, *arrogans mulier*.

presque, adv. A peu près. *Prope*, adv. *Paene*, adv. *Ferē*, adv. *Fermē*, adv. (Dans les comptes, les énumérations), *ad* (et l'Acc.). — toujours, *ferē*, adv. *fermē*, adv.

presqu'île, s. f. Terre tenue au continent par un seul côté. *Paeninsula, ae*, f.

pressant, *ante*, adj. Qui appuie en serrant fortement Voy. PRESSER. || (Au fig.) Qui serre, poursuit, etc. sans relâche. *Instans* (gén. *-antis*), p. adj. *Gravis. e*, adj Sur ma — prière, *orante me atque obsecrante*. D'une manière —, voy. INSTAMMENT. Etre, se montrer — *instāre*, intr.; *urgēre*, abs. ¶ Qui pousse à agir sans délai. *Instans* (gén. *-antis*), p. adj. *Praesens* (gén. *-entis*), adj. Nécessité —, *necessitas, atis*, f.

presse, s. f. Action de presser. Tenir qqch. en —, *aliquid compressum tenēre*. || (Par ext.) Foule où l'on se presse les uns les autres. *Turba confertissima*. || (Spéc.) Enrôlement forcé. Se procurer des soldats, des matelots par la —, *adulescentes cogĕre, ut militent; nautas ad delectum rapĕre*. ¶ Machine à presser. *Prelum, i*, n. ¶ Action de se presser de faire qqch. *Festinatio, onis*, f. *Impatientia morae*. Fig. Il n'y a pas de —, *non tanti est (aliquid facĕre)*.

pressentiment, s. m. Sentiment non raisonné, qui fait attendre, craindre,

espérer qqch. *Praesagitio, onis* f. *Praesensio, onis*, f. *Divinatio, onis*, f. Avoir un —, des —, *praesagire*, abs.; *praesentire*, tr.

pressentir, v. tr. Attendre *et, p. ext.*, entrevoir. *Praesentīre*, tr. *Praesagire*, tr. Faire —, *portendĕre*, tr. ¶ Pressentir qqn (chercher à entrevoir ses intentions). Voy. SONDER.

presser, v. tr. et intr. Serrer en appuyant fortement. Première, tr. *Opprimĕre*, tr. *(aliquid manu)*. — une éponge, *spongiam exprimĕre*. Se — contre qqn, *se ad aliquem applicāre*. (Spéc.) Soumettre à l'action d'une presse, d'un pressoir. Première, tr. || (Au fig.) Première, tr. || (Par anal.) Presser qqn dans ses bras, voy. EMBRASSER, SERRER. Etre pressé (en parl. d'une foule, etc.), *stipāri*, passif. Foule pressée, *conferta multitudo*. || (Par anal.) Première, tr. Urgēre, tr. Pressé, *densus, a, um*, adj.; *creber, bra, brum*, adj. || (Au fig.) Première, tr. *Opprimĕre*, tr. *Urgēre*, tr. ¶ Attaquer en serrant de près. Première, tr. *Urgēre*, tr. *Instāre*, intr. — vivement l'ennemi, *instāre acrius hostibus*. || (Au fig.) Première, tr. *Urgēre*, tr. *Instāre*, intr. — qqn de questions, *urgēre aliquem interrogando*. Les créanciers devenant pressants, *instantibus creditoribus*. || (Spéc.) Enrôler de force. Voy. 1. PRESSE. ¶ (Au fig.) Pousser vivement (qqn) à faire qqch. *Incitāre*, tr. *Instigāre*, tr. *Instāre*, intr. *(alicui)* : absol. *te instante, faciam).* — qqn de faire, *etiam atque etiam rogāre aliquem, ut faciat…* ¶ (Par ext.) Hâter vivement. *Accelerāre*, tr. *Festināre*, tr. *Incitāre*, tr. Se —, *festināre*, intr.; *properāre*, intr. En se pressant, *properē*, adv. Pressé, *citus, a, um*, adj.; *incitatus, a, um*, p. adj. Etre pressé, *festināre*, intr. Je n'eus rien de plus pressé que de…, *nihil mihi fuit potius quam ut…* (av. le Subj.). ¶ Intr. Etre urgent. *Urgēre*, abs. *Instāre*, intr. Affaire qui presse *ou* (au part. passé) affaire pressée, *res non differenda, ou quae dilationem* (ou *cunctationem*) *non recipit*. Cela me presse pas, *res habet moram*.

pression, s. f. Action de presser. *Pressūs, ūs*, m. *Pressura. ae*, f. Faire *ou* exercer une — sur, première, tr. || (Fig.) Voy. CONTRAINTE.

pressoir, s. m. Machine à presser. *Torcular, aris*, n. *Torculum, i*, n. *Prelum, i*, n. Mettre sous le —, *prelo* (dat.) *subjicĕre*. Lieu où se trouve le —, *torculum, i*, n.

pressurage, s. m. Action de pressurer. *Pressura, ae*, f.

pressurer, v. tr. Presser (du raisin, etc.). *Prelo* première *ou* simpl. première, tr. *Exprimĕre*, tr. || (Fig.) Accabler (le peuple) d'impôts. *Multitudine tributorum* première.

prestance, s. f. Extérieur imposant.

Forma ad dignitatem apposita, ou simpl. *forma, ae*, f.

prestation, s. f. Action de fournir. Voy. FOURNITURE, DISTRIBUTION. || (Spéc.) Redevance. *Praestatio vectigalium.* — en nature, *suggera, ae*, f. ¶ Action de prêter. — de serment, *jusjurandum, jurisjurandi*, n.   [PROMPT.

preste, adj. Voy. AGILE, ALERTE, LESTE

prestement, adv. D'une manière preste. *Strenuè*, adv.

prestesse, s. f. Agilité dans les mouvements, dans les actes. *Agilitas, atis*, f.

prestidigitateur, s. m. Voy. ESCAMOTEUR.

prestidigitation, s. f. Voy. ESCAMOTAGE.

prestige, s. m, Ce qui frappe par le merveilleux. *Praestigia, ae*, f. et ordin. *praestigiae, arum*, f. pl.

prestigieux, *euse*, adj. Qui opère des prestiges. Voy. ÉBLOUISSANT, TROMPEUR. ¶ Qui a du prestige. *Splendidus, a, um*, adj. Style, — *praestigias verborum* (ou *orationis*).

présumer, v.i tr. Croire (qqch.) sur une probabilité. *Suspicāri*, dép. tr. *Conjicěre*, tr. *Existimāre*, tr. *Opināri*, dép. tr. ¶ Croire (qqch.) de qqn. *Opināri*, dép. intr. Trop — de soi-même, *sibi confidère*.

présure, s. f. Matière acide dont on se sert pour cailler le lait. *Coagulum, i*, n.

1. **prêt**, *éte*, adj. Entièrement préparé. *Paratus, a, um*, p. adj. Tout —, *promptus, a, um*, adj.: *expeditus, a, um*, p. adj. Tenir — qqch., *aliquid paratum habēre*. ¶ Prêt à (qui est sur le point de). Voy. POINT.

2. **prêt**, s. m. Action de prêter qqch. à qqn. A titre de —, *mutuo*. Faire un — à qqn, voy. PRÊTER. || Chose prêtée. *Creditum, i*, n. *Commodum, i*, n. || Argent prêté. *Pecuniae creditas*.

prétendant, s. m. Celui qui prétend avoir des droits à régner. *Aemulus regni* (ou *imperii*). Les — au trône, *qui inter se de regno contendunt*. Etre —, *regnum affectāre*. ¶ Celui qui prétend à la main d'une femme. *Procus, i*, m. *Petitor, oris*, m.

prétendre, v. tr. et intr. || (*V. tr.*) Affirmer fermement. *Contendère*, tr. *Defendère*, tr. *Affirmāre*, tr. *Confirmāre*, tr. — que ne... pas..., *negāre*, tr. (av l'Acc. et l'Inf.). Prétendu, *qui (quae, quod) videtur* (ou *dicitur*). De prétendus dieux, *commenticii dii*. ¶ Vouloir fortement. *Velle*, tr. *Sibi sumère*. ¶ Poursuivre ouvertement. || (Une chose à laquelle on dit avoir droit.) *Poscère*, tr. *Postulāre*, tr. || (Une chose à laquelle on aspire.) *Affectāre*, tr. Le prétendant, *procus, i*, m. ¶ (*V. intr.*) Aspirer ouvertement. *Affectāre*, tr.

prétentieux, *euse*, adj. Qui affiche certaines prétentions. *Ambitiosus, a, um*, adj. *Putidus, a, um*, adj. Etre —, *nimium sibi tribuère.*

prétention, s. f. Action de prétendre à qqch., comme y ayant droit. *Postulatio, onis*, f. Avoir des — sur, *postu'lāre*, tr. || Action de prétendre à qq. avantage, de s'en flatter. *Affectatio-onis*, f. Avoir des — à, *affectāre*, tr. Qui a des —, qui affiche certaines —, voy. PRÉTENTIEUX. Sans —, *minimè ambitiosus.*

prêter, v. tr. et intr. || (*V. tr.*) Mettre à la disposition de qqn. *Dăre*, tr. *Praebēre*, tr. *Commodāre*, tr. — main forte à qqn, *alicui opem* (ou *auxilium*) *ferre*. — son appui à qqn, *alicui subsidium ferre*. Se —, *accommodāre se; obsequi*, dép. intr. Se — aux désirs de qqn, *morem gerère alicui*. Se — à tout, *ad omnia descendère*. Qui se prête à —, voy. PRÊT, DISPOSÉ. Sujet qui ne se — pas à de longs développements, *quae res non longâ explicatione eget.* ¶ (Spéc.) Mettre (qqch.) à la disposition de qqn pour un temps, après lequel il doit le rendre. *Commodāre*, tr. (on dit aussi : *alicui aliquid utendum dăre* ou *tradère*). — à qqn (de l'argent), *alicui pecuniam mutuam dăre*. — à qqn sur parole, *pecuniam alicujus fide credère*. — à intérêts, *fenerāre*, tr.: *fenerāri*, dép. tr. || (Par ext.) Attribuer gratuitement qqch. à qqn. *Tribuère*, *Transferre*, tr. Il prêtait aux dieux les faiblesses humaines, *humāna ad deos transferebat*. ¶ (*V. intr.*) Fournir matière à qqn. *Dare locum (alicui rei).*

préteur, s. m. Magistrat romain. *Praetor, oris*, m. De —, *praetorius, a, um*, adj. Ancien —, *praetorius, ii*, m.

prêteur, *euse*, s. m. et f. Celui, celle qui prête. *Commodator, oris*, m. — sur gages, *oppignerator, oris*, m. Prêteuse, *quae mutuum dat.*

1. **prétexte**, s. m. Motif spécieux mis en avant pour cacher le motif réel d'une action. *Causa, ae*, f. *Species, ei*, f. *Simulatio, onis*, f. Donner comme ou pour —, voy. PRÉTEXTER.

2. **prétexte**, s. f. Vêtement blanc bordé de pourpre (des patriciens et des magistrats). — *et, p. appos.,* robe —, *toga praetexta* et simpl. *praetexta, ae*, f. Vêtu de la —, *praetextatus, a, um*, adj.

prétexter, v. tr. Prendre pour prétexte. *Praetexère*, tr. *Causāri*, dép. tr. — faussement, voy. FEINDRE. — (comme excuse), *excusāre* (*valetudinem*); *excusatione uti* ou *causam interponère* (*valetudinis*). — son âge, *aetatem afferre*. — qqch. (pour dissimuler), *obtendère aliquid* (*alicui rei*).

prétoire, s. m. Tribunal du préteur. *Praetorium, ii*, n. ¶ Garde de l'empereur. *Praetorium, ii*, n.

prétorien, *enne*, adj. Relatif au préteur. *Praetorius, a, um*, adj.

prêtre, s. m. Celui qui préside au culte divin. (En général.) *Sacerdos, otis*, m. || (Spéc.) Prêtre catholique. *Presbyter, eri*, m.

prêtresse, s. f. Femme présidant au culte d'une divinité. *Sacerdos, otis*, f. Première —, *antistita, ae*, f.

prêtrise, s. f. Dignité de prêtre. *Sacerdotium, ii*, n.

préture, s. f. Charge, fonction de préteur. *Praetura ae*, f.

preuve, s. f. Ce qui sert à établir qu'une chose est vraie. *Probatio, onis*, f. *Approbatio, onis*, f. *Argumentum, i*, n. *Fides, ei*, f. *Documentum, i*, n. — écrites, *litterarum testimonia*. Faire la preuve de son savoir faire, *documentum sui dăre*. — par démonstration, *argumentatio, onis*, f. — par témoignage, *testificatio, onis*, f. Donner, faire la —, voy. PROUVER, DÉMONTRER. Faire — de, voy. MONTRER.

prévaloir, v. intr. Remporter l'avantage (sur qqn ou qqch.). *Vincĕre (aliquem, aliquid)*. *Superāre (aliquid)*. Absolt. *Praevalēre*, intr. *Vincĕre*, intr. *Plus valēre*. Faire —, *obtinēre*, tr. Faire — son opinion, *obtinēre*, tr. Se — de qqch. (prétendre en tirer avantage), *sibi assumĕre aliquid*.

prévaricateur, *trice*, s. m. et f. Celui, celle qui prévarique. *Praevaricator, oris*, m.

prévarication, s. f. Action de prévariquer. *Praevaricatio, onis*, f.

prévariquer, v. intr. S'écarter de la justice. *Praevaricāri*, dép. intr.

prévenance, s. f. Qualité, action. de celui qui se montre prévenant. *Officiosa voluntas. Officium, ii*, n. *Observantia, ae*, f.

prévenant, *ante*, adj. Qui a su au devant de ce qui peut plaire aux autres. *Officiosus, a, um*, adj. (*in aliquem*). *Obvius, a, um*, adj.

prévenir, v. tr. Devancer (qqn) dans une action. *Praevenire*, tr. *Antevenire*, tr. *Praecurrĕre*, tr. *Occupāre*, tr. *Praeoccupāre*, tr. Je l'ai —, *id facĕre prior coepi; id facĕre occupavi*. ‖ (Fig.) Devancer l'effet de qqch. *Praevenire*, tr. *Praecurrĕre*, tr. *Praevertĕre*, tr. ¶ Disposer d'avance qqn dans un sens favorable ou défavorable. *Occupāre*, tr. — qqn contre qqn, *aliquem* (ou *alicujus animum*) *alienum reddĕre* (ou *alienāre*) *ab aliquo*. Avec un esprit non prévenu, *integro animo ac libero*. ‖ (Par ext.) T. de droit. Etre prévenu d'un délit ou d'un crime, *reum esse*. Un prévenu, *reus, i*, m. Une —, *rea, ae*, f. ¶ Avertir d'avance qqn. *Praemonēre*, tr. Voy. AVERTIR.

prévention, s. f. Etat d'un esprit disposé d'avance en sens favorable ou défavorable. *Praeceptio, onis*, f. Sans —, *animo integro ac libero*. — favorable, *favor, oris*, m. — défavorable, *invidia, ae*, f. Avoir des — contre qqn, *alienatum* (ou *aversum*) *esse ab aliquo*. ¶ (Droit). Situation de celui qui est prévenu d'un délit ou d'un crime.

Reatŭs, ûs, m. Mettre qqn en état de —, *reum facĕre aliquem.*

prévision, s. f. Action de prévoir. *Provisio, onis*, f.

prévoir, v. tr. Concevoir d'avance (ce qui doit arriver). *Praevidēre*, tr. (*Mente* ou *cogitatione*) *providēre* ou *prospicĕre*, tr. — de loin, *multo ante prospicĕre*, *vidēre* ou *praesentire aliquid*. Prévu, *praemeditatus, a, um*, p. adj.

prévôt, s. m. Agent du roi, du seigneur, etc. *Praepositus, i*, m. *Praefectus, i*, m.

prévoyance, s. f. Faculté de prévoir. *Providentia, ae*, f. *Provisio, onis*, f. Agir avec —, *multum providēre*. Avoir plus de —, *plus vidēre*. Avec —, *providenter*, adv.; *prudenter*, adv.

prévoyant, *ante*, adj. Qui prévoit. *Providus, a, um*, adj.

prier, v. tr. Adorer la divinité en lui demandant une grâce *ou* en lui rendant grâces. *Precāri*, dép. tr. *Supplicāre* (« adresser des prières publiques aux dieux »), intr. ¶ Presser (qqn) d'accorder qqch. *Precāri*, dép. tr. (*aliquid ab aliquo*). *Deprecāri*, dép. tr. (*aliquem; patres, ne festinarent*). *Orāre* (« parler en suppliant, prier »), tr. *Rogāre*, tr. ¶ Inviter. Voy. ce mot.

prière, s. f. Action de prier Dieu. *Precatio, onis*, f. *Prez, precis*, f. (ordin. au plur. *preces, precum*), f. — solennelles et publiques, *supplicatio, onis*, f. Adresser une *ou* des — aux Dieux, *precari deos; supplicāre diis*. ¶ Action de presser qqn d'accorder qqch. *Preces, precum*, f. pl. (au sing. usité seulement au Dat. à l'Acc. et à l'Abl.). *Rogatio, onis*, f. Sur ma —, *rogatu* (ou *oratu*) *meo*. Faire, adresser une — (pour obtenir qqch.), voy. PRIER. Qu'on ne doit qu'à la —, *precarius, a, um*, adj. Par la —, *precando*, adv. — pressante, *instante, obtestatio, onis*, f.; *obsecratio, onis*, f. Humbles —, *supplicia verba*.

primaire, adj. L'enseignement —, *disciplina quā prima litterarum initia traduntur.*

primauté, s. f. Premier rang. *Principatŭs, ûs*, m.

1. prime, adj. Premier. — jeunesse, *prima aetas*. De — abord, voy. ABORD.

2. prime, s. f. Encouragement pécuniaire donné par l'Etat. *Praemium, ii*, n.

1. primer, v. tr. Tenir le premier rang. *Principatum tenēre* (ou *obtinēre*). *Primas* (s.-e. *partes*) *ferre* (ou *tenēre*). Etre primé par..., *praeponderāri*, pass.

2. primer, v. tr. Gratifier d'une prime. Voy. RÉCOMPENSER.

primeur, s. f. Caractère de ce qui est tout à fait nouveau. *Novitas, atis*, f. Avoir la — de qqch., *praecipĕre aliquid oculis*. ¶ Apparition de légumes, de fruits avant la saison. Voy. PRÉCOCITÉ. ¶ Légumes, fruits hâtifs. *Nova poma*.

primevère, s. f. Printemps. Voy. ce mot. ¶ Plante du printemps. *Primula veris.*

primitif, ive, adj. Qui a paru à l'origine et en garde un certain caractère. *Primus, a, um,* adj. [Voy. ORIGINE.]

primitivement, adv. A l'origine.

primogéniture, s. f. Aînesse. Voy. ce mot. [*Primigenus, a, um,* adj.

primordial, ale, adj. Qui sert d'origine.

prince, princesse, s. m. et f. Celui, celle qui possède une souveraineté ou qui est d'une maison souveraine. *Princeps, cipis,* m. *Rex, regis,* m. Un petit —, *regulus,* i, m. De —, *regius, a, um,* adj. En —, *principis more.* Princesse (la femme du prince), *conjux* (ou *uxor*) *principis.* — royale (fille de roi), *virgo regia.*

princier, ière, adj. Qui appartient à un prince ou une princesse. *Regius, a, um,* adj. *Regalis, e,* adj. ¶ (Fig.) Digne d'un prince. *Principe* (ou *rege*) *dignus.*

principal, ale, adj. et s. m. ‖ *Adj.* Le plus important. (En parl. des personnes.) *Primus, a, um,* adj. *Primarius, a, um,* adj. *Praecipuus, a, um,* adj. Le — personnage, *caput, pitis,* n.; *princeps, cipis,* m. Les — citoyens, *primores civitatis.* ‖ (En parl. des choses.) *Praecipuus, a, um,* adj. *Gravissimus, a, um,* adj. *Maximus, a, um,* adj. Le rôle —, *primae partes.* Le point —, *caput, pitis,* n. ¶ *S. m.* (En parl. des personnes.) Le — d'un collège, voy. DIRECTEUR. ‖ (En parl. des choses.) Le —, c.-à-d. la chose —; *res gravissima; caput* (ou *summa*) *rei.* Le — pour l'accusateur sera de..., *caput illud erit accusatori, si...* Le — est de..., *totum est in eo ut* (et le Subj.). ¶ Capital d'une somme prêtée. *Sors, sortis,* f

principalement, adv. D'une manière principale. *Praecipué,* adv.

principat, s. m. Dignité de prince. *Principatus, ūs,* m.

principauté, s. f. Petit Etat, terre qui donne le titre de prince. *Terra principis imperio subjecta.*

principe, s. m. Commencement. *Principium, ii,* n. ‖ (Par ext.) Origine, source d'une chose. *Principium, ii,* n. *Fons, fontis,* m. *Causa, ae,* f. *Initium, ii,* n. ¶ Raison d'être d'une chose. *Principium, ii,* n. *Ratio, onis,* f. ‖ (Spéc.) Vérité fondamentale sur laquelle s'appuie le raisonnement. *Principium, ii,* n. — de philosophie, *dogma, atis,* n.; *decretum, i,* n. ‖ (Par ext.) Règle de conduite. *Ratio, onis,* f. *Institutum, i,* n.

printanier, ière, adj. Relatif au printemps. *Vernus, a, um,* adj.

printemps, s. m. La première saison de l'année. *Ver, veris,* n. (on dit aussi : *vernum tempus*). Etre au —, *vernāre,* intr. ‖ (Fig.) Age de la jeunesse. *Flos (primus) aetatis.*

priorité, s. f. Le fait de venir avant dans l'ordre du temps. *Prior* (ou *superior*) *locus.* ¶ Primauté, préférence. Voy. ces mots.

prise, s. f. Action de prendre. ‖ (De manière à tenir.) Lâcher —, *captum aliquem amittĕre* (ou *dimittĕre*). Par ext. Donner —, *praebēre quod* (*manu*) *capiatur.* ‖ (Au fig.) Ansa, ae, f. *Locus,* i, m. Donner plus de — au reproche, *plures dăre tanquam ansas ad reprehendendum.* Donner — au soupçon, *locum dăre suspicioni.* ‖ (Par ext.) En parlant de lutteurs, etc. Mettre aux —, *committĕre,* tr.; *componĕre,* tr. Etre aux —, en venir aux —, *conferre pedem.* ‖ (Spéc.) Prise à partie. *Compellatio, onis,* f. ¶ (Pour s'emparer.) d'assaut, *expugnatio, onis,* f. Après la — de Troie, *Trojā captā.* Etre de bonne —, *jure captum* (ou *captam*) *esse.* ¶ (Pour appliquer à un usage.) — d'armes, *sumpta arma.* ‖ (Par ext.) Une prise (c.-à-d. une dose), voy. DOSE. Une prise (c.-à-d. une pincée), *trium digitorum captus.* ‖ Prise d'eau. *Aquae ductus. Aqua, ae,* f. Etablir une — d'eau, *aquam ducĕre.*

prisée, s. f. Voy. ÉVALUATION.

priser, v. tr. Evaluer à un certain prix. *Aestimāre,* tr. *Taxāre,* tr. (Fig.) *Aestimāre,* tr. ‖ (Absolt.) Evaluer à un très haut prix. Voy. ESTIMER.

prison, s. f. Le fait d'être détenu, privé de sa liberté. *Captivitas, atis,* f. ¶ Lieu où l'on est ainsi détenu. *Carcer, eris,* m. *Custodia, ae,* f. *Vincula, orum,* n. pl. — d'Etat, *vincula publica.* Mettre qqn en —, *aliquem in custodiam condĕre.*

prisonnier, ière, s. m. et f. Celui (celle) qui est pris. Etre —, *in carcere inclusum esse.* — de guerre, *captivus, a, um,* adj. (ordin. subst. en prose, cf. *captivos redimĕre*). Etre — sur parole, *esse in liberā custodiā.* Fait —, *captus.*

privation, s. f. Action de priver. *Orbatio, onis,* f. *Spoliatio, onis,* f. ¶ Le fait d'être privé. *Inopia, ae,* f. *Orbitas, atis,* f. ‖ Sentiment de chagrin causé par l'absence, la privation (de qqch.). *Desiderium, ii,* n. ‖ Etat de gêne. Vivre de —, *parcè ac duriter se habēre.*

privé, ée, adj. Relatif à un simple particulier. *Privatus, a, um,* p. adj. *Domesticus, a, um,* adj. Les hommes —, *homines privati* ou simpl. *privati, orum,* m. pl. ¶ Particulier. Voy. ce mot.

priver, v. tr. Affliger de la perte ou du manque de qqch. *Privāre,* tr. (*aliquem vitā*). *Orbāre,* tr. (*aliquem aliquā re*). — (en faisant tort), *fraudāre,* tr. (*se victu suo; aliquem cibo victuque*). — (par punition), *multāre,* tr. (*aliquem agris*). Privé de, *orbatus, a, um,* p. adj.; *orbus, a, um,* adj.; *nudus, a, um,* adj.; *vacuus, a, um,* adj. Etre privé, *carēre,* intr. (voy. MANQUER); *defici,* passif. Se —, *abstinēre,* intr.

privilège, s. m. Avantage personnel

accordé au lieu du droit commun. *Jus praecipuum* ou *paucorum.*

privilégier, v. tr. Faire jouir d'un privilège. *Privilegium* ou *jus extraordinarium* ou *beneficium (alicui) dâre* (ou *tribuěre*).

prix, s. m. Valeur d'une chose, d'une personne. || (Valeur vénale.) *Pretium, ii,* n. Quel est votre —? *Quanti indicas?* Pour quel —? *Quanti!* Mettre à — la tête de qqn, *mercedem mortis alicujus promittěre.* || (Fig.) (Ce qu'il en coûte pour arriver à qqch.) *Pretium, ii,* n. A n'importe quel —, *quanticumque.* A aucun —, *nullâ condicione.* || (Valeur morale.) *Pretium, ii,* n. Mettre à haut —, à si haut —, *magni, tanti aestimâre* ou *facěre (aliquid, aliquem).* || (Loc. prép.) Au — de, c.-à-d. aux dépens de, *alicujus rei impendio; c.-à-d.* par comparaison à la valeur de, *prae,* prép. (av. l'Abl.). ¶ Récompense. *Pretium, ii,* n. *Praemium, ii,* n. *Merces, edis,* f. Pour — de, *pro,* prép. (av. l'Abl.). || (Spéc.) Récompense donnée à celui qui l'emporte sur des concurrents. *Palma, ae,* f. Décerner à qqn le premier —, *alicui primas* ou (s'il n'y a que deux concurrents) *priores deferre.*

probabilité, s. f. Caractère de ce qui est probable. *Probabilitas, atis,* f.

probable, adj. Qui fait que la vérité a plus de raisons pour que contre. *Probabilis, e,* adj.

probablement, adv. D'une manière probable. Voy. VRAISEMBLABLEMENT.

probe, adj. Qui est d'une honnêteté scrupuleuse. *Probus, a, um,* adj. *Integer, gra, grum,* adj.

probité, s. f. Honnêteté crupuleuse. *Probitas, atis,* f. *Integritas, atis,* f. *Innocentia, ae,* f.

problématique, adj. Dont la solution est douteuse. *Disputabilis, e,* adj. ¶ (P. ext.) Dont l'issue est douteuse. *Dubius, a, um,* adj.

problème, s. m. Question, difficulté à résoudre. *Quaestio, onis,* f.

procédé, s. m. Manière de s'y prendre. || (A l'égard de qqn.) *Ratio, onis,* f. *Modus, i,* m. — amical, *comitas, atis,* f. Mauvais —, *injuria, ae,* f. Bon —, voy. POLITESSE. ¶ A l'égard de qqch. *Ratio, onis,* f. *Ars, artis,* f. Par ces —, *his artibus.* — de construction, *structura, ae,* f.

procéder, v. intr. Procéder à qqch., venir à l'exécution de cette chose. *Aggredi;* dép. tr. et intr. — à l'audition des témoins, *testes interrogâre.* || (Absol.) Agir. *Progredi,* abs. *Agěre,* abs. || (Spéc.) Procéder contre qqn. *Agěre lege cum aliquo.* ¶ Procéder de qqch., c.-à-d. être l'effet de cette chose. *Oriri,* dép. intr.

procédure, s. f. Formes suivant lesquelles on doit procéder en justice. *Judiciorum formulae.*

procès, s. m. Affaire poursuivie en justice. *Lis, litis,* f. *Causa, ae,* f. *Actio, onis.* f. — criminel, *causa capitis.* Faire un — à qqn, *alicui litem intenděre.* Soutenir un —, *litigâre,* intr. Fig. Faire le — à qqn, *aliquem tanquam reum agěre.*

procession, s. f. Marche solennelle du clergé et du peuple dans une fête religieuse. *Pompa, ae,* f.

procès-verbal, s. m. Acte d'un officier de justice constatant un délit. *Delicti conscriptio.* || (P. ext.) Relation d'un fait vu, entendu. *Conscriptio, onis,* f.

prochain, *aine,* adj. et s. m. || *Adj.* Qui est très rapproché. (Dans l'espace.) *Propinquus, a, um,* adj. *Vicinus, a, um,* adj. *Proximus, a, um* adj. || (Dans le temps.) *Proximus, a, um,* adj. Etre —, *imminěre,* intr.; *instâre,* intr. || (Dans l'ordre logique.) *Proximus, a, um,* adj. ¶ *S. m.* Le prochain. *Homo alter* ou simpl. *alter* (au plur. *alii*).

prochainement, adv. Dans un temps prochain. *Propediem.*

proche, adv. et adj. ¶ *Adv.* A très peu de distance. Voy. PRÈS, AUPRÈS. S'étendre de — en —, *per continua serpěre.* (Fig.) De — en —, c.-à-d. de peu à peu, voy. PEU. || (Loc. prép.) Proche de, voy. PRÈS [de]. || (Par ext.) A un très petit intervalle de temps. Voy. PRÈS. ¶ *Adj.* Qui est à très peu de distance. || (Dans l'espace.) *Propinquus, a, um,* adj. Plus —, *propior, us,* adj. Très —, *proximus, a, um,* adj. || (Dans le temps.) *Propinquus, a, um,* adj. Etre —, *imminěre,* intr.; *instâre,* intr. || (Fig.) *Propinquus, a, um,* adj. Tout —, *proximus, a, um,* adj. — parents, *et* (ellipt.) les —, *propinqui: qui sunt genere proximi;* (subst.) *proximi,* m. pl.

proclamation, s. f. Action de proclamer. *Pronuntiatio, onis,* f. *Renuntiatio, onis,* f. — officielle, *promulgatio, onis.* f. — militaire (pour exciter les soldats), *cohortatio, onis,* f. ¶ Discours écrit contenant ce qu'on proclame. *Edictum, i,* n. Faire une —, voy. PROCLAMER.

proclamer, v. tr. Annoncer publiquement. *Pronuntiâre,* tr. *Renuntiâre,* tr. — une ordonnance, *edicěre,* tr. || (Fig.) *Profitěri,* dép. tr.

proconsul, s. m. Magistrat romain. *Proconsul, ulis,* m. Un ancien —, *proconsularis vir* ou simpl. *proconsularis, is,* m.

proconsulaire, adj. Qui appartient au proconsul. *Proconsularis, e.* adj.

proconsulat, s. m. Fonctions de proconsul; durée de ces fonctions. *Proconsulatûs, ûs,* m.

procréer, v. tr. Produire par l'acte de la génération. *Procreâre,* tr.

procuration, s. f. Pouvoir donné légalement d'agir en son nom. *Delegatio, onis.* f.

procurer, v. tr. Faire obtenir. *Afferre,*

tr. *Praebēre*, tr. *Dăre*, tr. *Praestāre*, tr. Se —, *comparăre*, tr.

procureur. s. m. Celui qui agit pour un autre. *Procurator, oris*, m. ¶ Ancien officier de justice qui assistait les plaidants. *Cognitor, oris*, m. *Advocatus, i*, m.

prodigalité, s. f. Disposition à dépenser sans mesure. *Effusio, onis*, f. *Profusio, onis*, f. Avec — *prodigė*, adv. ¶ Action de dépenser sans mesure. *Effusio, onis*, f. Des —, *sumptus effusi*.

prodige, s. m. Evénement qui a qqch. de miraculeux. *Prodigium, ii*, n. *Ostentum, i*, n. || (Fig.) Chose extraordinaire. *Miraculum, i*, n. *Monstrum, i*, n. Faire des — de valeur, *multa et clara facinora facěre*. || Personne extraordinaire. *Vir admirabilis*.

prodigieusement, adv. D'une manière extraordinaire, *Mirabiliter*, adv. — bien, *divinitus*, adv. — laid, *insignis ad deformitatem*.

prodigieux, euse, adj. Qui tient du prodige. *Portentosus, a, um*, adj. *Prodigiosus, a, um*, adj. ¶ Extraordinaire. *Mirabilis, e*, adj. *Mirus, a, um*, adj.

prodigue, adj. Qui dépense sans mesure. *Prodigus, a, um*, adj. Un —, *homo prodigus* (ou *effusus*). Un jeune —, *nepos, otis*, m. || (Fig.) Qui donne sans mesure. *Prodigus, a, um*, adj. *Effusus, a, um*, p. adj. Etre — de son sang, *profunděre vitam*.

prodiguer, v. tr. Dépenser sans mesure. *Effunděre*, tr. *Profunděre*, tr. ¶ (Fig.) Donner sans mesure. *Largiri*, dép. tr. *Effunděre*, tr. — le sang des soldats, *sanguine militum abuti*. Se — (en parl. de choses), *effundi* (ou *profundi*). Se — (en parl. de pers.), *se oculis ingerěre*.

productif, ive, adj. Qui est d'un bon rapport (en parl. d'un champ). *Fructuosus, a, um*, adj. *Frugifer, fera, ferum*, adj. || (En parl. de plantes.) *Fructuosus, a. um*, adj. || (En parl. d'un commerce.) Voy. LUCRATIF. || (Au fig.) Voy. FÉCOND, FERTILE.

production. s. f. Action de faire naître, de mettre au jour. *Procreatio, onis*, f. La — du blé avait été maigre, *frumentum angustius provenerat*. || (Par ext.) Ce qui est produit. Les — de la terre, *ea quae gignuntur e terrâ*. Les — de l'esprit, *ingenii monumenta*.

produire, v tr. Faire paraître. || (Des personnes.) *Producěre*, tr. *Proferre*, tr. Se —, *prodire*, intr. || (Des choses.) *Afferre*, tr. *Proferre* tr. Se —, *c.-à-d.* se faire jour, *prodire*, intr. ¶ Faire naître, mettre au jour. *Ferre*, tr. *Afferre*, tr. *Parěre*, tr. *Gignēre*, tr. *Creāre*, tr. *Procreāre*, tr. *Edēre*, tr. — (tel ou tel effet), *proficěre*, tr. Se —, *nasci*, dép. intr.; *fieri*, passif; *exsistěre*, intr.

produit, s. m. Ce qui est produit, mis au jour. *Fetůs, ůs*, m. *Fructůs, ůs*, m.

Proventůs, ůs, m. Les — de la terre, *res, quas terra procreat*. || (Spéc.) Revenu. Voy. ce mot. || (Spéc.) *Summa, quae ex multiplicatione effecta est*.

proéminence, s. f. Etat de ce qui est proéminent, *et par ext.* partie proéminente. *Eminentia, ae*, f.

proéminent, ente, adj. Qui dépasse le relief de ce qui l'entoure. *Prominens* (gén. *-entis*), p. adj. Etre —, *prominēre*, intr.

profanateur, s. m. Celui qui profane. *Violator, oris*, m. *Sacrilegus, i*, m. Profanatrice, *sacrilega, ae*, f.

profanation, s. f. Action de profaner. *Violatio, onis*, f.

profane, adj. Qui est étranger aux choses sacrées. *Profanus, a, um*, adj. || (P. ext.) Qui outrage les choses sacrées. *Profanus, a, um*, adj. || Subst. Un —, uno —, *profanus homo, profana mulier*. || Qui est étranger à un art, à une science. *Profanus, a, um*, adj.

profaner, v. tr. Violer la sainteté des choses sacrées. *Profanāre*, tr. *Temerāre*, tr. || (Fig.) Violer le respect dû à qqn, à qqch. *Contaminăre*, tr. *Violăre*, tr.

proférer, v. tr. Dire tout haut. *Eděre*, tr. *Efferre*, tr. — des menaces, *minis uti*. — des injures contre qqn, *jacěre et immittěre injuriam in aliquem*.

professer, v. tr. Déclarer hautement. *Profitēri*, dép. tr. ¶ Enseigner publiquement. *Docēre*, tr. *Tradēre*, tr. || (Absol.) Etre professeur. Voy. PROFESSEUR.

professeur, s. m. Personne qui enseigne un art, une science. *Professor, oris*, m. Les —, *praecipientes, ium*, m. pl. Etre — *praecepta tradere*.

profession, s. f. Action de déclarer hautement. *Professio, onis*, f. — de foi, *confessio fidei*. — de foi (d'un candidat), *declaratio, onis*, f. Faire — de…, *profitēri*, dép. tr. (on dit aussi *prae se ferre* [*aliquid*]). || (Spéc.) Déclaration solennelle par laquelle on prononce des vœux pour entrer en religion. *Professio, onis*, f. ¶ Genre d'occupation que qqn exerce notoirement. *Ars, artis*, f. Un joueur de —, *aleator, oris*, m. Un lecteur de—, *lector, oris* m.

profil, s. m. Aspect d'un visage vu de côté. *Faciei latus alterum*. Portrait vu de —, *obliqua imago*.

profit, s. m. Avantage qu'on retire de qqch. *Commodum, i*, n. *Bonum, i*, n. *Emolumentum, i*, n. *Utilitas, atis*, f. *Fructus, ůs*, m. Faire son — de, mettre à —, *in rem suam convertěre aliquid*; fig. : *alicui rei se praebenti non deesse*. Faire du —, *c.-à-d.* être avantageux, voy. AVANTAGEUX. A —, voy. UTILEMENT. Lire avec —, *commodum capěre ex lectione*. Tirer — de, *utilitatem capěre* (ou *percipěre*) *ex* (*aliquâ*) *re*. ¶ (Spéc.) Gain qu'on retire de qqch. *Quaestůs, ůs*, m. *Lucrum, i*, n. Avec —, *quaes-*

tuosĕ, adv. Sans —, voy. INUTILEMENT.

profitable, adj. Qui donne du profit. *Utilis, e*, adj. *Quaestuosus, a, um*, adj. D'une manière —, *quaestuosĕ*, adv.

profiter, v. intr. — de qqch. (en faire son profit), *fructum capĕre* (ou *percipĕre*) *ex aliquā re*; *utilitatem capĕre ex aliquā re*. — d'une victoire, *uti victoriā*. — d'une occasion, *uti tempore*. || (Spéc.) En parl. d'un gain. *Lucrum facĕre* ou *capĕre (ex aliquā re)*. || Absolt. Avoir du profit. *Proficĕre*, intr. || (P. anal.) — (bien venir), *provenīre*, intr. ¶ Profiter à qqn (lui apporter du profit). *Utilitati* (ou *emolumento*) *esse alicui*. *Utilitatem afferre* (ou *praebēre*) *alicui*. Qui ne profite pas, *inutilis, e*, adj.

profond, *onde*, adj. Dont le fond est très bas par rapport à l'orifice, à la surface. *Profundus, a, um*, adj. *Altus, a, um*, adj. || (Par anal.) Qui descend très bas. *Altus, a, um*, adj. || (Fig.) Grave. *Gravis, e*, adj. ¶ Qui s'étend très loin d'avant en arrière. *Altus, a, um*, adj. || (Par anal.) Ordre de bataille — de trois rangs, *triplex acies*. ¶ (Au fig.) Qui va au fond des choses. *Altus, a, um*, adj. *Reconditus, a, um*, p. adj. || Qui est extrême. *Altus, a, um*, adj. *Summus, a, um*, adj. *Artus, a, um*, adj. — sommeil, *somnus artus*.

profondément, adv. En allant très loin vers le fond. *Altĕ*, adv. *Penitus*, adv. ¶ (Au fig.) En allant au fond des choses. *Altĕ*, adv. *Penitus*, adv. || D'une manière extrême. Dormir —, *artĕ dormīre*.

profondeur, s. f. Caractère de ce qui s'étend beaucoup de haut en bas. *Altitudo, dinis*, f. || Ce qui s'étend beaucoup d'avant en arrière. *Altitudo, dinis*, f. ¶ (Au fig.) Caractère de ce qui va au fond des choses. *Subtilitas, atis*, f. || De ce qui est extrême. — de sagesse, *summa sapientia*.

profusion, s. f. Grande abondance. *Abundantia et copia (rerum omnium)*. A —, *effusĕ*, adv.; *ubertim*, adv. Avoir de , tout à —, *circumfluĕre omnibus rebus*. ¶ Largesse excessive. *Effusio, onis*, f. *Profusio, onis*, f. Avec —, *effusĕ*, adv. Dépenser avec —, *profundĕre pecuniam*.

progéniture, s. f. En parl. de l'homme: ses enfants. *Proles, is*, f. *Progenies, ei*, f. En parl. de l'animal : ses petits. *Fetus, ūs*, m.

programme, s. m. Ecrit annonçant le détail d'une cérémonie, etc. *Libellus, i*, m. ¶ Annonce des matières à traiter dans un cours. — d'études, *libellus ad scholae sollemnia indicenda scriptus.* ¶ (P. ext.) — d'un préteur, d'un gouverneur, *edictum, i*, n. ¶ Exposé des vues politiques d'un parti, d'un individu. Voy. PROFESSION.

progrès, s. m. Marche en avant. *Progressus, ūs*, m. *Processus, ūs*, m. ¶ (Au fig.) Action de s'avancer vers un degré

supérieur. *Progressus, ūs*, m. *Progressio, onis*, f. *Processus, ūs*, m. Faire des —, *procedĕre*, intr.; *progredi*, dép. intr. (souv. *procedĕre et progredi*); *proficĕre*, tr. Faire des —, c.-à-d. s'aggraver, voy. S'AGGRAVER.

progressif, *ive*, adj. Qui se développe par degrés. *Qui (quae, quod) per gradus procedit.*

progression, s. f. Action de marcher. *Progressus, ūs*, m. *Processus, ūs*, m. ¶ (Fig.) Développement par degrés. *Progressus, ūs*, m. *Processus, ūs*, m.

progressivement, adv. D'une manière progressive. *Gradatim*, adv. *Per gradus*, loc. adv.

prohiber, v. tr. Défendre absolument (qqch.) par une mesure générale. *Vetāre*, tr. *Interdicĕre (alicui aliquā re).*

prohibitif, *ive*, adj. Qui prohibe. *Qui (quae, quod) vetat.*

prohibition, s. f. Action de prohiber. *Interdictio, onis*, f.

proie, s. f. Etre vivant que les animaux carnassiers saisissent pour le dévorer, *et par ext.* ce dont un animal s'est emparé pour se repaître. *Praeda, ae*, f. Dérober une —, *praedāri*, dép. tr. Bête de —, *bestia rapax; bestia rapto vivens*. Oiseau de —, *accipiter, tris*, m. || (Fig.) *Praeda, ae*, f. ¶ Ce dont on se rend maître à la guerre. Voy. BUTIN. || (Fig.) Ce qui est la victime de qqch. Etre en — aux souffrances physiques, *corporis doloribus opprimi*. Etre la — des flammes, *flammis absumi.*

projectile, s. m. Tout corps lancé par l'impulsion d'une force quelconque. *Telum missile*, ou simpl. *missile, is*, n. (au plur. *missilia*). — lancé par les machines de guerre, *tormentum, i*, n.

projet, s. m. Idée qu'on met en avant, comme étant à réaliser. *Propositum, i*, n. *Cogitatio, onis*, f. || (Par ext.) Plan proposé pour réaliser cette idée. *Consilium, ii*, n. Concevoir un —, *consilium capĕre*. Former le — de..., *consilium capĕre* (av. le Gérond.). Déposer un — de loi, *legem rogāre populum*. Faire passer un — de loi, *legem perferre.*

projeter, v. tr. Lancer en avant. *Projicĕre*, tr. || Mettre en avant une idée à exécuter. *Cogitāre*, tr. et intr. — de, *consilium capĕre* (et le Gérond. en -ndi).

prolétaire, s. m. Citoyen de la dernière classe, exempt d'impôt. *Proletarius, ii*, m.

prolixe, adj. Qui délaie ce qu'il a à dire (en écrivant, en parlant). *Verbosus, a, um*, adj.

prolixement, adv. D'une manière prolixe. *Verbosĕ*, adv.

prolixité, s. f. Ce qui est prolixe. *Longior quam oportet oratio.*

prologue, s. m. Dans une pièce de théâtre, sorte d'introduction. *Prologus, i*, m. L'acteur chargé de dire le —, *prologus, i*, m.

prolongation, s. f. Action d'étendre la durée de qqch. *Productio, onis*, f. *Propagatio, onis*, f.

prolonger, v. tr. Etendre en durée. *Prorogăre*, tr. *Propagăre*, tr. *Ducĕre*, tr. *Producĕre*, tr. *Proferre*, tr. *Trahĕre*, tr. — à dessein de guerre, *bellum ducĕre*. Se —, *procedĕre*, intr. Prolongé, *diuturnus, a, um*, adj. ¶ Etendre dans l'espace. *Producĕre*, tr. *Proferre*, tr. Se —, *prominĕre*, intr.

promenade, s. f. Action de se promener. *Ambulatio, onis*, f. *Deambulatio, onis*, f. *Spatium, ii*, n. Faire une —, voy. PROMENER. || (Par ext.) Lieu disposé pour se promener. *Spatium, ii*, n. *Ambulatio, onis*, f. — découverte, *xystus, i*, m.

promener, v. tr. Faire aller (qqn) de côté ou d'autre pour qu'il prenne l'air, de l'exercice. *Circumducĕre*, tr. — qqn pour lui faire voir les curiosités, *ducĕre aliquem ad ea quae visenda sunt et unumquidque ostendĕre*. Se —, *ambulăre*, intr.; *deambulăre*, intr. || (P. anal.) Conduire. Voy. ce mot. ¶ (Par ext.) Faire aller de côté et d'autre. *Circumducĕre*, tr. *Circumferre*, tr. || (Par anal.) Se — (en parl. d'un cours d'eau), *errăre*, intr. || (P. ext.) — qqn (c.-à-d. lui faire faire des démarches inutiles), *aliquem circumducĕre*, tr. ¶ (Au fig.) *Circumferre*, tr.

promeneur, s. m. Celui qui promène qqn. *Qui deducit aliquem ambulatum*. ¶ Celui qui se promène. *Ambulans, antis*, m.

promenoir, s. m. Lieu destiné à la promenade, dans l'intérieur d'un édifice clos. *Ambulatio, onis*, f.

promesse, s. f. Parole donnée de faire quelque chose. *Promissio, onis* (« action de promettre »), f. *Promissum, i*, (« chose promise, promesse faite »), n. *Pollicitatio, onis*, f. Manquer à sa —, *fidem frangĕre* (ou *fallĕre*). || (Par ext.) Fig. Belle espérance que l'on conçoit de qqn, de qqch. Voy. ESPÉRANCE.

Prométhée, n. pr. Un des Titans. *Prometheus, ei*, m.

prometteur, s. m. Celui qui promet. *Promissor, oris*, m.

promettre, v. tr. Donner parole de faire qqch. *Promittĕre*, tr. *Pollicĕri*, dép. tr. et intr. *Spondĕre*, tr. || (Par ext.) Donner parole d'accorder qqch. *Promittĕre*, tr. *Pollicĕri*, dép. tr. *Spondĕre*, tr. *Despondĕre*, tr. || (Par ext.) Donner à espérer. *Promittĕre*, tr. *Spem facĕre* (ou *dare*) *alicujus rei. Spondĕre*, tr. || Se — qqch., *animo spondĕre* (ou *despondĕre*) *aliquid*. || Donner l'assurance. *Promittĕre*, tr.

promontoire, s. m. Pointe de terre s'avançant dans la mer. *Promuntorium, ii*, n.

promoteur, *trice*, s. m. et f. Celui, celle qui donne la première impulsion à qqch. *Princeps, cipis*, m. *Auctor, oris*, m. Promotrice, *dux, ducis*, f.

promotion, s. f. Elévation à une dignité, un grade. *Provectŭs, ûs*, m.

promouvoir, v. tr. Elever à une dignité, à un grade. *Promovĕre*, tr. *Provehĕre*, tr.

prompt, *ompte*, adj. ¶ Qui met peu de temps à faire qqch. || (En faisant vite.) *Celer, eris, ere*, adj. || (En faisant sans délai.) *Celer, eris, ere*, adj. *Velox* (gén. -*ocis*), adj.

promptement, adv. D'une manière prompte. *Celeriter*, adv. *Cito*, adv. *Velociter*, adv. Il faut agir —, *maturato opus est*.

promptitude, s. f. Le fait de mettre peu de temps à faire qqch. *Celeritas, atis*, f. *Mobilitas, atis*, f.

promulgation, s. f. Action de promulguer. *Promulgatio, onis*, f.

promulguer, v. tr. Publier (une loi) dans les formes requises. *Promulgăre*, tr.

prôner, v. tr. Vanter publiquement (qqch., qqn). *Laudăre*, tr. *Jactăre*, tr.

prôneur, s. m. Celui celle qui prône qqn, qqch. *Laudator, oris*, m. *Praeco, onis*, m. Prôneuse, *laudatrix, tricis*, f.

pronom, s. m. Partie du discours qui tient la place du nom. *Pronomen, inis*, n.

prononcer, v. tr. Faire entendre publiquement. *Dicĕre*, tr. *Pronuntiăre*, tr. — sa propre condamnation, *suâ confessione jugulări*. Le jugement prononcé, et subst., le prononcé du jugement, *pronuntiatio, onis*, f. || (P. anal.) Déclarer sa décision. *Judicăre*, abs. *Statuĕre*, abs. *Decernĕre*, abs. Se —, *sententiam suam dicĕre* ou *aperire sententiam suam*. Se — sur qqch., *dicĕre* (ou *explicăre*) *de aliquâ re*. || (Fig.) Marquer fortement. *Exprimĕre*, tr. Avoir un goût — pour, *studiosissimē* (*aliquid*) *appetĕre*. Traits prononcés, voy. ACCENTUER. ¶ Enoncer en articulant les syllabes, les mots. *Appellăre*, tr. *Dicĕre*, tr. *Enuntiăre*, tr. *Efferre*, tr. — les mots trop lourdement, *voces distrahĕre*. — les syllabes trop longuement, *litteras valdē dilatăre*. — les lettres avec une délicatesse affectée, *putidius exprimĕre litteras*.

prononciation, s. f. Action de prononcer. || Action de faire entendre publiquement. *Pronuntiatio, onis*, f. || Action d'énoncer en articulant les syllabes, les mots. *Appellatio, onis*, f. Avoir une — nette, distincte, bien articulée, *planē loqui; pressē loqui*. || (En parl. de l'organe de la parole.) *Vox, vocis*, f. *Os, oris*, n. Avoir une — étrangère, *peregrinum sonăre*.

pronostic, s. m. Conjecture sur ce qui doit arriver, tirée de certains signes. *Praescitum, i*, n. || (P. ext.) Signe d'après lequel on fait une conjecture sur ce qui doit arriver. *Signum, i*, n.

pronostiquer, v. tr. Conjecturer d'après certains signes (ce qui doit arriver). *Conjectăre*, tr.

propagateur, *trice*, s. m. et f. Celui, celle qui propage, qui multiplie, par reproduction. Voy. CRÉATEUR, REPRODUCTEUR.

propagation, s. f. Action de propager. *Propagatio, onis*, f. La — de l'espèce, *proles augenda*.

propager, v. tr. Multiplier par reproduction. *Propagāre*, tr. — l'espèce, *propagando procudĕre prolem*. (En parl. des plantes), — par bouture, par la marcotte, *propagāre*, tr. ¶ Répandre de proche en proche. *Propagāre*, tr. *Prosemināre*, tr. — (une doctrine), *semināre*, tr. — la maladie, *vulgāre morbos*. Se —, *propagāri*. Le feu se propagea dans tout le camp, *ignis totis se castris dissipavit*.

propension, s. f. Voy. PENCHANT.

prophète, *esse*, s. m. et f. Celui, celle qui, inspiré par Dieu, prédit l'avenir. *Fatidicus*, i, m. *Vates*, is, m. *Divinus*, i, m. *Propheta, ae*, m. Prophétesse, *fatidica, ae*, f.; *vates, is*, f. *prophetissa, ae*, f.

prophétie, s. f. Prédiction d'un prophète. *Prophetia, ae*, f.

prophétique, adj. Relatif aux prophètes. *Propheticus, a, um*, adj.

prophétiquement, adv. En prophète. *Prophetice*, adv.

prophétiser, v. tr. Prédire par inspiration divine. *Prophetizāre*, tr.

propice, adj. Favorable. *Propitius, a, um*, adj. *Faustus, a, um*, adj. Rendre —, *propitiāre*, tr. ‖ (P. anal.) En parl. des ch. *Secundus, a, um*, adj. Au moment —, *ex commodo* ou *per commodum*.

propitiation, s. f. Action de rendre Dieu propice. *Propitiatio, onis*, f.

proportion, s. f. Grandeur d'une partie relativement au tout et aux autres parties, dans un ensemble. *Proportio, onis*, f. *Ratio, onis*, f. ‖ Grandeur d'une chose relativement à une chose analogue prise pour type. *Ratio, onis*, f. *Comparatio, onis*, f. *Proportio, onis*, f. ‖ Grandeur d'une chose relativement à une autre, la première croissant ou décroissant dans la mesure où la seconde croît ou décroît. *Portio, onis*, f. *Proportio, onis*, f. *Ratio, onis*, f. A — en — de, *pro*, prép. (av. l'Abl.). A — que, *prout*, adv. ¶ Dans le langage scientifique. *Proportio, onis*, f.

proportionnel, *elle*, adj. Qui est dans son rapport de proportion avec une autre quantité. Traduire par les expressions *pro modo* ou *parte*; *pro rata parte*; *pro portione* (*rerum*).

proportionnellement, adv. Suivant un rapport proportionnel. *Pro ratā parte. Pro portione* (*rerum*).

proportionner, v. tr. Soumettre aux lois de la proportion. *Proportionem servāre* (ou *adhibēre*). Proportionné, *aequalis et congruens*. Bien proportionné, *congruens* (gén. *-entis*), p. adj.

‖ (Fig.) *Exaequāre*, tr. — les peines aux délits, *aequas peccatis poenas irrogāre*. — ses dépenses à ses revenus, à ses bénéfices, *accommodĕre sumptus ad mercedes*. — à l'intelligence de qqn (*rem*) *aptāre alicui*. Se — (aux autres, se mettre à la portée de chacun d'eux), *ad intellectum* (*aliorum*) *descendĕre*. Proportionné, *aequus, a, um*, adj.; *aptus, a, um*, p. adj.

propos, s. m. Résolution qu'on se propose. *Propositum, i, n. Consilium, ii*, n. Ferme —, *consideratum judicium mentis*. J'ai le ferme — de…, *mihi deliberatum et constitutum est* (av. l'Inf.). De — délibéré, *voluntate et judicio*. ¶ Sujet proposé. ‖ (Ce qui est proposé comme la chose dont il s'agit.) *Propositum, i, n. A* — de…, *de*, prép. (av. ('Abl.); *ad*, prép. (av. l'Acc.); *in*, prép. tav. l'Abl.). Hors de —, *sine causā*. A tout —, *omni occasione*. A quel —? *quā re! A* — *tempore* (ou *in tempore*), *opportune*, adv.; *tempestive*, adv. Plus à —, *meliore tempore*. Mal à —, *intempestive*, adv. Qui est à —, *opportunus, a, um*, adj.; *tempestivus, a, um*, adj. Il est à —, c.-à-d. il convient, voy. CONVENIR. Parler avec à —, *apte dicĕre*. J'ai jugé à — de, *aequum censeo* (av. l'Inf.): *visum est mihi* (av. l'Inf.). Avoir de l'à- —, *animo praesenti esse*. ‖ Ce qui est proposé comme sujet d'entretien. *Sermo, onis*, m. *Vox, vocis*, f. *Verbum, i*, n. (surt. au plur.). De — en —, *dum sermones inter se serunt*. Entrer en —, voy. CONVERSATION. Méchant —, voy. MÉDISANCE.

proposer, v. tr. Mettre en avant comme objet d'examen. *Proponĕre*, tr. — de l'argent à qqn, voy. OFFRIR. — à qqn ses services, *se offerre alicui*. Se — pour guide, *se ducem profitēri*. — que (l'on fasse telle ou telle chose), *censēre* (av. l'Acc. et l'Inf.). Se —, *sibi* (ou *animo*) *proponĕre; instituĕre*, tr. ¶ Mettre en avant comme règle. *Proponĕre*, tr. Proposez-vous ces grandes leçons, *magna illa animis vestris observentur*. ¶ Mettre en avant une loi, un candidat. *Rogāre*, tr. *Commendāre*, tr. — qqn au peuple pour le consulat, *aliquem rogāre consulem*. Voy. LOI.

proposition, s. f. Action de poser devant. *Propositio, onis*, f. ¶ (Au fig.) Ce qu'on propose à l'examen, à l'approbation de qqn. *Condicio, onis*, f. Faire une — à qqn, *alicui consilii auctorem esse; alicui aliquid proponĕre*. — de loi, *rogatio, onis*, f. Sur la — de Cicéron, *Cicerone auctore*. Sur ma —, *auctore me* ou *me referente*. ¶ Enonciation d'un jugement. *Enuntiatio, onis*, f. *Enuntiatum, i*, n.

propre, adj. et s. m. ‖ *Adj.* Qui est à une personne, à une chose, à l'exclusion de toute autre. *Proprius, a, um*, adj. Mon, ton, son —, *meus, tuus, suus* (*a*,

um), adj. A ses — risques, *suo periculo.*
De son — mouvement, *suâ sponte.*
Nom —, *nomen proprium.* Mots —,
propria verba. En employant le mot —,
propriè, adv. Sens — des mots, *verbo-*
rum proprietas. L'amour —, voy.
AMOUR-PROPRE. ¶ Qui convient à
qqch. d'une manière spéciale. *Aptus,*
a, um, adj. ¶ *Absol.* Convenablement
arrangé. *Lautus, a, um,* adj. || Net,
qui n'est pas sale. *Mundus, a, um,* adj.
Nitidus, a, um, adj. Rendre —, *pur-*
gāre, tr. ¶ *S. m.* Ce qui est à qqn. Posséder qqch. en —, *proprium aliquid*
habēre. Qui appartient en —, *proprius,*
a, um, adj. || Ce qui est spécial à qqn,
à qqch. C'est le — de la vertu, *pro-*
prium hoc est virtutis. C'est le — d'un
habile général de, *id est ducis periti*
(av. l'Inf.).

proprement, adv. D'une manière spéciale à qqn, à qqch. *Propriè,* adj. *Pecu-*
liariter, adv. Ce qui appartient — à
qqn, *quod est cujusque maximè suum.*
|| (P. ext.) D'une manière exacte. *Verè,*
adv. A — parler, *ut verum loquamur;*
ut vera dicam. La gloire — dite, *vera*
gloria. La Grèce, la Gaule — dite,
Graecia, Gallia ipsa. ¶ D'une manière
convenable. *Aptē,* adv. || (P. ext.)
D'une manière nette. *Nitidē,* adv.
Maison — tenue, *purae aedes.*

propret, *ette,* adj. Bien net. *Mandulus,*
a, um, adj.

propreté, s. f. Caractère de ce qui est
propre. *Munditia, ae,* f. et *mundities,*
ei, f.   [teur. *Propraetor, oris,* m.

propréteur, s. m. Lieutenant du pré-

propriétaire, s. m. et f. Celui, celle
qui a la propriété de qch. *Dominus, i,*
m. *Possessor, oris,* m. Une propriétaire,
domina, ae, f. Etre — de..., *possidēre,*
tr.; *habēre,* tr.

propriété, s. f. Le fait de posséder en
propre complètement et légitimement.
Dominium, ii, n. Droit de —, *domi-*
nium, ii, n. Ma, ta, sa, leur —, *meum*
(*tuum, suum*), i, n. En toute —, *pro-*
prius, a, um, adj. Etre la — de qqn,
voy. APPARTENIR. || (Spéc.) Immeuble.
Possessio, onis, f. (surt. au plur.). —
rurale, *praedium, ii,* n. Petite —, *pos-*
sessiuncula, ae, f. Petite — rurale,
praediolum, i, n. Grande —, *latifun-*
dium, ii, n. ¶ Qualité propre d'une
chose. *Proprietas, atis,* f. *Natura, ae,* f.
Vis, f. *Virtus, utis,* f. || Qualité par
laquelle un mot exprime exactement
l'idée. *Proprietas, atis,* f. Parler, écrire
avec —, *propriè* (ou *aptē) dicēre.*

prorogation, s. f. Action de proroger.
Prorogatio, onis, f. — d'une échéance,
prolatio diei.

proroger, v. tr. Renvoyer officiellement à un terme plus ou moins éloigné.
Prorogāre, tr.

prosaïque, adj. Qui tient de la prose.
Solutus, a, um, p. adj. || (P. ext.) Qui

manque de poésie. *Pedester, tris, tre,* adj.

prosateur, s. m. Ecrivain en prose.
Scriptor, oris, m.

proscripteur, s. m. Celui qui pros-
crit. *Qui proscribit.*

proscription, s. f. Action de proscrire.
Proscriptio, onis, f. Liste de —, *libellus*
i, m.

proscrire, v. tr. Décréter de mort sans
formes judiciaires. *Proscribēre,* tr. ||
Au part. passé pris substantivt. Les
proscrits, *proscripti, orum,* m. pl. ||
(P. anal.) Condamner à mort, en masse.
Voy. EXTERMINER. || (P. ext.) Décréter
de bannissement. Voy. BANNIR, EXILER.
Proscrit, *profugus, a, um,* adj. || (Fig.)
Rejeter. *Rejicēre,* tr.

prose, s. f. Forme du discours non
assujettie à la mesure et au rythme du
vers. *Oratio soluta. Verba soluta.*

prosélyte, s. m. Nouvel adepte d'une
religion. *Proselytus, i,* m.

Proserpine, n. pr. Déesse des Enfers.
Proserpina, ae, f.

prosodie, s. f. Prononciation des mots
conformément à l'accent. *Prosodia, ae,*
f. || (P. ext.) Règles de la quantité.
Prosodia ae, f.

prospectus, s. m. Annonce d'un ouvrage à paraître, que l'on distribue.
Libellus, i, m.

prospère, adj. Dont l'état est florissant. *Prosperus, a, um,* adj. Etre —,
florēre, intr.

prospérer, v. intr. Devenir prospère.
|| (En parl. de pers.) *Fortunā prosperā*
(ou *prospero flatu fortunae*) *uti.* || (En
parl. des choses.) Tout prospère aux
âmes innocentes, *innoxiis animis res*
semper succedunt. || Faire prospérer
(qqn), *aliquem fortunatum facēre.* Faire
— (qqch.), *fortunāre,* tr.

prospérité, s. f. Etat de ce qui est
prospère. *Prosperitas, atis,* f. *Felicitas,*
atis, f. *Secundae res,* pl. La — d'un
Etat, *prospera pollensque res.* Au
comble de la —, *maximè florens viribus.*

prosterner, v. tr. Abaisser jusqu'à
terre, devant qqn, en signe de respect.
Projicēre, tr. Se —, *se abjicēre* ou *abji-*
cēre corpus ou *prosternēre se.* Prosterné
à terre, *projectus ad terram.* Se —
devant qqn, aux pieds de qqn, *ad pedes*
(*alicujus* ou *alicui) se abjicēre* ou *se*
projicēre.

protecteur, *trice,* s. m. et f. et adj. ||
S. m. et *f.* Celui, celle qui protège.
Defensor, oris, m. *Defenstrix, tricis,* f.
Tutor, oris, m. *Patronus, i,* m. *Patrona,*
ae, f. Se faire le — de qqn, *aliquem*
tuendum suscipēre. ¶ *Adj.* Qui protège.
Abri —, *propugnaculum, i,* n. Dieu —
d'un lieu, *deus praeses loci.* Prendre
un ton — avec qqn, se donner des airs
—, *fautoris vultum praeferre.*

protection, s. f. Action de protéger.
Tutela, ae, f. *Praesidium, ii,* n. *Patro-*
cinium, ii, n. *Defensio, onis,* f. Prendre

qqn sous sa —, *aliquem tuēri* Se mettre sous la — de qqn, *se in fidem et tutelam alicujus conferre.* Mettre la république sous la — de qqn, *alicui rem publicam defendendam dăre.* || (Par anal.) Faveur. *Gratia, ae,* f.

protectorat. s. m. Dépendance imposée à un Etat placé sous la protection d'un Etat plus puissant. *Patrocinium, ii,* n. Prendre sous son —, *in amicitiam fidemque recipēre.*

protéger, v. tr. Couvrir de manière à garantir. *Tegĕre,* tr. *Protegĕre,* tr. *Munīre,* tr. — qqn contre l'ardeur du soleil, *nimios solis calores alicui defendĕre.* ¶ Défendre contre ce qui menace. *Defendĕre,* tr. *Protegĕre,* tr. *Tuēri,* dép. tr. *Tutāri,* dép. tr. ¶ Aider de son crédit, de ses ressources. *Patrocināri,* dép. intr. *Adesse,* intr. *Adjuvāre,* tr. *Favēre,* intr.

protestation, s. f. Attestation solennelle qu'on fait de ses sentiments. *Asservatio, onis,* f. — avec serment, *obsecratio, onis,* f. ¶ Réclamation formelle contre un acte. *Recusatio, onis,* f.

protester, v. tr. et intr. — que..., *asseverāre* (avec l'Acc. et l'Infin.); *obtestāri,* dép. tr. (avec l'Acc. et l'Infin.); *adjurāre,* tr. (avec l'Acc. et l'Infin.) — formellement que..., *omni asseveratione recusāre* (avec l'Acc. et l'Infin.). ¶ (*V. intr.*) Protester contre; faire une réclamation formelle contre un acte. *Intercessionem facĕre. Intercedĕre (alicui rei).* — hautement contre qqch., *reclamitāre (alicui rei).* — (contre qqch.) en disant que..., *reclamāre* (avec l'Acc. et l'Infin.). || (Absolt.) *Intercedĕre,* intr.

proue, s. f. Avant du navire. *Prora, ae,* f.

prouesse, s. f. Vaillance. Voy. ce mot. || Acte de vaillance. Voy. EXPLOIT.

prouver, v. tr. Etablir comme vrai par preuve (de raisonnement ou de fait). *Probāre,* tr. *Approbāre,* tr. Chercher à —, *defendĕre,* tr. Ce qui prouve que..., *unde intelligi potest* (av. l'Acc. et l'Inf.). || (Par ext.) En parl. des pers. : faire preuve de, voy. MONTRER, PREUVE. || En parl. des choses : servir de preuve, *documento esse; declarāre,* tr.

provenance, s. f. Origine d'un produit. *Origo, ginis,* f. Voy. ORIGINE. De — étrangère, voy. EXOTIQUE.

provenir, v. intr. Tirer son origine (de qqn, de qqch.). Au sens propre. *Nasci* ou *oriri (ab aliquo).* || (Fig.) *Manāre (ex aliquā re). Proficisci (ex aliquā re).*

proverbe, s. m. Courte maxime de sagesse pratique, d'un emploi populaire. *Proverbium, ii,* n. ¶ (Spéc.) Maxime de sagesse. *Proverbium, ii,* n.

proverbial, *ale,* adj. Qui est de la nature du proverbe. *Proverbii loco celebratus.* Une locution —, *proverbium, ii,* n.

proverbialement, adv. D'une manière

proverbiale. *Proverbii loco. Ut est in proverbio.*

providence, s. f. Sagesse divine qui gouverne toutes choses. *Divina providentia.* || (P. ext.) Dieu considéré comme gouvernant toutes choses. *Numen, inis,* n. Nier la —, *negare deum agĕre rerum humanarum curam.*

provigner, v. tr. Multiplier une plante par provins. *Propagāre,* tr. — une vigne, *deprimēre vites in terram.*

provin, s. m. Jeune pousse de plante qu'on couche en terre. *Propago, ginis,* f.

province, s. f. Territoire conquis en dehors de l'Italie et administré par un gouverneur. *Provincia, ae,* f. De —, des —, *provincialis, e,* adj. Par —, *provinciatim,* adv. Administration d'une —, charge de gouverneur de —, *provincia, ae,* f. Les habitants de la —, *provinciales, ium,* m. pl. ¶ Division territoriale d'un Etat administrée par un gouverneur. *Regio, onis,* f.

provincial, *ale,* adj. Qui appartient à une province. *Provincialis, e,* adj. Assemblées, assises —, *conventus, uum,* m. pl. ¶ Qui appartient à la province (par opposition à ce qui tient à la capitale). *Provincialis, e,* adj. Subst. Un —, *provinciae incola; provincialis, is,* m.

provision, s. f. Action de réunir en certaine quantité ce dont on peut avoir besoin. *Suppeditatio, onis,* f. *Copia, ae,* f. *Commeatŭs, ŭs,* m. — de bouche, *cibaria, orum,* n. pl. Aller aux —, *obsonāre,* intr. Faire — de..., *obsonāre,* tr.; *providēre,* tr. || (Au fig.) *Supellex, lectilis,* f. Faire — de courage, *animis paratum esse.*

provisoire, adj. Qui pourvoit momentanément à un besoin, en attendant ce qui sera définitif. *Quod ad tempus fit* (ou *decernitur*).

provisoirement, adj. D'une manière provisoire. *Interim,* adv.

provocateur, *trice,* s. m. et f. Celui, celle qui provoque. *Provocator, oris,* m. Les —, *provocantes, ium,* m. pl. Provocatrice, *quae provocat.*

provocation, s. f. Action de provoquer, — à la révolte, *incitatio, onis,* f.; *sollicitatio, onis,* f.

provoquer, v. tr. Exciter qqn à qqch. *Provocāre,* tr. *Evocāre,* tr. Fig. — le sort, le destin, *vocāre in se fata cessantia.* ¶ Susciter une chose. *Evocāre,* tr. *Excitāre,* tr. *Irritāre,* tr.

proximité, s. f. Situation d'une chose qui est près d'une autre. *Propinquitas, atis,* f. *Vicinitas, atis,* f. A —, *in propinquo* ou *in vicino.*

prude, adj. f. Qui affecte une vertu sévère. *Efferus, a, um,* adj.

prudemment, adv. D'une manière prudente. *Prudenter,* adv. *Considerate,* adv.

prudence, s. f. Sagesse qui règle la conduite et fait éviter les fautes. *Pru-*

dentia, ae, f. *Providentia, ae,* f. *Consilium, ii,* n.

prudent, *ente,* adj. Qui a de la prudence. *Prudens* (gén. *-entis*), adj. *Plenus consilii.* [*ticus pudor.*

pruderie, s. f. Caractère de prude. *Rusprune,* s. f. Sorte de fruit à noyau. *Prunum, i,* n.

prunelle, s. f. Prune sauvage noire. *Silvestre prunum.* ¶ (P. anal.) Pupille de l'œil. *Acies, ei,* f.

prunier, s. m. Arbre qui produit la prune. *Prunus, i,* f.

prytanée, s. m. Edifice où étaient logés et nourris les citoyens qui avaient bien mérité de la patrie. *Prytaneum, i,* n.

psalmiste, s. m. Auteur de psaumes. *Psalmista, ae,* m. [*Psalmodia, ae,* f.

psalmodie, s. f. Chant des psaumes. **psalmodier,** v. intr. Chanter les psaumes. *Psallĕre,* intr.

psaume, s. m. Cantique religieux. *Psalmus, i,* m. [*Psalterium, ii,* n. **psautier,** s. m. Recueil des psaumes. **Ptolémée,** s. n. pr. Roi d'Egypte. *Ptolemaeus, i,* m.

puant, *ante,* adj. Qui pue. *Foetidus, a, um,* adj. Fig. — à force de prétentions, *putidus, a, um,* adj. [*Foetor, oris,* m. **puanteur,** s. f. Odeur de ce qui pue.

puberté, s. f. Moment où le jeune homme, la jeune fille sont formés. *Pubertas, atis,* f.

public, *ique,* adj. et s. m. || *Adj.* Relatif à la nation. *Publicus, a, um,* adj. Dette —, *aes alienum civitatis.* Rembourser une dette — énorme, *totum aes alienum quod est ingens civitatis dissolvěre.* Ennemi —, *homo infensus rei publicae; hostis, is,* m. Fonction —, *magistratūs, ūs,* m. Service —, *munus rei publicae.* Vie —, *forensis vita.* Dans un intérêt —, *publicē,* adv. Adjuger au trésor —, *publicāre,* tr. || Qui est à l'usage de tous. *Publicus, a, um,* adj. *Communis, e,* adj. *Propatulus, a, um,* adj. La voie —, *publicum, i,* n. ¶ *S. m.* Le public, c.-à-d. la nation. Voy. NATION. || Le public, c.-à-d. tout le monde indistinctement. *Populus, i,* m. *Vulgus, i,* n. En —, *palam,* adv. || (Spéc.) Ceux qui assistent à un spectacle. *Populus, i,* m.

publicain, s. m. Fermier des deniers publics. *Publicanus, i,* m.

publication, s. f. Action de publier, *Pronuntiatio, onis,* f. La — d'une loi, *promulgatio, onis,* f.

publicité, s. f. Le fait d'être rendu public. Redouter la —, *celebritatem odisse* ou *lucem fugěre.*

publier, v. tr. Rendre public, porter à la connaissance de tous. *Vulgăre,* tr. *Pervulgāre,* tr. ¶ Vanter. — les louanges de qqn, *alicujus laudes praedicāre.*

publiquement, adv. En public. *Apertē,* adv. *Palam,* adv.

puce, s. f. Petit insecte parasite. *Pulex, icis,* m.

puceron, s. m. Très petit insecte qui s'attache aux feuilles. *Pulex, icis,* m.

pudeur, s. f. Appréhension de ce qui peut blesser la décence. *Pudor, oris,* m. *Verecundia, ae,* f. || (Par ext.) Chasteté. Voy. ce mot. ¶ Appréhension de ce qui peut blesser la délicatesse. *Verecundia, ae,* f.

pudibond, *onde,* adj. Qui pousse la pudeur à l'excès. *Pudibundus, a, um,* adj.

pudicité, s. f. Respect de la pudeur, de la chasteté. *Pudicitia, ae,* f.

pudique, adj. Qui respecte la pudeur. *Pudicus, a, um,* adj. *Verecundus, a, um,* adj.

pudiquement, adv. D'une manière pudique. *Pudicē,* adv.

puer, v. intr. Sentir mauvais. *Foetēre,* intr. *Male olēre,* intr. *Putēre,* intr. || Transitivt. — le vin, *redolēre vinum.*

puéril, *ile,* adj. Relatif à l'enfant. *Puerilis, e,* adj. || Qui conviendrait à un enfant. *Puerilis, e,* adj. Idée —, *res ficta pueriliter.* Avoir une joie —, *pueriliter exsultāre.*

puérilement, adv. D'une manière puérile. *Pueriliter,* adv.

puérilité, s. f. Caractère puéril. *Puerilitas, atis,* f. || Acte, discours puéril. *Pueriliter dictum* (ou *factum*).

pugilat, s. m. Combat à coups de poing. *Pugilatūs, ūs,* m. Athlète pour le —, *pugil, ilis* (Abl. *pugil*), m.

puîné, *ée,* adj. Qui est né (après un frère ou une sœur). *Minor natu.*

puis, adv. Après cela. *Postea,* adv. *Deinde,* adv. || (P. ext.) En outre. *Deinde,* adv. *Postea,* adv. Et puis, *jam* ou *jam vero.*

puisard, s. m. Petit puits pour l'écoulement des eaux. *Compluvium, ii,* n.

puiser, v. tr. Prendre dans un puits, une source, etc., du liquide qui y est contenu. *Haurire,* tr. — de l'eau au puits, *aquam ex puteo haurire.* Absol. — au tonneau, de *dolio haurire.* Action de —, *haustūs, ūs,* m. ¶ (Au fig.). *Haurire,* tr. *Exhaurire,* tr. *Suměre,* tr.

puisque, conj. Du moment que. *Quoniam,* conj. *Cum,* conj. (av. le Subj.). *Quando,* conj. *Quandoquidem,* conj.

puissamment, adv. D'une manière puissante. *Potenter,* adv. Contribuer — à qqch., *pollěre ad aliquid.*

puissance, s. f. Force de produire de grands effets. *Potentia, ae,* f. *Potestas, atis,* f. *Ops, opis,* f. || (Spéc.) Faculté de l'âme. Voy. FACULTÉ. || Possibilité de produire tel ou tel effet, non encore réalisé. *Potestas, atis,* f. ¶ Force d'imposer son autorité. *Potentia, ae,* f. *Potestas, atis,* f. *Ops, opum,* f. pl. La — souveraine de la divinité, *numen deorum* (ou *divinum*). || (P. ext.) Ceux qui possèdent cette force. *Vis,* f. *Potentia, ae,* f. Les — célestes, *numina deorum.* || (Spéc.) Etat souverain. *Civitas, atis,* f.

puissant, *ante*, adj. Qui a la force de produire de grands effets. *Potens* (gén. *-entis*), adj. *Validus*, *a*, *um*, adj. *Vehemens* (gén. *-entis*), adj. ‖ (Par ext.) Très gros, très fort. Voy. GROS, FORT. ¶ Qui a la force d'imposer son autorité. *Potens* (gén. *-entis*), adj. *Pollens* (gén. *-entis*), p. adj. Tout —, *praepotens* (gén. *-entis*), adj. Etre —, *posse*, intr. (voy. POUVOIR); *pollēre*, intr. Dieu est tout —, *dei numini parent omnia*.

puits, s. m. Excavation pratiquée dans le sol pour en tirer de l'eau. *Puteus*, *i*, m.

pulluler, v. intr. Se multiplier abondamment. *Pullulāre*, intr.

pulpe, s. f. Substance charnue de certains fruits. *Pulpa*, *ae*, f.

pulsation, s. f. Battement des artères. *Percussus* (*venarum*).

pulvériser, v. tr. Réduire en poussière. *In pulverem conterěre*. Etre —, se —, *resolvi in pulverem*.

pulvérulent, *ente*, adj. Qui se met en poudre. *Pulvereus*, *a*, *um*, adj.

punaise, s. f. Insecte à odeur fétide. *Cimex*, *icis*, m.

punir, v. tr. Frapper (qqn) d'une peine. *Punīre*, tr. *Animadvertēre*, intr. (*in aliquem*). *Multāre*, tr. *Castigāre*, tr. — qqn d'une façon exemplaire, *in aliquem exemplum facěre*. Etre puni, *poenas dăre*. Etre puni par qqn, pour qqch., *alicui dăre poenas alicujus rei*. Etre — de mort, *poenas capite luěre*. ‖ (Par ext.) Etre puni de qqch., *c-à-d.* en être mal récompensé. *Poenas dăre* (*alicujus rei*). ‖ Faire expier une faute. *Punīre*, tr. *Vindicāre*, tr. *Ulcisci*, dép. tr. Voy. CHATIER.

punissable, adj. Qui mérite · d'être puni. *Poenâ dignus*.

punition, s. f. Action de punir. *Multatio*, *onis*, f. *Correctio*, *onis*, f. *Castigatio*, *onis*, f. Demander la — des coupables, *ut puniantur nocentes precāri*. En — de leurs crimes, *ut scelerum poenas darent*. ¶ Peine dont on punit. *Poena*, *ae*, f.

1. pupille, s. m. et f. Enfant mineur en tutelle. *Pupillus*, *i*, m. *Pupilla*, *ae*, f.

2. pupille, s. f. Ouverture du milieu de l'iris par où pénètre la lumière. *Pupilla*, *ae*, f. *Acies*, *ei*, f.

pupitre, s. m. Meuble incliné sur lequel on pose des livres, etc. *Pluteus*, *i*, m.

pur, *e*, adj. Dont la nature n'est mélangée d'aucun élément étranger. *Purus*, *a*, *um*, adj. *Integer*, *gra*, *grum*, adj. *Merus*, *a*, *um*, adj. *Meracus*, *a*, *um*, adj. *Sincerus*, *a*, *um*, adj. — et simple, *nudus*, *a*, *um*, adj.; *simplex* (gén. *-plicis*), adj. La — vérité, *summa veritas*. ¶ Dont la nature n'est altérée par aucun élément mauvais. *Purus*, *a*, *um*, adj. *Integer*, *gra*, *grum*, adj. ‖ (Par ext.) En parl. du style. *Purus*, *a*, *um*, adj.

purée, s. f. Mets fait de légumes réduits en bouillie. *Puls*, *pultis*, f. *Sorbitio*, *onis*, f.

purement, adv. D'une manière pure. *Purē*, adv. *Castē*, adv. ¶ Correctement. *Emendatē*, adv. ‖ (P. ext.) Uniquement. Voy. ce mot. — et simplement, *directo*, adv.

pureté, s. f. Etat de ce qui n'est mélangé d'aucun élément étranger. *Munditia*, *ae*, f. et *mundities*, *ei*, f. *Sinceritas*, *atis*, f. ¶ Etat de ce qui n'est altéré par aucun élément mauvais. *Sinceritas*, *atis*, f. *Serenitas*, *atis*, f. — des mœurs, *castitas*, *atis*, f. — du style, *incorrupta integritas*. — de la langue, *sermo purus*.

purgatif, *ive*, adj. Qui a la propriété de purger. *Purgatorius*, *a*, *um*, adj. Un remède —, et (*subst.*) un —, *purgatorium medicamentum* ou simpl. *purgatorium*, *ii*, n.

purgation, s. f. Action de purger. *Purgatio alvi* (ou *ventris*). ‖ (P. ext.) Remède. Voy. PURGATIF.

purgatoire, s. m. Lieu d'expiation dans l'autre monde. *Purgatorium*, *ii*, n.

purger, v. tr. Débarrasser de ce qui souille, altère, gâte. *Purgāre*, tr. *Repurgāre*, tr. *Expurgāre*, tr. — qqn, *c.-à-d.* lui faire prendre médecine, *purgāre*, tr. — (en parl. d'un remède), *alvum subducěre* (ou *movēre*). ‖ (P. anal.) Débarrasser. Voy. ce mot. — la mer des pirates qui l'infestaient, *maritimos praedones consectando mare tutum redděre*. ‖ (Spéc.) Se — d'une accusation, *c.-à-d.* s'en justifier, voy. JUSTIFIER.

purification, s. f. Action de purifier. *Purgatio*, *onis*, f. *Purificatio*, *onis*, f. — religieuse, *lustratio*, *onis*, f.

purifier, v. tr. Rendre pur. *Purgāre*, tr. ‖ (T. relig.). *Lustrāre*, tr. *Expiāre*, tr. Se — de ses souillures, *eluěre sordes*.

purpurin, *ine*, adj. Qui est couleur de pourpre. *Purpureus*, *a*, *um*, adj.

pus, s. m. Humeur épaisse produite par la corruption des tissus. *Pus*, *puris*, n. *Sanies*, *ei*, f.

pusillanime, adj. Qui a l'âme faible, timide. *Minutus et angustus*.

pusillanimité, s. f. Caractère pusillanime. *Animus parvus*.

pustule, s. f. Petite tumeur qui suppure. *Pustula*, *ae*, f.

putréfaction, s. f. Décomposition des corps privés de vie. *Situs*, *ûs*, m. *Tabes putris*. Etre en —, *putrēre*, intr. Tomber en —, *putrefieri*, pass.

putréfier, v. tr. Faire tomber en putréfaction. *Putrefacěre*, tr. Putréfié, *puter*, *tris*, *tre*, adj.; *putrefactus*, *a*, *um*, p. adj. Etre putréfié, *putēre*, intr. Se —, *putrescěre*, intr.

Pylade, n. pr. Ami d'Oreste. *Pylades*, *ae*, m. [taille. *Pygmaeus*, *i*, m.

pygmée, s. m. Homme de très petite

pyramidal, ale, adj. Qui est en forme de pyramide. *In pyramidis formam factus.*

pyramide, s. f. Monument à quatre faces triangulaires se terminant en pointe. *Pyramis, idis* (Acc. *pyramidem,* Gén. pl. *pyramidum,* Acc. pl. *pyramidas*), f. ¶ (P. anal.) Solide à faces triangulaires réunies par un sommet commun. *Pyramis, idis,* f.

Pyrénées, n. pr. Chaîne de montagnes. *Pyrenaei, orum,* m. pl.

pyrrhique, s. f. Danse guerrière. *Pyrricha, ae,* f. [*Pyrrho, onis,* m.

Pyrrhon, n. pr. Philosophe sceptique.

Pythagore, n. pr. Philosophe grec. *Pythagoras, ae,* m.

pyrrhonien, enne, s. m. et f. Sceptique. Voy. ce mot. [ce mot.

pyrrhonisme, s. m. Scepticisme. Voy.

Pythie, s. f. Prêtresse de l'oracle d'Apollon à Delphes. *Pythia, ae,* f.

pythonisse, s. f. Femme qui prédit l'avenir. *Pythonissa, ae,* f.

Q

q, s. m. Dix-septième lettre de l'alphabet. *Q,* f. n.

quadragénaire, adj. Qui a quarante ans. *Quadraginta annos natus.*

quadrige, s. m. Char attelé de quatre chevaux de front. *Quadriga, ae,* f. (ordin. au plur. *quadrigae, arum,* f.).

quadrilatère, s. m. Figure qui a quatre côtés. *Quadrangulum, i,* n.

quadrupède, adj. Qui a quatre pieds. *Quadrupes, pedis,* adj. Subst Un —, *quadrupes, edis,* masc. et fém. Les — *quadrupedia, ium,* n. pl.

quadruple, adj. Qui égale quatre fois la valeur d'une quantité donnée. *Quadruplex* (gén. *-plicis*), adj. *Quadruplus, a, um,* adj. ¶ Subst. au masc. Le —, *quadruplum, i,* n.

quai, s. m. Levée faite le long d'une rivière. *Crepido, dinis,* f. || (P. ext.) Rivage d'un port. *Ripa, ae,* f.

qualification, s. f. Action de qualifier. *Nominatio, onis,* f. ¶ L'action d'être qualifié. Voy. NOM.

qualifier, v. tr. Caractériser par l'attribution d'une qualité. *Notāre* (*res*) *nominibus.* Absolt. Nul qualifié, voy. MANIFESTE. || Spéc. — de, voy. TRAITER. || (P. ext.) Une personne —, *c.-à-d.* de qualité noble, voy. NOBLE; personne considérable par son mérite, sa position, voy. CONSIDÉRABLE.

qualité, s. f. Manière d'être, bonne *ou* mauvaise, d'une chose. *Qualitas, atis,* f. *Natura, ae,* f. *Genus, eris,* n. Bonne —, *virtus, utis,* f.; *laus, laudis,* f. Mauvaise —, *vitium, ii,* n. Première —, *prima nota.* Deuxième, seconde —, *secunda nota.* || (Absol.) Manière d'être bonne. *Virtus, utis,* f. *Bonitas, atis,* f. ¶ Manière d'être morale d'une personne. *Ars, artis,* f. *Virtus, utis,* f. *Bonum, i,* n. || (Par ext.) Manière d'être, condition sociale, civile, politique. — de citoyen, *civitas, atis,* f. — de magistrat, *magistratūs, ūs,* m. En — de, adv.; *tanquam,* conj. || (Absol.) Condition de celui qui est noble. Voy. NOBLESSE. Les gens de —, voy. NOBLE.

quand, conj. et adv. || *Conj.* Au moment où. *Quando,* conj. *Cum,* conj. || Du moment que. *Cum,* conj. || En admettant que (av: le conditionnel). *Et si,* conj. *Etiam si,* conj. — même, — bien même, *même traduction.* || (Ellipt.) Quand même, *c.-à-d.* malgré tout, voy. MALGRÉ. ¶ *Adv.* A quel moment? *Quando?* adv. Jusqu'à —, *quousque,* adv. Depuis —? *quamdiu? quamdudum?* adv.

quant, adv. — à (pour ce qui se rapporte à qqn, qqch.), *de,* prép. (av. l'abl.); *autem* ou *vero,* conj. (qui se place le second mot).

quantième. s. m. Quel — du mois avons-nous? *quotus dies mensis est?* || (P. ext.) Date. Voy. ce mot.

quantité, s. f. Tout ce qui est considéré comme formé de parties homogènes, susceptible d'accroissement ou de diminution. *Summa, ae,* f. ¶ Nombre plus *ou* moins considérable de personnes, de choses, *et, par ext.,* grande quantité. *Numerus, i,* m. Grande —, *magnitudo, dinis,* f.; *multitudo, dinis,* f.; *copia, ae,* f. En grande —, *multus, a, um,* adj. Quelle —? *quantum,* n. Une petite —, voy. PEU. || (Métrique.) Durée d'une syllabe. *Tempus, oris,* n.

quarantaine, s. f. Espace de quarante jours. *Quadraginta dierum spatium.* ¶ Age de quarante ans. *Quadraginta annorum aetas.* Qui a la —, *quadraginta annos natus.* ¶ Nombre d'environ quarante. *Quadraginta,* indécl.

quarante, adj. et s. m. || Adj. numéral cardinal indéclinable. Quatre fois dix. *Quadraginta,* indécl. Tous les — ans, *quadragesimo quoque anno.* — à la fois, chaque fois —, *quadrageni, ae, a,* adj. num. distr. — huit jours, *duodequinquaginta dies.* Par — huit, — huit chaque fois, *duodequinquageni, ae, a,* adj. — neuf, *undequinquaginta,* adj. plur. indécl. — neuvième, *undequinquagesimus, a, um,* adj. Dans sa — neuvième année, *nono et quadragesimo anno.* — fois, *quadragies,* adv. De —, *quadragenarius, a, um,* adj.

quarantième, adj. Adj. numéral ordinal. Qui vient immédiatement après le trente-neuvième. *Quadragesimus, a, um*, adj. ‖ (P. ext.) La — partie d'un tout, *et subst, au masc.* le —, *quadragesima pars?* (subst.) *quadragesima, ae*, f.

quarre, quarré. Voy. CARRE, CARRÉ, etc.

quart, *arte*, adj. et s. m. *Adj.* Qua. trième. *Quartus, a, um*, adj. P. ext‑ Fièvre —, *quartana febris* ou simpl. *quartana, ae*, f. ¶ *S. m.* Une quelconque des parties d'un tout divisé en quatre parties égales. *Quarta pars* et simpl. *quarta* (s.-e. *pars*), *ae*, f. Quadrans. *antis*, m. Un — d'as, *quadrans, antis*, m. Trois —, *dodrans, antis*, m.

quartaut, s. m. Vaisseau, baril de la capacité d'un quart de muid. *Quartale, is*, m.

quarte. s. f. Ancienne mesure de liquides Voy. QUART. ¶ (Musique.) Intervalle de quatre degrés (d'une note à la quatrième). *Diatessaron*, indécl. ¶ (Escrime.) La quatrième sorte de parade. *Quarta manus.*

quarteron, s. m. Quatrième partie d'une livre. *Quadrans, antis*, m.

quartier, s. m. Quatrième portion d'un tout. *Quarta pars.* Bois de —, *quadrifidae sudes.* Les quatre — d'un bœuf, *quattuor partes divisi bovis.* ‖ (Spéc.) Quatrième partie du cours de la lune. Premier —, *luna crescens.* Dernier —, *luna decrescens* (ou *senescens*). ‖ (Par ext.) Paiement qui a lieu tous les trois mois. *Pecunia tertio quoque mense solvenda.* ¶ (Par ext.) Portion d'un tout. *Pars, partis*, f. Un — de pain, *quadra panis.* Un — de rocher, *saxum, i*, n. ‖ Partie d'une ville. *Vicus, i*, m. *Regio, onis*, f. ‖ (Spéc.) Partie d'une ville où les troupes sont casernées. *Castra, orum*, n. pl. ‖ Emplacement qu'un corps de troupe occupe en campagne. — d'été, *aestiva, orum*, n. pl. — d'hiver, *hiberna, orum*, n. pl. ‖ (Par anal.) Lieu où qqn se retire; lieu de sûreté. *Tectum, i*, n. *Hospitium, ii*, n. Donner — à qqn, *alicui vitam ddre.* Demander —, *rogåre ut sibi* (ou *ut vitae suae*) *parcatur.*

quatorze, adj. cardinal. Dix plus quatre. *Quattuordecim*, adj. numér. indécl. — par —, *quaterni deni.* Tous les — jours, *quarto decimo quoque die.* — fois, *quater decies*, adv.

quatorzième, adj. Qui vient immédiatement après le treizième. *Quartus decimus* (ou *decimus et quartus*). Pour la — fois, *quartum decimum.*

quatorzièmement, adv. En quatorzième lieu (dans une énumération). *Quarto decimo.*

quatrain, s. m. Petite pièce de poésie de quatre vers. *Tetrasticha, on*, n. pl.

quatre, adj. numéral invariable. ¶ (*Adj. cardinal.*) *Quattuor*, adj. indécl

— par —, — à la fois — chaque fois, *quaterni, ae, a*, adj. numér. distrib. Tous les — ans, *quarto quoque anno.* — fois, *quater*, adv. Quatre cents, voy. CENT. — mille, voy. MILLE. En — parts, *quadripartito.* Fendu en —, *quadrifidus, a, um*, adj. ¶ (*Adj. ordin.*) Quatrième. Voy. ce mot. Le — du mois, *et, ellipt.* le —, *quarto die.*

quatre-vingtième, adj. Qui vient le dernier dans une série de quatre-vingts. *Octogesimus, a, um*, adj.

quatre-vingts, adj. numéral cardinal. Quatre fois vingt. *Octoginta*, indécl. — pour chacun, — chaque fois, — à la fois, *octogeni, ae, a*, adj. Qui a — ans, *octoginta annos natus.* — huit, *duodenonaginta*, indécl. — neuf, *undenonaginta*, indécl. — dix, *nonaginta*, indécl. Au nombre de — dix chaque fois, *nonageni, ae, a*, adj. Agé de — dix ans, *nonaginta annos natus.* — dix fois, *nonagiens*, adv. De — dix, *nonagenarius, a, um*, adj. — dix-neuf, *undecentum.* — dixième, *nonagesimus, a, um*, adj. — dix-neuvième, *undecentesimus, a, um*, adj.

quatrième, adj. numéral ordinal. Qui vient immédiatement après le troisième. *Quartus, a, um*, adj.

quatrièmement, adv. En quatrième lieu. *Quarto*, adv.

1. que et devant une voyelle **qu'**, pron. Pronom relatif. Complément direct. *Quem, quam, quod. Quos, quas, quae.* Ce — tu m'as écrit, *ea quae mihi scripsisti.* Ce qu'il fallait, *quae opus erant.* A ce — il paraît, *ut videtur.* Je ne sais — dire, *nescio quid dicam.* Je ne sais — faire, *haereo quid faciam.* Attribut. Malheureux — je suis ! *O me miserum !* Cruel que tu es, *o te crudelem.* Tout paysan qu'il est, *quantumvis rusticus.* Songe à ce — tu es, *qui sis considera.* ¶ Pronom interrogatif. (Complément direct.) *Quid?* Que m'importe? Voy. IMPORTER.

2. que et devant une voyelle **qu'**, conj. et adv. ‖ *Conj.* Précédant une propos. subord. *Ut*, conj. (av. le Subj.; après les verbes qui marquent une manifestation de la *volonté :* « désirer, vouloir »; ou de l'*activité*, « faire en sorte que, obtenir que, arriver à ce résultat que, veiller à ce que »; après les express. qui signifient : « il arrive que, il s'en faut de beaucoup que, il va bientôt arriver que, etc. »). *Ne*, conj. (av. le Subj.; après les verbes sign. « craindre »). L'idée du fr. « que » est rendue par le subj. seul (sans *ut*) avec les verbes *velle, nolle, malle*, et avec les express. impers. *licet, oportet, necesse est.* Enfin l'idée du fr. « que » est rendue par une prop. à l'Inf. avec le suj. à l'Acc. après les verbes dits déclaratifs « dire, croire, promettre, espérer, etc.; savoir, apprendre, faire savoir, montrer », etc.).

(P. anal.) Vu que, attendu que, considérant que. Voy. VOIR, ATTENDRE, CONSIDÉRER. || Formant avec un antécédent une loc. conj. Alors que, depuis que, etc. Voy. ALORS, DEPUIS, AVANT, APRÈS, TANDIS, BIEN, SUIVRE, POURVOIR, POUR, AFIN, PARCE, [de] PEUR [que]. || Après un comparatif de supériorité. *Quam*, conj. (mais on peut construire le comp. av. l'Abl., si le premier terme de la comparaison est au Nom. ou à l'Acc.). || Après un comparatif d'égalité. *Quam*, conj. (après *tam, non alius, non aliter, non secus*). *Atque* ou *ac*, conj. (après les adj. ou les adv. qui signifient ressemblance : *par, aequus, similis, pariter, aequè, similiter*, etc.). ¶ Résumant l'antécédent sous-entendu. *Que, s.-d-d. : ‹ * j'ordonne que, il faut que * : * se rend par le subj. impératif. || Ne... que... Voy. SEULEMENT. ¶ *Adv.* Interrogatif. Voy. POURQUOI. || Exclamatif. Voy. COMBIEN.

quel, *elle,* adj. conj. interrogat. ou exclamatif. || (*Adj. conj.*) *Qualis, e,* adj. *Qui, quae, quod,* adj. — que, *qualiscumque, qualecumque,* adj. — que soit celui qui, *quicumque,* pron. Tel —. voy. TEL. ¶ (*Adj. interr.*) *Qualis, e,* adj. *Quis* (et *qui*), *quae, quod,* adj. — grand, *quantus, a, um,* adj. ¶ (*Adj. exclamat.*) *Qualis, e,* adj. *Qui, quae, quod,* adj. — grand, *quantus, a, um,* adj.

quelconque, adj. Il n'importe lequel. *Quilibet quaelibet, quodlibet,* adj. indéf. *Quivis, quaevis, quodvis,* adj. indéf.

quelque. adj. et adv. || (*Adj. indéfini.*) Désignant une quantité indéterminée. *Aliqui* et *aliquis, aliqua, aliquod,* adj. *Qui* et *quis, quae, quod,* adj. indéf. (surtout après *si, sive, sin, nisi, ne,* après *num* et *an ;* après *alius ;* dans les prop. relatives). *Quidam, quaedam, quoddam,* adj. (voy. CERTAIN). — un, *aliquis,* pron.; *quis,* pron. (empl. dans les mêmes cas que *qui* [*quis*], adj.); *quidam* (« une certaine personne, quelqu'un »), pron. — uns, *aliqui,* pron. plur.; *nonnulli,* m. pl. — chose, *aliquid,* pron. n.; *quid,* pron. n. — part. (quest. *ubi*), *alicubi,* adv.; *usquam,* adv. (dans les prop. négat. de forme *ou* de sens). — part (quest. *quo*), *aliquo,* adv. — que, *qualiscumque, qualecumque,* adj.; *quicumque, quaecumque, quodcumque,* adj. En — lieu que (quest. *ubi*), *ubicumque,* adv. En — lieu que (quest. *quo*), *quocumque,* adv. Par — endroit que ce soit, *quācumque,* adv. || Désignant une petite quantité. Voy. PEU. — temps, *aliquid temporis ; non nihil temporis.* Pendant — temps, *aliquandiu ; paulisper.* || Désignant une quantité approximative. *Aliquis* (avec des noms de nombre). Voy. ENVIRON. ¶ (*Adv.*) Désignant une quantité indéterminée. — peu, voy. ASSEZ. — que, *quamvis,* adv.; *quantumvis,* adv. — grand que...

quantuscumque, acumque, umcumque, adj. [*dum,* adv. *Aliquoties,* adv. **quelquefois,** adv. Certaines fois. *Interquelqu'un, une,* au plur. **quelques-uns, unes.** Voy. QUELQUE.

quenouille, s. f. Bâton dont on garnit l'extrémité supérieure avec du lin, pour filer. *Colus, i,* f.

querelle, s. f. Différend entre personnes amenant échange de plaintes, de reproches. *Altercatio, onis,* f. *Jurgium, ii,* n. *Convicium, ii ;* n. *Rixa, ae,* f.

quereller, v. tr. — qqn (lui chercher querelle), *aliquem jurgio lacessère* (ou *adoriri*). — qqn (lui adresser des plaintes, des reproches), *verbis castigàre aliquem.* Absolt. Chercher querelle. *Conviciàri,* dép. intr. ¶ Se — avec qqn (avoir une querelle avec lui), *cum aliquo altercàri* (ou *rixàri*). Se —, *inter se altercàri ; jurgiis certàre inter se.*

querelleur, *euse,* s. m. et f. Celui, celle qui cherche des querelles. *Homo jurgii cupidus.* Querelleuse, *mulier jurgii cupida.* [qqch.). Voy. CHERCHER.

quérir, v. tr. Aller chercher (qqn,

questeur, s. m. Magistrat romain. *Quaestor, oris,* m.

question, s. f. Demande faite à qqn pour s'éclairer sur qqch. *Interrogatio, onis,* f. *Percontatio, onis,* f. Presser qqn de —, *aliquem interrogando urgère.* Accabler qqn de —, *rogitando obtundère* (ou *enecàre*). Adresser une —, des — à qqn, *aliquem interrogàre* (ou *percontàri*). || (Par ext.) Point à éclaircir. *Quaestio, onis,* f. *Res, rei,* f. *Disceptatio, onis,* f. *Contentio, onis,* f. — philosophiques, *res philosphicae.* La — n'est pas douteuse, cela ne fait pas —, *hoc non dubium est.* La personne en —, *is de quo agitur.* L'affaire en —, *id de quo agitur.* Je me suis bien souvent posé la — de savoir si... ou si..., *saepe et multum hoc mecum cogitavi, utrum... an...* ¶ (Par ext.) Torture infligée à un accusé pour lui arracher des aveux. *Quaestio, onis,* f. *Tormenta, orum,* n. pl.

questionner, v. tr. Interpeller par une question. *Rogàre,* tr. *Interrogàre,* tr. *Percontàri,* dép. tr.

questionneur, *euse,* s. m. et f. Celui, celle qui aime à faire des questions. *Homo interrogandi cupidus.* Questionneuse, *mulier* (ou *virgo* ou *puella*) *interrogandi cupida.* [*Quaestura, ae,* f. **questure,** s. f. Charge de questeur.

quête, s. f. Action d'aller à la recherche de qqn, de qqch. *Inquisitio, onis,* f. Etre, se mettre en —, *quaerère,* tr.; *conquirère,* tr.; *odoràri,* tr. Fig. Etre en — de plaisirs, *vestigàre voluptates.* || Spéc. (Chasse.) Action de chercher le gibier. *Vestigatio, onis,* f. *Investigatio, onis,* f. ¶ Action de demander, de recueillir des aumônes. *Collatio, onis,* f. || (P. ext.) Argent donné pour une quête. *Stips, stipis,* f.

quêter, v. tr. Aller chercher; (*spéc.*) chercher le gibier. *Investigāre*, tr. ¶ Demander, recueillir (de l'argent) pour des œuvres charitables. *Stipem cogĕre* (ou *colligĕre*). || (Fig.) Mendier. Voy. ce mot. — des suffrages, *suffragia conquirĕre*.

quêteur, *euse*, s. m. et f. Celui celle, qui quête des aumônes. *Qui (quae) stipem colligit*.

queue, s. f. Prolongement qui termine postérieurement le tronc des vertébrés. *Cauda, ae*, f. ¶ (P. anal.) Chez les oiseaux, longues plumes disposées autour du croupion. *Cauda, ae*, f. Grosse plume de la —, *penna, ae*, f. ¶ Chez les reptiles, les poissons, les insectes, partie qui termine le corps par derrière. *Pars posterior*. ¶ Dans les plantes, le pédoncule qui relie la feuille, etc., à la branche. *Pediculus, i*, m. *Pes, pedis*, m. La — d'un fruit, *petiolus, i*, f. ¶ (Fig.) Ce qui termine qqch. en forme de queue. *Pars ultima* (ou *extrema*). La — d'une comète, *stellae crines* (ou *coma*). La — d'un cortège, d'une procession, *extremum agmen; agmen ultimum*. Etre en —, *agmen cogĕre; agmen claudĕre*.

1. queux, s. f. Pierre à aiguiser. *Cos, cotis*, f. [mot.

2. queux, s. m. Cuisinier. Voy. ce **qui**, pron. relat. et interr. || (*Pron, relat.*) Sujet ou attribut. *Qui, quae. quod*, pron. || (Elliptiqt.) Celui qui. Voy. QUICONQUE. || Qui (répété), *c.-d-d.* celui-ci... celui-là... *hic... ille...* || Qui que tu sois, *quisquis es*. Qui que ce soit qui, *quicumque* (av. l'indic.). || Complément direct. *Quem, quam, quod*, adj. (à l'Acc.). — des deux, *utrum, a, um*, adj. (à l'Acc.). || Complément indirect avec une préposition. De qui, *cujus*. A qui, *cui*, etc. Sur qui, *in quo* ou (au plur.) *in quibus*. Avec qui, *quocum* ou (au plur.) *quibuscum*. ¶ (*Pron. interrog.*) || Sujet, *Quis, quae, quid*, pron. — des deux, *uter, utra, utrum*, adj. || (Complément direct.) — préférez-vous? *quem anteponis?* Qui choisissez-vous des deux? *utrum eligis?* || Complément indirect (avec une prép.). De qui? *Cujus?* A qui? *Cui?* Pour qui? *Cui?*

quiconque, pron. indéf. masc. sing. Celui, quel qu'il soit, qui. *Quicumque, quaecumque, quodcumque*, pron. indéf. *Quisquis, quaeque, quicquid*, pron. indéf. ¶ Qui que ce soit qui. *Quisquis, quaeque, quicquid*, pron. indéf. *Quivis, quaevis, quidvis*, pron. indéf.

quiétude, s. f. Douce tranquillité d'âme. *Tranquillitas animi*.

1. quille, s. f. Cône de bois qu'on doit abattre avec une boule. *Conus, i*, m. *Metulae, arum*, f. pl.

2. quille, s. f. Longue et forte membrure de bois qui va de la proue à la poupe d'un navire. *Carina, ae*, f.

quinconce, s. m. Réunion d'objets disposés par cinq (disposition rappelant celle des cinq points sur les dés). *Quincunx, uncis*, m. Planté en —, *quincuncialis, e*, adj.

quinquagénaire, adj. Agé de cinquante ans. *Quinquaginta annorum. Quinquaginta annos natus*.

quinquennal, *ale*, adj. Qui dure ou qui a lieu tous les cinq ans. *Quinquennalis, e*, adj. [*Centumpondium, ii*, n.

quintal, s. m. Poids de cent livres.

Quintilien, n. pr. Célèbre professeur de rhétorique. *Quintilianus, i*, m.

quinzaine, s. f. Réunion de quinze objets de même nature. *Quindecim res.* || (Spéc.) Espace de quinze jours. *Dimidiatus mensis*.

quinze, adj. cardinal. Quatorze plus un. *Quindecim*, adj. indécl. — par —, — chaque fois. *quini deni*. — fois, *quindecies*, adv. || Adj. ordinal. Quinzième. Voy. ce mot. Subst. Le — (du mois), *quinto decimo die (mensis)*.

quinzième, adj. Adj. numéral ordinal. Qui en a quatorze avant lui. *Quintus decimus, a, um*, adj. Pour la — fois, *quintum decimum*.

quinzièmement, adv. En quinzième lieu. *Quintodecimo*, adv.

quiproquo, s. m. Voy. MÉPRISE.

quittance, s. f. Ecrit par lequel on reconnaît qqn quitte d'une somme qu'il devait payer. *Apocha, ae*, f. *Acceptilatio* ou *accepti latio, onis*, f. ¶

quitte, adj. Entièrement libéré d'une obligation pécuniaire. *Liberatus a, um*, p. adj. *Liber, era, erum*, adj. Etre — de ses dettes, *aes alienum solvisse*. || D'une obligation morale. *Liber, era, erum*, adj. *Solutus, a, um*, adj. Tenir qqn — d'une chose, voy. DISPENSER. Etre — envers qqn, *cum aliquo paria fecisse*. Etre — d'un danger, *periculo liberatum esse*. — à c.-à-d. au risque de, voy. RISQUE.

quitter, v. tr. Libérer entièrement (qqn) de ce qu'il devait. || D'une obligation pécuniaire. *Liberāre (aliquem aere alieno)*. || D'une obligation morale. *Liberāre (aliquem aliquā re)*. ¶ Laisser complètement à qqn ce qu'il devait. *Pecuniam creditam condonāre* (ou *remittĕre*). *Debitum remittĕre alicui*. || (P. ext.) Céder. Voy. CÉDER. — la place, *locum dare* ou *loco cedĕre*. — la partie (fig.) *incepto desistĕre*. ¶ Laisser là définitivement. || Une personne. *Relinquĕre*, tr. *Deserĕre*, tr. *Destituĕre*, tr. *Abscedĕre*, intr. — qqn, *discedĕre ab aliquo*. Elle ne le — pas des yeux, *nusquam ab eo deflectit oculos*. || Une chose. *Relinquĕre*, tr. *Cedĕre*, intr. (*e vitā* ou *vitā*). *Discedĕre*, intr. (*ex vitā discedĕre*). *Ponĕre*, tr. (*p. vestem, tunicam*). *Deponĕre*, tr. || Un lieu. *Cedĕre*, intr. (*e patriā* ou *patriā*). *Abscedĕre*, intr. (*a loco suo: Spartā*). *Decedĕre*, intr. (*de colle, de vallo.*).

qui vive et qui-vive, excl. Locution interrogative, cri d'une sentinelle, en entendant qqn venir. *Quis homo? Quis adest?* || Subst. Voy. ALARME.

quoi, pron. et interj. || (*Pron.*) Pron. conjonctif régi par une préposition. Il mourut si pauvre qu'il laissa à peine de quoi se faire enterrer, *in tantâ paupertate decessit, ut, qui efferretur, vix reliquerit.* S'il a de — vous payer, *si habuerit unde tibi solvat.* || Construit avec la conj. « que ». Quoi que, c.-à-d. quelque chose que, *quodcumque; quicquid.* Quoi qu'il en soit, *quicquid est; utcumque res se habet.* — qu'il arrive, *quodcumque acciderit* (fut. antér.). || (Spéc.) Quelque quantité que. *Quantumcumque,* pr. n. || Pron. interr. régi par une prépos. A — m'occuper, *cui studeam rei?* A — aboutira tout cela, *quorsum ista?* || Pris pour compl. direct. *Quid?* || (Ellipt.) Qu'y a-t-il? *Quid?*

¶ *Interj.* Marquant la surprise. *Quid!* quoique, conj. Amenant l'énoncé de l'obstacle malgré lequel qqch. a lieu. *Tametsi,* conj. (touj. av. l'Indic. et presque touj. en corrélat. avec *tamen*). *Quanquam,* conj. (av. l'Indic.) *Quamvis,* conj. (avec le Subj.). *Cum,* conj. (av. le Subj.).

quolibet, s. m. Voy. SARCASME.

quote-part, s. f. Part qui revient à chacun dans la répartition d'une somme à recevoir *ou* à payer. *Rata pars, ratae partis,* f. Payer sa —, *contribuére,* tr.

quotidien, enne, adj. Qui se produit chaque jour. *Quotidianus, a, um,* adj.

quotidiennement, adv. D'une manière quotidienne. *Quotidie* (ou *cotidie*), adv.

quotient, s. m. Résultat de la division d'un nombre par un autre. *Quota pars.*

quotité, s. f. Le montant d'une somme à payer *ou* à recevoir. *Summa constituta.*

R

r, s. f. ou s. m. La dix-huitième lettre de l'alphabet, *R,* f. n.

rabais, s. m. Réduction de la valeur, du prix d'une chose. *Imminutio* (ou *remissio*) *pretii.*

rabaisser, v. tr. Abaisser de nouveau. Voy. ABAISSER. ¶ Ramener en bas. || (En faisant descendre.) *Deprimère,* tr. *Demittère,* tr. — un mur, *altitudinem muri minuère.* || (Fig.) Amener à un degré moindre. *Minuère,* tr. *Imminuère,* tr. *Levâre,* tr. *Elevâre,* tr. Se —, *de se detrahère.*

rabattre. v. tr. Ramener vivement à un niveau plus bas. || (En faisant redescendre.) *Premère,* tr. *Deprimère,* tr. || (Fig.) Ramener à un degré moindre. — l'orgueil de qqn, *alicuius spiritus reprimère.* || (Par anal.) Retrancher sur une quantité. *Remittère,* tr. *Dimittère,* tr. ¶ (Par ext.) Ramener vivement vers un lieu. *Reducère,* tr. Se —, *se recipère.* (Fig.) Se — sur qqch., *se convertère ad aliquid.*

râble, s. m. La partie du dos de certains mammifères, du bas des épaules à la queue. *Lumbus, i,* m.

rabot, s. m. Outil de menuisier. *Runcina, ae,* f.

raboter, v. tr. Aplanir, diminuer (une surface) à l'aide du rabot. *Runcinâre,* tr. *Levigâre,* tr.

raboteux, *euse,* adj. Dont la surface présente une suite d'aspérités. *Asper, a, um,* adj. *Scaber, bra, brum,* adj. Terrain —, *salebra, ae,* f. Rendre —, *asperâre,* tr.

rabougrir, v. tr. Arrêter dans son développement normal (en parl. de la végétation). *Debilitâre,* tr. Se —, *et*

intr. —, *retorrescère,* intr. Rabougri, *retorridus, a, um,* adj. || En parl. du corps humain. Rabougri. *Rem breviorem adj.* Rabougri par l'âge, *retorridus, a, um,* adj.

raccommodage, s. m. Action de raccommoder. *Sartura, ae,* f.

raccommodement, s. m. Voy. RÉCONCILIATION.

raccommoder, v. tr. Remettre en état. *Sarcire,* tr. *Resarcire,* tr. || (Fig.) — ses affaires, voy. RÉTABLIR. (P. ext.) — qqn avec un autre, voy. RÉCONCILIER.

raccommodeur, *euse,* s. m. et f. Celui, celle dont le métier est de raccommoder. *Sarcinator, oris,* m. Raccommodeuse, *sartrix, tricis,* f.

raccourcir, v. tr. et intr. || (*V. tr.*) Rendre plus court. *Contrahère* ou *breviorem facère* (ou *reddère*). *Contrahère* (*aliquid*). || Au part. passé pris substantivt. Abrégé d'une chose. *Compendium, ii,* n. En raccourci, *breviter,* adv.; *praecise,* adv. Représenter en raccourci, (*brevi*) *praecidère.*

raccourcissement, s. m. Action de raccourcir. *Contractio, onis,* f.

raccrocher, v. tr. et pron. Accrocher de nouveau. Voy. ACCROCHER et [de] NOUVEAU. ¶ Ressaisir. Voy. ce mot. ¶ (*V. pron.*) Se — à qqch., à qqn (s'y tenir pour ne pas tomber), voy. ACCROCHER, RETENIR, SAISIR.

race, s. f. Ensemble des ascendants et descendants d'une même famille, d'un même peuple. *Genus, eris,* n. *Gens, gentis,* f. *Sanguis, inis,* m. || (Spéc.) Les ancêtres. *Genus, eris,* n. *Origo, ginis,* f. || Les descendants. *Progenies, ei,* f. *Suboles, is,* f. || Génération

d'hommes. *Aetas, atis,* f. || La posté-
rité. Voy. ce mot. ¶ (Par ext.) Catégorie de gens. *Genus, eris,* n. *Natio,
onis,* f. ¶ Groupe d'une espèce animale
ou végétale dont les caractères sont
constants et transmis par la reproduction. *Genus, eris,* n. *Semen, minis,*
n. De noble, de pure — *et ellipt.* de —,
generosus, a, um, adj.

rachat, s. m. Action de racheter.
Redemptio, onis, f. Faculté de —,
redimendi facultas. ¶ (P. ext.) Action
d'obtenir la liberté moyennant ran-
çon. *Redemptio, onis,* f. || (Fig.) Ré-
demption. Voy. ce mot. ¶ Action de se
libérer en payant une somme. *Redemptio, onis,* f.

racheter, v. tr. Acheter de nouveau.
Redimère, tr. ¶ Obtenir qu'on mette
en liberté moyennant rançon. *Redi-
mère,* tr. || (Fig.) Délivrer. *Redimère,*
tr. || Compenser. *Redimère,* tr.

racine, s. f. Partie inférieure d'un
végétal qui plonge dans le sol. *Radix,
dicis,* f. *Stirps, stirpis,* f. Avec la —
même, en enlevant jusqu'à la — *et*
(fig.) jusqu'à la —, *radicitus,* adv.;
stirpitus, adv. Prendre — (qq. part),
inhaerère, intr. (pr. et fig.). (Par anal.)
Principe d'une chose. *Radix, dicis,* f.
Stirps, stirpis, f. || (Par ext.) Racine
servant à divers usages: alimentation,
pharmacie, etc. *Radix, dicis,* f. ¶ (Par
anal.) Portion d'un organe par laquelle
il s'implante dans un autre. *Radix,
dicis,* f. (Par anal.) — d'une montagne
radix, dicis, f. (ordin. au plur. *radices
collis).*

racler, v. tr. Frotter de manière à
enlever une partie de la surface. *Radère,*
tr.

racloir, s. m. Outil qui sert à racler.
Radula, ae, f.

raclure, s. f. Action de racler. Voy.
RACLAGE. ¶ Partie enlevée d'un corps
qu'on racle. *Rasura, ae,* f.

raconter, v. tr. Conter (qqch.) dans
tous ses détails. *Narrâre,* tr. *Enarrâre,*
tr. *Explicâre,* tr. *Memorâre,* tr. *Referre,* tr.

raconteur, euse, s. m. et f. Celui, celle
qui aime à raconter. Voy. CONTEUR.

racornir, v. tr. Rendre dur comme la
corne. Voy. DURCIR. Se —, *cornescère,*
intr.

racornissement, s. m. Etat de ce qui
se racornit. *Contractio, onis,* f.

rade, s. f. Bassin naturel formé par
la mer, pour abriter les vaisseaux.
Statio navium, ou (simpl.) *statio, onis,* f.

radeau, s. m. Assemblage de poutres
liées ensemble de manière à former
un plancher flottant. *Ratis, is,* f.

radiation, s. f. Action de rayer, *Litura,
ae,* f.

radical, ale, adj. Qui a rapport au
principe d'une chose. Vice — (qui
déprave complètement), *vitium gravis-*

simum. || (Gramm.) Subst. Le — (ce
qui constitue la racine d'un mot),
positio, onis, f.

radicalement, adv. D'une manière
radicale. *Radicitus,* adv.

radié, ée, adj. Qui présente des rayons.
Radiatus, a, um, adj. (on dit aussi
radiis distinctus).

radieux, euse, adj. Qui jette des rayons
lumineux. *Radiatus, a, um,* p. adj.
|| (P. ext.) Voy. ÉTINCELANT. || (Fig.)
Dont le visage rayonne. *Renidens* (gén.
-entis), p. adj.

radis, s. m. Variété du genre raifort,
à racine comestible. *Radicula, ae,* f.

radotage, s. m. Action de radoter.
Nugae, arum, f. pl. *Deliramenta, orum,*
n. pl.

radoter, v. intr. Tenir des propos
décousus qui dénotent un affaiblissement d'esprit. *Delirâre,* tr.

radoterie, s. f. Voy. RADOTAGE.

radoteur, euse, s. m. et f. Celui, celle
qui radote. *Delirus* (ou *ineptus*) *homo.*
Une —, *delira* (ou *inepta*) *mulier.*

radoub, s. m. Action de radouber.
Navium refectio.

radouber, v. tr. Réparer le corps d'un
bâtiment avarié. *Reficère,* tr.

radoucir, v. tr. Rendre plus doux.
Lenire, tr. *Leniorem* (ou *lenius*) *facère.*
Se — (en parl. du temps), *mitescère,*
intr.; *remitti,* pass. moyen. || (Fig.)
— qqn (le caractère de qqn), *leniorem
facère aliquem.* Se —, *mollîri,* pass.
Radouci, *remissus, a, um,* p. adj.

radoucissement, s. m. Action de radoucir, état de ce qui est radouci. *Remissio,
onis,* f. || (Fig.) Voy. APAISEMENT.

rafale, s. f. Coup de vent court et
rapide. *Impetûs* (ou *ictus*) *venti.*

raffermir, v. tr. Rendre plus ferme.
Firmâre, tr. *Confirmâre,* tr. *Stabilîre,*
tr. *Recreâre,* tr. *Reficère,* tr.

raffermissement, s. m. Action de raffermir; état de ce qui est raffermi.
Voy. AFFERMISSEMENT. || (Fig.) Le —
de la santé, voy. RÉTABLISSEMENT. Le
— du caractère, *confirmatio animus.*

raffinage, s. m. Action de raffiner une
substance. *Excoctio, onis,* f.

raffinement, s. m. Etat de ce qui est
plus fin. *Subtilitas, atis,* f. ¶ Recherche
de ce qui est raffiné. *Perversa subtilitas,*
ou simpl. *subtilitas, atis,* f. — de
cruauté, *exquisita* (ou *excogitata*) *crudelitas.*

raffiner, v. tr. Rendre plus fin. *Pur-
gâre,* tr. *Excoquère,* tr. || (Fig.) Rendre
plus délicat, plus subtil. *Expopolîre,* tr.
Excolère, tr. (on dit aussi *subtiliter et
eleganter excogitâre).* Raffiné, *quaesitus,
a, um,* p. adj.; *exquisitus, a, um,* p. adj.
subtilis, e, adj. Manières, politesse —,
expolita humanitas. || (Absolt.) Recher-
cher ce qui est délicat, subtil dans une
chose. *Nimis diligenter inquirère (in
aliquid).*

raffoler, v. intr. Etre follement épris de qqn, de qqch. *Insano alicujus* (ou *alicujus rei*) *amore capi.*

rafraîchir, v. tr. Rendre plus frais. *Refrigerāre*, tr. *Temperāre*, tr. *Ventilāre*, tr. Fig. — le sang, *tranquillāre animos* ou *animum relaxāre.* ¶ Remettre dans sa fraîcheur primitive. *Renovāre*, tr. || (Fig.) *Integrāre*, tr. *Redintegrāre*, tr. *Levāre*, tr. *Novāre*, tr.

rafraîchissant, *ante*, adj. Qui rafraîchit. *Refrigeratorius*, a, um, adj.

rafraîchissement, s. m. Action de rafraîchir; résultat de cette action. *Refrigeratio*, onis, f. ¶ Ce qui rafraîchit. *Frigidus potus.* Prendre un —, *potu se recreāre.*

rage, s. f. Maladie virulente qui éclate spontanément chez le chien. *Rabies*, ei, f. Atteint de la —, voy. ENRAGÉ. || (Par anal.) Accès de douleur violente. *Doloris summi impetus.* Avoir une — de dents, *doloribus dentium cruciāri.* || (Fig.) Irritation violente. *Rabies*, ei, f. *Saevitia*, ae, f. *Furor*, oris, m. *Furia*, ae, f. || (Par ext.) Passion violente pour qqch. ou pour qqn. *Insania*, ae, f. *Furor*, oris, m. || Faire rage, *bacchāri*, dép. intr. (presque toujours associé à *furēre*); *furēre*, intr.; *saevīre*, intr.

ragoût, s. m. Viande accommodée avec une sauce. *Pulmentum*, i, n.

raide, adj. Qui ne ploie pas. *Rigidus*, a, um, adj. *Rigens* (gén. *-entis*), p. adj. Etre —, *rigēre*, intr. || (Par anal.) Qui manque de souplesse. *Durus*, a, um, adj. ¶ (Par anal.) Qui offre une pente dure à gravir. *Abruptus*, a, um, p. adj. *Arduus*, a, um, adj. || (Au fig.) Qui ne cède pas. *Rigidus*, a, um, adj.

raideur, s. f. Qualité de ce qui est raide. *Rigor*, oris, m. *Rigiditas*, atis, f.

raidir, v. tr. Tendre de manière à empêcher de ployer. *Rigidum reddēre.* Se —, *rigescēre*, intr. || (Au fig.) Se — et ellipt. —, c.-à-d. tenir ferme, *se ad firmitatem intendēre.* Se — contre, *contendēre contra* (av. l'Acc.).

1. raie, s. f. Ligne tracée sur une surface. *Linea*, ae, f. — d'une étoffe, *clavus*, i, m.; *virga*, ae, f. || (P. ext.) Sillon produit par le soc de la charrue. Voy. SILLON. || Sillon figuré sur la tête par la séparation des cheveux. *Capillorum sulcus.*

2. raie, s. f. Poisson de mer plat. *Raja*, ae, f.

raifort, s. m. Espèce du genre rave. *Raphanus*, i, m. et f.

railler, v. tr. Se moquer en s'adressant à la personne. *Deridēre*, tr. *Irridēre*, tr. *Eludēre*, tr. *Illudēre*, intr. et tr. Se — de, voy. MOQUER.

raillerie, s. f. Action de railler. *Risus*, ūs, m. *Derisus*, ūs, m. *Irrisio*, onis, f. *Irrisūs*, ūs, m. — grossière, *jocus illiberalis.* Entendre —, *sales in bonam partem accipere.*

railleur, *euse*, s. m. et f. Celui, celle qui raille. *Irrisor*, oris, m. *Derisor*, oris, m. *Cavillator*, oris, m. Railleuse, *mulier irridens.* ¶ Adj. *Dicax* (gén. *-acis*), adj. *Dicaculus*, a, um, adj.

raisin, s. m. Le fruit de la vigne. *Uva*, ae, f. Grappe de —, *uva, ae*, f.; *racemus*, i, m. Grain de —, *acinus*, i, m.; *acinum*, i, n.

raisiné, s. m. Confiture de raisin ou de vin doux. *Defrutum*, i, n.

raison, s. f. Ce qui sert à établir la vérité. || Explication d'un fait. *Ratio*, onis, f. *Causa*, ae, f. Sans —, *sine causā.* J'ai des — pour leur en vouloir, *habeo quod eis succenseam.* Il y a une — pour laquelle..., *est quod* (av. le Subj.). — d'être (d'une chose), *condicio*, onis, f.; *causa*, ae, f. || (Par ext.) Justification d'un acte. *Jus, juris*, n. (dans l'express. *jure*, « avec raison, non sans raison »). *Ratio*, onis, f. Avec —, *recte*, adv.; *merito*, adv. Comme de —, *sicut aequum est; ut par est.* Donner — à qqn (dans un procès), *litem dāre secundum aliquem.* Donner — à qqn (en gén.), voy. AP-PROUVER. Rendre —, voy. [se] JUSTI-FIER. — d'Etat, *publica ratio.* || (Par ext.) Satisfaction pour une injure. *Satisfactio*, onis, f. Rendre, faire —, *satisfacēre*, intr. Avoir — de qqn, *aliquem comprimere.* Entendre —, se faire une —, *rationi parēre.* Plus que de —, *plus aequo.* || (Mathém.) Rapport de deux quantités. *Ratio*, onis, f. En —, à — de, *pro*, prép. (av. l'Abl.). ¶ Pouvoir de discerner la vérité. || Faculté de connaître le vrai. *Ratio*, onis, f. (associé à *mens* et à *consilium*). *Mens, mentis*, f. *Prudentia*, ae, f. *Consilium*, ii, n. || (Spéc.) Faculté de concevoir les vérités absolues. *Ratio*, onis, f.

raisonnable, adj. Doué de raison. *Ratione praeditus. Rationis particeps.* ¶ Qui agit selon la raison. *Sapiens* (gén. *-entis*), p. adj. *Sanus*, a, um, adj. *Prudens* (gén. *-entis*), adj. Etre —, *sapēre*, intr. ¶ Qui est fait selon la raison. *Rationi consentaneus. Sanus*, a, um, adj. Conduite —, *modestia, ae*, f. Caractère —, *sanitas, atis*, f. Pensées —, *ratio et consilium.* || (P. ext.) Qui est dans la juste mesure. *Modestus*, a, um, adj. *Modicus*, a, um, adj. *Justus*, a, um, adj.

raisonnablement, adv. Conformément à la raison. *Rationi convenienter.* || Sagement. *Consilio et ratione. Sapienter*, adv. *Prudenter*, adv. Agir —, *rationis uti.*

raisonnement, s. m. Faculté de raisonner. *Usus rationis. Ratio*, onis, f. *Judicium*, ii, n. — réfléchi, *ratiocinatio*, onis, f. ¶ Enchaînement de propositions servant à démontrer qqch. *Ratiocinatio*, onis, f. *Argumentatio*, onis, f. *Ratio*, onis, f.

raisonner, v. intr. et tr. Faire usage de la raison. *Ratione uti.* ¶ Faire un enchaînement de propositions servant à démontrer qqch. *Ratiocināri,* dép. intr. *Argumentāri,* dép. intr. — sur un sujet, une matière, *de re disputāre.* ‖ Raisonné, *conclusus, a, um,* p. adj. ¶ Soumettre (qqch.) au raisonnement. *Animo secum cogitāre.* Raisonné, *excogitatus, a, um,* p. adj. ¶ Chercher à amener (qqn) à la raison. *Ad saniora (aliquem) impellĕre.*

raisonneur, *euse,* s. m. et f. Qui veut avoir raison. *Homo (mulier) linguâ ferox.*

rajeunir, v. intr. et tr. ‖ (*V. intr.*) Revenir à la jeunesse. *Repuerascĕre,* intr. ¶ (*V. tr.*) Ramener à la jeunesse. *Juvenilem speciem reddĕre (alicui).* ‖ Absolt. Voy. RECRÉER. P. anal. — qqn (lui donner moins que son âge), *alicui demĕre annos.* Se — de trois ans, *minorem biennio esse vidēri*

rajeunissement, s. m. Action de rajeunir. *Juventutis* (ou *adolescentiae*) *renovatio.*

rajuster, v. tr. Ajuster de nouveau. Voy. AJUSTER. Spéc. En parl. des diverses parties de la toilette. Recomponĕre (comas). — ses cheveux, reponĕre capillum.   [*gometra, ae,* f.

1. râle, s. m. Genre d'échassiers. *Orty*
2. râle, s. m. Bruit anormal produit dans les voies respiratoires. *Spiritus gravis. Singultūs, ūs,* m. Le — de la mort, *ille singultus quo anima redditur.*

râlement, s. m. Action de râler. *Brevissimê collecti spiritūs suspiria.*

ralentir, v. tr. Rendre plus lent. *Tardāre,* tr. *Retardāre,* tr. — la poursuite, *lentius subsequi.* Fig. Se —, *c.-à-d.* perdre de son ardeur, *se remittĕre; segniorem* (ou *segnius*) *fieri.*

ralentissement, s. m. Action de ralentir, de se ralentir. *Remissio, onis,* f. ¶ Etat de ce qui est ralenti. Voy. LENTEUR. (Fig.) Le — du zèle, voy. RELACHEMENT.

râler, v. intr. Faire entendre un râle (en parl. d'un mourant). *Spiritum extremum trahĕre.*

ralliement, s. m. Action de rallier des troupes. Opérer le — des troupes, *recolligĕre milites.*

rallier, v. tr. Réunir (ceux qui sont dispersés). *Colligĕre,* tr. ¶ (Fig.) Amener à une opinion (des personnes d'abord dissidentes). *Perducĕre aliquem ad se* (ou *in suam sententiam*). Se — à l'avis de qqn, *in sententiam alicujus discedĕre.*

rallumer, v. tr. Allumer de nouveau. *Rursus incendĕre.* — le feu, *reparĕre ignem.* Se —, *rursus incendi.* ¶ (Fig.) *Renovāre,* tr. Se —, *renovāri,* pass. La guerre se ralluma, *bellum de integro exarsit.*

ramage, s. m. Voy. GAZOUILLEMENT.

ramas, s. m. Amas confus. *Congeries, ei,* f. *Congestūs, ūs,* m. ‖ (Fig.) Voy. AMAS.

ramasser, v. tr. Resserrer en une masse. *Colligĕre,* tr. *Cogĕre,* tr. *Conglobāre,* tr. *Coacervāre,* tr. *Congerĕre,* tr. ¶ Réunir en un corps (des choses éparses de divers côtés). *Contrahĕre,* tr. *Colligĕre,* tr. *Congerĕre,* tr. Ramassé de tous côtés, *collecticius, a, um,* adj. ‖ (Spéc.) Prendre ce qui est çà et là à terre pour le mettre ensemble. *Legĕre,* tr. *Colligĕre,* tr. *Tollĕre,* tr. ¶ (Par ext.) Prendre (une chose tombée à terre) pour la remettre en place. *Recolligĕre,* tr.

ramassis, s. m. Amas confus de personnes, de choses sans valeur. *Colluvies, ei,* f.

1. rame, s. f. Piquet servant de tuteur aux plantes grimpantes. Voy. TUTEUR.
2. rame, s. f. Longue pièce de bois à palette dont on bat l'eau pour faire avancer une embarcation. *Remus, i,* m. Faire force de —, *remis contendĕre.* Navire à —, *navis quae remis agitur.* Qui a deux —, deux rangs de —, *biremis, e,* adj. Bateau qui a deux —, navire à deux rangs de —, *biremis, is,* f. Qui a trois rangs de —, *triremis, e,* adj. Vaisseau à trois rangs de —, *triremis, e,* adj. Qui a quatre rangs de —, *quadriremis, e,* adj. Navire à quatre rangs de —, *quadriremis, is,* f.

rameau, s. m. Petite branche, née d'une branche principale. *Ramus, i,* m. ‖ Le dimanche, le jour des Rameaux. *Palmarum dies.* ¶ (P. anal.) Subdivision, *Ramus, i,* m.

ramée, s. f. Assemblage de branches entrelacées. *Rami, orum,* m. pl.

ramener, v. tr. Faire venir de nouveau (une personne, une chose) au lieu qu'elle a quitté. *Reducĕre,* tr. *Reportāre,* tr. *Retrahĕre,* tr. *Revocāre,* tr. Absol. — qqn, *aliquem ad meliora convertĕre.* — les ennemis (les faire reculer), *hostes pellĕre* (ou *compellĕre*).

1. ramer, v. intr. Se servir des rames pour faire marcher une embarcation. *Remigāre,* intr. *Navem remis propellĕre.* S'arrêter, cesser de —, *sustinēre remos.*
2. ramer, v. tr. Voy. ECHALASSER.

rameur, s. m. Celui qui rame. *Remex, migis,* m.

ramier, adj. Pigeon —, *et, subst.* — *palumbes, is,* m. f. *palumbus, i,* m.

ramification, s. f. Production de rameaux. *Ramorum propagatio.* ¶ Chacun des rameaux produits. *Ramus, i,* m. ‖ (Fig.) *Ramus, i,* m. Avoir de nombreuses —, *latê patēre.*

ramifier, v. tr. Diviser en rameaux. *In ramos dividĕre* (ou *spargĕre*). Se — *diffundi,* pass. moy.; (fig.) *longê latêque diffundi.*

ramilles, s. f. Petites branches sèches pour faire des fagots. *Sarmenta, orum,* n. pl.

ramollir, v. tr. Rendre plus mou.
Voy. AMOLLIR. Se —, remollescĕre, intr
‖ (Fig.) Rendre moins résistant, moins
vigoureux. Se —, remollescĕre, intr.

rampant, ante, adj. Qui se traîne sur
le ventre. Repens (gén. -entis), p. adj.
‖ (P. anal.) Plante — (légumineuse),
olus in terrā repens. Vigne —, vitis
serpens. ‖ (Fig.) Qui se montre humble
(par bassesse de cœur). Humilis, e, adj.
Demissus, a, um, p. adj. Flatteur,
homme —, et subst. un —, adulator,
oris, m.   [i, m.

rampe, s. f. Terrain en pente. Clivus,

ramper, v. intr. (En parl. de certains
animaux.) S'avancer en se traînant
sur le ventre. Serpĕre (inus. en dehors
du présent et de l'imp.), intr. Repĕre,
intr. Reptāre, intr. S'avancer en rampant, prorepĕre, intr. Ramper hors de...,
erepĕre, intr. ‖ (P. ext.) Marcher en se
rasant contre terre. Repĕre, intr. Cor-
repĕre, intr. Ramper dans, sur ou vers,
irrepĕre, intr. ¶ Se glisser en rampant
vers qqn ou qqch. Arrepĕre, intr. ‖
(Fig.) Manquer d'élévation (en parl.
d'un auteur ou du style). Serpĕre, intr.
Repĕre, intr. ‖ (P. anal.) S'étendre sur
une surface. Serpĕre, intr. Repĕre, intr.
Reptāre, intr. ‖ S'humilier bassement.
Demitti in adulationem.

ramure, s. f. Ensemble des branches
d'un arbre. Rami, orum, m. pl. ¶ (P.
anal.) Ensemble du bois d'un cerf, d'un
daim. Rami, orum, m. pl.

rance, adj. Qui a pris une odeur forte
et un goût âcre. Rancidus, a, um, adj.
Un peu —, subrancidus, a, um, adj.

rancir, v. intr. Devenir rance. Ran-
cescĕre, intr.

rançon, s. f. Prix exigé pour la déli-
vrance d'un captif. Redemptio, onis, f.
Payer la — de..., redimĕre, tr. ‖ (Fig.)
Mettre à — (faire payer de force), voy.
RANÇONNER.

rançonner, v. tr. Mettre à rançon.
Pecuniam (ou pretium) pro capite
pacisci. ‖ (Fig.) Faire payer de force.
Voy. EXTORQUER, PRESSURER.

rancune, s. f. Haine invétérée. Odium
occultum. Ira pertinax. Rancunes secrètes, tacitae offensiones. Sans —,
positā irā.

rancunier, ière, adj. Qui garde rancune. Qui (quae) odio occulto flagrat
(in aliquem).

rang, s. m. Chacune des lignes sur
lesquelles une suite de choses, de personnes sont disposées. Ordo, dinis, m.
Versūs, ūs, m. Series, ei, f. Aller de —
en —, agmina circumire. Passer à cheval
dans les —, per agmen perequitāre. — de
bataille, acies, ei, f. — (au sénat, dans la
vie, etc.) locus, i, m. Fig. Sortir des —, ab
infimo militiae loco ad summos honores
perductum esse. Se mettre sur les —, profitēri se candidatum; nomen ddre (ou profitēri). ¶ Dans une série de personnes
ou de choses, place qui revient à telle

personne ou à telle chose. Locus, i, m.
Gradūs, ūs, m. Dignitas, atis, f. Numerus, i, m. Qui est au premier —, qui
tient le premier —, princeps (gén.
-cipis), adj. Premier —, principatūs, ūs,
m. ‖ (Fig.) Place que tient qqn dans
l'estime des autres. Locus, i, m.

rangée, s. f. Suite de choses disposées
sur une même ligne. Ordo, dinis, m.

rangement, s. m. Action de ranger.
Instructio, onis, f.

ranger, v. tr. Mettre en rangs. Ordināre, tr. Instruĕre, tr. Bataille rangée,
voy. BATAILLE. Se — sous les drapeaux, les enseignes, les étendards de
qqn, sub aliquo militatum ire; (fig.) se
ad aliquem conferre. Se — du côté, du
parti de qqn, ab (ou cum aliquo) stāre.
Se — à l'avis de qqn, in sententiam
alicujus concedĕre. ¶ Mettre en place.
Ordināre, tr. Componĕre, tr. Disponĕre,
tr. Faire — la foule, turbam (ou populum) submovēre (ou subducĕre). Se —
devant qqn, decedĕre alicui de viā. ‖
(Par ext.) Mettre en ordre. Ordināre, tr.
Disponĕre, tr. Digerĕre, tr. ‖ (Absol.)
Ramener à la vie régulière. — sa vie,
se —, recipĕre se ad frugem bonam. ‖
(Fig.) Donner place dans un ensemble
à (qqn ou qqch.). Ponĕre, tr. Reponĕre, tr. ¶ Mettre dans une dépendance.
Redigĕre, tr. Reducĕre. tr. Traducĕre, tr.

ranimer, v. tr. Rendre à la vie. A
morte revocāre (aliquem). ¶ (Au fig.)
Rendre à sa vigueur première. Recreāre, tr. Reficĕre, tr.

rapace, adj. Avide à saisir sa proie.
Rapax (gén. -ācis), adj. Bête —, voy.
PROIE. ‖ (Fig.) Avide à se saisir du bien
d'autrui. Rapax (gén. -acis), adj.

rapacité, s. f. Avidité à saisir sa proie.
Aviditas praedae ou simpl. aviditas,
atis, f. ‖ (Fig.) Avidité à se saisir du
bien d'autrui. Rapacitas, atis, f.

râpe, s. f. Ustensile pour râper. Scobina, ae, f.

râper, v. tr. User en frottant. Dete-
rĕre, tr. ¶ (P. ext.) Réduire en pulpe
avec la râpe. Voy. PULVÉRISER.

rapetisser, v. tr. et intr. ‖ (V. tr.)
Rendre plus petit. Minuĕre, tr. — la
ville, minorem facĕre urbem. ¶ Faire
paraître plus petit. Minuĕre (ou deminuĕre) aspectum (ou speciem) alicujus
rei. Se —, minui. ¶ (V. intr.) Devenir
plus petit. Breviorem (brevius) fieri.

rapide, adj. Dont la pente entraîne
avec vitesse. Rapidus, a, um, adj.
Praeceps (gén. -cipitis), adj. ‖ Subst.
masc. Ressaut d'un fleuve dû à une
forte pente. Rapidior aquarum cursus. ¶ Qui est entraîné avec vitesse.
Rapidus, a, um, adj. Celer, eris, ere,
adj. Citus, a, um, adj. Concitatus, a,
um, p. adj. Praeceps (gén. -cipitis),
adj. ¶ Qui agit avec une extrême
vitesse. Rapidus, a, um, adj. Velox
(gén. -ocis), adj.

rapidement, adv. D'une manière rapide. *Celeriter*, adv. *Festinanter*, adv. *Velociter*, adv. Faire qqch. —, *maturāre* ou *festināre*, *properāre* (av. l'Inf.). S'éloigner —, *se proripēre*.

rapidité, s. f. Caractère de ce qui est rapide. *Rapiditas*, *atis*, f. *Celeritas*, *atis*, f. Avec —, voy. RAPIDEMENT.

rapiécer, v. tr. Raccommoder en mettant des pièces. *Resarcīre*, tr.

rapine, s. f. Action de ravir, d'enlever de force. *Rapina*, *ae*, f. Vivre de —, *vivēre ex rapto*.

rapiner, v. tr. Ravir, enlever de force. *Rapēre*, tr. ¶ (P. ext.) Faire des concussions. Voy. CONCUSSION.

rappel, s. m. Action d'appeler (qqn) pour le faire revenir. *Revocatio*, *onis*, f. Décider le — (d'un fonctionnaire), (*aliquem ab Asiā*) *revocandum decernēre*. Recevoir un ordre de —, *revocāri*, pass. — d'un exilé, *revocatio*, *onis*, f. ‖ (Fig.) Voy. RECOURS, SALUT. ‖ Spéc. (T. mil.) *Revocatio*, *onis*, f. Battre le —, *revocāre milites ad signa*.

rappeler, v. tr. Faire revenir qqn. ‖ Appeler de nouveau, à plusieurs reprises. *Iterum* (ou *rursus*) *vocāre*. ‖ Appeler pour faire revenir. *Revocāre*, tr. *Devocāre*, tr. *Evocāre*, tr. *Arcessēre*, tr.—de l'exil, *reducēre*, tr. *restituēre*, tr. ‖ (Absol.) Battre le rappel, sonner le clairon pour rassembler des soldats. *Convocāre* (absol.) *classico ad contionem*. ‖ (Par ext.) Rappeler à la vie, *ad vitam revocāre*. ‖ (Fig.) Inviter à revenir à une manière d'être. *Revocāre*, tr. *Admonēre*, tr. ‖ (En parl. d'une chose.) Obliger qqn à revenir. *Revocāre*, tr. *Retrahēre*, tr. ¶ Faire revenir qqch. ¶ Faire revenir à un état, une manière d'être qui n'était plus. *Revocāre*, tr. *Renovāre*, tr. ‖ Faire revenir dans la mémoire. *Renovāre*, tr. *Admonēre*, tr. *Commonēre*, tr. *Commonefacēre*, tr. Se —, *meminisse*, tr. et intr.; *reminisci*, tr. et intr.; *recordāri*, dép. tr. et intr. ‖ (Par ext.) Faire revenir la pensée de qqch. *Renovāre*, tr. *Redintegrāre*, tr.

rapport, s. m. Action de rapporter qqch. *Congestio*, *onis*, f. *Conjectūs*, *ūs*, m. Terre de —, *congesticia humus*. ‖ (Spéc.) Action de rapporter ce qu'on avait reçu par avance. *Restitutio*, *onis*, f. ‖ (Fig.) Action d'apporter un profit. (En gén.) *Fructūs*, *ūs*, m. — (des arbres, de la terre), *fetūs*, *ūs*, m. — (d'une affaire, etc.), *quaestūs*, *ūs*, m.; *reditūs*, *ūs*, m. — (revenu d'une somme d'argent), *merces*, *edis*, f. — (de l'argent), *fenus*, *oris*, n. D'un bon — (en parl. de la terre), *fructuosus*, *a*, *um*, adj. Une maison de —, *domus conducticia*. ¶ Action de rapporter à qqn ce qu'on a vu, entendu, etc. *Relatio*, *onis*, f. Faire un —, *referre* ou *renuntiāre* (*aliquid alicui*). Faire un — fidèle, *vera deferre*. — officiel sur une affaire, *relatio*,

onis, f. Présenter un —, soumettre un — au sénat, *referre* (*de aliquā re*) *ad senatum*. Faire un rapport officiel, *renuntiāre*, tr. ¶ Ce que l'esprit conçoit de commun entre deux choses. *Convenientia*, *ae*, f. *Ratio*, *onis*, f. — avec Dieu, *societas cum Deo*. Etre en — avec qqch., avoir du — avec qqch., *congruēre cum aliquā re*. Avoir — à qqch., *pertinēre ad* (*aliquem*, *aliquid*). Qui a du — avec, voy. ANALOGUE. ‖ Loc. prépos. Par — à, *quod attinet ad* (et l'Acc.); ou simpl. *ad* (et l'Acc.). ¶ (Math.) Résultat de la comparaison de deux quantités. *Ratio*, *onis*, f. ¶ Commerce entre des personnes. *Ratio*, *onis*, f. *Usūs*, *ūs*, m. — habituels, *commercium*, *ii*, n.; *consuetudo*, *dinis*, f. — d'amitié, de parenté, *conjunctio*, *onis*, f.; *necessitudo*, *dinis*, f. Se mettre en — avec qqn, *communicāre cum aliquo*. Bons — (de deux Etats), *amicitia*, *ae*, f.

rapporter, v. tr. Apporter de nouveau. *Referre*, tr. ¶ Apporter pour le rendre ce qu'on a pris, reçu. *Referre*, tr. ‖ (Par ext.) Apporter ce qui manque. Terres rapportées, *terrae conjectus*; *humus congesticia*. ¶ Apporter en revenant. *Referre*, tr. *Reportāre*, tr. ‖ (Par ext.) Produire un revenu. *Reddēre*, tr. Absol. —, *fetum edēre*; *fructum ferre* (ou *reddēre*); *fructum edēre ex se*. ¶ (Par anal.) Venir traiter, communiquer qqch. *Ferre*, tr. *Referre*, tr. *Perferre*, tr. *Memorāre*, tr. Digne d'être —, *commemorabilis*, *e*, adj. ‖ (Spéc.) Rendre compte. *Referre*, tr. ¶ Rattacher (qqch.) à son principe, à sa fin, au genre ou à l'espèce dont il fait partie. *Referre*, tr. *Revocāre*, tr. Se —, *pertinēre*, intr. (*ad aliquid*); *attinēre*, intr. (*ad aliquid*); *convenire*, intr. (*alicui rei*). ‖ S'en rapporter à qqn (de qqch.), *se voluntati alicujus permittēre*; (*rem*) *alicujus arbitrio permittēre*. ¶ (Fig.) Révoquer. *Antiquāre*, tr.

rapporteur, *euse*, s. m. et f. Dénonciateur, dénonciatrice. Voy. ces mots. ‖ *S. m.* Celui qui rend compte d'un procès, d'un projet de loi. *Relator*, *oris*. m.

rapprendre, v. tr. Apprendre de nouveau. *Iterum discēre*.

rapprochement, s. m. Action de rapprocher, résultat de cette action. *Admotio*, *onis*, f. ‖ (Spéc.) — entre personnes divisées (tentative de réconciliation), voy. RÉCONCILIATION.

rapprocher, v. tr. et intr. ‖ (*V. tr.*) Placer plus près. *Admovēre*, tr. *Committēre*, tr. Se —, *propinquāre*, intr. (à remplacer par *propius accedēre*); *appropinquāre*, intr. (on dit aussi *propius venire*). Rapproché, voy. PROCHE. ‖ (Par anal.) Faire paraître plus proche. — des peuples éloignés les uns des autres (en parl. de la navigation), *gentes locis dissipatas miscēre*. ‖ (Au fig.) *Propius admovēre*. Se — de qqn, *simile quicquam habēre alicujus*. ‖ Rapprocher

deux personnes, *conciliāre inter se.*
|| Rapprocher deux choses. *Conferre*
(*rem cum re*). Se —, *prope* (*propius,*
proximē) *accedēre* (*ad aliquid*).

rapsode et **rhapsode**, s. m. Récitateur
de morceaux de poésie épique. *Qui*
poetarum carmina recitat.

rapsodie et **rhapsodie**, s. f. Déclamation de rapsode. *Carmen, inis,* n.
Spéc. (en parl. des œuvres d'Homère).
Rhapsodia, ae, f. ¶ (Fig.) Œuvre faite
de pièces recousues. Voy. CENTON.

rapt, s. m. Enlèvement par séduction
ou par violence. *Raptūs, ūs,* m.

rare, adj. Qui est en très petit nombre.
Rarus, a, um, adj. *Infrequens* (gén.
-*entis*), adj. Partie de la ville où les
habitants sont —, *pars urbis infrequens*
aedificiis. || (Par anal.) Très peu fré-
quent. *Rarus, a, um,* adj. *Infrequens,*
adj. Devenir — (en parl. d'une personne), *raro adīre* (*aliquem*). Cas —,
voy. RARETÉ. Il est — de... *raro fit ut*
(et le Subj.). ¶ (Par ext.) Qui n'est
pas commun. *Rarus, a, um,* adj. *Exi-*
mius, a, um, adj. || (P. anal.) Clairsemé.
Rarus, a, um, adj.

rarement, adv. D'une manière rare,
très peu fréquente. *Raro,* adv. Qui fait
— une chose, *rarus, a, um,* adj. Qui
a lieu —, *rarus, a, um,* adj.

rareté, s. f. Etat de ce qui est rare,
peu commun. *Raritas, atis,* f. *Infre-*
quentia, ae, f. || (P. ext.) Objet rare.
Res rara. Res difficilis inventu. ¶ Etat
de ce qui n'est pas dense. *Raritas,*
atis, f.

1. ras, *rase*, adj. Tondu de près.
|| (En parl. du poil.) *Rasus, a, um,*
p. adj. *Abrasus, a, um,* p. adj. Qui a
les cheveux —, *tonsus, a, um,* p. adj.
A poil — (en parl. d'une étoffe), *rallus,*
a, um, adj. || En parlant de ce qui
porte le poil. *Tonsus, a, um,* p. adj.
Adverbialt. —, *striatim,* adv. ¶ (P. ext.)
Dont la surface est unie. *Planus, a, um,*
adj. *Aequus, a, um,* adj. — campagne,
campus, i, m. || (Par ext.) En parl.
d'une mesure dont le contenu ne
dépasse pas les bords. *Cumulatus, a,*
um, p. adj. || (Subst. au masc.) Niveau
où rien ne dépasse. *Summa pars.* Au
— de terre, *summo solc.* Le — de l'eau,
summa aqua.

2. ras. Voy. RAZ.

rasade, s. f. Ce qui remplit un verre
à ras de bord. *Plenum poculum.*

raser, v. tr. Tondre ras. || Le poil.
Radēre (*barbam*). *Abradēre* (*barbam*).
|| Ce qui porte le poil. *Radēre* (*caput*).
Abradēre (*labra pressius*). Se faire —,
radi, passif. Se —, *barbam radēre.*
¶ Raser au ras du sol. *Solo aequare*
ou *adaequāre. Ad solum diruēre* (*urbem*)
Par anal. — un navire, *navem malis*
privāre. ¶ Passer au ras d'une surface.
Radēre, tr. *Stringēre,* tr.

rasoir, s. m. Instrument d'acier avec
lequel on rase la barbe. *Culter tonsoris*

(ou *culter tonsorius*). *Novacula, ae,* f.

rassasiement, s. m. Etat d'une per-
sonne rassasiée. *Satietas, atis,* f. || (Fig.)
Satietas, atis, f.

rassasier, v. tr. Satisfaire pleinement
la faim de qqn. *Satiāre,* tr. *Exsatiāre,*
tr. *Saturāre,* tr. Se —, *famem explēre.*
|| (Fig.) Satisfaire pleinement le désir
de qqn. *Satiāre,* tr. *Saturāre,* tr. *Explēre,*
tr. || (Par ext.) Satisfaire jusqu'à satiété.
Satiāre, tr. *Saturāre,* tr.

rassemblement, s. m. Action de se
rassembler. *Congregatio, onis,* f. *Con-*
vocatio, onis, f. Le lieu de — (en général), *locus conveniendi.* Lieu de — (des
troupes), *locus quo omnes copiae con-*
veniunt. || (P. ext.) Concours de gens
rassemblés. *Concursūs, ūs,* m. *Coetūs,*
ūs, m.

rassembler, v. tr. Assembler de nouveau. *Rursus* (ou *iterum*) *colligēre.*
¶ Assembler en réunissant des personnes, des choses éparses. *Congregāre,*
tr. *Conglobāre,* tr. *Cogēre,* tr. *Contra-*
hēre, tr. *Colligēre,* tr.

rasseoir, v. intr. Asseoir de nouveau.
In sedili aliquem reponēre. Se —, *rursus*
sedēre. ¶ (Fig.) Faire reposer. Voy.
REPOSER. Se —, *defervescēre,* intr.
¶ Remettre dans son assiette. *Resti-*
tuēre (*mentes commotas*). Esprit rassis,
voy. CALME, TRANQUILLE. De sens —
voy. SANG-FROID.

rasséréner, v. tr. Ramener à la sérénité. *Serenum reddēre.* Le ciel se rassé-
rène, *caelum serenum fit.* || Fig. *Sere-*
nāre, tr. Se —, *frontem explicāre.*

rassurant, *ante,* adj. Qui rassure.
Aptus ad animum confirmandum.

rassurer, v. tr. Remettre en assurance. *Firmāre,* tr. *Confirmāre,* tr.

rat, s. m. Petit quadrupède rongeur.
Mus, muris, m. De —, *murinus, a, um,*
adj.

rate, s. f. Viscère situé dans l'hypocondre gauche. *Lien, enis,* m.

râteau, s. m. Outil de jardinage pour
ratisser. *Rastrum, i,* n.

râtelier, s. m. Meuble d'écurie où le
foin destiné aux bêtes est retenu par
des barres de bois. *Faliscae, arum,* f.
pl. ¶ (Fig.) Les deux rangées de dents.
Ordo dentium.

ratière, s. f. Piège à rats. *Muscipula,*
ae, f.

ratification, s. f. Action de ratifier;
acte par lequel on ratifie. *Auctoritas,*
atis, f. *Probatio, onis,* f.

ratifier, v. tr. Confirmer authentiquement. *Auctoritate suā confirmāre* ou
simpl. confirmāre, tr. Ratifié, *ratus, a,*
um, p. adj.

ration, s. f. Portion de vivres distri-
buée chaque jour. *Cibaria, orum,* n. pl.
Diarium, ii, n.

rationnel, *elle,* adj. Fondé sur la raison
ou conforme à la raison. *Rationi con-*
sentaneus.

ratisser, v. tr. Râcler légèrement. *Radĕre,* tr.

rattacher, v. tr. Attacher de nouveau (ce qui est détaché). *Religăre,* tr. Fig. *Supponĕre,* tr. *Subjungĕre,* tr. *Nectĕre,* tr. ¶ Attacher (ce qui était sans lien). Voy. ATTACHER. Fig. — (une question à une autre), *nectĕre alia ex aliis.* Se — à, *pertinēre ad* (et l'Acc.).

rattraper, v. tr. Attraper de nouveau (qqn qui s'est échappé). *Reprehendĕre,* tr. *Retrahĕre,* tr. ¶ Atteindre qqn, qui a de l'avance. *Assequi,* dép. tr.

rature, s. f. Ce qu'on enlève en grattant. *Litura, ae,* f.

raturer, v. tr. Annuler ce qui est écrit en le surchargeant à l'encre. *Delēre,* tr. *Superscribĕre,* tr.[*Raucus, a, um,* adj.

rauque, adj. Qui a un son âpre, rude.

ravage, s. m. Cours impétueux des eaux. *Impĕtŭs, ūs,* m. ¶ (Par ext.) Dégât causé par la violence des eaux. *Clades, is,* f. ¶ Dégât causé par toute action violente. *Vastitas, atis,* f. *Populatio, onis,* f.

ravager, v. tr. Détruire par le ravage. *Vastāre,* tr. *Populāri,* dép. tr.

ravaler, v. tr. Avaler de nouveau. *Resorbēre,* tr. ¶ Diminuer qqch. en hauteur et en épaisseur. Voy. ABAISSER. ¶ (Fig.) Rabaisser. Voy. ce mot. ¶ Déprécier. Voy. ce mot. Se —, *se abjicĕre.*

rave, s. f. Variété de chou alimentaire. *Rapum, i,* n.

Ravenne, n. pr. Ville de l'Italie. *Ravenna, ae,* f. De —, *Ravennas, atis,* adj.

ravin, s. m. Lieu, chemin profondément creusé par les eaux. *Via cava.* Région coupée de —, *saltus, ūs,* m.

ravine, s. f. Ravin. Voy. ce mot.

ravir, v. tr. Enlever de force ce qu est à un autre. *Rapĕre,* tr. *Abripĕre,* tr. *Auferre,* tr. ‖ (Spéc.) Ravir l'honneur voy. DÉSHONORER. ¶ Transporter au ciel. *In sublime rapĕre.* ‖ (Au fig.) Exalter, mettre hors de soi dans un moment d'enthousiasme. Voy. TRANSPORTER, EXALTER. ‖ (Par exagér.). *Rapĕre,* tr. *Capĕre,* tr.

raviser (se), v. pron. Revenir sur un avis, une résolution. *Mutāre sententiam.*

ravissant, ante, adj. Qui enlève de force. *Rapax* (gén. *-acis*), adj. ¶ Qui transporte d'admiration. *Suavissimus, a, um,* adj. (ou *summā laetitiā animum perfundens*). Lieu —, *amoenissimus locus.*

ravissement, s. m. Action de ravir. ‖ (Par ext.) Action de transporter au ciel. Voy. EXTASE. ¶ Etat de l'âme transportée d'enthousiasme. Voy. ENTHOUSIASME. ‖ Transport de joie. *Summa voluptas.*

ravisseur, s. m. Celui qui ravit qqch. *Raptor, oris,* m. — d'objets sacrés, *praedo religionum.*

ravitaillement, s. m. Action de ravitailler. *Commeatŭs, ūs,* m.

ravitailler, v. tr. Pourvoir à nouveau de vivres, de munitions. *Frumentum* (ou *commeatum*) *exercitui providēre.*

raviver, v. tr. Ramener à sa vivacité première. *Suscitāre* (*ignes sopitos*). — une plaie, *refricăre vulnus* (ou *cicatricem*). Fig. — la douleur (de qqn), *renovāre dolorem.*

ravoir, v. tr. Avoir de nouveau. *Iterum habēre.*

rayer, v. tr. Marquer d'une ou de plusieurs raies. *Virgis* (ou *lineis*) *distinguĕre.* — avec un objet pointu, *scribĕre,* tr. Rayé, *virgatus, a, um,* adj. ¶ (P. ext.) Annuler par une raie sur l'écriture. *Expungĕre,* tr. — qqn de la liste des sénateurs, *eradĕre aliquem albo senatorio.*

1. rayon, s. m. Chacun des jets de lumière rectilignes qui émanent d'un centre lumineux. *Radius, ii,* m. Aux premiers — du soleil, *ad primam lucem.* ‖ (Au fig.) J'entrevois un — d'espérance, *spes aliqua mihi affulget.* ¶ (Géom.) Chacune des droites qui vont du centre à la circonférence. *Radius, ii,* m. ¶ (Par anal.) Ce qui diverge à partir d'un centre. — d'une roue, *radius, ii,* m.

2. rayon, s. m. Sillon tracé au cordeau sur une planche labourée. *Porca, ae,* f.

3. rayon, s. m. Gâteau de cire des abeilles, divisé en alvéoles. *Favus, i,* m. ¶ (Par anal.) Casier, tablette d'une bibliothèque, etc. *Pegma, atis,* n. *Locumentum, i,* n.

rayonnant, ante, adj. Qui lance des rayons. *Radians* (gén. *-antis*), p. adj. *Radiatus, a, um,* p. adj. Etre —, voy. RAYONNER. ‖ Fig. — de joie, et simpl. —, *renidens,* p. adj. Visage, yeux — de joie, *laetus vultus.* ¶ Disposé en rayons. *Radiatus, a, um,* adj.

rayonnement, s. m. Action de rayonner. *Radiatio, onis,* f.

rayonner, v. intr. Lancer des rayons lumineux. *Radiāre,* intr. ‖ Fig. — de joie, *renidēre,* intr.

rayure, s. f. Partie rayée d'une chose. *Virgae, arum,* f. pl.

raz et **ras,** s. m. Courant violent dans un canal étroit. *Vis atque impetus fluminis.* ‖ Spéc. — de marée, *aestuantis maris impetus.*

réaction, s. f. Action qu'un corps agissant sur un autre détermine en retour chez celui-ci. *Retroagendi vis. Repulsŭs, ūs,* m. *Contrarius ictus.* ‖ (Fig.) Vis contraria. *Repulsŭs, ūs,* m.

réagir, v. intr. Exercer sur un corps une action provoquée par l'action reçue de celui-ci. *In alteram partem agĕre. In contrarium efficĕre.* ‖ (Spéc.) Faire effort pour résister. *Reniti,* dép. intr.

réalisation, s. f. Action de réaliser. *Effectŭs, ūs,* m.

réaliser, v. tr. Rendre réel. *Ad effectum adducĕre* (ou *perducĕre*). *Facĕre*, tr. *Efficĕre*, tr. Se —, *fieri* (ou *effici*), pass.

réalité, s. f. Le fait d'être réel. *Veritas, atis*, f. *Eventûs, ûs*, m. (s'opp. à *condicio*, possibilité). En —, *verē*, adv. *re ipsā*. ¶ Chose réelle. *Res, rei*, f. *Verum, i*, n. Ajouter à la —, *affingĕre*, tr.

rébarbatif, *ive*, adj. Qui a un aspect peu engageant. *Asper, a, um*, adj. *Truculentus, a, um*, adj.

rebâtir, v. tr. Bâtir de nouveau. *Restituĕre*, tr.

rebattre, v. tr. Battre de nouveau. *Iterum* (ou *rursus*) *verberāre*. ¶ Rebattre ses voies (en parl. d'un chien, d'une bête), revenir sur ses pas, *vestigia retro sequi*. || Fig. — les oreilles à qqn de qqch., *et, par ext.*, — qqch. aux oreilles de qqn, *tundĕre aures;* ou absol. *tundĕre; obtundĕre aures.*

rebelle, adj. Qui refuse obéissance à l'autorité légitime. *Rebellis, e*, adj. *Contumax* (gén. *-acis*), adj. Etre —, *rebellāre.* · intr. || *Subst.* Un, une —, *rebellis* (ou *seditiosus*) *homo.* Une —, *rebellatrix, tricis*, f. Les —, *rebelles, ium*, m. pl. || (Fig.) *Rebellis, e*, adj. *Contumax*, adj. || (Par anal.) En parl. des choses. *Cunctans* (gén. *-antis*), p. adj. *Contumax*, adj.

rebeller (se), v. intr. Refuser obéissance à l'autorité légitime. *Rebellāre*, intr. || (Fig.) Voy. RÉVOLTER.

rébellion, s. f. Acte de rebelle. Voy. RÉVOLTE. Crime de —, *parricidium, ii*, n. || (Spéc.) Acte de celui qui s'oppose à l'action de la justice. *Contumacia, ae*, f. || (Fig.) Voy. RÉVOLTE, RÉSISTANCE. ¶ L'ensemble des rebelles. *Rebelles, ium*, m. pl.

rebondir, v. intr. Faire un ou plusieurs bonds. *Recellĕre*, intr. *Resilīre*, intr. *Resultāre*, intr.

rebondissement, s. m. Action de rebondir. *Repercussûs, ûs*, m. [i, n.

rebord, s. m. Bord relevé. *Labrum*,

rebours, *ourse*, adj. et s. m. || (Adj.) Qui est à contre-poil. Voy. CONTRE-POIL. || (Fig.) Qui prend le contre-pied des choses. *Inversus, a, um*, p. adj. *Praeposterus, a, um*, adj. ¶ *S. m.* Le contre-poil. Voy. ce mot. || (Fig.) Le contre-pied d'une chose. *Contrarium, ii*, n. A —, *au* —, *rursus* (ou *rursum*), adv.; *versā vice; in contrariam partem.* Mis à —, *praeposterus, a, um*, adj. || (Au fig.) *Retro*, adv. *Praeposterō*, adv.

rebrousse-poil (à), loc. adv. En rebroussant le poil. *Contrapilum.*

rebrousser, v. tr. Manier à contrepoil. *Contra pilum tractāre.* ¶ (Fig.) Diriger en sens inverse. — chemin, *intransitivt.* — (revenir en arrière), *retro vertĕre iter.* Faire — chemin à qqn, *revocāre aliquem ex itinere.*

rebuffade, s. f. Refus brutalement exprimé. *Repulsa, ae*, f.

rebut, s. m. Action de rebuter. *Repulsa, ae*, f. Objets de —, *rejiciendae res*, et, subst., *rejicienda*, n. pl. Mettre au —, *rejicĕre*, tr. ¶ Ce qui est rebuté (en parl. des hommes). *Quisquiliae, arum*, f. pl.

rebutant, *ante*, adj. Qui rebute. *Fastidiosus, a, um*, adj. Ce qui est — pour l'oreille, *quod respuunt aures.*

rebuter, v. tr. Repousser avec rudesse. *Asperē repellĕre. A se rejicĕre. Aspernāri*, dép. tr. *A se rejicĕre et aspernāri.* Etre rebuté, *repulsam ferre* ou *accipĕre* (*ab aliquo*). || (Par ext.) Dédaigner. Voy. ce mot. ¶ Rejeter comme étant de mauvaise qualité. *Rejicĕre*, tr. ¶ Dégoûter d'une entreprise par les difficultés, les obstacles. *Deterrēre*, tr. *Absterrēre*, tr.

récalcitrant, *ante*, adj. En parl. du cheval, qui résiste en ruant, en se cabrant. *Calcitrosus, a, um*, adj. || (Fig.) Qui résiste opiniâtrement. *Contumax* (gén. *-acis*), adj.

récapitulation, s. f. Action de récapituler. *Enumeratio, onis*, f.

récapituler, v. tr. Reprendre point par point. *Breviter repetĕre* (ou simpl. *repetĕre*) *et in unum locum cogĕre* (*res dispersas*). [*Occultatio, onis*, f.

recel, s. m. Acte de celui recèle.

recèlement, s. m. Action de recéler. Voy. RECEL.

recéler, v. tr. Tenir caché. *Occulĕre*, tr. || (Spéc.) Cacher frauduleusement. *Celāre*, tr.

receleur, *euse*, s. m. et f. Celui, celle qui se rend coupable d'un recel. *Receptor, oris*, m. Receléuse, *receptrix, tricis*, f. [*cente. Nuper*, adv.

récemment, adv. A une époque récente.

recensement, s. m. Action de recenser. *Recensio, onis*, f. *Censûs, ûs*, m.

recenser, v. tr. Constater le nombre des habitants d'un pays. *Censēre*, tr. *Recensēre*, tr.

récent, *ente*, adj. Qui s'est produit depuis peu de temps. *Recens* (gén. *-entis*), adj. *Novus, a, um*, adj.

réceptacle, s. m. Lieu où plusieurs choses se rassemblent de divers endroits. *Receptaculum, i*, n.

réception, s. f. Action par laquelle qqn reçoit ce qui lui est adressé. *Acceptio, onis*, f. (se remplace par une périphrase avec *accipĕre, recipĕre* ou *suscipĕre*). Accuser — d'une lettre, *litteras acceptas denuntiāre.* ¶ Action par laquelle on donne entrée à qqn. — à un examen, voy. ADMISSION. || (Spéc.) Installation dans une charge, dans une compagnie. — au sénat, *cooptatio in patres.* || Action de recevoir des visites. *Admissio, onis*, f. *Salutatio, onis*, f. Quand la — fut terminée, *ubi salutatio defluxit.* On lui fit une — des plus flatteuses, *honorificentissimē exceptus est.* ¶ Action par laquelle on donne entrée à qqn. Voy. ADMISSION.

recette, s. f. Total de ce qui a été reçu en argent, en valeurs. *Acceptum, i,* n. ¶ Indication qu'on reçoit sur la préparation de certaines drogues, de certains mets. *Praeceptum, i,* n. ‖ (Fig.) Méthode, procédé. *Ars, artis,* f. *Ratio, onis,* f.

recevable, adj. Qui peut être reçu. ‖ (En parl. des choses.) *Accipiendus, a, um,* p. adj. *Probabilis, e,* adj. ‖ (Spéc.) T. de droit. *Aequus, a, um,* adj. ‖ (En parl. des personnes.) Voy. EXCUSABLE. ‖ (Droit.) Déclarer qqn — dans sa demande, *dare actionem alicui.*

receveur, s. m. Personne chargée de gérer une recette. *Coactor, oris,* m. *Exactor, oris,* m.

recevoir, v. tr. Se voir adresser (qqch.). ‖ Etre l'objet d'un envoi, d'un don. *Accipĕre,* tr. *Excipĕre,* tr. *Recipĕre,* tr. ¶ Etre l'objet d'une action que l'on subit. *Accipĕre,* tr. *Excipĕre,* tr. *Recipĕre,* tr. ¶ Laisser entrer (qqn *ou* qqch.). ‖ (Une personne.) *Accipĕre,* tr. *Excipĕre,* tr. *Recipĕre,* tr. *Suscipĕre,* tr. ‖ Laisser entrer qqn dans une compagnie. *Cooptāre,* tr. ‖ Etre reçu à faire qqch., voy. ADMETTRE, AUTORISER. ‖ Laisser entrer une chose. *Accipĕre,* tr. *Excipĕre,* tr. *Recipĕre,* tr. ‖ (Au fig.) *Recipĕre,* tr.

réchapper, v. intr. et tr. ‖ (*V.* intr.) Echapper contre toute attente. *Elabi,* dép. intr. *Evadĕre,* intr. — d'une maladie, *revalescĕre ex morbo.*

recharger, v. tr. Remettre sous le poids d'un fardeau. — qqn d'un fardeau, *alicui onus rursus imponĕre,* et p. ext. — un fardeau, *onus humeris rursus subīre.* ¶ Garnir de nouveau d'un poids, d'une quantité déterminée. *Instruĕre* (ou *ordināre*) *rursus aliquā* tr. ¶ Se porter de nouveau de tout son poids contre qqn. *Impetum repetĕre* (ou *redintegrāre*).

réchaud, s. m. Ustensile de ménage pour faire chauffer. *Focus, i,* m. *Foculus, i,* m.

réchauffer, v. tr. Chauffer de nouveau (ce qui s'est refroidi). *Fovēre,* tr. *Refovēre,* tr. — (une personne, un malade). *fovēre,* tr.; *refocilāre,* tr. Se —, *calefacĕre corpus.* Etre —, *recalēre,* intr. ‖ (Fig.) En parl. d'une personne ingrate. — un serpent dans son sein, *viperam sub alā nutricāre.* — (un plat), *fovēre,* tr. ¶ (Fig.) Ranimer (un sentiment affaibli). *Calefacĕre,* tr. *Refovēre,* tr. Se —, *recalescĕre,* intr. *Resurgĕre,* intr. ‖ (P. ext.) Aviver. Voy. ce mot.

rechausser, v. tr. Chausser de nouveau. *Alicui calceos rursus induĕre.* Se —, *rursus calceari* (ou *calceos induĕre*). ‖ (Fig.) Rechausser un mur (en refaire le pied dégradé). *Fundamenta resarcīre* (ou *reparāre*). — un arbre, *aggĕrāre arborem.*

recherche, s. f. Action de rechercher. ‖ (Pour retrouver.) *Investigatio, onis,* f.

Conquisitio, onis, f. *Inquisitio, onis,* f. Faire des —, *conquirĕre,* tr. Etre à la — de, voy. RECHERCHER. — scientifique, *scientiae pervestigatio.* ‖ (Fig.) Désir violent. *Contentio, onis,* f. *Consectatio, onis,* f. ‖ (Spéc.) Enquête judiciaire. *Inquisitio, onis,* f. ‖ Recherche en mariage. Voy. DEMANDE, RECHERCHER. ‖ Action de rechercher pour raffiner. — dans la parure, *munditia nimis exquisita.* — dans le langage, dans le style, voy. AFFECTATION.

rechercher, v. tr. Chercher de nouveau. *Rursus quaerĕre.* ¶ Chercher à retrouver. *Quaerĕre,* tr. *Requirĕre,* tr. *Conquirĕre,* tr. Faire —, *perquirĕre,* tr. ¶ (Par ext.) Chercher soigneusement à trouver. *Quaerĕre,* tr. *Conquirĕre,* tr. *Exquirĕre,* tr. *Inquirĕre,* tr. *Perquirĕre,* tr. *Indagāre,* tr. *Vestigāre,* tr. *Investigāre,* tr. (Spéc.) Soumettre à une enquête judiciaire. *Inquirĕre,* tr. et intr. *Conquirĕre,* tr. *Perquirĕre,* tr. ¶ Chercher à obtenir. *Quaerĕre,* tr. *Conquirĕre,* tr. *Exquirĕre,* tr. *Petĕre,* tr. *Appetĕre,* tr. *Expetĕre,* tr. ‖ — Chercher à raffiner. *Munditias consectāri.* Recherché, *quaesitus, a, um,* p. adj.; *exquisitus a, um,* p. adj. Trop recherché, voy. MANIÉRÉ.

rechute, s. f. Le fait de retomber dans une maladie récente. *Recidiva, ae,* f. Avoir, faire une —, *in eumdem morbum recidĕre.* [d'eau. *Cautes, is,* f.

récif, s. m. Suite de rochers à fleur

réciprocité, s. f. Caractère de ce qui est réciproque. *Vicissitudo, dinis,* f. — de bons offices, *mutua officia.* User de —, *vicem praestāre.*

réciproque, adj. Voy. MUTUEL.

réciproquement, adv. D'une manière réciproque. *Mutuo,* adv. *Vicissim,* adv.

récit, s. m. Action de rapporter de vive voix un événement. *Narratio, onis,* f. *Memoria, ae,* f. Faire un —, voy. RACONTER.

récitation, s. f. Action de réciter. *Recitatio, onis,* f. ‖ (Spéc.) Action de dire de mémoire. *Declamatio, onis,* f.

réciter, v. tr. Lire à haute voix. *Recitāre,* tr. *Pronuntiāre,* tr. *Declamāre,* tr. ‖ (P. ext.) Dire à haute voix, de mémoire et par cœur. *Memoriter pronuntiāre. Memoriter habēre* (*orationem*). — (exercice de déclamation), *declamāre,* tr. — sa leçon, *dictata verba proferre.* ¶ Rapporter en détail, de vive voix. *Exponĕre ex memoriā.* ‖ (P. ext.) Rapporter. Voy. ce mot.

réclamation, s. f. Action de réclamer qqch. *Expostulatio, onis,* f. — en justice, *repetitio, onis,* f.; *postulatio, onis,* f.

réclame, s. f. Appel à la publicité pour faire valoir une entreprise, etc. *Praeconium, ii,* n.

réclamer, v. intr. et tr. ‖ (*V.* intr.) Protester contre ce que nous trouvons injuste pour en obtenir réparation.

Intercedĕre, intr. *Expostulāre*, intr. Droit de —, *petitio, onis,* f. ¶ (*V. tr.*) Exiger ce qu'on nous doit. *Petĕre*, tr. *Repetĕre*, tr. *Vindicāre*, tr. *Poscĕre*, tr. *Deposcĕre*, tr. *Postulāre*, tr. *Flagitāre*, tr. *Exigĕre*, tr. || (Par ext.) Demander qqch. avec instance. (En parl. de pers.) *Appetĕre*, tr. *Expetĕre*, tr. *Poscĕre*, tr. *Deposcĕre*, tr. *Postulāre*, tr. *Flagitāre*, tr. *Efflagitāre*, tr. (En parl. de choses.) *Poscĕre*, tr. *Postulāre*, tr. *Desiderāre*, tr. *Requirĕre*, tr. || Invoquer qqn avec instance. *Flagitāre*, tr. *Efflagitāre*, tr. *Poscĕre*, tr. ¶ Se réclamer de qqn, *appellāre aliquem*.

reclus, *use,* p. adj. Renfermé. Voy. ENFERMER, RENFERMER. || Subst. Personne qui s'est retirée du monde. Voy. SOLITAIRE.

recoin, s. m. Coin retiré. *Angulus, i,* m. *Latebra, ae,* f. (ordin. au plur. *latebrae, arum*), f. [*Reglutināre*, tr.

recoller, v. tr. Coller de nouveau.

récolte, s. f. Action de recueillir des produits du sol. *Perceptio, onis,* f. Faire la —, voy. RÉCOLTER. La — des blés, voy. MOISSON. Après la —, *perceptis* (ou *sublatis*) *frugibus*. ¶ Les produits ainsi recueillis. *Fructus, uum,* m. pl. *Fruges, um,* f. pl. || (Fig.) Ce qu'on réunit. *Proventus, ūs,* m.

récolter, v. tr. Recueillir (les produits du sol.) *Metĕre*, tr. *Demetĕre* (*fruges*). *Colligĕre* (*fructus*). *Percipĕre* (*fructus*). || (Fig.) *Colligĕre*, tr.

recommandable, adj. Digne de recommandation. *Commendabilis, e,* adj.

recommandation, s. f. Action de recommander qqn. *Commendatio, onis,* f. Sur sa —, *illo commendante*. ¶ Ce par quoi qqch. se recommande. *Commendatio, onis,* f. Une sérieuse —, *auctoritas, atis,* f. ¶ Action de recommander qqch. *Commendatio, onis,* f. *Praescriptum, i,* n. Faire des — à qqn, *mandāre aliquid alicui*.

recommander, v. tr. Désigner particulièrement à la bienveillance, à la protection de qqn. *Commendāre*, tr. — aux électeurs, d'où — (en gén.), *suffragāri*, dép. intr. || (Par ext.) Rendre recommandable. *Commendāre*, tr. Se —, *commendāri*, pass.; *gratum esse*; *placēre*, intr. || Se recommander de qqn, *appellāre aliquem*. ¶ Conseiller particulièrement une chose à qqn. *Suadēre*, tr.

recommencer, v. tr. et intr. || (*V. tr.*) Commencer de nouveau à faire. *Integrāre*, tr. *Redintegrāre*, tr. *Renovāre*, tr. *Repetĕre*, tr. *Instaurāre*, tr. — à faire qqch., *de integro* (ou *rursus*) *aliquid facĕre*. ¶ (*V. intr.*) Commencer de nouveau à se produire. *Redintegrāri*, pass.

récompense, s. f. Ce qu'on donne en compensation. Voy. COMPENSATION. ¶ Ce qu'on donne en gratification. *Remuneratio, onis,* f. *Merces, edis,* f. *Praemium, ii,* n. *Pretium, ii,* n.

récompenser, v. tr. Compenser. Voy. ce mot. ¶ Gratifier pour un service rendu *Remunerāri* (*aliquem*). *Praemium* (*alicui*) *dāre* (ou *tribuĕre* ou *deferre*). Etre récompensé, *praemium consequi*; *praemio donari*.

recomposer, v. tr. Composer de nouveau. *Iterum componĕre*. *Dissoluta componĕre*.

réconciliateur, *trice,* s. m. et f. Celui, celle qui réconcilie. *Reconciliator gratiae* ou simpl. *reconciliator, oris,* m.

réconciliation, s. f. Action de réconcilier; résultat de cette action. *Reconciliatio, onis,* f. *Gratia, ae,* f.

réconcilier, v. tr. Concilier de nouveau. *Reconciliāre*, tr.

reconduire, v. tr. Accompagner (qqn qui s'en retourne). *Reducĕre*, tr. || (Spéc.) Accompagner par civilité, faire honneur. *Deducĕre*, tr.

réconforter, v. tr. Ramener qqn qui est abattu. || (Physiquement.) *Reficĕre*, tr. (Moralement.) *Reficĕre*, tr. *Recreāre*, tr. Se —, *recreari*, pass.

reconnaissable, adj Qui peut être reconnu. *Qui* (*quae, quod*) *agnosci* (ou *recognosci*) *potest*.

reconnaissance, s. f. Action de reconnaître. || Action de retrouver dans son souvenir, comme déjà connue, une personne, une chose. *Agnitio, onis,* f. *Cognitio, onis,* f. *Recognitio, onis,* f. || (Spéc.) Scène où cela a lieu. Après la — d'Œdipe, *postquam Œdipus cognitus est*. || Signaux de reconnaissance, *signa quibus inter se noscuntur*. || Action d'admettre une chose d'abord méconnue. *Recognitio, onis,* f. *Probatio, onis,* f. || Action d'avouer une chose, une personne comme sienne. *Confessio, onis,* f. || (Spéc.) Ecrit par lequel on reconnaît avoir reçu (qqch. de qqn). *Syngrapha, ae,* f. || Action de chercher à déterminer une position inconnue. *Exploratio, onis,* f. Faire, opérer une —, *situm locorum cognoscĕre*. ¶ Action de témoigner qu'on est redevable envers qqn d'un service rendu. *Gratus* (ou *memor*) *beneficii* (ou *beneficiorum*) *animus*. *Gratus animus et beneficii memor*. *Mens memor*. Témoigner à qqn de la —, *gratiam referre* (ou *habēre*) *alicui* (*pro aliquâ re*). Exprimer à qqn sa —, *gratias agĕre alicui*. Avec —, *gratē*, adv.; *grato animo*.

reconnaissant, *ante,* adj. Qui reconnaît ce qu'on a fait pour lui. *Gratus, a, um,* adj. *Memor,* adj. *Pius, a, um,* adj.

reconnaître, v. tr. Retrouver dans sa mémoire, comme déjà connue, une personne, une chose. *Noscĕre*, tr. *Agnoscĕre*, tr. *Cognoscĕre*, tr. || (Par ext.) Retrouver sous son véritable caractère. *Agnoscĕre*, tr. *Cernĕre*, tr. Se —, *c.-à-d.* se retrouver, *ad se redire*; se *colligĕre*; *animum colligĕre*. Ils ne laissent pas à l'ennemi le temps de se —, *neque cognoscendi, quid fieret, hostibus* *facultatem relinquunt.* Se — (en parl. des choses), *c.-à-d.* être reconnaissable, *conspici posse.* ¶ Admettre (une chose, une personne d'abord méconnue). *Agnoscère,* tr. *Cognoscère,* tr. *Intelligère,* tr. *Sentire,* tr. *Fatēri,* dép. tr. *Suscipère,* tr. *Recipère,* tr. — avec certitude, *perspicère,* tr. Ne pas —, *abnuère,* tr.; *recusāre,* tr. ¶ (P. anal.) Avouer (qqch., qqn) comme sien. *Agnoscère,* tr. Ne pas — un fils, *abdicāre filium.* ¶ Chercher à connaître, à déterminer (une position inconnue). *Cognoscère,* tr. *Explorāre,* tr. *Perspicère,* tr. || Vérifier, compter. Voy. ces mots. ¶ Témoigner qu'on est redevable envers qqn d'un bienfait, d'un service rendu. *Beneficium grato animo aestimāre.* Je vois qu'on ne reconnaît pas mes services, *laborem meum ingratum esse sentio.*

reconquérir, v. tr. Conquérir de nouveau. *Recuperāre,* tr. || (Fig.) *Recuperāre,* tr. — la liberté, *repetère libertatem.*

reconstruction, s. f. Action de reconstruire. *Restitutio, onis,* f.

reconstruire, v. tr. Construire de nouveau. *Reparāre,* tr.

recopier, v. tr. Transcrire (une chose déjà écrite). Voy. TRANSCRIRE. — un tableau, *transcribère,* tr.

recoucher, v. tr. et intr. Coucher de nouveau. || (*V. tr.*) *Stratis reponère.* Se —, *se in lectum recipère.* ¶ (*V. intr.*) *Recubāre,* intr.

recoudre, v. tr. Coudre de nouveau (ce qui est décousu). *Sarcīre,* tr. || (Fig.) Voy. RAPIÉCER.

recouper, v. tr. Couper de nouveau. *Resecāre,* tr.

recourber, v. tr. Courber de nouveau, *et par ext.* courber de façon qu'un bout aille rejoindre l'autre. *Recurvāre,* tr. *Incurvāre,* tr. *Reflectère,* tr. Se —, *recurvāri,* pass. moyen. Recourbé, *incurvatus, a, um,* part.

recourir, v. intr. Retourner en courant. *Recurrère,* intr. ¶ (Au fig.) Aller demander une aide qu'on ne trouve pas ailleurs. Voy. RECOURS.

recours, s. m. Action de recourir (à qqn, à qqch.), *et par ext.* ce à quoi on recourt. *Perfugium, ii,* n. *Praesidium, ii,* n. *Respectūs, ūs,* m. Avoir — à, *recurrère,* intr. (*ad aliquid*); *decurrère,* intr. (*ad aliquid*); *confugère,* intr. (*ad aliquid*). Avoir — aux prières, *precibus uti.* || (Spéc.) Action de se pourvoir contre un jugement. *Provocatio, onis,* f. Avoir un — contre qqn, *reverti ad* (ou *adversus*) *aliquem.*

recouvrement, s. m. Action de recouvrer. *Recuperatio, onis,* f. || (Spéc.) Action de recouvrer ce qui est dû. *Coactio, onis,* f. Le — de l'impôt, *exactio, onis,* f.

recouvrer, v. tr. Rentrer en possession de. *Recuperāre,* tr. *Recipère,* tr. || (Spéc.)

Faire rentrer ce qui vous est dû. *Recipère,* tr. *Recuperāre,* tr. *Exigère,* tr.

recouvrir, v. tr. Couvrir de nouveau. *Rursus operire* (ou *tegère*). ¶ Couvrir entièrement. *Operire,* tr. *Cooperire,* tr. *Contegère,* tr. ¶ (Au fig.) Revêtir, cacher, masquer. Voy. ces mots.

récréatif, ive, adj. Qui récrée. *Ludicer, cra, crum,* adj. *Lusorius, a, um,* adj.

récréation, s. f. Repos, jeu qui récrée. *Oblectatio, onis,* f. *Ludus, i,* m. Se donner un peu de —, *se dimittère.* || (P. ext.) Le temps de la récréation. *Otium, ii,* n. *Ludus, i,* m.

récréer, v. tr. Ranimer par qqch. d'agréable. *Renovāre,* tr. *Recreāre,* tr. ¶ Délasser du travail par le repos, le jeu. *Laxāre,* tr. *Levāre,* tr. Se —, *oblectāre se; oblectāri,* pass.

récrier (se), v. pron. Redoubler de cris. || (Pour admirer) *Exclamāre,* intr. ¶ (Pour protester). *Reclamāre,* intr.

récrimination, s. f. Reproche qu'on oppose à un autre reproche. *Accusatio mutua.*

récriminer, v. intr. Opposer un reproche à un autre. *Retorquère crimen in aliquem.*

récrire, v. tr. Ecrire de nouveau. (En adressant une nouvelle lettre.) *Epistolam iterum* (ou *alteram, novam epistolam*) *scribère.* (En adressant une réponse.) *Rescribère,* tr.

recrue, s. f. Soldat nouvellement enrôlé. *Novus miles. Tiro, onis,* m.

recrutement, s. m. Action de recruter. *Delectūs, ūs,* m. *Supplementum, i,* n.

recruter, v. tr. Compléter une troupe. *Conscribère,* tr. || (Spéc.) Compléter un corps de troupes. *Scribère milites in supplementum. Delectum habēre.* — || (P. anal. au fig.) *Comparāre,* tr. — des partisans, *in partes suas trahère.* Se —, voy. TIRER, PROVENIR.

recruteur, s. m. Celui qui recrute (des soldats). *Conquisitor, oris,* m.

rectifier, v. tr. Rendre droit. *Corrigère,* tr. ¶ (P. anal.) Rendre exact en corrigeant. *Corrigère,* tr. ¶ (P. ext.) Rendre pur (un liquide) par une nouvelle distillation. Voy. DISTILLER.

rectitude, s. f. Direction en ligne droite. *Regio, onis,* f. ¶ (Fig.) Juste direction. *Recta* (ou *recti*) *ratio.* — d'esprit, *animi ratio perfecta.* Qui a de la — dans le jugement, (*homo*) *recti judicii.*

reçu, s. m. Ecrit par lequel on reconnaît avoir reçu une somme d'argent, etc. *Securitas, atis,* f. *Apocha ae,* f.

recueil, s. m. Réunion de choses recueillies. *Corpus, oris,* n. *Excerpta, orum,* n. pl.

recueillement, s. m. Etat de celui qui se recueille. Voy. MÉDITATION. Etre dans le —, *totum in se intendère.*

recueillir, v. tr. Réunir pour ne pas laisser perdre. *Legère,* tr. *Colligère,* tr.

Recolligĕre, tr. *Percipĕre,* tr. *Excipĕre,* tr. Chercher à —, *conquirĕre,* tr. ‖ (Par anal.) Concentrer. Voy. ce mot. — ses forces, *vires recolligĕre.* Se —, *se colligĕre* ou *colligĕre animum.* ¶ Recevoir comme profit. *Capĕre,* tr. *Percipĕre,* tr. *Colligĕre,* tr. Voy. RECEVOIR, OBTENIR. ‖ (Par ext.) Recevoir comme digne d'intérêt. *Excipĕre,* tr. *Recipĕre,* tr. ‖ (Spéc.) Faire des extraits. *Excerpĕre,* tr. ‖ Recevoir comme ayant besoin de protection. *Recipĕre,* tr. — qqn auprès de soi, *aliquem ad se recipĕre.*

recuire, v. tr. et intr. Soumettre à une nouvelle cuisson. *Recoquĕre,* tr. *Iterum de integro coquĕre.*

recul, s. m. Action de reculer. *Recessŭs, ŭs,* m. ¶ Possibilité de reculer. *Regressŭs, ŭs,* m.

reculer, v. intr. et tr. ‖ (*V. intr.*) Aller en arrière. *Cedĕre,* intr. *Recedĕre,* intr. *Referre,* tr. (s'opp. à *insistĕre,* « tenir de pied ferme », dans les expressions *se referre, referri* ou *referre pedem*). — (en parl. des eaux) *refluĕre,* intr. Faire —, *reprimĕre,* tr.; *retro compellĕre.* ¶ (Au fig.) Revenir sur ce qu'on a résolu. *De sententiâ decedĕre.* ‖ Retarder l'exécution de qqch. *Refugĕre,* intr. et tr. — devant le danger, *periculum recusăre.* — devant la fatigue, *labore deterrēri.* ‖ Rétrograder. Voy. ce mot. ¶ (*V. tr.*) Faire aller en arrière. *Retrahĕre,* tr. *Reducĕre,* tr. ‖ (Par ext.) Porter plus loin. *Proferre,* tr. — les bornes de l'empire, *fines imperii propagăre.* ‖ Eloigner. *Removēre,* tr. Reculé, *c.-à-d.* lointain, *remotus, a, um,* p. adj. ¶ (Au fig.) Retarder. *Proferre* ou *differre (aliquid).* ‖ Reporter à une époque éloignée (antérieurement ou postérieurement). *Proferre,* tr. Reculé, (dans le passé), *vetustus, a, um,* adj. Depuis l'antiquité la plus —, *ab ultimâ antiquitate.* ‖ Eloigner du but où l'on tend. *Differre,* tr. *Prolatăre,* tr.

reculons (à), adv. En allant en arrière. *Retro,* adv. Il entraîna les bœufs à —, *aversos boves traxit.*

récupérer. Rentrer en possession de. Voy. RECOUVRER. ‖ Voy. NETTOYER.

récurer, v. tr. Nettoyer en frottant.

récusation, s. f. Action de récuser. *Rejectio, onis,* f.

récuser, v. tr. Refuser d'accepter pour juge, pour témoin, etc. *Rejicĕre,* tr. Se — (refuser de donner son avis), *se excusăre.*

rédacteur, s. m. Celui, celle qui rédige. *Conscriptor, oris,* m.

rédaction, s. f. Action de rédiger. *Scriptio, onis,* f. — d'un acte officiel, d'un protocole, *perscriptio, onis,* f. ¶ Ce qui est rédigé. *Scriptum, i,* m.

reddition, s. f. Action de rendre. Voy. RESTITUTION. ‖ (Spéc.) Action de rendre une place à ceux qui l'assiègent. *Dedi-*

tio, onis, f. ¶ Action de présenter un compte pour qu'il soit examiné. Une — de compte, *ratio reddita* (ou *relata*).

redemander, v. tr. Demander de nouveau. *Iterum petĕre.* ¶ Demander qu'on restitue. *Repetĕre,* tr. *Reposcĕre,* tr.

rédempteur, s. m. Celui, celle qui rachète. *Redemptor, oris,* m. Fig. Spéc. Le — du genre humain (Jésus-Christ), *redemptor, oris,* m.

rédemption, s. f. Action de racheter. Au propre. *Redemptio, onis,* f. ‖ (Spéc.) Le rachat du genre humain par Jésus-Christ. *Redemptio, onis,* f.

redescendre, v. intr. Descendre de nouveau. Voy. DESCENDRE.

redevable, adj. Qui reste débiteur de qqn. Qui (*quae*) *debet* (ou *nondum solvit*). Etre — de..., *nondum solvisse (aliquid).* ‖ (Fig.) Qui a obligation de qqn à qqch. *Obnoxius, a, um,* adj. Etre — de (qqch. à qqn), *debēre,* tr.

redevance, s. f. Charge que l'on doit acquitter à époques régulières. *Vectigal, alis,* n.

redevenir, v. intr. Devenir de nouveau. *Iterum fieri.*

redevoir, v. intr. Devoir encore qqch. *Nondum solvisse (aliquid).*

rédiger, v. tr. Mettre par écrit dans une forme convenable. *Scribĕre,* tr. *Conscribĕre,* tr. *Perscribĕre,* tr.

redire, v. tr. Dire de nouveau. ‖ Dire à plusieurs reprises. *Iterăre,* tr. *Repetĕre,* tr. (voy. RÉPÉTER). Au part. passé pris subst. REDITE, s. f. Répétition d'une chose déjà dite. *Iteratio, onis,* f. *Repetitio, onis,* f. ‖ (Par ext.) Raconter fréquemment. *Crebro jactăre aliquid.* — (en parl. de l'écho), *recinĕre,* tr. ¶ Dire ce qu'on trouve à reprendre. Je pense que tu n'y trouveras pas à —, *nihil arbitror fore quod reprehendas.*

redonner, v. tr. Donner de nouveau. *Reddĕre,* tr. *Restituĕre,* tr.

redoublement, s. m. Action de redoubler. *Geminatio, onis,* f. — de forces, d'efforts, *virium intentio.* Un — de cruauté, *nova accessio crudelitatis.* Avec un — d'ardeur, d'attention, *intentius,* adv. ‖ (T. de gramm.) *Geminatio, onis,* f. — d'une expression, *adjectio, onis,* f.

redoubler, v. tr. et intr. ‖ (*V. tr.*) Augmenter fortement. *Duplicăre,* tr. *Geminăre,* tr. — la curiosité de qqn, *exspectationem alicui movēre acriorem.* Spéc. Pas redoublé, *plenus gradus.* ‖ Réitérer. *Duplicăre,* tr. *Iterăre,* tr. *Geminăre,* tr. Coups redoublés, *crebri ictus.* Applaudissements —, *geminatus plausus.* ¶ (*V. intr.*) Etre augmenté fortement. *Augēri,* passif. Sa douleur —, *multo acrior fit ejus dolor.* ‖ Etre réitéré. *Geminări,* pass. *Iterări,* pass. ¶ Donner à l'action plus d'intensité. — de zèle, d'ardeur au travail, *intendĕre officia, laborem.* — d'efforts, *intentius niti.* ‖ Réitérer l'action. *Geminări,* abs.

redoutable, adj. Qui est à redouter. *Formidolosus, a, um,* adj. *Formidandus, a, um,* adj. verb.

redoute, s. f. Ouvrage de fortification détaché. *Munimentum, i,* n. *Castellum, i,* n.

redouter, v. tr. Craindre comme très menaçant. *Metuĕre,* tr. *Formidāre,* tr. *Reformidāre,* tr.

redressement, s. m. Action de redresser; résultat de cette action. *Correctio, onis,* f.

redresser, v. tr. Dresser de nouveau. || En replaçant verticalement. *Rursus erigĕre. Restituĕre,* tr. *Reponĕre,* tr. Se —, *se erigĕre.* || (Fig.) Relever. Voy. ce mot. || (En remettant en ligne droite.) *Corrigĕre,* tr. || (Fig.) Remettre dans le droit chemin. *Errantem ad rectum iter admonēre.* Voy. CORRIGER.

redresseur, s. m. Celui qui redresse. *Corrector, oris,* m.

réduction, s. f. Action de ramener à sa situation naturelle. — d'une fracture, *ossa in suas sedes reposita.* ¶ Action d'amener à se soumettre. La — de la Grèce en province romaine, *Graecia in formam provinciae* (ou *in provinciam*) *redacta.*

réduire, v. tr. Ramener à sa situation naturelle (un os luxé, fracturé). *Ossa componĕre* (ou *in suas sedes reponĕre*). — une hernie, *prolapsa intestina condĕre.* ¶ (Par ext.) Ramener à un état plus élémentaire. — en farine, *in farinam terĕre.* — en poussière, en poudre, etc., voy. POUDRE, POUS-SIÈRE, etc. || (Spéc.) Ramener à un état simple. *Redigĕre,* tr. *Solvĕre,* tr. — un liquide, *decoquĕre,* tr. Faire —, *même trad.* || (Au fig.) Résumer. *Cogĕre,* tr. C'est à quoi se réduit tout ce raisonnement, *haec est totius rationis summa.* || Diminuer. *Minuĕre,* tr. *Imminuĕre,* tr. *Contrahĕre,* tr. *Redigĕre,* tr. Famille réduite, *familia jam ad paucos redacta.* — un discours, voy. ABRÉGER. ¶ Amener à se soumettre. *Adducĕre,* tr. *Redigĕre,* tr. *Cogĕre,* tr. — qqn à la nécessité de, *aliquem in eam necessitatem adducĕre, ut* (et le Subj.). — la cité en son pouvoir, *civitatem in potestatem suam redigĕre.* — qqn au désespoir, *aliquem cogĕre in desperationem.* — ¶ (Absol.) Soumettre, dompter. Voy. ces mots.

réduit, s. m. Lieu retiré, de petites proportions. *Secretus locus.* ¶ Ouvrage de fortification. Voy. REDOUTE.

réédifier, v. tr. Édifier de nouveau. Voy. RECONSTRUIRE.

réel, elle, adj. Qui a une existence effective et non apparente ou possible. *Verus, a, um,* adj. *Naturalis, e,* adj. Subst. Le —, c.-à-d. ce qui est réel, *res, rei,* f. ¶ (Spéc.) Relatif aux choses, aux biens, non aux personnes. *Corporalis, e,* adj.

réélire, v. tr. Elire de nouveau. *Iterum* (ou *rursus*) *creāre.*

réellement, adv. D'une manière réelle, et, p. ext., véritablement. *Re ipsā. Reverā* ou *re verā. Reāpse,* ou simpl. *re,* abl. adv.

refaire, v. tr. Faire de nouveau. *Reficĕre,* tr. — sa fortune, *se novis opibus renovāre.* Si c'était à —, *si mihi esset integrum.* — un voyage, *redire viam.* || (Spéc.) Produire de nouveau. — ses plumes, voy. MUE, MUER. || (Par ext.) Modifier dans sa manière d'être. *Immutāre,* tr. ¶ Remettre en état. *Reficĕre,* tr. *Reparāre,* tr.

réfectoire, s. m. Salle où l'on prend les repas en commun. *Cenatio, onis,* f. *Cenaculum, i,* n.

référer, v. tr. Rapporter (qqch.) à ce qui l'explique, le confirme. *Referre,* tr. (*aliquid ad aliquid*). Se — à qqch., *spectāre ad aliquid.* Se — à l'autorité de qqn, *habēre aliquem auctorem.* En — au sénat, au juge, *referre ad senatum, ad judicem.*

refermer, v. tr. Fermer de nouveau. Voy. FERMER.

réfléchir, v. tr. et intr. || (*V. tr.*) Ramener sur soi. *Reflectĕre,* tr. Au fig. Verbe réfléchi, *verbum reciprocum.* Renvoyer en retour. *Reflectĕre,* tr. *Repercutĕre,* tr. ¶ (*V. intr.*) Revenir sur sa pensée pour l'approfondir. Considerāre, tr. *Cogitāre,* tr. et int. *Reputāre,* tr.

reflet, s. m. Réflexion affaiblie de la lumière, de la couleur. *Repercussus, ūs,* m.

refléter, v. tr. Renvoyer par réflexion affaiblie (la lumière, la couleur). *Reddĕre,* tr. *Referre,* tr. Se —, *relucēre,* intr.

refleurir, v. intr. Fleurir de nouveau. *Reflorescĕre,* intr.

réflexion, s. f. Renvoi par une surface de ce qui la frappe. *Repercussus, ūs,* m. || (Fig.) Action indirecte. Voy. RICO-CHET. ¶ Retour de la pensée sur elle-même, pour approfondir. *Meditatio onis,* f. *Deliberatio, onis,* f. *Consilium ii,* n. L'affaire demande —, *res est consilii.* Faire —, voy. RÉFLÉCHIR. Qui a fait ses —, *mediatus.* Avec —, *cogitatē,* adv.; *consulto,* adv.; *consideratē,* adv. Fait avec —, *cogitatus, a, um,* p. adj. Sans —, voy. INCONSIDÉRÉMENT. Qui agit sans —, voy. INCONSIDÉRÉ. Manque de —, *inconsiderantia, ae,* f. || (Par ext.) Pensée résultant de la réflexion. *Cogitatio, onis,* f. *Cogitatum, i,* n.

refluer, v. intr. Couler en sens contraire. *Refluĕre,* intr. || (Fig.) *Redundāre,* intr.

reflux, s. m. Mouvement de la mer qui redescend après avoir monté par le flux. *Recessus* (ou *decessus*) *aestūs* ou simpl. *recessus, ūs,* m. *Reciprocatio aestūs.* Flux et —, *accessus et recessus* aestuum (marinorum). || (Fig.) Un flux et — (mouvement de va-et-vient), reciprocatio, onis, f. Le flux et le — (des choses humaines), voy. VICISSITUDE

refondre, v. tr. Mettre de nouveau en fusion. Recoquĕre, tr. — les monnaies, reficĕre nummos. || (P. ext.) Refaire entièrement. Recoquĕre, tr.

réformateur, trice, s. m. et f. Celui, celle qui réforme. Corrector, oris, m. Emendator, oris, m. Réformatrice, emendatrix, tricis, f.

réforme, s. f. Changement qui ramène à la forme primitive. Restitutio in antiquum statum ou (absol.) restitutio, onis, f. || Changement qui ramène à une forme meilleure. Correctio et emendatio, ou simpl. correctio, onis, f. ¶ Mise nors du service de ce qui est devenu impropre. || (En parl. des soldats.) Voy. LICENCIEMENT, CONGÉ. Un congé de —, causaria missio.

reformer, v. tr. Former de nouveau. Reficĕre (ordines). Rursus instruĕre (ou ordinare) aciem. (D'une façon plus générale.) Reformare, tr.

réformer, v. tr. Ramener à la forme primitive. Restituĕre in pristinum statum (ou modum). Ordinem (militiae) novare. ¶ Ramener à une forme meilleure. Corrigĕre, tr. Emendare, tr. — son train de maison, minuĕre sumptus. ¶ Retirer du service. Mittĕre (militem) ou missum facĕre (militem). Exauctorare (aliquem).

refoulement, s. m. Action de refouler; résultat de cette action. Repercussŭs, ūs, m.

refouler, v. tr. et intr. || (V. tr.) Faire reculer en foulant. Repercutĕre, tr. Refoulé par les flots de la mer, adverso aestu maris. || Repousser l'ennemi. Repellĕre, tr. Rejicĕre, tr. || (Spéc.) Pousser vers le fond. Refundĕre, tr. || (Fig.) Retroagĕre, tr. ¶ (V. intr.) Reculer sous l'effort d'une pression. Voy. RECULER.

réfractaire, adj. Qui ne se soumet pas à une autorité, à une règle. Contumax (gén. -acis), adj. Refractarius, a, um, adj. Subst. Un —, qui militiam detrectat. ¶ Qui résiste à certaines influences. Contumax (gén. -acis), adj.

réfracter, v. tr. Faire dévier (un rayon lumineux par son passage dans un milieu de densité différente). Refringĕre (radium solis).

réfraction, s. f. Déviation que subit un rayon lumineux en changeant de milieu. Duplicatio radiorum. Produire la —, radios refringĕre.

refrain, s. m. Retour d'un vers à chaque couplet. Repetitus versus. || (P. ext.) Le vers qui revient ainsi. Versus intercalaris. ¶ Chanson. Voy. ce mot. || (Fig.) Ce qu'on répète toujours. Cantilena, ae, f.

réfréner, v. tr. Soumettre au frein (fig.). Frenos adhibēre ou injicĕre (alicui). Frenare. tr.

refrognement, **refrogner**. Voy. RENFROGNEMENT, RENFROGNER.

refroidir, v. tr. Rendre plus froid. Refrigerare. tr. Se —, calorem amittĕre (en parl. d'un objet chauffé); calēre desinĕre (en parl. du feu). ¶ (Au fig.) Rendre beaucoup moins ardent. Restinguĕre, tr. Se —, refrigerari, pass.; defervescĕre, intr.

refroidissement, s. m. Abaissement de la température d'un corps. Refrigeratio, onis, f. || (P. anal.) Indisposition causée par le froid. Contracter un —, frigus colligĕre.

refuge, s. m. Moyen de se mettre en sûreté. Refugium, ii, n. Perfugium, ii, n. Lieu où l'on peut se mettre en sûreté. Refugium, ii, n. Perfugium, ii, n. Receptaculum, i, n. Portŭs, ūs, m. ¶ Personne près de laquelle on trouve la sûreté. Refugium, ii, n. Perfugium, ii, n.

réfugier, v. tr. et v. pron. || (V. tr.) Mettre en lieu de sûreté. Perfugium praebēre (alicui). ¶ (V. pron.) Se réfugier, c.-à-d. se retirer en lieu de sûreté. Fugĕre, intr. Confugĕre, intr. Perfugĕre, intr. Refugĕre, intr. Recipĕre, tr. (se recipĕre ad aliquem; ad [ou in] aliquem locum).

refus, s. m. Action de ne pas accorder (ce qui est demandé). Repudiatio, onis, f. Detrectatio, onis, f. — d'obéissance, dedignatio parendi — essuyé, repulsa, ae, f. || (Par ext.) Action de ne pas consentir (à ce qu'on souhaite). Recusatio, onis, f. Retractatio, onis, f. ¶ Action de ne pas accepter (ce qui est offert). Recusatio, onis, f. Detrectatio, onis, f.

refuser, v. tr. Ne pas accorder. Abnuĕre, tr. Renuĕre, tr. Negare tr. Abnegare, tr. Denegare, tr. — avec obstination, formellement, tout net, pernegare, tr. || (Par ext.) Ne pas consentir. Detrectare, tr. Abnuĕre, tr. Se — à qqch., c.-à-d. n'y pas consentir, detrectare (ou recusare) aliquid. ¶ Ne pas accepter. Abnuĕre, tr. Recusare, tr. Repudiare, tr. Rejicĕre, tr. Aspernari, dép. tr. Respuĕre, tr. ¶ Ne pas admettre, Rejicĕre, tr. Prohibēre, tr. Negare, tr.

réfutation, s. f. Action de réfuter, discours par lequel on réfute. Refutatio, onis, f.

réfuter, v. tr. Détruire (une opinion) en démontrant qu'elle est fausse. Refellĕre, tr. Redarguĕre, tr. Confutare, tr. Refutare, tr. Répondre pour —, — par une réponse, respondēre. intr.

regagner, v. tr. Occuper de nouveau (un lieu). Repetĕre, tr. Recipĕre se. — sa litière, se recipĕre ad lecticulam. ¶ Obtenir de nouveau. Recuperare. tr.

Recipère, tr. ¶ Acquérir de nouveau. *Reparàre*. tr.

regain, s. m. Nouvelle pousse de l'herbe dans une prairie qui a été fauchée. *Chordum fenum*.

régal, s. m. Grand repas. *Convivium, ii*, n.

régaler, v. tr. Traiter en offrant une partie de plaisir. *Invitàre*, tr. — de présents, voy. GRATIFIER. || (Spéc.) Traiter en donnant qqch. de bon à boire, à manger. *Invitàre*, tr. Se —, *curàre genium*.

regard, s. m. Action de considérer par l'esprit. *Respectùs, ûs*, m. *Conspectùs, ûs*, m. *Contemplatio, onis*, f. *Oculi, orum*, m. pl. || (Loc. prépos.) Au — de, *c.-à-d.* en considérant, voy. ÉGARD. ¶ Action de considérer par les yeux. *Oculi, orum*, m. pl. *Aspectùs, ûs*, m. *Conspectùs. ûs*, m. Porter ses — sur, *collustràre*, tr. ¶ Situation d'une chose en face d'une autre. En — de, voy. [en] FACE. ¶ (Par ext.) Ouverture ménagée dans un conduit. *Fenestra, ae*, f.

regardant, *ante*, adj. (Fig.) Qui regarde de trop près. *Attentior ad 'rem*.

regarder, v. tr. Considérer par l'esprit. *Respicère*, tr. *Consideràre*, tr. *Tueri*, dép. tr. — qqn comme un dieu, un père, *habère aliquem deum, aliquem parentem*. — qqn comme vainqueur, *ducère, aliquem victorem*. — qqch. comme très beau, qqn comme capable, *pulcherrimum aliquid, aliquem idoneum judicàre*. || (Intransit.) Faire attention. *Attendère*, tr. et intr. *Inspicère*, tr. *Perspicère*, tr. *Observàre*, tr. Qui regarde à la dépense, *attentus in rem*. || (Par ext.) Concerner (qqn). Voy. CONCER-NER. ¶ Diriger les yeux (sur qqn ou qqch.). *Aspicère*, intr. et tr. *Conspi-cère*, tr. *Despicère* (« regarder de haut en bas; regarder d'un lieu élevé »), tr. *Inspicère* (« regarder dans »), tr. *Pros-picère* (« regarder en avant, devant soi, au loin, à distance »), intr. et tr. *Res-picère* (« regarder en arrière, se retourner pour regarder »), intr. et tr. *Suspicère* (« regarder au-dessus de soi, regarder en haut, lever la tête pour regarder »; *fig.* regarder avec admiration »), tr. et intr. *Spectàre*, tr. *Aspectàre* (« regarder avec insistance, avec attention ou intérêt »), tr. *Tueri*, dép. tr. (surt. au fig.). *Contueri*, dép. tr. *Intueri*, dép. tr. — autour de soi, dans tous les sens, *circumspicère*, tr. ¶ Etre en face de, tourné vers. *Spectàre*, intr. — le levant, *ad orientem solem spectàre*.

régence, s. f. Gouvernement d'un Etat pendant la minorité ou l'absence du souverain. *Procuratio regni. Tutela, ae*, f.

régénération, s. f. Reproduction d'une partie détruite. *Regerminatio, onis*, f. *Renovatio, onis*, f. || (Fig.) Renouvel-lement moral. *Renovatio, onis*, f.

régénérer, tr. Reproduire une partie détruite. *Regeneràre*, tr. || (Fig.) Renou-veler moralement. Voy. RÉFORMER. Se —, *renovàri*, pass. moy.

régent, *ente*, s. m. et f. Celui, celle qui gouverne pendant la minorité ou l'ab-sence du souverain. *Procurator regni. Regens, entis*, m. Régente, *procuratrix regni*. Etre —, régente, *in regni procu-ratione esse*.

régenter, v. tr. Diriger, enseigner. *Tanquam magistrum persequi (aliquid)*.

1. **régicide**, s. m. Assassin d'un roi. *Regis interfector*. || (Spéc.) Ceux qui condamnent à mort un roi. *Parricidae, arum*, m. pl.

2. **régicide**, s. m. Assassinat d'un roi. *Caedes regis*.

régie, s. f. Administration des biens pour le compte d'un autre. *Procuratio, onis*, f.

regimber, v. intr. (En parl. des bêtes de monture) résister en ruant. *Calci-tràre*, intr. || (Fig.) *Calcitràre*, intr.

régime, s. m. Forme de Gouverne-ment. *Civitatis forma. Imperii* (ou *rei publicae*) *forma*. || Façon d'administrer un établissement. *Instituta ratio. Ratio, onis, f.* ¶ (Au fig.) Façon d'administrer sa santé *Certus vivendi modus ac lex. Diaeta, ae*, f.

régiment, s. m. Corps de troupes formé de plusieurs bataillons. *Legio, onis*, f.

région, s. f. Etendue de pays soumise à des conditions communes de climat. *Regio, onis*, f. || (P. ext.) Partie déter-minée du corps. *Regio, onis*, f. || (Fig.) *Regio, onis*, f.

régir, v. tr. Tenir sous sa direction. *Regère*, tr. ¶ (Fig.) Soumettre à un rapport de subordination. *Jungi* ou *conjungi (alicui rei). Sequi (aliquid)*.

régisseur, s. m. Celui qui administre. *Procurator. oris*, m.

registre, s. m. Livre, cahier où l'on note régulièrement les faits dont on veut garder le souvenir. *Index, icis*, m. *Tabulae, arum*, f. pl.

règle, s. f. Instrument long et droit qui sert à tracer des lignes droites. *Regula, ae*, f. ¶ (Au fig.) Ce qui doit diriger les actions, les pensées des hommes. || Ce qui doit diriger la con-duite *Regula, ae*, f. *Norma, ae*, f. *Ratio, onis, f. Lex, legis*, f. *Praescriptum, i*, n. — de conduite, — établie, *disci-plina, ae*, f. Qui est en —, selon la —, voy. RÉGULIER. || (Par ext.) Exemple à suivre. *Norma, ae*, f. || Ce qui doit diriger dans l'étude d'une science, dans la pratique d'un art. *Regula, ae*, f. *Norma, ae*, f. *Ratio, onis*, f. *Lex, legis*, f. *Disciplina, ae*, f.

règlement, s. m. Action de régler. *Constitutio, onis*, f. *Ordinatio, onis*, f. — de comptes, d'affaires, *ratio, onis*, f. Faire un — de comptes, *rationes subdu-cère* (ou *componère*). ¶ Ensemble des dispositions qui règlent ce qu'on doit faire ou éviter. *Lex, legis*, f. — militaire, *constitutio militaris.* D'après les — militaires, *more militiæ.* ¶ (Fig.) Règles qu'on se propose de suivre dans la vie; règle de conduite. *Disciplina vivendi,* ou simpl. *disciplina, æ*, f.

réglementer, v. tr. Soumettre à un règlement. *Ad certam legem revocâre (aliquid).*

régler, v. tr. Marquer de lignes tracées à la règle. *Lineas ducère per aliquid.* ¶ (Au fig.) Soumettre à une règle de conduite. *Regère,* tr. *Dirigère,* tr. *Exigère,* tr. *Componère,* tr. ¶ Soumettre à un ordre déterminé. *Regère,* tr. *Dirigère,* tr. *Componère,* tr. *Disponère,* tr. *Ordinâre,* tr. — l'emploi de son temps, *disponère diem.* voy. RÉGULIER. || (Par ext.) Soumettre à une juste mesure. *Temperâre,* tr. *Moderâri,* dép. intr. (av. le Dat.). || Régler sa dépense. *Domum suam coercère.* — un mémoire, *rationes alicujus excutère* (ou *dispungère*). || Soumettre à un arrangement définitif. *Conficère,* tr. *Componère,* tr. *Expedîre,* tr. *Transigère,* tr. ou intr. (ex. : *aliquid* [ou *de aliquâ re*] *cum aliquo*).

réglisse, s. f. Plante dont la racine est employée comme pectorale. *Glycyrrhiza, æ,* f.

régnant, ante, adj. Qui exerce le pouvoir royal, le pouvoir souverain. *Qui (quæ, quod) regnat.* Maison —, *domus regnatrix.* || (Fig.) Qui domine. Voy. DOMINANT, ÉMINENT, SUPÉRIEUR. || (Particul.) Très répandu. *Vulgatus, a, um,* p. adj. *Pervulgatus, a, um,* p. adj.

règne, s. m. Exercice du pouvoir royal, du pouvoir souverain. *Regnum, i,* n. *Imperium, ii,* n. Sous le règne de Numa Pompilius, *Numâ Pompilio regnante.* || (Fig.) Toute-puissance. *Regnum, i,* n. ¶ Pouvoir qu'exerce une chose, *Regnum, i,* n.

régner, v. intr. Exercer le pouvoir royal. *Regnâre,* intr. (on dit aussi *regnum obtinère*). || (Par ext.) Etre tout puissant. *Regnâre,* intr. ¶ (Au fig.) Exercer une influence dominante. *Dominâri,* dép. intr. *Valère,* intr. *Vigère,* intr. || (Par ext.) S'étendre sur une ligne continue. *Porrigi,* passif.

regorger, v. intr. (En parl. d'un liquide :) s'épancher hors du contenant trop plein. *Redundâre,* intr. || (P. anal.) Refluer. Voy. ce mot. || (P. ext.) En parl. de ce qui contient : être trop plein. *Exundâre,* intr. *Superfluère,* intr. Fig. *Abundâre (aliquâ re).*

regret, s. m. Chagrin d'avoir perdu (qqn ou qqch.). *Desiderium, ii,* n. *Dolor, oris,* m. || (Par ext.) Expression de ce chagrin. Voy. PLEUR, LAMENTATION. ¶ Chagrin d'avoir fait ou de n'avoir pas fait (qqch.). *Paenitentia, æ,* f.

regrettable, adj. Digne de regret.

Desiderandus, a, um, adj. *Desiderabilis, e,* adj.

regretter, v. tr. Avoir du chagrin d'avoir perdu (qqn ou qqch.). — qqn, la perte de qqn, *desiderâre (aliquem)*; *lugère alicujus mortem* (ou *aliquem*). Etre regretté de ..., *desiderium sui relinquère (apud aliquem).* — l'absence de qqn, *desiderâre aliquem.* Etre regretté de toute la ville, *esse in desiderio civitatis.* Faire — qqn à qqn, *alicui desiderium alicujus facère.* Se faire —, *desiderium sui facère.* — qqch., la perte de qqch., *desiderâre,* tr.; *desiderio alicujus rei tenèri.* — l'absence de qqch., *requirère,* tr. Faire — à qqn, *aliquem desiderio afficère.* ¶ Avoir du chagrin d'avoir fait ou de n'avoir pas fait qqch. *Paenitère,* impers. Voy. [se] REPENTIR. — vivement une faute, *dolère delicto.* — de (et l'Infin.). *paenitère,* impers. (av. l'Inf.). || (P. ext.) — que..., *comme ci-dessus.*

régulariser, v. tr. Rendre régulier. *Ratione certâ facère. Legitimum* (ou *justum) reddère.*

régularité, s. f. Conformité aux règles établies. *Ordo, inis,* m. *Constantia, æ,* f. *Ratio, onis,* f. La — des traits du visage, *lineamentorum conformatio.* La — du mouvement, *aequabilitas motûs.*

régulateur, trice, adj. Qui régularise. *Qui (quæ) certâ ratione facit. Moderator, oris,* m. *Moderatrix, tricis,* f. ¶ S. m. et f. Celui, celle qui régularise qqch. *Compositor, oris,* m. *Moderator, oris,* m. Régulatrice, *moderatrix, tricis,* f.

régulier, ière, adj. Conforme aux règles établies. *Legi* (ou *legibus) conveniens. Rectus, a, um.* (Avec une idée d'ordre, d'harmonie.) *Dispositus, a, um,* p. adj. *Status, a, um,* p. adj. *Certus, a, um,* adj. (Avec une idée de durée), *constans* (gén. *-antis*), p. adj.; *ratus, a, um,* p. adj. En parl. du discours, d'une œuvre littéraire, *compositus, a, um,* p. adj.; *concinnus, a, um,* adj. Mouvement —, *motus certus et aequabilis.* Cours — (des astres), *cursus ordinatus.* Développement —, marche — du gouvernement, *ratio rerum publicarum.* Avoir un développement, un cours —, *constanter* (ou *aequabiliter) sese habère.* || Troupes —, *justus exercitus.* || Conforme à la loi morale. *Rectus, a, um,* p. adj. *Probus, a, um,* p. adj.

régulièrement, adv. D'une manière régulière. *Ad legem. Ad regulam. Certo ordine. Aequabiliter,* adv.

réhabiliter, v. tr. Rétablir dans son premier état, dans ses premiers droits (celui qui en était déchu). *(Aliquem) restituère in integrum* (ou *in suam dignitatem restituère*). Etre —, *restitutionem impetrâre.* ¶ (Fig.) Rétablir dans l'estime des autres. *Infamiam alicujus levâre.* Se —, *abolère memoriam (delicti).*

rehaussement, s. m. Action de rehausser. Voy. ÉLÉVATION.

rehausser, v. tr. Rendre encore plus haut. *Tollĕre*, tr. ‖ *Exaggerāre*, tr. *Elevāre*, tr. — un toit, *tollĕre altius tectum*. ‖ (Fig.) Faire valoir. *Augēre*, tr. *Amplificāre*, tr. Cela rehausse encore sa gloire, *id quoque ad gloriam ejus accedit*. ‖ (Spéc.) Rendre d'un effet plus vif. *Distinguĕre*, tr. *Illumināre*, tr.

Reims, n. pr. Ville de France. *Remi, orum*, m. pl. De —, *Remensis*, e, adj.

rein, s. m. Viscère double, sécréteur de l'urine, *et*, *p. ext. au plur.* région lombaire. *Ren, renis*, m. (employé seulement au pluriel, *renes, renum*, m. pl.) ‖ (Au fig.) Force. *Latus, eris*, n.

reine, s. f. Femme qui exerce le pouvoir royal. *Regina, ae*, f. ¶ Femme d'un roi. *Uxor regis. Regina, ae*, f. ¶ (Fig.) Personne, chose qui domine sur les autres. *Regina, ae*, f.

réintégration, s. f. Action de réintégrer. *Restitutio, onis*, f.

réintégrer, v. tr. Remettre (qqn) en possession de qqch. *Restituĕre*, tr.

réitérer, v. tr. Répéter (un acte). Voy. RECOMMENCER, RÉPÉTER. — un engagement, *repromittĕre*, tr. — des demandes, voy. RENOUVELER. ‖ (Absolt.) Voy. RECOMMENCER.

rejaillir, v. intr. Etre renvoyé brusquement par une surface réfléchissante. *Resilīre*, intr. *Resultāre*, intr. ‖ (Fig.) Retomber sur qqn. *Redundāre*, intr (*ad aliquem*).

rejet, s. m. Action de rejeter. *Rejectio, onis*, f. ‖ (Fig.) *Rejectio, onis*, f. *Repudiatio, onis*, f. ¶ Ce qui est rejeté. ‖ (Poét.) Voy. ENJAMBEMENT. ‖ Pousse nouvelle d'un arbre, d'une plante. *Virgultum, i*, n. et ordin. au pl. *virgulta, orum*, n.

rejeter, v. tr. et intr. Renvoyer ce qui a été jeté. *Rejicĕre*, tr. *Remittĕre*, tr. *Retorquēre*, tr. ‖ (Fig.) *Rejicĕre*, tr. *Conferre*, tr. *Transferre*, tr. — la faute sur qqn, *culpam in aliquem conferre* (ou *transferre*). ¶ Renvoyer en jetant. *Rejicĕre*, tr. ¶ Renvoyer ce qu'on ne veut pas garder. *Rejicĕre*, tr. *Abjicĕre*, tr. *Repellĕre*, tr. *Repudiāre*, tr. *Aspernāri*, dép. tr. Se — sur, voy. [se] TOURNER [vers]. ¶ Renvoyer à une autre place. *Rejicĕre*, tr. *Detrudĕre*, tr.

rejeton, s. m. Nouveau jet que pousse une plante. *Surculus, i*, m. *Virga, ae*, f. *Planta, ae*, f. Pousser des —, *pullulāre* intr. Pousser des — en abondance *luxuriāre*, intr.

rejoindre, v. tr. Joindre de nouveau. *Conglutināre*, tr. ‖ (Au fig.) Voy. NOUER, RENOUER. ‖ (Par ext.) Réunir. Voy. ce mot. ¶ Aller retrouver (qqn). *Assequi* dép. tr. *Consequi*, dép. tr. *Convenīre*, tr.

rejouer, v. intr. et tr. ‖ (*V. intr.*) Jouer de nouveau. *Iterum* (ou *rursus*) *ludĕre* ‖ (*V. tr.*) — un coup, *reducĕre calculum*

— un morceau de musique, *rursus canĕre*. — une pièce de théâtre, *reponĕre fabulam*.

réjouir, v. tr. Mettre en joie. *Aliquem* (*magno, tanto, etc*) *gaudio* ou *aliquem* (*magnā, tantā*, etc.) *laetitiā afficĕre*. *Alicui* (*magnum, tantum*, etc.) *gaudium* ou *alicui* (*magnam, tantam*, etc.) *laetitiam afferre. Delectāre* (ou *oblectāre*) *aliquem*. Se —, *gaudēre*, intr.; *laetāri*, dép. intr.

réjouissance, s. f. Manifestation de joie. *Delectamentum, i*, n. *Laetitia, ae*, f.

réjouissant, *ante*, adj. Qui réjouit. *Laetus, a, um*, adj. *Laetabilis, e*, adj.

relâche, s. m. et f. ‖ *S. m.* Détente que produit l'interruption de ce qui est pénible. *Remissio, onis*, f. *Relaxatio, onis*, f. Se donner du —, *respirāre*, intr.; *animum remittĕre* (ou *relaxāre*). Sans —, *sine ullā intermissione*. ¶ *S. f.* Action de discontinuer momentanément le cours de sa navigation. Faire —, *commorāri*, dép. intr. ‖ (Par ext.) Lieu où le navire s'arrête. *Statio, onis*, f. Port de —, *même trad.*

relâchement, s. m. Etat de ce qui est relâché. *Remissio, onis*, f. ‖ (Spéc.) Le — de la discipline, *laxius imperium*. Le — des mœurs, *mores dissoluti*.

relâcher, v. tr. et intr. ‖ (*V. tr.*) Détendre plus ou moins. *Relaxāre*, tr. *Solvĕre*, tr. *Resolvĕre*, tr. ‖ (Au fig.) Se —, *remittĕre* (« renoncer à ») ou *remitti* (« se départir de »), pass.; *cessāre* (« s'arrêter dans son travail, se relâcher »), intr. Mœurs relâchées, *soluti mores*. ‖ Remettre en liberté. *Remittĕre*, tr. ¶ (*V. intr.*) Discontinuer momentanément le cours de sa navigation. *Commorāri*, dép. intr. Le navire forcé de —, *navis in portum coacta*.

relais, s. m. Chiens postés sur le parcours d'une chasse pour remplacer ceux qui sont las. *Supplementum canum*. ‖ (P. ext.) Chevaux qu'on laisse de distance en distance pour remplacer ceux qui sont las. *Vicarii equi*. — de poste, *mutatio, onis*, f. Etablir des —, *equos disponĕre*. ‖ (P. anal.) Des — de cavaliers, *dispositi equites*. ¶ Lieu où les chevaux sont ainsi postés. *Statio, onis*, f.

relancer, v. tr. Faire repartir la bête qui se repose. *Agitāre*, tr.

relater, v. tr. Consigner (dans un récit, un rapport). *Referre*, tr.

relatif, *ive*, adj. Qui a rapport (à qqch.). *Pertinens* (gén. -*entis*), p. adj. *Qui* (*quae, quod*) *pertinet* (ou *refertur*) *ad* (*aliquid*). Etre — à qqch., *pertinēre ad aliquid*. ‖ (Spéc.) Qui n'est tel que par rapport à certaines conditions (*par opposition à « absolu »*). Voy. CONTINGENT. Etre —, *aliquam comparationem habēre*. ¶ (Gramm.) Qui exprime l'idée de rapport. *Relativus, a, um*, adj.

relation, s. f. Rapport qui lie un terme

à un autre. *Relatio, onis,* f. *Ratio, onis,* f. Voy. RAPPORT. ‖ (P. ext.) Rapport d'affection *ou* d'intérêt entre les personnes. *Ratio, onis,* f. *Causa, ae,* f. *Consuetudo, dinis,* f. Expliquer brièvement la nature de mes — avec César, *explicāre breviter quae mihi sit ratio et causa cum Caesare.* Des — de voisinage, *vicinitates, um,* f. pl. — familières, intimes, *usūs, ūs,* m. — d'hospitalité, *hospitium, ii,* n. Nouer des — d'amitié avec qqn, *amicitiam cum aliquo contrahĕre.* ‖ Relations commerciales. *Commercium, ii,* n. Former, nouer des — d'affaires et d'intérêts avec qqn, *cum aliquo res rationesque jungĕre.* Etre en — d'affaires avec qqn, *re ac ratione conjunctum esse cum aliquo.* ¶ Rapport de ce que qqn fait, de ce qu'il a vu, entendu. *Narratio, onis,* f.

relativement, adv. D'une manière relative. *De,* prép. (et l'Abl.; on dit aussi : *quod attinet ad [aliquid]*). *Ad,* prép. (av. l'Acc.). *Erga,* prép. (av. l'Acc.). ¶ D'une manière qui n'est telle que par rapport à certaines conditions. *Comparatē,* adv. *Ad,* prép. (av. l'Acc.).

relayer, v. intr. et tr. ‖ (*V. intr.*) Prendre des relais (de chevaux) en voyageant. *Equos mutāre* (ou *variāre*). ¶ (*V. tr.*) — qqn (le fournir de relais), *equos alicui disponĕre.* (Fig.) — qqn (le remplacer quand il est las), *succedĕre alicui.* (En parl. de sentinelles), elles se —, *succedunt alii in stationem aliorum.*

relégation, s. f. Exil dans un lieu déterminé. *Relegatio, onis,* f. Condamner qqn à la —, *relegāre aliquem.*

reléguer, v. tr. Exiler dans un lieu déterminé. *Relegāre in exsilium* et simpl. *relegāre,* tr. *Amandāre,* tr. ‖ (P. ext.) Condamner à l'internement dans une colonie. *Relegāre,* tr. ¶ (P. anal.) Placer dans un lieu écarté. *Relegāre,* tr. *Abdĕre,* tr. *Retrudĕre,* tr.

relevé, ée, s. m. et f. ‖ *S. m.* Acte qui relève (ce qui est déchu). *Restitutio in integrum.* ¶ Travail où l'on a réuni les éléments d'un compte. *Ratio conficienda* (ou *confecta*). Faire un —, *recognoscĕre,* tr. ¶ *S. f.* Relevée (le temps de l'après-midi où l'on se relevait de la sieste pour aller au travail). *Meridianum tempus.* De —, *postmeridianus, a, um,* adj.

relèvement, s. m. Action de relever. Voy. RELEVER. ‖ (Spéc.) Action de remettre debout. *Restitutio, onis,* f. ‖ (Fig.) Le — de la patrie, *restituenda in antiquum statum patria.*

relever, v. tr. et intr. ‖ (*V. tr.*) Remettre debout. *Relevāre,* tr. *Sublevāre,* tr. *Restituĕre,* tr. *Reponĕre,* tr. *Excitāre,* tr. *Tollĕre,* tr. Se —, *surgĕre,* intr. ; *assurgĕre,* intr. ; *consurgĕre,* intr. ; *resurgĕre,* intr. — un navire (échoué), voy. RENFLOUER. ¶ (Fig.) Remettre à son rang, etc. *Relevāre,* tr. *Restituĕre,* tr.

Erigĕre, tr. *Excitāre,* tr. *Attollĕre,* tr. Se —, *exsurgĕre,* intr. ; *resurgĕre,* intr. ‖ Faire remarquer (qqch.). *Animadvertĕre,* tr. *Deprehendĕre,* tr. *Reprehendĕre,* tr. Par ext. — qqn, *c.-à-d.* le redresser, *corrigĕre,* tr. Absol. — qqn (le reprendre d'une erreur, d'une faute), voy. RÉPRIMANDER. ¶ Remettre plus haut. *Altiorem* (ou *altius*) *facĕre.* — la tête, *caput attollĕre.* La tête relevée, *elato capite.* — son manteau, *attollĕre pallium.* ‖ (Au fig.) Relevé, *altus, a, um,* adj.; *celsus, a, um,* adj.; *elatus, a, um,* p. adj. ‖ (Par anal.) Rendre plus saillant. *Excitāre,* tr. ‖ (Au fig.) Rehausser. *Aliquid* (*oratione*) *illustrāre. Aliquid* (*dicendo*) *amplificāre. Speciem addĕre* (*alicui rei*). ‖ Exalter. *Efferre,* tr. Voy. LOUER, [faire] VALOIR. ¶ Retirer (qqn) d'un poste, d'une occupation, etc. *Succedĕre,* intr. *Subire,* intr. *Excipĕre,* tr. *Revocāre,* tr. *Deducĕre,* tr. Se — (en parl. de postes, etc.), *stationum vices permutāre.* — qqn d'un vœu, *solvĕre aliquem voto.* — qqn de ses fonctions, voy. RÉVOQUER. ¶ (*V. intr.*) Ne plus rester alité, être rétabli. *E morbo recreāri.* Fig. — d'un coup qui abat, *a gravi casu se attollĕre.* ‖ Relever de qqn, *c.-à-d.* être sous sa dépendance. *Pendĕre ex aliquo.* Ne — de personne, *sui juris esse.*

relief, s. m. Elévation de ce qui fait saillie sur une surface. *Eminentia, ae,* f. — (d'un terrain, etc.), *asperitas, atis,* f. En —, *ectypus, a, um,* adj. Travailler des métaux en —, orner de —, *caelāre,* tr. Tailler en —, *exsculpĕre,* tr. Orné de reliefs, *sigillatus, a, um,* adj. Figure en —, *signum, i,* n. Coupe ornée de figures en — d'un travail exquis, *patella in quā sigilla erant egregia.* ‖ (Spéc.) Ouvrage de haut —, *et, p. ext.* un haut —, *ectypum, i,* n. ; *imago ectypa.* Ouvrage de bas —, *et, p. ext.,* un bas —, *op uscaelatum; caelatura, ae,* f. Le — (en peinture), *eminentia, ae,* f. Etre en —, avoir du —, *eminēre,* intr. ; *exstāre,* intr. Donner du — à, *dāre speciem alicui rei.* ¶ Restes d'un repas. *Cenarum reliquiae.*

relier, v. tr. Lier de nouveau. *Religāre,* tr. ‖ (Fig.) Voy. RATTACHER, RÉPARER. ¶ Lier diverses parties les unes aux autres. *Religāre,* tr. ‖ (Spéc.) Coudre ensemble les cahiers d'un livre et les emboîter dans une couverture. *Conglutināre* (*libros*). ‖ (P. anal.) Mettre en communication par des voies, des passages. *Committĕre,* tr. *Conjungĕre,* tr.

relieur, s. m. Celui qui relie des livres. *Glutinator librorum* ou (simpl.) *glutinator, oris,* m.

religieusement, adv. D'une manière religieuse. *Piē,* adv. *Religiosē,* adv. ‖ (Fig.) D'une manière très scrupuleuse. *Religiosē,* adv.

religieux, *euse*, adj. Qui tient à la religion. *Ad dei* (ou *deorum*) *cultum* (ou *ad res divinas, ad sacra*) *pertinens. Religiosus, a, um*, adj. *Sacer, cra, crum*, adj. Cérémonie —, *res divina; sacrum*, i, n. Au plur. Cérémonies —, *caerimoniae, arum*, f. pl. Coutumes —, *religiones, um*, f. pl. Caractère —, *religio, onis*, f. Formule, —, *carmen, inis*, n. Pratiques —, *religionum sanctitates*, ou (simpl.) *religiones, um*, f. pl. Silence —, *sacrum silentium*. Observer un silence —, *favêre linguae*. Les prescriptions — et les rites, *religiones et caerimoniae*. Etablir des lois —, *religiones instituêre*. Ensemble des pratiques —, *religio, onis*, f. Des idées, des opinions —, *religiones alicujus*. Crainte, terreur —, *superstitio, onis*. ¶ Qui observe les règles de la religion. *Pius, a, um*, adj. *Religiosus, a, um*, adj. Sentiments —, foi —, croyance —, *religio, onis*, f. Zèle —, *religio, onis*, f. Scrupule —, *religio, onis*, f. Dont on se fait un scrupule —, *religiosus, a, um*, adj. || (P. ext.) Très scrupuleux. *Religiosus, a, um*, adj. ¶ Qui appartient aux règles monastiques. *Religiosus, a, um*, adj. Une maison —, voy. MONASTÈRE. || (Subst.) Un —, *religiosus, i*, m. Une —, *sacra virgo*.

religion, s. f. Ensemble de croyances, de pratiques, ayant pour objet de rendre hommage à la Divinité. *Religio-onis*, f. (ordin. au plur. *religiones*). Défendu par la —, *religiosus, a, um* adj.; *nefastus, a, um*, adj. Crime contre la —, voy. SACRILÈGE. Pratiquer, observer sa —, *colère deos*. Avoir une autre —, *deorum cultu differre*. Changer de —, *sacra patria deserère*. — d'Etat, *sacra publica*. ¶ Observation des croyances, des pratiques instituées pour rendre hommage à Dieu. *Religio, onis*, f. Avoir de la —, *pium esse*. Un homme sans —, *homo impius erga deum*. || (P. ext.) Sentiment de grand scrupule. *Religio, onis*, f. ¶ Etat de celui qui vit en communauté sous une règle. *Monachatûs, ûs*, m.

reliquaire, s. m. Voy. CHASSE.

reliquat, s. m. Ce qui reste dû, lorsqu'un compte a été arrêté. *Quod reliquum restat*. Pecuniae reliquae, ou simpl. *reliquum, i*, n. et ordin. au plur. *reliqua, orum*, n.

relique, s. f. Ce qui reste d'un saint après sa mort. *Reliquiae, arum*, f. pl. ¶ Restes. Voy. RESTE.

relire, v. tr. Lire de nouveau. *Relegère*, tr. *Revolvère*, tr. *Iterum legère*. Lire et —, *lectitare*, tr.

reluire, v. intr. Luire avec des reflets lumineux. *Relucère*, intr. *Resplendère*, intr. || (Fig.) Se montrer avec éclat. Voy. BRILLER.

reluisant, *ante*, adj. Qui reluit. *Nitidus, a, um*, adj.

remanier, v. tr. Modifier en maniant de nouveau. *Retractare*, tr. || (Fig.) *Retractare* (*librum*).

remarier, v. tr. Marier de nouveau. *Iterum filiam in matrimonium dâre* (ou *nuptum collocare*). Se — (en parl. de l'homme), *novum conjugium inire;* (en parl. d'une femme), *iterum* (ou *denuo*) *nubère alicui*.

remarquable, adj. Digne d'être remarqué. *Conspicuus, a, um*, adj. *Conspectus, a, um*, p. adj. *Conspiciendus, a, um*, adj. verb. *Observabilis, e*, adj. *Visendus, a, um*, adj. verb. *Illustris, e*, adj. *Insignis, e*, adj. *Egregius, a, um*, adj. *Eximius, a, um*, adj. Etre —, *eminère*, intr.

remarquablement, adv. D'une manière remarquable. *Egregiè*, adv. *Eximiè*, adv. *Insigniter*, adv.

remarque, s. f. Action de remarquer. *Notatio, onis*, f. *Observatio, onis*, f. || Observation sur la conduite de qqn, blâme. *Nota, ae*, f. || Observation littéraire, grammaticale, note. *Annotatio, onis*, f. Faire qqs — sur qqch., *pauca annotare de aliqua re*.

remarquer, v. tr. Marquer de nouveau. *Rursus* (ou *iterum*) *notare* (ou *signare*). ¶ Marquer ce qui a attiré notre attention. *Notare*, tr. *Annotare*, tr. *Signare*, tr. Faire — (qqch. à qqn), *monère*, tr.; *commonefacère*, tr.; *advertère*, tr. ¶ Porter son attention (sur qqn, sur qqch.). *Animadvertère*, tr. *Intelligère*, tr. *Perspicère*, tr. Vouloir se faire —, *se conspici velle*.

rembarquer, v. tr. Embarquer de nouveau. *In navem rursus imponère*. Se —, *et*, intransitiv. —, *navem rursus* (ou *iterum*) *conscendère*.

remblai, s. m. Terres employées à remblayer. *Agger, eris*, m.

remblayer, v. tr. Rapporter des terres pour hausser un terrain trop bas. *Exaggerare*, tr.

remboursement, s. m. Action de rembourser; résultat de cette action. *Solutio, onis*, f.

rembourser, v. tr. Rendre à qqn (le montant de ses dépenses). *Solvère pecunias debitas*. — une dette, *dissolvère nomen*.

rembrunir, v. tr. Rendre plus brun. *Fuscare*, tr. *Infuscare*, tr. Le ciel se rembrunit, *nubilâre coepit*. Ciel rembruni, *obscurum caelum*. || (Fig.) Voy. ASSOMBRIR, OBSCURCIR. Front rembruni, *frons obducta*.

remède, s. m. Ce qu'on emploie pour guérir une maladie. *Remedium, ii*, n. *Medicina, ae*, f. ¶ (Au fig.) Ce qui sert à guérir un mal moral. *Remedium, ii*, n. *Medicina, ae*, f. Sans —, voy. IRRÉMÉDIABLE.

remédier, v. tr. Porter remède. || (Au propre). *Medêri*, dép. intr. || (Fig.) *Sanâre*, tr. *Medêri*, dép. intr.

remémorer, v. tr. Remettre en mémoire. *Revocāre in memoriam (aliquid alicui)*. Se — qqch., voy. RAPPELER.

remener, v. tr. Voy. RECONDUIRE.

remerciement, s. m. Voy. REMERCIMENT.

remercier, v. intr. Dire merci, rendre grâce à (qqn). — qqn, *gratias agĕre* (ou *persolvĕre*) *alicui*. — qqn de qqch., *gratiam habĕre alicui pro aliquā re*. — qqn de ce qu'il..., *gratias alicui agĕre, qui* (et le Subj.). ¶ Rendre grâce à qqn d'une offre en la refusant; refuser poliment. *Gratiam facĕre (de aliquā re)*. ¶ Congédier poliment. Voy. CONGÉDIER.

remercîment, s. m. Action de remercier. *Gratia, ae*, f. *Grates* (acc. *grates*, abl. *gratibus*), f. pl. — aux dieux, *gratulatio, onis*, f. Faire tous ses —, *gratias agĕre plurimas*.

remettre, v. tr. Faire passer de nouveau à une certaine place. *Reponĕre*, tr. *Restituĕre*, tr. *Recondĕre*, tr. *Reducĕre*, tr. — un vêtement, *vestem resumĕre*. — ses chaussures, *soleas in pedes rursus inducĕre*. || (Par anal.) — qqch. sous les yeux de qqn, voy. REPRÉSENTER. Se — qqch. en tête, voy. RAPPELER. — qqn, *aliquem agnoscĕre*. || Faire passer de nouveau à une certaine position. *Reponĕre*, tr. *Restituĕre*, tr. || Faire passer de nouveau à un état déterminé. *Restituĕre*, tr. *Reducĕre*, tr. *Reficĕre*, tr. — qqn en liberté, voy. ÉLARGIR. Se — à (qqch.), *repetĕre*, tr.; *redintegrāre*, tr. || (Spéc.) Mettre de nouveau dans son ancien état. *Reficĕre*, tr. *Recipĕre*, tr. *Recreāre*, tr. —, c.-à-d. réconcilier, voy. ce mot. ¶ Faire passer de sa main aux mains de qqn. *Dāre*, tr. *Tradĕre*, tr. *Reddĕre*, tr. S'en — à qqn de qqch., *permittĕre*, tr. *committĕre*, tr. || Remettre à qqn une offense. Voy. PARDONNER. ¶ Mettre à plus tard. *Differre*, tr. *Proferre*, tr.

réminiscence, s. f. Souvenir inconscient. *Memoria, ae*, f. || (P. ext.) Mémoire. Voy. ce mot. ¶ Ce dont nous nous souvenons inconsciemment. *Res quae (alicui) in mentem venit*.

remise, s. f. Action de remettre dans un lieu. *Restitutio, onis*, f. || Action de remettre à qqn. *Traditio, onis*, f. Faire — de, *tradĕre*, tr. Après la — des otages, *redditis obsidibus*. || Abandon d'une certaine somme. *Remissio, onis*, f. Faire — d'une dette, *remittĕre pecunias*. || Rabais. Voy. ce mot. || Action de remettre à un condamné une partie de sa peine. *Concessio, onis*, f. *Remissio, onis*, f. Faire — de, *remittĕre*, tr. || Action de renvoyer à plus tard. *Dilatio, onis*, f. *Prolatio, onis*, f. — d'une affaire, *procrastinatio, onis*, f. ¶ Lieu où l'on met les voitures à couvert. *Vehiculorum receptaculum*. || Lieu où le gibier vient se poser. *Latebrae ferarum*.

rémission, s. f. Action de remettre à qqn sa faute, la peine qu'il a encourue. *Venia, ae*, f. — d'une faute, voy. GRACE, REMISE. Sans —, voy. INEXORABLEMENT. ¶ Action de se détendre. *Remissio, onis*, f. Quand il y a —, *cum se remiserunt dolores*.

remmener, v. tr. Emmener après avoir amené. *Secum reducĕre*.

remonter, v. intr. et tr. || (*V. intr.*) Revenir en haut. *Rursus ascendĕre*. — à la surface de l'eau, *emergĕre*, intr.; *existĕre*, intr. — sur l'eau (fig.), *emergĕre*, intr. Fig. — sur le trône, *recuperāre regnum*. || Revenir en arrière. — contre le fil de l'eau, *contra aquam renigāre* (ou *natāre*). Fig. — bien haut (reprendre les choses de plus haut), *longĕ* (ou *longius*), *altĕ* (ou *altius, supra*) *repetĕre*. — à la plus haute antiquité, *repetĕre ab ultimā vetustate*. ¶ (*V. tr.*) Parcourir de nouveau de bas en haut (au pr. et au fig.). — une pente, *clivum rursus ascendĕre*. — un cours d'eau, *adversum flumen subire*. En remontant la rivière, *adverso flumine*. En remontant le long du fleuve, *adversā ripā*. || Porter de nouveau en haut. Voy. MONTER; [de] NOUVEAU. || (Par anal.) Remettre à un niveau plus haut. — un rideau. *tollĕre aulaeum*. Fig. — le courage, le moral de qqn, *et* (ellipt.) -qqn, *aliquem recreāre et reficĕre*. || (Par ext.) Dresser de nouveau en ajustant les parties. — un métier, voy. MONTER. || (Fig.) — une pièce (de théâtre), voy. REPRENDRE.

remontrance, s. f. Parole, discours par lequel on représente à qqn son tort. *Admonitio, onis*, f. Faire des —, voy. REMONTRER.

remontrer, v. tr. Montrer de nouveau. *Iterum* (ou *rursus*) *ostendĕre* (ou *monstrāre*). Se —, *in conspectum (alicujus) iterum venire*. — qqch. à qqn (lui faire la leçon), voy. LEÇON. ¶ Représenter à qqn (son tort). *Admonēre*, tr. || (Absolt.) Faire des remontrances. Voy. PROTESTER, RÉCLAMER.

remordre, v. tr. et intr. || (*V. tr.*) Mordre de nouveau (qqn ou qqch.). *Iterum* (ou *rursus*) *mordēre*, tr. *Repetĕre morsu*, tr. || (Fig.) *Remordēre*, tr. ¶ (*V. intr.*) Mordre de nouveau (à qqch.). — à l'hameçon, *hamum iterum vorāre*.

remords, s. m. Reproche de la conscience. *Conscientia, ae*, f. (seul ou av. *mali, fraudis*, etc.). Éprouver des —, *conscientiā (peccatorum) mordēri*.

remorque, s. f. Traction d'un navire par un autre. *Tractio navis*.

remorquer, v. tr. (En parl. d'un navire), tirer un autre navire. *Navem remulco trahĕre*.

remorqueur, adj. Qui remorque. Bateau —, *et subst.* un —, *remulcum, i*, n.

remoudre, v. tr. Moudre de nouveau. *Iterum* (ou *rursus*) *molĕre*.

rémoudre, v. tr. Emoudre de nouveau. *Iterum acuěre* (ou *exacuěre*).

rémouleur, s. m. Ouvrier qui aiguise (les couteaux, etc.) *Qui exacuit.*

rempart, s. m. Mur d'enceinte, levée de terre, etc., servant à protéger une ville, un château. *Munimentum, i,* n. *Munitio, onis,* f. *Murus, i,* m. Propugnaculum, *i,* n. *Vallum, i,* n. ¶ (Par ext.) Espace entre le mur d'enceinte et les plus proches maisons. Voy. BOULEVARD. || (Au fig.) Tout ce qui sert à protéger. *Murus, i,* m. *Propugnaculum, i,* n. *Vallum, i,* n.

remplaçant, s. m. et f. Personne qui en remplace une autre dans une fonction, etc. *Vicarius, ii,* m.

remplacement, s. m. Action de remplacer (qqch. ou qqn). *Successio in locum alicujus,* ou (simpl.) *successio, onis,* f.

remplacer, v. tr. Prendre, tenir la place de (qqn, qqch.). — qqn, *alicujus vice* (ou *partibus*) *fungi; alicujus vices obire.* — qqch., *alicujus rei locum obtinēre* ou *alicujus rei vicem praebēre.* Se faire — par qqn, *aliquo vicario uti.* — qqn (sous les drapeaux), *vicarium esse.* ¶ Mettre à la place de (qqn, qqch.). *In locum alicujus aliquem sufficere.*

remplir, v. tr. Emplir entièrement. *Complēre,* tr. *Explēre,* tr. *Implēre,* tr. || (Par anal.) Occuper entièrement. *Occupāre,* tr. Vie bien —, *multa vita.* Lettre bien —, *litterae plenae rerum.* || Emplir en grande partie (au pr. et au fig.). *Complēre,* tr. *Explēre,* tr. *Implēre,* tr. Etre — de soi-même, *sibi placēre* ou *se suspicēre.* ¶ (Fig.) Occuper dignement. *Munia* (ou *vicem*) *alicujus explēre. Implere vicem alicujus. Alicujus vicem praestāre.* || Compléter. *Supplēre,* tr. || Accomplir. *Implēre,* tr. *Explēre,* tr. *Exsequi,* dép. tr.

remplissage, s. m. Action de remplir. *Expletio, onis,* f. ¶ Ce qui sert à remplir. Voy. COMPLÉMENT. || (Spéc.) Dans une œuvre d'art, une œuvre littéraire, parties inutiles. *Explementum, i,* n.

remporter, v. tr. Emporter ce qu'on avait apporté. *Referre,* tr. *Regerěre,* tr. *Reportāre,* tr. *Revehēre,* tr. ¶ Emporter ce qui est disputé par qqn. *Ferre,* tr. *Referre,* tr. *Adipisci,* dép. tr.

remuant, ante. Qui remue. || (Au propre.) Dont le corps est toujours en mouvement. *Inquietus, a, um,* adj. *Trepidus, a, um,* adj. Etre —, *trepidāre,* intr. || (Fig.) Qui se plaît dans l'agitation. *Inquietus, a, um,* adj. *Turbulentus, a, um,* adj.

remuement et remûment, s. m. Action de remuer. *Jactatio, onis,* f. *Agitatio, onis,* f.

remuer, v. tr. et intr. || (V. tr.) Déplacer dans une ou plusieurs de ses parties. *Movēre,* tr. *Commovēre,* tr. *Agitāre,* tr. *Subigěre,* tr. *Jactāre,* tr. Se —, *se movēre* (ou *se commovēre*);

movēri, passif. Etre remué, *jactāri.* || (Fig.) Mettre en mouvement pour réussir. *Moliri,* dép. tr. — ciel et terre, *caelum ac terras miscēre.* || Mettre en mouvement pour troubler. Voy. AGITER, TROUBLER. — la bile, *bilem alicui movēre* (ou *commovēre*). || Emouvoir. Voy. ce mot. ¶ (V. intr.) Se déplacer dans une ou plusieurs de ses parties. *Se movēre* (ou *se commovēre*). Ne pas —, *quiescěre,* intr. || (Fig.) Voy. BOUGER. Faire — le cœur, voy. ÉMOUVOIR.

rémunérateur, trice, s. m. et f. Celui, celle qui rémunère. *Praemii auctor. Qui gratiam refert* (alicui *pro aliquā re*). Rémunératrice, *quae gratiam refert* (alicui *pro aliquā re*). || (Adj.) *Fructuosus, a, um,* adj.

rémunération, s. f. Prix dont on paie le travail, les services de qqn. *Remuneratio, onis,* f.

rémunérer, v. tr. Payer (qqn) de son travail, de ses services. *Remunerāri,* dép. tr.

renaissance, s. f. Action de renaître. *Reditus ad vitam.* || (Fig.) Régénération. Voy. ce mot. || (Fig.) Réapparition. Voy. ce mot. La — du jour, *resurgens* (ou *renascens*) *lux.* La — des arts, des lettres, *renatae artes, litterae.*

renaissant, ante, adj. Qui renaît. *Redivivus, a, um,* adj. *Renascens,* p. adj. || (Fig.) *Renascens,* p. adj.

renaître, v. intr. Naître de nouveau. *Renasci,* dép. intr. *Ad vitam redire. Reviviscěre,* intr. Faire —, voy. RESSUSCITER. || (Fig.) *Renasci,* dép. intr. Faire —, *regenerāre,* tr. || (Fig.) Reprendre de la vie, de la force. *Renasci,* dép. intr. *Reviviscěre,* intr. *Revirescěre,* intr. Sentir — son courage, — à l'espérance, *se colligěre* ou *animum recipěre.* Faire —, *revocāre ad vitam.* || Reparaître. *Renasci,* dép. intr.

renard, s. m. Quadrupède carnassier. *Vulpes, is,* f. De —, *vulpinus, a, um,* adj.

renchérir, v. tr. et intr. || (V. tr.) Rendre plus cher. *Caritatem alicui rei inferre. Pretium alicujus rei augēre.* Renchéri, *carior, us,* adj. || (Fig.) Renchéri (qui fait le dédaigneux), voy. DÉDAIGNEUX. Faire la renchérie, voy. AFFECTER. ¶ (V. intr.) Devenir plus cher. *Ingravescěre,* intr. ¶ Faire une enchère supérieure. Voy. ENCHÈRE, ENCHÉRIR. || (Fig.) Aller encore plus loin qu'un autre en parole, en action. *Superjacěre,* tr.

rencontre, s. f. Action de rencontrer. || (Par hasard.) *Occursus, ūs,* m. A la — de, *adversus,* prép. (av. l'Acc.). Faire — de, voy. RENCONTRER. || (Par anal.) *Concursio, onis,* f. *Concursus, ūs,* m. || (Par ext.) Occasion fortuite. Voy. OCCASION. Selon la —, voy. OCCASION. Marchandises de —, voy. OCCASION. — heureuse, *opportunitas, atis,* f. || Ce qu'on rencontre fortuitement. *Inventio, onis*, f. *Inventum, i*, n. || (Spéc.) Trait d'esprit. *Facetē dictum.* ¶ (En allant au-devant.) *Obviam itio, onis*, f. A la rencontre de, *obviam*, adv. Qui vient, qui se porte à la — de, *obvius, a, um*, adj. (av. le Dat.). || (Spéc.) Action de se rencontrer les armes à la main. *Concursŭs, ūs*, m. *Congressus, ūs*, m. || Duel. Voy. ce mot.

rencontrer, v. tr. Trouver sur son chemin. || (Par hasard.) *Occurrēre*, intr. *Incidēre*, intr. *Incurrēre*, intr. *Invenīre*, tr. *Offendēre*, tr. *Nancisci*, dép. tr. Qu'on rencontre, *obvius, a, um*, adj. (av. le Dat.). Se —, *occurrēre*, intr.; *obvenīre*, intr.; *concurrēre*, intr.; *incidēre*, intr. Se —, *c.-à-d.* coïncider, voy. ce mot. Se —, *c.-à-d.* correspondre, être en harmonie, être d'accord, *congruēre*, intr.; *consentīre*, intr.; *convenīre*, intr. ¶ (En allant au-devant.) *Convenīre*, tr. Se —, *congredi*, dép. intr.; *concurrēre*, intr.

rendez-vous, s. m. Engagement entre plusieurs personnes de se rendre dans un lieu convenu à une date fixée. *Constitutum, i*, n. Donner un — à qqn, prendre — avec qqn, *tempus locumque constituēre cum aliquo.* ¶ Lieu assigné par cet engagement. *Locus ad conveniendum dictus.*

rendormir, v. tr. Endormir de nouveau. *Somnum reducēre (alicui).* Se —, *somnum repetēre.*

rendre, v. tr. Redonner ce qu'on ne doit pas garder. || Remettre ce qui est dû à qqn. *Reddēre*, tr. *Referre*, tr. — témoignage en faveur de qqn, voy. TÉMOIGNAGE. — à qqn sa parole, *aliquem fide ac religione exsolvēre.* Remettre ce qui a été enlevé (à qqn). *Reddēre*, tr. *Restituēre*, tr. — la vie à qqn, *aliquem ad vitam revocāre.* — confiance, *animum alicujus confirmāre* (ou *redintegrāre*). || (Par anal.) — qqn à la liberté, *aliquem in libertatem restituēre.* — un malade à la santé, *aegrotum sanāre.* Etre rendu à soi-même, *ad se redire.* || Remettre en échange à (qqn). *Reddēre*, tr. *Referre*, tr. *Remunerāri*, dép. tr. — amour pour amour, *redamāre.* || (Par anal.) Donner à qqn un revenu. *Reddēre*, tr. || (Par ext.) *Fig.* Répondre à un effort. *Respondēre*, intr. || Remettre à destination. *Reddēre*, tr. Se —, *c.-à-d.*, aller, *se conferre*; *petēre*, tr.; *adire*, intr. et tr.; *contendēre*, intr.; *concedēre*, intr. Etre rendu, *c.-à-d.* arrivé, voy. ARRIVER. || (Absol.) Aboutir. Voy. ce mot. ¶ Redonner ce qu'on ne peut plus garder. || Laisser échapper. *Reddēre*, tr. *Egerēre*, tr. *Ejicēre*, tr. (Par ext.) Exhaler. *Reddēre*, tr. *Emittēre*, tr. — l'âme, *animam edēre.* || (Par ext.) Emettre. — un arrêt, une sentence, voy. ARRÊT, SENTENCE. || Céder, livrer. *Tradēre*, tr. *Dedēre*, tr. Se — à discrétion, voy. DISCRÉTION. || (Au fig.) Se —, *c.-à-d.* s'avouer vaincu, céder,

manus dăre. Se — à l'avis de qqn, *in sententiam alicujus concedēre.* || (Par ext.) Se rendre, être rendu, *c.-à-d.* céder à la fatigue, *lassitudine confici.* ¶ Redonner modifié, transformé. || Mettre sous une forme équivalente. *Reddēre*, tr. *Referre*, tr. *Exprimēre*, tr. — le latin en français, voy. TRADUIRE. || Faire devenir autre. *Reddēre*, tr. *Facēre*, tr. *Efficēre*, tr. — croyable, *fidem facēre* (ou *afferre) alicui rei.* Se — odieux, *invidiam contrahēre.* Se — maître de, *suae potestati* ou *suo imperio (populum, terram,* etc.) *subjicēre.* Se — ridicule, *irridendi sui facultatem dăre.*

rêne, s. f. Chacune des courroies qui servent à diriger un cheval. *Habenae, arum*, f. pl. *Retinaculum, i*, n. || (Fig.) Direction. *Habenae, arum*, f. pl. *Gubernaculum, i*, n.

renfermer, v. tr. Tenir étroitement enfermé. *Includēre*, tr. *Concludēre*, tr. *Cohibēre*, tr. *Condēre*, tr. *Recondēre*, tr. ¶ (Part. passé pris subst.) Renfermé (odeur désagréable que produit le manque d'air), *situs, ūs*, m. ¶ Contenir dans une limite stricte. *Circumscribēre*, tr. *Includēre*, tr. *Concludēre*, tr. *Continēre*, tr. || (Par ext.) Se — en soi-même, *intra se manēre.* Absol. C'était une personne sombre et renfermée, *naturā tristi ac reconditā fuit.* ¶ Tenir contenu dans un espace. *Concludēre*, tr. *Includēre*, tr. *Capēre*, tr. *Complecti*, dép. tr.

renflement, s. m. Etat de ce qui est renflé. *Tumor, oris*, m.

renfler, v. tr. et intr. Enfler de nouveau. Voy. REGONFLER. ¶ Enfler de plus en plus. — la peau, *intendēre cutem.*

renfoncement, s. m. Action de renfoncer. Voy. ENFONCEMENT.

renfoncer, v. tr. Enfoncer de nouveau ou plus avant. *Rursus defigēre* (ou *deprimēre*). *Altius defigēre.* Renfoncé, *reductus, a, um*, p. adj. Yeux renfoncés, *retracti introrsus oculi.* Etre renfoncé, *recedēre*, intr. || (Fig.) — ses larmes, son chagrin, *cohibēre lacrimas.*

renforcement, s. m. Action de renforcer. *Confirmatio, onis*, f.

renforcer, v. tr. Rendre plus fort. *Firmāre*, tr. *Confirmāre*, tr. *Corroborāre*, tr. — le son, la voix, *amplificāre sonum.* — une armée, *augēre exercitum.* — ses troupes, se —, *majores copias* ou *majorem numerum* ou (dans un combat) *subsidia accessēre.* Se —, *c.-à-d.* s'engraisser, grossir, voy. ENGRAISSER, GROSSIR. || (Fig.) *Confirmāre*, tr. — son zèle, *acuēre industriam.* — son crédit, *communire auctoritatem.*

renfort, s. m. Ce qui sert à renforcer. *Firmamentum, i*, n. *Incrementum, i*, n. *Subsidium, ii*, n. Il reçoit du —, *augetur ei copia.* De —, *subsidiarius, a, um*, adj. (Dans le langage militaire) *Accessio virium. Majores* (ou *novae) copiae.*

Ayant reçu ces renforts, *his copiis auctus.*

renfrognement, s. m. Action de renfrogner. *Contractio frontis.*

renfrogner, v. tr. Contracter, plisser le visage en signe de mauvaise humeur. *Frontem* (ou *vultum*) *contrahĕre.* Se —, *ducĕre os* (ou *vultum*). Renfrogné, *superciliosus, a, um,* adj.

rengager, v. tr. Engager de nouveau. *Rursus* (ou *iterum*) *pignerāre* (ou *obligāre*). || (Spéc.) Reprendre du service en parl. d'un soldat. *Militiam resumĕre.*

rengainer, v. tr. Remettre dans la gaine. *Recondĕre* (*ensem*) *in vaginam. Condĕre rursus* (*pugionem*).

rengorger (se), v. pron. Faire saillir sa gorge. *Intendĕre guttur.* || (Spéc.) Faire saillir le buste (pour se donner un air important). *Jactāre se.*

reniement et reniment, s. m. Action de renier Dieu. *Ejuratio Dei.*

renier, v. tr. Ne plus reconnaître pour sien. *Abdicāre,* tr. *Ejurāre,* tr. *Aspernāri,* dép. tr. — qqn, *negāre se aliquem novisse.*

renne, s. m. Quadrupède des régions polaires. *Tarandrus, i,* m.

renom, s. m. Vogue que le nom de qqn a obtenue. *Nomen, minis,* n. *Notitia, ae,* f. *Laus, laudis,* f. *Existimatio, onis,* f. *Fama, ae,* f. *Gloria, ae,* f. ¶ Opinion répandue sur qqn. Voy. RÉPUTATION.

renommé, ée, p. adj. Voy. RENOMMER, CÉLÈBRE.

renommée, s. f. Célébrité répandue en tous lieux. *Fama, ae,* f. *Nobilitas, atis,* f. *Rumor, oris,* m. ¶ Voix publique. *Rumor, oris,* m. *Fama, ae,* f.

renommer, v. tr. Nommer de nouveau. *Iterum creāre* (ou *reficĕre*), tr. ¶ Célébrer en tous lieux. Voy. CÉLÉBRER, VANTER. Se faire — par qqch., *aliquâ re insignem conspici* (ou *insignem fieri*). Renommé, *nobilis, e,* adj.; *laudatus, a, um,* p. adj. Etre —, *nomen habēre.*

renoncement, s. m. Action de renoncer. *Abdicatio, onis,* f. Le — aux plaisirs, *continentia, ae,* f.

renoncer, v. intr. et tr. || (*V. intr.*) Renoncer à qqch., c.-à-d. l'abandonner définitivement, cesser d'y prétendre. *Abdicāre se* (*aliquâ re*). *Repudiāre,* tr. *Cedĕre,* intr. (*de aliquâ re*). *Decedĕre,* intr. (*de suis bonis omnibus*). *Dimittĕre,* tr. *Ponĕre,* tr. *Deponĕre,* tr. *Abjicĕre,* tr. *Absistĕre,* intr. *Desistĕre,* intr. (*de diutinâ contentione*). — à soi-même, *sibi omnia negāre.* || (Absol.) *Dāre manus* ¶ (*V. tr.*) Renoncer qqn, c.-à-d. protester qu'on ne le connaît pas. *Ejurāre,* tr.

renonciation, s. f. Acte par lequel on renonce à qqch. *Cessio, onis,* f. *Ejuratio, onis,* f. — solennelle, *detestatio, onis,* f. ¶ Déclaration par laquelle on renonce à soi-même. *Abrenuntiatio, onis,* f.

renoncule, s. f. Plante aquatique et sorte de fleur. *Ranunculus, i,* m.

renouer, v. tr. Nouer ce qui est dénoué, détaché, rompu. Voy. NOUER. || (Fig.) Voy. LIER, RATTACHER, UNIR. — la conversation, des négociations, une alliance, voy. RECOMMENCER, REPRENDRE. Se — à..., voy. RATTACHER, RELIER. — amitié avec qqn, *et absol.,* — avec qqn. *restituĕre se alicui.* ¶ Attacher, nouer Voy. ces mots.

renouveler, v. tr. et intr. || (*V. tr.*) Rétablir dans un état nouveau, en remplaçant ce qui ne convient plus. *Novāre,* tr. *Renovāre,* tr. *Reparāre,* tr. ¶ Faire naître de nouveau. *Renovāre,* tr. *Reparāre,* tr. *Instaurāre,* tr. *Iterāre,* tr. *Referre,* tr Animer d'une force nouvelle *Renovāre,* tr *Redintegrāre,* tr. *Refricāre,* tr. *Repetĕre,* tr. Se —, *refricari,* passif; *recrudescĕre,* intr. || (Fig.) Remettre en vigueur. *Instaurāre,* tr. *Referre,* tr. *Repetĕre,* tr.

renouvellement, s. m. Rétablissement dans un état nouveau. *Renovatio, onis,* f. *Instauratio, onis,* f. ¶ Renaissance. Voy. ce mot. Au — de la lune, *revolvente se lunâ.* Le — des hostilités, *rebellio, onis,* f. ||(Fig.)*Renovatio, onis,* f.

rénovation, s. f. Action de renouveler *Renovatio, onis,* f.

renseignement, s. m. Indication destinée à nous éclairer sur qqn, sur qqch. *Indicium, ii,* n. Prendre des —, *percontāri,* dép. tr.

renseigner, v. tr. Eclairer par des indications données sur qqn ou qqch. *Facĕre* (*aliquem*) *certiorem* (*alicuius rei*). Se —, *exquirĕre ex* (ou *ab*) *aliquo.*

rente, s. f. Revenu annuel d'un bien. *Reditûs, ûs,* m. *Fructûs, ûs,* m. ¶ Revenu annuel en argent d'un capital. *Vectigal, alis,* n. *Annuum, i,* n. (ordin. *annua, orum,* n. pl.).

rentrée, s. f. Action de rentrer. *Reditûs, ûs,* m. — en faveur, *reditus in gratiam; reditus gratiae.* || (P. ext.) — des impôts, des contributions. Voy. ENCAISSEMENT, PERCEPTION. ¶ Action de faire rentrer. *Invectio, onis,* f.

rentrer, v. tr. et intr. || (*V. intr.*) (En parl. d'une pers. :) entrer de nouveau dans un lieu dont elle est sortie. *Remigrāre,* intr. *Referre se. Recipĕre se. Regredi,* dép. intr. *Reverti,* dép. intr. *Repetĕre,* tr. Faire —, *recipĕre,* tr.; *redigĕre,* tr.; *reducĕre,* tr.; *compellĕre,* intr. || (Par anal.) Entrer de nouveau dans une situation qu'on a quittée. *Redire,* intr. *Remigrāre,* intr. *Reverti,* dép. intr. *Recipĕre se.* — en possession de, voy. RECOUVRER. — dans ses déboursés, *reficĕre sumptum.* — dans le devoir, *officium recipĕre.* — en soi-même, *se colligĕre; se ipsum ad se revocāre.* Faire — qqn dans tous ses droits, *aliquem in integrum restituĕre*. — dans son sujet, *ad propositum reverti*. ¶ (En parl. d'une chose :) entrer de nouveau dans un lieu d'où elle a été tirée. *Redire*, intr. *Condĕre se*. Faire —, *cogĕre*, tr.; *exigĕre*, tr. || Etre repoussé à l'intérieur. *Recedĕre*, intr. *Compelli*, pass. ¶ (*V. tr.*) Ne pas laisser dehors. *Sub tectum referre*.

renverse, s. f. Loc. adv. A la —, *supinus, a, um*, adj.; *resupinus, a, um*, adj. Jeter à la —, *resupinâre*, tr.

renversement, s. m. Action de mettre à l'envers. *Inversio, onis*, f. *Inversus ordo*. *Perversio, onis*. f. ¶ Action de mettre sens dessus dessous. Voy. BOULEVERSEMENT, DÉSORDRE. || (Fig.) — du bon sens, voy. TROUBLE, FOLIE. ¶ Action de mettre à bas, au propre et au fig. *Eversio, onis*. f. *Destructio, onis*, f.

renverser, v. tr. et intr. || (*V. tr.*) Mettre à l'envers. *Invertĕre*, tr. ¶ Mettre sens dessus dessous. *Invertĕre*, tr. *Convertĕre*, tr. Ayant l'esprit renversé, *animo confusus*. ¶ Mettre à bas. *Evertĕre*, tr. *Pervertĕre*, tr. *Prosternĕre*, tr. *Dejicĕre*, tr. *Proruĕre*, tr. *Deturbâre*, tr. *Disturbâre*, tr. Se — en arrière, *resupinari*, pass. Renversé sur le dos, *supinus, a, um*, adj.

renvoi, s. m. Action de renvoyer. *Missio, onis*, f. Le — des députés, *remissi legati*. Le — d'une affaire (devant la juridiction compétente). *Relatio, onis*, f. De —, *dimissorius, a, um*, adj. || Un — dans un écrit, un livre. *Nota, ae*, f. || (Spéc.) Renvoi d'une affaire, d'un jugement. *Ampliatio, onis*, f. *Prolatio, onis*, f.

renvoyer, v. tr. Faire retourner au point de départ. || Faire retourner. envoyer de nouveau (qqn) au lieu où il a déjà été. *Remittĕre*, tr. || (Par ext.) Envoyer de nouveau (qqch.). *Remittĕre*, tr. || Faire retourner (qqn) au lieu d'où il vient. *Remittĕre*, tr. *Dimittĕre*, tr. || (Absol.) Faire repartir. *Dimittĕre*, tr. || Faire repartir en congédiant. Voy. CONGÉDIER. ¶ Faire reporter (une chose) à celui de qui on l'a reçue. *Remittĕre*, tr. || (Au fig.) Reporter à qqn l'honneur d'une chose. *Transferre (aliquid alicui)*. || (Par anal.) Rejeter à qqn ce qu'il a lancé. *Remittĕre*, tr. *Rejicĕre*, tr. Fig. — à qqn tout l'odieux (d'une chose), *invidiam in aliquem rejicĕre*. || (Par ext.) En parl. d'une surface : faire faire retour à ce qui est venu la frapper. *Remittĕre*, tr. ¶ Remettre à un temps plus ou moins éloigné. *Differre*, tr. Absol. Voy. DIFFÉRER. ¶ Adresser à une autre destination comme plus appropriée. *Rejicĕre (rem ad aliquem)*, tr. *Delegâre*, tr.

réorganiser, v. tr. Organiser de nouveau. *Denuo constituĕre*.

repaire, s. m. Lieu caché où se retirent les brigands, etc. *Receptaculum* (*latro-*

num ou *furum*). *Latebrae, arum*, f. pl. *Latibulum, i*, n. ¶ Lieu où se retirent les bêtes sauvages. *Latebrae, arum*, f. pl. *Cubile, is*, n.

repaitre, v. tr. et intr. || (*V. tr.*) Rassasier en donnant à manger. *Pascĕre (aliquem cibo)* ou simpl. *pascĕre*, tr. *Saturâre*, tr. || (Spéc.) En parl. des animaux. Se —, de, *sese pascĕre escâ*; *pasci aliquâ re*. Repu, voy. RASSASIER. || (Fig.) *Pascĕre*, tr. — qqn d'un faux espoir, *lactâre alicujus animum pollicitando*. — ses yeux…, *oculis fructum capĕre ex aliquâ re*. Se — de, *pasci*, dépr. intr.; *vesci*, dépr. intr.

répandre, v. tr. Laisser couler (un liquide) sur un espace où il s'étend; *et par ext.* étaler, étendre, disséminer. *Fundĕre*, tr. *Confundĕre*, tr. *Effundĕre*, tr. *Profundĕre*, tr. Se — (au pr. et au fig.), *fundi*, passif.-moy.; *diffundi*, pass.; *effundi*, pass.; *manâre*, intr.; *serpĕre*, intr. || (Fig.) Répandre, c.-à-d. faire connaître, publier, divulguer. *Vulgâre*, tr. *Divulgâre*, tr. *Pervulgâre*, tr. *Differre*, tr. *Disseminâre*, tr. Se — dans le public, *increbrescĕre*, intr.; *percrebrescĕre*, intr. Le bruit se répandit que… *exiit fama* (av. l'Acc. et l'Inf.). || Répandre, c.-à-d. rendre commun, faire partager. *Vulgâre*, tr. *Pervulgâre*, tr. Très répandu, *pervagatus, a, um*, p. adj. Répandu dans le monde, voy. MONDAIN. || (Par anal.) Se — en menaces, *ad minas prorumpĕre*. Se — en éloges, *multum esse in laudibus (alicujus)*.

réparable, adj. Qui peut être réparé. *Reparabilis, e*, adj. || (Fig.) *Emendabilis, e*, adj.

reparaître, v. intr. Paraître de nouveau. *In conspectum redire*. *Iterum apparêre*. Ne plus —, *non* (ou *nusquam*) *apparêre* (ou *comparêre*). || (Au fig.) *Redire*, intr.

réparateur, *trice*, s. m. et f. Celui, celle qui répare. *Redintegrator, oris*, m. *Reparatrice, quae reparat (ou reficit)*. || (Adjectivt.) Qui (quae, quod) *reparat (vires)*.

réparation, s. f. Action de remettre en bon état. *Refectio, onis*, f. || (Par ext.) Résultat de cette action. Faire des —, voy. RÉPARER. ¶ Action de faire disparaître *ou* de compenser le dommage causé par qqn. *Satisfactio, onis*, f. Faire — à qqn, *alicui satisfacĕre*.

réparer, v. tr. Remettre en état (ce qui a été endommagé). *Reficĕre*, tr. *Restituĕre*, tr. *Reconcinnâre*, tr. *Corrigĕre*, tr. ¶ Faire disparaître *ou* compenser (le dommage causé par qqn, par qqch.). *Reficĕre*, tr. *Sarcire*, tr. *Resarcire*, tr. *Corrigĕre*, tr. — sa faute par le repentir, *errorem paenitendo corrigĕre*.

reparler, v. intr. Parler de nouveau. *Iterum* (ou *rursus*) *loqui* (ou *dicĕre*). — de qqch. avec qqn, *de aliquâ re cum* *aliquo sermones iterum conferre* (ou *renovdre*).

repartie, s. f. Prompte réponse (de vive voix). Avoir la — prompte, *paratissimē respondēre*.

repartir, v. intr. Partir de nouveau. *Denuo proficisci. Rursus se in viam dāre. Repetēre iter.* ‖ (Fig.) Voy. RECOMMENCER. ¶ (P. anal.) Répondre immédiatement (de vive voix). Voy. RIPOSTER. ‖ (P. ext.) Répondre vivement par écrit, voy. RIPOSTER.

répartir, v. tr. Partager entre plusieurs en attribuant à chacun ce qui lui revient. *Partiri*, dép. tr. *Dividēre*, tr. *Describēre*, tr.

répartiteur, s. m. Celui qui est chargé de répartir. *Divisor, oris*, m.

répartition, s. f. Action de répartir. *Partitio, onis*, f. *Distributio, onis*, f.

repas, s. m. Nourriture qu'on prend à des heures réglées. *Cena, ae* (« principal repas [au milieu de la journée]; dîner »), f. *Prandium, ii* (« repas de midi, second déjeuner »; *par ext.* « repas en général »), n. ‖ Festin. *Convivium, ii*, n. — public, *epulum, i*, — somptueux, *epulae, arum*, f. pl. De —, *epularis, e*, adj. Faire un —, assister à un —, *epulāri*, dép. intr.

repassage, s. m. Action d'aiguiser. *Exacutio, onis*, f. *Acutela, ae*, f.

repasser, v. intr. et tr. ‖ (*V. intr.*) Passer de nouveau dans un lieu. *Redire*, intr. Absol. —, *se referre*. Passer, —, *ire, redire*. ‖ (Fig.) Revenir par la pensée. *Repetēre*, tr. *Redire*, intr. ¶ (*V. tr.*) Traverser de nouveau. — la mer, *renavigāre*, intr. Faire — la mer à son armée, *exercitum reportāre*. ‖ (Au fig.) Parcourir de nouveau en sa pensée. *Recogitāre*, intr. *Recognoscēre*, tr. *Repetēre*, tr. ‖ (Par ext.) Étudier à plusieurs reprises. — sa leçon, *memoriā recensēre dictata*. ‖ Faire passer de nouveau (qqn ou qqch.). *Reportāre*, tr. *Revehēre*, tr. ‖ (Fig.) — son esprit sur (qqch.), *revocāre animum ad aliquid.* ‖ (Par ext.) — la lime (sur un ouvrage), *limā persequi.* ‖ Affiler. *Exacuēre*, tr.

repenser, v. intr. Penser de nouveau. *Denuo reputāre* (*aliquid*). *Recogitāre* (*de aliquā re*).

repentant, *ante*, adj. Qui se repent. *Paenitens* (gén. *-entis*), p. adj.

1. repentir (se), v. pron. Ressentir le regret d'une faute, avec le désir de la réparer et de n'y pas retomber. *Paenitēre*, impers. ¶ Ressentir le regret d'une action, d'une résolution. *Paenitēre*, impers.

2. repentir, s. m. Regret d'une faute avec le désir de la réparer et de n'y point retomber. *Paenitentia, ae*, f. *Dolor, oris*, m. Effacer, réparer sa faute par le —, *errorem paenitendo corrigēre.*

répercussion, s. f. Choc en retour. *Repercussio, onis*, f. *Repercussūs, ūs*,

m. ‖ (P. anal.) La — (du son), *repulsūs, ūs*, m.

répercuter, v. tr. Produire un choc en retour. *Repercutēre*, tr. ‖ (P. ext.) En parl. du son. *Repercutēre*, tr. *Remittēre*, tr. Se —, *resultāre*, intr.; *repercuti*, moy. réfl.

reperdre, v. tr. Perdre de nouveau. *Iterum perdēre* (ou *amittēre*).

répertoire, s. m. Sorte de table où les matières sont classées par ordre. *Index, dicis*, m.

répéter, v. tr. Recommencer à dire, à faire (qqch.) à plusieurs reprises. ‖ Redire à plusieurs reprises, de vive voix ou par écrit. ‖ (Ce qu'on a déjà dit.) *Repetēre*, tr. *Iterāre*, tr. *Redintegrāre*, tr. *Duplicāre*, tr. Se —, *eadem iterum dicēre* ou *dicta iterāre.* ‖ (Ce qu'un autre a dit.) — une leçon apprise, *dictata decantāre.* — les leçons de son maître, *tradita a magistro dicēre.* — une formule de serment, *alio praeeunte jurāre.* — ce qui a été dit, *quae sunt dicta reddēre.* ‖ (Par anal.) Renvoyer un son. (*Vocem*) *reddēre* (ou *remittēre*). ‖ — une pièce, *discēre fabulam.* ‖ Refaire à plusieurs reprises (ce qu'on a déjà fait). *Iterāre*, tr. *Répété, creber, bra, brum*, adj.

répétition, s. f. Action de redire, de refaire à plusieurs reprises ce qui a été dit, ce qui a été fait. *Repetitio, onis*, f. *Iteratio, onis*, f.

repeupler, v. tr. Peupler de nouveau. *Renovāre* (*colonias*). *Replēre* (*domos exhaustas*).

répit, s. m. Suspension (d'une chose pénible), accordée à qqn. *Remissio, onis*, f. *Laxamentum, i*, n. *Quies, etis*, f. *Requies, etis*, f. *Dilatio, onis*, f. — (accordé à un débiteur), *dies, diei*, f. Sans —, *continuus, a, um*, adj.

replacer, v. tr. Placer de nouveau. *Reponēre* (*in eumdem locum*) ou (simpl.) *reponēre*, tr. *Restituēre*, tr. ‖ (Fig.) *Reponēre*, tr.   [*Reserēre*, tr.

replanter, v. tr. Planter de nouveau.

replet, *ète*, adj. Qui a un peu d'embonpoint. *Plenus, a, um.*

repli, s. m. Pli doublé, pli répété. *Sinus, ūs*, m. *Replicatura, ae*, f. ¶ Pli qui dissimule qqch. *Sinus, ūs*, m. ¶ (Fig.) *Recessūs, ūs*, m. ¶ Ondulation. *Sinus, ūs*, m. ‖ (P. anal.) Un — de terrain, *loci anfractus.*

replier et **reployer**, v. tr. Plier de nouveau ce qui a été déplié. *Replicāre*, tr. *Denuo complicāre* (*aliquid*). ‖ (Par ext.) Plier plusieurs fois. *Complicāre*, tr. ¶ Ramener (ce qui a été déployé). *Contrahēre*, tr. ‖ (Par ext.) — des troupes, *copias reducēre* ou *exercitum revocāre.* Se —, *sese recipēre.*

réplique, s. f. Action de répondre à ce que qqn a répondu. *Responsio, onis*, f. Qui est sans —, voy. IRRÉFUTABLE. Avoir la — vive, prompte, voy. RIPOSTE. ¶ Répétition. Voy. ce mot.

répliquer. v. tr. Répondre à ce que qqn a répondu. *Respondēre (propositis) et* (simpl.) *respondēre,* intr. *Occurrēre,* intr. ‖ (Spéc.) Répondre à la réponse de la partie adverse. *Respondēre,* intr. ¶ Répondre à ce qui semble ne pas demander de réponse. *Responsāre,* intr. — par des injures, *regerēre convicia.*

replonger, v. tr. Plonger de nouveau. *Iterum mergēre* (ou *immergēre*).

reployer, v. tr. Voy. REPLIER.

repolir, v. tr. Polir de nouveau. *Iterum polīre.*

répondant, s. m. Celui qui répond, qui se porte garant pour qqn. *Manceps, cipis,* m. *Sponsor, oris,* m.

répondre, v. tr. et intr. ‖ (*V. tr.*) Adresser à qqn dont on a reçu une demande, une question, une accusation, etc., ce qu'on a à dire en retour. *Respondēre,* tr. — par écrit, *rescrībere,* tr. — à une accusation, *respondēre,* tr.; *defendēre,* tr. — à l'accusation, *respondēre crimen.* ‖ Répliquer, murmurer. *Responsāre,* intr. ‖ (Par anal.). — au salut de qqn, *aliquem resalutāre.* ‖ Reproduire, répercuter. *Reddēre,* tr. ¶ (*V. intr.*) Se montrer, par rapport à qqn, à qqch., conforme à ce qu'on doit attendre, espérer. *Respondēre,* intr. *Congruēre,* intr. ‖ (Par ext.) Etre en rapport de conformité avec qqch. *Respondēre,* intr. ‖ Etre symétrique. *Respondēre,* intr. ‖ Correspondre. Voy. ce mot. Se —, voy. CORRESPONDRE. ‖ Aboutir à. *Pertinēre (ad...).* ¶ Se porter garant, vis-à-vis de qqn, d'une personne, d'une chose. *Spondēre,* intr. *Intervenīre,* intr. — de qqch., voy. GARANTIR. ‖ (Absol.) Promettre, assurer. Voy. ces mots.

réponse, s. f. Ecrit, discours par lequel on adresse à qqn dont on a reçu une demande, une question, etc., ce qu'on a à lui dire en retour. *Responsum, i,* n. — à une question, à une objection, *responsio, onis,* f. Faire —, donner une —, voy. RÉPONDRE. Ecrire en —, *rescrībere,* tr. ‖ (T. de droit.) Décision des jurisconsultes sur une question de droit. *Responsum, i,* n.

reporter, v. tr. Porter (une chose) au lieu où elle était auparavant. *Reportāre,* tr. *Referre,* tr. Fig. *Transferre,* tr. ¶ Porter (une chose) du lieu où elle était à un autre lieu. *Transferre,* tr. ¶ (Au fig.) Porter (une chose) d'une époque à une autre. *Proferre,* tr. *Rejicēre.* tr. — les comices en septembre, *comitia in mensem septembrem rejicēre.* ‖ Se —, *animum referre (ad aliquid)*; *recogitāre (de aliquâ re)*; *respicēre,* tr.

repos, s. m. Etat où l'on cesse d'agir, de se mouvoir, pour faire disparaître la fatigue. *Otium, ii,* n. *Quies, etis,* f. *Requies, etis,* f. *Laxamentum, i,* n. Prendre du —, *otiāri,* dép. intr. Qui prend du —, qui vit dans le —, *otiosus,*

a, um, adj. ‖ (Par ext.) Moment de repos. Voy. PAUSE. (Spéc.) Césure d'un vers. Voy. CÉSURE. ‖ Lieu de repos, *tranquillus ad quietem locus.* Jours de —, *ferias, arum,* f. pl. ‖ (Par anal.) — de la terre, voy. JACHÈRE. ‖ (Spéc.) Cessation d'activité par le sommeil. *Quies, etis,* f. Lit de —, *lectus ad quietem datus.* Par anal. Le champ du —, voy. CIMETIÈRE. ¶ Etat où le mouvement cesse. *Cessatio, onis,* f. *Intermissio, onis,* f. Moment de —, *intervallum,* i, n. Se tenir en —, *quiescēre,* intr.; *consistēre,* intr. ‖ (Par anal.) — de l'air, *quies aeris et otium et tranquillitas.* ¶ (Au fig.) Etat où l'on cesse d'être troublé, tourmenté. *Quies, etis,* f. — d'esprit, *animi remissio* (ou *relaxatio*). Ne laisser aucun —, *exercēre,* tr. Prendre du —, voy. REPOSER. Avoir l'esprit en —, *tranquillo animo esse* (ou *consistēre*). Etre en — au sujet de..., *de (aliquo ou aliquâ re) quietum esse.*

reposer, v. intr. et tr. ‖ (*V. intr.*) Etre posé, dans un état où l'on cesse de se mouvoir, pour faire disparaître la fatigue. *Quiescēre,* intr. *Acquiescēre,* intr. *Jacēre,* intr. Absol. — c.-à-d. se reposer, voy. ci-après. ‖ (Par ext.) Dormir. *Quiescēre,* intr. *Acquiescēre,* intr. *Conquiescēre,* intr. ‖ (Par anal.) Laisser — la terre, voy. JACHÈRE. ‖ En parl. d'un liquide trouble qu'on tient immobile. *Requiescēre,* intr. ‖ (Fig.) *Requiescēre,* intr. ‖ Etre dans une situation paisible, inviolable. *Quiescēre,* intr. *Requiescēre,* intr. ‖ Etre appuyé d'une manière stable (au pr. et au fig.). *Positum esse. Constāre,* intr. *Consistēre,* intr. *Continēri,* passif *(aliquâ re). Niti,* dép. intr. *Inniti,* dép. intr. (av. l'Abl.). ¶ (*V. tr.*) Poser de nouveau. *Reponēre,* tr. ‖ Poser dans un état où l'on cesse de se mouvoir, pour faire disparaître la fatigue. *Reponēre,* tr. ‖ Ranimer, récréer. Voy. ces mots. Se —, *quiescēre,* intr.; *requiescēre,* intr.; *acquiescēre,* intr. (Fig.) Se — sur qqn, *reponēre spem in aliquo.* Se — sur qqn du soin de..., voy. [s'en] REMETTRE.

reposoir, s. m. Autel dressé sur le parcours d'une procession. *Reclinatorium, ii,* n.

repoussant, ante, adj. Qui repousse les (gens). *Fastidiosus, a, um,* adj. ‖ (Fig.) Qui inspire une aversion profonde. *Foedus, a, um,* adj. *Taeter, tra, trum,* adj.

repousser, v. tr. et intr. ‖ (*V. tr.*) Pousser en arrière, faire reculer en poussant. *Repellēre,* tr. *Depellēre,* tr. *Propellēre,* tr. *Propulsāre,* tr. *Rejicēre,* tr. *Excludēre,* tr. *Reprimēre,* tr. ‖ (Spéc.) Ne pas accepter. *Aversāri,* dép. tr. *Recusāre,* tr. *Respuēre,* tr. ¶ (*V. intr.*) Presser en arrière. Voy. RECULER. ¶ (*V. tr.*) Produire de nouveau. *Novos dāre ramos. Novam dāre frondem.* ‖ (*V.*

intr.) Etre produit de nouveau. *Renasci,* dép. intr.

répréhensible, adj. Qui mérite d'être réprimandé. *Vituperabilis, e,* adj. *Reprehendendus, a, um,* adj. verb.

reprendre, v. tr. et intr. || (*V. tr.*) Prendre de nouveau. (Ce dont on n'a pas assez pris.) *Resumĕre,* tr. || (Ce qu'on a quitté.) *Resumĕre,* tr. *Retractăre,* tr. — son siège, *rursus assidĕre.* — sa place, son poste, *se ad suum munus revocăre.* — le lit, *rursus tenĕri lecto.* — sa femme, *uxorem reducĕre.* — un serviteur, *rursus alicujus uti ministerio.* — qqn en passant, *aliquem secum abducĕre.* — mal, *in morbum recidĕre.* Le mal l'a repris, *eum rursus invasit morbus.* Il a été, il s'est repris au piège, *rursus incidit in laqueos.* Part. passé pris subst. Un repris de justice, voy. RÉCIDIVISTE. — du service, *in castra rursus proficisci.* — la parole, *rursus verba facĕre.* Ellip. Reprit-il, *inquit.* — la mer, *rursus navigăre.* — le chemin de la Macédoine, de la ville, *repetĕre Macedoniam, urbem.* — le même chemin, *redire viam.* Se — à la vie, à l'espérance, *se recipĕre* ou *se ad se revocăre.* || (Ce qu'on a interrompu.) *Resumĕre,* tr. *Repetĕre,* tr. *Instaurăre,* tr. *Renovăre,* tr. *Redintegrăre,* tr. || (Ce qu'on a perdu.) *Recipĕre,* tr. *Recuperăre,* tr. *Repetĕre,* tr. *Reparăre,* tr. *Reficĕre,* tr. — ses sens, — connaissance, *ad se redire.* Je reprends courage, *nunc redit animus.* — le dessus, *resurgĕre,* intr. || (Ce qu'on a donné.) *Recipĕre,* tr. — sa parole, *promissum suum revocăre.* Faire — qqch. (à un vendeur), *redhibĕre,* tr. ¶ Remettre la main à (qqch.) *Retractăre,* tr. — une construction en sous-œuvre, *substruĕre.* ¶ Revenir sur (qqch.) .(Pour récapituler.) *Repetĕre,* tr. || (Pour exécuter.) S'y —, *intermittĕre.* Sans se —, *sine intermissione.* || (Pour corriger.) *Reprehendĕre,* tr. Se —, *se corrigĕre.* ¶ (*V. intr.*) (En parl. des choses.) Revenir (à qqn). *Repetĕre,* intr. Le froid a repris, *redierunt frigora.* || Se remettre. Voy. REMETTRE. Les affaires reprennent, *res redeunt.* || Repousser. Voy. ce mot. || Se figer de nouveau. Voy. FIGER. || (Spéc.) Geler de nouveau. Voy. GELER.

représaille, s. f. Action de rendre à l'ennemi mal pour mal. User de —, *vim vi repellĕre.* User de — envers qqn, *parem gratiam referre alicui.*

représentant, s. m. Celui qui a reçu pouvoir de représenter qqn. *Vicarius, ii,* m.

représentation, s. f. Action de représenter, c.-à-d. de replacer devant les yeux de qqn (une personne, une chose). || (Par sa présence effective.) *Sub aspectum paene subjectio.* || (Par l'image qu'en fournit la sensation, la mémoire imaginative.) *Imago, ginis,* f. Simula-

crum, *i,* n. *Species, ei,* f. || (Par l'imitation qu'en produit le discours, la poésie, la peinture, etc.) *Imago, inis,* f. *Effigies, ei,* f. *Forma, ae,* f. || (Spéc.) Action de jouer sur la scène une pièce de théâtre. *Actio, onis,* f. Donner une —, *fabulam dăre.* — théâtrales, *scaenici ludi.* Donner des —, *ludos facĕre.* || (Par le signe qui en réveille l'idée.) Voy. IMAGE, SIGNE. ¶ Action de remettre sous les yeux de qqn les inconvénients de ce qu'il a fait ou veut faire. *Admonitio, onis,* f. ¶ Action d'imposer aux yeux par le train de vie, la tenue extérieure, le rang, la condition. *Ostentatio, onis,* f. *Species, ei,* f. Etre en —, *in scend esse.* || (Par ext.) Train de vie intérieur que qqn doit tenir selon sa condition. *Cultŭs, ŭs,* m.

représenter, v. tr. Replacer devant les yeux de qqn (une personne, une chose). || (Par la présence effective de la personne, de la chose.) *Repraesentăre,* tr. (on dit mieux *alicui ante oculos* ou *alicujus oculis proponĕre.*) *Exhibĕre,* tr. (dans les express. juridiques c. : *exhibĕre testem; pupillum, fratres*). Se — devant qqn, *se rursus offerre alicui.* Se — aux élections, etc., *rursus petĕre honores,* etc. || (Par l'image qu'en fournit la sensation, la mémoire imaginative.) *Repraesentăre,* tr. (seul. dans l'expression *r. memoriam alicujus rei*). *Proponĕre,* tr. Se — qqch., *animo vidēre; sibi fingĕre.* Se — à l'esprit, à la pensée (en parl. d'une chose), *in memoriam redire.* || (Par l'imitation qu'en produit le discours, la poésie, la peinture, etc.) *Exprimĕre,* tr. *Fingĕre,* tr. *Effingĕre,* tr. *Informăre,* tr. || (Spéc.) Jouer sur la scène une pièce de théâtre. *Agĕre,* tr. || (Par le signe qui en réveille l'idée.) *Significăre,* tr. ¶ Remettre sous les yeux de qqn les inconvénients de ce qu'il a fait ou veut faire. *Admonēre,* tr. *Docēre,* tr. *Ostendĕre,* tr. — à qqn l'impossibilité de qqch., *ostendĕre alicui rem fieri non posse.* ¶ (Absol.) Imposer aux yeux, par le train de vie, la tenue extérieure, le rang, la condition. *Speciem habēre, in scend esse.* ¶ Remplacer (qqn) dans l'exercice de ses droits. *Gerĕre,* tr. — qqn, *personam alicujus gerĕre.* || (T. de droit.) Hériter d'un parent mort pour la part qui lui revenait. *Mortuum aliquem repraesentăre.* || Voyager, faire des affaires pour le compte d'une maison de commerce. *Aliena negotia procurăre.* || Etre le mandataire d'électeurs. Voy. DÉPUTÉ.

répression, s. f. Action de réprimer. *Animadversio, onis,* f. *Coercitio, onis,* f.

réprimande, s. f. Blâme qu'on adresse à une personne pour une faute. *Reprehensio, onis,* f. *Animadversio, onis,* f.

réprimander, v. tr. Faire une réprimande (à qqn). *Reprehendĕre,* tr. *Objurgăre,* tr. — vertement qqn, *graviter increpăre aliquem.*

réprimer, v. tr. Contenir (ce qui est excessif). *Reprimère*, tr. *Continère*, tr. *Coercère*, tr. *Cohibère*, tr. ¶ Arrêter l'accomplissement, le progrès de ce qui est condamnable. *Reprimère*, tr. *Comprimère*, tr. *Coercère*, tr.

reprise, s. f. Action de prendre de nouveau. *Recuperatio, onis*, f. La — de Cypre, *recepta Cyprus*. ¶ (P. ext.) Ce qui est repris. || Navire repris sur l'ennemi. *Recuperata* (ou *recepta*) *navis*. ¶ Action d'opérer de nouveau (qqch.) en réitérant. *Iteratio, onis*, f. A deux —, *semel atque iterum* ou *semel iterumque*. A plusieurs —, *identidem*, adv. || Absolt. (Escrime.) Nouvel engagement qui suit le repos. *Pugnae redintegratus*. ¶ Action de raccommoder une étoffe en rebouchant les accrocs à l'aiguille. *Replicatura, ae*, f.

repriser, v. tr. Raccommoder en faisant des reprises. *Subsuère*, tr.

réprobation, s. f. Action de rejeter comme inavouable. *Improbatio, onis*, f.

reproche, s. f. Action de reprocher qqch. à qqn. *Vituperatio, onis*, f. *Objurgatio, onis*, f. *Reprehensio, onis*, f. *Exprobratio, onis*, f. — sanglant, *contumelia, ae*, f. — outrageant, *probrum, i*, n. — fait à haute voix, *convicium, ii*, n. Sans —, *innocens* (gén. -*entis*), adj. Faire des — à qqn, voy. BLAMER. Faire des — à qqn, à cause de qqch., voy. REPROCHER (qqch. à qqn). Faire de violents — à qqn, *aliquem graviter accusàre*.

reprocher, v. tr. Imputer à faute (qqch.) à qqn (en s'adressant à lui). *Exprobràre*, tr. et intr. *Objurgàre*, tr. Se — une faute, *se peccati insimulàre*. N'avoir rien à se —, *nihil excusandum habère*.

reproduction, s. f. Action de reproduire. || (Par génération.) *Procreatio, onis*, f. || (Par copie, par imitation.) *Similitudo, dinis*, f. *Imitatio, onis*, f. *Exemplum, i*, n. || (Par répétition.) *Iteratio, onis*, f.

reproduire, v. tr. Faire revivre dans un produit nouveau. || (Par génération.) *Procreàre*, tr. Se —, *propagàre genus*. || (Par copie, par imitation.) *Reddère*, tr. *Imitàri*, dép. tr. *Referre*, tr. — les traits de son père, *os vultumque patris referre*. || (Par répétition.) *Exhibère*, tr. Se —, *redire*, intr.

réprouver, v. tr. Rejeter comme inavouable. *Damnàre*, tr. ¶ (Spéc.) Rejeter comme impénitent. *Reprobàre*, tr. Réprouvé, *reprobus, a, um*, adj.

reptile, s. m. Animal qui rampe. *Serpens, entis*, m.

républicain, *aine*, adj. Qui appartient à la république. *Ad rem publicam* (ou *ad liberam civitatem*) *pertinens*. Gouvernement —, constitution —, *forma liberae rei publicae*. Etat —, voy. RÉPUBLIQUE. ¶ Subst. Citoyen d'une république. *Civis liberae rei publicae*.

¶ Qui convient à la république. *Dignus liberà civitate*. Sentiments —, opinions —, *libertatis communis studium*. || Subst. Partisan du gouvernement républicain, *Liberae rei publicae amicus*.

république, s. f. La chose publique, l'Etat (sous toute espèce de gouvernement). *Res publica* ou simpl. *res, rei*, f. *Civitas, atis*, f. || (Fig.) Voy. ETAT, PEUPLE. ¶ Gouvernement où la souveraineté dérive du peuple. *Libera civitas. Liber populus*. Vivre en —, *regi imperio populi*. La — romaine, *res Romana*. || (P. anal.) La — des lettres, *civitas quaedam doctorum hominum*.

répudiation, s. f. Action de répudier sa femme. *Repudium, ii*, n.

répudier, v. tr. Renvoyer légalement (une épouse). *Repudiàre* (*uxorem*). ¶ (Droit.) (Renoncer à un legs, une succession). *Repudiàre*, tr. (Fig.) Rejeter. *Repudiàre*, tr.

répugnance, s. f. Eloignement insurmontable pour une chose, une personne. *Odium, ii*, n.

répugnant, *ante*, adj. Qui inspire un éloignement insurmontable. *Turpis, e*, adj.

répugner, v. intr. Ressentir un éloignement insurmontable pour qqch. *Abhorrère*, intr. (*ab aliquà re*). *Aspernàri*, dép. tr. (*aliquid*). Me piget, impers. (*alicujus rei*). ¶ Inspirer un éloignement insurmontable. *Abhorrère*, intr. (*id abhorret a moribus meis*). *Sordère*, intr. (*sordebant tibi tui*).

répulsion, s. f. Mouvement par lequel deux corps se repoussent. *Repulsus, ùs*, m. || (Fig.) Voy. ANTIPATHIE, AVERSION.

réputation, s. f. Opinion généralement répandue sur qqn. qqch. *Existimatio, onis*, f. *Fama, ae*, f.

réputer, v. tr. Faire considérer comme tel ou tel. *Habère* (*aliquem pro hoste* ou *in hostium numero*). *Existimàre* ou *ducère* (*aliquem bonum virum*). Etre réputé, *duci*. Etre réputé pour, voy. PASSER [pour]. Réputé, *nobilis, e*, adj.

requérir, v. tr. Demander comme nécessaire. — qqn, *requirère* (*aliquem ad aliquid*). — qqch. de qqn, *exigère aliquid ab aliquo*. — qqch., *exigère*, tr.; *postulàre*, tr. *Requis, necessarius, a, um*, adj.; *legitimus, a, um*, adj. Ce qui est —, *res necessaria*. ¶ Demander comme prescrit par la loi. — qqn, voy. ASSIGNER, POURSUIVRE. — que..., *postulàre* (av. l'Acc. et l'Inf.). || Spéc. — (pour un service public). *Imperàre* (*civitati frumentum*). *Exigère* (*ab aliquo vehicula*).

requête, s. f. Demande instante. *Pos-*

tulatio, onis, f. Expostulatio, onis, f.
¶ Demande faite au nom de la loi. Postulatio, onis, f.

requin, s. m. Gros poisson de mer très
vorace. Squalus, i, m.

réquisition, s. f. Demande faite par
l'autorité de mettre qqch. à sa disposition pour un service public. Imperatum, i, n. Conquisitio, onis, f. Faire
des — de blé, de vaisseaux, de soldats,
imperāre frumentum, naves, milites.
Mettre en —, exigĕre (aliquid ab alique).
Fig. Je te mettrai continuellement en
—, requiram te ad omnia.

rescrit, s. m. Réponse de l'empereur
aux gouverneurs de provinces. Re-
scriptum, i, n.

réseau, s. m. Petit filet. Rete, is, n.
¶ (Spéc.) Ouvrage en forme de filet.
Reticulum, i, n. ¶ (P. anal.) Voy. ENTRE-
LACEMENT. ¶ (Fig.) Laquei, orum, m. pl.
Prendre qqn comme dans un —,
irretīre, tr.

réséda, s. m. Plante à fleurs odorantes.
Reseda, ae, f.

réserve, s. f. Action de réserver,
Mettre en —, reponĕre, tr.; seponĕre,
tr.; servāre, tr.; reponĕre et recondĕre.
tr. Mis en —, provisus, a, um, p. adj.
A la — de, voy. EXCEPTÉ. || (Fig.)
Restriction en vue de certaines éven-
tualités. Exceptio, onis, f. Adjunctio,
onis, f. Condicio, onis, f. En faisant
ses —, restrictè, adv. Sans —, voy.
ABSOLUMENT. || Attention à ne pas se
livrer, à garder pour soi ses impres-
tions, ses sentiments. Modus, i, m.
Moderatio, onis, f. Modestia, ae, f.
Avec —, modicè, adv.; modestè, adv.;
verecundè, adv. ¶ Ce qui est réservé.
Repositum, i, n. || Corps destiné à com-
bler les vides d'une armée. Supple-
mentum, i, n. || Corps destiné à secourir
les troupes menacées (dans une bataille).
Subsidium, ii, n. De —, subsidiarius,
a, um, adj.

réserver, v. tr. Garder pour une certaine destination. Reservāre, tr. Servāre, tr. Reponĕre, tr. Seponĕre, tr.
Conferre, tr. Etre réservé à qqn, c.-à-d.
l'attendre, voy. ATTENDRE. Ils étaient
à une place réservée, in certo loco conse-
derant. Se —, voy. [se] MÉNAGER.
¶ Excepter. Voy. ce mot. Se — qqch.
(dans une vente), aliquid sibi recipĕre.
¶ (Absol.) Ne pas livrer aux autres ses
impressions, ses sentiments. (Au part.
passé.) Réservé, modestus, a, um, adj.;
moderatus, a, um, p. adj.; verecundus,
a, um, adj.

réservoir, s. m. Lieu ménagé pour
garder certaines choses en réserve,
spéc. de l'eau. Lacus, ûs, m. || (Fig.)
Receptaculum, i, n.

résidence, s. f. Le fait de résider dans
un lieu. Sedes, is, f. Domicilium, ii, n.
¶ (Par ext.) Etat sédentaire. Voy.
SÉDENTAIRE. Etre tenu à —, voy.

RÉSIDER. || Lieu où l'on réside. Sedes,
is, f. — royale, sedes principis (ou
regis); regia, ae, f. Faire sa — de...
(urbem) sedem regni habēre.

résider, v. intr. Etre établi actuellement dans un lieu. Sedem (ou sedem
stabilem) ac domicilium habēre (in aliquo
loco). (En parl. d'un souverain.) Aliquem locum sedem regni habēre. ¶ (Fig.)
Avoir son siège dans qqn, qqch. Sedēre,
intr. Insidēre, intr.

résidu, s. m. Reliquat d'un compte.
Residuae pecuniae. ¶ Matière qui reste
après une opération chimique. Faex,
aecis, f.

résignation. Action de se résigner, de
s'abandonner à la volonté de Dieu.
— religieuse, voy. HUMILITÉ. (Dans
un sens plus large.) Patientia, ae, f.
Perpessio, onis, f. Avec —, toleranter,
adv.

résigner, v. tr. Abandonner volontairement qqch. (à qqn). Ultro se aliquid
re abdicāre. ¶ Abandonner à la volonté
de Dieu. Se —, aequo animo ferre
(aliquid). Ne pouvoir se — à, aegrè (ou
graviter) ferre (aliquid). Résigné, patiens
(gén. -entis), p. adj. Etre — à tout,
nihil recusāre.

résiliation, s. f. et résiliement ou rési-
liment, s. m. Action de résilier. Resolutio, onis, f.

résilier, v. tr. Annuler (une convention, un acte (ordin. d'un commun
accord). Rescindĕre, tr.

résine, s. f. Matière inflammable qui
découle de certains arbres. Resina, ae, f.

résineux, euse, adj. Qui a rapport à
la résine. Resinosus, a, um, adj.

résipiscence, s. f. Repentir qui amène
le retour au bien. Resipiscentia, ae, f.

résistance, s. f. Action de résister.
|| Action qu'une force oppose à l'action
d'une autre force. Obstantia, ae, f.
Renisūs, ūs, m. || Effort qu'on oppose
à l'emploi de la force. Repugnantia, ae,
f. Opposer à —, faire —, voy.
RÉSISTER. || (Par ext.) Effort de la
volonté contre une volonté contraire.
Retractatio, onis, f. ¶ Pouvoir de résister.
|| Force qui rend une molécule de ma-
tière impénétrable à toute autre. Resis-
tentia, ae, f. || Force plus ou moins
grande qu'un corps oppose à l'action
d'une force étrangère. Robur, oris, n.
|| Force par laquelle on endure la
fatigue. Robur, oris, n.

résistant, ante, adj. Qui a le pouvoir
de résister. Qui (quae, quod) resistĕre
potest. Firmus, a, um, adj. || (Fig.)
Constans (gén. -antis), p. adj. Firmus,
a, um, adj.

résister, v. intr. Opposer à l'action
d'une force une force agissant en sens
contraire. Resistĕre, intr. Obstāre, intr.
Reniti, dép. intr. ¶ Faire effort contre
l'emploi de la force. Resistĕre, intr.
Obsistĕre, intr. Repugnāre, intr. ¶ Op-

poser sa volonté à une impulsion, à une volonté contraire. *Resistĕre*, intr. *Obsistĕre*, intr. *Repugnāre*, intr. *Reniti*, dép. intr.

résolu, *ue*. Voy. RÉSOUDRE.

résolument, adv. Avec résolution. *Confidenter*, adv.

résolution, s. f. Action de se déterminer entre plusieurs partis à prendre. *Consilium*, *ii*, n. Prendre la — de, voy. RÉSOUDRE. ‖ (P. ext.) Détermination prise. *Consilium*, *ii*, n. *Sententia*, *ae*, f. *Voluntas*, *atis*, f. *Animus*, *i*, m. Prendre la brusque — de faire qqch., *impetum capĕre aliquid faciendi*. Exécuter une —, *propositum peragĕre*. Avoir la ferme — de, *destinavisse* (av. l'Inf.). Ma — est bien arrêtée, *certum est mihi*. — du peuple, du sénat, *consultum*, *i*, n. — prise par le sénat sur un sujet soumis à ses délibérations, *senatûs decretum*. ¶ Disposition à se déterminer sans hésiter. *Consilii celeritas* ou (simpl.) *consilium*, *ii*, n.

résonance, s. f. Action de résonner. *Resonantia*, *ae*, f.

résonnant, *ante*, adj. Qui résonne. *Resonans* (gén. *-antis*), p. adj.

résonner, v. intr. ‖ Renvoyer le son par réflexion. *Resonāre*, intr. ‖ En parl. d'un instrument de musique. *Canĕre*, intr. — ensemble, *consonāre*, intr.

résoudre, v. tr. Décomposer en ramenant à un état élémentaire. *Resolvĕre*, **tr.** *Dissolvĕre*, tr. *Digerĕre*, tr. Se —, voy. FONDRE. ‖ (Par anal.) Défaire un contrat, une convention. *Rescindĕre*, tr. ¶ Dénouer (ce qui embarrasse l'esprit). *Resolvĕre*, tr. *Solvĕre*, tr. ¶ Déterminer (la volonté qui hésite entre plusieurs partis). Etre résolu à (av. l'Inf.), *decrevisse* (av. l'Inf.); *paratum esse* (ad et le Gérond. en *-ndum*; et av. l'Inf.). Résolu, *c.-à-d.* qui n'hésite pas à prendre son parti, *animatus*, *a*, p. adj.; *fidens* (gén. *-entis*), p. adj.; *confidens*, p. adj. (souv. avec *audax*). Se — à, *statuĕre*, tr.; *constituĕre*, tr.; *decernĕre*, tr. Se — à la mort, *mortem sibi consciscĕre*. ¶ (Par ext.) Déterminer (le parti à prendre). *Decernĕre*, tr. *Statuĕre*, tr. *Constituĕre*, tr. *Instituĕre*, tr. — officiellement la guerre, *bellum consciscĕre*. Résolu, *certus*, *a*, *um*, adj.; *statutus*, *a*, *um*, p. adj.

respect, s. m. Action de prendre qqch. ou qqn en considération. *Respectûs*, *ûs*, m. *Ratio*, *onis*, f. ¶ Considération exagérée de l'opinion d'autrui. — hum in, *existimatio hominum*. ‖ Considération de la supériorité de force d'autrui, qui nous retient. *Admiratio*, *onis*, f. *Metûs*, *ûs*, m. Tenir qqn en —, *aliquem continēre*. ¶ Considération de l'excellence d'une chose qui nous commande de n'y point porter atteinte. *Verecundia*, *ae*, f. *Reverentia*, *ae*, f. *Religio*, *onis*, f. — de soi-même, *pudor*, *oris*, m. ¶ Défé-

rence profonde dont on honore une personne en raison de son caractère, de son rang. *Reverentia*, *ae*, f. *Veneratio*, *onis*, f. *Verecundia*, *ae*, f. *Observantia*, *ae*, f. Avec —, *reverenter*, adv. Sans —, *irreverenter*, adv. Sauf votre —, sauf le — que je vous dois, *pace tuâ dixerim*. ‖ (Au plur.) Respects, devoirs de civilité. Voy. DEVOIR.

respectable, adj. Digne de respect. *Venerabilis*, *e*, adj. *Venerandus*, *a*, *um*, adj. verb. ‖ Considérable, important. *Magnus*, *a*, *um*, adj. *Gravis*, *e*, adj.

respecter, v. tr. Considérer comme une chose dont on doit tenir compte. *Observāre*, tr. ¶ Considérer comme une chose à laquelle on ne doit pas porter atteinte à cause de son excellence. *Servāre*, tr. *Observāre*, tr. *Reverēri*, dép. tr. *Admirāri*, dép. tr. Ne pas —, voy. VIOLER. Se — soi-même, *famae parcĕre*. ‖ (Par ext.) Ne pas porter atteinte à. *Parcĕre*, intr. *Abstinēre se* ou (simpl.) *abstinēre*, intr. ¶ Honorer qqn d'une déférence profonde en raison de son caractère, de son rang. *Verēri*, dép. tr. *Observāre*, tr. *Reverēri*, dép. tr. Etre respecté, *in honore esse*.

respectif, *ive*, adj. En parlant de plusieurs personnes, de plusieurs choses : qui concerne chacune d'elles par rapport aux autres. Pour discuter leurs intérêts —, *ut quid cujusque esset, disceptarent*. Position, situation —, *comparatio*, *onis*, f.

respectivement, adv. Chacun en ce qui le concerne. *Pro se quisque*.

respectueusement, adv. D'une manière respectueuse. *Cum veneratione* (ou *observantiâ*).

respectueux, *euse*, adj. Qui témoigne du respect. *Observans* (gén. *-antis*), p. adj. *Renerens* (gén. *-entis*), p. adj. Etre —, *reverentiam habēre*. Se montrer — envers les dieux, *adhibēre reverentiam erga deos*. ¶ (En parl. des ch.) *Plenus reverentiae* (ou *observantiae*). *Reverens* (gén. *-entis*), p. adj. Langage —, *reverens sermo*. Crainte —, *reverentia*, *ae*, f.; *verecundia*, *ae*, f. Avoir une crainte — pour, *verēri*..., dép. tr.

respirable, adj. Propre à la respiration. *Spirabilis*, *e*, adj.

respiration, s. f. Action de respirer. *Spiritûs*, *ûs*, m. *Anima*, *ae*, f. — forte et profonde, *suspirium*, *ii*, n.

respiratoire. adj. Qui sert à la respiration. *Spirabilis*, *e*, adj.

respirer, v. intr. et tr. ‖ (*V. intr.*) Absorber l'air atmosphérique destiné à vivifier le sang. *Spirāre*, intr. — par le nez, *naribus spiritum trahĕre*. — difficilement, *aeğrè ducĕre spiritum*. ‖ (Par ext.) Vivre. *Spirāre*, intr. Respirant à peine, *semianimus*; *vix vivus*. Fig. *Spirāre*, intr. ‖ (Fig.) Reprendre vie. *Respirāre*, intr. Laisser — le soldat, *militem reficĕre*. ‖ (*V. tr.*) Attirer dans les poumons. *Spiritu ducĕre, Spiritum trahĕre.* — un air frais, *refrigerationem aurae captāre.* — un parfum, *odorem naribus trahĕre.* || (Fig.) Appeler de ses vœux. Voy. ASPIRER [à], DÉSIRER [ardemment]. || Exhaler. *Spirāre,* tr. || (Fig.) *Spirāre,* tr. *Anhelāre,* tr.

resplendir, v. intr. Briller d'un éclat magnifique. *Collucēre,* intr. *Refulgēre,* intr. || (Fig.) Voy. BRILLER.

resplendissant, *ante,* adj. Qui resplendit. *Splendidus, a, um,* adj. *Splendens* (gén. *-entis*), p. adj.

responsabilité, s. f. Obligation de répondre de ses actes. *Religio, onis,* f. *Auctoritas, atis,* f. *Officium, ii,* n. La — du général, *imperatoris officium.* Fuir la —, *defugĕre auctoritatem.* La — d'une faute, *crimen, inis,* n.; *culpa, ae,* f. Assumer la — d'une faute, *culpam praestāre.* J'en prends la —, *recipio ad me,* et simpl. *recipio.* Sous ma —, *meo periculo.*

responsable, adj. Qui doit répondre de ses actes. *Cui ratio reddenda est.* Etre — de qqch., *aliquid in se recipĕre.*

ressaisir, v. tr. Saisir de nouveau. *Denuo prehendĕre,* tr. Fig. Se —, *se ad se revocāre.*

ressasser, v. tr. Repasser au ass. *Iterum incernĕre.* || (P. anal.) Agiter. Voy. ce mot. || (Fig.) Revenir sur une chose. Voy. REDIRE. Ressassé, voy. REBATTU.

ressaut, s. m. Saillie qui interrompt un plan. *Pergula, ae,* f. Faire —, *resilire,* intr. || (Fig.) Voy. SAILLIE.

ressemblance, s. f. Rapport de conformité. *Similitudo, inis,* f. *Congruentia, ae,* f. *Convenientia, ae,* f. Avoir de la — avec, voy. RESSEMBLER.

ressemblant, *ante,* adj. Qui ressemble. *Similis, e,* adj. (*alicujus* ou *alicujus rei*). || Imité exactement, exact. *Similis, e,* adj. Portrait —, *similitudo veri.* Etre —, *similitudines reddĕre.* Faire —, *similitudinem assequi.*

ressembler, v. intr. Etre (avec qqn, qqch.) dans un rapport de conformité. *Similem* ou *simile esse* (*alicujus* ou *alicujus rei*). *Accedĕre,* intr. (*prope ad similitudinem alicujus rei*). Se —, *inter se similes esse.*

ressentiment, s. m. Action de ressentir. *Sensûs, ûs,* m. *Admonitio, onis,* f. Avoir un — de qqch., *aliquid sentire.* ¶ Action de se rappeler le mal que qqn nous a fait. *Dolor, oris,* m. *Ira, ae,* f. Fléchir le — de qqn, *alicujus iram flectĕre.*

ressentir, v. tr. Recevoir (des personnes *ou* des choses) une impression agréable *ou* pénible. *Sentire,* tr. *Capĕre,* tr. *Accipĕre,* tr. *Percipĕre,* tr. — vivement qqch., *molestissimē ferre aliquid.* || (Par ext.) Recevoir, par sympathie (de ce qui arrive à un autre), une impression agréable *ou* pénible. — les peines d'autrui, *alienam vicem dolēre*

ou *alienis malis laborāre.* — autant qu'eux-mêmes les chagrins de ses amis, *amicorum angoribus pariter dolēre.* — la joie de qqn, *alicujus laetitiā laetāri aeque ac suā.* ¶ Eprouver un sentiment provoqué par qqn ou qqch. *Capĕre,* tr. *Concipĕre,* tr. *Percipĕre,* tr. — la haine du pouvoir, de la haine contre qqn, *odium regni capĕre; odium in aliquem concipĕre.* — de la compassion, *misericordia movēri* (ou *commovēri*). || Recevoir plus tard une impression qu'on n'avait pas eue d'abord. *Sensu* (*alicujus rei*) *commovēri.* || (Par anal.) Se — de qqch., *admonitionem* (*alicujus rei*) *sentire.* ¶ Ressentir qqch., *c.-à-d.* en produire l'impression. *Olēre,* tr. *Redolēre,* tr. Se —, *prodi,* pass.

resserrement, s. m. Action de resserrer. *Coartatio, onis,* f.

resserrer, v. tr. Serrer de nouveau (en enfermant). *Reponĕre,* tr. *Rursus condĕre,* tr. || Enfermer dans un espace plus étroit. *Coangustāre,* tr. *Coartāre,* tr. *Contrahĕre,* tr. *Comprimĕre,* tr. *Concludĕre,* tr. Resserré, *angustus, a, um,* adj.; *artus, a, um,* adj. ¶ Serrer de nouveau (en rapprochant les parties). *Astringĕre,* tr. *Constringĕre,* tr. *Contrahĕre,* tr. || Serrer davantage. *Adducĕre,* tr. *Astringĕre,* tr. *Constringĕre,* tr. *Contrahĕre,* tr. || Se —, *c.-à-d.* réduire sa dépense, voy. RÉDUIRE.

ressort, s. m. Action de rebondir. Faire —, voy. REBONDIR. || (Par ext.) Elasticité qui fait revenir un corps comprimé à son premier état. *Intentio, onis,* f. || (Fig.) Impulsion naturelle. Voy. ÉNERGIE. Sans —, *enervis, e,* adj. || Pièce d'un mécanisme qui en se détendant meut une pièce voisine. *Organum, i,* n. || (Fig.). Ce qui donne l'impulsion. *Machinatio, onis,* f. ¶ (Spéc.) Action de recourir à qqn, qqch. || (Spéc.) Recours, appel à une juridiction supérieure. *Appellatio, onis,* f. || (Par ext.) Compétence d'une juridiction. *Jurisdictio, onis,* f. || (Fig.) Voy. COMPÉTENCE.

ressortir, v. intr. Sortir d'un lieu où l'on vient d'entrer. *Exire,* intr. ¶ (Par anal.) Former relief. *Eminēre,* intr. || (Au fig.) *Eminēre,* intr. Faire —, *excitāre,* tr. || (Fig.) Résulter. Voy. ce mot. ¶ (Fig.) Recourir à une juridiction supérieure. Voy. APPELER. || (Par ext.) Etre de la juridiction d'un tribunal. *Pertinēre,* intr. (*ad aliquem*).

ressource, s. f. Ce qui peut fournir ce dont on a besoin. *Ops, opis,* f. (surt. au plur.). *Copia, ae,* f. *Facultates, um,* f. pl. *Opportunitates, um,* f. pl.

1. ressouvenir, v. tr. Se souvenir d'une chose lointaine. *Reminisci,* dép. tr. et intr. (*alicujus rei* ou *aliquid*). *Recordāri,* dép. tr. Faire — de..., *iterum monēre* (*aliquem de aliquā re*).

2. ressouvenir, s. m. Souvenir lointain. *Recordatio, onis,* f.

ressusciter, v. tr. et intr. || (*V. tr.*) Ramener du trépas à la vie. *A mortuis* (ou *ab inferis*) *excitâre*. *Ad vitam revocâre*. || (Fig.) Faire revivre ce qui est oublié. *Revocâre*, tr. ¶ (*V. intr.*) Revenir du trépas à la vie. *Reviviscêre*, intr. || (Par hyperb.) Revenir d'une grave maladie. *Resurgêre*, intr.

ressuyer, v. tr. Faire sécher. Voy. SÉCHER. Se —, voy. SÉCHER.

restant, *ante*, adj. Qui reste. *Reliquus*, *a*, *um*, adj. || Survivant. Voy. ce mot. || Subst. Le — (ce qui reste), *reliquum*, *i*, n.; *reliqua*, *orum*, n. pl. Restantes de table, *cenarum reliquiae*.

restaurant, *ante*, adj. et s. m. || *Adj.* Qui restaure. Voy. TONIQUE Une nourriture —, voy. SUBSTANTIEL. ¶ *S. m.* Ce qui restaure. Voy. TONIQUE. || Etablissement d'un restaurateur. *Popina*, *ae*, f.

restaurateur, s. m. Celui qui restaure, qui remet en état. *Restitutor*, *oris*, m. *Refector*, *oris*, m. || (Fig.) *Restitutor*, *oris*, m. ¶ Celui qui tient un établissement où l'on donne à manger. *Popinarius*, *ii*, n.

restauration, s. f. Action de restaurer, de remettre en bon état. *Restitutio*, *onis*, f. *Refectio*, *onis*, f. || (Fig.) *Restitutio*, *onis*, f.|| (Spéc.) Action de remettre sur le trône *Restitutio*, *onis*, f.

restaurer, v. tr. Remettre en bon état. *Restitutêre*, tr. *Reficêre*, tr. — les forces, *reficêre vires*. || Spéc. — qqn (le faire manger à sa faim), *cibo aliquem juvâre*. Se —, *reficêre vires cibo*. || (Fig.) *Restituêre*, tr. *Reparâre*, tr.

reste, s. m. Ce qui demeure d'une chose, après retranchement d'une ou plusieurs parties. *Reliquum*, *i*, n. *Reliquiae*, *arum*, f. pl. Qui est de —, *reliquus*, *a*, *um*, adj. Laisser de —, *relinquêre*, tr. Absol. Restes, *c.-à-d.* dépouille mortelle, *reliquiae*, *arum*, f. pl. Fig. Un — de feinte, *residua simulatio*.

rester, v. intr. Demeurer, après retranchement d'une ou plusieurs parties. *Restâre*, intr. *Relinqui*, passif: *Reliquum esse*. *Superesse*, intr. Qui reste, *reliquus*, *a*, *um*, adj. Ceux qui restent, *c.-à-d.* les autres, *reliqui*, *orum*, m. pl. ¶ Demeurer dans le lieu où l'on est. *Manêre*, intr. *Remanêre*, intr. *Resistêre*, intr. — court, *haerêre* (ou *haesitâre*), intr. || (Fig.) Demeurer dans la position où l'on est. *Manêre*, intr. *Permanêre*, intr. *Remanêre*, intr. || Demeurer dans le même état. *Manêre*, intr. *Permanêre*, intr. *Remanêre*, intr. *Stâre*, intr.

restituer, v. tr. Rendre (qqch.) à sa forme, à son état régulier. *Restituêre* (*in antiquum statum*). *Redigêre* (*ad priorem formam*). || (Spéc.) Rendre une maison dans l'état où l'on l'a prise. *Restituêre*, tr. ¶ Rendre à qqn ce qu'on lui a pris. *Restituêre*, tr. *Reddêre*, tr. Voy. RENDRE.

restitution, s. f. Action de rendre à qqn ce qu'on lui a pris. *Restitutio*, *onis*, f. *Reformatio*, *onis*, f. Attaquer, poursuivre qqn en —, *res repetêre ad aliquo*.

restreindre, v. tr. Ramener à des limites plus étroites. || (Au propre.) *Circumscribêre*, tr. Restreint, *angustus*, *a*, *um*, adj. || (Fig.) *Contrahêre*, tr. — les libéralités, *restringêre liberalitatem*. — ses libéralités, *reducêre liberalitatem*. — ses dépenses, se —, *modum facêre sumptibus*. Restreint, *circumscriptus*, *a*, *um*, p. adj. || (En parl. du temps.) *Artâre*, tr. Restreint, *angustus*, *a*, *um*, adj.; *circumcisus*, *a*, *um*, p. adj.

restriction, s. f. Action de restreindre. *Exceptio*, *onis*, f. Avec cette — que..., *ita... ut...* (et le Subj.). Avec cette seule — que..., *ita quidem ut* (et le Subj.). Sans —, *nullo adhibito modo*.

résultat, s. m. Ce qui résulte. *Eventus*, *ûs*, m. *Exitus*, *ûs*, m. *Effectus*, *ûs*, m. — final, *finis*, *is*, m. — heureux, voy. succès. — malheureux, voy. REVERS. Avoir pour — de..., *eo pertinêre*, *ut...* Sans — *frustra*, adv.

résulter, v. intr. Se produire par suite d'une action, d'un fait. *Exsistêre*, intr. *Proficisci*, dép. intr. (*ab aliquâ re*). *Redire*, intr. (*ex aliquâ re*). *Sequi*, dép. tr. *Consequi*, dép. tr. (*aliquid*).

résumer, v. tr. Condenser (ce qui a été dit ou écrit). *Complecti*, dép. tr. *Contrahêre*, tr. *Concludêre*, tr. Se —, *brevi comprehendêre*. Pour me —, *brevitatis causâ*. || Au part. passé pris substantivt. Résumé, *complexio*, *onis*, f.: *conclusio*, *onis*, f.; *summa*, *ae*, f. Un résumé (*c.-à-d.* un livre abrégé, un abrégé, voy. ABRÉGÉ. En résumé, au résumé (pour résumer), *in summâ*; *denique*, adv. ¶ Résumer, *c.-à-d.* faire le fond dc. *Continêre*, tr.

résurrection, s. f. Action de ressusciter. *Reditus* (*mortui*, *mortuorum*) *in vitam*.

rétablir, v. tr. Etablir de nouveau. *Instaurâre*, tr. ¶ Remettre dans son établissement primitif. *Restituêre*, tr. ¶ Remettre en bon état. *Restituêre*, tr. *Redintegrâre*, tr. Absol. — qqn, *ad sanitatem revocâre aliquem*. Se — en santé *et. absol.*, se —, *convalescêre*, intr.

rétablissement, s. m. Action de rétablir. *Restitutio*, *onis*, f. *Refectio*, *onis*, f. *Recreatio*, *onis*, f.

retard, s. m. Le fait d'arriver trop tard. *Mora*, *ae*, f. *Cessatio*, *onis*, f. *Commoratio*, *onis*, f. *Cunctatio*, *onis*, f. Qui est en —, *serus*, *a*, *um*, adj. Etre en — *cessâre*, intr. || (Par ext.) Le fait d'arriver plus tard que d'ordinaire. *Mora*, *ae*, f. ¶ Le fait d'agir plus tard qu'il ne faut. *Mora*, *ae*, f. *Retardatio*, *onis*, f. Sans —, *protinus*, adv.; *statim*, adv., *continuo*, adv.

retardataire, adj. Qui arrive en retard. *Lentus*, *a*, *um*, adj.

retarder, v. tr. et intr. (*V. tr.*) Faire arriver plus tard qu'il ne faut. *Retardâre*, tr. *Tardâre*, tr. *Morâri*, dép. tr. *Remorâri*, dép. tr. || Différer. Voy. DIFFÉRER, REMETTRE. || Faire agir plus tard qu'il ne faut. *Retardâre*, tr. *Morâri*, dép. tr. || (*V. intr.*) Arriver plus tard qu'à l'ordinaire. *Serius solito venire.* || Agir plus tard que d'ordinaire. *Morâri*, dép. intr.

retenir, v. tr. Ne pas laisser aller. || (En parl. des personnes.) *Retinêre*, tr. *Tenêre*, tr. *Continêre*, tr. *Detinêre*, tr. *Sustinêre*, tr. *Coercêre*, tr. *Cohibêre*, tr. *Inhibêre*, tr. *Morâri*, dép. tr. *Demorâri*, dép. tr. Se — (ne pas s'abandonner à la passion) *sibi imperâre.* Retenu, *moderatus, a, um*, p. adj.; *modestus, a, um*, adj.; *temperatus, a, um*, p. adj. ¶ (En parl. des choses.) *Retinêre*, tr. *Tenêre*, tr. *Continêre*, tr. *Cohibêre*, tr. ¶ (Spéc.) Ne pas se dessaisir de qqch. Voy. GARDER, [s']APPROPRIER. || Se faire réserver qqch. *Prospicêre* (ou *sibi prospicêre*) *aliquid.*

retentir, v. intr. Renvoyer un son éclatant. *Sonâre*. intr. *Resonâre*, intr. *Personâre*, intr. *Strepêre*, intr. En parl. de l'écho : *reboâre*, intr. Faire —, *personâre*, tr. || (Fig.) Voy. CÉLÉBRER. Faire — la Sicile du bruit de son nom, *implêre Siciliam famâ nominis.*¶ Rendre un son éclatant. *Sonitum reddêre* ou *referre sonum. Sonâre*, intr. *Personâre*, intr.

retentissant, *ante*, adj. Qui retentit. *Sonans* (gén. *-antis*), p. adj.

retentissement, s. m. Action de retentir. *Sonitus, ûs*, m. *Resultans sonus* || (Fig.) Avoir du —, *famâ celebrari.*

retenue, s. f. Action de se retenir. *Verecundia, ae*, f. *Moderatio, onis*, f. *Modestia, ae*, f. Avec — *modestê*, adv. Sans —, *petulanter*, adv.

rétiaire, s. m. Gladiateur armé d'un filet. *Retiarius, ii*, m.

réticence, s. f. Action de taire à dessein. *Dissimulatio, onis*, f. User de —, *dissimulâre*, tr. || (Rhétor. Figure qui consiste à feindre d'omettre une chose. *Reticentia, ae*, f.

rétif, *ive*, adj. En parl. d'une monture, qui s'arrête *ou* recule au lieu d'avancer. *Contumax* (gén. *-acis*), adj. ¶ (Fig.) Très indocile. *Asper, a um*, adj. *Contumax*, adj.

retirer, v. tr. Tirer hors d'un lieu. *Retrahêre*, tr. *Detrahêre*, tr. *Extrahêre*, tr. *Abdêre*, tr. *Abducêre*, tr. *Deducêre*, tr. — de dessous, — furtivement, *subtrahêre*, tr. Se —, *abîre*, intr.; *cedêre*, intr.; *concedêre*, intr.; *discedêre*, intr.; *recedêre*, intr.; *secedêre*, intr. (*ad aliquem*). Faire —, *removêre*, tr.; *submovêre*, tr. || (Par ext.) Détourner. *Avertêre*, tr. Se — d'auprès de qqn, *discedêre ab aliquo.* ¶ (Au fig.) Tirer (qqn) d'une situation. *Retrahêre*, tr. *Extrahêre*, tr.

Eximêre, tr. Se — de la vie publique, *se abducêre ab omni rei publicae curâ.* Se — devant qqn, *decedêre alicui.* Se — (du monde, de la société), *in otium secedêre* ou (simpl.) *secedêre*, intr. Retiré, menant une vie retirée, *seductus.* Vie retirée, *recessûs, ûs*, m. (Par ext.) Retiré, *abditus, a, um*, p. adj.; *reconditus, a, um*, p. adj.; *secretus, a, um*, p. adj. ¶ Tirer d'une chose ce qu'elle produit. *Percipêre*, tr.¶ Tirer en arrière.

retrahêre, tr. *Reducêre*. tr. *Subducêre*, tr. — sa main de qqn, *aliquem destituêre.* || (Spéc.) Tirer en arrière par contraction. Faire — le sang (vers le cœur), *contrahêre sanguinem.* Se —, *contrahêre se* ou *contrahi: recedêre*, intr. Se — (en parl. des eaux), *refluêre*, tr. || Se dépouiller (de ses vêtements). *Exuêre*, tr. (*vestem*). || (Fig.) Reprendre. *Detrahêre*, tr. *Demêre*, tr. *Adimêre*, tr. — à qqn son amitié, *amicitiam renuntiâre.* — des mots qui ont échappé, *dicta elapsa reprendêre.*

retomber, v. intr. (En parl. d'une pers.) Tomber de nouveau après s'être relevé (au pr. et au fig.). *Recidêre*, intr. || Tomber après s'être élevé. *Recidêre*, intr. || Se rejeter (sur qqn). *Se convertêre in aliquem.* || (Fig.) — sur qqn, *recurrêre ad aliquem.* || — sur soi-même, *semet ipsum introspicêre ; se ad se revocâre* ou *se revocâre.* ¶ (En parl. d'une chose.) Tomber de nouveau après avoir été relevé. *Recidêre*, intr. || Tomber après avoir été élevé. *Recidêre*, intr. || (Par ext.) Pendre d'une certaine hauteur. *Dependêre*, intr. Laisser — un vêtement, *vestem rejicêre.* || Etre rejeté sur qqn. *Recidêre*, intr. *Redundâre*, intr. Faire —, *inclinâre*, tr.; *rejicêre*, tr.

retors, *orse*, adj. (Fig.) Serré, rusé (en parl. d'une personne). *Argutus, a, um*, adj.

retoucher, v. tr. et intr. || (*V. tr.*) Toucher de nouveau (qqch.). — une peinture (corriger certaines parties), voy. CORRIGER. — un ouvrage (le perfectionner), *retractâre* (*librum*); *rescribêre* (*commentarios*). Retouché, *retractatus, a, um*, p. adj. ¶ (*V. intr.*) Toucher de nouveau (à qqch.). *Retractâre*, tr.

retour, s. m. Action de revenir en arrière. *Reditûs, ûs*, m. *Recursûs, ûs*, m. *Regressûs, ûs*, m. Tour et —, *flexûs, ûs*, m. || (Par anal.) Angle que forme une ligne, une surface. Voy. COUDE. || (Au fig.) Action de revenir sur ce qu'on a dit. *Sententiae* (ou *consilii*) *mutatio.* || Vicissitude. *Mutatio, onis*, f. *Commutatio, onis*, f. *Vicissitudo, onis*, f. || (Spéc.) Changement en mal. *Flexûs, ûs*, m. Etre sur le —, voy. DÉCLIN, DÉCLINER, DÉCADENCE. Au — de l'âge, *aetate jam declinatâ.* ¶ Action de revenir au lieu d'où l'on était parti. *Reditio, onis*, f. *Reditûs, ûs*, m. Etre de —, *reducem esse.* Au — de.... *rediens e...*; *regressus e...* || (Par ext.) Retour périodique. *Reversio, onis,* f. Au — du printemps, *vere novo.* Avoir un — de jeunesse, *repuerascère,* intr. || (*Au fig.*) Action de revenir à l'état où l'on se trouvait. *Reditus, ûs,* m. *Regressûs, ûs,* m. — d'une âme à la vertu, *mutatio morum.* Faire un — vers..., *remigrâre* (*ad justitiam*); *se referre* (*ad philosophiam*).|| Action de revenir par réflexion au passé. *Recordatio* (*praeteritorum*). || (T. de dr.) Faire retour à qqn *redire ad aliquem.* || (Spéc.) Faire un — sur soi-même, *in se respicère.* || (Loc. adv.) Ils quittent leur patrie sans —, *ipsi patriam relinquunt quam non sunt repe.tituri.* ¶ Action de revenir pour ajouter qqch., pour rendre un échange égal. *Remuneratio, onis,* f. Payer qqn de —, *referre,* tr.; *respondère,* intr.

retourner, v. tr. et intr. || (*V. tr.*) Tourner dans un autre sens. *Vertère,* tr. *Convertère,* tr. Tourner et —, *versâre,* tr. — la tête, se — pour regarder, *respicère,* intr. et tr. (*ad aliquem; aliquem*). || (Fig.) — qqn, *versâro aliquem ou* (dans un autre sens), *graviter aliquem commovêre.* Se —, *se vertère.* Qui sait se —, *versutus.* — qqch., *versâre,* tr. — qqch. contre qqn, *convertère aliquid in aliquem.* ¶ Faire reporter au point de départ. Voy. RENVOYER. S'en —, *c.-à-d.* se diriger vers le lieu d'où l'on vient, voy. ci-après et cf. [s'en] ALLER. ¶ (*V. intr.*) Se diriger de nouveau vers un lieu. *Repetère,* tr. *Revisère,* tr. || Se diriger vers le lieu d'où l'on vient. *Reverti,* dép. intr. *Regredi,* dép. intr. *Redire,* intr. — en hâte, *recurrère,* intr. || (Fig.) En parl. d'une chose. Etre reporté à l'auteur. *Referri* (*ad aliquem*). || Etre rendu au possesseur. *Redire* (*ad aliquem*). || (En parl. d'une pers.) Revenir à ce qu'on avait quitté. Voy. REVENIR. || Revenir sur qqch. *Repetère,* tr.

retracer, v. tr. Tracer de nouveau. *Iterum describère.* ¶ Décrire sous ses véritables traits. *Describère,* tr. *Depingère,* tr. Se —, *recolère,* tr.; *recordâri,* dép. tr.

rétractation, s. f. Action de rétracter ce qu'on a dit. *Retractatio, onis,* f.

1. rétracter, v. tr. Retirer formellement (ce qu'on a dit). *Retractâre* (*dicta*). Se — (se déd re formellement), *retexère dicta.*

2. rétracter, v. tr. Retirer, raccourcir par contraction. *Contrahère,* tr.

retrait, s. m. Action de se contracter. *Retractio, onis,* f. ¶ Etat de ce qui revient en arrière. *Recessûs, ûs,* m. Le — de la mer, voy. REFLUX. En — (c.-à-d. en arrière de l'alignement), *reductus, a, um,* p. adj. Etre en —, *recedère,* intr. || (P. ext.) Lieu où l'on se retire. Voy. RETRAITE.

retraite, s. f. Action de se retirer d'un lieu. *Decessûs, ûs,* m. *Decessio, onis,* f. *Discessûs, ûs,* m. — du peuple (à Rome), voy. SÉCESSION. Faire —, voy. [se] RETIRER. || (Fig.) Cessation. Voy. ce mot. — des eaux, *recedens aqua.* || (Spéc.) Marche en arrière d'un corps de troupes qui se retire devant l'ennemi. *Receptûs, ûs,* m. Battre en —, faire —, opérer sa —, *se recipère.* ¶ (Au fig.) Action de se retirer de la vie active, mondaine. *Secessûs, ûs,* m. Vivre dans la —, voy. RETIRER. || (Spéc.) Action de quitter les fonctions actives (en parl. d'un fonctionnaire). *Missio, onis,* f. Mettre qqn à la —, *permittère alicui otium.* Prendre sa —, *in otium se conferre ou secedère.* Pension de — et ellipt. —, *annua praebenda.* || (Eccl.) Action de se retirer du monde pour se livrer à des pratiques pieuses. *Anachoresis, is,* f. ¶ Lieu où l'on se retire. *Recessûs, ûs,* m.¶ Retrait. Voy. ce mot.

retraité, ée. Voy. RETRAITER.

retraiter, v. tr. Mettre à la retraite. *Dimittère,* tr. (on dit, au fig.) *rude donâre aliquem ou dâre rudem alicui.* Retraité, *donatus rude.* Soldat —, *emeritus, i,* m.

retranchement, s. m. Action de retrancher. *Detractio, onis,* f. || (Fig.) Voy. SUPPRESSION. ¶ (T. milit.) Enceinte d'une place de guerre pour arrêter les assaillants. *Munitio, onis,* f. *Munimentum, i,* n. Elever des —, *munire,* tr. || (Fig.) Moyen de défense contre les accusations, les reproches. *Perfugium, ii,* n. *Receptûs, ûs,* m. Pousser qqn dans ses derniers —, *ad extremam necessitatem aliquem compellère.*

retrancher, v. tr. Enlever d'une chose une partie qu'on en sépare. *Abscidère,* tr. *Circumcidère,* tr. *Recidère,* tr. *Demère,* tr. *Subducère,* tr. Etre retranché, decedère, intr. Se — qqch., *fraudâre se aliquid re.* — à, *c.-à-d.* réduire, borner à, voy. RÉDUIRE, BORNER. ¶ (T. milit.) Munir de moyens de défense une enceinte prise sur un espace déterminé. *Vallâre,* tr. *Munire,* tr. Camp —, *castra vallo fossâque communita.* Se —, *saepire se vallo.* || (Fig.) Recourir à un moyen de défense contre les accusations, les reproches. Se — dans, *confugère ad...*

rétrécir, v. tr. Rendre plus étroit. *Coartâre,* tr. *Angustâre,* tr. — un cercle, *breviore spatio orbem colligère.* Rétréci, *contractus, a, um,* p. adj. Fig. Se — (en parl. de l'esprit), *hebetiorem fieri.* Esprit rétréci, *pusillus animus.*

rétrécissement, s. m. Action par laquelle une chose se rétrécit. *Coartatio, onis,* f.

retremper, v. tr. Tremper de nouveau. *Iterum tingère.* || (P. ext.) — (l'acier), *recoquère,* tr. || (Fig.) Rendre plus énergique. *Recoquère,* tr.

rétribuer, v. tr. Payer (qqn) du salaire déterminé pour un service, un travail. *Meritum praemium alicui persolvēre. Mercedem alicui dăre* (ou *tribuĕre*).

rétribution, s. f. Salaire déterminé d'un service, d'un travail. *Certum pretium.* Sans —, voy. GRATUITEMENT.

rétrograde, adj. Qui va en arrière. *Retrogradus, a, um,* adj. Marche —, *regressŭs, ūs,* m. Mouvements —, *regressŭs, ūs,* m.

rétrograder, v. intr. Retourner en arrière. *Retrocedĕre,* intr. *Retroire,* intr.

retrousser, v. tr. Relever en faisant remonter le bas vers le haut. *Succingĕre,* tr. — sa robe, *recolligĕre stolam.* Retroussé, qui a la robe —, *succinctus, a, um,* p. adj. ‖ (P. ext.) Se —, *cingi,* pass. réfl.

retrouver, v. tr. Trouver de nouveau. Se — (en qq. endroit), *redire ad...* Aller —, qqn, *redire ad aliquem.* Se — dans la même situation, *eodem statu esse.* ¶ Trouver qqn dont on était séparé. *Reperire,* tr. Se —, voy. REMONTRER. ‖ (Fig.) Trouver qqn qui remplace celui qui n'est plus là. *Recognoscĕre,* tr. ‖ Trouver qqn redevenu tel qu'il était autrefois. *Reperire,* tr. *Agnoscĕre,* tr. Se —, *se ad se revocāre.* ‖ Trouver qqch. qu'on avait perdu. *Reperire,* tr. *Recipĕre,* tr. *Recuperāre,* tr. Ne pas —, *requirĕre,* tr ; *desiderāre,* tr.

rets, s. m. Filet pour prendre du gibier, du poisson. *Rete, is,* n.

réunion, s. f. Action de réunir. *Congregatio, onis,* f. *Congressŭs, ūs,* m. *Conventŭs, ūs,* m. ‖ (Par méton.) Assemblée. *Conventŭs, ūs,* m. *Concilium, ii,* n. Salle de — (du sénat), *curia, ae,* f.

réunir, v. tr. Unir des parties séparées. *Jungĕre,* tr. *Conjungĕre,* tr. *Annectĕre,* tr. (*aliquid, alicui rei*). — une armée, *exercitum cogĕre.* Se —, *coire,* intr. Spéc. — des gens qui étaient en mésintelligence, voy. CONCILIER, RÉCONCILIER. Par ext. — tous ses efforts, voy. UNIR.

réussir, v. intr. Avoir une issue heureuse. *Cedĕre,* intr. (*prosperē, feliciter, faustē*). *Succedĕre,* intr. (*bene et prosperē*). *Procedĕre,* intr. (av. ou sans les adv. *bene* et *prosperē*). ‖ (Par ext.) Arriver à une issue heureuse. *Proficĕre,* tr. Ne pas —, voy. ÉCHOUER. Faire —, *fortunāre,* tr. — à, *efficĕre* ou *perficĕre* (avec *ut* et le Subj.); *pervincĕre,* tr. (av. *ut* et le Subj.).

réussite, s. f. Action de réussir. *Successus rerum,* et (simpl.) *successus. ūs,* m.

revanche, s. f. Action de reprendre sur qqn l'avantage qu'il a pris sur nous. *Hostimentum, i,* n. Prendre sa — d'une défaite, *hosti acceptam cladem reddĕre.*

rêve, s. m. Combinaison plus ou moins confuse de faits imaginaires qui se présente à l'esprit pendant le sommeil. *Somnium, ii,* n. En —, *per somnum; in somnis.* Avoir, faire un —, *somniāre,* intr. ‖ (Fig.) Idée chimérique. *Somnia, orum,* n. pl.

revêche, adj. (Fig.) Difficile à manier. *Asper, a, um,* adj. *Intractabilis, e,* adj.

réveil, s. m. Action de réveiller. *Expergefactio, onis,* f. A mon, ton, son —, *experrectus.*

réveiller, v. tr. Tirer tout à coup du sommeil. *Expergefacĕre,* tr. *Excitāre,* tr. (avec ou sans *somno* ou *e somno*). *Suscitāre,* tr. (avec ou sans *e somno* ou *somno*). *Exsuscitāre,* tr. — d'un profond sommeil, *gravem somnum excutĕre alicui.* Se —, *expergefieri,* pass.; *expergisci,* dép. intr. Se — en sursaut, *somno excuti.* ‖ (Fig.) Tirer tout à coup du repos, de l'inaction. *Excitāre,* tr. *Erigĕre,* tr. *Expergefacĕre,* tr. Se —, *expergisci,* dép. intr.

révélateur, *trice,* s. m. et f. Celui, celle qui révèle qqch. *Index, icis,* m. *Proditor, oris,* m. Révélatrice, *index, icis,* f. Adjectivt. *Manifestus, a, um,* adj.

révélation, s. f. Action de révéler. *Indicium, ii,* n.

révéler, v. tr. Faire connaître ce qui était tenu caché. *Patefacĕre,* tr. *Detegĕre,* tr. *Aperīre,* tr. *Proferre,* tr. *Ostendĕre,* tr.

revenant, *ante,* adj. et s. m. ‖ *Adj.* Qui revient. (Au propre.) Voy. REVENIR. ‖ (Fig.) Qui revient comme profit. *Debitus, a, um,* p. adj. ‖ Qui convient décidément. Voy. AGRÉABLE, AVENANT. ¶ *S. m.* Esprit qu'on suppose revenir de l'autre monde. Voy. FANTÔME.

revendeur, s. m. Celui qui achète pour revendre. *Scrutarius, ii,* m.

revendication, s. f. Action de revendiquer. *Vindicatio, onis,* f.

revendiquer, v. tr. Réclamer ce qu'un autre détient, comme nous appartenant. *Vindicāre,* tr. *Repetĕre,* tr. ‖ (P. ext.) Au fig. *Vindicāre,* tr. (*omnia pro suis*).

revendre, v. tr. Vendre de nouveau. *Iterum* (ou *rursus*) *vendĕre.* ‖ (Fig.) Avoir d'une chose à — (plus qu'il n'en faut), *domi habēre aliquid.*

revenir, v. intr. Venir de nouveau. *Redire,* intr. *Regredi,* dép. intr. ‖ (Par ext.) Repousser. Voy. ce mot. ¶ Venir d'un lieu au lieu d'où l'on était parti. *Revenīre,* intr. *Redire,* intr. *Regredi,* dép. intr. *Remigrāre,* intr. *Recipĕre se.* — vite, en hâte, etc., *recurrĕre,* intr. — auprès de qqn, voir qqn, *revisĕre,* tr. Faire — qqn, *revocāre,* tr. Fig. — de l'autre monde, *a morte revocatum esse ; velut ab inferis reportari.* Fig. — de son trouble, etc. *se* ou *animum recipĕre.* Faire — qqn à soi, *reddĕre aliquem sibi.* — d'une opinion, *opinionem deponĕre.* — sur ce qu'on a dit, *se revocāre.* — sur sa promesse, *revocāre promissum.* ‖ (En parl. des choses.)

Redire, intr. *Recidĕre*, intr. *Recurrĕre*, intr. Il m'est revenu que, *audivi* ou *comperi* (av. l'Acc. et l'Inf.) ; *ad me delatum est* (av. l'Acc. et l'Inf.). || (Par ext.) Echoir par droit ou par succession. *Redire*, intr. *Recidĕre*, intr. *Redundāre*, intr. Quel fruit me revient-il de..., *quid mihi lucri est* (av. l'Inf.). || Convenir décidément à qqn. Voy. PLAIRE, AGRÉER. || Se rapporter exactement à qqch. *Redire*, intr. *Valēre*, tr. *Recidĕre*, intr. — au même, *idem valēre*. Cela revient au même, *haec eodem recidunt*. || (Par ext.) Coûter. Voy. ce mot.

revenu, s. m. Ce qui revient annuellement à qqn d'un bien, d'une pension, d'une rente. *Reditŭs, ūs*, m. *Fructŭs, ūs*, m. *Vectigal, alis*, n. D'un bon —, *fructuosus, a, um*, adj. Donner des —, *redire*, intr. Revenus de l'État, *vectigalia, ium*, n. pl.

rêver, v. intr. et tr. || *V. intr.* Délirer. Voy. ce mot. || Déraisonner. Voy. ce mot. || Laisser aller sa pensée au hasard. *Alias res agĕre*. Pendant que nous —, *dum peregrè est animus*. || Faire des rêves. *Somniāre*, intr. — de qqn, *de aliquo somniāre*. || S'absorber dans une pensée. Voy. SONGER. ¶ (*V. tr.*) Voir en rêve pendant le sommeil. *Somniāre*, tr. || (Par anal.) Imaginer comme dans un rêve. *Somniāre*, tr. || (Par ext.) Imaginer. Voy. ce mot. || S'absorber dans un désir. *Agitāre (aliquid) animo* (ou *cum animo*).

réverbération, s. f. Répercussion de la lumière ou de la chaleur. *Repercussŭs, ūs*, m.

reverdir, v. intr. Redevenir vert. *Revirescĕre*, intr.

révérence, s. f. Respect profond. *Reverentia, ae*, f. ¶ Mouvement du corps pour saluer respectueusement. Faire sa —, *salutāre (aliquem)*.

révérencieux, *euse*, adj. Qui traite les gens avec révérence. *Reverens* (gén. *-entis*), p. adj.

révérend, *ende*, adj. Digne d'être révéré (épithète honorifique). *Reverendus, a, um*, adj.

révérer, v. tr. Traiter avec un profond respect. *Reverēri*, dép. tr.

rêverie, s. f. État de l'esprit qui se laisse aller au hasard. *Somnia, orum*, n. pl. ¶ Idée chimérique comme dans le rêve. *Somnium, ii*, n.

revers, s. m. Côté d'une chose opposé à celui par lequel on la regarde, on la présente de préférence. *Altera pars. Alterum latus*. Le — de la main, *inversa manus*. — du feuillet, *aversa charta*. Prendre l'ennemi à —, *hostes post tergum adorīri*. ¶ (Fig.) Revers de fortune et absolt. —, *c.-à-d.* sort contraire. *Casus adversus* (ou *tristis*).

reverser, v. tr. Verser de nouveau. *Refundĕre*, tr.

revêtement, s. m. Ce qui revêt (au fig.). Le — d'une construction (placage de marbre, etc.), *crusta, ae*, f.

revêtir, v. tr. Couvrir (qqn) d'un vêtement spécial. *Vestire*, tr. (on dit encore : *veste tegĕre aliquem ; veste induĕre aliquem* ou *induĕre alicui vestem*). || (Absol.) Couvrir d'un vêtement celui qui en manque. Voy. VÊTIR. || (Au fig.) *Vestire*, tr. *Inducĕre*, tr. *Induĕre*, tr. — qqn de la puissance publique, *deferre alicui summam imperii*. Etre revêtu d'une fonction, *honore affectum esse*. ¶ Mettre sur soi un vêtement spécial. *Vestiri (aliquā veste). Sibi induĕre (vestem aliquam)*. || (Fig.) Prendre une forme spéciale. *Induĕre sibi (aliquam formam)*. ¶ Couvrir d'un dessus qui rehausse, protège. *Vestire*, tr. *Convestire*, tr. *Tegĕre*, tr.

rêveur, *euse*, s. m. et f. Celui, celle qui se laisse aller à la rêverie. *Somnians* (gén. *-antis*), part. *Somniator, oris*, m. Une rêveuse, *mulier defixa in cogitatione*. || *Adj.* Rêveur. *Somniculosus, a, um*, adj.

revirement, s. m. Action de se retourner en sens contraire. (Fig.) *Commutatio, onis*, f.

reviser, v. tr. Soumettre à un nouvel examen pour réformer, s'il y a lieu. *Recognoscĕre*, tr.

revision, s. f. Action de reviser. *Recognitio, onis*, f.

revivre, v. intr. Revenir à la vie. *Reviviscĕre*, intr. (on dit aussi *ad vitam redire*.) Faire —, voy. RESSUSCITER. || — en qqn, se continuer en la personne d'un autre (*aliquem*) *reddĕre* (ou *referre*). Eux qui revivront dans la mémoire des hommes, *quorum memoria vigebit*. || (Par ext.) Se renouveler. *Reviviscĕre*, intr. *Recreāri*, pass. Faire —, *renovāre*, tr. || (Par anal.) Faire reparaître dans sa vivacité première. Voy. RAVIVER.

révocation, s. f. Action de révoquer. La — d'une donation, d'un édit. Voy. ANNULATION. || (P. ext.) La — d'un fonctionnaire, voy. DESTITUTION.

revoir, v. tr. Voir de nouveau. *Revisĕre*, tr. *Invisĕre*, tr. ¶ (Fig.) Examiner de nouveau. Voy. REVISER.

revoler, v. intr. Voler de nouveau. *Iterum volāre*. ¶ Revenir en volant. *Revolāre*, intr.

révoltant, *ante*, adj. Qui révolte (par indignation) *Atrox* (gén. *-ocis*), adj. *Immanis, e*, adj.

révolte, s. f. Action de se soulever contre l'autorité établie. *Seditio, onis*, f. *Rebellio, onis*, f. Entrer en —, voy. [se] RÉVOLTER. || (Au fig.) *Indignatio, onis*, f. *Ira, ae*, f. Un cri de —, *indignantium fremitus*.

révolter, v. tr. Soulever contre l'autorité établie. *Ad rebellionem* (ou *ad seditionem*) *incitāre*. Se —, *seditionem* *movēre* (ou *facēre*); *imperium auspiciumque abnuēre* (en parl. de soldats); (en parl. d'un peuple vaincu); *imperium alicujus detrectāre*. Révolté, *rebellis, e,* adj. || (Au fig.) Soulever d'indignation. *Movēre* (ou *commovēre*) *aliquem* (ou *alicujus animum*). *Indignationem movēre.* Se — contre qqch., *ab aliquā re abhorrēre.*

révolu, *ue,* adj. Qui a achevé son cours. *Exactus, a, um,* p. adj.

révolution, s. f. Retour au point de départ. || (Astron.) *Conversio, onis,* f. *Ambitūs, ūs,* m. *Orbis, is,* m. Faire, accomplir sa —, *volvi,* pass. ¶ (Par ext.) Changement qui fait que les choses prennent une nouvelle face. *Conversio, onis,* f. *Mutatio, onis,* f. *Commutatio, onis,* f. Une — dans la nature, *subita confusio rerum.* || (Par anal.) Trouble profond dans l'économie animale. *Perturbatio, onis,* f. || (Spéc.) Changement violent dans le gouvernement d'un État. *Rerum publicarum commutatio* (ou *conversio*). Préparer une —, *nova* (ou *novas res*) *quaerēre*; *novas res moliri.* En temps de —, *turbulentis in rebus.*

révolutionnaire, adj. Qui a le caractère d'une révolution (politique). *Seditiosus, a, um,* adj. *Turbulentus, a, um,* adj. Sentiments, idées, principes —, *studium novarum rerum.*

révoquer, v. tr. — en doute (remettre en doute), *in dubium vocāre* (ou *revocāre*). ¶ Retirer. *Revocāre,* tr. || — qqn (lui retirer son emploi), *submovēre aliquem honore.*

revue, s. f. Action d'examiner de nouveau. *Recognitio, onis,* f. Faire la — de, *recognoscēre,* tr.; *recensēre,* tr. Passer en —, *recolēre,* tr.; *perlustrāre,* tr. Passer en —, c.-à-d. énumérer, *persequi,* dép. tr. || (Spéc.) T. milit. *Lustratio, onis,* f.

rez-de-chaussée, s. m. Partie d'une maison qui est au niveau du sol. Pars *aedificii quae terrae proxima est.* Au —, *plano pede.* Chambres situées au —, du —, *conclavia quae plano pede sunt.*

rhéteur, s. m. Professeur d'éloquence. *Rhetor, oris,* m.

rhétorique, s. f. Art de bien dire. *Rhetorica, ae,* f.

Rhin, n. pr. Fleuve qui coule entre la Germanie et la Gaule. *Rhenus, i,* m. Qui est de l'autre côté du —, *Transrhenanus, a, um,* adj.

rhinocéros, s. m. Grand mammifère portant une ou deux cornes sur le nez. *Rhinoceros, rotis,* m.

Rhodes, n. pr. Île de la Méditerranée. *Rhodus, i,* f. ¶ Capitale de l'île. *Rhodus, i,* f. De —, *Rhodius, a, um,* adj. Habitants de —, *Rhodii, orum,* m. pl.

rhumatisme, s. m. Douleur dans les muscles, les articulations. *Morbus articularis.*

rhume, s. m. Inflammation de la muqueuse de la gorge ou des bronches, accompagnée de toux, d'enrouement. *Pectoris destillatio.*

rhythme et rythme, s. m. Disposition symétrique des temps forts et des temps faibles. *Numerus, i,* m.

rhythmer et rythmer, v. tr. Soumettre au rythme. *Modulāri,* dép. tr. *Astringēre numeris* (*solutam orationem*). Bien rythmé, voy. HARMONIEUX, NOMBREUX.

rhythmique et rythmique, adj. Qui a rapport au rythme. *Numerosus, a, um,* adj. || Substantivt. La — (partie de la prosodie relative au rythme), *numeri, orum,* m. pl.

riant, *ante,* adj. Qui rit, qui a l'air gai. *Ridens* (gén. *-entis*), p. adj. *Renidens* (gén. *-entis*), p. adj. *Hilaris, e,* adj. Être —, *renidēre,* intr. ¶ Qui porte à la gaîté. *Amoenus, a, um,* adj. *Jucundus, a, um,* adj. Couleur —, *hilaris color.* Être —, *ridēre,* intr.; *renidēre,* intr.

ricanement, s. m. Action de ricaner *Risūs, ūs,* m.

ricaner, v. intr. Rire avec affectation. *Sensim atque submissim ridēre.*

ricaneur, s. m. et f. Celui qui ricane. *Cachinno, onis,* m.

richard, s. m. Homme très riche. *Homo pecuniosissimus.*

riche, adj. Qui possède de grands biens. *Dives* (gén. *-itis*), adj. *Locuples* (gén. *-etis*), adj. *Opulentus, a, um,* adj. Par ext. Un mariage —, *matrimonium amplum et copiosum.* ¶ Qui possède qqch. en abondance. *Dives,* adj. *Locuples,* adj. *Opulentus, a, um,* adj. *Copiosus, a, um,* adj. *Ferax* (gén. *-acis*), adj. Être — de, en..., *affluēre,* intr. (av. l'Abl.). ¶ Qui a beaucoup de prix. *Locuples* (gén. *-etis*), adj.

richement, adv. D'une manière riche. *Opulentē,* adv. *Opulenter,* adv. *Opiparē,* adv.

richesse, s. f. Possession de grands biens. *Divitiae, arum,* f. pl. *Opulentia, ae,* f. *Opes, um,* f. pl. *Fortunae, arum,* f. *Facultates, um,* f. pl. || (P. ext.) Les grands biens qu'on possède. *Bona, orum,* n. pl. ¶ Possession de qqch. en abondance. *Copia, ae,* f. *Abundantia, ae,* f. *Ubertas, atis,* f. ¶ Grand prix d'une chose. *Pretium, ii,* n. || (Par ext.) Chose d'un grand prix. *Res pretiosa* (ou *pretiosissima*).

ride, s. f. Pli de la peau sur le front, etc. *Ruga, ae,* f.

rideau, s. m. Pièce d'étoffe tendue pour cacher, abriter qqch. *Velum, i,* n.

rider, v. tr. Sillonner de rides. *Rugāre,* tr. Se —, *corrugāri.* Ridé, *rugosus, a, um,* adj. || (P. anal.) Froncer en signe de mauvaise humeur). *Contrahēre* (ou *adducēre*) *frontem.* Se —, se — le front, *rugas contrahēre in fronte.* Ridé, *contractus, a, um,* p. adj.; *adductus, a, um,*

p. adj. ‖ (Fig.) — la surface de l'eau, *crispâre pelagus*. Se —, *horrescêre*, intr.

ridicule, adj. et s. m. ‖ *Adj*. Digne de risée. (En parl. des personnes et des choses.) *Ridiculus, a, um*, adj. *Ridendus, a, um*, p. adj. Se rendre —, *deridendum se praebêre*. ¶ *S. m.* Ce qui est digne de risée dans qqn, dans qqch. *Ridiculum, i*, n. Tourner en —, *irrisum habêre aliquem ; ad ridiculum convertêre aliquid*. ¶ Ce qui tourne en risée qqn ou qqch. *Ridiculum, i*, n.

ridiculement, adv. D'une manière ridicule. *Ridiculê*, adv.

ridiculiser, v. tr. Tourner en ridicule. Voy. RIDICULE.

rien, s. m. Quelque chose. *Quidquam*, n. *Aliquid* ou *quid*, n. Sans — perdre, *sine damno*. Sans — dire, *tacitus*. Sans — craindre, *impavidê*, adv. ‖ (Spéc.) *Construit avec la négation*. Nulle chose. *Nihil*, n. indécl. *Nihilum, i*, n. Il n'en est —, *non ita se res habet*. Je n'en ferai —, *non faciam*. Qui ne sert à —, de —, voy. INUTILE, VAIN. ‖ (Par ext.) La négation « ne » est sous-entendue. *Nihilum, i*, n. ¶ Ce qui est sans valeur. *Nihilum, i*, n. Si peu que —, *tantulum*. Homme de —, *homo nihili*. ¶ Ce qui est de peu d'importance. Un —, voy. BAGATELLE. Pour —, voy. GRATIS. Pour —, *c.-à-d.* à bas prix, *vilissimê*, adv. Adjuger (une maison) pour —, *nummo addicêre*. Pour —, *c.-à-d.* sans but, *temerê*, adv. Pour —, *c.-à-d.* en vain, voy. INUTILEMENT.

rieur, *euse*, s. m. et f. Celui, celle qui rit. *Risor, oris*, m. *Qui ridet*. Rieuse, *quae ridet*. ¶ (P. ext.) Celui, celle qui aime à rire. *Jocosus homo*. Rieuse, *jocosa mulier* (ou *virgo*). Adjectivt. *Jocosus, a, um*, adj. ¶ Celui, celle qui se raille, se moque. *Derisor, oris*, m. Grand —, *cachinno, onis*, m.

rigide, adj. Qui ne fléchit pas. *Rigidus, a, um*, adj. ‖ (Fig.) Qui ne fait pas fléchir les règles. *Severus, a, um*, adj.

rigidement, adv. Avec rigidité. *Rigidê*, adv.

rigidité, s. f. Raideur inflexible. *Rigor, oris*, m. Fig. Voy. RIGUEUR.

rigole, s. f. Petit canal pour amener l'eau. *Canaliculus, i*, m.

rigorisme, s. m. Rigidité excessive (en parl. des mœurs). *Acerbitas morum*.

rigoriste, s. m. et f. Celui qui a une rigidité excessive. *Homo severior*. Une —, *mulier severior*. En parl. des mœurs *Vir gravis et severus*. *Homo censorius*. Adjectivt. Voy. RIGOUREUX, SÉVÈRE.

rigoureusement, adv. Avec rigueur. *Severê*, adv. *Durê*, adv. *Acerbê*, adv. ¶ En toute rigueur. *Astrictê*, adv. *Restrictê*, adv.

rigoureux, *euse*, adj. Qui est d'une sévérité inflexible. *Severus, a, um*, adj.

Intractabilis, e, adj. *Asper, a, um*, adj. *Durus, a, um*, adj. *Gravis, e*, adj. ‖ (Par ext.) En parl. de la température. *Asper, a, um*, adj. *Durus, a, um*, adj. *Acer, cris, cre*, adj. Hiver —, *acris hiems*. Froids —, *aspera frigora*. Dans la saison la plus — de l'année, *durissimo anni tempore*. ¶ Qui est d'une exactitude inflexible. Raisonnement —, *necessaria argumentatio*.

rigueur, s. f. Sévérité inflexible. *Severitas, atis*, f. *Asperitas, atis*, f. ‖ (Par ext.) Dureté pénible à supporter (de la température). *Asperitas, atis*, f. *Saevitia, ae*, f. ¶ Exactitude inflexible. *Atrocitas, atis*, f. A la —, en toute —, *restrictê*, adv. A la —, *c.-à-d.* à la mesure strictement nécessaire, *aliquo modo*.

rime, s. f. Consonance de la terminaison accentuée du mot final dans deux ou plusieurs vers. *Extremorum verborum similis sonus* ou *exitus ejusdem soni*.

rimer, v. tr. et intr. ‖ (*V. tr.* Raconter, exprimer en vers. *Versibus scribêre* ou *canêre (aliquid)*. ¶ (*V. intr.*) Accoupler les rimes des vers. *Versus extremis verbis similiter sonantes facêre*. ‖ En parl. des vers, des syllabes qui terminent les vers. *Similiter desinêre* (ou *cadêre*). ¶ Faire des vers. *Versus facêre* ou *scribêre*.

rimeur, s. m. Voy. POÈTE ,POÊTEREAU.

rincer, v. tr. Laver à plusieurs reprises. *Eluêre*, tr. *Colluêre*, tr.

riposte, s. f. Botte par laquelle on répond tout de suite à un coup qu'on vient de parer. *Ictus repercussus* (ou *rejectus*). ‖ (Fig.) Réponse prompte et vive (à une raillerie, à une attaque). Prompt à la —, *paratus in respondendo*.

riposter, v. intr. Répondre tout de suite par une botte à un coup qu'on vient de parer. *Repetêre*, tr. *Rejicêre*, tr. Il riposte aux unes et pare les autres, *hos rejicit ictus, hos cavet*. ‖ (P. anal.) Répondre tout de suite par un coup à un coup reçu. *Repetêre*, tr. *Rejicêre*, tr. ‖ (Fig.) Répondre vivement et promptement (à une raillerie, à une attaque). *Respondêre*, intr. ‖ (P. ext.) Répondre par une action équivalente. *Par pari referre*.

1. rire, v. intr. et pron. ‖ (*V. intr.*) Donner les signes physiques d'une impression soudaine de gaieté. *Ridêre*, intr. — aux éclats, à gorge déployée, éclater de —, *cachinnâre*, intr. (on dit aussi *valdê* ou *vehementer ridêre ; cachinnum tollêre* [ou *edêre*]; *effundi in cachinnos*). Mourir, crever, se pâmer de —, *risu emori* ou *risu dissilire ; risu rumpi ; risu corruêre*. Ne pouvoir s'empêcher de —, *risum vix tenêre*. Faire —, *risum movêre* (ou *excitâre* ou *concitâre*). ¶ (Par ext.) Se divertir. *Ridêre*, intr. ‖ Plaisanter. *Ridêre*, intr. En riant, pour —, *jocandi causâ; per jocum.* Sans —, *extra jocum.* Qui a le mot pour —, *homo multi joci.* ‖ Présenter un aspect riant. *Ridére,* intr. *Arridére,* intr. *Renidére,* intr. ‖ S'égayer de qqch., *ou* aux dépens de qqn. *Ridére,* tr. *Deridére,* tr. *Irridére,* tr. ‖ Afficher le mépris de qqch. *Irridére,* tr. *Arridére,* intr. ¶ (*V. pron.*) Se —, *c.-à-d.* se divertir, voy. DIVERTIR. ‖ Se moquer de qqn. Voy. MOQUER. ‖ Afficher le mépris de qqch. Voy. ci-dessus.

2. rire, s. m. Action de rire. *Risûs, ûs,* m. — bruyant, éclat de —, *cachinnatio, onis,* f.; *cachinnus, i,* m. — approbatif, *arrisio. onis,* f.

1. ris, s. m. Façon de rire, *Risûs, ûs,* m. ‖ (P. ext.) Personnification de la gaieté. *Risûs, ûs,* m. Les —, *joci, orum,* m. pl.

2. ris, s. m. Partie d'une voile qu'on a repliée. *Sinûs, ûs,* m. Prendre les —, *subducére vela,* et absolt. *subducére.*

risée, s. f. Rire moqueur. *Risûs, ûs,* m. *Derisûs, ûs,* m. Exposer, livrer à la — publique, *traducére,* tr. ‖ (Par ext.) Objet de ce rire. *Risûs, ûs,* m. *Ludibrium, ii,* n. Il fut la — de sa sœur, *risui sorori fuit.* Faire d'une chose un objet de —, *irridére,* tr. Faire la —, être la — de qqn, *ab aliquo irridéri.*

risible, adj. Qui peut exciter le rire. *Ridiculus, a, um,* adj. *Ridendus, a, um,* p. adj.

risque, s. f. Chance douteuse à laquelle est exposé qqn *ou* qqch. *Alea, ae,* f. *Periculum, i,* n. *Discrimen, inis,* n.

risquer, v. tr. Exposer à une chance douteuse (qqn ou qqch.). (*Aliquid*) *in aleam dare.* (*Aliquid*) *in dubium devocâre. Iru in aleam (alicujus rei).* — sa vie, *committére se periculo mortis.* — sa fortune, sa réputation, *dimicâre de fortunâ, de famâ.* — de... *periclitâri,* dép. tr. Se — à, *audére,* tr.

rite, s. m. Cérémonie d'un culte. *Ritus sacrorum* ou simpl. *ritûs, ûs,* m. *Caerimoniae, arum,* f. pl.

rivage, s. m. Partie de la terre qui borde, limite une étendue d'eau; *Ora, ae,* f. — de la mer, *litus, oris,* n.

rival, ale, s. m. et f. et adj. ‖ *S. m. et f.* Celui, celle qui dispute qqch. à un autre. *Aemulus, i,* m. Une —, *aemula, ae,* f. ‖ (Spéc.) Celui, celle qui dispute à qqn le cœur d'un autre. *Rivalis, is,* m. ‖ (P. ext.) Celui, celle qui aspire à égaler ou à surpasser un autre. *Aemulus, i,* m. *Aemula, ae,* f. Sans —, voy. INCOMPARABLE. Etre sans —, voy. EMPORTER, EXCELLER, SUPÉRIEUR. ¶ *Adj.* Qui dispute qqch. à un autre. *Aemulus, a, um,* adj. Par (gén. *paris*), adj.

rivaliser, v. intr. Disputer à qui l'emportera. *Aemulâri,* dép. tr. *Contendére,* intr. (ex. : *c. cum aliquo de aliquâ re*). *Certâre,* intr. (ex. : *cum civibus de virtute*).

rivalité, s. f. Etat de deux personnes qui se disputent qqch. *Aemulatio, onis,* f. *Certamen, minis,* n. Basse —, *obtrectatio, onis,* f.

rive, s. f. Terrain qui borde un cours d'eau. *Ripa, ae,* f. ‖ (P. ext.) Rivage de la mer. Voy. RIVAGE. ‖ Contrée où l'on aborde. *Ora, ae,* f. ¶ (P. ext.) Bord (d'un objet). Voy. BORD.

riverain, aine, s. m. et f. Celui, celle qui habite sur la rive d'un cours d'eau. *Accola ripae.* Les — d'un fleuve, *qui flumen incolunt.*

rivière, s. f. Cours d'eau coulant entre deux rives. *Flumen, inis,* n. *Fluvius, ii,* m. Une grande —, *amnis, is,* m. Petite —, *amniculus, i,* m. De —, *fluviatilis, e,* adj.

rixe, s. f. Querelle violente qui va jusqu'aux coups. *Rixa, ae,* f. Avoir une —, *rixâri,* dép. intr.

ris, s. m. Plante céréale. *Oryza, ae,* f.

robe, s. f. Long vêtement qui descend jusqu'aux pieds. ‖ Vêtement d'homme (chez les anciens). *Stola, ae,* f. ‖ Vêtement sacerdotal. *Vestimentum sacerdotale.* ‖ Vêtement officiel du professeur. *Toga, ae,* f. ‖ Vêtement officiel du magistrat, de l'avocat. *Toga, ae,* f. ¶ Vêtement de femme. *Stola, ae,* f. ¶ (P. anal.) Le poil, le plumage de certains animaux, par rapport à la couleur. *Corium, ii,* n. *Color, oris,* m.

robinet, s. m. Pièce ajustée à l'issue d'un tuyau de fontaine, d'un réservoir, par où l'eau s'écoule. *Mamilla, ae,* f.

robuste, adj. Fortement constitué. *Robustus, a, um,* adj. *Validus, a, um,* adj. *Valens* (gén. *-entis*), p. adj. Etre — (*corpore*) *valére,* intr.

roc, s. m. Masse de pierre très résistante qui tient au sol. *Saxum, i,* n. *Rupes, is,* f.

rocailleux, euse, adj. Plein de petites pierres. *Saxosus, a, um,* adj. *Salebrosus, a, um,* adj. Endroits —, *aspreta, orum,* n. pl. ‖ (Fig.) *Asper, a, um,* adj.

roche, s. f. Masse de pierre très dure paraissant à la surface du sol. *Saxum, i,* n. *Rupes, is,* f. Qui a un cœur de —, *natus silice.*

rocher, s. m. Masse de pierre dure, escarpée. *Saxum, i,* n. *Rupes, is,* f. Bloc de —, *saxum, i,* n. De —, *saxeus, a, um,* adj.; *saxosus, a, um,* adj.

rôder, v. intr. Tourner ses pas de côté et d'autre. *Vagâri,* dép. intr. *Circumcurrére,* intr.

rôdeur, euse, s. m. et f. Celui, celle qui rôde. *Erro, onis,* m. Rôdeuse, *quae vagatur* (ou *errat*). ¶ Celui, celle qui épie de côté et d'autre. *Insidiator, oris,* m. *Insidiatrix, tricis,* f. [NADE.

rodomontade, s. f. Voy. FANFARONNADE.

rogation, s. f. ¶ Au plur. Les — (prières publiques pendant les trois jours qui précèdent l'Ascension), *rogationes, um,* f. pl.

rogner, v. tr. Raccourcir en coupant l'extrémité. *Resecāre*, tr. *Recidĕre*, tr.

rognon, s. m. Glande rénale des animaux. *Renes*, *renum* (ou *renium*), m. pl.

rognure, s. f. Ce qui tombe d'une chose qu'on rogne. *Segmentum*, *i*, n.

rogue, adj. Qui est d'une raideur hautaine. *Difficilis*, *e*, adj.

roi, s. m. Chef, souverain de certains Etats. *Rex*, *regis*, m. De —, du —, *regius*, *a*, *um*. En —, comme un — (en bonne et en mauvaise part), *regiĕ*, adv. ¶ (Par anal.) *Fig.* Chef préposé. *Rex*, *regis*, m. || Celui qui l'emporte sur les autres. *Rex*, *regis*, m.

rôle, s. m. Liste officielle. *Index*, *dicis*, m. *Tabulae*, *arum*, f. pl. — des contributions, *censûs*, *ûs*, m. || (Absol.) Liste des causes dans l'ordre où elles doivent être appelées. *Causarum series*. Loc. adv. A tour de —, *alternis vicibus* ou *per vices*. Commander à tour de —, *alternis* (s.-e. VICIBUS) *imperitāre*. ¶ Ce que l'acteur doit réciter. *Partes*, *ium*, f. pl. Apprendre leurs — aux acteurs, *fabulam docēre*. || Personnage représenté par l'acteur. *Partes*, *ium*, f. pl. *Persona*, *ae*, f. ¶ (Fig.) Fonction que qqn remplit. *Partes*, *ium*, f. pl. *Persona*, *ae*, f. *Ministerium*, *ii*, n. Renverser les —, *permutāre ordinem*. || Emploi qu'on fait de qqch. *Pars*, *partis*, f. || Conduite de qqn dans une circonstance. Voy. CONDUITE.

Romain, *aine*, adj. Qui appartient à l'ancienne Rome, qui en a le caractère. *Romanus*, *a*, *um*, adj. ¶ (Fig.) Qui rappelle le patriotisme héroïque des anciens Romains. *Romanus*, *a*, *um*, adj.

roman, s. m. Œuvre d'imagination en prose. *Fabula*, *ae*, f.

romanesque, adj. Qui tient du roman. *Fabulosus*, *a*, *um*, adj. *Commenticius*, *a*, *um*, p. adj. || (Fig.) Prodigiosus, *a*, *um*, adj.

romarin, s. m. Plante aromatique. *Ros marinus*.

Rome, n. pr. Capitale de l'Italie. *Roma*, *ae*, f. De —, *Romanus*, *a*, *um*, adj.

rompre, v. tr. et intr. || (*V. tr.*) Séparer en deux parties par un effort violent. *Rumpĕre*, tr. *Abrumpĕre*, tr. *Dirumpĕre*, tr. *Frangĕre*, tr. *Effringĕre*, tr. || (Par ext.) Mettre en pièces. *Rumpĕre*, tr. *Abrumpĕre*, tr. *Perrumpĕre*, tr. Se —, *dissilīre*, intr. Etre rompu vif, *disolvi*, pass. || Etre rompu de fatigue, *fatigatione resolutum esse*. — les oreilles, la tête à qqn, *rumpĕre* (ou *obtundĕre*) *aliquem*. || (Par ext.) Vaincre dans ses résistances. *Perrumpĕre*, tr. — un caractère, *frenos animo imponĕre*. || (Par anal.) Exercer à. *Frangĕre*, tr. *Exercēre*, tr. Etre — à qqch., *aliquid callēre*. ¶ Interrompre. *Rumpĕre*, tr. *Dirimĕre*, tr. — un entretien, *inceptum sermonem*

abrumpĕre. A propos rompus, *interruptĕ*, adv. || Ne pas donner suite à une chose projetée, convenue, etc. *Dirimĕre*, tr. *Perimĕre*, tr. || Etre infidèle à un engagement. *Rumpĕre*, tr. *Frangĕre*, tr. *Dirimĕre*, tr. — la paix conclue avec Pyrrhus, *dirimĕre pacem Pyrrhi*. ¶ Disperser, désunir. *Dirumpĕre*, tr. *Divellĕre*, tr. *Dirimĕre*, tr. *Discindĕre*, tr. — l'amitié, *amicitiam discindĕre*. — les rangs, *discedĕre*, intr. Fig. — la mesure, *numeros ac modos non servāre*. ¶ (*V. intr.*) Se séparer en deux parties par suite d'un effort violent. *Rumpi*, pass. *Dirumpi*, passif. *Frangi*, pass. || (T. milit.) Passer de l'ordre en bataille à l'ordre en colonne. — par manipules, *manipulatim discedĕre*. || (Escrime.) Reculer. *Cedĕre*, intr. || (Fig.) Interrompre les relations. *Alienāri*, pass. — avec qqn, *distrahi cum aliquo*.

ronce, s. f. Arbuste épineux et rampant. *Rubus*, *i*, m. Des —, *virgulta*, *orum*, n. pl.

rond, *e*, adj. et s. m. et f. || *Adj.* Qui est de forme circulaire. *Rotundus*, *a*, *um*, adj. *Globosus*, *a*, *um* (« sphérique »), adj. *Orbiculatus*, *a*, *um* (« circulaire »), adj. *Teres* (« arrondi, rond »), adj. || (Fig.) Une fortune —, *satis amplae fortunae*. Une bourse —, *crumena plena*. Un nombre —, *solida summa*. ¶ S. m. Figure circulaire. *Orbis*, *is*, m. Conduire en —, *circumagĕre* Mener, tracer en —, *circumducĕre*, tr ¶ S. f. Ronde; espace circulaire. *Orbis*, *is*, m. Conduire à la —, *circumducĕre*, tr. Porter à la —, *circumferre*, tr. || Danse en rond, chanson à danser en rond. *Chorea*, *ae*, f. || Visite pour s'assurer que les choses vont bien. *Circumitio*, *onis*, f. Faire sa — (en parl. d'un officier), *vigilias circumire ; omnia circumspicĕre*. || (Par ext.) Ceux qui font la ronde. Voy. PATROUILLE.

rondelet, *ette*, adj. Assez rond. *Subrotundus*, *a*, *um*, adj.

rondement, adv. Avec rondeur, sans lenteurs. *Strenuĕ*, adv. || Avec franchise, bonhomie. *Apertĕ*, adv.

rondeur, s. f. Qualité de ce qui est rond. *Rotunditas*, *atis*, f. ¶ (Fig.) Voy. FRANCHISE.

ronflant, *ante*, adj. Qui ronfle. *Stertens* (gén. *-entis*), p. adj. || (Fig.) Qui a une sonorité vide. *Sonorus*, *a*, *um*, adj.

ronflement, s. m. Respiration bruyante de qqn qui dort. *Ronchus*, *i*, m. || (Fig.) Sonorité grave, un peu sourde. *Murmur*, *uris*, n.

ronfler, v. intr. Emettre en dormant une respiration nasale bruyante. *Stertĕre*, intr. || Dormir en ronflant. *Stertĕre*, intr.

ronger, v. tr. Entamer à petits coups de dents, de bec. *Rodĕre*, tr. || (Par ext.) Ronger son frein, *frenum mandĕre*. || (Fig.) User, détruire (un corps) par une action lente et insensible. *Corro-dère*, tr. *Erodère*, tr.

rongeur, *euse*, s. m. et f. Celui, celle qui ronge. *Rosor, oris*, m. Fig. *Edax* (gén. *-acis*), adj.

rosat, adj. invar. Où il entre des roses rouges. Huile —, *rosaceum oleum*, ou (abs.) *rosaceum, i*, n. Miel —, *rhodomeli*, n. indécl.

rose, s. f. Fleur du rosier, odorante et d'un rouge délicat. *Rosa, ae*, f. Coussin rempli de —, *pulvinus rosâ fartus*. Etre couché sur un lit de —, *in rosâ jacère*. Eau de —, *aqua rosata*. De —, *roseus, a, um*, adj.; *rosaceus, a, um*, adj. || (Adj.) *Roseus, a, um*, adj. Subst. Le —, *roseus color*. ¶ (Par anal.) Fleur ressemblant plus ou moins à la rose. *Rosa, ae*, f. — des Alpes, voy. RHODODENDRON. — de Noël, voy. ELLÉBORE. ¶ (Par ext.) Objet en forme de rose. *Rosa, ae*, f.

rosé, *ée*, adj. Légèrement teinté de rose. *Roseus, a, um*, adj.

roseau, s. m. Plante à tige lisse, creuse à l'intérieur. *Calamus, i*, m. Grand —, *arundo, dinis*, f. Petit —, *canna, ae*, f.

rosée, s. f. Couche de gouttelettes qui se dépose la nuit sur la terre. *Ros, roris*, m. De —, *roscidus, a, um*, adj. Couvert de —, humide de —, *roscidus, a, um*, adj.

roseraie, s. f. Terrain planté de rosiers. *Rosarium, ii*, n.

rosier, s. m. Arbuste qui produit la rose. *Rosa ae*, f. Haie de —, *rosetum, i*, n.

rossignol, s. m. Petit oiseau célèbre pour la beauté de son chant. *Luscinia, ae*, f.

rostral, *als*, adj. Garni de rostres. *Rostratus, a, um*, adj. || (P. ext.) Garni de proues (archit.). *Rostratus, a, um*, adj.

rôt, s. m. Rôti. Voy. ce mot.

rotation, s. f. Mouvement d'un corps tournant sur lui-même. *Rotatio, onis*, f. Mouvement de —, *vertigo, ginis*, f. Imprimer un mouvement de — à qqch., *rotâre aliquid*.

rôti, *ie*, s. m. et f. || *S. m.* Viande rôtie. *Assum, i*, n. Des —, *assaturas, arum*, f. pl. ¶ Service où vient le rôti. *Secunda mensa* (ou *cena*). ¶ *S. f.* Rôtie. Tranche de pain grillée. *Panis tostus*.

rôtir, v. tr. et intr. || (*V. tr.*) Faire cuire à un feu vif. *Assâre*, tr. *Torrère*, tr. ¶ (*V. intr.*) Etre cuit à un feu vif. *Torrêri*, pass. *Assâri*, pass.

rôtisseur, *euse*, s. m. et f. Celui, celle qui vend des viandes rôties. *Qui* (*quae*) *assa* (ou *assaturas*) *vendit*.

rotonde, adj. Edifice circulaire surmonté d'une coupole. *Tholus, i*, m.

rotondité, s. f. Rondeur d'une personne corpulente. *Rotunditas, atis*, f.

rotule, s. f. Petit os plat qui forme la partie antérieure du genou. *Patella, ae*, f.

roture, s. f. Etat d'une personne qui n'est pas noble. *Ignobilitas, atis*, f.

roturier, *ière*, adj. Qui n'est pas noble. *Ignobilis, e*, adj. || Subst. Un —, une —, voy. PLÉBÉIEN.

rouage, s. m. Voy. MÉCANISME.

roucoulement, s. m. Action de roucouler. *Minurritiones, um*, f. pl.

roucouler, v. intr. En parl. des colombes, des tourterelles : faire entendre le murmure caressant propre à leur espèce. *Minurrire*, intr.

roue, s. f. Pièce rigide circulaire tournant autour d'un axe qui en traverse le centre et servant de moteur. *Rota, ae*, f. *Tympanum, i* (roue pleine, sans rayons), n. A —, *rotalis, e*, adj. Le supplice de la —, *rota, a*, f. || (Par anal.) Faire la —, *rotâre* (en parl. de cert. oiseaux), intr.

rouelle, s. f. Voy. RONDELLE.

rouer, v. tr. Mettre sur la roue. *Rotâ contundère* ou *frangère* (*aliquem*). Etre roué, *in rotam ascendère*. || (Par ext.) — qqn de coups (le battre violemment), *concidère aliquem* (*virgis, pugnis, calcibus*). || (Fig.) Au part. passé pris substantivt. et adjectivt. Les — (gens débauchés, dévergondés), voy. ces mots. Par ext. — (dont l'habileté frise l'indélicatesse), *veteratorius, a, um*, adj. Une personne —, *veterator, oris*, m.

rouerie, s. f. Voy. FOURBERIE.

rouge, adj. Qui a la couleur du sang, du feu, etc. *Rubeus, a, um*, adj. *Ruber, bra, brum*, adj. *Rubens* (« rouge empourpré »), p. adj. *Rutilus, a, um* (« rouge ardent, rouge comme l'or »), adj. *Rubicundus, a, um* (« très rouge, d'un rouge vif »), adj. Homme — de figure, *rubicundus homo*. Terre —, crayon —, *rubrica, ae*, f. Etre — de honte, *rubère*, intr. ¶ (Subst.) Le rouge, c.-à-d. la couleur rouge. *Ruber color*. Qui tire sur le —, *subruber, bra, brum*, adj.; *subrubicundus, a, um*, adj. || Rouge de la honte, de la pudeur. Voy. ROUGEUR. || Fard rouge. *Purpurissum, i*, n.

rougeâtre, adj. Dont la couleur tire sur le rouge. *Subruber, bra, brum*, adj.

rougeaud, *aude*, adj. Qui a le teint rouge, haut en couleur. *Rubicundus, a, um*, adj.

rouge-gorge, s. m. Variété de fauvette à gorge rouge. *Lusciola rubella*.

rougeole, s. f. Maladie éruptive. *Boa, ae*, f.

rouget, s. m. Grondin rouge. *Rubellio, onis*, m.

rougeur, s. f. Couleur rouge. *Rubor, oris*, m. — de la peau, *rubor, oris*, m. — de la honte, de la pudeur, *verecundus rubor, oris*, m. ou (simpl.) *rubor, oris*, m. ¶ Tache rouge inflammatoire. *Rubor, oris*, m.

rougir, v. intr. et tr. || (*V. intr.*) Devenir rouge. *Rubère*, intr. *Rubefieri*, pass. intr. *Erubescère*, intr. Faire —

qqn, *alicui ruborem afferre*. ¶ (*V. tr.*) Rendre rouge. *Rubefacĕre*, tr. De l'eau rougie, *vinum ex aquâ temperatum*. Boire de l'eau rougie, *dilutius potāre*.

rouille, s. f. Oxyde de fer, de couleur rougeâtre. *Robīgo, gĭnis*, f. (En parl. du fer), *ferrugo, gĭnis*, f. Couvert de —, *robīginosus, a, um*, adj. ‖ (Fig.) *Robigo, gĭnis*, f.

rouiller, v. tr. Attaquer par la rouille. *Robiginem facĕre, inducĕre* ou *obducĕre* (*alicui rei*). Se —, *robiginem trahĕre*; *robigine obduci, rodi*. (En parl. du cuivre), *in aeruginem incidĕre*. Se — ou se moisir, *situm aut mucorem contrahĕre*. Etre —, *squalĕre situ ac robigine*. ¶ Attaquer (les plantes) par la maladie dite rouille. *Uredinis carbone exurĕre*. Etre rouillé, *carbunculāre*, intr.

roulade, s. f. Vocalise consistant en une succession rapide et légère de notes. *Sonus vibrans. Intortus sonus.* Faire des —, *vibrissāre*, intr.

roulant, *ante*, adj. Qui roule. *Volubilis, e*, adj.

rouleau, s. m. Cylindre servant à divers usages. ‖ Pièce pour faire glisser des objets pesants. *Scutula, ae*, f. ¶ Bande roulée autour d'une tige cylindrique ou sur elle-même. *Axiculus, i*, m.

roulement, s. m. Mouvement de ce qui roule. *Volutatio, onis*, f. ‖ (Fig.) Action de tourner les yeux en tous sens. Faire des — d'yeux, *torquēre oculos*. ¶ Mouvement de ce qui circule. Avoir des fonds de —, *nummos commovēre*. ¶ Alternance de fonctions. *Vicissitudo, dĭnis*, f. *Vices* (Dat. abl., *vicibus*), f. pl.

rouler, v. tr. et intr. ‖ (*V. tr.*) Mouvoir en faisant tourner sur soi-même. *Volvĕre*, tr. *Advolvĕre* (« rouler vers, faire avancer en roulant »), tr. *Devolvĕre* (« faire rouler de haut en bas »), tr. *Evolvĕre* (« faire rouler au dehors »), tr. *Provolvĕre* (« rouler en avant, faire avancer en roulant »), tr. *Volutāre*, tr. ‖ (Par anal.) Faire tourner en tous sens. *Volutāre*, tr. *Versāre*, tr. *Volvĕre*, tr. *Convolvĕre*, tr. ‖ (Fig.) Rouler un projet, etc. *Volutāre*, tr. *Volvĕre*, tr. ¶ Faire tourner une bande autour d'une tige cylindrique ou sur elle-même. *Volvĕre*, tr. *Convolvĕre*, tr. ¶ (*V. intr.*) Se mouvoir en tournant sur soi-même. *Volvi*, passif. *Devolvi*, pass. *Versāri*, pass. Par ext. La porte — sur ses gonds, *cardines vertuntur*. Fig. — sur, *c.-à-d.* avoir trait à, *verti*, pass.; *continēri*, pass. — (en parl. d'une voiture), *currĕre*, intr.; *ferri*, pass. — (en voiture), *curru vehi*. ‖ Tourner en tous sens. *Volutāri*, pass. *Circumagi*, pass.

roulette, s. f. Petite roue. *Rotula, ae*, f.

roulis, s. m. Balancement d'un navire à droite et à gauche. *Jactatio navis. Maritima jactatio.*

roussâtre. adj. Qui tire sur le roux.

Subrufus, a, um, adj.

rousseur, s. f. Couleur de ce qui est roux. *Rufus color.* ‖ (Spéc.) Taches de —, *nubeculae in facie; lenticulae, arum*, f. pl.

roussir, v. tr. et intr. ‖ (*V. tr.*) Rendre roux. *Rufāre*, tr. ¶ (*V. intr.*) Devenir roux. *Rufescĕre*, intr.

route, s. f. Voie pratiquée pour les voitures et les piétons. *Via, ae*, f. *Iter, itineris*, n. ¶ (Par ext.) Direction pour aller d'un lieu à un autre. *Via, ae*, f. *Iter, itineris*, n. *Cursŭs, ūs* (« direction qu'on suit, chemin parcouru; route »), m. ‖ (Par anal.) Chemin qui suit un cours d'eau, un astre. *Cursŭs, ūs*, m. *Iter, itineris*, n. ‖ (Fig.) Ce qui conduit à un but. *Via, ae*, f.

routier, s. m. Soldat d'aventure. *Latro, onis*, m. ¶ (Fig.) Celui qui a couru le monde, qui a une longue expérience. Un vieux —, *veterator, oris*, m.

routine, s. f. Habitude prise de faire qqch. d'une certaine manière. *Usus rerum* et (simpl.) *usūs, ūs*, m. En mauvaise part. *Ratio* (ou *via* ou *usus*) *vulgaris. Trita via.* Rester attardé dans la —, *circa vilem patulumque morāri orbem*.

routinier, *ière*, adj. Qui agit par routine. *Usu rerum callidus* (*callida*). En mauvaise part. *Qui* (*quae*) *consuetudinem suam* (ou *institum suum*) *tenet*.

rouvrir, v. tr. Ouvrir de nouveau. *Recludĕre*, tr.

roux, rousse, adj. Qui est d'un rouge tirant sur le jaune. *Rufus, a, um*, adj.

royal, *ale*, adj. Qui a rapport à un roi. *Regius, a, um*, adj. *Regalis, e*, adj. (traduire aussi par le génit. *regis*). Gouvernement —, voy. MONARCHIE. La famille —, *reges, um*, m. pl. Garde —, *regii, orum*, m. pl. Résidence —, *regia, ae*, f. ‖ (Fig.) Qui est digne d'un roi. *Regius, a, um*, adj. *Regalis, e*, adj.

royalement, adv. D'une manière royale, digne d'un roi. *Regaliter*, adv. *Regiē*, adv.

royaliste, adj. Qui est attaché à la royauté, qui a l'esprit monarchique. *Partium regis studiosus* (*studiosa*). Subst. Un —, *regis fautor* (ou *amicus*).

royaume, s. m. Etat gouverné par un roi. *Regnum, i*, n.

royauté, s. f. Dignité de roi. *Regnum, i*, n.

ruade, s. f. Action du cheval, de l'âne, qui lance vivement en arrière les membres postérieurs. *Calcitratŭs, ūs*, m. Lâcher, lancer une — contre qqn, *calce aliquem petĕre*.

ruban, s. m. Petite bande étroite d'étoffe. *Redimiculum, i*, n. *Vitta, ae*, f.

rubicond, *onde*, adj. Qui a un teint vermeil. *Rubicundus, a, um*, adj.

rubis, s. m. Pierre précieuse d'un beau rouge transparent. *Carbunculus, i*, m.

ruche, s. f. Panier où loge un essaim d'abeilles. *Alvarium, ii,* n. *Alvearium, ii,* n. *Alveare, is,* n.

rucher, s. m. Endroit où sont les ruches. *Apiarium, ii,* n.

rude, adj. Dur au toucher. *Asper, era, erum,* adj. || (Par ext.) Qui offense le goût, qui blesse l'oreille. *Asper, era, erum,* adj. *Durus, a, um,* adj. || Qui offense la vue. *Horridus a, um,* adj. *Trux* (gén. *trucis*), adj. ¶ (Au fig.) Dur à supporter. *Asper, era, erum,* adj. *Durus, a, um,* adj. *Immitis, e,* adj. *Gravis, e,* adj. || Dur à gravir. *Difficilis, e,* adj. *Arduus, a, um,* adj. || Dur à surmonter. *Gravis, e,* adj.

rudement, adv. D'une manière rude. *Asperè,* adv. Au fig. *Asperè,* adv.

rudesse, s. f. Caractère de ce qui est rude. || Caractère de ce qui est inculte. *Asperitas, atis,* f. ¶ Caractère, qualité de ce qui est rude au toucher, *ou par anal.* à un autre sens. *Asperitas, atis,* f. ¶ Qualité de ce qui est rude à supporter. *Asperitas, atis,* f. *Duritas, atis,* f. *Duritia, ae,* f.

rudiment, s. m. Premiers éléments d'un art, d'une science. *Rudimentum, i,* n.

rudoyer, v. tr. Traiter rudement. *Asperè tractāre (aliquem).*

1. rue, s. f. Chemin bordé de maisons, de murs, dans une ville, etc. Chemin entre deux rangées de maisons, *via, ae,* f. ¶ Chemin formé par une seule rangée de maisons, *vicus, i,* m. || Espace libre entre des bâtiments, *platea, ae,* f. — (par opposit. avec l'intérieur des maisons), la voie publique, *via publica; publicum, i,* n. — (dans une acception méprisante), *trivium, ii,* n.

2. rue, s. f. Plante médicinale. *Ruta, ae,* f.

ruelle, s. f. Rue très étroite. *Angiportūs, ūs,* m.

ruer, v. tr. Se — (se jeter violemment sur qqn, sur qqch.). *Irruĕre (in aliquem).* ¶ (*V. intr.*) En parl. d'un cheval, etc. : lancer vivement en arrière ses membres postérieurs. *Calcitrāre,* intr. *Calces remittĕre.*

rugir, v. intr. En parl. du lion, pousser le cri propre à son espèce. *Rugīre,* intr.

rugissement, s. m. Cri du lion, *et p. ext.*, du tigre, de la panthère. *Rugitūs, ūs,* m.

rugosité, s. f. Etat d'une surface qui présente de petites aspérités. *Ruga, ae,* f.

rugueux, *euse,* adj. Dont la surface présente de petites aspérités. *Rugosus, a, um,* adj.

ruine, s. f. Chute d'une construction. *Ruina, ae,* f. Tomber en —, *vetustate cadĕre ou corruĕre,* intr. Menacer —, *labāre,* intr.; *ruinas agĕre.* — (d'une ville), *excisio, onis,* f.; *eversio, onis,* f. || (Fig.) *Ruina, ae,* f. *Exitium, ii,* n.

Qui est sur le penchant de sa —, *praecipitans* (gén. *-antis*), p. adj. Causer la — de, *profligāre,* tr. || (Spéc.) Ruine de la fortune. *Ruina, ae,* f. *Naufragium rei familiaris.* ¶ Débris de la chute d'une construction. *Ruinae, arum,* f. pl. *Parietinae, arum* (« débris de murs écroulés, ruines »), f. pl. *Reliquiae, arum,* f. pl. || (Par ext.) Partie détériorée. *Ruina, ae,* f. *Vitiosa pars.*

ruiner, v. tr. Faire effondrer (une construction). *Diruĕre,* tr. *Subruĕre,* tr. || (Au fig.) *Perdĕre,* tr. *Praecipitāre,* tr. *Profligāre,* tr. *Subvertĕre,* tr. *Evertĕre,* tr. — (causer la perte de la fortune), *evertĕre aliquem fortunis omnibus (ou simpl. evertĕre aliquem).* Etre ruiné, *bonis everti.* Se —, *c.-à-d.* dissiper sa fortune, *rem dissipāre ou omnes fortunas effundĕre et consumĕre.* Se — à, en, *effundĕre fortunas (per aliquid); profundĕre divitias (in emendo,* etc.).

ruineux, *euse,* adj. Qui menace ruine. *Ruinosus, a, um,* adj. || (Fig.) Voy. CHANCELANT, FRAGILE. ¶ Qui amène la ruine. *Damnosus, a, um,* adj.

ruisseau, s. m. Petit cours d'eau. *Rivus, i,* m.

ruisseler, v. intr. Se répandre, couler sans s'arrêter. *Fluĕre,* intr. ¶ Etre mouillé d'un liquide qui coule sans s'arrêter. *Fluĕre,* intr.

rumeur, s. f. Bruit confus de voix qui s'élève. *Rumor, oris,* m. *Fremitūs, ūs,* m. *Murmur, uris,* n. Mettre la ville en —, *concitāre urbem.* ¶ Bruit, nouvelle qui se répand dans le public. *Rumor, oris,* m. *Fama, ae,* f. — publique, *fama, ae,* f.; *sermo, onis,* m.

ruminant, *ante,* adj. Qui rumine. *Ruminalis, e,* adj.

ruminer, v. tr. En parl. de certains mammifères, remâcher les aliments. *Revocatas herbas rumināre.* et, simpl.. *rumināre,* tr. et *rumināri,* dép. tr. ||(Fig.) Repasser (une chose dans son esprit). *Remandĕre,* tr.

rupture, s. f. Action de rompre, de se rompre. *Abruptio, onis,* f. *Fractura, ae,* f. || (Fig.) La — d'un traité, *violatio foederis.* Absolt. Une — (rupture de relations d'amitiés entre deux personnes), *alienatio, onis,* f.

rural, *ale,* adj. Qui appartient aux champs. Voy. CHAMPÊTRE, RUSTIQUE. Vie —, *vita rustica.* Propriété —, *rus, ruris,* n.

ruse, s. f. Détour du gibier pour mettre les chiens en défaut. Voy. DÉTOUR, DÉFAUT. ¶ Artifice pour tromper. *Dolus, i,* m. *Consilium, ii,* n. *Ars, artis,* f. *Artificium, ii,* n. Disposition à la —, *astutia, ae,* f.; *calliditas, atis,* f.; *versutia, ae,* f.

rusé, *ée* adj. Qui recourt à la ruse. *Astutus, a, um,* adj. *Callidus, a, um* adj.

ruser, v. intr. Employer des artifices pour tromper. Facère (ou agère) callidè. — avec qqn, arte tractàre aliquem. — à la guerre, dolo pugnàre.

rusticité, s. f. Manière d'être des campagnards. Rusticitas, atis, f. Rustici mores.

rustique, adj. Qui appartient aux choses de la campagne. Rusticus, a, um, adj. Rusticanus, a, um, adj.

rustiquement, adv. D'une manière rustique. Rusticè, adv.

rustre, s. m. Celui qui a des manières grossières. Rusticus, i, m.

rythme, rythmique. Voy. RHYTHME, RHYTHMIQUE.

S

s, s. f. ou m. Dix-neuvième lettre de l'alphabet. S, n. S littera.

sa, adj. f. Voy. 1. SON.

sabbat, s. m. Repos religieux chez les juifs, le septième jour de la semaine. Sabbatum, i, n. Sabbata, orum, n. pl.

Sabine, n. pr. Pays des Sabins. Ager Sabinus.

Sabins, n. pr. Ancien peuple d'Italie. Sabini, orum, m. pl.

sable, s. m. Substance pulvérulente due à la désagrégation des roches. Arena, ae, f. Gros —, saburra, ae (servant ordinairement de lest aux navires), f.; sabulum, i, n.

sablière, s. f. Lieu d'où l'on extrait le sable. Arenaria, ae, f.

sablonneux, euse, adj. Qui contient beaucoup de sable. Arenosus, a, um, adj. Arenaceus, a, um, adj. Sabulosus, a, um, adj. Terrain —, plage —, arena, ae, f.

sablonnière, s. f. Lieu d'où l'on extrait le sablon. Voy. SABLIÈRE.

sabot, s. m. Chaussure en bois. Des —, une paire de —, sculponeae, arum, f. pl. Chaussé de —, sculponeatus, a, um, adj. || (P. ext.) Enveloppe cornée qui entoure le pied des ruminants. Ungula, ae, f. ¶ Plaque qu'on met sous la roue d'une voiture pour enrayer. Sufflamen, minis, n. ¶ Toupie, jouet d'enfants. Turbo, binis, m.

sabre, s. m. Arme blanche à pointe et à tranchant. Gladius, ii, m.

1. sac, s. m. Morceau de cuir, d'étoffe, mis en poche. Saccus, i, m. || (T. milit.) Sac à terre, voy. GABION. || Petit sac de peau. Folliculus, i, m. || Sac d'écus, saccus, i, m. || (P. ext.) Cavité entourée d'une paroi membraneuse. Voy. POCHE, VÉSICULE.

2. sac, s. m. Action de dévaster et de piller une ville. Direptio urbis. Excisio, onis, f. Excidium, ii, n. Mettre à —, voy. SACCAGER.

saccade, s. f. Secousse donnée d'un coup sec. Impetus, ûs, m. Par —, subsultim.

saccader, v. tr. Mouvoir par saccades. Agitàre, tr. Mouvement —, voy. SECOUSSE. || Une respiration saccadée, anhelitus, ûs, m. La voix devient saccadée, vox scinditur. Débit saccadé, vocis genus scissum. (Fig.) Etre saccadé (en parl. du style), subsultàre, intr.

Saccadé, praefractus, a, um, p. adj.

saccagement, s. m. Action de saccager. Voy. DÉVASTATION.

saccager, v. tr. Dévaster et piller (une ville). Vastàre, tr. Diripère, tr.

sacerdoce, s. m. Ministère de prêtre. Sacerdotium, ii, n.

sacerdotal, ale, adj. Relatif au ministère du prêtre. Sacerdotalis, e, adj.

sachet, s. m. Petit sac. Sacculus, i, m. || (Spéc.) Petit sac contenant des substances pharmaceutiques. Saccus, i, m. || Coussinet où l'on met des odeurs. Reticulum, i, n.

sacoche, s. f. Double sac de cuir des courriers, des voyageurs. Sacellus, i, m. ¶ (T. milit.) Poche de cuir fixée à la selle du cavalier. Lateralia, ium, n. pl. ¶ Sac pour mettre l'argent. Voy. BOURSE, POCHE.

sacramental, ale et sacramentel, elle, adj. Relatif à un sacrement. Ad sacramentum pertinens. || (P. ext.) Consacré par l'usage. Sollemnis, e, adj.

sacre, s. m. Action de sacrer un souverain. Imperii auspicia. Consecratio, onis, f.

sacré, ée, adj. Qui a un caractère inviolable comme étant voué au service divin. Sacer, cra, crum, adj. Sanctus, a, um, p. adj. Sacrosanctus, a, um, adj. Religiosus, a, um, adj. (en parl. des choses). Objet —, sacrum, i, n. Ravisseur d'objets —, praedo religionum. Caractère —, religio, onis, f. || (P. ext.) Auguste, vénérable. Sacer, cra, crum, adj. Sanctus, a, um, p. adj. || (P. ext.) Considéré comme inviolable. Sacrosanctus, a, um, adj. Sanctus, a, um, p. adj. Fig. Chose sacrée (à laquelle personne ne touche), res sacra (ou sacrosancta).

sacrement, s. m. Chacun des actes institués par Jésus-Christ pour la sanctification des âmes. Sacramentum, i, n.

sacrer, v. tr. Revêtir d'un caractère inviolable en le vouant au service de Dieu. (En parlant d'un prêtre.) Inaugurâre, tr. Admittère et recipère in sacra. || (En parlant d'un roi.) Ungère, tr.

sacrificateur, s. m. Prêtre qui offre

les sacrifices. *Immolator, oris,* m. *Sacrificulus vates,* ou simpl. *sacrificulus, i.* m.

sacrifice, s. m. Offrande faite sur l'autel de la divinité. *Sacrificium, ii,* n. *Sacrum, i,* n. *Res divina.* — humain, *hostia* (ou *victima*) *humana.* Faire des — humains, *pro victimis homines immolàre,* ou simpl. *homines immolàre.* — explatoire, *piaculum, i,* n. Faire un — funèbre, *parentàre,* intr. Faire un — aux dieux mânes, *manes expiàre.* Offrir un — agréable, *litàre,* intr. ¶ (Au fig.) Perte volontaire de ce à quoi l'on tient, en vue de qqn, de qqch. *Jactura, ae,* f. Décius fit à la république le — de sa vie, *Decius rei publicae victimam se praebuit.*

sacrifier, v. tr. Faire sur l'autel de la divinité l'offrande de qqch. de précieux. *Sacrificàre,* intr. et tr. (on dit aussi *sacra facère aliquâ re*). *Facère,* tr. (abs. avec l'Abl. de la victime). — un animal, *victimam* (ou *hostiam*) *sacrificare* (*immolàre, mactàre* ou *caedère*). — des hommes, voy. SACRIFICE. || Sacrifier qqn, qqch. à qqn, à qqch. *Dàre,* tr. *Condonàre,* tr. Se —, — sa vie, *se devovère; vitam* (*pro patrià*) *profundère.* Se — aux intérêts d'autrui, *aliorum commodis se impendère.* — ses soldats sans nécessité, *milites temerè cladi offerre.*

1. sacrilège, s. m. Violation d'une chose sacrée. *Sacrilegium, ii,* n.

2. sacrilège, s. m. et f. Celui, celle qui viole qqch. de sacré. *Sacrilegus, i,* m. Une —, *sacrilega mulier* ou *sacrilega, ae,* f. || Adjectivt. *Sacrilegus, a, um,* adj.   [sacrilège. *Impiè,* adv.

sacrilègement, adv. D'une manière sacrilège. *Impiè,* adv.

sacristain, s. m. Celui qui est préposé à la sacristie. *Aedituus, i,* m. *Sacrarius, ii,* m.

sacristie, s. f. Partie annexe d'une église où sont déposées les vases sacrés, etc. *Sacrarium, ii,* n.

sacro-saint, ainte, adj. Saint et sacré. *Sacrosanctus, a, um,* adj.

safran, s. m. Plante bulbeuse employée comme matière colorante. *Crocus, i,* m. De —, *croceus, a, um,* adj.

sagace, adj. Qui a de la sagacité. *Sagax* (gén. *-acis*), adj. *Subtilis, e,* adj.

sagacité, s. f. Instinct subtil pour découvrir les choses. *Sagacitas, atis,* f. *Sollertia ingenii* (*mentis*), ou (simpl.) *sollertia, ae,* f. Avec —, *sagaciter,* adv.; *subtiliter* (*iudicàre*).

sage, adj. Qui a la connaissance juste des choses. *Sapiens* (gén. *-entis*), p. adj. ¶ Qui a une conduite réglée. *Sapiens,* p. adj.

sage-femme, s. f. Femme dont la profession est de faire des accouchements. *Obstetrix, tricis,* f.

sagement, adv. D'une manière sage. *Sapienter,* adv. *Prudenter,* adv. *Providenter,* adv.

sagesse, s. f. Connaissance juste des choses. *Sapientia, ae,* f. *Consilium, ii,* n. *Prudentia, ae,* f. ¶ Qualité de celui qui mène une conduite réglée. *Sapientia, ae,* f. Avec —, *sapienter,* adv.

sagittaire, s. m. et f. || *S. m.* Archer. || Spéc. Le — (constellation), *sagittarius, ii,* m. ¶ *S. f.* Plante aquatique. *Sagitta, ae,* f.

Sagonte, n. pr. Ancienne ville d'Espagne. *Saguntus, i,* f. *Saguntum, i,* n. Habitants de —, *Saguntini, orum,* n. pl.

saie, s. f. Manteau d'étoffe grossière. *Sagum, i,* n.

saignant, ante, adj. D'où le sang découle. *Crudus, a, um,* adj.

saignée, s. f. Opération qui consiste à tirer du sang à qqn, en lui ouvrant une veine. *Sanguinis missio* (ou *detractio*). Pratiquer une —, *venam incidère.* ¶ (Au fig.) Rigole pour prendre de l'eau ou la faire écouler. f. *Emissarium, ii,* n.

saignement, s. m. Ecoulement de sang (par blessure, etc.). *Profluvium sanguinis. Profusio sanguinis.* Un — de nez, *profluvium sanguinis e naribus.*

saigner, v. intr. et tr. || (*V. intr.*) Avoir un écoulement de sang. *Sanguinem fundère.* — (en parl d'une plaie), *cruentàri,* pass. Laisser — une plaie, *sanguinem e vulnere fluère pati.* Il — du nez, *sanguis e naribus ei fluit* (ou *profluit*). || (Fig.) Faire — la blessure de l'Etat, *obductam rei publicae cicatricem refricàre.* Comme cela m'a fait — le cœur ! *quantum animo vulnus accepi!* ¶ Tirer du sang à qqn en lui ouvrant une veine. *Venam incidère alicui. Sanguinem incisâ venâ mittère,* ou simpl. *sanguinem mittère.* ||· (Par ext.) Pratiquer des rigoles pour prendre de l'eau ou la faire écouler. *Emittère aquam* (*e lacu*). — un lac, une inondation, *emittère aquam, lacum.*

saillant, ante, adj. Qui s'avance au dehors. *Eminens* (gén. *-entis*), p. adj. *Prominens* (gén. *-entis*), p. adj. Etre —, faire saillie, voy. SAILLIE. Subst. Le —, *angulus muri.* || (Fig.) Qui ressort sur le reste. *Eminens* (gén. *-entis*), p. adj. *Praestans* (gén. *-antis*), p. adj.

saillie, s. f. Mouvement soudain, imprévu de la pensée. *Impetus, ûs,* m. || Trait d'esprit soudain, imprévu. *Breviter ac commodè dictum.* ¶ Etat de ce qui dépasse (l'alignement). *Prominentia, ae,* f. *Eminentia, ae,* f. Etre en —, faire —, *eminère,* intr.; *prominère,* intr.; *excedère,* intr.

saillir, v. intr. Dépasser (l'alignement). *Prominère,* intr. *Eminère,* intr. *Procurrère,* intr. *Excurrère,* intr.

sain, e, adj. Dont l'organisme est en bon état. *Sanus, a, um,* adj. — et sauf, *incolumis, e,* adj.; *salvus, a, um,* adj. || (Par anal.) *Integer, gra, grum,* adj. || (Fig.) Dont les facultés intellec-

tuelles, morales sont en bon état.
Sanus, *a, um*, adj. *Integer, gra, grum*,
adj. *Incorruptus, a, um*, adj. ¶ Qui
conserve en bon état l'organisme.
Saluber, bris, e, adj.

saindoux, s. m. Graisse de porc fondue.
Suilla adeps.

sainement, adv. D'une manière saine.
Salubriter, adv. Fig. *Sanĕ*, adv.

sainfoin, s. m. Plante fourragère.
Onobrychis sativa.

saint, **e**, adj. Pur de toute souillure.
Sanctus, a, um, adj. *Religiosus, a, um*,
adj. ¶ Elevé à une pureté surnaturelle.
Sanctus, a, um, adj. Un —, *divinus
homo*. Mettre au rang des —, voy.
CANONISER.

saintement, adv. D'une manière sainte.
Sanctĕ, adv. *Religiosĕ*, adv. *Piĕ*, adv.

sainteté, s. f. Manière d'être, caractère d'une personne, d'une chose sainte.
Sanctitas, atis, f. || (En parl. d'un lieu,
d'un temple), *religio, onis*, f.

saisie, s. f. Prise de possession légale
des meubles ou immeubles d'un débiteur. *Manūs injectio*.

saisir, v. tr. Prendre vivement (qqch.,
qqn). *Prehendĕre*, tr. *Apprehendĕre*, tr.
Comprehendĕre, tr. *Reprehendĕre*, tr.
Arripĕre, tr. *Corripĕre*, tr. || (Fig.) Sur-
prendre par une impression soudaine.
Arripĕre, tr. *Corripĕre*, tr. *Occupāre*,
tr. *Invadĕre*, tr. et intr. || Ne pas laisser
échapper. *Arripĕre*, tr. *Capĕre*; tr. *Non
deesse*. || Prendre possession immédiate
de qqch. *Occupāre*, tr. || (Spéc.) Prendre
possession au nom de la justice. *Occu-
pāre*, tr. *Capĕre*, tr. || (Fig.) Percevoir,
concevoir immédiatement. *Comprehendĕre*, tr. *Percipĕre*, tr. ¶ Mettre
vivement en possession de (qqch.).
Se — de, *corripĕre*, tr. || (Par anal.)
Se — d'un prétexte, *causam arripĕre*.
|| (Fig.) Faire surprendre par une im-
pression soudaine. Se — de, voy. [s']
EMPARER. || (Par ext.) Mettre en pos-
session immédiate de qqch. Voy. POS-
SESSION. Se — de, voy. [s'] EMPARER.
|| (Spéc.) Porter une affaire devant le
sénat *ou* un tribunal, etc.). *Deferre rem
ad* (*senatum*, etc.). Se — d'une affaire
(en parl. d'un tribunal), *cognitionem
excipĕre*.

saisissant, *ante*, adj. Qui surprend
par une impression subite. *Gravis, e*,
adj. *Acer, acris, acre*, adj. || (Fig.)
Animos vehementer commovens (ou *per-
fringens*).

saisissement, s. m. Le fait d'être sur-
pris par une impression soudaine. *Horror, oris*, m. Le — du froid, *frigidi
horrores*. || — (d'effroi), *exanimatio, onis*,
f.; *stupor, oris*, m. Avoir un —, *animo
horrēre*. || Eprouver un — de joie, *stu-
pēre gaudio*. || Un — d'admiration, voy.
STUPEUR.

saison, s. f. Chacune des quatre divisions de l'année. *Tempus anni*, ou

(simpl.) *tempus, oris*, n. (P. ext.) La
belle —, *serenum tempus* ou *serenum, i*,
n. || (P. anal.) Epoque où paraissent
certaines productions de la terre, etc.
Tempus, oris, n. De —, *tempestivus,
a, um*, adj. D'arrière —, *serus, a, um*,
adj. || (P. ext.) Epoque de l'année
propre pour qqch. *Tempus, oris*, n.
Morte — (où la terre ne produit rien),
sterile (ou *otiosum*) *tempus*. Fig. Chô-
mage. Voy. ce mot. || (Fig.) Moment
opportun pour qqch. *Tempus, oris*, n.
Tempestivitas, atis, f. Qui est de —,
tempestivus, a, um, adj. En sa —, *tem-
pestivē*, adv.; *suo tempore* ou *tempore*.
Qui est hors de —, *intempestivus, a,
um*, adj. Hors de —, adv. Voy. INTEM-
PESTIF. || (P. ext.) Age de la vie. La
belle —, *flos aetatis*, et (simpl.) *flos,
floris*, m.

salade, s. f. Mets composé de certaines
herbes potagères assaisonnées. *Ace-
taria, orum*, n. pl.

salage, s. m. Action de saler. *Salsura,
ae*, f.

salaire, s. m. Rétribution d'un travail
fait pour qqn. *Merces, cedis*, f. *Pretium,
ii*, n. *Praemium, ii*, n.

salaison, s. f. Opération par laquelle
on sale. Voy. SALAGE. ¶ Denrée alimentaire salée pour être conservée. *Salsa-
mentum, i*, n.

salamandre, s. f. Batracien que l'on
croyait vivre dans le feu. *Salaman-
dra, ae*, f.

Salamine, n. pr. Ile de la Mer Egée
Salamis, minis, f. De —, *Salaminius
a, um*, adj.

salant, adj. m. Qui produit du sel
(par évaporation). Marais —, *lacus* (ou
stagnum) *salsae aquae*; *salinae, arum*,
f. pl.

salarier, v. tr. Rétribuer (qqn) du
travail qu'il fait pour nous. *Mercedem
alicui dăre*. Salarié, *mercennarius, a,
um*, adj.

sale, adj. Dont la netteté est altérée
(par des taches, etc.). *Illotus, a, um*,
adj. *Sordidus, a, um*, adj. Etre —,
sordēre, intr.; *squalēre*, intr.

salement, adv. D'une manière sale.
Spurcē, adv.

saler, v. tr. Assaisonner avec du sel.
Salīre, tr. *Sale aliquid conspergĕre* (ou
aspergĕre).

saleté, s. f. Etat de ce qui est sale.
Sordes, ium, f. pl. *Illuvies, ei*, f.

saleur, *euse*, s. m. et f. Celui, celle
qui sale (des viandes, des poissons).
Qui (*quae*) *salit* ou *sale condit* ou *ma-
cerat* (*carnes, pisces*).

Saliens, n. pr. Collège de prêtres Romains. *Salii, orum*, m. pl. Des —,
Salius, a, um, adj.; *Saliaris, e*, adj.

salière, s. f. Petite pièce de vaisselle
contenant du sel. *Salinum, i*, n. (plur.
hétéroclite, *salinae, arum*), f.

salin, *ine*, adj. Qui est de la nature
du sel. *Salis similis*.

saline, s. f. Lieu où l'on tire le sel. *Salinae, arum,* f. pl.

salir, v. tr. Rendre sale. *Inquināre,* tr. *Caeno oblinĕre* (ou *replēre*). Se —, *sordes colligĕre.* ¶ (Au fig.) Porter atteinte à la pudeur, à l'honneur. *Inquināre,* tr. *Foedāre,* tr. [SALIR.

salissant, *ante,* adj. Qui salit. Voy.

salive, s. f. Liquide sécrété par les glandes salivaires. *Saliva, ae,* f.

salle, s. f. Pièce généralement destinée à réunir plusieurs personnes. *Atrium, ii,* n. *Conclave, is,* n. — à manger, *cenatio, onis,* f. — d'audience, *auditorium, ii,* n. — de réception, *atrium, ii,* n. — d'armes, *ludus gladiatorius.* — du sénat, *curia, ae,* f. — de bains, voy. BAIN.

salon, s. m. Pièce d'un appartement destinée à recevoir la compagnie. *Atrium, ii,* n. *Exedra, ae,* f.

salsifis, s. m. Plante potagère. *Tragopogon, i,* n.

saltimbanque, s. m. Bateleur de places publiques. Voy. BATELEUR.

salubre, adj. Qui a une action favorable sur l'organisme. *Saluber, bris, bre,* adj. et (ordin.) *salubris, e,* adj.

salubrité, s. f. Caractère de ce qui a une action favorable sur l'organisme. *Salubritas, atis,* f.

saluer, v. tr. Honorer d'un salut. *Salutāre,* tr. (on dit aussi : *alicui salutem dāre* ou *dicĕre*). — tout le monde, — à la ronde, *persalutāre,* tr. || (Fig.) Honorer d'un titre. *Salutāre,* tr.

salut, s. m. Le fait d'échapper à la mort, à la destruction, à la ruine. *Salus, utis,* f. *Conservatio, onis,* f. ¶ Formule acclamative par laquelle on adresse un souhait à qqn pour sa prospérité. *Salutem* (accus. s.-e. *dico,* etc.). *Salve.* ¶ (Par ext.) Démonstration convenue de civilité par parole ou par geste. *Salus, utis,* f. || Formule de civilité. *Salutem. Salve.*

salutaire, adj. Propre à conserver ou à rétablir l'organisme. *Saluber, bris, bre,* adj. et ordin. *salubris, bre,* adj. *Salutaris, e,* adj. || (Fig.) Propre à conserver ou à rétablir la santé de l'âme. *Salutaris, e,* adj. Etre —, *saluti esse (alicui).*

salutairement, adv. D'une manière salutaire. *Salubriter,* adv. Fig. *Salutariter,* adv.

salutation, s. f. Action de saluer. *Salutatio, onis,* f. *Salus, utis,* f.

salve, s. f. Une — d'applaudissements, *maximus plausus.*

samedi, s. m. Le septième jour de la semaine. *Saturni sacra dies.*

Samnites, n. pr. Peuple du Samnium. *Samnites, ium,* m. pl.

Samnium, n. pr. Contrée d'Italie. *Samnium, ii,* n.

Samos, n. pr. Ile de l'Archipel. *Samos, i,* f. De —, *Samius, a, um,* adj. Habitants de —, *Samii, orum,* m. pl.

Samothrace, n. pr. Ile. *Samothracia, ae,* f.

sanctification, s. f. Action de rendre saint ou de mettre en état de grâce. *Sanctificatio, onis,* f. ¶ Action de révérer comme saint. Voy. VÉNÉRATION.

sanctifier, v. tr. Rendre saint. *Sacrāre,* tr. || (P. ext.) Mettre en état de grâce. Voy. GRACE. ¶ Révérer comme saint *Piè sanctĕque colĕre.*

sanction, s. f. Acte par lequel le chef d'un Etat confirme une mesure législative. *Sanctio, onis,* f. || (Fig.) *Fides, ei,* f. ¶ Peines ou récompenses qui confirment une loi. *Sanctio, onis,* f.

sanctionner, v. tr. Rendre exécutoire (une loi, par l'approbation du chef de l'Etat). *Sancīre,* tr. *Ratum facĕre (aliquid).* ¶ Confirmer (une loi), en assurer l'exécution par des peines, des récompenses. *Sancīre,* tr.

sanctuaire, s. m. Le lieu le plus saint d'un temple, d'une église. *Sacrum, i,* n. *Sacrarium, ii,* n. ¶ (P. ext.) Enceinte consacrée. *Locus sacer* ou *sanctus.* || (Fig.) Séjour qu'on doit particulièrement respecter. *Adytum, i,* n. (En parlant des Muses.) *Sacrarium, ii,* n.

sandale, s. f. Chaussure faite d'une simple semelle. *Solea, ae,* f. *Sandalium, ii,* n.

sandaraque, s. f. Sulfure rouge d'arsenic. *Sandaraca, ae,* f.

sang, s. m. Liquide qui, circulant dans le corps, y entretient la vie. *Sanguis, inis,* m. De —, *sanguineus, a, um,* adj. || Sang versé, répandu. *Cruor, oris,* m. *Sanguis, inis,* m. Couvert de —, *cruentus, a, um,* adj. Qui n'a plus de —, *exsanguis, e,* adj. ¶ (Par ext.) La race. *Sanguis, inis,* m. Prince du —, *princeps regiā stirpe genitus.*

sang-froid, s. m. Possession de soi-même en présence de ce qui peut irriter, exalter, troubler, etc. *Animus impavidus* (ou *intrepidus*). Qui est de —, *impavidus* ou *intrepidus.* Garder son — en présence de qqch., *aequo animo ferre aliquid.*

sanglant, *ante,* adj. Où il y a du sang répandu. *Cruentus, a, um,* adj. *Cruentatus, a, um,* p. adj. Blessure —, *crudum vulnus.* Mort —, *nex, necis,* f. ¶ (Au fig.) Qui blesse profondément. *Contumeliosus, a, um,* adj. *Plenus contumeliae.*

sangle, s. f. Bande qu'on serre, qu'on tend pour maintenir qqch. *Fascia, ae,* f.

sanglier, s. m. Porc sauvage. *Aper, pri,* m. De —, *aprinus, a, um,* adj.

sanglot, s. m. Spasme de poitrine qui laisse échapper la voix en sons entrecoupés. *Singultūs, ūs,* m. (on dit aussi *repetiti altè gemitus*). Pousser des —, voy SANGLOTER.

sangloter, v. intr. Pousser des sanglots. *Singultāre,* intr. *Singultīre,* intr.

sangsue, s. f. Annélide qui suce le sang des animaux. *Hirudo, inis,* f. *Sanguisuga, ae,* f.

sanguin, *inc*, adj. Qui a rapport au sang. *Sanguineus, a, um*, adj. ‖ Qui est couleur de sang *Sanguineus, a, um*, adj. ¶ En qui prédomine le sang. *Sanguine abundans*.

sanguinaire, adj. Qui aime à répandre le sang. *Sanguinarius, a, um*, adj.

sanguinolent, *ente*, adj. Où apparaît du sang. *Sanguinolentus, a, um*, adj.

sanitaire, adj. Qui a pour objet la santé publique. *Ad publicam sanitatem pertinens*.

sans, prép. signif. absence manque. ‖ Absence, manque de la personne, de la chose. *Sine*, prép. (av. l'Abl.). (qqf. l'idée de *sine* se rend par l'abl. seul. [cf. *nullo negotio ; nullā impensā ; nullo ordine ; nullo periculo*]; par un adj. comme *expers*, « qui manque de » [cf. *expers eruditionis*] ou *carens* [cf. *civitas lege carens*]). Ville — défenseurs, *urbs nuda defensoribus*. — amis, *inops ab amicis*. — vêtements, *nudus*. — crainte d'être soupçonné de flatterie, *non reverens assentandi suspicionem*. ¶ Absence, manque de la manière d'être. d'agir. ‖ « Sans » suivi de l'Inf. Les Athéniens attaquèrent les Perses sans attendre de secours. *Athenienses adorti sunt Persas non exspectato auxilio*. — savoir à quoi cela rime, *quo id pertineat ignarus*. Il aime mieux passer pour honnête sans l'être que l'être sans le paraître, *mavult existimari bonus vir, ut non sit, quam esse, ut non putetur*. ‖ « Sans » avec la conj. « que » se rend aussi par les équivalents énumérés ci-dessus.

santé, s. f. Bon état de l'organisme. *Sanitas, atis*, f. *Salus, utis*, f. *Integritas, atis*, f. ‖ (Par ext.) État de l'organisme. *Valetudo, dinis*, f. Bon pour la —, voy. SALUTAIRE. En bonne —, *sanus ; valens*. Boire à la — de qqn, porter la — de qqn, *salutem alicui propinăre*, ou (simpl.) *propināre alicui*. A votre —, *bene te ! bene tibi !*

Saône, n. pr. Rivière de France. *Arar, aris*, m.

sape, s. f. Fosse creusée en dessous d'une construction. *Suffossus specus* ou simpl. *specŭs, ūs*, m. *Suffossio, onis*, f.

saper, v. tr. Creuser sous une construction pour la faire écrouler. *Suffodēre*, tr. *Subruěre*, tr. ‖ (Fig.) *Subruěre*, tr.

saphir, s. m. Pierre précieuse d'un beau bleu. *Sappirus, i*, f.

Sapho, n. pr. Poétesse grecque. *Sappho, us* (Acc. *Sappho*, Abl. *Sappho*), f. De —, *Sapphicus, a, um* adj.

sapide, adj. Qui a une saveur. *Sapidus, a, um*, adj.

sapin, s. m. Arbre résineux, toujours vert. *Arbor abietis. Abies, etis*, f. De —, *abiegnus, a, um*, adj.

sarcasme, s. m. Moquerie, ironie mordante. *Contumelia, ae*, f.

sarcastique, adj. Qui tient du sar-

casme. *Acerbus, a, um*, adj. *Contumeliosus, a, um*, adj. D'une façon —, *acerbē*, adv.

sarcelle, s. f. Oiseau aquatique. *Querquedula, ae*, f.

sarclage, s. m. Action de sarcler. *Sarculatio, onis*, f.

sarcler, v. tr. Nettoyer (un terrain) en arrachant les mauvaises herbes. *Sarrīre* ou *sarīre*, tr.

sarcleur, s. m. Celui qui sarcle un terrain. *Sarritor, oris*, m. ou *saritor, oris*, m.

sarcloir, s. m. Ratissoire pour sarcler. *Sarculum, i*, n.

sarcophage, s. m. Cercueil en pierre des anciens. *Sarcophagus lapis* ou *sarcophagus, i*, m.

Sardaigne, n. pr. Île de la Méditerranée. *Sardinia, ae*, f. De —, *Sardiniensis, e*, adj. Habitants de la —, *Sardi, orum*, m. pl.

Sardes, n. pl. Ancienne capitale de la Lydie. *Sardes, ium*, f. pl. Habitants de —, *Sardiani, orum*, m. pl.

sardine, s. f. Sorte de petit poisson. *Sarda, ae*, f.

Sarmates, n. pl. Peuple slave. *Sarmatae, arum*, m. pl.

Sarmatie, n. pr. Pays des Sarmates, *Sarmatia, ae*, f.

sarment, s. m. Bois que la vigne pousse chaque année. *Sarmentum, i*, n.

sas, s. m. Voy. CRIBLE, TAMIS.

sasser, v. tr. Passer au sas. Voy. TAMISER. ¶ (Fig.) Examiner minutieusement. *Pensitāre*, tr.

Satan, n. pr. Le diable. *Satanas, ae*, m.

satellite, s. m. Homme armé de la suite d'un chef. *Satelles, litis*, m.

satiété, s. f. État d'une personne dont la faim est plus que satisfaite. *Satietas, atis*, f.

satin, s. m. Étoffe de soie lustrée. *Lubrica* (ou *levia*) *serica*.

satire, s. f. Ouvrage mêlé de prose et de vers où l'auteur censure les mœurs publiques. *Satira, ae*, f. ¶ (P. ext.) Ouvrage en vers où le poète attaque les vices et les ridicules. *Satira, ae*, f. Composer une — contre qqn, *versus in aliquem facĕre* ou *carmen in aliquem scribĕre*. ‖ (P. anal.) Écrit, discours mordant contre qqn. *Censura, ae*, f.

satirique, adj. Qui appartient à la satire. Poème —, *satira, ae*, f. Un auteur —, un —, *satirarum scriptor*. ‖ (P. anal.) Qui offre des traits mordants contre qqn. *Acerbus, a, um*, adj. Humeur —, *acerbitas, atis*, f.

satiriquement, adv. D'une façon satirique. *Acerbē*, adv.

satisfaction, s. f. État agréable qui résulte de l'accomplissement de ce qu'on attend, de ce qu'on désire. Voy. CONTENTEMENT, JOIE. ‖ Assouvissement. *Expletio, onis*, f. ¶ Acte par lequel qqn obtient la réparation d'une offense. *Satisfactio, onis,* f. Donner — à qqn, *alicui satisfacĕre.* Demander —, *jus repetĕre.*

satisfaire, v. tr. et intr. || (*V. tr.*) Mettre (qqn) dans un état agréable en accomplissant ce qu'il attend, ce qu'il désire. Voy. CONTENTER. Satisfait, voy. CONTENT. Ne pas être —, *paenitēre,* impers. — tes créanciers, *satisfacĕre quibus debes.* — qqn, *respondēre ad ea quae ab aliquo quaesita sunt.* || (Par ext.) Remplir (un désir, une passion). *Explēre,* tr. *Satiāre,* tr. ¶ (*V. intr.*) Donner à qqn la réparation qu'il attend. *Satisfacĕre,* intr. Se —, *illatam injuriam vindicāre* (ou *ulcisci*). || (Par ext.) S'acquitter de ce qui est exigé par qqch. *Satisfacĕre,* intr. *Perficĕre,* tr. *Explēre,* tr. *Exsequi,* dép. tr. *Praestāre,* tr. — à mes engagements, *praestāre quod promiseram.*

satisfaisant, *ante,* adj. Qui satisfait. *Idoneus, a, um,* adj. *Justus, a, um,* adj. (Fig.) *In quo acquiescas.*

satrape, s. m. Assaisonnement liquide Gouverneur de province (chez les Perses). *Satrapes, ae,* m.

satrapie, s. f. Gouvernement d'un satrape. *Satrapia, ae,* f.

Saturnales, s. f. pl. Fêtes en l'honneur de Saturne. *Saturnalia* (gén. *Saturnaliorum* et *Saturnalium,* dat., abl. *Saturnalibus*), n. pl.

Saturne, s. pr. Dieu du panthéon romain. *Saturnus, i,* m. De —, *Saturnius, a, um,* adj. ¶ Nom d'une planète. *Saturnus, i,* m.

satyre, s. m. et f. || *S. m.* Demi-dieu habitant les bois. *Satyrus, i,* m. De —, *satyricus, a, um,* adj. ¶ *S. f.* Pièce de théâtre bouffonne (chez les anciens). *Satyrus, i,* m.

sauce, s. f. Assaisonnement liquide de certains mets. *Jus, juris,* n. *Conditura, ae,* f.

saucière, s. f. Vase dans lequel on sert les sauces. *Salsarium, ii,* n.

saucisse, s. f. Boyau de porc rempli de viande hachée. *Lucanica, ae,* f. Chair à —, *isicium, ii,* n.

saucisson, s. m. Grosse saucisse très épicée. *Tomacina, ae,* f.

sauf, *sauve,* adj. Qui échappe au péril de la mort. *Salvus, a, um,* adj. *Incolumis, e,* adj. *Integer, gra, grum,* adj. La vie —, *incolumitas, atis,* f.; *salus, utis,* f. || (Par ext.) Qui n'a pas été endommagé. *Integer, gra, grum,* adj. *Intactus, a, um,* adj. || Loc. prép. — à, sous la réserve de, *hāc lege* (ou *hāc condicione,* ou *cum hāc exceptione*), et... ou simpl. *ita* (ou *sic*), et... (et le Subj.). || Loc. conj. — que, voy. EXCEPTÉ.

sauf-conduit, s. m. Permission d'aller dans un lieu, d'en revenir, sans être arrêté. *Fides publica,* et (simpl.) *fides ei,* f. [*ae,* f.

sauge, s. f. Plante aromatique. *Salvia,*

saugrenu, *ue,* adj. Voy. ABSURDE, BIZARRE, RIDICULE.

saule, s. m. Arbre qui croît ordinairement au bord des ruisseaux. *Salix, licis,* f. De —, *saligneus, a, um,* adj.; *salignus, a, um,* adj.

saumâtre, adj. Qui a le goût de l'eau de mer. *Salsus, a, um,* p. adj.

saumon, s. m. Poisson de mer qui remonte les fleuves. *Salmo, onis,* m.

saumure, s. f. Eau saturée de sel. *Salsilago, ginis,* f. *Muria, ae,* f. ¶ Liquide salé dans lequel on conserve certaines substances alimentaires. *Muria, ae,* f.

saupoudrer, v. tr. Poudrer avec du sel. *Sale conspergĕre* (ou *inspergĕre,* ou *aspergĕre*). || (P. ext.) Poudrer avec une substance pulvérisée *Inspergĕre,* tr. *Aspergĕre* (*olivam*) *sale.* || (Fig.) *Spargĕre* (*aliquid aliquā re*). *Aspergĕre* (*sales orationi*).

saussaie, s. f. Lieu planté de saules. *Salictum, i,* n.

saut, s. m. Mouvement par lequel on se lance en l'air. *Saltūs, ūs,* m. De plein — (d'un seul élan), *assultim,* adv.

sauter, v. intr. et tr. || (*V. intr.*) Se lancer en l'air pour retomber sur place ou pour franchir un espace. *Salīre,* intr. *Desilīre* (« sauter du haut de, en bas de »), intr. (*desilio, is, -silui,* bas de sup.). *Exsilīre* (« sauter hors de »), intr. (*e* ou *de aliquā re*). *Exsultāre* (« sauter, bondir »), intr. *Prosilīre* (« sauter en avant *ou* hors de »), intr. (*cum ab sede sua prosiluisset; ex lecto repente prosiluit*). *Transilīre* (« sauter sur ou par-dessus »), intr. et tr. (*in hostium naves*). *Transsultāre* (« sauter sur »), intr. — d'un cheval fourbu sur un cheval frais, *in recentem equum ex fesso transsultāre.* Par ext. — aux yeux, à la gorge de qqn, *alicui in oculos, in fauces invadĕre.* — au cou de qqn, *in collum invadĕre.* Faire — une serrure, *claustra revellĕre.* Faire — les yeux hors de la tête, *oculos* (*alicui*) *elidĕre.* Fig. — aux yeux, *in oculos incurrĕre.* Cela — aux yeux, *haec ante oculos posita sunt.* Qui saute aux yeux, *omnibus apertus* (*a, um*) — (d'une chose à une autre), *transire,* intr.; *transcurrĕre in* (*aliquid*). || (Par anal.) Le vent saute au S.-O., *ventus vertitur in Africum.* ¶ (*V. tr.*) Franchir en se lançant en l'air. *Transilīre,* tr. (voy. FRANCHIR). || — qqch. en lisant, etc. voy. PASSER. Fig. — le fossé, le pas, *aleam jacĕre.*

sauterelle, s. f. Insecte ailé. *Locusta, ae,* f.

sauteur, *euse,* s. m. et f. et adj. || *Subst. S. m.* et *f.* Celui, celle dont la profession est de faire des sauts. *Petauristes, ae,* m. *Desultor, oris,* m. ¶ *S. m.* Cheval dressé à sauter. *Desultorius equus.* ¶ *Adj.* Qui saute. *Saliens,* p. adj. *Exsultans,* p. adj.

sautiller, v. intr. Faire de petits sauts. *Subsilīre,* intr.

sauvage, adj. Qui vit loin des lieux habités par les hommes (en parl. de l'animal). *Ferus, a, um*, adj. *Silvestris, e*, adj. Bête, animal —, *fera, ae*, f. Faire de qqn une bête —, rendre —, *efferāre*, tr. ‖ (Spéc.) Non apprivoisé. *Indomitus, a, um*, adj. ‖ (En parl. de l'homme.) Qui vit en dehors des sociétés civilisées. *Ferus, a, um*, adj. *Silvestris, e*, adj. ‖ (En parl. de la plante.) Qui vient sans culture. *Ferus, a, um*, adj. *Silvestris, e*, adj. *Silvaticus, a, um*, adj. *Agrestis, e*, adj. ‖ (En parl. d'un lieu.) Où l'homme ne vient pas, n'exerce pas son action. *Rudis, e*, adj. *Incultus, a, um*, adj. *Vastus, a, um*, adj. ¶ (Au fig.) Qui fuit le commerce des hommes. *Homines fugiens*. Etre —, *homines fugère*. ‖ Intraitable. *Ferus, a, um*, adj. *Immanis, e*, adj. *Crudelis, e*, adj. *Saevus, a, um*, adj. Humeur —, voy. SAUVA-GERIE. Avec une haine —, *atrociter*, adv.

sauvageon, s. m. Arbre venu spontanément. *Arbor fera*.

sauvagerie, s. f. Humeur sauvage. *Feritas, atis*, f.

sauvegarde, s. f. Action de garantir la vie, la liberté, les biens de qqn. *Praesidium, ii*, n. *Fides, ei*, f. *Tutela, ae*, f.

sauvegarder, v. tr. Prendre sous sa sauvegarde. *Tutāri*, dép. tr.

sauver, v. tr. Faire échapper (qqn) à la mort, à la ruine. *Servāre*, tr. *Conservāre*, tr. (on dit aussi *salutem dāre* [ou *afferre*] *alicui; salutis auctorem esse alicui*). Etre — par qqn, *salutem accipère ab aliquo*. — qqn du péril de la mort, *eripère aliquem periculo* [Dat.] ou *ex periculo; retrahère aliquem ab interitu; eripère aliquem a* (ou *ex*) *morte*. Se — (— sa vie), *se servāre; in tutum pervenire*. Chercher à se —, *salutem* (*jugā*) *petère*. Se — (s'échapper précipitamment), *fugère*, intr. Sauve qui peut, *fugā unus quisque salutem petat*. — de qqn, de qqch., voy. GARANTIR, PROTÉGER. Absol. Se —, c.-à-d. se tirer d'embarras, *sese expedire*. Sauvé, *salvus; incolumis*. ‖ (Spéc.) Donner la vie éternelle. *Salvum facère* (*aliquem*). ¶ Faire échapper (qqch.) à la destruction, à la rapacité, etc. *Servāre*, tr. *Conservāre*, tr. (on dit aussi *in tuto collocāre*). ‖ (Fig.) Conserver intact. *Integrum* (*am, um*) *servāre*. — son crédit, *auctoritatem suam tuēri*. Pour — les apparences, *propter verecundiam*. ‖ (Par ext.) Sauver qqch. à qqn. *Aliquem immunem praestāre ab aliquā re*.

sauveur, s. m. Celui par qui on est sauvé. *Servator, oris*, m. ‖ (Spéc.) Jésus-Christ. *Salvator, oris*, m.

savamment, adv. D'une manière savante. *Doctè*, adv. ‖ En connaissance de cause. *Scientissimè*, adv.

savant, ante, adj. Qui a la science de qqch. *Sciens* (gén. -*entis*), p. adj. *Eruditus, a, um*, p. adj. *Doctus, a, um*, p. adj. *Peritus, a, um*, adj. ¶ (Absol.)

Qui a de la science. *Litteratus, a, um*, adj. *Doctus, a, um*, p. adj. *Eruditus, a, um*, p. adj. Un —, *litteratus homo; homo studiis ac litteratus homo; homo studiis ac litteris deditus; vir eruditus*.

savetier, s. m. Raccommodeur de vieux souliers. *Sutor veteramentarius*.

saveur, s. f. Propriété d'affecter le goût. *Sapor, oris*, m. *Gustŭs, ŭs*, m. — agréable, *suavitas, atis*, f. — amère, *amaritudo, dinis*, f.

1. savoir, v. tr. Connaître complètement. *Scire*, tr. *Novisse* ou *nosse*, tr. *Comperisse* (« être informé, *d'où* savoir »), tr. *Habēre*, tr. Vous savez ce que vous vouliez — de moi, *habetis ea quae voluistis ex me audire*. Venir à —, *rescire*, tr. Faire — qqch. à qqn, *aliquem certiorem facère alicujus rei* (ou *de aliquā re*); *aliquid alicui indicāre* (ou *significāre*). Ne pas —, *nescire*, tr.; *ignorāre*, tr. C'est à — *et, ellipt.* à —, *dico; inquam; nam; etenim* (pour introduire une phrase explicative). Au part. passé pris subst. Au vu et au su de tout le monde, *scientibus omnibus*. ¶ (Spéc.) Posséder qqch. dans sa mémoire. *Habēre*, tr. *Tenēre*, tr. (*memoria tenēre* [av. l'Acc. et l'Inf]). *Meminisse*,. tr et intr. — par cœur, voy. CŒUR. ¶ Posséder la science ou l'art, la pratique de qqch. *Scire*, tr. *Habēre*, tr. *Didicisse* (« avoir appris, *d'où* savoir »), tr. *Novisse* (« avoir appris, *d'où* savoir »), tr. *Doctum* ou *eruditum esse* (*aliquā re*). *Peritum esse* (*alicujus rei*). Il ne sait comment se défendre, *non habet quemadmodum se defendat*. — beaucoup de langues, *multas linguas intelligère*. — le latin, le grec, *Latinè, Graecè scire*. ‖ (Par ext.) *Au conditionnel*. Pouvoir. Je ne saurais affirmer, *haud affirmaverim*. ‖ (L'idée de « savoir » n'est pas rendue en latin par un verbe spécial, quand « savoir » n'est pas là s'exprimer une science réelle). Il sait supporter l'adversité, *rem adversam aequo animo fert*.

2. savoir, s. m. Ensemble des connaissances acquises par l'étude. *Scientia, ae*, f.

savoir-faire, s. m. Art de faire réussir les choses qu'on entreprend. *Industria, ae*, f. *Ars, artis*, f.

savoir-vivre, s. m. Art de se conduire dans le monde. *Urbanitas, atis*, f. *Elegantia vitae* (ou *morum*). Qui a du —, *urbanus, a, um*, adj.; *elegans* (gén. -*antis*), adj.

savon, s. m. Corps gras dont on se sert pour le blanchissage, le nettoyage. *Sapo, onis*, m.

savourer, v. tr. Goûter lentement pour prolonger la jouissance. *Degustāre*, tr. ‖ (Fig.) Jouir lentement de qqch. *Regustāre* (*litteras*).

savoureux, euse, adj. Qui a une saveur agréable. *Suavis, e*, adj.

sayon, s. m. Sorte de casaque que portaient les paysans, les soldats. *Sagum, i*, n.

sbire, s. m. Archer, agent de la police (en Italie). Voy. POLICIER.

scabreux, *euse*, adj. Où l'on passe difficilement à cause des aspérités. *Asper, era, erum*, adj. *Salebrosus, a, um*, adj. || (Fig.) Où l'on rencontre des choses embarrassantes, risquées. *Lubricus, a, um*, adj.

scalpel, s. m. Instrument pour disséquer. *Scalpellum, i*, n. *Scalprum, i*, n.

scandale, s. m. Danger de chute où l'on met les autres par son exemple. *Scandalum, i*, n. Fig. Pierre de —, *offendiculum, i*, n. ¶ Eclat fâcheux d'un mauvais exemple. *Res mali* (ou *pessimi*) *exempli*.

scandaleusement, adv. D'une manière scandaleuse. *Flagitiosē*, adv. Vivre —, *malo exemplo vivēre*.

scandaleux, *euse*, adj. Qui cause du scandale. || (En parl. des pers.) *Mali* (ou *pessimi*) *exempli. Insignis infamiae* (*vir*). || (En parl. des ch.) *Qui* (*quae, quod*) *offensioni est* (ou *offensionem affert* ou *habet*). *Indignus, a, um*, adj. *Mali* (ou *pessimi*) *exempli*.

scandaliser, v. tr. Mettre en danger de chute par son exemple. *Transversum aliquem* (*malo exemplo*) *agēre*. ¶ Choquer par l'éclat fâcheux du mauvais exemple. *Offendēre*, tr. Se — de qqch., *offendi in aliquā re*.

scapulaire, m. s. Partie de vêtement de certains religieux. *Scapulare, is*, n.

scarabée, s. m. Sorte de coléoptère. *Scarabaeus, i*, m.

sceau, s. m. Cachet officiel apposé sur des actes écrits, pour en garantir l'authenticité. *Signum, i*, n. *Sigillum, i*, n. Le — de l'Etat, *publicum signum*. Apposer un —, revêtir de son —, *signāre*, tr.; *consignāre*, tr.; *obsignāre* (*litteras publico signo*). || (Fig.) Confirmation solennelle et définitive d'une chose. Mettre le — à qqch., *sancīre aliquid*. || (P. ext.) Caractère inviolable de qqch. *Religio, onis*, f. *Sanctitas, atis*, f. || Confier qqch. sous le — du secret, *taciturnitati et fidei alicujus aliquid concredēre*. ¶ Empreinte de ce cachet officiel. *Signum* (*anuli in cerā expressum* ou *servatum*). *Sigillum* (*in cerā anulo impressum*) ou (simpl.) *signum, i*, n.; *sigillum, i*, n. || (Fig.) Signe manifeste de qqch. *Nota, ae*, f. Ouvrage marqué du — de la perfection, *opus perfectum expletumque omnibus suis numeris et partibus*.

scel, Voy. SCEAU.

scélérat, *ate*, adj. et s. m. et f. || *Adj.* Qui a commis ou est capable de commettre des crimes. *Sceleratus, a, um*, adj. *Nefarius, a, um*, adj. *Impius, a, um*, adj. *Improbus, a, um*, adj. (on dit aussi *sceleris plenus*). || (Par ext.) Qui est bien d'un scélérat. *Sceleratus, a, um*, adj. *Scelestus, a, um*, adj. *Nefarius, a, um*, adj. ¶ *S. m, et f.* Celui, celle qui a commis ou est capable de commettre des crimes. *Homo malus* (ou *improbus*). *Mulier mala* (ou *improba*). *Homo scelestus* (ou *sceleratus*).

scélératesse, s. f. Manière d'être, d'agir de celui qui est scélérat. *Improbitas, atis*, f. *Scelus, eris*, n. || Acte de scélérat. *Nefarium facinus*.

scellé, s. m. Sceau apposé par autorité de justice. *Signum judicis* ou simpl. *signum, i*, n. Apposer, mettre les —, mettre sous —, *obsignāre*, tr. Lever les —, *resignāre*, tr.

sceller, v. tr. Marquer de l'empreinte d'un sceau. || (Pour valider.) *Obsignāre*, tr. *Consignāre*, tr. *Anulo claudēre* ou *anuli sigillo imprimēre* (*epistulam*). || (Pour confirmer solennellement.) *Confirmāre*, tr. *Sancīre* (*foedus sanguine alicujus*). || Pour fermer, rendre secret. Voy. SCEAU, SECRET, TAIRE. Spéc. Apposer les scellés, voy. SCELLÉ. || (P. ext.) Fermer en mastiquant, en maçonnant, etc. *Devincīre* (*plumbo opercula*).

scène, s. f. Partie d'un théâtre où jouent les acteurs. *Scena, ae*, f. Le devant de la —, *proscenium, ii*, n. De la —, *scenicus, a, um*, adj. || (Par anal.) Mettre qqn en — ou sur la — (dans un récit), *inducēre*, tr. Qui est en —, (*vir*) *vultu composito*. || (Fig.) Milieu où qqn est en vue. *Scena, ae*, f. *Theatrum, i*, n. ¶ Le lieu où se passe l'action de la pièce. *Sedes, is*, f. *Locus, i*, m. || (Fig.) Lieu où se passe qqch. Voy. SIÈGE. ¶ Division d'un acte. *Scena, ae*, f. || (Fig.) Spectacle de qqch. d'intéressant, d'émouvant. *Spectaculum, i*, n. *Res, rei*, f. Assister à une — admirable, *rei interesse mirabili*. Scènes tragiques, *tragoediae, arum*, pl. — sanglantes, *cruenta* (n. pl.).

scénique, adj. Qui a rapport à la scène. *Scenicus, a, um*, adj.

scepticisme, s. m. Doute philosophique. *Pyrrhonis praecepta*.

sceptique, adj. Qui professe le scepticisme. *Qui* (*quae*) *a rebus incertis assensionem cohibet*. Les philosophes —, *Pyrrhonei, orum*, m. pl.

sceptre, s. m. Bâton de commandement (un des insignes de la royauté). *Sceptrum, i*, n. || (Fig.) Autorité souveraine. *Sceptra, orum*, m. pl. *Imperium, ii*, n. *Regnum, i*, n. || (P. anal.) Prééminence. *Regnum, i*, n. *Principatus, ūs*, m.

schismatique, adj. Qui forme schisme. *Schismaticus, a, um*, adj.

schisme, s. m. Dans une religion établie, formation d'une Eglise dissidente. *Schisma, atis*, n.

schol... Voy. SCOL...

sciage, s. m. Action de scier. *Serratura, ae*, f.

scie, s. f. Lame métallique, à tranchant denté, qui divise les matières dures. *Serra, ae*, f. Petite —, *serrula, ae*, f. || Scie de mer (poisson). *Serra, ae*, f.

sciemment, adv. Avec pleine connaissance. *Scienter*, adv. Qui agit —, *sciens ; prudens et sciens*.

science, s. f. Connaissance exacte d'un certain nombre de choses. *Scientia, ae*, f. *Cognitio, onis*, f. || (Absol.) Ensemble de connaissances résultant de l'étude. *Scientia, ae*, f. *Doctrina, ae*, f. *Disciplina, ae*, f. ¶ Système de connaissances, où un ordre de faits déterminé est coordonné et ramené à des lois. *Ratio, onis*, f. *Ars, artis*, f. Les —, *disciplinae, arum*, f. pl.

scientifique, adj. Qui appartient à la science. *Qui (quae, quod) in artibus versatur*. Vie —, *litterarum studia*. Recherches —, *scientiae pervestigatio, onis*, f. Connaissances —, *litterarum* (ou *disciplinarum*) *scientia*.

scier, v. tr. Couper avec une scie. *Serrā secāre* (ou *dissecāre*). || Spéc. Pour enlever une partie d'un objet, pour rogner. *Serrā praecidĕre*.

scierie, s. f. Usine où l'on scie. *Serratoria officina* (ou *fabrica*).

scieur, s. m. Ouvrier dont le métier est de scier. *Serrarius sector* et simpl. *serrarius, ii*, m. — de long, *sector materiarium*.

scinder, v. tr. Séparer, fractionner (ce qui ne faisait qu'un). *Scindĕre*, tr.

scintillant, *ante*, adj. Qui scintille. *Scintillans* (gén. -*antis*), p. adj.

scintillation, s. f. Caractère de ce qui brille par éclats. *Scintillatio, onis*, f.

scintiller, v. intr. Briller, en jetant des éclats par intervalles. *Scintillāre*, intr.

scion, s m. Rejeton, pousse de l'année. *Surculus, i*, m.

scission, s. f. Action de scinder; résultat de cette action. *Discidium, ii*, n.

sciure, s. f. Parcelles que fait tomber la scie. *Scobis, is*, f.

scolaire, adj. Relatif aux écoles. *Scholicus, a, um*, adj.

scolastique, adj. Relatif aux écoles (du moyen âge). *Scholasticus, a, um*, adj.

scombre, s. m. Genre de poissons. *Scomber, bri*, m.

scorie, s. f. Résidu des métaux. *Scoria, ae*, f.

scorpion, s. m. Arachnide dont la queue est armée d'un dard venimeux. *Scorpio, onis*, m.

scribe, s. m. Homme employé à faire des écritures. *Scriba, ae*, m. || (Spéc.) Docteur écrivant et interprétant les Ecritures, chez les Juifs. *Scriba, ae*, m.

scrupule, s. m. (Antiq. rom.) Très faible poids, la 24e partie de l'once. *Scrupulum, i*, n. ¶ (Au fig.) Inquiétude de la conscience sur un point minu-

tieux. *Scrupulus, i*, m. *Religio, onis*, f. — excessif, *anxietas, atis*, f.

scrupuleusement, adv. D'une manière scrupuleuse. *Religiosē*, adv.

scrupuleux, *euse*, adj. Qui a des scrupules. *Religiosus, a, um*, adj.

scrutateur, *trice*, s. m. et f. Celui, celle qui scrute. || Scrutateur. *Investigator, oris*, m. || Scrutatrice. *Quae scrutatur* (ou *perscrutatur*). *Indagatrix, tricis*, f. || Adj. *Curiosus, a, um*, adj. || (Spéc.) Celui qui est chargé de surveiller un scrutin. *Diribitor, oris*, m.

scruter, v. tr. Examiner en cherchant à pénétrer jusqu'au fond des choses. *Scrutāri*, dép. tr. *Perscrutāri*, dép. tr.

scrutin, s. m. Vote au moyen de boules, de bulletins, etc., déposés dans une urne, etc., d'où on les tire ensuite pour les compter. — secret, *occulta suffragia*. Dépouiller le —, *diribēre suffragia*.

sculpter, v. tr. Façonner avec le ciseau. *Sculpĕre*, tr.

sculpteur, s. m. Artiste qui sculpte. *Fictor, oris*, m. *Statuarum artifex*.

sculpture, s. f. Art du sculpteur. *Signa* (ou *statuas et simulacra*) *fabricandi ars*. *Fingendi ars*. || Travail du sculpteur. *Sculptura, ae*, f.

Scylla, n. pr. Ecueil de la Méditerranée. *Scylla, ae*, f. De —, *Scyllaeus, a, um*, adj.

Scythes, n. pr. Habitants de la Scythie. *Scythae, arum*, m. pl.

Scythie, n. pr. Contrée au delà de la mer Noire. *Scythia, ae*, f.

se et (devant une voyelle *ou* une h muette) **s'**, pron. réfl. Forme atone de « soi », pron. réfl. de la 3e pers. Complément direct. *Se*. ¶ Complément indirect. *Sibi*.

séance, s. f. Le fait d'être assis. *Sessio, onis*, f. ¶ Réunion des membres d'un tribunal, d'une assemblée, etc., siégeant pendant un temps plus ou moins long pour s'occuper de leurs travaux. *Consessus, ūs*, m. — du sénat, *senatūs, ūs*, m. Le Sénat ne put tenir —, *senatus haberi non potuit*. Tenir —, *sedēre*, intr.; *considēre*, intr. — académique, *acroasis, is*, f. — du conseil, *concilium, ii*, n. — d'un tribunal, *judicium, ii*, n. — tenante, voy. AUSSITÔT, SUR-LE-CHAMP. Droit de — *et* ellipt, —, *jus sedendi*. Prendre —, *primum sedēre*. Jour de —, *dies, ei*, m. et f. ¶ (Par ext.) Réunion de personnes restant à dîner, à travailler ensemble. Faire une longue —, *diu sedēre*. || (Spéc.) Temps pendant lequel pose un modèle. Voy. POSE.

séant, *ante*, adj. Qui sied, qui est établi, admis comme convenable. *Decens* (gén. -*entis*), p. adj. Il est —, *decet*, impers. Il n'est pas —, *dedecet*, impers.

seau, s. m. Vaisseau cylindrique servant à puiser ou à transporter un liquide. *Situla, ae*, f. *Situlus, i*, m.

sébile, s. m. Vaisseau de bois rond et creux. *Alveolus ligneus* ou (simpl.) *alveolus, i,* m.

sec, sèche, adj. Qui ne contient plus d'humidité. *Siccus, a, um,* adj. *Aridus, a, um,* adj. Temps —, *siccitas, atis,* f. Etre —, *arēre,* intr. (voy. SÉCHER, DESSÉCHER). Devenir —, voy. [se] DESSÉCHER. Par ext. Raisin —, *uva passa.* Un mur de pierres —, une muraille —, *maceria, ae,* f. Fig. Perte —, *damnum, i,* n. || (Loc. adv.) Etre à —, voy. DESSÉCHER. Mettre à —, voy. DESSÉCHER, TARIR. Par ext. Mettre un navire à —, *subducĕre navem.* (Fig.) Mettre le trésor à —, *aerarium exhaurire.* ¶ (Au fig.) Qui n'a presque pas de chair, de graisse. *Siccus, a, um,* adj. *Aridus, a, um,* adj. Voy. MAIGRE. || Qui n'est pas nourri; stérile. *Aridus, a, um,* adj. *Jejunus, a, um,* adj. *Exilis, e,* adj. || Qui n'a pas de moelleux, de douceur. *Austerus, a, um,* adj. *Durus, a, um,* adj. Donner un coup —, *ictum non ambiguum infligĕre.* D'un ton —, *asperius,* adv. Refuser tout — (adv.), *praecise negāre.* || Qui n'a pas de sensibilité. *Durus, a, um,* adj.

sèche. Voy. SEICHE.

sèchement, adv. D'une manière sèche. (Au propre). *Siccē,* adv. || (Au fig.) Sans ornements, d'une façon stérile. *Exiliter,* adv. *Jejunē,* adv. || Sans douceur, d'une manière brève et désagréable. *Asperē (dicĕre). Durē,* adv.

sécher, v. tr. et intr. || (*V. tr.*) Rendre sec. *Siccāre,* tr. *Exsiccāre,* tr. *Arefacĕre,* tr. *Exhaurīre,* tr. — en essuyant, *abstergĕre,* tr.; *detergĕre,* tr. — des poissons au soleil, *sole durāre pisces.* Se — au soleil, *siccāre se in sole.* Se —, c.-à-d. devenir sec, voy. ci-après. || (Spéc.) Faire dépérir en rendant sec. Voy. DESSÉCHER. ¶ (*V. intr.*) Devenir sec. *Siccescĕre,* intr. (on dit aussi *siccāri*). *Arescĕre,* intr. *Arefiĕri,* pass. (empl. surt. au part. *arefactus*). *Exarescĕre,* intr. Poissons qu'on a fait — au soleil, *sole durati pisces.* || (Spéc.) Dépérir en devenant sec. Voy. DESSÉCHER.

sécheresse, s. f. Etat de ce qui est sec. || (Au propre). *Siccitas, atis,* f. *Ariditas, atis,* f. — des plantes, de la terre, *sitis, is,* f. || (Absolt.) Absence de pluies. *Siccitas, atis,* f. Jours de —, *sicci dies.* ¶ (Fig.) Stérilité. Voy. ce mot. — de l'esprit, *siccitas, atis,* f. Absence d'ornements (dans le style). *Jejunitas, atis,* f. *Exilitas, atis,* f. Qui a de la — dans l'expression, *inops verborum* (ou *verbis*). || Absence de douceur ou de sensibilité. La — des manières, *austeritas, atis,* f. — de cœur, *duritia, ae,* f.

second, *onde,* adj. et s. m. et f. || *Adj.* Qui vient immédiatement après le premier. *Secundus, a, um,* adj. *Alter, era, erum,* adj. (en parl. de deux).

Posterior, us, adj. (au compar. : en parl. de deux). Sans —, voy. SUPÉRIEUR. De — qualité, de — ordre, *secundus, a, um,* adj.; *secundarius, a, um,* adj. Pour la — fois, une — fois, *iterum,* adv. En — lieu, *deinde,* adv. ¶ *S. m.* En parlant des personnes. || Celui qui tient le second rang. Qui *secundus est alicui.* Spéc. Le — d'un navire, *progubernator, oris,* m. || Celui qui aide qqn en suivant ses vues, son plan. *Adjutor, oris,* m. *Administer, tri,* m. || (Spéc.) Témoin. *Arbiter certaminis singularis.* || (En parl. des choses.) Seconde partie. *Secunda* (ou *altera*) *pars.* || Second étage. Voy. ÉTAGE. Loc. adv. En —, c.-à-d. en tenant le second rang. Voy. RANG. Etre en —, *secundum esse.* Commandant en —, *subpraefectus, i,* m. ¶ *S. f.* Seconde. || Classe qui précède la rhétorique. *Secunda classis.* || (T. d'escrime.) *Manus secunda.* || Chacune des soixante parties qui composent une minute. *Minima pars horae.*

secondaire, adj. Qui ne vient qu'en second rang. *Secundarius, a, um,* adj. *Secundus, a, um,* adj.

secondairement, adv. Voy. ACCESSOIREMENT.

seconde. Voy. SECOND.

secondement, adv. En second lieu. *Secundo loco* ou simpl. *secundo.*

seconder, v. tr. Aider (qqn) en suivant ses vues, ses plans. *Obsecundāre (voluntatibus alicujus). Auxilio esse. Opitulāri,* dép. intr. *Subvenīre,* intr. *Adesse (alicui). Juvāre* ou *adjuvāre (aliquem).*

secouer, v. tr. Agiter brusquement dans toutes ses parties. *Quatĕre,* tr. *Quassāre,* tr. *Concutĕre,* tr. *Jactāre,* tr. — la tête (pour refuser), *renuĕre,* intr. Se —, c.-à-d. ne pas s'abandonner à un malaise, *sese erigĕre.* ¶ (P. ext.) Agiter brusquement une chose pour s'en débarrasser violemment. *Excutĕre,* tr. *Discutĕre,* tr. — le joug de la servitude, *servitutem discutĕre.*

secourable, adj. Qui est porté à secourir les autres. *Promptus* (ou *paratus*) *ad juvandum* (ou *ad auxilium ferendum*). *Salutaris, e,* adj. Divinité —, *praesens deus.*

secourir, v. tr. Aider qqn à se tirer d'un danger pressant; assister qqn ou dans un danger pressant. *Succurrĕre,* intr. (*alicui* [avec ou sans *auxilio*]). *Subvenīre,* intr. *Auxiliāri,* dép. intr. *Opitulāri,* dép. intr. *Juvāre,* tr. *Adjuvāre,* tr.

secours, s. m. Aide donnée à qqn dans un danger pressant. *Auxilium, ii,* n. *Opis* (Acc. *opem,* Abl. *ope,* du nomin. inusité *ops*), f. Demander — à qqn, *confugĕre ad opem alicujus.* || (Avec l'idée de protection.) *Praesidium, ii,* n. || (Avec l'idée de réserve en cas de besoin.) *Subsidium, ii,* n.

‖ (Considéré comme moyen.) *Adjumentum, i,* n. ‖ Chercher du — auprès de qqn, *confugēre ad aliquem* (ou *ad opem alicujus*). Venir, courir au — de qqn, *subvenire alicui ; succurrēre (auxilio) alicui.* Porter —, *auxiliāri* (dat.); *opitulari* (dat.). Trouver un — en qqn, *juvāri* (ou *adjuvāri*) *ab aliquo.* Avec le — de qqn, *auxilio* (ou *ope* ou *operā*) *alicujus usus.* Sans —, *auxilio orbatus* (ou *destitutus*). Se procurer un —, *salutem sibi parāre.* Appeler qqn à son —, *vocāre aliquem ad opem ferendam.* ‖ (T. de guerre.) *Auxilium, ii,* n. *Subsidium, ii,* n. *Praesidium, ii,* n. Troupes, armée de —, *et, par ext.,* un —, *auxilia, orum.* n. pl.; *subsidia, orum.* n. pl. — de cavalerie et d'infanterie. *auxilia equitum et peditum.* ‖ (Fig.) En parl. des choses. *Auxilium, ii,* n. *Opis (opem, ope),* f. (de l'inusité *ops*). *Adjumentum, i,* n. *Praesidium, ii,* n. *Remedium, ii,* n. Appeler qqch. à son —, *advocāre,* tr.; *confugēre ad aliquid.* Sans — étrangers, *nullis adminiculis.* Etre d'un grand — à qqch., dans qqch., *usui esse (alicui rei); adjuvāre plurimum (in aliquid).* ‖ (Particul.) Secours (de la médecine). *Auxilium, ii,* n. *Remedium, ii,* n. ¶ Assistance donnée à qqn dans un besoin pressant. *Subsidium, ii,* n. Prodiguer aux blessés des — et des soins, *sustentāre saucios largitione et curā.* Donner des — aux indigents, *opitulāri inopiae plebis.* Donner des — à qqn, lui fournir des — en argent, en vêtements, etc., *juvāre aliquem (pecuniā, frumento); exornāre aliquem (veste, nummis).*

secousse, s. f. Mouvement brusque qui agite un corps dans toutes ses parties. *Motus, ūs,* m. *Quassatio, onis,* f. *Concussio, onis,* f. Donner, imprimer une —, des —, voy. SECOUER. Transporter qqn sans —, voy. CAHOT. ‖ (Fig.) Commotion brusque. *Conquassatio, onis,* f. *Motūs, ūs,* m. — morale, *perturbatio animi.* Eprouver une violente —, *vehementer permovēri.*

1. secret, *ète,* adj. Qui est tenu caché *et par anal.* qui reste caché. *Secretus, a, um,* p. adj. *Arcanus, a, um,* adj. *Abditus, a, um,* p. adj. *Tectus, a, um,* p. adj. *Occultus, a, um,* p. adj. Tenir —, *clam habēre* ou *ferre (aliquid); secum habēre (aliquid).* ¶ Qui tient les choses cachées. *Tectus, a, um,* p. adj. *Occultus, a, um,* p. adj.

2. secret, s. m. Chose que doit tenir caché celui qui la sait. *Secretum, i,* n. *Arcanum, i,* n. (on dit aussi *res arcana*). *Occultum, i,* n. (on dit aussi *res occulta*). *Commissum, i,* n. Etre dans le —, être du —, *conscium esse (alicujus rei).* ‖ (Par ext.) Discrétion absolue. *Taciturnitas, atis,* f. *Fides, ei,* f. Demander, recommander le —, *rem summā ope tacēre jubēre.* ¶ Moyen caché de produire certains effets. *Latebra, ae,* f.

Secretum, i, n. *Arcanum, i,* n. *Occultum, i.* n. (au plur., *ire per occulta naturae*). *Ars, artis,* f. ¶ Lieu retiré, caché. *Secretum, i,* n. *Solitudo, dinis,* f. Le — des cœurs, *intimi sensus.* Tenir qqn au —, *eeorsum in custodiā aliquem habēre.* Etre mis au —, *separari ab ceteris.* ‖ (Spéc.) Caché. Voy. ce mot. ‖ (Loc. adv.) En —, *arcano,* abl. adv.; *secreto,* abl. adv.; *sine arbitris* ou *arbitris remotis; sine teste.*

secrétaire, s. m. Celui qui a la mission de composer, de transcrire les lettres (d'un particulier). *Librarius, ii,* m. *Scriptor, oris,* m. *Scriba, ae,* m. ¶ Meuble pour serrer des papiers, des valeurs. *Theca nummaria.* — pour écrire, *tabula litteraria* (ou simpl.) *tabula, ae,* f.

secrètement, adv. D'une manière secrète, en tenant la chose cachée. *Arcanē* et *arcano,* adv. *Secreto,* abl. adv. *Occultē,* adv.

sectaire, s. m. Celui qui suit avec excès les doctrines d'une secte. *Homo partium studiosus.*

sectateur, s. m. Celui qui suit la doctrine (religieuse, philosophique) de qqn. *Assectator, oris,* m.

secte, s. f. Ensemble de personnes qui professent une doctrine. *Secta, ae,* f. *Schola, ae,* f.

section, s. f. Action de diviser, de couper. *Sectio, onis,* f. ‖ (Fig.) Ligne, surface suivant laquelle se coupent deux surfaces, etc. *Sectio, onis,* f. *Sectura, ae,* f. ¶ (Par anal.) Division d'un terrain. *Pars, tis,* f. *Portio, onis,* f.

séculaire, adj. Qui a lieu chaque siècle. *Saecularis, e,* adj. ¶ Qui a un siècle de durée. *Centum annorum.* ‖ (Par ext.) Qui a une durée indéterminée. *Perantiquus, a, um,* adj.

séculier, *ière,* adj. Qui appartient au siècle, à la vie laïque. *Saecularis, e,* adj.

sécurité, s. f. Tranquillité de celui qui croit n'avoir aucun sujet de crainte. *Securitas, atis,* f.

sédentaire, adj. Qui reste habituellement assis. *Sedentarius, a, um,* adj. Travail —, *labor qui sedendo peragitur.* Etre —, *sedēre domi.*

séditieusement, adv. D'une manière séditieuse. *Seditiosē,* adv.

séditieux, *euse,* adj. Qui en est en résistance ouverte contre l'autorité établie. *Seditiosus, a, um,* adj. *Factiosus, a, um,* adj. ‖ (P. ext.) En parl. des choses. *Seditiosus, a, um,* adj. *Turbulentus, a, um,* adj.

sédition, s. f. Résistance ouverte contre l'autorité établie. *Seditio, onis,* f. *Motūs, ūs,* m. *Concitatio, onis,* f. ¶ (Fig.) Résistance de la passion au devoir. *Seditio, onis,* f.

séducteur, *trice,* s. m. et f. Celui, celle qui séduit. *Corruptor, oris,* m. ‖ (Spéc.) Celui qui séduit une fille, une femme.

Corruptor, oris, m. ‖ *Adjectiv. Corruptrix, tricis,* f. *Captiosus, a, um,* adj. (on dit aussi *omnibus libidinum illecebris repletus [a, um]).*

séduction, s. f. Action de séduire. *Corruptela, ae,* f. ¶ (Par ext.) Ce qui séduit *Illecebra, ae,* f.

séduire, v. tr. Entraîner (qqn) en le charmant. *Allicěre,* tr. *Illicěre,* tr. *Pellicěre,* tr. *Adducěre,* tr. (dans l'expr. *aliquem ad nequitiam adducěre*), tr. *Trahěre,* tr. *Corrumpěre,* tr. Chercher à —, *sollicitāre,* tr.

séduisant, *ante,* adj. Propre à séduire. (En bonne part.) *Blandus, a, um,* adj. (Spéc. en parl. des personnes.) *Facetus, a, um,* adj. (En mauvaise part.) *Illecebrosus, a, um,* adj. *Illecebris repletus.* D'une manière —, *blandě,* adv.

seiche et sèche, s. f. Mollusque répandant autour de lui une liqueur noirâtre. *Sepia, ae,* f.

seigle, s. m. Sorte de blé. *Secale, is,* n.

seigneur, s. m. Celui de l'autorité duquel relèvent certaines terres, certaines personnes. *Dominus, i,* m. *Princeps, cipis,* m. *Rex, regis,* m. *Imperator, oris,* m. ‖ Titre honorifique (des personnes de noble extraction). *Dominus, i,* m. ‖ (P. ext.) Absolt. Le grand —, voy. SULTAN. ¶ (Absolt.) Nom donné à Dieu. *Dominus, i,* m.

seigneurie, s. f. Autorité du seigneur. *Dominium, ii,* n. ‖ Titre honorifique donné au seigneur. *Dominus, i,* m.

sein, s. m. Partie du corps humain qui est entre les deux bras et porte les mamelles. *Sinůs, ůs,* m. *Gremium, ii,* n. *Pectus, oris,* n. ‖ (Fig.) Cœur. *Pectus, oris,* n. ¶ Mamelle de la femme. *Mamma, ae,* f. ¶ Partie du corps où la femme porte l'enfant. *Uterus, i,* m. *Alvus, i,* f. ‖ (Par anal.) En parl. de la terre. *Gremium, ii,* n. ‖ (Par ext.) Le milieu. Le — de la Macédoine, *intima Macedonia.*

seine, s. f. Filet qu'on traîne sur les grèves. *Everriculum, i,* n.

Seine, n. pr. Fleuve de France. *Sequana, ae,* m.

seing, s. m. Signature. Voy. ce mot. Acte, sous — privé, *chirographum,* i, n.

seize, adj. et s. m. ‖ *Adj.* numéral invariable. ‖ Adj. cardinal. Dix plus six. *Sedecim (sexdecim),* adj. num. indécl. Tous les —, par —, *seni deni.* — cents, *mille sexcenti.* — fois, *sedecies,* adv. ‖ Adj. ordinal. Seizième. *Sextus decimus.* ¶ *S. m.* La quantité formée par dix plus six. *Sextus decimus numerus.*

seizième, adj. Adj. numéral ordinal de seize. *Sextus decimus (a, um),* adj. Avoir la — place, *et subst.,* être le —, *sextum decimum locum obtinēre.*

séjour, s. m. Action de rester un certain temps dans un lieu. *Commoratio, onis,* f. *Statio, onis,* f. *Mansio,*

onis, f. *Habitatio, onis,* f. — à la campagne, *rusticatio, onis,* f. — à l'étranger, *peregrinatio, onis,* f. ¶ Lieu où l'on reste un certain temps. *Sedes, is,* f. *Domicilium, ii,* n.

séjourner, v. intr. Rester un certain temps dans un lieu. *Morāri,* dép. intr. *Commorāri,* dép. intr. *Manēre,* intr. *Remanēre,* intr. — à l'étranger, *peregrināri,* dép. intr. — à la campagne, *ruri se continēre.* — (en parl. des eaux), *immorāri,* dép. intr.; *stagnāre,* intr.

sel, s. m. Substance friable, soluble dans l'eau, d'un goût piquant, etc. *Sal, salis,* m. et n. (au plur. *sales,* m.). De —, relatif au —, *salarius, a, um,* adj. Assaisonné de —, plein de —, *salsus, a, um,* adj. Conserver dans le —, voy. SALER. ‖ (Fig.) Ce qui donne de la vivacité, du piquant. *Sal, salis,* m. et n. (au plur. *sales,* m. pl.). Assaisonné de —, où il y a du —, *salsus, a, um,* p. adj. Sans —, *insulsus, a, um,* adj.

Séleucie, n. pr. Capitale du royaume de Syrie. *Seleucia, ae,* f.

selle, s. f. Siège de bois sans dossier. *Sella, ae,* f. ‖ (Par anal.) Spéc. Chaise percée. *Sella pertusa* ou (absol.) *sella, ae,* f. Aller à la —, *alvum purgāre* ou (abs.) *desiděre,* intr. ‖ (Par ext.) Déjections. *Alvi dejectio* ou simpl. *dejectio, onis,* f. ‖ Escabeau. Voy. ce mot. ¶ Partie du harnais posée sur le dos du cheval qui sert de siège au cavalier. *Ephippium, ii,* n.

seller, v. tr. Garnir de sa selle. *Sellam (equo) imponěre* (au point de vue des anciens), *sterněre (equum).* Chevaux sellés, *instrati equi.*

sellette, s. f. Petit siège de bois qu'occupe l'accusé. *Subsellium, ii,* n.

sellier, s. m. Fabricant de selles, d'objets de harnachement. *Ephippiarius, ii,* m.

selon, prép. Eu égard à (qqch. qui dépend des personnes, des circonstances). *Secundum,* prép. (av. l'Acc.). *Pro,* prép. (av. l'Abl.). *E* ou *ex,* prép. (av. l'Abl.). *Ad,* prép. (av. l'Acc.). — que, *prout,* adv.; *ut,* adv.

semaille, s. f. Action de semer. *Satio, onis* (« action de semer »), f. *Sementis, is* (« ensemencement »), f. Faire les —, *semen spargěre; agros conserěre.* ¶ (Par ext.) Grains semés. *Seges, etis,* f.

semaine, s. f. Période de sept jours (d'après l'usage des anciens qui comptaient d'après les jours et les mois, et non d'après les semaines). *Septem dies.* Deux —, *quindecim dies.*

semblable, adj. Qui se rapproche par sa manière d'être d'une autre personne, d'une chose. *Similis, e,* adj. (avec le Gén.). A peu près —, *assimilis, e,* adj. Entièrement —, *consimilis, e,* adj. ‖ Subst. au masc. Chose, personne semblable. ‖ Chose semblable. *Simile, is,*

n. *Similitudo, dinis*, f. || Personne semblable. Nos —, *similes nostri*. Dans un sens plus large : mon, ton —, *alter*. Nos —, *alii*.

semblablement, adv. D'une manière semblable. *Similiter*, adv.

semblant, s. m. Apparence feinte de qqch. *Species, ei*, f. *Simulatio, onis*, f. Faire —, *simulare* ou *assimulare*, tr.

sembler, v. intr. Avoir l'apparence de qqch. *Videri*, pass. Voy. PARAITRE. Il me semble que..., *mihi videtur* (*res esse* ou *rem esse*); *existimo* (avec l'Acc. et l'Inf.).

semelle, s. f. Partie de la chaussure placée sous le pied. *Solum, i*, n. ¶ (P. ext.) Mesure de la longueur du pied. *Vestigium, ii*, n.

semence, s. f. Partie du fruit qu'on sème. *Semen, minis*, n. *Sementis, is*, f. || (P. ext.) Graine. *Semen, inis*, n. *Sementis, is*, f. ¶ (Fig.) Germe d'où qqch. doit naitre. *Semen, inis*, n.

semer, v. tr. Répandre de distance en distance, dans une terre préparée (les semences de telle ou telle plante). *Serĕre, is*, tr. || (Par ext.) Ensemencer. Voy. ce mot. || (Fig.) Loc. prov. On récolte ce qu'on a semé, *ut sementem feceris, ita metes*. ¶ (Au fig.) Répandre çà et là. *Serĕre*, tr. *Spargĕre*, tr. *Dissemināre*, tr.

semestre, s. m. Période de six mois consécutifs. *Sex menses. Semestre spatium* (ou *tempus*).

semestriel, *elle*, adj. Qui a lieu chaque semestre. *Semestris, e*, adj.

semeur, *euse*, s. m. et f. Celui, celle qui sème (le blé, etc.). *Sator, oris*, m. Semeuse, *quae serit*. || (P. ext.) Machine à semer. *Satoria machina*. || (Fig.) Celui, celle qui répand çà et là. *Auctor oris*, m. et f.

semi. Préfixe signifiant « demi, à demi », se construisant avant des noms, des adjectifs. *Semi*.

sémillant, *ante*, adj. Qui déploie une grande vivacité d'esprit, de manières. *Alacer, cris, cre*, adj.

séminaire, s. m. Maison religieuse où l'on prépare à la prêtrise. *Clericorum seminarium*.

semis, s. m. Jeune plant venu de graines. *Semen, inis*, n.

semoir, s. m. Sac, caisse, etc. où le semeur porte le grain. *Satorium qualum*. ¶ Instrument pour semer. *Satoria machina*.

semonce, s. f. Voy. RÉPRIMANDE.

sempiternel, *elle*, adj. Qui ne finit pas. *Sempiternus, a, um*, adj.

sénat, s. m. (Antiq. rom.) Premier corps politique formé des patriciens. *Senatŭs, ŭs*, m. ¶ (Par anal.) Premier corps politique de certains Etats. *Senatŭs, ŭs*, m. ¶ (Par ext.) Tribunal souverain. *Senatŭs, ŭs*, m.

sénateur, s. m. Membre d'un sénat

(corps politique). *Senator, oris*, m. (Dans les petites villes ou les petits Etats). *Decurio, onis*, m. (Par rapport au rang, à la condition). *Vir ordinis senatorii*. (Comme titre officiel). Les — *patres, um*, m. pl.

sénatorial, *ale*, adj. Qui se rapporte au sénat. *Senatorius, a, um*, adj.

sénatus-consulte, s. m. Décision prise par le sénat à Rome. *Senatus consultum* (ou *decretum*).

sénéchal, s. m. Officier féodal, chef de la justice, etc. *Senescallus, i*, m.

sénéchaussée, s. f. Juridiction d'un sénéchal. *Senescallia, ae*, f.

sénile, adj. Qui tient à la vieillesse. *Senilis, e*, adj. D'une façon —, *seniliter*, adv.

sens, s. m. Faculté (chez l'homme, l'animal) de percevoir les impressions que font sur lui les objets matériels. *Sensŭs, ŭs*, m. Les plaisirs des —, *corporis voluptates*. Chatouiller les —, *voluptates irritare*. || (Par ext.) Exercice de la faculté de sentir. *Animus, i*, m. Reprendre ses —, *colligĕre animum* ou *recipĕre se*. ¶ Faculté chez l'homme de discerner le vrai du faux. *Sensŭs, ŭs*, m. Bon —, *sanitas, atis*, f. ou *sana mens*. Etre dans son bon —, *suae mentis esse*. — droit, *judicium firmum*. Un homme rempli de —, *vir magni consilii*. Dépourvu de —, *mentis expers*. Manquer de —, n'avoir pas le — commun, *nihil sapĕre*. || (Par ext.) *Sensŭs, ŭs*, m. *Voluntas, atis*, f. *Studium, ii*, n. Le — du beau, *elegantia, ae*, f. Avoir le — de la beauté, *venustatem* (ou *pulchritudinem*) *sentire*. Avoir le — pratique, *omnia consilia factaque sua ad utilitatem vitae dirigĕre*. ¶ Manière de comprendre, de juger. *Sensŭs, ŭs*, m. *Sententia, ae*, f. Donner dans le —, abonder dans le — de qqn, *cum aliquo sentire*. A mon —, *meâ quidem sententiâ*. || (Par ext.) Manière dont une chose doit être comprise. *Sensŭs, ŭs*, m. *Sententia, ae*, f. *Notio, onis*, f. Avoir deux —, *duas res significăre*. Qui a un double —, *ambiguus, a, um*, adj. Faire un contre —, *male interpretari*. Le — figuré, voy. FIGURÉ. Des mots vides de —, *voces inanes*. Qui a beaucoup de —, *significans*, p. adj. ¶ Manière de diriger, *et par ext.*, direction. *Pars, partis*, f. En tous —, *quoquoversus*, adv. Le — d'une chose, *pars adversa* ou *frons, frontis*, f. A contre —, *in contrariam partem*. Qui est — devant derrière, *praeposterus, a, um*, adj. Mettre — dessus dessous, *pervertĕre*, tr.

sensation, s. f. Impression perçue par l'intermédiaire des organes des sens. *Sensŭs, ŭs*, m. *Pulsŭs, ŭs*, m. Lee —, *impressiones, um*, f. pl. Avoir, éprouver, ressentir une —, *sentire* (*aliquid*). — de la vue, *ea quae aspectu sentiuntur*. — agréable, *voluptas, atis*, f. — de plaisir physique, *commotio jucunditatis suavis in corpore*. Ressentir une — agréable, *suaviter affici (aliquâ re)*. Une — pénible, douloureuse, *dolor, oris*, m. || (Fig.) Faire —, *convertère in se omnium oculos* ou *movère admirationem*.

sensé, *ée*, adj. Qui a du bon sens. *Sanus, a, um*, adj. *Prudens* (gén. *-entis*), adj. Etre —, *sanae mentis esse* ou *sapère*, intr. || En parl. des ch. *Sanus, a, um*, adj. *Sapiens* (gén. *-entis*), p. adj. Une idée —, *sententia plena prudentiae*.

sensément, adv. D'une manière sensée. *Sapienter*, adv. *Prudenter*, adv.

sensibilité, s. f. Faculté d'être affecté physiquement ou moralement, d'une manière agréable ou pénible. *Sensûs, ûs*, m. || (Par ext.) Facilité à ressentir les moindres impressions (physiques ou morales). *Animus mollis ad accipiendam offensionem*.

sensible, adj. Doué de sensibilité. || Qui a la faculté d'être affecté physiquement, moralement, d'une manière agréable ou pénible. *Qui (quae, quod) sensum habet*. Le —, *sensûs, ûs*, m. || (Par ext.) Qui ressent facilement les moindres impressions physiques ou morales. *Patibilis, e*, adj. *Mollis, e*, adj. *Qui (quae, quod) facile offenditur (ou laeditur)*. Etre — à, *affici (aliquâ re)*; *commovèri* ou *movèri (aliquâ re)*; *offendi (aliquâ re)*. || (Absol.) Qui est facilement ému (de tendresse, de pitié, etc.). *Humanitatis plenus*. Ame —, *humanitas*. Avoir le cœur —, trop —, *mollissimo esse animo*; *teneriore animo esse*. || Qui est facilement modifié par les influences physiques. *Tener, era, erum*, adj. ¶ Qui tombe sous les sens. *Sensibus* (ou *sub sensus*) *subjectus (a, um)*. *Sensibus perceptus*. Objets —, *res sensibus subjectae*. Le monde —, *ea, quae sensibus percipiuntur*. Devenir —, voy. ÉVIDENT. ¶ Qui agit sur la sensibilité. *Gravis, e*, adj. *Acer, cris, cre*, adj. A peine —, *lenis, e*, adj.

sensiblement, adv. D'une manière qui affecte la sensibilité. *Vehementer*, adv. (*movèri, commovèri*). || D'une manière qui tombe sous les sens. *Perspicuè*, adv. *Notabiliter*, adv.

sensitif, *ive*, adj. Relatif aux sens. *Ad sensus pertinens*. *Sensibus perceptus*. La faculté —, *sensûs, ûs*, m. ¶ Relatif à la faculté de sentir. *Sensu* (ou *vi sentiendi) praeditus*. Etre —, *sensus habère*. Vie —, *vita quae in solis sensibus constitit*.

sensualité, s. f. Recherche des plaisirs des sens. *Libido, inis*, f. *Voluptas* (ou *voluptates*) *corporis*.

sensuel, *elle*, adj. Relatif au plaisir des sens. *Ad corpus pertinens*. Plaisirs —, *voluptates corporis*.

sensuellement, adv. *Molliter*, adv. *Delicatè*, adv.

sentence, s. f. Opinion exprimée par une formule dogmatique. *Sententia, ae*, f. *Dictum, i*, n. Cette — de Solon, *illud Solonis*. ¶ Décision formulée par des juges. *Sententia, ae*, f. — arbitrale, *arbitrium, ii*, n.

sentencieusement, adv. D'une manière sentencieuse. *Sententiosè*, adv.

sentencieux, *euse*, adj. Qui exprime ses opinions par des sentences. *Sententiosus, a, um*, adj. *Creber sententiis*.

senteur, s. f. Parfum pénétrant. *Odor suavis*, ou (simpl.) *odor, oris*, m.

sentier, s. m. Chemin étroit. *Semita, ae*, f. *Trames, mitis*, m.

sentiment, s. m. Action de sentir, de recevoir une impression agréable ou pénible. *Sensûs, ûs*, m. (on dit aussi *sentiendi ratio*). *Animus, i*, m. Oter le —, *exanimâre*, tr. Privé de —, *exanimatus*. || (P. ext.) Action de connaître par cette impression. *Sensûs, ûs*, m. *Conscientia, ae*, f. *Judicium, ii*, n. *Animus, i*, m. Le — s'émousse, *animus obdurescit* (ou *occallescit*). Avoir le — de, *sentîre*, tr. — agréable, *voluptas, atis*, f. — pénible, *dolor, oris*, m. — du beau, *elegantia, ae*, f. ¶ Mouvement de l'âme où n'interviennent pas les sens. *Sensûs, ûs*, m. *Animus, i*, m. — naturels, *natura, ae*, f. — d'humanité, humains, *humanitas, atis*, f. — religieux, *religio, onis*, f. — de joie, *laetitia, ae*, f. — d'amour, *amor, oris*, m. — de haine, *odium, ii*, n. — d'honneur, *honestas, atis*, f. — de l'honneur, *pudor, oris*, m. || (Spéc.) Sentiment tendre. *Amor, oris*, m. || Absol. Sensibilité morale. Voy. SENSIBILITE, CŒUR, AME. ¶ Manière d'apprécier. *Sensûs, ûs*, m. *Animus, i*, m. *Judicium, ii*, n. *Mens, mentis*, f. Avoir (tel ou tel) —, *sentîre*, tr.

sentine, s. f. Partie basse d'un navire, réceptacle des eaux, des ordures. *Sentina, ae*, f.

sentinelle, s. f. Soldat chargé de veiller devant un poste militaire. *Custos, odis*, m. *Excubitor, oris*, m. Les —, *excubiae, arum*, f. pl.; *stationes, um*, f. pl. — de nuit, *vigiliae, arum*, f. pl.; *vigiles*, m. pl. — avancée, *speculator, oris*, m. Etre en —, *in stationibus esse*: *stationem habère*. Placer des —, mettre en —, *custodias* (ou *vigilias*) *disponère*. Faire — (monter la garde), *agère vigilias* (ou *stationem*). Voy. GARDE. || (Fig.) Celui qui veille pour éviter une surprise. *Excubitor, oris*, m.

sentir, v. tr. Recevoir une impression agréable ou pénible. || Par l'intermédiaire des sens. *Sentîre*, tr. *Affici*, pass. *Percipère*, tr. || (Fig.) Voy. ÉPROUVER. Faire —, *afficère*, tr. Se —, *sibi conscius esse (alicujus rei)*. Je ne me — pas de joie, *prae gaudio, ubi sim, nescio*. Je ne me — pas bien, *minus bellè me habeo*. Je me sens un peu mieux, *mihi melius-*

culē est. || (Spéc.) Sentir par l'intermédiaire de l'odorat. *Odorāri*, dép. tr. || (P. ext.) Respirer une odeur. *Odorem naribus trahēre.* Fig. Ne plus pouvoir — qqn, *alicujus odium capēre.* || Sentir par l'intermédiaire de l'oreille. *Auribus percipēre (aliquid).* ¶ Recevoir cette impression sans l'intermédiaire des sens. *Sentīre*, tr. *Capēre*, tr. *Accipēre*, tr. *Concipēre*, tr. — de l'amour pour qqn, *aliquem in amore habēre.* — un penchant pour..., *studio (alicujus rei) duci* (ou *impelli*). — de l'humeur pour, *abhorrēre* ou *alienum esse (ab aliqua re).* — de la compassion, *misericordiam habēre.* Se — ému de compassion, *misericordiā commovēri.* Ne pas se — mourir, *sine sensu doloris interīre.* Se — (de qq. mal), voy. [se] RESSENTIR. || (Par ext.) Discerner, connaître qqch., par l'impression qu'on en reçoit. *Sentīre*, tr. *Animadvertēre*, tr. *Intelligēre*, tr. Se —, se bien —, *se noscēre.* ¶ Avoir l'odeur de qqch. *Olēre*, tr. et intr. *Redolēre*, tr. *Fragrāre*, intr. — la rose, *esse odoris rosei.* || (Absol.) Avoir une mauvaise odeur. *Olēre*, intr. || (Au fig.) Avoir le caractère de qqch., de qqn. *Olēre*, tr. et intr. *Redolēre*, intr. et tr. L'exorde sent un peu l'apprêt, *exordium habet suspicionem quandam apparationis.*

seoir, v. intr. Etre admis comme convenant à qqn, à qqch. *Decēre*, tr.

séparable, adj. Qui peut être séparé. *Separabilis, e*, adj.

séparation, s. m. Action d'être séparé. *Separatio, onis*, f. *Discessŭs, ūs*, m. *Disjunctio, onis*, f. — violente, *distractio, onis*, f.; *divulsio, onis*, f. || (Spéc.) Eloignement de personnes qui se quittent. *Digressio, onis*, f. *Discidium, ii*, n. — (politique), *discessio, onis*, f.; *secessio, onis*, f. ¶ Ce qui sépare. *Dissaeptum, i*, n. *Discrimen, minis*, n.

séparément, adv. A part l'un de l'autre. *Separatim*, adv. *Separatē*, adv. *Seorsus*, adv.

séparer, v. tr. Mettre à part les unes des autres des choses, des personnes réunies. *Separāre*, tr. *Sejungēre*, tr. *Disjungēre*, tr. *Dividēre*, tr. *Dirimēre*, tr. *Segregāre*, tr. — violemment, *abrumpēre*, tr.; *avellēre*, tr. Se —, abire, intr. *(ab aliquo)*; *digredi*, dép. intr. *(ab aliquo)*; *discedēre*, intr. *(ab aliquo).* Séparé, *diversus, a, um*, adj. ¶ Etre placé entre des personnes, des choses, de manière à les empêcher d'être réunies. *Separāre*, tr. *(aliquid ab aliquā re).* *Dividēre*, tr. *Dirimēre*, tr.

sept, adj. Adjectif cardinal. *Septem*, indécl. — par —, — à la fois, chacun —, *septeni, ae, a*, adj. distrib. Haut de — pieds, *septem pedes altus.* Tous les — ans, *septimo quoque anno.* — fois, *septies*, adv. || ¶ Sept cents, *septingenti, ae, a*, adj. numér. Qui sont au nombre

de — cents chacun, — cents par — cents, *septingeni, ae, a*, adj. distrib. — cents fois, *septingenties*, adv. — mille, *septem milia.* — centième, *septingentesimus, a, um*, adj. ¶ Adjectif ordinal. *Septimus, a, um*, adj. Le — des calendes de décembre, *septimo* (s.-e. *die*) *kal. decembres.* Le — mars, *nonis Martiis.*

septante, adj. et s. m. Soixante-dix. *Septuaginta*, adj. numér. indécl.

septembre, s. m. Neuvième mois de l'année. Le mois de —, *et* (abs.) —, *mensis September*, et (subst.) *September, bris*, m.

septénaire, adj. Qui embrasse sept jours, sept ans, etc. *Septenarius, a, um*, adj.

septentrion, s. m. Nord. *Septemtrio, onis*, m. et ordin. au plur. *septemtriones, um*, m. pl.

septentrional, *ale*, adj. Qui est au septentrion. *Septemtrionalis, e*, adj.

septième, adj. Adjectif numéral ordinal. Qui en a six avant lui. *Septimus, a, um*, adj.

septièmement, adv. En septième lieu. *Septimo*, adv.

septuagénaire, s. m. Agé de soixante-dix ans. Un homme, une femme —, *septuaginta annorum homo, mulier.*

sépulcral, *ale*, adj. Relatif au sépulcre. *Sepulcralis, e*, adj. Urne —, voy. URNE. Colonne —, *cippus, i*, m. || (Fig.) Lugubre. Voy. ce mot.

sépulcre, s. m. Tombeau. *Sepulcrum, i*, n. || (Fig.) *Sepulcrum, i*, n. *Bustum, i*, n.

sépulture, s. f. Action de déposer un mort dans la terre. *Sepultura, ae*, f. *Humatio, onis*, f. Qui reste, qui est sans —, *insepultus, a, um*, adj. ¶ Lieu où le mort est enterré. *Sepulcrum, i*, n.

séquestration, s. f. Action de séquestrer. || (De tenir séparé des autres.) *Inclusio, onis*, f. || (De déposer une chose en litige aux mains d'un tiers.) *Sequestratio, onis*, f.

1. séquestre, s. m. Etat de ce qui est séquestré. *Sequestratio, onis*, f. ¶ Chose séquestrée. *Res sequestro* (dat.) *posita.*

2. séquestre, s. m. Personne entre les mains de laquelle une chose est séquestrée. *Sequester, tris*, m.

séquestrer, v. tr. Déposer (une chose en litige), aux mains d'un tiers. Voy. 1. SÉQUESTRE. || (P. ext.) Mettre (une chose) à part. *Seponēre*, tr. ¶ Retenir illégalement enfermé. Supprimère *(aliquem).* || (Par ext.) Tenir (qqn) séparé, isolé des autres. *Relegāre*, tr. *Secludēre*, tr. Se —, *se continēre in occulto.*

séraphin, s. m. Ange de la première hiérarchie. Voy. ANGE, ARCHANGE. Les —, *seraphim* (et *seraphin*), pl. indécl.

1. serain, *eine*, adj. Pur et calme (en parl. du ciel, de l'air, etc.). *Serenus, a,* *um*, adj. *Tranquillus, a, um*, adj. *Liquidus, a, um*, adj. Le temps devient —, *disserenascit*, impers. Le temps est —, *disserenat*, impers.

2. **serein**, s. m. Tombée du jour. Voy. SOIR. ¶ (Par ext.) Humidité qui tombe après le coucher du soleil. *Frigus vespertinum*.

sérénissime, adj. Titre honorifique donné à certains souverains. *Serenissimus*.

sérénité, s. f. Etat serein. *Serenitas, atis*, f. *Serenum, i*, n.

séreux, *euse*, adj. Qui sécrète une humeur lubréfiante. *Aquosus, a, um*, adj. [ce mot.

serf, *serve*, s. m. et f. Esclave. Voy.

sergent, s. m. Officier public chargé de diverses fonctions, — à verges, voy. HUISSIER. — d'armes (qui figurait dans les tournois, etc.), *currarius, ii*, m. || (De nos jours.) — de ville (agent de police), voy. POLICE. ¶ Spéc. (T. milit.) — de bataille, *qui instruit aciem*. || Sous-officier d'infanterie. *Optio, onis*, m.

série, s. f. Suite de termes qui se succèdent suivant une loi déterminée. *Series, ei*, f. *Ordo, dinis*, m. || (P. ext.) Suite ininterrompue. *Perpetuitas, atis*, f. *Continuatio, onis*, f.

sérieusement, adv. D'une manière sérieuse. || En prenant les choses par leur côté grave, important. *Serio. Extra jocum, Remoto*. Prendre — les choses, *res in serium convertère*. || Dans le dialogue. — ? *Veron'*? *Serion'*? — ! *Fide meâ! Per fidem!* || D'une manière grave, importante. *Graviter*, adv.

sérieux, *euse*, adj. Qui prend les choses par leur côté grave, important. *Severus, a, um*, adj. *Gravis, e*, adj. || (Spéc.) Qui a ferme intention. *Verus, a, um*, adj. || (Par anal.) Important. *Verus, a, um*, adj. || (Subst. au masculin.) Gravité dans l'air, dans les manières. *Severitas, atis*, f. *Gravitas, atis*, f. *Austeritas, atis*, f. ¶ Qui présente un caractère grave, important. *Serius, a, um*, adj. *Severus, a, um*, adj. *Gravis, e*, adj.

seringue, s. f. Petite pompe portative pour lavements, etc. *Clyster, eris*, m.

serment, s. m. Acte par lequel qqn prend Dieu à témoin de ce qu'il promet, de ce qu'il affirme. *Sacramentum, i* (« serment militaire *et par ext.* serment »), n. *Jusjurandum, juris jurandi*, n. Faire un faux —, *falsum jurâre; pejerâre*, intr. Affirmer sous la foi du —, *adjurâre*, tr. La foi du —, fidélité au —, *religio, onis*, f.

sermon, s. m. Discours d'un prédicateur. *Oratio sacra*. || (Fig.) Voy. REMONTRANCE.

sermonner, v. tr. Voy. RÉPRIMANDER.

sermonneur, s. m. Celui qui fait des sermons. Voy. PRÉDICATEUR. ¶ Celui qui fait des exhortations à qqn sur la conduite qu'il devrait tenir. Voy. CENSEUR.

serpe, s. f. Lame en croissant pour élaguer les arbres. *Falx arborea*, ou (simpl.) *falx, cis* (gén. pl. *falcium*), f.

serpent, s. m. Reptile qui se meut au moyen de replis. *Serpens, entis*, m. et f. *Anguis, is*, m. et f.

serpenter, v. intr. Aller suivant une ligne sinueuse. (En parl. d'un cours d'eau.) *In ambitum currère*. *Serpère*, intr. (En parl. de la vigne, d'une flamme.) *Serpère*, intr.

serpette, s. f. Petite serpe. *Falcicula, ae*, f.

serpolet, s. m. Plante aromatique. *Serpyllum, i*, n.

serre, s. f. Enclos vitré pour mettre à l'abri les plantes. *Specularium munimenta* (n. pl.). ¶ Action de serrer, d'écraser. *Compressio, onis*, f. ¶ Ce qui tient serré. Voy. CROC, GRIFFE, TENAILLE. || (Spéc.) Pied des oiseaux de proie. *Unguis, is* (abl. ordin. *ungue*), m. || (Par ext.) Griffe des animaux sauvages. *Unguis, is*, m.

serrement, s. m. Action de serrer. *Pressûs, ûs*, m. (Fig.) — de cœur, *contractio animi* ou simpl. *contractio, onis*, f.

serrer, v. tr. Tenir fermé. *Claudère*, tr. *Concludère*, tr. *Includère*, tr. || (Par ext.) Enfermer en lieu sûr. *Condère*, tr. *Recondère*, tr. *Reponère*, tr. ¶ Tenir à l'étroit. || (En mettant dans un espace restreint [une ou plusieurs choses ou personnes]). *Coartâre*, tr. Première, tr. *Stipâre*, tr. *Constipâre*, tr. *Astringère*, tr. || (En rapprochant à l'aide d'un lien [plusieurs choses *ou* parties d'une chose]). *Stringère*, tr. *Astringère*, tr. *Constringère*, tr. Première, tr. *Comprimère*, tr. *Prensâre*, tr. *Contrahère*, tr. — qqn contre son cœur, *aliquem ad pectus suum premère*. — le poing, *pugnum comprimère*. — la main de qqn, *alicujus manum prensâre*. || (Par ext.) En rendant le lien plus étroit et plus difficile à dénouer. *Adducère*, tr. *Contendère*, tr. *Intendère*, tr. *Astringère*, tr. — des liens, *artius vincula astringère*. Serré, *artus, a, um*, adj. || (Au fig.) Serrer les cordons de la bourse, *et ellipt.* — la bourse, voy. BOURSE. Serré, *astrictus, a, um*, p. adj. Fig. — le cœur, *contrahère animos*. Avoir le cœur serré, *angi animo*. || (En plaçant les unes tout contre les autres [des personnes, des choses]). *Comprimère*, tr. *Condensâre*, tr. — son style, *orationem congerère*. — ses arguments, ses raisonnements, *argumenta astringère* (ou *premère*). Serré, *pressus, a, um*, p. adj.; *concisus, a, um*, p. adj. D'une manière serrée, *artê*, adv.; *astrictê*, adv.; *pressê*, adv.; *compressê*, adv. || (En se plaçant tout contre [qqch., qqn]). Première, tr. Urgère, tr. *Instâre*, intr. *Imminère* (« serrer de près »), intr. (ex.: [navis] *quae quinqueremi imminebat*). Serré, *creber, bra, brum*, adj.

serrure, s. f. Appareil pour ouvrir et fermer les portes. *Sera, ae,* f.

serrurier, s. m. Celui qui fabrique et ajuste les serrures. *Claustrarius faber* (ou *artifex*).   [*Servitus, tutis,* f.

servage, s. m. Condition du serf.

servant, *ante*, adj. et s. m. et f. ‖ *Adj.* Qui sert qqn. *Famulus, a, um,* adj. ¶ Subst. *S. f.* SERVANTE (femme ou fille qui sert à gages). *Famula, ae* (Dat. Abl. plur. *famulabus*), f. *Ancilla mulier,* et simpl. *ancilla, ae,* f. De —, *ancillaris, e,* adj.

serviable, adj. Porté à rendre service. *Officiosus, a, um,* adj. *Officii plenus.*

service, s. m. Ensemble de devoirs, de charges dont qqn doit s'acquitter. ‖ Devoirs envers qqn à qui l'on doit obéissance. *Cultüs, üs,* m. (en parl. des devoirs rendus à la divinité). *Officium, ii,* n. *Ministerium, ii,* n. ‖ (Spéc.) Célébration de l'office divin. *Res divina.* ‖ (Spéc.) Devoir militaire. *Militia, ae,* f. *Stipendium, ii,* n. Etre au —, *stipendia facěre* ou *merěre.* ‖ Devoir d'un domestique. *Famulatüs, üs,* m. *Ministerium, ii,* n. Gens de —, *ministri, orum,* m. pl.; *famuli, orum,* m. pl. Le — (méton.), *même trad.* Qui est au — de, *minister, tri,* m.; *ministra, ae,* f. ‖ (Par ext.) Droit que qqn donne à un autre de disposer de lui. Que puis-je pour votre —? Qu'y a-t-il pour votre —? *quid vis? quid tibi vis?* Y a-t-il encore qqch. pour votre —? *numquid aliud vis?* ¶ Devoir, charge dont qqn s'acquitte *ou* s'est acquitté. ‖ Fonction militaire, civile, politique, etc. *Ministerium, ii,* n. *Munia, ium,* n. pl. *Munus, eris,* n. *Officium, ii,* n. Faire son —, *administrări, abs.* ‖ (Par anal.) Ensemble d'opérations, de travaux servant à un usage déterminé. *Ministerium, ii,* n. *Munus, eris,* n. *Officium, ii,* n. *Negotium, ii,* n. *Opera, ae,* f. Bon pour le —, *utilis ad operas* ou *ad munus.* Bon pour le — (militaire), *ad arma utilis.* Hors de —, *ad munus inutilis.* ¶ Avantage qu'on procure à qqn en intervenant personnellement. *Munus, eris,* n. *Officium, ii,* n. *Utilitas, atis,* f. Rendre —, *merěri,* dép. (ex. : *bene, optime de re publicâ*). ¶ Ce qu'on sert. ‖ Nombre de plats servis sur la table. *Ferculum, i,* n. *Cena, ae,* f. (*cena prima, altera, tertia*). *Mensa, ae,* f. Au second —, *secundâ mensâ appositâ.* ¶ Ce qui sert à table. *Vasa escaria.*

serviette, s. f. Linge dont on se sert pour s'essuyer. *Mappa, ae,* f.

servile, adj. Qui appartient à l'état d'esclave. *Servilis, e,* adj. ‖ Qui a le caractère de dépendance qui conviendrait à un esclave. *Servilis, e,* adj. *Humilis, e,* adj.

servilement, adv. D'une manière servile. *Serviliter,* adv.

servilité, s. f. Caractère servile. *Servilis indoles.*

servir, v. intr. et tr. ‖ (*V. intr.*) Etre assujetti (à ·qqn) par servage, servitude. *Servīre,* intr. Fig. *Inservīre,* intr. ‖ Etre utile (à qqn). *Esse,* intr. *Prodesse,* intr. (av. le Datif). *Proficěre,* intr. Il ne me sert de rien de (av. l'Inf.), *nihil mihi prodest* (av. l'Inf.). ‖ (Par ext.) Etre propre à un usage. *Esse,* intr. *Prodesse,* intr. *Valěre,* intr. Qui peut —, *utilis, e,* adj. Qui ne peut plus —, *inutilis, e,* adj. ‖ (Spéc.) Rendre le même office que (qqch.). *Esse pro* (*aliquo, aliquâ re*). ‖ (*V. pron.*) Se —, *uti,* dép. intr. Voy. EMPLOYER. ¶ (*V. tr.*) S'acquitter envers qqn de certains devoirs, de certains offices. *Colěre,* tr. *Venerări,* dép. tr. *Servīre,* intr. *Deservīre,* intr. *Inservīre,* intr. *Adesse,* intr. — avec zèle son pays au sénat et dans les assemblées, *navāre rem publicam in curiâ atque in foro.* ‖ (Spéc.) En parlant d'un militaire. *Militāre,* intr. *Merēre* ou *merēri,* tr. (ex. : *merēri stipendia;* on dit aussi *stipendia facěre*). ‖ En parlant d'un domestique. *Servīre,* intr. *Famulari,* dép. intr. (av. le Dat.). — (qqn) à table, *ministrāre,* tr. Se — de fruits, *de lance suměre poma.* — (mettre sur la table), *apponěre,* tr. ‖ Etre attaché au service d'un magistrat, etc. *Apparēre,* intr. ‖ En parl. d'un diacre, d'un enfant de chœur, etc. — la messe, *missam celebranti adesse.* — qqn dans un sacrifice, *administrāre alicui ad rem divinam.* ‖ En parl. d'un marchand. — le client, *emptori merces praebēre.* Se — chez qqn, *eměre ab aliquo.* ‖ (Par anal.) Etre à la disposition de qqn pour ce qui peut lui être utile, agréable. Pour vous —, *cupio omnia quae vis.* ‖ (Par ext.) Rendre service à qqn. Voy. SERVICE. — qqn en qqch., *aliquem aliquâ re juvāre.* ‖ (Par anal.) Aider à atteindre un but. Voy. AIDER, FAVORISER. ¶ (Par anal.) Faire fonctionner qqch. *Administrāre,* tr.

serviteur, s. m. Celui qui est au service de qqn. *Famulus, i,* m. *Minister, tri,* m.

servitude, s. f. Dépendance d'une domination étrangère. *Servitus, utis,* f. *Servitium, ii,* n. ‖ (Spéc.) Esclavage. *Servitus, utis,* f. *Servitium, ii,* n. Vivre dans la —, *servīre,* intr. ‖ (P. anal.) Dépendance. *Servitus, utis,* f. *Servitium, ii,* n. ‖ (P. ext.) Servilité. Voy. ce mot. Mûr pour la —, *ad servitutem paratus.* ‖ (Fig.) Etat de celui qui est assujetti à qqch. *Servitus, utis,* f. Affranchir qqn de la — des affaires, *solvěre aliquem curâ et negotio.* ‖ (Droit.) Charge que doit supporter une propriété par rapport à une autre. *Servitus, tutis,* f. Etre assujetti à une —, *servīre,* intr. Assujetti à une —, *servus, a, um,* adj.

sésame, s. m. Plante oléagineuse. *Sesamon, i,* n. *Sesamum, i,* n.

session, s. f. Partie de l'année pendant laquelle siège un corps délibérant. *Tempus sedendi. Conventûs, ûs,* m.

sesterce, s. m. Monnaie d'argent romaine valant deux as et demi. *Sestertius nummus,* ou simpl. *sestertius, ii* (gén. pl. *sestertium*), m.

setier, s. m. Ancienne mesure pour les grains et matières sèches. *Sextarius, ii,* m. ¶ Ancienne mesure pour les liquides. *Sextarius, ii,* m.

seuil, s. m. Pièce de bois ou de pierre placée au bas d'une porte. *Limen, inis,* n.

seul, *e*, adj. Avec lequel il n'y en a pas d'autre. || (Simple qualificatif.) *Solus, a, um,* adj. *Unus, a, um,* adj. *Unicus, a, um,* adj. Pas un — objet, *nulla res.* Pas un — (subst.), *nemo.* Une — fois, *semel,* adv. Le pouvoir d'un —, *singularis potentia* ou *singulare imperium.* ¶ (Empl. comme attribut.) *Solus, a, um,* adj. Nous sommes —, *soli sumus.* Je me suis rencontré avec lui — à —, *conveni solum solus.* Vivre —, *vitam solitariam agĕre* ou *in solitudine vivĕre.* Ne pas sortir —, *cum altero procedĕre.* Laisser qqn —, *destituĕre aliquem.* A lui —, *solus* ou *ipse per se.*

seulement, adv. Sans qqn ou qqch. de plus. *Solum,* adv. *Modo,* adv. *Tantum,* adv. *Tantummodo,* adv. Si —, *utinam; si* (av. le Subj.). Il arrive —, *nuper venit.* ¶ Pour marquer une restriction. Voy. MAIS.

sève, s. f. Liquide formé des sucs de la terre, qui sert à la nutrition de la plante. *Sucus terrae* ou simpl. *sucus, i,* m. *Humor, oris,* m.

sévère, adj Sans indulgence pour les fautes, les faiblesses. *Severus, a, um,* adj. *Austerus, a, um,* adj. *Gravis, e,* adj. || (Par anal.) Qui ne se relâche pas de la règle. *Severus, a, um,* adj. *Rigidus, a, um,* adj. || (Par ext.) Qui ne se relâche pas de la régularité, de la gravité. *Severus, a, um,* adj. *Gravis, e,* adj. Etre trop — pour soi-même, *nimium in se inquirĕre.*

sévèrement, adv. D'une manière sévère. (Avec gravité.) *Severĕ,* adv. || Rigoureusement. *Severĕ,* adv. *Graviter,* adv. || Avec rigueur pour soi-même, *Acriter,* adv.

sévérité, s. f. Caractère de celui qui est sans indulgence pour les fautes, les faiblesses. *Severitas, atis,* f. *Austeritas, atis,* f. *Duritia, ae,* f. — excessive, *atrocitas, atis,* f. || (Par anal.) Caractère de celui qui ne se relâche pas de la règle. *Severitas, atis,* f. *Acerbitas, atis,* f. *Gravitas, atis,* f. Air de —, *supercilium, ii,* n. || (Par ext.) Caractère de ce qui ne se relâche pas de la régularité. *Severitas, atis,* f. *Gravitas, atis,* f.

sévice, s. f. Acte de brutalité. *Vexatio, onis,* f. *Injuria, ae,* f. *Vis, vis,* f. Exer-

cer des — contre qqn, *saevīre in corpus alicujus* (ou *in aliquem*).

sévir, v. intr. Se conduire durement envers qqn. *Adhibēre severitatem in aliquo. Aliquem asperē tractāre.* ¶ Exercer la répression avec une rigueur excessive. *Saevīre in aliquem. Animadvertĕre in aliquem. Vindicāre (graviter) in aliquem.* || (Fig.) En parl. d'un fléau, agir avec violence. *Saevīre,* intr. *Furĕre,* intr. *[tatio, onis,* f.

sevrage, s. m. Action de sevrer. *Ablacsevrer*, v. tr. Séparer un enfant de la mère, de la nourrice qui l'allaite. *Removēre infantem. Depellĕre a matre* (ou *ab lacte*), ou (absolt.) *depellĕre,* tr.

sexagénaire, adj. Agé de soixante ans. *Sexaginta annos natus.*

sexe, s. m. Caractère organique qui distingue le mâle de la femelle. *Sexus, ûs,* m. *Genus, neris,* n. || (Spéc.) Ensemble des caractères intellectuels, moraux, qui distinguent l'homme de la femme. *Sexûs, ûs,* m. || (P. ext.) L'ensemble des individus de l'un ou l'autre sexe. *Sexûs, ûs,* m.

sexte, s. f. La sixième heure du jour, et par ext. une des heures canoniales. *Sexta hora.*

sextuple, adj. Qui vaut six fois une quantité donnée. *Sexies tantum.*

1. si, conj. Dans le cas où. *Si,* conj. (avec l'Indic., quand la propos. principale, en français, n'est pas au conditionnel; avec le Subj., quand la prop. principale en français est au conditionnel). (Qqf. *si* est omis pour donner plus de vivacité au discours : *dares hanc vim Crasso : in foro, mihi crede, saltaret,* « si l'on avait donné cette puissance à Crassus, assurément il aurait dansé en plein forum »). Si au contraire, si d'autre part, mais si, *si,* conj.; *sin,* conj.; *sin autem,* conj. Si... ne... pas, *si non* (s'emploie toujours, quand on veut opposer à l'hypothèse que telle chose se fait, l'hypothèse contraire que telle chose ne se fait pas); *ni,* conj.; *nisi,* conj. Excepté si, *nisi,* conj. (même syntaxe que *si*). Si ce n'est, *nisi,* conj || (Ellip.) Pour souhaiter qqch. (av. le Subj.). *Utinam,* conj. || (Spéc.) Après les verbes qui expriment doute, interrogation. *Num,* adv. *Nĕ,* adv. interr. Si... ou si (dans une interrogation indirecte), *utrum... an* ou *nĕ... an...* Si... ne... (dans une interrog. indir.), *an,* adv. interr.

2. si, adv. Aussi. *Tam,* adv (dev. des adj. et des adv.). — grand, *tantus, a, um,* adj. — petit, *tantulus a, um,* adj. — nombreux, *tot,* adj. indécl ¶ Tellement. *Tam,* adv. Voy. TELLEMENT. Si... que, voy. QUELQUE [que].

sibylle. s. f. Femme passant pour avoir le don de prédire l'avenir. *Sibylla ae,* f.

sibyllin, *ine*. adj. Qui appartient à la sibylle. *Sibyllinus, a, um,* adj.

sicaire, s. m. Assassin à gages. *Sicarius, ii, m.*

siccité, s. f. Propriété de ce qui est sec. *Siccitas, atis, f.*

Sicile, n. pr. Grande île de la Méditerranée. *Sicilia, ae, f.* De la —, *Siculus, a, um, adj.*

sidéral, *ale, adj.* Relatif aux astres. *Sideralis, e, adj.*

Sidon, n. pr. Ville de Syrie. *Sidon, onis, f.*

siècle, s. m. Période de cent ans. *Saeculum, i, n.* (on dit aussi *centum anni; centum annorum spatium*). || (Par anal.) Longue période d'années. *Saeculum, i, n.* || Génération. Voy. ce mot. ¶ (T. relig.). La vie du temps, du monde (*par opposition à la* vie religieuse). *Saeculum, i, n.*

siège, s. m. Place où qqn, qqch. est établi. *Sedes, is, f. Domicilium, ii, n.* || (Par anal.) Siège (d'une maladie). *Sedes, is, f.* || (Spéc.) Mettre le — devant une ville, voy. ASSIÉGER. — d'une ville, *obsessio, onis, f.; obsidio, onis, f.; obsidium, ii, n.* — (investissement), *oppugnatio, onis, f.* ¶ Place où qqn s'assied. *Sedile, is, n. Sedes, is, f.* || (Spéc.). Le derrière. *Sedes, is, f.* || Meuble destiné à s'asseoir. *Subsellium, ii, n.*

siéger, v. intr. Occuper un siège (de juge, de conseiller, etc.). *Judicāre, intr.* — dans les conseils du prince, *interesse consiliis principis.* ¶ Avoir dans un lieu le siège de sa juridiction. *Sedem habēre (in aliquo loco). Conventus (in aliquo loco) agēre.* || (Par anal.) Fig. *Sedēre, intr.* ¶ Etre en séance. *Sedēre, intr. Considēre, intr.* Ce jour-là le sénat devait siéger, *eo die senatus erat futurus.*

sien, sienne. adj. Qui est à lui, à elle. || Déterminant un substantif ou employé comme attribut. *Suus, a, um, adj.* (quand le mot possédé renvoie au sujet possesseur directement ou indirectement, dans une proposition complétive *ou* de style indirect). *Ejus* (quand le mot possédé renvoie au complément). Un — ami, *unus ex ejus amicis.* Faire — qqch., *aliquid suum facere.* ¶ (Absol. le subst. étant sous-entendu.) Je n'ai pas cessé de prier dans mon intérêt, d'exhorter dans le —, *non destiti rogāre meā causā, hortāri suā.* || (Spéc.) Au masc. sing. Ce qu'on a à soi. *Suum, i, n.* Donner du —, *de se largiri.* Fig. Mettre du —, *de suo aliquid proferre;* (dans un récit), *multa afferre de suo.* Y mettre du — (se montrer accommodant), voy. ACCOMMODANT. Au masc. plur. Les — (les parents, amis de celui dont on parle), *sui, orum, m. pl.* ¶ Au fém. plur. Faire des — (de ses tours habituels), *lascivīre, intr.*

sieste, s. f. Sommeil après le repas de midi. *Meridiatio, onis, f.*

sifflant, *ante, adj.* Qui produit une sorte de sifflement. *Sibilus, a, um, adj.*

sifflement, s. m. Bruit produit en sifflant. *Sibilus, i, m.*

siffler, v. intr. Produire un bruit aigu en faisant échapper l'air par une ouverture étroite. *Sibilāre, intr.* || (Transitif.) — qqn, *aliquem sibilo advocāre.* — un air, *canticum sibilando experīmere.* — un auteur, un acteur (pour lui témoigner sa désapprobation), *sibilāre, tr.; exsibilāre, tr.; sibilis aliquem consectāri.*

sifflet, s. m. Petit instrument avec lequel on siffle. *Sibilus, i, m.* ¶ Action de siffler. Voy. SIFFLEMENT. || (Spéc.) Pour marquer sa désapprobation. *Sibilus, i, m. Explosio, onis, f.*

signal, s. m. Signe indiquant qu'on doit faire qqch. à un moment déterminé. *Signum, i, n. Insigne, is, n. Significatio, onis, f.*

signalement, s. m. Description d'une personne par des signes extérieurs qui peuvent la faire reconnaître. *Descriptio figurae et habitūs hominis* (ou *alicujus*).

signaler, v. tr. Rendre remarquable par qq. signe. *Insignīre, tr.* Se —, voy. [se] DISTINGUER. Signalé, *insignis, e, adj.; singularis, e, adj.* ¶ Indiquer par un signal. *Significāre, tr.* || (Fig.) Indiquer à l'attention de qqn. — qqch. à qqn, *monēre aliquem de aliquā re.*

signataire, s. m. et f. Celui, celle qui a signé. *Signator, oris, m.*

signature, s. f. Action de signer. *Subscriptio, onis, f.* ¶ Nom d'une personne écrit au bas d'un acte. *Nominis subscriptio.* Apposer sa — au bas de, *subscribēre, tr.; subnotāre nomina.*

signe, s. m. Chose sensible qui éveille l'idée d'un être ou d'une manière d'être en vertu d'un rapport naturel ou de convention. || Marque pour reconnaître une chose. *Nota, ae, f. Signum, i, n. Indicium, ii, n.* || (Fig.) *Signum, i, n.* Marquer d'un —, *notāre, tr.* C'est — de sagesse, *est sapientis.* Etre — de, *significāre, tr.* C'est — que, *quod insigne est* (avec l'Acc. et l'Infin.); untde (ou *ex quo*) *apparet ut* (et le Subj.). Ne plus donner — de vie, *velut moribundum jacēre.* || (T. relig.) — (miraculeux, surnaturel), *signum, i, n.* — de la croix, *signum crucis,* ou (simpl.) *signum, i, n.* Faire le — de la croix, *crucem jacere.* || (P. ext.) Les — du zodiaque, *signa, orum, n. pl.* || (Spéc.) Geste par lequel on manifeste ce qu'on sent, ce qu'on pense. *Signum, i, n. Significatio, onis, f.* Faire un —, indiquer par un —, *significāre, tr.* Se faire des — d'intelligence, *significāre inter se.* Langage par —, langage des —, *nutus motusque membrorum (qui per sermone sunt).* Parler par —, *per gestum (aliquid) significāre.* Faire un — de tête, *annuēre, intr.* — fait avec les yeux, *nictūs, ūs, m.* Faire — avec les yeux, *nictāri, dép.*

intr. Faire — de la main, *manu signi-ficăre.* Au premier —, *simul atque annuisset.* — d'assentiment, *signi-catio, onis,* f. Faire un — affirmatif d'assentiment, *annuĕre,* intr. Faire un — négatif, *renuĕre,* intr. || (P. ext.) Marque naturelle sur la peau. *Naevus, i,* m. *Nota, ae,* f.

signer, v. tr. Revêtir de sa signature. *Subscribĕre nomen,* ou simpl. *subscri-bĕre,* tr. et intr. — comme témoin, un acte, *obsignăre,* tr. Fig. *Sancīre,* tr. Voy. SCELLER. — une œuvre (en parl. d'un auteur, d'un peintre, etc.), *inscri-bĕre nomen libellis, tabulae, statuae.* — des créances, des billets, *nomina facĕre.* — une reconnaissance, *scribĕre nummos.* — la paix, un traité de paix, une convention, *scribĕre amicitiae foe-dus.* La paix est signée, *pax convenit.* — (un sénatus-consulte), *adesse scri-bendo* ou *esse ad scribendum.* || Marquer d'un signe. *Signăre,* tr. — une pièce d'orfèvrerie, voy. POINÇONNER. ¶ Se — (faire le signe de la croix), *signum crucis facĕre.* Se — (par crainte *ou* par horreur pour repousser *ou* conjurer qqch.), *signo crucis facto aliquid a se amolíri.*

significatif, ive, adj. Qui a une signi-fication marquée. *Gravis, e,* adj. D'une manière —, *significanter,* adv.

signification, s. f. Sens attaché à une chose. *Significatio, onis,* f. *Vis,* f. *Potestas, atis,* f. Avoir la même —, *idem* (ou *eandem rem*) *significăre* (ou *declarăre*); *idem valēre.* Avoir une autre —, *aliam sententiam significăre.* Avoir une — plus large, *latius patēre.* ¶ (T. de droit.) Action de faire connaître à qqn par ministère d'huissier, un acte, un arrêt, etc. *Denuntiatio, onis,* f.

signifier, v. tr. Faire entendre (qqch.) à qqn par des signes, des termes exprès. *Significăre,* tr. *Denuntiăre,* tr. *Decla-răre,* tr. *Demonstrăre,* tr. *Velle,* tr. Que — ces paroles? *quid vult sibi haec oratio?* || (T. de droit.) Faire connaître à qqn un arrêt, etc. *Renuntiăre,* tr. ¶ Avoir un sens déterminé. *Significăre,* tr. *Valēre,* intr.

silence, s. m. Le fait de ne pas parler. *Silentium, ii,* n. *Taciturnitas, atis,* f. Faire —, voy. [se] TAIRE. Faites — ou (ellipt.) — ! *St!* Leur — est éloquent, *tacendo loqui videntur.* ¶ (P. anal.) Le fait de ne pas exprimer sa pensée par parole *ou* par écrit. *Silentium, ii,* n. *Reticentia, ae,* f. Réduire qqn au —, *aliquem elinguem reddĕre; alicujus lin-guam retundĕre.* Garder le —, voy. TAIRE. (Par ext.) Imposer — à sa conscience, *comprimĕre conscientiae animi.* Imposer — à l'audace, *confu-tăre audaciam alicujus.* || (Spéc.) En parl. d'un commerce de lettres inter-rompu. (*Litterarum*) *intermissio.* Ces-*satio, onis,* f. ¶ (Par ext.) Absence de

tout bruit. *Silentium, ii,* n. *Tranquil-litas,* f. *Quies, etis,* f. || (Musique.) Interruption du son dans certaines parties de la phrase musicale. *Silen-tium, ii,* n.

silencieusement, adv. D'une manière silencieuse. *Silentio,* abl. adv.

silencieux, euse, adj. Où règne le silence. *Tacitus, a, um,* adj. ¶ Qui garde le silence. *Tacitus, a, um,* adj. *Taciturnus, a, um,* adj.

silex, s. m. Pierre très dure constituée par le silice. *Silex, licis* (abl. *silici,* gén. pl. *silicum*), m. De —, *siliceus, a, um,* adj.

silhouette et **silouette,** s. f. Dessin où un trait tracé autour de l'ombre d'une figure en représente le profil. *Adum-bratio, onis,* f.

sillage, s. m. Ligne que trace un bâti-ment en marche. *Sulcus, i,* m.

sillon, s. m. Tranchée qu'ouvre dans la terre le soc de la charrue. *Sulcus, i,* m. Tracer un —, *sulcum imprimĕre* (ou *ducĕre* ou *facĕre*).

sillonner, v. tr. Diviser par un sillon. || Au propr. *Sulcăre,* tr. ¶ (Fig.) *Sul-căre,* tr.

silo, s. m. Excavation creusée dans le sol où l'on conserve le grain. *Sirus, i,* m.

similitude, s. f. Rapport entre choses que l'on considère comme pouvant être assimilées. *Similitudo, dinis,* f.

simple, adj. Qui n'a point de parties. *Simplex* (gén. -*icis*), adj. Subst. Le —, ce qui est —, *simplum, i,* n. Un — (une herbe médicinale), *medica herba.* Les —, *herbae-salutares.* ¶ (Au fig.) Qui a telle *ou* telle manière d'être, et rien de plus. Un — citoyen, *singularis homo privatus.* Les — citoyens, *privati, orum,* m. pl. Un — soldat, *miles caligatus; miles manipularis; miles gregarius.* Pur et —, *merus, a, um,* adj.; *nudus, a, um,* adj. A la — vue, *ipso aspectu.* || Qui n'a rien de compliqué. *Simplex* (gén. -*icis*), adj. || (P. ext.) Qui ne connaît pas, qui n'entend point les complications, les détours. *Simplex* (gén. -*icis*), adj. *Apertus, a, um,* p. adj. || Qui n'a rien de recherché. *Simplex* (gén. -*icis*), adj. *Nudus, a, um,* adj. *Tenuis, e,* adj. *Purus, a, um,* adj. Trop —, *attenuatus, a, um,* p. adj.; *demissus, a, um,* p. adj. Vêtements —, *vestis non pretiosa.* Table —, *mensa sobria.* Genre de vie —, *parcus ac parabilis victus.*

simplement, adv. D'une manière simple. || En faisant telle ou telle chose et rien de plus. *Simpliciter,* adv. Pure-ment et —, *purē,* adv. || D'une façon ingénue. *Simpliciter,* adv. || Sans recherche. *Simpliciter,* adv.

simplicité, s. f. Caractère de ce qui n'a pas de parties. *Simplicitas, atis,* f. ¶ (Fig.) Caractère de ce qui n'a pas de complications. *Simplicitas, atis,* f.

|| Caractère de celui qui ne connaît pas, qui n'entend pas les complications. *Simplicitas, atis,* f. *Ingenuitas, atis,* f. — antique, *antiquitas, atis,* f. D'une — antique, *antiquus, a, um,* adj. || (En mauvaise part.) *Fatuitas, atis,* f. *Insulsitas, atis,* f. || (Par ext.) Action, parole d'une personne simple. *Stultē dictum* (ou *factum*). Des —, *ineptiae, arum,* f. pl. || Caractère de ce qui n'a pas de recherche. *Simplicitas, atis,* f. *Subtilitas, atis,* f.

simplifier, v. tr. Rendre plus simple. *Expedire,* tr.

simulacre, s. m. Apparence qui imite la réalité. *Simulacrum, i,* n. *Imago, inis,* f. *Species, ei,* f.

simuler, v. tr. Donner l'apparence pour la réalité. *Simulāre,* tr. *Fingěre,* tr.

simultané, ée, adj. Qui a lieu dans le même temps qu'une autre chose. *Ejusdem temporis.*

simultanément, adv. D'une manière simultanée. *Eodem tempore.*

sinapisme, s. m. Révulsif fait de farine de graine de moutarde. *Sinapismus, i,* m.

sincère, adj. Qui fait connaître ce qu'il sent, ce qu'il pense réellement. *Sincerus, a, um,* adj. *Verus, a, um,* adj. || (P. ext.) Qui est pensé, senti réellement. *Sincerus, a, um,* adj. *Verus, a, um,* adj. || (P. ext.) Qui est pensé, senti réellement. *Sincerus, a, um,* adj.

sincèrement, adv. D'une manière sincère. *Sincerē,* adv. *Verē,* adv. *Simpliciter,* adv. *Apertē,* adv. *Ingenuē,* adv.

sincérité, s. f. Caractère de celui qui est sincère *et, p. ext.* de ce qui est sincère. *Sinceritas, atis,* f. *Veritas, atis,* f.

singe, s. m. Mammifère de l'ordre des quadrumanes. *Simia, ae,* f. et (rarement) *simius, ii,* m.

singer, v. tr. Contrefaire gauchement. *Ineptē imitāri.*

singerie, s. f. Grimace malicieuse. Voy. GRIMACE. ¶ (Fig.) Contrefaçon gauche de qqn, de qqch. *Prava* (ou *ridicula*) *imitatio.*

singulariser, v. tr. Rendre singulier, distinguer de tous les autres par qqch. d'inusité. *Aliqua novitate insignem reddēre* (ou *insignīre*). Se —, *insignīri.* Se — en tout, *omnia alio modo facěre.*

singularité, s. f. Caractère de ce qui se rapporte à un seul. Voy. PARTICULARITÉ. ¶ Caractère inusité qui distingue des autres. *Insolentia, ae,* f. *Res nova* (ou *singularis*). — d'une chose, *novitas alicujus rei.*

singulier, ère, adj. Qui se rapporte à un seul. *Singularis, e,* adj. ¶ (Gramm.) Le nombre — *et* (subst.) le —, *singularis numerus,* et simpl. *singularis, is,* m. ¶ Qui se distingue par qqch. d'inusité. *Singularis, e,* adj. *Novus, a, um,* adj.

singulièrement, adv. D'une manière singulière. ||.(En ne concernant qu'un seul.) Voy. PARTICULIÈREMENT. || (En se distinguant par quelque chose d'inusité.) *Singulariter,* adv. || Étrangement. *Monstruosē,* adv.

sinistre. adj. et s. m. ¶ *Adj.* Qui présage le malheur. *Sinister, tra, trum,* adj. *Dirus, a, um.* adj. — présage, *dirae, arum,* f. pl. || Effrayant, menaçant. Voy. ces mots. ¶ *S. m.* Perte, dommage que subissent les assurés. *Calamitas, atis,* f. — en mer, voy. NAUFRAGE.

sinon, conj. Si ce n'est. *Si non,* conj. *Nisi,* conj. || Absolt. S'il n'en est ainsi. *Si minus. Sin minus. Sin autem,* ou (simpl.) *sin.*

sinople, s. m. Couleur verte. *Sinopis, pidis,* f.

sinueux, euse, adj. Qui a des détours en courbe irrégulière. *Sinuosus, a, um,* adj. *Flexuosus, a, um,* adj.

sinuosité, s. f. Caractère de ce qui est sinueux. *Flexūs, ūs,* m. *Sinūs, ūs,* m.

Sion, n. pr. Montagne de Palestine. *Sion,* f. indécl.

siphon, s. m. Tube recourbé destiné à transvaser des liquides. *Sipho, onis,* m. *Diabetes, ae,* m.

sire, s. m. Seigneur. Voy. SEIGNEUR, MESSIRE. || (Spéc.) Titre donné aux rois, aux empereurs. *Dominus, i,* m.

sirène, s. f. Etre fabuleux, moitié femme, moitié poisson. *Siren, enis,* f. || (Fig.) *Siren, enis,* f.

sirop, s. m. Liquide visqueux fait avec du sucre cuit. *Aqua mulsa.*

sis, sise, part. *Situs, a, um,* p.

sistre, s. m. Instrument de musique des anciens Égyptiens. *Sistrum, i,* n.

site, s. m. Partie de pays considérée quant à l'aspect qu'elle présente comme paysage. *Situs naturalis* et simpl. *situs, ūs,* m.

situation, s. f. Position d'une chose, d'une personne, considérée quant à ses résultats. *Situs, ūs,* m. *Positio, onis,* f. *Status, ūs,* m. *Condicio, onis,* f. — naturelle, *natura, ae,* f. — prospère, excellente, *res bonae, secundae, florentes.* — critique, *tempora, um,* n. pl.; *periculum, i,* n.; *discrimen, minis,* n. — difficile, *difficultas, atis,* f.

situer, v. tr. Placer dans un certain lieu (quant à l'exposition, l'aspect, la position défensive, etc.). *Collocāre,* tr. *Poněre,* tr. Situé, *situs, a, um,* part. adj.; *positus, a, um,* part.

six, adj. et s. m. || *Adjectif numéral invariable.* || Adjectif cardinal. *Sex,* adj. num. indécl. — à la fois, — par —, tous les —, de — en —, *seni, ae, a* (gén. *senum*), adj. — fois, *sexiēs,* adv. — cents, *sexcenti, ae, a,* adj. num. — cents par — cents, — cents chaque fois, *sexceni, ae, a,* adj. num. distrib. — centième, *sexcentesimus, a, um,* adj.

— cents fois, *sexcenties*, adv. ¶ *Adjectif ordinal.* Sixième, *Sextus, a, um*, adj. ¶ *S. m.* (Invariable.) Amener le — (au jeu de dés), *senionen mittere.*

sixième, adj. Adjectif numéral ordinal. Qui en a cinq avant lui. *Sextus, a, um*, adj. Pour la — fois, *sextum*, adv. La — partie, *et, subst.,* le —, *sexta pars. Lectus, i*, m.

sixièmement, adv. En sixième lieu. *Sexto*, abl. adv.

sobre, adj. Tempérant pour le manger et le boire. *Sobrius, a, um*, adj. || (Fig.) Qui garde la mesure. *Sobrius, a, um*, adj. *Parcus, a, um*, adj. (En parl. du style ou d'un auteur.) *Sanus, a, um*, adj. *Pressus, a, um*, p. adj.

sobrement, adv. D'une manière sobre. *Sobriè*, adv. *Frugaliter*, adv. || (Fig.) *Parcè*, adv. En parl. du style. *Subtiliter*, adv.

sobriété, s. f. Caractère de celui qui est sobre. *Sobrietas, atis*, f. *Frugalitas, atis*, f. *Temperantia, ae*, f. ¶ (Au fig.) Réserve, modération. Voy. ces mots.

sobriquet, s. m. Surnom dont on affuble qqn dans une intention de moquerie. *Cognomen joculare.*

soc, s. m. Large pièce de fer fixée au sep de la charrue, et qui sert à former le sillon. *Vomer, eris*, m. et *vomis, eris*, m.

sociabilité, s. f. Caractère sociable. *Communitas, atis*, f.

sociable, adj. Porté à vivre en société. *Sociabilis, e*, adj. || (Dans un sens plus large.) *Facilis, e*, adj.

social, *ale*, adj. (Antiq. rom.) Qui a rapport aux alliés. *Socialis, e*, adj. ¶ Qui a rapport à la société humaine. *Ad societatem* (ou *communitatem* ou *congregationem*) *hominum pertinens.*

société, s. f. Réunion permanente d'hommes vivant sous des lois communes. *Societas, atis*, f. *Consociatio, onis*, f. *Conjunctio, onis*, f. || (Par anal.) Certains animaux vivant en société, *quaedam animalia congregata.* ¶ Réunion d'hommes associés en vue d'un but commun, suivant certaines règles, etc. *Societas, atis*, f. *Sodalitas, atis*, f. *Collegium, ii*, n. ¶ Relations habituelles avec certaines personnes. *Congressus, ûs*, m. *Congressio, onis*, f. || Compagnie de personnes qui se réunissent ordinairement ensemble. *Conventûs, ûs*, m. *Coetûs, ûs*, m. *Convictûs, ûs*, m. — littéraire, *sodalicium litteratorum.* Rechercher la — de qqn, *aliquem assectari.* ¶ Compagnie de personnes qui se réunissent dans certains salons. *Circulus, i*, m. La — savante, *homines eruditi docti*, ou (simpl.) *docti, orum*, m. pl.

socle, s. m. Support d'un buste, d'une statuette, etc. *Basis, is*, f.

socque, s. m. Chaussure basse des acteurs comiques, chez les anciens. *Soccus, i*, m.   [*is*, m.

Socrate, n. pr. Philosophe. *Socrates,*

sœur, s. f. Fille considérée par rapport à celui, celle qui est du même père et de la même mère ou de l'un des deux. *Soror, oris*, f.

sofa ou **sopha**, s. m. Sorte de trône des princes orientaux. Voy. TRÔNE. ¶ Espèce de lit de repos à dossier. *Lectus, i*, m.

soi, pron. réfl. || Se rapportant à un nom déterminé de personne ou de chose. *Sui, sibi, se*, pron. réfl. ¶ Se rapportant à un nom déterminé de personne ou de chose. Etre toujours —, *sibi constare.* L'amour de —, *amor sui.* Avoir une arme sur —, *esse cum telo.* A part —, *secum ; intra se.*

soi-disant, *soi-disante*, adj. Qui se dit tel ou telle. Qui (*quae, quod*) *dicitur* (ou *fertur, editur, perhibetur*).

soie, s. f. Poil long et raide de certains animaux. *Seta* (ou *saeta*), *ae*, f. ¶ (P. anal.) Matière filamenteuse produite par un certain ver. *Bombyx, ycis* (Acc. pl. *ycas*), m. et f. Etoffes, vêtements de —, *serica, orum*, n. pl.

soierie, s. f. Nom général donné aux étoffes de soie. *Serica, orum*, n. pl.

soif, s. f. Besoin de boire. *Sitis, is*, f. Avoir —, *sitire*, intr. || (Par anal.) En parl. des plantes, etc. *Sitis, is*, f. Avoir —, *sitire*, intr. ¶ (Au fig.) Désir impatient de qqch. *Sitis, is*, f. Avoir — de, *sitire*, tr. (au part. avec le Gén. : *sitiens virtutis*).

soigner, v. tr. Veiller attentivement au bien de (qqn), au bon état de (qqch.). *Curâre*, tr. *Accurâre*, tr. *Procurâre*, tr. *Colère*, tr.

soigneusement, adv. D'une manière soigneuse. *Diligenter*, adv. *Accuratè*, adv.

soigneux, *euse*, adj. Qui s'occupe attentivement de qqch., *et, absolt.,* qui s'occupe attentivement de ce qu'il fait. *Diligens* (gén. *-entis*), p. adj. *Curiosus, a, um*, adj.

soin, s. m. Attention à veiller au bien de (qqn). *Cura, ae*, f. *Curatio, onis*, f. *Diligentia, ae*, f. *Sedulitas, atis*, f. *Vigilantia, ae*, f. Prendre, avoir — (de), *curâre*, tr.; *procurâre*, tr.; *consulère*, intr.; *prospicère*, intr. Avec —, *attentè*, adv.; *sedulo*, adv.; *vigilanter*, adv. ¶ Peine, souci qu'on se donne pour qqch., pour qqn. *Cura, ae*, f. *Diligentia, ae*, f. *Accuratio, onis*, f. Fait avec —, *accuratus, a, um*, p. adj. Avec —, *accuratè*, adv.: *curiosè*, adv.; *diligenter*, adv. Sans —, *negligenter*, adv. || (Spéc.) Service qu'on est attentif à rendre. *Cura, ae*, f. *Curatio, onis*, f. Donner ses — à qqn, *diligenter curâre aliquem.* Recevoir les — de qqn, *diligentissimè ab aliquo curâri.*

soir, s. m. La fin du jour. *Vesper, eris*, m. et *vesper, peri*, m. Du —, qui se fait ou qui agit le —, *vespertinus, a, um*, adj. || (Par ext.) L'après-midi. Voy. APRÈS-MIDI.

soirée, s. f. La fin du jour (considérée quant à l'emploi qu'on en fait). *Vesper* (gén. *vesperis*, dat. *vespero*, acc. *vesperum*, abl. *vespere* et abl. adv. *vesperi*), m.

soit, conj. Conjonction marquant alternative. *Sive.., sive..*, conj. *Seu.., seu..*, conj. *Aut.., aut..*, conj. Soit que.., soit que.., *sive.., sive..* conj. (même syntaxe que *si*). ¶ Que cela soit. Voy. ÊTRE.

soixantaine, s. f. Nombre de soixante ou environ. *Sexaginta.*

soixante, adj. || *Adjectif numéral invariable.* || Adjectif cardinal. Six fois dix, *Sexaginta*, adj. num. indécl. — chacun. — par —, *sexageni, ae, a*, adj. num. distrib. — fois, *sexagies* ou *sexagiens*, adv. — dix, *septuaginta*, adj. num. indécl. — dix par — dix, — dix à la fois, — dix chacun, *septuageni, ae, a*, adj. — dix fois, *septuagies*, adv. — dix-huit, *septuaginta octo* ou *duodeoctoginta*, adj. num. indécl. Soixante-dix-neuf, *septuaginta novem* ou *undeoctoginta*, adj. num. indécl. ¶ *Adjectif ordinal.* Soixantième. *Sexagesimus, a, um*, adj. — dixième, *septuagesimus, a, um*, adj. — onzième, *septuagesimus unus*, etc.

soixantième, adj. Adjectif numéral ordinal. *Sexagesimus, a, um*, adj. Pour la — fois, *sexagesimum.*

1. sol. Voy. SOU.

2. sol, s. m. Etendue sur laquelle reposent les corps à la surface de la terre. *Solum terrae*, ou (simpl.) *solum, i*, n. *Humus, i*, f. (Opposé à mer, ciel, etc.). *Terra, ae*, f. — uni, *area, ae*, f. ¶ (Spéc.) Terrain considéré par rapport à la culture. *Solum, i*, n. Voy. TERRAIN.

solaire, adj. Qui a rapport au soleil. *Solaris, e*, adj. *Solarius, a, um*, adj. Cadran —, *solarium, ii*, n.

soldat, s. m. Celui qui sert dans une armée, à la solde d'un prince, d'un gouvernement. *Miles, itis*, m Simple — et (absol.) — (par opp. à officier), *gregarius miles* ou simpl. *miles*. De —, *militaris, e*, adj. En —, *militariter*, adv. || (Par ext.) Un soldat, *c.-à-d.* un guerrier versé dans la science militaire, *homo* ou *vir militaris*. || (Fig.) Celui qui affronte le danger pour une cause. *Miles, itis*, m.

soldatesque, s. f. Troupe de soldats. *Vulgus militum*, et (abs.) *vulgus. Turba militum.*

1. solde, s. f. Paie des soldats. *Stipendium, ii*, n. — d'un officier, *salarium, ii*, n.

2. solde, s. m. Ce qui reste à payer sur un compte. *Solutio, onis*, f.

1. solder, v. tr. Entretenir à son service moyennant une solde. *Mercede conducĕre (aliquem).*

2. solder, v. tr. — un compte, *pecuniam reliquam solvĕre.*

sole, s. f. Dessous du sabot de certains animaux. *Solea, ae*, f. ¶ Poisson de mer plat. *Solea ae*, f.

solécisme, s. m. Faute contre les règles de la syntaxe. *Vitium sermonis* (ou *orationis*) ou simpl. *vitium, ii*, n. *Soloecismus, i*, m.

soleil, s. m. Astre lumineux, centre du système planétaire dont la terre fait partie *Sol, solis*, m. Exposé au —, *apric's, a, c, um*, adj. Se chauffer au — *apricāri*, dép. intr. Action de se chauffer au —, *apricatio, onis*, f. Coup de —, *solis ictus*. ¶ (Par ext.) Jour. Voy. ce mot. || Année. Voy. ce mot. || (Fig.) Ce qui brille comme le soleil. *Sol. solis*, m. ¶ (Par anal.) Sorte de plante. Voy. HÉLIANTHE.

solennel, elle, adj. Célébré chaque année par des cérémonies publiques. *Sollemnis, e*, adj. ¶ Accompagné de formalités, d'actes publics qui lui donnent une importance particulière. *Sollemnis, e*, adj. *Legitimus, a, um*, adj. Faire un serment —, *conceptis verbis jurāre*. || (Fig.) Empreint d'une gravité qui donne aux choses de l'importance. *Grandis, e*, adj. *Amplus, a, um*, adj.

solennellement, adv. D'une manière solennelle. *Solenniter*, adv.

solennisation, s. f. Action de célébrer par des cérémonies publiques annuelles. *Celebratio, onis*, f.

solenniser, v. tr. Célébrer par des cérémonies publiques annuelles. *Celebrāre*, tr.

solennité, s. f. Fête solennelle, et p. ext., cérémonie publique qui accompagne une fête. *Sollemne, is*, n. *Caerimonia, ae*, f. ¶ Pompe, aspect majestueux de la fête. *Pompa, ae*, f. *Celebritas, atis*, f. ¶ Formalités solennelles. *Ritūs, ūs*, m. ¶ (Fig.) Gravité solennelle du maintien, du ton, etc. *Gravitas, atis*, f. Avec —, *graviter*, adv.; *magnificē*, adv.

solidaire, s. f. Commun à plusieurs, de manière que chacun réponde du tout. *Mutuā sponsione obligatus*. || Lié à d'autres par une responsabilité commune. *Mutuā fide obligatus.*

solidairement, adv. D'une manière solidaire. *Ita ut mutuā fide obligeris* (ou *obstringaris*). S'engager —, *spondĕre*, intr.

solidarité, s. f. Caractère d'une chose, d'une personne solidaire. *Soliditas, atis*, f.

solide, adj. Composé de molécules agrégées entre elles d'une manière consistante. *Solidus, a, um*, adj. || (Spéc.) Qui occupe une portion de l'étendue sous les trois dimensions. *Solidus, a, um*, adj. ¶ Capable par sa consistance de résister à ce qui tend à l'ébranler, à l'altérer. *Solidus, a, um*, adj. *Firmus, a, um*, adj. *Stabilis, e*, adj. || (Fig.) Qui a des qualités durables. *Solidus, a, um*, adj. *Firmus, a, um*, adj. *Stabilis, e*, adj. *Certus, a, um*, adj. *Constans* (gén. -*antis*), p. adj. *Fidus, a, um*, adj.

solidement, adv. D'une manière solide. *Firmē*, adv. *Firmiter*, adv.

solidité, s. f. Etat de ce qui est solide. || Etat d'un corps composé de molécules agrégées d'une manière consistante. *Soliditas, atis*, f. || Etat de ce qui par sa consistance est capable de résister à ce qui tente de l'altérer ou de l'ébranler. *Soliditas, atis*, f. *Stabilitas, atis*, f. *Firmitas, atis*, f. *Firmitudo, dinis*, f. || (Au fig.) Caractère de ce qui a des qualités durables. *Stabilitas, atis*, f. *Firmitas, atis*, f.

soliloque, s. m. Voy. MONOLOGUE.

solitaire, adj. et s. m. || *Adj.* Qui vit seul, *Solitarius, a, um*, adj. (P. ext.) Où l'on est seul. *Solitarius, a, um*, adj. *Solus, a, um*, adj. *Desertus, a, um*, p. adj. ¶ *S. m.* Celui qui vit seul *ou* presque seul. Voy. ERMITE.

solitairement, adv. D'une manière solitaire. *Secreto*, adv.

solitude, s. f. Etat de celui qui est seul, *et par ext.* état de celui qui vit seul ou presque seul. *Solitudo, dinis*, f. || Lieu où l'on est seul. *Solitudo, dinis*, f. Dans la —, *in secreto*. || Lieu inhabité. *Solitudo, dinis*, f.

solive, s. f. Pièce de charpente qui soutient les planchers. *Tignum, i*, n.

soliveau, s. m. Petite solive. *Tigillum, i*, n.

sollicitation, s. f. Action de solliciter. *Sollicitatio, onis*, f. *Rogatio, onis*, f. *Rogatŭs* (Abl. *u*), m. A votre —, *tuo rogatu*.

solliciter, v. tr. Inciter (qqn) d'une manière pressante à qqch. *Sollicitāre*, tr. *Tentāre*, tr. ¶ Prier (qqn) d'une manière pressante pour obtenir qqch. *Orāre*, tr. *Expetēre*, tr. *Rogāre*, tr. Absol. — qqn, *ambire (aliquem)*.

solliciteur, *euse*, s. m. et f. Celui, celle qui sollicite. *Flagitator, oris*, m. *Salutator, oris*, m.

sollicitude, s. f. Préoccupation inquiète au sujet d'une personne, d'une chose à laquelle on porte intérêt. *Cura, ae*, f. *Sollicitudo, dinis*, f.

solo, s. m. Dans un concert, partie chantée par une seule voix, jouée par un seul instrument. *Monodium, ii*, n.

solstice, s. m. Chacune des deux époques où le soleil est le plus éloigné de l'équateur. *Solstitium, ii*, n.

solsticial, *ale*, adj. Relatif au solstice. (Pour le solstice d'été.) *Solstitialis, e*, adj. (Pour le solstice d'hiver.) *Brumalis, e*, adj.

soluble, adj. Qui peut être dissous. *Qui (quae, quod) solvi* (ou *dissolvi*) *potest*. ¶ (Fig.) Qui peut être résolu. *Qui (quae, quod) solvi* (ou *expediri* ou *explicari*) *potest*.

solution, s. f. Séparation des parties.

Solutio, onis, f. *Dissolutio, onis*, f. Faire une — de continuité, *continuationem scindēre*. ¶ Action de dissoudre; résultat de cette action. Voy. LIQUÉFACTION. ¶ Action de résoudre une difficulté. *Solutio, onis*, f. *Explicatio, onis*, f. Donner la —, une —, voy. EXPLIQUER.

solvabilité, s. f. Le fait qu'une personne est solvable. *Facultas solvendi*.

solvable, adj. Qui est en état de payer ce qu'il doit. *Qui (quae) est solvendo*.

sombre, adj. Où manque la clarté. *Obscurus, a, um*, adj. — réduit. *Tenebrae, arum*, f. pl. || En parl. du ciel, du temps, de la nuit. *Caliginosus, a, um*, adj. || En parl. de la couleur. *Obscurus, a, um*, adj. *Fuscus, a, um*, adj. ¶ (Fig.) Où manque la sérénité. *Ater, tra, trum*, adj. *Tristis, e*, adj. *Superciliosus, a, um*, adj. Air —, *nubilum, i*, n.

sombrer, v. tr. Etre submergé de manière à disparaître entièrement. *Demergi*, pass. *Deprimi*, pass. || (Fig.) Disparaître, se perdre. Voy. ENGLOUTIR.

sommaire, adj. et s. m. || *Adj.* Qui résume brièvement. *Brevis, e*, adj. ¶ *S. m.* Résumé bref. *Summa, ae*, f. *Breve, is*, n.

sommairement, adv. D'une manière sommaire. *Breviter*, adv. *Summatim*, adv.

sommation, s. f. Action de sommer qqn de faire qqch. *Denuntiatio, onis*, f.

1. somme, s. f. Bât. Voy. ce mot. Bête de —, *jumentum onerarium*, ou (simpl.) *jumentum, i*, n.

2. somme, s. m. Temps plus ou moins long, pendant lequel on dort sans s'éveiller. *Somnus, i*, m.

3. somme, s. f. Voy. TOTAL.

sommeil, s. m. Suspension de certaines parties de l'activité chez l'homme et chez les animaux et qui sert à les reposer. *Somnus, i*, m. *Quies, etis*, f. Profond —, *sopor, oris*, m. Par ext. Avoir —, *dormitāre*, intr.; *somni indigēre*. ¶ (Au fig.) Etat d'inertie. *Somnus, i*, m.

sommeiller, v. intr. Se laisser aller au sommeil. *Somno* (ou *quieti*) *se dāre*. *Dormitāre*, intr. || (P. ext.) Cesser d'être vigilant. *Dormire*, intr. *Dormitāre*, intr.

sommelier, *ière*, s. m. et f. Celui, celle qui a la charge de tout ce qui concerne la table. *Cellarius, ii*, m. *Promus, i*, m. Sommelière, *cellaria, ae*, f. || (Spéc.) Celui qui dans un restaurant a la charge du vin. *Cellarius, ii*, m.

sommer, v. tr. Mettre (qqn) en demeure de faire ce qu'on a le droit d'exiger de lui. *Jubēre*, tr. *Denuntiāre alicui* (*ut* et le Subj.).

sommet, s. m. La partie la plus élevée de ce qui est debout sur sa base. — d'une montagne, *summum jugum montis* ou *summus mons*. — d'une

pyramide, d'un arbre, etc., *cacumen,
inis,* n. — (d'un objet très élevé),
culmen, minis, n. ou *fastigium, ii,* n.
— de la tête, *vertex, icis,* m. || (Au fig.)
Culmen, inis, n. *Fastigium, ii,* n.

sommier, s. m. Matelas de crin piqué.
Culcita, ae, f.

sommité, s. f. Partie élevée d'un corps
qui comprend le sommet. *Culmen, inis,*
n. Fig. *Caput, itis,* n. || Les — (les
personnages les plus remarquables),
excellentiae, arum, f. pl.; *dignitates, um,*
f. pl.

somnambule, s. m. et f. Personne qui
agit et parle étant endormie. *Qui* ou
*quae (concitatione quadam animi) per
somnum ambulat* (ou *vagatur*).

somnambulisme, s. m. Etat du somnambule. *Concitatio quaedam animi,
qua per somnum quidam* (ou *quaedam*)
ambulant (ou *vagantur*).

somnifère, adj. Qui provoque le sommeil. *Somnifer, fera, ferum,* adj.

somnolence, s. f. Disposition à l'assoupissement. *Inexpugnabilis paene dor-
miendi* (ou *somni*) *necessitas.*

somnolent, *ente,* adj. Porté à s'assoupir. *Somniculosus, a, um,* adj. *Plenus
somni.*

somptuaire, adj. Relatif à la dépense.
Sumptuarius, a, um, adj.

somptueusement, adv. D'une manière
somptueuse. *Sumptuose,* adv. *Magnificè,* adv. *Opiparè,* adv.

somptueux, *euse,* adj. Qui est d'une
magnificence très riche. *Magnificus, a,
um,* adj. *Lautus, a, um,* adj.

somptuosité, s. f. Magnificence très
riche. *Magnificentia, ae,* f.

1. **son,** sa, ses, adj. possess. de la
3e pers. *Suus, a, um,* adj. (voy. les
grammaires).

2. **son,** s. m. Sensation particulière
produite sur l'organe de l'ouïe par les
mouvements vibratoires des corps.
Sonus, i, m. — musical, *vox, vocis,* f.

3. **son,** s. m. Résidu de la mouture.
Furfur, furis, m. De —, *furfureus, a,
um,* adj.

sonde, s. f. Plomb mis au bout d'une
ligne pour déterminer la profondeur
de la mer, etc. *Bolis, idis* (Acc. pl.
idas), f. ¶ Tige qu'on introduit dans
une plaie pour l'explorer. *Specillum,
i,* n.

sonder, v. tr. Explorer avec la sonde.
Tentāre (maris altitudinem). — un terrain, *humum rimāri.* — une plaie,
vulnus specillo tentāre. ¶ (Au fig.)
Chercher à pénétrer les intentions de
qqn. *Tentāre,* tr. *Pertentāre,* tr. *Explorāre,* tr.

songe, s. m. Combinaison bizarre
d'images, élaborées pendant le sommeil. *Visum somnii* (ou *somniantis*).
*Visus nocturnus. Species per quietem
oblata* (ou *in quiete visa*). Avoir un —,
somniāre, intr. Voir en —, *(speciem)*

vidēre in somnis. || En parlant de ce
dont la réalité nous semble douteuse,
et fig., ce qui n'a que l'apparence de
la réalité. *Somnium, ii,* n.

songer, v. intr. et tr. || (*V. intr.*) Faire
un songe. *Somniāre,* intr. || (Fig.) Se
livrer à la rêverie. *Somniāre,* intr.
|| (Par ext.) Se livrer à la pensée de
qqch. *Cogitāre,* intr. *et qqf.* tr. (on dit
aussi *cogitationem habēre alicujus rei*).
Recordāri (« songer à une chose passée
ou à une chose à venir »), dép. tr. et
intr. *Meditari,* dép. tr. et tr. *Respicēre,*
tr. *Consulēre,* intr. (av. le Dat.). Ne
plus — à qqch. (*c.-à-d.* ne plus vouloir
y penser), *alicujus rei memoriam deponēre;* (par oubli, indifférence, etc.),
alicujus rei immemorem (ou *non memorem*) *esse.* Ne pas — à qqch., *alicujus
rei oblivisci* (ou *immemorem esse*). Ne
pas — à soi, *immemorem esse sui.* Sans
— à lui, *oblitus sui.* Sans — au péril,
oblitus periculorum. ¶ (*V. tr.*) Voir en
songe. *Somniāre,* intr. et tr. || Conce-
voir comme possible. *Cogitare (de aliquā re). Agitāre (de aliquā re).*

sonnant, *ante,* adj. Qui sonne. *Sonans*
(gén. *-antis*), p. adj. — Espèces — (pièces
de bonne monnaie), *probi ac praesentes
nummi.*

sonner, v. intr. et tr. || (*V. intr.*)
Rendre un son. *Sonāre,* intr. *Tinnīre,*
intr. *Canēre* (en parl. d'instruments de
musique), intr. Fig. Faire — qqch.
c.-à-d. y insister, *praedicāre (aliquid),
jactāre (aliquid).* || (Par ext.) En par-
lant de ce qu'indique le son. La messe
—, *pulsantur signa ad missam publi-
cam.* || Faire rendre un son à (qqch.).
Inflāre, tr. *Canēre,* intr. ¶ (*V. tr.*) Tirer
le son de (qqch.). *Pulsāre,* tr. || (Par
ext.) Annoncer (qqch.) par le son.
Canēre, tr. et intr — la charge, *canēre
bellicum.* — la retraite, *receptui canēre.*

sonnerie, s. f. Ensemble des pièces
qui font sonner qqch. *Soni, orum,* m.
pl. ¶ Manière de sonner. *Tinnitus, ūs,*
m. Une — de clairons, *classicum, i,* n.

sonnette, s. f. Clochette destinée à
appeler, à avertir. *Tintinnabulum, i,* n.

sonore, adj. Qui rend un son. *Sonans*
(gén. *-antis*), p. adj. *Vocalis, e,* adj.
¶ Qui a beaucoup de son; qui renvoie
bien le son. *Sonans* (gén. *-antis*), p. adj.
Sonorus, a, um, adj. *Canorus, a, um,*
adj.

sonorité, s. f. Caractère de ce qui est
sonore. *Claritas, atis,* f. *Vocalitas, atis,* f.

sopha. Voy. SOFA. [*Captio, onis,* f.

sophisme, s. m. Argument captieux.

sophiste, s. m. Sorte de professeur
d'éloquence qui enseignait en Grèce à
plaider le pour et le contre. *Sophistes,
ae,* m.

sophistique, adj. Qui appartient au
sophisme. *Captiosus, a, um,* adj.

soporifère, adj. Soporifique. Voy. ce
mot.

soporifique, adj. Qui fait naître le sommeil. *Qui (quae, quod) sopit* (ou *somnum affert*).

sorcellerie, s. f. Art des sorciers. *Magica ars* (ou *disciplina*). ¶ (P. ext.) Pratique de sorcier. Voy. SORTILÈGE.

sorcier, *ière*, s. m. et f. Celui, celle à qui on attribue un pouvoir surnaturel. *Magus, i*, m. || Sorcière. *Saga, ae*, f.

sordide, adj. Sale à faire honte. *Sordidus, a, um*, adj. || (Fig.) *Sordidus, a, um*, adj. Avarice —, *sordes, ium*, f. pl. || (P. ext.) Gains —, *illiberales et sordidi quaestus*.

sordidement, adv. D'une manière sordide. *Sordidē*, adv.

sordidité, s. f. Caractère de ce qui est sordide. *Sordes, ium*, f. pl.

sornette, s. f. Propos vide de sens. *Nugae, arum*, f. pl. *Ineptiae, arum*, f. pl.

sort, s. m. Condition échue à chaque homme. *Sors, sortis*, f. *Fortuna. ae*, f. *Eventŭs, ūs*, m. || (Par anal.) En parlant du bon ou du mauvais succès des choses. *Eventŭs, ūs*, m. *Exitŭs, ūs*, m. J'ai peur que ma lettre ne subisse le même —, *vereor ne idem eveniat in meas litteras*. || (Spéc.) Action malfaisante exercée. *Effascinatio, onis*, f. Jeter un —, *fascinâre (alicui* ou *aliquid)*. On m'a jeté un —, *veneficio contactus sum*. ¶ (Par ext.) Puissance qu'on suppose décider arbitrairement du sort de chaque homme. *Sors, sortis*, f. *Fatum, i*, n. *Fortuna, ae*, f. || (Par anal.) Hasard auquel on s'en rapporte pour décider qqch. *Sors, sortis*, f. Tirer au —, *sortiri*, intr. et tr. Procéder à un nouveau tirage au —, tirer au — (pour remplacer), *subsortiri*, dép. tr. Tirage au —, *sortitio, onis*, f.; *sortitŭs, ūs*, m. Par voie de tirage au —, *sortito*, abl. adv. Fig. Le — en est jeté, *alea jacta est*. Le — des armes, *belli alea* (ou *fortuna*).

sortable, adj. Qui est de nature à convenir à (qqn). *Aptus, a, um*, p. adj.

sortant, *ante*, adj. Qui sort. *Qui (quae, quod) exit*.

sorte, s. f. Manière d'être d'une personne, d'une chose (par comparaison à ce qui est dans une situation analogue). Voy. FAÇON, MANIÈRE. Il parla de cette —, *hoc modo disseruit*. De la —, *c.-à-d.* de cette sorte, *tali modo*. En quelque —, *ut ita dicam*. Loc. conj. De telle — que, *ita ut* (av. le Subj.). De — que, *même* trad. En — que, *ita ut…* Faire en — que, *facère (efficère)* ou *curâre, ut* (et le Subj.); *dāre operam ut* (et le Subj.). Loc. prép. Fais en — de te bien porter, *cura ut valeas*. ¶ (Par ext.) Manière d'être d'une personne, d'une chose (par comparaison de ce qui est de nature analogue). *Genus, eris*, n. Toute — de, *omnis, e*, adj. Une — de, *pars, partis*, f. Pour les

esclaves la maison est une — de cité, *servis quasi civitas domus est*.

sortie, s. f. Action de sortir. *Egressŭs, ūs*, m. *Exitŭs, ūs*, m. Attendre la — de qqn, *exspectare dum aliquis exeat*. Une porte de —, *exitŭs, ūs*, m. Fig. *Effugium, ii*, n. || En parl. d'assiégés qui sortent de la place pour attaquer. *Eruptio, onis*, f. Faire une —, des —, *erumpère*, intr.; *excurrĕre*, intr. || (Fig.) Brusque attaque dirigée en paroles contre qqn. *Insectatio, onis*, f. *Impetŭs, ūs*, m. Faire une — contre qqn, *insectāri aliquem* ou *invehi in aliquem*. ¶ En parl. des objets de trafic qu'on transporte hors du pays. Voy. EXPORTATION. Droit de —, voy. DOUANE. ¶ (Par ext.) — de charge (d'un magistrat), *decessio, onis*, f. || Loc. prép. A la — de (au moment où l'on sort de), voy. SORTIR. Il dit à sa —, *egrediens dixit*. ¶ Endroit par où l'on sort. *Exitŭs, ūs*, m. || (Fig.) Moyen de sortir d'une difficulté. Voy. EXPÉDIENT.

sortilège, s. m. Artifice de sorcier. *Maleficium, ii*, n.

sortir. v. intr. et tr. || (V. intr.) Aller (hors d'un lieu). *Exire*, intr. *Prodire*, intr. *Egredi*, dép. intr. *Digredi*, dép. intr. *Concedĕre* (« se retirer, partir, sortir »), intr. — (d'un pays, etc.), *migrâre*, intr. —, *c.-à-d.* se montrer, apparaître, *oriri*, dép. intr.; *exoriri*, dép. intr.; *exsistĕre*, intr. — de son lit (en parl. d'un cours d'eau), voy. DÉBORDER. — des bornes, voy. BORNE. Faire —, *excire*, tr.; *excitâre*, tr.; *educĕre*, tr. Faire — de force, obliger à —, *emitĕre*, tr.; *extrudĕre*, tr. Laisser —, *emitĕre*, tr.; *dimittĕre*, tr. || (Ellipt.) Aller dehors. *Exire*, intr. *Procedĕre*, intr. — en habits de pourpre, *procedĕre cum veste purpureā*. Il est sorti, *foris est* ou *domo abest*. || Aller se promener. *Deambulatum ire* (ou *prodire*). || (Par anal.) Quitter l'endroit où l'on vient de faire qqch. et (par ext.) quitter ce qu'on faisait. *Egredi*, dép. intr. *Decedĕre*, intr. *Discedĕre*, intr. *Excedĕre*, intr. *Abire*, intr. || (Fig.) Quitter (une manière d'être d'agir). *Egredi*, intr. *Cedĕre*, intr. *Discedĕre*, intr. *Excedĕre*, intr. (*e pueris*, de l'enfance). *Evadĕre*, intr. (*e periculo*). *Emergĕre*, intr. — d'embarras, se sortir —, *expedire (ab)*; *se explicâre (de)*. Il n'y a pas moyen d'en —, *res non potest explicâri*. Faire —, voy. TIRER. Au — de charge, *decedens* (absol.). Au — d'avec vous, *a te discedens*, Au — des forêts, *statim atque egressus est e silvis*. Au — de son entretien avec Caninius, *a colloquio Caninii digressus*. || (Fig.) Provenir. *Oriri*, dép. intr. *Exsistĕre*, intr. || Etre en relief. *Eminĕre*, intr. *Prominĕre*, intr. ¶ (V. tr.) Faire aller hors d'un lieu). *Efferre*, tr. *Exportâre*, tr.

2. sortir, v. tr. Obtenir. *Sortiri*, dép. tr.

sot, *sotte*, adj. Ridicule par un défaut de jugement dont il est le seul à ne pas s'apercevoir. *Stultus, a, um,* adj. *Stolidus, a, um,* adj. *Stupidus, a, um,* adj *Ineptus, a, um,* adj. *Insipiens* (gén -*entis*), adj. *Insulsus, a, um,* adj. ∥ (Par ext.) Qui est d'une personne sotte *Stultus, a, um,* adj. *Ineptus, a, um,* adj. *Insulsus, a, um,* adj. ∥ Déconcerté. *Stupidus, a, um,* adj. Rester, demeurer —, *stupêre,* intr.

sottement, adv. D'une manière sotte. *Stultê,* adv. *Insipienter,* adv.

sottise, s. f. Défaut de celui qui est sot. *Stultitia, ae,* f. *Inscitia, ae,* f. ¶ Action, parole, écrit, qui est d'un sot. *Stultitia, ae,* f. *Ineptia, ae,* f. (au plur.). ∥ (Spéc.) Mots injurieux. Voy INJURE.

sou, s. m. Monnaie de billon. la 20ᵉ partie du franc. *As, assis,* m. ∣ (Par ext.) Très petite somme. *As, assis,* m. *Nummus, i,* m. Payer jusqu'au dernier —, *ad assem solvêre.* Le compte y est à un — près. *ad nummum convenit.*

soubassement, s. m Partie inférieure d'une construction *Stereobates, ae,* m.

soubresaut, s. m. Saut brusque. *Concussûs, ûs,* m. Par —. *subsultim,* adv.

soubrette, s. f. Suivante vive et délurée. *Pedisequa, ae* f.

souche, s. f. Partie du tronc qui reste en terre. *Stirps, stirpis* (gén. pl. *stirpium*), f. *Codex. icis,* m. ¶ (Fig.) Celui de qui sort toute une suite de descendants. *Stirps, stirpis,* f. *Auctor, oris,* m. Faire —, *subolescêre.* intr.

souchet, s. m. Plante comestible. *Cyperos, i,* m. [Jaunes. *Caltha, ae,* f.

1. souci, s. m. Plante à capitules

2. souci, s. m. Préoccupation relative à une personne, à une chose à laquelle on porte intérêt. *Cura, ae,* f. *Sollicitudo, dinis,* f. *Aegritudo, dinis,* f. *Dolor, oris,* m.

soucier, v. tr. et pron. ∥ (*V. tr.*) Donner souci. *Sollicitâre,* tr. ¶ (*V. pron.*) SE SOUCIER, c.-à-d. avoir souci. *Curâre,* tr. (on dit aussi : *curae mihi est aliquid*). *Laborâre,* intr. (*aliquâ re*). Ne pas se —, *negligêre* (*aliquid*); *abhorrêre* (*ab aliquâ re*).

soucieux, *euse* adj. Qui a souci de qqn. de qqch. *Sollicitus, a, um,* adj. Je suis — pour mon descendants, *de posteris nostris sollicitor.* — de faire qqch., voy. DÉSIREUX. ∥ (Absolt.) Qui a des soucis. *Sollicitus, a, um,* adj. Voy. INQUIET.

soucoupe, s. f. Petite assiette qu'on place sous une tasse, un gobelet, *Scutella, ae,* f.

soudain, *aine,* adj. Qui se produit tout à coup. *Repentinus, a, um,* adj. *Subitus, a, um,* adj. ¶ Adv. Tout à coup. *Repente,* adv. *Subito,* adv.

soudainement, adv. D'une manière soudaine. Voy. SOUDAIN.

soudaineté, s. f. Caractère de ce qui est soudain. La — de l'attaque, *subitus impetus.*

souder, v. tr. Joindre ensemble (des pièces de métal) au moyen d'une composition métallique fusible. *Ferruminâre.* tr. *Solidâre,* tr.

soudoyer, v. tr Prendre à sa solde (des soldats. des gens armés). *Conducêre mercede* ou *pretio* (*milites*). Soudoyé, voy. MERCENAIRE. ∥ (Fig.) *Conducêre.* tr. *Emêre.* tr.

soudure s. f. Composition métallique fusible avec laquelle on soude. *Ferrumen, inis,* m. ¶ Action de souder; résultat de cette action. *Ferruminatio, onis,* f.

souffle, s. m. Vent qu'on produit en poussant de l'air par la bouche. *Spiritûs, ûs.* m. *Flatûs. ûs.* m. ¶ (Par ext.) Agitation de l'air *Flatûs ûs,* m. *Perflatûs, ûs.* m. *Afflatûs ûs.* m. *Aura, ae.* f. ¶ Expiration de l'air respiré *et par ext.* haleine. *Anima, ae,* f. ∥ (Par ext.) Respiration. *Spiritûs, ûs.* m. *Anima, ae,* f. ∥ (Par anal.) Le — vital. *vitalis spiritus.* ∥ L'inspiration. *Spiritûs, ûs,* m. *Afflatûs, ûs.* m.

souffler, v. intr. et tr. ∥ (*V. intr.*) Pousser. envoyer de l'air par la bouche. *Flâre,* intr. — sur, *afflâre,* tr. et intr.; *sufflâre,* tr. — dans. *inflâre.* tr. ¶ Faire sortir de la bouche. par expiration. l'air respiré. Voy. SOUFFLE. RESPIRER. ∥ (Par ext.) Reprendre haleine. *Animam recipêre.* ∥ Respirer avec effort. *Anhelâre* intr ¶ (En parl. du vent). Pousser, agiter l'air *Flâre.* intr. *Afflâre,* intr. *Perflâre,* intr. (en parl. du vent d'ouest de la tempête). *Spirâre.* intr Fig. Orienter ses voiles du côté où le vent, *ad id. unde aliquis flatus ostenditur, vela dâre.* ¶ (*V. tr.*) Pousser, envoyer de l'air sur (qqch.). *Flâre,* intr. et tr. *Conflâre,* tr. — le feu, *flatu* (ou *flando*) *excitâre* (ou *accendêre*) *ignem.* Fig. — le feu, l'incendie, *incendium conflâre.* ∥ Pousser, envoyer de l'air dans qqch. — le verre, *vitrum conflâre* ou *vitrum flatu figurâre.* ∥ Pousser, envoyer en soufflant. *Inspirâre,* tr. *Inflâre,* tr. — des flammes, *flammas spirâre.* ∥ (Par anal.). — qqch. à l'oreille de qqn, *insusurrâre aliquid alicui* (ou *in aurem alicujus*). — à qqn qqch., *subjicêre,* tr. ∥ (Par ext.) — qqn, *aliquem admonêre.* Ne pas — mot, *nullum verbum facêre.*

soufflet, s. m. Instrument qui sert à envoyer de l'air. *Follis, is,* m. ¶ Dessus de voiture, de valise, etc. (qui se replie comme un soufflet). *Vesica, ae,* f. ¶ Gonflement de la peau. Voy. GONFLEMENT, VÉSICULE. ¶ (Fig.) Coup donné sur le plat de la joue avec la main. *Colaphus, i,* m. *Alapa, ae,* f.

souffleter, v. tr. Frapper d'un ou de plusieurs soufflets. *Colaphum* (ou *alapam*) *ducêre* (*alicui*).

souffleur, *euse*, s. m. et f. Celui, celle qui souffle. *Qui (quae) ignem flando (ou flatu) accendit.* ¶ Celui qui souffle à qqn sa leçon, son rôle. *Qui submonet (aliquem).*

souffrance, s. f. Action de tolérer; action d'admettre un délai. Voy. DÉLAI. Laisser une affaire en —, voy. SUSPENS. Etre en —, *languescĕre*, intr. ¶ Etat de celui qui ressent une douleur physique *ou* morale plus ou moins prolongée. *Malum, i, n. Dolor, oris, m. Incommodum, i, n.* — vive, cruelle, voy. TOURMENT, TORTURE. — morale, *aegritudo animi.* — morales et physiques, *animi et corporis molestiae.*

souffrant, *ante*, adj. Qui a à supporter une douleur physique ou morale. (Au physique.) *Aeger, gra, grum*, adj. Etre —, *male affectum esse ou laborāre*, intr. || (Au moral.) *Aeger, gra, grum*, adj. *(Male) affectus, a, um,* p. adj.

souffreteux, *euse*, adj. Voy. CHÉTIF, MALADIF.

souffrir, v. tr. et intr. || (*V. tr.*) Tolérer, savoir supporter. *Pati*, dép. tr. *Perpeti*, dép. tr. *Ferre*, tr. *Perferre*, tr. *Tolerāre*, tr. Qui peut, qui sait —, *patiens* (gén. *-entis*), adj. Qui est incapable de —, *impatiens* (gén. *-entis*), adj. — qqch. chez qqn, à qqn, *aliquid alicui concedĕre*. Par ext. Ne pas pouvoir — qqn, *aliquem ferre non posse.* || Avec une prop. pour complément. *Sinĕre*, tr. (voy. PERMETTRE). *Pati*, dép. tr. *Ferre*, tr. || (Par anal.) En parl. des choses : admettre. Voy. ADMETTRE, COMPORTER. ¶ Supporter qqch. de douloureux. *Pati*, dép. tr. *Ferre*, tr. ¶ (*V. intr.*) Savoir supporter la douleur. *Pati*, dép. || Avoir à supporter une douleur physique *ou* morale plus *ou* moins prolongée. *Dolēre*. intr. *Condolescĕre*, intr. *Laborāre*, intr. — cruellement, *cruciāri*, passif; *ardēre dolore.* || (Par ext.) Eprouver un dommage. *Laborāre*, intr. *Vexāri*, passif.

soufre, s. m. Corps métalloïde d'un jaune clair, très inflammable. *Sulphur, uris*, n. De —, du —, *sulphureus, a, um,* adj.

soufrer, v. tr. Imprégner de soufre *ou* de vapeur de soufre. *Sulphure inficĕre ou suffīre (aliquid).*

soufrière, s. f. Lieu où l'on recueille le soufre. *Sulfuratio, onis*, f. Des —, *sulfurata* (s.-e. LOCA), *orum*, n. pl.

souhait, s. m. Désir exprimé par qqn qu'une chose s'accomplisse pour lui ou pour un autre. *Optatio, onis*, f. *Optatum, i, n. Votum, i, n. Voluntas, atis*, f. *Desiderium, ii, n.* A —, *ex optato; ex sententia; prosperē, rectē*, adv. Si l'affaire marchait à —, *si rectē esset.* — (que l'on fait pour qqn), *omen, minis*, n.

souhaitable, adj. Qui est à souhaiter. *Optabilis, e*, adj. *Optandus, a, um,* adj. verb.

souhaiter, v. tr. Exprimer le désir qu'une chose s'accomplisse (pour soi ou pour un autre). *Optāre*, tr. *Exoptāre* (« souhaiter vivement, avec passion »), tr. *Cupĕre*, tr. *Expetĕre*, tr. *Velle*. tr. — (qqch. à qqn), *optāre*, tr.: *exoptāre*, tr.; *precāri*, tr. — du bonheur, *bene precāri.* — du mal, *male precāri.*

souiller, v. tr. Gâter en laissant la marque de qqch. de sale. *Inquināre*, tr. *Coinquināre*, tr. *Maculāre*, tr. *Commaculāre*, tr. *Contamināre*, tr. Souillé, *maculosus, a, um,* adj.; *immundus, a, um,* adj. || (Par ext.) Vicier par le contact de qqch d'impur. *Contamināre*, tr. *Foedāre*, tr. *Temerāre*, tr. *Polluĕre*, tr. ¶ (Fig.) Flétrir par qqch. de déshonnête. *Maculāre*, tr. *Commaculāre*, tr. *Inquināre*, tr. *Coinquināre*, tr. *Contamināre*, tr. *Foedāre*, tr. Souillé, *maculosus, a, um,* adj. || (Spéc.) Déshonorer. *Stuprāre*, tr. *Constuprāre*, tr. *Vtiāre*, tr. Celui qui —, *constuprator, oris*, m.

souillure, s. f. Marque laissée par qqch. de sale. *Macula, ae*, f. *Labes, is*, f. || (P. ext.) Vice communiqué par qqch. d'impur. *Contagio, onis*, f. ¶ (Fig.) Flétrissure imprimée par qqch. de déshonnête. *Macula, ae*, f.

soûl, *soûle*, adj. Qui a pris de la nourriture, de la boisson jusqu'à n'en pouvoir plus. *Satur, tura, turum*, adj. || (P. anal.) Qui a eu assez de qqch. pour n'en plus supporter davantage. *Satur, tura, turum*, adj. *Satiatus, a, um,* p. adj. || Subst. (Avec un adj. possessif). Qui a bu tout son —, *saturitate ebrius,* Boire, manger tout son —, *cibo, potu satiāri.*

soulagement, s. m. Allégement d'une souffrance physique ou morale. *Levatio, onis*, f. *Allevatio, onis*, f. *Levamen, minis*, n.

soulager, tr. Alléger (qqn) d'une partie de son fardeau. *Exonerāre*, tr. *Levāre*. tr. Au fig. *Exonerāre*, tr. ¶ Alléger (qqn) d'une partie de sa souffrance (physique ou morale). *Exonerāre*, tr. *Levāre*, tr. *Allevāre*, tr. *Relevāre*, tr.

soulèvement, s. m. Mouvement de ce qui est soulevé. — d'estomac, de cœur, voy. NAUSÉE. — des flots, *aestūs, ūs*, m. || (Fig.) Mouvement populaire. *Motūs, ūs*, m. *Seditio, onis*, f. (voy. SÉDITION). || Mouvement d'indignation. *Indignatio erumpens animo.*

soulever, v. tr. Lever à une petite hauteur. *Lerāre*, tr. *Sublerāre*, tr. *Tollĕre*, tr. Se — sur, *niti*, dép. intr. (*aliquā re*). || Relever. *Allevāre*, tr. *Attollĕre*, tr. || (Par anal.) — le cœur, *nauseam alicui movēre.* Fig. Son cœur se —, *nauseat.* || (Fig.) Exalter. *Erigĕre*, tr. ¶ Faire lever. *Ciēre*, tr. *Concitāre*, tr. *Exsuscitāre*, tr. *Movēre*, tr. *Commovēre*, tr. Se — (au pr.), *horrescĕre*, intr.; *concitāri* (ou *excitāri*), passif. Se — (au fig.), *exsurgĕre*, intr.; *coorīri*, dép.

intr. Se — (se révolter), *seditionem, tumultum movēre* (ou *facĕre*). Celui qui — (une foule), *concitator, oris,* m. || (Fig.) — l'indignation, *indignationem movēre.* — une question, *quaestionem movēre.*

soulier, s. m. Chaussure à semelle de cuir. *Calceus, i,* m. Une paire de —, *calcei, orum,* m. pl. Fig. Etre dans ses petits —, *esse in angustiis; magnā affici difficultate.*

soumettre, v. tr. Mettre sous l'autorité de qqn. *Subigĕre,* tr. *Redigĕre,* tr. *Subjicĕre,* tr. *Subjungĕre,* tr. *Devincĕre,* tr. Se — (à qqn), *se alicujus imperio subjicĕre.* Se — (à qqch.), *aliquid subire.* Etre soumis à qqch., voy. [être] EXPOSÉ. Se — au jugement de qqn, *alicujus judicium sequi* ou *alicui obsequi.* Etre soumis, voy. OBÉIR. Soumis, *parens* (gén. *-entis*), p. adj.; *modestus, a, um,* adj.; *obsequens* (gén. *-entis*), p. adj. ¶ Remettre, livrer à la décision de qqn. *Committĕre,* tr. *Permittĕre,* tr.

soumission, s. f. Action de se soumettre, de se ranger sous l'autorité de, qqn. *Deditio, onis,* f. *Obsequium, ii* n. *Patientia, ae,* f. *Officium, ii,* n. |||| (P. ext.) Démonstration de soumission. *Obsequium, ii,* n.

soupape, s. f. Fermeture mobile à bascule, qui a un ressort à pression ferme. *Clipeus, i,* m.

soupçon, s. m. Action de soupçonner qqn. *Suspicio, onis,* f. Tous les soupçons se portèrent sur lui, *omnis suspicio in eum commota est.* || (Par ext.) Le fait d'être soupçonné. *Suspicio, onis,* f. ¶ Apparence qui fait présumer qqch. *Suspicio, onis,* f. *Odor, oris,* m. || (Par ext.) Quantité si minime qu'il y en a à peine apparence. Voy. PEU.

soupçonner, v. tr. Présumer sur certaines apparences (qqn comme étant coupable. — qqn, *aliquem suspectum habēre* ou *aliquem suspicĕre.* Etre soupçonné, *in suspicionem venire* (ou *cadĕre*). Etre — d'avarice, *in suspicionem avaritiae incidĕre.* || (Par ext.) Admettre sur certaines apparences le mal dont on présume qqn coupable. *Suspicāri (aliquid). Conjicĕre (aliquid). Suspicione assequi (aliquid).* Donner à — qu'on veut fuir, *dāre suspicionem fugae.* ¶ Présumer qqch. d'après certaines apparences. *Suspicāri,* dép. tr.

soupçonneux, *euse,* adj. Porté à soupçonner. *Suspiciosus, a, um,* adj. *Suspicax* (gén. *-acis*), adj.

soupe, s. f. Tranche de pain mince sur laquelle on verse le bouillon. *Collyra, ae,* f. Tremper la —, *interĕre,* tr. — au vin, *intrita panis ex vino,* ou simplt, *intrita, ae,* f.

soupé. Voy. 2. SOUPER.

1. souper, v. intr. Prendre le repas du soir appelé souper. *Cenāre,* intr.

2. souper, s. m. Repas ordinaire du

soir. *Cena, ae,* f.

soupir, s. m. Respiration forte et prolongée causée par quelque sensation ou sentiment pénible. *Suspirium, ii,* n. || (Par ext.) Expression d'une peine, d'un regret. *Gemitŭs, ŭs,* m. Le dernier —, *extremus spiritus.* Rendre le dernier —, *animam edĕre* (ou *efflāre*).

soupirail, s. m. Ouverture pratiquée pour donner du jour, de l'air. *Spiraculum, i,* n.

soupirer, v. intr. Pousser des soupirs. *Suspirāre,* intr. *Gemĕre,* intr. || (P. ext.) Exprimer une peine, un regret. — après qqn ou qqch., *desiderāre,* tr.; *requirĕre,* tr.

souple, adj. Qui se plie en tous sens aux mouvements qu'on lui imprime. *Mollis, e,* adj. *Flexibilis, e,* adj. *Lentus, a, um,* adj. Avoir une démarche — et gracieuse, *molliter incedĕre.* || (P. ext.) Paroles —, *flexibilis oratio.* Style —, *oratio mollis.* || (Fig.) Qui se prête aisément aux volontés des autres, aux circonstances. *Flexibilis, e,* adj. *Facilis, e,* adj. *Mollis, e,* adj. || En parl. des pers. *Tractabilis, e,* adj. *Docilis, e,* adj. *Facilis, e,* adj.

souplesse, s. f. Caractère de ce qui est souple. *Mollitia, ae,* et *mollities, ei,* f. *Lentitia, ae,* f. — des membres, *commissurae et arfus molles.* (P. anal.) — de la voix, *mollitudo vocis.* Donner de la — à sa parole, *inflectĕre orationem.*

source, s. f. Origine d'un cours d'eau, d'une fontaine. *Fons, fontis,* m. De —, *fontanus, a, um,* adj. — minérales, *thermales,* etc., *fontes medicati; aquae salubres* ou simpl. *aquae, arum,* f. pl. Le Rhin prend sa — dans les Alpes. *Rhenus oritur* (ou *profluit*) *ex Alpibus,* ¶ (Au fig.) Origine d'une chose, ce dont elle dérive. *Fons, fontis,* m. *Origo, inis,* f. *Caput, itis,* n. En parl. d'une personne : *auctor, oris,* m.

sourcier, s. m. Celui qui prétend découvrir des sources. *Aquilex, legis,* m.

sourcil, s. m. Eminence garnie de poils qui se trouve au-dessus de chaque œil. *Supercilium, ii,* n.

sourciller, v. intr. Remuer les sourcils. *Supercilia flectĕre* (ou *movēre*). ¶ (P. ext.) Manifester de l'émotion. *Supercilia contrahĕre.* Sans —, *vultu non mutato.*

sourcilleux, *euse,* adj. A qui les sourcils froncés donnent l'air sévère. *Superciliosus, a, um,* adj.

sourd, *e,* adj. Dont les oreilles ne perçoivent pas ou ne perçoivent plus les sons. *Surdus, a, um,* adj. Un peu —, *surdaster.* Devenir —, *obsurdescĕre,* intr. Rendre —, *alicui auditum aufĕrre (aliquā re).* || (Au fig.) Qui ne veut pas entendre. *Surdus, a, um,* adj. Devenir —, *obsurdescĕre,* intr. ¶ (Par ext.) Peu sonore. || Où le son est étouffé. *Surdus,* *a, um*, adj. ‖ Dont le son est étouffé. *Obtusus, a, um*, p. adj. *Obscurus, a, um*, adj. *Fuscus, a, um*, adj. Bruit —, *murmur, uris, n.* Par ext.) *Fig.* Qui ne brille pas franchement. *Hebes* (gén. -*etis*), adj. ‖ Qui ne se fait pas sentir ouvertement. Douleurs —, *caeci dolores.* — menées, — intrigues, *clandestina consilia.*

sourdement, adv. D'une manière sourde Spéc. En donnant un son étouffé. *Sine sono.* Résonner — *surdum quiddam efficĕre.* ‖ En ne faisant pas sentir ouvertement son action. *Tacité*, adv. [*furtim*, adv.

sourdine, s. f. A la —, *tacité*, adv.;

sourdre, v. intr. Sortir de terre. *Scatĕre*, intr. ‖ (Fig.) S'élever. Voy. ÉLEVER.

souriant, *ante*, adj. Qui sourit. *Ridens* (gén. -*entis*), p. adj. [*lus, i, m.*

souriceau, s. m. Jeune souris. *Musculus*

souricière, s. f. Piège à prendre les souris. *Muscipula, ae, f.*

1. sourire, v. intr. Rire légèrement, d'un simple mouvement des lèvres et des yeux. *Subridēre*, intr. *Arridēre*, intr. Avoir l'air, le visage souriant, *renidēre*, intr. ‖ (Fig.) Etre favorable à qqn. *Juvāre* ou *adjuvāre*, tr. *Blandiri*, dép. intr. ‖ Etre du goût de qqn. *Arridēre*, intr. (av. le Dat.)

2. sourire, s. m. Action de sourire. *Risus lenis* ou (simpl.) *risus, ûs, m.* Avec un —, *subridens.*

1. souris, s. f. Petit mammifère rongeur. *Mus, muris* (gén. pl. ordin. *murium*), m. et f. *Sorex, icis*, m. [RIRE.

2. souris, s. m. Sourire. Voy. 2. sou-

sournois, *oise*, adj. Qui a un caractère en dessous. *Tectus, a, um*, p. adj. *Reconditus, a, um*, p. adj.

sournoisement, adv. D'une manière sournoise. *Tecté*, adv.

sous, prép. Marque la position d'une chose par rapport à ce qui est plus haut (en contact avec elle). ‖ Par rapport à ce qu'elle porte. *Sub*, prép. (av. l'Abl. [quest. *ubi*] ou l'Acc. [quest. *quo*]). Mettre, placer —, *subjicĕre*, tr.; *supponĕre*, tr.; *subdĕre*, tr. Fig. Etre accablé — le poids de qqch., *opprimi onere alicujus rei.* ‖ Par rapport à ce qui le couvre en totalité ou en partie. *Sub*, prép. (avec l'Abl. [quest. *ubi*] ou l'Acc. [quest. *quo*]). *Subter*, prép. (av. l'Abl. [quest. *ubi*] ou l'Acc. [quest. *quo*]). Faire périr (qqn) — le bâton, les coups, *fusti necāre; verberibus caedĕre.* ¶ Marque la position d'une chose par rapport à ce qui est plus haut, mais sans contact avec elle. *Sub*, prép. (av. l'Abl. [quest. *ubi*] ou l'Acc. [quest. *quo*]). *Subter*, prép. *Infra*, prép. (av. l'Acc.) ‖ (Par ext.) Sous quinze jours, *intra quindecim dies.* — peu, *intra paucos dies.*

sous-chef, s. m. Employé placé au-

dessous du chef. *Magistratus minor.*

souscripteur, s. m. Celui qui souscrit. *Subscriptor, oris*, m. ‖ (Spéc.) Celui qui souscrit à une œuvre. *Collator, oris*, m.

souscription, s. f. Action de souscrire un acte, d'apposer au bas sa signature. *Subscriptio, onis*, f. ‖ Action de souscrire à une œuvre entreprise. *Collatio, onis*, f.

souscrire, v. tr. et intr. ‖ (V. tr.). Ecrire au bas. *Subscribĕre*, tr. *Subnotāre*, tr. Spéc. (Gramm.) Iota souscrit (marqué sous une voyelle). *Iota (vocali) subscriptum.* ‖ Revêtir (un acte) de sa signature apposée au bas. *Subscribĕre*, tr. ou intr. *Subnotāre*, tr. *Nomine subscripto litteras firmāre.* — un billet, *chirographum facĕre.* ‖ S'engager à payer pour une part. *Conferre stipem.* ¶ (V. intr.) — à, apposer sa signature au bas, *subscribĕre nomen.* ¶ S'engager à payer pour une part. Voy. [se] COTISER; CONTRIBUER. ‖ (Fig.) Donner son adhésion formelle (à qqch.). *Subscribĕre*, intr. *Assentīri*, dép. intr. et tr.

sous-diacre, s. m. Celui qui a été promu au sous-diaconat. *Subdiaconus, i*, m.

sous-entendre, v. tr. Laisser entendre (qqch.) sans le dire. *Cogitando* (ou *mente*) *subjicĕre* (aliquid). ¶ (Gramm.) Ne pas exprimer (ce que la construction ou le sens permet de suppléer). *Simul audīre.*

sous-maître, *esse*, s. m. et f. Celui, celle qui supplée le maître (dans une école). *Hypodidascalus, i*, m. Sous-maîtresse, *pro magistrā.*

sous-officier, s. m. Militaire gradé au-dessous de l'officier. *Optio, onis*, m.

soussigner, v. tr. Ecrire sa signature au bas de (qqch.). Voy. SIGNER, SOUSCRIRE. Spécialt. Au part. passé pris adjectivt ou substantivt. SOUSSIGNÉ, ÉE (qui a écrit sa signature au bas d'un acte), *infra scriptus.*

soustraction, s. f. Action de soustraire qqch. *Suppressio, onis*, f. *Deductio, onis*, f.

soustraire, v. tr. Enlever (qqch.) à qqn, pour qu'il ne puisse pas en faire usage. *Subtrahĕre*, tr. *Detrahĕre*, tr. *Surripĕre*, tr. ¶ (Par ext.) Enlever (qqn, qqch.) à l'action d'une personne ou d'une chose. *Subtrahĕre*, tr. *Abstrahĕre*, tr. *Subducĕre*, tr. *Eripĕre*, tr. *Eximĕre*, tr. Se — à, voy. ÉVITER.

soutane, s. f. Long vêtement des ecclésiastiques. *Caracalla major.*

soutenable, adj. Dont on peut recevoir l'effort sans fléchir. *Qui (quae, quod) sustinēri potest.* ¶ Qui peut être défendu par des raisons plausibles. *Qui (quae, quod) probāri* (ou *defendi*) *potest.*

soutenir, v. tr. Tenir par-dessous (qqch., qqn) en portant une partie de son poids. *Sustinēre*, tr. *Sustentāre*, tr. *Retinēre*, tr. *Allevāre*, tr. *Excipēre*, tr. *Suscipēre*, tr. *Fulcīre*, tr. *Suffulcīre*, tr. Se — à l'aide de béquilles, voy. BÉ-QUILLE. Se —, *stāre*, intr. || (Par ext.) Tenir latéralement en recevant une partie de la poussée. *Fulcīre*, tr. *Statumināre*, tr. *Adminiculāre*, tr. || (Fig.) Aider à ne pas défaillir. *Sustinēre*, tr. *Sustentāre*, tr. *Sublevāre*, tr. *Fulcīre*, tr. *Excipēre*, tr. *Juvāre*, tr. *Adjuvāre*, tr. *Favēre*, tr. (*alicui*). *Adesse*, intr. (*alicui*). — un projet de loi, *suadēre legem*. — qqn de ses suffrages, *suffragāri alicui*. Se —, *stāre*, intr.; *sistēre*, intr. || — une gageure, voy. GAGEURE. — une doctrine, une thèse, une opinion, *defendēre*, tr.; *tuēri*, dép. tr. — qqch., *tenēre*, tr.; *obtinēre*, tr. — que, *affirmāre*, tr.; *confirmāre*, tr.; *asseverāre*, tr.; *contendēre*, tr., (VOY. PRÉTENDRE). || (Par ext.) Aider à ne pas baisser, à ne pas déchoir. *Sustinēre*, tr. *Tenēre*, tr. *Retinēre*, tr. *Tuēri*, dép. tr. *Perferre* (« soutenir jusqu'au bout », tr. Se — (en parl. de qqn.). *sibi constāre*. Se — (en parl. de qqch.), *manēre* (ou *permanēre*), intr. Voix soutenue, *vox permanens*. Travail —, *assiduus* (ou *continens*) *labor*. ¶ Recevoir sans fléchir (le poids, l'effort de qqch., de qqn). *Sustinēre*, tr. *Excipēre*, tr. *Ferre*, tr. *Perferre*, tr. *Tolerāre*, tr.

souterrain, *aine*, adj. Qui est à une certaine profondeur sous terre. *Subterraneus*, *a*, *um*, adj. Galerie —, conduit —, *cuniculus*, *i*, m. ¶ *S. m.* Chambre ou passage sous la terre. *Specūs*, *ūs*, m.

soutien, s. m. Ce qui, placé au dessous de qqch., porte une partie du poids. *Fultura*, *ae*, f. *Firmamentum*, *i*, n. ¶ (Au fig.) Ce qui aide à ne pas défaillir, à ne pas succomber. *Adminiculum*, *i*, n. *Firmamentum*, *i*, n. *Praesidium*, *ii*, n.

soutirer, v. tr. Transvaser du vin ou un autre liquide de manière à le dépouiller de la lie. *Deliquāre*, tr. || (Fig.) Tirer adroitement (qqch.) de qqn. *Exprimēre*, tr. *Emungēre*, tr.

souvenance, s. f. Souvenir lointain. *Recordatio*, *onis*, f. Voy. SOUVENIR. Avoir —, *recordāri*, dép. tr.

1. souvenir, v. impers. et pron. || (*V. impers.*) Etre représenté à l'esprit. *In mentem venīre*. || *V. pron.* SE SOUVENIR DE, se représenter à l'esprit (une chose passée). *Meminisse*, intr. et tr. *Reminisci*, dép. intr. et tr. *Recordāri*, dép. intr. et tr.

2. souvenir, s. m. Acte par lequel la mémoire représente à l'esprit une chose passée. *Memoria*, *ae*, f. *Recordatio*, *onis*, f. || (Par ext.) La chose passée représentée à l'esprit. *Recordatio*, *onis*, f. (on dit aussi *ea quae meminimus*). ¶ (Fig.) Objet donné par qqn et destiné

à le rappeler à notre pensée. *Monumentum*, *i*, n.

souvent, adv. Un grand nombre de fois. *Saepe*, adv. (s'opp. à *nonnumquam*, *raro*, etc.). *Saepenumero*, adv. (comme *saepe*; l'idée de « souvent » peut être rendue aussi par *non raro*; ou par les adj. *creber* et *frequens* ou par des verbes fréquentatifs).

souverain, *aine*, adj. *et* s. m. et f. ¶ *Adj.* Qui est au-dessus de tous. *Summus*, *a*, *um*, adj. Remède —, voy. INFAILLIBLE. ¶ Dont l'autorité est au-dessus de tout. *Summus*, *a*, *um*, adj. (on dit aussi *alii non subjectus aut obnoxius*; *sui juris*). || (Spéc.) Qui a l'autorité suprême dans l'État. Voy. SUPRÊME. — puissance, voy. SOUVE-RAINETÉ. ¶ *S. m.* et *f.* Celui, celle qui a l'autorité suprême dans l'Etat. *Dominus*, *penes quem est summa potestas*. *Qui praeest et imperium obtinet in aliquā civitate*. *Qui summam imperii tenet* (ou *obtinet*). Souveraine, *domina*, *ae*, f.; *regina*, *ae*, f.

souverainement, adv. D'une manière souveraine. *Maximē*, adv. *Summē*, adv. *Eximiē*, adv. || (Absolument.) En maître. Juger —, *judicium summum habēre*. Agir —, *unum omnia posse*.

souveraineté, s. f. Autorité suprême. *Principatūs*, *ūs*, m. *Dominatio*, *onis*, f. *Regnum*, *i*, n.

soyeux, *euse*, adj. Qui est de la nature de la soie. *Mollis*, *e*, adj. Etoffe —, *lēvia stamina*.

spacieusement, adv. D'une manière spacieuse. *Laxē*, adv.

spacieux, *euse*, adj. Qui présente un espace où l'on est au large. *Spatiosus*, *a*, *um*, adj. *Latus*, *a*, *um*, adj. *Laxus*, *a*, *um*, adj.

Sparte, n. pr. Capitale de la Laconie. *Sparta*, *ae*, f. De —, *Spartanus*, *a*, *um*, adj. [*Spartiata*, *ae*, m.

Spartiate, n. pr. Citoyen de Sparte.

spasme, s. m. Brusque contraction de certains organes. *Spasmus*, *i*, m.

spécial, *ale*, adj. Particulier à une espèce de choses, de personnes. *Singularis*, *e*, adj. *Proprius*, *a*, *um*, adj. *Peculiaris*, *e*, adj.

spécialement, adv. D'une manière spéciale. *Singillatim*, adv. *Separatim*, adv. *Propriē*, adv. *Peculiariter*, adv.

spécialité, s. f. Caractère de ce qui est spécial. *Quod proprium est alicujus rei. Proprietas*, *atis*, f. ¶ (Absolt.) Ce à quoi on se consacre d'une manière spéciale. *Studium peculiare* (ou *proprium*) ou simplt. *studium*, *ii*, n. C'est ma —, *haec est mea ars*.

spécieusement, adv. D'une manière spécieuse. *Per speciem*.

spécieux, *euse*, adj. Qui a l'apparence de la bonté, de la vérité. *Speciosus*, *a*, *um*, adj.

spécifier, v. tr. Désigner par un terme

spécifique. *Singulatim enarrāre* ou *perscribĕre (aliquid)*.

spécifique, adj. Qui désigne une espèce à l'exclusion de toute autre. *Proprius, a, um*, adj. *Singularis, e*, adj.

spécifiquement, adv. D'une manière spécifique. *Propriē*, adv.

spécimen, s. m. Partie d'un ensemble destinée à donner une idée du reste. *Specimen, inis*, n.

spectacle, s. m. Vue d'un ensemble qu'embrasse le regard. *Spectaculum, i*, n. || (Par ext.) Ensemble qui attire les regards. *Spectaculum, i*, n. *Aspectus, ūs*, m. *Species, ei*, f. *Res, rei*, f. Le — auquel nous venons d'assister, *res quam paulo ante vidimus*. Qui est en —, *conspicuus, a, um*, adj. Qui peut être donné en —, *spectandus, a, um*, adj. verb. || (Fig.) Ensemble de choses qu'observe l'esprit. *Spectaculum, i*, n. ¶ (Spéc.) Divertissement offert à la curiosité du public. *Spectaculum, i*, n. *Munus, eris*, n. *(gladiatorium munus* [ou simpl. *munus*] *edĕre)*. || Représentation d'une pièce de théâtre. *Spectaculum, i*, n. Salle de —, voy. THÉÂTRE. || Partie d'une représentation qui s'adresse aux yeux. *Spectaculum, i*, n. *Ea quae spectanda sunt*.

spectateur, *trice*, s. m. et f. Celui, celle qui voit qqch. se passer devant ses yeux. *Spectator, oris*, m. Spectatrice, *spectatrix, tricis*, f. Les —, *spectantes, ium*, m. pl. Etre —, *spectāre*, intr. || (Spéc.) Celui, celle qui assiste à des divertissements, à une représentation théâtrale. *Spectator, oris*, m. Spectatrice, *spectatrix, tricis*, f. Les —, *spectantes, ium*, m. pl.

spectre, s. m. Apparition effrayante d'un mort, d'un esprit. *Species, ei*, f. *Simulacrum, i*, n.

spéculateur, s. m. Personne qui fait des opérations aléatoires. *Manceps, ipis*, m. *Negotiator, oris*, m.

spéculation, s. f. Habitude d'observer. *Cogitatio, onis*, f. *Contemplatio, onis*, f. ¶ Opération aléatoire sur la chance de hausse ou de baisse. *Lucri* (ou *quaestūs*) *studium*, ou (simpl.) *quaestūs, ūs*, m. En bonne part. *Negotii gerendi studium*. Objet de —, *negotium, ii*, n.

spéculer, v. tr. et intr. || (*V. tr.*) Observer. *Contemplāri*, dép. tr. ¶ (*V. intr.*) Faire des recherches théoriques. *Cogitāre* (*de re aliquā*). *Meditāri*, dép. intr. ¶ Faire des opérations aléatoires sur la chance de hausse ou de baisse. *Inservīre quaestui*.

sphère, s. f. Solide terminé par une surface courbe dont tous les points sont à égale distance du centre. *Sphaera, ae*, f. ¶ (Astron.) Sphère céleste (la voûte céleste). *Sphaera, ae*, f. *Orbis, is*, m. ¶ Représentation du globe terrestre, de la sphère céleste. *Descriptio caeli*. ¶ (Fig.) Espace dans lequel

s'exerce l'action, l'influence de qqn ou de qqch. Voy. CERCLE, CHAMP, DOMAINE.

sphérique, adj. Qui appartient à une sphère. *Globosus, a, um*, adj. Corps —, *globus, i*, m. Forme —, *conglobata figura*.

sphinx, s. m. Monstre ayant la tête d'une femme et le corps d'un lion. *Sphinx, sphingis* (Acc. *sphinga*, Gén. pl. *sphingum*, Acc. pl. *sphingas*), f.

spiral, *ale*, adj. et s. f. || *Adj.* Qui présente la courbe plane dite spirale. *Cochleae speciem* (ou *formam*) *habens*. ¶ *S. f.* Courbe décrivant dans le même sens une suite de révolutions autour d'un point fixe dont elle s'écarte de plus en plus. *Spira, ae*, f. *Cochlea, ae*, f.

spiritualité, s. f. Caractère spirituel (non matériel). *Natura individua et simplex*.

spirituel, *elle*, adj. Qui est de la nature de l'esprit. || Non matériel. *Corpore carens*. ¶ Qui montre de la finesse d'esprit. (En parl. des pers. et des choses.) *Ingeniosus, a, um*, adj. *Argutus, a, um*, adj. *Facetus, a, um*, adj. *Urbanus, a, um*, adj. (En parl. des pers.) *Ingenio praestans*. (En parl. des ch.) *Scitus, a, um*, adj.

spirituellement, adv. Avec finesse d'esprit. *Ingeniosē*, adv. *Facetē*, adv.

splendeur, s. f. Eclat magnifique. *Splendor, oris*, m. *Fulgor, oris*, m.

splendide, adj. Qui a de la splendeur. *Splendidus, a, um*, adj. *Magnificus, a, um*, adj.

splendidement, adv. D'une manière splendide. *Splendidē*, adv. *Magnificē*, adv.

Spolète, n. pr. Ville d'Italie. *Spoletum, i*, n.

spoliateur, *trice*, s. m. et f. Celui, celle qui spolie qqn. *Spoliator, oris*, m. *Ereptor, oris*, m. Spoliatrice, *spoliatrix, tricis*, f. || Adjectivt. *Rapax* (gén. *-acis*), adj. *Praedatorius, a, um*, adj.

spoliation, s. f. Action de spolier qqn. *Spoliatio, onis*, f.

spolier, v. tr. Dépouiller (qqn) par ruse ou par force de ce qui lui appartient. *Spoliāre*, tr. (*aliquem aliquā re*).

spondée, s. m. Pied de deux syllabes longues. *Spondeus* (s.-e. *pes*), *i*, m.

spongieux, *euse*, adj. Qui est de la nature de l'éponge. *Assimilis spongiis*. *Spongiosus, a, um*, adj.

spontané, *ée*, adj. Qu'on fait de soimême, sans y être poussé par une force étrangère. *Qui* (*quae, quod*) *suā sponte* (ou *ultro*) *fit* (ou *venit*). *Voluntarius, a, um*, adj.

spontanéité, s. f. Caractère de ce qui est spontané. *Libera* (ou *prompta*) *voluntas*.

spontanément, adv. D'une manière spontanée. *Meā* (*tuā, suā*) *sponte*.

squelette, s. m. Charpente osseuse d'un animal (vertébré). *Corpus nudis ossibus cohaerens*. *Ossa, ium*, n. pl.

stabilité, s. f. Caractère de ce qui est stable. *Stabilitas, atis,* f.

stable, adj. Qui tend à garder la même place, la même position. *Stabilis, e,* adj. *Firmus, a, um,* adj. || Qui tend à persévérer dans le même état. *Stabilis, e,* adj. *Constans* (gén. -antis), p. adj.

Stace, n. pr. Poète latin. *Statius, ii,* m.

stade, s. m. Mesure itinéraire ancienne (valant environ cent quatre-vingts mètres). *Stadium, ii,* n. ¶ (P. ext.) Enceinte où l'on disputait le prix de la course à pied. *Stadium, ii,* n.

stagnant, ante, adj. Qui ne coule pas, ne se renouvelle pas. *Stagnans* (gén. -antis), p. adj.

stagnation, s. f. Etat de ce qui est stagnant. La — de l'eau, voy. STAGNANT. La — du sang, *sanguis consistens.* || (Fig.) La — des affaires, *mercatura jacens.*

stance, s. f. Voy. STROPHE.

station, s. f. Action de s'arrêter sur un chemin parcouru. *Statio, onis,* f. ¶ (P. ext.) Endroit où l'on s'arrête sur un chemin parcouru. *Locus consistendi. Statio, onis,* f. || Etendue de mer assignée à des vaisseaux pour y établir une croisière. *Statio, onis,* f.

stationnement, s. m. Action de stationner. *Statio, onis,* f.

stationner, v. intr. Faire une station. *Stāre,* intr.

statistique, s. f. Service qui a pour objet de fournir des documents exacts sur la vie d'un peuple. *Rationarium,* i, n.

statuaire, adj. Qui a rapport aux statues. *Statuarius, a, um,* adj. || (Subst.) *Au masc, et au fém.* Celui, celle qui fait des statues. *Fictor, oris,* m. Une —, *quae signa fabricatur.* ¶ (Subst.) *Au fém.* Art de faire des statues. *Ars fingendi. Statuaria ars,* ou (simpl.) *statuaria* (s.-e. *ars*), *ae,* f.

statue, s. f. Figure en pied de plein relief représentant un être. *Statua, ae,* f. (ne s'emploie qu'en parl. des hommes). *Signum, i,* n. etc. (particul. en parl. des divinités, désigne généralement le buste). *Simulacrum, i,* n. (particul. en parl. des divinités). — équestre, *statua equestris.*

statuer, v. tr. Etablir ce qui doit régir (les personnes, les choses, dans tel ou tel cas). *Statuĕre,* tr. Absolt. — sur le sort de qqn, sur qqch., *statuĕre de aliquo; decernĕre de aliquā re.*

statuette, s. f. Petite statue. *Sigillum,* i, n.

stature, s. f. Hauteur du corps. *Statura, ae,* f. *Habitus corporis.* Haute —, *proceritas, atis,* f.

statut, s. m. Ce qui est statué. *Decretum, i,* n.

sténographe, s. m. et f. Celui, celle qui sténographie. *Notarius, ii,* m.

sténographie, s. f. Art de reproduire ce que dit qqn, par abréviations. *Notaria, ae,* f.

sténographier, adj. Reproduire par la sténographie. *Notando consequi. Notāre,* tr.

sténographique, adj. Qui appartient à la sténographie. Signes —, *notae, arum,* f. pl.

stérile, adj. En parlant du sol : qui ne produit pas (les fruits de la terre). *Sterilis, e,* adj. || (Par anal.) Qui ne porte pas de fruit. *Sterilis, e,* adj. *Infructuosus, a, um,* adj. ¶ En parlant d'une femme, d'une femelle : qui ne peut être fécondée. *Sterilis, e,* adj. ¶ (Au fig.) Qui ne donne pas de résultats. *Sterilis, e,* adj. *Irritus, a, um,* adj.

stérilité, s. f. Caractère de ce qui est stérile. *Sterilitas, atis,* f.

stigmate, s. m. Marque indélébile laissée par une plaie, une brûlure. *Cicatrix, tricis,* f. || (Fig.) Marque d'infamie. *Nota, ae,* f.

stigmatiser, v. tr. Marquer de stigmates. *Notam* (ou *maculam*) *inurĕre alicui. Stigmata (alicui) imponĕre.* || (Fig.) Marquer d'infamie. *Notam turpitudinis* ou *infamiae (alicui) inurĕre. Notāre (aliquem) ignominiā,* ou (simpl.), *notāre,* tr.

stimulant, ante, adj. Qui augmente l'ardeur, l'activité (de qqn). *Qui (quae, quod), stimulat* ou *instigat.* Un —, *stimulus, i,* m.; *incitamentum, i,* n. || (Médec.) Qui augmente l'activité des fonctions organiques. *Acer, acris, acre,* adj. Un médicament —, *et,* subst., un —, voy. EXCITANT.

stimuler, v. tr. Augmenter l'ardeur, l'activité de qqn. *Stimulāre,* tr. *Excitāre,* tr.

stipendiaire, adj. Qui est à la solde de qqn. *Stipendiarius, a, um,* adj.

stipendier, v. tr. Prendre, avoir à ses gages (des soldats ou d'autres personnes). (Pretio) *conducĕre,* tr. *Stipendié, stipendiarius, a, um,* adj.

stipulation, s. f. Condition expresse énoncée dans un contrat. *Stipulatio, onis,* f. *Lex, legis,* f.

stipuler, v. tr. Enoncer comme condition dans un contrat. *Stipulāri,* dép. tr. *Pangĕre,* tr. *Pacisci,* dép. tr.

stoïcien, enne, adj. Qui appartient au stoïcisme. *Stoïcus, a, um,* adj.

stoïcisme, s. m. Philosophie de Zénon. *Stoïcorum disciplina.* || (P. ext.) Fermeté à supporter les maux. *Invictus animus.*

stoïque, adj. Qui appartient au stoïcisme. *Stoïcus, a, um,* adj. || (P. ext.) Qui sait supporter les maux avec fermeté. *Durus, a, um,* adj.

stoïquement, adv. D'une manière stoïque. *Stoïce,* adv. || (P. ext.) Avec fermeté, impassibilité. Voy. ces mots.

stomachique, adj. Salutaire à l'estomac. *Stomacho utilis.*

Strabon, n. pr. Géographe. *Strabo, onis,* m.

strangulation, s. f. Etranglement. Voy. ce mot. || (Fig.) Resserrement d'un canal (dans le corps humain). RÉTRÉCISSEMENT.

stratagème, s. m. Ruse combinée pour surprendre l'ennemi à la guerre. *Strategema, matis,* n. *Consilium, ii,* n. ¶ Ruse combinée pour surprendre un adversaire. *Strategema, matis,* n. *Consilium, ii,* n.

stratégie, s. f. Art de diriger l'ensemble des opérations militaires. *Ars bellica.*

stratégique, adj. Relatif à la stratégie. *Quod ad belli artem pertinet.* Route —, *militaris via.*

stratégiste, s. m. Celui qui est versé dans la stratégie. *Vir artis militaris peritus.*

strict, e, adj. Qui ne laisse de latitude ni en deçà, ni au delà d'une limite fixée. *Strictus, a, um,* p. adj.

strictement, adv. D'une manière stricte. *Restricté,* adv.

Strophades, n. pr. Iles de la mer Ionienne. *Strophades, um* (Acc. *as*), f. pl.

strophe, s. f. La première des trois divisions d'une pièce lyrique, chez les anciens. *Stropha, ae* et *strophe, es,* f.

structure, s. f. Façon dont un édifice est construit. *Structura, ae,* f. || (Fig.) Arrangement des parties d'un tout. *Constructio, onis,* f. || En parl. du style. *Structura, ae,* f.

stuc, s. m. Enduit imitant le marbre qu'on applique sur un mur. *Tectorium, ii,* n.

studieusement, adv. D'une manière studieuse. *Summo studio.*

studieux, euse, adj. Qui aime l'étude. *Studiosus litterarum,* et (simpl.) *studiosus, a, um,* adj.

stupéfaction, s. f. Etonnement voisin de la stupeur. *Stupor, oris,* m.

stupéfait, aite, adj. Frappé d'un étonnement voisin de la stupeur. *Stupefactus, a, um,* p. adj. *Obstupefactus, a, um,* p. adj. *Stupidus, a, um,* adj. Etre —, *stupêre,* intr.

stupéfier, v. tr. Jeter dans une sorte d'engourdissement. *Torporem (alicui) afferre. Obstupefacĕre,* tr. ¶ Jeter dans un étonnement voisin de la stupeur. *Obstupefacĕre,* tr.

stupeur, s. f. Engourdissement général des facultés intellectuelles. *Torpor, oris,* m. ¶ Immobilité causée par un étonnement profond, une émotion vive. *Stupor, oris,* m. Etre frappé de —, *obstupescĕre,* intr.

stupide, adj. Dont l'esprit est comme engourdi. *Hebetis* (ou *tardi) ingenii* ou (simpl.) *hebes,* adj. *Stupidus, a, um,* adj.

stupidement, adv. D'une manière

stupide. *Stultē,* adv. *Stolidē,* adv.

stupidité, s. f. Etat de celui dont l'esprit est comme engourdi. *Stupiditas, atis,* f. *Stupor, oris,* m.

style, s. m. Poinçon. *Stilus, i,* m. ¶ (Par ext.) Manière d'exprimer sa pensée. *Dicendi* (ou *scribendi) genus. Orationis* (ou *sermonis) genus. Dicendi* (ou *scribendi) modus, ars.* Traité écrit dans le — de Xénophon, *liber conscriptus Xenophonteo genere sermonis.*

styler, v. tr. Former (qqn) à la manière de parler, d'agir, qui convient pour qqch. *Instituĕre aliquem ad aliquid.*

stylet, s. m. Poignard à lame étroite. *Sica, ae,* f. ¶ Chez les anciens, poinçon pour écrire. *Graphium, i,* n. *Stylus, i,* m

Styx, n. pr. Fleuve des Enfers. *Styx, Stygis* (Acc. *Styga*), f. Du —, *Stygius, a, um,* adj.

su, part. Voy. SAVOIR.

suaire, s. m. Linceul dans lequel on ensevelit un mort. *Sudarium, ii,* n.

suave, adj. Qui a une douceur exquise. *Suavis, e,* adj. *Dulcis, e,* adj.

suavité, s. f. Douceur exquise. *Suavitas, atis,* f.

subalterne, adj. Inférieur par le rang, la condition. *Inferioris ordinis* (ou *loci*). Magistrats, fonctionnaires —, *magistratus minores.*

subdiviser, v. tr. Dans un tout divisé en parties, diviser de nouveau. *Scindĕre,* tr. *Partiri,* dép. tr. Se —, *dividi,* pass.

subdivision, s. f. Division d'une des parties d'un tout déjà divisé. *Particula, ae,* f.

subir, v. tr. Supporter malgré soi. *Subire,* tr. *Obire,* tr. *Experiri,* dép. tr. *Pati,* dép. tr. *Ferre* ou *perferre,* tr.

subit, ite, adj. Qui a lieu tout à coup. *Subitus, a, um,* adj. *Repentinus, a, um,* adj.

subitement, adv. D'une manière subite. *Subito,* adv. *Repente,* adv.

subjonctif, ive, adj. Mode —, *et subst.* le —, *subjunctivus modus.*

subjuguer, v. tr. Réduire par les armes à l'impossibilité de résister. *Subigĕre,* tr. ¶ (Au fig.) Mettre dans l'impossibilité de résister par l'ascendant qu'on exerce. *Vincĕre,* tr. *Subigĕre,* tr. *Expugnāre,* tr.

sublime, adj. Qui est placé très haut. *Sublimis, e,* adj. ¶ (Fig.) Qui exprime le beau sous sa forme la plus haute. *Altus, a, um,* p. adj. *Excelsus, a, um,* p. adj. *Elatus, a, um,* p. adj. *Grandis, e,* adj. *Sublimis, e,* adj. || Subst. au masc. Le —, *sublimia,* n. pl.; *grandia,* n. pl.

sublimement, adv. D'une manière sublime. *Excelsē,* adv. *Elatē,* adv. *Magnificē,* adv.

submerger, v. tr. Mettre complètement sous l'eau. *Mergĕre,* tr. *Submergĕre,* tr. *Demergĕre,* tr.

submersion, s. f. Action d'être submergé. Voy. ENGLOUTISSEMENT.

subordination, s. f. Dépendance par rapport à ce qui a un rang supérieur. Voy. DÉPENDANCE. || Absol. *Obsequium, ii,* n. Esprit de —, *modestia, ae,* f || (Gramm.) Conjonction de —, *subjunctiva conjunctio.*

subordonner, v. tr. Mettre dans un état de dépendance par rapport à ce qui a un rang supérieur. *Subjicĕre,* tr.

subornation, s. f. Action de suborner. *Sollicitatio, onis,* f.

suborner, v. tr. Induire au mal par quelque appât. *Subornāre,* tr. *Sollicitāre,* tr.

suborneur, *euse,* s. m. et f. Celui, celle qui suborne. *Corruptor, oris,* m. Suborneuse, *corruptrix, tricis,* f.

subreptice, adj. Obtenu illicitement par surprise. *Furtivus, a, um,* adj.

subrepticement, adv. D'une manière subreptice. *Furtivē,* adv.

subrogation, s. f. Action de subroger. *Substitutio, onis,* f.

subroger, v. tr. Etablir au lieu et place d'un autre. *Subrogāre in locum alicujus* ou (simpl.) *subrogāre,* tr.

subséquent, *ente,* adj. Qui suit immédiatement (dans le temps). *Subsequens* (gén. *-entis*), p. adj.

subside, s. m. Secours en argent pour les nécessités pressantes. (D'une façon générale.) *Subsidium, ii,* n. || Sommes d'argent données *ou* votées par un peuple. *Pecuniae extraordinariae* (ou *adventiciae*).   [SUPPLÉMENTAIRE.

subsidiaire, adj. Voy. ACCESSOIRE, **subsidiairement**, adv. Voy. ACCESSOIREMENT.

subsistance, s. f. Le fait de subsister. Voy. EXISTENCE. ¶ (P. ext.) Ce qui soutient l'existence; moyen de vivre, de se nourrir. *Victŭs, ūs,* m. Pourvoir à la — de qqn, *alĕre aliquem.* Les objets de —, les —, *res ad vivendum* (ou *ad vitam degendam*) *necessariae; res ad victum necessariae.*

subsister, v. intr. Continuer d'exister. *Stāre,* intr. *Constāre,* intr. *Consistĕre,* intr. *Manēre,* intr. *Permanēre,* intr. ¶ (Spéc.) Soutenir son existence, avoir le moyen de se nourrir, de vivre. *Ali,* passif. *Sustinēri* (*aliquā re*). Se sustentāre; *ali ac sustinēri* (*aliquā re*); *vivĕre,* intr. — avec peine, *victum sibi aegrē quaerĕre.*

substance, s. f. Ce qui fait le fond de l'être. *Substantia, ae,* f. *Natura, ae,* f. ¶ Matière dont une chose est formée. *Materia, ae,* f. || Objet. *Res, rei,* f. ¶ Ce qui soutient l'existence; moyen de vivre, de se nourrir. Voy. SUBSISTANCE.

substantiel, *elle,* adj. Qui appartient à la substance. *Substantialis, e,* adj. ¶ Qui contient de la substance. Voy. FORT, VIGOUREUX. || (Spéc.) En parl. de la nourriture. *Firmus, a, um,* adj.

Aptus ad alendum. (Fig.) Le style — de Périclès, *ille Periclis sucus.*

substantif, *ive,* adj. Qui exprime la substance. *Substantivus, a, um,* adj. Le nom —, *et,* ellipt., le —, *nomen, inis,* n.

substantivement, adv. D'une manière substantive. *Nominis loco* (ou *vi*). Etre employé —, *vim nominis habēre.*

substituer, v. tr. Mettre (une personne, une chose) à la place d'une autre. *Substituĕre,* tr. *Supponĕre,* tr. *Subdĕre,* tr. *Subjicĕre,* tr. *Submittĕre,* tr. — frauduleusement, *supponĕre,* tr.; *subdĕre,* tr. Se — à qqn, *succedĕre in locum alicujus* ou *alicui.* Substitué frauduleusement, *subditivus; a, um,* adj. ¶ (Spéc.) Appeler (qqn) à une succession après un autre *ou* à son défaut. *Substituĕre,* tr. Substitué, *substitutus, a, um,* p. adj.

substitution, s. f. Action de substituer une personne, une chose à une autre. *Successio, onis,* f.

subterfuge, s. m. Moyen détourné pour échapper à qqch. d'embarrassant. *Latebra, ae,* f. Chercher des —, user de —, *tergiversāri,* dép. intr.

subtil, *e,* adj. Composé d'éléments déliés. *Subtilis, e,* adj. *Tenuis, e,* adj. ¶ (Au fig.) Qui présente des finesses difficiles à saisir. *Subtilis, e,* adj. Trop —, *spinosus, a, um,* adj. Un peu —, *argutulus, a, um,* adj. ¶ (Par ext.) Qui perçoit les finesses les plus difficiles à saisir. *Acer, cris, cre,* adj. *Acutus, a, um,* adj.

subtilement, adv. D'une manière subtile. || En insinuant adroitement. Voy. ADROITEMENT, INSINUER. || En présentant des finesses difficiles. *Argutē,* adv. *Captiosē,* adv. *Tenuiter,* adv. || En saisissant les finesses. *Acutē,* adv. *Subtiliter,* adv.

subtiliser, v. tr. Rendre subtil. || Réduire en particules déliées par l'action du feu. *Extenuāre,* tr. || (P. ext.) Dérober (qqch.). Voy. ce mot. ¶ Rendre difficile à percevoir par trop de finesse. *Subtiliorem* (ou *subtilius*) *reddĕre* (ou *efficĕre*). Subtilisé. Voy. SUBTIL. Celle qui subtilise, *cavillatrix, tricis,* f.

subtilité, s. f. Caractère de ce qui est composé de particules déliées. *Subtilitas, atis,* f. *Tenuitas, atis,* f. ¶ Caractère de ce qui présente des finesses difficiles à saisir. *Subtilitas, atis,* f. — dialectiques, *disserendi spinae.* Plein de —, *spinosus, a, um,* adj. || Caractère de ce qui perçoit ces finesses. *Ingenii acumen* ou *acies,* ou simpl. *acumen, minis,* n. Avec —, *acutē argutēque.* || (Par ext.) Dextérité, adresse. Voy. ces mots.

subvenir, v. intr. Venir en aide à qqn qui a besoin ou aux besoins de qqn. *Subvenīre,* intr. *Auxilio esse alicui. Auxiliāri* (*alicui*). — aux dépenses de qqn, *suppeditāre alicui sumptibus.*

subvention, s. f. Fonds accordés pour subvenir à une dépense imprévue, pour aider à une entreprise. *Subsidium, ii,* n.

subversion, s. f. Action de renverser (dans les esprits) toute loi, toute règle. *Dissolutio legum.*

subvertir, v. tr. Renverser (les lois, les règles reconnues). *Evertère (leges).*

suc, s. m. Liqueur que contient la substance des viandes, des herbes. *Sucus, i,* m. Plein de —, *sucosus, a, um,* adj. ¶ (Au fig.). Ce qu'il y a de substantiel dans une chose. *Sucus, i,* m. *Saguinis inis,* m.

succéder, v. intr. Venir sans interruption après (qqch., qqn) *Succère de* intr. *Subsequi,* dép. tr. *Excipère,* tr , *Subire,* tr. et intr. ‖ (Spéc.) Succéder à qqn, recueillir son héritage. Voy. HÉRITER. ‖ (Par anal.) *Succedère,* intr.

succès, s. m. Manière dont qqch. arrive. *Exitûs, ûs,* m. *Eventûs, ûs,* m. *Casûs, ûs,* m. *Fortuna, ae,* f. Avoir (tel *ou* tel) —, *succedère,* intr.; *evenire,* intr. ‖ (Spéc.) Manière favorable dont qqch. arrive. *Successûs, ûs,* m. *Eventûs, ûs,* m. *Proventûs, ûs,* m. Succès (militaires), *res bene gestae.* Avoir des —, *rem bene* (ou *feliciter*) *gerère.* Avec —, *prosperê,* adv. Sans —, *frustra,* adv.

successeur, s. m. Celui qui succède à un autre. *Successor, oris,* m. Les — d'Aristote, *profecti ab Aristotele.* Donner un — à qqn, *substituère aliquem in alicujus locum;* (par l'élection), *subrogāre* ou *sufficère,* tr.

successif, *ive,* adj. En parl. de plusieurs choses qui se succèdent. *Continuus, a, um,* adj.

succession, s. f. Rapport qu'ont entre elles des choses qui se succèdent. *Successio, onis,* f. *Series* (Acc. *em,* Abl. *e*), f. *Vices* (Dat. -Abl. *vicibus*), f. pl. *Vicissitudo, dinis,* f. ¶ Action de recueillir après qqn son héritage. *Successio, onis,* f. *Hereditas, atis,* f. ‖ Héritage de qqn que l'on recueille après lui. Voy. HÉRITAGE.

successivement, adv. D'une manière successive. *Deinceps,* adv. *Ordine. Per ordinem. Vicissim,* adv.

succinct, *incte,* adj. Resserré de manière à être bref. *Praecisus, a, um,* p. adj. *Circumscriptus, a, um,* p. adj.

succinctement, adv. D'une manière succincte. *Summatim,* adv. *Strictim,* adv. *Breviter,* adv.

succomber, v. intr. S'affaisser sous un poids trop lourd. *Succumbère,* intr. *Concidère,* intr. ¶ (Au fig.) Céder à une force à laquelle on ne peut plus résister. *Succumbère,* intr. — dans un procès, *cadère,* intr. ‖ (Absol.) Cesser de vivre. *Occumbère,* intr. (s'empl. absol. ou av. l'abl. *morte*). *Occidère,* intr.

succulent, adj. Qui contient beaucoup de suc nutritif, très nourrissant. *Suci plenus.* [*rius, a, um,* adj.

succursale, s. f. Qui supplée. *Vica-*

sucer, v. tr. Aspirer à l'aide des lèvres le suc que contient une substance. *Sugère,* tr. *Exsugère,* tr.

sucre, s. m. Suc très doux qui s'extrait de divers végétaux. *Saccharon, i,* n.

sucrer, v. tr. Rendre (qqch.) doux au goût, en y mettant du sucre. *Saccharo temperàre.*

sucrerie, s. f. Lieu où l'on fait le sucre. *Sacchari fabrica.* ¶ Friandise où il entre beaucoup de sucre. *Dulcia, ium,* n. pl.

sud, s. m. Le point cardinal opposé au nord. *Meridies, ei,* f. Du —, *meridianus, a, um,* adj.

suer, v. intr. et tr. ‖ (*V. intr.*) Exhaler de la sueur. *Sudàre,* intr. — beaucoup, *desudàre,* intr. ‖ (Par anal.) Exhaler de l'humidité. *Sudàre humore* ou simpl. *sudàre,* intr. ‖ Se couvrir d'humidité. *Même trad.* ‖ (Au fig.) Se donner beaucoup de fatigue. *Sudàre,* intr. ¶ (*V. tr.*) Rendre de la sueur, du sang, etc. *Sudàre,* intr. *Manàre,* intr. — sang et eau, — les grosses gouttes, *desudàre,* intr. [*ii,* m.

Suétone, n. pr. Polygraphe. *Suetonius,*

sueur, s. f. Produit de la transpiration cutanée, condensé en gouttelettes. *Sudor, oris,* m. Etre en —, *sudàre,* intr. Gagner qqch. à la — de son front, *multo sudore et labore* (ou *per summum sudorem*) *quaerère aliquid.* ¶ (Au fig.) Fatigue qu'on se donne pour qqch. *Sudor, oris,* m.

Suèves, n. pr. Peuple de la Germanie. *Suevi, orum,* m. pl.

suffire, v. intr. Fournir assez (pour les besoins, les désirs). *Sufficère,* intr. *Satis esse. Suppeditàre,* intr. *Suppetère,* intr. [*suffisante. Satis,* adv.

suffisamment, adv. D'une manière

suffisance, s. f. Caractère de ce qui suffit. *Quod satis est.* ¶ Excès de satisfaction de soi qui perce dans le ton, dans les manières. *Nimia* (ou *immodica*) *sui aestimatio.*

suffisant, *ante,* adj. Qui suffit. Je regarde comme — de..., *satis puto* (et l'Inf.). Avoir la force —, le pouvoir — de ou pour qqch., *satis posse ad aliquid.* Quantité —, *satis magna copia.* Secours —, *praesidii quod satis est.* ¶ Qui laisse percer dans son ton, dans ses manières un excès de satisfaction de soi-même. *Confidens* (gén. *-entis*), p. adj. *Inanis, e,* adj.

suffocant, *ante,* adj. Qui suffoque. *Qui (quae, quod) suffecat* (ou *spiritum intercludit*).

suffocation, s. f. Etat où la respiration est coupée, interceptée. *Suffocatio, onis,* f.

suffoquer, v. tr. et intr. ‖ (*V. tr.*) Intercepter la respiration (à qqn). *Suffocàre,* tr. ‖ (P. ext.) Tuer en interceptant la respiration. *Suffocàre,* tr. ‖ (Fig.) Causer un saisissement (de sur-

prise, de douleur, etc.), voy. SAISIR.
— de colère, voy. INDIGNER. ¶ (V. tr.)
Avoir la respiration interceptée. Difficultate spirandi strangulāri. Il suffoque,
spiritus ejus intercluditur. || (Fig.)
Eprouver un saisissement (de surprise,
de douleur, de colère). Aestuāre, intr.
— de colère, dirumpi dolore.

suffrage, s. m. Vote par lequel on
fait connaître qu'il est favorable à tel
ou tel candidat, à telle ou telle résolution. Suffragium, ii, n. Voy. VOIX,
VOTE, SCRUTIN. Donner son — à, suffragāri (alicui). Refuser son — à, refra-
gāri (alicui). || (Par anal.) Appréciation
par laquelle on se montre favorable à
qqn, à qqch. Suffragium, ii, n. Suffra-
gatio, onis, f.

suggérer, v. tr. Faire venir dans la
pensée. Subjicēre, tr.

suggestion, s. f. Action de suggérer,
de faire venir dans la pensée. Instinctŭs, ūs, m.

suicide, s. m. Acte de celui qui se
tue lui-même. Mors voluntaria.

suicidé. Voy. le mot suivant.

suicider (se), v. pron. Se tuer soi-
même. (Voluntariam) mortem ou necem
sibi consciscĕre. Manus sibi afferre.
Au part. passé pris substantivt, un
suicidé, une suicidée, qui (quae) mortem sibi conscivit.

suie, s. f. Matière noire que la fumée
dépose à la surface des corps avec lesquels elle est en contact. Fuligo, ginis, f.

suif, s. m. Graisse fondue des animaux
ruminants. Sebum, i, n.

suintement, s. m. Action de suinter,
de s'écouler presque insensiblement.
Sudor, oris, m.

suinter, v. intr. S'écouler presque
insensiblement. Stillāre, intr. Destil-
lāre, intr.

suite, s. f. Situation de ce qui suit.
Faire — à, voy. SUIVRE. Qui fait —,
conjunctus, a, um, p. adj.; continens
(gén. -entis), p. adj. A la —, post, prép.
(av. l'Acc.). Mettre à la —, subjungĕre, tr. Aller ou marcher à la — de,
voy. SUIVRE, ACCOMPAGNER. Loc. adv.
A la —, deinceps, adv.; continenter
adv. || (Par ext.) Ordre dans lequel les
choses se suivent. Ordo, dinis, m. Con-
secutio, onis, f. Consequentia, ae, f.
Series (Acc. em Abl. e), f. Perpetuitas,
atis, f. — non interrompue, continuatio,
onis, f. — dans les idées, constantia, ae,
f. Qui a de la — dans les idées, sibi
constans. Qui n'a pas de —, inconstans,
adj. Avec —, constanter, adv. Sans —,
sans esprit de —, inconstanter, adv. De
—, continuo, adv. Tout de — (c.-à-d.
sans interruption), voy. INTERRUPTION.
Tout de — (c.-à-d. sans délai), voy.
IMMÉDIATEMENT. ¶ Ce qui suit (qqn,
qqch.). || Ceux qui suivent qqn, qui
l'accompagnent. Comitatŭs, ūs, m.
Cohors, ortis, f. (on dit aussi qui eunt
ou proficiscuntur cum aliquo ou qui

sunt cum aliquo; ou quos aliquis secum
ducit). Etre dans la — de qqn, faire
partie de la — de qqn, aliquem comi-
tari ou sequi (ou sectari). || Ce qui suit
qqch. Quod consequitur. Ea quae sequun-
tur. ¶ Réunion de choses qui se suivent.
Voy. SÉRIE, SUCCESSION. Une — de,
voy. CONTINUEL. La — des temps,
temporum ordo. ¶ Ce qui suit une chose
comme conséquence de ce qui a précédé. Eventŭs, ŭs, m. Donner — à un
projet, consilium peragĕre (ou persequi).
A la — de, des suites de, ex, prép. (av.
l'Abl.). Par —, voy. CONSÉQUENT.

1. suivant, prép. En gardant, dans
l'espace, la direction marquée par
qqch. Secundum (et l'Acc.). En obser-
vant la règle, la mesure indiquée par
qqch. Secundum (et l'Acc.). Ex (et
l'Abl.). Pro (et l'Abl.). De (et l'Abl.).
Ad (et l'Acc.). — la coutume, l'usage,
more. — l'avis, l'opinion de qqn, sententiā alicujus; aliquo auctore. Loc.
conj. — que, prout ou pro ut (et le
Subj.); utcumque (et l'Indic.); ut quisque..., ita...

2. suivant, ante, adj. et s. m. et f.
|| Adj. Qui suit, accompagne qqn.
Sequens (gén. -entis), p. adj. ¶ Qui se
trouve après qqch. Sequens (gén. -entis),
p. adj. Insequens, p. adj.; (le plus rap-
de ce qui est le plus rapproché.)Proxi-
mus, a, um, adj. || Dans le discours,
en parl. de ce qui est immédiatement
introduit après qqch. Hic, haec, hoc,
adj. et pron. démonstr. De la manière
—, hoc (ou tali) modo. Dans les termes
—, ita. ¶ S. m. et f. Celui qui suit, qui
accompagne qqn. Comes, itis, m. Asse-
cla, ae, m. Les —, voy. CORTÈGE. || (En
parl. d'un esclave, d'un domestique.)
Pedisequus, i, m. || S. f. Celle qui suit,
accompagne qqn. Pedisequa, ae, f.

suivre, v. tr. Venir après (qqn, qqch.).
|| Venir après (qqn) en l'accompagnant.
Sequi, dép. tr. Insequi, dép. tr. Subsequi
(« venir immédiatement après »), dép.
tr. Consequi (« suivre, poursuivre »),
dép. tr. Prosequi (« accompagner,
escorter, faire la conduite à; suivre
[un convoi funèbre] »), dép. tr. Persequi
(« suivre avec persistance, suivre jusqu'au bout »), dép. tr. Comitāri, dép. tr.
Sectāri (« suivre assidûment, accompagner »), dép. tr. Assectāri (« suivre
constamment »), dép. tr. — de près
l'ennemi, hostibus instāre. — un cheval
(aller aussi vite), equum cursu exaequāre. Ne pouvoir —, relinqui, pass.
|| Se trouver après qqch. (dans l'espace,
dans le temps). Sequi, dép. tr. Consequi,
dép. tr. Insequi, dép. tr. Subsequi,
dép. tr. Succedĕre, intr. Excipĕre, tr.
Continuāri, passif. Faire — immédiatement, continuāre, tr.; perpetuāre, tr.
Qui se — sans interruption, voy. CON-
TINU. N'être pas suivi d'effet, c.-à-d.
n'être pas réalisé, voy. RÉALISER, EFFET.

|| Venir comme conséquence de ce qui a précédé. *Sequi*, dép. tr. *Consequi*, dép. tr. ¶ Se dirigier conformément à (qqch., qqn). || Garder, dans l'espace, la direction marquée par qqch. *Sequi*, dép. tr. *Persequi*, dép. tr. En suivant le bord de la mer, le cours du fleuve, *secundum mare ; secundum flumen*. En suivant le fil de l'eau, *secundo flumine* ou *secundâ aquâ*. || (Fig.) Observer dans sa conduite la règle, la mesure indiquée par qqn, qqch. *Sequi*, dép. tr. *Persequi*, dép. tr. *Obsequi*, dép. intr. — le parti de qqn, *stare cum* (ou *ab*) *aliquo* ou *facere cum aliquo*. — la doctrine de qqn, *esse ab aliquo* (ou *ab alicujus disciplinâ*). — qqn (comme garant), *aliquem auctorem habêre*. — une affaire, voy. [s'] OCCUPER [de]. || Garder une direction, une ligne de conduite prise. *Sequi*, dép. tr. *Persequi*, dép. tr. (*diligenter aliquid*). *Perseverâre*, intr. (*in aliquâ re*). — son raisonnement, *aptê conclusêque dicêre*. Discours suivi (c.-à-d. continu), *perpetua oratio*. Discours bien suivi, *apta oratio*. Discours où tout se suit, *cohaerens oratio*. — un professeur, *magistrum audire*. — le discours de qqn et (*ellipt.*) — qqn, voy. [être] ATTENTIF.

1. sujet, ette, adj. Soumis à une autorité souveraine. || — à, *subjectus, a, um*, p. adj. Voy. SOUMETTRE. || Sujet de. Qui (*quae*) *sub imperio alicujus* (ou *in potestate alicujus*) *est*. || (Subst.) Personne soumise à une autorité souveraine. *Civis, is*, m. Ses —, *cives* ou *populares*. Devenus —, *dicionis alienae facti*. || Soumis à telle ou telle nécessité. *Obnoxius, a, um*, adj. (av. le Dat.) *Opportunus, a, um*, adj. (av. le Dat.) ¶ Soumis à telle ou telle éventualité. *Subjectus, a, um*, p. adj. *Objectus, a, um*, adj. — à, c.-à-d. habitué à, voy. HABITUÉ.

2. sujet, s. m. Ce qui fournit matière à. *Causa, ae*, f. *Materia, ae*, f. *Locus, i*, m. Etre pour qqn un — de crainte, *terrori esse alicui*. || (Spéc.) Matière sur laquelle on parle, on écrit, on compose. *Argumentum, i*, n. *Res, rei*, f. *Propositum, i*, n. — philosophiques, *res philosophicae*. — de tableaux, *tabularum descriptio*. || Etre vivant, cadavre sur lequel on fait des opérations, des expériences. *Corpus, oris*, n. || Arbre, arbrisseau sur lequel on pratique la greffe. *Planta, ae*, f. ¶ Personne en qui se trouvent certaines qualités. *Homo, minis*, m. *Corpus, oris*, n. ¶ (Gramm.) Terme de la proposition dont on affirme une manière d'être. *Subjectum, i*, n.

sujétion, s. f. Situation où l'on est soumis à une autorité souveraine. *Oboedientia, ae*, f. *Servitus, utis*, f. Réduire à la —, *imperio ac dicioni subjicêre*. Maintenir dans la —, in *officio continêre*. Vivre dans la — de

qqn, *in alicujus imperio esse*. ¶ Situation où l'on est soumis à l'autorité de qqn. *Necessitas, atis*, f. Voy. CONTRAINTE.

sulfureux, euse, adj. Qui contient du soufre. *Sulfureus, a, um*, adj.

sultan, s. m. Nom donné au souverain des Turcs. *Imperator Turcicus* ou *Turcarum*.

1. superbe, s. f. Orgueil qui a qqch. d'imposant. *Superbia, ae*, f.

2. superbe, s. m. Dont l'orgueil a un caractère imposant. *Superbus, a, um*, adj. *Ferox* (gén. -*ocis*), adj. ¶ Dont la beauté est imposante. *Superbus, a, um*, adj.

superbement, adv. D'une manière superbe, avec un orgueil imposant. *Superbê*, adv. || Avec une beauté imposante. *Magnificê*, adv.

supercherie, s. f. Tromperie par laquelle on fait prendre à qqn une personne, une chose pour ce qu'elle n'est pas. *Dolus, i*, m. *Fraus, fraudis*, f.

superficie, s. f. Partie d'un corps qui forme le dessus. *Superficies, ei*, f. || (Fig.) Manque de profondeur (dans les choses de l'esprit). *Species, ei*, f. *Frons, frontis*, f.

superficiel, elle, adj. Qui n'est qu'à la superficie. *Summus, a, um*, adj. || (Fig.) Qui manque de profondeur (dans les choses de l'esprit). *Levis, e*, adj. *Parum accuratus* (en parl. des choses). *Parum diligens* (en parl. surtout des pers.). *Parum subtilis* (en parl. des pers. et des ch.).

superficiellement, adv. D'une manière superficielle. || (A la superficie.) *Summatim*, adv. *In summo* || (Fig.) Sans approfondir. *Leviter*, adv. *Parum subtiliter* (ou *accuratê*), adv.

superfin, ine, adj. Qui a une qualité supérieure de finesse. Voy. EXCELLENT, EXQUIS.

superflu, ue, adj. Qui est en plus de ce qui est nécessaire. *Supervacaneus, a, um*, adj. *Supervacuus, a, um*, adj. Etre —, *superfluêre*, intr. ; *superesse*, intr. || Subst. au masc. Le — (ce qu'on a en plus de ce qui est nécessaire), *quod superest*. ¶ (Par ext.) Qui est en dehors de ce qui est utile. *Supervacaneus, a, um*, adj.

superfluité, s. f. Caractère superflu d'une chose. *Nimium, ii*, n. ¶ Chose superflue. Voy. SUPERFLU. Des —, *nimia, n*. pl.; *supervacua*, n. pl.

supérieur, e, adj. Qui est au-dessus de qqch. dans l'espace. *Superus, a, um*, adj. *Superior, us* (en parl. de deux), adj. (au Compar.). *Summus, a, um*, adj. (au Superl. en parl. de plusieurs). || (Au fig.) Qui est au-dessus de qqch., de qqn, par quelque qualité. *Superior, us*, adj. (au Compar.). Etre — à qqn, voy. SURPASSER. || (Absol.) Qui est au-dessus des autres par qq. qualité. *Praestans* (ou *praestantissimus*). || (Par ext.) Etre — à tout, *omnia infra se habère.* ¶ (Au fig.) Qui est au-dessus des autres, dans une hiérarchie. *Superior, us,* adj. (au Compar.). *Altior, us,* adj. Officier —, *dux praefectusque militum.* Les officiers —, *tribuni et primorum ordinum centuriones.*||(Subst.) Celui, celle qui a autorité sur un autre. *Is qui praeest ceteris.* Les —, *praefecti.*

supérieurement, adv. D'une manière supérieure. *Egregiè,* adv. *Eximiè,* adv. || (Dans un sens plus large.) Très bien, excellemment. *Summâ arte.*

supériorité, s. f. Etat d'une personne, d'une chose, qui est au-dessus des autres par qq. qualité. *Principatûs, ûs,* m. *Praestantia, ae,* f. *Excellentia, ae,* f. *Elatio, onis,* f. Avoir la —, voy. SUR-PASSER.

superlatif, *ive,* adj. Qui exprime le plus haut degré de la manière d'être exprimée par un qualificatif. *Superlativus, a, um,* adj.

superposer, v. tr. Poser l'un au-dessus de l'autre. *Superponère,* tr.

superposition, s. f. Etat de ce qui est superposé. *Res super alias impositae* (ou *superpositas*).

superstitieusement, adv. D'une manière superstitieuse. *Superstitiosè,* adv.

superstitieux, *euse,* adj. Qui, par une religion mal entendue, prête un caractère sacré à des croyances, à des pratiques vaines. *Superstitiosus, a, um,* adj. *Religionum plenus* (ou *religionibus deditus*). ¶ (Fig.) Qui observe certaines règles avec un excès de scrupules. *Religiosus, a, um,* adj.

superstition, s. f. Religion mal entendue qui prête un caractère sacré à des croyances, à des pratiques vaines. *Superstitio, onis,* f. *Religio nimia et superstitiosa* (ou *vana*). || (P. ext.) Croyance, pratique superstitieuse. *Superstitio, onis,* f. *Religio, onis,* f. ¶ (Fig.) Excès de scrupule avec lequel on observe certaines règles. *Religio, onis,* f. *Superstitio, onis,* f.

supin, s. m. En grammaire latine, forme d'infinitif. *Supinum* (s.-e. *verbum*), *i,* n.

supplanter, v. tr. Evincer qqn et prendre sa place. *Detrudère,* tr.

suppléant, *ante,* adj. Qui supplée qqn. *Vicarius, a, um,* adj. || Substantivt. Un —, *vicarius, ii,* m.

suppléer, v. tr. et intr. (*V. tr.*) Remplacer par qqch. qui en tient lieu (ce qui fait défaut). *Supplère,* tr. *Explère,* tr. || Remplacer momentanément (qqn) en faisant ses fonctions. *Explère alicujus vicem.* Se faire — par qqn, *aliquo vicario uti.* ¶ (*V. intr.*) Remédier au manque de ce qui fait défaut par qqch. qui comble la lacune. *Supplère,* tr. *Explère,* tr.

supplément, s. m. Ce qu'on ajoute à qqch. pour la rendre plus complet.

Supplementum, i, n. Donner un —, *adjicère,* tr. Un — de salaire, de pourboire, *corollarium, ii,* n.

supplémentaire, adj. Qui vient en supplément. *Adventicius, a, um,* adj. Don, gratification —, *corollarium, ii,* n.

suppliant, *ante,* adj. Qui supplie. *Supplex* (gén. *-icis*), adj. Mains —, *supinae manus.* D'une manière —, *suppliciter,* adv. D'un ton, — *precibus* (*agère cum aliquo*). || Subst. Un —, *supplex, plicis,* m. Une —, *supplex mulier* (*virgo*). En —, *suppliciter,* adv.

supplication, s. f. Prière humble et pressante. *Obsecratio, onis,* f. *Obtestatio, onis,* f.

supplice, s. m. Grave peine corporelle infligée à un condamné. *Supplicium, ii,* n. Dernier, — *supplicium capitale* (ou *capitis*). ¶ (Fig.) Souffrance corporelle ou morale intolérable. *Supplicium, ii,* n. Voy. TOURMENT, TORTURE.

supplicier, v. tr. Livrer au supplice. *Supplicium sumère de aliquo.* || (Fig.) Voy. TORTURER.

supplier, v. tr. Prier d'une manière très humble et très pressante. *Supplicâre,* intr. *Obsecrâre,* tr. *Obtestâri,* dép. tr.

supplique, s. f. Demande écrite par laquelle on sollicite une grâce d'un souverain. *Supplex libellus,* et, absolt. *libellus, i,* m.

support, s. m. Ce sur quoi porte le poids de qqch. *Fultura, ae,* f. *Fulmentum, i,* n.

supportable, adj. Dont on peut recevoir l'effet sans être accablé. *Tolerabilis, e,* adj. *Tolerandus, a, um,* p. adj. || (P. ext.) Passable. *Mediocris, e,* adj.

supporter, v. tr. Avoir sur soi (une chose dont on porte tout le poids) de manière à empêcher qu'elle ne tombe. *Sustinère,* tr. *Ferre,* tr. *Tolerâre,* tr. ¶ (Fig.) Avoir toute la charge, tout l'embarras de (qqch.). *Sustinère,* tr. *Tolerâre,* tr. *Sufficère,* intr. *Subsistère,* intr. — une perte, *damnum* (ou *jacturam*) *facère.* ¶ Recevoir sur soi sans en être ébranlé (tout l'effet de qqch.). *Sustinère,* tr. Qui est en état de — qqch., *patiens alicujus rei.* Qui n'est pas en état de — qqch., *impatiens alicujus rei.* Navires qui ne sont plus en état de — la mer, *naves ad navigandum inutiles.* || (Fig.) Recevoir l'effet de qqch. sans en être excédé. *Tolerâre,* tr. *Perferre,* tr. *Pati,* dép. tr. Qui est capable de —, *patiens,* p. adj. Qui est incapable de —, *impatiens,* adj.

supposable, adj. Qui peut être supposé. *Opinabilis, e,* adj.

supposer, v. tr. Poser, admettre comme réalisé au moment où l'on parle (ce qu'on imagine tel). *Sumère,* tr. (*aliquid pro certo*; *beatos esse deos sumpsisti*). *Facère,* tr. (*esse deos faciamus,* supposons l'existence des dieux). *Fingère,* tr.

(*finge aliquem fieri sapientem*). Des biens, des maux supposés, *opinata bona, mala*. ‖ (Par ext.) Impliquer. Voy. ce mot. ‖ (Ellipt.) Supposé que, *ut*, adv. (av. le Subj.). ¶ (Par ext.) Poser, présenter comme réel, authentique (ce qu'on sait ne l'être pas). *Supponĕre*, tr. *Subjicĕre*, tr. *Subdĕre*, tr. Supposé, *subditivus, a, um,* adj.

supposition, s. f. Action de poser, d'admettre comme réalisé ce qu'on imagine tel. *Fictio, onis,* f. ‖ (P. ext.) Proposition par laquelle on le pose. on l'admet. *Quod ponitur* (ou *sumitur*), *Conjectura, ae,* f. *Opinio, onis,* f. Faire des —, *fingĕre opiniones.* ¶ Action de poser, de présenter comme réel, authentique ce qu'on sait ne l'être pas. *Suppositio, onis,* f. *Subjectio, onis,* f. — de personne, *supposita persona.*

suppôt, s. m. Fauteur, satellite (de qqn). Voy. ces mots.

suppression, s. f. Action par laquelle qqch. est supprimée. *Oppressio, onis,* f. *Detractio, onis,* f.

supprimer, v. tr. Faire disparaître (en empêchant de se manifester). *Supprimĕre*, tr. *Comprimĕre*, tr. ¶ (Par ext.) Faire disparaître. *Tollĕre*, tr. *Detrahĕre*, tr. *Subtrahĕre*, tr.

suppuration, s. f. Production et écoulement de pus. *Suppuratio, onis,* f.

suppurer, v. intr. Produire et laisser couler du pus. *Suppurāre*, intr.

supputation, s. f. Action de supputer. *Ratio, onis,* f.

supputer, v. tr. Evaluer indirectement (une quantité) par le calcul de certaines données. *Putāre*, tr. *Computāre*, tr.

suprématie, s. f. Prééminence qui élève au-dessus de tous. *Imperium, ii,* n.

suprême, adj. Qui est au-dessus de tous. *Summus, a, um,* adj. *Supremus, a, um,* adj. Loc. adv. Au — degré, *et* ellipt. au — (au plus haut degré), *maximē,* adv. ¶ Qui est le dernier de tous. (En parl. de la fin de la vie.) *Supremus, a, um,* adj. *Ultimus, a, um,* adj. *Summus, a, um,* adj.

1. sur, prép. Marque la position d'une chose par rapport à ce qui est plus bas, en contact avec elle. ‖ (Par rapport à ce qui la porte.) *Super,* prép. (av. l'Acc.). *Supra,* prép. (av. l'Acc.). *In,* prép. (av. l'Acc. et l'Abl.) (ex. : *imponĕre aliquem in equum, in plaustrum; collocāre aliquem in lecto suo*). — terre et sur mer, *terrā marique.* — le sol, *humi.* Revenir — ses pas, *retro redire.* Marcher — les pas de qqn, *vestigiis aliquem sequi* (ou *consequi*). Un pont — pilotis, *pons sublicius.* Frapper — une enclume, *incudem tundĕre.* Avoir une arme — soi, *esse cum telo.* ‖ (Au fig.) *Super,* prép. (av. l'Abl.). *De,* prép. (av. l'Abl.). *E* ou *ex,* prép. (av. l'Abl.). *In,* prép. (av. l'Abl. ou l'Acc.). Voy. [à] PROPOS [de]; TOUCHANT. Crier

qqch. — les toits, *bucinatorem esse alicujus rei.* ‖ (Par rapport à ce qu'elle couvre, en totalité *ou* en partie.) *Super,* prép. (av. l'Acc.). *Supra,* prép. (av. l'Acc.). *In,* prép. (av. l'Acc. ou l'Abl.). (ex. : *puerum in humeros suos efferre;* qqf. la prépos. est inutile, cf., *allevati circumstantium humeris*). *Per,* prép. (av. l'Acc., dans des express. c. *equites per oram maritimam erant dispositi*). ‖ (Au fig.) *Super,* prép. (av. l'Acc.). *E* ou *ex,* prép. (av. l'Acc.). *Ad,* prép. (av. l'Acc.). Voy. D'APRÈS. ‖ (Par ext.) En parlant de ce qui suit qqch. sans intervalle. *Super,* prép. (av. l'Acc.). *E* ou *ex,* prép. (av. l'Abl.). — le soir, *sub vesperum.* Etre — le point de, voy. POINT. — l'heure, — -le-champ, voy. AUSSITÔT, IMMÉDIATEMENT, HEURE, CHAMP. ¶ Marque la position d'une chose par rapport à ce qui est plus bas, dans une même direction verticale. *Super,* prép. (av. l'Abl.). *In,* prép. (av. l'Acc. : *intentare manus in aliquem,* lever la main sur qqn.) Etre suspendu —, *imminēre* (*alicui rei*). — le bord de, voy. BORD, PRÈS [de], [le] LONG [de]. ‖ (Au fig.). *Super,* prép. (av. l'Abl.). *E* ou *ex,* prép. (av. l'Abl., ex. : *referre victoriam ex hoste*). *De,* prép. (av. l'Abl., ex. : *tot victoriae de Romanis ducibus*). *A* ou *ab,* prép. (av. l'Abl. : *praedas magnas facĕre ab hostibus*). L'emporter —, régner —, voy. EMPORTER, RÉGNER.

2. sur, sure, adj. Qui a un goût légèrement acide. *Acidulus, a, um,* adj.

sûr, e, adj. Qui met à l'abri du péril. *Tutus, a, um,* adj. ‖ (Par ext.) Qui atteint le but avec certitude. *Certus, a, um,* adj. *Firmus, a, um,* adj. *Constans* (gén. *-antis*), p. adj. *Fidus, a, um,* adj. *Fidelis, e,* adj. Etre — (en parl. de qqch.), *constāre,* intr. A coup —, voy. INFAILLIBLEMENT. ¶ Qui croit pouvoir compter sur qqch., sur qqn. Voy. CERTAIN, [avoir] FOI, CONFIANCE.

surabondamment, adv. D'une manière surabondante. *Satis superque.*

surabondance, s. f. Abondance qui va au-delà de ce qui est nécessaire. *Luxuria, ae,* f.

surabondant, ante, adj. Fourni en qualité plus grande qu'il n'est nécessaire. *Nimis largus. Abundans* (gén. *-antis*), p. adj.

surabonder, v. intr. Etre fourni en quantité plus grande qu'il n'est nécessaire. *Abundāre,* intr.

suranné, ée, adj. Qui a passé le temps où il était de mise. *Obsoletus, a, um,* p. adj. *Exoletus, a, um,* p. adj.

surcharge, s. f. Poids ajouté à la charge ordinaire. *Nimium* (ou *majus*) *pondus. Gravius onus.* ¶ Mots écrits par-dessus d'autres de manière à les recouvrir. *Interpositio, onis,* f.

surcharger, v. tr. Charger d'un poids qui excède la charge ordinaire. *Nimio* *pondere onerāre aliquid.* Fig. Etre — d'affaires, *negotiis obrutum* (ou *oppressum*) *esse.* ¶ Couvrir (ce qui est écrit) en traçant d'autres mots par-dessus les premiers. *Superscribĕre*, tr. *Interponĕre*, tr.

surcroit, s. m. Ce qui apporte un accroissement à ce qu'on a déjà. *Nova accessio.*

surdité, s. f. Abolition ou affaiblissement considérable du sens de l'ouïe. *Surditas, atis,* f.

sureau, s. m. Arbuste creux et léger. *Sambucus* et *sabucus*, i, f.

sûrement, adv. D'une manière sûre. En sûreté. *Tuto,* adv. *in tuto. Tutĕ,* adv. || Positivement, exactement, certainement. *Certĕ,* adv. *Profecto,* adv.

surenchère, s. f. Enchère qu'on fait au-dessus de la mise à prix ou d'une autre enchère. *Licitatio major.* Faire une —, voy. SURENCHÉRIR.

surenchérir, v. tr. Faire une surenchère. *Aliquo licente contra liceri.*

sûreté, s. f. Etat de celui qui est sûr. || Etat de celui qui est à l'abri du péril. *Tutum,* i, n. *Salus, utis,* f. Veiller à sa —, *saluti suae prospicĕre.* Mettre en —, *in tuto collocāre (aliquid* ou *aliquem).* En — de conscience, *salvā conscientiā.* || (Par ext.) Ce qui met à l'abri du péril. Voy. REFUGE. ¶ Etat de celui qui peut compter sur une personne, une chose. Voy. CERTITUDE, ASSURANCE. Avoir une grande — de jugement, *esse subtili judicio.* Avec —, *certo,* adv.

surexciter, v. tr. Exciter d'une manière excessive. Voy. EXCITER, STIMULER. Fig. — l'attente de qqn, *aliquem in summam exspectationem adducĕre.*

surface, s. f. Etendue extérieure d'un corps et *spéc.*, le dessus d'un corps. *Superficies, ei,* f. (mais l'idée de ce mot est ordin. rendue par l'adj. *summus* mis au même cas que le subst. dont on désigne la surface). La — de l'eau, *summa aqua.* — rugueuse, *asperitas, atis,* f. — lisse, *levitas, atis,* f. Revenir à la —, *in summum redire.* || (Fig.) Apparence extérieure. *Species, ei,* f. *Frons, frontis,* f. ¶ (Géom.) Ce qui limite un corps dans l'espace et n'a que deux dimensions, longueur et largeur. *Superficies, ei,* f.

surfaire, v. tr. Mettre (une chose à vendre) à un prix plus élevé qu'elle ne vaut. *Carius (alicui aliquid) vendĕre.*

surgeon, s. m. Rejeton d'un arbre qui peut former un nouvel individu. *Surculus, i,* m.

surgir, v. intr. S'élever brusquement au-dessus du sol. *Surgĕre*, intr. ¶ (Fig.) Se produire tout à coup. *Cooriri.* dép. intr.

surhumain, aine, adj. Qui dépasse (chez l'homme) la portée de la nature humaine. *Qui (quae, quod) supra hominis vires* (ou *supra naturam hominis* ou *supra hominem*) *est.*

surintendance, s. f. Charge, fonction de surintendant, de surintendante. *Praefectura, ae,* f.

surintendant, ante, s. m. et f. Administrateur, administratrice en chef de certains services. *Summus praefectus.*

sur-le-champ, loc. adv, Voy. CHAMP.

surlendemain, s. m. Jour qui suit le lendemain. *Dies perendinus.* Le —, *perendie.*

surmonter, v. tr. Monter au-dessus de. *Superāre,* tr. *Exsuperāre,* tr. ¶ Couronner par qqch. qui est placé au sommet. *Superstāre,* intr. Voy. COURONNER. ¶ Passer par-dessus (ce qui fait obstacle). *superāre,* tr. (voy. VAINCRE, TRIOMPHER). || (Par ext.) Mettre sous soi. — qqn à la lutte, *luctando vincĕre aliquem.* || (Au fig.). *Superāre,* tr. (voy. VAINCRE, TRIOMPHER [de]).

surnager, v. intr. Se soutenir à la surface d'un liquide. *Natāre,* intr. *Fluitāre,* intr.

surnaturel, elle, adj. Qui dépasse ce que produit la nature. *Naturae vires* ou *naturam superans.* Voy. MERVEILLEUX, MYSTÉRIEUX.

surnaturellement, adv. D'une manière surnaturelle. *Praeter naturam. Divinitus,* adv.

surnom, s. m. Appellation ajoutée au nom de qqn et rappelant quelque trait caractéristique de sa vie. *Cognomen, minis,* n.

surnommer, v. tr. Désigner par un surnom. *Cognomen (alicui) dāre.*

surnuméraire, adj. Qui est en surplus. *Qui (quae, quod) justum numerum superat.*

surpasser, v. tr. Passer (qqn, qqch.); être au-dessus par la dimension, la quantité, la qualité, etc. *Superāre,* tr. *Exsuperāre,* tr. *Vincĕre,* tr. *Praecedĕre,* tr. *Praestāre,* tr. et intr. ¶ Etre au-dessus de la portée de. *Vincĕre,* tr. *Exsuperāre,* tr.

surplis, s. m. Vêtements que les prêtres portent par-dessus la soutane. *Superpelliceum* ou *superpellicium, ii,* n.

surplus, s. m. Ce qui se trouve en plus de la quantité voulue. *Id quod superest.* ¶ Ce qui vient s'ajouter à ce qui a été mentionné. Voy. RESTE. Loc. adv. Au —, *quod superest.*

surprenante, ante, adj. Qui frappe l'esprit par qqch. d'inattendu. *Mirandus, a, um,* adj. *Mirabilis, e,* adj.

surprendre, v. tr. Prendre (qqn, qqch.) en arrivant à l'improviste. *Deprehendĕre,* tr. *Occupāre,* tr. || (Fig.) Gagner artificieusement. *Circumvenire,* tr. || (Par ext.) Abuser (qqn). Voy. ABUSER. ¶ Découvrir (ce que nous veut cacher qqn) en agissant à l'improviste, par ruse. *Excipĕre,* tr. (on dit aussi *dolo capĕre aliquid*). ¶ Troubler (qqn, en arrivant à l'improviste. *Opprimĕre*) tr. *Occupāre*, tr. *Offendĕre*, tr. *Praevenīre*, tr. *Supervenīre*, intr. Qui est surpris, *inopinans*, adj. Qui surprend (en parl. de qqch.), *inopinatus, a, um*, adj.; *necopinatus, a, um*, adj.; *improvisus, a, um*, adj. Qui se laisse —, *opportunus, a, um*, adj.; *incautus, a, um*, adj.; *imparatus, a, um*, adj. || (Spéc.) Trouver en train de faire qqch. (qqn qui ne s'attendait nullement à ce qu'on vînt). *Prehendĕre*, tr. *Deprehendĕre*, tr. *Opprimĕre*, tr. || (Absol.) Arriver près de qqn sans être attendu. Vous me —, *improvisus ades.* ¶ Frapper l'esprit par qqch. d'inattendu. Voy. ÉTONNER.

surprise, s. f. Trouble causé par qqch. ou qqn qui arrive à l'improviste. *Improvisa* (ou *necopinata*) *res. Adventus necopinatus.* Des coups de —, *necopinata, orum*, n. pl. Attaquer l'ennemi par —, *hostem inopinantem aggredi.* ¶ Artifice par lequel on obtient qqch. de qqn en s'adressant à lui à l'improviste. Voy. EMBUCHE. ¶ Etat de l'esprit qui est frappé par qqch. d'inattendu. Voy. ÉTONNANT. Regarder avec —, *mirari*, dép. tr. Voy. [s']ÉTONNER. ADMIRER.

sursaut, s. m. Commotion brusque produite par quelque sensation subite et violente. Voy. COMMOTION, SECOUSSE. S'éveiller en —, *somno excuti.*

surseoir, v. intr. Suspendre momentanément (l'exécution d'un arrêt, d'une décision). *Supersedēre (aliquā re).*

sursis, s. m. Suspension momentanée de l'exécution d'un décret, d'une sentence. *Prolatio (judicii). Dilatio, onis*, f.

1. **surtout**, adv. Par-dessus tout. *In primis* ou *imprimis*, adv. *Praesertim*, adv.

2. **surtout**, s. m. Vêtement qui se met par-dessus les autres. *Amiculum summum.* [1er. *Custodia, ae*, f

surveillance, s. f. Action de surveiller

surveillant, *ante*, s. m. et f. Celui, celle qui surveille. *Custos, odis*, m. Sur lante, *custos, odis*, f.; *magistra, æ*, f.

surveiller, v. tr. Veiller avec une attention qui ne se relâche point, de peur de faute, de négligence. *Custodire*, tr. *Servāre*, tr. *Observāre*, tr. — l'exécution des statues, *praeesse statuis faciendis.*

survenant, *ante*, s. m. et f. Celui, celle qui survient. *Qui (quae) intervenit* (ou *supervenit*). Les —, *supervenientes, ium*, m. pl.

survenir. v. intr. Venir tout à coup. *Venīre*, intr. *Intervenīre*, intr. *Supervenīre*, intr.

survivant, *ante*, adj. Qui survit. *Superstes*, adj. Subst. Un —, une —, *superstes, stitis*, m. et f.

survivre, v. intr. Demeurer vivant après qu'une personne est morte, qu'une chose est achevée *ou* détruite. *Superstitem esse* (av. le Dat. ou le Gén.).

Superesse, intr. (av. le Dat.).

sus, adv. Courir sus à qqn, *incurrĕre in aliquem.* || (Loc. adv.) En sus, au delà, en plus. *Insuper*, adv. *Praeterea*, adv.

susceptibilité, s. f. Disposition à être susceptible. *Mollitia, ae*, f. Fig. *Animus mollis ad suscipiendam offensionem.*

susceptible, adj. Qui peut recevoir qqch. qui le modifie. *Capax* (gén. -*acis*), adj. Etre — de (qqch.), *aliquid capĕre posse* (ou *accipĕre posse*). ¶ (Absol.) Qui a une disposition à se ressentir facilement des influences extérieures. Voy. SENSIBLE. || (Fig.) Qui a une disposition à être facilement offensé. *Mollis ad accipiendam offensionem.*

susciter, v. tr. Faire venir. (qqn, qqch.) en aide à qqn ou contre qqn. *Suscitāre*, tr. *Excitāre*, tr. *Exhibēre*, tr.

souscription, s. f. Adresse écrite sur l'enveloppe ou le pli extérieur d'une lettre. *Inscriptio nominis.*

susdit, *ite*, adj. Dit, mentionné ci-dessus. *Supra dictus.*

suspect, *e*, adj. Qui donne lieu au soupçon. *Suspectus, a, um*, p. adj. *Suspiciosus, a, um*, adj. Etre — à qqn, *in suspicione esse alicui.*

suspecter, v. tr. Tenir pour suspect. *Suspicĕre*, tr. *Suspectum aliquem* (ou *aliquid*) *habēre.*

suspendre, v. tr. Tenir en l'air (une personne, une chose), de manière qu'elle pende. *Suspendĕre*, tr. *Suffigĕre*, tr. Etre suspendu, *pendēre*, intr.; *dependēre*, intr.; *impendēre*, intr. (*cervicibus* [« sur la tête »]). Suspendu, *pensilis, e*, adj. || (Fig.) Tenir dans l'indécision. *Suspendĕre*, tr. Etre suspendu, *pendēre*, intr. ¶ (Par anal.) Tenir quelque temps en arrêt (le cours de qqch.). *Suspendĕre*, tr. *Sustinēre*, tr. *Sustentāre*, tr. *Distinēre*, tr. Interrompre, tr. Etre —, *conquiescĕre*, intr.; *jacēre*, intr. || (P. anal.) Interrompre les fonctions de qqn. — qqn, *ex officio amovēre aliquem.* || (Par ext.) Différer momentanément. Voy. DIFFÉRER. — son travail, *cessāre in opere.*

suspens, adj. (Loc. adv.) En — (en personne, en chose qui reste dans l'indécision), *in suspenso.* Qui est en —, *suspensus, a, um*, p. adj. (En parl. seulement des pers.), *animo pendens* (*animis pendentes*); ou (simpl.) *pendens*, p. adj. Etre en —, *pendēre*, intr. Tenir en —, *suspensum tenēre aliquem.*

suspension, s. f. Etat d'une personne, d'une chose tenue en l'air de manière qu'elle pende. *Suspensio, onis*, f. La mort par —, voy. PENDAISON. ¶ Etat d'une chose dont le cours est tenu pour qq. temps en arrêt. *Intermissio, onis*, f.

suspicion, s. f. Action de tenir qqn pour suspect. *Suspicio, onis*, f.

sustenter, v. tr. Soutenir par les ali-

ments. *Sustinēre*, tr. *Sustentāre*, tr.
Fovēre, tr.

svelte, adj. Qui est de forme dégagée.
(En parl. des édifices.) *Procerus, a, um*,
adj. *Gracilis, e*, adj (En parl. du corps
ou d'une personne.) *Procerus, a, um*,
adj. *Gracilis, e*, adj. Forme —, *gracilitas corporis*. Taille — d'une femme,
subtilitas muliebris.

Sybaris, n. pr. Ancienne ville d'Italie.
Sybaris, is, f. Habitants de —, *Sybaritae,
arum*, m. pl.

sybarite, s. m. Celui qui est d'une mol-
lesse et d'une délicatesse raffinées.
Homo voluptarius.

sycomore, s. m. Variété de figuier.
Sycomorus, i, f.

sycophante, s. m. Délateur (chez les
anciens Grecs). *Sycophanta, ae*, m.

syllabe, s. f. Son articulé produit par
une seule émission de voix. *Syllaba,
ae*, f.

syllabique, adj. Relatif aux syllabes.
Syllabicus, a, um, adj.

sylvain et **silvain**, s. m. Dieu subalterne, divinité des bois. *Silvanus, i*, m.

symbole, s. m. Objet sensible considéré comme le signe figuratif d'une
chose abstraite. *Imago, ginis*, f. *Signum,
i*, n. || (P. ext.) Formule consacrée des
articles de foi d'une religion. *Symbo-
lum, i*, n.

symbolique, adj. Qui a le caractère
d'un symbole. *Figuratus, a, um*, p. adj.
Tectus et opertus.

symétrie, s. f. Correspondance régulière de grandeur, etc. entre des corps
ou des parties du même corps. *Con-
venientia partium*: || (P. anal.) En parl.
du style. *Concinnitas, atis*, f. Donner
de la — au style, *quadrāre orationem*.

symétrique, adj. Qui a de la symétrie.
Aequalis et congruens. *Convenienter
compositus*.

symétriquement, adv. D'une manière
symétrique. *Aequaliter*, adv. *Apte*, adv.

sympathie, s. f. Affinité entre divers
organes qui fait que lorsque l'un d'eux
est affecté, les autres le sont. *Convenientia naturae. Conjunctio naturae et
quasi concentus atque consensus*. || (Par
ext.) Affinité que les anciens suppo-
saient entre certains corps. Voy. AFFI-
NITÉ. ¶ Affinité morale entre diverses
personnes. *Adjunctio animi. Voluntas
alicujus in aliquem. Studia, orum*, n. pl.

sympathique, adj. Relatif à l'affinité
qui existe entre certains organes. *Affinis, e*. adj. ¶ Relatif à l'affinité morale

qui existe entre diverses personnes.
Qui (quae, quod) iisdem rebus movetur.
|| (P. ext.) Relatif au penchant instinctif
qui attire une personne vers une autre.
Inclinatus ad aliquem. || Qui inspire la
sympathie. *Qui (quae, quod) sibi con-
ciliat voluntatem omnium*.

sympathiser, v. intr. Entrer en sympathie (affinité morale) avec qqn, qqch.
*Iisdem rebus movēri. Concordāre cum
aliquo* et (absolt.) *concordāre*, intr.

symphonie, s. f. Accord consonant.
Symphonia, ae, f. *Concentūs, ūs*, m.
¶ Musique pour plusieurs voix ou
instruments. *Concentūs, ūs*, m.

symptôme, s. m. Phénomène caractéristique d'une maladie naissante. *Propria nota alicujus morbi*, ou (simpl.)
nota, ae, f. *Signum morbi* ou simpl.
signum, i, n. || (Fig.) Signe caractéris-
tique. *Indicium, ii*, n. *Signum, i*, n.

synagogue, s. f. Assemblée des fidèles
(sous la loi de Moïse). *Judaicus conventus*.

syncope, s. f. Suspension subite, momentanée des mouvements du cœur.
Defectio animae, ou (absol.) *defectio,
onis*, f.

syndic, s. m. Celui qui est chargé des
intérêts communs d'une corporation.
Procurator, oris, m.

synode, s. m. Réunion des membres
du clergé. *Synodus, i*, f.

synonyme, adj. Se dit d'un mot qui
a avec un autre mot une analogie de
sens. *Cognominatus, a, um*, adj.

synonymie, s. f. Caractère des mots
qui ont entre eux une analogie générale de sens. *Indifferentia, ae*, f.

Syracuse, n. pr. Ville de Sicile. *Syra-
cusae, arum*, f. pl. De —, *Syracusanus,
a, um*, adj.

Syrie, n. pr. Contrée d'Asie. *Syria,
ae*, f.

systématique, adj. Qui tient à un
système. *Ad artem redactus. Ad artem
et ad praecepta revocatus*.

système, s. m. Ensemble dont les
parties sont coordonnées suivant une
loi. *Ratio, onis*, f. *Disciplina, ae*, f.
Ars, artis, f. — d'attaque (d'une place
forte), *oppugnatio, onis*, f. || (En parl.
d'êtres.) Le — du monde, *universus
mundus* ou *rerum universitas*. || (En
parl. d'instituteurs.) Un — de gouvernement, *disciplina rei publicae capes-
sendae*. || (En parl. de doctrines.) *Ratio,
onis*, f. *Disciplina, ae*, f. Le — de
Pythagore, *Pythagorea omnia*.

T

t, s. m. Vingtième lettre de l'alphabet.
T, f. n. *T littera*.

tabellion, s. m. Officier public faisant

fonction de notaire. *Tabellio, onis*, m.
tabernacle, s. m. Sorte de pavillon,
tente. *Tabernaculum*, i, n.

TAB 590 TAI

table, s. f. Surface plane de bois, de pierre, etc., soutenue par un ou plusieurs pieds, sur laquelle on pose les objets (pour manger, écrire, travailler, jouer, etc.). *Tabula, ae,* f. *Mensa, ae,* f. || (Spéc.) Table à manger. *Mensa, ae,* f. Se mettre à —, être à —, *accumbère,* intr.; *recumbère,* intr.; *accubāre,* intr.; *cenāre,* intr.; *epulari,* dép. intr. Mettre sur —, voy. SERVIR [le] DINER. || Table de jeu. *Tabula, ae,* f. Mettre sur —, voy. ENJEU. ¶ (Par anal.) Surface plane de certains objets. *Tabula, ae,* f. ¶ Tablettes pour écrire et, *par ext.* plaque de métal, de pierre, sur laquelle on grave qqch. *Tabula, ae,* f. ¶ (Par ext.) *Fig.* Liste, tableau méthodique. Voy. LISTE, INDEX.

tableau, s. m. Panneau de bois, le plus souvent peint en noir, pour y écrire, y tracer des figures avec de la craie. *Tabula, ae,* f. ¶ Panneau de bois, de cuivre, *et p. ext.* châssis tendu de toile sur lequel on fait une peinture. *Tabula, ae,* f. *Tabella, ae,* f. *Pictura, ae,* f. Galerie de —, *pinacotheca, ae,* f. || Description. Voy. ce mot. Faire un —, voy. PEINDRE, DÉPEINDRE. || (Fig.) Vue, spectacle. Voy. ces mots. ¶ (Par ext.) Cadre de bois destiné à recevoir des actes publics. *Tabula, ae,* f.

tabletier, ière, s. m. et f. Celui, celle qui fabrique, qui vend des ouvrages d'ivoire, de marqueterie, etc. *Intestinarius, ii,* m. *Eborarius faber.*

tablette, s. f. Planchette de bois. *Tabella, ae,* f. ¶ *Spéc.* (Archéol.) Planchette enduite de cire, pour écrire. *Tabula cerata* ou simpl. *tabula, ae,* f. *Tabella, ae,* f. — (enduites de cire), *cerae, arum,* f. pl.

tabouret, s. m. Siège sans bras ni dossier. *Pulvinus, i,* m.

tache, s. f. Marque naturelle sur la peau des animaux. *Nota, ae,* f. *Naevus, i,* m. *Macula, ae,* f. Qui a des —, *maculosus, a, um,* adj. Fig. Sans —, voy. IMMACULÉ. ¶ (Par anal.) Altération en une place de la couleur de l'ensemble. — de rousseur, *lentigo, ginis,* f. — de la lune, *maculae, arum,* f. pl. Qui a des —, *maculosus, a, um,* adj. Faire —, voy. DÉPARER. || (Spéc.) Altération morbide de la couleur — rouge, *rubor, oris,* m. — bleuâtre, *livor, oris,* m. *sugillatio, onis,* f. || (Fig.) Défaut qui dépare l'ensemble d'une œuvre. *Macula, ae,* f. ¶ Marque qui a sali qqch. *Macula, ae,* f. Qui a des —, couvert de —, *maculosus, a, um,* adj. Faire — d'huile, voy. S'ÉTENDRE. || (Fig.) Ce qui ternit la pureté de l'âme, la réputation. *Macula, ae,* f. *Labes, is,* f. *Nota, ae,* f. Qui est sans —, *infamiā intactus.* Réputation sans —, *fama illaesa.* Vie sans —, *purē acta aetas.*

tâche, s. f. Travail qu'on a l'obligation de faire. *Pensum, i,* n. *Opus, eris,* n. *Munus, eris,* n. (empl. souvent avec un autre mot, ex. : *magnum onus atque munus; munus pensumque*). *Labor, oris,* m. Fig. Prendre à — de, *enixē operam dāre ut* (et le Subj.). ¶ (Spéc.) Quantité de travail qu'on s'est engagé à faire dans un temps et pour un prix déterminé. *Opera, ae,* f. Un ouvrier à la —, *operarius, ii,* m.

tacher, v. tr. Salir (qqch.) en une place. *Maculāre,* tr. *Inquināre,* tr. — complètement, *commaculāre,* tr.

tâcher, v. intr. Prendre à tâche. — de faire (s'attacher à faire, s'efforcer de faire), *laborāre ut* (et le Subj.). Voy. [s'] EFFORCER. — que, voy. FAIRE [en] SORTE.

tacheter, v. tr. Marquer de taches. *Maculis variāre,* ou (simpl.) *variāre,* tr. Tacheté, *maculis sparsus.*

tacite, adj. Qu'on laisse comprendre, deviner sans l'exprimer formellement. *Tacitus, a, um,* adj.

tacitement, adv. D'une manière tacite. *Tacitē,* adv.

taciturne, adj. Qui est habituellement silencieux. *Taciturnus, a, um,* adj.

taciturnité, s. f. Manière d'être d'une personne taciturne. *Taciturnitas, atis,* f.

tact, s. m. Exercice du sens du toucher. *Tactŭs, ūs,* m. *Tactio, onis,* f. || (Fig.) Sentiment des convenances à l'égard des personnes. *Judicium, ii,* n.

tacticien, s. m. Celui qui est versé dans la tactique. *Disciplinae bellicae peritus.*

tactique, adj. Relatif à l'art de ranger et de faire mouvoir, sur le terrain, les différentes armes. *Ad rem militarem pertinens.* || *Subst. au fém.* La — (art de ranger et de faire mouvoir, sur le terrain, les différentes armes), *ars aciem instruendi.* Employer une — nouvelle, *novā arte uti.* || (Fig.) Marche qu'on suit pour arriver à un certain résultat. *Ars, artis,* f.

taie, s. f. Tache blanche sur la cornée. *Albugo, inis,* f.

taillade, s. f. Coup qui entaille. *Caesa, ae,* f.

taillader, v. tr. Entailler en divers endroits par des incisions en long. *Concīdère,* tr.

taillandier, s. m. Fabricant, marchand d'outils tranchants. *Falcarius, ii,* m.

taillant, s. m. Voy. TRANCHANT.

taille, s. f. Action de tailler, de couper (suivant une forme déterminée). *Sectio, onis,* f. *Consectio, onis,* f. *Caesura, ae,* f. Pierres de —, *quadratum saxum* (collectif) ou *quadratus lapis* (collectif) — de pierres précieuses, *levigatio, onis,* f. ¶ Action d'entailler, de faire des incisions. *Sectio, onis,* f. Ceux qui ont subi l'opération de la —, *secti,* m. pl.

‖ (Gravure.) *Scalptura, ae,* f. ¶ (Par ext.) Ce qui sert à entailler. ‖ (Spéc.) Le tranchant de l'épée. *Acies, ei,* f. De —, *caesim,* adv. ‖ Ce qui est entaillé. — de boulanger, *talea, ae,* f. ‖ (Fig.) Action de partager, de répartir; (*spéc.*) impôt levé sur les personnes, les terres. *Tributum, i,* n. ¶ Dimension. Voy. ce mot. ¶ (Spéc.) Dimension en hauteur du corps humain. *Statura, ae,* f. — élevée, élancée, *proceritas, atis,* f. De haute —, *procerus, a, um,* adj. Petite —, *brevitas, atis,* f.; *humilitas, atis,* f. ‖ (Par anal.) Dimension en hauteur, en grosseur, du corps de l'homme, des animaux. Forte — (des animaux), *vastitas, atis,* f. De forte —, *vastus, a, um,* adj.; *immanis, e,* adj. Fig. Etre de — à, *parem* (ou *haud imparem*) *esse ad aliquid* (*faciendum*) ou *alicui rei faciendae.* ‖ Le tour de la — (la ceinture) *et simpl.* la —, *latus, eris,* n. Avoir la — mince, *gracilem esse.* ‖ (Par ext.) Forme du corps. *Habitus corporis.*

tailler, v. tr. Couper (qqch.) suivant une forme déterminée. *Secāre* ou *resecāre,* tr. *Caedēre,* tr. *Circumcidēre* (« couper tout autour, tailler »), tr. *Concīdēre* (« abattre en taillant) », tr. *Excīdēre* (« enlever en coupant, tailler »), tr. *Incīdēre,* tr. *Praecidēre* (« enlever en coupant, tailler »), tr. *Recīdēre* (« raccourcir en coupant, tailler »), tr. *Putāre* (« nettoyer; *d'où* tailler les arbres »), tr. *Amputāre* (« couper tout autour, tailler »), tr. *Deputāre* (« tailler, élaguer ») », tr. *Tondēre* (« couper, tailler [les cheveux, etc.] »), tr. *Sculpēre* (« tailler le bois, la pierre, le marbre, etc. »), tr. — un vêtement, *consuendam vestem apte concidēre.* — de l'ouvrage, de la besogne à qqn, *negotium alicui exhibēre.* ‖ (Par hyperb.) Tailler une armée en pièces. *Prosternēre* (ou *profligāre*) *exercitum.* ¶ Entailler. *Secāre,* tr. ‖ (Spéc.) Tailler qqn, *c.-à-d.* lui faire subir l'opération de la taille. *Secāre,* tr. ¶ Partager, répartir. Voy. ces mots. — l'impôt, voy. RÉPARTIR.

tailleur, s. m. Celui qui coupe (qqch.) suivant une forme déterminée. *Qui secat.* Un — de pierres (pour bâtir), *lapicida, ae,* m. Un — d'habits, *et* (*absolt.*) un —, *vestifex, ficis,* m.

tailleuse, s. f. Couturière pour robes et vêtements de femme. *Vestifica, ae,* f.

taillis, s. m. Bois —, *et, substantivt,* — (petit bois d'arbres que l'on coupe de temps en temps), *caedua silva.*

taire, v. pron. et tr. ‖ (*V. pron.*) Se —, *c.-à-d.* garder le silence, *tacēre* (« cesser de parler, se taire »), intr. (s'opp. à *loqui, dicēre*); *reticēre,* intr.; *conticescēre* (« se taire, demeurer silencieux »), intr. *silēre* (« se taire, *c.-à-d.* garder le silence, rester silencieux »), intr. ¶ (Fig.) *Poēt.* Ne pas se manifester. *Silēre,* intr. *Tacēre,* intr. *Conticescēre,* intr. Faire —,

voy. [réduire au] SILENCE. ¶ (*V. tr.*) Garder le silence sur (qqch.). *Tacēre,* tr. *Reticēre,* tr. *Celāre,* tr. ‖ Passer sous silence (qqch.). *Comprimēre,* tr. *Supprimēre,* tr. *Transīre,* tr.

talent, s. m. (Antiq.) Poids d'environ vingt-sept kilogrammes. *Talentum, i,* n. ‖ Monnaie de compte équivalant à ce poids en or, en argent. *Talentum, i,* n. ¶ (Fig.) Valeur, supériorité naturelle *ou* acquise dans un genre quelconque. *Ingenium ii,* n. *Indoles, is,* f. *Facultas, atis,* f. *Virtus, utis,* f. *Ars, artis,* f. ‖ (Fig.) Enfouir son —, *virtutes suas supprimēre.*

talion, s. m. Pénalité qui inflige au coupable le traitement même qu'il fait subir à d'autres. *Talio, onis,* m.

talisman, s. m. Pierre, anneau, etc. passant pour avoir une vertu surnaturelle. *Amuletum, i,* n.

talon, s. m. Le derrière du pied de l'homme. *Calx, calcis,* f. *Talus, i,* m. ‖ (P. ext.) Partie de la chaussure qui enferme le talon, *et p. ext.,* pièce placée sous le talon pour l'exhausser. *Fulmenta, ae,* f.

talonner, v. tr. Suivre (qqn) de très près, marcher sur ses talons. *Instāre alicui.* ¶ Presser une (monture) en la frappant des talons. *Subdēre calcaria equo.* ‖ (Fig.) Presser vivement, sans relâche. *Calcaria alicui adhibēre* (ou *admovēre*).

talonnière, s. f. Ailes au talon, attribut de Mercure. *Talaria, ium,* n. pl.

talus, s. m. Terrain en pente, naturel ou artificiel. *Declivitas, atis,* f.

tamaris, s. m. Sorte d'arbrisseau. *Tamarice, es,* f.

tambour, s. m. Caisse cylindrique, instrument de percussion. *Tympanum, i,* n. Fig. Mener qqch. tambour, festināre aliquid.* Loc. prov. Sans — ni trompette. *tacito* (ou *silenti*) *signo ;* (en parl. d'une armée), *tacito agmine;* (d'une façon générale), *sine tumultu.*

tambouriner, v. intr. et tr. ‖ (*V. intr.*) Faire résonner un tambour. *Tympanum pulsāre.* ¶ (*V. tr.*) Publier (qqch.) au son du tambour. Voy. PUBLIER.

tamis, s. m. Cercle de bois tendu d'une toile à mailles, servant à passer des matières pulvérulentes, des liquides troubles, etc. *Excussorium cribrum e lino,* ou simpl. *cribrum, i,* n.

Tamise, n. pr. Fleuve d'Angleterre. *Tamesis, is,* m.

tamiser, v. tr. Faire passer par le tamis. *Cribro* (ou *per cribrum*) *cernēre* ou *transmittēre,* ou simpl. *cernēre,* tr.

tampon, s. m. Petite masse de bois, etc. qu'on introduit dans une ouverture pour la boucher. *Obturamentum, i,* n.

tamponner, v. tr. Boucher, consolider avec un tampon. *Obturāre,* tr.

tan, s. m. Ecorce de chêne pulvérisée

dont on se sert pour préparer les cuirs. *Cortex ad perficienda coria.*

Tanaïs, n. pr. Fleuve de Scythie, *Tanais, is,* m.

tancer, v. tr. — qqn d'importance ou vertement, *aliquem graviter increpăre.* [*Tinca, ae,* f.

tanche, s. f. Poisson d'eau douce.

tandis, adv. ‖ (Loc. conj.) — que, tout le temps que, *tam diu... dum.* ‖ Pendant tout le temps que. *Dum,* conj. (av. l'Indic.). *Cum,* conj. (av. le Subj.). ‖ Au lieu que. *Cum,* conj. (av. le Subj.).

tangage, s. m. Balancement du navire sur l'eau, de l'avant à l'arrière, de l'arrière à l'avant. *Jactatio navis.*

tangible, adj. Qui tombe sous le sens du toucher. *Tractabilis, e,* adj.

tanière, s. f. Retraite d'une bête sauvage. *Cubile, is,* n. ‖ (Fig.) Voy. REPAIRE.

tannage, s. m. Action de tanner les peaux. *Coriorum subactio.*

tanner, v. tr. Préparer (les peaux) avec du tan. *Subigĕre corium* (ou *pelles*). *Perficĕre coria (cortice).*

tanneur, s. m. Celui qui tanne les peaux. *Subactarius coriarius* ou simpl. *coriarius, ii,* m.

tant, s. m. et adv. ‖ *S. m.* Telle quantité. *Tantum,* n. Pour —, *tanti.* Tant et tant, — et plus, *satis superque.* — de, *tantum,* n. (av. le Gén.); *tantus, a, um,* adj. (avec des subst. expr. grandeur, qualité); *tot,* adj. indécl. ou *tam multi, ae, a,* adj. pl. (avec des subst. désign. des objets qui se comptent). — de fois, *toties* ou *totiens,* adv. ¶ *Adv.* En telle quantité. *Tantum,* adv. Tous — que nous sommes, *quotqua sumus homines.* ‖ Autant, à tel point *Tantum,* adv. *Tantus, a, um,* adj. (avec des subst. exprimant qualité (*tanta est ejus humanitas,* tant est grande sa bonté). *Tam,* adv. (devant des adj. ou des adv.) *Adeo,* adv. — il est vrai que..., *usque eo* ou *usque adeo* (av. l'Ind.); *ita* ou *sic* (av. l'Ind.); *adeo* (av. l'Indic.). ‖ *Loc. conj.* — que, *c.-à-d.* au même point que, voy. AUTANT. ‖ A tel point que. *Tantum,* adv. *Tam,* adv. *Adeo,* adv. ‖ (Par ext.) Aussi longtemps (que). *Tamdiu...,* adv. ‖ Si longtemps (que), *tam diu ut* (et le Subj.). ‖ Aussi loin que. — que la vue peut s'étendre, *quo longissimē oculi conspectum ferunt.* ‖ En tant que. *Eatenus quoad... Quatenus,* adv. relat. *Quantum,* adv. ‖ D'autant. — mieux, *bene est; optimē; gaudeo.*

tante, s. f. Sœur du père ou de la mère. — paternelle, *amita, ae,* f., *patris soror.* — maternelle, *matertera, ae,* f.; *matris soror.*

tantôt, adv. Peu après, *c.-à-d.* dans la journée (par rapport au matin). —, *et, subst.,* sur le —, *paulo post.* Je reviendrai —, *jam hoc adero.* ¶ Peu auparavant (par rapport au soir). *Paulo ante.* ¶ (Répété.) A tel ou tel moment. *Modo... modo... Modo... tum. Modo... nunc. Alias... alias.* — ceci, — cela, *alias aliud.* — d'une façon, — d'une autre, *alias aliter.* — l'un, — l'autre, *alius deinde alius.* — celui-ci, — celui-là, *unus et item alter.*

taon, s. m. Grosse mouche qui pique les animaux. *Tabanus, i,* m. *Oestrus, i,* m. *Asilus, i,* m.

tapage, s. m. Bruit qu'on fait en tapant sur qqch. Voy. CHOC, HEURT. ‖ (P. ext.) Bruit désordonné. *Strepitŭs, ŭs,* m. *Tumultŭs, ŭs,* m.

tapageur, euse, s. m. et f. Celui, celle qui fait du tapage. *Qui (quae) turbam facit. Turbulentus (homo, puer). Turbulenta (mulier, puella).*

tape, s. f. Coup donné avec le plat de la main. *Alapa, ae,* f.

taper, v. tr. Frapper avec le plat de la main. *Alapam (alicui) ducĕre. Pulsare palmā.* Absolt. — sur qqn, sur qqch., voy. FRAPPER. — du pied, *supplodĕre pedem.* [la dérobée], *furtim,* adv.

tapinois, s. m. ‖ (Loc. adv.) En — (à tapir (se), v. pron. Se dissimuler en se faisant mince. *Se complicăre.*

tapis, s. m. Pièce d'étoffe qu'on étend sur une table. *Vestis stragula* ou (simplt.) *vestis, is,* f. — de table, *tapete, is,* n.

tapisser, v. tr. et intr. ‖ (*V. tr.*) Couvrir d'une tenture de tapisserie ou d'étoffe. *Aulaea obducĕre* ou *circumdăre (lectis). Tapetibus vestire (parietes).* ‖ (Fig.) *Sternĕre,* tr. *Vestīre,* tr. ¶ (*V. intr.*) Faire un ouvrage de tapisserie. Voy. BRODER.

tapisserie, s. f. Canevas sur lequel on fait à l'aiguille des figures, des ornements variés. Voy. BRODERIE. Faire de la —, voy. BRODER. ¶ Tenture servant à revêtir les murailles d'une pièce. *Pictura textilis.*

tapissier, s. m. Celui qui fabrique, qui vend des tentures, etc. *Stragularum vestium* (ou *tapetium*) *artifex* (ou *mercator*).¶ Celui qui pose des rideaux, des tapis, etc. *Qui parietes aulaeis* (ou *tapetibus*) *vestit, obducit.*

tard, adv. A un moment éloigné. — Par rapport à un temps marqué. *Tardē,* adv. *Sero,* adv. Plus —, *c.-à-d.* dans la suite, *posterius,* adv.; *postea,* adv.; *post,* adv. ¶ (Par rapport au temps habituel.) *Sero,* adv. Trop —, *post tempus* (opp. à *ad tempus,* à temps). — dans la journée, *multo die.* Il était déjà —, *multa jam dies erat.* — dans la nuit, *multā nocte.*

tarder, v. intr. Venir tard. *Tardāre,* intr. *Morāri,* dép. intr. *Cunctāri,* dép intr. Sans —, *sine morā.* Impers. Il me — de, *nihil mihi longius est quam* ou *quam dum* (et le Subj.): *nihil antiquius habeo quam ut* (et le Subj.).¶ S'y prendre

tard pour agir. *Cunctāri*, dép. intr. *Morāri*, dép. intr. Par ext. Cela ne tardera pas à arriver, *c.-à-d.* arrivera bientôt. Voy. BIENTÔT. Sans —, *sine morā* ou *sine cunctatione*.

tardif, ive, adj. Qui s'y prend tard pour agir. *Tardus, a, um*, adj. *Serus, a, um*, adj. Supplice, châtiment —, *tarditas supplicii.*¶ Qui vient tard. *Tardus, a, um*, adj. A une heure — de la nuit, *multā nocte*. Gelées —, *praeposteri rigores*. ‖ (Spéc.) Qui se développe tard. *Serus, a, um*, adj. *Serotinus, a, um*, adj.

tardivement, adv. D'une manière tardive. *Sero*, adv. *Tardē*, adv.

tardiveté, s. f. Développement tardif. *Sera maturitas*.

tarer, v. tr. Altérer par une tare. *Vitiāre*, tr. *Corrumpĕre*, tr. Taré, *vitiosus, a, um*, adj.; *vitiatus, a, um*, p. adj.; (en parl. des pers.), *infamis, e*, adj.

targuer (se), v. pron. Se prévaloir avec arrogance. *Gloriāri (aliquā re)*.

tarière, s. f. Outil qu'on fait tourner pour faire des trous dans le bois. *Terebrum, i, n.*

tarif, s. m. Tableau indicateur de divers prix de marchandises, etc. *Formula, ae*, f. *Pretiorum index*.

tarir, v. tr. et intr. ‖ (*V. tr.*) Mettre à sec. *Siccāre*, tr. *Exsiccāre*, tr. *Exurĕre*, tr. Se —, *siccāri*, pass. Tari, *siccatus, a, um*, p. adj.; *siccus, a, um*, adj. ‖ (Fig.) *Exhaurīre*, tr. — la source de..., *exstinguĕre*, tr. ¶ (*V. intr.*) Etre mis à sec. *Siccāri*, pass. *Arescĕre*, intr. *Exarescĕre*, intr. Faire —, voy. DESSÉCHER. Qui ne tarit jamais, *perennis, e*, adj. P. anal. Les pleurs tarissent, *exarescit lacrima*. ‖ (Fig.) Faire —, *exhaurīre*, tr. Tarir, *inarescĕre*, intr.; *exhaurīri*, pass.; *exarescĕre*, intr. La source des revenus tarit, *obsolescit vectigal*. Curion ne tarit pas là-dessus. *Curio totus hoc scaturit*.

Tarquin, n. pr. Roi de Rome. *Tarquinius, ii*, m.

Tartare, n. pr. Enfer des anciens. *Tartarus, i*, m. *Tartara, orum*, n. pl.

tarte, s. f. Gâteau rond. *Scriblita, ae*, f.

tas, s. m. Réunion de choses mises les unes sur les autres. *Acervus, i, m.* *Cumulus, i*, m. *Congestus, ūs*, m. *Strues, is*, f. — (considéré comme mesure), *strues, is*, f. — de terre, voy. LEVÉE, REMBLAI. — de bois, *strues, is*, f. — de foin, voy. MEULE. En —, par —, *acervatim*, adv.; *cumulatim*, adv. Elever en —, faire des —, mettre en —, *exstruĕre*, tr. ‖ (Fig.) Réunion confuse de personnes, de choses (en parl. des pers.). *Turba, ae*, f. (En parl. des ch.). *Acervus, i*, m. *Strues, is*, f. *Congestus, ūs*, m.

tasse, s. f. Petit verre dont on se sert pour boire. *Cantharus, i*, m.

tassement, s. m. Affaissement d'une construction, d'une masse de terre, etc. *Depressio, onis*, f.

tasser, v. tr. Presser des choses de même espèce mises les unes sur les autres. *Aggerāre*, tr. — solidement, *inculcāre*, tr. Enfoncer en tassant, *inculcāre*, tr. Se —, *subsidĕre*, intr.

tâter, v. tr. Explorer, vérifier à l'aide du toucher. *Tentāre*, tr. *Contrectāre*, tr. *Pertractāre*, tr. Fig. Se — (examiner ses dispositions), *se ipsum tentāre*. Se — (pour voir si l'on est en bon état, sans blessure), *attrectāre* (ou *explorāre manu*) *corpus* (ou *membra*). — le terrain (vérifier si le terrain est praticable), *explorāre iter*. ‖ — (d'un aliment, d'une boisson), *explorāre gustu*. ‖ (Fig.) — d'une chose (en faire l'expérience), *tentāre aliquid*. ¶ Tâter qqn (faire l'essai de sa bravoure, de son adresse, etc.). *Tentāre*, tr. *Pertentāre*, tr.

tâtonnement, s. m. Action de tâtonner. *Praetentatus* (Abl. *u*), m.

tâtonner, v. intr. Tâter avec les mains dans l'obscurité pour se diriger, etc. *Huc illuc ire manibus* (ou *pedibus*) *iter praetentantem*. *Praetentāre iter* (*baculo*). ‖ (Fig.) Faire différents essais avec incertitude, hésitation. Voy. HÉSITER.

tâtons (à), loc. adv. En tâtonnant. *Errando*. *In tenebris*. Aller à —, *iter praetentāre*. ‖ (Fig.) Sans savoir où l'on va. *Titubanter*, adv.

taupe, s. f. Petit mammifère qui creuse des galeries sous la terre. *Talpa, ae*, f.

taureau, s. m. Le mâle de la vache. *Taurus, i*, m. Jeune —, *juvencus, i*, m.

taux, s. m. Montant du prix fixé pour les marchandises. *Aestimatio, onis*, f. ‖ (P. ext.) Montant du prix fixé pour les frais de justice. *Formula, ae*, f. ¶ Montant de l'intérêt auquel l'argent est prêté. *Fenus, oris*, n. *Usura, ae*, f. A un — usuraire, *feneratio*, adv. Prêt à un — usuraire, *feneratio, onis*, f.

taverne, s. f. Lieu où les gens viennent boire, manger pour de l'argent. *Taberna, ae*, f. *Caupona, ae*, f.

taxation, s. f. Action de taxer. *Taxatio, onis*, f.

taxe, s. f. Montant de l'imposition fixée pour chaque contribuable. *Tributum, i*, n. ‖ Montant du prix fixé pour certaines denrées. *Indicatio, onis*, f. *Pretium certum* (ou *legitimum*) ou (simpl.) *pretium, ii*, n.

taxer, v. tr. — qqch. (fixer à une somme déterminée le prix de certaines denrées, de certains droits). *Taxāre*, tr. *Aestimāre*, tr. (*Alicui rei*) *pretium certum constituĕre* (ou *imponĕre*). ¶ Taxer qqn (le porter au rôle des contribuables pour une somme déterminée). *Censēre*, tr. *Tributum* (ou *vectigal*) *imponĕre* (*alicui*).

te, pron. pers. Forme atone de « toi », pronom personnel de la deuxième personne. ‖ Complément direct. *Te*. ‖ Avec un verbe réfléchi. Tu t'abuses, *erras*. Tu te repentiras, *te paenitebit*. Va-t'en,

abi. || Complém. indirect. *Tibi.* Voy.
TOI, TU.

technique, adj. Spécial à un art, à
une science. *Ad artem* (ou *scientiam*)
pertinens.

teigne, s. f. Petit ver qui dévore les
grains. *Curculio, onis,* m. ¶ Petit insecte qui ronge les étoffes, les livres, etc.
Tinea, ae, f. ¶ (P. anal.) Maladie du
cuir chevelu chez l'homme. *Capitis
porrigines,* et (simpl.) *porrigo, inis,* f. ||
Maladie qui attaque l'écorce des arbres.
Scabies, ei, f.

teindre, v. tr. Imprégner (du fil, de la
laine, un tissu, etc.) d'une substance
qui lui fait prendre telle ou telle cou-
leur. *Tingĕre,* tr. *Inficĕre,* tr. || (Par
ext.) Donner une couleur (en parl. d'un
produit, d'une matière colorante). *Tingĕre,* tr. — en rouge, *rufâre,* tr. — en
rouge pourpre, *fucâre,* tr. — les cheveux en blond, *flavum facĕre capillum.*
— les cheveux en noir, *denigrâre capil-
lum.* || (Fig.) Colorer. *Tingĕre,* tr. *Infi-
cĕre,* tr. *Imbuĕre,* tr. Se —, c.-à-d.
prendre une couleur différente de celle
qu'on avait, *colorem accipĕre* ou *colorâri,*
passif. || Marquer d'un caractère em-
prunté. *Fucâre,* tr. || Initier à une con-
naissance légère des choses. *Inficĕre,* tr.

teint, s. m. Manière dont une chose
a été teinte. Voy. TEINTURE. Spéc.
Bon — (en parl. d'une étoffe), *firmus*
(ou *solidus*) *color.* ¶ Coloris naturel du
visage. *Color, oris* (ou *cutis*) ou simpl.
color, oris, m. Beauté, éclat, fraîcheur
du —, *color, oris,* m. Altérer le —,
decolorâre, tr.

teinte, s. f. Couleur étendue sur un
fond, dont elle modifie le ton, la
nuance. *Color, oris,* m. Prendre une —
pourprée, *purpurascĕre,* intr. || (Fig.)
Color, oris, m.

teinter, v. tr. Couvrir d'une teinte.
Colorem inducĕre (alicui rei). || (P. anal.)
De l'eau teintée de vin (légèrement
rougie), *vinum dilutius.*

teinture, s. f. Action de teindre. *Tinc-
tura, ae,* f. *Ars tingendi* (ou *inficiendi*).
Tinctus, ûs, m. *Infectûs* (Abl. u), m. ||
Résultat de cette action. Voy. TEINTE.
¶ Substance colorante pour teindre.
Medicamentum, i, n. — de pourpre,
fucus, i, m. Plonger dans la —, *inficĕre,*
tr. Prendre la —, *colorem ducĕre* (ou
perbibĕre ou *accipĕre*). || (Fig.) Con-
naissance, impression légère gardée
de qqch. *Color, oris,* m. Avoir une
légère — des lettres, *tinctum esse
litteris.*

teinturerie, s. f. Atelier de teinturier.
Ars tingendi (ou *inficiendi*). ¶ Atelier
de teinture. *Officina infectoris. Tingen-
tium officinae.*

teinturier, *ière,* s. m. et f. Celui, celle
qui exerce l'industrie de la teinture.
Infector, oris, m. Teinturière, *quae
tingit.*

tel, *telle,* adj. Pareil à une chose, à une
personne dont on vient de parler ou
dont on va parler. *Talis, e,* adj. *Is, ea,
id,* adj. pron. *Hic, haec, hoc,* adj. pron.
En — manière, voy. AINSI. — que,
c.-à-d. semblable à, voy. PAREIL, SEM-
BLABLE. — que, c.-à-d. comme (par
exemple), voy. COMME. — quel, *qualis-
cumque* (voy. QUELCONQUE). Tel ou —,
hic atque ille. Un —, *quidam.* — père
— fils, *qualis pater, talis filius.* ¶ Si
grand. *Talis, e,* adj. *Is, ea, id,* adj. pron.
Tantus, a, um, adj.

tellement, adv. D'une telle manière.
Tali ou *hoc* (ou *eo*) *modo. Ita,* adv. *Sic,*
adv. *Adeo,* adv. || — que (de telle ma-
nière que), *ita* (ou *sic*)... *ut* (et le Subj.)
— que (à tel point que), *adeo* (*usque
adeo*) ou *ita* (*sic*) ...*ut* (et le Subj.);
tantum ...*ut* (et le Subj.).

téméraire, adj. Qui est d'une hardiesse
inconsidérée. *Temerarius, a, um,* adj.
Audax (gén. *-acis*), adj. || (Spéc.) En
parl. de la hardiesse des idées. *In cogitando audacior. Inconsultus, a, um,* p.
adj. Subst. Un —, *homo in consiliis
praeceps.* En —, voy. TÉMÉRAIREMENT.
|| En parl. des choses. *Audax* (gén.
-acis), adj. *Temerarius, a, um,* adj.
Démarche, entreprise —, *temerè factum.*
Jugement —, *opinandi temeritas.* Porter un jugement —, *temerè suspicâri.*

témérairement, adv. D'une manière
téméraire. *Audacter,* adv. *Temerè,* adv.

témérité, s. f. Hardiesse inconsidérée.
Audacia, ae, f. *Temeritas, atis,* f. || (P.
ext.) Acte de hardiesse inconsidérée.
Facinus (ou *consilium*) *temerarium.
Praeceps consilium.*

témoignage, s. m. Déclaration de qqn
pour certifier une chose qu'il a vue
ou entendue. *Testimonium, ii,* n. — im-
posant, *auctoritas, atis,* f. || (Spéc.)
Déclaration que qqn est appelé à faire
devant la justice. Voy. DÉPOSITION.
|| (Fig.) *Testimonium, ii,* n. *Fides, ei,* f.
Auctoritas, atis, f. S'en rapporter au
— des sens, *ad sensus omnia referre.*
Le — de la conscience, *animi conscien-
tia,* ou (simpl.) *conscientia.* || (Par ext.)
Le — des hommes, *omnium consensûs.*
¶ (Au fig.). Ce qui est la preuve mani-
feste de qqch. *Testimonium, ii,* n.
Documentum, i, n.

témoigner, v. intr. et tr. || (V. *intr.*)
Porter témoignage. *Testem esse. Testimonium dicĕre.* ¶ (V. *tr.*) Montrer
manifestement. *Testimonio esse alicui.*

témoin, s. m. Personne qui rend témoignage. *Testis, is,* m. et f. Prendre à —,
testâri, dép. tr.; *contestâri,* dép. tr.;
invocâre, tr. Etre — que, *testâri,* dép.
tr. || (Spéc.) Personne qui doit venir
certifier l'identité de qqn, l'exactitude
d'une déclaration, pour assurer la
validité d'un acte. *Auctor, oris,* m.
Etre — de la rédaction d'un testament,
interesse testamento faciendo. || Personne

qui témoigne en justice. *Testis, is*, m. et f. Prendre à —, *antestāri*, dép. tr. ‖ Personne qui est chargée de régler les conditions d'un duel. Voy. SECOND. ¶ (Par anal.) Personne qui a vu ou entendu qqch. *Testis, is*, m. et f. *Arbiter, tri*, m. *Conscius, a, um*, adj. Etre — de, *interesse*, intr. *(qui istius crudelitati interfuerunt)*.

tempe, s. f. Région de la tête entre le coin de l'œil et le haut de l'oreille. *Tempus capitis*, et simpl. *tempus, poris*, n.

tempérament, s. m. Mélange qui modère la force d'un liquide, d'un gaz, etc. *Temperamentum, i*, n. *Temperies, ei*, f. ‖ (Fig.) Juste proportion qui maintient les choses dans la mesure. *Temperamentum, i*, n. *Temperatio, onis*, f. User de —, *mediam consilii viam consequi*. (P. ext.) Acheter à —, c.-à-d. en donnant de petits acomptes, voy. ACOMPTE. ‖ Constitution physique propre à un corps organisé, selon la manière dont les différentes fonctions y sont équilibrées. *Natura, ae*, f. *Ingenium, ii*, n. *Affectio, onis*, f. *Constitutio, onis*, f. — physique, *corporis constitutio*.

tempérance, s. f. Vertu consistant à modérer ses désirs. *Temperantia, ae*, f. ¶ Modération dans les plaisirs sensuels, spécialement dans les plaisirs de la table. *Temperantia in victu*, et simpl. *temperantia, ae*, f. *Abstinentia, ae*, f.

tempérant, *ante*, adj. Modéré dans les plaisirs sensuels, spécialement dans les plaisirs de la table. *Temperans* (gén. *-antis*), p. adj. *Moderatus, a, um*, p. adj.

température, s. f. Degré de chaleur d'un lieu, d'un corps, etc. *Calor, oris*, m. — élevée, *aestus, ūs*, m, Changements soudains de —, *mutationes caloris et refrigerationis*. ‖ (Spéc.) Degré de chaleur de l'atmosphère. *Caelum, i*, n. Une — élevée, *calor, oris*, m. Température basse, *frigus, oris*, n.

tempérer, v. tr. Modérer par qq. mélange (la force d'un liquide, d'un gaz, etc.). *Temperāre*, tr. ¶ Modérer par qq. adoucissement. *Temperāre*, tr. *Condire*, tr. *(comitate condita gravitas)*. ‖ (Spéc.) Climat tempéré, *caeli temperatio mite* (ou *mitius*) *caelum*. Hiver —, *mollis hiems*. ‖ (Fig.) Style tempéré, *genus dicendi medium*. Genre tempéré, *genus lene*.

tempête, s. f. Tourmente furieuse. *Tempestas, atis*, f. *Procella, ae*, f. Vent qui souffle en —, *ventus procellosus*. ‖ (Spéc.) Tourmente sur mer. *Tempestas, atis*, f. *Procella, ae*, f. Agité par les —, *procellosus, a, um*, adj. ¶ (Au fig.) Violente agitation. *Procella, ae*, f. *Turbo, binis*, m. ‖ Bruit terrible. *Tumultūs, ūs*, m.

tempêter, v. intr. Faire un bruit terrible. *Tumultuāri*, dép. intr.

tempétueux, *euse*, adj. Où règnent les

tempêtes. *Procellosus, a, um*, adj.

temple, s. m. Edifice consacré au culte public de la Divinité. *Templum, i*, n. *Aedes sacra* ou *aedes, is*, f. (suivi du nom de la divinité au génit.)

temporaire, adj. Qui n'est que pour un certain temps. *Qui (quae, quod) ad tempus fit (decernitur, instituitur, defertur*, etc.). *Brevis, e*, adj. Etre —, non *diuturnum esse* ou *ad tempus esse*,

temporairement, adv. D'une manière temporaire. *Ad (ou in) tempus*.

temporel, *elle*, adj. Relatif aux choses passagères qui sont dans le temps. *Temporalis, e*, adj. ¶ Relatif aux choses de la vie matérielle. *Temporalis, e*, adj.

temporisation, s. f. Action de temporiser. *Cunctatio, onis*, f.

temporiser, v. intr. Différer pour attendre un moment plus favorable. *Cunctāri*, dép. intr.

temporiseur, *euse*, s. m. et f. Celui, celle qui temporise. *Cunctator, oris*, m.

temps, s. m. L'ensemble de la durée considéré d'une manière générale. *Tempus, oris*, n. ‖ Succession des parties de la durée considérée par rapport aux événements, aux occupations de la vie. *Tempus, oris*, n. *Spatium, ii* (« espace de temps; temps nécessaire pour faire qqch.) »), n. *Otium, ii* (« loisir, temps nécessaire pour faire qqch. »), n. *Intervallum, i*, n. *Aetas, atis* (« temps depuis lequel on est en vie »), f. *Dies, diei* (« durée, temps »), m. et f. Quand on a le —, *cum otium est*. Il n'y a pas de — à perdre, *maturato opus est*. J'ai du — de reste, *vaco*, intr. Avoir du — à donner à, *vacāre*, tr. intr. ‖ (Gramm.) *Tempus, oris*, n. ¶ Portion de la durée, espace de temps destiné pour l'accomplissement de qqch. *Tempus, oris*, n. *Dies, ei* (« jour fixé »), f. A —, *opportunē*, adv. A contre —, *intempestivē*, adv. Fig. Une chose qui a fait son —, voy. DÉMODÉ, SURANNÉ. ‖ Espace de temps durant lequel qqch. s'accomplit. *Tempus, oris*, n. Pendant quelque —, *aliquandiu*, adv. Pendant un peu de —, *paullisper*, adv. Pour un peu de —, *parumper*, adv. De — en —, *nonnunquam*, adv.; *interdum*, adv. Pendant ce — là, entre —, *interim*, adv.; *interea*, adv. Quelque — après, *aliquanto post*. La plupart du —, *plerumque* adv. ‖ (Spéc.) Période de la vie d'un individu. *Tempus, oris*, n. *Aestas, atis*, f. Fig. Se donner du bon —, *dāre se jucunditati* ou *se oblectāre*. ‖ Vie d'un individu. *Aetas, atis*, f. *Memoria, ae*, f. Du temps de nos grands parents, *avorum memoriā*. ‖ Période de la vie d'un peuple. *Tempus, oris*, n. *Aetas, atis*, f. *Saeculum, i*, n. (ex. : *saeculum felicissimum : tristissimum saeculum*). Les — passés, voy. ANTIQUITÉ. Les — à venir, voy. POSTÉRITÉ. Le — présent, *haec (ou nostra) aetas ; haec memoria*,

Les mœurs du — (présent), *hi mores.*
Le goût du —, *aetatis ratio voluntasque.*
Etre de son —, *sui temporis esse.*
¶ Moment, époque de la durée. *Tempus, oris,* n. Il est — de, c.-à-d. le moment est venu de, *tempus est* (av. le Gér. en *ndi*). Il n'est plus —, *serum est.* || (Spéc.) Unité de durée dans certains mouvements. *Tempus, oris,* n. *Mora, ae,* f. || (Musique.) *Temporum intervalla.* — fort, *positio, onis,* f. — faible, *sublatio, onis,* f. || Pause. *Mora, ae,* f. ¶ (Par anal.) Saison. *Tempus, oris,* n. || (Par ext.) Etat de l'atmosphère. *Caelum, i,* n. *Tempestas, atis,* f. — sec, *siccitas, atis,* f. — de sécheresse persistante, *siccitates,* f. pl. — froid, *frigus, oris,* n. ou *frigora, orum,* n. pl. — chaud, *calor, oris,* m.

tenace, adj. Qui tient, adhère fortement à qqch. *Tenax* (gén. *-acis*), adj. *Lentus, a, um,* adj. || (Fig.) Qui tient fortement à ses idées, à ses résolutions. *Propositi tenax* et simpl., *tenax,* adj. || (P. ext.) En parl. des ch. *Tenax* (gén. *-acis*), adj.

ténacité, s. f. Caractère de ce qui est tenace. *Tenacitas, atis,* f. || (Fig.) *Tenacitas, atis,* f. *Pertinacia, ae,* f. Avec —, *praefracte,* adv.

tenaille, s. f. Outil de fer dont les deux branches se resserrent pour saisir et tenir fortement. *Forceps, ipis* (gén. pl. *forcipium*), m. et f.

tenailler, v. tr. Pincer fortement avec des tenailles. *Forcipe torquere.* || (Fig.) Voy. TORTURER.

tendance, s. f. Disposition en vertu de laquelle un être se sent attiré vers une fin. *Consilium, ii,* n. *Ratio, onis,* f.
Action en vertu de laquelle un corps est porté à se mouvoir dans une certaine direction. *Nutus, us,* m.

1. tendre, adj. Qui se laisse facilement entamer. *Tener, era, erum,* adj. *Mollis, e,* adj. Une couleur —, *lenis color.* ¶ Qui cède facilement aux impressions. *Mollis, e,* adj. *Tener, era, erum,* adj. || (Spéc.) Qui cède facilement à l'amour, aux sentiments affectueux. *Tener, era, erum,* adj. *Mollis, e,* adj. || Qui a pour qqn une affection pleine de sensibilité et de douceur. *Amans* (gén. *-antis*), p. adj.

2. tendre, v. tr. et intr. || (*V. tr.*) Raidir (un corps plus ou moins élastique) en l'allongeant par une traction d'une extrémité à l'extrémité opposée. *Tendere,* tr. *Contendere,* tr. *Extendere,* tr. *Adducere,* tr. || (Par anal.) Allonger en raidissant dans une certiane direction. *Tendere,* tr. *Intendere,* tr. *Porrigere,* tr. || (Par ext.) Déployer en allongeant en tous sens. *Tendere,* tr. *Intendere,* tr. —, devant, *praetendere,* tr. ¶ (Au fig.) *Attendere,* tr. *Contendere,* tr. *Intendere,* tr. ¶ (*V. intr.*) Se diriger, être porté vers un lieu. *Tendere,* intr. *Ferri,* passif. || Se sentir attiré vers

une fin. *Tendere,* intr. *Spectare,* tr. — au même but, *conspirare,* intr. || Etre combiné de manière à aboutir à une fin. *Tendere,* intr. *Spectare,* intr. *Pertinere,* intr.

tendrement, adv. D'une manière tendre. Au propre. *Tenere,* adv. Au fig. *Amanter,* adv.

tendresse, s. f. Caractère de ce qui cède facilement aux impressions. *Teneritas, atis,* f. *Mollitia animi* ou simpl., *mollitia, ae,* f. || Facilité à s'émouvoir. Voy. SENSIBILITÉ. ¶ Affection qu'on porte à qqn. *Amor, oris,* m. *Caritas, atis,* f. — (des parents), *indulgentia, ae,* f.

tendreté, s. f. Caractère de ce qui est tendre (de ce qui se laisse entamer facilement). *Teneritas, atis,* f. *Teneritudo, dinis,* f.

tendron, s. m. Rejeton tendre d'une plante. *Cyma, ae,* f. et *cyma, atis,* n.

ténèbres, s. f. Obscurité profonde. *Tenebrae, arum,* f. pl. *Caligo, ginis,* f. Enveloppé de —, *tenebricosus, a, um,* adj. ¶ (Fig.) Erreur, ignorance qui cache la vérité. *Tenebrae, arum,* f. pl. *Caligo, ginis,* f. || Tristesse. *Nox, noctis,* f. *Caligo, ginis,* f.

ténébreux, euse, adj. Où règnent les ténèbres. *Tenebricosus, a, um,* adj. *Caliginosus, a, um,* adj. *Obscurus, a, um,* adj. ¶ (Fig.) Qui se cache dans les ténèbres. *Tenebricosus, a, um,* adj. ¶ Où la vérité est cachée. Voy. OBSCUR, SOMBRE. — mystère, *tenebrae, arum,* f. pl.

1. teneur, s. f. Suite continue des choses. *Tenor, oris,* m. ¶ (P. ext.) Sens suivi d'un écrit, d'un discours. *Exemplum, i,* n.

2. teneur, euse, s. m. et f. Celui, celle qui tient (qqch.). *Qui (quae) tenet.* || (Spéc.) — de livres, *perscriptor, oris,* m.

tenir, v. tr. et intr. || (*V. tr.*) Avoir dans les mains, entre les bras, etc., de manière à ne pas laisser aller. *Tenere,* tr. *Continere,* tr. *Retinere,* tr. *Habere,* tr. Absol. (à l'Impér.) Tiens, *accipe; tibi habe!* (Fig.) Ecce, adv. Tiens, attrape, *en tibi; hem tibi!* (Pour marquer l'étonnement.) *Attat! Hem!* — qqn à la gorge, *premere alicujus fauces.* || (Par anal.) Mettre (qqch.) dans l'impossibilité de s'en aller, de tomber. *Tenere,* tr. *Sustinere,* tr. || (Spéc.) Ne pas laisser échapper un liquide. *Continere (aquam).* (Par ext.) Avoir une certaine capacité, voy. CONTENIR. || (Fig.) Avoir en sa possession, à sa disposition. *Tenere,* tr. *Obtinere,* tr. *Habere,* tr. *Accepisse* (« avoir reçu, d'où tenir »), tr. Faire — qqch. à qqn, *mittere aliquid.* Fais-moi, je te prie, — cette lettre, *quas litteras velim cures ad me perferendas.* || Avoir sous sa direction. *Tenere,* tr. *Obtinere,* tr. *Habere,* tr. — les comptes (d'une maison), *rationes* (alicujus) conficěre. || Assujettir, obliger. Teněre, tr. Continěre, tr. Retiněre, tr. Sustiněre, tr. ¶ Faire rester dans une certaine position, dans un certain état. Teněre, tr. Continěre, tr. Retiněre, tr. En tenant l'épée haute, infestis cuspidibus. — les yeux fermés, opertos habēre oculos. — les yeux baissés, demittěre oculos in terram. — la tête haute, caput erigěre. — tête, voy. RÉSISTER. Se — droit, stāre, intr. Qui se tient bien, compositus. Qui se tient mal, voy. NÉGLIGÉ. Il n'a qu'à se tien bien — (fig.), sibi caveat. Se — auprès, astāre, intr. — un cheval court, serré, adducěre habenas. — qqn serré, aliquem severius adhibēre (ou coercēre); aliquem durē atque asperē habēre. Se — à une chose, stāre (aliquā re); perstāre (in aliquā re), intr.; inhaerēre (alicui rei), intr.; sequi, dép. tr. (ex. : scriptum [« à la lettre »]); contentum esse (aliquā re). — la main à qqch., aliquid curae habēre. — qqch., qqn pour..., habēre, tr.; putāre, tr. Je tiens que..., c.-à-d. je soutiens que, voy. SOUTENIR, PRÉTENDRE. — à (honneur, etc.), voy. REGARDER [comme]. ¶ Ne pas quitter, garder. — la mer, navigāre, intr. — le large, in alto constitui. || (Par anal.) Occuper un certain espace. Teněre, tr. Obtiněre, tr. Retiněre, tr. Stāre, intr. Servāre, tr. || (Par anal.) Faire quelque chose d'une manière suivie. Habēre, tr. Agěre, tr. ¶ (V. intr.) Etre attaché à qqch. Teněre, intr. Continēri, passif. Adhaerēre, intr. Inhaerēre, intr. Cohaerēre, intr. || (Par anal.) Etre uni à qqn par le sang, l'affection, l'intérêt, etc. Teněri, pass. Cohtiněre, tr. Cela lui tient au cœur, hoc penitus in animo ejus insēdit. || (Au fig.) Etre attaché à qqch., à qqn, lui porter un grand intérêt. Teněre, tr. Cupidum esse. Studiosum esse. Qui tient au cœur. antiquior, us, adj. (au Compar.); carus, a, um, adj. — à (dire, faire qqch.), studēre (av. l'Inf.). || (Absol.) Etre solide. Continēri, pass. || (Fig.) Résister, ne point céder. Sustiněre, tr. Sustentāre, tr. Resistěre, intr. — pour qqn, stāre ab (ou cum) aliquo; stāre ac sentīre cum aliquo. — pour une opinion, opinione (censoris) stāre. || Subsister. Ne point se défaire. Teněre, intr. Manēre, intr. Stāre, intr. — en place, stāre loco. || Participer de la nature de qqn, de qqch. Similem esse alicujus. Alicujus mores referre. Prope (propius, proximē) accedēre ad aliquid. — un peu de..., aliquantum (alicujus ou alicujus rei) habēre. || (Fig.) Dépendre de qqn, de qqch. Voy. DÉPENDRE. Il n'a pas tenu à lui que, per eum non stetit quin (et le Subj.). Il n'a tenu qu'à moi..., per me stetit. || A coup sûr il est pris, il en tient, certe captus est, habet. En — pour qqn, alicui addictum esse.

tension, s. f. Etat de ce qui est tendu.

Contentio, onis, f. Intentio, onis, f. || (Fig.) — d'esprit, contentio animi, ou simpl. contentio, onis, f.

tentant, ante, adj. Qui tente. Qui (quae, quod) tentat (ou sollicitat). Plaisirs —, voluptatum illecebrae. Une proie —, praedae dulcedo. Une gloire —, honoris aura. Etre —, voy. TENTER.

tentateur, trice, s. m. et f. Celui, celle qui cherche à tenter. Tentator, oris, m. Tentatrice, corruptrix, tricis, f. Absolt. Le — (le démon), tentator, oris, m.

tentation, s, f. Attrait qui nous sollicite vers une chose défendue. Illecebra, ae, f. || (P. ext.) Mouvement qui nous sollicite à faire qqch. Scabies, ei, f.

tentative, s. f. Essai pour faire réussir une chose, en dépit d'obstacles, de chances contraires. Conatus, us, m. Conatum, i, n. Inceptum, i, n. Periculum, i, n. Faire une — (contre, auprès de, etc.), tentāre, tr.; periclitāri, dép. intr. et tr.; experiri, dép. tr.; conāri, dép. tr. — de séduction, sollicitatio, onis, f.

tente, s. f. Pavillon fait d'une étoffe tendue pour servir d'abri (surtout pour un campement militaire). — (faite de toile ou de peaux), tentorium, ii, n. — de soldats, recouverte de peaux, pelles, ium, f. pl. — (sorte de hutte, recouverte ordinairement de toiles ou de peaux tendues sur des planchettes, et servant de logement), tabernaculum, i, n. Petite —, tentoriolum, i, n. La — du général, praetorium, ii, n. Dresser les —, vivre sous la —, tenděre, intr. Qui loge sous la même —, contubernalis, is, m. Se retirer sous sa —, seceděre, intr.

tenter, v. tr. Mettre à l'essai, à l'épreuve. Tentāre, tr. Periclitāri, dép. tr. Experiri, dép. tr. ¶ Essayer de faire réussir (une chose) en dépit d'obstacles, de chances contraires. Tentāre, tr. Experiri, dép. tr. Conāri, dép. tr. Adoriri, dép. tr. Aggredi, dép. tr. ¶ Solliciter (qqn) à une chose défendue par l'attrait qu'elle a. Sollicitāre, tr. Pellicěre, tr. Aggredi, dép. tr. || (Par ext.) Exciter le désir. Sollicitāre, tr. Incitāre, tr. Adducěre, tr.

tenture, s. f. Pièce d'étoffe, de tapisserie tendue sur un mur. Peripetasma, matis (abl. plur. peripetasmatis), n. Aulaeum, i, n. (ordin. au plur. aulaea, orum, n.).

ténu, ue, adj. Presque insaisissable à cause de sa finesse et p. ext. très raréfié. Tenuis, e, adj. D'une manière —, subtiliter, adv. Rendre —, extenuāre, tr.

tenue, s. f. Action d'être tenu. Après la — des états, conventibus peractis. (Chargé de la — des livres, a rationibus. || Espace continu. Continuatio, onis, f. D'une seule —, continenter, adv. ¶ Manière d'être tenu. Status, us, m. ||

(Spéc.) Manière de se tenir dans le monde. *Habitūs, ūs,* m. ‖ (Par ext.) Manière d'être habillé. *Habitus atque vestitus* (ou *habitus vestitusque*).

ténuité, s. f. Caractère de ce qui est ténu. *Tenuitas, atis,* f.

térébinthe, s. m. Espèce de pistachier. *Terebinthus, i,* f.

térébenthine, s. f. Résine liquide fournie par les térébenthinacées. *Terebinthina resina.*

tergiversation, s. f. Action de tergiverser. *Tergiversatio, onis,* f.

tergiverser, v. intr. User de détours. *Tergiversāri,* dép. intr.

terme, s. m. Borne marquant la limite d'un champ, d'une frontière, etc. *Terminus, i,* m. ¶ Divinité représentée sous la forme d'une borne. *Terminus, i,* m. ‖ (Par anal.) Figure d'homme, de femme, dont la partie inférieure se termine par une gaine. Que fais-tu là planté comme un Terme? *quid stas, lapis?* ¶ Fin d'un espace à parcourir. *Terminus, i,* m. *Finis, is,* m. ‖ (Par anal.) Fin d'une période de temps. *Exitūs, ūs,* m. *Terminus, i,* m. *Tempus, oris,* n. *Dies, diei,* f. (ordin. en ce sens). — de paiement, *pensio, onis,* f. ‖ (Spéc.) Epoque où l'on paie ordinairement. *Dies, diei,* f. ‖ (Par ext.) Somme due à l'échéance du terme. *Pensio, onis,* f. ‖ Epoque naturelle de l'accouchement. *Partūs, ūs,* m. Accouchement avant —, *abortūs, ūs,* m. ¶ Point où quelque chose finit, s'arrête. *Finis, is,* m. *Terminus, i,* m. ¶ Etat où qqch. vient aboutir. *Finis, is,* m. *Exitūs, ūs,* m. Etre en bons, en excellents — avec qqn, *familiariter uti aliquo* (ou *cum aliquo vivēre*); *valdē alicui esse familiarem.* ¶ Expression d'une idée qui définit son rôle dans une proposition, un raisonnement. *Vocabulum, i,* n. *Vox, vocis,* f. *Verbum, i,* n. En — exprès, *disertē,* adv.; *distinctē,* adv. En d'autres —, *id est.* Lettre écrite en ces —, *litteras hoc exemplo.* ‖ Terme de comparaison. *Mensura, ae,* f. Les deux — de comparaison, *id quod confertur et id cui confertur.* ‖ (Gramm. et Log.) *Terminus, i,* m. ‖ (Mathém.) *Terminus, i,* m.

terminaison, s. f. Action par laquelle une chose arrive à son terme. *Finis, is,* m. *Exitūs, ūs,* m. ¶ (Gramm.) La dernière partie d'un mot. *Exitūs, ūs,* m.

terminer, v. tr. Arrêter à un certain terme, à une certaine limite. *Termināre,* tr. ¶ Faire arriver (une chose) à son terme, au point où elle finit, s'achève. *Termināre,* tr. *Finire,* tr. (on dit plutôt *finem facĕre*). *Conficĕre,* tr. *Perficĕre,* tr. *Absolvĕre,* tr. *Exsequi,* dép. tr. ¶ Former la dernière partie de qqch. *Termināre,* tr. *Concludĕre,* tr. — (un discours), *perorāre,* tr. Laissez-moi —, *sed extremum audi.* Se — *termināri,* pass.; *desinĕre,* intr.

termite, s. m. Fourmi blanche qui ronge les pièces de bois. *Tarmes, mitis,* m.

ternaire, adj. Formé de la réunion de trois éléments. *Ternarius, a, um,* adj.

terne, adj. Qui manque de brillant. *Languens* (gén. *-entis*), p. adj. *Hebes* (gén. *-etis*), adj. *Decolor* (gén. *-oris*), adj.

ternir, v. tr. Rendre terne, c.-à-d. non brillant ou moins brillant. *Hebetāre,* tr. *Obscurāre,* tr. Se —, *hebetāri,* passif; *hebescĕre,* intr.; *torpescĕre,* intr. ‖ (Au fig.) *Inquināre,* tr. Se —, *obsolescĕre,* intr.; *deflorescĕre,* intr.

terrain, s. m. Espace de terre considéré comme propre à un usage déterminé. *Locus, i,* m. *Ager, agri,* m. — pour bâtir, *area, ae,* f. ‖ (En style militaire). *Locus, i,* m. Disputer le — (à l'ennemi), *acerrimē resistĕre.* Gagner du —, *progredi,* dép. intr. Perdre du —, *cedĕre loco.* Faire perdre du — à l'ennemi, *gradu hostes movēre* (ou *demovēre*); *statu movēre hostem.* Abandonner le —, *cedĕre ex acie.* ‖ (Fig.) Sonder le —, *explorāre iter.* Se placer, être sur un bon, sur un mauvais —, *consistĕre* (ou *esse*) *in bono* (*meliore*), *in malo* (*pejore*) *loco.* C'est son —, *in hāc re libentissimē versatur.* Sur mon —, *in arenā meā.* Défense portée sur un — défavorable, *defensio iniquior.* Ne pas abandonner le —, *manēre in suo statu.* Disputer le —, *obsistĕre,* intr. Gagner du — (prendre l'avantage), *progredi,* dép. intr.; *proficĕre,* intr. Perdre du — (perdre l'avantage), *cedĕre,* intr. Faire perdre à qqn du —, *dejicĕre aliquem de statu.* ‖ (En parl. des ch.). La mer qui gagne du — sur le continent, *mare terram appetens.* ‖ Terre considérée par rapport à ses qualités, à ses productions, etc. *Terra, ae,* f. *Solum, i,* n. — uni, plat, *campus, i,* m. Elévation de —, *tumulus, i,* m. Terrain ferme, *stabilis locus ad insistendum.* ‖ (Géologie.) *Solum, i,* n. *Terra, ae,* f.

terrasse, s. f. Plate-forme faite pour la vue ou la promenade. *Agger, eris,* m. Jardins en —, sur —, *pensiles horti.* ¶ (P. ext.) Plate-forme au-dessus d'un édifice. *Maenianum, i,* n.

terrassement, s. m. Action de terrasser, de remuer et de transporter les terres. *Aggeratio, onis,* f. Travaux de —, *aggeres, um,* m. pl.

terrasser, v. tr. Former un amas de terre soutenu par la maçonnerie. *Aggere explēre* ou *vestire.* ¶ (Absolt.) Remuer et transporter des terres. *Fodĕre terram* (ou *humum*). *Fodĕre et aggerāre* (ou *exaggerāre*) *terram.* ¶ Renverser à terre en luttant. *Sternĕre,* tr. *Prosternĕre humi,* et (simpl.) *prosternĕre* tr. *Affligĕre ad terram.* Etre terrassé, *jacēre,* intr. Terrassé, *afflictus, a, um,* p. adj.

terrassier, s. m. Ouvrier qui remue,

transporte des terres. *Fossor, oris*, m.

terre, s. f. Partie solide du globe que nous habitons. *Terra, ae*, f. Etre à —, *jacère*, intr. Jeter à —, par —, voy. ABATTRE, RENVERSER. Ventre à —, *equo citato; effuso cursu.* — à —, *demisse*, adv. Etre — à —, *serpère humi.* Qui vit sur la —, qui a lieu sur la —, de la —, *terrestris, tre*, adj. De la —, qui se trouve sur la —, *terrenus, a, um*, adj. ¶ Sol qui produit les végétations. *Terra, ae*, f. *Solum, i*, n. — végétale, *humus, i*, f. || (Spéc.) Domaine. *Praedium rusticum*, ou (simpl.) *praedium, ii*, n. *Fundus, i*, m. *Ager, gri*, m. *Rus, ruris*, n. ¶ Sol où l'on enterre les morts. *Terra, ae*, f. Mettre en —, voy. ENTERRER. Porter en —, *efferre*, tr. ¶ Matière solide dont le globe est fait *et, par ext.*, substance tirée de cette matière. *Terra, ae*, f. Amas de —, *agger, eris*, m. — pulvérulente, *pulvis, eris*, m. De —, *terrenus, a, um*, adj. De —, culte, *fictilis, e*, adj. ¶ Matière dont est fait le corps de l'homme. *Terra, ae*, f. *Humus, i*, f. De —, *terrenus, a, um*, adj. ¶ Partie du globe terrestre *et* le globe terrestre lui-même. || Partie du globe terrestre. *Terra, ae*, f. || Le globe terrestre. *Terra, ae*, f. (surt. au plur. *terrae*). *Orbis* (*terrae* ou *terrarum*), *is*, m. Qui appartient à la —, *terrestris, e*, adj. Fig. Remuer ciel et —, *omnia miscère.* || (Par ext.) Les habitants de la terre. Voy. MONDE. ¶ (Antiq.) La Terre (divinité). *Terra, ae*, f. *Tellus, uris*, f.

terre-plein, s. m. Plate-forme de terre rapportée, soutenue par des parapets de maçonnerie. *Tumulus terrenus.*

terrestre, adj. Qui appartient à la terre, au globe sur lequel nous vivons. *Terrestris, e*, adj. *Terrenus, a, um*, adj. Le globe —, *terrae globus* ou simpl. *terra, ae*, f. Zone —, *ora, ae*, f. || (Au fig.) *Terrenus, a, um*, adj. *Terrestris, e*, adj.

terreur, s. f. Crainte qui fait frissonner. *Terror, oris*, m. Voy. CRAINTE, EFFROI.

terreux, euse, adj. Qui est de la nature de la terre. *Terrenus, a, um*, adj. ¶ Qui est mêlé de terre. *Luteus, a, um*, adj. ¶ Qui est de la couleur de la terre. *Qui (quae, quod) terrae colorem habet.*

terrible, adj. Qui inspire la terreur. *Terribilis, e*, adj. || (Par hyperb.) *Immanis, e*, adj. *Saevus, a, um*, adj. ¶ (Par ext.) Excessif. Voy. ce mot.

terriblement, adv. D'une manière terrible. *Terribilem in modum. Formidolosè*, adv.

terrier, s. m. Trou que certains animaux creusent en terre pour s'y cacher. *Cubile, is*, n.

terrifier, v. tr. Frapper de terreur. Voy. ÉPOUVANTER.

terrine, s. f. Vase de ménage, de forme circulaire. *Sinum, i*, n. et *sinus, i*, m.

territoire, s. m. Etendue de pays formant une circonscription politique. — d'une ville, *territorium, i*, n. (En gén.) —, *ager, gri*, m.; *fines, ium*, m. pl. Le — ennemi, *hosticum, i*, n.

territorial, ale, adj. Relatif à un territoire. Traduire par les génit. *agri* ou *agrorum.*

terroir, s. m. Terre considérée par rapport à ses produits (agricoles). *Ager, agri*, m. *Solum, i*, n. Vin du —, *indigena vinum.* Un goût de —, *vernaculus sapor* (au fig.).

terroriser, v. tr. Soumettre à un régime de terreur. *Omnia terrore et metu agère.* ¶ (P. ext.) Terrifier. Voy. ÉPOUVANTER.

terrorisme, s. m. Régime d'intimidation. *Saeva* (ou *superba*) *dominatio.*

tertre, s. m. Eminence de terre isolée dans une plaine. *Tumulus terrenus*, et (simpl.) *tumulus, i*, m. || (Spéc.) Eminence de terre recouvrant une sépulture. *Tumulus, i*, m.

tesson, s. m. Débris de bouteille, de pot cassé. *Testa, ae*, f.

test. Voy. TÊT.

testacé, ée, adj. Revêtu d'une coquille. *Testaceus, a, um*, adj.

testament, s. m. Acte contenant l'expression des volontés dernières d'une personne. *Testamentum, i*, n. Mourir après avoir fait son —, *testato decedère.* Sans avoir fait son —, voy. INTESTAT.

testamentaire, adj. Qui se rapporte à un testament. *Testamentarius, a, um*, adj.

testateur, trice, s. m. et f. Celui, celle qui fait un testament. *Is qui testamentum facit.*

tester, v. intr. Disposer par un acte de tout ou partie de ses biens pour le temps où l'on ne sera plus *Testamentum facère* ou *conscribère. Testàri*, dép. intr. — en faveur d'un héritier, *heredi cavère.*

testimonial, ale, adj. Qui rend témoignage. *Qui (quae, quod) testimonium dat.*

t't, s. m. Tesson, débris de pot cassé. *Testa, ae*, f. ¶ Coquille des mollusques. *Testa, ae*, f. ¶ Ecaille des tortues. *Cortex testudinis.* [*rinus, i*, m.

têtard, s. m. Larve de batracien. *Gy-*

tête, s. f. Partie supérieure du corps de l'homme, partie antérieure du corps de l'animal, contenant le cerveau et les principaux organes des sens. *Caput, pitis*, n. Je ne sais où donner de la —, *quo me vertam, nescio.* Qui tombe, qui va la — en avant, la — la première, *praeceps* (gén. -*cipitis*), adj. Faire —, tenir —, *adversàri ac repugnàre.* Avoir qqn en —, *adversarium aliquem habère.* || (Par ext.) *Cervices, um*, (« nuque [partie de la tête qui supporte le joug, les fardeaux] »), f. pl. *Vertex, ticis*, (« sommet du crâne, haut de la tête »), m. Attirer qqch. sur sa —, *aliquid contrahĕre* (ou *colligĕre*). Mettre, établir qqn sur sa —, *aliquem supra se collocĕre*. Jeter qqch à la — de qqn, *aliquid alicui obtrudĕre*, et (fig.) *alicui aliquid jactĕre* (ou *objicĕre*). Se jeter à la — de qqn, *se ipse inferre et intro dare* ou *se ingerĕre*. || (Par anal.) Représentation d'une tête humaine. *Caput, itis*, n. || (P. ext.) *Spéc.* Bois qui surmonte la tête du cerf, etc. Voy. BOIS. ¶ Cette partie considérée chez l'homme comme siège de la pensée. *Caput, itis*, n. *Mens, mentis*, f. *Ingenium, ii*, n. *Animus, i*, m. *Consilium, ii*, n. ¶ Cette partie prise (chez l'homme) pour la personne elle-même. *Caput, itis*, n. Par —, *viritim*, adv. Un, deux, trois (etc.) par —, *singuli, ae, a*, adj.; *bini, ae, a*, adj.; *terni, ae, a*, adj. En — à —, *secreto*, adv. || (Par anal.) En parl. du bétail. *Caput, itis*, n. || (Spéc.) La vie de la personne. *Caput, itis*, n. ¶ (Au fig.) Partie supérieure. || Ce qui indique la direction. *Caput, itis*, n. Voy. CHEF. || Sommet et particulièrement extrémité arrondie. *Caput, itis*, n. *Cacumen, minis*, n. — de clou, *bulla, ae*, f. || Partie antérieure. *Caput, itis*, n. || Ce qui commence qqch. *Principium, ii*, n. Qui est en —, à la — de, *princeps* (gén. -*cipis*). adj. Tenir la —, *principatum tenēre*. Être à la —, *praeesse*, intr. Mettre à la — de, *praeficĕre*, tr.

téter, v. tr. Sucer la mamelle pour en prendre le lait. *Sugĕre mammam (matris)*.

têtu, ue, adj. (Fig.) Que rien ne fait démordre de ce qu'il s'est mis en tête. Voy. ENTÊTÉ, OBSTINÉ.

Teutons, n. pr. Peuple de la Germanie. *Teutones, um*, m. pl. Des —, *Teutonicus, a, um*, adj.

texte, s. m. Les propres paroles d'un auteur, d'une loi, d'un acte. *Verba, orum*, n. pl. *Exemplum, i*, n. *Scriptum, i*, n. ¶ (Spéc.) Passage des livres saints que les prédicateurs choisissent pour thème d'un sermon. *Argumentum, i*, n. || (Par ext.) Ce qui résume le sujet que l'on traite. *Propositum, i*, n.

textile, adj. Propre à former un tissu *Ad texendum aptus* (ou *idoneus*).

textuel, elle, adj. Exactement conforme au texte. *Ad erbum* (ou *omnibus verbis*) *expressus*.

textuellement, adv. D'une manière exactement conforme au texte. *Ad verbum* (*edicĕre* ou *accipĕre aliquid*).

texture, s. f. Voy. CONTEXTURE.

thé, s. m. Arbrisseau de la Chine, du Japon. *Thea, ae*, f.

théâtral, ale, adj. Qui tient au théâtre. *Scaenicus, a, um*, adj.

théâtre, s. m. Edifice destiné à la représentation des ouvrages dramatiques. *Theatrum, i*, n. || (Par ext.) Cet édifice avec ceux qui le dirigent, les comédiens, les décors, etc. *Theatrum, i*, n. *Scaena, ae*, f. *Spectaculum, i*, n. De —, du —, *theatralis, e*, adj.: *scaenicus, a, um*, adj. || (Fig.) Ce qui n'offre qu'une apparence vaine. *Theatrum, i*, n. ¶ Partie élevée du théâtre sur laquelle les acteurs jouent. Voy. SCÈNE. ¶ Ensemble des œuvres dramatiques d'un auteur. *Fabulae, arum*, f. pl. || (Spéc.) Règles de la poésie dramatique. *Scaena, ae*, f. ¶ (Au fig.) Position dans laquelle on se trouve en vue. *Theatrum, i*, n. *Scaena, ae*, f. ¶ Endroit où quelque fait s'accomplit. *Theatrum, i*, n. Le — de la guerre, *belli sedes*.

Thébaïde, n. pr. Contrée d'Egypte. *Thebaica regio*.

Thèbes, n. pr. Ville de la Haute Egypte. *Thebae, arum*, f. pl. ¶ Ville de Béotie. *Thebae, arum*, f. pl. De —, *Thebanus, a, um*, adj. Habitants de —, *Thebani, orum*, m. pl.

thème, s. m. Sujet, proposition que l'on pose pour la développer. *Thema, matis*, n. (se remplace ordin. *de quo quaeritur* ou *quod quaerimus, quaeritur*). *Propositum, i*, n. ¶ (Astrol.) Figure de la situation des astres pour tirer un horoscope. *Thema, matis*, n.

Thémis, n. pr. Déesse de la justice. *Themis, idis*, f.

Thémistocle, n. pr. Homme d'Etat athénien. *Themistocles, is*, m.

Théocrite, n. pr. Poète grec. *Theocritus, i*, m.

théologie, s. f. Doctrine religieuse sur les choses divines. *Divinarum rerum scientia*.

théologique, adj. Relatif à la théologie. *Ad rerum divinarum scientiam pertinens*.

théorème, s. m. Proposition scientifique qu'une démonstration rend évidente. *Ratio, onis*, f.

théorie, s. f. Ensemble des lois, des règles assignées à un ordre de faits déterminés. *Ratio, onis*, f. *Disciplina, ae*, f. *Ars, artis*, f.

théorique, adj. Qui appartient à la théorie. *Qui* (*quae, quod*) *in cognitione versatur* (ou *ab artis praeceptis proficiscitur*).

théoriquement, adv. D'une manière théorique. *Ratione*, abl. adv.

thérapeutique, adj. Relatif au traitement des maladies. *Ad morborum curationem pertinens*. || Substantiv. fém. Traitement des maladies. *Ars* (ou *ratio*) *medendi*.

thermes, s. m. pl. Etablissement de bains publics chauds. *Thermae, arum*, f. pl.

thésauriser, v. intr. Amasser un trésor. *Divitias congerĕre*.

thèse, s. f. Proposition avancée par qqn et soutenue par lui contre ceux qui la contestent. *Propositum, i,* n. Soutenir une —, *disputâre de aliquâ re.*

Thésée, n. pr. Héros grec. *Theseus,* (Voc. *Thesu,* Acc. *Thesu),* m.

Thessalie, n. pr. Contrée de la Grèce. *Thessalia, ae,* f. Né en —, *Thessalus, a, um,* adj. De —, *Thessalicus, a, um,* adj.

Thessalonique, n. pr. Ville de Macédoine. *Thessalonica, ae,* f. Habitants de —, *Thessalonicenses, ium,* m. pl.

Thétis, n. pr. Déesse de la mer. *Thetis, idis* (Acc. *Thetin),* f.

thon, s. m. Poisson de mer. *Thynnus, i,* m.

Thrace, n. pr. Province au nord de la Grèce. *Thracia, ae,* f.

Thucydide, n. pr. Historien grec. *Thucydides, is,* m.

thuia et thuya, s. m. Arbre employé par les ébénistes. *Thya, ae,* f.

thuriféraire, s. m. Clerc qui porte l'encensoir. *Thuriferarius, ii,* m.

thuya. Voy. THUIA.

thym, s. m. Plante odorante. *Thymum, i,* n.

thyrse, s. m. Attribut de Bacchus, javelot entouré de lierre et de pampres. *Thyrsus, i,* m.

tiare, s. f. Coiffure haute autrefois en usage chez les peuples orientaux. *Tiara, ae,* f. || (Spéc.) Coiffure du grand prêtre, chez les Hébreux. *Cidaris, is* (Acc. *im),* f. || (P. ext.) Coiffure portée par le pape. *Tiara, ae,* f.

Tibère, n. pr. Empereur romain. *Tiberius, ii,* m.

tibia, s. m. Le plus gros des deux os de la jambe. *Tibia, ae,* f.

Tibre, n. pr. Fleuve d'Italie. *Tiberis, is,* m.

Tibur, n. pr. Ville d'Italie. *Tibur, uris,* n.

tiède, adj. Qui a la température intermédiaire entre le chaud et le froid. *Tepidus, a, um,* adj. *Tepens* (gén. *-entis),* p. adj. Devenir — (s'échauffer un peu), *tepescère,* intr. Être —, *tepère,* intr. Devenir — (se refroidir), *defervère,* intr. Rendre —, *tepefacère,* tr. ¶ (Au fig.) Qui n'a point d'ardeur, de zèle. *Languens* (gén. *-entis),* p. adj. *Languidus, a, um,* adj. Être —, *languère,* intr. Devenir —, *languescère,* intr.

tièdement, adv. D'une manière tiède. (Au propre.) *Tepidè,* adv. || (Au fig.) *Segniter,* adv. *Lentè,* adv.

tiédeur, s. f. Température tiède. *Tepor, oris,* m. ¶ (Fig.) Défaut d'ardeur, de zèle. *Tepor, oris,* m. *Frigus, oris,* n.

tiédir, v. intr. Devenir tiède. *Tepescère,* intr. Faire —, *tepefacère,* tr.

tien, *tienne,* adj. poss. Qui est à toi. || Déterminant un substantif. *Tuus, a, um,* adj. ¶ (Absolt.) Le substantif étant sous-entendu. *Tuus, a, um,* adj. poss.

(*servus est tuus,* cet esclave est le tien). || (P. ext.) Le — (ta propriété), *tuum, i,* n. Au masc. plur. Les — (tes proches), *tui, orum,* m. plur.

tierce, s. f. Intervalle entre la seconde et la quarte. *Trite, es,* f. ¶ (Escrime.) Position de l'épée engagée dans la ligne du dehors. *Tertia manus.*

tiercelet, s. m. Mâle du faucon, de l'épervier, etc. Voy. FAUCON, ÉPERVIER.

tiers, *erce,* adj. Troisième. *Tertius, a, um,* adj. ¶ (Substantiv.) S. m. Un —, *c.-à-d.* une troisième personne. Le — et le quart, *c.-à-d.* le premier venu, *quilibet, quaelibet, quidlibet,* pron. ind. || Chaque partie d'un tout divisé en trois parties égales. *Tertia pars.*

tige, s. f. Partie de la plante qui s'élève verticalement et porte les feuilles, etc. *Caulis, is,* m. *Stirps, stirpis,* f. — de blé, *stipula, ae,* f. — de roseau, *calamus, i,* m. ¶ (Fig.) Celui de qui sont issues les branches d'une famille. *Stirps, stirpis,* f.

tigre, *esse,* s. m. et f. Animal féroce, de la famille féline. *Tigris* (gén. *tigris,* mais mieux *tigridis.* Acc. *tigrim* ou *tigrin,* Abl. *tigri* et *tigride.* Nom. pl. *tigres.* Gén. pl. *tigrium.* Dat. pl. *tigribus.* Acc. pl. *tigres* et *tigrides),* m. et f.

Tigre, s. m. Fleuve d'Assyrie. *Tigris, idis,* m.

tigré, *ée,* adj. Rayé comme un tigre. *Tigrinus, a, um,* adj.

tillac, s. m. Le plus haut pont d'un navire. *Forus, i,* m. (au plur. *fori, orum,* m.).

tiller et teiller, v. tr. Détacher avec la main la partie filamenteuse de l'écorce du chanvre. *Decorticâre,* tr.

tilleul, s. m. Arbre. *Tilia, ae,* f.

timbale, s. f. Espèce de tambour en cuivre. *Tympanum, i,* n.

timbalier, s. m. Celui qui bat des timbales. *Tympanista, ae,* m.

timbre, s. m. Tambour de forme arrondie. *Tympanum, i,* n. ¶ (Par anal.) Cloche. Voy. ce mot. || Calotte de métal qui, frappée par un marteau, rend un son prolongé. *Cymbalum, i,* n. ¶ (Par ext.) Caractère de la sonorité dû au concours des notes harmoniques qui accompagnent le son fondamental. *Tinnitûs, ûs,* m. *Sonitûs, ûs,* m. — de la voix, *vocis genus.*

timide, adj. Qui manque d'assurance par défiance de soi. *Timidus, a, um,* adj. || Qui manque de hardiesse. *Timidus, a, um,* adj.

timidement, adv. D'une manière timide. || Sans assurance. *Verecundè,* adv. || Sans hardiesse. *Timidè,* adv.

timidité, s. f. Défaut d'assurance qui naît de la défiance de soi. *Timiditas, atis,* f. *Verecundia, ae,* f.

timon, s. m. Longue pièce de bois, en avant d'une voiture, de chaque côté de laquelle une bête de trait est attelée, etc. *Temo, onis,* m. ¶ (Fig.) Ce qui sert à diriger. *Gubernaculum, i,* n. ‖ (P. anal.) Barre du gouvernail. *Clavus gubernaculi* ou simpl. *clavus, i,* m. ‖ (P. ext.) Gouvernail. Voy. ce mot.

timonier, s. m. Celui qui tient le timon d'un navire. *Gubernator, oris,* m.

timoré, ée, adj. Que le moindre scrupule effraie. *Sollicitus, a, um,* adj.

tintamarre, s. m. Grand bruit discordant. *Strepitus, ūs,* m.

tintement, s. m. Bruit d'une cloche qu'on tinte. *Tinnitūs, ūs,* m. ¶ Bourdonnement. Voy. ce mot. — d'oreilles, *tinnitus* (ou *sonitus*) *aurium.*

tinter, v. intr. Rendre des sons qui se succèdent lentement (en parl. d'une cloche, etc.). *Tinnire,* intr. ¶ (P. ext.) Faire tinter les oreilles de qqn (lui répéter souvent la même chose). *Tinnire,* intr.

tir, s. m. Action de tirer, de faire partir une arme à projectile. *Jactūs* (ou *conjectus*) *teli. Jaculatio, onis,* f.

tirage, s. m. Action de tirer (avec effort, dans une certaine direction). *Tractūs, ūs,* m. ¶ Action de faire sortir de qqch. Le — d'une loterie, *sors, sortis,* f. — au sort, *sortitio, onis,* f.

tiraillement, s. m. Action de tirailler. *Distractio, onis,* f. (P. anal.) — d'estomac, *stomachi spasmi.*

tirailler, v. tr. Tirer à différentes reprises en divers sens. *Distrahĕre,* tr. *Distringĕre,* tr. *Trahĕre* (ou *rapĕre*) *in contrarias partes.*

tire, s. f. Action de tirer à soi. A — d'aile, *volatu celeri.*

tirer, v. tr. Chercher à allonger, à tendre (un objet) en l'amenant à soi par un bout. *Ducĕre,* tr. *Adducĕre,* tr. *Trahĕre,* tr. *Attrahĕre,* tr. — une courroie, *lorum adducĕre.* — à sa fin, *in exitu esse.* — sur (le jaune, etc.), *inclināri,* pass. (*colore ad aurum inclinato*). Tirant sur le rouge, *subrutilus, a, um,* adj. ¶ (Par anal.) Mener (une ligne) d'une manière continue, dans une certaine direction. *Ducĕre,* tr. ¶ Faire venir dans une certaine direction, en prenant (la personne, la chose) par une de ses parties qu'on amène à soi. *Ducĕre,* tr. *Adducĕre,* tr. (ex. ; *ramulum* [opp. à *remittĕre*]). *Subducĕre,* tr. (*naves in aridum,* à sec). — un criminel à quatre chevaux, voy. ÉCARTELER. — l'échelle, *scalas removēre.* — (un rideau, etc.) sur, *obducĕre,* tr. — le verrou, *seram obducĕre.* ‖ (P. anal.) — l'arc, *tendĕre arcum.* (Par ext.) — (une flèche. etc.), *mittĕre,* tr. ; *emittĕre,* tr.; *conjicĕre,* tr. Absol. — sur qqn ou sur qqch., *telo petĕre aliquem* ou *aliquid.* Ellipt. — un oiseau, *avem telo petĕre.* ¶ Amener (une personne, une chose) hors d'un lieu où elle est enfermée, retenue (pr. et fig.) *Ducĕre,* tr. *Abducĕre,* tr. *Educĕre,* tr. *Extrahĕre,* tr.

Promĕre, tr. (*aliquid ex aliquid re*). *Excerpĕre* (« extraire, tirer »), tr. *Elicĕre* (« attirer dehors, faire jaillir. tirer »), tr. *Eruĕre* (« faire sortir en fouillant, tirer » [*au pr. et au fig.*]), tr. — qqn à part, *aliquem seducĕre.* — de l'eau d'un puits, *haurire aquam ex puteo.* — l'épée du fourreau *et* (*ellipt.*) — l'épée, voy. DÉGAINER. (Absol.) — (c.-à-d. faire des armes), *arma jactāre.* — au sort, voy. SORT. — vengeance de qqn, *poenas ab aliquo petĕre* (ou *expetĕre* ou *repetĕre*).

tireur, euse, s. m. et f. Celui, celle qui tire. *Qui* (*quae*) *trahit* (ou *ducit*). ¶ Celui, celle qui tire avec une arme de trait ou une arme à feu. *Jaculator, oris,* m. Tireuse, *jaculatrix, tricis,* f.

tisane, s. f. Infusion ou décoction de substances médicamenteuses. *Sorbitio, onis,* f.

tison, s. m. Morceau de bois à demi consumé dans le foyer d'une cheminée. *Titio, onis,* m. — ardent, *torris, is,* m.

tissage, s. m. Action de tisser. *Textrinum, i,* n.

tisser, v. tr. Transformer (une substance filée) en une matière cohérente, souple et mince. *Texĕre,* tr. *Contexĕre,* tr.

tisserand, s. m. et f. Ouvrier, ouvrière qui tisse. *Textor, oris,* m.

tisseur, s. m. Voy. TISSERAND.

tissu, s. m. Matière cohérente, souple et mince, faite en tissant. *Textum, i,* n. *Textura, ae,* f. *Textile, is,* n. ¶ (Fig.) Suite de choses qui sont liées, enchaînées les unes aux autres. *Contextūs, ūs,* m.

tissure, s. f. Entre-croisement des fils tissés. *Textura, ae,* f. *Textūs, ūs,* m. ¶ (Fig.) Combinaison, entrelacement. *Contextūs, ūs,* m.

titre, s. m. Désignation honorifique. *Titulus, i,* m. *Nomen, minis,* n. Donner le — de, *appellāre,* tr. ¶ (Par ext.) Qualification bonne ou mauvaise. *Nomen, minis,* n. *Appellatio, onis,* f. ¶ Ce qui établit le droit de qqn à une désignation honorifique, à une charge, etc. — authentique, *titulus, i,* m. ‖ (Par ext.) (Fig.) Ce qui établit le droit qu'on a de faire qqch. Voy. DROIT. Faire valoir ses —, *jus suum postulāre.* A quel —? *quo jure?* A juste —, *jure ac merito.* ¶ Qualité, service donnant droit à qqch. *Meritum, i,* n. Un — de gloire, *laus, laudis,* f.

toge, s. f. (Antiq. rom.) Robe de laine par-dessus la tunique. *Toga, ae,* f. Vêtu de la —, *togatus, a, um,* adj.

toi, pron. pers. ‖ Pron. pers. sing. (de la 2ᵉ pers. du sing. forme accentuée). Compl. direct d'un verbe. *Te.* Tais-toi, *tace.* ¶ Compl. indirect d'un verbe. *Tibi.* J'ai pitié de —, *miseret tui me.* ¶ Compl. d'une préposition. La meilleure partie de — même, *pars tui* *melior.* C'est à — de..., *tuum est* (et l'Infin.). Une lettre de —, *litterae tuae.* Avec —, *tecum.* ¶ Attribut. *Tu.* ¶ Sujet. *Tu.*

toile, s. f. Tissu de fil de lin ou de chanvre. *Tela, ae,* f. — de lin, *linteum, i, n,* De —, *linteus, a, um,* adj. Vêtu de —, *linteatus, a, um,* adj — fine, *carbasus, i,* f. —, d'emballage, *segestre, is,* n. ¶ (Spéc.) Toile clouée sur un cadre et préparée pour la peinture. *Linteum, i, n.* || (Fig.) Tableau. Voy. ce mot. ¶ Rideau qui sépare de la salle la scène d'un théâtre. *Aulaeum scaenae* ou *abs. aulaeum, i, n.* ¶ Ensemble des voiles d'un navire. *Vela, orum,* n. pl.

toilette, s. f. Le meuble garni de tout ce qui est nécessaire pour se laver, se coiffer, etc. *Abacus, i,* m. || L'action de se laver, de se coiffer. *Cultus corporis.* Faire sa —, *corpus curâre.* || Action de s'habiller, de se parer. *Cultus corporis et formae cura.* || (Par ext.) Ensemble des ajustements servant à la parure. *Mundus i,* m. *Ornatûs, ûs,* m.

toison, s. f. Pelage laineux du mouton. *Lana ovium* et simpl. *lana, ae,* f. ¶ (P. anal.) Pelage laineux d'autres mammifères analogues. *Vellus, eris,* n. || (Mythol.) La toison d'or, *aurata pellis.*

toit, s. m. Partie du comble d'un édifice, qui sert de couverture au bâtiment. *Tectum, i,* n. *Tegulae, arum* (« toit en tuiles, *et par ext.* toit »), f. pl. ¶ (Méton.) Maison, habitation. *Tectum, i, n.*

toiture, s. f. Ensemble des pièces qui forment le toit d'un édifice. *Tectum, i, n.*

tôle, s. f. Fer réduit en lames par le battage ou le laminage. *Lamina ferrea* ou *ferri.* [*lerabilis, e,* adj.

tolérable, adj. Qu'on peut tolérer. *To-*

tolérance, s. f. Disposition à admettre chez les autres une manière d'être, de penser, d'agir différente de la nôtre. *Patientia, ae,* f. *Animus aequus* ou *patiens.* Montrer de la — à l'égard de qqn, *miti et benigno animo esse in aliquem.*

tolérant, *ante,* adj. Qui a de la tolérance. *Patiens* (gén. *-entis*), adj. *Facilis. e,* adj. *Indulgens* (gén. *-entis*), p. adj.

tolérer, v. tr. Supporter chez les autres (ce qu'on désapprouve). *Tolerâre,* tr. *Ferre,* tr.

tombant, *ante,* adj. Qui tombe. *Caducus, a, um,* adj. *Deciduus, a, um,* adj. || Pendant. *Demissus, a, um,* p. adj.

tombe, s. m. Fosse recouverte d'une table de pierre, de marbre, qui contient un mort. Voy. TOMBEAU.

tombeau, s. m. Monument funéraire élevé au-dessus de la fosse qui contient un mort. *Tumulus, i,* m. *Sepulcrum, i, n.* ¶ (Par anal.) Lieu, temps où qqn., qqch. périt, est détruit. *Bustum, i, n.*

tomber, v. intr. Aller de haut en bas,

en vertu de la pesanteur. || Descendre vers le sol, en cessant d'être suspendu, soutenu. *Cadère,* intr. *Accidère* (« tomber auprès de, sur, ou à »), intr. (*ad terram in humum,* « sur le sol »). *Concidère* (« tomber ensemble ou d'un seul coup »). *Decidère* (« tomber de haut en bas, tomber à terre »), intr. *Excidère* (« tomber de » ou « hors de »), intr. *Incidère* (« tomber dans » ou « sur »), intr. Laisser —, *amittère,* tr.; *dimittère,* tr. Faire — la tête de qqn, voy. DÉCAPITER. || (P. ext.) Se détacher accidentellement *ou* naturellement d'une chose par laquelle on était retenu en l'air. *Cadère,* intr. (*folia cadunt*). *Decidère,* intr. (*poma ex arboribus decidunt*). *Excidère,* intr. || (Au fig.) Se trouver tout à coup dans quelque situation mauvaise. *Cadère,* intr. *Incidère,* intr. (*in alicujus manus*). *Incurrère,* intr. (*in morbos*). Se laisser aller à qqch. de blâmable. *Cadère,* intr. *Incidère,* intr. (*in fraudem, in errorem*). *Delabi,* dép. intr. (*in vitium*). ¶ S'abaisser dans certaines parties sans cesser d'être suspendu *ou* soutenu à une certaine hauteur. *Defluère,* intr. Laisser —, faire —, *dejicère,* tr.; *demittère,* tr. || (Par anal.) *Decedère,* intr. (*et nuntiatum est aestum decedere,* [« que la mer tombait »]. *Residère,* intr. (*cum tumor animi resedisset*). || (Par ext.) *Cadère,* intr. (*ventus cecidit*). Le jour —, *jam advesperascit.* || (Au fig.) *Incidère,* intr. (*qui* [oculi] *quocumque inciderunt*). Laisser — un regard, voy. REGARD. ¶ Etre abattu, renversé de sa hauteur, en cessant d'être en équilibre sur sa base. *Cadère,* intr. *Accidère,* intr. *Concidère,* intr. (*equus ejus sine causâ concidit*). *Decidère,* intr. (*decidère juxta cubiculum ejus*). *Occidère,* intr. (au pr., ex. : *alii super alios occiderunt*; *spéc. occidère* [« tomber mort »]; *occidère in bello*). *Corruère,* intr. (*corruens morbo comitiali,* tombant d'épilepsie]). — sur qqn (pour l'attaquer), *invadère in aliquem.* Il tombe au sort, *sors eum contingit.* — d'accord, *consentire,* intr. || (Spéc.) S'écrouler. *Corruère,* intr. || (Fig.) *Cadère,* intr. (*cadit fabula,* la pièce tombe). *Corruère,* intr. Faire — une pièce, *fabulam exigère.*

tombereau, s. m. Lourde charrette pour transporter des matériaux. *Plaustrum, i,* n.

tome, s. m. Division d'un livre formant un volume séparé. *Tomus, i,* m.

1. ton, adj. poss. marquant possession, attribution. || Possession. *Tuus, a, um,* adj. || Attribution. *Tuus, a, um,* adj.

2. ton, s. m. Degré d'élévation ou d'abaissement du son. || (En parl. de la voix). *Sonus, i,* m. || (Par anal.) Inflexion de la voix exprimant les divers sentiments de l'âme. *Sonus, i,* m. *Vox, vocis,* f. ¶ (Au fig.) Manière dont on s'exprime. *Sonus, i,* m. S'adresser à qqn d'un — rude, *asperē compellāre aliquem.* En lui disant cela sur un — de reproche, *haec accusans.* || (Par ext.) Langage et manières de qqn dans la société. *Mos, oris,* m. Le bon —, *elegantia, ae,* f.; *urbanitas, atis,* f. || (En parl. du son musical). Degré d'élévation ou d'abaissement du son, dans l'échelle musicale. *Sonus, i,* m. *Modus, i,* m. Fig. Donner le —, *praeire,* intr. Fig. Ce sont eux qui donnent le —, *illi quicquid faciunt praecipere videntur.*

tondaison, s. f. Action de tondre. Voy. TONTE.

tondeur, euse, s. m. et f. Celui, celle qui tond. *Qui tondet ; quae tondet.*

tondre, v. tr. Couper à ras (la laine, le poil). *Tondēre,* tr. *Detondēre,* tr. || (Fig.) Brouter. Voy. ce mot. ¶ Dépouiller (un animal) de sa laine, de son poil coupé ras. *Tondēre,* tr. *Detondēre,* tr. || (Par ext.) Couper les cheveux ras. *Tondēre,* tr. Se faire —, *tonderi,* pass. moy.

tonnant, ante, adj. Qui fait éclater, retentir le tonnerre. *Tonans* (gén. *-antis),* p. adj.

tonne, s. f. Voy. le suivant.

tonneau, s. m. Grand vaisseau de bois destiné au transport des liquides, etc. *Dolium, ii,* n. *Cadus, i,* m. ¶ Unité de poids pour évaluer le chargement des marchandises sur un navire. *Amphora, ae,* f.

tonnelier, s. m. Artisan qui fabrique, vend les tonneaux. *Cuparius, ii,* m.

tonnelle, s. f. Berceau fait de treillage et couvert de verdure. *Trichila, ae,* f.

tonner, v. intr. Faire éclater le tonnerre. *Tonāre,* intr. *Intonāre,* intr. Impers. Il tonne, *tonat* (ou *intonat*). || (Au fig.) *Tonāre,* intr. *Intonāre* (« retentir comme le tonnerre »), intr.

tonnerre, s. m. Bruit retentissant qui accompagne la foudre. *Tonitrūs, ūs,* m. (au plur. *tonitrus* ou *tonitrua,* coups de tonnerre). Le bruit du —, *fragor caeli* (ou *caelestis).* || (P. ext.) La foudre elle-même. *Fulmen, minis,* n. Comme frappé du —, *attonitus, a, um,* adj. || (Au fig.) Catastrophe terrible. *Fulmen, minis,* n.

tonsure, s. f. Couronne qu'on fait sur la tête aux clercs en leur rasant une partie des cheveux. *Tonsura, ae,* f.

tonte, s. f. Action de couper la toison des moutons. *Tonsura ovium.* Faire la —, voy. TONDRE. || Temps où l'on tond les moutons. *Tondendi tempus.*

topaze, s. f. Pierre précieuse d'un jaune d'or brillant. *Topazos* (et *topazus), i,* f.

topographie, s. f. Description détaillée d'un lieu, *et p. ext.* art de décrire la configuration d'un lieu. *Descriptio loci* (*locorum* ou *regionum*).

torche, s. f. Flambeau grossier de résine ou de cire, etc. *Fax, facis,* f. — de pin, *taeda, ae,* f. ¶ Poignée de paille tortillée. Voy. BOUCHON.

tordre, v. tr. Contracter violemment (un corps flexible) sur lui-même en maintenant un des bouts dans un sens et en faisant tourner l'autre en sens inverse. *Torquēre,* tr. *Contorquēre,* tr. Se — dans des convulsions, voy. CONVULSION. Tordu, *pravus, a, um,* adj.; *distortus, a, um,* p. adj.

torpeur, s. f. Engourdissement des facultés vitales. *Torpor, oris,* m. *Stupor, oris,* m. || (P. anal.) Engourdissement des facultés de l'âme. *Torpor, oris,* m.

torpille, s. f. Poisson qui produit une commotion électrique. *Torpedo, dinis,* f.

torréfier, v. tr. Soumettre à un feu vif qui produit un commencement de carbonisation. *Torrēre,* tr.

torrent, s. m. Cours d'eau rendu impétueux. *Torrens aqua* ou (simpl.) *torrens, entis,* m. || (P. anal.) Ce qui coule, se répand avec une abondance extraordinaire. *Flumen, inis,* n. Un — de larmes, *magna* (ou *infinita*) *vis lacrimarum,* ou (simpl.) *vis lacrimarum.* Verser des — de larmes, *flēre effusissimē* || (Fig.) *Torrens, entis,* m.

torride, adj. Où la température est très chaude. *Torridus, a, um,* adj.

torsade, s. f. Rouleau de fils tordus en spirale. *Ornatus retorsus.* — d'or, *dracunculus, i,* m.

torse, s. m. Statue d'homme tronquée. *Truncus, i,* m.

tort, s. m. Etat de celui qui n'a pas le droit, la raison de son côté. *Injuria, ae,* f. A —, *perversē,* adv.; *male,* adv.; *immeritō,* adv. ¶ Le fait d'avoir qqch. à se reprocher vis-à-vis de qqn. *Culpa, ae,* f. *Noxa, ae,* f. *Noxia, ae,* f. Avoir des —, *in noxā* (ou *in noxiā*) *esse.* ¶ (P. ext.) Dommage causé indûment à qqn. *Injuria, ae,* f. *Damnum, i,* n. Faire — (à qqn de qqch.), *fraudāre* (*aliquem aliquā re*). Qui fait —, *injuriosus, a, um,* adj.

tortiller, v. tr. Tordre serré, non régulièrement. *Torquēre,* tr. ¶ (P. ext.) Tourner deçà delà, à plusieurs reprises. *Versāre,* tr.

tortu, ue, adj. Contourné par conformation irrégulière. *Distortus, a, um,* p. adj.

tortue, s. f. Genre de reptile amphibie à carapace cornée. *Testudo, dinis,* f. De —, *testudineus, a, um,* adj. Ecaille de —, *testudo, dinis,* f. Fait en écaille de —, *testudineus, a, um,* adj. ¶ (T. mil. anc.) Sorte de carapace que les soldats romains formaient au-dessus de leur tête en tenant leurs boucliers élevés. *Testudo, dinis,* f. Former la —, *testudinem facēre, agēre.*

tortueusement, adv. D'une manière

tortueuse. *Tortĕ,* adv. *Flexuosē,* adv.
tortueux, *euse,* adj. Qui présente des détours irréguliers. *Tortuosus, a, um,* adj. *Flexuosus, a, um,* adj.

torture, s. f. Souffrance cruelle infligée à un condamné ou comme moyen d'arracher des aveux à un prévenu. *Tormenta, orum,* n. pl. *Cruciatŭs, ūs,* m. Salle de —, *carnificina, ae,* f. Instruments de —, *tormenta, orum,* n. pl. ¶ Souffrance physique ou morale intolérable. *Tormentum, i,* n. *Cruciatŭs, ūs,* m. ¶ (Par ext.) Violence faite à une chose. Mettre son esprit à la —, *se torquēre.*

torturer, v. tr. Mettre à la torture. *Torquēre,* tr. *Cruciāre,* tr. *Excruciāre,* tr. || (Fig.) Soumettre (qqn) à une souffrance intolérable. *Torquēre,* tr. *Cruciāre,* tr. *Excruciāre,* tr. ¶ (Par ext.) Violenter (une chose). *Torquēre,* tr.

tôt, adv. Dans un temps rapproché. || Par rapport au moment où l'on parle. Voy. PROMPTEMENT, VITE. || Par rapport à un moment déterminé. — après, *paulo post* (ou *post paulo*). Aussi — que possible, *quam primum fieri potest.* — ou tard, *serius ocius.* Plus —, *prius,* adv. Beaucoup plus —, *multo ante.* || Par rapport au moment où la chose se fait d'ordinaire. *Maturē,* adv.

total, *ale,* adj. Qui embrasse toutes les parties. *Totus, a, um,* adj. Substantivt, au masc. Le — (nombre total), *summa, ae,* f.   [*Omnino,* adv.
totalement, adv. D'une manière totale.
totalité, s. f. Réunion totale des parties d'un ensemble. *Summa, ae,* f.

touchant. *ante,* adj. et prép. || *Adj.* Qui touche. (Fig.) Qui atteint qqn d'une manière sensible. Voy. PERSONNEL. || Qui attendrit. *Aptus ad permovendum.* Lettre —, *epistula miserabiliter scripta.* ¶ *Prép.* Relativement à (qqn, qqch.). *De,* prép. (av. l'Abl.). *Super,* prép. (av. l'Abl.).

touche, s. f. Action de toucher. *Tactio, onis,* f. Pierre de — (pierre pour éprouver l'or, l'argent), *lapis Heraclius* (ou *Lydius*). ¶ (Fig.) Ce qui met à l'épreuve qqn, qqch. Pierre de —, *obrussa, ae,* f. || (Par anal.) La touche d'un peintre. *Penicillus, i,* m. ·| (P. ext.) Manière dont il manie le pinceau. *Manŭs, ūs,* f.

1. toucher, v. tr. et intr. Avoir un ou plusieurs points de sa surface communs avec la surface d'un autre corps. ¶ (*V. tr.*) Entrer en contact avec (qqn, qqch.). *Tangĕre,* tr. *Contingĕre,* tr. *Tractāre,* tr. *Attrectāre,* tr. Faire — qqch. du doigt, au doigt, *efficĕre ut res manu teneatur;* et (fig.) *efficĕre ut aliquid manifestum sit.* — le but, *destinata ferire.* — de l'argent, *pecuniam accipĕre.* — qqch. (avec la pierre de touche), *alicui rei admovēre coticulam,* et (fig.) *aliquid ad obrussam exigĕre.*

— (le rivage, etc.), *appellĕre ad* (ou *in*) *aliquem locum.* ¶ (Au fig.) Atteindre (qqn) d'une manière sensible. *Tangĕre,* tr. *Attingĕre,* tr. *Movēre,* tr. *Commovēre,* tr. || (P. ext.) Emouvoir d'un sentiment qqc. *et spéc.* de pitié, d'attendrissement. *Tangĕre,* tr. *Movēre,* tr. *Commovēre,* tr. *Permovēre,* tr. || Aborder, traiter (une matière). *Tangĕre,* tr. *Attingĕre,* tr. — un mot de qqch., *mentionem alicujus rei inchoāre; injicĕre mentionem de aliquāre..* ¶ Etre en contact avec qqn, qqch. *Tangĕre,* tr. *Attingĕre,* tr. *Contingĕre,* tr. || (Par anal.) Etre proche de (par le sang ou l'alliance) *Attingĕre,* tr. *Contingĕre,* tr. || (Fig.) Etre près de (dans le temps). Voy. PRÈS [de], [être] PROCHE. || Avoir qqch. de commun avec, concerner directement. *Contingĕre,* tr. *Attingĕre,* intr. (ex. : *quid id ad vos attinet?* voy. CONCERNER). *Pertinēre,* intr. (voy. CONCERNER, REGARDER). ¶ (*V. intr.*) Entrer en contact (avec qqn, qqch.). *Tractāre,* tr. *Attingĕre,* tr. — à (en parl. d'un navire), *appelli,* pass.; *accedĕre,* intr. (ex : *inter Ligures Genuamque).* — (absol), *c.-à-d.* heurter contre un écueil, *ad scopulos allidi.* ¶ (P. ext.) Mettre la main à qqch. pour en prendre une partie *ou* la modifier. *Tangĕre,* tr. *Attrectāre,* tr. *Contrectāre,* tr. Ne pas — à, *abstinēre (aliquā re).* || Etre près d'arriver. *Tangĕre,* tr. *Appropinquāre,* intr. *Prope accedĕre (ad aliquid).* || (Par anal.) Etre près d'arriver à une époque. Je — au terme de ma vie, *jam adest vitae meae finis.* || (Au fig.) Confiner à. *Appropinquāre,* intr. || Effleurer un sujet. *Tangĕre,* tr. *Attingĕre,* tr. ¶ Etre en contact avec qqn, qqch. *Contingĕre,* tr. *Adjacēre,* intr. (ex. : *ad ostium Rhodani).* || (Au fig.) Etre voisin. *Attingĕre,* tr.

2. toucher, s. m. Sens par lequel nous recevons l'impression de la forme des corps. *Tactŭs, ūs,* m. || (P. ext.) Action de toucher. *Tactŭs, ūs,* m. *Tactio, onis,* f.

touffe, s. f. Bouquet épais de cheveux, de plumes, de fleurs, etc. — de cheveux, *corulus, i,* m. Touffe de poils, *villus, i,* m. — de feuilles, *crista foliorum* ou simpl. *crista, ae,* f.

touffu, *ue,* adj. Qui est en touffe, en bouquet épais. || (En parl. d'une plante). *Fruticosus, a, um,* adj. || (En parl. d'un arbre, de la végétation.) *Nemorosus, a, um,* adj. *Ramosus, a, um,* adj. || (En parl. du feuillage.) *Densus, a, um,* adj. || (D'une façon gén.). Voy. ÉPAIS, SERRER.

toujours, adv. Dans tout le temps à venir. *Semper,* adv. Pour —, *in omne tempus; in perpetuum.* ·| (Spéc.) En continuant comme dans le passé. *Semper,* adv. *Perpetuo,* adv. ¶ Dans tout le temps passé. *Semper* adv. ¶ En tout temps. *Semper*, adv. *Nunquam non.*

Toulouse, n. pr. Ville de France. *Tolosa, ae*, f. De —, *Tolosanus, a, um*, adj. [tourner. *Turbo, binis*, m.

toupie, s. f. Jouet de bois qu'on fait

1. tour, s. f. Construction cylindrique, très élevée, dominant l'enceinte d'une ville, etc. *Turris, is* (Acc. *turrem* et *turrim*, Abl. *turre* et *turri*), f. ‖ (P. anal.) Machine de guerre en forme de tour. *Turris, is*, f. — roulante, *ambulatoria turris*. — placée sur le dos d'un éléphant, *turris, is*, f. Qui porte une —, *turritus, a, um*, adj. ‖ (Fig.) Pièce du jeu d'échecs en forme de tour. *Turricula, ae*, f.

2. tour, s. m. Machine sur laquelle on fixe des pièces de bois, de métal, etc. et à laquelle on imprime un mouvement de rotation. *Tornus, i*, m. Fait au —, *tornatus, a, um*, p. adj. — de potier, *rota, ae*, f. Fig. (Une personne) faite au —, *eximiâ corporis formâ.* ¶ Sorte de tiroir tournant sur pivot. *Rota, ae*, f. ¶ Circonférence qui limite un corps *ou* un lieu circulaire. *Orbis, is*, m. *Circuitus, ûs*, m. *Ambitûs, ûs*, m. Faire le — de, *circumire*, tr.; *circumequitâre* (« faire à cheval le tour de »), tr.; *circumvehi* (« faire [à cheval, en voiture *ou* en bateau] le tour de »), pass. Faire le — de, c.-à-d. occuper la circonférence qui lui sert de limite, *ambire*, tr. Faire le — de, c.-à-d. parcourir, voy. ce mot. ‖ (Par ext.) Ce qui fait le tour de qqch. — de lit, *lodicula, ae*, f. — de cou, *amictorium, ii*, n. — de tête et (ellipt.) —, *suggestus comae.* ‖ (Fig.) Disposition que présente la forme extérieure d'un corps. *Habitûs, ûs*, m. ‖ (Par anal.) Disposition que présente l'esprit, le caractère de qqn. *Animi habitus. Ingenium, ii*, n. ‖ Manière de présenter la pensée. *Dicendi modus.* — gracieux, *lepos, oris*, m. Donner un — élégant à sa pensée, *sententiam aptè conformâre.* ¶ Mouvement circulaire qu'accomplit un corps. *Circuitio, onis*, f. *Ambitûs, ûs*, m. *Orbis, is*, m. A — de bras, *excusso lacerto.* Faire un — sur soi-même, *circumagere se.* ‖ Promenade, *Ambulatio, onis*, f. Faire un —, *ambulâre*, intr.; *deambulâre*, intr. Faire son — de Grèce, *Graeciae civitates circumire.* Faire un — vers, à (qqch.), *se convertêre ad (aliquem locum).* Faire des —, *huc et illuc cursitâre.* ‖ (Par ext.) Dans une série de mouvements alternatifs *ou* successifs, moment où chacun d'eux s'accomplit. *Vicis* (Acc. *vicem*, Abl. *vice*), Gén. d'un Nom. inus. *Ordo, dinis*, m. *Partes, ium*, f. pl. (*nunc tuae sunt partes*, « c'est à votre t. »). *Locus, i*, m. (*sententiae loco*, quand ce fut son tour de parole). — à —, *vicissim*, adv. A — de rôle, à son —, *deinceps*, adv. ‖ (Fig.) Mouvement accompli avec habileté. — d'adresse, *artificium, ii*, n.

Qui fait des — de force, *ludius, ii*, m. ‖ Trait de finesse, de ruse. Voy. RUSE. Jouer un — à qqn, *ludum alicui suggere.*

tourbe, s. f. Multitude de gens méprisables. *Turba, ae*, f.

tourbillon, s. m. Masse d'air emportée par un tournoiement rapide. *Turbo, binis*, m. *Vertex, ticis*, m. — de poussière, *pulveris nubes.* — de flamme, *flammarum flumen* (ou *torrens*). ¶ (P. anal.) Masse d'eau qui à certain endroit d'une mer, d'une rivière, tournoie rapidement. *Vertex, ticis*, m. Plein de —, *verticosus (amnis).*

tourbillonner, v. intr. et tr. ‖ (*V. intr.*) Etre emporté par un tournoiement rapide. *Volvêre* (ou *agêre*) *vertices.* Faire —, *volvêre*, tr.; *torquêre*, tr. ‖ (Fig.) *Quasi turbine ferri.* ¶ (*V. tr.*) Emporter par un mouvement rapide. *Praecipitem ferre* (ou *agêre*).

tourelle, s. f. Petite tour. *Turricula, ae*, f.

tourment, s. m. Peine cruelle. ‖ Peine corporelle. *Tormenta, orum*, n. pl. ‖ Peine morale. *Cruciatûs, ûs*, m. Endurer les — du remords, *conscientiâ malâ excruciâri.*

tourmentant, *ante*, adj. Qui tourmente, qui fatigue par des importunités ou des taquineries. *Molestus, a, um*, adj.

tourmente, s. f. Tempête passagère. *Procella, ae*, f. ‖ (Fig.) *Tempestas, atis*, f.

tourmenter, v. tr. Affliger de peines cruelles. ‖ De peines corporelles. *Torquêre*, tr. *Cruciâre*, tr. ‖ De peines morales. *Torquêre*, tr. *Cruciâre*, tr. *Angêre*, tr. *Exercêre*, tr.

1. tournant, s. m. Endroit où une rue, un chemin, etc. tourne, change de direction. *Flexus itineris*, ou (simpl.) *flexûs, ûs*, m. (Fig.) Le — de la vie, *flexûs, aetatis.* ‖ (P. ext.) Espace dans lequel un cocher fait tourner sa voiture, un cavalier son cheval, etc. *Flexûs, ûs*, m. ‖ (Fig.) Circuit, détour pour arriver à un but. Voy. BIAIS, DÉTOUR. ¶ Endroit d'une mer, d'une rivière où l'eau tournoie rapidement. *Vertex, icis*, m. *Vorago, ginis*, f.

2. tournant, *ante*, adj. Qui tourne. *Versatilis, e*, adj. Escalier —, *cochlea, ae*, f. Exécuter un mouvement —, *circumagere signa* (ou *aciem*). Faire faire à des troupes un mouvement —, *circumdâre*, tr.

tournée, s. f. Voyage où l'on suit un certain itinéraire. Voy. TOUR, VOYAGE. ‖ (Spéc.) Faire une — d'inspection, *circumire*, tr.

tourner, v. tr. et intr. ‖ (*V. tr.*) Façonner en rond par un mouvement circulaire. *Tornâre*, tr. Bien tourné, *bellus, a, um*, adj.; *venustus, a, um*, adj.; *concinnus, a, um*, adj. Mal tourné. voy. CONTREFAIT, TORDU. ‖ (Par ext.) Faire

mouvoir circulairement. *Versāre*, tr.
Circumagĕre, tr. *Volvĕre*, tr. Faire —,
rotāre, tr.; *torquēre*, tr. ‖ Disposer circulairement par rapport à qqch. *Torquēre*,
tr. ¶ Faire aller dans le sens inverse.
Vertĕre, tr. *Convertĕre*, tr. ¶ (Au fig.)
Mettre à l'envers. — la tête (à qqn),
movēre cerebrum ; alicujus mentem (ou
animum) *perturbāre*. ‖ Faire passee
d'une manière d'être à une manièrr
d'être opposée, différente. *Vertĕre*, tr.
Convertĕre, tr. *Detorquēre*, tr. ‖ (Par
ext.) Faire aller dans un autre sens.
Vertĕre, tr. *Convertĕre*, tr. *Torquēre*, tr.
— et retourner, *versāre*, tr.; *torquēre*, tr.
¶ (Par ext.) Prendre à revers (en décrivant un mouvement circulaire). *Circumvenire*, tr. *Circumvehi*, pass. ‖ (Par
anal.) Eviter en décrivant un mouvement circulaire. *Circumire*, intr. *Praeterire*, tr. (*hostium castra*). ‖ (Fig.) Eluder. *Torquēre*, tr. — la loi, *fraudem
jacĕre legi*. — une difficulté, *difficultatem vitāre*. ¶ (*V. intr.*) Se mouvoir
circulairement. *Convertĕre se* (ou *convertĕre*, intr.) ou *converti*, pass. *Torquēre
se* (*terra circum axem se torquet*). *Circumagi*, pass. — sur soi-même. *circumverti*, pass. La tête lui —, *vertigine
corripitur*. ¶ (Par anal.) Aller en sens
inverse. *Vertĕre se* (ou *verti*, *converti*,
pass.) ¶ (Par anal.) Passer d'une manière
d'être à une autre manièr d'être opposée, différente. *Vertĕre se* ou *verti*. *Convertĕre se* ou *convertĕre* ou *converti*, pass.
¶ (Par ext.) Aller dans un autre sens.
Vertĕre se ou *vertĕre* ou *verti*, pass.
Convertĕre se ou *converti*, pass. *Convertĕre se* ou *converti*, pass. Faire —, *convertĕre*, tr.

tourneur, s. m. et f. Celui, celle qui
façonne les ouvrages au tour. *Qui
tornat*. Tourneuse, *quae tornat*.

tournoi, s. m. Fête militaire. *Simulacrum ludicrum pugnae*.

tournoiement et **tournoîment**, s. m.
Mouvement de ce qui tourne. *Vertigo,
ginis*, f.

tournoyer, v. intr. Tourner en faisant
plusieurs tours de suite et d'une manière irrégulière. *Gyros ducĕre*. *In orbem
circumagi* (ou *se circumagĕre*). (En parl.
de l'eau). *Vertices agĕre*. Faire —,
torquēre, tr.

tournure, s. f. Manière dont une personne, une chose est façonnée. ‖ Manière dont une personne est faite, dont
elle se tient. *Habitŭs, ŭs*, m. ‖ Manière
dont on a l'esprit fait. *Voluntas, atis*. f.
Indoles, is, f. ‖ Manière dont une chose
se présente. *Statŭs, ŭs*, m. La — défavorable prise par la guerre, *gravissima
belli offensio*. La chose prend une
fâcheuse —, *res male vertit*. ‖ Manière
dont on présente une chose, dont on
l'expose à qqn. Donner aux faits une
— plus favorable, *res in partem mitiorem interpretāri*. ‖ (Spéc.) Arrangement

des mots dans une phrase. Les — et
les expressions, *variae figurae et verba*.

Tours, n. pr. Ville de France. *Turones,
um*, m. pl. De —, *Turonensis, e*, adj.

tourte, s. f. Pâtisserie de forme circulaire. *Scriblita, ae*, f.

tourtereau, s. m. Jeune tourterelle.
Pipio, onis, m.

tourterelle, s. f. espèce de pigeon.
Turtur, turis, m. f.

tousser, v. intr. Faire effort pour
dégager les voies respiratoires, par un
mouvement convulsif, saccadé. *Tussire*,
intr. Faire —, *tussim movēre*.

tout, e, adj. ‖ *Adj. qualificatif*. Entier,
entière. *Totus, a, um*, adj. Somme —,
voy. [au] TOTAL, [en] RÉSUMÉ. ¶ (*Adverbial*). Entièrement. *Omnino*, adv.
Planĕ, adv. Etre — heureux, *ex omni
parte beatum esse*. — entier, *totus, a,
um*, adj. — d'une pièce, *solidus, a, um*,
adj. — seul, *solus, a, um*, adj. —
autre, *longe alius*. — de même, *pariter*,
adv. — à fait, *omnino*, adv. — à coup,
voy. SOUDAIN. — que, (loc. conj.),
voy. QUELQUE [que], QUOIQUE. —
comme si, *juxta ac si...*; *non aliter ac
si...* — en (av. le part.), *dum*, conj.
(voy. TANDIS QUE.) ¶ (Subst.) *Au masc.
sing*. La chose entière, la somme des
parties. *Totum, ius*, n. Former un —,
voy. CORPS. Loc. adv. Rien du —,
nihil omnino. ¶ *Adj. collectif universel*.
‖ Les uns et les autres sans exception.
Omnes, ia, adj. pl. *Universi, ae, a* (« tous
ensemble »), adj. *Cuncti, ae, a* (« tous
ensemble »), adj. Tous les gens de bien,
omnes boni ou *optimus quisque*. Tous
les cinq ans, *quinto quoque anno*. Tous
ceux qui, *quotquot*. ‖ (Subst.) *Au masc.
sing*. Toutes les personnes *ou* les choses
dont il s'agit sans exception. *Omnes*,
m. pl. *Omnia*, n. pl. — ce qui, ce que,
quicquid, n. — ce que tu vois, *omne
quod vides*. Tout ce qu'il avait réuni
de soldats, *quodcumque militum contraxerat*. A — prendre, *in summā* ou
ad summam. En — et pour —, *omnino*,
adv. ¶ *Adjectif collectif partitif*. L'un
comme l'autre indistinctement. *Omnis,
e*, adj.

toutefois, adv. En admettant toute
circonstance qui s'y oppose. *Tamen*,
conj. (se place le second mot de la
phrase, et le premier mot après une
proposition concessive *ou* restrictive).
Voy. CEPENDANT. Et —, *attamen*. Si
—, *si modo* (ou simpl., *modo*) avec le
Subj. Si — ne... pas... *modo ne* (et le
Subj.).

toute-puissance, s. f. Puissance sans
bornes. *Infinita* (ou *omnium rerum*)
potentia. ‖ (P. anal.) Puissance souveraine. *Omnium rerum potentia*.

tout-puissant, *toute-puissante*, adj. Qui
a une puissance sans bornes. *Omnium
rerum potens*. ‖ (P. anal.) Qui a une

grande puissance. *Omnia imperio suo regens.* Etre —, *omnia posse.*

toux, s. f. Mouvement d'expiration convulsif, saccadé, pour dégager les voies respiratoires. *Tussis, is,* f.

tracas, s. m. Souci, mouvement qu'on se donne pour les choses de la vie. *Cura, ae,* f. *Molestia, ae,* f. *Negotium, ii,* n.

tracasser, v. tr. Susciter des difficultés pour de petites choses. *Afferre alicui molestiam.* ¶ Tourmenter (les gens) pour de petites choses. *Sollicitāre,* tr.

tracasserie, s. f. Action de tracasser. *Sollicitatio, onis,* f.

tracassier, *ière,* adj. Qui suscite des difficultés pour de petites choses. Voy. CHICANIER. ¶ Qui tourmente les gens pour de petites choses. *Importunus, a, um,* adj.

trace, s. f. Suite d'empreintes à l'aide desquelles on reconnaît la direction suivie par qqn, par qqch. *Vestigium, ii,* n. Suivre à la —, *investigāre,* tr.; *indagāre,* tr. et intr. — d'une roue, *orbita, ae,* f.|| Chacune de ces empreintes. *Vestigium, ii,* n. ¶ (Au fig.) Exemple à suivre laissé par qqn. *Vestigium, ii,* n. ¶ Marque à laquelle on reconnaît l'action que qqch. a exercée. *Vestigium, ii,* n. *Indicium, ii,* n.

tracé, s. m. Ensemble de lignes par lequel on a tracé le contour des objets. *Ductūs, ūs,* m. *Descriptio, onis,* f.

tracer, v. tr. et intr. || (*V. tr.*) Indiquer au moyen d'un trait la direction, la forme. *Scribĕre,* tr. *Describĕre,* tr. *Designāre,* tr. *Delineāre,* tr. — le camp, *castra metāri.* ¶ (Par ext.) Indiquer par l'écriture et (fig.) par le langage écrit *ou* parlé. *Deformāre,* tr.¶ (*V. intr.*) S'étendre horizontalement à la surface de la terre. Voy. RAMPER. Une plante qui —, voy. TRAÇANT.

traction, s. f. Action de tirer, de faire effort pour amener à soi. *Tractūs, ūs,* m. (En parl. d'un véhicule). *Vectio, onis,* f.

tradition, s. f. Transmission orale de faits historiques, de doctrines religieuses, de coutumes. *Fama, ae,* f. *Sermo, onis,* m. — fabuleuse, *fabula, ae,* f. — historique, *memoria, ae,* f. — écrite, *litterae, arum,* f. pl. || (Par ext.) Ce qui est ainsi transmis. *Mos, moris,* m. Qui est de —, *traditus, a, um,* part.; *usitatus, a, um,* p. adj.

traditionnel, *elle,* adj. Fondé sur la tradition. *A majoribus* (ou *antiquitus*) *traditus.*

traducteur, *trice,* s. m. et f. Auteur d'une traduction. *Interpres, pretis,* m.

traduction, s. f. Action de faire passer un ouvrage d'une langue dans une autre. *Conversio, onis,* f. *Translatio, onis,* f. ¶ Ouvrage qu'on a fait passer d'une langue dans une autre. *Opus (ex patriā linguā in aliam linguam) conversum.*

traduire, v. tr. Faire comparaître. — (qqn) en justice, devant un tribunal, *in jus vocāre* (ou *ducĕre* ou *educĕre*). ¶ Faire passer d'une langue dans une autre. *Vertĕre,* tr. *Transferre,* tr.¶ (Fig.) Montrer sous un certain aspect. Voy. EXPRIMER, EXPLIQUER.

trafic, s. m. Commerce lointain. *Mercatura, ae,* f. *Mercatūs, ūs,* m.

trafiquant, *ante,* s. m. et f. Celui, celle qui fait trafic. *Mercator, oris,* m. Trafiquante, *negotiatrix, tricis,* f.

trafiquer, v. intr. Faire du trafic. *Rem gerĕre. Rem gerĕre et lucrum facĕre.* || Faire un commerce illicite. *Aliquid in quaestum conferre* (ou *habēre quaestui*).

tragédie, s. f. Pièce de théâtre régulière mettant en scène des personnages en lutte contre leurs passions ou la mauvaise fortune, etc. *Tragoedia, ae,* f.

tragédien, *enne,* s. m. et f. Acteur, actrice qui joue la tragédie. *Tragoedus, i,* m. Tragédienne, *quae tragoedias agit.*

tragicomédie, s. f. Pièce de théâtre qui tient de la tragédie et de la comédie. *Tragicomoedia, ae,* f.

tragique, adj. Qui appartient à la tragédie. *Tragicus, a, um,* adj. Acteur —, voy. TRAGÉDIEN. ¶ (Fig.) Qui a un caractère funeste. *Tragicus, a, um,* adj. *Tristis, e,* adj. *Funestus, a, um,* adj.

tragiquement, adv. D'une manière tragique. || Selon le genre de la tragédie. *Tragico more. Tragicē,* adv. || (Fig.) D'une manière funeste. *Luctuosē,* adv.

trahir, v. tr. Livrer (à ses ennemis) celui qui se fiait à nous. *Tradĕre,* tr. ¶ (Absol.) Livrer, abandonner qqn à qui l'on doit fidélité. *Prodĕre,* tr.¶ (P. ext.) Révéler. *Prodĕre,* tr. || Desservir. *Deserĕre,* tr. *Destituĕre,* tr.

trahison, s. f. Acte de celui qui trahit. *Proditio, onis,* f. *Perfidia, ae,* f. (voy. PERFIDIE). Crime de haute —, *perduellio, onis,* f.

train, s. m. Longue file de bêtes qui transportent des vivres, des munitions, etc. *Ordo, dinis,* m. — des équipages, *commeatūs, ūs,* m.: *impedimenta et calones.* — d'artillerie, *fabri qui machinas in bello trahunt.* || (Par ext.) Suite de valets, de chevaux, qui accompagnent une personne riche, puissante. *Comitatūs, ūs,* m. *Apparatūs, ūs,* m. Mener grand —, *lautē vivĕre.* Par ext. Faire du —, voy. TAPAGE. || Allure de l'attelage qui traîne une voiture. Voy. ALLURE. || (Fig.) Manière dont les choses marchent. *Cursūs, ūs,* m. Mener qqn grand —, *instāre alicui* ou *aliquem urgēre.* Etre en — (de faire qqch.), *instituĕre* (av. l'Inf.). Etre, se mettre en —, *movēri* (ou *agitāri*). Mettre en —, *movēre* (ou *commovēre*) *aliquem* (ou *aliquid*). || (P. ext.) Partie de devant, de derrière des chevaux, des bœufs, etc. — de derrière, *clunes, ium,* f. pl. — de devant, *priores pedes.* ‖ (Par anal.) Partie qui porte le corps de la voiture et à laquelle sont attachées les roues. *Rotae et axes.*

trainant, *ante,* adj. Qui traine à terre, qui pend de manière à balayer le sol. *Fluens* (gén. -*entis*), p. adj. Robe —, *tunica talaris.* ¶ (Fig.) Qui se prolonge d'une manière monotone. *Languens* (gén. -*entis*), p. adj.

trainard, *e,* s. m. et f. Celui, celle qui reste habituellement en arrière des autres dans une marche. *Morator, oris,* m.

traine, s. f. Action de traîner. *Tractŭs, ŭs,* m. Mettre des filets à la —, *verrĕre retibus aequor.* ¶ (P. ext.) Ce qui traine, pend jusqu'à terre en balayant le sol. La — d'une robe, *syrma, matis,* n.

traineau, s. m. Voiture à patins qu'on fait glisser, etc. *Traha, ae, f.*

trainée, s. f. Longue trace laissée sur le sol par une substance répandue. *Tractŭs, ŭs,* m.

trainer, v. tr. et intr. ‖ (*V. tr.*) Tirer après soi (qqch., qqn), malgré la résistance opposée par le poids et le frottement d'une partie sur le sol. *Trahĕre,* tr. *Vehĕre,* tr. Se —, *repĕre,* intr.; *reptāre,* intr. Se faire —, *vehi,* pass.; *vectāri,* pass. ¶ Forcer à venir avec soi. *Trahĕre,* tr. *Rapĕre,* tr. ¶ Amener avec soi (qqch. qui embarrasse, qui gêne). *Trahĕre,* tr. ‖ — une foule à sa suite, *turbam prosequentium trahĕre.* ‖ Amener avec soi (qqch.) comme conséquence forcée. Voy. **ENTRAINER.** ‖ (Par ext.) Faire aller longtemps, prolonger (qqch.). *Trahĕre,* tr. *Extrahĕre,* tr. ¶ (*V. intr.*). Pendre de manière à balayer le sol. *Trahi,* passif. *Fluĕre,* intr. *Defluĕre,* intr. Laisser —, *trahĕre,* tr. ‖ (P. ext.) Choses qui trainent, qu'on laisse —, *res quae temerē jacent.* Fig. Des lieux communs qui — les rues, *loci vulgares et pervagatissimi.* ¶ Se prolonger, marcher lentement. *Trahĕre,* intr. et *trahi,* pass. *Morāri,* dép. intr. Faire —, faire — en longueur, *trahĕre,* tr.

traineur, s. m. Voy. **TRAINARD.**

traire, v. tr. Tirer le lait. *Mulgĕre,* tr. Vase à —, *mulctra, ae,* f.

trait, s. m. Action de tirer. *Tractŭs, ŭs,* m. ‖ (Spéc.) Action de tirer une voiture. Bêtes de —, *pecudes ad vehendum idoneae* ou (simpl.) *jumenta, orum,* n. pl. ‖ (Par ext.) Lanière de cuir *ou* corde à l'aide de laquelle les chevaux tirent une voiture. *Habenae, arum,* f. pl. *Funis, is,* m. ¶ (Par anal.) Longe à laquelle est attaché le limier. *Funis, i,* n. ‖ Action de tirer la corde d'un arc, d'une arbalète, d'une baliste, etc., pour faire partir le projectile. Gens de —, hommes de —, *sagittarii, orum,* m. pl. (Par ext.) Toute arme lancée soit avec l'arc, etc., soit avec la main. *Telum,*

i, n. Les — de la satire, *aculei, orum,* m. pl. ‖ (Par anal.) Tout ce qui frappe rapidement. Ce fut pour moi comme un — de lumière, *percussit ilico animum.* ‖ Action d'attirer à soi le liquide, pour l'avaler. *Haustŭs, ŭs,* m. *Potŭs, ŭs,* m. *Impetŭs, ŭs,* m. Boire la coupe d'un seul —, *uno impetu poculum epotāre.* ¶ Action de tirer une ligne, de la tracer dans toute sa longueur. *Ductŭs, ŭs,* m. ‖ (Par ext.) Ligne tracée. *Linea, ae,* f. ‖ (Spéc.) Ligne qui reproduit le contour d'un objet. *Lineamentum, i,* n. ‖ (Par anal.) Ligne du visage. *Ductŭs oris. Lineamentum, i,* n. ¶ (Au fig.) Marque significative de qqch. *Specimen, minis,* n. *Signum, i,* n. ‖ Action significative. *Factum, i,* n. *Facinus, oris,* n. ¶ (Absol.) Pensée vive, brillante (dans un ouvrage de l'esprit). *Sententia, ae,* f. ¶ (Par ext.) Direction que suit une chose. *Tractŭs, ŭs,* m. ‖ Avoir — à qqch., *pertinēre ad aliquid.*

traitable. adj. Accommodant, maniable. *Tractabilis, e,* adj.

traite, s. f. Lettre de change. Voy. **CHANGE, BILLET.** Signer des —, *nomina facĕre.* ¶ Parcours non interrompu d'un lieu à un autre. *Spatium, ii,* n. D'une —, *continenti cursu.*

traité, s. m. Ouvrage où l'on traite d'une matière, en en examinant par ordre les diverses parties. *Ars, artis,* f. *Liber, bri,* m. ¶ Convention débattue entre deux parties, déterminant par article ce qui a été stipulé de part et d'autre. *Pactio, onis,* f. ‖ Convention solennelle entre deux Etats. *Sponsio, onis,* f. *Foedus, eris,* n. ‖ Convention avec un entrepreneur. *Pactum, i,* n. *Conventum, i,* n.

traitement, s. m. Manière d'agir envers qqn. *Tractatio, onis,* f. — bienveillant, *comitas, atis,* f. Mauvais —, voy. **INJURE, SÉVICE, TORT.** ‖ (Spéc.) Accueil fait aux ambassades, aux représentants d'un pays dans un pays étranger. Voy. **RÉCEPTION.** ‖ (Par ext.) Appointements d'un fonctionnaire. Voy. **APPOINTEMENT.** ¶ (Spéc.) Manière dont un médecin agit sur un malade pour le guérir. *Curatio, onis,* f. *Cura, ae,* f.

traiter, v. tr. et intr. ‖ (*V. tr.*) Agir envers (qqn) de telle ou telle manière. *Tractāre* (*aliquem liberaliter*), tr. *Habĕre,* tr. ‖ (Par ext.) — de, c.-à-d. qualifier de telle *ou* telle manière, voy. **APPELER, QUALIFIER.** ‖ (Spéc.) En parl. d'un médecin, agir de telle *ou* telle manière sur un malade pour le guérir. *Tractāre,* tr. *Curāre,* tr. *Medēri,* dép. intr. (av. le Dat.). ‖ (En parl. d'un hôte). Recevoir à dîner, à souper. *Cenā excipĕre.* — magnifiquement qqn, *aliquem invitāre apparatis epulis.* ¶ Agir sur qqch. de telle *ou* telle manière. ‖ Traiter une affaire. *Tractāre,* tr. et intr. *Agĕre*, tr. et intr. (*cum aliquo aliquid* ou *de aliquā re*). || Traiter un sujet. *Agitāre*, tr. *Disputāre*, intr. (*de aliquā re*). || Traiter une substance *Tractāre*, tr. ¶ (*V. intr.*) Régler qqch. avec qqn. *Agĕre*, abs. (*cum aliquo de aliquā re*). *Colloqui*, dép. intr. (*colloqui cum aliquo de 'aliquā re*). || Conclure une convention politique, commerciale. *Pacisci*, dép. tr. et intr. (on dit aussi : *pactionem facĕre cum aliquo*). || Prendre qqch. pour objet d'étude, de travail, de discussion. *Disserĕre*, intr. (*de aliquā re*). Cet ouvrage traite de l'amitié, de l'âme, *hic liber est de amicitiā, de animo*.

traiteur, s. m. Voy. AUBERGISTE.

traître, *esse*, s. m. et f. Celui, celle qui trahit. *Proditor, oris*, m. Traîtresse, *index, dicis*, f.; *quae prodit*. || Adjectivt. Qui trahit. *Perfidus, a, um*, adj.

traîtreusement, adv. Par une trahison. *Perfidē*, adv.

traîtrise, s. f. Voy. TRAHISON.

trajet, s. m. Action de traverser l'espace qui sépare un lieu d'un autre. *Trajectŭs, ūs*, m. En parl. de l'espace traversé. *Spatium, ii*, n. *Via, ae*, f.

trame, s. f. Fil qu'on a fait passer transversalement au moyen de la navette à travers les fils tendus longitudinalement. *Subtemen, minis*, n. || (Fig.) Ce qui se déroule comme un fil. *Stamen, inis*, n. || Intrigue nouée. *Tela, ae*, f.

tramer, v. tr. Croiser au moyen de la navette le fil de trame avec les fils tendus de la chaîne. *Subtemen inserĕre* ou simpl. *inserĕre*, tr. ¶ (Fig.) Concerter, tr. *Consuĕre*, tr. (cf. *consuĕre dolos*). *Struĕre*, tr. *Machināri*, dép. tr.

tranchant, *ante*, adj. Qui tranche, qui coupe net d'un seul coup. *Qui* (*quae, quod*) *secat*. *Acer, acris, acre*, adj. ¶ (Fig.) Qui décide d'un ton absolu. *Arrogans* (gén. -*antis*), p. adj. ¶ *S. m.* Côté coupant d'une lame. *Acies, ei*, f. A deux —, *bipennis, e*, adj.; *anceps* (gén. -*cipitis*), adj.

tranche, s. f. Portion plus ou moins mince d'un corps coupé par une section nette. *Incisa* (ou *concisa* ou *praecisa*) *res*.

tranchée, s. f. Ouverture pratiquée dans le sol sur une certaine longueur. *Fossa, ae*, f. || (Spéc.) T. milit. Fossé permettant de s'approcher à couvert d'une ville assiégée. *Fossa, ae*, f. ¶ Colique aiguë, *Tormina, um*, n. pl.

trancher, v. tr. Couper net d'un seul coup. *Secāre*, tr. *Abscidĕre*, tr. || (Fig.) Couper court à (un débat, un entretien). *Decidĕre*, tr. *Abrumpĕre*, tr. || (Absol.) Décider d'une manière trop péremptoire. Voy. DÉCIDER. || (Par ext.) Prendre des airs décidés. — du grand seigneur, *agĕre nobilem*. — de l'homme riche, *verbis se locupletem facĕre*. || Séparer, distinguer nettement. Voy. ces

mots. *Au part. passé :* tranché, *dispar* adj.; *discolor*, adj.; *diversus, a, um*, p. adj. ¶ *Intransit.* Former contraste. Voy. CONTRASTER.

tranchet, s. m. Outil de cordonnier. *Crepidarius cultellus.*

tranquille, adj. Qui est sans agitation. *Tranquillus, a, um*, adj. *Quietus, a, um*, p. adj. Etre —, *quiescĕre*, intr. ¶ Qui est sans inquiétude. *Tranquillus, a, um*, adj. *Placidus, a, um*, adj.

tranquillement, adv. D'une manière tranquille, sans agitation. *Quietē*, adv. *Otiosē*, adv. ¶ (Fig.) Sans inquiétude. *Tranquillē*, adv. *Placidē*, adv.

tranquilliser, v. tr. Rendre tranquille, sans inquiétude. *Securum reddĕre*. *Tranquillum facĕre aliquem* (ou *animum alicujus*).

tranquillité, s. f. Etat de ce qui est tranquille. || Absence d'agitation. *Tranquillitas, atis*, f. ¶ Absence d'inquiétude. *Tranquillitas, atis*, f.

transaction, s. f. Arrangement entre deux parties qui transigent. *Compositio, onis*, f.

transcendant, *ante*, adj. Qui s'élève (intellectuellement, moralement) à une hauteur peu ordinaire. *Eximius, a, um*, adj.

transcription, s. f. Action de transcrire; résultat de cette action. *Descriptio, onis*, f.

transcrire, v. tr. Reproduire (un texte) en le recopiant à une autre place, ou avec d'autres caractères. *Transcribĕre*, tr. *Describĕre*, tr.

transe, s. f. Inquiétude mortelle. *Angor, oris*, m. *Anxietas, atis*, f.

transférer, v. tr. Installer, établir d'une place à une autre. *Transferre*, tr. || (P. anal.) Faire passer dans la propriété d'un autre. *Transcribĕre*, tr.

transfert, s. m. Action de transférer. *Translatio, onis*, f.

transfiguration, s. f. Transformation de la figure, des traits extérieurs. *Transfiguratio, onis*, f.

transfigurer, v. tr. Transformer en changeant la figure, les traits extérieurs. *Transfigurāre*, tr. Spéc. En parl. du Christ, se —, être —, *se transfigurāre*, tr.; *transfigurāri*, pass.

transformation, s. f. Passage d'une forme à une autre. *Conversio, onis*, f.

transformer, v. tr. Faire passer d'une forme à une autre. *Formam* (ou *figuram*) *convertĕre* (ou *mutāre, commutāre, immutāre*).

transfuge, s. m. et f. || *S. m.* Militaire qui déserte en temps de guerre pour passer à l'ennemi. *Perfuga, ae*, m. *Transfuga, ae*, m. Etre —, *perfugĕre*, intr. ¶ (Fig.) *S. m.* et *f.* Celui, celle qui abandonne son parti pour passer dans le parti contraire. *Is qui* (*ea quae*) *deficit*, ou *desciscit* (*ab aliquo*).

transgresser, v. tr. Passer par-dessus

(un commandement, une loi). *Violāre*, tr. [gresse. *Violator, oris,* m.

transgresseur, s. m. Celui qui transgresse.

transgression, s. f. Action de transgresser. *Violatio, onis,* f.

transiger, v. intr. Conclure un arrangement en faisant de part et d'autre des concessions sur ce qui est en litige. *Transigĕre,* intr. Fig. — avec sa conscience, *a conscientiā aberrāre* (ou *discedĕre*). [Transi, *torridus frigore.*

transir, v. tr. Voy. GELER, GLACER.

transition, s. f. Passage ménagé d'une chose à une autre. *Transitŭs, ŭs,* m. || (Spéc.) Passage d'une idée à une autre. *Transitio, onis,* f.

transitoire, adj. Dont l'action, l'effet ne dure pas. *Transitorius, a, um,* adj.

transitoirement, adv. D'une manière transitoire. *Ad* (ou *in*) *breve tempus.*

translation, s. f. Action de faire passer un objet d'un lieu dans un autre. *Translatio, onis,* f.

transmettre, v. tr. Faire parvenir d'un lieu à un autre. *Tradĕre,* tr.

transmigration, s. f. Voy. MIGRATION, ÉMIGRATION.

transmission, s. f. Action de faire parvenir d'un lieu à un autre. *Traditio, onis,* f.

transparence, s. f. Propriété de ce qui est transparent. *Perspicuitas, atis,* f.

transparent, ente, adj. Qui laisse passer les rayons lumineux de manière qu'on distingue les objets à travers. *Perlucidus, a, um,* adj.

transpercer, v. tr. Percer de part en part. *Transfīgĕre,* tr. *Transfodĕre,* tr.

transpiration, s. f. Exhalation de la sueur à la surface de la peau. *Sudatio, onis,* f. *Sudor, oris,* m.

transpirer, v. intr. Secréter la sueur. *Sudāre,* intr. || Etre exhalé. *Exhalāre,* intr. *Exspirāre,* intr. || (Au figuré.) *Emanāre,* intr. Voy. DIVULGUER.

transplantation, s. f. Action de transplanter. *Translatio, onis,* f.

transplanter, v. tr. Enlever d'un endroit (une plante, un arbre avec ses racines), pour replanter ailleurs. *Transferre,* tr. ¶ (P. anal.) Etablir dans une autre contrée. *Transferre,* tr. *Traducĕre,* tr.

transport, s. m. Action de porter d'un lieu à un autre. *Portatio, onis,* f. *Asportatio, onis,* f. *Vectura, ae,* f. De —, *vectorius, a, um,* adj.; *onerarius, a, um,* adj. Vaisseau de —, *navis oneraria.* Moyen de —, *vehiculum, i,* n. || (Spéc.) Terrain de transport. Voy. ALLUVION. || (Par anal.) Action de reporter sur un autre un droit que l'on possède. *Translatio, onis,* f. — de créance, *versura, ae,* f. ¶ (Au fig.) Mouvement qui nous met hors de nous. *Effusio, onis,* f. *Effrenatio, onis,* f. — de colère, *animi impotentis effrenatio.* || (Spéc.) Délire. Voy. ce mot.

transportable, adj. Qui peut être transporté. *Qui (quae, quod) transvehi potest.*

transporter, v. tr. Porter d'un lieu à un autre. *Transportāre,* tr. *Transvehĕre,* tr. *Portāre,* tr. *Comportāre,* tr. *Convehĕre,* tr. *Deferre,* tr. *Transferre,* tr. || (Spéc.) Transporter qqn (t. de droit). Voy. RELÉGUER. || (Fig.) Se — par la pensée, *se animo et cogitatione convertĕre (ad aliquid).* ¶ (Par anal.) Reporter sur un autre un privilège, un avantage qu'on possède. *Transcribĕre (in aliquem).* ¶ (Au fig.) Mettre hors de soi. *Efferre,* tr. (au passif, ex.: *efferri laetitiā, iracundiā,* etc.). *Exsultāre,* intr. Etre transporté de colère, *prae iracundiā non esse apud se.*

transposer, v. tr. Placer en intervertissant l'ordre. *Transmutāre,* tr. *Transponĕre,* tr.

transposition, s. f. Action de transposer. || Action de placer en intervertissant l'ordre. *Trajectio verborum* ou *trajectio, onis,* f.

transvasement, s. m. Action de transvaser. *Transfusio, onis,* f.

transvaser, v. tr. Verser d'un vase dans un autre. *Transfundĕre in alia vasa* ou simpl. *transfundĕre,* tr.

transversal, ale, adj. Qui est en travers d'une ligne, d'une direction donnée. *Transversus, a, um,* p. adj.

transversalement, adv. D'une manière transversale. *E transverso.*

trappe, s. f. Piège à bascule pour prendre des animaux. Voy. PIÈGE. ¶ Porte qui se hausse ou se baisse dans une coulisse. *Cochlea, ae,* f.

trapu, ue, adj. Court, mais ramassé (dans sa taille). *Habitu corporis brevis et robustus.*

1. travail, s. m. Machine dans laquelle on assujettit les chevaux, bœufs, etc. *Tripale machinamentum.*

2. travail, s. m. Gêne, tourment, effort pénible. Voy. GÊNE, FATIGUE, PEINE, TOURMENT. ¶ Effort soutenu. *Labor, oris,* m. *Opera, ae,* f. *Opus, eris,* n. || (Par anal.) Le — des animaux, *opus pecudum* ou *labor, oris,* m. Bêtes de —, *operarium pecus.* || (Par ext.) Travail d'une machine. *Opus, eris,* n. || (Spéc.) Suite d'opérations. *Opus, eris,* n. *Labor, oris,* m. || (Par ext.) Matière à laquelle s'applique cet effort. *Opus, eris,* n. ¶ Résultat produit par cet effort. || Ouvrage qu'on exécute. *Opus, eris,* n. || (Spéc.) Œuvre littéraire, scientifique. *Opus, eris,* n. || Entreprise difficile qu'on accomplit. *Labor, oris,* m. ¶ Manière dont un ouvrage est exécuté. *Opus, eris,* n.

travailler, v. tr. et intr. || (*V. tr.*) Soumettre à une gêne, à un tourment continu. *Exercēre,* tr. (voy. TOURMENTER). Se —, *laborāre,* intr. (*in aliquā re; de aliquā re*). Etre travaillé (par qqch.), *laborâre*, intr. (av. l'Abl.). || (Par anal.) Faire naître de l'agitation, le mécontentement (dans les esprits). **Sollicitâre**, tr. ¶ Soumettre (une matière) à une action continue pour la façonner. *Tractâre*, tr. *Subigêre*, tr. *Exercêre*, tr. || (Par anal.) En parlant d'une œuvre intellectuelle. *Elaborâre*, tr. et intr. ¶ (*V. intr.*) Subir un effort continu. *Laborâre*, intr. Le bois —, *pandat* (ou *pandatur*) *materies*. ¶ Faire un effort continu. *Laborâre*, intr. (on dit aussi *in labore esse*). *Elaborâre*, intr.

travailleur, *euse*, s. m. et f. Celui, celle qui travaille. *Qui opus facit*. *Operarius, ii*, m. Travailleuse, *quae opus facit*. ¶ (Par ext.) Celui, celle qui aime à travailler. *Qui* (*quae*) *sedulo* (ou *strenuê*) *opus facit*. *Homo industrius*.

travers, s. m. Etendue d'un corps, d'une de ses extrémités à l'autre, dans le sens qui coupe la longueur, la largeur, la profondeur. Placé en —. *transversus, a, um* p. adj. Attaquer un vaisseau par le —, *in navis latus impetu praeferri*. || (Par ext.) A —, au —, per, prép. (av. l'Acc.); *trans*, prép. (av. l'Acc.). ¶ Direction qui dévie du sens droit. Qui est de —, *pravus, a, um*, adj.; *transversus, a, um*, p. adj. De —, *pravê*, adv. (au pr. et au fig., s'opp. à *rectê*); *perperam*, adv.; *male*, adv. Regarder qqn de —, *torvê aspectâre aliquem*. A tort et à —, *temerê*, adv. Prendre qqch. de —, *aliquid interpretâri in pejorem partem*. Un esprit de —, *prava mens*. || (Fig.) Travers d'esprit et absol. travers. *Perversitas, atis*, f. *Pravitas, atis*, f. Les — du temps, *hujus temporis corrupti mores*.

traverse, s. f. Action d'aller d'une des extrémités d'un chemin à l'autre. || (P. ext.) Chemin de —, *via transversa*. Ellipt. La — (chemin de traverse), voy. ci-dessus. || (Fig.) Voie détournée. *Deverticulum, i*, n. ¶ Ce qu'on pose en travers de qqch. *Tigna transversa* (ou *transversaria*). — en bois, *vara, ae*, f. || (Fig.) Obstacle, difficulté. *Objex, objicis*, et *obex, obicis*, m. et f. Loc. adv. A la — (en faisant obstacle), de *transverso* ou *ex transverso*. Se jeter à la — de qqch., *occurrêre alicui rei*.

traversée, s. f. Voyage par mer où l'on va directement d'un point à un autre. *Trajectûs, ûs*, m. *Trajectio, onis*, f.

traverser, v. tr. Aller à travers (qqch.), d'une des extrémités à l'autre. *Transire*, tr. *Transgredi*, dép. tr. Faire —, *traducêre*, tr.; *trajicêre*, tr. || (Fig.) Traverser l'esprit. *Transvolâre*, tr. *Succurrêre*, intr. ¶ Etre en travers (de qqch.). *Per* (*mediam viam*) *jacêre*. || (Fig.) Arrêter par un obstacle, une difficulté. *Obstâre*, intr. *Obsistêre*, intr.

traversin, s. m. Coussin sur lequel s'appuie l'oreiller. *Pulvinus, i*, m.

travestir, v. tr. Vêtir (qqn) d'un costume qui n'appartient pas à sa condition ou à son sexe. *Alienâ veste* (ou *mutato habitu*) *occultâre aliquem*. Travesti, *personatus, a, um*, p. adj.

travestissement, s. m. Action de travestir, costume ou travestit. *Mutatio vestitûs* (ou *vestis*). *Occultus habitus*.

Trébizonde, n. pr. Ville du Pont. *Trapezus, untis* (Acc. *unta*), f.

trébucher, v. intr. Perdre l'équilibre en marchant, *et, par ext.*, faire un faux pas sans tomber. *Pedem offendêre*. *Vestigio falli*.

trébuchet, s. m. Piège à bascule pour prendre les petits oiseaux. *Pedica, ae*, f. ¶ Petite balance pour peser les monnaies d'or et d'argent. *Trutina, ae*, f.

trèfle, s. m. Légumineuse à trois feuilles. *Trifolium, ii*, n.

treillage, s. m. Sorte de grillago fait de perches, etc., en carrés, en losanges, etc. *Cancelli, orum*, m. pl.

treille, s. f. Berceau de ceps de vignes soutenu par un treillage. *Pergula, ae*, f.

treillis, s. m. Grillage imitant les mailles d'un tissu, d'un filet. *Cancelli, orum*, m. pl.

treillisser, v. tr. Façonner en treillis. *Cancellâre*, tr. Treillissé, *reticulatus, a, um*, adj.

treize, adj. et s. m. || *Adjectif numéral invariable*. Adjectif cardinal. Dix plus trois. *Tredecim*, adj. numér. Indécl. — par —, à la fois ou chaque fois, *terni deni, ternae, denae, terna dena*, adj. numér. distrib. — fois, *tredecies*, adv. — cents *mille et trecenti*. || Adjectif numéral ordinal. Treizième. L'an —, *tertio et decimo* (ou *decimo et tertio*) anno. Le — Avril, *et* ellipt. Le — d'Avril, le — Avril, *ante diem tertium Idus Apriles*. ¶ *S. m.* (invariable). Le nombre —, *ternarius denarius numerus*.

treizième, adj. Qui vient immédiatement après le douzième. *Tertius decimus*.

treizièmement, adv. En treizième lieu. *Tertio decimo*.

tremblant, *ante*, adj. Qui tremble. *Tremens* (gén. -*entis*), p. adj. *Tremulus, a, um*, adj.

tremble, s. m. Espèce de peuplier. *Tremulus, i*, f.

tremblement, s. m. Suite de petites oscillations qui remue un corps ou une partie d'un corps. *Tremor, oris*, m. — de terre, *terrae motus*. Avoir un —, *contremiscêre*, intr.

trembler, v. intr. Etre remué par une suite de petites oscillations. *Tremêre*, intr. *Contremiscêre* (*contremisco, is, -tremui*, pas de sup.), intr. La terre —, *fit terrae motus*. || (Spéc.) Trembler de crainte. *Tremêre*, intr. — de (perdre, etc. voy. [avoir] PEUR.

trembleur, *euse*, s. m. et f. Voy. PEUREUX, POLTRON.

tremblotant, *ante*, adj. Qui tremblote (au propre et au fig.). *Tremulus, a, um*, adj.

trembloter, v. intr. Voy. TREMBLER, FRISSONNER.

trémoussement, s. m. Action de trémousser. *Jactatio, onis*, f.

trémousser, v. tr. Remuer vivement (le corps). Voy. REMUER. Se —, *jactāre corpus*.

trempe, s. f. Action de tremper. *Intinctŭs, ūs*, m. || (Fig.) Voy. FERMETÉ, SOLIDITÉ.

tremper, v. tr. et intr. || (*V. tr.*) Modérer au moyen d'un mélange. *Temperāre*, tr. — son vin, *vinum aquā temperāre*. ¶ Imbiber d'un liquide. *Madefacĕre*, tr. || (Par ext.) Plonger dans un liquide. *Tingĕre*, tr. *Intingĕre*, tr. Absol. — l'acier, *temperāre ferrum*. (Fig.) *Durāre*, tr. ¶ (*V. intr.*) Rester plongé dans un liquide. *Madescĕre*, intr. Faire —, *madefacĕre*, tr.; *macerāre*, tr. (Fig.) Ses mains ont — dans le sang innocent, *innocentium caede imbutae sunt ejus manus*. || (Par ext.) Tremper dans qqch. *Versāri*, pass. (*in aliquā re*).

trentaine, s. f. Nombre exact de trente. *Triginta*, adj. num.

Trente, v. pr. Ville d'Italie. *Tridentum, i*, n. De —, *Tridentinus, a, um*, adj.

trente, adj. et s. m. Adjectif numéral invariable. || *Adjectif cardinal*. Trois fois dix. *Triginta*, adj. num. — par —, — chaque fois, *triceni, ae, a*, adj. — fois, *tricies* ou *triciens; terdecies*. — huit, *duodequadraginta*, indécl. Par — huit, — huit chaque fois, *duodequadrageni, ae, a*, adj. — huitième, *duodequadragesimus, a, um*, adj. — neuf, *undequadraginta*, indécl. — neuf fois, *undequadragies*. — neuvième, *undequadragesimus, a, um*, adj. || *Adjectif numéral ordinal*. Trentième. Voy. ce mot. En l'an — après Jésus-Christ, *anno tricesimo post J. C. natum*. Le — de Mars, *et ellipt.* le — Mars, *ante diem tertium Kalendas Apriles*.

trentième, adj. Qui vient immédiatement après le vingt-neuvième. *Tricesimus, a, um*, adj.

trépas, s. m. Passage de la vie à la mort (chez l'homme). *Excessus vitae* (ou *e vitā*). *Discessus e vitā. Interitŭs, ūs*, m.

trépasser, v. intr. Passer de la vie à la mort. *Ex hominum vitā* (ou *hinc*) *demigrāre*.

trépied, s. m. Siège à trois pieds de la Pythie à Delphes. *Tripus, podis*, m.

trépignement, s. m. Mouvement de celui qui trépigne. *Supplosio pedis*.

trépigner, v. intr. Frapper du pied contre terre à plusieurs reprises. *Supplodĕre pedem. Terram pede percutĕre*.

très, adv. A un haut point. — beau, *pulcherrimus*. — bon, *optimus*. — nombreux, *plurimi* (ou *permulti*), *ae, a*, adj.

trésor, s. m. Réunion de pièces d'or, d'argent, d'objets précieux, mise en réserve, cachée ou enfouie. *Thesaurus, i*, m. Voy. RICHESSE, FINANCE. || (Par anal.) Collection de reliques, de vases, d'ornements précieux conservés dans un temple, dans une église. *Thesaurus, i*, m. || Ensemble des revenus d'un Etat. *Thesaurus publicus*. — royal, *pecunia regia*. — (des rois de Perse, des rois étrangers, etc.), *gaza, ae*, f. — particulier de l'empereur romain, *fiscus, i*, m. || (Par ext.) Lieu où se trouve le trésor. *Thesaurus, i*, m. *Aerarium, ii* (« trésor public »), n. || (Au fig.) *Thesaurus, i*, m. || (Fig.) Tout ce qui est considéré comme très précieux. *Thesaurus, i*, m. *Supellex, lectilis*, f. ¶ (Par ext.) *Au plur*. Richesses considérables. *Gazae, arum*, f. pl. *Opes, um*, f. pl. (voy. RICHESSE).

trésorier, *ière*, s. m. et f. Celui, celle qui a la garde du trésor d'une église. *Custos* (m. et f.) *sacrae* (ou *divinae*) *pecuniae*. ¶ Celui qui est chargé de l'administration des revenus d'un prince, etc. *Aerarii praefectus*.

tressaillement, s. m. Brusque mouvement dû à une vive émotion. *Horror oris*, m.

tressaillir, v. intr. Laisser échapper un brusque mouvement sous l'impression d'une émotion vive. *Horrēre*, intr. *Cohorrescĕre*, intr.

tresse, s. f. Cordon plat en forme de natte, etc. *Storea, ae*, f. *Struppus, i*, m.

tresser, v. tr. Façonner en tresse. *Texĕre*, tr. *Nectĕre*, tr.

tréteau, s. m. Ais monté sur quatre pieds servant soutenir une table, etc. *Fulmentum, i*, n. *Fulcrum, i*, n. || (Spéc.) En parl. d'un théâtre de bas étage. *Pulpitum, i*, n.

treuil, s. m. Cylindre autour duquel s'enroule une corde pour élever les fardeaux. *Sucula, ae*, f.

trêve, s. f. Armistice de longue durée. *Indutiae, arum*, f. pl. (*indutias facĕre*). ¶ (Fig.) Relâche. *Quies, etis*, f. *Intermissio, onis*, f.

triage, s. m. Action de trier. *Selectio, onis*, f.

triaires, s. m. pl. Soldats d'élite qu'on plaçait en troisième ligne pour servir de réserve. *Triarii, orum*, m. pl.

triangle, s. m. Figure géométrique à trois angles. *Triangulum, i*, n.

triangulaire, adj. Qui a la forme d'un triangle. *Triangulus, a, um*, adj.

tribu, s. f. Division d'un peuple. *Tribŭs, ūs*, f. Par —, *tributim*, adv. De —, *tribuarius, a, um*, adj. Qui est de la même —, *tribulis, is*, m.

tribulation, s. f. Tourment moral. *Angustiae, arum*, f. pl.

tribun, s. m. Un des chefs de la légion. *Tribunus militum* (ou *militaris*). ¶ Tribun de la plèbe (magistrat chargé de défendre les intérêts de la plèbe). *Tri-*

bunus plebis, ou simpl., *tribunus, i*, m.

tribunal, s. m. Siège des juges, des magistrats. *Tribunal, alis*, n. ¶ Juridiction, réunion de juges siégeant ensemble. *Judicium, ii*, n. Les —, *judicia, orum*, n. pl. Poursuivre qqn devant les —, *reum facere aliquem*.

tribunat, s. m. Charge de tribun. *Tribunatŭs, ûs*, m.

tribune, s. f. Lieu élevé d'où les orateurs haranguaient le peuple, *Tribunal, alis*, n. *Suggestŭs, ûs*, m. — aux harangues (à Rome), *rostra, orum*, n. pl. Monter à la —, *in rostra escendēre*. A la —, *e* (ou *pro*) *rostris*.

tribunitien, *enne*, adj. Qui appartient à un tribun. *Tribunicius, a, um*, adj.

tribut, s. m. Contribution qu'un peuple impose à un peuple vaincu placé sous sa domination. *Tributum, i*, n. || (Par anal.) Impôt. Voy. ce mot. ¶ (Au fig.) Concession imposée à qqn. *Officium, ii*, n. *Debitum, i*, n. || Sacrifice imposé à qqn. *Debitum, i*, n.

tributaire, adj. Qui doit le tribut. *Stipendiarius, a, um*, adj.

tricolore, adj. Qui est de trois couleurs. *Triplici colore*.

tricot, s. m. Tissu dont on fait les mailles à la main. *Scutula, ae*, f.

trident, s. m. Fourche à trois dents, instrument de pêche. *Tridens, entis* (Abl. *ente* et *enti*), m.

triennal, *ale*, adj. Qui dure trois ans. *Trium annorum*. ¶ Qui a lieu tous les trois ans. *Qui* (*quae, quod*) *tertio quoque anno fit*.

trier, v. tr. Choisir dans un assemblage de même nature (des objets qu'on sépare des autres). *Eligĕre*, tr. *Seligĕre*, tr.

trimestre, s. m. Espace de trois mois. *Trium mensium* (ou *trimestre*) *spatium*.

trimestriel, *elle*, adj. Qui revient tous les trois mois. *Trimestris, e*, adj.

tringle, s. f. Verge de fer qui passe dans les anneaux d'un rideau, etc. *Regula, ae*, f.

trinité, s. f. Réunion en un seul Dieu de trois personnes. *Trinitas, atis*, f.

trio, s. m. Morceau pour trois voix ou trois instruments. *Tricinium, ii*, n.

triomphal, *ale*, adj. Qui appartient à un triomphe. *Triumphalis, e*, adj. Marche —, cortège —, *triumphus, i*, m.

triomphalement, adv. D'une manière triomphale. *Triumphantium ritu. Per triumphum*.

triomphant, *ante*, adj. Dont on célèbre le triomphe. *Triumphans* (gén. *-antis*), p. adj. || (Fig.) Pompeux. Voy. ce mot. ¶ Qui remporte un triomphe. *Triumphans*, p. adj. || (Fig.) *Ovans* (gén. *-antis*), p. adj.

triomphateur, *trice*, s. m. et f. Celui, celle qui triomphe. *Triumphans* (gén. *-antis*), part.

triomphe, s. m. Honneur décerné au général qui avait remporté une grande victoire. *Triumphus, i*, m. Petit —, *oratio, onis*, f. De —, voy. TRIOMPHAL. Arc de —, *arcŭs, ûs*, m. || (Par anal.) Démonstration d'allégresse pour la venue de qqn, de qqch. *Exsultatio, onis*, f. ¶ Victoire éclatante remportée par un général. *Triumphŭs, i*, m. || (P. ext.) Succès éclatant. Voy. SUCCÈS. Le — de l'éloquence, c'est de..., *summa laus eloquentiae est* (av. l'Inf.).

triompher, v. intr. Obtenir les honneurs du triomphe. *Triumphāre*, intr. (on dit aussi *triumphum agĕre Bojorum, de Liguribus, ex Aequis*). || (Par anal.) Célébrer une victoire. *Triumphāre*, intr. *Ovāre*, intr. (ex. : *ovans duplici victoriā*). ¶ Remporter un triomphe, une victoire éclatante. *Vincĕre*, tr. *Evincĕre*, tr. *Superāre*, tr. ¶ Avoir la fierté que donne le succès. *Gloriāri*, dép. intr.

tripe, s. f. Boyau d'un animal. *Intestina, orum*, n. pl. ¶ (P. ext.) Estomac des ruminants, considéré comme aliment. *Omasum, i*, n.

triple, adj. Répété trois fois. *Triplus, a, um*, adj. *Triplex* (gén. *-plicis*), adj. Le — (trois fois autant), *triplum, i*, n.; *triplex, icis*, n.

triplement, adv. D'une manière triple; en trois parties. *Tripartito*, adv.

tripler, v. tr. et intr. || (*V. tr.*) Rendre triple. *Triplicāre*, tr. ¶ (*V. intr.*) Devenir triple. *Triplicāri*, pass.

trirème, s. f. Vaisseau à trois rangs de rames. *Navis triremis*, ou simpl. *triremis, is* (Abl. *trireme*), f.

trisaïeul, *eule*, s. m. et f. Le père, la mère du bisaïeul *ou* de la bisaïeule de qqn. *Abavus, i*, m. *Abavia, ae*, f.

triste, adj. Qui est dans un état de souffrance morale. *Tristis, e*, adj. *Maestus, a, um*, adj. Etre —, *in maerore esse* (ou *jacēre*). || Qui laisse voir cet état de souffrance morale. *Maestus, a, um*, adj. || (Par anal.) Morose. *Tristis, e*, adj. Humeur —, *morositas, atis*, f. || Qui exprime cet état de souffrance morale, qui en est le signe. *Maestus, a, um*, adj. (*m. silentium*). *Flebilis, e*, adj. (ex. : *flebilis vox*). ¶ Qui produit cet état de souffrance morale. *Tristis, e*, adj. (ex. : *tristes litterae nuntiique*). *Luctuosus, a, um*, adj. Temps —, *nubilum caelum*. || (Par anal.) Fâcheux. *Acerbus, a, um*, adj. *Tristis, e*, adj.

tristement, adv. D'une manière triste. *Maestē*, adv. *Miserabiliter*, adv.

tristesse, s. f. Etat de souffrance morale. *Maestitia, ae*, f. *Maeror, oris*, m. *Tristitia, ae*, f. Etre dans la —, avoir de la —, *maerēre*, intr.; *maestus, a, um*, adj. ¶ (P. anal.) En parl. des ch. *Tristitia, ae*, f.

triton, s. m. Divinité de la mer. *Triton* (Gén. *Tritonis* et *Tritonos*, Acc. *Tritona*), m.

triumvir, s. m. Magistrat partageant avec deux collègues certaines fonctions sous la république. *Triumvir, viri* (gén. pl. *triumvirum*), m. De —, *triumviralis, e*, adj.

triumviral, *ale*, adj. Qui appartient aux fonctions de triumvir. *Triumviralis, e*, adj.

triumvirat, s. m. Fonction de triumvir; durée de cette fonction. *Triumviratūs, ūs*, m.

trivial, *ale*, adj. Rebattu à satiété, connu de tous. *Decantatus, a, um*, p. adj. *Contritus, a, um*, p. adj. ¶ *Pervulgatus, a, um*, p. adj. ¶ Vulgaire et bas. *Humilis, e*, adj. *Sordidus, a, um*, adj.

trivialement, adv. D'une manière triviale. *Sordidē*, adv.

trivialité, s. f. Caractère de ce qui est trivial. *Sordes, ium*, f. pl. — des expressions, *sordes verborum*.

troc, s. m. Echange d'un objet contre un autre. *Permutatio, onis*, f.

troène, s. m. Arbrisseau dont on forme des massifs. *Ligustrum, i*, n.

Troie, n. pr. Ville de Phrygie. *Troja, ae*, f. De —, *Trojanus, a, um*, adj.

trois, adj. et s. m. ‖ *Adjectif numéral invariable.* Adjectif cardinal signifiant deux plus un. *Tres, tria*, adj. pl. *Trini, ae, a*, adj. (s'emploie avec les substantifs qui n'ont pas de sing.). — par —, — à la fois, — chaque fois, *terni, ae, a*, adj. — cents, *trecenti, ae, a*, adj. pl. — cents par — cents, — cents à la fois, — cents chaque fois, *treceni, ae, a*, adj. plur. — fois, *ter*, adv. ‖ Adjectif numéral ordinal signifiant troisième. Voy. TROISIÈME. Le — du mois de janvier, *et, ellipt.*, le — janvier, *tertio ante Nonas Januarias.* ¶ *S. m.* (Invariable). La quantité formée par deux plus un. Qui contient le nombre —, *ternarius, a, um*, adj.

troisième, adj. ‖ *Adjectif numéral ordinal.* Qui vient immédiatement après le deuxième. *Tertius, a, um*, adj. Pour la — fois, *tertium; tertio.* En — lieu, voy. TROISIÈMEMENT.

troisièmement, adv. En troisième lieu. *Tertio*, adv. [*ae*, f.

trombe, s. f. Colonne d'eau. *Columna*,

trompe, s. f. Instrument de musique à vent. ‖ Trompette. Voy. ce mot. Publier à son de —, *buccinatorem esse alicujus rei.* ‖ Instrument de chasse en forme de cor. Voy. COR. ‖ Trompe de bouvier ou de porcher. *Bucina, ae*, f. ¶ (P. anal.) Ce qui rappelle la forme recourbée de la trompe. *Cornu, ūs*, n. ‖ (Spéc.) Long prolongement du nez de l'éléphant. *Proboscis, cidis*, f.

tromper, v. tr. Induire qqn en erreur par artifice. *Fallĕre*, tr. *Decipĕre*, tr. *Circumvenire*, tr. *Deludĕre*, tr. ‖ (Spéc.) Trahir. *Destituĕre*, tr. (*aliquem illudĕre ac destituĕre*). ¶ Faire tomber dans l'erreur par une fausse apparence. *Fallĕre*,

tr. *Decipĕre*, tr. Se —, *errāre*, intr. (on dit aussi *in fraudem incidĕre* ou *delabi*); *aberrāre*, intr. ¶ (Par ext.) Décevoir. *Fallĕre*, tr. *Decipĕre*, tr. *Frustrāri*, dép. tr. ‖ Dissimuler (qqch.) en faisant diversion. — le temps, *tempus* ou *horas* ou *tempora tardē labentia fallĕre* (*sermonibus, narrando*, etc.).

tromperie, s. f. Action de tromper. *Fraudatio, onis*, f. ‖ (En parl. des choses.) *Mendacium, ii*, n.

trompette, s. f. et m. ‖ *S. f.* Instrument à vent, de cuivre ou d'un autre métal, à son éclatant. *Tuba, ae*, f. *Bucina, ae*, f. Signal donné par la —, *classicum, i*, n. ¶ *S. m.* Celui qui sonne de la trompette. *Tubicen, cinis*, m.

trompeur, *euse*, s. m. et f. adj. ‖ *S. m.* et *f.* Celui, celle qui trompe. *Homo (mulier) ad fallendum paratus (parata).* ¶ *Adj.* Qui trompe. *Ad fallendum paratus* (ou *instructus*). *Fallax* (gén. *-acis*), adj. *Dolosus, a, um*, adj. ‖ (En parl. des choses.) *Ad fallendum paratus* ou *instructus*. *Fallax* (gen. *-acis*), adj. *Dolosus, a, um*, adj.

tronc, s. m. Corps d'un arbre, sous les branches et les racines. *Truncus arboris*, et (simplt.) *truncus, i*, m. ¶ Corps d'un homme, d'un animal, sans la tête et les membres. *Truncum corpus* ou simpl. *corpus, poris*, n. ¶ Partie inférieure d'un fût de colonne. *Truncus, i*, m. ¶ Boîte dans les églises, pour recevoir les aumônes. *Capsa, ae*, f.

tronçon, s. m. Fragment de tronc. *Truncum corpus.* ‖ (P. anal.) Fragment, morceau. *Fragmentum, i*, n.

trône, s. m. Siège élevé où les souverains sont assis dans les réunions solennelles. *Solium, ii*, n. ‖ (Au fig.) Puissance souveraine. *Imperium, ii*, n. *Regnum, i*, n. Mettre qqn sur le —, *regem aliquem facĕre* (ou *credĕre*).

trôner, v. intr. Occuper un siège d'honneur. *Priores sedes tenēre*. ‖ (Fig.) Affecter la prééminence. *Regnāre*, intr.

tronquer, v. tr. Elaguer (un arbre) en retranchant ses branches. *Detruncāre*, tr. ¶ Mutiler (un corps) en enlevant la tête, les membres. *Truncāre*, tr. ‖ (Fig.) Rendre incomplet, en supprimant certaines parties essentielles. *Truncāre*, tr. Tronqué. *Mutilus, a, um*, adj.

trop, adv. et s. m. ‖ Plus qu'il ne faut. *Nimis*, adv. *Nimium*, acc. adv. Il serait — long de..., *longum est* (av. l'Infin.). — peu, *minus*, adv.; *parum*, adv. — grand, *nimius, a, um*, adj. Thémistocle vivait — librement, *Themistocles liberius vivebat.* ¶ *S. m.* Ce dont il y a plus qu'il ne faut. *Nimis*, n. *Nimium*, n. (se remplace par l'adjectif *nimius* avec des subst. de qualité, *nimia celeritas* [« trop de rapidité »]; ou par *nimis multi* [*ae, a*] avec des substantifs désignant des objets qui se comptent, *nimis multi milites*).

trophée, s. m. Réunion des dépouilles d'un ennemi vaincu, comme monument d'une victoire. *Tropaeum, i,* n. ‖ (P. ext.) Groupe d'armes ou de drapeaux enlevés à l'ennemi. *Tropaeum, i,* n. ‖ (Fig.) Triomphe, victoire. *Tropaeum, i,* n. *Triumphus, i,* m.

tropical, *ale*, adj. Qui appartient aux tropiques. *Tropicus, a, um,* adj.

tropique, adj. et s. m. ‖ *Adj.* Année — (déterminée par le retour du soleil à l'équinoxe du printemps). *Solstitialis annus.* ¶ *S. m.* Parallèle terrestre séparant la zone torride de la zone tempérée. *Tropicus circulus,* ou simpl. *tropicus, i,* m.

troquer, v. tr. Echanger (un objet) contre un autre. *Mutāre,* tr. *Permutāre,* tr.

trot, s. m. Allure du cheval intermédiaire entre le pas et le galop. *Tolutilis gradus.*

trotter, v. intr. Aller au trot. (En parl. du cheval). *Tolutim ire.*

trottoir, s. m. Espace dallé *ou* bitumé ménagé de chaque côté de la chaussée d'une rue. *Semita, ae,* f.

trou, s. m. Ouverture qui traverse un corps ou y pénètre profondément. *Foramen, minis,* n. *Cavum, i,* n. *Caverna, ae,* f. *Fovea, ae,* f. Par ext. Un —, *inferior locus.* Qui a des —, voy. TROUER.

1. trouble, adj. Dont la limpidité est altérée. *Turbidus, a, um,* adj. *Turbatus, a, um,* p. adj. ¶ (Par anal.) Dont la transparence est altérée. *Turbidus, a, um,* adj. ‖ (Par ext.) Qui ne distingue pas bien. *Obscurus, a, um,* adj. *Confusus, a, um,* p. adj. (ex. : *oculi confusi).* Adv. Voir —, *caligăre,* intr.

2. trouble, s. m. Etat où la limpidité est altérée. *Turbidum, i,* n. ‖ (Fig.) Etat où la lucidité est altérée. *Perturbatio, onis,* f. Jeter le — parmi, *perterrēre,* tr. ¶ Etat où la tranquillité est altérée. *Turba, ae,* f. *Perturbatio, onis,* f. *Sollicitudo, dinis,* f. — politiques, *concitatio, onis,* f.: *motūs, ūs,* m. ‖ En parl. de la tranquillité de l'âme. *Perturbatio, onis,* f. *Conciatio, onis,* f. Jeter le — dans les âmes, *perturbationem animis afferre.*

troubler, v. tr. Priver de limpidité (un liquide). *Turbāre,* tr. ‖ (Par anal.). Priver de transparence. *Turbāre,* tr. *Obscurāre,* tr. Troublé, *nubilus, a, um,* adj. ‖ (Au fig.) Priver de lucidité. *Turbāre,* tr. *Conturbāre,* tr. *Perturbāre,* tr. *Confundēre,* tr. ¶ Priver de tranquillité. ‖ En parlant de la tranquillité de la vie. *Turbāre,* tr. *Conturbāre,* tr. *Perturbāre,* tr. —, *c.-à-d.* interrompre, obturber, tr. ‖ En parl. de la tranquillité de l'âme. *Perturbāre,* tr. *Exagitāre,* tr. Se —, *perturbāri,* pass. Sans se —, *animo impavido.* Troublé, *trepidus, a,*

um, adj.; *anxius, a, um,* adj.

trouée, s. f. Large passage ouvert dans ce qui barre le chemin. *Patens iter* (ou *patens via).* Faire une — dans les rangs des ennemis, *perrumpēre per hostes.* — dans les bois, voy. ÉCLAIRCIE, PERCÉE. Une — (dans les montagnes), *fauces, ium,* f. pl.

trouer, v. tr. Percer d'un trou. *Perforāre,* tr. Troué, *pertusus, a, um,* p. adj.

troupe, s. f. Réunion d'un certain nombre de personnes qui sont ensemble, agissent de concert. *Caterva, ae,* f. *Globus, i,* m. *Grex, gregis,* m. ‖ (Spéc.) Corps de gens de guerre. *Caterva, ae,* f. (en parl. de barbares ou de mercenaires). *Manūs, ūs,* f. Des —, *milites, um,* m. pl.; *copiae, arum,* f. pl.

troupeau, s. m. Réunion d'animaux domestiques ou domestiqués. *Grex, gregis,* m. Un — de gros bétail, *armenta, orum,* n. pl. Voy. BÉTAIL. ‖ (Par ext.) En parl. d'une réunion d'hommes. Voy. BANDE.

trousse, s. f. Arrangement que présente une chose qu'on a repliée. *Fascis, is,* m. ‖ (Spéc.) Haut-de-chausses court et relevé. Voy. CHAUSSE. (Fig.) Etre aux — (de qqn), *lateri alicujus adhaerēre; instāre alicui.*

trousseau, s. m. Vêtements, linge qu'on donne à une fille, à une mariée, etc. *Sarcinula, ae,* f. *Vestis, is,* f.

trousser, v. tr. Relever par des plis (une chose pendante). *Colligēre,* tr.

trouvaille, s. f. Chose trouvée par un heureux hasard. *Res inventa.*

trouver, v. tr. Voir se présenter enfin (ce qu'on cherche). *Reperīre,* tr. *Invenīre,* tr. ‖ (Par anal.) Il trouvait des admirateurs, *erant* (ou *non deerant) qui eum admirarentur.* — du soulagement, *relaxāri,* pass. Le mensonge — créance, *mendacio constat fides.* — aide et assistance, *juvari* ou *adjuvari (ab aliquo).* ‖ Aller — qqn, *adire aliquem.* ‖ (Fig.) Voir se présenter à l'esprit ce qu'il cherche. *Reperīre,* tr. *Invenīre,* tr. *Excogitāre,* tr. ¶ Voir se présenter par hasard (ce qu'on ne cherchait pas). *Invenīre,* tr. *Nancisci,* dép. tr. *Occurrēre,* intr. Se —, *esse,* intr.; *adesse,* intr. *inesse,* intr.; *interesse,* intr.; *versāri,* pass. moy. — la mort, *perire,* intr. ‖ Voir s'offrir par hasard à l'esprit (ce qu'il ne cherche pas). Je ne trouve rien, *nihil venit in mentem.* Se —, *occurrēre,* intr.; *observāri,* dép. intr. ¶ Se présenter (qqn, qqch.) sous tel *ou* tel aspect, dans tel *ou* tel état. *Invenīre,* tr. *(invenīre naves instructas).* *Reperīre,* tr. (ex. : *mortui sunt reperti).* *Nancisci,* dép. tr. *(naviculam delicatam ad ripam nactus, eā profugit).* Se —, *esse,* intr.; *versāri,* pass.-moy.; *se habēre; valēre,* intr. Je me trouve un peu mieux, *mihi meliusculē est.* Se — mal, *c.-à-d.* s'évanouir, voy. ce mot. Il s'en est bien —, *id illi bene cessit.* || (Par ext.) Voir s'offrir aux yeux (un certain aspect, une certaine manière d'être de personnes, de choses). Je lui ai trouvé l'air un peu plus triste, *subtristis visus est esse mihi.* || Voir se présenter (qqch.) à l'esprit de tel ou tel point de vue. Voy. ESTIMER, JUGER, PENSER. — bon, voy. APPROUVER. On trouve bon que *ou* de, *placet* (av. l'Inf.). — bon, voy. CONSENTIR. — mauvais, voy. DÉSAPPROUVER. Se — injuste, *putāre se injustum.*

Troyens, n. pr. Habitants de Troie. *Trojani, orum,* m. pl.

truelle, s. f. Outil pour gâcher et appliquer le plâtre, le mortier. *Trulla, ae,* f.

truffe, s. f. Sorte de champignon souterrain. *Tuber, beris,* n.

truie, s. f. Porc femelle. *Sus femina,* ou (simpl.), *sus, suis,* f.

truite, s. f. Poisson du genre saumon. *Tructus, i,* m. *Tructa, ae,* f.

tu, pron. pers. Pronom pers. sing. de la 2e pers. et des deux genres, forme du sujet. *Tu,* pron. Ne s'exprime pas, quand on n'insiste pas sur le sujet.

tuant, *ante*, adj. (Fig.) Qui fatigue beaucoup. Voy. FATIGANT, MORTEL.

tube, s. m. Conduit naturel *ou* artificiel, etc. *Tubus, i,* m.

tubercule, s. m. Sorte de tumeur formée par une induration. *Tuberculum, i,* n.

tuer, v. tr. Abattre en donnant des coups. *Caedĕre,* tr. *Conficĕre,* tr. || (Spéc.) Tuer à l'abattoir. *Caedĕre,* tr. *Trucidāre,* tr. ¶ (Par ext.) Mettre à mort. *Occidĕre,* tr. *Interficĕre,* tr. *Necāre,* tr. Se — (par accident), *perire,* intr. Se — (volontairement), voy. SUICIDER. ¶ (Au fig.) Faire succomber (qqn) physiquement. *Occidĕre,* tr. *Interficĕre,* tr. *Conficĕre,* tr. (ex. : *lassitudine confici).* *Enecāre,* tr. (ex. : *fame, frigore, illuvie, squalore enecti).* Se —, *dirumpi* ou *dirumpĕre se.* Se — de travail, *frangĕre se laboribus.* || Faire succomber (qqn) moralement. *Exanimāre,* tr. *Conficĕre,* tr. || Détruire l'effet de (qqch.). *Officĕre,* intr.

tuerie, s. f. Action de tuer en masse. *Caedes, is,* f.

tue-tête (à), loc. adv. Crier à tue-tête, *rumpi et clamāre.*

tueur, s. m. Celui qui tue. *Interfector, oris,* m.

tuile, s. f. Plaquette en terre cuite employée pour faire des toits. *Tegula, ae,* f.

tumeur, s. f. Grosseur morbide dans une partie de l'organisme. *Tumor, oris,* m.

tumulte, s. m. Agitation bruyante, désordonnée, qui se produit dans une réunion de personnes. *Tumultŭs, ūs,* m. *Turba, ae,* f.

tumultuaire, adj. Qui a le caractère d'un tumulte populaire. *Tumultuarius, a, um,* adj.

tumultuairement, adv. D'une manière tumultuaire. *Per tumultum.*

tumultueusement, adv. D'une manière tumultueuse. *Tumultuosē,* adv.

tumultueux, *euse*, adj. Qui présente du tumulte. *Tumultuosus, a, um,* adj.

tunique, s. f. Vêtement de dessus. *Tunica, ae,* f. ¶ (P. anal.) Nom donné à certaines pellicules, gaines membraneuses. *Tunica, ae,* f.

turban, s. m. Coiffure des Orientaux. *Tiara, ae,* m.

turbot, s. m. Poisson de mer. *Rhombus, i,* m.

turbulemment, adv. D'une manière turbulente. *Turbulentē,* adv.

turbulence, adj. Agitation bruyante. *Animus inquietus.*

turbulent, *ente*, adj. Qui se livre à une agitation bruyante. *Turbulentus, a, um,* adj. *Seditiosus, a, um,* adj. Etre —, *tumultuāri,* dép. intr.

turpitude, s. f. Laideur morale honteuse. *Turpido, dinis,* f. ¶ Action honteuse manifestant cette laideur morale. *Flagitium, ii,* n. *Dedecus, oris,* n.

tutélaire, adj. Qui a qqn sous sa tutelle, sous sa protection. *Praeses, sidis,* adj. m. et f.

tutelle, s. f. Protection de la personne, des biens d'un mineur, d'un interdit que la loi confère à qqn. *Tutela, ae,* f. Mettre en —, *aliquem (alicui) in tutelam tradĕre.* Exercer la —, *tutelam gerĕre.* ¶ (Fig.) Protection. Voy. ce mot. || Surveillance importune. *Manŭs, ūs,* m. *Potestas, atis,* f. Etre en —, *esse in potestate alicujus.*

tuteur, s. m. Personne chargée de la tutelle de qqn. *Tutor, oris,* m. Faire office de —, *tutelam gerĕre.* || (Fig.) *Tutor, oris,* m. ¶ (P. anal.) *S. m.* Bâton pour soutenir ou redresser un arbrisseau. *Adminiculum, i,* n.

tutrice, s. f. Celle qui est chargée d'une tutelle. *Tutrix, tricis,* f.

tuyau, s. m. Conduit destiné à livrer passage à un liquide, un fluide. — pour l'eau, *tubus, i,* m.; *fistula, ae,* f. — des plumes (d'oiseau), *caulis, is,* m. — de plume (pour écrire), *calamus scriptorius* ou (simpl.) *calamus, i,* m. — du blé, des plantes, *calamus, i,* m. — acoustique, — de l'oreille, voy. AUDITIF. Fig. Dire à qqn dans le — de l'oreille, *insusurrāre in aurem alicujus (ou alicui).*

type, s. m. Modèle. *Exemplum, i,* n.

Tyr, n. pr. Ville de Phénicie. *Tyrus, i,* f. De —, *Tyrius, a, um,* adj.

tyran, s. m. Celui qui ayant le pouvoir suprême, l'exerce d'une manière oppressive. *Tyrannus, i,* m. || (Fig.) Personne, chose qui exerce une autorité oppressive. *Tyrannus, i, m. Dominus, i, m.* (ex. : *dominus, crudelis* ou *crudelissimus*). Qui agit en —, *imperiosus, a, um*, adj.

tyrannie, s. f. Pouvoir d'un seul exercé d'une manière oppressive. *Dominatio, onis, f. Dominatŭs, ŭs, m.* ¶ (Au fig.) Autorité oppressive. *Dominatŭs, ŭs, m. Impotentia, ae, f.*

tyrannique, adj. Qui appartient à la tyrannie. *Tyrannicus, a, um*, adj. *Regius, a, um*, adj. || (Fig.) *Imperiosus, a, um*, adj.

tyranniquement, adv. D'une manière tyrannique. *Tyrannicě*, adv. *Regiě*, adv.

tyranniser, v. tr. Traiter d'une manière tyrannique. *Superbě et crudeliter tractăre (aliquem). Saevitiam exercēre in aliquem.*

U

u, s. m. La vingt et unième lettre de l'alphabet. *U, f. n.*

ulcération, s. f. Lésion d'un tissu avec perte de substance. *Ulceratio, onis, f.*

ulcère, s. m. Lésion d'un tissu qui tend toujours à s'étendre. *Ulcus, eris, n.*

ulcérer, v. tr. Affecter d'une ulcération, d'un ulcère. *Ulcerăre, tr. Exulcerăre, tr.* ¶ (Au fig.) Blesser profondément. *Exulcerăre, tr.*

ultérieur, eure, adj. Qui est en delà. Dans l'espace. *Ulterior, us, adj.* || Dans le temps. Voy. POSTÉRIEUR, SUIVANT.

ultérieurement, adv. Dans un espace ultérieur. *Ultra, adv.*

Ulysse, n. pr. Roi d'Ithaque. *Ulysses, is, m.*

un, une, adj. subst. et art. || *Adjectif et subst. numéral.* Adj. numér. cardinal. *Unus, a, um*, adj. au plur. (av. les subst. qui n'ont pas de sing. cf. *unae quadrigae*). « Un » ne s'exprime pas avec les subst. désignant le temps, la durée, quand il n'y a pas lieu d'opposer l'idée d'unité à celle de pluralité, ex. : un an auparavant, *anno ante.* Un par —, — à —, — chaque fois, chacun —, *singuli, ae, a*, adj. Ni l'—, ni l'autre, *neŭter, tra, trum*, adj. Un (des deux), *alter, era, erum*, adj. L'un..., l'autre..., *alter... alter...* L'— et l'autre, *uterque, traque, trumque*, adj. L'— ou l'autre, *alteruter, tra, trum*, adj. || Adjectif num. ordin. invar. Premier. Voy. PREMIER. || *S. m.* (invariable). La quantité déterminée à laquelle on rapporte, pour la évaluer, les quantités de même espèce. *Unus* (s.-e. *numerus*). Le nombre —, *unitas, atis, f.; unio, onis, f.* ¶ *Article indéfini.* Désigne tel ou tel individu d'un genre, d'une espèce. (Ne se rend pas ordin. en latin, où, par ex., *domus* peut signifier, d'après le contexte, aussi bien « une maison » que « la maison »). L'un l'autre, les uns les autres, (c.-à-d. réciproquement), *inter se.* ¶ *Adj. qualif.* Qui n'a pas de parties. *Simplex* (gén. -plicis), adj. || (Par ext.) Dont les parties sont liées entre elles de manière à former un tout unique. Voy. SIMPLE.

unanime, adj. Qui exprime un accord complet entre plusieurs personnes.

Consentiens (gén. -entis), p. adj. Etre —, *consentire*, intr. Tous sont — sur ce point que..., *inter omnes constat* (avec l'Acc. et l'Inf.). Sentiment, accord —, *consensio, onis, f.*

unanimement, adv. D'une manière unanime. *Unā voce. Omnium consensione.*

unanimité, s. f. Accord complet entre plusieurs personnes. *Omnium consensus. Universorum consensio.*

uniforme, adj. Qui présente une même forme, une manière d'être dans toute son étendue, pendant toute sa durée. *Unius generis, f.; aequabilis, e,* adj. Terrain —, *unā specie ager.* || Substantivt. au masc. Un —, habit d'—, *insignis vestis*, ou simplt. *vestimentum, i, n.* Un — militaire, *ou* simplt. un —, *vestitus militaris.*

uniformément, adj. D'une manière uniforme. *Eodem semper modo.*

uniformité, s. f. Caractère de ce qui est uniforme. *Simplicitas, atis, f.* || (En mauvaise part.) *Similitudo, dinis, f.*

uniment, adv. D'une manière unie. Sans inégalité. *Aequaliter*, adv. *Uno modo.* || (Fig.) Sans façon. *Simpliciter (dicěre).*

union, s. f. Liaison établie entre plusieurs choses, de manière qu'elles ne fassent plus qu'une. *Junctio, onis, f. Conjunctio, onis, f.* ¶ (Par ext.) Association politique, religieuse, commerciale. *Conjunctio, onis, f. Conciliatio, onis, f. Societas, atis, f.* || Mariage. *Conjugium, ii, n.* || (Au fig.) Lien d'affection. *Conjunctio, onis, f. Conspiratio, onis, f.*

unique, adj. Seul en son genre. *Unus, a, um*, adj. *Solus, a, um*, adj. *Unicus, a, um*, adj. || (P. ext.) A qui rien ne peut être comparé. *Unicus, a, um*, adj. *Singularis, e*, adj.

uniquement, adv. D'une manière unique. *Solum*, adv. *Unicě (diligěre).*

unir, v. tr. Lier plusieurs choses entre elles de manière qu'elles ne fassent plus qu'une. *Jungěre, tr. Conjungěre, tr.* S'—, *coire*, intr.; *coalescěre*, intr. ¶ (Par ext.) Joindre matériellement. *Jungěre, tr. Conjungěre, tr. Committěre,* tr. || (Fig.) Associer, concilier des choses distinctes. *Jungĕre*, tr. *Conjungĕre*, tr. *Connectĕre*, tr. ¶ Associer par un lien politique, religieux, commercial, etc. *Jungĕre*, tr. *Conjungĕre*, tr. ¶ Lier par le mariage. *Jungĕre*, tr. *Conjungĕre*, tr. ¶ Lier par l'affection. *Jungĕre*, tr. *Conjungĕre*, tr. ¶ Rendre suivi, sans inégalité. *Aequăre*, tr. Uni, adj. *aequabilis, e*, adj.; *planus, a, um*, adj. || (Fig.) Voy. UNIFORME. ¶ Rendre simple, sans façon. Etoffe —, *pura vestis*. Style —, *nuda oratio*.

unisson, s. m. Consonance formée des voix, des instruments qui font entendre en même temps la même note. *Concentŭs, ûs, m.*

unité, s. f. Quantité déterminée choisie comme terme de comparaison, pour évaluer les quantités de même espèce. *Unitas, atis,* f. || (Spéc.) Quantité abstraite considérée comme nombre élémentaire servant à former tous les autres. *Unitas, atis,* f. || (Spéc.) Quantité abstraite considérée comme nombre élémentaire servant à former tous les autres. *Unitas, atis,* f. *Singularis res.* ¶ Caractère de ce qui est unique. *Unitas, atis,* f. ¶ Caractère de ce qui n'a pas de parties. *Unitas, atis,* f. || Caractère de ce qui forme un tout unique par la liaison des parties. *Unitas, atis,* f.

univers, s. m. L'ensemble de la création. *Universum, i, n. Universa, n. pl.* ¶ L'ensemble des parties du globe terrestre. *Orbis terrarum. Universa terra.* ¶ (Par ext.) L'ensemble des habitants de la terre. *Omne hominum genus.*

universalité, s. f. Caractère de ce qui est universel. *Universitas, atis,* f.

universel, *elle*, adj. Qui embrasse la totalité des choses. *Universus, a, um,* adj. Héritier —, *heres ex asse.* Esprit, génie —, *ingenium omni doctrinâ excultum.*

universellement, adv. D'une manière universelle. *Universê,* adv.

urbain, *aine*, adj. Qui appartient à la ville (par opposition à la campagne). *Urbanus, a, um,* adj.

urbanité, s. f. Politesse élégante que donne l'habitude de la société des villes. *Urbanitas, atis,* f. *Humanitas, atis,* f.

urgence, s. f. Caractère d'une chose qui ne peut souffrir aucun retard. *Necessitas, atis,* f. En cas d'—, *si res urget.*

urgent, *ente*, adj. Qui ne comporte aucun retard. Voy. PRESSANT. Nécessité —, *imminens necessitas*, ou (simpl.) *necessitas, atis,* f.

urne, s. f. Grand vase réservé à certains usages. *Urna, ae,* f.

us, s. m. pl. Usage. Les — et coutumes, *mos tradĭtus.*

usage, s. m. Action d'appliquer une chose à tel ou tel besoin. *Usŭs, ûs, m.*

Usurpatio, onis, f. Etre en —, *in usu esse.* Faire — de, *uti*, dép. intr. (*aliquâ re*); *usurpâre*, tr. (ex. : *aliquid in aliquem; aliquid in aliquâ re*). Qui est en —, voy. USITÉ. ¶ Action de pratiquer habituellement qqch. *Consuetudo, dinis,* f. *Mos, moris,* m. *Institutum, i,* n. Passer en —, *in consuetudinem venire.* || Emploi des mots selon la coutume. *Usŭs, ûs, m. Consuetudo, dinis,* f. Passer d'—, *obsolescĕre*, intr. || (Par ext.) Pratique des choses que donne l'expérience. *Usŭs, ûs, m.* — du monde, *notitia hominum.* Qui n'a pas l'— du monde, *imperitus rerum,* ou (absol.) *imprudens* (gén. *-entis*). Spéc. Voy. POLITESSE.

user, v. intr. et tr. || (*V. intr.*) Appliquer qqch. à tel ou tel besoin. *Uti*, dép. intr. (*uti aliquâ re ad aliquid*). *Abûti* (« user largement, pleinement »), dép. intr. (*aliquâ re ad aliquid*). *Adhibēre*, tr. (*saevitiam in famulos; omnes machinas ad tenendum adolescentem*). *Usurpâre*, tr. En — avec qqn (de telle ou telle manière), *se gerĕre* (*erga aliquem*); *agĕre* (*cum aliquo*). || (A l'infinit.) *Pris* substantiv. L'—, *usŭs, ûs,* m. ¶ (*V. tr.*) Consommer par l'usage. *Consumĕre*, tr. *Absumĕre*, tr. || Détériorer par l'usage. *Terĕre*, tr. *Atterĕre*, tr. *Deterĕre*, tr. Vêtement —, *obsoleta vestis.*

usine, s. f. Etablissement pourvu de machines où l'on travaille les matières premières. *Officina, ae,* f.

usité, *ée*, adj. Qui est en usage. *Usitatus, a, um,* p. adj.

ustensile, s. m. Vase, instrument, etc. pour les divers usages domestiques. *Instrumentum, i,* n.

usuel, *elle*, adj. Dont on use habituellement. *Usitatus, a, um,* p. adj.

usuellement, adv. D'une manière usuelle. *Usitatê,* adv.

usufruit, s. m. Droit d'user d'une chose dont on a la propriété. *Usus et fructus* ou *usus fructus* ou (en un seul mot), *usufructŭs, ûs,* m.

usufruitier, *ière*, s. m. et f. Celui, celle qui a l'usufruit d'une chose. Qui (*quae*) *aliquid utendum accepit.*

usuraire, adj. Qui appartient à l'usure. *Fenebris, e,* adj. *Feneraticius, a, um,* adj.

usurairement, adv. D'une manière usuraire. *Fenerato,* adv.

1. usure, s. f. Intérêt qui dépasse le taux légal, normal. *Feneratio, onis,* f. *Fenus iniquum.* Prêter avec —, faire l'—, *fenerâre*, abs. || (Fig.) Payer, rendre, s'acquitter avec — (en parl. de la terre), *cum fenore reddĕre.*

2. usure, s. f. Action d'user qqch., état de ce qui est usé. *Intertrimentum, i,* n.

usurier, *ière*, s. m et f. Celui, celle qui prête à usure. *Fenerator, oris,* m. Usurière, *feneratrix, tricis,* f.

usurpateur, s. m. Personne qui s'empare d'un bien, d'un pouvoir auquel elle n'a pas droit. *Qui usurpat* (ou *invadit aliquid*). ‖ En parl. du pouvoir. *Qui vi rerum potitus est.*

usurpation, s. f. Action d'usurper. *Improba possessio. Injusta* (ou *iniqua*) *occupatio.*

usurper, v. tr. S'approprier sans droit (un domaine, un pouvoir, un titre). *Invadĕre* (*in aliquid*).

utile, adj. Qui sert à qqch. *Utilis, e,* adj. *Salutaris, e,* adj. Etre —, *prodesse,* intr. (av. le Dat.); *conducĕre,* intr. av. le Dat. Par ext. En temps —, *tempore*

ou *opportunē,* adv. ‖ (Subst.) *Au masc.* L'—, *utile* ou *quod utile est* ou *utilia* (n. pl.).

utilement, adv. D'une manière utile. *Utiliter,* adv. *Salutariter,* adv. *Bone,* adv.

utiliser, v. tr. Faire servir à un usage, employer d'une manière utile. *Uti aliquā re. In rem suam convertĕre* (*aliquid*).

utilité, s. f. Caractère de ce qui est utile. *Utilitas, atis,* f. *Usŭs, ūs,* m. *Commoditas, atis,* f. *Fructŭs, ūs,* m.

Utique, n. pr. Ville d'Afrique. *Utica, ae,* f. D'—, *Uticensis, e,* adj.

V

v, s. m. La vingt-deuxième lettre de l'alphabet français. *V,* f. n.

vacance, s. f. Etat d'une charge, d'un poste vacant. *Vacans locus* ou *vacans munus. Intervallum, i,* n. ¶ *Au plur.* Temps de repos pendant lequel cessent les études des écoles, les travaux des tribunaux. Les — scolaires, *feriae scholarum.* — des tribunaux, les — (en général), *feriae forenses; justitium, ii,* n.

vacant, ante, adj. Qui n'est pas occupé. *Vacuus, a, um,* adj. Maisons —, *liberas aedes.* Etre —, *vacāre,* intr.

vacarme, s. m. Bruit assourdissant, *et spéc.* grand bruit que fait qqn qui crie. *Convicium, ii,* n. *Strepitŭs, ūs,* m.

vacation, s. f. Vacance. Voy. ce mot. Spécialt. Les — des tribunaux, *feriae forenses.*

vache, s. f. Femelle du taureau. *Vacca, ae,* f.

vacher, ère, s. m. et f. Celui, celle qui garde les vaches. *Qui* (*quae*) *boves pascit.* [les vaches. *Bubile, is,* n.

vacherie, s. f. Lieu où l'on entretient

vacillant, ante, adj. Qui vacille. *Vacillans* (gén. *-antis*), p. adj. Avec une démarche —, *titubanti pede.*

vacillation, s. f. Mouvement de ce qui vacille. *Vacillatio, onis,* f.

vaciller, v. intr. Etre remué par une sorte de tremblement dans un sens et dans l'autre. *Vacillāre,* intr. ‖ (Fig.) *Vacillāre,* intr.

vagabond, onde, adj. Qui mène une vie errante. *Vagus, a, um,* adj. *Vagans* (gén. *-antis*), p. adj.

vagabondage, s. m. Habitude de vagabonder. *Grassatio, onis,* f.

vagabonder, v. intr. Mener une vie errante. *Vagāri,* dép. intr.

vagabonner. Voy. VAGABONDER.

vagir, v. intr. En parlant d'un enfant nouveau-né, pousser des cris. *Vagīre,* intr. [nouveau-né. *Vagitŭs, ūs,* m.

vagissement, s. m. Cri d'un enfant

1. vague, s. f. Masse d'eau d'une mer, d'un lac, etc. agitée par le vent. *Fluctŭs, ūs,* m. *Unda, ae,* f. Les —, *fluctŭs ūs,* m. (sing. collectif).

2. vague, adj. Errant. *Vagus, a, um,* adj. Une douleur —, *caecus dolor.* ‖ (Fig.) Non fixé, non défini. *Vagus, a, um,* adj. *Incertus, a, um,* adj. *Dubius, a, um,* adj. Soupçon —, *imbecilla suspicio.* Bruit —, *levior auditio.* ‖ *Subst.* Se perdre dans le —, *nubes captāre.* Laisser dans le — qqch., *in incerto aliquid relinquĕre*; qqn, *aliquem suspensum tenēre.* ¶ Où l'on peut errer sans obstacle, libre, vide. *Vacuus, a, um,* adj. Des terrains —, *deserta loca.* Substantivt. *Vacuum, i,* n. *Inane, is,* n.

vaguement, adv. D'une manière vague (non définie). *Dubiē,* adv. Je ne le sais que —, *nihil certi habeo de hāc re.*

vaguer, v. intr. Errer à l'aventure. *Vagāri,* dép. intr. *Errāre,* intr.

vaillamment, adv. D'une manière vaillante. *Animosē,* adv. *Strenuē,* adv.

vaillance, s. f. Vertu guerrière que qqn possède, dont il est doué. *Fortitudo, dinis,* f.

vaillant, ante, adj. Qui possède la vertu guerrière (par ses qualités). *Bonus, a, um,* adj. *Strenuus, a, um,* adj.

vain, e, adj. Qui n'a que l'apparence, sans la réalité. *Vanus, a, um,* adj. *Inanis, e,* adj. ‖ (Par ext.). Qui reste sans effet. *Vanus, a, um,* adj. *Irritus, a, um,* adj. Loc. adv. En —, voy. VAINEMENT. ¶ Qui a le désir de paraître. *Vanus, a, um,* adj. *Inanis, e,* adj. Etre — de sa personne, *esse vestitu ad munditiem curioso.* Etre —, *sibi placēre.*

vaincre, v. tr. Remporter l'avantage sur (qqn qu'on a pour adversaire). ‖ Sur un ennemi (dans une bataille, une guerre). *Vincĕre,* tr. *Devincĕre* (« vaincre complètement, triompher de »), tr. *Superāre,* tr. ‖ Sur un concurrent (dans une lutte). *Vincĕre,* tr. ‖ (Par anal.)

Surpasser. *Vincĕre*, tr. || (Absol.) Conquérir un cœur. *Vincĕre*, tr. ¶ Surmonter ce qui fait obstacle. *Vincĕre*, tr. *Superāre*, tr. Se — soi-même, *se˘ vincĕre; imperāre sibi*.

vainement, adv. D'une manière vaine, sans effet. *Frustra*, adv. (par rapport à la personne trompée dans son attente). *Nequiquam, nequicquam* ou *nequidquam* (par rapport à la chose qui a trompé notre attente ou nos efforts).

vainqueur, s. m. Celui qui a vaincu (un ennemi, un concurrent). *Victor, oris*, m. Etre —, *vincĕre*, abs.

vaisseau, s. m. Vase destiné à contenir des liquides. *Vas, vasis*, n. ¶ Bâtiment flottant pour le transport par eau et principalement par mer. Voy. NAVIRE. ¶ Canal dans lequel circule le sang, la lymphe, etc. des animaux, la sève des végétaux. *Vena, ae*, f.

vaisselle, s. f. Ensemble des vases qui servent à l'usage de la table. *Vasa mensae* ou *vasa escaria*, ou (simpl.) *vasa, orum*, n. pl.

val, s. f. Vallée. Voy. ce mot. Loc. adv. Aller par monts et par —, *campos et montes peragrāre*.

valable, adj. Qui a la valeur requise pour être admis légitimement. *Justus, a, um*, adj. *Legitimus, a, um*, adj.

valablement, adv. D'une manière valable. *Justē*, adv. *Legitimē*, adv.

valet, s. m. Homme de service employé dans une maison. *Minister, tri*, m. *Famulus, i*, m.

valeur, s. f. Ce que vaut une personne, une chose; ce qu'elle est estimée pour son mérite, ses qualités. *Pretium, ii*, n. *Aestimatio, onis*, f. Avoir de la —, *in pretio esse; pretium habēre*. — personnelle, *dignitas, atis*, f. Qui a de la —, de grande —, *pretiosus, a, um*, adj. Qui n'a pas de —, qui est sans —, *vilis, e*, adj. Qui n'a pas grande —, *levis, e*, adj. || (Spéc.) Vertu guerrière dont on fait preuve (dans telle *ou* telle occasion). *Virtus, utis*, f. ¶ Ce que vaut une chose, ce qu'elle est évaluée (pécuniairement). *Pretium, ii*, n. Qui a de la —, voy. PRÉCIEUX. Qui n'a pas de —, voy. VIL. ¶ (Par ext.) Billet, lettre de change, obligation, titre de rente, représentant une certaine somme d'argent. *Summa, ae*, f. || (Spéc.) Ce que rapporte une chose. Mettre une terre en —, *agrum colĕre* (ou *conserĕre*).

valeureusement, adv. D'une manière valeureuse. *Fortissimē*, adv. *Animo forti*.

valeureux, *euse*, adj. Qui montre de la valeur. *Fortissimus, a, um*, adj.

valide, adj. Qui est dans toute sa force. *Validus, a, um*, adj. ¶ (Fig.) Qui a les conditions légales requises pour produire son effet. *Validus, a, um*, adj.

validement, adv. D'une manière valide. *Legitimē*, adv.

valider, v. tr. Rendre valide, ou déclarer valide. *Ratum aliquid habēre*.

validité, s. f. Caractère de ce qui est valide. *Fides, ei*, f. *Auctoritas, atis*, f.

valise, s. f. Petite malle de voyage. *Vidulus, i*, m.

vallée, s. f. Fond qui se trouve entre deux ou plusieurs montagnes. *Valles et vallis, is*, f.   [*vallis, is*, f.

vallon, s. m. Petite vallée. *Valles* ou

valoir, v. intr. Etre estimé comme ayant certaine qualité, certain mérite. *Valēre*, intr. Faire —, *commendāre*, tr.; *exercēre*, tr. Faire — ses prétentions sur qqch., *aliquid sibi vindicāre*. Se faire — auprès de qqn, *se alicui venditāre*. Faire — cette idée que… *defendĕre* (av. l'Acc. et l'Inf.). Qui vaut qqch., *bonus, a, um*, adj.; *probus, a, um*, adj. Qui ne vaut pas grand'chose, *malus, a, um*, adj.; *improbus, a, um*, adj. Qui vaut cher, voy. PRÉCIEUX. || (Spéc.) Etre estimé à l'égal de qqn, de qqch. Voy. ÉGAL, ÉGALER. — qqn, *parem esse alicui*. Ne pas — qqn, *imparem esse alicui*, — mieux, *praestāre*, intr. Qui vaut mieux, voy. PRÉFÉRABLE. || Etre estimé comme méritant qqch. Voy. DIGNE, MÉRITER. Il vaut la peine…, *operae pretium est…* ¶ Etre estimé à un certain prix (pécuniaire). *Valēre*, intr. (ex. : *quanti valet servus?*) Esse, intr. (*esse magni; esse parvi*). *Stāre*, intr. (*centum talentis*). *Constāre*, intr. (voy. COUTER). || (Par anal.) Etre considéré comme égal à une certaine quantité. *Valēre*, intr. (*dum pro argenteis decem aureus unus valeret*). ¶ Rapporter un profit à qqn. *Fructum reddĕre*. Abs. Faire — son argent, *pecuniam collocāre bonis nominibus*. Faire — une terre, *praedium colĕre*. Vaille que vaille, *utcumque erit* (ou *ceciderit*). || (Fig.) Faire obtenir (qqch.) à qqn en récompense de ce qu'il a fait. *Parĕre*, tr. *Comparāre*, tr. *Afferre*, tr. Voy. PROCURER.

vampire, s. m. Etre imaginaire qu'on se figure sortant du tombeau pour sucer le sang des vivants. *Strix, igis*, f.

van, s. m. Sorte de panier plat pour secouer le grain. *Vannus, i*, m.

vanité, s. f. Caractère de ce qui est vain. *Vanitas, atis*, f. *Inanitas, atis*, f. (on dit aussi *res inanes*). ¶ Désir de paraître. *Studium sui. Studium* (ou *cupiditas*) *placendi. Inanis ambitio*, ou (simpl.) *ambitio, onis*, f. Faire, tirer — de, *gloriāri*, dép. intr.; *jactāre*, tr.; *superbire*, intr.

vaniteux, *euse*, adj. Qui a beaucoup de vanité. *Gloriosus, a, um*, adj. *Vanus, a, um*, adj.

vanner, v. tr. Nettoyer (le grain) en le secouant sur un van. *Ventilāre*, tr. *Evannāre*, tr.

vannerie, s. f. Ouvrages faits par le vannier. *Vitilia, um*, n. pl.

vanneur, s. m. et f. Celui, celle qui vanne le grain. *Ventilator, oris,* m.

vannier, s. m. Celui, celle qui fait des ouvrages d'osier. *Viminarius, ii,* m.

vantail, s. m. Partie mobile qui ferme l'ouverture d'une porte. *Tympanum, i,* n.

vantard, arde, adj. Qui a l'habitude de se vanter. *Gloriosus, a, um,* adj.

vanter, v tr. Louer devant les autres. *Praedicāre,* tr. *Laudāre,* tr. (on dit aussi *laudibus ornāre aliquem*). *Jactāre,* tr. *Celebrāre,* tr. *Efferre,* tr. Se — — de qqch., *gloriāri aliquā re* (ou *de aliquā re* ou *in aliquā re*).

vanterie, s. f. Action de se vanter à l'excès. *Gloriatio, onis,* f. Des —, *vaniloquentia, ae,* f.

vapeur, s. f. Réunion de gouttelettes presque imperceptibles qui s'élèvent de la surface des liquides, par l'action de la chaleur, *Vapor, oris,* m. ¶ Gaz, vapeur d'eau, parcelles déliées, qui s'exhalent des corps solides. *Vapor, oris,* m.

vaporeux, euse, adj. Qui a l'apparence légère de la vapeur. *Nebulosus, a, um,* adj.

vaporisation, s. f. Passage d'un corps liquide à l'état de vapeur. *Vaporatio, onis,* f.

vaporiser, v. tr. Faire passer (un corps liquide) à l'état de vapeur. *Evaporāre,* tr. Se —, être vaporisé, *in vapores abīre.*

vaquer, v. intr. En parl. d'une chose, d'un poste, n'être pas occupé. *Vacuum esse. Vacāre,* intr. ¶ Avoir le loisir de s'occuper à qqch., *et (p. ext.)* s'occuper à qqch. *Vacāre alicui rei. Operam dāre* (ou *navāre*) *alicui rei.*

varec et **varech,** s. m. Plantes marines que le flot rejette sur le rivage. *Alga, ae,* f.

variabilité, s. f. Caractère de ce qui est sujet à varier. *Mutabilitas, atis,* f. *Varietas, atis,* f.

variable, adj. Sujet à varier. *Mutabilis, e,* adj. *Varius, a, um,* adj.

variation, s. f. Chacun des changements successifs qui modifient un ordre de faits. *Variatio, onis,* f. *Varietas, atis,* f. *Vicissitudo, dinis,* f. Les — de l'histoire, *temporum inclinationes.*

varice, s. f. Dilatation que produit l'accumulation du sang dans les veines. *Varix, icis,* f.

varier, v. tr. et intr. ‖ (*V. tr.*) Soumettre à des changements variés (un ordre de faits). *Variāre,* tr. *Distinguěre,* tr. Varié, *varius, a, um,* adj. (surt. en parl. de la couleur); *variatus, a, um,* p. adj. Varié, c.-à-d. différent, voy. DIFFÉRENT, DIVERS. ¶ (*V. intr.*) Présenter des changements successifs. *Variāri,* passif. *Variāre,* intr. Ne pas —, *constāre; aequalem esse.*

variété, s. f. Suite de changements successifs. *Varietas, atis,* f. ¶ Différence entre des choses qui ont des traits communs. *Varietas, atis,* f. *Diversitas, atis,* f.

1. vase, s. m. Réceptacle destiné à contenir toute espèce de substance solide ou liquide. *Vas, vasis,* n.

2. vase, s. f. Limon qui se dépose au fond de l'eau. *Limus, i,* m. Plein de —, voy. VASEUX.

vaseux, euse, adj. Qui contient de la vase. *Limosus, a, um,* adj. *Lutosus, a, um,* adj.

vassal, ale, adj. et s. m. et f. Celui, celle qui relève d'un seigneur à cause d'un fief. *Cliens, entis,* m. et f. *Vassallus* ou *vassalus, i,* m. *Vassala, ae,* f.

vaste, adj. Qui s'étend au loin. *Vastus, a, um,* adj. *Amplus, a, um,* adj. *Spatiosus, a, um,* adj. *Magnus, a, um,* adj.

vaurien, enne, s. m. et f. Celui, celle qui ne vaut rien, qui est vicieux. *Homo nequam* ou (simpl.) *nequam,* indécl.

vautour, s. m. Grand oiseau de proie. *Vultur, turis,* m.

vautrer, v. tr. Rouler sur le sol, dans la boue. Se —, *se volutāre; volutari,* passif. moy. Fig. *Volutāri,* passif moy. Se vautrer dans le bourbier du vice, *in omni genere flagitiorum volutāri.*

veau, s. m. Petit de la vache (pendant la première année). *Vitulus, i,* m. Petit —, *vitellus, i,* m. De —, *vitulinus, a, um,* adj.

vedette, s. f. Cavalier posté en observation. *Explorator, oris,* m.

végétal, ale, adj. et s. m. ‖ *Adj.* Qui a rapport aux plantes. *Terrā genitus* (ou *natus*). Terre —, *humus, i,* f. ¶ *S. m.* Plante, être organisé. *Quicquid nascitur* (ou *provenit*) *terrā. Planta, ae,* f. Les —, *quae terra gignit.*

végétation, s. f. Action de végéter. *Germinatio, onis,* f. ¶ Ensemble de végétaux qui croissent dans un lieu. Voy. VÉGÉTAL.

végéter, v. intr. Avoir les fonctions qui font la vie du végétal. V. BOURGEONNER. ¶ (Fig.) En parl. de l'homme, mener une vie inerte. *Torpēre,* intr. (sans parf. ni sup.) *Sic vivēre quomodo dicuntur arbores vivēre.*

véhémence, s. f. Force impétueuse. *Vis, vis,* f. *Impetūs, ūs,* m.

véhément, mente, adj. Qui a une force impétueuse. *Vehemens* (gén. -*entis*), adj. *Acer, cris, cre,* adj. *Fervidus, a, um,* adj.

véhicule, s. m. Ce qui sert à voiturer. *Vehiculum, i,* n.

Véies, n. pr. Ville d'Etrurie. *Veji, orum,* m. pl. Habitants de —, *Vejenses, ium,* m. pl.

veille, s. f. Action de veiller. *Vigilia, ae,* f. ‖ Veilles consacrées au travail. *Vigilia, ae,* f. *Lucubratio, onis,* f. ‖ (Par anal.). Réunion du soir, dans les vil-

lages, pour travailler en causant. Voy.
VEILLÉE. || (Par ext.) Garde qu'on fait
pendant la nuit. *Nocturna custodia.*
Vigiliae nocturnae ou (simpl.) *vigiliae,*
arum, f. pl. ¶ Une des quatre divisions
de la nuit. *Vigilia, ae.* f. ¶ (Par ext.)
Le jour qui précède un jour déterminé.
Dies proximus ante (diem festum). Hes-
ternus dies. La —, *pridie,* adv. De la
—, *hesternus, a, um,* adj. ¶ Etat de
celui qui n'est pas endormi. *Vigilia,*
ae, f. A l'état de —, *vigilans* (gén. *-antis*),
part.

veillée, s. f. Action de veiller un
malade, un mort. *Aegri* ou *mortui*
custodia. || (Par ext.). Action de veiller
pour travailler. *Lucubratio, onis,* f.
¶ Réunion du soir, pour travailler en
causant. *Lucubratio, onis,* f. Travailler
à la —, *lucubrāre,* intr. — religieuse.
vigiliae, arum, f. pl.

veiller, v. intr. Ne pas dormir pendant
le temps destiné au sommeil. *Vigilāre,*
insr. *Pervigilāre,* intr. — pour tra-
vailler, *lucubrāre,* intr. || (Par ext.)
Etre de garde pendant la nuit. *Excu-*
bāre, intr. || (Fig.) Veiller sur qqn,
qqch., *c.-à-d.* prendre soin de sa sûreté,
de sa conservation. *Vigilāre,* intr.
(*vigilabo pro vobis*). *Tuēri,* dép. tr.
Curāre, tr. *Custodīre,* tr. — à qqch.,
vidēre, tr.; *providēre,* tr. et intr.; *curāre,*
tr.; *consulēre,* intr. ¶ Ne pas être
endormi. *Vigilāre,* intr.

veilleur, *euse,* s. m. et f. Celui, celle
qui veille d'une façon générale. *Excu-*
bitor, oris, m.

veine, s. m. Vaisseau sanguin qui
ramène le sang au côté droit du cœur.
Vena, ae, f. ¶ (Fig.) Tout vaisseau
sanguin, veine ou artère. *Vena, ae,* f.
|| (P. anal.) Filon d'une mine où l'on
trouve le mineral. *Vena, ae,* f. || Filet
d'eau souterrain. *Vena, ae,* f. ¶ Source
de l'inspiration. *Vena, ae,* f.

veiner, v. tr. Parsemer de traits
sinueux analogues aux veines. *Inter-*
stinguēre, tr. Veiné, *venosus, a, um,* adj.

vélocité, s. f. Rapidité. *Velocitas,*
atis, f.

velours, s. m. Etoffe à deux chaînes,
à tissu serré et à épaisseur moelleuse.
Villosa vestis. Vellutum (et *velutum*),
i, n.

velouté, *ée,* adj. Dont la surface est
moelleuse comme celle du velours.
Mollis, e, adj.

velu, *ue,* adj. Couvert de poils. *Pilosus,*
a, um, adj. *Villosus, a, um,* adj. (En
parl. des étoffes). *Hirtus, a, um,* adj.

venaison, f. Chair de grand gibier.
Caro ferina.

vénal, *ale,* adj. Qui se vend. *Venalis,*
e, adj. || (Fig.) Qui sert indifféremment
telle ou telle cause pour de l'argent.
Venalis pretio et (absolt.) *venalis, e,* adj.

vénalité, s. f. Caractère de ce qui est
vénal. La — d'une charge, *venalis*
magistratus. Fig. *Animus venalis.*

venant, *ante,* adj. Qui vient. *Veniens*
(gén. *-entis*), p. adj. Substantivt. Les
allants et les —, *euntes redeuntesque.*
A tout —, à tous — (pour le premier
venu, les premiers venus), *uni cuilibet;*
cuivis uni.

vendable, adj. Qui peut se vendre.
Vendibilis, e, adj

vendange, s. f. Récolte des raisins
pour faire le vin. *Vindemia, ae,* f. Faire
la —, *vindemiāre,* intr. || (P. ext.) Les
raisins récoltés pour faire le vin. *Uva,*
ae, f. || Le jus du raisin dans la cuve.
Mustum, i, n.

vendanger, v. tr. Récolter (les raisins)
pour faire le vin. *Vindemiāre,* tr.

vendangeur, s. m. Celui qui vendange.
Vindemiator, oris, m.

vendeur, *euse,* s. m. et f. Celui, celle
dont la profession est de vendre qqch.
|| (T. de droit.) *Venditor, oris,* m.
|| (D'une façon générale.) *Venditor, oris,*
m. (T. de droit.) Venderesse, *venditrix,*
tricis, f. Vendeuse, *quae vendit* (ou *ven-*
ditat) *aliquid.*

vendre, v. tr. Céder (qqch.) en toute
propriété (à qqn) en échange d'un prix
convenu. *Vendēre,* tr. *Venum dāre,* tr.
— au détail, *divendēre,* tr. Se —, être
vendu, *venīre,* intr. || (Spéc.) Faire
commerce de (qqch.). *Vendēre,* tr. || (Par
ext.) Aliéner sa liberté, ses convictions
pour de l'argent. *Vendēre,* tr. Qui est
à —, qui se vend, *venalis, e,* adj. || (Fig.)
— cher sa vie, *non inultum cadēre.*

vendredi, s. m. Cinquième jour de la
semaine. *Veneris dies.*

vénéneux, *euse,* adj. Qui empoisonne.
Venenatus, a, um, p. adj.

vénérable, adj. Qu'on doit vénérer.
Venerabilis, e, adj.

vénération, s. f. Respect religieux.
Veneratio, onis, f. *Religio, onis,* f. Objet
d'une —, *religiosus, a, um,* adj. ¶ (P.
ext.) Humble respect. *Veneratio, onis,* f.

vénérer, v. tr. Entourer d'un respect
religieux, *et* (p. ext.), entourer d'un
humble respect. *Venerāri,* dép. tr.
Verēri, dép. tr. *Reverēri,* dép. tr.

vénerie, s. f. Nom donné à tout ce
qui concerne la chasse aux chiens courants. *Venatio, onis,* f.

veneur, s. m. Celui qui est chargé de
faire chasser les chiens courants. *Ve-*
nator, oris, m.

vengeance, s. f. Punition d'une offense
pour satisfaire son ressentiment. *Ultio,*
onis, f. Qui reste sans —, voy. IMPUNI.
|| (Par ext.) Soif de la vengeance. *Ulci-*
scendi cupiditas.

venger, v. tr. Tirer vengeance de qqn
pour (une offense). *Vindicāre,* tr. *Ulcisci,*
dép. tr. — la mort de qqn, *alicujus*
mortem persequi. ¶ Tirer vengeance
d'une offense (pour un autre). *Vindi-*
cāre, tr. *Ulcisci,* dép. tr. Se — d'un
tort, d'un outrage, *injuriam ulcisci.*
Se — sur les Romains des torts...,

ulcisci *Romanos pro injuriis.* Se — sur qqn de qqch., *aliquid in aliquem expiâre.* Chercher à se — de qqn., *aliquem ultum ire.*

vengeur, *eresse,* s. m. et f. Celui, celle qui tire vengeance d'une offense. *Ultor, oris,* m. Vengeresse, *ultrix, icis,* f. || *Adjectivt.* Qui tire vengeance d'une offense; qui est l'instrument de la vengeance. *Ultor, oris,* m. *Ultrix, tricis,* f.

véniel, *elle,* adj. Digne de pardon. *Veniâ dignus.*

venimeux, *euse,* adj. Qui a du venin. *Venenatus, a, um,* p. adj.

venin, s. m. Liquide malfaisant *ou* mortel secrété par certains animaux. *Venenum, i,* n. *Virus, i,* n. (usité seulement au sing.). ¶ (Fig.) Discours dangereux. *Venenum, i,* n. *Virus, i,* n. || Doctrine dangereuse. *Pestis, is,* f.

venir, v. intr. (En parlant d'une personne, d'une chose). Se rendre, être porté là où est la personne qui parle, à qui l'on parle. *Venire,* intr. *Advenire,* intr. (s'opp. à *abire, exire, proficisci*). *Pervenire,* intr. *Accedère,* intr. — ensemble, *convenire,* intr. — avec qqn, voy. ACCOMPAGNER. — en foule, *celebrâre,* tr. — souvent, *ventitâre,* intr.; *frequentâre,* tr. Faire —, *arcessère,* tr.; *accîre,* tr.; *advocâre,* tr. Voir — qqn (fig.), *nosse* (ou *perspexisse*) *alicujus consilia.* — trouver, *adire,* intr. et tr. (ex. : *adire ad praetorem; adire Verrem*). Le premier venu, *primus.* Le dernier venu, *extremus.* Le premier venu (fig.), *quilibet* ou *quivis unus.* La première chose venue, *quodcumque occurrit.* Nouveau venu, voy. NOUVEAU. || (Par anal.) Avoir fait une chose depuis très peu de temps. Octavius vient d'arriver, *modo venit Octavius.* || Etre bien venu, c.-à-d. bien reçu, voy. RECEVOIR. Pour se faire bien —, *ad hominum excitanda studia.* Se faire bien —, *plurimum gratiae consequi.* Chercher à se faire bien — de qqn, *benevolentiam alicujus consectâri.* Etre mal venu, c.-à-d. mal reçu, voy. RECEVOIR. Se faire mal —, *in offensionem alicujus incidère.* Etre mal venu de qqn, *sinistrê excipi (ab aliquo).* Etre mal venu à (faire qqch.), *importunê aliquid facère.* || (Spéc.) En parl. d'une personne. d'une chose : arriver du lieu où elle était. *Venire,* intr. *Advenire,* intr. || (Par anal.) *Venire,* intr. *Obvenire,* intr. *Pervenire,* intr. — aux mains de qqn, *pervenire ad aliquem.* ¶ (Fig.) Naître. *Venire,* intr. *Nasci,* dép. intr. || Sortir, provenir. *Oriri,* dép. intr. *Proficisci,* dép. intr. *Manâre,* intr. D'où — que...? *unde fit, ut* (et le Subj.)? ¶ En parl. d'une personne, d'une chose : arriver à un but, à un résultat. *Venire,* intr. *Pervenire,* intr. — à ses fins, *propositum assequi.* — à bout de, voy. BOUT. — à parler

de cela, *in istum sermonem delabi.* Ne sachant où ils voulaient en —, *quidnam pararent, incertus.* Où veut-il en venir? *Quo igitur illa spectat oratio?* C'est là que j'en voulais —, *eo pergebam.* || (Par anal.) Pousser, se développer. Voy. POUSSER. ¶ En parl. d'un moment de la durée, d'un fait : arriver à son temps. *Venire,* intr. *Advenire,* intr. *Adesse,* intr.

vent, s. m. Déplacement plus ou moins rapide de l'air, dans telle ou telle partie de l'atmosphère. *Ventus, i,* m. Avoir le nez au —, *naribus auras captâre;* et *(fig.)* avoir l'air évaporé, voy. ÉVAPORÉ. || (Par anal.) Agitation de l'air produite par un moyen quelconque. *Ventus, i,* m. *Ventulus, i,* m. *Aura, ae,* f. Instruments à —, *tibiae, arum,* f. pl. || (Par ext.) L'air. En plein —, *sub divo.* ¶ Haleine. *Anima, ae,* f. || Odeur que le gibier laisse sur son passage et qui guide le chien. *Anima, ae,* f. Fig. Avoir — de qqch., *aliquid famâ accipère.* ¶ (Au fig.) Chose vaine. *Aura frivola.*

vente, s. f. Action de vendre. *Venditum, i,* n. *Venditio, onis,* f. — aux enchères, à la criée, à l'encan, *venditio, onis,* f.; *sectio, onis,* f. — publique, *auctio, onis,* f. Faire une — à l'encan, *auctionâri,* dép. intr. Qui appartient aux — à l'encan, *auctionarius, a, um,* adj. Mettre en —, *vendère,* tr.; *proponère aliquid venale,* ou (simpl.) *proponère aliquid.*

venter, v. intr. Produire du vent. *Flâre,* intr. Impersonnell. Il —, *spirat ventus.*

venteux, *euse,* adj. Exposé aux vents. *Ventosus, a, um,* adj.

ventouse, s. f. Petit vase qu'on applique sur la peau pour produire une irritation locale dérivative. *Cucurbita, medicinalis. Cucurbitula, ae,* f.

ventre, s. m. Partie du corps formant une cavité qui contient l'estomac et les intestins. *Venter, tris,* m. *Abdomen, minis,* n. *Alvus, i,* f. — à terre, *effuso cursu.* Passer sur le — de l'ennemi, *stratis hostibus per corpora evadère.* || Cette partie du corps considérée comme recevant des aliments. *Venter, tris,* m. *Abdomen, minis,* n. ¶ (Par ext.) L'intérieur du corps. Remettre du cœur au — à qqn, *animum alicujus erigère.* || (Par anal.) Partie la plus large d'un vase. *Venter, tris,* m.

ventrière, s. f. Sangle qui passe sous le ventre d'un cheval. *Cingula, ae,* f.

venue, s. f. Action de venir, de se rendre dans un lieu. *Adventûs, ûs,* m. Allées et —, *concursatio, onis,* f.; *discursûs, ûs,* m. ¶ Action de ce qui se développe. *Proventûs, ûs,* m. *Incrementum, i,* n. De belle —, *grandis, e,* adj.

Vénus, n. pr. Déesse. *Venus, eris,* f. De —, *Venereus, a, um,* adj.

vêpres, s. f. pl. Heure de l'office divin qu'on disait le soir (aujourd'hui dans l'après-midi). *Vesperae, arum*, f. pl.

ver, s. m. Lombric terrestre, dit aussi ver de terre. *Lumbricus, i*, m. ‖ Larve de certains insectes. *Vermis, is*, m. *Vermiculus, i*, m. — à soie, *bombyx, icis*, m. ‖ (Spécial.) Larve de certains papillons qui ronge les étoffes, le bois, etc. *Vermiculus, i*, m. — du bois, *tinea, ae*, f. ¶ Parasite qui se développe dans les corps vivants. *Vermiculus, i*, m. — intestinal, *lumbricus, i*, m. — solitaire, *taenia, ae*, f.

véracité, s. f. Qualité de celui qui dit la vérité. *Veritatis studium* ou *amor*, ou (simpl.) *veritas, atis*, f. *Fides, ei*, f. ‖ (P. ext.) Qualité de ce qui exprime la vérité. *Fides, ei*, f. *Veritas, atis*, f.

verbal, ale, adj. Qui a lieu de vive voix. Communication —, *commendatio vocis*. Exposé —, compte rendu —, *viva vox*. Faire à qqn une réponse —, *alicui verbo respondēre*. Engagement, convention —, *stipulatio verborum* ou (simpl.) *stipulatio, onis*, f.

verbalement, adv. De vive voix. *Vivā voce. Verbis*.

verbe, s. m. Parole, ton dont on parle. *Verbum, i*, n. *Vox, vocis*, f. ¶ Seconde personne de la Trinité chrétienne. *Verbum, i*, n. ¶ Terme de la proposition qui unit l'attribut au sujet. *Verbum, i*, n. ‖ (Gramm.) Partie du discours. *Verbum, i*, n.

verbeusement, adv. D'une manière verbeuse. *Verbosē*, adv.

verbeux, euse, adj. Qui dit les choses en trop de paroles. *Verbosus, a, um*, adj.

verbiage, s. m. Abondance de paroles vaines. *Verborum (inanium) turba*.

verdâtre, adj. Dont la couleur tire sur le vert. *Subviridis, e*, adj.

verdeur, s. f. Caractère d'un fruit vert. *Acerbitas, atis*, f. ¶ Ardeur de la première jeunesse. *Viriditas, atis*, f. ‖ (P. anal.) Jeunesse que conserve un vieillard. Avoir encore de la —, *habēre aliquam viriditatem*.

verdier, s. m. Oiseau à plumage vert. *Vireo* (ou *virio*), *onis*, m.

verdir, v. intr. et tr. ‖ (V. intr.) Devenir vert. *Virēre*, intr. (En parl. des arbres). *Virēre coepisse*. Commencer à —, *virescĕre*, intr. ¶ (V. tr.) Rendre vert. *Viridem* (ou *viride*) *facĕre*.

verdoyant, ante, adj. Qui verdoye. *Virens* (gén. *-entis*), p. adj. *Viridis, e*, adj.

verdure, s. f. Le feuillage, les plantes, le gazon, etc. *Viriditas, atis*, f. *Viridia, n*. pl. ‖ (Spéc.) Herbes potagères. Voy. POTAGER.

véreux, euse, adj. Qui contient un ver. *Verminosus, a, um*, adj. ‖ (Fig.) Qui est gâté, qui ne vaut rien au fond. *Vitiosus, a, um*, adj.

verge, s. f. Longue baguette droite et flexible. *Virga, ae*, f. ‖ (Spéc.) Baguette avec laquelle on frappe pour châtier. *Virga, ae*, f. Faisceau de verges, *fasces, ium*, m. pl. Etre battu de —, *verberibus affici*. ‖ Baguette garnie d'ivoire que portaient les huissiers. *Virga, ae*, f. ‖ Tringle. Voy. ce mot.

verger, s. m. Lieu planté d'arbres fruitiers. *Pomarium, ii*, n.

verglas, s. m. Pluie glacée qui se congèle sur le sol. *Gelicidium, ii*, n.

vergogne, s. f. Honte. *Verecundia, ae*, f. Loc. adv. Sans —, *protervē*, adv.

vergue, s. f. Pièce de bois horizontale pour porter les voiles d'un navire. *Antenna, ae*, f.

véridique, adj. Qui a l'habitude de dire la vérité. *Verax* (gén. *-acis*), adj.

vérificateur, s. m. Celui qui est chargé de vérifier des comptes, des mesures, etc. *Exactor, oris*, m.

vérification, s. f. Action de vérifier. *Recognitio, onis*, f.

vérifier, v. tr. Soumettre (une chose) à un examen, pour s'assurer qu'elle est faite exactement. *Recognoscĕre*, tr. *Inspicĕre*, tr. ¶ Démontrer exact. *Comprobāre*, tr.

véritable, adj. Qui dit la vérité. *Veridicus, a, um*, adj. *Verus, a, um*, adj. ¶ Conforme à la vérité. *Verus, a, um*, adj. ¶ (Par ext.) Réel. *Verus, a, um*, adj.

véritablement, adv. D'une manière conforme à la vérité. *Verē*, adv. ¶ A dire vrai. *Verē*, adv. *Ut vera dicam*. ¶ (P. ext.) Réellement. *Verē*, adv.

vérité, s. f. Caractère de ce qui est vrai, connu tel qu'il est. *Veritas, atis, Verum, i*, n. ‖ (Par anal.) Réalité. *Veritas, atis*, f. ¶ Connaissance d'une chose conforme à ce qu'elle est. *Veritas, atis*, f. *Verum, i*, n. *Ratio, onis*, f. ‖ (Spéc.) Dire à qqn ses vérités, *vitia alicui verissimē exprobrāre*. ‖ (Loc. adv.) En —, *c.-à-d.* selon la —, *ex vero; verē*, adv.; *ex re; re verā* ou *re ipsā*. En —, *c.-à-d.* à coup sûr, *profecto*, adv.; *sanē*, adv. A la —, *certē, certē quidem*. En —? *Itane vero?*

verjus, s. m. Suc acide de raisins qui ne sont pas mûrs. *Omphacium, ii*, n.

vermeil, eille, adj. D'un rouge vif. *Roseus, a, um*, adj. *Purpureus, a, um*, adj. ‖ Substantivt. Du — (cuivre *et surtout* argent doré), *argentum inauratum*.

vermillon, s. m. Substance colorante d'un rouge vif. *Minium, ii*, n.

vermine, s. f. Insectes, parasites qui s'attachent aux hommes, aux animaux. *Pediculi, orum*, m. pl.

vermisseau, s. m. Petit ver de terre *Vermiculus, i*, n.

vermoulu, ue, adj. Piqué, mangé par les vers. *Vermiculatus, a, um*, adj.

vernir, v. tr. Enduire de vernis. *Malthāre*, tr.

vernis, s. m. Solution de gomme résine qui forme en séchant à la surface des objets qui en sont revêtus une couche lisse et brillante. *Atramentum tenue. Vernicium, ii,* n. || (Par ext.) Enduit vitrifiable. *Cera, ae,* f.

verni-ser, v. tr. Recouvrir (la poterie) d'un enduit vitrifiable. *Cerāre,* tr.

verrat, s. m. Porc mâle. *Verres, is,* m. De —, *verrinus, a, um,* adj.

verre, s. m. Matière dure, fragile, transparente, qu'on obtient par la fusion du sable siliceux avec de la potasse *ou* de la soude. *Vitrum, i,* n. De —, en —, *vitreus, a, um,* adj. Fabricant de —, *vitrarius* (ou *vitrearius), ii,* m. ¶ Objet en verre. *Vitrum, i,* n. — à boire, *vitreum, i,* n. Par ext. Boire un — de vin, *aliquid vini bibēre.*

verrerie, s. f. Usine où l'on fait le verre. *Vitreorum officina.* || Industrie du verre. *Ars vitrea.* || Objets en verre. *Vitrea, orum,* n. pl.

verrier, s. m. Celui qui fait le verre, les ouvrages en verre. *Vitri artifex.*

verroterie, s. f. Réunion de menus ouvrages en verre. *Vitrea, orum,* n. pl.

verrou, s. m. Petite pièce de fer fixée sur une porte, une fenêtre, qui poussée dans une gâchette empêche d'ouvrir. *Pessulus, i,* m.

verrouiller, v. tr. Fermer au verrou. *Pessulum obdēre ostio* (ou *foribus*).

verrue, s. f. Petite excroissance cutanée, superficielle. *Verruca, ae,* f.

1. vers, s. m. Suite de mots rythmés et mesurés suivant la quantité ou suivant le nombre des syllabes. *Versūs, ūs,* m. *Carmen, minis,* n. (surt. au plur. et dans le sens de production poétique, épique, dramatique, lyrique, par opp. à *soluta oratio*). Petit —, *versiculus, i,* m. ¶ (Par ext.) Poésie. Voy. ce mot.

2. vers, prép. (Dans l'espace.) Du côté de. *Versus,* adv. (ordin. avec les prép. *ad* ou *in*). *Ad,* prép. (av. l'Acc.). *In* prép. (av. l'Acc.). ¶ (Dans le temps.) A l'approche de. *Sub,* prép. (av. l'Acc.). *Circiter,* adv. (*media circiter nocte,* vers minuit).

versant, s. m. Chacune des pentes d'une montagne. *Frons, frontis,* f.

versatile, adj. Qui tourne aujourd'hui vers un parti, demain vers un autre. *Versatilis, e,* adj. [*Versatile ingenium.*

versatilité, s. f. Caractère versatile.

verse, s. f. Action de verser. *Loc. adv.* Il pleut à —, *pluit urceatim.*

versé, ée, adj. Rompu à la pratique d'une science, d'un art, etc. *Versatus in aliquā re. Peritus alicujus rei. Instructus in* (ou *ab*) *aliquā re.* Très —, *exercitatus* (*in aliquā re*).

verseau, s. m. Signe du zodiaque. *Aquarius, ii,* m.

versement, s. m. Action de verser de l'argent dans une caisse. *Numeratio, onis,* f.

verser, v. tr. et intr. || (*V. tr.*) Faire tomber sur le côté. *Evertēre (currum).* || Faire tomber un liquide en penchant le vase qui le contient. *Fundēre,* tr. *Infundēre,* tr. (*aquam in manus*). || (Par anal.) *Fundēre,* tr. (*sanguinem*). *Effundēre,* tr. (*plurimum sanguinem; lacrimas*). *Profundēre,* tr. (*vim lacrimarum*). — le sang, *sanguinem haurire.* Sans — votre sang, *sine vestro sanguine.* || (Spéc.) Faire couler d'un vase dans un autre. *Infundēre,* tr. Abs. — à boire, *pocula ministrāre.* || (Par anal.) En parl. de matières non liquides. *Fundēre,* tr. (*picem*). *Effundēre,* tr. (*milium vel frumentum in flumen*). *Infundēre,* tr. (*alicui aurum in os*). || (Par ext.) Apporter de l'argent dans une caisse. *Referre,* tr. *Conferre,* tr. (*pecuniam in aerarium*). *Numerāre,* tr. (ex. : *numerāre pecuniam* ou [absol.] *numerāre,* verser de l'argent). || Mettre, transporter ailleurs. *Traducēre,* tr. || Faire passer dans. *Transferre,* tr. ¶ (*V. intr.*) Tomber sur le côté. *Procidēre,* intr. *Procumbēre,* intr.

verset, s. m. Petite division d'un chapitre formant un sens complet. *Versūs, ūs,* m.

versificateur, s. m. Celui, celle qui versifie. *Versificator, oris,* m.

versification, s. f. Facture des vers. *Versificatio, onis,* f.

versifier, v. intr. et tr. || (*V. intr.*) Composer des vers (au point de vue de la facture). *Versus facēre* ou *scribēre. Versificāre,* intr. ¶ (*V. tr.*) Mettre en vers. *Versibus (aliquid) includēre.*

version, s. f. Action de faire passer d'une langue dans une autre. Voy. TRADUCTION. || (P. ext.) Manière d'interpréter les faits. Voy. INTERPRÉTATION. || Tradition. Il y a sur la mort de Magon deux —, *de Magonis interitu duplex memoria prodita est.*

verso, s. m. Revers d'un feuillet. *Charta inversa* (ou *aversa*).

vert, verte, adj. et s. m. || *Adj.* Dont la couleur est celle du feuillage, de l'herbe. *Viridis, e,* adj. *Virens* (gén. -*entis*), p. adj. || (Par ext.) *Viridis, e,* adj. (*ligna viridia*). *Crudus. a, um.* adj. || Qui n'est pas encore fait. *Austerus, a, um,* adj. || (Fig.) Encore jeune. *Viridis, e,* adj. || (Par anal.) Vif, énergique. *Acerbus, a, um,* adj. *Asper, era, erum.* adj. ¶ *S. m.* Couleur verte. *Viride, is,* n. *Viriditas, atis,* f.

vert-de-gris, s. m. Nom vulgaire de l'oxyde qui se forme sur les vases de cuivre. *Aerugo aeris* ou simpl. *aerugo, ginis,* f.

vertèbre, s. f. Chacun des os qui forment la colonne vertébrale. *Vertebra, ae,* f.

vertement, adv. Avec vivacité, énergie. *Vehementer,* adv. *Acerbē,* adv.

vertical, *ale*, adj. Qui est perpendiculaire au plan de l'horizon. *Ad perpendiculum directus.* ou simpl., *directus, a, um*, p. adj. La — (d'un lieu), *perpendiculum, i, n.*

verticalement, adv. Suivant la verticale. *Ad perpendiculum.*

vertige, s. m. Etourdissement momentané où l'on croit voir les objets tourner au tour de soi. *Vertigo, inis, f.* Les hauteurs donnent le —, *oculis caliginem offundit altitudo.* ‖ (Fig.) *Vertigo, inis, f. Caligo, inis, f.*

vertu, s. f. Force d'âme; courage. *Virtus, utis, f.* ¶ Pratique habituelle du bien. *Virtus, utis, f. Honestas, atis, f. Innocentia, ae, f.* ‖ (Par anal.) Avoir de la vertu, c.-à-d. du mérite (à faire telle chose). Voy. MÉRITE. ‖ Disposition à pratiquer le bien *Virtus, utis, f.* ‖ (Spéc.) Chasteté. *Pudicitia, ae, f.* ‖ (Par ext.) Celui qui a la vertu. *Bonus vir.* Au plur. *boni, orum*, m. pl. ¶ Pouvoir de produire une certaine action. *Virtus, utis, f. Vis* (Acc. *vim*, Abl. *vi*), f. Loc. adv. En — de, *ex*, prép. (av. l'Abl.); *per*, prép. (av. l'Acc.); *pro*, prép. (av. l'Abl.).

vertueusement, adv. D'une manière vertueuse. *Cum virtute. Honeste*, adv.

vertueux, *euse*, adj. Qui pratique la vertu. *Virtute praeditus* (ou *ornatus*). *Virtutis compos. Probus, a, um* adj. *Honestus, a, um*, adj. Etre très —, *eximiâ virtute esse.* ‖ (Spécialt.) Chaste. Une épouse —, *pudica uxor.* ¶ Conforme à la vertu. *Honestus, a, um*, adj. *Rectus, a, um*, p. adj. *Probus, a, um*, adj.

verve, s. f. Inspiration chaleureuse du moment. *Impetus animi* (ou *cogitationis*) ou simplt, *impetus, ûs*, m.

verveine, s. f. Plante à fleur odorante. *Verbenaca, ae, f.*

vesce, s. f. Plante légumineuse. *Vicia, ae, f.*

vésicule, s. f. Petite élevure de l'épiderme. *Vesica, ae, f.*

vestale, s. f. Prêtresse de Vesta, chargée d'entretenir le feu sacré. *Virgo Vestalis* ou simplt., *Vestalis, is*, f.

veste, s. f. Sorte de justaucorps. Voy. JUSTAUCORPS.

vestiaire, s. m. Lieu de dépôt pour les habits. *Vestiarium, ii, n.*

vestibule, s. m. Pièce placée à l'entrée d'un édifice, d'une maison. *Vestibulum, i, n.*

vestige, s. m. Empreinte laissée par le pied d'un homme, d'un animal. *Vestigium, ii, n.* ‖ (Fig.) Marque qu'une chose détruite a laissée de son existence. *Vestigium, ii, n. Indicium, ii, n.*

Vésuve, n. pr. Mont d'Italie. *Vesuvius, ii*, m. *Vesevus, i*, m.

vêtement, s. m. Ce qui sert à couvrir le corps pour le préserver des intempéries ou cacher sa nudité. *Vestimentum, i, n.*

Vestitûs, ûs, m. Les —, *vestis, is*, f.

vétéran, s. m. Soldat qui a obtenu son congé après un long service. *Miles veteranus* ou subst. *veteranus, i*, m. (ordin. au plur. *milites veterani, orum*, m. pl.).

vétérinaire, adj. Qui concerne les maladies des chevaux, chiens, etc. *Veterinarius, a, um*, adj. Un médecin —, *et*, substantivt, un —, *veterinarius, ii*, m.

vétille, s. f. Chose insignifiante qui ne mérite pas qu'on s'y arrête. *Res parva* (ou *parvula*).

vétiller, v. intr. S'arrêter à des vétilles. *Leviora sequi. Nugari*, dép. intr. *Minutius scrutâri* (omnia).

vétilleux, *euse*, adj. Qui mérite d'être examiné scrupuleusement. *Subtilis, e*, adj. ¶ Qui s'arrête à des vétilles. *Nimium diligens.*

vêtir, v. tr. Couvrir d'étoffes, de tissus, etc., adaptés au corps, pour préserver des intempéries ou cacher la nudité. *Vestire*, tr. (on dit aussi *veste tegere aliquem*). Manière de se —, *amictûs, ûs*, m. (voy. VÊTEMENT, COSTUME, HABILLEMENT); *habitûs, ûs*, m. ‖ (Par ext.) Procurer des vêtements à qqn. *Vestimenta alicui dâre.*

vétusté, s. f. Etat de détérioration produit (dans les choses) par le temps. *Vetustas, atis, f.*

veuf, *veuve*, adj. et s. m. et f. Qui n'a plus de femme *ou* de mari (par décès du conjoint). *Viduus, a, um*, adj. ‖ (Fig.) Privé de... *Viduus, a, um*, adj. (av. l'Abl.). ¶ *S. m.* et *f.* Celui qui n'a plus de femme, celle qui n'a plus de mari (par décès du conjoint). *Viduus, i*, m. *Orbus uxore*, ou simpl., *orbus, i*, m. *Vidua, ae*, f.

veuvage, s. m. Etat de veuf ou de veuve. *Viduitas, atis, f.*

vexation, s. f. Action de vexer. *Vexatio, onis, f.*

vexer, v. tr. Tourmenter par quelque abus de pouvoir. *Vexâre*, tr. ‖ (P. ext.) Contrarier vivement. Voy. CONTRARIER, ENNUYER, FACHER.

viable, adj. Apte à vivre (en parl. d'un nouveau-né). *Vitalis, e*, adj.

viager, *ère*, adj. Dont on doit jouir la vie durant. *Qui* (*quae, quod*) *viventi non adimitur.*

viande, s. f. Chair des animaux. *Caro, carnis, f.*

viatique, s. m. Argent donné pour voyager. *Viaticum, i, n.* ¶ (Fig.) Communion portée à une personne dangereusement malade. *Viaticum, i, n.*

vibration, s. f. Mouvement de va-et-vient des molécules d'un corps, qui se transmet de proche en proche au milieu environnant. *Motûs, ûs*, m.

vibrer, v. intr. Entrer en vibration. (En parl. de la voix). *Vibrâre*, intr. Faire — (un instrument), *pellêre*, tr.

vicaire, s. m. Celui qui en l'absence d'un supérieur le remplace. *Vicarius, ii,* m. [du vicaire. *Vicarii munus.*

vicariat, s. m. Fonction, juridiction

vice, s. m. Disposition habituelle au mal. *Vitium, ii,* n. ‖ (Par ext.) Celui qui a cette manière d'être. *Improbus vir.* Au plur. *Mali, orum,* m. pl. ¶ Elément mauvais qui altère qqch. dans son essence. *Vitium, ii,* n. *Pravitas, atis,* f.

vice-amiral, s. m. Officier général qui commande après l'amiral. *Supraefectus classis.*

vice-président, vice-présidente, s. m. et f. Celui qui supplée le président, la présidente. *Qui (quae) praesidis vices sustinet.*

vice-roi, s. m. Celui à qui un roi a délégué son autorité. *Qui regis vices sustinet.*

vicier, v. tr. Altérer (qqch.) par un élément mauvais, inhérent. *Vitiāre,* tr.

vicieusement, adv. D'une manière vicieuse. *Vitiosē,* adv. *Pravē,* adv.

vicieux, euse, adj. Qui a un *ou* des vices. *Vitiosus, a, um,* adj. *Pravus, a, um,* adj. ¶ Altéré par un élément mauvais inhérent. *Vitiosus, a, um,* adj.

vicissitude, s. f. Changement par lequel à une chose succède une autre chose toute différente. *Vicissitudo, dinis,* f. *Varietas, atis,* f.

victime, s. f. Créature vivante offerte en sacrifice à la divinité. *Victima, ae,* f. *Hostia, ae,* f. ‖ (Au fig.) Personne qui sacrifie volontairement sa vie ou son bonheur à qqn, à qqch. *Victima, ae,* f. ‖ Personne qui est sacrifiée à la haine, à la vengeance de qqn. Etre une — de l'Etat, *ab re publicā interfici.* Etre — de son audace, *in ipso conatu opprimi.*

victoire, s. f. Avantage remporté sur l'ennemi, dans une bataille, une guerre. *Victoria, ae,* f. Remporter la —, *victoriam ferre ou victoriā potiri.* Remporter la — sur qqn, *victoriam ferre ex aliquo.* ‖ Divinité païenne présidant à la victoire. *Victoria, ae,* f. ¶ Avantage remporté sur un adversaire ou sur un concurrent. *Victoria, ae,* f. *Palma, ae,* f. — remportée sur les patriciens, *victoria de patribus.* Remporter la —, *palmam ferre.* Chanter —, *gloriāri in victoriā.* ¶ Avantage obtenu dans une lutte morale. Remporter la — sur ses passions, *domitas habēre libidines.* Remporter la — sur soi-même, *vincēre animum* (ou *suas cupiditates*).

victorieusement, adv. D'une manière victorieuse. *Victoris* (ou *victorum*) *more.* Démontrer — que ..., *vincēre* (av. l'Acc. et l'Inf.). Répondre —, *refellēre,* tr. Voy. **RÉFUTER.**

victorieux, euse, adj. Qui a remporté la victoire. ‖ Dans une bataille, une guerre, à un combat singulier. *Victor, oris,* m. *Victrix, tricis,* f.

vidange, s. f. Opération par laquelle on vide. *Exinanitio, onis,* f. ‖ (P. ext.) Ce qui a été ainsi vidé, immondices. *Purgamenta, orum,* n. pl.

vide, adj. et s. m. ‖ *Adj.* Dont l'espace n'est pas occupé (spécialement par ce qu'il doit contenir). *Vacuus, a, um,* adj. *Inanis, e,* adj. — de, *vacuus, a, um,* adj. (av. l'Abl.), Etre —, *vacāre,* intr. (av. l'Abl.). (Loc. adv.) A —, *inanis, e,* adj. ¶ *S. m.* Espace qui n'est pas occupé (spécialement par ce qu'il doit contenir). *Vacuum, i,* n. *Inane, is,* n. (Fig.) *Vanitas, atis,* f. *Inanitas, atis,* f.

vider, v. tr. Rendre vide (un réceptacle; un lieu). *Vacuefacēre,* tr. *Vacuāre,* tr. *Evacuāre,* tr. *Exhaurire,* tr. ‖ (Spéc.) Retirer les entrailles d'une volaille, d'un poisson, etc. *Exenterāre,* tr. ‖ (Fig.) Régler (une affaire) de manière qu'il ne reste plus rien de douteux. — un différend, *controversiam dirimēre.* ¶ Retirer ce que contient un réceptacle. *Emittēre,* tr. (Spéc.) Evacuer. Voy. ce mot. [Voy. **VEUVAGE.**

viduité, s. f. Etat d'une personne veuve.

vie, s. f. Activité spontanée propre aux êtres organisés. *Vita, ae,* f. Etre en —, *vivēre,* intr. Qui est en —, *vivus, a, um,* adj. Etre encore en —, *superesse,* intr. Revenir à la —, *reviviscēre,* intr. Etre plein de —, *vigēre,* intr. Sans —, voy. **INANIMÉ.** Sans chaleur et sans —, voy. **ÉVANOUI.** Loc. adv. Sur ma —, *ita vivam; ne vivam.* ‖ (Au fig.) *Vigor, oris,* m. *Spiritūs, ūs,* m. Avoir de la —, *vigēre,* intr. Qui a de la —, *vividus, a, um,* adj. ‖ (Par anal.) En parl. des animaux, des plantes. *Vita, ae,* f. ‖ (Par ext.) En parl. de l'homme. — intellectuelle, *vita quae animo continetur.* — morale, *mores, um,* m. pl. ¶ Durée, succession des phénomènes par lesquels cette activité se manifeste. *Vita, ae,* f. (*vita longa, longissima; vita brevis, exigua*). *Aetas, atis,* f. (*aetatem agēre in litteris; aetatem degēre cum aliquo*). ‖ (Loc. adv.) Pour la —, *in omnem vitam.* A la — et à la mort, *in periculum capitis atque in vitae discrimen* (*pro aliquo se inferre*). A —, *perpetuus, a, um,* adj. ¶ Exercice de cette activité dans telles ou telles conditions, de telle ou telle manière. *Vita, ae,* f. (*vita rustica; vita urbana; vita modesta*). *Victūs, ūs,* m. (*Persarum victus*). — dure, *duritia, ae,* f. — des champs, *rusticatio, onis,* f. ¶ Aliment de cette activité; subsistance. *Victūs, ūs,* m. (*facile victum quaerēre,* gagner facilement sa vie).

vieil. Voy. **VIEUX.**

vieillard, s. m. Homme d'un âge avancé. *Senex, senis,* m. De —, *senilis, e,* adj.

vieillerie, s. f. Vieux habits, vieux meubles, etc. *Scruta, orum,* n. pl.

vieillesse, s. f. Age avancé. *Senectus, utis,* f. ‖ (Par anal.) En parl. des animaux, des plantes, etc. *Senectus, utis,* f. *Vetustas, atis,* f. (*vetustas vini*). ‖ (Par ext.). Ceux qui sont âgés. *Senectus, utis,* f. *Senes, um,* m. pl.

vieillir, v. intr. et tr. ‖ (*V. intr.*) Devenir vieux. *Senescĕre,* intr. ¶ (*V. tr.*) Faire paraître vieux. *Senectutis speciem praebēre.* Vieilli, *aetate* (ou *senectute*) *affectus* (en parl. de pers.); *vetus,* adj. (en parl. de chose).

vielle, s. f. Instrument de musique. *Vitula* et *vidula, ae,* f.

Vienne, n. pr. Ville de France. *Vienna, ae,* f. De —, *Viennensis, e,* adj. ¶ Capitale de l'Autriche. *Vindobona, ae,* f. De —, *Vindobonensis, e,* adj.

vierge, s. f. et adj. ‖ *S. f.* Fille qui n'a eu commerce avec aucun homme. *Virgo, ginis,* f. De —, voy. VIRGINAL. ¶ *Adj.* Au propre. *Virgo,* adj. m. et f. ‖ (Au fig.) Intact. *Virgo,* adj. *Rudis, e,* adj. Forêt —, *intacta silvae vastitas.*

Vigne —, *labrusca vitis.*

vieux, *vieille,* adj. Qui a vécu, qui a existé longtemps, il y a longtemps. ‖ (En parl. des personnes.) Qui a vécu longtemps. *Vetus* (gén. *-eris*), adj. *Vetustus, a, um,* adj. Subst. Un —, voy. VIEILLARD. Une —, *anus, ūs,* f. De —, *senilis, e,* adj. De vieille, *anilis, e,* adj. ‖ (P. anal.) En parl. des animaux. *Vetus,* adj. ‖ En parl. des végétaux, etc. *Vetulus, a, um,* adj. ‖ (Par ext.) Qui paraît avoir vécu longtemps. Avoir l'air plus — que son âge, *male aetatem ferre.* ‖ Qui a vécu plus ou moins longtemps que qqn. Voy. AGÉ. ¶ Qui a gardé longtemps une fonction, une manière d'être. *Vetus,* adj. ¶ Qui a vécu, il y a longtemps. *Vetus,* adj. *Vetustus, a, um,* adj. ¶ (En parl. des choses.) ‖ Qui appartient à qqn qui a vécu longtemps. Les — ans, *aetas grandior.* Dans ses — années, voy. VIEILLESSE. ‖ Qui a duré, qui a servi longtemps. *Vetus,* adj. *Vetustus, a, um,* adj. ‖ Qui a existé il y a longtemps. *Vetus,* adj. *Vetustus, a, um,* adj. *Antiquus, a, um,* adj. *Priscus, a, um,* adj.

vif, *vive,* adj. Qui est en vie. *Vivus, a, um,* adj. Plus mort que —, *semivivus;* ou *vix vivus.* De — voix, *voce; per colloquium.* ‖ (Subst.) *Au masc.* Celui qui est en vie. Donation entre —, voy. DONATION. ‖ Le —, *c.-à-d.* la chair vive, *vivum, i,* n. Trancher dans le —, *vim adhibēre.* Piquer au —, *alicujus jodicāre animum.* Par ext. Entrer dans le — du débat, *ad ipsam disputationem aggredi.* ‖ (Peinture.) Le modèle vivant, *animale exemplum.* Peindre au —, sur le —, *similitudinem effingĕre ex vero* (ou *veram alicujus imaginem reddĕre*). Fig. Un caractère pris sur le —, *e vivo petitum ingenium.* Exemples pris sur le —, *exempla e vero petita.* ‖ Une haie —, *viva saepes.* ¶ (Fig.) *Vivus, a, um,* adj. Force —, *vis,* f. De — force, *per*

vim. S'ouvrir de — force un chemin à travers..., *ex aperto vim facĕre per* (Acc.). ¶ (Par anal.) Prompt et animé dans sa manière d'agir. *Vegetus, a, um,* adj. *Acer, cris, cre,* adj. *Concitatus, a, um,* adj. ‖ Prompt et animé dans sa manière de concevoir. *Vegetus, a, um,* adj. *Vividus, a, um,* adj. *Acer, cris, cre,* adj. ‖ Qui exerce une action prompte et forte. *Acer, cris, cre,* adj. *Ardens* (gén. *-entis*), p. adj.

vif-argent, s. m. Nom donné au mercure. *Vivum argentum.*

vigilamment, adv. D'une manière vigilante. *Vigilanter,* adv.

vigilance, s. f. Attention soutenue à veiller sur qqn, qqch. *Vigilantia, ae,* f. *Cura magna* (ou *intenta*). *Diligentia, ae,* f.

vigilant, *ante,* adj. Qui veille avec une attention soutenue sur qqn ou sur qqch. *Vigilans* (gén. *-antis*), p. adj.

vigile, s. f. Veille d'une grande fête où l'on jeûne. *Vigiliae, arum,* f. pl.

vigne, s. f. Plante qui produit le raisin. *Vitis, is,* f. ¶ Terrain planté de vignes. *Vinea, ae,* f. *Vinetum, i,* n.

vigneron, *onne,* s. m. et f. Celui, celle qui cultive la vigne. *Vinitor, oris,* m.

vignoble, s. m. Terrain planté de vignes. *Vinea, ae,* f. *Vinetum, i,* n.

vigoureusement, adv. D'une manière vigoureuse. *Fortiter,* adv. *Graviter,* adv. *Acriter,* adv.

vigoureux, *euse,* adj. Dont la force a son plein développement. *Validus, a, um,* adj. *Valens* (gén. *-entis*), p. adj. *Vegetus, a, um,* adj. Etre —, *vigēre corpore* ou (simpl.) *vigēre,* intr. ‖ (P. ext.) En parl. de la force d'âme, de la force intellectuelle. *Vegetus, a, um,* adj. *Vividus, a, um,* adj. *Acer, cris, cre,* adj. Opposer une résistance —, *summā vi resistĕre.*

vigueur, s. f. Force qui a son plein développement. *Vigor, oris,* m. *Robur, boris,* n. Avoir de la —, *vigēre,* intr. Prendre de la —, *se corroborāre.* Avec —, voy. VIGOUREUSEMENT. ‖ (Par anal.) Vigueur de la végétation. *Laetitia, ae,* f. Pousser avec trop de —, *luxuriāre,* intr. ‖ (Par ext.) En parl. de la force morale, intellectuelle. *Robur, boris,* n. Avoir de la —, *vigēre,* intr. Avec —, voy. VIGOUREUSEMENT. ‖ (En parl. du style.) *Vis* (Acc. *vim,* Abl. *vi*), f. *Lacertus, i,* m. (au plur.). Qui manque de —, *enervatus, a, um,* p. adj.; *enervis, e,* adj. ‖ (Par anal.) Usage constant, autorité d'une chose. *Usūs, ūs,* m. *Auctoritas, atis,* f. Etre en —, *valēre,* intr. N'être plus en —, *valēre desisse.*

vil, *ile,* adj. Qui est à bas prix. *Vilis, e,* adj. — prix, *vilitas, atis,* f. ‖ (Fig.) Qui est de basse condition *et* (p. ext.) qui a des sentiments bas. *Vilis, e,* adj. *Abjectus, a, um,* p. adj.

vilain, *aine,* s. m. et f. Paysan,

paysanne *et, par ext.*, roturier, roturière. Voy. PAYSAN, ROTURIER ¶ (Par ext.) Celui qui a des sentiments communs, laids. *Sordidus, a, um,* adj. *Turpis, e,* adj. ‖ *Adj.* Laid moralement. *Turpis, e,* adj. *Foedus, a, um,* adj. ‖ (Par ext.) Laid. Voy. ce mot.

vilainement, adv. D'une manière vilaine. ‖ D'une manière laide, honteuse. *Turpiter,* adv. ‖ Grossièrement. *Rusticè,* adv. [*Abjectè,* adv.]

vilement, adv. D'une manière vile.

vilenie, s. f. Action de vilain, de vilaine; sentiments bas et laids. *Sordes, ium,* f. pl. *Turpitudo, dinis,* f. ¶ (Spéc.) Avarice mesquine. *Sordes, ium,* f. pl.

vileté, s. f. Caractère de ce qui est à bas prix. *Vilitas, atis,* f.

vilipender, v. tr. Déclarer vil, méprisable. *Detrahère (de aliquo).*

villa, s. f. Maison de plaisance. *Villa urbana,* ou (simplt.) *villa, ae,* f.

village, s. m. Petit groupe de maisons de paysans. *Pagus, i,* («gros village»), m. *Vicus, i,* («petit village»), m. De —, *paganus, a, um,* adj.; *vicanus, a, um,* adj. Par —, *vicatim,* adv.; *pagatim,* adv. ‖ (Par ext.) Habitants du village. *Pagus, i,* m. *Vicani, orum,* m. pl. ‖ La campagne. *Rus, ruris,* n. *Agri, orum,* m. Vie au —, de —, *vita rustica* (*rusticana*).

villageois, *eoise,* s. m. et f. Celui, celle qui habite un village. *Vicanus, i,* m. *Paganus, i,* m. Villageoise, *rustica, ae,* ‖ Adjectivt. *Vicanus, a, um,* adj. *Rusticus, a, um,* adj.

ville, s. f. Réunion considérable de maisons habitées, disposée régulièrement par rues et limitée d'ordinaire par une enceinte. *Urbs, urbis,* f. — forte, *oppidum, i,* n. — de province, *municipium, ii,* n. — capitale, *caput, itis,* n. — de commerce, *emporium, ii,* n.: *forum, i,* n. De la —, *urbanus, a, um,* adj.; *oppidanus, a, um,* adj. Spéc. En —, c.-à-d. hors de chez soi, *foris* adv. Etre, dîner en —, *foris esse, cenāre.* Habit de —, *forensis vestis.* ¶ (Absol.) Une grande ville (par opp. au village, aux champs). *Urbs, urbis,* f. De la —, *urbanus, a, um,* adj. ‖ La capitale (*par opp.* à la province). *Urbs, urbis,* f. ‖ De la —, *urbanus, a, um,* adj. ‖ Les bourgeois (*par opp.* aux courtisans) *Urbani, orum,* m. pl. ¶ Ville organisée. *Civitas, atis,* f. Le corps de —, *senatūs, ūs,* m. La maison de —, l'hôtel de —, *curia, ae,* f.

vin, s. m. Jus de raisin fermenté, boisson spiritueuse. *Vinum, i,* n. — pur, *merum, i,* n. De —, relatif au —, *vinarius, a, um,* adj. Gorgé de —, *vinolentus, a, um,* adj. ‖ (Par ext.) Le vin (qui donne l'ivresse). *Vinum, i,* n.

vinaigre, s. m. Liqueur aigre provenant de la fermentation acide du vin. *Acetum, i,* n.

vinaigrer, v. tr. Imprégner de vinaigre. *Aceto condīre* (ou *perfundĕre*). Eau vinaigrée, *posca, ae,* f.

1. **vinaigrier,** s. m. Fabricant, marchand de vinaigre. *Aceti fabricator* (ou *mercator*).

2. **vinaigrier,** s. m. Vase à mettre du vinaigre. *Acetabulum, i,* n.

vindicatif, *ive,* adj. Porté à la vengeance. *Ulciscendi cupidus.* Caractère —, *ulciscendi* (ou *ultionis*) *cupiditas* (ou *libido*).

vindicte, s. f. Action de revendiquer le châtiment du coupable. *Vindicatio, onis,* f.

vineux, *euse,* adj. Qui a la saveur, la couleur, l'odeur du vin. *Vinosus, a, um,* adj.

vingt, adj. et s. m. ‖ *Adj. numéral.* Adj. cardinal. Deux fois dix. *Viginti,* adj. pl. indécl. — par —, — chacun *ou* chaque fois, *viceni, ae, a,* adj. — fois, *viciens* (ou *vicies*), adv. — huit, *duodetriginta,* indécl. — huitième, *duodetricesimus, a, um,* adj. — neuf, *undetriginta,* indécl. — neuvième, *undetricesimus, a, um,* adj. ‖ (*Dans un sens indéterminé.*) Beaucoup. Voy. ce mot. — fois, voy. SOUVENT, CENT. ‖ Adj. ordinal. Vingtième. L'an —, *vicesimo anno.* Le — de juillet, le — juillet, *tertio decimo die Kal. Aug.* ¶ *S. m.* (*invariable*). Nombre formé par deux fois dix. *Numerus vicenarius.*

vingtaine, s. f. Réunion de vingt unités. *Ferè* (ou *circiter*) *viginti.*

vingtième, adj. Adjectif numéral ordinal. *Vicesimus, a, um,* adj. Pour la — fois, *vicesimum.* La — partie, *et substantivt,* le — *vicesima* (s.-e. *pars*), *ae,* f.

violacé, *ée,* adj. Dont la couleur tire sur le violet. *Violaceus, a, um,* adj.

violateur, *trice,* s. m. et f. Celui, celle qui viole. *Violator, oris,* m. Violatrice, *quae violat, non servat, non observat* (*aliquid*). [*latio, onis,* f.

violation, s. f. Action de violer. *Vio-*

violemment, adv. D'une manière violente. *Vi,* ou *per vim. Vehementer,* adv. *Graviter,* adv. *Acriter,* adv.

violence, s. f. Action d'une force non maîtrisée. *Violentia, ae,* f. *Vis* (Acc. *vim,* Abl. *vi*), f. *Vehementia, ae,* f. *Impetūs, ūs,* m. ‖ (Par anal.) *Violentia, ae,* f. *Saevitia, ae,* f. ‖ (P. ext.). — du caractère, *impotentia, ae,* f. ‖ (Absol.) Abus de la force. *Vis* (Acc. *vim,* Abl. *vi*), f. ‖ (Spéc.) Se faire —, *depugnāre cum animo suo.*

violent, *ente,* adj. Qui agit avec une force non maîtrisée. *Violentus, a, um,* adj. *Vehemens* (gén. *-entis*), adj. *Acer, cris, cre,* adj. — agitation, *permotio, onis,* f. (En parl. du caractère). *Vehemens* (gén. *-entis*), adj. *Acer, cris, cre,* adj. *Acerbus, a, um,* adj. *Asper, era, erum,* adj. *Impotens* (gén. *-entis*), adj.

violenter, v. tr. Contraindre par la

violence. *Vim alicui facère* (ou *udhibère* ou *afferre*).

violer, v. tr. Porter atteinte à (qqn, qqch.) qu'on est tenu de respecter. *Violâre*, tr. *Temerâre*, tr. *Polluère*, tr.

violet, ette, adj. Qui a la couleur de la violette. *Violaceus, a, um,* adj. || (*Substantivt. au masc.*) Le — (la couleur violette), *viola, ae,* f.

violette, s. f. Plante et fleur d'un parfum doux. *Viola, ae,* f. [*num, i,* n.

viorne, s. f. Sorte d'arbrisseau. *Viburnum, i,* n.

vipère, s. f. Reptile venimeux. *Vipera, ae,* f.

vipérin, ine, adj. Qui a rapport à la vipère. *Viperinus, a, um,* adj. || *Substantivt. au fém.* La vipérine, sorte de plante. *Echios, ii,* f.

vipérine, s. f. Voy. VIPÉRIN.

virement, s. m. Action de virer. de faire tourner qqch. *Conversio, onis,* f.

virer, v. intr. et tr. || (*V. intr.*) Tourner. — de bord (faire tourner un navire sur lui-même), *circumagère navem in proram,* ou simpl. *circumagère navem.* ¶ (*V. tr.*) Faire tourner. *Torquère,* tr.

Virgile, n. pr. Poète romain. *Vergilius, ii,* m. De —, *Vergilianus, a, um,* adj.

virginal, ale, adj. Qui appartient à une vierge. *Virginalis, e,* adj. *Virgineus, a, um,* adj.

virginité, s. f. État d'une personne qui est vierge. *Virginitas, atis,* f.

viril, ile, adj. Qui appartient au sexe masculin. *Virilis, e,* adj. ¶ Qui appartient à l'homme. *Virilis, e,* adj. || Qui convient à un homme. *Virilis, e,* adj. ¶ Qui appartient à une personne pour sa part. *Virilis, e,* adj.

virilement, adv. D'une manière virile. *Viriliter,* adv.

virilité, s. f. Caractère de ce qui est viril. *Virilitas, atis,* f.

virulence, s. f. Caractère de ce qui est virulent. *Acrimonia, ae,* f.

virulent, ente, adj. Qui renferme un principe d'infection et de transmission morbide. *Pestilens* (gén. *-entis*), adj. Fig. *Acerbus, a, um,* adj.

virus, s. m. Principe d'infection et de transmission morbide. *Virus, i,* n.

vis, s. f. Tige, cylindre de métal, de bois, en spirale. *Cochlea, ae,* f.

visage, s. m. La face humaine. *Facies, ei,* f. *Os, oris,* n. *Frons, frontis,* f. Expression du —, *vultus, ûs,* m. Changer de —, *vultum mutâre*.

vis-à-vis, loc. adv. Juste en face. *Contra,* prép. (av. l'Acc.). *Adversus* ou *adversum,* prép. (av. l'Acc.). *E regione* (*alicujus loci* ou *alicui*).

viscère, s. m. Tout organe vital contenu dans une des trois cavités du corps. *Viscus, eris,* n. et ordin. *viscera, um,* n. pl.

visée, s. f. Direction obstinée de l'esprit vers une fin qu'il ambitionne. *Pro-*

positum, i, n. *Destinatum, i,* n.

viser, v. intr. et tr. || (*V. intr.*) Diriger attentivement son regard, en lançant ou au moment de lancer qqch., vers l'endroit qu'on veut atteindre. (*Telo*) *petère* (*aliquem* ou *aliquid*). || (Fig.) Avoir en vue (qqn, qqch.). *Spectâre* (*ad aliquid*). || Tendre à qqch. *Spectâre* (*ad aliquid*). ¶ (*V. tr.*) Regarder attentivement (l'endroit où on veut lancer qqch.). *Telum* (*sagittam, hastam*) *aliquo collineâre*.

visible, adj. Qui tombe sous le sens de la vue. *Aspectabilis, e,* adj. *Oculis expositus* (*a, um*). Être —, *comparêre,* intr. || (Fig.) Qui se manifeste clairement. Voy. CLAIR, MANIFESTE. ¶ Qui peut être vu. *Qui* (*quae*) *adiri potest*.

visiblement. D'une manière visible. *Ita ut oculis cerni possit*.

visière, s. f. Partie antérieure du casque qui se baissait pour protéger le visage. *Galeae spiramentum*. Rompre en — à son adversaire, *infestâ hastâ ferire os alicujus* ou *galeam percutère, transfigère;* et (fig.) *in aliquem invehi*.

vision, s. f. Fonction du sens de la vue. *Visio, onis,* f. ¶ Illusion par laquelle nous croyons voir qqn ou qqch. qui n'est pas présent à nos yeux. *Visum, i,* n. *Species, ei,* f. || Illusion qui nous représente comme réelles des choses qui n'existent que dans notre imagination. Voy. ILLUSION, CHIMÈRE. || (Par ext.) Idée fixe qui hante l'imagination. Voy. IMAGE, IDÉE.

visionnaire, s. m. et f. Celui, celle qui a des visions. *Qui* (*quae*) *somnia videt*. *Homo fanaticus. Mulier fanatica*.

visitation, s. f. Action de visiter. Voy. VISITE, INSPECTION. ¶ (Spécial.) La — (fête de l'Église). *Visitatio, onis,* f.

visite, s. f. Action d'aller voir qqn. || Action d'aller voir qqn chez lui, par politesse, par déférence. *Salutatio, onis,* f. *Adventus, ûs,* m. Notre — à Pompée, *ad Pompejum noster adventus*. Être en — chez qqn, *apud aliquem esse*. Recevoir une —, *aliquem admittère*. Faire, rendre — à qqn, *aliquem visère* (ou *invisère* ou *visitâre*); *salutâre aliquem*. || Visiteur. *Salutatio, onis,* f. *Salutantes, ium,* m. pl. Une — importune, *molestus interpellator*. Des — inopportunes, *intempestivè accedentes*. || (Spéc.) Action du médecin qui va voir un malade. *Adventus medici*. || Action d'aller voir qqn, par charité. Être occupé à la — des pauvres et des malades, *dare se pauperibus aegrisque circumeundis*. ¶ Action d'aller voir qqch. La — de la ville lui prit une partie de la journée, *visendâ urbs magnam partem diei consumpsit*. || (Spéc.) Inspection. Voy. ce mot.

visiter, v. tr. Aller voir qqn. *Convenìre,* tr. *Visère,* tr. *Invisère,* tr. || (En parl. d'un médecin.) Aller voir un malade. *Visitāre*, tr. ‖ Aller voir les pauvres, les malades, par charité. *Circumire*, tr. ‖ (Fig.) En parl. de Dieu, manifester son action par des épreuves ou par des grâces. *Visitāre*, tr. ¶ Aller voir qqch. *Visēre*, tr. *Obīre*, tr. *Circumīre*, tr. ‖ (Par ext.) *Spéc.* Examiner en détail. *Excutēre, Perscrutāri*, dép. tr.

visiteur, *euse*, s. m. et f. Celui, celle qui va voir qqn. *Salutator, ōris*, m. Visiteuse, *quae salutandi causā ad aliquem venit* (ou *adit*).

visqueux, *euse*, adj. Dont les molécules sont tenaces, adhérentes. *Glutinosus, a, um*, adj.

visuel, *uelle*, adj. Relatif au sens de la vue. *Ad sensum videndi* (ou *oculorum*) *pertinens*.

vital, *ale*, adj. Essentiel à la vie. *Vitalis, e*, adj. Souffle, principe —, *anima, ae*, f.; *spiritus, ūs*, m.

vitalité, s. f. Caractère de ce qui est vital. *Vitalitas, atis*, f.

vite, adj. et adv. ‖ *Adj.* Qui parcourt un grand espace en peu de temps. Voy. RAPIDE. ‖ (Par ext.) Qui s'effectue en peu de temps. Voy. PROMPT. ¶ *Adv.* En parcourant un grand espace en peu de temps. *Celeriter*, adv. *Festinanter*, adv. ‖ (Par ext.) En faisant en peu de temps (ce dont il s'agit). *Cito*, adv. Voy. BIENTÔT.

vitement, adv. Voy. VITE.

vitesse, s. f. Mouvement de ce qui parcourt un grand espace en peu de temps. *Celeritas, atis*, f. *Velocitas, atis*, f.

vitrail, s. m. Panneau de verres assemblés par compartiments, etc. *Specularia, ium* (et *iorum*), n. pl.

vitre, s. f. Carreau de verre, qu'on met à une fenêtre, etc. *Vitrea quadratura*. Des —, *specularia, ium* (et *iorum*), n. pl.

vitré, *ée*, adj. Transparent comme une vitre. *Vitreus, a, um*, adj.

vitrer, v. tr. Garnir de vitres. *Specularibus integēre*. Fenêtres —, *fenestrae vitreae*.

vitreux, *euse*, adj. Qui a l'aspect du verre. *Vitreus, a, um*, adj.

vitrier, s. m. Celui qui met des vitres aux fenêtres. *Specularius, ii*, m.

Vitruve, n. pr. Ingénieur romain. *Vitruvius, ii*, m.

vivace, adj. Qui a une grande vitalité. *Vividus, a, um*, adj. *Vivax* (gén. *-acis*), adj. ‖ (Fig.) Qui subsiste dans toute sa force. *Vivax*, adj.

vivacité, s. f. Manière d'agir prompte et animée. *Alacritas, atis*, f. *Vis* (Acc. *vim*. Abl. *vi*), f. ¶ Manière de concevoir, de sentir les choses, prompte et animée. *Alacritas, atis*, f. ‖ (Spéc.) Disposition à des emportements légers et passagers. *Iracundia, ae*, f. (on dit aussi *animi impetus*). ¶ Caractère de ce qui exerce une action prompte et forte. *Impetus, ūs*, m. *Vis* (Acc. *vim*. Abl. *vi*),

f. ‖ (Spéc.) Caractère de ce qui a un certain éclat. — du regard, *acies, ei*, f.

vivandier, *ière*, s. m. et f. Celui, celle qui vend des vivres aux soldats. *Lixa, ae*, m. ‖ Vivandière. *Focaria, ae*, f.

1. **vivant**, s. m. Le fait d'être en vie. *Vita, ae*, f. En son —, *vivus, a, um*, adj. De mon —, *dum vivo; quoad vivo; in vitā meā*.

2. **vivant**, *ante*, adj. Qui vit. *Vivus, a, um*, adj. *Vivens* (gén. *-entis*), p. adj. Être —, *vivēre*, intr. Être encore —, *superesse*, intr. ‖ Substantivt. Personne qui vit. Les — (opp. aux morts), *qui vivunt; vivi, orum*, m. pl. ‖ (P. anal.) Exemple —, leçon —, *exemplum praesens* (ou *manifestum*). Exemple — (c.-à-d. frappant), *exemplum grande* (ou *magnum*). Portrait —, image — de qqn, *verissima imago* (*alicujus*). Modèle —, *animale exemplum*.

vivat, s. m. Voy. ACCLAMATION.

vivement, adv. D'une manière vive. *Celeriter*, adv. *Alacri animo. Acriter*, adv. [du poisson. *Piscina, ae*, f.

vivier, s. m. Pièce d'eau où l'on nourrit

vivifiant, *ante*, adj. Qui vivifie (au propre et au fig.). *Vitalis, e*, adj. *Animabilis, e*, adj. [*Animāre*, tr.

vivifier, v. tr. Douer de vie, animer.

vivre, v. intr. Posséder, exercer les fonctions vitales. ‖ (En parl. des animaux.) *Vivēre*, intr. (presque exclusivement employé dans cette acceptation). ‖ (En parl. de l'homme.) *Vivēre*, intr. *Spirāre*, intr. ‖ (Pour acclamer qqn.) Lui souhaiter longue vie. Vive Alexandre! *Alexander, dii te servent!* Vive l'oncle! *Feliciter patruo.* ‖ Qui vive? *Quis homo est? Quis tu?* ‖ (En parl. des végétaux.) *Vivēre*, intr. *Vigēre*, intr. *Esse*, intr. ‖ Exercer ces fonctions pendant le temps qui s'écoule entre la naissance et la mort. *Vivēre*, intr. (*si viveret*, s'il vivait encore). ‖ (Fig.) Rester dans le souvenir des hommes. *Vivēre*, intr. *Vigēre*, intr. *Permanēre*, intr. Faire —, voy. IMMORTALISER. ‖ Exercer ces fonctions dans telles ou telles conditions, de telle ou telle manière. *Vivēre*, intr. (*vivēre vitam tutiorem*). *Esse*, intr. ‖ On dit aussi *vitam agēre* ou *degēre*). ‖ Vivre qq. part, y séjourner, y habiter. *Vivēre*, intr. *Esse*, intr. (*esse Athenis*; voy. SÉJOURNER). ‖ (Spéc.) Savoir — dans le monde, *nec humanitatis expertem esse nec vitae communis imperitum*. Ellipt. Une personne qui ne sait pas —, *humanitatis expers aliquis*. ¶ Avoir d'aliment des fonctions animales, la subsistance. *Vivēre*, intr. (*lacte et carne; lacte atque pecore*). Voy. [se] NOURRIR, ENTRETENIR. Subst. Le —, c.-à-d. ce qui sert à la subsistance, *victus, ūs*, m. (*alicui victum dāre*).

vivres, s. m. pl. Choses qui servent à la subsistance. *Cibus, i*, m. *Cibaria*, *orum*, n. pl. *Commeatûs, ûs*, m. Couper les — à qqn, *aliquem commeatu inter-cludère*.

vocabulaire, s. m. Dictionnaire d'une langue. Voy. DICTIONNAIRE. ¶ (P. ext.) L'ensemble des mots qui appartiennent à une langue. *Verba linguae propria*.

vocal *ale*, adj. Qui appartient à la volx. *Vocalis, e*, adj. Musique —, *vocum cantus* (P. opp. à *tibiarum nervorumque cantus*, « la musique instrumentale »).

vocation, s. f. Action d'appeler qqn (en parl. de Dieu). *Vocatio, onis*, f. ¶ (P. anal.) Mouvement extérieur par lequel on se sent appelé de Dieu à tel ou tel genre de vie. *Vocatio, onis*, f. ‖ (P. ext.) Disposition marquée pour un certain genre de vie. *Proclivitas (ad aliquid)*. *(Alicujus rei) studium, ii*, n.

vocifération, s. f. Parole accompagnée de cris de colère, de menace, etc. *Vociferatio, onis*, f.

vociférer, v. intr. Faire entendre des paroles accompagnées de cris de colère, de menace, etc. *Vociferāri*, dép. intr.

vœu, s. m. Promesse faite à la Divinité d'accomplir telle ou telle œuvre méritoire, si elle exauce une demande qu'on lui adresse. *Votum, i*, n. Faire —, *vovēre* (ou *devovēre*), tr. *(alicui aliquid*, de qqch. à qqn). ¶ (Par ext.) Souhait qu'on a demandé à la Divinité d'exaucer. *Votum, i*, n. ‖ (Par anal.) Souhait de voir s'accomplir qqch. Voy. SOUHAIT. ‖ (Par ext.) Vote. Voy. ce mot. ¶ Ce qu'on a promis à Dieu, s'il exauce la demande qu'on lui adresse. *Votum, i*, n. ‖ (Par anal.) Offrande promise. Voy. OFFRANDE.

vogue, s. f. Succès de ce qui a cours chez un grand nombre de personnes. *Auctoritas, atis*, f. *Gratia, ae*, f. Etre en —, avoir la —, *plurimum valēre apud omnes*; *florēre*, intr.; *jactationem in populo habēre*. [*Navigāre*, intr.

voguer, v. intr. Avancer sur l'eau.

voici, prép. Sert à appeler l'attention sur la personne ou sur la chose dont on va parler ou sur ce qui va arriver à l'instant. *En*, interj. (avec le Nom. ou l'Acc.). *Ecce*, interj. (avec le Nom.). Me —, *adsum*.

voie, s. f. Espace qui se prolonge dans une direction menant d'un lieu à un autre. *Via, ae*, f. *Iter, itineris*, n. (dans des expr. c. *iter pedestre*, « la v. de terre » [opp. à *iter maritum*, « la v. de mer »]). ‖ (Spéc.) Direction suivie par le gibier qu'on poursuit et que marquent les traces qu'il a laissées. *Vestigia, orum*, n. pl. Mettre qqn sur la —, *commonstrāre viam*. ‖ (P. anal.) Voie d'eau. *Rima, ae*, f. *Foramen, minis*, n. ‖ La voie lactée. Voy. LACTÉ. ‖ (Physiol.) Conduit que présentent certains organes. *Via, ae*, f. *Iter, itineris*, n. Les — respiratoires, *spiritûs receptacula*. ¶ Quantité de qqch. qui se porte en un

voyage. Une — de bois, *quidquid ligno-rum ab homine portāri potest*. Une — d'eau, *binae situlae aquae*. ¶ (Au fig.) Direction suivie pour atteindre un but. *Via, ae*, f. (voy. MOYEN, MÉTHODE). — de fait, voy. VIOLENCE. Etre en bonne —, *esse in cursu*.

voilà, prép. Qui sert à appeler l'attention sur la personne ou la chose dont on vient de parler. Se rend en latin par un des pronoms *iste, ille* ou *is* ou par les adverbes, *ita, sic* : (cf. *multae arborum istarum*, beaucoup des arbres que voilà; *ita est homo*, voilà comment est l'homme). — mon opinion, mon sentiment sur l'orateur, *habes meum de oratore judicium*. — tout ce que j'avais à dire, *habes omnia*. — qui va bien, *recté factum*.

voile, s. m. et f. ‖ *S. f.* Morceau de toile qu'on attache aux vergues, et qui, poussé par le vent, fait avancer le navire. *Velum, i*, n. (ordin. au plur. *vela, orum*, n.) Mettre à la —, *vela pandēre* (ou *explicāre*). Faire —, *navigāre*, intr.: *cursum tenēre (vento secundissimo)* ou (simpl.) *tenēre*, tr. ou intr. ‖ (P. ext.) Une voile (c.-à-d. un navire). *Navis, is*, f. ¶ *S. m.* Morceau d'étoffe destiné à dérober aux regards une chose, une personne. *Velum, i*, n. *Velamentum, i*, n. ‖ Morceau d'étoffe dont autrefois les hommes et aujourd'hui les femmes se couvrent le visage. *Velum, i*, n. *Amictûs, ûs*, m. Se couvrir d'un — *(caput) velāre*. ‖ (Fig.) Apparence qui dérobe la connaissance de la réalité en la recouvrant d'enveloppes séduisantes. *Velum, i*, n. *Integumentum, i*, n. ‖ Ce qui obscurcit la clarté, l'éclat de qqch. *Caligo, inis*, f.

voiler, v. tr. Dérober aux regards en couvrant d'un voile. *Velāre*, tr. *Involvēre*, tr. ¶ (Au fig.) Dérober à la connaissance en cachant la réalité sous qq. apparence. *Velāre*, tr. *Tegēre*, tr. ‖ Obscurcir la clarté, l'éclat de qqch. *Obscurāre*, tr.

voilier, adj. Pourvu des voiles. *Velis armatus* (ou *instructus*). (Substantiv.) Un bon, un fin —, *navis agili instrumento armata*.

voir, v. tr. Percevoir les images que les rayons lumineux partant des objets éclairés forment au fond de l'œil. *Vidēre*, tr. *Cernēre*, tr. *Aspicēre*, tr. ‖ (Par ext.) Assister à, être témoin de. *Vidēre*, tr. *Cernēre*, tr. ‖ (Absol.) Etre en état de voir, de percevoir les images des objets. *Vidēre*, tr. *Cernēre*, tr. *Prospicēre*, absol. (ex. : *parum prospiciunt oculi*; *prospicēre multum*, voir très loin). — le jour, la lumière, *lucem intuēri* (ou *aspicēre*). — qqch. en songe, *somno vidēre* ou *in somnis vidēre*. ¶ Aller voir, visiter (qqn, qqch.). *Vidēre*, tr. *Visēre*, tr. *Invisēre*, tr. Aller — les malades, *aegros perambulāre*. — qqn, recevoir sa visite, voy. VISITE. ¶ (Au fig.) Saisir par la pensée, concevoir. *Vidēre*, tr. *Cernēre*, tr. *Aspicēre*, tr. *Perspicēre*, tr. || (Spéc.) Constater un fait. *Sentire*, tr. *Intelligēre*, tr. *Cognoscēre*, tr. (voy. RECONNAITRE, COMPRENDRE). ¶ Examiner *Vidēre*, tr. Voy. EXAMINER, CONSIDÉRER; VEILLER, POURVOIR. Au part. passé pris subst. Au vu et au su de tout le monde, *luce ac palam* ou *in luce atque in oculis civium*. || (Par ext.) Je n'ai rien à — à telle ou telle chose (c.-à-d., telle chose ne me concerne pas), *hoc ad me nihil attinet*. ¶ Envisager, apprécier de telle ou telle manière. Voy. ENVISAGER, APPRÉCIER, JUGER. — les choses en beau, en bien, *aliquid in bonam partem interpretāri*. Etre bien vu, *comiter accipi*. Bien vu, *acceptus*. || (Au part. passé pris adverb.). Vu, c.-à-d. considérant, eu égard à. Voy. CONSIDÉRER. ÉGARD. Vu que. voy. PUISQUE. ¶ Faire voir. Voy. MONTRER, DÉCOUVRIR. Faire — qqch., *aliquid spectandum praebēre* (ou *aliquid in conspectum dāre*); *alicujus oculis subjicēre aliquid*. Faire — à qqn les curiosités d'une ville, *omnia quae visenda sunt in urbe ostendēre alicui*. Se faire —, *se spectandum praebēre alicui*; *in conspectum venire*; *se alicui in conspectum dāre*.

voirie, s. f. Lieu où l'on jette les ordures d'une ville. *Receptaculum omnium purgamentorum urbis*. Jeter un cadavre à la —, *insepultum* (*aliquem*) *projicēre*.

voisin, ine, adj. Qui est situé à proximité. *Vicinus, a, um*, adj. *Propinquus, a, um*, adj. || (Fig.) Voy. PROCHE. || (Substant.) Celui, celle qui habite à proximité de qqn. *Vicinus, i*, m. *Vicina, ae*, f.

voisinage, s. f. Situation de ce qui est à proximité. *Vicinia, ae*, f. *Vicinitas, atis*, f. ¶ (Par ext.) Ceux qui habitent à proximité. *Vicinitas, atis*, f.

voiture, s. f. Chargement qu'on transporte. *Onus, eris*, n. *Merces plaustro impositae*. Voy. CHARGEMENT, CHARRETÉE. Frais de —, *vectura, ae*, f. ¶ (Spécial.) Véhicule pour transport. *Vehiculum, i*, n. — découverte, *currūs, ūs*, m. — (légère; suspendue), *pilentum, i*, n. — de voyage, *reda* (ou *raeda*), *ae*, f.

voiturer, v. tr. Transporter par un moyen quelconque. *Vehēre*, tr.

voiturier, s. m. Celui qui fait métier de voiturer. *Plaustrarius, ii*, m.

voix, s. f. Son que produit l'air chassé des poumons en traversant le larynx qui lui imprime un mouvement de vibration. *Vox, vocis*, f. || (En parl. des animaux.) *Vox, vocis*, f. Donner de la — (en parl. du chien), voy. ABOYER. ¶ Le son articulé, la parole. *Vox, vocis*, f. (*vocem mittēre pro aliquo*, élever la v. en faveur de qqn). *Lingua, ae*, f. ¶ (Fig.)

Inspiration qui s'adresse à l'esprit, au cœur. *Vox, vocis*, f. — de la conscience, *conscientia, ae*, f. || (P. ext.) Expression de l'opinion. *Vox, vocis*, f. *Fama, ae*, f. (voy. BRUIT, RENOMMÉE). La — universelle, *omnium consensus; consensus publicus*. Il n'y a qu'une — sur ce point, *omnes uno ore in eā re consentiunt*. || (Spéc.) Expression de l'opinion de chacun dans un vote. *Sententia, ae*, f. *Suffragium, ii*, n. (*ferre suffragium* ou *suffragia* [« aller aux voix »]). ¶ Le son modulé suivant l'échelle musicale, appropriée au chant. *Vox, vocis*, f. (*voce deficēre*, avoir la voix faible, manquer de voix); *summissā voce*, à mi-voix. || (Fig.) Son assimilé à la voix humaine. *Vox, vocis*, f. (ex. : *vox naturae*). *Cantūs, ūs*, m. (ex. : *cantus avium*). ¶ (Fig.) Gramm. Forme de la conjugaison indiquant si l'action du verbe est faite ou subie par le sujet. *Vox, vocis*, f.

1. vol, s. m. Mode de locomotion propre aux animaux qui se soutiennent et se meuvent dans l'air au moyen d'ailes ou d'appareils analogues. *Volatūs, ūs*, m. Prendre son —, voy. [s'] ENVOLER. Fig. Saisir au —, *in transitu rapēre*. || (Spéc.) Essor. *Volatūs, ūs*, m. A — d'oiseau, *rectā regione* (en ligne droite). || (Fig.) Course rapide du temps. *Fuga, ae*, f. | Essor de l'esprit, de la fortune de qqn. Voy. ESSOR. ¶ Étendue que parcourt un oiseau sans se poser. *Volatūs, ūs*, m. || (Fig.) Portée d'esprit de qqn. Voy. PORTÉE. — Envergure. Voy. ce mot. ¶ Troupe d'oiseaux qui arrivent ensemble dans un endroit. *Agmen, minis*, n.

2. vol, s. m. Action de s'approprier par ruse ou par violence ce qu'on sait être la propriété d'autrui. *Expilatio, onis*, f. *Rapina, ae*, f. (ord. au plur.). *Furtum, i*, n. Penchant au —, *rapacitas, atis*, f. || (Par ext.). La chose volée. *Furtum, i*, n. *Raptum, i*, n.

volage, adj. Qui quitte aisément une personne, une chose pour une autre. *Levis, e*, adj. *Mutabilis, e*, adj.

volaille, s. f. Ensemble des oiseaux qu'on élève dans les basses-cours. *Volatile pecus*. — engraissées, *altiles, ium* (s.-e. *aves*), f. pl.

volant, ante, adj. Qui peut voler (comme les oiseaux). *Volucer, cris, cre*, adj. ¶ (Fig.) Qui peut aller d'une place à une autre. *Mobilis, e*, adj.

volatile, s. m. Oiseau. *Volatilis* (ou *volucris*) *bestia*.

volcan, s. m. Gouffre souterrain dans les flancs d'une montagne qui lance des matières embrasées. *Mons flammas eructans* (ou *evomens*) ou *ex cujus vertice ignes erumpunt*.

volée, s. f. Essor de l'oiseau depuis le moment où il s'élève jusqu'au moment où il s̄ pose. *Volatūs, ūs*, m.

Prendre sa —, *evoláre*, intr. Donner la — (à un oiseau), *avem emittĕre*. ‖ (Fig.) Elévation plus ou moins grande d'esprit, de condition, etc. *Elatio animi. Impetŭs animi. Dignitatis gradus.* Des gens de haute —, *primores viri ac feminae.* ‖ (Par ext.) Troupe d'oiseaux qui volent ensemble. *Agmen, minis,* n. *Grex, gregis,* m.

1. voler, v. intr. Se soutenir et se mouvoir dans l'air au moyen d'ailes ou d'appareils analogues. *Volāre,* intr. *Advolāre* (« voler vers »), intr. *Avolāre* (« s'éloigner en volant »), intr. *Devolāre* (« descendre en volant »), intr. ¶ (Au fig.) Aller d'objet en objet (comme le papillon). Voy. VOLTIGER. ‖ (Par anal.) Courir avec une extrême rapidité. *Volāre,* intr. *Advolāre,* intr. ‖ Etre lancé avec une extrême rapidité. *Volāre,* intr. — en éclats, *dissilīre,* intr. Faire — la tête de qqn, *alicujus caput uno ictu praecidĕre.*

2. voler, v. tr. S'approprier par ruse ou par force ce qu'on sait être à autrui. *Furāri,* dép. tr. (on dit aussi *furtum facĕre alicujus rei*). *Surripĕre,* tr. (*vasa ex privato*). Un objet volé, *furtum,* i, n. ‖ (Absol.) *Furāri,* dép. absol. (*ad furandum; furandi causā*). — sur les grands chemins, *latrocināri,* dép. intr. ‖ (Par ext.) Voler qqn, *furtum facĕre alicui.*

volerie, s. f. Vol, suite de vols commis par qqn. *Furtum,* i, n. [*tāre,* intr.

voleter, v. intr. S'essayer à voler. *Volivolŭ.*

voleur, *euse,* s. m. et f. Celui, celle qui pratique le vol. *Fur, furis,* m. *Interceptor, oris,* m. — avec effraction, *effractarius, ii,* m. — de grands chemins, *latro, onis,* m. — des deniers publics, voy. CONCUSSIONNAIRE. Bande de —, *latrocinium, ii,* n.

volière, s. f. Lieu où l'on nourrit des oiseaux d'agrément. *Aviarium, ii,* n.

volontaire, adj. Qui vient de la volonté. *Voluntarius, a, um,* adj. ¶ Qui agit par sa volonté. *Voluntarius, a, um,* adj. *Non coactus. Non invitus.* ‖ (Spéc.) Qui s'engage sous les drapeaux, sans être obligé au service militaire. Un engagé —, *et, ellipt.,* un —, *voluntarius miles,* ou simpl., *voluntarius, ii,* m. ‖ (P. ext.) Qui ne veut faire que sa volonté. *Libidinosus, a, um,* adj.

volontairement, adv. D'une manière volontaire. *Sponte (meā, tuā, suā). Voluntate (meā, tuā, suā).*

volonté, s. f. Pouvoir de se déterminer à faire ou ne pas faire qqch. *Voluntas, atis,* f. — libre, *liberum arbitrium.* ¶ Energie plus ou moins grande avec laquelle on exerce ce pouvoir. *Voluntas, atis,* f. *Animus, i,* m. Avoir beaucoup de —, voy. ÉNERGIE, ÉNERGIQUEMENT. ¶ Intention déterminée de faire ou de faire faire qqch. *Voluntas, atis,* f. *Arbitrium, ii,* n. N'en faire qu'à sa —, faire toutes ses —, *sibi obtemperāre.* ‖ Bonne

—, *c.-à-d.* intention de bien faire, *bona voluntas.* ‖ (Spéc.) Bonne —, *c.-à-d.* intention de se prêter, de travailler à qqch., *voluntas, atis,* f. (*quod vis vis cogit, id voluntate impetrat*). Mauvaise —, *voluntas adversa.* Des hommes de bonne —, *parati homines.* A —, *quando libet (libebit,* etc.) ou *videtur (videbitur,* etc.); ou *ut libet.*

volontiers, adv. De bon gré. ‖ En parlant de ce que qqn nous invite à faire. *Libenter,* adv. *Libenti* (ou *libentissimo*) *animo.* (Dans les réponses.) *Maximē. Sanĕ quidem.* ‖ En parlant de ce qu'une personne est portée à faire. *Libenter,* adv. *Facile,* adv.

Volsques, n. pr. Peuple du Latium. *Volsci, orum,* m. pl.

volte, s. f. Mouvement en cercle que le cavalier fait exécuter au cheval. *Gyrus, i,* m.

volte-face, s. f. Action de se retourner de manière à faire face. *Conversio, onis,* f. Faire — (pour résister à l'ennemi), *circumagĕre signa* (ou *aciem*). Faire — (pour fuir), *terga dăre* (ou *vertĕre*).

voltige, s. f. Exercice, danse sur la corde. *Ars per funem extentum* (ou *intentum*) *eundi.*

voltiger, v. intr. Faire de la voltige. Voy. VOLTIGE. ¶ (Par ext.) Voler çà et là. *Volitāre,* intr.

voltigeur, *euse,* s. m. Soldat d'une compagnie destinée à se porter rapidement de côté et d'autre. *Concursator, oris,* m.

volubilité, s. f. Facilité et rapidité extrême de parole. *Volubilitas linguae,* et (simpl.) *volubilitas, atis,* f.

volume, s. m. Réunion de feuilles manuscrites roulées autour d'un bâtonnet. *Volumen, inis,* t. ¶ (P. ext.) Réunion de cahiers manuscrits ou imprimés. *Volumen, inis,* n. ¶ Développement d'un corps dans l'espace. *Modus, i,* m. *Magnitudo, dinis,* f.

volumineux, *euse,* adj. Qui a un volume considérable, qui occupe un grand espace. *Amplus, a, um,* adj. *Magno ambitu. Vastae magnitudinis.*

volupté, s. f. Plaisir des sens qui donne une vive jouissance. *Voluptas corporis,* ou (simpl.) *voluptas, atis,* f. Les attraits de la —, *lenocinia, orum,* n. pl. ‖ Dans un sens plus large. Voy. CHARME, PLAISIR.

voluptueusement, adv. D'une manière voluptueuse. *Libidinosĕ,* adv. *Delicatĕ,* adv.

voluptueux, *euse,* adj. Qui donne de la volupté. *Delicatus, a, um,* adj. *Mollis, e,* adj. *Luxuriosus, a, um,* adj. Sensation —, *suavitas, atis,* f. ‖ (P. ext.) Qui exprime la volupté. *Delicatus, a, um,* adj. *Mollis, e,* adj. ¶ Adonné aux voluptés. *Delicatus, a, um,* adj. *Libidinosus, a, um,* adj. *Voluptarius, a, um,* adj.

vomir, v. tr. Rejeter convulsivement par la bouche (les matières contenues dans l'estomac). *Vonĕre*, tr. *Evomĕre*, tr. ¶ (Au fig.) Pousser hors de soi (qqch. de mauvais). *Evomĕre*, tr. *Eructāre*, tr.

vomissement, s. m. Action de vomir. *Vomitio, onis*, f. *Vomitŭs, ūs*, m.

vomitif, *ive*, adj. Qui provoque le vomissement. *Vomitorius, a, um*, adj.

vorace, adj. Qui mange avec avidité. *Edax* (gén. *-acis*) adj. [*citas, atis*, f. **voracité**, s. f. Avidité à manger. *Edavos*. Pluriel de VOTRE.

Vosges, s. f. pl. Chaîne de montagnes. *Vogesus mons*, m.

votant, *ante*, adj. Qui vote. *Qui* (*quae*) *suffragium fert* (ou *init*). *Suffragator, oris*, m. [*tentiae dictio*.

votation, s. f. Action de voter. *Sententiae dictio*.

vote, s. m. Dans une assemblée, une réunion où les décisions doivent être prises d'après l'avis de la majorité, acte par lequel chaque membre exprime son opinion en déposant un bulletin, une boule, etc., indiquant qu'il est partisan ou non de telle mesure. *Suffragium, ii*, n. *Tabella, ae* (« bulletin de vote » dans les comices, dans les tribunaux), f.

voter, v. intr. Concourir par son vote à une décision à prendre. *Sententiam ferre. Suffragium ferre. In suffragium ire. Suffragium inire.* — *sur qqch.*, *suffragium ferre de aliquâ re*.

votif, *ive*, adj. Destiné à acquitter un vœu. *Votivus, a, um*, adj.

votre, au plur. vos, adj. poss. Qui est à vous, qui se rapporte à vous. *Vester, vestra, vestrum*, adj. poss. || (En parl. d'une seule personne (pluriel de politesse). *Tuus, tua, tuum*, adj. ¶ (P. ext.) Dont vous parlez. *Iste, ista, istud*, adj. pron.

vôtre, adj. poss. Qui est à vous, qui se rapporte à vous. *Vester, tra, trum*, adj. *Tuus, a, um*, adj. (en parl. à une seule personne).

vouer, v. tr. Promettre à Dieu par vœu. *Vovēre*, tr. *Devovēre*, tr. Fig. — à qqn un tendre attachement, *aliquem amore prosequi*. ¶ (Par ext.) Consacrer à Dieu. Voy. CONSACRER. Se —, *se dicăre* ou *se addicăre*.

1. vouloir, v. tr. Se déterminer à faire ou à ne pas faire qqch. *Velle*, tr. || Exercer plus ou moins énergiquement le pouvoir qu'on a de se déterminer. *Velle*, tr. ¶ Avoir l'intention déterminée de faire qqch. *Velle*, tr. (remarquer qu'en latin le présent et l'imparfait ont souvent la valeur du fr. « je veux, je voulais » suivis de l'infin.). Je veux mourir si..., *ne vivam, si...; moriar, si...* Que voulez-vous dire? *Quid dicis?* Qu'est-ce que cela veut dire? *quid sibi vult (res)?* — bien faire qqch., voy. CONSENTIR [à]. Si vous le voulez bien, *si placet*. Ne pas —, *nolle*, tr. || Avoir l'intention déterminée de faire faire qqch. *Velle*, tr. Ne pas —, *nolle*, tr. || (Par ext.) Ad-

mettre que qqch. est vrai. Je le veux, *esto ; fiat*. Je le veux bien, *nihil pugno*. || Prétendre. *Velle*, tr. || (Par anal.) En parlant des choses, exiger. Voy. EXIGER. || (Par ext.) Avoir besoin. Voy. BESOIN. ¶ Avoir l'intention déterminée d'obtenir qqch. *Velle*, tr. *Imperāre*, tr. (voy. ORDONNER). Que voulez-vous de moi? *Num quid me vis?* Dans un sens partitif : — d'une chose, voy. DÉSIRER. Ne pas — (d'une chose), *respuĕre*, tr.; *aspernari*, dép. tr. || Avoir l'intention déterminée de procurer qqch. à qqn. Voy. DÉSIRER, SOUHAITER, RÉCLAMER, DEMANDER. || Vouloir du bien à qqn, *bene velle alicui*. — du mal à qqn, *male velle alicui*. Ellipt. En — à qqn, *infestum esse alicui; alieno animo esse in aliquem.* En — à qqn de qqch., *alicui succensère, quod...* En — à la vie de qqn, *insidias alicujus vitae facère*. En — à qqch., *aliquid petère*.

2. vouloir, s. m. Acte de la volonté. *Voluntas, atis*, f. ¶ Intention. *Voluntas, atis*, f. *Animus, i*, m.

vous, pron. pers. Pronom pers. de la deuxième personne du plur. (En parl. à plusieurs personnes.) *Vos*, pron. pers. || En parl. à une seule personne (pluriel de politesse). *Tu (tui, tibi, te)*.

voûte, s. f. Construction cintrée. *Camera, ae*, f. *Fornix, icis*, m.

voûter, v. tr. Fermer par une voûte (le haut d'une construction). *Camerāre*, tr. *Voûté, concameratus, a, um*, p. adj. ¶ Courber en arc, comme une voûte. *Curvāre*, tr. *Voûté, arcuatus, a, um*, p. adj. || (Spéc.) Se — (en parl. d'une personne), *incurvāri*, pass. moy, *Voûté, curvus, a, um*, adj.

voyage, s. m. Déplacement où l'on parcourt un chemin plus ou moins long pour aller dans une autre ville, un autre pays. *Iter, itineris*, n. *Via, ae*, f. — par mer, *navigatio, onis*, f. Aller en —, faire de longs —, *peregrināri*, dép. intr. Argent pour le —, *viaticum, i*, n.

voyager, v. intr. Se déplacer en parcourant un chemin plus ou moins long pour aller dans une autre ville, un autre pays. *Iter facère. Peregrinationes suscipère. Peregrināri*, dép. intr. — par mer, *navigāre*, intr. || (P. anal.) En parl. des oiseaux. Voy. MIGRATEUR, MIGRATION. ¶ (Au fig.) *Peregrināri*, dép. intr.

voyageur, *euse*, s. m. et f. Celui, celle qui voyage. *Viator, oris*, m.

voyant, *ante*, adj. Qui attire la vue. *Acer, acris, acre*, adj. *Conspicuus, a, um*, adj.

voyelle, s. f. Son simple émis en laissant sortir l'air du larynx sans obstacle, et lettre qui traduit ce son. *Vocalis* (s.-e. *littera*), f.

vrai, *aie*, adj. Conforme à la vérité, à ce qui est réellement. *Verus, a, um*, adj. *Sincerus, a, um*, adj. Aussi — que je vis..., *ita vivam, ut* (et le Subj.). Loc. adv. De —, pour de —, voy. VÉRITA-BLEMENT. Adv. Dire —, *verum dicĕre.* ¶ Qui se montre, dans ses paroles, ses actions, tel qu'il est en réalité, *Verus, a, um,* adj.

vraiment, adv. D'une manière vraie. *Verē,* adv. ¶ En vérité. *Profecto,* adv. *Sanē,* adv.

vraisemblable, adj. Qui a toutes les apparences de la vérité, *et, p. ext.* qui offre toutes les probabilités. *Veri similis.*

vraisemblablement, adv. D'une manière vraisemblable. *Probabiliter,* adv.

vraisemblance, s. f. Caractère de ce qui est vraisemblable. *Verisimilitudo, dinis,* f. (en deux mots) : *veri similitudo* ou *similitudo veri).* [bois. *Terebra, ae,* f.

vrille, s. f. Outil qui sert à percer le vu, part. prép. et adv. Voy. VOIR.

vue, s. f. Faculté de voir, de percevoir les images des objets. *Visus, ūs,* m. *Aspectūs, ūs,* m. *Acies, ei,* f. (avec ou sans *oculorum*). || (Par ext.) Les yeux, l'organe de la vue. *Oculi. Oculorum lumina.* Donner dans la —, *praestringĕre oculos,* et (fig.) voy. ÉBLOUIR, CHARMER. — longue, *oculi ferentes conspectum longissimē.* — courte, *oculi non longē conspectum ferentes.* Avoir une bonne —, *bene vidēre.* — faible, *acies (oculorum) imbecilla.* Rendre la — à qqn, *oculos alicui restituĕre.* ¶ Perception par les yeux de ce qui est à la portée du regard. *Conspectūs, ūs,* m. *Prospectūs, ūs* (« action de regarder au loin; vue sur »), m. S'offrir à la — de qqn, *dire se in conspectum alicujus.* Etre en —, *esse in prospectu.* Avoir — sur, *prospicĕre,* tr. || (Par ext.) Dessin, estampe, etc. représentant tel *ou* tel site. Voy. DESSIN, PLAN. || (T. de droit.) Vue sur un voisin. Voy. JOUR, FENÊTRE, OUVERTURE. || *Loc.* adv. A perte de —, *infinitus, a, um,* adj.; *immensus, a, um,* adj. A — d'œil, voy. VISIBLEMENT. Grandir à — d'œil, *in opere crescĕre.* A — de pays, à — d'œil, *inspectis tan-*

tum locis. Connaître qqn de —, *aliquem de facie novisse.* En —, *c.-à-d.* à portée du regard, *in conspectu.* Etre en —, *esse sub oculis.* Qui est en —, *spectabilis, e,* adj.; *conspicuus, a, um,* adj. Mettre qqch. en —, *aliquid proponĕre* ou *exponĕre* (avec ou sans *oculis*). Etre en —, *conspicuum esse.* ¶ (Fig.) Faculté de saisir par la pensée, de concevoir. *Conspectūs, ūs,* m. (avec ou sans *animi*). *Cogitatio, onis,* f. || Conception qu'a l'esprit de telle ou telle chose. Voy. CONCEPTION. || Manière d'envisager les choses. *Sententia, ae,* f. *Judicium, ii,* n. *Opinio, onis,* f. || Considération d'un objet qu'on se propose. *Propositum, i,* n. *Consilium, ii,* n. Avoir qqch. en —, *aliquid propositum habēre; aliquid sibi proponĕre.* En — de, ad (et le Gérond.).

Vulcain, n. pr. Dieu du feu. *Vulcanus, i,* m.

vulgaire, adj. Qui est admis, qui est mis en usage par le commun des hommes. *Vulgaris, e,* adj. *Publicus, a, um,* adj. || Que rien ne distingue du commun des hommes. *Vulgaris, e,* adj. || *Subst. au masc.* Le commun des hommes. *Vulgus, i,* n. ¶ (Par ext.) Commun, qui manque de distinction. *Illiberalis, e,* adj.

vulgairement, adv. D'une manière usitée chez le commun des hommes. *Vulgo,* adv. *Plerumque,* adv. ¶ D'une manière commune, qui manque de distinction. *Rusticē,* adv. *Sordidē,* adv.

vulgarité, s. f. Caractère de ce qui est vulgaire, de ce qui manque de distinction. *Rusticitas, atis,* f.

vulgate, s. f. Version latine de la Bible reconnue comme canonique. *Editio vulgata.*

vulnérable, adj. Qui peut être blessé. *Qui (quae, quod), vulnerāri* (ou *vulnus accipĕre) potest.*

vulnéraire, adj. Qui guérit les blessures, les plaies. *Vulnerarius, a, um,* adj.

Vulturne, n. pr. Fleuve d'Italie. *Vulturnus, i,* m.

X

x, s. m. Vingt-troisième lettre de l'alphabet. *X,* f. n. || (P. anal. de forme.) Point d'intersection de deux lignes croisées en X. *Decussis, is,* m.

Xanthe, n. pr. Fleuve de Troade. *Xanthus, i,* m. [*Xanthippus, i,* m.

Xanthippe, n. pr. Général athénien.

Xénocrate, n. pr. Philosophe grec. *Xenocrates, is,* m. [*Xenophanes, is,* m.

Xénophane, n. pr. Philosophe grec.

Xénophon, n. pr. Général et philosophe grec. *Xenophon, ontis,* m. De —. *Xenophonteus, a, um,* adj. [*is,* m.

Xerxès, n. pr. Roi de Perse. *Xerxes,*

Y

1. **y**, s. m. Vingt-quatrième lettre de l'alphabet. *Y, f. n. Prisc.*

2. **y**, adv. et pron. relat. ‖ *Adv.* En ce lieu. (A la question *ubi*). *Hic* (adv. de la 1ʳᵉ pers.). *Istic* (adv. de la 2ᵉ pers.). *Illic* (adv. de la 3ᵉ pers. et indiquant un endroit éloigné). *Ibi*, adv. (indiquant un endroit éloigné et déjà nommé). (A la question *quo*). *Huc* (adv. de la 1ʳᵉ pers.). *Istuc* (adv. de la 2ᵉ pers.) *Illuc* (adv. de la 3ᵉ pers.). *Eo*, adv. *In eum* (ou *illum*) *locum*. ‖ (Fig.) A ce point, au point voulu. Y être (comprendre), *rem intelligere*. Tu y es, *habes*. ‖ D'où (question *unde*). *Hinc*, adv. (adv. de la 1ʳᵉ pers.). *Istinc*, adv. (adv. de la 2ᵉ pers.). *Illinc*, adv. (adv. de la 3ᵉ pers. marquant l'éloignement). *Inde*, adv. Tout ce que vous y aurez puisé, *quicquid inde hauseris*. ‖ Par où (question *quâ*). *Hâc*, adv. (adv. de la 1ʳᵉ pers.). *Istâc*, adv. (adv. de la 2ᵉ pers.). *Illâc*, adv. (adv. de la 3ᵉ pers.). *Eâ*, adv. J'y suis, *adsum*. ¶ (P. ext.) *Adverbe pronominal.* En, sur, à cela. *Ibi*, adv. Traduire par un pronom au cas voulu. J'y pense, *id cogito*. ‖ (P. ext.) En parl. de personnes, de choses déterminées. Traduire par le pronom personnel ou démonstratif au cas voulu. Voy. LUI. ¶ *Explétif.* (Locutions). Il y a (il se trouve, il existe...), traduire par le verbe *esse*. Il n'y a pas grande perte, *non est magna jactura*. ¶ Au sens temporel. Depuis, *Abhinc*, adv. *Ante*, adv. Il y a aujourd'hui six mois, *ante hos sex menses*. Il y avait trente-huit jours que..., *trigintadies erant cum* (et l'Indic.).

yacht, s. m. Bateau de plaisance. *Celox, ocis,* f.

yeuse, s. f. Chêne vert. *Ilex, licis,* f.

yeux. Voy. ŒIL.

Z

z, s. m. Vingt-cinquième lettre de l'alphabet. *Z, f. n.*

Zama, n. pr. Ville d'Afrique. *Zama, ae,* f. De —, *Zamensis, e,* adj.

zèbre, s. m. Sorte d'âne à robe jaunâtre rayée de bandes brunes. *Equus zebra.*

zébré, ée, adj. Rayé à la manière du zèbre. Voy. RAYER.

zélateur, trice, s. m. et f. Celui, celle qui montre beaucoup de zèle pour une cause. *Acerrimus alicujus rei defensor* (ou *propugnator*).

zèle, s. m. Empressement à agir pour le service de qqn, de qqch. *Studium, ii,* n. *Diligentia, ae,* f. Avec —, *studiosè*, adv.

zélé, ée, adj. Qui a du zèle. *Studiosus, a, um*, adj. *Diligens* (gén.-*entis*), p. adj. *Sedulus, a, um*, adj.   [*onis*, m.

Zénon, n. pr. Philosophe grec. *Zeno,*

Zéphire ou **zéphyr**, s. m. Vent d'occident doux et agréable. *Zephyrus*, s. m.

zéro, s. m. Chiffre en forme d'o qui n'a pas de valeur par lui-même. *Zero* (indécl.). ‖ (Fig.). Rien. Se réduire, être réduit à —, *ad nihilum redigi.* Un

vrai —, *et abusivt*, un — en chiffre (un homme nul), *homo nullo numéro*.

zeste, s. m. Cloison membraneuse qui divise l'intérieur d'une noix. *Naucum, i, n.*   [*is* (et *idis*), m.

Zeuxis, n. pr. Peintre grec. *Xeuxis,*

zizanie, s. f. Voy. MÉSINTELLIGENCE, DÉSUNION.

zodiacal, ale, adj. Qui appartient au zodiaque. *Ad signiferum orbem pertinens.* Signes —, voy. ZODIAQUE.

zodiaque, s. m. Zone céleste comprenant toutes les positions que prennent les planètes et partagée en douze parties égales. *Signifer orbis* et absolt, *signifer, feri,* m.

zone, s. f. Portion de la surface d'une sphère comprise entre deux plans parallèles. *Circulus, i*, m. ¶ (Géograph.) Chacune des grandes régions du globe terrestre que séparent des cercles parallèles à l'équateur. *Zona, ae,* f. ‖ Région d'une partie du monde considérée par rapport au climat. *Regio, onis,* f. ‖ (P. ext.) Partie de territoire soumis à un régime spécial. *Regio, onis,* f.

PUBLICATIONS NOUVELLES

CHATEAUBRIAND
Mémoires d'Outre-Tombe. Préface de Julien Gracq (4 vol.)

FORT
Ballades françaises

GRIMM
Les Contes (2 vol.)

GUTH
Histoire de la littérature française (2 vol.)

HUGO
Poèmes choisis et présentés par Jean Gaudon

LAS CASES
Le Mémorial de Sainte-Hélène (2 vol.).

MAURIAC
Mémoires intérieurs et Nouveaux Mémoires intérieurs

Vous trouverez chez votre libraire le catalogue complet de notre collection.

GF — TEXTE INTÉGRAL — GF

3210-X-1990. — Imp. Bussière, St-Amand (Cher).
N° d'édition 12900. — 4e trimestre 1966. — Printed in France.